The Pill Tanakh

Hebrew-English Jewish Scriptures

The Pill Tanakh

Hebrew-English Jewish Scriptures

תנך

תורה – נביאים – כתובים

Torah - Neviim - Ketuvim

Torah – Prophets – Writings

Volume II — The Prophets

Robert M. Pill

First impression - September 2022
Published by Robert M. Pill
The Pill Tanakh: Hebrew-English Jewish Scriptures, Volume II - The Prophets
Copyright © 2015-2023 by Robert M. Pill, All Rights Reserved.

The UTF-8 Web-Hebrew ASCII Font-Encoding based Jewish Scriptures were programatically converted (by the author), by reading the digitized, UTF-16 (wide-character) Unicode Font-Encoding of the Westminster Leningrad Codex (WLC), © 2004 Christopher V. Kimball, https://www.tanach.us/License.html version number 26.2.

English Text was taken from The Hebrew Bible in English according to the JPS 1917 Edition, © 2002 Mechon Mamre HTML version.

In 2015 (working part-time), the author began the arduous process (in the C++ programming language) to convert the WLC UTF-16 (wide-character) Unicode Font-Encoding to a standard UTF-8 Web–page Font-Encoding for typesetting the Hebrew text of this volume (completed in 2019).

Verse ordering structure for both Hebrew and English texts has been modified, by the author, to conform to the actual Leningrad Codex for The Ten Commandments found in Exodus 20 and Deuteronomy 5.

The UTF-8 ASCII based Hebrew text has been hand–modified, by the author, in all 1,110 instances where, in the Leningrad Codex, margin notes were written; known as 'Qere' (what is written) by rabbis. These have been relegated to small footnotes herein, whereas other Jewish Publications demand their reading, prominently placing them in front of their replaced text, known as 'Ketiv' (what is written), obfuscating the original text!

Additionally, for the English Text, certain names have been changed to reflect a transliteration closer to their Hebrew pronunciations. In some cases, the English translation has been changed to reflect what the author considers to be closer to the Hebrew text.

Hebrew Font-Encoding, Assembling, Typesetting, and Cover Design by Robert M. Pill

ISBN: 978-1-7373435-4-7

First Edition: Year: 2022 Month:

12 11 10 **9** 8 7 6 5 4 3 2 1

תהלים כה:ח־יג
Psalms 25:8-13

ח טוֹב־וְיָשָׁר יְהוָה עַל־כֵּן יוֹרֶה חַטָּאִים בַּדָּרֶךְ׃

8 Good and upright is Yehovah; therefore doth He instruct sinners in the way.

ט יַדְרֵךְ עֲנָוִים בַּמִּשְׁפָּט וִילַמֵּד עֲנָוִים דַּרְכּוֹ׃

9 He guideth the humble in justice; and He teacheth the humble His way.

י כָּל־אָרְחוֹת יְהוָה חֶסֶד וֶאֱמֶת לְנֹצְרֵי בְרִיתוֹ
וְעֵדֹתָיו׃

10 All the paths of Yehovah are mercy and truth unto such as keep His covenant and His testimonies.

יא לְמַעַן־שִׁמְךָ יְהוָה וְסָלַחְתָּ לַעֲוֺנִי כִּי רַב־הוּא׃

11 For Thy name's sake, Yehovah, pardon mine iniquity, for it is great.

יב מִי־זֶה הָאִישׁ יְרֵא יְהוָה יוֹרֶנּוּ בְּדֶרֶךְ יִבְחָר׃

12 What man is he that feareth Yehovah? Him will He instruct in the way that he should choose.

יג נַפְשׁוֹ בְּטוֹב תָּלִין וְזַרְעוֹ יִירַשׁ אָרֶץ׃

13 His soul shall abide in prosperity; and his seed shall inherit the land.

תֹּכֶן הָעִנְיָנִים - נְבִיאִים

מבוא xi
עֲשֶׂרֶת הַדִּבְּרִים xxxiii
ו יהושע 481
ז שפטים 545
ח שמואל א 607
ט שמואל ב 689
י מלכים א 757
יא מלכים ב 837
יב ישעיהו 915
יג ירמיהו 1027
יד יחזקאל 1165
יה הושע 1289
יו יואל 1307
יז עמוס 1315
יח עבדיה 1331
יט יונה 1335
כ מיכה 1341
כא נחום 1353
כב חבקוק 1359
כג צפניה 1367
כד חגי 1375
כה זכריה 1381
כו מלאכי 1403

Table of Contents — Prophets

Introduction xi
The Ten Commandments xxxiii
6 Joshua 481
7 Judges 545
8 1 Samuel 607
9 2 Samuel 689
10 1 Kings 757
11 2 Kings 837
12 Isaiah 915
13 Jeremiah 1027
14 Ezekiel 1165
15 Hosea 1289
16 Joel 1307
17 Amos 1315
18 Obadiah 1331
19 Jonah 1335
20 Micah 1341
21 Nahum 1353
22 Habakkuk 1359
23 Zephaniah 1367
24 Haggai 1375
25 Zechariah 1381
26 Malachi 1403

בְּרֵאשִׁית בָּרָא אֱלֹהִים
In The Beginning God Created ...

בְּרֵאשִׁית בָּרָא אֱלֹהִים אֵת הַשָּׁמַיִם וְאֵת הָאָרֶץ:

1 In the beginning God created the heaven and the earth.

וְהָאָרֶץ הָיְתָה תֹהוּ וָבֹהוּ וְחֹשֶׁךְ עַל־פְּנֵי תְהוֹם וְרוּחַ אֱלֹהִים מְרַחֶפֶת עַל־פְּנֵי הַמָּיִם:

2 Now the earth was unformed and void, and darkness was upon the face of the deep; and the spirit of God hovered over the face of the waters.

וַיֹּאמֶר אֱלֹהִים יְהִי אוֹר וַיְהִי־אוֹר:

3 And God said: 'Let there be light.' And there was light.

'In the beginning God created ...,' בְּרֵאשִׁית בָּרָא אֱלֹהִים. Thus begins the narrative of the story of creation as found in the Jewish Scriptures. There is no discourse into just who 'God' is; there is no pretext of any history before this event; plain and simple, this is a record of how things came to be.

You, the reader, have a choice.

You can believe that this account is true or you can believe that it is a myth. These are diametrically opposed positions!

When we humans give thought to such things, we typically end up in the same place that we started. We want to believe that we can be objective. This is probably because objectivity implies intelligence.

In a sense, this conundrum is the result of our attitudes. There is a modern expression regarding a glass being half-full or it being half-empty, used to describe one's attitude.

What is your attitude? Are you willing to give Scripture a chance, and perhaps learn, or do you innately know the objective truth for what has been written before you?

Although counterintuitive, the latter position is somewhat understandable!

We should question things. We should ask, "How did this 'book' come to be?" "What is its source?" If we come to find that the source for what we consider to be 'Scripture' cannot be verified or that we cannot find any progression of ancient writings to support the authenticity of our sources, then our questioning it just might be valid and reasonable!

There is a quote from Mark Twain, which goes like this:

> "When I was a boy of 14, my father was so ignorant I could hardly stand to have the old man around. But when I got to be 21, I was astonished at how much the old man had learned in seven years."

I have to admit that when I was younger, having gone through as much higher education as I could reasonably afford, when confronted by others about the Bible, I had no answers. I came to the realization that I was woefully ignorant of it. It was then that I decided I would start to read it so that I could respond intelligently in the future.

However, I had preconceived notions, about the Bible, which took some time for me to overcome.

I started out really believing that the Bible was a myth! I read it allegorically, thinking that it was an esoteric story of man inventing deity to control and rule over the ignorant masses. I looked for occult and hidden meanings just waiting for _me_ to decode and decipher them! In my ignorance I was actually arrogant! In reality, I actually didn't believe in 'God' at all! In spite of that, I still wanted to be able to have some answers when confronted by others.

So, it was in January of 1980 that I began the discipline of reading the Bible completely each year. I have continued that discipline ever since.

It took a bit of time, but my thinking changed. As I read and as I became familiar with it, I just came to a place in time where I approached its message as true and realized that it was beneficial that I should learn to understand it.

Ironically, as my knowledge of Scripture increased, I didn't really give too much thought as to how the written word came about. I just assumed that whoever put it together would have had such devotion to truth that they would have approached it as a sacred document.

At one point, in the not too distant past, my own questioning was reawakened. I wanted to know how the Scriptures, as handed down through generations, came about.

I happened upon the knowledge of ancient sources for the Jewish Scriptures. Jewish Bibles all have some reference to their authoritative sources. Most use the term, 'The Masoretic Text' to describe it. In my quest to follow up on that, I discovered the ancient source known as *The Leningrad Codex!*

Do you wish to know about the ancient and authoritative source used as the foundation for the Hebrew language based Jewish Scriptures?

What Is The Leningrad Codex?

Let us say on the outset that the *Leningrad Codex* is one of the most important Hebrew documents extant, with ramifications and influence that is immeasurable. It is – along with the other famous biblical codex, the *Aleppo Codex* – one of the sources for biblical tradition, for the study of Hebrew Scriptures, and for providing an accurate text for the reading and writing of the Torah and the other books of the Bible.

The *Leningrad Codex* is the oldest complete manuscript of the Tanakh, the 39 books of the Bible. Written in Cairo on parchment in the year 1009 (the date appears on the manuscript), it is inextricably bound up with the *Aleppo Codex*, which is about a century older but undated. Moreover, the *Aleppo Codex*, housed for many years in the Aleppo Synagogue in Syria, was badly damaged in a fire during anti-Jewish riots in Syria in 1947, and so it is incomplete. The *Aleppo Codex*, now safely stored at the National Hebrew Library in Jerusalem, along with the *Leningrad Codex*, set the standard for the correct text of the Tanakh, including its vocalization and the musical accents (*trop* or *te'amim*) that accompany every word. Although the spelling of a word may be consistent in Hebrew, in the absence of vocalization (more commonly called the vowel "dots"), there can be variations as to how the letters are pronounced. Take the letters *s, f, r,* for example, which can

variously be read as *sefer, sapar* (nouns), *siper, safar, saper* (verbs). The *Leningrad Codex* is a fully vocalized biblical text, assuring correct pronunciation of each word. Moreover, it contains all the accent marks (*te'amim*) above and below the letters. These accent marks almost miraculously serve three disparate functions: a) they are notes for cantillation of the word; b) they show the part of the word that should be stressed or accented; c) they serve as marks for phrasing and punctuation. It should be noted that the handwritten Torah scroll has only the letters of the words and no vowels points or other marks, for no vocalization of the text or trop are permitted on the Torah parchment. Hence, the importance of a fully vocalized manuscript like the *Leningrad Codex*, which follows a tradition that goes back nearly 2,000 years to Tiberias, in the land of Israel. By virtue of its existence, then, this Codex is the guide for all future handwritten Torahs and printed editions of the Bible. The *Leningrad Codex* is part of the Abraham Firkovich collection at the Russian National Library in St. Petersburg (formerly Leningrad), where it has been for more than 130 years. Firkovich was a Jewish businessman, a devoted Karaite (Jews who follow only the Bible and reject oral or Talmudic tradition), an inveterate traveler and collector of Hebrew manuscripts. The Codex was acquired by Firkovich (who offered no details in his letters or in his autobiography as to where he got it) and then sold it to the then St. Petersburg Imperial Library.

It has been known for years that this important Codex was in the great library in Leningrad, which also houses hundreds of other priceless Jewish manuscripts. In 1990, under Gorbachov's glasnost, and after much delicate negotiations (including giving the library photographic equipment and a fax machine), the library permitted foreign photographers to come and photograph this rare document for the first time.[1]

---

[1]Curt Leviant, "Jewish Holy Scriptures: The Leningrad Codex," Jewish Virtual Library, accessed 19 May 2022, https://www.jewishvirtuallibrary.org/the-leningrad-codex.

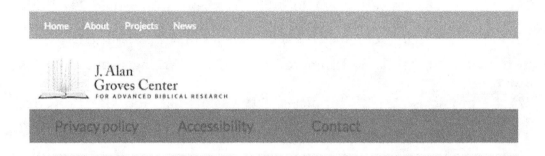

Home About Projects News

J. Alan Groves Center FOR ADVANCED BIBLICAL RESEARCH

Privacy policy Accessibility Contact

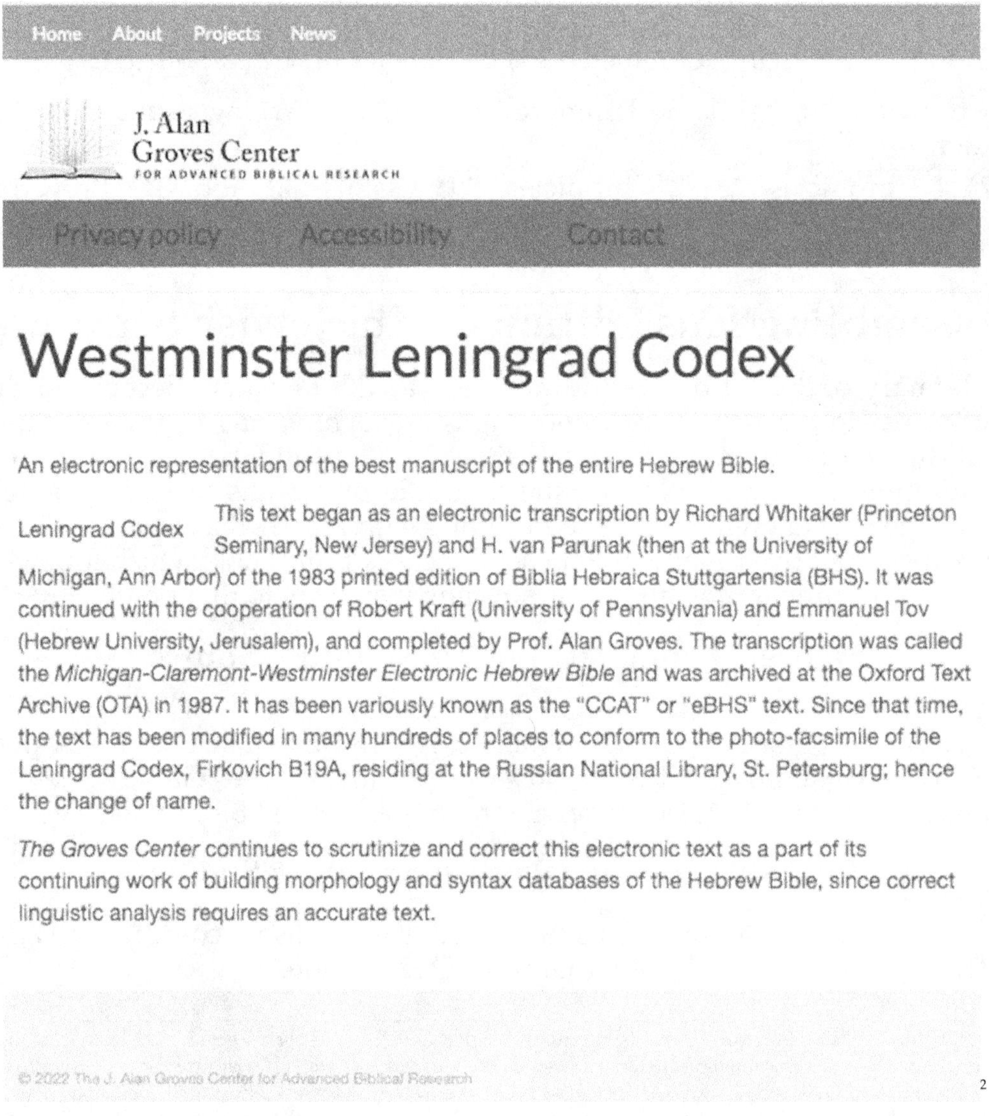

Westminster Leningrad Codex

An electronic representation of the best manuscript of the entire Hebrew Bible.

Leningrad Codex

This text began as an electronic transcription by Richard Whitaker (Princeton Seminary, New Jersey) and H. van Parunak (then at the University of Michigan, Ann Arbor) of the 1983 printed edition of Biblia Hebraica Stuttgartensia (BHS). It was continued with the cooperation of Robert Kraft (University of Pennsylvania) and Emmanuel Tov (Hebrew University, Jerusalem), and completed by Prof. Alan Groves. The transcription was called the *Michigan-Claremont-Westminster Electronic Hebrew Bible* and was archived at the Oxford Text Archive (OTA) in 1987. It has been variously known as the "CCAT" or "eBHS" text. Since that time, the text has been modified in many hundreds of places to conform to the photo-facsimile of the Leningrad Codex, Firkovich B19A, residing at the Russian National Library, St. Petersburg; hence the change of name.

The Groves Center continues to scrutinize and correct this electronic text as a part of its continuing work of building morphology and syntax databases of the Hebrew Bible, since correct linguistic analysis requires an accurate text.

© 2022 The J. Alan Groves Center for Advanced Biblical Research

[2]

How is *The Pill Tanakh* Different?

First of all, the books of this Tanakh follow the order of the books as they appear in the Leningrad Codex, whereas modern Jewish Scriptures order their books differently. I separate Samuel, Kings, Chronicles and Ezra-Nehemiah into two separate books apiece.

[2]J. Alan Groves Center For Advanced Biblical Research, "Westminster Leningrad Codex," accessed 27 May 2022, https://www.grovescenter.org/projects/westminster-leningrad-codex/.

The typical order of the Writings section in a modern Tanakh[3] are:

25) Psalms, **26)** Proverbs, **27)** Job, **28)** The Songs of Songs, **29)** Ruth, **30)** Lamentations, **31)** Ecclesiastes, **32)** Esther, **33)** Daniel, **34)** Ezra-Nehemiah (combined), **35)** Chronicles (1 & 2 combined).

In this Tanakh, as in the Leningrad Codex, the Writings appear in this order:

27) 1 Chronicles, **28)** 2 Chronicles, **29)** Psalms, **30)** Job, **31)** Proverbs, **32)** Ruth, **33)** Song of Songs, **34)** Ecclesiastes, **35)** Lamentations, **36)** Esther, **37)** Daniel, **38)** Ezra, **39)** Nehemiah.

Assembling This Edition Of The Jewish Scriptures

In January of 2022, I decided to put this Tanakh together. Because of the difficulties in placing Hebrew and English texts on facing pages, I decided that the best choice to typeset this volume would be using the TeX Typesetting system.[4]   It took me a couple of months to learn the TeX language well enough to begin typesetting, and I learned as I proceeded. It took me about five months to typeset the core of this book, which followed the years of preparation and programming just to get to that point.

Hebrew Language, Jewish Scripture Source

Based upon the hand-written Leningrad Codex.   Derived from: "Electronic" Leningrad Codex obtained from www.tanach.us; the source for the Westminster Leningrad Codex (WLC) — Groves Center: Maintained by the J. Alan Groves Center For Advanced Biblical Research.[5]

English Language, Jewish Scripture Source

Digital source taken from "The Hebrew Bible in English according to the JPS 1917 Edition, © 2002 Mechon Mamre HTML version."[6]

---

[3] Tanakh. "Though the word "Bible" is commonly used by non-Jews – as are the terms "Old Testament" and "New Testament" — the appropriate term to use for the Hebrew scriptures ("scripture" is a synonym used by both Jews and non-Jews) is Tanakh. This word is derived from the Hebrew letters of its three components: Torah: The Books of Genesis (Bereshit), Exodus (Shemot), Leviticus (Vayikrah), Numbers (Bamidbar) and Deuteronomy (Devarim).
Nevi'im (Prophets): The Books of Joshua, Judges, I Samuel, II Samuel, I Kings, II Kings, Isaiah, Jeremiah, Ezekiel, Hosea, Joel, Amos, Obadiah, Jonah, Micah, Nahum, Habukkuk, Zephaniah, Haggai, Zechariah, and Malachi. (The last twelve are sometimes grouped together as "Trei Asar" ["Twelve"].)
Ketuvim (Writings): The Books of Psalms, Proverbs, Job, Song of Songs, Ruth, Lamentations, Ecclesiastes, Esther, Daniel (although not all that is included in the Christian Canon), Ezra and Nehemiah, I Chronicles, and II Chronicles."
Shamash Hadash, "The Tanakh," Jewish Virtual Library, accessed 25 April 2021, https://www.jewishvirtuallibrary.org/the-tanakh.
[4] TeX Uers Group, "Just what is TeX?," accessed 15 February 2022, https://www.tug.org/whatis.html.
[5] J. Alan Groves Center For Advanced Biblical Research, "Westminster Leningrad Codex," accessed 17 January 2015, https://www.grovescenter.org/projects/westminster-leningrad-codex/.
[6] Mechon Mamre, "The Hebrew Bible in English according to the JPS 1917 Edition © 2002 all rights reserved to Mechon Mamre for this HTML version," accessed 17 January 2015, https://mechon-mamre.org/e/et/et0.htm.

WLC Font-Encoding Conversion

I used the C++ Programming Language to convert the Westminster Leningrad Codex (WLC) Font-Encoded text to an editable ASCII decimal encoding (e.g. 'א' is 'א'). That enabled me to format the Hebrew text. Hundreds of programming hours were required to read the digitized WLC UTF-16 (wide-character) Unicode Font-Encoding and convert it to a standard ASCII decimal, web-page encoding, that I could easily edit and manipulate.

Subsequently, I needed to write another program to read the Hebrew-English html files I had created from the WLC conversion and JPS 1917 English to create separate files for the Hebrew and the English texts. In that process, I had my 'program' output LaTeX typesetting code to display in html format, so that I could 'cut–and–paste' the data directly into my TeX editor from a web browser. In that process, I made the "Ketiv" the predominant reading; I relegated the "Qere" to footnotes (see section on Qere/Ketiv, page xix).

It should be noted that the UTF-16 (wide-character) Unicode Font-Encoding, as found in the WLC, is very "tricky" to work with. Even if you can open the text file or html file in an editor, just when you think you are deleting a certain UTF-16 (wide-character) Unicode encoded character, a different character several positions removed will typically be the one affected!

Modifications Were Necessary To Correspond To The Actual Leningrad Codex!

When I examined the photo–facsimile pdf[7] of the Leningrad Codex to verify the Hebrew text for the Ten Commandments as found in Exodus 20 and Deuteronomy 5, I discovered the singular uniqueness — the sublime rendering — in its verse structure and sequencing!

In other words, the Leningrad Codex, being the source Hebrew as claimed to be used by most Christian Bibles and Jewish Scriptures, is absolutely ***not*** followed in the Hebrew and in the English translations as so claimed!

Moreover, in descriptions for Jewish Publications, the Stone Edition Tanakh (Hebrew-English), Koren Tanakh (Hebrew-English) as well as the JPS 1917 Tanakh (English) promote their texts as based upon ***The Masoretic Text*** (aka The Leningrad Codex). However, at least for the rendering of the Ten Commandments in Exodus 20 and Deuteronomy 5 in both Hebrew and English Scripture, their verse separations and sequencings do not even come close to *actually* following the Leningrad Codex source document!

For both the Hebrew and English texts in *The Pill Tanakh,* I have typeset the verses in Exodus 20 and Deuteronomy 5 to exactly correspond to the Leningrad Codex source document!

---

[7]It is referred to as a 'facsimile' or a 'photo–facsimile' because it is a photographic reproduction.

Additionally, I changed the English interpretation for Exodus 20:5 and Deuteronomy 5:11 (the third commandment), which I feel better expresses the actual Hebrew text:

> Thou shalt not lift up the Name of Yehovah thy God as to declare Him worthless; for Yehovah will not hold him guiltless who takes His Name falsely.

I also "fixed" the last letter of the Hebrew text of Deuteronomy 5:10 to match the Leningrad Codex. The WLC represents the last letter as a *yud*, whereas in the Leningrad Codex it clearly appears to be a *vav* (last letter of last word of the verse):

You might find it of interest that for the Ten Commandments of Exodus 20 in the Leningrad Codex there are just *twelve verses* (Exodus 20:1-12). In my opinion, the flow is totally natural. Each "Commandment" is contained within its own verse unit (two verses have modifying verses, totalling 12).

Although other versions come near in the number of actual verses, absolutely none come close to rendering the Ten Commandments of Exodus 20 as found in the Leningrad Codex! In fact, those Jewish versions that come close in verse numbering offer what I consider to be a *staccato* rendering of the actual text, separating the larger sections into independent verses (as for the '4th Commandment,' the Sabbath), but combining the smaller passages (thou shalt not murder, thou shalt not commit adultery, thou shalt not steal) into a single verse.

The Sublime Rendering Of The Leningrad Codex

In my opinion, the Ten Commandments of Exodus 20, as found in the Scripture source Leningrad Codex, is a sublime rendering. I believe that those words are the same as was **written by the "Finger of Yehovah" on the two tablets of stone, which He commanded Moses to place into the Ark of the Testimony (אֲרוֹן הָעֵדוּת), otherwise known as the Ark of the Covenant** (אֲרוֹן בְּרִית־יְהֹוָה).

In its natural rendering, The Leningrad Codex separates each "commandment" into an independent unit of thought. There are two extra verses which add greater clarity (verse 1 and verse 4): verse one modifies verse two and verse four modifies verse three. Every other version of Scripture separates larger sections and combines smaller ones in their representation of the text of the Ten Commandments!

Compared to the <u>twelve (12) verses of Exodus 20:1-12</u> in the Leningrad Codex:

The following Jewish editions contain <u>fourteen (14)</u> verses each:

The Koren Tanakh,
The Stone Edition Tanach,
The Complete Jewish Bible (CJB).

The following Christian versions contain <u>seventeen (17)</u> verses each:

The King James Version (KJV),
The English Standard Version (ESV),
The New International Version (NIV).

Can Verse Order / Structure Affect The Meaning?

I doubt that I am alone among those who believe that changing structured ordering may alter the meaning and interpretation of an entire section. In the least, the flow is necessarily different from that of the source document itself. Moreover, I believe that the Ten Commandments, as rendered in Exodus 20 of the Leningrad Codex, *in its natural flow,* to be The Real God Code![8]

Qere: What Is Read — Ketiv: What Is Written
In *The Pill Tanakh,* 'Ketiv' Is Normal, 'Qere' Is Minimized!

I believe the handwritten Leningrad Codex to be the *authoritative version of the Holy Scriptures.* It is written in the *ancient Hebrew language.* There are just some renderings in the original, that we, as well as all those who have come after the Masoretic scribes, may not fully understand.

That does not mean we cannot have a good grasp on the whole. However, I believe we need to recognize our own limitations if our expectation is that we can understand every word, every phrase and every ancient idiom. For those coming afterwards to not know some words or particular phrases should not indict the original Leningrad Codex source, nor its scribes!

In efforts to make some words better understood, the system known as Qere/Ketiv *appears* to have been invented! In the margin, to the side on the line of the column where a word in question appears, there is a word called Qere, containing consonants only, having no vowels or accents. *It is written on the actual parchment of the Leningrad Codex itself!*

The intent or motive of the creators of the Qere/Ketiv system matters less to me than the net effect of it. I believe that the 'Qere/Ketiv system' was introduced by rabbis some time after the Leningrad Codex was completed.

Regardless of who it was who devised it, I am only interested in what the Masoretic scribes wrote in the original document!

---

[8]Robert M. Pill, "The Real God Code: The Ten Commandments In The Leningrad Codex," (Robert M. Pill, 2021).

It is my own desire to read the Hebrew text just as the Jewish Masoretic scribes originally wrote it. To me, the 'Qere system of additions,' as found in modern Hebrew language Scriptures, in the least interferes with a natural reading of the text. Moreover, I consider it to be a deliberate subterfuge upon those who believe they are directly reading a true reproduction of the source!

The following is one internet source of information on this subject:

> Qere and Ketiv, from the Aramaic qere or q're, קְרֵי ("[what is] read") and ketiv, or ketib, kethib, kethibh, kethiv, כְּתִיב ("[what is] written"), also known as "keri uchesiv" or "keri uchetiv," refers to a system for marking differences between what is written in the consonantal text of the Hebrew Bible, as preserved by scribal tradition, and what is read. In such situations, the Qere is the technical orthographic device used to indicate the pronunciation of the words in the Masoretic text of the Hebrew language scriptures (Tanakh), while the Ketiv indicates their written form, as inherited from tradition.[9]
>
> Q. What is the Qere and Ketiv and how does it relate to the Masoretes?
> A. Qere and Ketiv are orthographic devices that were used by the Masoretes, i.e., Jewish scribes from the 6-10th centuries.
> Qere means, "what is read," and ketiv means, "what is written".
> It is found in existing Masoretic manuscripts dating to the 9th and 10th centuries, CE.
> There are several forms of Qere / Ketiv, including:
> ordinary, vowel, omitted, added, euphemistic, split, and qere perpetuum.
> The ketiv that is most relevant is the vowel qere. In this case, the consonants are unchanged, but different vowel signs are added and only the qere, i.e., what is read, is vocalized. ...

Well, that is pretty much an official "rabbinic" stance on the subject. However, in the midst of looking for other sources of information, I found some that, even unwittingly, may contribute to a different view from that of the rabbis:

> 1. Although it is generally agreed that the *Ketiv-Qere* system was developed during the Masoretic period, the ultimate origins of the readings contained in the system are still not fully understood. Historically, attempts to explain the origins of the *Ketiv-Qere* readings have centered around two basic models. According to one model, both the *Ketiv* and the *Qere* represent variant readings which can be traced back to an ancient collation of manuscripts. According to the other model, readers

[9]Wikipedia, The Free Encyclopedia, "Qere and Ketiv," accessed 25 May 2022, https://en.wikipedia.org/wiki/Qere_and_Ketiv.

introduced the *Qere* into the written text (the *Ketiv*) with the intention of correcting what they perceived to be an error. Both views have been held in some fashion from early on in the study of the Masorah, and both views still exist in modern times. In addition, several new approaches have emerged, most of which attempt in some way to combine features of the two traditional models. It will be suggested here that these two traditional models have not supplied an adequate framework for evaluating the origins of the *Ketiv-Qere* readings, and that a better approach can be established by focusing on the central questions which cut across both traditional positions.[10]

My position is similar to the second "model" mentioned above. The exact wording, again, is: "According to the other model, readers introduced the *Qere* into the written text (the *Ketiv*) with the intention of correcting what they perceived to be an error."

I Challenge The Rabbinic 'Qere/Ketiv' System!

Within a verse, the Stone Edition of the Tanakh places the Qere before the Ketiv (which is within brackets), making it so that the reader automatically sees the Qere, but with difficulty may read the bracketed Ketiv.

Similarly, Koren Publishers place the Ketiv in the margin, to the right of the column of the same verse and the unvowelled Qere within the Hebrew text itself, where it is predominantly and naturally read.

It could be inferred that those publishers *"could have cared less"* in their efforts which could amount to what is adding to or taking away from Scripture (aka 'The Word of God') as found in Deuteronomy 4:2, Deuteronomy 13:1 (Christian Bibles: Deuteronomy 12:32), Proverbs 30:6; this sentiment is also expressed in the Christian New Testament book of Revelation 22:18-19!

In *The Pill Tanakh,* I have chosen to make the Ketiv, what the authors of the Leningrad Codex originally wrote, to be the natural and predominant rendering, while making the Qere, *what the "rabbis" have commanded as must be read instead,* to be a minor, secondary format, relegated to a small footnote notation, displayed only within a page's footnote section.

Tedious Hand Editing To Reverse The Qere/Ketiv

I spent many long hours laboriously hand editing the Hebrew text to reverse the order of each of the 1,110 instances of the Qere/Ketiv throughout this Tanakh. That effort allowed me to place the Qere within footnotes in my program to parse Hebrew-English text and create separate files for both the Hebrew and English texts in the LaTeX typesetting language–markup. Then, I was able to open the files in a web browser to copy and paste Hebrew and

---

[10]Michael Graves, "The Origins of Ketiv-Qere Readings," Hebrew Union College - Jewish Institute of Religion, accessed 25 May 2022, http://jbtc.org/v08/Graves2003.html.

English marked-up text into the LaTeX editor to typeset each page.

One of the reasons I decided to take on this new rendering effort is that in my attempts to understand the nature of the *rabbinic* Qere/Ketiv system I have not truly found a satisfactory explanation of why, when reading the Tanakh, rabbis demand that the "Qere" must always be read, but the "Ketiv," ***never!***

Regardless, I consider *'what was written'* to be more likely what was <u>intended to be read</u>!

In most of the literature around this issue, there is a prevalent assumption that the Masoretic scribes wrote the Qere on the actual manuscripts as corrections. That view practically negates the idea of it being a later addition.

Moreover, as rabbinic sources seem to indicate that the "Ketiv" ***should never be uttered,*** I have found instances, just as in Exodus 21:8, where I believe the **"Qere" is blatantly wrong** ***and that the "Ketiv" should be the preferred, preserved, and natural rendering!***

The following is an example, similar to that which has been rendered in the Stone Tanakh for Exodus 21:8 (with brackets around the 'Ketiv' - [לֽוֹ]):

אִם־רָעָ֞ה בְּעֵינֵ֧י אֲדֹנֶ֛יהָ אֲשֶׁר־לא [לֽוֹ] יְעָדָ֖הּ וְהֶפְדָּ֑הּ לְעַ֥ם נָכְרִ֛י
לֹא־יִמְשֹׁ֥ל לְמָכְרָ֖הּ בְּבִגְדוֹ־בָֽהּ׃

> "If she please not her master, who hath espoused her to himself, then shall he let her be redeemed; to sell her unto a foreign people he shall have no power, seeing he hath dealt deceitfully with her." [Exodus 21:8 (JPS 1917)]

Interestingly, this instance actually translates the Ketiv ([לֽוֹ]) instead of the Qere (לֹא)! Were the Qere to have been translated, the section of the verse where it appears would translate "who hath **NOT** espoused her to himself!"

I believe that the Masoretes actually knew what they were doing all along!

In my own regular Scripture reading of the Hebrew, my preference has been to make the effort to read the "Ketiv" (what is written) and pretty much minimize the "Qere," skipping it altogether! This is not easy to do because the predominant Qere is rendered as if it is the normative form, and the Ketiv follows, within brackets, ***as if it is an offensive variant!***

I consider that rabbis (Talmudists) have expended much effort to obscure the written Torah as part of a regular practice and to elevate their own writings. They appear to view themselves collectively as אֱלֹהִים [Elohim].

In creating, or, in the least promoting the Qere/Ketiv System, **Talmudists no doubt exalt themselves to be a greater authority than the Masoretic scribes.**

Again, **I believe that the Talmudists (rabbis) collectively consider themselves to be יְהוָה [Yehovah] (i.e. God)!!!** They certainly demand that their dictates, their edicts (תַּקָּנוֹת takkanot[11]) ***must be followed just as if they are divinely inspired law!***

It should be noted that ***non–Jewish Bibles may have also been affected by the rabbinic Qere/Ketiv system:***

> In a number of the texts containing K לֹא and Q לוֹ (Ex 21:8; 1 Sam 2:3; 2 Kings 8:10; Is 63:9; Ps 100:3), the Ketiv is as acceptable as is the Qere, yet nearly all of the English Bibles surveyed opt for the Qere. This might indicate that the translators are predisposed to give priority to the Qere unless some other factor makes it clearly unusable.[12]

I think that those folks who have produced the modern Bible versions ought to truly consider that their own translations could have been ***influenced by a system that may not have been biblically inspired!*** In other words, ***those who put together the modern Christian Bibles may have been unduly influenced by rabbinic authorities and the Qere/Ketiv system!*** They very well may have chosen the Qere additions over what was actually written in the textual source.

In doing so, could they also be considered to be among those who have ***added to or taken away from the actual 'Word of God?'***

There is no doubt that this subject has many strong opinions as to its origins. However, I think the actual Leningrad Codex may show instances of where its scribes made corrections. **If this is the case, it could diminish or negate a reason to have a subsequent Qere/Ketiv system!**

The following image is just one example of what appears to me to be a correction made by the Masoretic scribes themselves.

[11]Jewish Virtual Library, 'Takkanah,' accessed 19 May 2022, https://www.jewishvirtuallibrary.org/takkanah.

[12]Tim Hegg, "To Read or Not to Read?: Translating the Qere/Kativ," TorahResource Institute, accessed 25 May 2022, https://tr-pdf.s3-us-west-2.amazonaws.com/articles/to-read-or-not-to-read-qere-ketiv.pdf.

The above verse is from Deuteronomy 5:7.

I have placed an arrow over the *yud* in the second word to show where I'm directing your attention. To me, it certainly appears that the initial *yud* may have been missing, and a Masoretic proofreader could have added it at a later time. It is certainly smaller than a regular *yud* elsewhere, including the third letter of the same word, so it is my opinion that this is an example of how the Masoretes may have actually corrected their own texts, having no need to invent the Qere/Ketiv system.

Moreover, because Masoretes wrote on individual sheets, it is my opinion that where they may have found too many mistakes, that they very well could have started over for that section of parchment and discarded the previous one, rather than meticulously writing in the margins, in a Qere/Ketiv notation, every place they decided that a word should have been rendered differently.

A couple of paragraphs from the-iconoclast.org website may help to understand my reasoning:

Qumran A Community Of Scribes!

It is well known that the majority of ancient inkwells archaeologists found in the land of Israel were discovered at Qumran and/or related to it. Consequently, with this information as well as based upon the layout of its settlement and even information found in some of the recovered scrolls themselves, many people hold to the idea that Qumran was a "Scribal Community."

Hebrew Manuscripts With Scribal Errors
Were "Buried" In Earthen Jars!
(They were deemed unfit to be used in Temple Service)

The "dead sea scrolls" at Qumran that comprise texts from the Hebrew Scriptures were "buried" in earthen jars. They could not be destroyed because they contained the name of יְהֹוָה [YehoVaH] (G–d)! They did not 'pass muster' for having been copied without error — they were unfit to be used in Temple (or Synagogue) worship, and were buried rather than destroyed for the aforementioned reason.[13]

---

[13]Were The 'Christian Scriptures' Written For And By Goyim (Gentiles)?, "Are 'Scribal' Standards Important?," accessed 5 June 2022, https://www.the-iconoclast.org/reference/scribalstandards.php#id.05.

Other Changes I Made For This Edition Of The Holy Scriptures

The Name יְהוָֹה [Yehovah]

יְהוָֹה [Yehovah]: the name of G–d in the Jewish–language based Hebrew Scriptures ("YHVH": י 'Yud,' ה 'He,' ו 'Vav,' ה 'He,' otherwise known as the Tetragrammaton) is used instead of **"LORD"** in the phrases **"the LORD," "The LORD," and "O LORD"** in the original JPS 1917 Tanakh. In converting **"LORD"** to **"Yehovah,"** I counted a total of **<u>5,553 occurrences</u>** in the JPS 1917 Tanakh!

הָאָדֹן ׀ יְהוָה [ha Adon Yehovah]

The Hebrew phrase הָאָדֹן ׀ יְהוָה **occurs in only <u>two places</u>**: in Exodus 23:17 and 34:23. In those cases, I have changed the translation wording from **"Lord GOD"** to **"Lord GOD [ha Adon Yehovah]"**.

אֲדֹנָי יְהוִֹה [Adonai Yehovi]

Typically translated as **"Lord GOD,"** it is a much less common form of the Divine Name (יְהוָֹה [Yehovah]).

This form is, nevertheless, quite important in understanding pronunciation. I think this is exceptionally profound since the Hebrew texts, as well as English translations, have not undergone the intense scrutiny of rabbinic censorship as has the Name יְהוָֹה [Yehovah]!

Obviously, אֲדֹנָי יְהוִֹה **[Adonai Yehovi]** – this vowelized form of the Divine Name – should help withstand those who vigorously defend and insist upon the name ***"Yahweh"*** to be the *de facto* pronunciation of the Divine Name!

In converting **"Lord GOD"** to **"Lord GOD [Adonai Yehovi],"** I counted a total of **<u>284 occurrences</u>** in the JPS 1917 Tanakh.

Of all of its occurrences, the fully vowelized form of the Hebrew אֲדֹנָי יְהוִֹה appears <u>31 times</u>, and the non–fully vowelized form אֲדֹנָי יְהוִה (the same Hebrew letters, *minus* just the one 'Oh' sounding character (הֹ), "the Holam," the 'dot' which rests to the above left of the first 'He' in י 'Yud,' ה 'He,' ו 'Vav,' ה 'He'), make up all other occurrences.

תּוֹרָה Torah

The word **"law"** as found in the JPS 1917 has been changed to **"Torah"** in all places where the root Hebrew תּוֹרָה (Torah) is in the corresponding Leningrad Codex Text! In converting **"Law"** to **"Torah,"** I counted a total of **<u>223 occurrences</u>** in the JPS 1917 Tanakh!

יְרוּשָׁלַ͏ִם City Of "Jerusalem"
Yerushalam, Yerush'lem and Yerushalayim

יְרוּשָׁלַ͏ִם Yerushalam

The word **"Jerusalem"** (the name of capital city in Israel), as found in the JPS 1917, has been changed to its transliterated equivalent, **"Yerushalam"** (note the **'am'** ending), in all places where it corresponds to the Hebrew [יְרוּשָׁלַ͏ִם].

יְרוּשְׁלֶם Yerush'lem

A **rare,** second transliterated form, **"Yerush'lem"** (note the **'em'** ending), has been changed from **"Jerusalem"** where the Hebrew letters spell out the Aramaic form [יְרוּשְׁלֶם] found in parts of Daniel and Ezra.

יְרוּשָׁלַיִם Yerushalayim

The **extremely rare,** third transliterated form, **"Yerushalayim"** (note the **'ayim'** ending), has been changed from the JPS 1917 **"Jerusalem"** to correspond to the Hebrew [יְרוּשָׁלַיִם].

Noteworthy is that **this rarest form appears _in only four (4) places_ in the entire Hebrew Scriptures,** yet, it is the most common pronunciation for the name of the ancient city! Its **four occurrences** are: **1)** Jeremiah 26:18, **2)** Esther 2:6, **3)** I Chronicles 3:5, and **4)** II Chronicles 25:1.

In converting **"Jerusalem"** to its transliterated equivalents, I counted a total of **625 occurrences** in the JPS 1917 Tanakh!

בִּלְעָם Bilaam

The name **"Balaam,"** as found in the JPS 1917, has been changed to **"Bilaam"** in all places where the Hebrew בִּלְעָם (**Bilaam**) is in the corresponding Leningrad Codex text! This form is closer to its Hebrew transliteration.

In converting **"Balaam"** to **"Bilaam"**, I counted a total of **60 occurrences** in the JPS 1917 Tanakh!

The Third Commandment!

As I mentioned earlier, I changed the English interpretation for Exodus 20:5 and Deuteronomy 5:11, which I feel is a closer translation of the actual Hebrew text. I cover this subject in "The Real God Code."[14]

> Thou shalt not lift up the Name of Yehovah thy God as to declare Him worthless; for Yehovah will not hold him guiltless who takes His Name falsely.

'The Morrow After The Day Of Rest'
For Shavuot, The Mistranslation Forces A Misinterpretation

I changed the phrase in Leviticus 23:15 as found in the JPS 1917, **"from the morrow after the day of rest,"** *to* **"from the morrow after the sabbath,"** which is the literal translation of the Hebrew text.

וּסְפַרְתֶּ֤ם לָכֶם֙ מִמָּחֳרַ֣ת הַשַּׁבָּ֔ת מִיּוֹם֙ הֲבִ֣יאֲכֶ֔ם אֶת־עֹ֖מֶר
הַתְּנוּפָ֑ה שֶׁ֥בַע שַׁבָּת֖וֹת תְּמִימֹ֥ת תִּהְיֶֽינָה׃

> And ye shall count unto you from the morrow after the sabbath, from the day that ye brought the sheaf of the waving; seven weeks shall there be complete;

This also helps to prevent the ***false rabbinical interpretation,*** which forces the **counting of the Omer** to begin on the second day of the feast of unleavened bread. Rabbis interpret the text for ***Sabbath*** **not to be the 7th–day Sabbath** but rather the first day of the feast (also known as a High Sabbath). Thus, they unnaturallly force the interpretation of the 'morrow after the Shabbat' to be the second day of the feast of unleavened bread!

By confusing the plain meaning of the Hebrew text, are they not forcing an interpretation contrary to the intention of the original text, which speaks plainly by using the Hebrew word for the weekly, seventh–day Sabbath? Rather than allow the natural meaning that explicitly states that the counting of the Omer begins on the ***next*** "first day of the week" (the day following the weekly Sabbath, i.e. morrow after the Shabbat), this rabbinical edict forces all its adherents to potentially ***not celebrate*** **Shavuot,** one of the three mandatory attended feasts on the Jewish calendar!

Yes, I said ***'not celebrate.'*** If someone celebrates a ***required*** feast at a time other than what is commanded, does their observance count as if they celebrated on the correct day? That is a rhetorical question, but the plain meaning of the verse is clear that the Scripture has a particular day in mind for the observation of Shavuot, aka the "feast of weeks."

---

[14] Robert M. Pill, "The Real God Code: The Ten Commandments In The Leningrad Codex," (Robert M. Pill, 2021), Chapter: "Getting The Third Commandment Right," pp35-40.

Psalms 110:1

... שֵׁב לִימִינִי עַד־אָשִׁית אֹיְבֶיךָ הֲדֹם לְרַגְלֶיךָ

קִי א לְדָוִד מִזְמוֹר נְאֻם יְהֹוָה ׀ לַאדֹנִי שֵׁב לִימִינִי עַד־אָשִׁית

אֹיְבֶיךָ הֲדֹם לְרַגְלֶיךָ: ב מַטֵּה־עֻזְּךָ יִשְׁלַח יְהֹוָה מִצִּיּוֹן רְדֵה

The traditional English translation for Psalms 110:1 has been:

> A Psalm of David. The LORD saith unto my lord: 'Sit thou
> at My right hand, until I make thine enemies thy footstool.'

I have altered the English to correspond to what I believe captures the actual intent of the Hebrew:

110 1 A Psalm of David.{N}
Yehovah saith unto my lord: 'Return unto My right hand, until I make thine enemies a footstool to thy foot.' 2 The rod of Thy strength Yehovah will send

I translate שֵׁב (Shin-Vet) as **"Return."**   The root should actually be considered as שׁוּב (Shin-Vav-Vet) but it is seen by most translators as ישׁב (Yud-Shin-Vet), which is a completely different root, and would mean **'Sit'** as it is so often translated. The last word, לְרַגְלֶיךָ, is not the plural for 'your feet,' but rather, as singular, 'your foot!' A more thorough study would reveal nuggets herein!

צַלְמָוֶת
Great Darkness — not *'Shadow of Death'*

<u>17 verses</u> in the Tanakh contain the Hebrew word צַלְמָוֶת (pronounced Tzal-mah-vet). In each of those verses, the Hebrew word צַלְמָוֶת is usually translated into English as *"Shadow of Death."*

However, according to Ernest Klein, in his great reference book, *"A Comprehensive Etymological Dictionary of the Hebrew Language for Readers of English,"* צַלְמָוֶת (Tzal-mah-vet) means *"Great Darkness."*

"Shadow of Death" would be the translation if the word was a compound word separated by a (־) maqqef, which looks like a high dash, and is pronounced "mah-qef." This is because צַל (Tzal), by itself, means "shadow"; and מָוֶת (Mah-vet), by itself, means "death!"

That resulting compound word would have been written: צַל־מָוֶת. You may note that in the aforementioned 17 verses there is **NOT** a (־) ("maqqef") within the word צַלְמָוֶת. It is, therefore, properly translated as ***"great darkness."***

Job 38:17 - A Correct Compound Word With A (־) Maqqef!

הֲנִגְלוּ לְךָ שַׁעֲרֵי־מָוֶת וְשַׁעֲרֵי צַלְמָוֶת תִּרְאֶה׃

Have the gates of death been revealed unto thee? Or hast thou seen the gates of great darkness?

Among those verses containing צַלְמָוֶת, Job 38:17 is a good illustration of the use of the (־) (maqqef) in another word in the same verse, which is a compound word having the combining notation of the maqqef.

That compound word, שַׁעֲרֵי־מָוֶת, is translated as **"gates of death!"** This is an appropriate use of a maqqef and since it is in the same verse as a צַלְמָוֶת, it is easy to see the distinction, whether you insist in keeping previously understood translations of ***"shadow of death,"*** especially in such iconic passages as Psalms 23:4, which usually reads, ***"Yea, though I walk through the valley of the shadow of death ... ."***

If that is not enough to help understand why I have made these changes, here is the definition of צַלְמָוֶת as given in Ernest Klein's resource:[15]

> צַלְמָוֶת m.n. great darkness. [According to the traditional pronunciation the word is regarded as compounded of צֵל and מָוֶת, hence lit. means shadow of death. However, most modern scholars read צַלְמוּת and derive the word from צלם II].
>
> צלם II to be dark. [Arab. alima, Ethiop. alma (= was dark). Base of צַלְמוֹן, possibly also of צַלְמָוֶת .].
>
> צַלְמוֹן m.n. MH darkness (in the Bible occurring only as the name of a mountain, Jud. 9:41, and Ps. 68:15). [Formed from צלם II with וֹן, suff. Forming abstract nouns.].

[15]Ernest Klein, "A Comprehensive Etymological Dictionary of the Hebrew Language for Readers of English" (Carta, Jerusalem), Copyright © 1987 by The Beatrice & Arthur Minden Foundation & The University of Haifa.
Digitized version of Klein Dictionary: Ernest Klein, 'Klein Dictionary,' Sefaria, accessed 13 May 2021, https://www.sefaria.org/Klein_Dictionary.

Hebrew Letters Representing Numbers: י״ה for 15 And י״ו For 16

For over a millenium, rabbinic edict has determined that the numbers that would normally be written with Hebrew letters for 15 (י״ה) and 16 (י״ו) would spell out parts of the Tetragrammaton (the 4 letter Hebrew Name for Yehovah). Just as they forbid the saying of the Name יְהֹוָה [Yehovah], they also have forbidden subsets of that Name to represent numbers 15 and 16!

As a *self–proclaimed Karaite,*[16] I do not consider the dictates of the rabbis to be my authority, but rather the Jewish Scriptures themselves! Thus, in this Tanakh, I decided to forego what I consider to be the *euphemistic rabbinic superstition* of using ט״ו for the number 15 and ט״ז for the number 16. In their stead, for the entire Tanakh, I am now using י״ה for the number 15 and י״ו for 16 in every place that Hebrew letters represent numbers!

The Pill Tanakh Does Not Contain The Weekly Parshiyot!

Those of you familiar with other Jewish 'Tanakh's will notice that this Tanakh *does not* provide sectioning of the entire volume into the weekly readings known as Parshiyot. The reason for this is simple: the Leningrad Codex *does not* contain the Parshiyot, the sectioning off of weekly readings for the Torah (the five books of Moses) and Haftarah (the reading from the Prophets)! Thus, neither does this version of the Holy Scriptures!

JPS 1917: Curly–Braces "{ }" In The English Text

"We have added signs for the paragraphs found in the original Hebrew: In the poetical books of Psalms, Job (aside from the beginning and end), and Proverbs, each verse normally starts on a new line; where there is a new line within a verse, we added {N}, and when there is a blank line, we added {P}. In the rest of the books, we added {S} for setumah (open space within a line) and {P} for petuHah (new paragraph on new line) according to our Hebrew Bible)."[17]

---

[16]'Karaism is the original form of Judaism commanded by God to the Jewish people in the Torah. Karaites accept the Tanakh (Jewish Bible) as the word of God and as the sole religious authority. At the same time, Karaites deny human additions to the Torah such as the Rabbinic Oral Law because Deuteronomy 4:2 states, "You shall not add to the word which I have commanded you, neither shall you diminish from it..." Karaite Judaism also rejects the Rabbinical principle that the Rabbis are the sole authorities for interpreting the Bible.' Shawn Lichaa, Nehemia Gordon, Meir Rekhavi, "As It Is Written A Brief Case For Karaism," (Hilkiah Press, 2006), p7. Reproduced by permission.

[17]Mechon Mamre, "The Hebrew Bible in English according to the JPS 1917 Edition © 2002 all rights reserved to Mechon Mamre for this HTML version," accessed 17 January 2015, https://mechon-mamre.org/e/et/et0.htm.

Matching Verse Numbers On Facing Hebrew-English Pages!

On each facing page, there are matching verses for the Hebrew and English texts. The English translation is much more verbose than the Hebrew, and many pages required font size adjustments to have them correspond one to the other.

Sometimes a font had to be made smaller and at other times a font size needed to be larger. Most of the time this meant I needed to enlarge the Hebrew to fill a page where the corresponding English verses naturally filled the page. Sometimes, there was no getting around it, I just had to reduce the English font to make both pages fit. Especially where the numerous Qere footnotes reduced the actual volume space for the Hebrew to fit, I had to reduce the font size for the Hebrew as well. Still, I attempted to come as close as I could to maintain the original sizes to keep both the Hebrew and English texts easily readable.

Fonts Used And Their Base Sizes

For the Hebrew text, I used the Ezra SIL SR[18] font at 12.75 points as a starting base size and for the English, I used Palatino font at 12 points as a starting base size. I wanted the Hebrew font size to be as large as that in my 'Stone Edition Tanach – Full Size,' which is what I have been reading regularly for several years (older eyes sometimes need a reward of a larger font size!).

New Chapters Begin On A New Line, With The Chapter Number Enlarged

Rather than starting a chapter on a new page or using a centered-bold headline to designate it, I opted for using an enlarged number (in both English and Hebrew texts) preceding the first verse on a new line.

Verse Numbers Precede Each Verse For Both Hebrew And English

Most Hebrew versions place the verse numbers in the margin of the same line as the verse. When a verse doesn't start a line or a new verse starts in the midst of the line, this forces you to scan the line for the start of that verse, which is, actually, the end of the previous verse, marked with a סוֹף פָּסוּק (Sof Pasuq), which looks like our colon symbol, only heavier.[19]

In this version, I have underlined each verse number and placed them at the beginning of each verse, hoping to make them easier to find on a page.

---

[18]SIL, SIL Language Technology, accessed 15 February 2022, https://software.sil.org/ezra/

[19]Sof pasuq / Silluq Hebrew / or Sof pasuk / Siluk is a trope (from Yiddish trop) in the Jewish liturgy and is one of the biblical sentence, stress and cantillation symbols Teamim that appear in the Tanach. Translated, Sof Pasuq means 'end of the verse.' The sign is at the end of each verse in the Tanach and thus roughly corresponds to a point in German.
Sof pasuq, Wikimedia Foundation, 1 Dec 2019, https://de.zxc.wiki/wiki/Sof_pasuq.

Page Header Format Includes Book Name, Starting And Ending References

In the page headers I have placed the page number on the outside edge, the book name with starting chapter/verse and ending chapter/verse in the middle.

For the inner (binding) sides in English I have placed the words Torah, Prophets or Writings, depending on its section; using unvowelled Hebrew text, I have done the same for Hebrew pages (תורה ‑ נביאים ‑ כתובים).

Leningrad Codex Image For Each Book's First Page

For the beginning page of each of the thirty–nine (39) books of this Tanakh, I have included a reduced sized image of the page in the Leningrad Codex where the first verse of the book appears. Below each image I give the name of the book, the column and position for the starting text of the first verse and the page number of the photo–facsimile Leningrad Codex pdf file as a reference.[20]

––––––––––––––––––––

It is my desire that your life will be enriched by reading this version of the Hebrew-English Jewish Scriptures. I hope you will read it regularly and that you also consider having the discipline to follow a daily reading plan.

In doing so, may this version of the Holy Scriptures help to make your life fuller, and may you grow closer to Yehovah as He reveals to you an understanding of the written words of His revelation.

May יְהֹוָה [**Yehovah**] greatly bless you in the reading of *His Word!*

– Robert M. Pill, December 2022

[20]Internet Archive, Samuel ben Jacob, "The Leningrad Codex (Codex Leningradensis)," accessed 6 June 2022, https://archive.org/details/Leningrad_Codex/page/n6/mode/2up.

The Crown Of The Torah

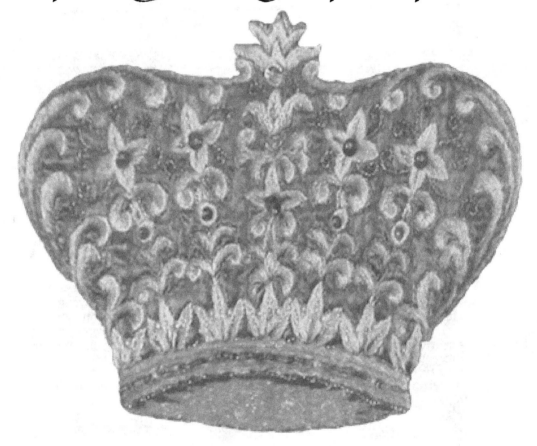

The Ten Commandments

עֲשֶׂרֶת הַדִּבְרִים

The Ten Commandments

The Ten Commandments in the Leningrad Codex
(middle–column–middle to left–column–bottom, page 90 in pdf)
Exodus 20:1-10a

עֲשֶׂרֶת הַדְּבָרִים

The Ten Commandments

The Ten Commandments in the Leningrad Codex
(right–column–top, first six verses, page 91 in pdf)
Exodus 20:10b-12

Exodus 20:1-12

The 10 Commandments In The Leningrad Codex

These are the words written by the Finger of Yehovah on the two tablets of stone, which He commanded Moses to place into the Ark of the Testimony (אֲרוֹן הָעֵדוּת)***, also known as the Ark of the Covenant*** (אֲרוֹן בְּרִית־יְהוָה)!

א וַיְדַבֵּר אֱלֹהִים אֵת
כָּל־הַדְּבָרִים הָאֵלֶּה
לֵאמֹר׃

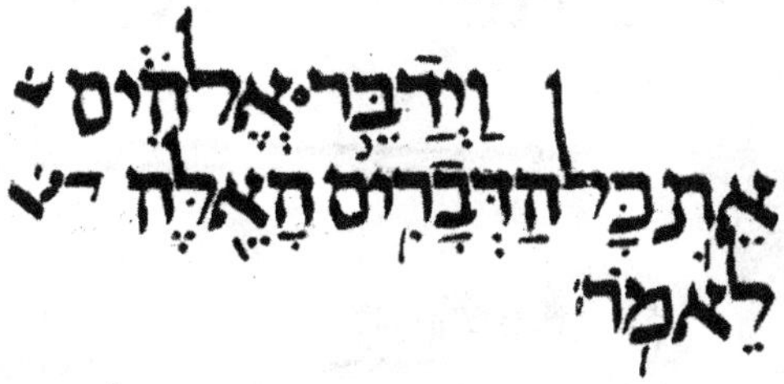

1. And God spoke all these words, saying:

ב אָנֹכִי יְהוָה אֱלֹהֶיךָ
אֲשֶׁר הוֹצֵאתִיךָ מֵאֶרֶץ
מִצְרַיִם מִבֵּית עֲבָדִים

אשר הוצאתיך מארץ

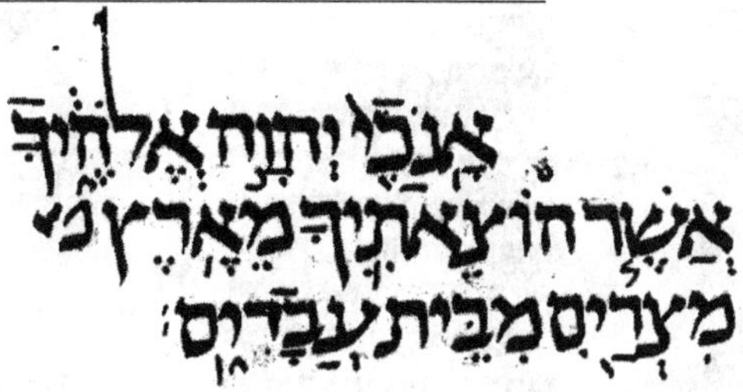

2. I am Yehovah thy God, who brought thee out of the land of Egypt, out of the house of bondage.

ג לֹא יִהְיֶה־לְךָ אֱלֹהִים
אֲחֵרִים עַל־פָּנָיַ לֹא
תַעֲשֶׂה־לְךָ פֶסֶל ׀
וְכָל־תְּמוּנָה אֲשֶׁר בַּשָּׁמַיִם ׀
מִמַּעַל וַאֲשֶׁר בָּאָרֶץ מִתָּחַת
וַאֲשֶׁר בַּמַּיִם ׀ מִתַּחַת לָאָרֶץ
לֹא־תִשְׁתַּחֲוֶה לָהֶם וְלֹא
תָעָבְדֵם כִּי אָנֹכִי יְהוָה
אֱלֹהֶיךָ אֵל קַנָּא פֹּקֵד עֲוֺן
אָבֹת עַל־בָּנִים עַל־שִׁלֵּשִׁים
וְעַל־רִבֵּעִים לְשֹׂנְאָי׃

3. Thou shalt have no other gods before Me. Thou shalt not make unto thee a graven image, nor any manner of likeness, of any thing that is in heaven above, or that is in the earth beneath, or that is in the water under the earth; thou shalt not bow down unto them, nor serve them; for I Yehovah thy God am a jealous God, visiting the iniquity of the fathers upon the children unto the third and fourth generation of them that hate Me;

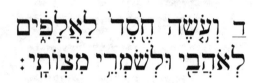

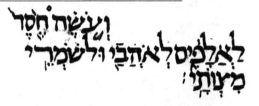

ד וְעֹשֶׂה חֶסֶד לַאֲלָפִים
לְאֹהֲבַי וּלְשֹׁמְרֵי מִצְוֺתָי׃

וְעֹשֶׂה חֶסֶד
לַאֲלָפִים לְאֹהֲבַי וּלְשֹׁמְרֵי
מִצְוֺתָי׃

4. and showing mercy unto the thousandth generation of them that love Me and keep My commandments.

ה לֹא תִשָּׂא
אֶת־שֵׁם־יְהֹוָה אֱלֹהֶיךָ
לַשָּׁוְא כִּי לֹא יְנַקֶּה יְהֹוָה
אֵת אֲשֶׁר־יִשָּׂא אֶת־שְׁמוֹ
לַשָּׁוְא׃

לֹא תִשָּׂא
אֶת שֵׁם יְהֹוָה אֱלֹהֶיךָ לַשָּׁוְא
כִּי לֹא יְנַקֶּה יְהֹוָה אֵת אֲשֶׁר
יִשָּׂא אֶת שְׁמוֹ לַשָּׁוְא׃

5. Thou shalt not lift up the Name of Yehovah thy God as to declare Him worthless; for Yehovah will not hold him guiltless who takes His Name falsely.

ו זָכוֹר אֶת־יוֹם הַשַּׁבָּת לְקַדְּשׁוֹ
שֵׁשֶׁת יָמִים תַּעֲבֹד וְעָשִׂיתָ
כָּל־מְלַאכְתֶּךָ וְיוֹם הַשְּׁבִיעִי
שַׁבָּת ׀ לַיהוָה אֱלֹהֶיךָ לֹא־
תַעֲשֶׂה כָל־מְלָאכָה אַתָּה ׀
וּבִנְךָ־וּבִתֶּךָ עַבְדְּךָ וַאֲמָתְךָ
וּבְהֶמְתֶּךָ וְגֵרְךָ אֲשֶׁר בִּשְׁעָרֶיךָ
כִּי שֵׁשֶׁת־יָמִים עָשָׂה יְהוָה
אֶת־הַשָּׁמַיִם וְאֶת־הָאָרֶץ
אֶת־הַיָּם וְאֶת־כָּל־אֲשֶׁר־בָּם
וַיָּנַח בַּיּוֹם הַשְּׁבִיעִי עַל־כֵּן
בֵּרַךְ יְהוָה אֶת־יוֹם הַשַּׁבָּת
וַיְקַדְּשֵׁהוּ׃

זֿכֿורֿ אֿתֿיֿוםֿ חֿשֿבֿתֿלֿקֿדֿשֿוֿ
שֿשֿתֿיֿמֿיסֿ תֿעֿבֿדֿוֿעֿשֿיֿתֿ
כֿלֿמֿלֿאֿכֿתֿדֿ וֿיֿוסֿ חֿשֿבֿיֿעֿ
שֿבֿתֿליֿהֿוֿחֿ אֿלֿחֿיֿדֿ לֿאֿ
תֿעֿשֿהֿכֿלֿמֿלֿאֿכֿהֿ אֿתֿחֿ
וֿבֿנֿךֿוֿבֿחֿךֿ עֿבֿדֿךֿוֿאֿמֿתֿךֿ
וֿבֿחֿמֿתֿךֿוֿגֿרֿךֿ אֿשֿרֿבֿשֿעֿרֿיֿךֿ
כֿיֿשֿשֿתֿיֿמֿיסֿ עֿשֿחֿיֿחֿוֿחֿ
אֿתֿחֿשֿמֿיֿסֿוֿאֿתֿחֿאֿרֿץ
אֿתֿחֿיֿסֿוֿאֿתֿכֿלֿאֿשֿרֿבֿסֿ
וֿיֿנֿחֿבֿיֿוסֿחֿשֿבֿיֿעֿ עֿלֿכֿ
בֿרֿךֿיֿתֿוֿחֿאֿתֿיֿוסֿ חֿשֿבֿתֿ
וֿיֿקֿדֿשֿחֿו

6. Remember the sabbath day, to keep it holy. Six days shalt
thou labour, and do all thy work; but the seventh day is a
sabbath unto Yehovah thy God, in it thou shalt not do any
manner of work, thou, nor thy son, nor thy daughter, nor thy
man-servant, nor thy maid-servant, nor thy cattle, nor thy
stranger that is within thy gates; for in six days Yehovah made
heaven and earth, the sea, and all that in them is, and rested on
the seventh day; wherefore Yehovah blessed the sabbath day,
and hallowed it.

ז כַּבֵּד אֶת־אָבִיךָ וְאֶת־אִמֶּךָ לְמַעַן יַאֲרִכוּן יָמֶיךָ עַל הָאֲדָמָה אֲשֶׁר־יְהוָה אֱלֹהֶיךָ נֹתֵן לָךְ:

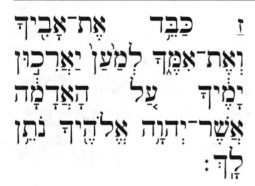

7. Honour thy father and thy mother, that thy days may be long upon the land which Yehovah thy God giveth thee.

ח לֹא תִּרְצָח:

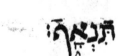

8. Thou shalt not murder.

ט לֹא תִּנְאָף:

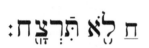

9. Thou shalt commit adultery.

י לֹא תִּגְנֹב:

10. Thou shalt not steal.

יא לֹא־תַעֲנֶה בְרֵעֲךָ עֵד שָׁקֶר:

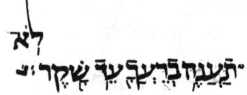

11. Thou shalt not bear false witness against thy neighbour.

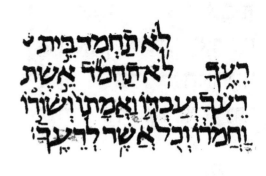

יב לֹא תַחְמֹד בֵּית
רֵעֶךָ לֹא־תַחְמֹד אֵשֶׁת
רֵעֶךָ וְעַבְדּוֹ וַאֲמָתוֹ
וְשׁוֹרוֹ וַחֲמֹרוֹ וְכֹל אֲשֶׁר
לְרֵעֶךָ׃

12. Thou shalt not covet thy neighbour's house; {S} thou shalt not covet thy neighbour's wife, nor his man-servant, nor his maid-servant, nor his ox, nor his ass, nor any thing that is thy neighbour's.

עֲשֶׂרֶת הַדִּבְרִים — The Ten Commandments

יְהוָה [Yehovah] considered that the two tablets of stone, on which He personally wrote the Ten Commandments, were of such importance that He commanded Moses to make a box of acacia wood and place them into it.

That box of acacia wood is better known as the **Ark of the Covenant** (אֲרוֹן בְּרִית־יְהוָה)!

Thus, the place where the "written by the finger of אֱלֹהִים [Elohim]" Ten Commandments were located was known among the ancient Israelites as the earthly dwelling place of the Creator of the Universe!

If יְהוָה [Yehovah] held His Ten Commandments to be in such esteem, is it too much a stretch to think that we should hold them in the highest regard ourselves?

Might we consider that, in studying them, we may come to learn to comprehend that our own reason for being could be discerned by knowing the אֱלֹהִים [Elohim] (God) of Abraham, Isaac and Jacob personally?

It is with these sentiments that I invite you to join the many who have found delight in the reading of the words of יְהוָה [Yehovah] and who desire to live by them.

יהושע

Joshua

Book of Joshua in the Leningrad Codex
(right column, top, page 247 in pdf)

א א וַיְהִ֗י אַחֲרֵ֛י מ֥וֹת מֹשֶׁ֖ה עֶ֣בֶד יְהוָ֑ה וַיֹּ֤אמֶר יְהוָה֙ אֶל־יְהוֹשֻׁ֣עַ בִּן־נ֔וּן מְשָׁרֵ֥ת
מֹשֶׁ֖ה לֵאמֹֽר׃ ב מֹשֶׁ֥ה עַבְדִּ֖י מֵ֑ת וְעַתָּה֩ ק֨וּם עֲבֹ֜ר אֶת־הַיַּרְדֵּ֣ן הַזֶּ֗ה אַתָּה֙
וְכָל־הָעָ֣ם הַזֶּ֔ה אֶל־הָאָ֕רֶץ אֲשֶׁ֧ר אָנֹכִ֛י נֹתֵ֥ן לָהֶ֖ם לִבְנֵ֥י יִשְׂרָאֵֽל׃ ג כָּל־מָק֗וֹם
אֲשֶׁ֨ר תִּדְרֹ֧ךְ כַּף־רַגְלְכֶ֛ם בּ֖וֹ לָכֶ֣ם נְתַתִּ֑יו כַּאֲשֶׁ֥ר דִּבַּ֖רְתִּי אֶל־מֹשֶֽׁה׃
ד מֵהַמִּדְבָּ֨ר וְהַלְּבָנ֜וֹן הַזֶּ֗ה וְעַד־הַנָּהָ֤ר הַגָּדוֹל֙ נְהַר־פְּרָ֔ת כֹּ֚ל אֶ֣רֶץ הַחִתִּ֔ים
וְעַד־הַיָּ֥ם הַגָּד֖וֹל מְב֣וֹא הַשָּׁ֑מֶשׁ יִהְיֶ֖ה גְּבוּלְכֶֽם׃ ה לֹא־יִתְיַצֵּ֥ב אִישׁ֙ לְפָנֶ֔יךָ כֹּ֖ל
יְמֵ֣י חַיֶּ֑יךָ כַּאֲשֶׁ֨ר הָיִ֤יתִי עִם־מֹשֶׁה֙ אֶהְיֶ֣ה עִמָּ֔ךְ לֹ֥א אַרְפְּךָ֖ וְלֹ֥א אֶעֶזְבֶֽךָּ׃ ו חֲזַ֖ק
וֶאֱמָ֑ץ כִּ֣י אַתָּ֗ה תַּנְחִיל֙ אֶת־הָעָ֣ם הַזֶּ֔ה אֶת־הָאָ֕רֶץ אֲשֶׁר־נִשְׁבַּ֥עְתִּי לַאֲבוֹתָ֖ם
לָתֵ֥ת לָהֶֽם׃ ז רַק֩ חֲזַ֨ק וֶאֱמַ֜ץ מְאֹ֗ד לִשְׁמֹ֤ר לַעֲשׂוֹת֙ כְּכָל־הַתּוֹרָ֗ה אֲשֶׁ֤ר צִוְּךָ֙
מֹשֶׁ֣ה עַבְדִּ֔י אַל־תָּס֥וּר מִמֶּ֖נּוּ יָמִ֣ין וּשְׂמֹ֑אול לְמַ֣עַן תַּשְׂכִּ֔יל בְּכֹ֖ל אֲשֶׁ֥ר תֵּלֵֽךְ׃
ח לֹֽא־יָמ֡וּשׁ סֵפֶר֩ הַתּוֹרָ֨ה הַזֶּ֜ה מִפִּ֗יךָ וְהָגִ֤יתָ בּוֹ֙ יוֹמָ֣ם וָלַ֔יְלָה לְמַ֙עַן֙ תִּשְׁמֹ֣ר
לַעֲשׂ֔וֹת כְּכָל־הַכָּת֖וּב בּ֑וֹ כִּי־אָ֛ז תַּצְלִ֥יחַ אֶת־דְּרָכֶ֖ךָ וְאָ֥ז תַּשְׂכִּֽיל׃ ט הֲל֤וֹא
צִוִּיתִ֙יךָ֙ חֲזַ֣ק וֶאֱמָ֔ץ אַל־תַּעֲרֹ֖ץ וְאַל־תֵּחָ֑ת כִּ֤י עִמְּךָ֙ יְהוָ֣ה אֱלֹהֶ֔יךָ בְּכֹ֖ל אֲשֶׁ֥ר
תֵּלֵֽךְ׃

י וַיְצַ֣ו יְהוֹשֻׁ֔עַ אֶת־שֹׁטְרֵ֥י הָעָ֖ם לֵאמֹֽר׃ יא עִבְר֣וּ ׀ בְּקֶ֣רֶב הַמַּחֲנֶ֗ה וְצַוּ֤וּ אֶת־הָעָם֙
לֵאמֹ֔ר הָכִ֥ינוּ לָכֶ֖ם צֵידָ֑ה כִּ֞י בְּע֣וֹד ׀ שְׁלֹ֣שֶׁת יָמִ֗ים אַתֶּם֙ עֹבְרִים֙ אֶת־הַיַּרְדֵּ֣ן
הַזֶּ֔ה לָבוֹא֙ לָרֶ֣שֶׁת אֶת־הָאָ֔רֶץ אֲשֶׁר֙ יְהוָ֣ה אֱלֹהֵיכֶ֔ם נֹתֵ֥ן לָכֶ֖ם לְרִשְׁתָּֽהּ׃

יב וְלָרֽאוּבֵנִי֙ וְלַגָּדִ֔י וְלַחֲצִ֖י שֵׁ֣בֶט הַמְנַשֶּׁ֑ה אָמַ֥ר יְהוֹשֻׁ֖עַ לֵאמֹֽר׃ יג זָכוֹר֙
אֶת־הַדָּבָ֔ר אֲשֶׁ֨ר צִוָּ֥ה אֶתְכֶ֛ם מֹשֶׁ֥ה עֶֽבֶד־יְהוָ֖ה לֵאמֹ֑ר יְהוָ֤ה אֱלֹהֵיכֶם֙ מֵנִ֣יחַ
לָכֶ֔ם וְנָתַ֥ן לָכֶ֖ם אֶת־הָאָ֥רֶץ הַזֹּֽאת׃ יד נְשֵׁיכֶ֣ם טַפְּכֶם֮ וּמִקְנֵיכֶם֒ יֵשְׁב֔וּ בָּאָ֕רֶץ
אֲשֶׁ֨ר נָתַ֥ן לָכֶ֛ם מֹשֶׁ֖ה בְּעֵ֣בֶר הַיַּרְדֵּ֑ן וְאַתֶּם֩ תַּעַבְר֨וּ חֲמֻשִׁ֜ים לִפְנֵ֣י אֲחֵיכֶ֗ם כֹּ֚ל
גִּבּוֹרֵ֣י הַחַ֔יִל וַעֲזַרְתֶּ֖ם אוֹתָֽם׃ יה עַ֣ד אֲשֶׁר־יָנִ֣יחַ יְהוָ֣ה ׀ לַאֲחֵיכֶם֮ כָּכֶם֒ וְיָרְשׁ֣וּ
גַם־הֵ֔מָּה אֶת־הָאָ֕רֶץ אֲשֶׁר־יְהוָ֥ה אֱלֹהֵיכֶ֖ם נֹתֵ֣ן לָהֶ֑ם וְשַׁבְתֶּ֞ם לְאֶ֤רֶץ יְרֻשַּׁתְכֶם֙
וִירִשְׁתֶּ֣ם אוֹתָ֔הּ אֲשֶׁ֣ר ׀ נָתַ֣ן לָכֶ֗ם מֹשֶׁה֙ עֶ֣בֶד יְהוָ֔ה בְּעֵ֥בֶר הַיַּרְדֵּ֖ן מִזְרַ֥ח
הַשָּֽׁמֶשׁ׃ יו וַיַּעֲנ֔וּ אֶת־יְהוֹשֻׁ֖עַ לֵאמֹ֑ר כֹּ֤ל אֲשֶׁר־צִוִּיתָ֙נוּ֙ נַעֲשֶׂ֔ה וְאֶל־כָּל־אֲשֶׁ֥ר
תִּשְׁלָחֵ֖נוּ נֵלֵֽךְ׃ יז כְּכֹ֤ל אֲשֶׁר־שָׁמַ֙עְנוּ֙ אֶל־מֹשֶׁ֔ה כֵּ֖ן נִשְׁמַ֣ע אֵלֶ֑יךָ רַ֠ק יִהְיֶ֞ה יְהוָ֤ה
אֱלֹהֶ֙יךָ֙ עִמָּ֔ךְ כַּאֲשֶׁ֥ר הָיָ֖ה עִם־מֹשֶֽׁה׃ יח כָּל־אִ֞ישׁ אֲשֶׁר־יַמְרֶ֣ה אֶת־פִּ֗יךָ
וְלֹֽא־יִשְׁמַ֧ע אֶת־דְּבָרֶ֛יךָ לְכֹ֥ל אֲשֶׁר־תְּצַוֶּ֖נּוּ יוּמָ֑ת רַ֖ק חֲזַ֥ק וֶאֱמָֽץ׃

ב א וַיִּשְׁלַ֣ח יְהוֹשֻׁ֣עַ בִּן־נ֠וּן מִן־הַשִּׁטִּ֞ים שְׁנַֽיִם־אֲנָשִׁ֤ים מְרַגְּלִים֙ חֶ֣רֶשׁ לֵאמֹ֔ר
לְכ֛וּ רְא֥וּ אֶת־הָאָ֖רֶץ וְאֶת־יְרִיח֑וֹ וַיֵּ֨לְכ֜וּ וַ֠יָּבֹאוּ בֵּית־אִשָּׁ֥ה זוֹנָ֛ה וּשְׁמָ֥הּ רָחָ֖ב
וַיִּשְׁכְּבוּ־שָֽׁמָּה׃

1 **1** Now it came to pass after the death of Moses the servant of Yehovah, that Yehovah spoke unto Joshua the son of Nun, Moses' minister, saying: **2** 'Moses My servant is dead; now therefore arise, go over this Jordan, thou, and all this people, unto the land which I do give to them, even to the children of Israel. **3** Every place that the sole of your foot shall tread upon, to you have I given it, as I spoke unto Moses. **4** From the wilderness, and this Lebanon, even unto the great river, the river Euphrates, all the land of the Hittites, and unto the Great Sea toward the going down of the sun, shall be your border. **5** There shall not any man be able to stand before thee all the days of thy life; as I was with Moses, so I will be with thee; I will not fail thee, nor forsake thee. **6** Be strong and of good courage; for thou shalt cause this people to inherit the land which I swore unto their fathers to give them. **7** Only be strong and very courageous, to observe to do according to all the Torah, which Moses My servant commanded thee; turn not from it to the right hand or to the left, that thou mayest have good success whithersoever thou goest. **8** This book of the Torah shall not depart out of thy mouth, but thou shalt meditate therein day and night, that thou mayest observe to do according to all that is written therein; for then thou shalt make thy ways prosperous, and then thou shalt have good success. **9** Have not I commanded thee? Be strong and of good courage; be not affrighted, neither be thou dismayed: for Yehovah thy God is with thee whithersoever thou goest.'{P}

10 Then Joshua commanded the officers of the people, saying: **11** 'Pass through the midst of the camp, and command the people, saying: Prepare you victuals; for within three days ye are to pass over this Jordan, to go in to possess the land, which Yehovah your God giveth you to possess it.'{P}

12 And to the Reubenites, and to the Gadites, and to the half-tribe of Manasseh, spoke Joshua, saying: **13** 'Remember the word which Moses the servant of Yehovah commanded, you, saying: Yehovah your God giveth you rest, and will give you this land. **14** Your wives, your little ones, and your cattle, shall abide in the land which Moses gave you beyond the Jordan; but ye shall pass over before your brethren armed, all the mighty men of valour, and shall help them; **15** until Yehovah have given your brethren rest, as unto you, and they also have possessed the land which Yehovah your God giveth them; then ye shall return unto the land of your possession, and possess it, which Moses the servant of Yehovah gave you beyond the Jordan toward the sunrising.' **16** And they answered Joshua, saying: 'All that thou hast commanded us we will do, and whithersoever thou sendest us we will go. **17** According as we hearkened unto Moses in all things, so will we hearken unto thee; only Yehovah thy God be with thee, as He was with Moses. **18** Whosoever he be that shall rebel against thy commandment, and shall not hearken unto thy words in all that thou commandest him, he shall be put to death; only be strong and of good courage.'{P}

2 **1** And Joshua the son of Nun sent out of Shittim two spies secretly, saying: 'Go view the land, and Jericho.' And they went, and came into the house of a harlot whose name was Rahab, and lay there.

ב וַיֵּאָמַר לְמֶלֶךְ יְרִיחוֹ לֵאמֹר הִנֵּה אֲנָשִׁים בָּאוּ הֵנָּה הַלַּיְלָה מִבְּנֵי יִשְׂרָאֵל
לַחְפֹּר אֶת־הָאָרֶץ׃ ג וַיִּשְׁלַח מֶלֶךְ יְרִיחוֹ אֶל־רָחָב לֵאמֹר הוֹצִיאִי הָאֲנָשִׁים
הַבָּאִים אֵלַיִךְ אֲשֶׁר־בָּאוּ לְבֵיתֵךְ כִּי לַחְפֹּר אֶת־כָּל־הָאָרֶץ בָּאוּ׃ ד וַתִּקַּח
הָאִשָּׁה אֶת־שְׁנֵי הָאֲנָשִׁים וַתִּצְפְּנוֹ וַתֹּאמֶר ׀ כֵּן בָּאוּ אֵלַי הָאֲנָשִׁים וְלֹא יָדַעְתִּי
מֵאַיִן הֵמָּה׃ ה וַיְהִי הַשַּׁעַר לִסְגּוֹר בַּחֹשֶׁךְ וְהָאֲנָשִׁים יָצָאוּ לֹא יָדַעְתִּי אָנָה
הָלְכוּ הָאֲנָשִׁים רִדְפוּ מַהֵר אַחֲרֵיהֶם כִּי תַשִּׂיגוּם׃ ו וְהִיא הֶעֱלָתַם הַגָּגָה
וַתִּטְמְנֵם בְּפִשְׁתֵּי הָעֵץ הָעֲרֻכוֹת לָהּ עַל־הַגָּג׃ ז וְהָאֲנָשִׁים רָדְפוּ אַחֲרֵיהֶם
דֶּרֶךְ הַיַּרְדֵּן עַל הַמַּעְבְּרוֹת וְהַשַּׁעַר סָגָרוּ אַחֲרֵי כַּאֲשֶׁר יָצְאוּ הָרֹדְפִים
אַחֲרֵיהֶם׃ ח וְהֵמָּה טֶרֶם יִשְׁכָּבוּן וְהִיא עָלְתָה עֲלֵיהֶם עַל־הַגָּג׃ ט וַתֹּאמֶר
אֶל־הָאֲנָשִׁים יָדַעְתִּי כִּי־נָתַן יְהוָה לָכֶם אֶת־הָאָרֶץ וְכִי־נָפְלָה אֵימַתְכֶם עָלֵינוּ
וְכִי נָמֹגוּ כָּל־יֹשְׁבֵי הָאָרֶץ מִפְּנֵיכֶם׃ י כִּי שָׁמַעְנוּ אֵת אֲשֶׁר־הוֹבִישׁ יְהוָה אֶת־מֵי
יַם־סוּף מִפְּנֵיכֶם בְּצֵאתְכֶם מִמִּצְרָיִם וַאֲשֶׁר עֲשִׂיתֶם לִשְׁנֵי מַלְכֵי הָאֱמֹרִי אֲשֶׁר
בְּעֵבֶר הַיַּרְדֵּן לְסִיחֹן וּלְעוֹג אֲשֶׁר הֶחֱרַמְתֶּם אוֹתָם׃ יא וַנִּשְׁמַע וַיִּמַּס לְבָבֵנוּ
וְלֹא־קָמָה עוֹד רוּחַ בְּאִישׁ מִפְּנֵיכֶם כִּי יְהוָה אֱלֹהֵיכֶם הוּא אֱלֹהִים בַּשָּׁמַיִם
מִמַּעַל וְעַל־הָאָרֶץ מִתָּחַת׃ יב וְעַתָּה הִשָּׁבְעוּ־נָא לִי בַּיהוָה כִּי־עָשִׂיתִי עִמָּכֶם
חָסֶד וַעֲשִׂיתֶם גַּם־אַתֶּם עִם־בֵּית אָבִי חֶסֶד וּנְתַתֶּם לִי אוֹת אֱמֶת׃ יג וְהַחֲיִתֶם
אֶת־אָבִי וְאֶת־אִמִּי וְאֶת־אַחַי וְאֶת־אַחְיוֹתַי[1] וְאֵת כָּל־אֲשֶׁר לָהֶם וְהִצַּלְתֶּם
אֶת־נַפְשֹׁתֵינוּ מִמָּוֶת׃ יד וַיֹּאמְרוּ לָהּ הָאֲנָשִׁים נַפְשֵׁנוּ תַחְתֵּיכֶם לָמוּת אִם לֹא
תַגִּידוּ אֶת־דְּבָרֵנוּ זֶה וְהָיָה בְּתֵת־יְהוָה לָנוּ אֶת־הָאָרֶץ וְעָשִׂינוּ עִמָּךְ חֶסֶד
וֶאֱמֶת׃ טו וַתּוֹרִדֵם בַּחֶבֶל בְּעַד הַחַלּוֹן כִּי בֵיתָהּ בְּקִיר הַחוֹמָה וּבַחוֹמָה הִיא
יוֹשָׁבֶת׃ טז וַתֹּאמֶר לָהֶם הָהָרָה לֵּכוּ פֶּן־יִפְגְּעוּ בָכֶם הָרֹדְפִים וְנַחְבֵּתֶם שָׁמָּה
שְׁלֹשֶׁת יָמִים עַד שׁוֹב הָרֹדְפִים וְאַחַר תֵּלְכוּ לְדַרְכְּכֶם׃ יז וַיֹּאמְרוּ אֵלֶיהָ
הָאֲנָשִׁים נְקִיִּם אֲנַחְנוּ מִשְּׁבֻעָתֵךְ הַזֶּה אֲשֶׁר הִשְׁבַּעְתָּנוּ׃ יח הִנֵּה אֲנַחְנוּ בָאִים
בָּאָרֶץ אֶת־תִּקְוַת חוּט הַשָּׁנִי הַזֶּה תִּקְשְׁרִי בַּחַלּוֹן אֲשֶׁר הוֹרַדְתֵּנוּ בוֹ
וְאֶת־אָבִיךְ וְאֶת־אִמֵּךְ וְאֶת־אַחַיִךְ וְאֵת כָּל־בֵּית אָבִיךְ תַּאַסְפִי אֵלַיִךְ הַבָּיְתָה׃
יט וְהָיָה כֹּל אֲשֶׁר־יֵצֵא מִדַּלְתֵי בֵיתֵךְ ׀ הַחוּצָה דָּמוֹ בְרֹאשׁוֹ וַאֲנַחְנוּ נְקִיִּם וְכֹל
אֲשֶׁר יִהְיֶה אִתָּךְ בַּבַּיִת דָּמוֹ בְרֹאשֵׁנוּ אִם־יָד תִּהְיֶה־בּוֹ׃ כ וְאִם־תַּגִּידִי
אֶת־דְּבָרֵנוּ זֶה וְהָיִינוּ נְקִיִּם מִשְּׁבֻעָתֵךְ אֲשֶׁר הִשְׁבַּעְתָּנוּ׃ כא וַתֹּאמֶר כְּדִבְרֵיכֶם
כֶּן־הוּא וַתְּשַׁלְּחֵם וַיֵּלֵכוּ וַתִּקְשֹׁר אֶת־תִּקְוַת הַשָּׁנִי בַּחַלּוֹן׃ כב וַיֵּלְכוּ וַיָּבֹאוּ
הָהָרָה וַיֵּשְׁבוּ שָׁם שְׁלֹשֶׁת יָמִים עַד־שָׁבוּ הָרֹדְפִים וַיְבַקְשׁוּ הָרֹדְפִים
בְּכָל־הַדֶּרֶךְ וְלֹא מָצָאוּ׃

[1] אחותי

2 And it was told the king of Jericho, saying: 'Behold, there came men in hither to-night of the children of Israel to search out the land.' **3** And the king of Jericho sent unto Rahab, saying: 'Bring forth the men that are come to thee, that are entered into thy house; for they are come to search out all the land.' **4** And the woman took the two men, and hid them; and she said: 'Yea, the men came unto me, but I knew not whence they were; **5** and it came to pass about the time of the shutting of the gate, when it was dark, that the men went out; whither the men went I know not; pursue after them quickly; for ye shall overtake them.' **6** But she had brought them up to the roof, and hid them with the stalks of flax, which she had spread out upon the roof. **7** And the men pursued after them the way to the Jordan unto the fords; and as soon as they that pursued after them were gone out, the gate was shut. **8** And before they were laid down, she came up unto them upon the roof; **9** and she said unto the men: 'I know that Yehovah hath given you the land, and that your terror is fallen upon us, and that all the inhabitants of the land melt away before you. **10** For we have heard how Yehovah dried up the water of the Red Sea before you, when ye came out of Egypt; and what ye did unto the two kings of the Amorites, that were beyond the Jordan, unto Sihon and to Og, whom ye utterly destroyed. **11** And as soon as we had heard it, our hearts did melt, neither did there remain any more spirit in any man, because of you; for Yehovah your God, He is God in heaven above, and on earth beneath. **12** Now therefore, I pray you, swear unto me by Yehovah, since I have dealt kindly with you, that ye also will deal kindly with my father's house—and give me a true token— **13** and save alive my father, and my mother, and my brethren, and my sisters, and all that they have, and deliver our lives from death.' **14** And the men said unto her: 'Our life for yours, if ye tell not this our business; and it shall be, when Yehovah giveth us the land, that we will deal kindly and truly with thee.' **15** Then she let them down by a cord through the window; for her house was upon the side of the wall, and she dwelt upon the wall. **16** And she said unto them: 'Get you to the mountain, lest the pursuers light upon you; and hide yourselves there three days, until the pursuers be returned; and afterward may ye go your way.' **17** And the men said unto her: 'We will be guiltless of this thine oath which thou hast made us to swear. **18** Behold, when we come into the land, thou shalt bind this line of scarlet thread in the window which thou didst let us down by; and thou shalt gather unto thee into the house thy father, and thy mother, and thy brethren, and all thy father's household. **19** And it shall be, that whosoever shall go out of the doors of thy house into the street, his blood shall be upon his head, and we will be guiltless; and whosoever shall be with thee in the house, his blood shall be on our head, if any hand be upon him. **20** But if thou utter this our business, then we will be guiltless of thine oath which thou hast made us to swear.' **21** And she said: 'According unto your words, so be it.' And she sent them away, and they departed; and she bound the scarlet line in the window. **22** And they went, and came unto the mountain, and abode there three days, until the pursuers were returned; and the pursuers sought them throughout all the way, but found them not.

כג וַיָּשֻׁבוּ שְׁנֵי הָאֲנָשִׁים וַיֵּרְדוּ מֵהָהָר וַיַּעַבְרוּ וַיָּבֹאוּ אֶל־יְהוֹשֻׁעַ בִּן־נוּן
וַיְסַפְּרוּ־לוֹ אֵת כָּל־הַמֹּצְאוֹת אוֹתָם׃ כד וַיֹּאמְרוּ אֶל־יְהוֹשֻׁעַ כִּי־נָתַן יְהוָה
בְּיָדֵנוּ אֶת־כָּל־הָאָרֶץ וְגַם־נָמֹגוּ כָּל־יֹשְׁבֵי הָאָרֶץ מִפָּנֵינוּ׃

ג א וַיַּשְׁכֵּם יְהוֹשֻׁעַ בַּבֹּקֶר וַיִּסְעוּ מֵהַשִּׁטִּים וַיָּבֹאוּ עַד־הַיַּרְדֵּן הוּא וְכָל־בְּנֵי
יִשְׂרָאֵל וַיָּלִנוּ שָׁם טֶרֶם יַעֲבֹרוּ׃ ב וַיְהִי מִקְצֵה שְׁלֹשֶׁת יָמִים וַיַּעַבְרוּ הַשֹּׁטְרִים
בְּקֶרֶב הַמַּחֲנֶה׃ ג וַיְצַוּוּ אֶת־הָעָם לֵאמֹר כִּרְאוֹתְכֶם אֵת אֲרוֹן בְּרִית־יְהוָה
אֱלֹהֵיכֶם וְהַכֹּהֲנִים הַלְוִיִּם נֹשְׂאִים אֹתוֹ וְאַתֶּם תִּסְעוּ מִמְּקוֹמְכֶם וַהֲלַכְתֶּם
אַחֲרָיו׃ ד אַךְ ׀ רָחוֹק יִהְיֶה בֵּינֵיכֶם וּבֵינָיו[2] כְּאַלְפַּיִם אַמָּה בַּמִּדָּה אַל־תִּקְרְבוּ
אֵלָיו לְמַעַן אֲשֶׁר־תֵּדְעוּ אֶת־הַדֶּרֶךְ אֲשֶׁר תֵּלְכוּ־בָהּ כִּי לֹא עֲבַרְתֶּם בַּדֶּרֶךְ
מִתְּמוֹל שִׁלְשׁוֹם׃ ה וַיֹּאמֶר יְהוֹשֻׁעַ אֶל־הָעָם הִתְקַדָּשׁוּ כִּי מָחָר יַעֲשֶׂה יְהוָה
בְּקִרְבְּכֶם נִפְלָאוֹת׃ ו וַיֹּאמֶר יְהוֹשֻׁעַ אֶל־הַכֹּהֲנִים לֵאמֹר שְׂאוּ אֶת־אֲרוֹן
הַבְּרִית וְעִבְרוּ לִפְנֵי הָעָם וַיִּשְׂאוּ אֶת־אֲרוֹן הַבְּרִית וַיֵּלְכוּ לִפְנֵי הָעָם׃ ז וַיֹּאמֶר
יְהוָה אֶל־יְהוֹשֻׁעַ הַיּוֹם הַזֶּה אָחֵל גַּדֶּלְךָ בְּעֵינֵי כָּל־יִשְׂרָאֵל אֲשֶׁר יֵדְעוּן כִּי
כַּאֲשֶׁר הָיִיתִי עִם־מֹשֶׁה אֶהְיֶה עִמָּךְ׃ ח וְאַתָּה תְּצַוֶּה אֶת־הַכֹּהֲנִים נֹשְׂאֵי
אֲרוֹן־הַבְּרִית לֵאמֹר כְּבֹאֲכֶם עַד־קְצֵה מֵי הַיַּרְדֵּן בַּיַּרְדֵּן תַּעֲמֹדוּ׃

ט וַיֹּאמֶר יְהוֹשֻׁעַ אֶל־בְּנֵי יִשְׂרָאֵל גֹּשׁוּ הֵנָּה וְשִׁמְעוּ אֶת־דִּבְרֵי יְהוָה אֱלֹהֵיכֶם׃
י וַיֹּאמֶר יְהוֹשֻׁעַ בְּזֹאת תֵּדְעוּן כִּי אֵל חַי בְּקִרְבְּכֶם וְהוֹרֵשׁ יוֹרִישׁ מִפְּנֵיכֶם
אֶת־הַכְּנַעֲנִי וְאֶת־הַחִתִּי וְאֶת־הַחִוִּי וְאֶת־הַפְּרִזִּי וְאֶת־הַגִּרְגָּשִׁי וְהָאֱמֹרִי
וְהַיְבוּסִי׃ יא הִנֵּה אֲרוֹן הַבְּרִית אֲדוֹן כָּל־הָאָרֶץ עֹבֵר לִפְנֵיכֶם בַּיַּרְדֵּן׃
יב וְעַתָּה קְחוּ לָכֶם שְׁנֵי עָשָׂר אִישׁ מִשִּׁבְטֵי יִשְׂרָאֵל אִישׁ־אֶחָד אִישׁ־אֶחָד
לַשָּׁבֶט׃ יג וְהָיָה כְּנוֹחַ כַּפּוֹת רַגְלֵי הַכֹּהֲנִים נֹשְׂאֵי אֲרוֹן יְהוָה אֲדוֹן כָּל־הָאָרֶץ
בְּמֵי הַיַּרְדֵּן מֵי הַיַּרְדֵּן יִכָּרֵתוּן הַמַּיִם הַיֹּרְדִים מִלְמָעְלָה וְיַעַמְדוּ נֵד אֶחָד׃
יד וַיְהִי בִּנְסֹעַ הָעָם מֵאָהֳלֵיהֶם לַעֲבֹר אֶת־הַיַּרְדֵּן וְהַכֹּהֲנִים נֹשְׂאֵי הָאָרוֹן
הַבְּרִית לִפְנֵי הָעָם׃ טו וּכְבוֹא נֹשְׂאֵי הָאָרוֹן עַד־הַיַּרְדֵּן וְרַגְלֵי הַכֹּהֲנִים נֹשְׂאֵי
הָאָרוֹן נִטְבְּלוּ בִּקְצֵה הַמָּיִם וְהַיַּרְדֵּן מָלֵא עַל־כָּל־גְּדוֹתָיו כֹּל יְמֵי קָצִיר׃
טז וַיַּעַמְדוּ הַמַּיִם הַיֹּרְדִים מִלְמַעְלָה קָמוּ נֵד־אֶחָד הַרְחֵק מְאֹד מֵאָדָם[3] הָעִיר
אֲשֶׁר מִצַּד צָרְתָן וְהַיֹּרְדִים עַל יָם הָעֲרָבָה יָם־הַמֶּלַח תַּמּוּ נִכְרָתוּ וְהָעָם
עָבְרוּ נֶגֶד יְרִיחוֹ׃ יז וַיַּעַמְדוּ הַכֹּהֲנִים נֹשְׂאֵי הָאָרוֹן בְּרִית־יְהוָה בֶּחָרָבָה בְּתוֹךְ
הַיַּרְדֵּן הָכֵן וְכָל־יִשְׂרָאֵל עֹבְרִים בֶּחָרָבָה עַד אֲשֶׁר־תַּמּוּ כָּל־הַגּוֹי לַעֲבֹר
אֶת־הַיַּרְדֵּן׃

[2] ובינו
[3] באדם

23 Then the two men returned, and descended from the mountain, and passed over, and came to Joshua the son of Nun; and they told him all that had befallen them. **24** And they said unto Joshua: 'Truly Yehovah hath delivered into our hands all the land; and moreover all the inhabitants of the land do melt away before us.'{s}

3 1 And Joshua rose up early in the morning, and they removed from Shittim, and came to the Jordan, he and all the children of Israel; and they lodged there before they passed over. **2** And it came to pass after three days, that the officers went through the midst of the camp; **3** and they commanded the people, saying: 'When ye see the ark of the covenant of Yehovah your God, and the priests the Levites bearing it, then ye shall remove from your place, and go after it. **4** Yet there shall be a space between you and it, about two thousand cubits by measure; come not near unto it, that ye may know the way by which ye must go; for ye have not passed this way heretofore.'{P}

5 And Joshua said unto the people: 'Sanctify yourselves; for to-morrow Yehovah will do wonders among you.' **6** And Joshua spoke unto the priests, saying: 'Take up the ark of the covenant, and pass on before the people.' And they took up the ark of the covenant, and went before the people.{s} **7** And Yehovah said unto Joshua: 'This day will I begin to magnify thee in the sight of all Israel, that they may know that, as I was with Moses, so I will be with thee. **8** And thou shalt command the priests that bear the ark of the covenant, saying: When ye are come to the brink of the waters of the Jordan, ye shall stand still in the Jordan.'{P}

9 And Joshua said unto the children of Israel: 'Come hither, and hear the words of Yehovah your God.' **10** And Joshua said: 'Hereby ye shall know that the living God is among you, and that He will without fail drive out from before you the Canaanite, and the Hittite, and the Hivite, and the Perizzite, and the Girgashite, and the Amorite, and the Jebusite. **11** Behold, the ark of the covenant of the Lord of all the earth passeth on before you over the Jordan. **12** Now therefore take you twelve men out of the tribes of Israel, for every tribe a man. **13** And it shall come to pass, when the soles of the feet of the priests that bear the ark of Yehovah, the Lord of all the earth, shall rest in the waters of the Jordan, that the waters of the Jordan shall be cut off, even the waters that come down from above; and they shall stand in one heap.' **14** And it came to pass, when the people removed from their tents, to pass over the Jordan, the priests that bore the ark of the covenant being before the people; **15** and when they that bore the ark were come unto the Jordan, and the feet of the priests that bore the ark were dipped in the brink of the water–for the Jordan overfloweth all its banks all the time of harvest– **16** that the waters which came down from above stood, and rose up in one heap, a great way off from Adam, the city that is beside Zarethan; and those that went down toward the sea of the Arabah, even the Salt Sea, were wholly cut off; and the people passed over right against Jericho. **17** And the priests that bore the ark of the covenant of Yehovah stood firm on dry ground in the midst of the Jordan, while all Israel passed over on dry ground, until all the nation were passed clean over the Jordan.

ד א וַיְהִי֙ כַּֽאֲשֶׁר־תַּ֣מּוּ כָל־הַגּ֔וֹי לַעֲב֖וֹר אֶת־הַיַּרְדֵּ֑ן
וַיֹּ֣אמֶר יְהוָ֔ה אֶל־יְהוֹשֻׁ֖עַ לֵאמֹֽר׃ ב קְח֤וּ לָכֶם֙ מִן־הָעָ֔ם שְׁנֵ֥ים עָשָׂ֖ר אֲנָשִׁ֑ים
אִישׁ־אֶחָ֥ד אִישׁ־אֶחָ֖ד מִשָּֽׁבֶט׃ ג וְצַוּ֨וּ אוֹתָ֜ם לֵאמֹ֗ר שְׂאוּ־לָכֶ֨ם מִזֶּ֜ה מִתּ֣וֹךְ
הַיַּרְדֵּ֗ן מִמַּצַּב֙ רַגְלֵ֣י הַכֹּהֲנִ֔ים הָכִ֖ין שְׁתֵּים־עֶשְׂרֵ֣ה אֲבָנִ֑ים וְהַעֲבַרְתֶּ֤ם אוֹתָם֙
עִמָּכֶ֔ם וְהִנַּחְתֶּ֣ם אוֹתָ֔ם בַּמָּל֕וֹן אֲשֶׁר־תָּלִ֥ינוּ ב֖וֹ הַלָּֽיְלָה׃ ד וַיִּקְרָ֣א יְהוֹשֻׁ֔עַ
אֶל־שְׁנֵ֥ים הֶעָשָׂר֙ אִ֔ישׁ אֲשֶׁ֥ר הֵכִ֖ין מִבְּנֵ֣י יִשְׂרָאֵ֑ל אִישׁ־אֶחָ֥ד אִישׁ־אֶחָ֖ד מִשָּֽׁבֶט׃
ה וַיֹּ֤אמֶר לָהֶם֙ יְהוֹשֻׁ֔עַ עִבְר֗וּ לִפְנֵ֛י אֲר֥וֹן יְהוָ֥ה אֱלֹהֵיכֶ֖ם אֶל־תּ֣וֹךְ הַיַּרְדֵּ֑ן
וְהָרִ֨ימוּ לָכֶ֜ם אִ֣ישׁ אֶ֤בֶן אַחַת֙ עַל־שִׁכְמ֔וֹ לְמִסְפַּ֖ר שִׁבְטֵ֥י בְנֵֽי־יִשְׂרָאֵֽל׃ ו לְמַ֗עַן
תִּהְיֶ֛ה זֹ֥את א֖וֹת בְּקִרְבְּכֶ֑ם כִּֽי־יִשְׁאָל֨וּן בְּנֵיכֶ֤ם מָחָר֙ לֵאמֹ֔ר מָ֛ה הָאֲבָנִ֥ים
הָאֵ֖לֶּה לָכֶֽם׃ ז וַאֲמַרְתֶּ֣ם לָהֶ֗ם אֲשֶׁ֨ר נִכְרְת֜וּ מֵימֵ֤י הַיַּרְדֵּן֙ מִפְּנֵי֙ אֲר֣וֹן
בְּרִית־יְהוָ֔ה בְּעָבְרוֹ֙ בַּיַּרְדֵּ֔ן נִכְרְת֖וּ מֵ֣י הַיַּרְדֵּ֑ן וְֽהָיוּ֩ הָאֲבָנִ֨ים הָאֵ֧לֶּה לְזִכָּר֛וֹן
לִבְנֵ֥י יִשְׂרָאֵ֖ל עַד־עוֹלָֽם׃ ח וַיַּעֲשׂוּ־כֵן֮ בְּנֵֽי־יִשְׂרָאֵל֒ כַּאֲשֶׁ֣ר צִוָּ֣ה יְהוֹשֻׁ֗עַ וַיִּשְׂא֡וּ
שְׁתֵּֽי־עֶשְׂרֵ֨ה אֲבָנִ֜ים מִתּ֣וֹךְ הַיַּרְדֵּ֗ן כַּאֲשֶׁ֨ר דִּבֶּ֤ר יְהוָה֙ אֶל־יְהוֹשֻׁ֔עַ לְמִסְפַּ֖ר
שִׁבְטֵ֣י בְנֵֽי־יִשְׂרָאֵ֑ל וַיַּעֲבִר֤וּם עִמָּם֙ אֶל־הַמָּל֔וֹן וַיַּנִּח֖וּם שָֽׁם׃ ט וּשְׁתֵּ֧ים עֶשְׂרֵ֣ה
אֲבָנִ֗ים הֵקִ֤ים יְהוֹשֻׁ֙עַ֙ בְּת֣וֹךְ הַיַּרְדֵּ֔ן תַּ֗חַת מַצַּב֙ רַגְלֵ֣י הַכֹּהֲנִ֔ים נֹשְׂאֵ֖י אֲר֣וֹן
הַבְּרִ֑ית וַיִּ֣הְיוּ שָׁ֔ם עַ֖ד הַיּ֥וֹם הַזֶּֽה׃ י וְהַכֹּהֲנִ֞ים נֹשְׂאֵ֣י הָאָר֗וֹן עֹמְדִים֮ בְּת֣וֹךְ
הַיַּרְדֵּן֒ עַ֣ד תֹּ֣ם כָּֽל־הַ֠דָּבָר אֲשֶׁר־צִוָּ֨ה יְהוָ֜ה אֶת־יְהוֹשֻׁ֗עַ לְדַבֵּ֤ר אֶל־הָעָם֙
כְּכֹ֛ל אֲשֶׁר־צִוָּ֥ה מֹשֶׁ֖ה אֶת־יְהוֹשֻׁ֑עַ וַיְמַהֲר֥וּ הָעָ֖ם וַֽיַּעֲבֹֽרוּ׃ יא וַיְהִ֛י כַּֽאֲשֶׁר־תַּ֥ם
כָּל־הָעָ֖ם לַעֲב֑וֹר וַיַּעֲבֹ֧ר אֲרוֹן־יְהוָ֛ה וְהַכֹּהֲנִ֖ים לִפְנֵ֥י הָעָֽם׃ יב וַֽיַּעַבְר֡וּ
בְּנֵי־רְאוּבֵ֨ן וּבְנֵי־גָ֜ד וַחֲצִ֨י שֵׁ֤בֶט הַֽמְנַשֶּׁה֙ חֲמֻשִׁ֔ים לִפְנֵ֖י בְּנֵ֣י יִשְׂרָאֵ֑ל כַּאֲשֶׁ֛ר
דִּבֶּ֥ר אֲלֵיהֶ֖ם מֹשֶֽׁה׃ יג כְּאַרְבָּעִ֥ים אֶ֖לֶף חֲלוּצֵ֣י הַצָּבָ֑א עָבְר֞וּ לִפְנֵ֤י יְהוָה֙
לַמִּלְחָמָ֔ה אֶ֖ל עַֽרְב֥וֹת יְרִיחֽוֹ׃ יד בַּיּ֣וֹם הַה֗וּא גִּדַּ֤ל יְהוָה֙ אֶת־יְהוֹשֻׁ֔עַ בְּעֵינֵ֖י
כָּל־יִשְׂרָאֵ֑ל וַיִּֽרְא֣וּ אֹת֔וֹ כַּאֲשֶׁ֛ר יָרְא֥וּ אֶת־מֹשֶׁ֖ה כָּל־יְמֵ֥י חַיָּֽיו׃
טו וַיֹּ֥אמֶר יְהוָ֖ה אֶל־יְהוֹשֻׁ֥עַ לֵאמֹֽר׃ טז צַוֵּה֙ אֶת־הַכֹּ֣הֲנִ֔ים נֹשְׂאֵ֖י אֲר֣וֹן הָעֵד֑וּת
וְיַעֲל֖וּ מִן־הַיַּרְדֵּֽן׃ יז וַיְצַ֣ו יְהוֹשֻׁ֔עַ אֶת־הַכֹּהֲנִ֖ים לֵאמֹ֑ר עֲל֖וּ מִן־הַיַּרְדֵּֽן׃
יח וַיְהִ֡י כַּעֲל֣וֹת[4] הַכֹּהֲנִ֡ים נֹשְׂאֵ֣י אֲר֣וֹן בְּרִית־יְהוָה֮ מִתּ֣וֹךְ הַיַּרְדֵּן֒ נִתְּק֗וּ כַּפּוֹת֙
רַגְלֵ֣י הַכֹּהֲנִ֔ים אֶ֖ל הֶחָֽרָבָ֑ה וַיָּשֻׁ֤בוּ מֵֽי־הַיַּרְדֵּן֙ לִמְקוֹמָ֔ם וַיֵּלְכ֥וּ
כִתְמוֹל־שִׁלְשׁ֖וֹם עַל־כָּל־גְּדוֹתָֽיו׃ יט וְהָעָ֗ם עָלוּ֙ מִן־הַיַּרְדֵּ֔ן בֶּעָשׂוֹר֙ לַחֹ֣דֶשׁ
הָרִאשׁ֑וֹן וַֽיַּחֲנוּ֙ בַּגִּלְגָּ֔ל בִּקְצֵ֖ה מִזְרַ֥ח יְרִיחֽוֹ׃ כ וְאֵת֩ שְׁתֵּ֨ים עֶשְׂרֵ֜ה הָאֲבָנִ֣ים
הָאֵ֔לֶּה אֲשֶׁ֥ר לָקְח֖וּ מִן־הַיַּרְדֵּ֑ן הֵקִ֥ים יְהוֹשֻׁ֖עַ בַּגִּלְגָּֽל׃

[4] בעלות

4 **1** And it came to pass, when all the nation were clean passed over the Jordan,{P}

that Yehovah spoke unto Joshua, saying: **2** 'Take you twelve men out of the people, out of every tribe a man, **3** and command ye them, saying: Take you hence out of the midst of the Jordan, out of the place where the priests' feet stood, twelve stones made ready, and carry them over with you, and lay them down in the lodging-place, where ye shall lodge this night.'{S} **4** Then Joshua called the twelve men, whom he had prepared of the children of Israel, out of every tribe a man; **5** and Joshua said unto them: 'Pass on before the ark of Yehovah your God into the midst of the Jordan, and take you up every man of you a stone upon his shoulder, according unto the number of the tribes of the children of Israel; **6** that this may be a sign among you, that when your children ask in time to come, saying: What mean ye by these stones? **7** then ye shall say unto them: Because the waters of the Jordan were cut off before the ark of the covenant of Yehovah; when it passed over the Jordan, the waters of the Jordan were cut off; and these stones shall be for a memorial unto the children of Israel for ever.' **8** And the children of Israel did so as Joshua commanded, and took up twelve stones out of the midst of the Jordan, as Yehovah spoke unto Joshua, according to the number of the tribes of the children of Israel; and they carried them over with them unto the place where they lodged, and laid them down there. **9** Joshua also set up twelve stones in the midst of the Jordan, in the place where the feet of the priests that bore the ark of the covenant stood; and they are there unto this day. **10** And the priests that bore the ark stood in the midst of the Jordan, until every thing was finished that Yehovah commanded Joshua to speak unto the people, according to all that Moses commanded Joshua; and the people hastened and passed over. **11** And it came to pass, when all the people were clean passed over, that the ark of Yehovah passed on, and the priests, before the people. **12** And the children of Reuben, and the children of Gad, and the half-tribe of Manasseh, passed on armed before the children of Israel, as Moses spoke unto them; **13** about forty thousand ready armed for war passed on in the presence of Yehovah unto battle, to the plains of Jericho.{S} **14** On that day Yehovah magnified Joshua in the sight of all Israel; and they feared him, as they feared Moses, all the days of his life.{P}

15 And Yehovah spoke unto Joshua, saying: **16** 'Command the priests that bear the ark of the testimony, that they come up out of the Jordan.' **17** Joshua therefore commanded the priests, saying: 'Come ye up out of the Jordan.' **18** And it came to pass, as the priests that bore the ark of the covenant of Yehovah came up out of the midst of the Jordan, as soon as the soles of the priests' feet were drawn up unto the dry ground, that the waters of the Jordan returned unto their place, and went over all its banks, as aforetime. **19** And the people came up out of the Jordan on the tenth day of the first month, and encamped in Gilgal, on the east border of Jericho. **20** And those twelve stones, which they took out of the Jordan, did Joshua set up in Gilgal.

כא וַיֹּ֙אמֶר֙ אֶל־בְּנֵ֣י יִשְׂרָאֵ֔ל לֵאמֹ֑ר אֲשֶׁר֩ יִשְׁאָל֨וּן בְּנֵיכֶ֤ם מָחָר֙ אֶת־אֲבוֹתָ֔ם לֵאמֹ֕ר מָ֖ה הָאֲבָנִ֥ים הָאֵֽלֶּה: כב וְהוֹדַעְתֶּ֖ם אֶת־בְּנֵיכֶ֣ם לֵאמֹ֑ר בַּיַּבָּשָׁה֙ עָבַ֣ר יִשְׂרָאֵ֔ל אֶת־הַיַּרְדֵּ֖ן הַזֶּֽה: כג אֲשֶׁר־הוֹבִ֣ישׁ יְהֹוָ֣ה אֱלֹֽהֵיכֶ֡ם אֶת־מֵי֩ הַיַּרְדֵּ֨ן מִפְּנֵיכֶ֖ם עַֽד־עׇבְרְכֶ֑ם כַּאֲשֶׁ֣ר עָשָׂה֩ יְהֹוָ֨ה אֱלֹהֵיכֶ֤ם לְיַם־סוּף֙ אֲשֶׁר־הוֹבִ֣ישׁ מִפָּנֵ֖ינוּ עַד־עׇבְרֵֽנוּ: כד לְ֠מַ֠עַן דַּ֜עַת כׇּל־עַמֵּ֤י הָאָ֙רֶץ֙ אֶת־יַ֣ד יְהֹוָ֔ה כִּ֥י חֲזָקָ֖ה הִ֑יא לְמַ֧עַן יְרָאתֶ֛ם אֶת־יְהֹוָ֥ה אֱלֹהֵיכֶ֖ם כׇּל־הַיָּמִֽים:

ה א וַיְהִ֣י כִשְׁמֹ֣עַ כׇּל־מַלְכֵ֣י הָאֱמֹרִ֡י אֲשֶׁר֩ בְּעֵ֨בֶר הַיַּרְדֵּ֜ן יָ֗מָּה וְכׇל־מַלְכֵ֤י הַֽכְּנַעֲנִי֙ אֲשֶׁ֣ר עַל־הַיָּ֔ם אֵ֠ת אֲשֶׁר־הוֹבִ֨ישׁ יְהֹוָ֜ה אֶת־מֵ֧י הַיַּרְדֵּ֛ן מִפְּנֵ֥י בְנֵֽי־יִשְׂרָאֵ֖ל עַד־עׇבְרָ֑ם וַיִּמַּ֣ס לְבָבָ֗ם וְלֹא־הָ֨יָה בָ֥ם עוֹד֙ ר֔וּחַ מִפְּנֵ֖י בְּנֵֽי־יִשְׂרָאֵֽל: ב בָּעֵ֣ת הַהִ֗יא אָמַ֤ר יְהֹוָה֙ אֶל־יְהוֹשֻׁ֔עַ עֲשֵׂ֥ה לְךָ֖ חַֽרְב֣וֹת צֻרִ֑ים וְשׁ֛וּב מֹ֥ל אֶת־בְּנֵֽי־יִשְׂרָאֵ֖ל שֵׁנִֽית: ג וַיַּֽעַשׂ־ל֥וֹ יְהוֹשֻׁ֖עַ חַֽרְב֣וֹת צֻרִ֑ים וַיָּ֙מׇל֙ אֶת־בְּנֵ֣י יִשְׂרָאֵ֔ל אֶל־גִּבְעַ֖ת הָעֲרָלֽוֹת: ד וְזֶ֥ה הַדָּבָ֖ר אֲשֶׁר־מָ֣ל יְהוֹשֻׁ֑עַ כׇּל־הָעָ֣ם הַיֹּצֵ֣א מִ֠מִּצְרַ֠יִם הַזְּכָרִ֞ים כֹּ֣ל ׀ אַנְשֵׁ֣י הַמִּלְחָמָ֗ה מֵ֤תוּ בַמִּדְבָּר֙ בַּדֶּ֔רֶךְ בְּצֵאתָ֖ם מִמִּצְרָֽיִם: ה כִּֽי־מֻלִ֣ים הָי֔וּ כׇּל־הָעָ֖ם הַיֹּֽצְאִ֑ים וְכׇל־הָ֠עָ֠ם הַיִּלֹּדִ֨ים בַּמִּדְבָּ֥ר בַּדֶּ֛רֶךְ בְּצֵאתָ֥ם מִמִּצְרַ֖יִם לֹא־מָֽלוּ: ו כִּ֣י ׀ אַרְבָּעִ֣ים שָׁנָ֗ה הָלְכ֣וּ בְנֵֽי־יִשְׂרָאֵל֮ בַּמִּדְבָּר֒ עַד־תֹּ֨ם כׇּל־הַגּ֜וֹי אַנְשֵׁ֤י הַמִּלְחָמָה֙ הַיֹּצְאִ֣ים מִמִּצְרַ֔יִם אֲשֶׁ֥ר לֹֽא־שָׁמְע֖וּ בְּק֣וֹל יְהֹוָ֑ה אֲשֶׁ֨ר נִשְׁבַּ֤ע יְהֹוָה֙ לָהֶ֔ם לְבִלְתִּ֞י הַרְאוֹתָ֣ם אֶת־הָאָ֗רֶץ אֲשֶׁר֩ נִשְׁבַּ֨ע יְהֹוָ֤ה לַֽאֲבוֹתָם֙ לָ֣תֶת לָ֔נוּ אֶ֛רֶץ זָבַ֥ת חָלָ֖ב וּדְבָֽשׁ: ז וְאֶת־בְּנֵיהֶם֙ הֵקִ֣ים תַּחְתָּ֔ם אֹתָ֖ם מָ֣ל יְהוֹשֻׁ֑עַ כִּֽי־עֲרֵלִ֣ים הָי֔וּ כִּ֛י לֹא־מָ֥לוּ אוֹתָ֖ם בַּדָּֽרֶךְ: ח וַיְהִ֛י כַּאֲשֶׁר־תַּ֥מּוּ כׇל־הַגּ֖וֹי לְהִמּ֑וֹל וַיֵּשְׁב֥וּ תַחְתָּ֛ם בַּֽמַּחֲנֶ֖ה עַ֥ד חֲיוֹתָֽם:

ט וַיֹּ֤אמֶר יְהֹוָה֙ אֶל־יְהוֹשֻׁ֔עַ הַיּ֗וֹם גַּלּ֛וֹתִי אֶת־חֶרְפַּ֥ת מִצְרַ֖יִם מֵעֲלֵיכֶ֑ם וַיִּקְרָ֞א שֵׁ֣ם הַמָּק֤וֹם הַהוּא֙ גִּלְגָּ֔ל עַ֖ד הַיּ֥וֹם הַזֶּֽה: י וַיַּחֲנ֥וּ בְנֵֽי־יִשְׂרָאֵ֖ל בַּגִּלְגָּ֑ל וַיַּעֲשׂ֣וּ אֶת־הַפֶּ֡סַח בְּאַרְבָּעָה֩ עָשָׂ֨ר י֥וֹם לַחֹ֛דֶשׁ בָּעֶ֖רֶב בְּעַֽרְב֥וֹת יְרִיחֽוֹ: יא וַיֹּ֨אכְל֜וּ מֵעֲב֥וּר הָאָ֛רֶץ מִמׇּחֳרַ֥ת הַפֶּ֖סַח מַצּ֣וֹת וְקָל֑וּי בְּעֶ֖צֶם הַיּ֥וֹם הַזֶּֽה: יב וַיִּשְׁבֹּ֨ת הַמָּ֜ן מִֽמׇּחֳרָ֗ת בְּאׇכְלָם֙ מֵעֲב֣וּר הָאָ֔רֶץ וְלֹא־הָ֥יָה ע֛וֹד לִבְנֵ֥י יִשְׂרָאֵ֖ל מָ֑ן וַיֹּאכְל֗וּ מִתְּבוּאַת֙ אֶ֣רֶץ כְּנַ֔עַן בַּשָּׁנָ֖ה הַהִֽיא: יג וַיְהִ֗י בִּֽהְי֣וֹת יְהוֹשֻׁעַ֮ בִּֽירִיחוֹ֒ וַיִּשָּׂ֤א עֵינָיו֙ וַיַּ֔רְא וְהִנֵּה־אִישׁ֙ עֹמֵ֣ד לְנֶגְדּ֔וֹ וְחַרְבּ֥וֹ שְׁלוּפָ֖ה בְּיָד֑וֹ וַיֵּ֨לֶךְ יְהוֹשֻׁ֤עַ אֵלָיו֙ וַיֹּ֣אמֶר ל֔וֹ הֲלָ֥נוּ אַתָּ֖ה אִם־לְצָרֵֽינוּ: יד וַיֹּ֣אמֶר ׀ לֹ֗א כִּ֛י אֲנִ֥י שַׂר־צְבָֽא־יְהֹוָ֖ה עַתָּ֣ה בָ֑אתִי וַיִּפֹּל֩ יְהוֹשֻׁ֨עַ אֶל־פָּנָ֥יו אַ֙רְצָה֙ וַיִּשְׁתָּ֔חוּ וַיֹּ֣אמֶר ל֔וֹ מָ֥ה אֲדֹנִ֖י מְדַבֵּ֥ר אֶל־עַבְדּֽוֹ:

21 And he spoke unto the children of Israel, saying: 'When your children shall ask their fathers in time to come, saying: What mean these stones? **22** then ye shall let your children know, saying: Israel came over this Jordan on dry land. **23** For Yehovah your God dried up the waters of Jordan from before you, until ye were passed over, as Yehovah your God did to the Red Sea, which He dried up from before us, until we were passed over, **24** that all the peoples of the earth may know the hand of Yehovah, that it is mighty; that ye may fear Yehovah your God for ever.'{P}

5 **1** And it came to pass, when all the kings of the Amorites, that were beyond the Jordan westward, and all the kings of the Canaanites, that were by the sea, heard how that Yehovah had dried up the waters of the Jordan from before the children of Israel, until they were passed over, that their heart melted, neither was there spirit in them any more, because of the children of Israel.{P}

2 At that time Yehovah said unto Joshua: 'Make thee knives of flint, and circumcise again the children of Israel the second time.' **3** And Joshua made him knives of flint, and circumcised the children of Israel at Gibeath-ha-araloth. **4** And this is the cause why Joshua did circumcise: all the people that came forth out of Egypt, that were males, even all the men of war, died in the wilderness by the way, after they came forth out of Egypt. **5** For all the people that came out were circumcised; but all the people that were born in the wilderness by the way as they came forth out of Egypt, had not been circumcised. **6** For the children of Israel walked forty years in the wilderness, till all the nation, even the men of war that came forth out of Egypt, were consumed, because they hearkened not unto the voice of Yehovah; unto whom Yehovah swore that He would not let them see the land which Yehovah swore unto their fathers that He would give us, a land flowing with milk and honey. **7** And He raised up their children in their stead; them did Joshua circumcise; for they were uncircumcised, because they had not been circumcised by the way. **8** And it came to pass, when all the nation were circumcised, every one of them, that they abode in their places in the camp, till they were whole.{P}

9 And Yehovah said unto Joshua: 'This day have I rolled away the reproach of Egypt from off you.' Wherefore the name of that place was called Gilgal, unto this day. **10** And the children of Israel encamped in Gilgal; and they kept the passover on the fourteenth day of the month at even in the plains of Jericho. **11** And they did eat of the produce of the land on the morrow after the passover, unleavened cakes and parched corn, in the selfsame day. **12** And the manna ceased on the morrow, after they had eaten of the produce of the land; neither had the children of Israel manna any more; but they did eat of the fruit of the land of Canaan that year.{S} **13** And it came to pass, when Joshua was by Jericho, that he lifted up his eyes and looked, and, behold, there stood a man over against him with his sword drawn in his hand; and Joshua went unto him, and said unto him: 'Art thou for us, or for our adversaries?' **14** And he said: 'Nay, but I am captain of the host of Yehovah; I am now come.' And Joshua fell on his face to the earth, and bowed down, and said unto him: 'What saith my lord unto his servant?'

יה וַיֹּאמֶר שַׂר־צְבָא יְהוָה אֶל־יְהוֹשֻׁעַ שַׁל־נַעַלְךָ מֵעַל רַגְלֶךָ כִּי הַמָּקוֹם אֲשֶׁר אַתָּה עֹמֵד עָלָיו קֹדֶשׁ הוּא וַיַּעַשׂ יְהוֹשֻׁעַ כֵּן:

ו א וִירִיחוֹ סֹגֶרֶת וּמְסֻגֶּרֶת מִפְּנֵי בְּנֵי יִשְׂרָאֵל אֵין יוֹצֵא וְאֵין בָּא: ב וַיֹּאמֶר יְהוָה אֶל־יְהוֹשֻׁעַ רְאֵה נָתַתִּי בְיָדְךָ אֶת־יְרִיחוֹ וְאֶת־מַלְכָּהּ גִּבּוֹרֵי הֶחָיִל: ג וְסַבֹּתֶם אֶת־הָעִיר כֹּל אַנְשֵׁי הַמִּלְחָמָה הַקֵּיף אֶת־הָעִיר פַּעַם אֶחָת כֹּה תַעֲשֶׂה שֵׁשֶׁת יָמִים: ד וְשִׁבְעָה כֹהֲנִים יִשְׂאוּ שִׁבְעָה שׁוֹפְרוֹת הַיּוֹבְלִים לִפְנֵי הָאָרוֹן וּבַיּוֹם הַשְּׁבִיעִי תָּסֹבּוּ אֶת־הָעִיר שֶׁבַע פְּעָמִים וְהַכֹּהֲנִים יִתְקְעוּ בַּשּׁוֹפָרוֹת: ה וְהָיָה בִּמְשֹׁךְ | בְּקֶרֶן הַיּוֹבֵל כְּשָׁמְעֲכֶם[6] אֶת־קוֹל הַשּׁוֹפָר יָרִיעוּ כָל־הָעָם תְּרוּעָה גְדוֹלָה וְנָפְלָה חוֹמַת הָעִיר תַּחְתֶּיהָ וְעָלוּ הָעָם אִישׁ נֶגְדּוֹ: ו וַיִּקְרָא יְהוֹשֻׁעַ בִּן־נוּן אֶל־הַכֹּהֲנִים וַיֹּאמֶר אֲלֵהֶם שְׂאוּ אֶת־אֲרוֹן הַבְּרִית וְשִׁבְעָה כֹהֲנִים יִשְׂאוּ שִׁבְעָה שׁוֹפְרוֹת יוֹבְלִים לִפְנֵי אֲרוֹן יְהוָה: ז וַיֹּאמֶר[7] אֶל־הָעָם עִבְרוּ וְסֹבּוּ אֶת־הָעִיר וְהֶחָלוּץ יַעֲבֹר לִפְנֵי אֲרוֹן יְהוָה: ח וַיְהִי כֶּאֱמֹר יְהוֹשֻׁעַ אֶל־הָעָם וְשִׁבְעָה הַכֹּהֲנִים נֹשְׂאִים שִׁבְעָה שׁוֹפְרוֹת הַיּוֹבְלִים לִפְנֵי יְהוָה עָבְרוּ וְתָקְעוּ בַּשּׁוֹפָרוֹת וַאֲרוֹן בְּרִית יְהוָה הֹלֵךְ אַחֲרֵיהֶם: ט וְהֶחָלוּץ הֹלֵךְ לִפְנֵי הַכֹּהֲנִים תֹּקְעֵי[8] הַשּׁוֹפָרוֹת וְהַמְאַסֵּף הֹלֵךְ אַחֲרֵי הָאָרוֹן הָלוֹךְ וְתָקוֹעַ בַּשּׁוֹפָרוֹת: י וְאֶת־הָעָם צִוָּה יְהוֹשֻׁעַ לֵאמֹר לֹא תָרִיעוּ וְלֹא־תַשְׁמִיעוּ אֶת־קוֹלְכֶם וְלֹא־יֵצֵא מִפִּיכֶם דָּבָר עַד יוֹם אָמְרִי אֲלֵיכֶם הָרִיעוּ וַהֲרִיעֹתֶם: יא וַיַּסֵּב אֲרוֹן־יְהוָה אֶת־הָעִיר הַקֵּף פַּעַם אֶחָת וַיָּבֹאוּ הַמַּחֲנֶה וַיָּלִינוּ בַּמַּחֲנֶה:

יב וַיַּשְׁכֵּם יְהוֹשֻׁעַ בַּבֹּקֶר וַיִּשְׂאוּ הַכֹּהֲנִים אֶת־אֲרוֹן יְהוָה: יג וְשִׁבְעָה הַכֹּהֲנִים נֹשְׂאִים שִׁבְעָה שׁוֹפְרוֹת הַיֹּבְלִים לִפְנֵי אֲרוֹן יְהוָה הֹלְכִים הָלוֹךְ וְתָקְעוּ בַּשּׁוֹפָרוֹת וְהֶחָלוּץ הֹלֵךְ לִפְנֵיהֶם וְהַמְאַסֵּף הֹלֵךְ אַחֲרֵי אֲרוֹן יְהוָה הָלוֹךְ[9] וְתָקוֹעַ בַּשּׁוֹפָרוֹת: יד וַיָּסֹבּוּ אֶת־הָעִיר בַּיּוֹם הַשֵּׁנִי פַּעַם אַחַת וַיָּשֻׁבוּ הַמַּחֲנֶה כֹּה עָשׂוּ שֵׁשֶׁת יָמִים: יה וַיְהִי | בַּיּוֹם הַשְּׁבִיעִי וַיַּשְׁכִּמוּ כַּעֲלוֹת הַשַּׁחַר וַיָּסֹבּוּ אֶת־הָעִיר כַּמִּשְׁפָּט הַזֶּה שֶׁבַע פְּעָמִים רַק בַּיּוֹם הַהוּא סָבְבוּ אֶת־הָעִיר שֶׁבַע פְּעָמִים: יו וַיְהִי בַּפַּעַם הַשְּׁבִיעִית תָּקְעוּ הַכֹּהֲנִים בַּשּׁוֹפָרוֹת וַיֹּאמֶר יְהוֹשֻׁעַ אֶל־הָעָם הָרִיעוּ כִּי־נָתַן יְהוָה לָכֶם אֶת־הָעִיר: יז וְהָיְתָה הָעִיר חֵרֶם הִיא וְכָל־אֲשֶׁר־בָּהּ לַיהוָה רַק רָחָב הַזּוֹנָה תִּחְיֶה הִיא וְכָל־אֲשֶׁר אִתָּהּ בַּבַּיִת כִּי הֶחְבְּאַתָה אֶת־הַמַּלְאָכִים אֲשֶׁר שָׁלָחְנוּ: יח וְרַק־אַתֶּם שִׁמְרוּ מִן־הַחֵרֶם פֶּן־תַּחֲרִימוּ וּלְקַחְתֶּם מִן־הַחֵרֶם וְשַׂמְתֶּם אֶת־מַחֲנֵה יִשְׂרָאֵל לְחֵרֶם וַעֲכַרְתֶּם אוֹתוֹ:

---

[6] בשמעכם
[7] ויאמרו
[8] תקעו
[9] הולך

15 And the captain of Yehovah's host said unto Joshua: 'Put off thy shoe from off thy foot; for the place whereon thou standest is holy.' And Joshua did so.

6 **1** Now Jericho was straitly shut up because of the children of Israel: none went out, and none came in.–{S} **2** And Yehovah said unto Joshua: 'See, I have given into thy hand Jericho, and the king thereof, even the mighty men of valour. **3** And ye shall compass the city, all the men of war, going about the city once. Thus shalt thou do six days. **4** And seven priests shall bear seven rams' horns before the ark; and the seventh day ye shall compass the city seven times, and the priests shall blow with the horns. **5** And it shall be, that when they make a long blast with the ram's horn, and when ye hear the sound of the horn, all the people shall shout with a great shout; and the wall of the city shall fall down flat, and the people shall go up every man straight before him.' **6** And Joshua the son of Nun called the priests, and said unto them: 'Take up the ark of the covenant, and let seven priests bear seven rams' horns before the ark of Yehovah.' **7** And he said unto the people: 'Pass on, and compass the city, and let the armed body pass on before the ark of Yehovah.' **8** And it was so, that when Joshua had spoken unto the people, the seven priests bearing the seven rams' horns before Yehovah passed on, and blew with the horns; and the ark of the covenant of Yehovah followed them. **9** And the armed men went before the priests that blew the horns, and the rearward went after the ark, [the priests] blowing with the horns continually. **10** And Joshua commanded the people, saying: 'Ye shall not shout, nor let your voice be heard, neither shall any word proceed out of your mouth, until the day I bid you shout; then shall ye shout.' **11** So he caused the ark of Yehovah to compass the city, going about it once; and they came into the camp, and lodged in the camp.{P}

12 And Joshua rose early in the morning, and the priests took up the ark of Yehovah. **13** And the seven priests bearing the seven rams' horns before the ark of Yehovah went on continually, and blew with the horns; and the armed men went before them; and the rearward came after the ark of Yehovah, [the priests] blowing with the horns continually. **14** And the second day they compassed the city once, and returned into the camp; so they did six days. **15** And it came to pass on the seventh day, that they rose early at the dawning of the day, and compassed the city after the same manner seven times; only on that day they compassed the city seven times. **16** And it came to pass at the seventh time, when the priests blew with the horns, that Joshua said unto the people: 'Shout; for Yehovah hath given you the city. **17** And the city shall be devoted, even it and all that is therein, to Yehovah; only Rahab the harlot shall live, she and all that are with her in the house, because she hid the messengers that we sent. **18** And ye, in any wise keep yourselves from the devoted thing, lest ye make yourselves accursed by taking of the devoted thing, so should ye make the camp of Israel accursed, and trouble it.

יט וְכֹל ׀ כֶּסֶף וְזָהָב וּכְלֵי נְחֹשֶׁת וּבַרְזֶל קֹדֶשׁ הוּא לַיהוָה אוֹצַר יְהוָה יָבוֹא: כ וַיָּרַע הָעָם וַיִּתְקְעוּ בַּשֹּׁפָרוֹת וַיְהִי כִשְׁמֹעַ הָעָם אֶת־קוֹל הַשּׁוֹפָר וַיָּרִיעוּ הָעָם תְּרוּעָה גְדוֹלָה וַתִּפֹּל הַחוֹמָה תַּחְתֶּיהָ וַיַּעַל הָעָם הָעִירָה אִישׁ נֶגְדּוֹ וַיִּלְכְּדוּ אֶת־הָעִיר: כא וַיַּחֲרִימוּ אֶת־כָּל־אֲשֶׁר בָּעִיר מֵאִישׁ וְעַד־אִשָּׁה מִנַּעַר וְעַד־זָקֵן וְעַד שׁוֹר וָשֶׂה וַחֲמוֹר לְפִי־חָרֶב: כב וְלִשְׁנַיִם הָאֲנָשִׁים הַמְרַגְּלִים אֶת־הָאָרֶץ אָמַר יְהוֹשֻׁעַ בֹּאוּ בֵּית־הָאִשָּׁה הַזּוֹנָה וְהוֹצִיאוּ מִשָּׁם אֶת־הָאִשָּׁה וְאֶת־כָּל־אֲשֶׁר־לָהּ כַּאֲשֶׁר נִשְׁבַּעְתֶּם לָהּ: כג וַיָּבֹאוּ הַנְּעָרִים הַמְרַגְּלִים וַיֹּצִיאוּ אֶת־רָחָב וְאֶת־אָבִיהָ וְאֶת־אִמָּהּ וְאֶת־אַחֶיהָ וְאֶת־כָּל־אֲשֶׁר־לָהּ וְאֵת כָּל־מִשְׁפְּחוֹתֶיהָ הוֹצִיאוּ וַיַּנִּיחוּם מִחוּץ לְמַחֲנֵה יִשְׂרָאֵל: כד וְהָעִיר שָׂרְפוּ בָאֵשׁ וְכָל־אֲשֶׁר־בָּהּ רַק ׀ הַכֶּסֶף וְהַזָּהָב וּכְלֵי הַנְּחֹשֶׁת וְהַבַּרְזֶל נָתְנוּ אוֹצַר בֵּית־יְהוָה: כה וְאֶת־רָחָב הַזּוֹנָה וְאֶת־בֵּית אָבִיהָ וְאֶת־כָּל־אֲשֶׁר־לָהּ הֶחֱיָה יְהוֹשֻׁעַ וַתֵּשֶׁב בְּקֶרֶב יִשְׂרָאֵל עַד הַיּוֹם הַזֶּה כִּי הֶחְבִּיאָה אֶת־הַמַּלְאָכִים אֲשֶׁר־שָׁלַח יְהוֹשֻׁעַ לְרַגֵּל אֶת־יְרִיחוֹ:

כו וַיַּשְׁבַּע יְהוֹשֻׁעַ בָּעֵת הַהִיא לֵאמֹר אָרוּר הָאִישׁ לִפְנֵי יְהוָה אֲשֶׁר יָקוּם וּבָנָה אֶת־הָעִיר הַזֹּאת אֶת־יְרִיחוֹ בִּבְכֹרוֹ יְיַסְּדֶנָּה וּבִצְעִירוֹ יַצִּיב דְּלָתֶיהָ: כז וַיְהִי יְהוָה אֶת־יְהוֹשֻׁעַ וַיְהִי שָׁמְעוֹ בְּכָל־הָאָרֶץ:

ז א וַיִּמְעֲלוּ בְנֵי־יִשְׂרָאֵל מַעַל בַּחֵרֶם וַיִּקַּח עָכָן בֶּן־כַּרְמִי בֶן־זַבְדִּי בֶן־זֶרַח לְמַטֵּה יְהוּדָה מִן־הַחֵרֶם וַיִּחַר־אַף יְהוָה בִּבְנֵי יִשְׂרָאֵל: ב וַיִּשְׁלַח יְהוֹשֻׁעַ אֲנָשִׁים מִירִיחוֹ הָעַי אֲשֶׁר עִם־בֵּית אָוֶן מִקֶּדֶם לְבֵית־אֵל וַיֹּאמֶר אֲלֵיהֶם לֵאמֹר עֲלוּ וְרַגְּלוּ אֶת־הָאָרֶץ וַיַּעֲלוּ הָאֲנָשִׁים וַיְרַגְּלוּ אֶת־הָעָי: ג וַיָּשֻׁבוּ אֶל־יְהוֹשֻׁעַ וַיֹּאמְרוּ אֵלָיו אַל־יַעַל כָּל־הָעָם כְּאַלְפַּיִם אִישׁ אוֹ כִּשְׁלֹשֶׁת אֲלָפִים אִישׁ יַעֲלוּ וְיַכּוּ אֶת־הָעָי אַל־תְּיַגַּע־שָׁמָּה אֶת־כָּל־הָעָם כִּי מְעַט הֵמָּה: ד וַיַּעֲלוּ מִן־הָעָם שָׁמָּה כִּשְׁלֹשֶׁת אֲלָפִים אִישׁ וַיָּנֻסוּ לִפְנֵי אַנְשֵׁי הָעָי: ה וַיַּכּוּ מֵהֶם אַנְשֵׁי הָעַי כִּשְׁלֹשִׁים וְשִׁשָּׁה אִישׁ וַיִּרְדְּפוּם לִפְנֵי הַשַּׁעַר עַד־הַשְּׁבָרִים וַיַּכּוּם בַּמּוֹרָד וַיִּמַּס לְבַב־הָעָם וַיְהִי לְמָיִם: ו וַיִּקְרַע יְהוֹשֻׁעַ שִׂמְלֹתָיו וַיִּפֹּל עַל־פָּנָיו אַרְצָה לִפְנֵי אֲרוֹן יְהוָה עַד־הָעֶרֶב הוּא וְזִקְנֵי יִשְׂרָאֵל וַיַּעֲלוּ עָפָר עַל־רֹאשָׁם: ז וַיֹּאמֶר יְהוֹשֻׁעַ אֲהָהּ ׀ אֲדֹנָי יְהוִה לָמָה הֵעֲבַרְתָּ הַעֲבִיר אֶת־הָעָם הַזֶּה אֶת־הַיַּרְדֵּן לָתֵת אֹתָנוּ בְּיַד הָאֱמֹרִי לְהַאֲבִידֵנוּ וְלוּ הוֹאַלְנוּ וַנֵּשֶׁב בְּעֵבֶר הַיַּרְדֵּן: ח בִּי אֲדֹנָי מָה אֹמַר אַחֲרֵי אֲשֶׁר הָפַךְ יִשְׂרָאֵל עֹרֶף לִפְנֵי אֹיְבָיו:

<u>19</u> But all the silver, and gold, and vessels of brass and iron, are holy unto Yehovah; they shall come into the treasury of Yehovah.' <u>20</u> So the people shouted, and [the priests] blew with the horns. And it came to pass, when the people heard the sound of the horn, that the people shouted with a great shout, and the wall fell down flat, so that the people went up into the city, every man straight before him, and they took the city. <u>21</u> And they utterly destroyed all that was in the city, both man and woman, both young and old, and ox, and sheep, and ass, with the edge of the sword. <u>22</u> And Joshua said unto the two men that had spied out the land: 'Go into the harlot's house, and bring out thence the woman, and all that she hath, as ye swore unto her.' <u>23</u> And the young men the spies went in, and brought out Rahab, and her father, and her mother, and her brethren, and all that she had, all her kindred also they brought out; and they set them without the camp of Israel. <u>24</u> And they burnt the city with fire, and all that was therein; only the silver, and the gold, and the vessels of brass and of iron, they put into the treasury of the house of Yehovah. <u>25</u> But Rahab the harlot, and her father's household, and all that she had, did Joshua save alive; and she dwelt in the midst of Israel, unto this day; because she hid the messengers, whom Joshua sent to spy out Jericho.{P}

<u>26</u> And Joshua charged the people with an oath at that time, saying: 'Cursed be the man before Yehovah, that riseth up and buildeth this city, even Jericho; with the loss of his first-born shall he lay the foundation thereof, and with the loss of his youngest son shall he set up the gates of it.'{S} <u>27</u> So Yehovah was with Joshua; and his fame was in all the land.

7 <u>1</u> But the children of Israel committed a trespass concerning the devoted thing; for Achan, the son of Carmi, the son of Zabdi, the son of Zerah, of the tribe of Judah, took of the devoted thing; and the anger of Yehovah was kindled against the children of Israel.{S} <u>2</u> And Joshua sent men from Jericho to Ai, which is beside Beth-aven, on the east side of Beth-el, and spoke unto them, saying: 'Go up and spy out the land.' And the men went up and spied out Ai. <u>3</u> And they returned to Joshua, and said unto him: 'Let not all the people go up; but let about two or three thousand men go up and smite Ai; make not all the people to toil thither; for they are but few.' <u>4</u> So there went up thither of the people about three thousand men; and they fled before the men of Ai. <u>5</u> And the men of Ai smote of them about thirty and six men; and they chased them from before the gate even unto Shebarim, and smote them at the descent; and the hearts of the people melted, and became as water. <u>6</u> And Joshua rent his clothes, and fell to the earth upon his face before the ark of Yehovah until the evening, he and the elders of Israel; and they put dust upon their heads. <u>7</u> And Joshua said: 'Alas, O Lord GOD [Adonai Yehovi], wherefore hast Thou at all brought this people over the Jordan, to deliver us into the hand of the Amorites, to cause us to perish? would that we had been content and dwelt beyond the Jordan! <u>8</u> Oh, Lord, what shall I say, after that Israel hath turned their backs before their enemies!

ט וְיִשְׁמְעוּ הַכְּנַעֲנִי וְכֹל יֹשְׁבֵי הָאָרֶץ וְנָסַבּוּ עָלֵינוּ וְהִכְרִיתוּ אֶת־שְׁמֵנוּ
מִן־הָאָרֶץ וּמַה־תַּעֲשֶׂה לְשִׁמְךָ הַגָּדוֹל׃ י וַיֹּאמֶר יְהוָה אֶל־יְהוֹשֻׁעַ קֻם לָךְ
לָמָּה זֶּה אַתָּה נֹפֵל עַל־פָּנֶיךָ׃ יא חָטָא יִשְׂרָאֵל וְגַם עָבְרוּ אֶת־בְּרִיתִי אֲשֶׁר
צִוִּיתִי אוֹתָם וְגַם לָקְחוּ מִן־הַחֵרֶם וְגַם גָּנְבוּ וְגַם כִּחֲשׁוּ וְגַם שָׂמוּ בִכְלֵיהֶם׃
יב וְלֹא יֻכְלוּ בְּנֵי יִשְׂרָאֵל לָקוּם לִפְנֵי אֹיְבֵיהֶם עֹרֶף יִפְנוּ לִפְנֵי אֹיְבֵיהֶם כִּי
הָיוּ לְחֵרֶם לֹא אוֹסִיף לִהְיוֹת עִמָּכֶם אִם־לֹא תַשְׁמִידוּ הַחֵרֶם מִקִּרְבְּכֶם׃
יג קֻם קַדֵּשׁ אֶת־הָעָם וְאָמַרְתָּ הִתְקַדְּשׁוּ לְמָחָר כִּי כֹה אָמַר יְהוָה אֱלֹהֵי
יִשְׂרָאֵל חֵרֶם בְּקִרְבְּךָ יִשְׂרָאֵל לֹא תוּכַל לָקוּם לִפְנֵי אֹיְבֶיךָ עַד־הֲסִירְכֶם
הַחֵרֶם מִקִּרְבְּכֶם׃ יד וְנִקְרַבְתֶּם בַּבֹּקֶר לְשִׁבְטֵיכֶם וְהָיָה הַשֵּׁבֶט
אֲשֶׁר־יִלְכְּדֶנּוּ יְהוָה יִקְרַב לַמִּשְׁפָּחוֹת וְהַמִּשְׁפָּחָה אֲשֶׁר־יִלְכְּדֶנָּה יְהוָה תִּקְרַב
לַבָּתִּים וְהַבַּיִת אֲשֶׁר יִלְכְּדֶנּוּ יְהוָה יִקְרַב לַגְּבָרִים׃ טו וְהָיָה הַנִּלְכָּד בַּחֵרֶם
יִשָּׂרֵף בָּאֵשׁ אֹתוֹ וְאֶת־כָּל־אֲשֶׁר־לוֹ כִּי עָבַר אֶת־בְּרִית יְהוָה וְכִי־עָשָׂה נְבָלָה
בְּיִשְׂרָאֵל׃ טז וַיַּשְׁכֵּם יְהוֹשֻׁעַ בַּבֹּקֶר וַיַּקְרֵב אֶת־יִשְׂרָאֵל לִשְׁבָטָיו וַיִּלָּכֵד שֵׁבֶט
יְהוּדָה׃ יז וַיַּקְרֵב אֶת־מִשְׁפַּחַת יְהוּדָה וַיִּלְכֹּד אֵת מִשְׁפַּחַת הַזַּרְחִי וַיַּקְרֵב
אֶת־מִשְׁפַּחַת הַזַּרְחִי לַגְּבָרִים וַיִּלָּכֵד זַבְדִּי׃ יח וַיַּקְרֵב אֶת־בֵּיתוֹ לַגְּבָרִים
וַיִּלָּכֵד עָכָן בֶּן־כַּרְמִי בֶן־זַבְדִּי בֶּן־זֶרַח לְמַטֵּה יְהוּדָה׃ יט וַיֹּאמֶר יְהוֹשֻׁעַ
אֶל־עָכָן בְּנִי שִׂים־נָא כָבוֹד לַיהוָה אֱלֹהֵי יִשְׂרָאֵל וְתֶן־לוֹ תוֹדָה וְהַגֶּד־נָא לִי
מֶה עָשִׂיתָ אַל־תְּכַחֵד מִמֶּנִּי׃ כ וַיַּעַן עָכָן אֶת־יְהוֹשֻׁעַ וַיֹּאמַר אָמְנָה אָנֹכִי
חָטָאתִי לַיהוָה אֱלֹהֵי יִשְׂרָאֵל וְכָזֹאת וְכָזֹאת עָשִׂיתִי׃ כא וָאֵרֶא[10] בַשָּׁלָל
אַדֶּרֶת שִׁנְעָר אַחַת טוֹבָה וּמָאתַיִם שְׁקָלִים כֶּסֶף וּלְשׁוֹן זָהָב אֶחָד חֲמִשִּׁים
שְׁקָלִים מִשְׁקָלוֹ וָאֶחְמְדֵם וָאֶקָּחֵם וְהִנָּם טְמוּנִים בָּאָרֶץ בְּתוֹךְ הָאָהֳלִי וְהַכֶּסֶף
תַּחְתֶּיהָ׃ כב וַיִּשְׁלַח יְהוֹשֻׁעַ מַלְאָכִים וַיָּרֻצוּ הָאֹהֱלָה וְהִנֵּה טְמוּנָה בְּאָהֳלוֹ
וְהַכֶּסֶף תַּחְתֶּיהָ׃ כג וַיִּקָּחוּם מִתּוֹךְ הָאֹהֶל וַיְבִאוּם אֶל־יְהוֹשֻׁעַ וְאֶל כָּל־בְּנֵי
יִשְׂרָאֵל וַיַּצִּקֻם לִפְנֵי יְהוָה׃ כד וַיִּקַּח יְהוֹשֻׁעַ אֶת־עָכָן בֶּן־זֶרַח וְאֶת־הַכֶּסֶף
וְאֶת־הָאַדֶּרֶת וְאֶת־לְשׁוֹן הַזָּהָב וְאֶת־בָּנָיו וְאֶת־בְּנֹתָיו וְאֶת־שׁוֹרוֹ וְאֶת־חֲמֹרוֹ
וְאֶת־צֹאנוֹ וְאֶת־אָהֳלוֹ וְאֶת־כָּל־אֲשֶׁר־לוֹ וְכָל־יִשְׂרָאֵל עִמּוֹ וַיַּעֲלוּ אֹתָם עֵמֶק
עָכוֹר׃ כה וַיֹּאמֶר יְהוֹשֻׁעַ מֶה עֲכַרְתָּנוּ יַעְכָּרְךָ יְהוָה בַּיּוֹם הַזֶּה וַיִּרְגְּמוּ אֹתוֹ
כָל־יִשְׂרָאֵל אֶבֶן וַיִּשְׂרְפוּ אֹתָם בָּאֵשׁ וַיִּסְקְלוּ אֹתָם בָּאֲבָנִים׃ כו וַיָּקִימוּ עָלָיו
גַּל־אֲבָנִים גָּדוֹל עַד הַיּוֹם הַזֶּה וַיָּשָׁב יְהוָה מֵחֲרוֹן אַפּוֹ עַל־כֵּן קָרָא שֵׁם
הַמָּקוֹם הַהוּא עֵמֶק עָכוֹר עַד הַיּוֹם הַזֶּה׃

[10]ואראה

9 For when the Canaanites and all the inhabitants of the land hear of it, they will compass us round, and cut off our name from the earth; and what wilt Thou do for Thy great name?' **10** And Yehovah said unto Joshua: 'Get thee up; wherefore, now, art thou fallen upon thy face? **11** Israel hath sinned; yea, they have even transgressed My covenant which I commanded them; yea, they have even taken of the devoted thing; and have also stolen, and dissembled also, and they have even put it among their own stuff. **12** Therefore the children of Israel cannot stand before their enemies, they turn their backs before their enemies, because they are become accursed; I will not be with you any more, except ye destroy the accursed from among you. **13** Up, sanctify the people, and say: Sanctify yourselves against tomorrow; for thus saith Yehovah, the God of Israel: There is a curse in the midst of thee, O Israel; thou canst not stand before thine enemies, until ye take away the accursed thing from among you. **14** In the morning therefore ye shall draw near by your tribes; and it shall be, that the tribe which Yehovah taketh shall come near by families; and the family which Yehovah shall take shall come near by households; and the household which Yehovah shall take shall come near man by man. **15** And it shall be that he that is taken with the devoted thing shall be burnt with fire, he and all that he hath; because he hath transgressed the covenant of Yehovah, and because he hath wrought a wanton deed in Israel.' **16** So Joshua rose up early in the morning, and brought Israel near by their tribes; and the tribe of Judah was taken. **17** And he brought near the family of Judah; and he took the family of the Zerahites. And he brought near the family of the Zerahites man by man; and Zabdi was taken. **18** And he brought near his household man by man; and Achan, the son of Carmi, the son of Zabdi, the son of Zerah, of the tribe of Judah, was taken. **19** And Joshua said unto Achan: 'My son, give, I pray thee, glory to Yehovah, the God of Israel, and make confession unto Him; and tell me now what thou hast done; hide nothing from me.' **20** And Achan answered Joshua, and said: 'Of a truth I have sinned against Yehovah, the God of Israel, and thus and thus have I done. **21** When I saw among the spoil a goodly Shinar mantle, and two hundred shekels of silver, and a wedge of gold of fifty shekels weight, then I coveted them, and took them; and, behold, they are hid in the earth in the midst of my tent, and the silver under it.' **22** So Joshua sent messengers, and they ran unto the tent; and, behold, it was hid in his tent, and the silver under it. **23** And they took them from the midst of the tent, and brought them unto Joshua, and unto all the children of Israel; and they laid them down before Yehovah. **24** And Joshua, and all Israel with him, took Achan the son of Zerah, and the silver, and the mantle, and the wedge of gold, and his sons, and his daughters, and his oxen, and his asses, and his sheep, and his tent, and all that he had; and they brought them up unto the valley of Achor. **25** And Joshua said: 'Why hast thou troubled us? Yehovah shall trouble thee this day.' And all Israel stoned him with stones; and they burned them with fire, and stoned them with stones. **26** And they raised over him a great heap of stones, unto this day; and Yehovah turned from the fierceness of His anger. Wherefore the name of that place was called the valley of Achor, unto this day.{P}

ח א וַיֹּ֨אמֶר יְהוָ֜ה אֶל־יְהוֹשֻׁ֗עַ אַל־תִּירָא֙ וְאַל־תֵּחָ֔ת קַ֣ח עִמְּךָ֗ אֵ֚ת כָּל־עַ֣ם
הַמִּלְחָמָ֔ה וְק֖וּם עֲלֵ֣ה הָעָ֑י רְאֵ֣ה ׀ נָתַ֣תִּי בְיָדְךָ֗ אֶת־מֶ֤לֶךְ הָעַי֙ וְאֶת־עַמּ֔וֹ
וְאֶת־עִיר֖וֹ וְאֶת־אַרְצֽוֹ׃ ב וְעָשִׂ֨יתָ לָעַ֜י וּלְמַלְכָּ֗הּ כַּאֲשֶׁ֨ר עָשִׂ֥יתָ לִירִיח֣וֹ וּלְמַלְכָּהּ֒
רַק־שְׁלָלָ֣הּ וּבְהֶמְתָּ֔הּ תָּבֹ֖זּוּ לָכֶ֑ם שִׂים־לְךָ֥ אֹרֵ֛ב לָעִ֖יר מֵאַחֲרֶֽיהָ׃ ג וַיָּ֧קָם
יְהוֹשֻׁ֛עַ וְכָל־עַ֥ם הַמִּלְחָמָ֖ה לַעֲל֣וֹת הָעָ֑י וַיִּבְחַ֣ר יְהוֹשֻׁ֡עַ שְׁלֹשִׁ֨ים אֶ֜לֶף אִ֨ישׁ
גִּבּוֹרֵ֤י הַחַ֙יִל֙ וַיִּשְׁלָחֵ֖ם לָֽיְלָה׃ ד וַיְצַ֨ו אֹתָ֜ם לֵאמֹ֗ר רְ֠אוּ אַתֶּ֞ם אֹרְבִ֤ים לָעִיר֙
מֵאַחֲרֵ֣י הָעִ֔יר אַל־תַּרְחִ֥יקוּ מִן־הָעִ֖יר מְאֹ֑ד וִהְיִיתֶ֥ם כֻּלְּכֶ֖ם נְכֹנִֽים׃ ה וַאֲנִ֗י
וְכָל־הָעָם֙ אֲשֶׁ֣ר אִתִּ֔י נִקְרַ֖ב אֶל־הָעִ֑יר וְהָיָ֗ה כִּֽי־יֵצְא֤וּ לִקְרָאתֵ֙נוּ֙ כַּאֲשֶׁ֣ר
בָּרִֽאשֹׁנָ֔ה וְנַ֖סְנוּ לִפְנֵיהֶֽם׃ ו וְיָצְא֣וּ אַחֲרֵ֗ינוּ עַ֣ד הַתִּיקֵ֤נוּ אוֹתָם֙ מִן־הָעִ֔יר כִּ֣י
יֹאמְר֔וּ נָסִ֣ים לְפָנֵ֔ינוּ כַּאֲשֶׁ֖ר בָּרִאשֹׁנָ֑ה וְנַ֖סְנוּ לִפְנֵיהֶֽם׃ ז וְאַתֶּ֗ם תָּקֻ֙מוּ֙ מֵהָ֣אוֹרֵ֔ב
וְהוֹרַשְׁתֶּ֖ם אֶת־הָעִ֑יר וּנְתָנָ֛הּ יְהוָ֥ה אֱלֹהֵיכֶ֖ם בְּיֶדְכֶֽם׃ ח וְהָיָ֞ה כְּתָפְשְׂכֶ֣ם
אֶת־הָעִ֗יר תַּצִּ֤יתוּ אֶת־הָעִיר֙ בָּאֵ֔שׁ כִּדְבַ֥ר יְהוָ֖ה תַּעֲשׂ֑וּ רְא֖וּ צִוִּ֥יתִי אֶתְכֶֽם׃
ט וַיִּשְׁלָחֵ֣ם יְהוֹשֻׁ֗עַ וַיֵּֽלְכוּ֙ אֶל־הַמַּאְרָ֔ב וַיֵּשְׁב֗וּ בֵּ֧ין בֵּֽית־אֵ֛ל וּבֵ֥ין הָעַ֖י מִיָּ֣ם לָעָ֑י
וַיָּ֧לֶן יְהוֹשֻׁ֛עַ בַּלַּ֥יְלָה הַה֖וּא בְּת֥וֹךְ הָעָֽם׃ י וַיַּשְׁכֵּ֤ם יְהוֹשֻׁ֙עַ֙ בַּבֹּ֔קֶר וַיִּפְקֹ֖ד
אֶת־הָעָ֑ם וַ֠יַּעַל ה֠וּא וְזִקְנֵ֧י יִשְׂרָאֵ֛ל לִפְנֵ֥י הָעָ֖ם הָעָֽי׃ יא וְכָל־הָעָ֨ם הַמִּלְחָמָ֜ה
אֲשֶׁ֣ר אִתּ֗וֹ עָלוּ֙ וַֽיִּגְּשׁ֔וּ וַיָּבֹ֖אוּ נֶ֣גֶד הָעִ֑יר וַֽיַּחֲנוּ֙ מִצְּפ֣וֹן לָעַ֔י וְהַגַּ֖י
בֵּינָ֥יו[11] וּבֵין־הָעָֽי׃ יב וַיִּקַּ֕ח כַּחֲמֵ֥שֶׁת אֲלָפִ֖ים אִ֑ישׁ וַיָּ֨שֶׂם אוֹתָ֜ם אֹרֵ֗ב בֵּ֧ין בֵּֽית־אֵ֛ל
וּבֵ֥ין הָעַ֖י מִיָּ֥ם לָעִֽיר׃ יג וַיָּשִׂ֨ימוּ הָעָ֜ם אֶת־כָּל־הַֽמַּחֲנֶ֗ה אֲשֶׁר֙ מִצְּפ֣וֹן לָעִ֔יר
וְאֶת־עֲקֵב֖וֹ מִיָּ֣ם לָעִ֑יר וַיֵּ֧לֶךְ יְהוֹשֻׁ֛עַ בַּלַּ֥יְלָה הַה֖וּא בְּת֥וֹךְ הָעֵֽמֶק׃ יד וַיְהִ֞י
כִּרְא֣וֹת מֶלֶךְ־הָעַ֗י וַֽיְמַהֲר֡וּ וַיַּשְׁכִּ֡ימוּ וַיֵּצְא֣וּ אַנְשֵׁי־הָעִ֣יר לִקְרַאת־יִשְׂרָאֵ֣ל
לַמִּלְחָמָ֡ה ה֣וּא וְכָל־עַמּ֔וֹ לַמּוֹעֵ֖ד לִפְנֵ֣י הָעֲרָבָ֑ה וְהוּא֙ לֹ֣א יָדַ֔ע כִּֽי־אֹרֵ֥ב ל֖וֹ
מֵאַחֲרֵ֥י הָעִֽיר׃ טו וַיִּנָּגְע֛וּ יְהוֹשֻׁ֥עַ וְכָל־יִשְׂרָאֵ֖ל לִפְנֵיהֶ֑ם וַיָּנֻ֖סוּ דֶּ֥רֶךְ הַמִּדְבָּֽר׃
טז וַיִּזָּעֲק֗וּ כָּל־הָעָם֙ אֲשֶׁ֣ר בָּעַ֔י[12] לִרְדֹּ֖ף אַחֲרֵיהֶ֑ם וַֽיִּרְדְּפוּ֙ אַחֲרֵ֣י יְהוֹשֻׁ֔עַ וַיִּנָּתְק֖וּ
מִן־הָעִֽיר׃ יז וְלֹֽא־נִשְׁאַ֣ר אִ֗ישׁ בָּעַי֙ וּבֵ֣ית אֵ֔ל אֲשֶׁ֥ר לֹא־יָצְא֖וּ אַחֲרֵ֣י יִשְׂרָאֵ֑ל
וַיַּעַזְב֤וּ אֶת־הָעִיר֙ פְּתוּחָ֔ה וַֽיִּרְדְּפ֖וּ אַחֲרֵ֥י יִשְׂרָאֵֽל׃

יח וַיֹּ֨אמֶר יְהוָ֜ה אֶל־יְהוֹשֻׁ֗עַ נְטֵ֞ה בַּכִּיד֤וֹן אֲשֶׁר־בְּיָֽדְךָ֙ אֶל־הָעַ֔י כִּ֥י בְיָדְךָ֖
אֶתְּנֶ֑נָּה וַיֵּ֧ט יְהוֹשֻׁ֛עַ בַּכִּיד֥וֹן אֲשֶׁר־בְּיָד֖וֹ אֶל־הָעִֽיר׃ יט וְהָאוֹרֵ֡ב קָם֩ מְהֵרָ֨ה
מִמְּקוֹמ֜וֹ וַיָּר֗וּצוּ כִּנְט֤וֹת יָדוֹ֙ וַיָּבֹ֣אוּ הָעִ֔יר וַֽיִּלְכְּד֑וּהָ וַיְמַהֲר֕וּ וַיַּצִּ֥יתוּ אֶת־הָעִ֖יר
בָּאֵֽשׁ׃ כ וַיִּפְנ֣וּ אַנְשֵׁ֣י הָעַ֣י אַחֲרֵיהֶ֡ם וַיִּרְא֡וּ וְהִנֵּ֞ה עָלָ֨ה עֲשַׁ֤ן הָעִיר֙ הַשָּׁמַ֔יְמָה
וְלֹא־הָיָ֥ה בָהֶ֛ם יָדַ֖יִם לָנ֣וּס הֵ֣נָּה וָהֵ֑נָּה וְהָעָם֙ הַנָּ֣ס הַמִּדְבָּ֔ר נֶהְפַּ֖ךְ אֶל־הָרוֹדֵֽף׃

---

[11] בינו
[12] בעיר

8 **1** And Yehovah said unto Joshua: 'Fear not, neither be thou dismayed; take all the people of war with thee, and arise, go up to Ai; see, I have given into thy hand the king of Ai, and his people, and his city, and his land. **2** And thou shalt do to Ai and her king as thou didst unto Jericho and her king; only the spoil thereof, and the cattle thereof, shall ye take for a prey unto yourselves; set thee an ambush for the city behind it.' **3** So Joshua arose, and all the people of war, to go up to Ai; and Joshua chose out thirty thousand men, the mighty men of valour, and sent them forth by night. **4** And he commanded them, saying: 'Behold, ye shall lie in ambush against the city, behind the city; go not very far from the city, but be ye all ready. **5** And I, and all the people that are with me, will approach unto the city; and it shall come to pass, when they come out against us, as at the first, that we will flee before them. **6** And they will come out after us, till we have drawn them away from the city; for they will say: They flee before us, as at the first; so we will flee before them. **7** And ye shall rise up from the ambush, and take possession of the city; for Yehovah your God will deliver it into your hand. **8** And it shall be, when ye have seized upon the city, that ye shall set the city on fire; according to the word of Yehovah shall ye do; see, I have commanded you.' **9** And Joshua sent them forth; and they went to the ambushment, and abode between Beth-el and Ai, on the west side of Ai; but Joshua lodged that night among the people. **10** And Joshua rose up early in the morning, and numbered the people, and went up, he and the elders of Israel, before the people to Ai. **11** And all the people, even the men of war that were with him, went up, and drew nigh, and came before the city, and pitched on the north side of Ai–now there was a valley between him and Ai. **12** And he took about five thousand men, and set them in ambush between Beth-el and Ai, on the west side of Ai. **13** So the people set themselves in array, even all the host that was on the north of the city, their rear lying in wait on the west of the city; and Joshua went that night into the midst of the vale. **14** And it came to pass, when the king of Ai saw it, that the men of the city hastened and rose up early and went out against Israel to battle, he and all his people, at the time appointed, in front of the Arabah; but he knew not that there was an ambush against him behind the city. **15** And Joshua and all Israel made as if they were beaten before them, and fled by the way of the wilderness. **16** And all the people that were in Ai were called together to pursue after them; and they pursued after Joshua, and were drawn away from the city. **17** And there was not a man left in Ai or Beth-el, that went not out after Israel; and they left the city open, and pursued after Israel.{P}

18 And Yehovah said unto Joshua: 'Stretch out the javelin that is in thy hand toward Ai; for I will give it into thy hand.' And Joshua stretched out the javelin that was in his hand toward the city. **19** And the ambush arose quickly out of their place, and they ran as soon as he had stretched out his hand, and entered into the city, and took it; and they hastened and set the city on fire. **20** And when the men of Ai looked behind them, they saw, and, behold, the smoke of the city ascended up to heaven, and they had no power to flee this way or that way; and the people that fled to the wilderness turned back upon the pursuers.

כא וִיהוֹשֻׁעַ וְכָל־יִשְׂרָאֵל רָאוּ כִּי־לָכַד הָאֹרֵב אֶת־הָעִיר וְכִי עָלָה עֲשַׁן הָעִיר וַיָּשֻׁבוּ וַיַּכּוּ אֶת־אַנְשֵׁי הָעָי: כב וְאֵלֶּה יָצְאוּ מִן־הָעִיר לִקְרָאתָם וַיִּהְיוּ לְיִשְׂרָאֵל בַּתָּוֶךְ אֵלֶּה מִזֶּה וְאֵלֶּה מִזֶּה וַיַּכּוּ אוֹתָם עַד־בִּלְתִּי הִשְׁאִיר־לוֹ שָׂרִיד וּפָלִיט: כג וְאֶת־מֶלֶךְ הָעַי תָּפְשׂוּ חָי וַיַּקְרִבוּ אֹתוֹ אֶל־יְהוֹשֻׁעַ: כד וַיְהִי כְּכַלּוֹת יִשְׂרָאֵל לַהֲרֹג אֶת־כָּל־יֹשְׁבֵי הָעַי בַּשָּׂדֶה בַּמִּדְבָּר אֲשֶׁר רְדָפוּם בּוֹ וַיִּפְּלוּ כֻלָּם לְפִי־חֶרֶב עַד־תֻּמָּם וַיָּשֻׁבוּ כָל־יִשְׂרָאֵל הָעַי וַיַּכּוּ אֹתָהּ לְפִי־חָרֶב: כה וַיְהִי כָל־הַנֹּפְלִים בַּיּוֹם הַהוּא מֵאִישׁ וְעַד־אִשָּׁה שְׁנֵים עָשָׂר אָלֶף כֹּל אַנְשֵׁי הָעָי: כו וִיהוֹשֻׁעַ לֹא־הֵשִׁיב יָדוֹ אֲשֶׁר נָטָה בַּכִּידוֹן עַד אֲשֶׁר הֶחֱרִים אֵת כָּל־יֹשְׁבֵי הָעָי: כז רַק הַבְּהֵמָה וּשְׁלַל הָעִיר הַהִיא בָּזְזוּ לָהֶם יִשְׂרָאֵל כִּדְבַר יְהֹוָה אֲשֶׁר צִוָּה אֶת־יְהוֹשֻׁעַ: כח וַיִּשְׂרֹף יְהוֹשֻׁעַ אֶת־הָעָי וַיְשִׂימֶהָ תֵּל־עוֹלָם שְׁמָמָה עַד הַיּוֹם הַזֶּה: כט וְאֶת־מֶלֶךְ הָעַי תָּלָה עַל־הָעֵץ עַד־עֵת הָעָרֶב וּכְבוֹא הַשֶּׁמֶשׁ צִוָּה יְהוֹשֻׁעַ וַיֹּרִידוּ אֶת־נִבְלָתוֹ מִן־הָעֵץ וַיַּשְׁלִיכוּ אוֹתָהּ אֶל־פֶּתַח שַׁעַר הָעִיר וַיָּקִימוּ עָלָיו גַּל־אֲבָנִים גָּדוֹל עַד הַיּוֹם הַזֶּה:

ל אָז יִבְנֶה יְהוֹשֻׁעַ מִזְבֵּחַ לַיהֹוָה אֱלֹהֵי יִשְׂרָאֵל בְּהַר עֵיבָל: לא כַּאֲשֶׁר צִוָּה מֹשֶׁה עֶבֶד־יְהֹוָה אֶת־בְּנֵי יִשְׂרָאֵל כַּכָּתוּב בְּסֵפֶר תּוֹרַת מֹשֶׁה מִזְבַּח אֲבָנִים שְׁלֵמוֹת אֲשֶׁר לֹא־הֵנִיף עֲלֵיהֶן בַּרְזֶל וַיַּעֲלוּ עָלָיו עֹלוֹת לַיהֹוָה וַיִּזְבְּחוּ שְׁלָמִים: לב וַיִּכְתָּב־שָׁם עַל־הָאֲבָנִים אֵת מִשְׁנֵה תּוֹרַת מֹשֶׁה אֲשֶׁר כָּתַב לִפְנֵי בְּנֵי יִשְׂרָאֵל: לג וְכָל־יִשְׂרָאֵל וּזְקֵנָיו וְשֹׁטְרִים ׀ וְשֹׁפְטָיו עֹמְדִים מִזֶּה ׀ וּמִזֶּה ׀ לָאָרוֹן נֶגֶד הַכֹּהֲנִים הַלְוִיִּם נֹשְׂאֵי ׀ אֲרוֹן בְּרִית־יְהֹוָה כַּגֵּר כָּאֶזְרָח חֶצְיוֹ אֶל־מוּל הַר־גְּרִזִים וְהַחֶצְיוֹ אֶל־מוּל הַר־עֵיבָל כַּאֲשֶׁר צִוָּה מֹשֶׁה עֶבֶד־יְהֹוָה לְבָרֵךְ אֶת־הָעָם יִשְׂרָאֵל בָּרִאשֹׁנָה: לד וְאַחֲרֵי־כֵן קָרָא אֶת־כָּל־דִּבְרֵי הַתּוֹרָה הַבְּרָכָה וְהַקְּלָלָה כְּכָל־הַכָּתוּב בְּסֵפֶר הַתּוֹרָה: לה לֹא־הָיָה דָבָר מִכֹּל אֲשֶׁר־צִוָּה מֹשֶׁה אֲשֶׁר לֹא־קָרָא יְהוֹשֻׁעַ נֶגֶד כָּל־קְהַל יִשְׂרָאֵל וְהַנָּשִׁים וְהַטַּף וְהַגֵּר הַהֹלֵךְ בְּקִרְבָּם:

ט א וַיְהִי כִשְׁמֹעַ כָּל־הַמְּלָכִים אֲשֶׁר בְּעֵבֶר הַיַּרְדֵּן בָּהָר וּבַשְּׁפֵלָה וּבְכֹל חוֹף הַיָּם הַגָּדוֹל אֶל־מוּל הַלְּבָנוֹן הַחִתִּי וְהָאֱמֹרִי הַכְּנַעֲנִי הַפְּרִזִּי הַחִוִּי וְהַיְבוּסִי: ב וַיִּתְקַבְּצוּ יַחְדָּו לְהִלָּחֵם עִם־יְהוֹשֻׁעַ וְעִם־יִשְׂרָאֵל פֶּה אֶחָד:

ג וְיֹשְׁבֵי גִבְעוֹן שָׁמְעוּ אֵת אֲשֶׁר עָשָׂה יְהוֹשֻׁעַ לִירִיחוֹ וְלָעָי: ד וַיַּעֲשׂוּ גַם־הֵמָּה בְּעָרְמָה וַיֵּלְכוּ וַיִּצְטַיָּרוּ וַיִּקְחוּ שַׂקִּים בָּלִים לַחֲמוֹרֵיהֶם וְנֹאדוֹת יַיִן בָּלִים וּמְבֻקָּעִים וּמְצֹרָרִים:

21 And when Joshua and all Israel saw that the ambush had taken the city, and that the smoke of the city ascended, then they turned back, and slew the men of Ai. **22** And the other came forth out of the city against them; so they were in the midst of Israel, some on this side, and some on that side; and they smote them, so that they let none of them remain or escape. **23** And the king of Ai they took alive, and brought him to Joshua. **24** And it came to pass, when Israel had made an end of slaying all the inhabitants of Ai in the field, even in the wilderness wherein they pursued them, and they were all fallen by the edge of the sword, until they were consumed, that all Israel returned unto Ai, and smote it with the edge of the sword. **25** And all that fell that day, both of men and women, were twelve thousand, even all the men of Ai. **26** For Joshua drew not back his hand, wherewith he stretched out the javelin, until he had utterly destroyed all the inhabitants of Ai. **27** Only the cattle and the spoil of that city Israel took for a prey unto themselves, according unto the word of Yehovah which He commanded Joshua. **28** So Joshua burnt Ai, and made it a heap for ever, even a desolation, unto this day. **29** And the king of Ai he hanged on a tree until the eventide; and at the going down of the sun Joshua commanded, and they took his carcass down from the tree, and cast it at the entrance of the gate of the city, and raised thereon a great heap of stones, unto this day.{P}

30 Then Joshua built an altar unto Yehovah, the God of Israel, in mount Ebal, **31** as Moses the servant of Yehovah commanded the children of Israel, as it is written in the book of the Torah of Moses, an altar of unhewn stones, upon which no man had lifted up any iron; and they offered thereon burnt-offerings unto Yehovah, and sacrificed peace-offerings. **32** And he wrote there upon the stones a copy of the Torah of Moses, which he wrote before the children of Israel. **33** And all Israel, and their elders and officers, and their judges, stood on this side the ark and on that side before the priests the Levites, that bore the ark of the covenant of Yehovah, as well the stranger as the home-born; half of them in front of mount Gerizim and half of them in front of mount Ebal; as Moses the servant of Yehovah had commanded at the first, that they should bless the people of Israel. **34** And afterward he read all the words of the Torah, the blessing and the curse, according to all that is written in the book of the Torah. **35** There was not a word of all that Moses commanded, which Joshua read not before all the assembly of Israel, and the women, and the little ones, and the strangers that walked among them.

9 **1** And it came to pass, when all the kings that were beyond the Jordan, in the hill-country, and in the Lowland, and on all the shore of the Great Sea in front of Lebanon, the Hittite, and the Amorite, the Canaanite, the Perizzite, the Hivite, and the Jebusite, heard thereof, **2** that they gathered themselves together, to fight with Joshua and with Israel, with one accord.{P}

3 But when the inhabitants of Gibeon heard what Joshua had done unto Jericho and to Ai, **4** they also did work wilily, and went and made as if they had been ambassadors, and took old sacks upon their asses, and wine skins, worn and rent and patched up;

ה וּנְעָלוֹת בָּלוֹת וּמְטֻלָּאוֹת בְּרַגְלֵיהֶם וּשְׂלָמוֹת בָּלוֹת עֲלֵיהֶם וְכֹל לֶחֶם צֵידָם
יָבֵשׁ הָיָה נִקֻּדִים׃ ו וַיֵּלְכוּ אֶל־יְהוֹשֻׁעַ אֶל־הַמַּחֲנֶה הַגִּלְגָּל וַיֹּאמְרוּ אֵלָיו
וְאֶל־אִישׁ יִשְׂרָאֵל מֵאֶרֶץ רְחוֹקָה בָּאנוּ וְעַתָּה כִּרְתוּ־לָנוּ בְרִית׃
ז וַיֹּאמֶר[13] אִישׁ־יִשְׂרָאֵל אֶל־הַחִוִּי אוּלַי בְּקִרְבִּי אַתָּה יוֹשֵׁב וְאֵיךְ אֶכְרָת־לְךָ
[14] בְרִית׃ ח וַיֹּאמְרוּ אֶל־יְהוֹשֻׁעַ עֲבָדֶיךָ אֲנָחְנוּ וַיֹּאמֶר אֲלֵהֶם יְהוֹשֻׁעַ מִי אַתֶּם
וּמֵאַיִן תָּבֹאוּ׃ ט וַיֹּאמְרוּ אֵלָיו מֵאֶרֶץ רְחוֹקָה מְאֹד בָּאוּ עֲבָדֶיךָ לְשֵׁם יְהוָה
אֱלֹהֶיךָ כִּי־שָׁמַעְנוּ שָׁמְעוֹ וְאֵת כָּל־אֲשֶׁר עָשָׂה בְּמִצְרָיִם׃ י וְאֵת ׀ כָּל־אֲשֶׁר עָשָׂה
לִשְׁנֵי מַלְכֵי הָאֱמֹרִי אֲשֶׁר בְּעֵבֶר הַיַּרְדֵּן לְסִיחוֹן מֶלֶךְ חֶשְׁבּוֹן וּלְעוֹג
מֶלֶךְ־הַבָּשָׁן אֲשֶׁר בְּעַשְׁתָּרוֹת׃ יא וַיֹּאמְרוּ אֵלֵינוּ זְקֵינֵינוּ וְכָל־יֹשְׁבֵי אַרְצֵנוּ
לֵאמֹר קְחוּ בְיֶדְכֶם צֵידָה לַדֶּרֶךְ וּלְכוּ לִקְרָאתָם וַאֲמַרְתֶּם אֲלֵיהֶם עַבְדֵיכֶם
אֲנַחְנוּ וְעַתָּה כִּרְתוּ־לָנוּ בְרִית׃ יב זֶה ׀ לַחְמֵנוּ חָם הִצְטַיַּדְנוּ אֹתוֹ מִבָּתֵּינוּ בְּיוֹם
צֵאתֵנוּ לָלֶכֶת אֲלֵיכֶם וְעַתָּה הִנֵּה יָבֵשׁ וְהָיָה נִקֻּדִים׃ יג וְאֵלֶּה נֹאדוֹת הַיַּיִן אֲשֶׁר
מִלֵּאנוּ חֲדָשִׁים וְהִנֵּה הִתְבַּקָּעוּ וְאֵלֶּה שַׂלְמוֹתֵינוּ וּנְעָלֵינוּ בָּלוּ מֵרֹב הַדֶּרֶךְ מְאֹד׃
יד וַיִּקְחוּ הָאֲנָשִׁים מִצֵּידָם וְאֶת־פִּי יְהוָה לֹא שָׁאָלוּ׃ טו וַיַּעַשׂ לָהֶם יְהוֹשֻׁעַ שָׁלוֹם
וַיִּכְרֹת לָהֶם בְּרִית לְחַיּוֹתָם וַיִּשָּׁבְעוּ לָהֶם נְשִׂיאֵי הָעֵדָה׃ טז וַיְהִי מִקְצֵה שְׁלֹשֶׁת
יָמִים אַחֲרֵי אֲשֶׁר־כָּרְתוּ לָהֶם בְּרִית וַיִּשְׁמְעוּ כִּי־קְרֹבִים הֵם אֵלָיו וּבְקִרְבּוֹ הֵם
יֹשְׁבִים׃ יז וַיִּסְעוּ בְנֵי־יִשְׂרָאֵל וַיָּבֹאוּ אֶל־עָרֵיהֶם בַּיּוֹם הַשְּׁלִישִׁי וְעָרֵיהֶם גִּבְעוֹן
וְהַכְּפִירָה וּבְאֵרוֹת וְקִרְיַת יְעָרִים׃ יח וְלֹא הִכּוּם בְּנֵי יִשְׂרָאֵל כִּי־נִשְׁבְּעוּ לָהֶם
נְשִׂיאֵי הָעֵדָה בַּיהוָה אֱלֹהֵי יִשְׂרָאֵל וַיִּלֹּנוּ כָל־הָעֵדָה עַל־הַנְּשִׂיאִים׃ יט וַיֹּאמְרוּ
כָל־הַנְּשִׂיאִים אֶל־כָּל־הָעֵדָה אֲנַחְנוּ נִשְׁבַּעְנוּ לָהֶם בַּיהוָה אֱלֹהֵי יִשְׂרָאֵל וְעַתָּה
לֹא נוּכַל לִנְגֹּעַ בָּהֶם׃ כ זֹאת נַעֲשֶׂה לָהֶם וְהַחֲיֵה אוֹתָם וְלֹא־יִהְיֶה עָלֵינוּ קֶצֶף
עַל־הַשְּׁבוּעָה אֲשֶׁר־נִשְׁבַּעְנוּ לָהֶם׃ כא וַיֹּאמְרוּ אֲלֵיהֶם הַנְּשִׂיאִים יִחְיוּ וַיִּהְיוּ
חֹטְבֵי עֵצִים וְשֹׁאֲבֵי־מַיִם לְכָל־הָעֵדָה כַּאֲשֶׁר דִּבְּרוּ לָהֶם הַנְּשִׂיאִים׃ כב וַיִּקְרָא
לָהֶם יְהוֹשֻׁעַ וַיְדַבֵּר אֲלֵיהֶם לֵאמֹר לָמָּה רִמִּיתֶם אֹתָנוּ לֵאמֹר רְחוֹקִים אֲנַחְנוּ
מִכֶּם מְאֹד וְאַתֶּם בְּקִרְבֵּנוּ יֹשְׁבִים׃ כג וְעַתָּה אֲרוּרִים אַתֶּם וְלֹא־יִכָּרֵת מִכֶּם
עֶבֶד וְחֹטְבֵי עֵצִים וְשֹׁאֲבֵי־מַיִם לְבֵית אֱלֹהָי׃ כד וַיַּעֲנוּ אֶת־יְהוֹשֻׁעַ וַיֹּאמְרוּ כִּי
הֻגֵּד הֻגַּד לַעֲבָדֶיךָ אֵת אֲשֶׁר צִוָּה יְהוָה אֱלֹהֶיךָ אֶת־מֹשֶׁה עַבְדּוֹ לָתֵת לָכֶם
אֶת־כָּל־הָאָרֶץ וּלְהַשְׁמִיד אֶת־כָּל־יֹשְׁבֵי הָאָרֶץ מִפְּנֵיכֶם וַנִּירָא מְאֹד לְנַפְשֹׁתֵינוּ
מִפְּנֵיכֶם וַנַּעֲשֵׂה אֶת־הַדָּבָר הַזֶּה׃ כה וְעַתָּה הִנְנוּ בְיָדֶךָ כַּטּוֹב וְכַיָּשָׁר בְּעֵינֶיךָ
לַעֲשׂוֹת לָנוּ עֲשֵׂה׃ כו וַיַּעַשׂ לָהֶם כֵּן וַיַּצֵּל אוֹתָם מִיַּד בְּנֵי־יִשְׂרָאֵל וְלֹא הֲרָגוּם׃

---

[13]ויאמרו
[14]אכרות

5 and worn shoes and clouted upon their feet, and worn garments upon them; and all the bread of their provision was dry and was become crumbs. **6** And they went to Joshua unto the camp at Gilgal, and said unto him, and to the men of Israel: 'We are come from a far country; now therefore make ye a covenant with us.' **7** And the men of Israel said unto the Hivites: 'Peradventure ye dwell among us; and how shall we make a covenant with you?' **8** And they said unto Joshua: 'We are thy servants.' And Joshua said unto them: 'Who are ye? and from whence come ye?' **9** And they said unto him: 'From a very far country thy servants are come because of the name of Yehovah thy God; for we have heard the fame of Him, and all that He did in Egypt, **10** and all that He did to the two kings of the Amorites, that were beyond the Jordan, to Sihon king of Heshbon, and to Og king of Bashan, who was at Ashtaroth. **11** And our elders and all the inhabitants of our country spoke to us, saying: Take provision in your hand for the journey, and go to meet them, and say unto them: We are your servants; and now make ye a covenant with us. **12** This our bread we took hot for our provision out of our houses on the day we came forth to go unto you; but now, behold, it is dry, and is become crumbs. **13** And these wine-skins, which we filled, were new; and, behold, they are rent. And these our garments and our shoes are worn by reason of the very long journey.' **14** And the men took of their provision, and asked not counsel at the mouth of Yehovah. **15** And Joshua made peace with them, and made a covenant with them, to let them live; and the princes of the congregation swore unto them. **16** And it came to pass at the end of three days after they had made a covenant with them, that they heard that they were their neighbours, and that they dwelt among them. **17** And the children of Israel journeyed, and came unto their cities on the third day. Now their cities were Gibeon, and Chephirah, and Beeroth, and Kiriath-jearim. **18** And the children of Israel smote them not, because the princes of the congregation had sworn unto them by Yehovah, the God of Israel. And all the congregation murmured against the princes. **19** But all the princes said unto all the congregation: 'We have sworn unto them by Yehovah, the God of Israel; now therefore we may not touch them. **20** This we will do to them, and let them live; lest wrath be upon us, because of the oath which we swore unto them.' **21** And the princes said concerning them: 'Let them live'; so they became hewers of wood and drawers of water unto all the congregation, as the princes had spoken concerning them. **22** And Joshua called for them, and he spoke unto them, saying: 'Wherefore have ye beguiled us, saying: We are very far from you, when ye dwell among us? **23** Now therefore ye are cursed, and there shall never fail to be of you bondmen, both hewers of wood and drawers of water for the house of my God.' **24** And they answered Joshua, and said: 'Because it was certainly told thy servants, how that Yehovah thy God commanded His servant Moses to give you all the land, and to destroy all the inhabitants of the land from before you; therefore we were sore afraid for our lives because of you, and have done this thing. **25** And now, behold, we are in thy hand: as it seemeth good and right unto thee to do unto us, do.' **26** And so did he unto them, and delivered them out of the hand of the children of Israel, that they slew them not.

כז וַיִּתְּנֵם יְהוֹשֻׁעַ בַּיּוֹם הַהוּא חֹטְבֵי עֵצִים וְשֹׁאֲבֵי מַיִם לָעֵדָה וּלְמִזְבַּח יְהוָה
עַד־הַיּוֹם הַזֶּה אֶל־הַמָּקוֹם אֲשֶׁר יִבְחָר׃

י א וַיְהִי כִשְׁמֹעַ אֲדֹנִי־צֶדֶק מֶלֶךְ יְרוּשָׁלַםִ כִּי־לָכַד יְהוֹשֻׁעַ אֶת־הָעַי
וַיַּחֲרִימָהּ כַּאֲשֶׁר עָשָׂה לִירִיחוֹ וּלְמַלְכָּהּ כֵּן־עָשָׂה לָעַי וּלְמַלְכָּהּ וְכִי הִשְׁלִימוּ
יֹשְׁבֵי גִבְעוֹן אֶת־יִשְׂרָאֵל וַיִּהְיוּ בְּקִרְבָּם׃ ב וַיִּירְאוּ מְאֹד כִּי עִיר גְּדוֹלָה גִּבְעוֹן
כְּאַחַת עָרֵי הַמַּמְלָכָה וְכִי הִיא גְדוֹלָה מִן־הָעַי וְכָל־אֲנָשֶׁיהָ גִּבֹּרִים׃ ג וַיִּשְׁלַח
אֲדֹנִי־צֶדֶק מֶלֶךְ יְרוּשָׁלַםִ אֶל־הוֹהָם מֶלֶךְ־חֶבְרוֹן וְאֶל־פִּרְאָם מֶלֶךְ־יַרְמוּת
וְאֶל־יָפִיעַ מֶלֶךְ־לָכִישׁ וְאֶל־דְּבִיר מֶלֶךְ־עֶגְלוֹן לֵאמֹר׃ ד עֲלוּ־אֵלַי וְעִזְרֻנִי
וְנַכֶּה אֶת־גִּבְעוֹן כִּי־הִשְׁלִימָה אֶת־יְהוֹשֻׁעַ וְאֶת־בְּנֵי יִשְׂרָאֵל׃ ה וַיֵּאָסְפוּ וַיַּעֲלוּ
חֲמֵשֶׁת ׀ מַלְכֵי הָאֱמֹרִי מֶלֶךְ יְרוּשָׁלַםִ מֶלֶךְ־חֶבְרוֹן מֶלֶךְ־יַרְמוּת מֶלֶךְ־לָכִישׁ
מֶלֶךְ־עֶגְלוֹן הֵם וְכָל־מַחֲנֵיהֶם וַיַּחֲנוּ עַל־גִּבְעוֹן וַיִּלָּחֲמוּ עָלֶיהָ׃ ו וַיִּשְׁלְחוּ
אַנְשֵׁי גִבְעוֹן אֶל־יְהוֹשֻׁעַ אֶל־הַמַּחֲנֶה הַגִּלְגָּלָה לֵאמֹר אַל־תֶּרֶף יָדֶיךָ
מֵעֲבָדֶיךָ עֲלֵה אֵלֵינוּ מְהֵרָה וְהוֹשִׁיעָה לָּנוּ וְעָזְרֵנוּ כִּי נִקְבְּצוּ אֵלֵינוּ
כָּל־מַלְכֵי הָאֱמֹרִי יֹשְׁבֵי הָהָר׃ ז וַיַּעַל יְהוֹשֻׁעַ מִן־הַגִּלְגָּל הוּא וְכָל־עַם
הַמִּלְחָמָה עִמּוֹ וְכֹל גִּבּוֹרֵי הֶחָיִל׃

ח וַיֹּאמֶר יְהוָה אֶל־יְהוֹשֻׁעַ אַל־תִּירָא מֵהֶם כִּי בְיָדְךָ נְתַתִּים לֹא־יַעֲמֹד אִישׁ
מֵהֶם בְּפָנֶיךָ׃ ט וַיָּבֹא אֲלֵיהֶם יְהוֹשֻׁעַ פִּתְאֹם כָּל־הַלַּיְלָה עָלָה מִן־הַגִּלְגָּל׃
י וַיְהֻמֵּם יְהוָה לִפְנֵי יִשְׂרָאֵל וַיַּכֵּם מַכָּה־גְדוֹלָה בְּגִבְעוֹן וַיִּרְדְּפֵם דֶּרֶךְ
מַעֲלֵה בֵית־חוֹרֹן וַיַּכֵּם עַד־עֲזֵקָה וְעַד־מַקֵּדָה׃ יא וַיְהִי בְּנֻסָם ׀ מִפְּנֵי יִשְׂרָאֵל
הֵם בְּמוֹרַד בֵּית־חוֹרֹן וַיהוָה הִשְׁלִיךְ עֲלֵיהֶם אֲבָנִים גְּדֹלוֹת מִן־הַשָּׁמַיִם
עַד־עֲזֵקָה וַיָּמֻתוּ רַבִּים אֲשֶׁר־מֵתוּ בְּאַבְנֵי הַבָּרָד מֵאֲשֶׁר הָרְגוּ בְּנֵי יִשְׂרָאֵל
בֶּחָרֶב׃ יב אָז יְדַבֵּר יְהוֹשֻׁעַ לַיהוָה בְּיוֹם תֵּת יְהוָה אֶת־הָאֱמֹרִי לִפְנֵי בְּנֵי
יִשְׂרָאֵל וַיֹּאמֶר ׀ לְעֵינֵי יִשְׂרָאֵל שֶׁמֶשׁ בְּגִבְעוֹן דּוֹם וְיָרֵחַ בְּעֵמֶק אַיָּלוֹן׃
יג וַיִּדֹּם הַשֶּׁמֶשׁ וְיָרֵחַ עָמָד עַד־יִקֹּם גּוֹי אֹיְבָיו הֲלֹא־הִיא כְתוּבָה עַל־סֵפֶר
הַיָּשָׁר וַיַּעֲמֹד הַשֶּׁמֶשׁ בַּחֲצִי הַשָּׁמַיִם וְלֹא־אָץ לָבוֹא כְּיוֹם תָּמִים׃ יד וְלֹא הָיָה
כַּיּוֹם הַהוּא לְפָנָיו וְאַחֲרָיו לִשְׁמֹעַ יְהוָה בְּקוֹל אִישׁ כִּי יְהוָה נִלְחָם לְיִשְׂרָאֵל׃

יה וַיָּשָׁב יְהוֹשֻׁעַ וְכָל־יִשְׂרָאֵל עִמּוֹ אֶל־הַמַּחֲנֶה הַגִּלְגָּלָה׃ יו וַיָּנֻסוּ חֲמֵשֶׁת
הַמְּלָכִים הָאֵלֶּה וַיֵּחָבְאוּ בַמְּעָרָה בְּמַקֵּדָה׃ יז וַיֻּגַּד לִיהוֹשֻׁעַ לֵאמֹר נִמְצְאוּ
חֲמֵשֶׁת הַמְּלָכִים נֶחְבְּאִים בַּמְּעָרָה בְּמַקֵּדָה׃ יח וַיֹּאמֶר יְהוֹשֻׁעַ גֹּלּוּ אֲבָנִים
גְּדֹלוֹת אֶל־פִּי הַמְּעָרָה וְהַפְקִידוּ עָלֶיהָ אֲנָשִׁים לְשָׁמְרָם׃

27 And Joshua made them that day hewers of wood and drawers of water for the congregation, and for the altar of Yehovah, unto this day, in the place which He should choose.{P}

10 **1** Now it came to pass, when Adoni-zedek king of Yerushalam heard how Joshua had taken Ai, and had utterly destroyed it; as he had done to Jericho and her king, so he had done to Ai and her king; and how the inhabitants of Gibeon had made peace with Israel, and were among them; **2** that they feared greatly, because Gibeon was a great city, as one of the royal cities, and because it was greater than Ai, and all the men thereof were mighty. **3** Wherefore Adoni-zedek king of Yerushalam sent unto Hoham king of Hebron, and unto Piram king of Jarmuth, and unto Japhia king of Lachish, and unto Debir king of Eglon, saying: **4** 'Come up unto me, and help me, and let us smite Gibeon; for it hath made peace with Joshua and with the children of Israel.' **5** Therefore the five kings of the Amorites, the king of Yerushalam, the king of Hebron, the king of Jarmuth, the king of Lachish, the king of Eglon, gathered themselves together, and went up, they and all their hosts, and encamped against Gibeon, and made war against it. **6** And the men of Gibeon sent unto Joshua to the camp to Gilgal, saying: 'Slack not thy hands from thy servants; come up to us quickly, and save us, and help us; for all the kings of the Amorites that dwell in the hill-country are gathered together against us.' **7** So Joshua went up from Gilgal, he, and all the people of war with him, and all the mighty men of valour.{P}

8 And Yehovah said unto Joshua: 'Fear them not; for I have delivered them into thy hand; there shall not a man of them stand against thee.' **9** Joshua therefore came upon them suddenly; for he went up from Gilgal all the night. **10** And Yehovah discomfited them before Israel, and slew them with a great slaughter at Gibeon; and they chased them by the way of the ascent of Beth-horon, and smote them to Azekah, and unto Makkedah. **11** And it came to pass, as they fled from before Israel, while they were at the descent of Beth-horon, that Yehovah cast down great stones from heaven upon them unto Azekah, and they died; they were more who died with the hailstones than they whom the children of Israel slew with the sword.{S} **12** Then spoke Joshua to Yehovah in the day when Yehovah delivered up the Amorites before the children of Israel; and he said in the sight of Israel: 'Sun, stand thou still upon Gibeon; and thou, Moon, in the valley of Aijalon.' **13** And the sun stood still, and the moon stayed, until the nation had avenged themselves of their enemies. Is not this written in the book of Jashar? And the sun stayed in the midst of heaven, and hasted not to go down about a whole day. **14** And there was no day like that before it or after it, that Yehovah hearkened unto the voice of a man; for Yehovah fought for Israel.{S} **15** And Joshua returned, and all Israel with him, unto the camp to Gilgal. **16** And these five kings fled, and hid themselves in the cave at Makkedah. **17** And it was told Joshua, saying: 'The five kings are found, hidden in the cave at Makkedah.' **18** And Joshua said: 'Roll great stones unto the mouth of the cave, and set men by it to keep them;

יט וְאַתֶּם֙ אַל־תַּעֲמֹ֔דוּ רִדְפוּ֙ אַחֲרֵ֣י אֹֽיְבֵיכֶ֔ם וְזִנַּבְתֶּ֖ם אוֹתָ֑ם אַֽל־תִּתְּנ֗וּם לָבוֹא֙
אֶל־עָ֣רֵיהֶ֔ם כִּ֚י נְתָנָ֛ם יְהוָ֥ה אֱלֹהֵיכֶ֖ם בְּיֶדְכֶֽם׃ כ וַיְהִ֞י כְּכַלּ֨וֹת יְהוֹשֻׁ֜עַ וּבְנֵ֣י
יִשְׂרָאֵ֗ל לְהַכּוֹתָ֛ם מַכָּ֥ה גְדוֹלָֽה־מְאֹ֖ד עַד־תֻּמָּ֑ם וְהַשְּׂרִידִים֙ שָׂרְד֣וּ מֵהֶ֔ם וַיָּבֹ֖אוּ
אֶל־עָרֵ֥י הַמִּבְצָֽר׃ כא וַיָּשֻׁבוּ֩ כָל־הָעָ֨ם אֶל־הַֽמַּחֲנֶ֜ה אֶל־יְהוֹשֻׁ֧עַ מַקֵּדָ֛ה בְּשָׁל֖וֹם
לֹֽא־חָרַ֞ץ לִבְנֵ֧י יִשְׂרָאֵ֛ל לְאִ֖ישׁ אֶת־לְשֹׁנֽוֹ׃ כב וַיֹּ֣אמֶר יְהוֹשֻׁ֔עַ פִּתְח֖וּ אֶת־פִּ֣י
הַמְּעָרָ֑ה וְהוֹצִ֣יאוּ אֵלַ֗י אֶת־חֲמֵ֛שֶׁת הַמְּלָכִ֥ים הָאֵ֖לֶּה מִן־הַמְּעָרָֽה׃ כג וַיַּ֣עֲשׂוּ כֵ֔ן
וַיֹּצִ֣יאוּ אֵלָ֗יו אֶת־חֲמֵ֛שֶׁת הַמְּלָכִ֥ים הָאֵ֖לֶּה מִן־הַמְּעָרָ֑ה אֵ֣ת ׀ מֶ֣לֶךְ יְרוּשָׁלִַ֡ם
אֶת־מֶ֨לֶךְ חֶבְר֜וֹן אֶת־מֶ֣לֶךְ יַרְמ֗וּת אֶת־מֶ֥לֶךְ לָכִ֖ישׁ אֶת־מֶ֥לֶךְ עֶגְלֽוֹן׃ כד וַיְהִ֗י
כְּֽהוֹצִיאָ֞ם אֶת־הַמְּלָכִ֣ים הָאֵלֶּה֮ אֶל־יְהוֹשֻׁעַ֒ וַיִּקְרָ֨א יְהוֹשֻׁ֜עַ אֶל־כָּל־אִ֣ישׁ
יִשְׂרָאֵ֗ל וַ֠יֹּאמֶר אֶל־קְצִינֵ֞י אַנְשֵׁ֤י הַמִּלְחָמָה֙ הֶהָלְכ֣וּא אִתּ֔וֹ קִרְב֕וּ שִׂ֚ימוּ
אֶת־רַגְלֵיכֶ֔ם עַֽל־צַוְּארֵ֖י הַמְּלָכִ֣ים הָאֵ֑לֶּה וַֽיִּקְרְב֔וּ וַיָּשִׂ֥ימוּ אֶת־רַגְלֵיהֶ֖ם
עַל־צַוְּארֵיהֶֽם׃ כה וַיֹּ֤אמֶר אֲלֵיהֶם֙ יְהוֹשֻׁ֔עַ אַל־תִּֽירְא֖וּ וְאַל־תֵּחָ֑תּוּ חִזְק֣וּ וְאִמְצ֔וּ
כִּ֣י כָ֗כָה יַעֲשֶׂ֤ה יְהוָה֙ לְכָל־אֹ֣יְבֵיכֶ֔ם אֲשֶׁ֥ר אַתֶּ֖ם נִלְחָמִ֥ים אוֹתָֽם׃ כו וַיַּכֵּ֨ם
יְהוֹשֻׁ֤עַ אַֽחֲרֵי־כֵן֙ וַיְמִיתֵ֔ם וַיִּתְלֵ֕ם עַ֖ל חֲמִשָּׁ֣ה עֵצִ֑ים וַיִּֽהְי֛וּ תְּלוּיִ֥ם עַל־הָעֵצִ֖ים
עַד־הָעָֽרֶב׃ כז וַיְהִ֞י לְעֵ֣ת ׀ בּ֣וֹא הַשֶּׁ֗מֶשׁ צִוָּ֤ה יְהוֹשֻׁ֙עַ֙ וַיֹּֽרִידוּם֙ מֵעַ֣ל הָעֵצִ֔ים
וַיַּ֨שְׁלִכֻ֔ם אֶל־הַמְּעָרָ֖ה אֲשֶׁ֣ר נֶחְבְּאוּ־שָׁ֑ם וַיָּשִׂ֜מוּ אֲבָנִ֤ים גְּדֹלוֹת֙ עַל־פִּ֣י הַמְּעָרָ֔ה
עַד־עֶ֖צֶם הַיּ֥וֹם הַזֶּֽה׃

כח וְאֶת־מַקֵּדָה֩ לָכַ֨ד יְהוֹשֻׁ֜עַ בַּיּ֣וֹם הַה֗וּא וַיַּכֶּ֣הָ לְפִי־חֶרֶב֮ וְאֶת־מַלְכָּהּ֒ הֶחֱרִ֣ם
אוֹתָ֗ם וְאֶת־כָּל־הַנֶּ֨פֶשׁ֙ אֲשֶׁר־בָּ֔הּ לֹ֥א הִשְׁאִ֖יר שָׂרִ֑יד וַיַּ֙עַשׂ֙ לְמֶ֣לֶךְ מַקֵּדָ֔ה כַּאֲשֶׁ֥ר
עָשָׂ֖ה לְמֶ֥לֶךְ יְרִיחֽוֹ׃ כט וַיַּעֲבֹ֨ר יְהוֹשֻׁ֜עַ וְכָל־יִשְׂרָאֵ֥ל עִמּ֛וֹ מִמַּקֵּדָ֖ה לִבְנָ֑ה
וַיִּלָּ֖חֶם עִם־לִבְנָֽה׃ ל וַיִּתֵּן֩ יְהוָ֨ה גַּם־אוֹתָ֜הּ בְּיַ֣ד יִשְׂרָאֵ֗ל וְאֶת־מַלְכָּהּ֙ וַיַּכֶּ֣הָ
לְפִי־חֶ֗רֶב וְאֶת־כָּל־הַנֶּ֨פֶשׁ֙ אֲשֶׁר־בָּ֔הּ לֹא־הִשְׁאִ֥יר בָּ֖הּ שָׂרִ֑יד וַיַּ֣עַשׂ לְמַלְכָּ֔הּ
כַּאֲשֶׁ֥ר עָשָׂ֖ה לְמֶ֥לֶךְ יְרִיחֽוֹ׃ לא וַיַּעֲבֹ֨ר יְהוֹשֻׁ֜עַ וְכָל־יִשְׂרָאֵ֥ל עִמּ֛וֹ מִלִּבְנָ֖ה
לָכִ֑ישָׁה וַיִּ֣חַן עָלֶ֔יהָ וַיִּלָּ֖חֶם בָּֽהּ׃ לב וַיִּתֵּ֨ן יְהוָ֜ה אֶת־לָכִ֗ישׁ בְּיַ֣ד יִשְׂרָאֵ֔ל
וַֽיִּלְכְּדָהּ֙ בַּיּ֣וֹם הַשֵּׁנִ֔י וַיַּכֶּ֣הָ לְפִי־חֶ֗רֶב וְאֶת־כָּל־הַנֶּ֨פֶשׁ֙ אֲשֶׁר־בָּ֔הּ כְּכֹ֥ל
אֲשֶׁר־עָשָׂ֖ה לְלִבְנָֽה׃

לג אָ֣ז עָלָ֗ה הֹרָם֙ מֶ֣לֶךְ גֶּ֔זֶר לַעְזֹ֖ר אֶת־לָכִ֑ישׁ וַיַּכֵּ֤הוּ יְהוֹשֻׁ֙עַ֙ וְאֶת־עַמּ֔וֹ
עַד־בִּלְתִּ֥י הִשְׁאִֽיר־ל֖וֹ שָׂרִֽיד׃ לד וַיַּעֲבֹ֨ר יְהוֹשֻׁ֧עַ וְכָל־יִשְׂרָאֵ֛ל עִמּ֖וֹ מִלָּכִ֑ישׁ
עֶגְלֹ֔נָה וַיַּחֲנ֣וּ עָלֶ֔יהָ וַיִּֽלָּחֲמ֖וּ עָלֶֽיהָ׃ לה וַֽיִּלְכְּד֜וּהָ בַּיּ֣וֹם הַה֗וּא וַיַּכּ֣וּהָ לְפִי־חֶ֔רֶב
וְאֵת֙ כָּל־הַנֶּ֣פֶשׁ אֲשֶׁר־בָּ֔הּ בַּיּ֥וֹם הַה֖וּא הֶחֱרִ֑ים כְּכֹ֥ל אֲשֶׁר־עָשָׂ֖ה לְלָכִֽישׁ׃

לו וַיַּ֨עַל יְהוֹשֻׁ֜עַ וְכָל־יִשְׂרָאֵ֥ל עִמּ֛וֹ מֵעֶגְל֖וֹנָה חֶבְר֑וֹנָה וַיִּֽלָּחֲמ֖וּ עָלֶֽיהָ׃

19 but stay not ye; pursue after your enemies, and smite the hindmost of them; suffer them not to enter into their cities; for Yehovah your God hath delivered them into your hand.' **20** And it came to pass, when Joshua and the children of Israel had made an end of slaying them with a very great slaughter, till they were consumed, and the remnant which remained of them had entered into the fortified cities, **21** that all the people returned to the camp to Joshua at Makkedah in peace; none whetted his tongue against any of the children of Israel. **22** Then said Joshua: 'Open the mouth of the cave, and bring forth those five kings unto me out of the cave.' **23** And they did so, and brought forth those five kings unto him out of the cave, the king of Yerushalam, the king of Hebron, the king of Jarmuth, the king of Lachish, the king of Eglon. **24** And it came to pass, when they brought forth those kings unto Joshua, that Joshua called for all the men of Israel, and said unto the chiefs of the men of war that went with him: 'Come near, put your feet upon the necks of these kings.' And they came near, and put their feet upon the necks of them. **25** And Joshua said unto them: 'Fear not, nor be dismayed; be strong and of good courage; for thus shall Yehovah do to all your enemies against whom ye fight.' **26** And afterward Joshua smote them, and put them to death, and hanged them on five trees; and they were hanging upon the trees until the evening. **27** And it came to pass at the time of the going down of the sun, that Joshua commanded, and they took them down off the trees, and cast them into the cave wherein they had hidden themselves, and laid great stones on the mouth of the cave, unto this very day.{S} **28** And Joshua took Makkedah on that day, and smote it with the edge of the sword, and the king thereof; he utterly destroyed them and all the souls that were therein, he left none remaining; and he did to the king of Makkedah as he had done unto the king of Jericho.{S} **29** And Joshua passed from Makkedah, and all Israel with him, unto Libnah, and fought against Libnah. **30** And Yehovah delivered it also, and the king thereof, into the hand of Israel; and he smote it with the edge of the sword, and all the souls that were therein; he left none remaining in it; and he did unto the king thereof as he had done unto the king of Jericho.{S} **31** And Joshua passed from Libnah, and all Israel with him, unto Lachish, and encamped against it, and fought against it. **32** And Yehovah delivered Lachish into the hand of Israel, and he took it on the second day, and smote it with the edge of the sword, and all the souls that were therein, according to all that he had done to Libnah.{P}

33 Then Horam king of Gezer came up to help Lachish; and Joshua smote him and his people, until he had left him none remaining. **34** And Joshua passed from Lachish, and all Israel with him, unto Eglon; and they encamped against it, and fought against it. **35** And they took it on that day, and smote it with the edge of the sword, and all the souls that were therein he utterly destroyed that day, according to all that he had done to Lachish.{P}

36 And Joshua went up from Eglon, and all Israel with him, unto Hebron; and they fought against it.

לז וַיִּלְכְּדוּהָ וַיַּכּוּהָ לְפִי־חֶרֶב וְאֶת־מַלְכָּהּ וְאֶת־כָּל־עָרֶיהָ וְאֶת־כָּל־הַנֶּפֶשׁ אֲשֶׁר־בָּהּ לֹא־הִשְׁאִיר שָׂרִיד כְּכֹל אֲשֶׁר־עָשָׂה לְעֶגְלוֹן וַיַּחֲרֵם אוֹתָהּ וְאֶת־כָּל־הַנֶּפֶשׁ אֲשֶׁר־בָּהּ: לח וַיָּשָׁב יְהוֹשֻׁעַ וְכָל־יִשְׂרָאֵל עִמּוֹ דְּבִרָה וַיִּלָּחֶם עָלֶיהָ: לט וַיִּלְכְּדָהּ וְאֶת־מַלְכָּהּ וְאֶת־כָּל־עָרֶיהָ וַיַּכּוּם לְפִי־חֶרֶב וַיַּחֲרִימוּ אֶת־כָּל־נֶפֶשׁ אֲשֶׁר־בָּהּ לֹא הִשְׁאִיר שָׂרִיד כַּאֲשֶׁר עָשָׂה לְחֶבְרוֹן כֵּן־עָשָׂה לִדְבִרָה וּלְמַלְכָּהּ וְכַאֲשֶׁר עָשָׂה לְלִבְנָה וּלְמַלְכָּהּ: מ וַיַּכֶּה יְהוֹשֻׁעַ אֶת־כָּל־הָאָרֶץ הָהָר וְהַנֶּגֶב וְהַשְּׁפֵלָה וְהָאֲשֵׁדוֹת וְאֵת כָּל־מַלְכֵיהֶם לֹא הִשְׁאִיר שָׂרִיד וְאֵת כָּל־הַנְּשָׁמָה הֶחֱרִים כַּאֲשֶׁר צִוָּה יְהֹוָה אֱלֹהֵי יִשְׂרָאֵל: מא וַיַּכֵּם יְהוֹשֻׁעַ מִקָּדֵשׁ בַּרְנֵעַ וְעַד־עַזָּה וְאֵת כָּל־אֶרֶץ גֹּשֶׁן וְעַד־גִּבְעוֹן: מב וְאֵת כָּל־הַמְּלָכִים הָאֵלֶּה וְאֶת־אַרְצָם לָכַד יְהוֹשֻׁעַ פַּעַם אֶחָת כִּי יְהֹוָה אֱלֹהֵי יִשְׂרָאֵל נִלְחָם לְיִשְׂרָאֵל: מג וַיָּשָׁב יְהוֹשֻׁעַ וְכָל־יִשְׂרָאֵל עִמּוֹ אֶל־הַמַּחֲנֶה הַגִּלְגָּלָה:

יא א וַיְהִי כִּשְׁמֹעַ יָבִין מֶלֶךְ־חָצוֹר וַיִּשְׁלַח אֶל־יוֹבָב מֶלֶךְ מָדוֹן וְאֶל־מֶלֶךְ שִׁמְרוֹן וְאֶל־מֶלֶךְ אַכְשָׁף: ב וְאֶל־הַמְּלָכִים אֲשֶׁר מִצְּפוֹן בָּהָר וּבָעֲרָבָה נֶגֶב כִּנְרוֹת וּבַשְּׁפֵלָה וּבְנָפוֹת דּוֹר מִיָּם: ג הַכְּנַעֲנִי מִמִּזְרָח וּמִיָּם וְהָאֱמֹרִי וְהַחִתִּי וְהַפְּרִזִּי וְהַיְבוּסִי בָּהָר וְהַחִוִּי תַּחַת חֶרְמוֹן בְּאֶרֶץ הַמִּצְפָּה: ד וַיֵּצְאוּ הֵם וְכָל־מַחֲנֵיהֶם עִמָּם עַם־רָב כַּחוֹל אֲשֶׁר עַל־שְׂפַת־הַיָּם לָרֹב וְסוּס וָרֶכֶב רַב־מְאֹד: ה וַיִּוָּעֲדוּ כֹּל הַמְּלָכִים הָאֵלֶּה וַיָּבֹאוּ וַיַּחֲנוּ יַחְדָּו אֶל־מֵי מֵרוֹם לְהִלָּחֵם עִם־יִשְׂרָאֵל:

ו וַיֹּאמֶר יְהֹוָה אֶל־יְהוֹשֻׁעַ אַל־תִּירָא מִפְּנֵיהֶם כִּי־מָחָר כָּעֵת הַזֹּאת אָנֹכִי נֹתֵן אֶת־כֻּלָּם חֲלָלִים לִפְנֵי יִשְׂרָאֵל אֶת־סוּסֵיהֶם תְּעַקֵּר וְאֶת־מַרְכְּבֹתֵיהֶם תִּשְׂרֹף בָּאֵשׁ: ז וַיָּבֹא יְהוֹשֻׁעַ וְכָל־עַם הַמִּלְחָמָה עִמּוֹ עֲלֵיהֶם עַל־מֵי מֵרוֹם פִּתְאֹם וַיִּפְּלוּ בָּהֶם: ח וַיִּתְּנֵם יְהֹוָה בְּיַד־יִשְׂרָאֵל וַיַּכּוּם וַיִּרְדְּפוּם עַד־צִידוֹן רַבָּה וְעַד מִשְׂרְפוֹת מַיִם וְעַד־בִּקְעַת מִצְפֶּה מִזְרָחָה וַיַּכֻּם עַד־בִּלְתִּי הִשְׁאִיר־לָהֶם שָׂרִיד: ט וַיַּעַשׂ לָהֶם יְהוֹשֻׁעַ כַּאֲשֶׁר אָמַר־לוֹ יְהֹוָה אֶת־סוּסֵיהֶם עִקֵּר וְאֶת־מַרְכְּבֹתֵיהֶם שָׂרַף בָּאֵשׁ: י וַיָּשָׁב יְהוֹשֻׁעַ בָּעֵת הַהִיא וַיִּלְכֹּד אֶת־חָצוֹר וְאֶת־מַלְכָּהּ הִכָּה בֶחָרֶב כִּי־חָצוֹר לְפָנִים הִיא רֹאשׁ כָּל־הַמַּמְלָכוֹת הָאֵלֶּה: יא וַיַּכּוּ אֶת־כָּל־הַנֶּפֶשׁ אֲשֶׁר־בָּהּ לְפִי־חֶרֶב הַחֲרֵם לֹא נוֹתַר כָּל־נְשָׁמָה וְאֶת־חָצוֹר שָׂרַף בָּאֵשׁ: יב וְאֶת־כָּל־עָרֵי הַמְּלָכִים־הָאֵלֶּה וְאֶת־כָּל־מַלְכֵיהֶם לָכַד יְהוֹשֻׁעַ וַיַּכֵּם לְפִי־חֶרֶב הֶחֱרִים אוֹתָם כַּאֲשֶׁר צִוָּה מֹשֶׁה עֶבֶד יְהֹוָה:

__37__ And they took it, and smote it with the edge of the sword, and the king thereof, and all the cities thereof, and all the souls that were therein; he left none remaining, according to all that he had done to Eglon; but he utterly destroyed it, and all the souls that were therein.{S} __38__ And Joshua turned back, and all Israel with him, to Debir; and fought against it. __39__ And he took it, and the king thereof, and all the cities thereof; and they smote them with the edge of the sword, and utterly destroyed all the souls that were therein; he left none remaining; as he had done to Hebron, so he did to Debir, and to the king thereof; as he had done also to Libnah, and to the king thereof. __40__ So Joshua smote all the land, the hill-country, and the South, and the Lowland, and the slopes, and all their kings; he left none remaining; but he utterly destroyed all that breathed, as Yehovah, the God of Israel, commanded. __41__ And Joshua smote them from Kadesh-barnea even unto Gaza, and all the country of Goshen, even unto Gibeon. __42__ And all these kings and their land did Joshua take at one time, because Yehovah, the God of Israel, fought for Israel. __43__ And Joshua returned, and all Israel with him, unto the camp to Gilgal.{P}

__11__ __1__ And it came to pass, when Jabin king of Hazor heard thereof, that he sent to Jobab king of Madon, and to the king of Shimron, and to the king of Achshaph, __2__ and to the kings that were on the north, in the hill-country and in the Arabah south of Chinneroth, and in the Lowland, and in the regions of Dor on the west, __3__ to the Canaanite on the east and on the west, and the Amorite, and the Hittite, and the Perizzite, and the Jebusite in the hill-country, and the Hivite under Hermon in the land of Mizpah. __4__ And they went out, they and all their hosts with them, much people, even as the sand that is upon the sea-shore in multitude, with horses and chariots very many. __5__ And all these kings met together, and they came and pitched together at the waters of Merom, to fight with Israel.{P}

__6__ And Yehovah said unto Joshua: 'Be not afraid because of them; for to-morrow at this time will I deliver them up all slain before Israel; thou shalt hough their horses, and burn their chariots with fire.' __7__ So Joshua came, and all the people of war with him, against them by the waters of Merom suddenly, and fell upon them. __8__ And Yehovah delivered them into the hand of Israel, and they smote them, and chased them unto great Zidon, and unto Misrephoth-maim, and unto the valley of Mizpeh eastward; and they smote them, until they left them none remaining. __9__ And Joshua did unto them as Yehovah bade him; he houghed their horses, and burnt their chariots with fire.{S} __10__ And Joshua turned back at that time, and took Hazor, and smote the king thereof with the sword: for Hazor beforetime was the head of all those kingdoms. __11__ And they smote all the souls that were therein with the edge of the sword, utterly destroying them; there was none left that breathed; and he burnt Hazor with fire. __12__ And all the cities of those kings, and all the kings of them, did Joshua take, and he smote them with the edge of the sword, and utterly destroyed them; as Moses the servant of Yehovah commanded.

יג רַק כָּל־הֶעָרִים הָעֹמְדוֹת עַל־תִּלָּם לֹא שְׂרָפָם יִשְׂרָאֵל זוּלָתִי אֶת־חָצוֹר
לְבַדָּהּ שָׂרַף יְהוֹשֻׁעַ׃ יד וְכֹל שְׁלַל הֶעָרִים הָאֵלֶּה וְהַבְּהֵמָה בָּזְזוּ לָהֶם בְּנֵי
יִשְׂרָאֵל רַק אֶת־כָּל־הָאָדָם הִכּוּ לְפִי־חֶרֶב עַד־הִשְׁמִדָם אוֹתָם לֹא הִשְׁאִירוּ
כָּל־נְשָׁמָה׃ טו כַּאֲשֶׁר צִוָּה יְהוָה אֶת־מֹשֶׁה עַבְדּוֹ כֵּן־צִוָּה מֹשֶׁה אֶת־יְהוֹשֻׁעַ וְכֵן
עָשָׂה יְהוֹשֻׁעַ לֹא־הֵסִיר דָּבָר מִכֹּל אֲשֶׁר־צִוָּה יְהוָה אֶת־מֹשֶׁה׃ טז וַיִּקַּח יְהוֹשֻׁעַ
אֶת־כָּל־הָאָרֶץ הַזֹּאת הָהָר וְאֶת־כָּל־הַנֶּגֶב וְאֵת כָּל־אֶרֶץ הַגֹּשֶׁן וְאֶת־הַשְּׁפֵלָה
וְאֶת־הָעֲרָבָה וְאֶת־הַר יִשְׂרָאֵל וּשְׁפֵלָתֹה׃ יז מִן־הָהָר הֶחָלָק הָעוֹלֶה שֵׂעִיר
וְעַד־בַּעַל גָּד בְּבִקְעַת הַלְּבָנוֹן תַּחַת הַר־חֶרְמוֹן וְאֵת כָּל־מַלְכֵיהֶם לָכַד וַיַּכֵּם
וַיְמִיתֵם׃ יח יָמִים רַבִּים עָשָׂה יְהוֹשֻׁעַ אֶת־כָּל־הַמְּלָכִים הָאֵלֶּה מִלְחָמָה׃
יט לֹא־הָיְתָה עִיר אֲשֶׁר הִשְׁלִימָה אֶל־בְּנֵי יִשְׂרָאֵל בִּלְתִּי הַחִוִּי יֹשְׁבֵי גִבְעוֹן
אֶת־הַכֹּל לָקְחוּ בַמִּלְחָמָה׃ כ כִּי מֵאֵת יְהוָה ׀ הָיְתָה לְחַזֵּק אֶת־לִבָּם לִקְרַאת
הַמִּלְחָמָה אֶת־יִשְׂרָאֵל לְמַעַן הַחֲרִימָם לְבִלְתִּי הֱיוֹת־לָהֶם תְּחִנָּה כִּי לְמַעַן
הַשְׁמִידָם כַּאֲשֶׁר צִוָּה יְהוָה אֶת־מֹשֶׁה׃ כא וַיָּבֹא יְהוֹשֻׁעַ בָּעֵת הַהִיא וַיַּכְרֵת
אֶת־הָעֲנָקִים מִן־הָהָר מִן־חֶבְרוֹן מִן־דְּבִר מִן־עֲנָב וּמִכֹּל הַר יְהוּדָה וּמִכֹּל
הַר יִשְׂרָאֵל עִם־עָרֵיהֶם הֶחֱרִימָם יְהוֹשֻׁעַ׃ כב לֹא־נוֹתַר עֲנָקִים בְּאֶרֶץ בְּנֵי
יִשְׂרָאֵל רַק בְּעַזָּה בְּגַת וּבְאַשְׁדּוֹד נִשְׁאָרוּ׃ כג וַיִּקַּח יְהוֹשֻׁעַ אֶת־כָּל־הָאָרֶץ כְּכֹל
אֲשֶׁר דִּבֶּר יְהוָה אֶל־מֹשֶׁה וַיִּתְּנָהּ יְהוֹשֻׁעַ לְנַחֲלָה לְיִשְׂרָאֵל כְּמַחְלְקֹתָם
לְשִׁבְטֵיהֶם וְהָאָרֶץ שָׁקְטָה מִמִּלְחָמָה׃

יב א וְאֵלֶּה ׀ מַלְכֵי הָאָרֶץ אֲשֶׁר הִכּוּ בְנֵי־יִשְׂרָאֵל וַיִּרְשׁוּ אֶת־אַרְצָם בְּעֵבֶר
הַיַּרְדֵּן מִזְרְחָה הַשָּׁמֶשׁ מִנַּחַל אַרְנוֹן עַד־הַר חֶרְמוֹן וְכָל־הָעֲרָבָה מִזְרָחָה׃
ב סִיחוֹן מֶלֶךְ הָאֱמֹרִי הַיּוֹשֵׁב בְּחֶשְׁבּוֹן מֹשֵׁל מֵעֲרוֹעֵר אֲשֶׁר עַל־שְׂפַת־נַחַל
אַרְנוֹן וְתוֹךְ הַנַּחַל וַחֲצִי הַגִּלְעָד וְעַד יַבֹּק הַנַּחַל גְּבוּל בְּנֵי עַמּוֹן׃ ג וְהָעֲרָבָה
עַד־יָם כִּנְרוֹת מִזְרָחָה וְעַד יָם הָעֲרָבָה יָם־הַמֶּלַח מִזְרָחָה דֶּרֶךְ בֵּית הַיְשִׁמוֹת
וּמִתֵּימָן תַּחַת אַשְׁדּוֹת הַפִּסְגָּה׃ ד וּגְבוּל עוֹג מֶלֶךְ הַבָּשָׁן מִיֶּתֶר הָרְפָאִים הַיּוֹשֵׁב
בְּעַשְׁתָּרוֹת וּבְאֶדְרֶעִי׃ ה וּמֹשֵׁל בְּהַר חֶרְמוֹן וּבְסַלְכָה וּבְכָל־הַבָּשָׁן עַד־גְּבוּל
הַגְּשׁוּרִי וְהַמַּעֲכָתִי וַחֲצִי הַגִּלְעָד גְּבוּל סִיחוֹן מֶלֶךְ־חֶשְׁבּוֹן׃ ו מֹשֶׁה עֶבֶד־יְהוָה
וּבְנֵי יִשְׂרָאֵל הִכּוּם וַיִּתְּנָהּ מֹשֶׁה עֶבֶד־יְהוָה יְרֻשָּׁה לָרֻאוּבֵנִי וְלַגָּדִי וְלַחֲצִי
שֵׁבֶט הַמְנַשֶּׁה׃ ז וְאֵלֶּה מַלְכֵי הָאָרֶץ אֲשֶׁר הִכָּה יְהוֹשֻׁעַ וּבְנֵי יִשְׂרָאֵל בְּעֵבֶר
הַיַּרְדֵּן יָמָּה מִבַּעַל גָּד בְּבִקְעַת הַלְּבָנוֹן וְעַד־הָהָר הֶחָלָק הָעֹלֶה שֵׂעִירָה
וַיִּתְּנָהּ יְהוֹשֻׁעַ לְשִׁבְטֵי יִשְׂרָאֵל יְרֻשָּׁה כְּמַחְלְקֹתָם׃ ח בָּהָר וּבַשְּׁפֵלָה וּבָעֲרָבָה
וּבָאֲשֵׁדוֹת וּבַמִּדְבָּר וּבַנֶּגֶב הַחִתִּי הָאֱמֹרִי וְהַכְּנַעֲנִי הַפְּרִזִּי הַחִוִּי וְהַיְבוּסִי׃

<u>13</u> But as for the cities that stood on their mounds, Israel burned none of them, save Hazor only–that did Joshua burn. <u>14</u> And all the spoil of these cities, and the cattle, the children of Israel took for a prey unto themselves; but every man they smote with the edge of the sword, until they had destroyed them, neither left they any that breathed. <u>15</u> As Yehovah commanded Moses His servant, so did Moses command Joshua; and so did Joshua; he left nothing undone of all that Yehovah commanded Moses. <u>16</u> So Joshua took all that land, the hill-country, and all the South, and all the land of Goshen, and the Lowland, and the Arabah, and the hill-country of Israel, and the Lowland of the same; <u>17</u> from the bare mountain, that goeth up to Seir, even unto Baal-gad in the valley of Lebanon under mount Hermon; and all their kings he took, and smote them, and put them to death. <u>18</u> Joshua made war a long time with all those kings. <u>19</u> There was not a city that made peace with the children of Israel, save the Hivites the inhabitants of Gibeon; they took all in battle. <u>20</u> For it was of Yehovah to harden their hearts, to come against Israel in battle, that they might be utterly destroyed, that they might have no favour, but that they might be destroyed, as Yehovah commanded Moses.{S} <u>21</u> And Joshua came at that time, and cut off the Anakim from the hill-country, from Hebron, from Debir, from Anab, and from all the hill-country of Judah, and from all the hill-country of Israel; Joshua utterly destroyed them with their cities. <u>22</u> There was none of the Anakim left in the land of the children of Israel; only in Gaza, in Gath, and in Ashdod, did some remain. <u>23</u> So Joshua took the whole land, according to all that Yehovah spoke unto Moses; and Joshua gave it for an inheritance unto Israel according to their divisions by their tribes. And the land had rest from war.{S}

12 <u>1</u> Now these are the kings of the land, whom the children of Israel smote, and possessed their land beyond the Jordan toward the sunrising, from the valley of Arnon unto mount Hermon, and all the Arabah eastward: <u>2</u> Sihon king of the Amorites, who dwelt in Heshbon, and ruled from Aroer, which is on the edge of the valley of Arnon, and the middle of the valley, and half Gilead, even unto the river Jabbok, the border of the children of Ammon; <u>3</u> and the Arabah unto the sea of Chinneroth, eastward, and unto the sea of the Arabah, even the Salt Sea, eastward, the way to Beth-jeshimoth; and on the south, under the slopes of Pisgah; <u>4</u> and the border of Og king of Bashan, of the remnant of the Rephaim, who dwelt at Ashtaroth and at Edrei, <u>5</u> and ruled in mount Hermon, and in Salcah, and in all Bashan, unto the border of the Geshurites and the Maacathites, and half Gilead, even unto the border of Sihon king of Heshbon. <u>6</u> Moses the servant of Yehovah and the children of Israel smote them; and Moses the servant of Yehovah gave it for a possession unto the Reubenites, and the Gadites, and the half-tribe of Manasseh.{S} <u>7</u> And these are the kings of the land whom Joshua and the children of Israel smote beyond the Jordan westward, from Baal-gad in the valley of Lebanon even unto the bare mountain, that goeth up to Seir; and Joshua gave it unto the tribes of Israel for a possession according to their divisions; <u>8</u> in the hill-country, and in the Lowland, and in the Arabah, and in the slopes, and in the wilderness, and in the South; the Hittite, the Amorite, and the Canaanite, the Perizzite, the Hivite, and the Jebusite:{P}

ט מֶ֣לֶךְ יְרִיחוֹ֮ אֶחָד֒ מֶ֣לֶךְ הָעַ֗י אֲשֶׁר־מִצַּ֛ד בֵּֽית־אֵ֖ל אֶחָֽד: י מֶ֤לֶךְ יְרֽוּשָׁלַ֙ם֙ אֶחָ֔ד מֶ֥לֶךְ חֶבְר֖וֹן אֶחָֽד: יא מֶ֣לֶךְ יַרְמוּת֙ אֶחָ֔ד מֶ֥לֶךְ לָכִ֖ישׁ אֶחָֽד: יב מֶ֣לֶךְ עֶגְלוֹן֙ אֶחָ֔ד מֶ֥לֶךְ גֶּ֖זֶר אֶחָֽד: יג מֶ֣לֶךְ דְּבִר֙ אֶחָ֔ד מֶ֥לֶךְ גֶּ֖דֶר אֶחָֽד: יד מֶ֣לֶךְ חָרְמָה֙ אֶחָ֔ד מֶ֥לֶךְ עֲרָ֖ד אֶחָֽד: טו מֶ֣לֶךְ לִבְנָה֙ אֶחָ֔ד מֶ֥לֶךְ עֲדֻלָּ֖ם אֶחָֽד: טז מֶ֣לֶךְ מַקֵּדָה֙ אֶחָ֔ד מֶ֥לֶךְ בֵּֽית־אֵ֖ל אֶחָֽד: יז מֶ֣לֶךְ תַּפּ֙וּחַ֙ אֶחָ֔ד מֶ֥לֶךְ חֵ֖פֶר אֶחָֽד: יח מֶ֣לֶךְ אֲפֵק֙ אֶחָ֔ד מֶ֥לֶךְ לַשָּׁר֖וֹן אֶחָֽד: יט מֶ֣לֶךְ מָדוֹן֙ אֶחָ֔ד מֶ֥לֶךְ חָצ֖וֹר אֶחָֽד: כ מֶ֣לֶךְ שִׁמְר֤וֹן מְראוֹן֙ אֶחָ֔ד מֶ֥לֶךְ אַכְשָׁ֖ף אֶחָֽד: כא מֶ֣לֶךְ תַּעְנַךְ֙ אֶחָ֔ד מֶ֥לֶךְ מְגִדּ֖וֹ אֶחָֽד: כב מֶ֣לֶךְ קֶ֙דֶשׁ֙ אֶחָ֔ד מֶֽלֶךְ־יָקְנְעָ֥ם לַכַּרְמֶ֖ל אֶחָֽד: כג מֶ֣לֶךְ דּוֹר֙ לְנָפַ֣ת דּ֔וֹר אֶחָ֕ד מֶֽלֶךְ־גּוֹיִ֥ם לְגִלְגָּ֖ל אֶחָֽד: כד מֶ֥לֶךְ תִּרְצָ֖ה אֶחָ֑ד כָּל־מְלָכִ֖ים שְׁלֹשִׁ֥ים וְאֶחָֽד:

יג א וִיהוֹשֻׁ֣עַ זָקֵ֔ן בָּ֖א בַּיָּמִ֑ים וַיֹּ֨אמֶר יְהֹוָ֜ה אֵלָ֗יו אַתָּ֤ה זָקַ֙נְתָּה֙ בָּ֣אתָ בַיָּמִ֔ים וְהָאָ֛רֶץ נִשְׁאֲרָ֥ה הַרְבֵּֽה־מְאֹ֖ד לְרִשְׁתָּֽהּ: ב זֹ֥את הָאָ֖רֶץ הַנִּשְׁאָ֑רֶת כָּל־גְּלִיל֥וֹת הַפְּלִשְׁתִּ֖ים וְכָל־הַגְּשׁוּרִֽי: ג מִֽן־הַשִּׁיח֞וֹר אֲשֶׁ֣ר ׀ עַל־פְּנֵ֣י מִצְרַ֗יִם וְעַ֞ד גְּב֤וּל עֶקְרוֹן֙ צָפ֔וֹנָה לַֽכְּנַעֲנִ֖י תֵּחָשֵׁ֑ב חֲמֵ֣שֶׁת ׀ סַרְנֵ֣י פְלִשְׁתִּ֗ים הָֽעַזָּתִ֤י וְהָאַשְׁדּוֹדִי֙ הָאֶשְׁקְלוֹנִ֣י הַגִּתִּ֔י וְהָעֶקְרוֹנִ֖י וְהָעַוִּֽים: ד מִתֵּימָ֞ן כָּל־אֶ֤רֶץ הַֽכְּנַעֲנִי֙ וּמְעָרָ֗ה אֲשֶׁר֙ לַצִּ֣ידֹנִ֔ים עַד־אֲפֵ֖קָה עַ֥ד גְּב֥וּל הָאֱמֹרִֽי: ה וְהָאָ֥רֶץ הַגִּבְלִ֖י וְכָל־הַלְּבָנוֹן֙ מִזְרַ֣ח הַשֶּׁ֔מֶשׁ מִבַּ֣עַל גָּ֔ד תַּ֖חַת הַר־חֶרְמ֑וֹן עַ֖ד לְב֥וֹא חֲמָֽת: ו כָּל־יֹשְׁבֵ֣י הָהָ֡ר מִֽן־הַלְּבָנוֹן֩ עַד־מִשְׂרְפֹ֨ת מַ֜יִם כָּל־צִ֣ידֹנִ֗ים אָֽנֹכִי֙ אוֹרִישֵׁ֔ם מִפְּנֵ֖י בְּנֵ֣י יִשְׂרָאֵ֑ל רַ֠ק הַפִּלֶ֤הָ לְיִשְׂרָאֵל֙ בְּנַחֲלָ֔ה כַּֽאֲשֶׁ֖ר צִוִּיתִֽיךָ: ז וְעַתָּ֗ה חַלֵּ֞ק אֶת־הָאָ֧רֶץ הַזֹּ֛את בְּנַחֲלָ֖ה לְתִשְׁעַ֣ת הַשְּׁבָטִ֑ים וַחֲצִ֖י הַשֵּׁ֥בֶט הַֽמְנַשֶּֽׁה: ח עִמּ֗וֹ הָרֽאוּבֵנִי֙ וְהַגָּדִ֔י לָקְח֖וּ נַחֲלָתָ֑ם אֲשֶׁר֩ נָתַ֨ן לָהֶ֜ם מֹשֶׁ֗ה בְּעֵ֤בֶר הַיַּרְדֵּן֙ מִזְרָ֔חָה כַּֽאֲשֶׁר֙ נָתַ֣ן לָהֶ֔ם מֹשֶׁ֖ה עֶ֥בֶד יְהֹוָֽה: ט מֵֽעֲרוֹעֵ֡ר אֲשֶׁר֩ עַל־שְׂפַת־נַ֨חַל אַרְנ֜וֹן וְהָעִ֨יר אֲשֶׁ֧ר בְּתוֹךְ־הַנַּ֛חַל וְכָל־הַמִּישֹׁ֖ר מֵידְבָ֥א עַד־דִּיבֽוֹן: י וְכֹ֗ל עָרֵי֙ סִיחוֹן֙ מֶ֣לֶךְ הָֽאֱמֹרִ֔י אֲשֶׁ֥ר מָלַ֖ךְ בְּחֶשְׁבּ֑וֹן עַד־גְּב֖וּל בְּנֵ֥י עַמּֽוֹן: יא וְהַגִּלְעָ֞ד וּגְב֧וּל הַגְּשׁוּרִ֣י וְהַֽמַּעֲכָתִ֗י וְכֹ֨ל הַ֥ר חֶרְמ֛וֹן וְכָל־הַבָּשָׁ֖ן עַד־סַלְכָֽה: יב כָּל־מַמְלְכ֞וּת ע֣וֹג בַּבָּשָׁ֗ן אֲשֶׁר־מָלַ֛ךְ בְּעַשְׁתָּר֖וֹת וּבְאֶדְרֶ֑עִי ה֤וּא נִשְׁאַר֙ מִיֶּ֣תֶר הָרְפָאִ֔ים וַיַּכֵּ֥ם מֹשֶׁ֖ה וַיֹּרִשֵֽׁם: יג וְלֹ֤א הוֹרִ֙ישׁוּ֙ בְּנֵ֣י יִשְׂרָאֵ֔ל אֶת־הַגְּשׁוּרִ֖י וְאֶת־הַמַּֽעֲכָתִ֑י וַיֵּ֨שֶׁב גְּשׁ֤וּר וּֽמַעֲכָת֙ בְּקֶ֣רֶב יִשְׂרָאֵ֔ל עַ֖ד הַיּ֥וֹם הַזֶּֽה: יד רַ֚ק לְשֵׁ֣בֶט הַלֵּוִ֔י לֹ֥א נָתַ֖ן נַחֲלָ֑ה אִשֵּׁ֨י יְהֹוָ֜ה אֱלֹהֵ֤י יִשְׂרָאֵל֙ ה֣וּא נַחֲלָת֔וֹ כַּֽאֲשֶׁ֖ר דִּבֶּר־לֽוֹ: טו וַיִּתֵּ֣ן מֹשֶׁ֔ה לְמַטֵּ֥ה בְנֵֽי־רְאוּבֵ֖ן לְמִשְׁפְּחֹתָֽם: טז וַיְהִ֨י לָהֶ֜ם הַגְּב֗וּל מֵֽעֲרוֹעֵ֡ר אֲשֶׁ֡ר עַל־שְׂפַת־נַ֩חַל֩ אַרְנ֨וֹן וְהָעִ֜יר אֲשֶׁ֧ר בְּתוֹךְ־הַנַּ֛חַל וְכָל־הַמִּישֹׁ֖ר עַל־מֵֽידְבָֽא:

9 the king of Jericho, one; the king of Ai, which is beside Beth-el, one; 10 the king of Yerushalam, one; the king of Hebron, one; 11 the king of Jarmuth, one; the king of Lachish, one; 12 the king of Eglon, one; the king of Gezer, one; 13 the king of Debir, one; the king of Geder, one; 14 the king of Hormah, one; the king of Arad, one; 15 the king of Libnah, one; the king of Adullam, one; 16 the king of Makkedah, one; the king of Beth-el, one; 17 the king of Tappuah, one; the king of Hepher, one; 18 the king of Aphek, one; the king of the Sharon, one; 19 the king of Madon, one; the king of Hazor, one; 20 the king of Shimron-meron, one; the king of Achshaph, one; 21 the king of Taanach, one; the king of Megiddo, one; 22 the king of Kedesh, one; the king of Jokneam in Carmel, one; 23 the king of Dor in the region of Dor, one; the king of Goiim in the Gilgal, one; 24 the king of Tirzah, one. All the kings thirty and one.{P}

13 1 Now Joshua was old and well stricken in years; and Yehovah said unto him: 'Thou art old and well stricken in years, and there remaineth yet very much land to be possessed. 2 This is the land that yet remaineth: all the regions of the Philistines, and all the Geshurites; 3 from the Shihor, which is before Egypt, even unto the border of Ekron northward–which is counted to the Canaanites; the five lords of the Philistines: the Gazite, and the Ashdodite, the Ashkelonite, the Gittite, and the Ekronite; also the Avvim 4 on the south; all the land of the Canaanites, and Mearah that belongeth to the Zidonians, unto Aphek, to the border of the Amorites; 5 and the land of the Gebalites, and all Lebanon, toward the sunrising, from Baal-gad under mount Hermon unto the entrance of Hamath; 6 all the inhabitants of the hill-country from Lebanon unto Misrephoth-maim, even all the Zidonians; them will I drive out from before the children of Israel; only allot thou it unto Israel for an inheritance, as I have commanded thee. 7 Now therefore divide this land for an inheritance unto the nine tribes, and the half-tribe of Manasseh.' 8 With him the Reubenites and the Gadites received their inheritance, which Moses gave them, beyond the Jordan eastward, even as Moses the servant of Yehovah gave them; 9 from Aroer, that is on the edge of the valley of Arnon, and the city that is in the middle of the valley, and all the table-land from Medeba unto Dibon; 10 and all the cities of Sihon king of the Amorites, who reigned in Heshbon, unto the border of the children of Ammon; 11 and Gilead, and the border of the Geshurites and Maacathites, and all mount Hermon, and all Bashan unto Salcah; 12 all the kingdom of Og in Bashan, who reigned in Ashtaroth and in Edrei–the same was left of the remnant of the Rephaim–for these did Moses smite, and drove them out. 13 Nevertheless the children of Israel drove not out the Geshurites, nor the Maacathites; but Geshur and Maacath dwelt in the midst of Israel unto this day. 14 Only unto the tribe of Levi he gave no inheritance; the offerings of Yehovah, the God of Israel, made by fire are his inheritance, as He spoke unto him.{P}

15 And Moses gave unto the tribe of the children of Reuben according to their families. 16 And their border was from Aroer, that is on the edge of the valley of Arnon, and the city that is in the middle of the valley, and all the table-land by Medeba;

יז חֶשְׁבּוֹן וְכָל־עָרֶיהָ אֲשֶׁר בַּמִּישֹׁר דִּיבוֹן וּבָמוֹת בַּעַל וּבֵית בַּעַל מְעוֹן׃
יח וְיַהְצָה וּקְדֵמֹת וּמֵפָעַת׃ יט וְקִרְיָתַיִם וְשִׂבְמָה וְצֶרֶת הַשַּׁחַר בְּהַר הָעֵמֶק׃
כ וּבֵית פְּעוֹר וְאַשְׁדּוֹת הַפִּסְגָּה וּבֵית הַיְשִׁמוֹת׃ כא וְכֹל עָרֵי הַמִּישֹׁר
וְכָל־מַמְלְכוּת סִיחוֹן מֶלֶךְ הָאֱמֹרִי אֲשֶׁר מָלַךְ בְּחֶשְׁבּוֹן אֲשֶׁר הִכָּה מֹשֶׁה אֹתוֹ
׀ וְאֶת־נְשִׂיאֵי מִדְיָן אֶת־אֱוִי וְאֶת־רֶקֶם וְאֶת־צוּר וְאֶת־חוּר וְאֶת־רֶבַע נְסִיכֵי
סִיחוֹן יֹשְׁבֵי הָאָרֶץ׃ כב וְאֶת־בִּלְעָם בֶּן־בְּעוֹר הַקּוֹסֵם הָרְגוּ בְנֵי־יִשְׂרָאֵל
בַּחֶרֶב אֶל־חַלְלֵיהֶם׃ כג וַיְהִי גְּבוּל בְּנֵי רְאוּבֵן הַיַּרְדֵּן וּגְבוּל זֹאת נַחֲלַת
בְּנֵי־רְאוּבֵן לְמִשְׁפְּחֹתָם הֶעָרִים וְחַצְרֵיהֶן׃

כד וַיִּתֵּן מֹשֶׁה לְמַטֵּה־גָד לִבְנֵי־גָד לְמִשְׁפְּחֹתָם׃ כה וַיְהִי לָהֶם הַגְּבוּל יַעְזֵר
וְכָל־עָרֵי הַגִּלְעָד וַחֲצִי אֶרֶץ בְּנֵי עַמּוֹן עַד־עֲרוֹעֵר אֲשֶׁר עַל־פְּנֵי רַבָּה׃
כו וּמֵחֶשְׁבּוֹן עַד־רָמַת הַמִּצְפֶּה וּבְטֹנִים וּמִמַּחֲנַיִם עַד־גְּבוּל לִדְבִר׃
כז וּבָעֵמֶק בֵּית הָרָם וּבֵית נִמְרָה וְסֻכּוֹת וְצָפוֹן יֶתֶר מַמְלְכוּת סִיחוֹן מֶלֶךְ
חֶשְׁבּוֹן הַיַּרְדֵּן וּגְבֻל עַד־קְצֵה יָם־כִּנֶּרֶת עֵבֶר הַיַּרְדֵּן מִזְרָחָה׃ כח זֹאת
נַחֲלַת בְּנֵי־גָד לְמִשְׁפְּחֹתָם הֶעָרִים וְחַצְרֵיהֶם׃ כט וַיִּתֵּן מֹשֶׁה לַחֲצִי שֵׁבֶט
מְנַשֶּׁה וַיְהִי לַחֲצִי מַטֵּה בְנֵי־מְנַשֶּׁה לְמִשְׁפְּחוֹתָם׃ ל וַיְהִי גְבוּלָם מִמַּחֲנַיִם
כָּל־הַבָּשָׁן כָּל־מַמְלְכוּת ׀ עוֹג מֶלֶךְ־הַבָּשָׁן וְכָל־חַוֹּת יָאִיר אֲשֶׁר בַּבָּשָׁן שִׁשִּׁים
עִיר׃ לא וַחֲצִי הַגִּלְעָד וְעַשְׁתָּרוֹת וְאֶדְרֶעִי עָרֵי מַמְלְכוּת עוֹג בַּבָּשָׁן לִבְנֵי
מָכִיר בֶּן־מְנַשֶּׁה לַחֲצִי בְנֵי־מָכִיר לְמִשְׁפְּחוֹתָם׃ לב אֵלֶּה אֲשֶׁר־נִחַל מֹשֶׁה
בְּעַרְבוֹת מוֹאָב מֵעֵבֶר לְיַרְדֵּן יְרִיחוֹ מִזְרָחָה׃ לג וּלְשֵׁבֶט הַלֵּוִי לֹא־נָתַן מֹשֶׁה
נַחֲלָה יְהוָה אֱלֹהֵי יִשְׂרָאֵל הוּא נַחֲלָתָם כַּאֲשֶׁר דִּבֶּר לָהֶם׃

יד א וְאֵלֶּה אֲשֶׁר־נָחֲלוּ בְנֵי־יִשְׂרָאֵל בְּאֶרֶץ כְּנָעַן אֲשֶׁר נִחֲלוּ אוֹתָם אֶלְעָזָר
הַכֹּהֵן וִיהוֹשֻׁעַ בִּן־נוּן וְרָאשֵׁי אֲבוֹת הַמַּטּוֹת לִבְנֵי יִשְׂרָאֵל׃ ב בְּגוֹרַל נַחֲלָתָם
כַּאֲשֶׁר צִוָּה יְהוָה בְּיַד־מֹשֶׁה לְתִשְׁעַת הַמַּטּוֹת וַחֲצִי הַמַּטֶּה׃ ג כִּי־נָתַן מֹשֶׁה
נַחֲלַת שְׁנֵי הַמַּטּוֹת וַחֲצִי הַמַּטֶּה מֵעֵבֶר לַיַּרְדֵּן וְלַלְוִיִּם לֹא־נָתַן נַחֲלָה
בְּתוֹכָם׃ ד כִּי־הָיוּ בְנֵי־יוֹסֵף שְׁנֵי מַטּוֹת מְנַשֶּׁה וְאֶפְרָיִם וְלֹא־נָתְנוּ חֵלֶק
לַלְוִיִּם בָּאָרֶץ כִּי אִם־עָרִים לָשֶׁבֶת וּמִגְרְשֵׁיהֶם לְמִקְנֵיהֶם וּלְקִנְיָנָם׃ ה כַּאֲשֶׁר
צִוָּה יְהוָה אֶת־מֹשֶׁה כֵּן עָשׂוּ בְּנֵי יִשְׂרָאֵל וַיַּחְלְקוּ אֶת־הָאָרֶץ׃

ו וַיִּגְּשׁוּ בְנֵי־יְהוּדָה אֶל־יְהוֹשֻׁעַ בַּגִּלְגָּל וַיֹּאמֶר אֵלָיו כָּלֵב בֶּן־יְפֻנֶּה הַקְּנִזִּי
אַתָּה יָדַעְתָּ אֶת־הַדָּבָר אֲשֶׁר־דִּבֶּר יְהוָה אֶל־מֹשֶׁה אִישׁ־הָאֱלֹהִים עַל אֹדוֹתַי
וְעַל אֹדוֹתֶיךָ בְּקָדֵשׁ בַּרְנֵעַ׃

17 Heshbon, and all her cities that are in the table-land; Dibon, and Bamoth-baal, and Beth-baal-meon; **18** and Jahaz, and Kedemoth, and Mephaath; **19** and Kiriathaim, and Sibmah, and Zerethshahar in the mount of the valley; **20** and Beth-peor, and the slopes of Pisgah, and Beth-jeshimoth; **21** and all the cities of the table-land, and all the kingdom of Sihon king of the Amorites, who reigned in Heshbon, whom Moses smote with the chiefs of Midian, Evi, and Rekem, and Zur, and Hur, and Reba, the princes of Sihon, that dwelt in the land. **22** Bilaam also the son of Beor, the soothsayer, did the children of Israel slay with the sword among the rest of their slain. **23** And as for the border of the children of Reuben, the Jordan was their border. This was the inheritance of the children of Reuben according to their families, the cities and the villages thereof.{P}

24 And Moses gave unto the tribe of Gad, unto the children of Gad, according to their families. **25** And their border was Jazer, and all the cities of Gilead, and half the land of the children of Ammon, unto Aroer that is before Rabbah; **26** and from Heshbon unto Ramath-mizpeh, and Betonim; and from Mahanaim unto the border of Lidbir; **27** and in the valley, Beth-haram, and Beth-nimrah, and Succoth, and Zaphon, the rest of the kingdom of Sihon king of Heshbon, the Jordan being the border thereof, unto the uttermost part of the sea of Chinnereth beyond the Jordan eastward. **28** This is the inheritance of the children of Gad according to their families, the cities and the villages thereof.{S}   **29** And Moses gave inheritance unto the half-tribe of Manasseh; and it was for the half-tribe of the children of Manasseh according to their families. **30** And their border was from Mahanaim, all Bashan, all the kingdom of Og king of Bashan, and all the villages of Jair, which are in Bashan, threescore cities; **31** and half Gilead, and Ashtaroth, and Edrei, the cities of the kingdom of Og in Bashan, were for the children of Machir the son of Manasseh, even for the half of the children of Machir according to their families. **32** These are the inheritances which Moses distributed in the plains of Moab, beyond the Jordan at Jericho, eastward.{P}

33 But unto the tribe of Levi Moses gave no inheritance; Yehovah, the God of Israel, is their inheritance, as He spoke unto them.{S}

14 **1** And these are the inheritances which the children of Israel took in the land of Canaan, which Eleazar the priest, and Joshua the son of Nun, and the heads of the fathers' houses of the tribes of the children of Israel, distributed unto them, **2** by the lot of their inheritance, as Yehovah commanded by the hand of Moses, for the nine tribes, and for the half-tribe.– **3** For Moses had given the inheritance of the two tribes and the half-tribe beyond the Jordan; but unto the Levites he gave no inheritance among them. **4** For the children of Joseph were two tribes, Manasseh and Ephraim; and they gave no portion unto the Levites in the land, save cities to dwell in, with the open land about them for their cattle and for their substance.– **5** As Yehovah commanded Moses, so the children of Israel did, and they divided the land.{P}

6 Then the children of Judah drew nigh unto Joshua in Gilgal; and Caleb the son of Jephunneh the Kenizzite said unto him: 'Thou knowest the thing that Yehovah spoke unto Moses the man of God concerning me and concerning thee in Kadesh-barnea.

ז בֶּן־אַרְבָּעִים שָׁנָה אָנֹכִי בִּשְׁלֹחַ מֹשֶׁה עֶבֶד־יְהוָה אֹתִי מִקָּדֵשׁ בַּרְנֵעַ לְרַגֵּל
אֶת־הָאָרֶץ וָאָשֵׁב אֹתוֹ דָּבָר כַּאֲשֶׁר עִם־לְבָבִי: ח וְאַחַי אֲשֶׁר עָלוּ עִמִּי הִמְסִיו
אֶת־לֵב הָעָם וְאָנֹכִי מִלֵּאתִי אַחֲרֵי יְהוָה אֱלֹהָי: ט וַיִּשָּׁבַע מֹשֶׁה בַּיּוֹם הַהוּא
לֵאמֹר אִם־לֹא הָאָרֶץ אֲשֶׁר דָּרְכָה רַגְלְךָ בָּהּ לְךָ תִהְיֶה לְנַחֲלָה וּלְבָנֶיךָ
עַד־עוֹלָם כִּי מִלֵּאתָ אַחֲרֵי יְהוָה אֱלֹהָי: י וְעַתָּה הִנֵּה הֶחֱיָה יְהוָה ׀ אוֹתִי
כַּאֲשֶׁר דִּבֵּר זֶה אַרְבָּעִים וְחָמֵשׁ שָׁנָה מֵאָז דִּבֶּר יְהוָה אֶת־הַדָּבָר הַזֶּה
אֶל־מֹשֶׁה אֲשֶׁר־הָלַךְ יִשְׂרָאֵל בַּמִּדְבָּר וְעַתָּה הִנֵּה אָנֹכִי הַיּוֹם בֶּן־חָמֵשׁ
וּשְׁמוֹנִים שָׁנָה: יא עוֹדֶנִּי הַיּוֹם חָזָק כַּאֲשֶׁר בְּיוֹם שְׁלֹחַ אוֹתִי מֹשֶׁה כְּכֹחִי אָז
וּכְכֹחִי עָתָּה לַמִּלְחָמָה וְלָצֵאת וְלָבוֹא: יב וְעַתָּה תְּנָה־לִּי אֶת־הָהָר הַזֶּה
אֲשֶׁר־דִּבֶּר יְהוָה בַּיּוֹם הַהוּא כִּי אַתָּה־שָׁמַעְתָּ בַיּוֹם הַהוּא כִּי־עֲנָקִים שָׁם
וְעָרִים גְּדֹלוֹת בְּצֻרוֹת אוּלַי יְהוָה אוֹתִי וְהוֹרַשְׁתִּים כַּאֲשֶׁר דִּבֶּר יְהוָה:
יג וַיְבָרְכֵהוּ יְהוֹשֻׁעַ וַיִּתֵּן אֶת־חֶבְרוֹן לְכָלֵב בֶּן־יְפֻנֶּה לְנַחֲלָה: יד עַל־כֵּן
הָיְתָה־חֶבְרוֹן לְכָלֵב בֶּן־יְפֻנֶּה הַקְּנִזִּי לְנַחֲלָה עַד הַיּוֹם הַזֶּה יַעַן אֲשֶׁר מִלֵּא
אַחֲרֵי יְהוָה אֱלֹהֵי יִשְׂרָאֵל: טו וְשֵׁם חֶבְרוֹן לְפָנִים קִרְיַת אַרְבַּע הָאָדָם
הַגָּדוֹל בָּעֲנָקִים הוּא וְהָאָרֶץ שָׁקְטָה מִמִּלְחָמָה:

יה א וַיְהִי הַגּוֹרָל לְמַטֵּה בְּנֵי יְהוּדָה לְמִשְׁפְּחֹתָם אֶל־גְּבוּל אֱדוֹם מִדְבַּר־צִן
נֶגְבָּה מִקְצֵה תֵימָן: ב וַיְהִי לָהֶם גְּבוּל נֶגֶב מִקְצֵה יָם הַמֶּלַח מִן־הַלָּשֹׁן הַפֹּנֶה
נֶגְבָּה: ג וְיָצָא אֶל־מִנֶּגֶב לְמַעֲלֵה עַקְרַבִּים וְעָבַר צִנָה וְעָלָה מִנֶּגֶב לְקָדֵשׁ
בַּרְנֵעַ וְעָבַר חֶצְרוֹן וְעָלָה אַדָּרָה וְנָסַב הַקַּרְקָעָה: ד וְעָבַר עַצְמוֹנָה וְיָצָא
נַחַל מִצְרַיִם וְהָיוּ[15] תֹּצְאוֹת הַגְּבוּל יָמָּה זֶה־יִהְיֶה לָכֶם גְּבוּל נֶגֶב: ה וּגְבוּל
קֵדְמָה יָם הַמֶּלַח עַד־קְצֵה הַיַּרְדֵּן וּגְבוּל לִפְאַת צָפוֹנָה מִלְּשׁוֹן הַיָּם מִקְצֵה
הַיַּרְדֵּן: ו וְעָלָה הַגְּבוּל בֵּית חָגְלָה וְעָבַר מִצְּפוֹן לְבֵית הָעֲרָבָה וְעָלָה
הַגְּבוּל אֶבֶן בֹּהַן בֶּן־רְאוּבֵן: ז וְעָלָה הַגְּבוּל ׀ דְּבִרָה מֵעֵמֶק עָכוֹר וְצָפוֹנָה
פֹּנֶה אֶל־הַגִּלְגָּל אֲשֶׁר־נֹכַח לְמַעֲלֵה אֲדֻמִּים אֲשֶׁר מִנֶּגֶב לַנָּחַל וְעָבַר הַגְּבוּל
אֶל־מֵי־עֵין שֶׁמֶשׁ וְהָיוּ תֹצְאֹתָיו אֶל־עֵין רֹגֵל: ח וְעָלָה הַגְּבוּל גֵּי בֶן־הִנֹּם
אֶל־כֶּתֶף הַיְבוּסִי מִנֶּגֶב הִיא יְרוּשָׁלִָם וְעָלָה הַגְּבוּל אֶל־רֹאשׁ הָהָר אֲשֶׁר
עַל־פְּנֵי גֵי־הִנֹּם יָמָּה אֲשֶׁר בִּקְצֵה עֵמֶק־רְפָאִים צָפֹנָה: ט וְתָאַר הַגְּבוּל
מֵרֹאשׁ הָהָר אֶל־מַעְיַן מֵי נֶפְתּוֹחַ וְיָצָא אֶל־עָרֵי הַר־עֶפְרוֹן וְתָאַר הַגְּבוּל
בַּעֲלָה הִיא קִרְיַת יְעָרִים: י וְנָסַב הַגְּבוּל מִבַּעֲלָה יָמָּה אֶל־הַר שֵׂעִיר וְעָבַר
אֶל־כֶּתֶף הַר־יְעָרִים מִצָּפוֹנָה הִיא כְסָלוֹן וְיָרַד בֵּית־שֶׁמֶשׁ וְעָבַר תִּמְנָה:

[15] והיה

7 Forty years old was I when Moses the servant of Yehovah sent me from Kadesh-barnea to spy out the land; and I brought him back word as it was in my heart. **8** Nevertheless my brethren that went up with me made the heart of the people melt; but I wholly followed Yehovah my God. **9** And Moses swore on that day, saying: Surely the land whereon thy foot hath trodden shall be an inheritance to thee and to thy children for ever, because thou hast wholly followed Yehovah my God. **10** And now, behold, Yehovah hath kept me alive, as He spoke, these forty and five years, from the time that Yehovah spoke this word unto Moses, while Israel walked in the wilderness; and now, lo, I am this day fourscore and five years old. **11** As yet I am as strong this day as I was in the day that Moses sent me; as my strength was then, even so is my strength now, for war, and to go out and to come in. **12** Now therefore give me this mountain, whereof Yehovah spoke in that day; for thou heardest in that day how the Anakim were there, and cities great and fortified; it may be that Yehovah will be with me, and I shall drive them out, as Yehovah spoke.' **13** And Joshua blessed him; and he gave Hebron unto Caleb the son of Jephunneh for an inheritance. **14** Therefore Hebron became the inheritance of Caleb the son of Jephunneh the Kenizzite, unto this day; because that he wholly followed Yehovah, the God of Israel. **15** Now the name of Hebron beforetime was Kiriath-arba, which Arba was the greatest man among the Anakim. And the land had rest from war.{P}

15 **1** And the lot for the tribe of the children of Judah according to their families was unto the border of Edom, even to the wilderness of Zin southward, at the uttermost part of the south. **2** And their south border was from the uttermost part of the Salt Sea, from the bay that looked southward. **3** And it went out southward of the ascent of Akrabbim, and passed along to Zin, and went up by the south of Kadesh-barnea, and passed along by Hezron, and went up to Addar, and turned about to Karka. **4** And it passed along to Azmon, and went out at the Brook of Egypt; and the goings out of the border were at the sea; this shall be your south border. **5** And the east border was the Salt Sea, even unto the end of the Jordan. And the border of the north side was from the bay of the sea at the end of the Jordan. **6** And the border went up to Beth-hoglah, and passed along by the north of Beth-arabah; and the border went up to the Stone of Bohan the son of Reuben. **7** And the border went up to Debir from the valley of Achor, and so northward, looking toward Gilgal, that is over against the ascent of Adummim, which is on the south side of the brook; and the border passed along to the waters of En-shemesh, and the goings out thereof were at En-rogel. **8** And the border went up by the Valley of the son of Hinnom unto the side of the Jebusite southward–the same is Yerushalam–and the border went up to the top of the mountain that lieth before the Valley of Hinnom westward, which is at the uttermost part of the vale of Rephaim northward. **9** And the border was drawn from the top of the mountain unto the fountain of the waters of Nephtoah, and went out to the cities of mount Ephron; and the border was drawn to Baalah–the same is Kiriath-jearim. **10** And the border turned about from Baalah westward unto mount Seir, and passed along unto the side of mount Jearim on the north–the same is Chesalon–and went down to Beth-shemesh, and passed along by Timnah.

יא וְיָצָא הַגְּבוּל אֶל־כֶּתֶף עֶקְרוֹן צָפוֹנָה וְתָאַר הַגְּבוּל שִׁכְּרוֹנָה וְעָבַר
הַר־הַבַּעֲלָה וְיָצָא יַבְנְאֵל וְהָיוּ תֹּצְאוֹת הַגְּבוּל יָמָּה׃ יב וּגְבוּל יָם הַיָּמָּה
הַגָּדוֹל וּגְבוּל זֶה גְּבוּל בְּנֵי־יְהוּדָה סָבִיב לְמִשְׁפְּחֹתָם׃ יג וּלְכָלֵב בֶּן־יְפֻנֶּה נָתַן
חֵלֶק בְּתוֹךְ בְּנֵי־יְהוּדָה אֶל־פִּי יְהוָה לִיהוֹשֻׁעַ אֶת־קִרְיַת אַרְבַּע אֲבִי הָעֲנָק
הִיא חֶבְרוֹן׃ יד וַיֹּרֶשׁ מִשָּׁם כָּלֵב אֶת־שְׁלוֹשָׁה בְּנֵי הָעֲנָק אֶת־שֵׁשַׁי וְאֶת־אֲחִימַן
וְאֶת־תַּלְמַי יְלִידֵי הָעֲנָק׃ טו וַיַּעַל מִשָּׁם אֶל־יֹשְׁבֵי דְּבִר וְשֵׁם־דְּבִר לְפָנִים
קִרְיַת־סֵפֶר׃ טז וַיֹּאמֶר כָּלֵב אֲשֶׁר־יַכֶּה אֶת־קִרְיַת־סֵפֶר וּלְכָדָהּ וְנָתַתִּי לוֹ
אֶת־עַכְסָה בִתִּי לְאִשָּׁה׃ יז וַיִּלְכְּדָהּ עָתְנִיאֵל בֶּן־קְנַז אֲחִי כָלֵב וַיִּתֶּן־לוֹ
אֶת־עַכְסָה בִתּוֹ לְאִשָּׁה׃ יח וַיְהִי בְּבוֹאָהּ וַתְּסִיתֵהוּ לִשְׁאוֹל מֵאֵת־אָבִיהָ שָׂדֶה
וַתִּצְנַח מֵעַל הַחֲמוֹר וַיֹּאמֶר־לָהּ כָּלֵב מַה־לָּךְ׃ יט וַתֹּאמֶר תְּנָה־לִּי בְרָכָה כִּי
אֶרֶץ הַנֶּגֶב נְתַתָּנִי וְנָתַתָּה לִי גֻּלֹּת מָיִם וַיִּתֶּן־לָהּ אֵת גֻּלֹּת עִלִּיּוֹת וְאֵת גֻּלֹּת
תַּחְתִּיּוֹת׃

כ זֹאת נַחֲלַת מַטֵּה בְנֵי־יְהוּדָה לְמִשְׁפְּחֹתָם׃ כא וַיִּהְיוּ הֶעָרִים מִקְצֵה לְמַטֵּה
בְנֵי־יְהוּדָה אֶל־גְּבוּל אֱדוֹם בַּנֶּגְבָּה קַבְצְאֵל וְעֵדֶר וְיָגוּר׃ כב וְקִינָה וְדִימוֹנָה
וְעַדְעָדָה׃ כג וְקֶדֶשׁ וְחָצוֹר וְיִתְנָן׃ כד זִיף וָטֶלֶם וּבְעָלוֹת׃ כה וְחָצוֹר ׀ חֲדַתָּה
וּקְרִיּוֹת חֶצְרוֹן הִיא חָצוֹר׃ כו אֲמָם וּשְׁמַע וּמוֹלָדָה׃ כז וַחֲצַר גַּדָּה וְחֶשְׁמוֹן
וּבֵית פָּלֶט׃ כח וַחֲצַר שׁוּעָל וּבְאֵר שֶׁבַע וּבִזְיוֹתְיָה׃ כט בַּעֲלָה וְעִיִּים וָעָצֶם׃
ל וְאֶלְתּוֹלַד וּכְסִיל וְחָרְמָה׃ לא וְצִקְלַג וּמַדְמַנָּה וְסַנְסַנָּה׃ לב וּלְבָאוֹת
וְשִׁלְחִים וְעַיִן וְרִמּוֹן כָּל־עָרִים עֶשְׂרִים וָתֵשַׁע וְחַצְרֵיהֶן׃ לג בַּשְּׁפֵלָה אֶשְׁתָּאוֹל
וְצָרְעָה וְאַשְׁנָה׃ לד וְזָנוֹחַ וְעֵין גַּנִּים תַּפּוּחַ וְהָעֵינָם׃ לה יַרְמוּת וַעֲדֻלָּם שׂוֹכֹה
וַעֲזֵקָה׃ לו וְשַׁעֲרַיִם וַעֲדִיתַיִם וְהַגְּדֵרָה וּגְדֵרֹתָיִם עָרִים אַרְבַּע־עֶשְׂרֵה
וְחַצְרֵיהֶן׃ לז צְנָן וַחֲדָשָׁה וּמִגְדַּל־גָּד׃ לח וְדִלְעָן וְהַמִּצְפֶּה וְיָקְתְאֵל׃
לט לָכִישׁ וּבָצְקַת וְעֶגְלוֹן׃ מ וְכַבּוֹן וְלַחְמָס וְכִתְלִישׁ׃ מא וּגְדֵרוֹת בֵּית־דָּגוֹן
וְנַעֲמָה וּמַקֵּדָה עָרִים שֵׁשׁ־עֶשְׂרֵה וְחַצְרֵיהֶן׃ מב לִבְנָה וָעֶתֶר וְעָשָׁן׃ מג וְיִפְתָּח
וְאַשְׁנָה וּנְצִיב׃ מד וּקְעִילָה וְאַכְזִיב וּמָרֵאשָׁה עָרִים תֵּשַׁע וְחַצְרֵיהֶן׃ מה עֶקְרוֹן
וּבְנֹתֶיהָ וַחֲצֵרֶיהָ׃ מו מֵעֶקְרוֹן וָיָמָּה כֹּל אֲשֶׁר־עַל־יַד אַשְׁדּוֹד וְחַצְרֵיהֶן׃
מז אַשְׁדּוֹד בְּנוֹתֶיהָ וַחֲצֵרֶיהָ עַזָּה בְּנוֹתֶיהָ וַחֲצֵרֶיהָ עַד־נַחַל מִצְרָיִם וְהַיָּם
הַגָּדוֹל [16] וּגְבוּל׃ מח וּבָהָר שָׁמִיר וְיַתִּיר וְשׂוֹכֹה׃ מט וְדַנָּה וְקִרְיַת־סַנָּה הִיא
דְבִר׃ נ וַעֲנָב וְאֶשְׁתְּמֹה וְעָנִים׃ נא וְגֹשֶׁן וְחֹלֹן וְגִלֹה עָרִים אַחַת־עֶשְׂרֵה
וְחַצְרֵיהֶן׃ נב אֲרַב וְרוּמָה וְאֶשְׁעָן׃ נג וְיָנוּם [17] וּבֵית־תַּפּוּחַ וַאֲפֵקָה׃

[16] הגבול
[17] וינים

11 And the border went out unto the side of Ekron northward; and the border was drawn to Shikkeron, and passed along to mount Baalah, and went out at Jabneel; and the goings out of the border were at the sea. **12** And as for the west border, the Great Sea was the border thereof. This is the border of the children of Judah round about according to their families. **13** And unto Caleb the son of Jephunneh he gave a portion among the children of Judah, according to the commandment of Yehovah to Joshua, even Kiriath-arba, which Arba was the father of Anak–the same is Hebron. **14** And Caleb drove out thence the three sons of Anak, Sheshai, and Ahiman, and Talmai, the children of Anak. **15** And he went up thence against the inhabitants of Debir–now the name of Debir beforetime was Kiriath-sepher. **16** And Caleb said: 'He that smiteth Kiriath-sepher, and taketh it, to him will I give Achsah my daughter to wife.' **17** And Othniel the son of Kenaz, the brother of Caleb, took it; and he gave him Achsah his daughter to wife. **18** And it came to pass, when she came unto him, that she persuaded him to ask of her father a field; and she alighted from off her ass; and Caleb said unto her: 'What wouldest thou?' **19** And she said: 'Give me a blessing; for that thou hast set me in the Southland, give me therefore springs of water.' And he gave her the Upper Springs and the Nether Springs.{P}

20 This is the inheritance of the tribe of the children of Judah according to their families. **21** And the cities at the uttermost part of the tribe of the children of Judah toward the border of Edom in the South were Kabzeel, and Eder, and Jagur; **22** and Kinah, and Dimonah, and Adadah; **23** and Kedesh, and Hazor, and Ithnan; **24** Ziph, and Telem, and Bealoth; **25** and Hazor, and Hadattah, and Kerioth, and Hezron–the same is Hazor; **26** Amam, and Shema, and Moladah; **27** and Hazar-gaddah, and Heshmon, and Beth-pelet; **28** and Hazar-shual, and Beer-sheba, and Biziothiah; **29** Baalah, and Iim, and Ezem; **30** and Eltolad, and Chesil, and Hormah; **31** and Ziklag, and Madmannah, and Sansannah; **32** and Lebaoth, and Shilhim, and Ain, and Rimmon; all the cities are twenty and nine, with their villages.{S} **33** In the Lowland: Eshtaol, and Zorah, and Ashnah; **34** and Zanoah, and En-gannim, Tappuah, and Enam; **35** Jarmuth, and Adullam, Socoh, and Azekah; **36** and Shaaraim, and Adithaim, and Gederah, with Gederothaim; fourteen cities with their villages.{S} **37** Zenan, and Hadashah, and Migdal-gad; **38** and Dilan, and Mizpeh, and Joktheel; **39** Lachish, and Bozkath, and Eglon; **40** and Cabbon, and Lahmas, and Chithlish; **41** and Gederoth, Beth-dagon, and Naamah, and Makkedah; sixteen cities with their villages.{S} **42** Libnah, and Ether, and Ashan; **43** and Iphtah, and Ashnah, and Nezib; **44** and Keilah, and Achzib, and Mareshah; nine cities with their villages.{S} **45** Ekron, with its towns and its villages; **46** from Ekron even unto the sea, all that were by the side of Ashdod, with their villages.{S} **47** Ashdod, its towns and its villages; Gaza, its towns and its villages; unto the Brook of Egypt, the Great Sea being the border thereof.{S} **48** And in the hill-country: Shamir, and Jattir, and Socoh; **49** and Dannah, and Kiriath-sannah–the same is Debir;{S} **50** and Anab, and Eshtemoh, and Anim; **51** and Goshen, and Holon, and Giloh; eleven cities with their villages.{S} **52** Arab, and Rumah, and Eshan; **53** and Janum, and Beth-tappuah, and Aphekah;

נד וְחֻמְטָה וְקִרְיַת אַרְבַּע הִיא חֶבְרוֹן וְצִיעֹר עָרִים תֵּשַׁע וְחַצְרֵיהֶן׃ נה מָעוֹן ׀
כַּרְמֶל וָזִיף וְיוּטָּה׃ נו וְיִזְרְעֶאל וְיָקְדְעָם וְזָנוֹחַ׃ נז הַקַּיִן גִּבְעָה וְתִמְנָה עָרִים
עֶשֶׂר וְחַצְרֵיהֶן׃ נח חַלְחוּל בֵּית־צוּר וּגְדוֹר׃ נט וּמַעֲרָת וּבֵית־עֲנוֹת וְאֶלְתְּקֹן
עָרִים שֵׁשׁ וְחַצְרֵיהֶן׃ ס קִרְיַת־בַּעַל הִיא קִרְיַת יְעָרִים וְהָרַבָּה עָרִים שְׁתַּיִם
וְחַצְרֵיהֶן׃ סא בַּמִּדְבָּר בֵּית הָעֲרָבָה מִדִּין וּסְכָכָה׃ סב וְהַנִּבְשָׁן וְעִיר־הַמֶּלַח
וְעֵין גֶּדִי עָרִים שֵׁשׁ וְחַצְרֵיהֶן׃ סג וְאֶת־הַיְבוּסִי יוֹשְׁבֵי יְרוּשָׁלַ͏ִם
לֹא־יָכְלוּ[18] בְנֵי־יְהוּדָה לְהוֹרִישָׁם וַיֵּשֶׁב הַיְבוּסִי אֶת־בְּנֵי יְהוּדָה בִּירוּשָׁלַ͏ִם עַד
הַיּוֹם הַזֶּה׃

יו א וַיֵּצֵא הַגּוֹרָל לִבְנֵי יוֹסֵף מִיַּרְדֵּן יְרִיחוֹ לְמֵי יְרִיחוֹ מִזְרָחָה הַמִּדְבָּר עֹלֶה
מִירִיחוֹ בָּהָר בֵּית־אֵל׃ ב וְיָצָא מִבֵּית־אֵל לוּזָה וְעָבַר אֶל־גְּבוּל הָאַרְכִּי
עֲטָרוֹת׃ ג וְיָרַד־יָמָּה אֶל־גְּבוּל הַיַּפְלֵטִי עַד גְּבוּל בֵּית־חוֹרֹן תַּחְתּוֹן וְעַד־גָּזֶר
וְהָיוּ תֹצְאֹתָיו[19] יָמָּה׃ ד וַיִּנְחֲלוּ בְנֵי־יוֹסֵף מְנַשֶּׁה וְאֶפְרָיִם׃ ה וַיְהִי גְּבוּל
בְּנֵי־אֶפְרַיִם לְמִשְׁפְּחֹתָם וַיְהִי גְּבוּל נַחֲלָתָם מִזְרָחָה עַטְרוֹת אַדָּר עַד־בֵּית
חוֹרֹן עֶלְיוֹן׃ ו וְיָצָא הַגְּבוּל הַיָּמָּה הַמִּכְמְתָת מִצָּפוֹן וְנָסַב הַגְּבוּל מִזְרָחָה
תַּאֲנַת שִׁלֹה וְעָבַר אוֹתוֹ מִמִּזְרַח יָנוֹחָה׃ ז וְיָרַד מִיָּנוֹחָה עֲטָרוֹת וְנַעֲרָתָה וּפָגַע
בִּירִיחוֹ וְיָצָא הַיַּרְדֵּן׃ ח מִתַּפּוּחַ יֵלֵךְ הַגְּבוּל יָמָּה נַחַל קָנָה וְהָיוּ תֹצְאֹתָיו
הַיָּמָּה זֹאת נַחֲלַת מַטֵּה בְנֵי־אֶפְרַיִם לְמִשְׁפְּחֹתָם׃ ט וְהֶעָרִים הַמִּבְדָּלוֹת לִבְנֵי
אֶפְרַיִם בְּתוֹךְ נַחֲלַת בְּנֵי־מְנַשֶּׁה כָּל־הֶעָרִים וְחַצְרֵיהֶן׃ י וְלֹא הוֹרִישׁוּ
אֶת־הַכְּנַעֲנִי הַיּוֹשֵׁב בְּגָזֶר וַיֵּשֶׁב הַכְּנַעֲנִי בְּקֶרֶב אֶפְרַיִם עַד־הַיּוֹם הַזֶּה וַיְהִי
לְמַס־עֹבֵד׃

יז א וַיְהִי הַגּוֹרָל לְמַטֵּה מְנַשֶּׁה כִּי־הוּא בְּכוֹר יוֹסֵף לְמָכִיר בְּכוֹר מְנַשֶּׁה אֲבִי
הַגִּלְעָד כִּי הוּא הָיָה אִישׁ מִלְחָמָה וַיְהִי־לוֹ הַגִּלְעָד וְהַבָּשָׁן׃ ב וַיְהִי לִבְנֵי
מְנַשֶּׁה הַנּוֹתָרִים לְמִשְׁפְּחֹתָם לִבְנֵי אֲבִיעֶזֶר וְלִבְנֵי־חֵלֶק וְלִבְנֵי אַשְׂרִיאֵל
וְלִבְנֵי־שֶׁכֶם וְלִבְנֵי־חֵפֶר וְלִבְנֵי שְׁמִידָע אֵלֶּה בְּנֵי מְנַשֶּׁה בֶּן־יוֹסֵף הַזְּכָרִים
לְמִשְׁפְּחֹתָם׃ ג וְלִצְלָפְחָד בֶּן־חֵפֶר בֶּן־גִּלְעָד בֶּן־מָכִיר בֶּן־מְנַשֶּׁה לֹא־הָיוּ לוֹ
בָּנִים כִּי אִם־בָּנוֹת וְאֵלֶּה שְׁמוֹת בְּנֹתָיו מַחְלָה וְנֹעָה חָגְלָה מִלְכָּה וְתִרְצָה׃
ד וַתִּקְרַבְנָה לִפְנֵי אֶלְעָזָר הַכֹּהֵן וְלִפְנֵי ׀ יְהוֹשֻׁעַ בִּן־נוּן וְלִפְנֵי הַנְּשִׂיאִים לֵאמֹר
יְהוָה צִוָּה אֶת־מֹשֶׁה לָתֶת־לָנוּ נַחֲלָה בְּתוֹךְ אַחֵינוּ וַיִּתֵּן לָהֶם אֶל־פִּי יְהוָה
נַחֲלָה בְּתוֹךְ אֲחֵי אֲבִיהֶן׃ ה וַיִּפְּלוּ חַבְלֵי־מְנַשֶּׁה עֲשָׂרָה לְבַד מֵאֶרֶץ הַגִּלְעָד
וְהַבָּשָׁן אֲשֶׁר מֵעֵבֶר לַיַּרְדֵּן׃

[18] ויוכלו
[19] תצאתו

<u>54</u> and Humtah, and Kiriath-arba–the same is Hebron, and Zior; nine cities with their villages.{S} <u>55</u> Maon, Carmel, and Ziph, and Juttah; <u>56</u> and Jezreel, and Jokdeam, and Zanoah; <u>57</u> Kain, Gibeah, and Timnah; ten cities with their villages.{S} <u>58</u> Halhul, Beth-zur, and Gedor; <u>59</u> and Maarath, and Beth-anoth, and Eltekon; six cities with their villages.{P}

<u>60</u> Kiriath-baal–the same is Kiriath-jearim, and Rabbah; two cities with their villages.{S} <u>61</u> In the wilderness: Beth-arabah, Middin, and Secacah; <u>62</u> and Nibshan, and the City of Salt, and En-gedi; six cities with their villages. <u>63</u> And as for the Jebusites, the inhabitants of Yerushalam, the children of Judah could not drive them out; but the Jebusites dwelt with the children of Judah at Yerushalam, unto this day.{P}

16 <u>1</u> And the lot for the children of Joseph went out from the Jordan at Jericho, at the waters of Jericho on the east, going up from Jericho through the hill-country to the wilderness, even to Beth-el. <u>2</u> And it went out from Beth-el-luz, and passed along unto the border of the Archites to Ataroth. <u>3</u> And it went down westward to the border of the Japhletites, unto the border of Beth-horon the nether, even unto Gezer; and the goings out thereof were at the sea. <u>4</u> And the children of Joseph, Manasseh and Ephraim, took their inheritance. <u>5</u> And the border of the children of Ephraim according to their families was thus; even the border of their inheritance eastward was Atroth-addar, unto Beth-horon the upper. <u>6</u> And the border went out westward, Mich-methath being on the north; and the border turned about eastward unto Taanath-shiloh, and passed along it on the east of Janoah. <u>7</u> And it went down from Janoah to Ataroth, and to Naarah, and reached unto Jericho, and went out at the Jordan. <u>8</u> From Tappuah the border went along westward to the brook of Kanah; and the goings out thereof were at the sea. This is the inheritance of the tribe of the children of Ephraim according to their families; <u>9</u> together with the cities which were separated for the children of Ephraim in the midst of the inheritance of the children of Manasseh, all the cities with their villages. <u>10</u> And they drove not out the Canaanites that dwelt in Gezer; but the Canaanites dwelt in the midst of Ephraim, unto this day, and became servants to do taskwork.{P}

17 <u>1</u> And this was the lot for the tribe of Manasseh; for he was the first-born of Joseph. As for Machir the first-born of Manasseh, the father of Gilead, because he was a man of war, therefore he had Gilead and Bashan. <u>2</u> And the lot was for the rest of the children of Manasseh according to their families; for the children of Abiezer, and for the children of Helek, and for the children of Asriel, and for the children of Shechem, and for the children of Hepher, and for the children of Shemida; these were the male children of Manasseh the son of Joseph according to their families. <u>3</u> But Zelophehad, the son of Hepher, the son of Gilead, the son of Machir, the son of Manasseh, had no sons, but daughters; and these are the names of his daughters: Mahlah, and Noah, Hoglah, Milcah, and Tirzah. <u>4</u> And they came near before Eleazar the priest, and before Joshua the son of Nun, and before the princes, saying: 'Yehovah commanded Moses to give us an inheritance among our brethren'; therefore according to the commandment of Yehovah he gave them an inheritance among the brethren of their father. <u>5</u> And there fell ten parts to Manasseh, beside the land of Gilead and Bashan, which is beyond the Jordan;

ו כִּי בְּנוֹת מְנַשֶּׁה נָחֲלוּ נַחֲלָה בְּתוֹךְ בָּנָיו וְאֶרֶץ הַגִּלְעָד הָיְתָה לִבְנֵי־מְנַשֶּׁה הַנּוֹתָרִים: ז וַיְהִי גְבוּל־מְנַשֶּׁה מֵאָשֵׁר הַמִּכְמְתָת אֲשֶׁר עַל־פְּנֵי שְׁכֶם וְהָלַךְ הַגְּבוּל אֶל־הַיָּמִין אֶל־יֹשְׁבֵי עֵין תַּפּוּחַ: ח לִמְנַשֶּׁה הָיְתָה אֶרֶץ תַּפּוּחַ וְתַפּוּחַ אֶל־גְּבוּל מְנַשֶּׁה לִבְנֵי אֶפְרָיִם: ט וְיָרַד הַגְּבוּל נַחַל קָנָה נֶגְבָּה לַנַּחַל עָרִים הָאֵלֶּה לְאֶפְרַיִם בְּתוֹךְ עָרֵי מְנַשֶּׁה וּגְבוּל מְנַשֶּׁה מִצְּפוֹן לַנַּחַל וַיְהִי תֹצְאֹתָיו הַיָּמָּה: י נֶגְבָּה לְאֶפְרַיִם וְצָפוֹנָה לִמְנַשֶּׁה וַיְהִי הַיָּם גְּבוּלוֹ וּבְאָשֵׁר יִפְגְּעוּן מִצָּפוֹן וּבְיִשָּׂשכָר מִמִּזְרָח: יא וַיְהִי לִמְנַשֶּׁה בְּיִשָּׂשכָר וּבְאָשֵׁר בֵּית־שְׁאָן וּבְנוֹתֶיהָ וְיִבְלְעָם וּבְנוֹתֶיהָ וְאֶת־יֹשְׁבֵי דֹאר וּבְנוֹתֶיהָ וְיֹשְׁבֵי עֵין־דֹּר וּבְנֹתֶיהָ וְיֹשְׁבֵי תַעְנַךְ וּבְנֹתֶיהָ וְיֹשְׁבֵי מְגִדּוֹ וּבְנוֹתֶיהָ שְׁלֹשֶׁת הַנָּפֶת: יב וְלֹא יָכְלוּ בְּנֵי מְנַשֶּׁה לְהוֹרִישׁ אֶת־הֶעָרִים הָאֵלֶּה וַיּוֹאֶל הַכְּנַעֲנִי לָשֶׁבֶת בָּאָרֶץ הַזֹּאת: יג וַיְהִי כִּי חָזְקוּ בְּנֵי יִשְׂרָאֵל וַיִּתְּנוּ אֶת־הַכְּנַעֲנִי לָמַס וְהוֹרֵשׁ לֹא הוֹרִישׁוֹ: יד וַיְדַבְּרוּ בְּנֵי יוֹסֵף אֶת־יְהוֹשֻׁעַ לֵאמֹר מַדּוּעַ נָתַתָּה לִּי נַחֲלָה גּוֹרָל אֶחָד וְחֶבֶל אֶחָד וַאֲנִי עַם־רָב עַד אֲשֶׁר־עַד־כֹּה בֵּרְכַנִי יְהוָה: טו וַיֹּאמֶר אֲלֵיהֶם יְהוֹשֻׁעַ אִם־עַם־רַב אַתָּה עֲלֵה לְךָ הַיַּעְרָה וּבֵרֵאתָ לְךָ שָׁם בְּאֶרֶץ הַפְּרִזִּי וְהָרְפָאִים כִּי־אָץ לְךָ הַר־אֶפְרָיִם: טז וַיֹּאמְרוּ בְּנֵי יוֹסֵף לֹא־יִמָּצֵא לָנוּ הָהָר וְרֶכֶב בַּרְזֶל בְּכָל־הַכְּנַעֲנִי הַיֹּשֵׁב בְּאֶרֶץ־הָעֵמֶק לַאֲשֶׁר בְּבֵית־שְׁאָן וּבְנוֹתֶיהָ וְלַאֲשֶׁר בְּעֵמֶק יִזְרְעֶאל: יז וַיֹּאמֶר יְהוֹשֻׁעַ אֶל־בֵּית יוֹסֵף לְאֶפְרַיִם וְלִמְנַשֶּׁה לֵאמֹר עַם־רַב אַתָּה וְכֹחַ גָּדוֹל לָךְ לֹא־יִהְיֶה לְךָ גּוֹרָל אֶחָד: יח כִּי הַר יִהְיֶה־לָּךְ כִּי־יַעַר הוּא וּבֵרֵאתוֹ וְהָיָה לְךָ תֹּצְאֹתָיו כִּי־תוֹרִישׁ אֶת־הַכְּנַעֲנִי כִּי רֶכֶב בַּרְזֶל לוֹ כִּי חָזָק הוּא:

יח א וַיִּקָּהֲלוּ כָּל־עֲדַת בְּנֵי־יִשְׂרָאֵל שִׁלֹה וַיַּשְׁכִּינוּ שָׁם אֶת־אֹהֶל מוֹעֵד וְהָאָרֶץ נִכְבְּשָׁה לִפְנֵיהֶם: ב וַיִּוָּתְרוּ בִּבְנֵי יִשְׂרָאֵל אֲשֶׁר לֹא־חָלְקוּ אֶת־נַחֲלָתָם שִׁבְעָה שְׁבָטִים: ג וַיֹּאמֶר יְהוֹשֻׁעַ אֶל־בְּנֵי יִשְׂרָאֵל עַד־אָנָה אַתֶּם מִתְרַפִּים לָבוֹא לָרֶשֶׁת אֶת־הָאָרֶץ אֲשֶׁר נָתַן לָכֶם יְהוָה אֱלֹהֵי אֲבוֹתֵיכֶם: ד הָבוּ לָכֶם שְׁלֹשָׁה אֲנָשִׁים לַשָּׁבֶט וְאֶשְׁלָחֵם וְיָקֻמוּ וְיִתְהַלְּכוּ בָאָרֶץ וְיִכְתְּבוּ אוֹתָהּ לְפִי נַחֲלָתָם וְיָבֹאוּ אֵלָי: ה וְהִתְחַלְּקוּ אֹתָהּ לְשִׁבְעָה חֲלָקִים יְהוּדָה יַעֲמֹד עַל־גְּבוּלוֹ מִנֶּגֶב וּבֵית יוֹסֵף יַעַמְדוּ עַל־גְּבוּלָם מִצָּפוֹן: ו וְאַתֶּם תִּכְתְּבוּ אֶת־הָאָרֶץ שִׁבְעָה חֲלָקִים וַהֲבֵאתֶם אֵלַי הֵנָּה וְיָרִיתִי לָכֶם גּוֹרָל פֹּה לִפְנֵי יְהוָה אֱלֹהֵינוּ: ז כִּי אֵין־חֵלֶק לַלְוִיִּם בְּקִרְבְּכֶם כִּי־כְהֻנַּת יְהוָה נַחֲלָתוֹ וְגָד וּרְאוּבֵן וַחֲצִי שֵׁבֶט הַמְנַשֶּׁה לָקְחוּ נַחֲלָתָם מֵעֵבֶר לַיַּרְדֵּן מִזְרָחָה אֲשֶׁר נָתַן לָהֶם מֹשֶׁה עֶבֶד יְהוָה:

6 because the daughters of Manasseh had an inheritance among his sons; and the land of Gilead belonged unto the rest of the sons of Manasseh. **7** And the border of Manasseh was, beginning from Asher, Michmethath, which is before Shechem; and the border went along to the right hand, unto the inhabitants of En-tappuah.– **8** The land of Tappuah belonged to Manasseh; but Tappuah on the border of Manasseh belonged to the children of Ephraim.– **9** And the border went down unto the brook of Kanah, southward of the brook, by cities which belonged to Ephraim among the cities of Manasseh; but the border of Manasseh was on the north side of the brook; and the goings out thereof were at the sea: **10** southward it was Ephraim's, and northward it was Manasseh's, and the sea was his border; and they reached to Asher on the north, and to Issachar on the east. **11** And Manasseh had in Issachar and in Asher Beth-shean and its towns, and Ibleam and its towns, and the inhabitants of Dor and its towns, and the inhabitants of En-dor and its towns, and the inhabitants of Taanach and its towns, and the inhabitants of Megiddo and its towns, even the three regions.　**12** Yet the children of Manasseh could not drive out the inhabitants of those cities; but the Canaanites were resolved to dwell in that land. **13** And it came to pass, when the children of Israel were waxen strong, that they put the Canaanites to taskwork, but did not utterly drive them out.{S} **14** And the children of Joseph spoke unto Joshua, saying: 'Why hast thou given me but one lot and one part for an inheritance, seeing I am a great people, forasmuch as Yehovah hath blessed me thus?' **15** And Joshua said unto them: 'If thou be a great people, get thee up to the forest, and cut down for thyself there in the land of the Perizzites and of the Rephaim; since the hill-country of Ephraim is too narrow for thee.'　**16** And the children of Joseph said: 'The hill-country will not be enough for us; and all the Canaanites that dwell in the land of the valley have chariots of iron, both they who are in Beth-shean and its towns, and they who are in the valley of Jezreel.' **17** And Joshua spoke unto the house of Joseph, even to Ephraim and to Manasseh, saying: 'Thou art a great people, and hast great power; thou shalt not have one lot only; **18** but the hill-country shall be thine; for though it is a forest, thou shalt cut it down, and the goings out thereof shall be thine; for thou shalt drive out the Canaanites, though they have chariots of iron, and though they be strong.'{P}

18 **1** And the whole congregation of the children of Israel assembled themselves together at Shiloh, and set up the tent of meeting there; and the land was subdued before them. **2** And there remained among the children of Israel seven tribes, which had not yet received their inheritance. **3** And Joshua said unto the children of Israel: 'How long are ye slack to go in to possess the land, which Yehovah, the God of your fathers, hath given you? **4** Appoint for you three men for each tribe; and I will send them, and they shall arise, and walk through the land, and describe it according to their inheritance; and they shall come unto me. **5** And they shall divide it into seven portions: Judah shall abide in his border on the south, and the house of Joseph shall abide in their border on the north. **6** And ye shall describe the land into seven portions, and bring the description hither to me; and I will cast lots for you here before Yehovah our God.　**7** For the Levites have no portion among you, for the priesthood of Yehovah is their inheritance; and Gad and Reuben and the half-tribe of Manasseh have received their inheritance beyond the Jordan eastward, which Moses the servant of Yehovah gave them.'

ח וַיָּקֻמוּ הָאֲנָשִׁים וַיֵּלֵכוּ וַיְצַו יְהוֹשֻׁעַ אֶת־הַהֹלְכִים לִכְתֹּב אֶת־הָאָרֶץ לֵאמֹר
לְכוּ וְהִתְהַלְּכוּ בָאָרֶץ וְכִתְבוּ אוֹתָהּ וְשׁוּבוּ אֵלַי וּפֹה אַשְׁלִיךְ לָכֶם גּוֹרָל
לִפְנֵי יְהוָה בְּשִׁלֹה׃ ט וַיֵּלְכוּ הָאֲנָשִׁים וַיַּעַבְרוּ בָאָרֶץ וַיִּכְתְּבוּהָ לֶעָרִים
לְשִׁבְעָה חֲלָקִים עַל־סֵפֶר וַיָּבֹאוּ אֶל־יְהוֹשֻׁעַ אֶל־הַמַּחֲנֶה שִׁלֹה׃ י וַיַּשְׁלֵךְ
לָהֶם יְהוֹשֻׁעַ גּוֹרָל בְּשִׁלֹה לִפְנֵי יְהוָה וַיְחַלֶּק־שָׁם יְהוֹשֻׁעַ אֶת־הָאָרֶץ לִבְנֵי
יִשְׂרָאֵל כְּמַחְלְקֹתָם׃

יא וַיַּעַל גּוֹרַל מַטֵּה בְנֵי־בִנְיָמִן לְמִשְׁפְּחֹתָם וַיֵּצֵא גְּבוּל גּוֹרָלָם בֵּין בְּנֵי
יְהוּדָה וּבֵין בְּנֵי יוֹסֵף׃ יב וַיְהִי לָהֶם הַגְּבוּל לִפְאַת צָפוֹנָה מִן־הַיַּרְדֵּן וְעָלָה
הַגְּבוּל אֶל־כֶּתֶף יְרִיחוֹ מִצָּפוֹן וְעָלָה בָהָר יָמָּה וְהָיוּ[20] תֹּצְאֹתָיו מִדְבַּרָה
בֵּית אָוֶן׃ יג וְעָבַר מִשָּׁם הַגְּבוּל לוּזָה אֶל־כֶּתֶף לוּזָה נֶגְבָּה הִיא בֵּית־אֵל
וְיָרַד הַגְּבוּל עַטְרוֹת אַדָּר עַל־הָהָר אֲשֶׁר מִנֶּגֶב לְבֵית־חֹרוֹן תַּחְתּוֹן׃
יד וְתָאַר הַגְּבוּל וְנָסַב לִפְאַת־יָם נֶגְבָּה מִן־הָהָר אֲשֶׁר עַל־פְּנֵי בֵית־חֹרוֹן
נֶגְבָּה וְהָיוּ[21] תֹצְאֹתָיו אֶל־קִרְיַת־בַּעַל הִיא קִרְיַת יְעָרִים עִיר בְּנֵי יְהוּדָה זֹאת
פְּאַת־יָם׃ טו וּפְאַת־נֶגְבָּה מִקְצֵה קִרְיַת יְעָרִים וְיָצָא הַגְּבוּל יָמָּה וְיָצָא
אֶל־מַעְיַן מֵי נֶפְתּוֹחַ׃ טז וְיָרַד הַגְּבוּל אֶל־קְצֵה הָהָר אֲשֶׁר עַל־פְּנֵי גֵּי
בֶן־הִנֹּם אֲשֶׁר בְּעֵמֶק רְפָאִים צָפוֹנָה וְיָרַד גֵּי הִנֹּם אֶל־כֶּתֶף הַיְבוּסִי נֶגְבָּה
וְיָרַד עֵין רֹגֵל׃ יז וְתָאַר מִצָּפוֹן וְיָצָא עֵין שֶׁמֶשׁ וְיָצָא אֶל־גְּלִילוֹת אֲשֶׁר־נֹכַח
מַעֲלֵה אֲדֻמִּים וְיָרַד אֶבֶן בֹּהַן בֶּן־רְאוּבֵן׃ יח וְעָבַר אֶל־כֶּתֶף מוּל־הָעֲרָבָה
צָפוֹנָה וְיָרַד הָעֲרָבָתָה׃ יט וְעָבַר הַגְּבוּל אֶל־כֶּתֶף בֵּית־חָגְלָה צָפוֹנָה
וְהָיוּ[22] ׀ תֹּצְאוֹת[23] הַגְּבוּל אֶל־לְשׁוֹן יָם־הַמֶּלַח צָפוֹנָה אֶל־קְצֵה הַיַּרְדֵּן נֶגְבָּה
זֶה גְּבוּל נֶגֶב׃ כ וְהַיַּרְדֵּן יִגְבֹּל־אֹתוֹ לִפְאַת־קֵדְמָה זֹאת נַחֲלַת בְּנֵי בִנְיָמִן
לִגְבוּלֹתֶיהָ סָבִיב לְמִשְׁפְּחֹתָם׃ כא וְהָיוּ הֶעָרִים לְמַטֵּה בְּנֵי בִנְיָמִן
לְמִשְׁפְּחוֹתֵיהֶם יְרִיחוֹ וּבֵית־חָגְלָה וְעֵמֶק קְצִיץ׃ כב וּבֵית הָעֲרָבָה וּצְמָרַיִם
וּבֵית־אֵל׃ כג וְהָעַוִּים וְהַפָּרָה וְעָפְרָה׃ כד וּכְפַר הָעַמֹּנָה[24] וְהָעָפְנִי וָגָבַע
עָרִים שְׁתֵּים־עֶשְׂרֵה וְחַצְרֵיהֶן׃ כה גִּבְעוֹן וְהָרָמָה וּבְאֵרוֹת׃ כו וְהַמִּצְפֶּה
וְהַכְּפִירָה וְהַמֹּצָה׃ כז וְרֶקֶם וְיִרְפְּאֵל וְתַרְאֲלָה׃ כח וְצֵלַע הָאֶלֶף וְהַיְבוּסִי
הִיא יְרוּשָׁלַ͏ִם גִּבְעַת קִרְיַת עָרִים אַרְבַּע־עֶשְׂרֵה וְחַצְרֵיהֶן זֹאת נַחֲלַת
בְּנֵי־בִנְיָמִן לְמִשְׁפְּחֹתָם׃

---

[20] והיה
[21] והיה
[22] והיה
[23] תצאותיו
[24] העמני

<u>8</u> And the men arose, and went; and Joshua charged them that went to describe the land, saying: 'Go and walk through the land, and describe it, and come back to me, and I will cast lots for you here before Yehovah in Shiloh.' <u>9</u> And the men went and passed through the land, and described it by cities into seven portions in a book, and they came to Joshua unto the camp at Shiloh. <u>10</u> And Joshua cast lots for them in Shiloh before Yehovah; and there Joshua divided the land unto the children of Israel according to their divisions.{P}

<u>11</u> And the lot of the tribe of the children of Benjamin came up according to their families; and the border of their lot went out between the children of Judah and the children of Joseph. <u>12</u> And their border on the north side was from the Jordan; and the border went up to the side of Jericho on the north, and went up through the hill-country westward; and the goings out thereof were at the wilderness of Beth-aven. <u>13</u> And the border passed along from thence to Luz, to the side of Luz–the same is Beth-el–southward; and the border went down to Atroth-addar, by the mountain that lieth on the south of Beth-horon the nether. <u>14</u> And the border was drawn and turned about on the west side southward, from the mountain that lieth before Beth-horon southward; and the goings out thereof were at Kiriath-baal–the same is Kiriath-jearim–a city of the children of Judah; this was the west side. <u>15</u> And the south side was from the uttermost part of Kiriath-jearim, and the border went out westward, and went out to the fountain of the waters of Nephtoah. <u>16</u> And the border went down to the uttermost part of the mountain that lieth before the Valley of the son of Hinnom, which is in the vale of Rephaim northward; and it went down to the Valley of Hinnom, to the side of the Jebusite southward, and went down to En-rogel. <u>17</u> And it was drawn on the north, and went out at En-shemesh, and went out to Geliloth, which is over against the ascent of Adummim; and it went down to the Stone of Bohan the son of Reuben. <u>18</u> And it passed along to the side over against the Arabah northward, and went down unto the Arabah. <u>19</u> And the border passed along to the side of Beth-hoglah northward; and the goings out of the border were at the north bay of the Salt Sea, at the south end of the Jordan; this was the south border. <u>20</u> And the Jordan was to be the border of it on the east side. This was the inheritance of the children of Benjamin, by the borders thereof round about, according to their families.{P}

<u>21</u> Now the cities of the tribe of the children of Benjamin according to their families were Jericho, and Beth-hoglah, and Emek-keziz; <u>22</u> and Beth-arabah, and Zemaraim, and Beth-el; <u>23</u> and Avvim, and Parah, and Ophrah; <u>24</u> and Chephar-ammonah, and Ophni, and Geba; twelve cities with their villages: <u>25</u> Gibeon, and Ramah, and Beeroth; <u>26</u> and Mizpeh, and Chephirah, and Mozah; <u>27</u> and Rekem, and Irpeel, and Taralah; <u>28</u> and Zela, Eleph, and the Jebusite–the same is Yerushalam, Gibeath, and Kiriath; fourteen cities with their villages. This is the inheritance of the children of Benjamin according to their families.{P}

יט א וַיֵּצֵ֞א הַגּוֹרָ֤ל הַשֵּׁנִי֙ לְשִׁמְע֔וֹן לְמַטֵּ֥ה בְנֵֽי־שִׁמְע֖וֹן לְמִשְׁפְּחוֹתָ֑ם וַֽיְהִי֙
נַחֲלָתָ֔ם בְּת֖וֹךְ נַחֲלַ֥ת בְּנֵֽי־יְהוּדָֽה׃ ב וַיְהִ֥י לָהֶ֖ם בְּנַחֲלָתָ֑ם בְּאֵֽר־שֶׁ֥בַע וְשֶׁ֖בַע
וּמוֹלָדָֽה׃ ג וַחֲצַ֥ר שׁוּעָ֛ל וּבָלָ֖ה וָעָֽצֶם׃ ד וְאֶלְתּוֹלַ֥ד וּבְת֖וּל וְחָרְמָֽה׃ ה וְצִֽקְלַ֥ג
וּבֵית־הַמַּרְכָּב֖וֹת וַחֲצַ֥ר סוּסָֽה׃ ו וּבֵ֥ית לְבָא֖וֹת וְשָׁר֑וּחֶן עָרִ֛ים שְׁלֹשׁ־עֶשְׂרֵ֖ה
וְחַצְרֵיהֶֽן׃ ז עַ֥יִן ׀ רִמּ֖וֹן וָעֶ֣תֶר וְעָשָׁ֑ן עָרִ֥ים אַרְבַּ֖ע וְחַצְרֵיהֶֽן׃ ח וְכָל־הַחֲצֵרִ֗ים
אֲשֶׁר֙ סְבִיב֜וֹת הֶעָרִ֣ים הָאֵ֔לֶּה עַד־בַּעֲלַ֥ת בְּאֵ֖ר רָ֣אמַת נֶ֑גֶב זֹ֗את נַחֲלַ֛ת מַטֵּ֥ה
בְנֵֽי־שִׁמְע֖וֹן לְמִשְׁפְּחֹתָֽם׃ ט מֵחֶ֙בֶל֙ בְּנֵ֣י יְהוּדָ֔ה נַחֲלַ֖ת בְּנֵ֣י שִׁמְע֑וֹן כִּֽי־הָיָ֞ה
חֵ֤לֶק בְּנֵֽי־יְהוּדָה֙ רַ֣ב מֵהֶ֔ם וַיִּנְחֲל֥וּ בְנֵֽי־שִׁמְע֖וֹן בְּת֥וֹךְ נַחֲלָתָֽם׃

י וַיַּ֙עַל֙ הַגּוֹרָ֣ל הַשְּׁלִישִׁ֔י לִבְנֵ֥י זְבוּלֻ֖ן לְמִשְׁפְּחֹתָ֑ם וַיְהִ֛י גְּב֥וּל נַחֲלָתָ֖ם
עַד־שָׂרִֽיד׃ יא וְעָלָ֨ה גְבוּלָ֧ם ׀ לַיָּ֛מָּה וּמַרְעֲלָ֖ה וּפָגַ֣ע בְּדַבָּ֑שֶׁת וּפָגַע֙ אֶל־הַנַּ֔חַל
אֲשֶׁ֖ר עַל־פְּנֵ֥י יָקְנְעָֽם׃ יב וְשָׁ֣ב מִשָּׂרִ֗יד קֵ֚דְמָה מִזְרַ֣ח הַשֶּׁ֔מֶשׁ עַל־גְּב֖וּל כִּסְלֹ֣ת
תָּבֹ֑ר וְיָצָ֥א אֶל־הַדָּבְרַ֖ת וְעָלָ֥ה יָפִֽיעַ׃ יג וּמִשָּׁ֤ם עָבַר֙ קֵ֣דְמָה מִזְרָ֔חָה גִּתָּ֥ה
חֵ֖פֶר עִתָּ֣ה קָצִ֑ין וְיָצָ֛א רִמּ֥וֹן הַמְּתֹאָ֖ר הַנֵּעָֽה׃ יד וְנָסַ֤ב אֹתוֹ֙ הַגְּב֔וּל מִצְּפ֖וֹן
חַנָּתֹ֑ן וְהָיוּ֙ תֹּֽצְאֹתָ֔יו גֵּ֖י יִפְתַּח־אֵֽל׃ טו וְקַטָּ֤ת וְנַהֲלָל֙ וְשִׁמְר֔וֹן וְיִדְאֲלָ֖ה וּבֵ֣ית
לָ֑חֶם עָרִ֥ים שְׁתֵּים־עֶשְׂרֵ֖ה וְחַצְרֵיהֶֽן׃ טז זֹ֛את נַחֲלַ֥ת בְּנֵֽי־זְבוּלֻ֖ן לְמִשְׁפְּחוֹתָ֑ם
הֶעָרִ֥ים הָאֵ֖לֶּה וְחַצְרֵיהֶֽן׃

יז לְיִשָּׂשכָ֕ר יָצָ֖א הַגּוֹרָ֣ל הָרְבִיעִ֑י לִבְנֵ֥י יִשָּׂשכָ֖ר לְמִשְׁפְּחוֹתָֽם׃ יח וַיְהִ֖י גְּבוּלָ֑ם
יִזְרְעֶ֖אלָה וְהַכְּסוּלֹ֥ת וְשׁוּנֵֽם׃ יט וַחֲפָרַ֥יִם וְשִׁיאֹ֖ן וַאֲנָחֲרַֽת׃ כ וְהָֽרַבִּ֥ית וְקִשְׁי֖וֹן
וָאָֽבֶץ׃ כא וְרֶ֥מֶת וְעֵין־גַּנִּ֖ים וְעֵ֥ין חַדָּ֖ה וּבֵ֥ית פַּצֵּֽץ׃ כב וּפָגַ֨ע הַגְּב֜וּל בְּתָב֤וֹר
וְשַׁחֲצִ֙ימָה֙[25] וּבֵ֣ית שֶׁ֔מֶשׁ וְהָי֛וּ תֹּצְא֥וֹת גְּבוּלָ֖ם הַיַּרְדֵּ֑ן עָרִ֖ים שֵׁשׁ־עֶשְׂרֵ֥ה
וְחַצְרֵיהֶֽן׃ כג זֹ֗את נַחֲלַ֛ת מַטֵּ֥ה בְנֵֽי־יִשָּׂשכָ֖ר לְמִשְׁפְּחֹתָ֑ם הֶעָרִ֖ים וְחַצְרֵיהֶֽן׃

כד וַיֵּצֵא֙ הַגּוֹרָ֣ל הַחֲמִישִׁ֔י לְמַטֵּ֥ה בְנֵֽי־אָשֵׁ֖ר לְמִשְׁפְּחוֹתָֽם׃ כה וַיְהִ֖י גְּבוּלָ֑ם
חֶלְקַ֥ת וַחֲלִ֖י וָבֶ֥טֶן וְאַכְשָֽׁף׃ כו וְאַֽלַמֶּ֥לֶךְ וְעַמְעָ֖ד וּמִשְׁאָ֑ל וּפָגַ֥ע בְּכַרְמֶ֛ל הַיָּ֖מָּה
וּבְשִׁיח֥וֹר לִבְנָֽת׃ כז וְשָׁ֨ב מִזְרַ֣ח הַשֶּׁמֶשׁ֮ בֵּ֣ית דָּגֹן֒ וּפָגַ֣ע בִּ֠זְבֻלוּן וּבְגֵ֨י
יִפְתַּח־אֵ֥ל צָפ֛וֹנָה בֵּ֥ית הָעֵ֖מֶק וּנְעִיאֵ֑ל וְיָצָ֥א אֶל־כָּב֖וּל מִשְּׂמֹֽאל׃ כח וְעֶבְרֹ֥ן
וּרְחֹ֖ב וְחַמּ֣וֹן וְקָנָ֑ה עַ֖ד צִיד֥וֹן רַבָּֽה׃ כט וְשָׁ֤ב הַגְּבוּל֙ הָרָמָ֔ה וְעַד־עִ֖יר
מִבְצַר־צֹ֑ר וְשָׁ֤ב הַגְּבוּל֙ חֹסָ֔ה וְהָי֧וּ[26] תֹצְאֹתָ֛יו הַיָּ֖מָּה מֵחֶ֥בֶל אַכְזִֽיבָה׃ ל וְעֻמָ֥ה
וַאֲפֵ֖ק וּרְחֹ֑ב עָרִ֛ים עֶשְׂרִ֥ים וּשְׁתַּ֖יִם וְחַצְרֵיהֶֽן׃ לא זֹ֗את נַחֲלַ֛ת מַטֵּ֥ה בְנֵֽי־אָשֵׁ֖ר
לְמִשְׁפְּחֹתָ֑ם הֶעָרִ֥ים הָאֵ֖לֶּה וְחַצְרֵיהֶֽן׃

[25] ושחצומה
[26] ויהיו

19 1 And the second lot came out for Simeon, even for the tribe of the children of Simeon according to their families; and their inheritance was in the midst of the inheritance of the children of Judah. 2 And they had for their inheritance Beer-sheba with Sheba, and Moladah; 3 and Hazarshual, and Balah, and Ezem; 4 and Eltolad, and Bethul, and Hormah; 5 and Ziklag, and Beth-marcaboth, and Hazar-susah; 6 and Beth-lebaoth, and Sharuhen; thirteen cities with their villages: 7 Ain, Rimmon, and Ether, and Ashan; four cities with their villages; 8 and all the villages that were round about these cities to Baalath-beer, as far as Ramah of the South. This is the inheritance of the tribe of the children of Simeon according to their families. 9 Out of the allotment of the children of Judah was the inheritance of the children of Simeon, for the portion of the children of Judah was too much for them; therefore the children of Simeon had inheritance in the midst of their inheritance.{P}

10 And the third lot came up for the children of Zebulun according to their families; and the border of their inheritance was unto Sarid. 11 And their border went up westward, even to Maralah, and reached to Dabbesheth; and it reached to the brook that is before Jokneam. 12 And it turned from Sarid eastward toward the sunrising unto the border of Chisloth-tabor; and it went out to Dobrath, and went up to Japhia. 13 And from thence it passed along eastward to Gath-hepher, to Ethkazin; and it went out at Rimmon-methoar unto Neah. 14 And the border turned about it on the north to Hannathon; and the goings out thereof were at the valley of Iphtahel; 15 and Kattath, and Nahalal, and Shimron, and Idalah, and Beth-lehem; twelve cities with their villages. 16 This is the inheritance of the children of Zebulun according to their families, these cities with their villages.{P}

17 The fourth lot came out for Issachar, even for the children of Issachar according to their families. 18 And their border was Jezreel, and Chesulloth, and Shunem; 19 and Hapharaim, and Shion, and Anaharath; 20 and Rabbith, and Kishion, and Ebez; 21 and Remeth, and En-gannim, and En-haddah, and Beth-pazzez; 22 and the border reached to Tabor, and Shahazim, and Beth-shemesh; and the goings out of their border were at the Jordan; sixteen cities with their villages. 23 This is the inheritance of the tribe of the children of Issachar according to their families, the cities with their villages.{P}

24 And the fifth lot came out for the tribe of the children of Asher according to their families. 25 And their border was Helkath, and Hali, and Beten, and Achshaph; 26 and Allam-melech, and Amad, and Mishal; and it reached to Carmel westward, and to Shihor-libnath. 27 And it turned toward the sunrising to Beth-dagon, and reached to Zebulun and to the valley of Iphtahel northward at Beth-emek and Neiel; and it went out to Cabul on the left hand, 28 and Ebron, and Rehob, and Hammon, and Kanah, even unto great Zidon. 29 And the border turned to Ramah, and to the fortified city of Tyre; and the border turned to Hosah; and the goings out thereof were at the sea from Hebel to Achzib; 30 Ummah also, and Aphek, and Rehob; twenty and two cities with their villages. 31 This is the inheritance of the tribe of the children of Asher according to their families, these cities with their villages.{P}

לב לִבְנֵ֤י נַפְתָּלִי֙ יָצָ֖א הַגּוֹרָ֣ל הַשִּׁשִּׁ֑י לִבְנֵ֥י נַפְתָּלִ֖י לְמִשְׁפְּחֹתָֽם׃ לג וַיְהִ֣י גְבוּלָ֗ם
מֵחֵ֨לֶף מֵֽאֵל֜וֹן בְּצַעֲנַנִּ֗ים וַאֲדָמִ֥י הַנֶּ֛קֶב וְיַבְנְאֵ֖ל עַד־לַקּ֑וּם וַיְהִ֥י תֹצְאֹתָ֖יו
הַיַּרְדֵּֽן׃ לד וְשָׁ֨ב הַגְּב֥וּל יָ֙מָּה֙ אַזְנ֣וֹת תָּב֔וֹר וְיָצָ֥א מִשָּׁ֖ם חוּקֹ֑קָה וּפָגַ֨ע בִּזְבֻל֜וּן
מִנֶּ֗גֶב וּבְאָשֵׁר֙ פָּגַ֣ע מִיָּ֔ם וּבִֽיהוּדָה֙ הַיַּרְדֵּ֔ן מִזְרַ֖ח הַשָּֽׁמֶשׁ׃ לה וְעָרֵ֖י מִבְצָ֑ר
הַצִּדִּ֣ים צֵ֔ר וְחַמַּ֥ת רַקַּ֖ת וְכִנָּֽרֶת׃ לו וַאֲדָמָ֥ה וְהָרָמָ֖ה וְחָצֽוֹר׃ לז וְקֶ֥דֶשׁ
וְאֶדְרֶ֖עִי וְעֵ֥ין חָצֽוֹר׃ לח וְיִרְא֛וֹן וּמִגְדַּל־אֵ֥ל חֳרֵ֖ם וּבֵית־עֲנָ֣ת וּבֵ֣ית שָׁ֑מֶשׁ
עָרִ֥ים תְּשַֽׁע־עֶשְׂרֵ֖ה וְחַצְרֵיהֶֽן׃ לט זֹ֗את נַחֲלַ֛ת מַטֵּ֥ה בְנֵֽי־נַפְתָּלִ֖י לְמִשְׁפְּחֹתָ֑ם
הֶעָרִ֖ים וְחַצְרֵיהֶֽן׃

מ לְמַטֵּ֧ה בְנֵי־דָ֛ן לְמִשְׁפְּחֹתָ֖ם יָצָ֖א הַגּוֹרָ֥ל הַשְּׁבִיעִֽי׃ מא וַיְהִ֖י גְּב֣וּל נַחֲלָתָ֑ם
צָרְעָ֥ה וְאֶשְׁתָּא֖וֹל וְעִ֥יר שָֽׁמֶשׁ׃ מב וְשַֽׁעֲלַבִּ֥ין וְאַיָּל֖וֹן וְיִתְלָֽה׃ מג וְאֵיל֥וֹן
וְתִמְנָ֖תָה וְעֶקְרֽוֹן׃ מד וְאֶלְתְּקֵ֥ה וְגִבְּת֖וֹן וּבַעֲלָֽת׃ מה וִיהֻ֥ד וּבְנֵי־בְרַ֖ק
וְגַת־רִמּֽוֹן׃ מו וּמֵ֥י הַיַּרְק֖וֹן וְהָֽרַקּ֑וֹן עִֽם־הַגְּב֖וּל מ֥וּל יָפֽוֹ׃ מז וַיֵּצֵ֥א
גְבֽוּל־בְּנֵי־דָ֖ן מֵהֶ֑ם וַיַּעֲל֣וּ בְנֵי־דָ֡ן וַיִּלָּחֲמ֣וּ עִם־לֶ֩שֶׁם֩ וַיִּלְכְּד֨וּ אוֹתָ֜הּ ׀ וַיַּכּ֧וּ
אוֹתָ֣הּ לְפִי־חֶ֗רֶב וַיִּֽרְשׁ֤וּ אוֹתָהּ֙ וַיֵּ֣שְׁבוּ בָ֔הּ וַיִּקְרְא֣וּ לְלֶ֗שֶׁם דָּ֔ן כְּשֵׁ֖ם דָּ֥ן
אֲבִיהֶֽם׃ מח זֹ֡את נַחֲלַ֛ת מַטֵּ֥ה בְנֵי־דָ֖ן לְמִשְׁפְּחֹתָ֑ם הֶעָרִ֥ים הָאֵ֖לֶּה וְחַצְרֵיהֶֽן׃

מט וַיְכַלּ֥וּ לִנְחֹֽל־אֶת־הָאָ֖רֶץ לִגְבוּלֹתֶ֑יהָ וַיִּתְּנ֨וּ בְנֵֽי־יִשְׂרָאֵ֧ל נַחֲלָ֛ה לִיהוֹשֻׁ֥עַ
בִּן־נ֖וּן בְּתוֹכָֽם׃ נ עַל־פִּ֨י יְהוָ֜ה נָ֣תְנוּ ל֗וֹ אֶת־הָעִיר֙ אֲשֶׁ֣ר שָׁאָ֔ל אֶת־תִּמְנַת־סֶ֖רַח
בְּהַ֣ר אֶפְרָ֑יִם וַיִּבְנֶ֥ה אֶת־הָעִ֖יר וַיֵּ֥שֶׁב בָּֽהּ׃ נא אֵ֣לֶּה הַנְּחָלֹ֡ת אֲשֶׁ֣ר נִחֲל֣וּ
אֶלְעָזָ֣ר הַכֹּהֵ֣ן ׀ וִיהוֹשֻׁ֣עַ בִּן־נ֡וּן וְרָאשֵׁ֣י הָאָב֣וֹת לְמַטּ֣וֹת בְּנֵֽי־יִשְׂרָאֵ֣ל ׀ בְּגוֹרָ֣ל ׀
בְּשִׁלֹה֙ לִפְנֵ֣י יְהוָ֔ה פֶּ֖תַח אֹ֣הֶל מוֹעֵ֑ד וַיְכַלּ֕וּ מֵחַלֵּ֖ק אֶת־הָאָֽרֶץ׃

כ א וַיְדַבֵּ֣ר יְהוָ֔ה אֶל־יְהוֹשֻׁ֖עַ לֵאמֹֽר׃ ב דַּבֵּ֛ר אֶל־בְּנֵ֥י יִשְׂרָאֵ֖ל לֵאמֹ֑ר תְּנ֣וּ
לָכֶם֙ אֶת־עָרֵ֣י הַמִּקְלָ֔ט אֲשֶׁר־דִּבַּ֥רְתִּי אֲלֵיכֶ֖ם בְּיַד־מֹשֶֽׁה׃ ג לָנ֤וּס שָׁ֙מָּה֙ רוֹצֵ֔חַ
מַכֵּה־נֶ֥פֶשׁ בִּשְׁגָגָ֖ה בִּבְלִי־דָ֑עַת וְהָי֤וּ לָכֶם֙ לְמִקְלָ֔ט מִגֹּאֵ֖ל הַדָּֽם׃ ד וְנָ֞ס
אֶל־אַחַ֣ת ׀ מֵהֶעָרִ֣ים הָאֵ֗לֶּה וְעָמַד֙ פֶּ֚תַח שַׁ֣עַר הָעִ֔יר וְדִבֶּ֛ר בְּאָזְנֵ֛י זִקְנֵ֥י הָֽעִיר
הַהִ֖יא אֶת־דְּבָרָ֑יו וְאָסְפ֨וּ אֹת֤וֹ הָעִ֙ירָה֙ אֲלֵיהֶ֔ם וְנָתְנוּ־ל֥וֹ מָק֖וֹם וְיָשַׁ֥ב עִמָּֽם׃
ה וְכִ֨י יִרְדֹּ֜ף גֹּאֵ֤ל הַדָּם֙ אַחֲרָ֔יו וְלֹֽא־יַסְגִּ֥רוּ אֶת־הָרֹצֵ֖חַ בְּיָד֑וֹ כִּ֤י בִבְלִי־דַ֙עַת֙
הִכָּ֣ה אֶת־רֵעֵ֔הוּ וְלֹֽא־שֹׂנֵ֥א ה֛וּא ל֖וֹ מִתְּמ֥וֹל שִׁלְשֽׁוֹם׃ ו וְיָשַׁ֣ב ׀ בָּעִ֣יר הַהִ֗יא
עַד־עָמְד֞וֹ לִפְנֵ֤י הָֽעֵדָה֙ לַמִּשְׁפָּ֔ט עַד־מוֹת֙ הַכֹּהֵ֣ן הַגָּד֔וֹל אֲשֶׁ֥ר יִהְיֶ֖ה בַּיָּמִ֣ים
הָהֵ֑ם אָ֣ז ׀ יָשׁ֣וּב הָרוֹצֵ֗חַ וּבָ֤א אֶל־עִירוֹ֙ וְאֶל־בֵּית֔וֹ אֶל־הָעִ֖יר אֲשֶׁר־נָ֥ס מִשָּֽׁם׃
ז וַיַּקְדִּ֜שׁוּ אֶת־קֶ֤דֶשׁ בַּגָּלִיל֙ בְּהַ֣ר נַפְתָּלִ֔י וְאֶת־שְׁכֶ֖ם בְּהַ֣ר אֶפְרָ֑יִם וְאֶת־קִרְיַ֥ת
אַרְבַּ֛ע הִ֥יא חֶבְר֖וֹן בְּהַ֥ר יְהוּדָֽה׃

32 The sixth lot came out for the children of Naphtali, even for the children of Naphtali according to their families. **33** And their border was from Heleph, from Elon-beza-anannim, and Adami-nekeb, and Jabneel, unto Lakkum; and the goings out thereof were at the Jordan.   **34** And the border turned westward to Aznoth-tabor, and went out from thence to Hukok; and it reached to Zebulun on the south, and reached to Asher on the west, and to Judah at the Jordan toward the sunrising. **35** And the fortified cities were Ziddim-zer, and Hammath, and Rakkath, and Chinnereth; **36** and Adamah, and Ramah, and Hazor; **37** and Kedesh, and Edrei, and En-hazor; **38** and Iron, and Migdal-el, and Horem, and Beth-anath, and Beth-shemesh; nineteen cities with their villages. **39** This is the inheritance of the tribe of the children of Naphtali according to their families, the cities with their villages.{P}

40 The seventh lot came out for the tribe of the children of Dan according to their families. **41** And the border of their inheritance was Zorah, and Eshtaol, and Ir-shemesh; **42** and Shaalabbin, and Aijalon, and Ithlah; **43** and Elon, and Timnah, and Ekron; **44** and Eltekeh, and Gibbethon, and Baalath; **45** and Jehud, and Bene-berak, and Gath-rimmon; **46** and Me-jarkon, and Rakkon, with the border over against Joppa. **47** And the border of the children of Dan was too strait for them; so the children of Dan went up and fought against Leshem, and took it, and smote it with the edge of the sword, and possessed it, and dwelt therein, and called Leshem, Dan, after the name of Dan their father. **48** This is the inheritance of the tribe of the children of Dan according to their families, these cities with their villages.{S} **49** When they had made an end of distributing the land for inheritance by the borders thereof, the children of Israel gave an inheritance to Joshua the son of Nun in the midst of them; **50** according to the commandment of Yehovah they gave him the city which he asked, even Timnath-serah in the hill-country of Ephraim; and he built the city, and dwelt therein. **51** These are the inheritances, which Eleazar the priest, and Joshua the son of Nun, and the heads of the fathers' houses of the tribes of the children of Israel, distributed for inheritance by lot in Shiloh before Yehovah, at the door of the tent of meeting. So they made an end of dividing the land.{P}

2pt]**20** **1** And Yehovah spoke unto Joshua, saying: **2** 'Speak to the children of Israel, saying: Assign you the cities of refuge, whereof I spoke unto you by the hand of Moses; **3** that the manslayer that killeth any person through error and unawares may flee thither; and they shall be unto you for a refuge from the avenger of blood. **4** And he shall flee unto one of those cities, and shall stand at the entrance of the gate of the city, and declare his cause in the ears of the elders of that city; and they shall take him into the city unto them, and give him a place, that he may dwell among them. **5** And if the avenger of blood pursue after him, then they shall not deliver up the manslayer into his hand; because he smote his neighbour unawares, and hated him not beforetime. **6** And he shall dwell in that city, until he stand before the congregation for judgment, until the death of the high priest that shall be in those days; then may the manslayer return, and come unto his own city, and unto his own house, unto the city from whence he fled.' **7** And they set apart Kedesh in Galilee in the hill-country of Naphtali, and Shechem in the hill-country of Ephraim, and Kiriath-arba–the same is Hebron–in the hill-country of Judah.

ח וּמֵעֵ֜בֶר לְיַרְדֵּ֣ן יְרִיח֗וֹ מִזְרָחָה֙ נָֽתְנ֔וּ אֶת־בֶּ֥צֶר בַּמִּדְבָּ֖ר בַּמִּישֹׁ֑ר מִמַּטֵּ֣ה רְאוּבֵ֔ן וְאֶת־רָאמֹ֤ת בַּגִּלְעָד֙ מִמַּטֵּה־גָ֔ד וְאֶת־גֹּלָ֥ן ²⁷ בַּבָּשָׁ֖ן מִמַּטֵּ֥ה מְנַשֶּֽׁה:
ט אֵ֣לֶּה הָי֞וּ עָרֵ֣י הַמּֽוּעָדָ֗ה לְכֹל֙ ׀ בְּנֵ֣י יִשְׂרָאֵ֔ל וְלַגֵּ֖ר הַגָּ֣ר בְּתוֹכָ֑ם לָנ֣וּס שָׁ֔מָּה כָּל־מַכֵּה־נֶ֣פֶשׁ בִּשְׁגָגָ֔ה וְלֹ֣א יָמ֗וּת בְּיַד֙ גֹּאֵ֣ל הַדָּ֔ם עַד־עָמְד֖וֹ לִפְנֵ֥י הָעֵדָֽה:

כא א וַֽיִּגְּשׁ֗וּ רָאשֵׁ֛י אֲב֥וֹת הַלְוִיִּ֖ם אֶל־אֶלְעָזָ֣ר הַכֹּהֵ֑ן וְאֶל־יְהוֹשֻׁ֣עַ בִּן־נ֔וּן וְאֶל־רָאשֵׁ֛י אֲב֥וֹת הַמַּטּ֖וֹת לִבְנֵ֥י יִשְׂרָאֵֽל: ב וַיְדַבְּר֨וּ אֲלֵיהֶ֜ם בְּשִׁלֹ֗ה בְּאֶ֤רֶץ כְּנַ֙עַן֙ לֵאמֹ֔ר יְהוָ֛ה צִוָּ֥ה בְיַד־מֹשֶׁ֖ה לָֽתֶת־לָ֣נוּ עָרִ֣ים לָשָׁ֑בֶת וּמִגְרְשֵׁיהֶ֖ן לִבְהֶמְתֵּֽנוּ: ג וַיִּתְּנ֤וּ בְנֵֽי־יִשְׂרָאֵל֙ לַלְוִיִּ֔ם מִֽנַּחֲלָתָ֖ם אֶל־פִּ֣י יְהוָ֑ה אֶת־הֶעָרִ֥ים הָאֵ֖לֶּה וְאֶת־מִגְרְשֵׁיהֶֽן: ד וַיֵּצֵ֥א הַגּוֹרָ֖ל לְמִשְׁפְּחֹ֣ת הַקְּהָתִ֑י וַיְהִ֡י לִבְנֵי֩ אַהֲרֹ֨ן הַכֹּהֵ֜ן מִן־הַֽלְוִיִּ֗ם מִמַּטֵּ֨ה יְהוּדָ֜ה וּמִמַּטֵּ֤ה הַשִּׁמְעֹנִי֙ וּמִמַּטֵּ֣ה בִנְיָמִ֔ן בַּגּוֹרָ֕ל עָרִ֖ים שְׁלֹ֥שׁ עֶשְׂרֵֽה: ה וְלִבְנֵ֨י קְהָ֜ת הַנּֽוֹתָרִ֗ים מִמִּשְׁפְּחֹ֣ת מַטֵּֽה־אֶ֠פְרַיִם וּֽמִמַּטֵּה־דָ֞ן וּמֵחֲצִ֨י מַטֵּ֧ה מְנַשֶּׁ֛ה בַּגּוֹרָ֖ל עָרִ֥ים עָֽשֶׂר: ו וְלִבְנֵ֣י גֵרְשׁ֗וֹן מִמִּשְׁפְּח֣וֹת מַטֵּֽה־יִשָּׂשכָ֣ר וּמִמַּטֵּֽה־אָשֵׁר֮ וּמִמַּטֵּ֣ה נַפְתָּלִי֒ וּֽמֵחֲצִ֞י מַטֵּ֤ה מְנַשֶּׁה֙ בַבָּשָׁ֔ן בַּגּוֹרָ֕ל עָרִ֖ים שְׁלֹ֥שׁ עֶשְׂרֵֽה: ז לִבְנֵ֨י מְרָרִ֜י לְמִשְׁפְּחֹתָ֗ם מִמַּטֵּ֨ה רְאוּבֵ֤ן וּמִמַּטֵּה־גָד֙ וּמִמַּטֵּ֣ה זְבוּלֻ֔ן עָרִ֖ים שְׁתֵּ֥ים עֶשְׂרֵֽה: ח וַיִּתְּנ֤וּ בְנֵֽי־יִשְׂרָאֵל֙ לַלְוִיִּ֔ם אֶת־הֶעָרִ֥ים הָאֵ֖לֶּה וְאֶת־מִגְרְשֵׁיהֶ֑ן כַּאֲשֶׁ֨ר צִוָּ֧ה יְהוָ֛ה בְּיַד־מֹשֶׁ֖ה בַּגּוֹרָֽל:

ט וַֽיִּתְּנ֗וּ מִמַּטֵּה֙ בְּנֵ֣י יְהוּדָ֔ה וּמִמַּטֵּ֖ה בְּנֵ֣י שִׁמְע֑וֹן אֵ֚ת הֶעָרִ֣ים הָאֵ֔לֶּה אֲשֶׁר־יִקְרָ֥א אֶתְהֶ֖ן בְּשֵֽׁם: י וַֽיְהִי֙ לִבְנֵ֣י אַהֲרֹ֔ן מִמִּשְׁפְּח֥וֹת הַקְּהָתִ֖י מִבְּנֵ֣י לֵוִ֑י כִּ֥י לָהֶ֛ם הָיָ֥ה הַגּוֹרָ֖ל רִֽיאשֹׁנָֽה: יא וַיִּתְּנ֨וּ לָהֶ֜ם אֶת־קִרְיַ֤ת אַרְבַּע֙ אֲבִ֣י הָֽעֲנ֔וֹק הִ֖יא חֶבְר֑וֹן בְּהַ֖ר יְהוּדָ֑ה וְאֶת־מִגְרָשֶׁ֖הָ סְבִיבֹתֶֽיהָ: יב וְאֶת־שְׂדֵ֥ה הָעִ֖יר וְאֶת־חֲצֵרֶ֑יהָ נָֽתְנ֛וּ לְכָלֵ֥ב בֶּן־יְפֻנֶּ֖ה בַּאֲחֻזָּתֽוֹ: יג וְלִבְנֵ֣י ׀ אַהֲרֹ֣ן הַכֹּהֵ֗ן נָֽתְנוּ֙ אֶת־עִיר֙ מִקְלַ֣ט הָרֹצֵ֔חַ אֶת־חֶבְר֖וֹן וְאֶת־מִגְרָשֶׁ֑הָ וְאֶת־לִבְנָ֖ה וְאֶת־מִגְרָשֶֽׁהָ: יד וְאֶת־יַתִּר֙ וְאֶת־מִגְרָשֶׁ֔הָ וְאֶת־אֶשְׁתְּמֹ֖עַ וְאֶת־מִגְרָשֶֽׁהָ: יה וְאֶת־חֹלֹן֙ וְאֶת־מִגְרָשֶׁ֔הָ וְאֶת־דְּבִ֖ר וְאֶת־מִגְרָשֶֽׁהָ: יו וְאֶת־עַ֜יִן וְאֶת־מִגְרָשֶׁ֗הָ וְאֶת־יֻטָּה֙ וְאֶת־מִגְרָשֶׁ֔הָ אֶת־בֵּ֥ית שֶׁ֖מֶשׁ וְאֶת־מִגְרָשֶׁ֑הָ עָרִ֣ים תֵּ֔שַׁע מֵאֵ֕ת שְׁנֵ֥י הַשְּׁבָטִ֖ים הָאֵֽלֶּה:

יז וּמִמַּטֵּ֣ה בִנְיָמִ֔ן אֶת־גִּבְע֖וֹן וְאֶת־מִגְרָשֶׁ֑הָ אֶת־גֶּ֖בַע וְאֶת־מִגְרָשֶֽׁהָ: יח אֶת־עֲנָתוֹת֙ וְאֶת־מִגְרָשֶׁ֔הָ וְאֶת־עַלְמ֖וֹן וְאֶת־מִגְרָשֶׁ֑הָ עָרִ֖ים אַרְבַּֽע: יט כָּל־עָרֵ֥י בְנֵֽי־אַהֲרֹ֖ן הַכֹּֽהֲנִ֑ים שְׁלֹשׁ־עֶשְׂרֵ֥ה עָרִ֖ים וּמִגְרְשֵׁיהֶֽן:

8 And beyond the Jordan at Jericho eastward, they assigned Bezer in the wilderness in the table-land out of the tribe of Reuben, and Ramoth in Gilead out of the tribe of Gad, and Golan in Bashan out of the tribe of Manasseh. **9** These were the appointed cities for all the children of Israel, and for the stranger that sojourneth among them, that whosoever killeth any person through error might flee thither, and not die by the hand of the avenger of blood, until he stood before the congregation.{P}

21 1 Then came near the heads of fathers' houses of the Levites unto Eleazar the priest, and unto Joshua the son of Nun, and unto the heads of fathers' houses of the tribes of the children of Israel; **2** and they spoke unto them at Shiloh in the land of Canaan, saying: 'Yehovah commanded by the hand of Moses to give us cities to dwell in, with the open land thereabout for our cattle.'{P}

3 And the children of Israel gave unto the Levites out of their inheritance, according to the commandment of Yehovah, these cities with the open land about them. **4** And the lot came out for the families of the Kohathites; and the children of Aaron the priest, who were of the Levites, had by lot out of the tribe of Judah, and out of the tribe of the Simeonites, and out of the tribe of Benjamin, thirteen cities.{S} **5** And the rest of the children of Kohath had by lot out of the families of the tribe of Ephraim, and out of the tribe of Dan, and out of the half-tribe of Manasseh, ten cities.{S} **6** And the children of Gershon had by lot out of the families of the tribe of Issachar, and out of the tribe of Asher, and out of the tribe of Naphtali, and out of the half-tribe of Manasseh in Bashan, thirteen cities.{S} **7** The children of Merari according to their families had out of the tribe of Reuben, and out of the tribe of Gad, and out of the tribe of Zebulun, twelve cities.{S} **8** And the children of Israel gave by lot unto the Levites these cities with the open land about them, as Yehovah commanded by the hand of Moses.{P}

9 And they gave out of the tribe of the children of Judah, and out of the tribe of the children of Simeon, these cities which are here mentioned by name. **10** And they were for the children of Aaron, of the families of the Kohathites, who were of the children of Levi; for theirs was the first lot. **11** And they gave them Kiriath-arba, which Arba was the father of Anak–the same is Hebron–in the hill-country of Judah, with the open land round about it. **12** But the fields of the city, and the villages thereof, gave they to Caleb the son of Jephunneh for his possession.{S} **13** And unto the children of Aaron the priest they gave Hebron with the open land about it, the city of refuge for the manslayer, and Libnah with the open land about it; **14** and Jattir with the open land about it, and Eshtemoa with the open land about it; **15** and Holon with the open land about it, and Debir with the open land about it; **16** and Ain with the open land about it, and Juttah with the open land about it, and Beth-shemesh with the open land about it; nine cities out of those two tribes.{S} **17** And out of the tribe of Benjamin, Gibeon with the open land about it, Geba with the open land about it; **18** Anathoth with the open land about it, and Almon with the open land about it; four cities. **19** All the cities of the children of Aaron, the priests, were thirteen cities with the open land about them.{S}

כ וּלְמִשְׁפְּחוֹת בְּנֵי־קְהָת הַלְוִיִּם הַנּוֹתָרִים מִבְּנֵי קְהָת וַיְהִי עָרֵי גוֹרָלָם מִמַּטֵּה
אֶפְרָיִם׃ כא וַיִּתְּנוּ לָהֶם אֶת־עִיר מִקְלַט הָרֹצֵחַ אֶת־שְׁכֶם וְאֶת־מִגְרָשֶׁהָ בְּהַר
אֶפְרָיִם וְאֶת־גֶּזֶר וְאֶת־מִגְרָשֶׁהָ׃ כב וְאֶת־קִבְצַיִם וְאֶת־מִגְרָשֶׁהָ וְאֶת־בֵּית חוֹרֹן
וְאֶת־מִגְרָשֶׁהָ עָרִים אַרְבַּע׃ כג וּמִמַּטֵּה־דָן אֶת־אֶלְתְּקֵא וְאֶת־מִגְרָשֶׁהָ אֶת־גִּבְּתוֹן
וְאֶת־מִגְרָשֶׁהָ׃ כד אֶת־אַיָּלוֹן וְאֶת־מִגְרָשֶׁהָ אֶת־גַּת־רִמּוֹן וְאֶת־מִגְרָשֶׁהָ עָרִים
אַרְבַּע׃ כה וּמִמַּחֲצִית מַטֵּה מְנַשֶּׁה אֶת־תַּעְנַךְ וְאֶת־מִגְרָשֶׁהָ וְאֶת־גַּת־רִמּוֹן
וְאֶת־מִגְרָשֶׁהָ עָרִים שְׁתָּיִם׃ כו כָּל־עָרִים עֶשֶׂר וּמִגְרְשֵׁיהֶן לְמִשְׁפְּחוֹת בְּנֵי־קְהָת
הַנּוֹתָרִים׃ כז וְלִבְנֵי גֵרְשׁוֹן מִמִּשְׁפְּחֹת הַלְוִיִּם מֵחֲצִי מַטֵּה מְנַשֶּׁה אֶת־עִיר
מִקְלַט הָרֹצֵחַ אֶת־גּוֹלָן[28] בַּבָּשָׁן וְאֶת־מִגְרָשֶׁהָ וְאֶת־בְּעֶשְׁתְּרָה וְאֶת־מִגְרָשֶׁהָ
עָרִים שְׁתָּיִם׃ כח וּמִמַּטֵּה יִשָּׂשכָר אֶת־קִשְׁיוֹן וְאֶת־מִגְרָשֶׁהָ אֶת־דָּבְרַת
וְאֶת־מִגְרָשֶׁהָ׃ כט אֶת־יַרְמוּת וְאֶת־מִגְרָשֶׁהָ אֶת־עֵין גַּנִּים וְאֶת־מִגְרָשֶׁהָ עָרִים
אַרְבַּע׃ ל וּמִמַּטֵּה אָשֵׁר אֶת־מִשְׁאָל וְאֶת־מִגְרָשֶׁהָ אֶת־עַבְדּוֹן וְאֶת־מִגְרָשֶׁהָ׃
לא אֶת־חֶלְקָת וְאֶת־מִגְרָשֶׁהָ וְאֶת־רְחֹב וְאֶת־מִגְרָשֶׁהָ עָרִים אַרְבַּע׃ לב וּמִמַּטֵּה
נַפְתָּלִי אֶת־עִיר ׀ מִקְלַט הָרֹצֵחַ אֶת־קֶדֶשׁ בַּגָּלִיל וְאֶת־מִגְרָשֶׁהָ וְאֶת־חַמֹּת דֹּאר
וְאֶת־מִגְרָשֶׁהָ וְאֶת־קַרְתָּן וְאֶת־מִגְרָשֶׁהָ עָרִים שָׁלֹשׁ׃ לג כָּל־עָרֵי הַגֵּרְשֻׁנִּי
לְמִשְׁפְּחֹתָם שְׁלֹשׁ־עֶשְׂרֵה עִיר וּמִגְרְשֵׁיהֶן׃ לד וּלְמִשְׁפְּחוֹת בְּנֵי־מְרָרִי הַלְוִיִּם
הַנּוֹתָרִים מֵאֵת מַטֵּה זְבוּלֻן אֶת־יָקְנְעָם וְאֶת־מִגְרָשֶׁהָ אֶת־קַרְתָּה וְאֶת־מִגְרָשֶׁהָ׃
לה אֶת־דִּמְנָה וְאֶת־מִגְרָשֶׁהָ אֶת־נַהֲלָל וְאֶת־מִגְרָשֶׁהָ עָרִים אַרְבַּע׃
לו וּמִמַּטֵּה־גָד אֶת־עִיר מִקְלַט הָרֹצֵחַ אֶת־רָמֹת בַּגִּלְעָד וְאֶת־מִגְרָשֶׁהָ
וְאֶת־מַחֲנַיִם וְאֶת־מִגְרָשֶׁהָ׃ לז אֶת־חֶשְׁבּוֹן וְאֶת־מִגְרָשֶׁהָ אֶת־יַעְזֵר וְאֶת־מִגְרָשֶׁהָ
כָּל־עָרִים אַרְבַּע׃ לח כָּל־הֶעָרִים לִבְנֵי מְרָרִי לְמִשְׁפְּחֹתָם הַנּוֹתָרִים
מִמִּשְׁפְּחוֹת הַלְוִיִּם וַיְהִי גּוֹרָלָם עָרִים שְׁתֵּים עֶשְׂרֵה׃ לט כֹּל עָרֵי הַלְוִיִּם בְּתוֹךְ
אֲחֻזַּת בְּנֵי־יִשְׂרָאֵל עָרִים אַרְבָּעִים וּשְׁמֹנֶה וּמִגְרְשֵׁיהֶן׃ מ תִּהְיֶינָה הֶעָרִים
הָאֵלֶּה עִיר עִיר וּמִגְרָשֶׁיהָ סְבִיבֹתֶיהָ כֵּן לְכָל־הֶעָרִים הָאֵלֶּה׃ מא וַיִּתֵּן יְהוָה
לְיִשְׂרָאֵל אֶת־כָּל־הָאָרֶץ אֲשֶׁר נִשְׁבַּע לָתֵת לַאֲבוֹתָם וַיִּרָשׁוּהָ וַיֵּשְׁבוּ בָהּ׃
מב וַיָּנַח יְהוָה לָהֶם מִסָּבִיב כְּכֹל אֲשֶׁר־נִשְׁבַּע לַאֲבוֹתָם וְלֹא־עָמַד אִישׁ
בִּפְנֵיהֶם מִכָּל־אֹיְבֵיהֶם אֵת כָּל־אֹיְבֵיהֶם נָתַן יְהוָה בְּיָדָם׃ מג לֹא־נָפַל דָּבָר
מִכֹּל הַדָּבָר הַטּוֹב אֲשֶׁר־דִּבֶּר יְהוָה אֶל־בֵּית יִשְׂרָאֵל הַכֹּל בָּא׃

כב א אָז יִקְרָא יְהוֹשֻׁעַ לָרְאוּבֵנִי וְלַגָּדִי וְלַחֲצִי מַטֵּה מְנַשֶּׁה׃ ב וַיֹּאמֶר אֲלֵיהֶם
אַתֶּם שְׁמַרְתֶּם אֵת כָּל־אֲשֶׁר צִוָּה אֶתְכֶם מֹשֶׁה עֶבֶד יְהוָה וַתִּשְׁמְעוּ בְקוֹלִי לְכֹל
אֲשֶׁר־צִוִּיתִי אֶתְכֶם׃

---

[28]גלון

20 And the families of the children of Kohath, the Levites, even the rest of the children of Kohath, they had the cities of their lot out of the tribe of Ephraim. 21 And they gave them Shechem with the open land about it in the hill-country of Ephraim, the city of refuge for the manslayer, and Gezer with the open land about it; 22 and Kibzaim with the open land about it, and Beth-horon with the open land about it; four cities.{S} 23 And out of the tribe of Dan, Elteke with the open land about it, Gibbethon with the open land about it; 24 Aijalon with the open land about it, Gath-rimmon with the open land about it; four cities. 25 And out of the half-tribe of Manasseh, Taanach with the open land about it, and Gath-rimmon with the open land about it; two cities. 26 All the cities of the families of the rest of the children of Kohath were ten with the open land about them.{S} 27 And unto the children of Gershon, of the families of the Levites, out of the half-tribe of Manasseh they gave Golan in Bashan with the open land about it, the city of refuge for the manslayer; and Beeshterah with the open land about it; two cities.{S} 28 And out of the tribe of Issachar, Kishion with the open land about it, Dobrath with the open land about it; 29 Jarmuth with the open land about it, En-gannim with the open land about it; four cities.{S} 30 And out of the tribe of Asher, Mishal with the open land about it, Abdon with the open land about it; 31 Helkath with the open land about it, and Rehob with the open land about it; four cities.{S} 32 And out of the tribe of Naphtali, Kedesh in Galilee with the open land about it, the city of refuge for the manslayer, and Hammoth-dor with the open land about it, and Kartan with the open land about it; three cities. 33 All the cities of the Gershonites according to their families were thirteen cities with the open land about them.{S} 34 And unto the families of the children of Merari, the rest of the Levites, out of the tribe of Zebulun, Jokneam with the open land about it, and Kartah with the open land about it; 35 Dimnah with the open land about it, Nahalal with the open land about it; four cities.{S} 36 And out of the tribe of Gad, Ramoth in Gilead with the open land about it, the city of refuge for the manslayer, and Mahanaim with the open land about it; 37 Heshbon with the open land about it, Jazer with the open land about it; four cities in all. 38 All these were the cities of the children of Merari according to their families, even the rest of the families of the Levites; and their lot was twelve cities. 39 All the cities of the Levites–forty and eight cities with the open land about them–shall be in the midst of the possession of the children of Israel, 40 even these cities, every one with the open land round about it; thus it shall be with all these cities.{S} 41 So Yehovah gave unto Israel all the land which He swore to give unto their fathers; and they possessed it, and dwelt therein. 42 And Yehovah gave them rest round about, according to all that He swore unto their fathers; and there stood not a man of all their enemies against them; Yehovah delivered all their enemies into their hand. 43 There failed not aught of any good thing which Yehovah had spoken unto the house of Israel; all came to pass.{P}

22 1 Then Joshua called the Reubenites, and the Gadites, and the half-tribe of Manasseh, 2 and said unto them: 'Ye have kept all that Moses the servant of Yehovah commanded you, and have hearkened unto my voice in all that I commanded you;

ג לֹא־עֲזַבְתֶּם אֶת־אֲחֵיכֶם זֶה יָמִים רַבִּים עַד הַיּוֹם הַזֶּה וּשְׁמַרְתֶּם
אֶת־מִשְׁמֶרֶת מִצְוַת יְהוָה אֱלֹהֵיכֶם׃ ד וְעַתָּה הֵנִיחַ יְהוָה אֱלֹהֵיכֶם לַאֲחֵיכֶם
כַּאֲשֶׁר דִּבֶּר לָהֶם וְעַתָּה פְּנוּ וּלְכוּ לָכֶם לְאָהֳלֵיכֶם אֶל־אֶרֶץ אֲחֻזַּתְכֶם אֲשֶׁר ׀
נָתַן לָכֶם מֹשֶׁה עֶבֶד יְהוָה בְּעֵבֶר הַיַּרְדֵּן׃ ה רַק ׀ שִׁמְרוּ מְאֹד לַעֲשׂוֹת
אֶת־הַמִּצְוָה וְאֶת־הַתּוֹרָה אֲשֶׁר צִוָּה אֶתְכֶם מֹשֶׁה עֶבֶד־יְהוָה לְאַהֲבָה
אֶת־יְהוָה אֱלֹהֵיכֶם וְלָלֶכֶת בְּכָל־דְּרָכָיו וְלִשְׁמֹר מִצְוֹתָיו וּלְדָבְקָה־בוֹ
וּלְעָבְדוֹ בְּכָל־לְבַבְכֶם וּבְכָל־נַפְשְׁכֶם׃ ו וַיְבָרְכֵם יְהוֹשֻׁעַ וַיְשַׁלְּחֵם וַיֵּלְכוּ
אֶל־אָהֳלֵיהֶם׃ ז וְלַחֲצִי ׀ שֵׁבֶט הַמְנַשֶּׁה נָתַן מֹשֶׁה בַּבָּשָׁן וּלְחֶצְיוֹ נָתַן יְהוֹשֻׁעַ
עִם־אֲחֵיהֶם בְּעֵבֶר[29] הַיַּרְדֵּן יָמָּה וְגַם כִּי שִׁלְּחָם יְהוֹשֻׁעַ אֶל־אָהֳלֵיהֶם
וַיְבָרְכֵם׃ ח וַיֹּאמֶר אֲלֵיהֶם לֵאמֹר בִּנְכָסִים רַבִּים שׁוּבוּ אֶל־אָהֳלֵיכֶם
וּבְמִקְנֶה רַב־מְאֹד בְּכֶסֶף וּבְזָהָב וּבִנְחֹשֶׁת וּבְבַרְזֶל וּבִשְׂלָמוֹת הַרְבֵּה מְאֹד
חִלְקוּ שְׁלַל־אֹיְבֵיכֶם עִם־אֲחֵיכֶם׃

ט וַיָּשֻׁבוּ וַיֵּלְכוּ בְּנֵי־רְאוּבֵן וּבְנֵי־גָד וַחֲצִי ׀ שֵׁבֶט הַמְנַשֶּׁה מֵאֵת בְּנֵי יִשְׂרָאֵל
מִשִּׁלֹה אֲשֶׁר בְּאֶרֶץ־כְּנָעַן לָלֶכֶת אֶל־אֶרֶץ הַגִּלְעָד אֶל־אֶרֶץ אֲחֻזָּתָם אֲשֶׁר
נֹאחֲזוּ־בָהּ עַל־פִּי יְהוָה בְּיַד־מֹשֶׁה׃ י וַיָּבֹאוּ אֶל־גְּלִילוֹת הַיַּרְדֵּן אֲשֶׁר בְּאֶרֶץ
כְּנָעַן וַיִּבְנוּ בְנֵי־רְאוּבֵן וּבְנֵי־גָד וַחֲצִי שֵׁבֶט הַמְנַשֶּׁה שָׁם מִזְבֵּחַ עַל־הַיַּרְדֵּן
מִזְבֵּחַ גָּדוֹל לְמַרְאֶה׃ יא וַיִּשְׁמְעוּ בְנֵי־יִשְׂרָאֵל לֵאמֹר הִנֵּה בָנוּ בְנֵי־רְאוּבֵן
וּבְנֵי־גָד וַחֲצִי שֵׁבֶט הַמְנַשֶּׁה אֶת־הַמִּזְבֵּחַ אֶל־מוּל אֶרֶץ כְּנַעַן אֶל־גְּלִילוֹת
הַיַּרְדֵּן אֶל־עֵבֶר בְּנֵי יִשְׂרָאֵל׃ יב וַיִּשְׁמְעוּ בְּנֵי יִשְׂרָאֵל וַיִּקָּהֲלוּ כָּל־עֲדַת
בְּנֵי־יִשְׂרָאֵל שִׁלֹה לַעֲלוֹת עֲלֵיהֶם לַצָּבָא׃

יג וַיִּשְׁלְחוּ בְנֵי־יִשְׂרָאֵל אֶל־בְּנֵי־רְאוּבֵן וְאֶל־בְּנֵי־גָד וְאֶל־חֲצִי שֵׁבֶט־מְנַשֶּׁה
אֶל־אֶרֶץ הַגִּלְעָד אֶת־פִּינְחָס בֶּן־אֶלְעָזָר הַכֹּהֵן׃ יד וַעֲשָׂרָה נְשִׂאִים עִמּוֹ נָשִׂיא
אֶחָד נָשִׂיא אֶחָד לְבֵית אָב לְכֹל מַטּוֹת יִשְׂרָאֵל וְאִישׁ רֹאשׁ בֵּית־אֲבוֹתָם הֵמָּה
לְאַלְפֵי יִשְׂרָאֵל׃ טו וַיָּבֹאוּ אֶל־בְּנֵי־רְאוּבֵן וְאֶל־בְּנֵי־גָד וְאֶל־חֲצִי
שֵׁבֶט־מְנַשֶּׁה אֶל־אֶרֶץ הַגִּלְעָד וַיְדַבְּרוּ אִתָּם לֵאמֹר׃ טז כֹּה אָמְרוּ כֹּל ׀ עֲדַת
יְהוָה מָה־הַמַּעַל הַזֶּה אֲשֶׁר מְעַלְתֶּם בֵּאלֹהֵי יִשְׂרָאֵל לָשׁוּב הַיּוֹם מֵאַחֲרֵי
יְהוָה בִּבְנוֹתְכֶם לָכֶם מִזְבֵּחַ לִמְרָדְכֶם הַיּוֹם בַּיהוָה׃ יז הַמְעַט־לָנוּ אֶת־עֲוֹן
פְּעוֹר אֲשֶׁר לֹא־הִטַּהַרְנוּ מִמֶּנּוּ עַד הַיּוֹם הַזֶּה וַיְהִי הַנֶּגֶף בַּעֲדַת יְהוָה׃
יח וְאַתֶּם תָּשֻׁבוּ הַיּוֹם מֵאַחֲרֵי יְהוָה וְהָיָה אַתֶּם תִּמְרְדוּ הַיּוֹם בַּיהוָה וּמָחָר
אֶל־כָּל־עֲדַת יִשְׂרָאֵל יִקְצֹף׃

[29] מעבר

__3__ ye have not left your brethren these many days unto this day, but have kept the charge of the commandment of Yehovah your God. __4__ And now Yehovah your God hath given rest unto your brethren, as He spoke unto them; therefore now turn ye, and get you unto your tents, unto the land of your possession, which Moses the servant of Yehovah gave you beyond the Jordan. __5__ Only take diligent heed to do the commandment and the Torah, which Moses the servant of Yehovah commanded you, to love Yehovah your God, and to walk in all His ways, and to keep His commandments, and to cleave unto Him, and to serve Him with all your heart and with all your soul.' __6__ So Joshua blessed them, and sent them away; and they went unto their tents.{P}

__7__ Now to the one half-tribe of Manasseh Moses had given inheritance in Bashan; but unto the other half gave Joshua among their brethren beyond the Jordan westward. Moreover when Joshua sent them away unto their tents, he blessed them, __8__ and spoke unto them, saying: 'Return with much wealth unto your tents, and with very much cattle, with silver, and with gold, and with brass, and with iron, and with very much raiment; divide the spoil of your enemies with your brethren.'{P}

__9__ And the children of Reuben and the children of Gad and the half-tribe of Manasseh returned, and departed from the children of Israel out of Shiloh, which is in the land of Canaan, to go unto the land of Gilead, to the land of their possession, whereof they were possessed, according to the commandment of Yehovah by the hand of Moses. __10__ And when they came unto the region about the Jordan, that is in the land of Canaan, the children of Reuben and the children of Gad and the half-tribe of Manasseh built there an altar by the Jordan, a great altar to look upon. __11__ And the children of Israel heard say: 'Behold, the children of Reuben and the children of Gad and the half-tribe of Manasseh have built an altar in the forefront of the land of Canaan, in the region about the Jordan, on the side that pertaineth to the children of Israel.' __12__ And when the children of Israel heard of it, the whole congregation of the children of Israel gathered themselves together at Shiloh, to go up against them to war.{P}

__13__ And the children of Israel sent unto the children of Reuben, and to the children of Gad, and to the half-tribe of Manasseh, into the land of Gilead, Phinehas the son of Eleazar the priest; __14__ and with him ten princes, one prince of a fathers' house for each of the tribes of Israel; and they were every one of them head of their fathers' houses among the thousands of Israel. __15__ And they came unto the children of Reuben, and to the children of Gad, and to the half-tribe of Manasseh, unto the land of Gilead, and they spoke with them, saying: __16__ 'Thus saith the whole congregation of Yehovah: What treachery is this that ye have committed against the God of Israel, to turn away this day from following Yehovah, in that ye have builded you an altar, to rebel this day against Yehovah? __17__ Is the iniquity of Peor too little for us, from which we have not cleansed ourselves unto this day, although there came a plague upon the congregation of Yehovah, __18__ that ye must turn away this day from following Yehovah? and it will be, seeing ye rebel to-day against Yehovah, that to-morrow He will be wroth with the whole congregation of Israel.

יט וְאַ֨ךְ אִם־טְמֵאָ֜ה אֶ֣רֶץ אֲחֻזַּתְכֶ֗ם עִבְר֨וּ לָכֶ֜ם אֶל־אֶ֨רֶץ אֲחֻזַּ֤ת יְהוָה֙ אֲשֶׁ֣ר
שָֽׁכַן־שָׁם֙ מִשְׁכַּ֣ן יְהוָ֔ה וְהֵאָחֲז֖וּ בְּתוֹכֵ֑נוּ וּבַֽיהוָ֣ה אַל־תִּמְרֹ֗דוּ וְאֹתָ֙נוּ֙ אַל־תִּמְרֹ֔דוּ
בִּבְנֹֽתְכֶ֥ם לָכֶם֙ מִזְבֵּ֔חַ מִֽבַּלְעֲדֵ֔י מִזְבַּ֖ח יְהוָ֥ה אֱלֹהֵֽינוּ׃ כ הֲל֣וֹא ׀ עָכָ֣ן בֶּן־זֶ֗רַח
מָ֤עַל מַ֙עַל֙ בַּחֵ֔רֶם וְעַֽל־כָּל־עֲדַ֥ת יִשְׂרָאֵ֖ל הָ֣יָה קָ֑צֶף וְהוּא֙ אִ֣ישׁ אֶחָ֔ד לֹ֥א גָוַ֖ע
בַּעֲוֺנֽוֹ׃

כא וַֽיַּעֲנוּ֙ בְּנֵי־רְאוּבֵ֣ן וּבְנֵי־גָ֔ד וַחֲצִ֖י שֵׁ֣בֶט הַֽמְנַשֶּׁ֑ה וַֽיְדַבְּר֔וּ אֶת־רָאשֵׁ֖י אַלְפֵ֥י
יִשְׂרָאֵֽל׃ כב אֵל֩ ׀ אֱלֹהִ֨ים ׀ יְהוָ֜ה אֵ֣ל ׀ אֱלֹהִ֤ים ׀ יְהוָה֙ ה֣וּא יֹדֵ֔עַ וְיִשְׂרָאֵ֖ל ה֣וּא
יֵדָ֑ע אִם־בְּמֶ֙רֶד֙ וְאִם־בְּמַ֣עַל בַּֽיהוָ֔ה אַל־תּוֹשִׁיעֵ֖נוּ הַיּ֥וֹם הַזֶּֽה׃ כג לִבְנ֥וֹת לָ֙נוּ֙
מִזְבֵּ֔חַ לָשׁ֖וּב מֵאַחֲרֵ֣י יְהוָ֑ה וְאִם־לְהַעֲל֨וֹת עָלָ֜יו עוֹלָ֣ה וּמִנְחָ֗ה וְאִם־לַעֲשׂ֤וֹת
עָלָיו֙ זִבְחֵ֣י שְׁלָמִ֔ים יְהוָ֖ה ה֥וּא יְבַקֵּֽשׁ׃ כד וְאִם־לֹ֤א מִדְּאָגָה֙ מִדָּבָ֔ר עָשִׂ֥ינוּ
אֶת־זֹ֖את לֵאמֹ֑ר מָחָ֗ר יֹאמְר֨וּ בְנֵיכֶ֤ם לְבָנֵ֙ינוּ֙ לֵאמֹ֔ר מַה־לָּכֶ֕ם וְלַיהוָ֖ה אֱלֹהֵ֥י
יִשְׂרָאֵֽל׃ כה וּגְב֣וּל נָֽתַן־יְ֠הוָה בֵּינֵ֨נוּ וּבֵינֵיכֶ֜ם בְּנֵי־רְאוּבֵ֤ן וּבְנֵי־גָד֙ אֶת־הַיַּרְדֵּ֔ן
אֵין־לָכֶ֥ם חֵ֖לֶק בַּֽיהוָ֑ה וְהִשְׁבִּ֤יתוּ בְנֵיכֶם֙ אֶת־בָּנֵ֔ינוּ לְבִלְתִּ֖י יְרֹ֥א אֶת־יְהוָֽה׃
כו וַנֹּ֕אמֶר נַֽעֲשֶׂה־נָּ֣א לָ֔נוּ לִבְנ֖וֹת אֶת־הַמִּזְבֵּ֑חַ לֹ֥א לְעוֹלָ֖ה וְלֹ֥א לְזָֽבַח׃ כז כִּ֡י
עֵ֣ד ה֡וּא בֵּינֵ֨ינוּ וּבֵינֵיכֶ֜ם וּבֵ֣ין דֹּרוֹתֵ֣ינוּ אַחֲרֵ֗ינוּ לַעֲבֹ֞ד אֶת־עֲבֹדַ֤ת יְהוָה֙ לְפָנָ֔יו
בְּעֹלוֹתֵ֥ינוּ וּבִזְבָחֵ֖ינוּ וּבִשְׁלָמֵ֑ינוּ וְלֹא־יֹאמְר֨וּ בְנֵיכֶ֥ם מָחָר֙ לְבָנֵ֔ינוּ אֵין־לָכֶ֥ם
חֵ֖לֶק בַּֽיהוָֽה׃ כח וַנֹּ֕אמֶר וְהָיָ֗ה כִּֽי־יֹאמְר֥וּ אֵלֵ֛ינוּ וְאֶל־דֹּרֹתֵ֖ינוּ מָחָ֑ר וְאָמַ֡רְנוּ
רְא֣וּ אֶת־תַּבְנִית֩ מִזְבַּ֨ח יְהוָ֜ה אֲשֶׁר־עָשׂ֣וּ אֲבוֹתֵ֗ינוּ לֹ֤א לְעוֹלָה֙ וְלֹ֣א לְזֶ֔בַח
כִּֽי־עֵ֣ד ה֔וּא בֵּינֵ֖ינוּ וּבֵינֵיכֶֽם׃ כט חָלִ֨ילָה לָּ֜נוּ מִמֶּ֗נּוּ לִמְרֹ֣ד בַּֽיהוָה֮ וְלָשׁ֣וּב
הַיּוֹם֒ מֵאַחֲרֵ֣י יְהוָ֔ה לִבְנ֣וֹת מִזְבֵּ֔חַ לְעֹלָ֖ה לְמִנְחָ֣ה וּלְזָ֑בַח מִלְּבַ֗ד מִזְבַּח֙ יְהוָ֣ה
אֱלֹהֵ֔ינוּ אֲשֶׁ֖ר לִפְנֵ֥י מִשְׁכָּנֽוֹ׃

ל וַיִּשְׁמַ֞ע פִּֽינְחָ֣ס הַכֹּהֵ֗ן וּנְשִׂיאֵ֨י הָעֵדָ֜ה וְרָאשֵׁ֨י אַלְפֵ֤י יִשְׂרָאֵל֙ אֲשֶׁ֣ר אִתּ֔וֹ
אֶת־הַ֨דְּבָרִ֔ים אֲשֶׁ֥ר דִּבְּר֛וּ בְּנֵי־רְאוּבֵ֥ן וּבְנֵי־גָ֖ד וּבְנֵ֣י מְנַשֶּׁ֑ה וַיִּיטַ֖ב בְּעֵינֵיהֶֽם׃
לא וַיֹּ֣אמֶר פִּֽינְחָ֣ס בֶּן־אֶלְעָזָ֣ר הַ֠כֹּהֵן אֶל־בְּנֵי־רְאוּבֵ֨ן וְאֶל־בְּנֵי־גָ֜ד וְאֶל־בְּנֵ֣י
מְנַשֶּׁ֗ה הַיּ֤וֹם ׀ יָדַ֙עְנוּ֙ כִּֽי־בְתוֹכֵ֣נוּ יְהוָ֔ה אֲשֶׁ֧ר לֹא־מְעַלְתֶּ֛ם בַּֽיהוָ֖ה הַמַּ֣עַל הַזֶּ֑ה
אָ֗ז הִצַּלְתֶּ֛ם אֶת־בְּנֵ֥י יִשְׂרָאֵ֖ל מִיַּ֥ד יְהוָֽה׃ לב וַיָּ֣שָׁב פִּֽינְחָ֣ס בֶּן־אֶלְעָזָ֣ר הַכֹּהֵ֣ן ׀
וְהַנְּשִׂיאִ֡ים מֵאֵ֣ת בְּנֵי־רְאוּבֵן֩ וּמֵאֵ֨ת בְּנֵי־גָ֜ד מֵאֶ֧רֶץ הַגִּלְעָ֛ד אֶל־אֶ֥רֶץ כְּנַ֖עַן
אֶל־בְּנֵ֣י יִשְׂרָאֵ֑ל וַיָּשִׁ֥בוּ אוֹתָ֖ם דָּבָֽר׃ לג וַיִּיטַ֣ב הַדָּבָ֗ר בְּעֵינֵי֙ בְּנֵ֣י יִשְׂרָאֵ֔ל
וַיְבָרְכ֥וּ אֱלֹהִ֖ים בְּנֵ֣י יִשְׂרָאֵ֑ל וְלֹ֣א אָמְר֗וּ לַעֲל֤וֹת עֲלֵיהֶם֙ לַצָּבָ֔א לְשַׁחֵת֙
אֶת־הָאָ֔רֶץ אֲשֶׁ֛ר בְּנֵי־רְאוּבֵ֥ן וּבְנֵי־גָ֖ד יֹשְׁבִ֥ים בָּֽהּ׃ לד וַֽיִּקְרְא֛וּ בְּנֵי־רְאוּבֵ֥ן
וּבְנֵי־גָ֖ד לַמִּזְבֵּ֑חַ כִּ֣י עֵ֥ד הוּא֙ בֵּֽינֹתֵ֔ינוּ כִּ֥י יְהוָ֖ה הָאֱלֹהִֽים׃

19 Howbeit, if the land of your possession be unclean, then pass ye over unto the land of the possession of Yehovah, wherein Yehovah's tabernacle dwelleth, and take possession among us; but rebel not against Yehovah, nor rebel against us, in building you an altar besides the altar of Yehovah our God. **20** Did not Achan the son of Zerah commit a trespass concerning the devoted thing, and wrath fell upon all the congregation of Israel? and that man perished not alone in his iniquity.'{S} **21** Then the children of Reuben and the children of Gad and the half-tribe of Manasseh answered, and spoke unto the heads of the thousands of Israel: **22** 'God, God, Yehovah, God, God, Yehovah, He knoweth, and Israel he shall know; if it be in rebellion, or if in treachery against Yehovah–save Thou us not this day– **23** that we have built us an altar to turn away from following Yehovah; or if to offer thereon burnt-offering or meal-offering, or if to offer sacrifices of peace-offerings thereon, let Yehovah Himself require it; **24** and if we have not rather out of anxiety about a matter done this, saying: In time to come your children might speak unto our children, saying: What have ye to do with Yehovah, the God of Israel? **25** for Yehovah hath made the Jordan a border between us and you, ye children of Reuben and children of Gad; ye have no portion in Yehovah; so might your children make our children cease from fearing Yehovah. **26** Therefore we said: Let us now prepare to build us an altar, not for burnt-offering, nor for sacrifice; **27** but it shall be a witness between us and you, and between our generations after us, that we may do the service of Yehovah before Him with our burnt-offerings, and with our sacrifices, and with our peace-offerings; that your children may not say to our children in time to come: Ye have no portion in Yehovah. **28** Therefore said we: It shall be, when they so say to us or to our generations in time to come, that we shall say: Behold the pattern of the altar of Yehovah, which our fathers made, not for burnt-offering, nor for sacrifice; but it is a witness between us and you. **29** Far be it from us that we should rebel against Yehovah, and turn away this day from following Yehovah, to build an altar for burnt-offering, for meal-offering, or for sacrifice, besides the altar of Yehovah our God that is before His tabernacle.'{P}

30 And when Phinehas the priest, and the princes of the congregation, even the heads of the thousands of Israel that were with him, heard the words that the children of Reuben and the children of Gad and the children of Manasseh spoke, it pleased them well. **31** And Phinehas the son of Eleazar the priest said unto the children of Reuben, and to the children of Gad, and to the children of Manasseh: 'This day we know that Yehovah is in the midst of us, because ye have not committed this treachery against Yehovah; now have ye delivered the children of Israel out of the hand of Yehovah.' **32** And Phinehas the son of Eleazar the priest, and the princes, returned from the children of Reuben, and from the children of Gad, out of the land of Gilead, unto the land of Canaan, to the children of Israel, and brought them back word. **33** And the thing pleased the children of Israel; and the children of Israel blessed God, and spoke no more of going up against them to war, to destroy the land wherein the children of Reuben and the children of Gad dwelt. **34** And the children of Reuben and the children of Gad called the altar–: 'for it is a witness between us that Yehovah is God.'{P}

כג א וַיְהִי מִיָּמִים רַבִּים אַחֲרֵי אֲשֶׁר־הֵנִיחַ יְהֹוָה לְיִשְׂרָאֵל מִכָּל־אֹיְבֵיהֶם מִסָּבִיב וִיהוֹשֻׁעַ זָקֵן בָּא בַּיָּמִים: ב וַיִּקְרָא יְהוֹשֻׁעַ לְכָל־יִשְׂרָאֵל לִזְקֵנָיו וּלְרָאשָׁיו וּלְשֹׁפְטָיו וּלְשֹׁטְרָיו וַיֹּאמֶר אֲלֵהֶם אֲנִי זָקַנְתִּי בָּאתִי בַּיָּמִים: ג וְאַתֶּם רְאִיתֶם אֵת כָּל־אֲשֶׁר עָשָׂה יְהֹוָה אֱלֹהֵיכֶם לְכָל־הַגּוֹיִם הָאֵלֶּה מִפְּנֵיכֶם כִּי יְהֹוָה אֱלֹהֵיכֶם הוּא הַנִּלְחָם לָכֶם: ד רְאוּ הִפַּלְתִּי לָכֶם אֶת־הַגּוֹיִם הַנִּשְׁאָרִים הָאֵלֶּה בְּנַחֲלָה לְשִׁבְטֵיכֶם מִן־הַיַּרְדֵּן וְכָל־הַגּוֹיִם אֲשֶׁר הִכְרַתִּי וְהַיָּם הַגָּדוֹל מְבוֹא הַשָּׁמֶשׁ: ה וַיהֹוָה אֱלֹהֵיכֶם הוּא יֶהְדֳּפֵם מִפְּנֵיכֶם וְהוֹרִישׁ אֹתָם מִלִּפְנֵיכֶם וִירִשְׁתֶּם אֶת־אַרְצָם כַּאֲשֶׁר דִּבֶּר יְהֹוָה אֱלֹהֵיכֶם לָכֶם: ו וַחֲזַקְתֶּם מְאֹד לִשְׁמֹר וְלַעֲשׂוֹת אֵת כָּל־הַכָּתוּב בְּסֵפֶר תּוֹרַת מֹשֶׁה לְבִלְתִּי סוּר־מִמֶּנּוּ יָמִין וּשְׂמֹאול: ז לְבִלְתִּי־בוֹא בַּגּוֹיִם הָאֵלֶּה הַנִּשְׁאָרִים הָאֵלֶּה אִתְּכֶם וּבְשֵׁם אֱלֹהֵיהֶם לֹא־תַזְכִּירוּ וְלֹא תַשְׁבִּיעוּ וְלֹא תַעַבְדוּם וְלֹא תִשְׁתַּחֲווּ לָהֶם: ח כִּי אִם־בַּיהֹוָה אֱלֹהֵיכֶם תִּדְבָּקוּ כַּאֲשֶׁר עֲשִׂיתֶם עַד הַיּוֹם הַזֶּה: ט וַיּוֹרֶשׁ יְהֹוָה מִפְּנֵיכֶם גּוֹיִם גְּדֹלִים וַעֲצוּמִים וְאַתֶּם לֹא־עָמַד אִישׁ בִּפְנֵיכֶם עַד הַיּוֹם הַזֶּה: י אִישׁ־אֶחָד מִכֶּם יִרְדָּף־אָלֶף כִּי | יְהֹוָה אֱלֹהֵיכֶם הוּא הַנִּלְחָם לָכֶם כַּאֲשֶׁר דִּבֶּר לָכֶם: יא וְנִשְׁמַרְתֶּם מְאֹד לְנַפְשֹׁתֵיכֶם לְאַהֲבָה אֶת־יְהֹוָה אֱלֹהֵיכֶם: יב כִּי | אִם־שׁוֹב תָּשׁוּבוּ וּדְבַקְתֶּם בְּיֶתֶר הַגּוֹיִם הָאֵלֶּה הַנִּשְׁאָרִים הָאֵלֶּה אִתְּכֶם וְהִתְחַתַּנְתֶּם בָּהֶם וּבָאתֶם בָּהֶם וְהֵם בָּכֶם: יג יָדוֹעַ תֵּדְעוּ כִּי לֹא יוֹסִיף יְהֹוָה אֱלֹהֵיכֶם לְהוֹרִישׁ אֶת־הַגּוֹיִם הָאֵלֶּה מִלִּפְנֵיכֶם וְהָיוּ לָכֶם לְפַח וּלְמוֹקֵשׁ וּלְשֹׁטֵט בְּצִדֵּיכֶם וְלִצְנִנִים בְּעֵינֵיכֶם עַד־אֲבָדְכֶם מֵעַל הָאֲדָמָה הַטּוֹבָה הַזֹּאת אֲשֶׁר נָתַן לָכֶם יְהֹוָה אֱלֹהֵיכֶם: יד וְהִנֵּה אָנֹכִי הוֹלֵךְ הַיּוֹם בְּדֶרֶךְ כָּל־הָאָרֶץ וִידַעְתֶּם בְּכָל־לְבַבְכֶם וּבְכָל־נַפְשְׁכֶם כִּי לֹא־נָפַל דָּבָר אֶחָד מִכֹּל | הַדְּבָרִים הַטּוֹבִים אֲשֶׁר דִּבֶּר יְהֹוָה אֱלֹהֵיכֶם עֲלֵיכֶם הַכֹּל בָּאוּ לָכֶם לֹא־נָפַל מִמֶּנּוּ דָּבָר אֶחָד: טו וְהָיָה כַּאֲשֶׁר־בָּא עֲלֵיכֶם כָּל־הַדָּבָר הַטּוֹב אֲשֶׁר דִּבֶּר יְהֹוָה אֱלֹהֵיכֶם אֲלֵיכֶם כֵּן יָבִיא יְהֹוָה עֲלֵיכֶם אֵת כָּל־הַדָּבָר הָרָע עַד־הַשְׁמִידוֹ אוֹתְכֶם מֵעַל הָאֲדָמָה הַטּוֹבָה הַזֹּאת אֲשֶׁר נָתַן לָכֶם יְהֹוָה אֱלֹהֵיכֶם: טז בְּעָבְרְכֶם אֶת־בְּרִית יְהֹוָה אֱלֹהֵיכֶם אֲשֶׁר צִוָּה אֶתְכֶם וַהֲלַכְתֶּם וַעֲבַדְתֶּם אֱלֹהִים אֲחֵרִים וְהִשְׁתַּחֲוִיתֶם לָהֶם וְחָרָה אַף־יְהֹוָה בָּכֶם וַאֲבַדְתֶּם מְהֵרָה מֵעַל הָאָרֶץ הַטּוֹבָה אֲשֶׁר נָתַן לָכֶם:

כד א וַיֶּאֱסֹף יְהוֹשֻׁעַ אֶת־כָּל־שִׁבְטֵי יִשְׂרָאֵל שְׁכֶמָה וַיִּקְרָא לְזִקְנֵי יִשְׂרָאֵל וּלְרָאשָׁיו וּלְשֹׁפְטָיו וּלְשֹׁטְרָיו וַיִּתְיַצְּבוּ לִפְנֵי הָאֱלֹהִים: ב וַיֹּאמֶר יְהוֹשֻׁעַ אֶל־כָּל־הָעָם כֹּה־אָמַר יְהֹוָה אֱלֹהֵי יִשְׂרָאֵל בְּעֵבֶר הַנָּהָר יָשְׁבוּ אֲבוֹתֵיכֶם מֵעוֹלָם תֶּרַח אֲבִי אַבְרָהָם וַאֲבִי נָחוֹר וַיַּעַבְדוּ אֱלֹהִים אֲחֵרִים:

23 1 And it came to pass after many days, when Yehovah had given rest unto Israel from all their enemies round about, and Joshua was old and well stricken in years; 2 that Joshua called for all Israel, for their elders and for their heads, and for their judges and for their officers, and said unto them: 'I am old and well stricken in years. 3 And ye have seen all that Yehovah your God hath done unto all these nations because of you; for Yehovah your God, He it is that hath fought for you. 4 Behold, I have allotted unto you for an inheritance, according to your tribes, these nations that remain, from the Jordan, with all the nations that I have cut off, even unto the Great Sea toward the going down of the sun. 5 And Yehovah your God, He shall thrust them out from before you, and drive them from out of your sight; and ye shall possess their land, as Yehovah your God spoke unto you. 6 Therefore be ye very courageous to keep and to do all that is written in the book of the Torah of Moses, that ye turn not aside therefrom to the right hand or to the left; 7 that ye come not among these nations, these that remain among you; neither make mention of the name of their gods, nor cause to swear by them, neither serve them, nor worship them; 8 but cleave unto Yehovah your God, as ye have done unto this day; 9 wherefore Yehovah hath driven out from before you great nations and mighty; but as for you, no man hath stood against you unto this day. 10 One man of you hath chased a thousand; for Yehovah your God, He it is that fought for you, as He spoke unto you. 11 Take good heed therefore unto yourselves, that ye love Yehovah your God. 12 Else if ye do in any wise go back, and cleave unto the remnant of these nations, even these that remain among you, and make marriages with them, and go in unto them, and they to you; 13 know for a certainty that Yehovah your God will no more drive these nations from out of your sight; but they shall be a snare and a trap unto you, and a scourge in your sides, and pricks in your eyes, until ye perish from off this good land which Yehovah your God hath given you. 14 And, behold, this day I am going the way of all the earth; consider ye therefore in all your heart and in all your soul, that not one thing hath failed of all the good things which Yehovah your God spoke concerning you; all are come to pass unto you, not one thing hath failed thereof. 15 And it shall come to pass, that as all the good things are come upon you of which Yehovah your God spoke unto you, so shall Yehovah bring upon you all the evil things, until He have destroyed you from off this good land which Yehovah your God hath given you. 16 When ye transgress the covenant of Yehovah your God, which He commanded you, and go and serve other gods, and worship them; then shall the anger of Yehovah be kindled against you, and ye shall perish quickly from off the good land which He hath given unto you.'{P}

24 1 And Joshua gathered all the tribes of Israel to Shechem, and called for the elders of Israel, and for their heads, and for their judges, and for their officers; and they presented themselves before God. 2 And Joshua said unto all the people: 'Thus saith Yehovah, the God of Israel: Your fathers dwelt of old time beyond the River, even Terah, the father of Abraham, and the father of Nahor; and they served other gods.

ג וָ֠אֶקַּ֠ח אֶת־אֲבִיכֶ֤ם אֶת־אַבְרָהָם֙ מֵעֵ֣בֶר הַנָּהָ֔ר וָאוֹלֵ֥ךְ אוֹת֖וֹ בְּכָל־אֶ֣רֶץ כְּנָ֑עַן
וָאַרְבֶּה֙[30] אֶת־זַרְע֔וֹ וָֽאֶתֶּן־ל֖וֹ אֶת־יִצְחָֽק׃ ד וָאֶתֵּ֣ן לְיִצְחָ֔ק אֶֽת־יַעֲקֹ֖ב וְאֶת־עֵשָׂ֑ו
וָאֶתֵּ֨ן לְעֵשָׂ֜ו אֶת־הַ֤ר שֵׂעִיר֙ לָרֶ֣שֶׁת אוֹת֔וֹ וְיַעֲקֹ֥ב וּבָנָ֖יו יָרְד֥וּ מִצְרָֽיִם׃ ה וָאֶשְׁלַ֞ח
אֶת־מֹשֶׁ֤ה וְאֶת־אַהֲרֹן֙ וָאֶגֹּ֣ף אֶת־מִצְרַ֔יִם כַּאֲשֶׁ֥ר עָשִׂ֖יתִי בְּקִרְבּ֑וֹ וְאַחַ֖ר הוֹצֵ֥אתִי
אֶתְכֶֽם׃ ו וָאוֹצִ֤יא אֶת־אֲבוֹתֵיכֶם֙ מִמִּצְרַ֔יִם וַתָּבֹ֖אוּ הַיָּ֑מָּה וַיִּרְדְּפ֨וּ מִצְרַ֜יִם אַחֲרֵ֧י
אֲבוֹתֵיכֶ֛ם בְּרֶ֥כֶב וּבְפָרָשִׁ֖ים יַם־סֽוּף׃ ז וַיִּצְעֲק֣וּ אֶל־יְהֹוָ֗ה וַיָּ֨שֶׂם מַאֲפֵ֜ל בֵּינֵיכֶ֣ם ׀
וּבֵ֣ין הַמִּצְרִ֗ים וַיָּבֵ֨א עָלָ֤יו אֶת־הַיָּם֙ וַיְכַסֵּ֔הוּ וַתִּרְאֶ֙ינָה֙ עֵֽינֵיכֶ֔ם אֵ֥ת אֲשֶׁר־עָשִׂ֖יתִי
בְּמִצְרָ֑יִם וַתֵּשְׁב֥וּ בַמִּדְבָּ֖ר יָמִ֥ים רַבִּֽים׃ ח וָאָבִ֣יא[31] אֶתְכֶ֗ם אֶל־אֶ֤רֶץ הָאֱמֹרִי֙
הַיּוֹשֵׁב֙ בְּעֵ֣בֶר הַיַּרְדֵּ֔ן וַיִּלָּחֲמ֖וּ אִתְּכֶ֑ם וָאֶתֵּ֨ן אוֹתָ֤ם בְּיֶדְכֶם֙ וַתִּירְשׁ֣וּ אֶת־אַרְצָ֔ם
וָאַשְׁמִידֵ֖ם מִפְּנֵיכֶֽם׃ ט וַיָּ֨קָם בָּלָ֤ק בֶּן־צִפּוֹר֙ מֶ֣לֶךְ מוֹאָ֔ב וַיִּלָּ֖חֶם בְּיִשְׂרָאֵ֑ל
וַיִּשְׁלַ֗ח וַיִּקְרָ֛א לְבִלְעָ֥ם בֶּן־בְּע֖וֹר לְקַלֵּ֥ל אֶתְכֶֽם׃ י וְלֹ֥א אָבִ֖יתִי לִשְׁמֹ֣עַ לְבִלְעָ֑ם
וַיְבָ֤רֶךְ בָּרוֹךְ֙ אֶתְכֶ֔ם וָאַצִּ֥ל אֶתְכֶ֖ם מִיָּדֽוֹ׃ יא וַתַּעַבְר֣וּ אֶת־הַיַּרְדֵּן֮ וַתָּבֹ֣אוּ
אֶל־יְרִיחוֹ֒ וַיִּלָּחֲמ֣וּ בָכֶ֣ם בַּעֲלֵֽי־יְ֠רִיחוֹ הָאֱמֹרִ֨י וְהַפְּרִזִּ֜י וְהַכְּנַעֲנִ֗י וְהַֽחִתִּי֙ וְהַגִּרְגָּשִׁ֔י
הַחִוִּ֖י וְהַיְבוּסִ֑י וָאֶתֵּ֥ן אוֹתָ֖ם בְּיֶדְכֶֽם׃ יב וָאֶשְׁלַ֤ח לִפְנֵיכֶם֙ אֶת־הַצִּרְעָ֔ה וַתְּגָ֤רֶשׁ
אוֹתָם֙ מִפְּנֵיכֶ֔ם שְׁנֵ֖י מַלְכֵ֣י הָאֱמֹרִ֑י לֹ֥א בְחַרְבְּךָ֖ וְלֹ֥א בְקַשְׁתֶּֽךָ׃ יג וָאֶתֵּ֨ן לָכֶ֜ם אֶ֣רֶץ
׀ אֲשֶׁ֧ר לֹא־יָגַ֣עְתָּ בָּ֗הּ וְעָרִים֙ אֲשֶׁ֣ר לֹא־בְנִיתֶ֔ם וַתֵּשְׁב֖וּ בָּהֶ֑ם כְּרָמִ֤ים וְזֵיתִים֙ אֲשֶׁ֣ר
לֹא־נְטַעְתֶּ֔ם אַתֶּ֖ם אֹכְלִֽים׃ יד וְעַתָּ֞ה יְר֧אוּ אֶת־יְהֹוָ֛ה וְעִבְד֥וּ אֹת֖וֹ בְּתָמִ֣ים וּבֶאֱמֶ֑ת
וְהָסִ֣ירוּ אֶת־אֱלֹהִ֗ים אֲשֶׁר֩ עָבְד֨וּ אֲבוֹתֵיכֶ֜ם בְּעֵ֤בֶר הַנָּהָר֙ וּבְמִצְרַ֔יִם וְעִבְד֖וּ
אֶת־יְהֹוָֽה׃ טו וְאִם֩ רַ֨ע בְּעֵינֵיכֶ֜ם לַעֲבֹ֣ד אֶת־יְהֹוָ֗ה בַּחֲר֨וּ לָכֶ֣ם הַיּוֹם֮ אֶת־מִ֣י
תַעֲבֹדוּן֒ אִ֣ם אֶת־אֱלֹהִ֞ים אֲשֶׁר־עָבְד֣וּ אֲבוֹתֵיכֶ֗ם אֲשֶׁר֙ מֵעֵ֣בֶר[32] הַנָּהָ֔ר וְאִם֙
אֶת־אֱלֹהֵ֣י הָאֱמֹרִ֔י אֲשֶׁ֥ר אַתֶּ֖ם יֹשְׁבִ֣ים בְּאַרְצָ֑ם וְאָנֹכִ֣י וּבֵיתִ֔י נַעֲבֹ֖ד אֶת־יְהֹוָֽה׃

טז וַיַּ֤עַן הָעָם֙ וַיֹּ֔אמֶר חָלִ֣ילָה לָּ֔נוּ מֵעֲזֹ֖ב אֶת־יְהֹוָ֑ה לַעֲבֹ֖ד אֱלֹהִ֥ים אֲחֵרִֽים׃ יז כִּ֚י
יְהֹוָ֣ה אֱלֹהֵ֔ינוּ ה֗וּא הַמַּעֲלֶ֨ה אֹתָ֧נוּ וְאֶת־אֲבוֹתֵ֛ינוּ מֵאֶ֥רֶץ מִצְרַ֖יִם מִבֵּ֣ית עֲבָדִ֑ים
וַאֲשֶׁ֧ר עָשָׂ֣ה לְעֵינֵ֗ינוּ אֶת־הָאֹת֤וֹת הַגְּדֹלוֹת֙ הָאֵ֔לֶּה וַֽיִּשְׁמְרֵ֗נוּ בְּכָל־הַדֶּ֙רֶךְ֙ אֲשֶׁ֣ר
הָלַ֣כְנוּ בָ֔הּ וּבְכֹל֙ הָֽעַמִּ֔ים אֲשֶׁ֥ר עָבַ֖רְנוּ בְּקִרְבָּֽם׃ יח וַיְגָ֨רֶשׁ יְהֹוָ֜ה
אֶת־כׇּל־הָֽעַמִּ֗ים וְאֶת־הָאֱמֹרִ֛י יֹשֵׁ֥ב הָאָ֖רֶץ מִפָּנֵ֑ינוּ גַּם־אֲנַ֙חְנוּ֙ נַעֲבֹ֣ד אֶת־יְהֹוָ֔ה
כִּי־ה֖וּא אֱלֹהֵֽינוּ׃ יט וַיֹּ֨אמֶר יְהוֹשֻׁ֜עַ אֶל־הָעָ֗ם לֹ֤א תֽוּכְלוּ֙ לַעֲבֹ֣ד אֶת־יְהֹוָ֔ה
כִּֽי־אֱלֹהִ֥ים קְדֹשִׁ֖ים ה֑וּא אֵֽל־קַנּ֣וֹא ה֔וּא לֹֽא־יִשָּׂ֥א לְפִשְׁעֲכֶ֖ם וּלְחַטֹּאותֵיכֶֽם׃ כ כִּ֤י
תַֽעַזְבוּ֙ אֶת־יְהֹוָ֔ה וַעֲבַדְתֶּ֖ם אֱלֹהֵ֣י נֵכָ֑ר וְשָׁ֨ב וְהֵרַ֤ע לָכֶם֙ וְכִלָּ֣ה אֶתְכֶ֔ם אַחֲרֵ֖י
אֲשֶׁר־הֵיטִ֥יב לָכֶֽם׃

---

[30] וארב
[31] ואבאה
[32] בעבר

3 And I took your father Abraham from beyond the River, and led him throughout all the land of Canaan, and multiplied his seed, and gave him Isaac. **4** And I gave unto Isaac Jacob and Esau; and I gave unto Esau mount Seir, to possess it; and Jacob and his children went down into Egypt. **5** And I sent Moses and Aaron, and I plagued Egypt, according to that which I did in the midst thereof; and afterward I brought you out. **6** And I brought your fathers out of Egypt; and ye came unto the sea; and the Egyptians pursued after your fathers with chariots and with horsemen unto the Red Sea. **7** And when they cried out unto Yehovah, He put darkness between you and the Egyptians, and brought the sea upon them, and covered them; and your eyes saw what I did in Egypt; and ye dwelt in the wilderness many days. **8** And I brought you into the land of the Amorites, that dwelt beyond the Jordan; and they fought with you; and I gave them into your hand, and ye possessed their land; and I destroyed them from before you. **9** Then Balak the son of Zippor, king of Moab, arose and fought against Israel; and he sent and called Bilaam the son of Beor to curse you. **10** But I would not hearken unto Bilaam; therefore he even blessed you; so I delivered you out of his hand. **11** And ye went over the Jordan, and came unto Jericho; and the men of Jericho fought against you, the Amorite, and the Perizzite, and the Canaanite, and the Hittite, and the Girgashite, the Hivite, and the Jebusite; and I delivered them into your hand. **12** And I sent the hornet before you, which drove them out from before you, even the two kings of the Amorites; not with thy sword, nor with thy bow. **13** And I gave you a land whereon thou hadst not laboured, and cities which ye built not, and ye dwell therein; of vineyards and olive-yards which ye planted not do ye eat. **14** Now therefore fear Yehovah, and serve Him in sincerity and in truth; and put away the gods which your fathers served beyond the River, and in Egypt; and serve ye Yehovah. **15** And if it seem evil unto you to serve Yehovah, choose you this day whom ye will serve; whether the gods which your fathers served that were beyond the River, or the gods of the Amorites, in whose land ye dwell; but as for me and my house, we will serve Yehovah.'{P}

16 And the people answered and said: 'Far be it from us that we should forsake Yehovah, to serve other gods; **17** for Yehovah our God, He it is that brought us and our fathers up out of the land of Egypt, from the house of bondage, and that did those great signs in our sight, and preserved us in all the way wherein we went, and among all the peoples through the midst of whom we passed; **18** and Yehovah drove out from before us all the peoples, even the Amorites that dwelt in the land; therefore we also will serve Yehovah; for He is our God.' **19** And Joshua said unto the people: 'Ye cannot serve Yehovah; for He is a holy God; He is a jealous God; He will not forgive your transgression nor your sins. **20** If ye forsake Yehovah, and serve strange gods, then He will turn and do you evil, and consume you, after that He hath done you good.'

כא וַיֹּ֤אמֶר הָעָם֙ אֶל־יְהוֹשֻׁ֔עַ לֹ֕א כִּ֥י אֶת־יְהֹוָ֖ה נַעֲבֹֽד: כב וַיֹּ֨אמֶר יְהוֹשֻׁ֜עַ
אֶל־הָעָ֗ם עֵדִ֤ים אַתֶּם֙ בָּכֶ֔ם כִּֽי־אַתֶּ֞ם בְּחַרְתֶּ֥ם לָכֶ֛ם אֶת־יְהֹוָ֖ה לַעֲבֹ֣ד אוֹת֑וֹ
וַיֹּאמְר֖וּ עֵדִֽים: כג וְעַתָּ֗ה הָסִ֛ירוּ אֶת־אֱלֹהֵ֥י הַנֵּכָ֖ר אֲשֶׁ֣ר בְּקִרְבְּכֶ֑ם וְהַטּוּ֙
אֶת־לְבַבְכֶ֔ם אֶל־יְהֹוָ֖ה אֱלֹהֵ֥י יִשְׂרָאֵֽל: כד וַיֹּאמְר֥וּ הָעָ֖ם אֶל־יְהוֹשֻׁ֑עַ
אֶת־יְהֹוָ֤ה אֱלֹהֵ֨ינוּ֙ נַעֲבֹ֔ד וּבְקוֹל֖וֹ נִשְׁמָֽע: כה וַיִּכְרֹ֨ת יְהוֹשֻׁ֧עַ בְּרִ֛ית לָעָ֖ם בַּיּ֣וֹם
הַה֑וּא וַיָּ֧שֶׂם ל֛וֹ חֹ֥ק וּמִשְׁפָּ֖ט בִּשְׁכֶֽם: כו וַיִּכְתֹּ֤ב יְהוֹשֻׁ֨עַ֙ אֶת־הַדְּבָרִ֣ים הָאֵ֔לֶּה
בְּסֵ֖פֶר תּוֹרַ֣ת אֱלֹהִ֑ים וַיִּקַּח֙ אֶ֣בֶן גְּדוֹלָ֔ה וַיְקִימֶ֣הָ שָּׁ֔ם תַּ֚חַת הָֽאַלָּ֔ה אֲשֶׁ֖ר
בְּמִקְדַּ֥שׁ יְהֹוָֽה: כז וַיֹּ֨אמֶר יְהוֹשֻׁ֜עַ אֶל־כָּל־הָעָ֗ם הִנֵּ֤ה הָאֶ֨בֶן֙ הַזֹּ֔את תִּֽהְיֶה־בָּ֣נוּ
לְעֵדָ֔ה כִּי־הִ֣יא שָׁמְעָ֗ה אֵ֚ת כָּל־אִמְרֵ֣י יְהֹוָ֔ה אֲשֶׁ֥ר דִּבֶּ֖ר עִמָּ֑נוּ וְהָיְתָ֤ה בָכֶם֙
לְעֵדָ֔ה פֶּֽן־תְּכַחֲשׁ֖וּן בֵּאלֹֽהֵיכֶֽם: כח וַיְשַׁלַּ֤ח יְהוֹשֻׁ֨עַ֙ אֶת־הָעָ֔ם אִ֖ישׁ לְנַחֲלָתֽוֹ:

כט וַיְהִ֗י אַֽחֲרֵי֙ הַדְּבָרִ֣ים הָאֵ֔לֶּה וַיָּ֛מָת יְהוֹשֻׁ֥עַ בִּן־נ֖וּן עֶ֣בֶד יְהֹוָ֑ה בֶּן־מֵאָ֥ה
וָעֶ֖שֶׂר שָׁנִֽים: ל וַיִּקְבְּר֤וּ אֹתוֹ֙ בִּגְב֣וּל נַחֲלָת֔וֹ בְּתִמְנַת־סֶ֖רַח אֲשֶׁ֣ר
בְּהַר־אֶפְרָ֑יִם מִצְּפ֖וֹן לְהַר־גָּֽעַשׁ: לא וַיַּעֲבֹ֤ד יִשְׂרָאֵל֙ אֶת־יְהֹוָ֔ה כֹּ֖ל יְמֵ֣י
יְהוֹשֻׁ֑עַ וְכֹ֣ל ׀ יְמֵ֣י הַזְּקֵנִ֗ים אֲשֶׁ֨ר הֶאֱרִ֤יכוּ יָמִים֙ אַחֲרֵ֣י יְהוֹשֻׁ֔עַ וַאֲשֶׁ֣ר יָֽדְע֔וּ אֵ֚ת
כָּל־מַעֲשֵׂ֣ה יְהֹוָ֔ה אֲשֶׁ֥ר עָשָׂ֖ה לְיִשְׂרָאֵֽל: לב וְאֶת־עַצְמ֣וֹת י֠וֹסֵף אֲשֶׁר־הֶעֱל֨וּ
בְנֵֽי־יִשְׂרָאֵ֥ל ׀ מִמִּצְרַיִם֮ קָבְר֣וּ בִשְׁכֶם֒ בְּחֶלְקַ֣ת הַשָּׂדֶ֗ה אֲשֶׁ֨ר קָנָ֧ה יַעֲקֹ֛ב מֵאֵ֛ת
בְּנֵֽי־חֲמ֥וֹר אֲבִֽי־שְׁכֶ֖ם בְּמֵאָ֣ה קְשִׂיטָ֑ה וַיִּֽהְי֥וּ לִבְנֵֽי־יוֹסֵ֖ף לְנַחֲלָֽה: לג וְאֶלְעָזָ֥ר
בֶּֽן־אַהֲרֹן֮ מֵת֒ וַיִּקְבְּר֣וּ אֹת֗וֹ בְּגִבְעַת֙ פִּֽינְחָ֣ס בְּנ֔וֹ אֲשֶׁ֥ר נִתַּן־ל֖וֹ בְּהַ֥ר אֶפְרָֽיִם:

21 And the people said unto Joshua: 'Nay; but we will serve Yehovah.' **22** And Joshua said unto the people: 'Ye are witnesses against yourselves that ye have chosen you Yehovah, to serve Him.–And they said: 'We are witnesses.'– **23** Now therefore put away the strange gods which are among you, and incline your heart unto Yehovah, the God of Israel.' **24** And the people said unto Joshua: 'Yehovah our God will we serve, and unto His voice will we hearken.' **25** So Joshua made a covenant with the people that day, and set them a statute and an ordinance in Shechem. **26** And Joshua wrote these words in the book of the Torah of God; and he took a great stone, and set it up there under the oak that was by the sanctuary of Yehovah.{P}

27 And Joshua said unto all the people: 'Behold, this stone shall be a witness against us; for it hath heard all the words of Yehovah which He spoke unto us; it shall be therefore a witness against you, lest ye deny your God.' **28** So Joshua sent the people away, every man unto his inheritance.{P}

29 And it came to pass after these things, that Joshua the son of Nun, the servant of Yehovah, died, being a hundred and ten years old. **30** And they buried him in the border of his inheritance in Timnath-serah, which is in the hill-country of Ephraim, on the north of the mountain of Gaash. **31** And Israel served Yehovah all the days of Joshua, and all the days of the elders that outlived Joshua, and had known all the work of Yehovah, that He had wrought for Israel. **32** And the bones of Joseph, which the children of Israel brought up out of Egypt, buried they in Shechem, in the parcel of ground which Jacob bought of the sons of Hamor the father of Shechem for a hundred pieces of money; and they became the inheritance of the children of Joseph. **33** And Eleazar the son of Aaron died; and they buried him in the Hill of Phinehas his son, which was given him in mount Ephraim.{P}

שפטים

Judges

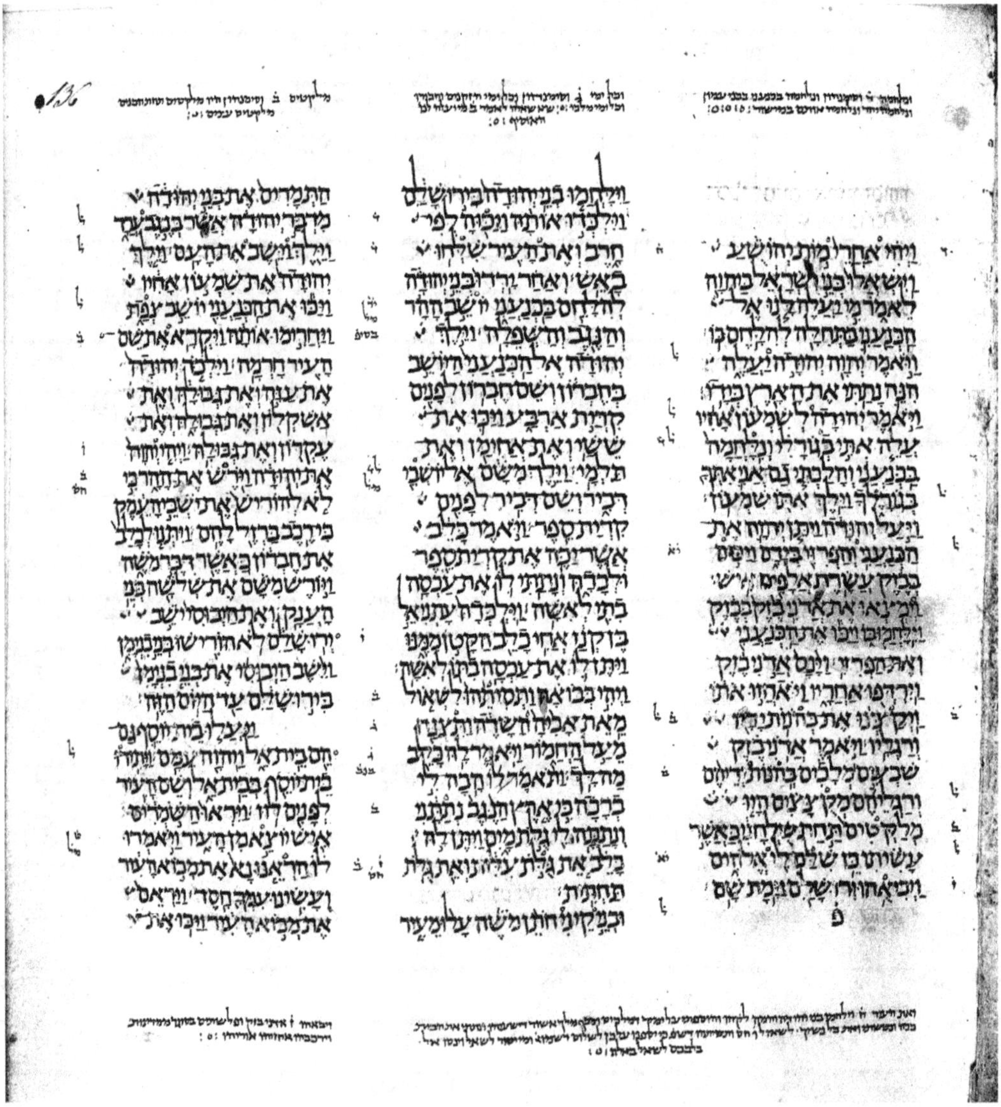

Book of Judges in the Leningrad Codex
(right column, top, page 276 in pdf)

א א וַיְהִי אַחֲרֵי מוֹת יְהוֹשֻׁעַ וַיִּשְׁאֲלוּ בְּנֵי יִשְׂרָאֵל בַּיהוָה לֵאמֹר מִי יַעֲלֶה־לָּנוּ
אֶל־הַכְּנַעֲנִי בַּתְּחִלָּה לְהִלָּחֶם בּוֹ׃ ב וַיֹּאמֶר יְהוָה יְהוּדָה יַעֲלֶה הִנֵּה נָתַתִּי
אֶת־הָאָרֶץ בְּיָדוֹ׃ ג וַיֹּאמֶר יְהוּדָה לְשִׁמְעוֹן אָחִיו עֲלֵה אִתִּי בְגוֹרָלִי וְנִלָּחֲמָה
בַּכְּנַעֲנִי וְהָלַכְתִּי גַם־אֲנִי אִתְּךָ בְּגוֹרָלֶךָ וַיֵּלֶךְ אִתּוֹ שִׁמְעוֹן׃ ד וַיַּעַל יְהוּדָה
וַיִּתֵּן יְהוָה אֶת־הַכְּנַעֲנִי וְהַפְּרִזִּי בְּיָדָם וַיַּכּוּם בְּבֶזֶק עֲשֶׂרֶת אֲלָפִים אִישׁ׃
ה וַיִּמְצְאוּ אֶת־אֲדֹנִי בֶזֶק בְּבֶזֶק וַיִּלָּחֲמוּ בּוֹ וַיַּכּוּ אֶת־הַכְּנַעֲנִי וְאֶת־הַפְּרִזִּי׃
ו וַיָּנָס אֲדֹנִי בֶזֶק וַיִּרְדְּפוּ אַחֲרָיו וַיֹּאחֲזוּ אֹתוֹ וַיְקַצְּצוּ אֶת־בְּהֹנוֹת יָדָיו וְרַגְלָיו׃
ז וַיֹּאמֶר אֲדֹנִי־בֶזֶק שִׁבְעִים ׀ מְלָכִים בְּהֹנוֹת יְדֵיהֶם וְרַגְלֵיהֶם מְקֻצָּצִים הָיוּ
מְלַקְּטִים תַּחַת שֻׁלְחָנִי כַּאֲשֶׁר עָשִׂיתִי כֵּן שִׁלַּם־לִי אֱלֹהִים וַיְבִיאֻהוּ יְרוּשָׁלִַם
וַיָּמָת שָׁם׃

ח וַיִּלָּחֲמוּ בְנֵי־יְהוּדָה בִּירוּשָׁלִַם וַיִּלְכְּדוּ אוֹתָהּ וַיַּכּוּהָ לְפִי־חָרֶב וְאֶת־הָעִיר
שִׁלְּחוּ בָאֵשׁ׃ ט וְאַחַר יָרְדוּ בְּנֵי יְהוּדָה לְהִלָּחֵם בַּכְּנַעֲנִי יוֹשֵׁב הָהָר וְהַנֶּגֶב
וְהַשְּׁפֵלָה׃ י וַיֵּלֶךְ יְהוּדָה אֶל־הַכְּנַעֲנִי הַיּוֹשֵׁב בְּחֶבְרוֹן וְשֵׁם־חֶבְרוֹן לְפָנִים
קִרְיַת אַרְבַּע וַיַּכּוּ אֶת־שֵׁשַׁי וְאֶת־אֲחִימַן וְאֶת־תַּלְמָי׃ יא וַיֵּלֶךְ מִשָּׁם
אֶל־יוֹשְׁבֵי דְּבִיר וְשֵׁם־דְּבִיר לְפָנִים קִרְיַת־סֵפֶר׃ יב וַיֹּאמֶר כָּלֵב אֲשֶׁר־יַכֶּה
אֶת־קִרְיַת־סֵפֶר וּלְכָדָהּ וְנָתַתִּי לוֹ אֶת־עַכְסָה בִתִּי לְאִשָּׁה׃ יג וַיִּלְכְּדָהּ
עָתְנִיאֵל בֶּן־קְנַז אֲחִי כָלֵב הַקָּטֹן מִמֶּנּוּ וַיִּתֶּן־לוֹ אֶת־עַכְסָה בִתּוֹ לְאִשָּׁה׃
יד וַיְהִי בְּבוֹאָהּ וַתְּסִיתֵהוּ לִשְׁאוֹל מֵאֵת־אָבִיהָ הַשָּׂדֶה וַתִּצְנַח מֵעַל הַחֲמוֹר
וַיֹּאמֶר־לָהּ כָּלֵב מַה־לָּךְ׃ טו וַתֹּאמֶר לוֹ הָבָה־לִּי בְרָכָה כִּי אֶרֶץ הַנֶּגֶב
נְתַתָּנִי וְנָתַתָּה לִי גֻּלֹּת מָיִם וַיִּתֶּן־לָהּ כָּלֵב אֵת גֻּלֹּת עִלִּית וְאֵת גֻּלֹּת תַּחְתִּית׃

טז וּבְנֵי קֵינִי חֹתֵן מֹשֶׁה עָלוּ מֵעִיר הַתְּמָרִים אֶת־בְּנֵי יְהוּדָה מִדְבַּר יְהוּדָה
אֲשֶׁר בְּנֶגֶב עֲרָד וַיֵּלֶךְ וַיֵּשֶׁב אֶת־הָעָם׃ יז וַיֵּלֶךְ יְהוּדָה אֶת־שִׁמְעוֹן אָחִיו וַיַּכּוּ
אֶת־הַכְּנַעֲנִי יוֹשֵׁב צְפַת וַיַּחֲרִימוּ אוֹתָהּ וַיִּקְרָא אֶת־שֵׁם־הָעִיר חָרְמָה׃
יח וַיִּלְכֹּד יְהוּדָה אֶת־עַזָּה וְאֶת־גְּבוּלָהּ וְאֶת־אַשְׁקְלוֹן וְאֶת־גְּבוּלָהּ
וְאֶת־עֶקְרוֹן וְאֶת־גְּבוּלָהּ׃ יט וַיְהִי יְהוָה אֶת־יְהוּדָה וַיֹּרֶשׁ אֶת־הָהָר כִּי לֹא
לְהוֹרִישׁ אֶת־יֹשְׁבֵי הָעֵמֶק כִּי־רֶכֶב בַּרְזֶל לָהֶם׃ כ וַיִּתְּנוּ לְכָלֵב אֶת־חֶבְרוֹן
כַּאֲשֶׁר דִּבֶּר מֹשֶׁה וַיּוֹרֶשׁ מִשָּׁם אֶת־שְׁלֹשָׁה בְּנֵי הָעֲנָק׃ כא וְאֶת־הַיְבוּסִי יֹשֵׁב
יְרוּשָׁלִַם לֹא הוֹרִישׁוּ בְּנֵי בִנְיָמִן וַיֵּשֶׁב הַיְבוּסִי אֶת־בְּנֵי בִנְיָמִן בִּירוּשָׁלִַם עַד
הַיּוֹם הַזֶּה׃ כב וַיַּעֲלוּ בֵית־יוֹסֵף גַּם־הֵם בֵּית־אֵל וַיהוָה עִמָּם׃ כג וַיָּתִירוּ
בֵית־יוֹסֵף בְּבֵית־אֵל וְשֵׁם־הָעִיר לְפָנִים לוּז׃ כד וַיִּרְאוּ הַשֹּׁמְרִים אִישׁ יוֹצֵא
מִן־הָעִיר וַיֹּאמְרוּ לוֹ הַרְאֵנוּ נָא אֶת־מְבוֹא הָעִיר וְעָשִׂינוּ עִמְּךָ חָסֶד׃

1 1 And it came to pass after the death of Joshua, that the children of Israel asked Yehovah, saying: 'Who shall go up for us first against the Canaanites, to fight against them?' 2 And Yehovah said: 'Judah shall go up; behold, I have delivered the land into his hand.' 3 And Judah said unto Simeon his brother: 'Come up with me into my lot, that we may fight against the Canaanites; and I likewise will go with thee into thy lot.' So Simeon went with him. 4 And Judah went up; and Yehovah delivered the Canaanites and the Perizzites into their hand; and they smote of them in Bezek ten thousand men. 5 And they found Adoni-bezek in Bezek; and they fought against him, and they smote the Canaanites and the Perizzites. 6 But Adoni-bezek fled; and they pursued after him, and caught him, and cut off his thumbs and his great toes. 7 And Adoni-bezek said: 'Threescore and ten kings, having their thumbs and their great toes cut off, gathered food under my table; as I have done, so God hath requited me.' And they brought him to Yerushalam, and he died there.{P}

8 And the children of Judah fought against Yerushalam, and took it, and smote it with the edge of the sword, and set the city on fire. 9 And afterward the children of Judah went down to fight against the Canaanites that dwelt in the hill-country, and in the South, and in the Lowland. 10 And Judah went against the Canaanites that dwelt in Hebron–now the name of Hebron beforetime was Kiriath-arba–and they smote Sheshai, and Ahiman, and Talmai. 11 And from thence he went against the inhabitants of Debir–now the name of Debir beforetime was Kiriath-sepher. 12 And Caleb said: 'He that smiteth Kiriath-sepher, and taketh it, to him will I give Achsah my daughter to wife.' 13 And Othniel the son of Kenaz, Caleb's younger brother, took it; and he gave him Achsah his daughter to wife. 14 And it came to pass, when she came unto him, that she moved him to ask of her father a field; and she alighted from off her ass; and Caleb said unto her: 'What wouldest thou?' 15 And she said unto him: 'Give me a blessing; for that thou hast set me in the Southland, give me therefore springs of water.' And Caleb gave her the Upper Springs and the Nether Springs.{P}

16 And the children of the Kenite, Moses' father-in-law, went up out of the city of palm-trees with the children of Judah into the wilderness of Judah, which is in the south of Arad; and they went and dwelt with the people. 17 And Judah went with Simeon his brother, and they smote the Canaanites that inhabited Zephath, and utterly destroyed it. And the name of the city was called Hormah. 18 Also Judah took Gaza with the border thereof, and Ashkelon with the border thereof, and Ekron with the border thereof. 19 And Yehovah was with Judah; and he drove out the inhabitants of the hill-country; for he could not drive out the inhabitants of the valley, because they had chariots of iron. 20 And they gave Hebron unto Caleb, as Moses had spoken; and he drove out thence the three sons of Anak. 21 And the children of Benjamin did not drive out the Jebusites that inhabited Yerushalam; but the Jebusites dwelt with the children of Benjamin in Yerushalam, unto this day.{P}

22 And the house of Joseph, they also went up against Beth-el; and Yehovah was with them. 23 And the house of Joseph sent to spy out Beth-el–now the name of the city beforetime was Luz. 24 And the watchers saw a man come forth out of the city, and they said unto him: 'Show us, we pray thee, the entrance into the city, and we will deal kindly with thee.'

כה וַיַּרְאֵם אֶת־מְבוֹא הָעִיר וַיַּכּוּ אֶת־הָעִיר לְפִי־חָרֶב וְאֶת־הָאִישׁ
וְאֶת־כָּל־מִשְׁפַּחְתּוֹ שִׁלֵּחוּ׃ כו וַיֵּלֶךְ הָאִישׁ אֶרֶץ הַחִתִּים וַיִּבֶן עִיר וַיִּקְרָא
שְׁמָהּ לוּז הוּא שְׁמָהּ עַד הַיּוֹם הַזֶּה׃

כז וְלֹא־הוֹרִישׁ מְנַשֶּׁה אֶת־בֵּית־שְׁאָן וְאֶת־בְּנוֹתֶיהָ וְאֶת־תַּעְנַךְ וְאֶת־בְּנֹתֶיהָ
וְאֶת־יֹשְׁבֵי[1] דוֹר וְאֶת־בְּנוֹתֶיהָ וְאֶת־יוֹשְׁבֵי יִבְלְעָם וְאֶת־בְּנֹתֶיהָ וְאֶת־יוֹשְׁבֵי
מְגִדּוֹ וְאֶת־בְּנוֹתֶיהָ וַיּוֹאֶל הַכְּנַעֲנִי לָשֶׁבֶת בָּאָרֶץ הַזֹּאת׃ כח וַיְהִי כִּי־חָזַק
יִשְׂרָאֵל וַיָּשֶׂם אֶת־הַכְּנַעֲנִי לָמַס וְהוֹרֵישׁ לֹא הוֹרִישׁוֹ׃ כט וְאֶפְרַיִם לֹא הוֹרִישׁ
אֶת־הַכְּנַעֲנִי הַיּוֹשֵׁב בְּגָזֶר וַיֵּשֶׁב הַכְּנַעֲנִי בְּקִרְבּוֹ בְּגָזֶר׃

ל זְבוּלֻן לֹא הוֹרִישׁ אֶת־יוֹשְׁבֵי קִטְרוֹן וְאֶת־יוֹשְׁבֵי נַהֲלֹל וַיֵּשֶׁב הַכְּנַעֲנִי
בְּקִרְבּוֹ וַיִּהְיוּ לָמַס׃ לא אָשֵׁר לֹא הוֹרִישׁ אֶת־יֹשְׁבֵי עַכּוֹ וְאֶת־יוֹשְׁבֵי צִידוֹן
וְאֶת־אַחְלָב וְאֶת־אַכְזִיב וְאֶת־חֶלְבָּה וְאֶת־אֲפִיק וְאֶת־רְחֹב׃ לב וַיֵּשֶׁב הָאָשֵׁרִי
בְּקֶרֶב הַכְּנַעֲנִי יֹשְׁבֵי הָאָרֶץ כִּי לֹא הוֹרִישׁוֹ׃ לג נַפְתָּלִי לֹא־הוֹרִישׁ אֶת־יֹשְׁבֵי
בֵית־שֶׁמֶשׁ וְאֶת־יֹשְׁבֵי בֵית־עֲנָת וַיֵּשֶׁב בְּקֶרֶב הַכְּנַעֲנִי יֹשְׁבֵי הָאָרֶץ וְיֹשְׁבֵי
בֵית־שֶׁמֶשׁ וּבֵית עֲנָת הָיוּ לָהֶם לָמַס׃ לד וַיִּלְחֲצוּ הָאֱמֹרִי אֶת־בְּנֵי־דָן הָהָרָה
כִּי־לֹא נְתָנוֹ לָרֶדֶת לָעֵמֶק׃ לה וַיּוֹאֶל הָאֱמֹרִי לָשֶׁבֶת בְּהַר־חֶרֶס בְּאַיָּלוֹן
וּבְשַׁעַלְבִים וַתִּכְבַּד יַד בֵּית־יוֹסֵף וַיִּהְיוּ לָמַס׃ לו וּגְבוּל הָאֱמֹרִי מִמַּעֲלֵה
עַקְרַבִּים מֵהַסֶּלַע וָמָעְלָה׃

ב א וַיַּעַל מַלְאַךְ־יְהוָה מִן־הַגִּלְגָּל אֶל־הַבֹּכִים

וַיֹּאמֶר אַעֲלֶה אֶתְכֶם מִמִּצְרַיִם וָאָבִיא אֶתְכֶם אֶל־הָאָרֶץ אֲשֶׁר נִשְׁבַּעְתִּי
לַאֲבֹתֵיכֶם וָאֹמַר לֹא־אָפֵר בְּרִיתִי אִתְּכֶם לְעוֹלָם׃ ב וְאַתֶּם לֹא־תִכְרְתוּ
בְרִית לְיוֹשְׁבֵי הָאָרֶץ הַזֹּאת מִזְבְּחוֹתֵיהֶם תִּתֹּצוּן וְלֹא־שְׁמַעְתֶּם בְּקֹלִי
מַה־זֹּאת עֲשִׂיתֶם׃ ג וְגַם אָמַרְתִּי לֹא־אֲגָרֵשׁ אוֹתָם מִפְּנֵיכֶם וְהָיוּ לָכֶם לְצִדִּים
וֵאלֹהֵיהֶם יִהְיוּ לָכֶם לְמוֹקֵשׁ׃ ד וַיְהִי כְּדַבֵּר מַלְאַךְ יְהוָה אֶת־הַדְּבָרִים
הָאֵלֶּה אֶל־כָּל־בְּנֵי יִשְׂרָאֵל וַיִּשְׂאוּ הָעָם אֶת־קוֹלָם וַיִּבְכּוּ׃ ה וַיִּקְרְאוּ
שֵׁם־הַמָּקוֹם הַהוּא בֹּכִים וַיִּזְבְּחוּ־שָׁם לַיהוָה׃

ו וַיְשַׁלַּח יְהוֹשֻׁעַ אֶת־הָעָם וַיֵּלְכוּ בְנֵי־יִשְׂרָאֵל אִישׁ לְנַחֲלָתוֹ לָרֶשֶׁת
אֶת־הָאָרֶץ׃ ז וַיַּעַבְדוּ הָעָם אֶת־יְהוָה כֹּל יְמֵי יְהוֹשֻׁעַ וְכֹל ׀ יְמֵי הַזְּקֵנִים אֲשֶׁר
הֶאֱרִיכוּ יָמִים אַחֲרֵי יְהוֹשׁוּעַ אֲשֶׁר רָאוּ אֵת כָּל־מַעֲשֵׂה יְהוָה הַגָּדוֹל אֲשֶׁר
עָשָׂה לְיִשְׂרָאֵל׃ ח וַיָּמָת יְהוֹשֻׁעַ בִּן־נוּן עֶבֶד יְהוָה בֶּן־מֵאָה וָעֶשֶׂר שָׁנִים׃

[1] ישב

<u>25</u> And he showed them the entrance into the city, and they smote the city with the edge of the sword; but they let the man go and all his family. <u>26</u> And the man went into the land of the Hittites, and built a city, and called the name thereof Luz, which is the name thereof unto this day.{P}

<u>27</u> And Manasseh did not drive out the inhabitants of Beth-shean and its towns, nor of Taanach and its towns, nor the inhabitants of Dor and its towns, nor the inhabitants of Ibleam and its towns, nor the inhabitants of Megiddo and its towns; but the Canaanites were resolved to dwell in that land. <u>28</u> And it came to pass, when Israel was waxen strong, that they put the Canaanites to task-work, but did in no wise drive them out.{S} <u>29</u> And Ephraim drove not out the Canaanites that dwelt in Gezer; but the Canaanites dwelt in Gezer among them.{S} <u>30</u> Zebulun drove not out the inhabitants of Kitron, nor the inhabitants of Nahalol; but the Canaanites dwelt among them, and became tributary.{S} <u>31</u> Asher drove not out the inhabitants of Acco, nor the inhabitants of Zidon, nor of Ahlab, nor of Achzib, nor of Helbah, nor of Aphik, nor of Rehob; <u>32</u> but the Asherites dwelt among the Canaanites, the inhabitants of the land; for they did not drive them out.{S} <u>33</u> Naphtali drove not out the inhabitants of Beth-shemesh, nor the inhabitants of Beth-anath; but he dwelt among the Canaanites, the inhabitants of the land; nevertheless the inhabitants of Beth-shemesh and of Beth-anath became tributary unto them. <u>34</u> And the Amorites forced the children of Dan into the hill-country; for they would not suffer them to come down to the valley. <u>35</u> But the Amorites were resolved to dwell in Harheres, in Aijalon, and in Shaalbim; yet the hand of the house of Joseph prevailed, so that they became tributary. <u>36</u> And the border of the Amorites was from the ascent of Akrabbim, from Sela, and upward.{P}

2 <u>1</u> And the angel of Yehovah came up from Gilgal to Bochim.{P}

<u>2</u> and ye shall make no covenant with the inhabitants of this land; ye shall break down their altars; but ye have not hearkened unto My voice; what is this ye have done? <u>3</u> Wherefore I also said: I will not drive them out from before you; but they shall be unto you as snares, and their gods shall be a trap unto you.' <u>4</u> And it came to pass, when the angel of Yehovah spoke these words unto all the children of Israel, that the people lifted up their voice, and wept. <u>5</u> And they called the name of that place Bochim; and they sacrificed there unto Yehovah.{P}

<u>6</u> Now when Joshua had sent the people away, the children of Israel went every man unto his inheritance to possess the land. <u>7</u> And the people served Yehovah all the days of Joshua, and all the days of the elders that outlived Joshua, who had seen all the great work of Yehovah, that He had wrought for Israel. <u>8</u> And Joshua the son of Nun, the servant of Yehovah, died, being a hundred and ten years old.

ט וַֽיִּקְבְּר֤וּ אוֹתוֹ֙ בִּגְב֣וּל נַחֲלָת֔וֹ בְּתִמְנַת־חֶ֖רֶס בְּהַ֣ר אֶפְרָ֑יִם מִצְּפ֖וֹן
לְהַר־גָּֽעַשׁ׃ י וְגַם֙ כָּל־הַדּ֣וֹר הַה֔וּא נֶאֶסְפ֖וּ אֶל־אֲבוֹתָ֑יו וַיָּקָם֩ דּ֨וֹר אַחֵ֜ר
אַחֲרֵיהֶ֗ם אֲשֶׁ֤ר לֹא־יָֽדְעוּ֙ אֶת־יְהוָ֔ה וְגַם֙ אֶת־הַֽמַּעֲשֶׂ֔ה אֲשֶׁ֥ר עָשָׂ֖ה לְיִשְׂרָאֵֽל׃
יא וַיַּעֲשׂ֧וּ בְנֵֽי־יִשְׂרָאֵ֛ל אֶת־הָרַ֖ע בְּעֵינֵ֣י יְהוָ֑ה וַיַּעַבְד֖וּ אֶת־הַבְּעָלִֽים׃ יב וַיַּעַזְב֞וּ
אֶת־יְהוָ֣ה ׀ אֱלֹהֵ֣י אֲבוֹתָ֗ם הַמּוֹצִ֣יא אוֹתָם֮ מֵאֶ֣רֶץ מִצְרַיִם֒ וַיֵּלְכ֞וּ אַחֲרֵ֣י ׀
אֱלֹהִ֣ים אֲחֵרִ֗ים מֵאֱלֹהֵ֤י הָֽעַמִּים֙ אֲשֶׁר֙ סְבִיב֣וֹתֵיהֶ֔ם וַיִּֽשְׁתַּחֲו֖וּ לָהֶ֑ם וַיַּכְעִ֖סוּ
אֶת־יְהוָֽה׃ יג וַיַּעַזְב֖וּ אֶת־יְהוָ֑ה וַיַּעַבְד֥וּ לַבַּ֖עַל וְלָעַשְׁתָּרֽוֹת׃ יד וַיִּֽחַר־אַ֤ף
יְהוָה֙ בְּיִשְׂרָאֵ֔ל וַֽיִּתְּנֵם֙ בְּיַד־שֹׁסִ֔ים וַיָּשֹׁ֖סּוּ אוֹתָ֑ם וַֽיִּמְכְּרֵ֞ם בְּיַ֤ד אֽוֹיְבֵיהֶם֙
מִסָּבִ֔יב וְלֹֽא־יָכְל֣וּ ע֔וֹד לַעֲמֹ֖ד לִפְנֵ֥י אוֹיְבֵיהֶֽם׃ טו בְּכֹ֣ל ׀ אֲשֶׁ֣ר יָצְא֗וּ יַד־יְהוָה֙
הָֽיְתָה־בָּ֣ם לְרָעָ֔ה כַּאֲשֶׁר֙ דִּבֶּ֣ר יְהוָ֔ה וְכַאֲשֶׁ֛ר נִשְׁבַּ֥ע יְהוָ֖ה לָהֶ֑ם וַיֵּ֥צֶר לָהֶ֖ם
מְאֹֽד׃ טז וַיָּ֥קֶם יְהוָ֖ה שֹֽׁפְטִ֑ים וַי֣וֹשִׁיע֔וּם מִיַּ֖ד שֹׁסֵיהֶֽם׃ יז וְגַ֨ם אֶל־שֹׁפְטֵיהֶ֜ם לֹ֣א
שָׁמֵ֗עוּ כִּ֤י זָנוּ֙ אַחֲרֵי֙ אֱלֹהִ֣ים אֲחֵרִ֔ים וַיִּֽשְׁתַּחֲו֖וּ לָהֶ֑ם סָ֣רוּ מַהֵ֗ר מִן־הַדֶּ֙רֶךְ֙
אֲשֶׁ֨ר הָלְכ֧וּ אֲבוֹתָ֛ם לִשְׁמֹ֥עַ מִצְוֺת־יְהוָ֖ה לֹא־עָ֥שׂוּ כֵֽן׃ יח וְכִֽי־הֵקִ֨ים יְהוָ֥ה ׀
לָהֶ֮ם שֹֽׁפְטִים֒ וְהָיָ֤ה יְהוָה֙ עִם־הַשֹּׁפֵ֔ט וְהוֹשִׁיעָם֙ מִיַּ֣ד אֹֽיְבֵיהֶ֔ם כֹּ֖ל יְמֵ֣י הַשּׁוֹפֵ֑ט
כִּֽי־יִנָּחֵ֤ם יְהוָה֙ מִנַּ֣אֲקָתָ֔ם מִפְּנֵ֥י לֹחֲצֵיהֶ֖ם וְדֹחֲקֵיהֶֽם׃ יט וְהָיָ֣ה ׀ בְּמ֣וֹת הַשּׁוֹפֵ֗ט
יָשֻׁ֙בוּ֙ וְהִשְׁחִ֣יתוּ מֵֽאֲבוֹתָ֔ם לָלֶ֗כֶת אַֽחֲרֵי֙ אֱלֹהִ֣ים אֲחֵרִ֔ים לְעָבְדָ֖ם וּלְהִשְׁתַּחֲוֺ֣ת
לָהֶ֑ם לֹ֤א הִפִּ֙ילוּ֙ מִמַּ֣עַלְלֵיהֶ֔ם וּמִדַּרְכָּ֖ם הַקָּשָֽׁה׃ כ וַיִּֽחַר־אַ֥ף יְהוָ֖ה בְּיִשְׂרָאֵ֑ל
וַיֹּ֗אמֶר יַ֠עַן אֲשֶׁ֨ר עָבְר֜וּ הַגּ֤וֹי הַזֶּה֙ אֶת־בְּרִיתִי֙ אֲשֶׁ֣ר צִוִּ֣יתִי אֶת־אֲבוֹתָ֔ם וְלֹ֥א
שָׁמְע֖וּ לְקוֹלִֽי׃ כא גַּם־אֲנִי֙ לֹ֣א אוֹסִ֔יף לְהוֹרִ֥ישׁ אִ֖ישׁ מִפְּנֵיהֶ֑ם מִן־הַגּוֹיִ֕ם
אֲשֶׁר־עָזַ֥ב יְהוֹשֻׁ֖עַ וַיָּמֹֽת׃ כב לְמַ֛עַן נַסּ֥וֹת בָּ֖ם אֶת־יִשְׂרָאֵ֑ל הֲשֹׁמְרִ֣ים הֵ֣ם
אֶת־דֶּ֣רֶךְ יְהוָ֗ה לָלֶ֣כֶת בָּ֔ם כַּאֲשֶׁ֛ר שָׁמְר֥וּ אֲבוֹתָ֖ם אִם־לֹֽא׃ כג וַיַּנַּ֤ח יְהוָה֙
אֶת־הַגּוֹיִ֣ם הָאֵ֔לֶּה לְבִלְתִּ֖י הוֹרִישָׁ֣ם מַהֵ֑ר וְלֹ֥א נְתָנָ֖ם בְּיַד־יְהוֹשֻֽׁעַ׃

ג א וְאֵ֤לֶּה הַגּוֹיִם֙ אֲשֶׁ֣ר הִנִּ֣יחַ יְהוָ֔ה לְנַסּ֥וֹת בָּ֖ם אֶת־יִשְׂרָאֵ֑ל אֵ֚ת כָּל־אֲשֶׁ֣ר
לֹא־יָדְע֔וּ אֵ֖ת כָּל־מִלְחֲמ֥וֹת כְּנָֽעַן׃ ב רַ֗ק לְמַ֙עַן֙ דַּ֚עַת דֹּר֣וֹת בְּנֵֽי־יִשְׂרָאֵ֔ל
לְלַמְּדָ֖ם מִלְחָמָ֑ה רַ֥ק אֲשֶׁר־לְפָנִ֖ים לֹ֥א יְדָעֽוּם׃ ג חֲמֵ֣שֶׁת ׀ סַרְנֵ֣י פְלִשְׁתִּ֗ים
וְכָל־הַֽכְּנַעֲנִי֙ וְהַצִּ֣ידֹנִ֔י וְהַ֣חִוִּ֔י יֹשֵׁ֖ב הַ֣ר הַלְּבָנ֑וֹן מֵהַר֙ בַּ֣עַל חֶרְמ֔וֹן עַ֖ד לְב֥וֹא
חֲמָֽת׃ ד וַיִּֽהְי֔וּ לְנַסּ֥וֹת בָּ֖ם אֶת־יִשְׂרָאֵ֑ל לָדַ֗עַת הֲיִשְׁמְעוּ֙ אֶת־מִצְוֺ֣ת יְהוָ֔ה
אֲשֶׁר־צִוָּ֥ה אֶת־אֲבוֹתָ֖ם בְּיַד־מֹשֶֽׁה׃ ה וּבְנֵ֣י יִשְׂרָאֵ֔ל יָשְׁב֖וּ בְּקֶ֣רֶב הַֽכְּנַעֲנִ֑י
הַחִתִּ֤י וְהָֽאֱמֹרִי֙ וְהַפְּרִזִּ֔י וְהַחִוִּ֖י וְהַיְבוּסִֽי׃ ו וַיִּקְח֨וּ אֶת־בְּנֽוֹתֵיהֶ֜ם לָהֶם֙ לְנָשִׁ֔ים
וְאֶת־בְּנוֹתֵיהֶ֥ם נָתְנ֖וּ לִבְנֵיהֶ֑ם וַיַּעַבְד֖וּ אֶת־אֱלֹהֵיהֶֽם׃

9 And they buried him in the border of his inheritance in Timnath-heres, in the hill-country of Ephraim, on the north of the mountain of Gaash. **10** And also all that generation were gathered unto their fathers; and there arose another generation after them, that knew not Yehovah, nor yet the work which He had wrought for Israel.{P}

11 And the children of Israel did that which was evil in the sight of Yehovah, and served the Baalim. **12** And they forsook Yehovah, the God of their fathers, who brought them out of the land of Egypt, and followed other gods, of the gods of the peoples that were round about them, and worshipped them; and they provoked Yehovah. **13** And they forsook Yehovah, and served Baal and the Ashtaroth. **14** And the anger of Yehovah was kindled against Israel, and He delivered them into the hands of spoilers that spoiled them, and He gave them over into the hands of their enemies round about, so that they could not any longer stand before their enemies. **15** Whithersoever they went out, the hand of Yehovah was against them for evil, as Yehovah had spoken, and as Yehovah had sworn unto them; and they were sore distressed. **16** And Yehovah raised up judges, who saved them out of the hand of those that spoiled them. **17** And yet they hearkened not unto their judges, for they went astray after other gods, and worshipped them; they turned aside quickly out of the way wherein their fathers walked, obeying the commandments of Yehovah; they did not so. **18** And when Yehovah raised them up judges, then Yehovah was with the judge, and saved them out of the hand of their enemies all the days of the judge; for it repented Yehovah because of their groaning by reason of them that oppressed them and crushed them. **19** But it came to pass, when the judge was dead, that they turned back, and dealt more corruptly than their fathers, in following other gods to serve them, and to worship them; they left nothing undone of their practices, nor of their stubborn way. **20** And the anger of Yehovah was kindled against Israel; and He said: 'Because this nation have transgressed My covenant which I commanded their fathers, and have not hearkened unto My voice; **21** I also will not henceforth drive out any from before them of the nations that Joshua left when he died; **22** that by them I may prove Israel, whether they will keep the way of Yehovah to walk therein, as their fathers did keep it, or not.' **23** So Yehovah left those nations, without driving them out hastily; neither delivered He them into the hand of Joshua.{P}

3 1 Now these are the nations which Yehovah left, to prove Israel by them, even as many as had not known all the wars of Canaan; **2** only that the generations of the children of Israel might know, to teach them war, at the least such as beforetime knew nothing thereof; **3** namely, the five lords of the Philistines, and all the Canaanites, and the Zidonians, and the Hivites that dwelt in mount Lebanon, from mount Baal-hermon unto the entrance of Hamath. **4** And they were there, to prove Israel by them, to know whether they would hearken unto the commandments of Yehovah, which He commanded their fathers by the hand of Moses. **5** And the children of Israel dwelt among the Canaanites, the Hittites, and the Amorites, and the Perizzites, and the Hivites, and the Jebusites; **6** and they took their daughters to be their wives, and gave their own daughters to their sons, and served their gods.{P}

ז וַיַּעֲשׂוּ בְנֵי־יִשְׂרָאֵל אֶת־הָרַע בְּעֵינֵי יְהֹוָה וַיִּשְׁכְּחוּ אֶת־יְהֹוָה אֱלֹהֵיהֶם וַיַּעַבְדוּ אֶת־הַבְּעָלִים וְאֶת־הָאֲשֵׁרוֹת: ח וַיִּחַר־אַף יְהֹוָה בְּיִשְׂרָאֵל וַיִּמְכְּרֵם בְּיַד כּוּשַׁן רִשְׁעָתַיִם מֶלֶךְ אֲרַם נַהֲרָיִם וַיַּעַבְדוּ בְנֵי־יִשְׂרָאֵל אֶת־כּוּשַׁן רִשְׁעָתַיִם שְׁמֹנֶה שָׁנִים: ט וַיִּזְעֲקוּ בְנֵי־יִשְׂרָאֵל אֶל־יְהֹוָה וַיָּקֶם יְהֹוָה מוֹשִׁיעַ לִבְנֵי יִשְׂרָאֵל וַיּוֹשִׁיעֵם אֵת עָתְנִיאֵל בֶּן־קְנַז אֲחִי כָלֵב הַקָּטֹן מִמֶּנּוּ: י וַתְּהִי עָלָיו רוּחַ־יְהֹוָה וַיִּשְׁפֹּט אֶת־יִשְׂרָאֵל וַיֵּצֵא לַמִּלְחָמָה וַיִּתֵּן יְהֹוָה בְּיָדוֹ אֶת־כּוּשַׁן רִשְׁעָתַיִם מֶלֶךְ אֲרָם וַתָּעָז יָדוֹ עַל כּוּשַׁן רִשְׁעָתָיִם: יא וַתִּשְׁקֹט הָאָרֶץ אַרְבָּעִים שָׁנָה וַיָּמָת עָתְנִיאֵל בֶּן־קְנַז:

יב וַיֹּסִפוּ בְּנֵי יִשְׂרָאֵל לַעֲשׂוֹת הָרַע בְּעֵינֵי יְהֹוָה וַיְחַזֵּק יְהֹוָה אֶת־עֶגְלוֹן מֶלֶךְ־מוֹאָב עַל־יִשְׂרָאֵל עַל כִּי־עָשׂוּ אֶת־הָרַע בְּעֵינֵי יְהֹוָה: יג וַיֶּאֱסֹף אֵלָיו אֶת־בְּנֵי עַמּוֹן וַעֲמָלֵק וַיֵּלֶךְ וַיַּךְ אֶת־יִשְׂרָאֵל וַיִּירְשׁוּ אֶת־עִיר הַתְּמָרִים: יד וַיַּעַבְדוּ בְנֵי־יִשְׂרָאֵל אֶת־עֶגְלוֹן מֶלֶךְ־מוֹאָב שְׁמוֹנֶה עֶשְׂרֵה שָׁנָה: טו וַיִּזְעֲקוּ בְנֵי־יִשְׂרָאֵל אֶל־יְהֹוָה וַיָּקֶם יְהֹוָה לָהֶם מוֹשִׁיעַ אֶת־אֵהוּד בֶּן־גֵּרָא בֶּן־הַיְמִינִי אִישׁ אִטֵּר יַד־יְמִינוֹ וַיִּשְׁלְחוּ בְנֵי־יִשְׂרָאֵל בְּיָדוֹ מִנְחָה לְעֶגְלוֹן מֶלֶךְ מוֹאָב: טז וַיַּעַשׂ לוֹ אֵהוּד חֶרֶב וְלָהּ שְׁנֵי פֵיוֹת גֹּמֶד אָרְכָּהּ וַיַּחְגֹּר אוֹתָהּ מִתַּחַת לְמַדָּיו עַל יֶרֶךְ יְמִינוֹ: יז וַיַּקְרֵב אֶת־הַמִּנְחָה לְעֶגְלוֹן מֶלֶךְ מוֹאָב וְעֶגְלוֹן אִישׁ בָּרִיא מְאֹד: יח וַיְהִי כַּאֲשֶׁר כִּלָּה לְהַקְרִיב אֶת־הַמִּנְחָה וַיְשַׁלַּח אֶת־הָעָם נֹשְׂאֵי הַמִּנְחָה: יט וְהוּא שָׁב מִן־הַפְּסִילִים אֲשֶׁר אֶת־הַגִּלְגָּל וַיֹּאמֶר דְּבַר־סֵתֶר לִי אֵלֶיךָ הַמֶּלֶךְ וַיֹּאמֶר הָס וַיֵּצְאוּ מֵעָלָיו כָּל־הָעֹמְדִים עָלָיו: כ וְאֵהוּד ׀ בָּא אֵלָיו וְהוּא־יֹשֵׁב בַּעֲלִיַּת הַמְּקֵרָה אֲשֶׁר־לוֹ לְבַדּוֹ וַיֹּאמֶר אֵהוּד דְּבַר־אֱלֹהִים לִי אֵלֶיךָ וַיָּקָם מֵעַל הַכִּסֵּא: כא וַיִּשְׁלַח אֵהוּד אֶת־יַד שְׂמֹאלוֹ וַיִּקַּח אֶת־הַחֶרֶב מֵעַל יֶרֶךְ יְמִינוֹ וַיִּתְקָעֶהָ בְּבִטְנוֹ: כב וַיָּבֹא גַם־הַנִּצָּב אַחַר הַלַּהַב וַיִּסְגֹּר הַחֵלֶב בְּעַד הַלַּהַב כִּי לֹא שָׁלַף הַחֶרֶב מִבִּטְנוֹ וַיֵּצֵא הַפַּרְשְׁדֹנָה: כג וַיֵּצֵא אֵהוּד הַמִּסְדְּרוֹנָה וַיִּסְגֹּר דַּלְתוֹת הָעֲלִיָּה בַּעֲדוֹ וְנָעָל: כד וְהוּא יָצָא וַעֲבָדָיו בָּאוּ וַיִּרְאוּ וְהִנֵּה דַּלְתוֹת הָעֲלִיָּה נְעֻלוֹת וַיֹּאמְרוּ אַךְ מֵסִיךְ הוּא אֶת־רַגְלָיו בַּחֲדַר הַמְּקֵרָה: כה וַיָּחִילוּ עַד־בּוֹשׁ וְהִנֵּה אֵינֶנּוּ פֹתֵחַ דַּלְתוֹת הָעֲלִיָּה וַיִּקְחוּ אֶת־הַמַּפְתֵּחַ וַיִּפְתָּחוּ וְהִנֵּה אֲדֹנֵיהֶם נֹפֵל אַרְצָה מֵת: כו וְאֵהוּד נִמְלַט עַד הִתְמַהְמְהָם וְהוּא עָבַר אֶת־הַפְּסִילִים וַיִּמָּלֵט הַשְּׂעִירָתָה: כז וַיְהִי בְּבוֹאוֹ וַיִּתְקַע בַּשּׁוֹפָר בְּהַר אֶפְרָיִם וַיֵּרְדוּ עִמּוֹ בְנֵי־יִשְׂרָאֵל מִן־הָהָר וְהוּא לִפְנֵיהֶם: כח וַיֹּאמֶר אֲלֵהֶם רִדְפוּ אַחֲרַי כִּי־נָתַן יְהֹוָה אֶת־אֹיְבֵיכֶם אֶת־מוֹאָב בְּיֶדְכֶם וַיֵּרְדוּ אַחֲרָיו וַיִּלְכְּדוּ אֶת־מַעְבְּרוֹת הַיַּרְדֵּן לְמוֹאָב וְלֹא־נָתְנוּ אִישׁ לַעֲבֹר:

7 And the children of Israel did that which was evil in the sight of Yehovah, and forgot Yehovah their God, and served the Baalim and the Asheroth. **8** Therefore the anger of Yehovah was kindled against Israel, and He gave them over into the hand of Cushan-rishathaim king of Aram-naharaim; and the children of Israel served Cushan-rishathaim eight years. **9** And when the children of Israel cried unto Yehovah, Yehovah raised up a saviour to the children of Israel, who saved them, even Othniel the son of Kenaz, Caleb's younger brother. **10** And the spirit of Yehovah came upon him, and he judged Israel; and he went out to war, and Yehovah delivered Cushan-rishathaim king of Aram into his hand; and his hand prevailed against Cushan-rishathaim. **11** And the land had rest forty years. And Othniel the son of Kenaz died.{P}

12 And the children of Israel again did that which was evil in the sight of Yehovah; and Yehovah strengthened Eglon the king of Moab against Israel, because they had done that which was evil in the sight of Yehovah. **13** And he gathered unto him the children of Ammon and Amalek; and he went and smote Israel, and they possessed the city of palm-trees. **14** And the children of Israel served Eglon the king of Moab eighteen years. **15** But when the children of Israel cried unto Yehovah, Yehovah raised them up a saviour, Ehud the son of Gera, the Benjamite, a man left-handed; and the children of Israel sent a present by him unto Eglon the king of Moab. **16** And Ehud made him a sword which had two edges, of a cubit length; and he girded it under his raiment upon his right thigh. **17** And he offered the present unto Eglon king of Moab—now Eglon was a very fat man. **18** And when he had made an end of offering the present, he sent away the people that bore the present. **19** But he himself turned back from the quarries that were by Gilgal, and said: 'I have a secret errand unto thee, O king.' And he said: 'Keep silence.' And all that stood by him went out from him. **20** And Ehud came unto him; and he was sitting by himself alone in his cool upper chamber. And Ehud said: 'I have a message from God unto thee.' And he arose out of his seat. **21** And Ehud put forth his left hand, and took the sword from his right thigh, and thrust it into his belly. **22** And the haft also went in after the blade; and the fat closed upon the blade, for he drew not the sword out of his belly; and it came out behind. **23** Then Ehud went forth into the porch, and shut the doors of the upper chamber upon him, and locked them. **24** Now when he was gone out, his servants came; and they saw, and, behold, the doors of the upper chamber were locked; and they said: 'Surely he is covering his feet in the cabinet of the cool chamber.' **25** And they tarried till they were ashamed; and, behold, he opened not the doors of the upper chamber; therefore they took the key, and opened them; and, behold, their lord was fallen down dead on the earth. **26** And Ehud escaped while they lingered, having passed beyond the quarries, and escaped unto Seirah. **27** And it came to pass, when he was come, that he blew a horn in the hill-country of Ephraim, and the children of Israel went down with him from the hill-country, and he before them. **28** And he said unto them: 'Follow after me; for Yehovah hath delivered your enemies the Moabites into your hand.' And they went down after him, and took the fords of the Jordan against the Moabites, and suffered not a man to pass over.

כט וַיַּכּוּ אֶת־מוֹאָב בָּעֵת הַהִיא כַּעֲשֶׂרֶת אֲלָפִים אִישׁ כָּל־שָׁמֵן וְכָל־אִישׁ חָיִל
וְלֹא נִמְלַט אִישׁ׃ ל וַתִּכָּנַע מוֹאָב בַּיּוֹם הַהוּא תַּחַת יַד יִשְׂרָאֵל וַתִּשְׁקֹט הָאָרֶץ
שְׁמוֹנִים שָׁנָה׃ לא וְאַחֲרָיו הָיָה שַׁמְגַּר בֶּן־עֲנָת וַיַּךְ אֶת־פְּלִשְׁתִּים שֵׁשׁ־מֵאוֹת
אִישׁ בְּמַלְמַד הַבָּקָר וַיּוֹשַׁע גַּם־הוּא אֶת־יִשְׂרָאֵל׃

ד א וַיֹּסִפוּ בְּנֵי יִשְׂרָאֵל לַעֲשׂוֹת הָרַע בְּעֵינֵי יְהוָה וְאֵהוּד מֵת׃ ב וַיִּמְכְּרֵם יְהוָה
בְּיַד יָבִין מֶלֶךְ־כְּנַעַן אֲשֶׁר מָלַךְ בְּחָצוֹר וְשַׂר־צְבָאוֹ סִיסְרָא וְהוּא יוֹשֵׁב
בַּחֲרֹשֶׁת הַגּוֹיִם׃ ג וַיִּצְעֲקוּ בְנֵי־יִשְׂרָאֵל אֶל־יְהוָה כִּי תְּשַׁע מֵאוֹת רֶכֶב־בַּרְזֶל
לוֹ וְהוּא לָחַץ אֶת־בְּנֵי יִשְׂרָאֵל בְּחָזְקָה עֶשְׂרִים שָׁנָה׃ ד וּדְבוֹרָה אִשָּׁה נְבִיאָה
אֵשֶׁת לַפִּידוֹת הִיא שֹׁפְטָה אֶת־יִשְׂרָאֵל בָּעֵת הַהִיא׃ ה וְהִיא יוֹשֶׁבֶת תַּחַת־תֹּמֶר
דְּבוֹרָה בֵּין הָרָמָה וּבֵין בֵּית־אֵל בְּהַר אֶפְרָיִם וַיַּעֲלוּ אֵלֶיהָ בְּנֵי יִשְׂרָאֵל
לַמִּשְׁפָּט׃ ו וַתִּשְׁלַח וַתִּקְרָא לְבָרָק בֶּן־אֲבִינֹעַם מִקֶּדֶשׁ נַפְתָּלִי וַתֹּאמֶר אֵלָיו
הֲלֹא צִוָּה ׀ יְהוָה אֱלֹהֵי־יִשְׂרָאֵל לֵךְ וּמָשַׁכְתָּ בְּהַר תָּבוֹר וְלָקַחְתָּ עִמְּךָ עֲשֶׂרֶת
אֲלָפִים אִישׁ מִבְּנֵי נַפְתָּלִי וּמִבְּנֵי זְבֻלוּן׃ ז וּמָשַׁכְתִּי אֵלֶיךָ אֶל־נַחַל קִישׁוֹן
אֶת־סִיסְרָא שַׂר־צְבָא יָבִין וְאֶת־רִכְבּוֹ וְאֶת־הֲמוֹנוֹ וּנְתַתִּיהוּ בְּיָדֶךָ׃ ח וַיֹּאמֶר
אֵלֶיהָ בָּרָק אִם־תֵּלְכִי עִמִּי וְהָלָכְתִּי וְאִם־לֹא תֵלְכִי עִמִּי לֹא אֵלֵךְ׃ ט וַתֹּאמֶר
הָלֹךְ אֵלֵךְ עִמָּךְ אֶפֶס כִּי לֹא תִהְיֶה תִּפְאַרְתְּךָ עַל־הַדֶּרֶךְ אֲשֶׁר אַתָּה הוֹלֵךְ כִּי
בְיַד־אִשָּׁה יִמְכֹּר יְהוָה אֶת־סִיסְרָא וַתָּקָם דְּבוֹרָה וַתֵּלֶךְ עִם־בָּרָק קֶדְשָׁה׃
י וַיַּזְעֵק בָּרָק אֶת־זְבוּלֻן וְאֶת־נַפְתָּלִי קֶדְשָׁה וַיַּעַל בְּרַגְלָיו עֲשֶׂרֶת אַלְפֵי אִישׁ
וַתַּעַל עִמּוֹ דְּבוֹרָה׃ יא וְחֶבֶר הַקֵּינִי נִפְרָד מִקַּיִן מִבְּנֵי חֹבָב חֹתֵן מֹשֶׁה וַיֵּט
אָהֳלוֹ עַד־אֵלוֹן בְּצַעֲנַנִּים[2] אֲשֶׁר אֶת־קֶדֶשׁ׃ יב וַיַּגִּדוּ לְסִיסְרָא כִּי עָלָה בָּרָק
בֶּן־אֲבִינֹעַם הַר־תָּבוֹר׃ יג וַיַּזְעֵק סִיסְרָא אֶת־כָּל־רִכְבּוֹ תְּשַׁע מֵאוֹת רֶכֶב
בַּרְזֶל וְאֶת־כָּל־הָעָם אֲשֶׁר אִתּוֹ מֵחֲרֹשֶׁת הַגּוֹיִם אֶל־נַחַל קִישׁוֹן׃ יד וַתֹּאמֶר
דְּבֹרָה אֶל־בָּרָק קוּם כִּי זֶה הַיּוֹם אֲשֶׁר נָתַן יְהוָה אֶת־סִיסְרָא בְּיָדֶךָ הֲלֹא
יְהוָה יָצָא לְפָנֶיךָ וַיֵּרֶד בָּרָק מֵהַר תָּבוֹר וַעֲשֶׂרֶת אֲלָפִים אִישׁ אַחֲרָיו׃
טו וַיָּהָם יְהוָה אֶת־סִיסְרָא וְאֶת־כָּל־הָרֶכֶב וְאֶת־כָּל־הַמַּחֲנֶה לְפִי־חֶרֶב לִפְנֵי
בָרָק וַיֵּרֶד סִיסְרָא מֵעַל הַמֶּרְכָּבָה וַיָּנָס בְּרַגְלָיו׃ טז וּבָרָק רָדַף אַחֲרֵי הָרֶכֶב
וְאַחֲרֵי הַמַּחֲנֶה עַד חֲרֹשֶׁת הַגּוֹיִם וַיִּפֹּל כָּל־מַחֲנֵה סִיסְרָא לְפִי־חֶרֶב לֹא
נִשְׁאַר עַד־אֶחָד׃ יז וְסִיסְרָא נָס בְּרַגְלָיו אֶל־אֹהֶל יָעֵל אֵשֶׁת חֶבֶר הַקֵּינִי כִּי
שָׁלוֹם בֵּין יָבִין מֶלֶךְ־חָצוֹר וּבֵין בֵּית חֶבֶר הַקֵּינִי׃ יח וַתֵּצֵא יָעֵל לִקְרַאת
סִיסְרָא וַתֹּאמֶר אֵלָיו סוּרָה אֲדֹנִי סוּרָה אֵלַי אַל־תִּירָא וַיָּסַר אֵלֶיהָ הָאֹהֱלָה
וַתְּכַסֵּהוּ בַּשְּׂמִיכָה׃

[2] בצעננים

29 And they smote of Moab at that time about ten thousand men, every lusty man, and every man of valour; and there escaped not a man. **30** So Moab was subdued that day under the hand of Israel. And the land had rest fourscore years.{P}

31 And after him was Shamgar the son of Anath, who smote of the Philistines six hundred men with an ox-goad; and he also saved Israel.{P}

4 1 And the children of Israel again did that which was evil in the sight of Yehovah, when Ehud was dead. **2** And Yehovah gave them over into the hand of Jabin king of Canaan, that reigned in Hazor; the captain of whose host was Sisera, who dwelt in Harosheth-goiim. **3** And the children of Israel cried unto Yehovah; for he had nine hundred chariots of iron; and twenty years he mightily oppressed the children of Israel.{P}

4 Now Deborah, a prophetess, the wife of Lappidoth, she judged Israel at that time. **5** And she sat under the palm-tree of Deborah between Ramah and Beth-el in the hill-country of Ephraim; and the children of Israel came up to her for judgment. **6** And she sent and called Barak the son of Abinoam out of Kedesh-naphtali, and said unto him: 'Hath not Yehovah, the God of Israel, commanded, saying: Go and draw toward mount Tabor, and take with thee ten thousand men of the children of Naphtali and of the children of Zebulun? **7** And I will draw unto thee to the brook Kishon Sisera, the captain of Jabin's army, with his chariots and his multitude; and I will deliver him into thy hand. **8** And Barak said unto her: 'If thou wilt go with me, then I will go; but if thou wilt not go with me, I will not go.' **9** And she said: 'I will surely go with thee; notwithstanding the journey that thou takest shall not be for thy honour; for Yehovah will give Sisera over into the hand of a woman.' And Deborah arose, and went with Barak to Kedesh. **10** And Barak called Zebulun and Naphtali together to Kedesh; and there went up ten thousand men at his feet; and Deborah went up with him. **11** Now Heber the Kenite had severed himself from the Kenites, even from the children of Hobab the father-in-law of Moses, and had pitched his tent as far as Elon-bezaanannim, which is by Kedesh. **12** And they told Sisera that Barak the son of Abinoam was gone up to mount Tabor. **13** And Sisera gathered together all his chariots, even nine hundred chariots of iron, and all the people that were with him, from Harosheth-goiim, unto the brook Kishon. **14** And Deborah said unto Barak: 'Up; for this is the day in which Yehovah hath delivered Sisera into thy hand; is not Yehovah gone out before thee?' So Barak went down from mount Tabor, and ten thousand men after him. **15** And Yehovah discomfited Sisera, and all his chariots, and all his host, with the edge of the sword before Barak; and Sisera alighted from his chariot, and fled away on his feet. **16** But Barak pursued after the chariots, and after the host, unto Harosheth-goiim; and all the host of Sisera fell by the edge of the sword; there was not a man left. **17** Howbeit Sisera fled away on his feet to the tent of Jael the wife of Heber the Kenite; for there was peace between Jabin the king of Hazor and the house of Heber the Kenite. **18** And Jael went out to meet Sisera, and said unto him: 'Turn in, my lord, turn in to me; fear not.' And he turned in unto her into the tent, and she covered him with a rug.

יט וַיֹּ֧אמֶר אֵלֶ֛יהָ הַשְׁקִֽינִי־נָ֥א מְעַט־מַ֖יִם כִּ֣י צָמֵ֑אתִי וַתִּפְתַּ֞ח אֶת־נֹ֧אוד הֶחָלָ֛ב
וַתַּשְׁקֵ֖הוּ וַתְּכַסֵּֽהוּ׃ כ וַיֹּ֣אמֶר אֵלֶ֔יהָ עֲמֹ֖ד פֶּ֣תַח הָאֹ֑הֶל וְהָיָ֡ה אִם־אִ֣ישׁ יָבוֹא֩
וּשְׁאֵלֵ֨ךְ וְאָמַ֜ר הֲיֵֽשׁ־פֹּ֥ה אִ֛ישׁ וְאָמַ֥רְתְּ אָֽיִן׃ כא וַתִּקַּ֣ח יָעֵ֣ל אֵֽשֶׁת־חֶ֠בֶר אֶת־יְתַ֨ד
הָאֹ֜הֶל וַתָּ֧שֶׂם אֶת־הַמַּקֶּ֣בֶת בְּיָדָ֗הּ וַתָּב֤וֹא אֵלָיו֙ בַּלָּ֔אט וַתִּתְקַ֤ע אֶת־הַיָּתֵד֙
בְּרַקָּת֔וֹ וַתִּצְנַ֖ח בָּאָ֑רֶץ וְהֽוּא־נִרְדָּ֥ם וַיָּ֖עַף וַיָּמֹֽת׃ כב וְהִנֵּ֣ה בָרָק֮ רֹדֵ֣ף
אֶת־סִֽיסְרָא֒ וַתֵּצֵ֤א יָעֵל֙ לִקְרָאת֔וֹ וַתֹּ֣אמֶר ל֔וֹ לֵ֣ךְ וְאַרְאֶ֔ךָּ אֶת־הָאִ֖ישׁ אֲשֶׁר־אַתָּ֣ה
מְבַקֵּ֑שׁ וַיָּבֹ֣א אֵלֶ֔יהָ וְהִנֵּ֤ה סִֽיסְרָא֙ נֹפֵ֣ל מֵ֔ת וְהַיָּתֵ֖ד בְּרַקָּתֽוֹ׃ כג וַיַּכְנַ֤ע אֱלֹהִים֙
בַּיּ֣וֹם הַה֔וּא אֵ֖ת יָבִ֣ין מֶֽלֶךְ־כְּנָ֑עַן לִפְנֵ֖י בְּנֵ֥י יִשְׂרָאֵֽל׃ כד וַתֵּ֨לֶךְ יַ֤ד בְּנֵֽי־יִשְׂרָאֵל֙
הָל֣וֹךְ וְקָשָׁ֔ה עַ֖ל יָבִ֣ין מֶֽלֶךְ־כְּנָ֑עַן עַ֚ד אֲשֶׁ֣ר הִכְרִ֔יתוּ אֵ֖ת יָבִ֥ין מֶֽלֶךְ־כְּנָֽעַן׃

ה א וַתָּ֣שַׁר דְּבוֹרָ֔ה וּבָרָ֖ק בֶּן־אֲבִינֹ֑עַם בַּיּ֥וֹם הַה֖וּא לֵאמֹֽר׃ ב בִּפְרֹ֤עַ פְּרָעוֹת֙
בְּיִשְׂרָאֵ֔ל בְּהִתְנַדֵּ֖ב עָ֑ם בָּרְכ֖וּ יְהוָֽה׃ ג שִׁמְע֣וּ מְלָכִ֔ים הַאֲזִ֖ינוּ רֹֽזְנִ֑ים אָנֹכִ֗י
לַֽיהוָה֙ אָנֹכִ֣י אָשִׁ֔ירָה אֲזַמֵּ֕ר לַֽיהוָ֖ה אֱלֹהֵ֥י יִשְׂרָאֵֽל׃ ד יְהוָ֗ה בְּצֵאתְךָ֤ מִשֵּׂעִיר֙
בְּצַעְדְּךָ֙ מִשְּׂדֵ֣ה אֱד֔וֹם אֶ֣רֶץ רָעָ֔שָׁה גַּם־שָׁמַ֖יִם נָטָ֑פוּ גַּם־עָבִ֖ים נָ֥טְפוּ מָֽיִם׃
ה הָרִ֥ים נָזְל֖וּ מִפְּנֵ֣י יְהוָ֑ה זֶ֣ה סִינַ֔י מִפְּנֵ֕י יְהוָ֖ה אֱלֹהֵ֥י יִשְׂרָאֵֽל׃ ו בִּימֵ֞י שַׁמְגַּ֤ר
בֶּן־עֲנָת֙ בִּימֵ֣י יָעֵ֔ל חָדְל֖וּ אֳרָח֑וֹת וְהֹלְכֵ֣י נְתִיב֔וֹת יֵֽלְכ֕וּ אֳרָח֖וֹת עֲקַלְקַלּֽוֹת׃
ז חָדְל֧וּ פְרָז֛וֹן בְּיִשְׂרָאֵ֖ל חָדֵ֑לּוּ עַ֤ד שַׁקַּ֙מְתִּי֙ דְּבוֹרָ֔ה שַׁקַּ֥מְתִּי אֵ֖ם בְּיִשְׂרָאֵֽל׃
ח יִבְחַר֙ אֱלֹהִ֣ים חֲדָשִׁ֔ים אָ֖ז לָחֶ֣ם שְׁעָרִ֑ים מָגֵ֤ן אִם־יֵֽרָאֶה֙ וָרֹ֔מַח בְּאַרְבָּעִ֥ים
אֶ֖לֶף בְּיִשְׂרָאֵֽל׃ ט לִבִּי֙ לְחוֹקְקֵ֣י יִשְׂרָאֵ֔ל הַמִּֽתְנַדְּבִ֖ים בָּעָ֑ם בָּרְכ֖וּ יְהוָֽה׃
י רֹֽכְבֵי֩ אֲתֹנ֨וֹת צְחֹר֜וֹת יֹשְׁבֵ֧י עַל־מִדִּ֛ין וְהֹלְכֵ֥י עַל־דֶּ֖רֶךְ שִֽׂיחוּ׃ יא מִקּ֣וֹל
מְחַֽצְצִ֗ים בֵּ֚ין מַשְׁאַבִּ֔ים שָׁ֤ם יְתַנּוּ֙ צִדְק֣וֹת יְהוָ֔ה צִדְקֹ֥ת פִּרְזֹנ֖וֹ בְּיִשְׂרָאֵ֑ל אָ֛ז
יָרְד֥וּ לַשְּׁעָרִ֖ים עַם־יְהוָֽה׃ יב ע֤וּרִי עוּרִי֙ דְּבוֹרָ֔ה ע֥וּרִי ע֖וּרִי דַּבְּרִי־שִׁ֑יר ק֥וּם
בָּרָ֛ק וּֽשֲׁבֵ֥ה שֶׁבְיְךָ֖ בֶּן־אֲבִינֹֽעַם׃ יג אָ֚ז יְרַ֣ד שָׂרִ֔יד לְאַדִּירִ֖ים עָ֑ם יְהוָ֕ה יְרַד־לִ֖י
בַּגִּבּוֹרִֽים׃ יד מִנִּ֣י אֶפְרַ֗יִם שָׁרְשָׁם֙ בַּעֲמָלֵ֔ק אַחֲרֶ֥יךָ בִנְיָמִ֖ין בַּעֲמָמֶ֑יךָ מִנִּ֣י מָכִ֗יר
יָֽרְדוּ֙ מְחֹ֣קְקִ֔ים וּמִ֨זְּבוּלֻ֔ן מֹשְׁכִ֖ים בְּשֵׁ֥בֶט סֹפֵֽר׃ טו וְשָׂרַ֤י בְּיִשָּׂשכָר֙ עִם־דְּבֹרָ֔ה
וְיִשָּׂשכָר֙ כֵּ֣ן בָּרָ֔ק בָּעֵ֖מֶק שֻׁלַּ֣ח בְּרַגְלָ֑יו בִּפְלַגּ֣וֹת רְאוּבֵ֔ן גְּדֹלִ֖ים חִקְקֵי־לֵֽב׃
טז לָ֣מָּה יָשַׁ֗בְתָּ בֵּ֚ין הַֽמִּשְׁפְּתַ֔יִם לִשְׁמֹ֖עַ שְׁרִק֣וֹת עֲדָרִ֑ים לִפְלַגּ֣וֹת רְאוּבֵ֔ן
גְּדוֹלִ֖ים חִקְרֵי־לֵֽב׃ יז גִּלְעָ֗ד בְּעֵ֤בֶר הַיַּרְדֵּן֙ שָׁכֵ֔ן וְדָ֕ן לָ֥מָּה יָג֖וּר אֳנִיּ֑וֹת אָשֵׁ֗ר
יָשַׁב֙ לְח֣וֹף יַמִּ֔ים וְעַ֥ל מִפְרָצָ֖יו יִשְׁכּֽוֹן׃ יח זְבֻל֗וּן עַ֣ם חֵרֵ֥ף נַפְשׁ֛וֹ לָמ֖וּת וְנַפְתָּלִ֑י
עַ֖ל מְר֥וֹמֵי שָׂדֶֽה׃ יט בָּ֤אוּ מְלָכִים֙ נִלְחָ֔מוּ אָ֚ז נִלְחֲמ֣וּ מַלְכֵ֣י כְנַ֔עַן בְּתַעְנַ֖ךְ
עַל־מֵ֣י מְגִדּ֑וֹ בֶּ֥צַע כֶּ֖סֶף לֹ֥א לָקָֽחוּ׃

19 And he said unto her: 'Give me, I pray thee, a little water to drink; for I am thirsty.' And she opened a bottle of milk, and gave him drink, and covered him. 20 And he said unto her: 'Stand in the door of the tent, and it shall be, when any man doth come and inquire of thee, and say: Is there any man here? that thou shalt say: No.' 21 Then Jael Heber's wife took a tent-pin, and took a hammer in her hand, and went softly unto him, and smote the pin into his temples, and it pierced through into the ground; for he was in a deep sleep; so he swooned and died. 22 And, behold, as Barak pursued Sisera, Jael came out to meet him, and said unto him: 'Come, and I will show thee the man whom thou seekest.' And he came unto her; and, behold, Sisera lay dead, and the tent-pin was in his temples. 23 So God subdued on that day Jabin the king of Canaan before the children of Israel. 24 And the hand of the children of Israel prevailed more and more against Jabin the king of Canaan, until they had destroyed Jabin king of Canaan.{P}

5 1 Then sang Deborah and Barak the son of Abinoam on that day, saying: 2 When men let grow their hair in Israel, when the people offer themselves willingly, bless ye Yehovah. 3 Hear, O ye kings; give ear, O ye princes; I, unto Yehovah will I sing; I will sing praise to Yehovah, the God of Israel. 4 Yehovah, when Thou didst go forth out of Seir, when Thou didst march out of the field of Edom, the earth trembled, the heavens also dropped, yea, the clouds dropped water. 5 The mountains quaked at the presence of Yehovah, even yon Sinai at the presence of Yehovah, the God of Israel. 6 In the days of Shamgar the son of Anath, in the days of Jael, the highways ceased, and the travellers walked through byways. 7 The rulers ceased in Israel, they ceased, until that thou didst arise, Deborah, that thou didst arise a mother in Israel. 8 They chose new gods; then was war in the gates; was there a shield or spear seen among forty thousand in Israel? 9 My heart is toward the governors of Israel, that offered themselves willingly among the people. Bless ye Yehovah. 10 Ye that ride on white asses, ye that sit on rich cloths, and ye that walk by the way, tell of it; 11 Louder than the voice of archers, by the watering-troughs! there shall they rehearse the righteous acts of Yehovah, even the righteous acts of His rulers in Israel. Then the people of Yehovah went down to the gates. 12 Awake, awake, Deborah; awake, awake, utter a song; arise, Barak, and lead thy captivity captive, thou son of Abinoam. 13 Then made He a remnant to have dominion over the nobles and the people; Yehovah made me have dominion over the mighty. 14 Out of Ephraim came they whose root is in Amalek; after thee, Benjamin, among thy peoples; out of Machir came down governors, and out of Zebulun they that handle the marshal's staff. 15 And the princes of Issachar were with Deborah; as was Issachar, so was Barak; into the valley they rushed forth at his feet. Among the divisions of Reuben there were great resolves of heart. 16 Why sattest thou among the sheepfolds, to hear the pipings for the flocks? At the divisions of Reuben there were great searchings of heart. 17 Gilead abode beyond the Jordan; and Dan, why doth he sojourn by the ships? Asher dwelt at the shore of the sea, and abideth by its bays. 18 Zebulun is a people that jeoparded their lives unto the death, and Naphtali, upon the high places of the field. 19 The kings came, they fought; then fought the kings of Canaan, in Taanach by the waters of Megiddo; they took no gain of money.

כ מִן־שָׁמַ֖יִם נִלְחָ֑מוּ הַכּֽוֹכָבִים֙ מִמְּסִלּוֹתָ֔ם נִלְחֲמ֖וּ עִם־סִֽיסְרָֽא: כא נַ֣חַל קִישׁ֗וֹן גְּרָפָם֙ נַ֣חַל קְדוּמִ֔ים נַ֖חַל קִישׁ֑וֹן תִּדְרְכִ֥י נַפְשִׁ֖י עֹֽז: כב אָ֥ז הָֽלְמ֖וּ עִקְּבֵי־ס֑וּס מִֽדַּהֲר֖וֹת דַּהֲר֥וֹת אַבִּירָֽיו: כג א֣וֹרוּ מֵר֗וֹז אָמַר֙ מַלְאַ֣ךְ יְהֹוָ֔ה אֹ֥רוּ אָר֖וֹר יֹֽשְׁבֶ֑יהָ כִּ֤י לֹֽא־בָ֙אוּ֙ לְעֶזְרַ֣ת יְהֹוָ֔ה לְעֶזְרַ֥ת יְהֹוָ֖ה בַּגִּבּוֹרִֽים: כד תְּבֹרַךְ֙ מִנָּשִׁ֔ים יָעֵ֕ל אֵ֖שֶׁת חֶ֣בֶר הַקֵּינִ֑י מִנָּשִׁ֥ים בָּאֹ֖הֶל תְּבֹרָֽךְ: כה מַ֥יִם שָׁאַ֖ל חָלָ֣ב נָתָ֑נָה בְּסֵ֥פֶל אַדִּירִ֖ים הִקְרִ֥יבָה חֶמְאָֽה: כו יָדָהּ֙ לַיָּתֵ֣ד תִּשְׁלַ֔חְנָה וִֽימִינָ֖הּ לְהַלְמ֣וּת עֲמֵלִ֑ים וְהָֽלְמָ֤ה סִֽיסְרָא֙ מָחֲקָ֣ה רֹאשׁ֔וֹ וּמָחֲצָ֥ה וְחָֽלְפָ֖ה רַקָּתֽוֹ: כז בֵּ֣ין רַגְלֶ֔יהָ כָּרַ֥ע נָפַ֖ל שָׁכָ֑ב בֵּ֤ין רַגְלֶ֙יהָ֙ כָּרַ֣ע נָפָ֔ל בַּאֲשֶׁ֣ר כָּרַ֔ע שָׁ֖ם נָפַ֥ל שָׁדֽוּד: כח בְּעַד֩ הַחַלּ֨וֹן נִשְׁקְפָ֧ה וַתְּיַבֵּ֛ב אֵ֥ם סִֽיסְרָ֖א בְּעַ֣ד הָֽאֶשְׁנָ֑ב מַדּ֗וּעַ בֹּשֵׁ֤שׁ רִכְבּוֹ֙ לָב֔וֹא מַדּ֣וּעַ אֶֽחֱר֔וּ פַּעֲמֵ֖י מַרְכְּבוֹתָֽיו: כט חַכְמ֥וֹת שָׂרוֹתֶ֖יהָ תַּעֲנֶ֑ינָּה אַף־הִ֕יא תָּשִׁ֥יב אֲמָרֶ֖יהָ לָֽהּ: ל הֲלֹ֨א יִמְצְא֜וּ יְחַלְּק֣וּ שָׁלָ֗ל רַ֤חַם רַחֲמָתַ֙יִם֙ לְרֹ֣אשׁ גֶּ֔בֶר שְׁלַ֤ל צְבָעִים֙ לְסִ֣יסְרָ֔א שְׁלַ֥ל צְבָעִ֖ים רִקְמָ֑ה צֶ֥בַע רִקְמָתַ֖יִם לְצַוְּארֵ֥י שָׁלָֽל: לא כֵּ֠ן יֹאבְד֤וּ כָל־אוֹיְבֶ֙יךָ֙ יְהֹוָ֔ה וְאֹ֣הֲבָ֔יו כְּצֵ֥את הַשֶּׁ֖מֶשׁ בִּגְבֻֽרָת֑וֹ וַתִּשְׁקֹ֥ט הָאָ֖רֶץ אַרְבָּעִ֥ים שָׁנָֽה:

ו א וַיַּעֲשׂ֧וּ בְנֵֽי־יִשְׂרָאֵ֛ל הָרַ֖ע בְּעֵינֵ֣י יְהֹוָ֑ה וַיִּתְּנֵ֧ם יְהֹוָ֛ה בְּיַד־מִדְיָ֖ן שֶׁ֥בַע שָׁנִֽים: ב וַתָּ֥עָז יַד־מִדְיָ֖ן עַל־יִשְׂרָאֵ֑ל מִפְּנֵ֨י מִדְיָ֜ן עָשֽׂוּ לָהֶ֣ם ׀ בְּנֵ֣י יִשְׂרָאֵ֗ל אֶת־הַמִּנְהָרוֹת֙ אֲשֶׁ֣ר בֶּֽהָרִ֔ים וְאֶת־הַמְּעָר֖וֹת וְאֶת־הַמְּצָדֽוֹת: ג וְהָיָ֖ה אִם־זָרַ֣ע יִשְׂרָאֵ֑ל וְעָלָ֨ה מִדְיָ֧ן וַֽעֲמָלֵ֛ק וּבְנֵי־קֶ֖דֶם וְעָל֥וּ עָלָֽיו: ד וַיַּחֲנ֣וּ עֲלֵיהֶ֗ם וַיַּשְׁחִ֙יתוּ֙ אֶת־יְב֣וּל הָאָ֔רֶץ עַד־בּוֹאֲךָ֖ עַזָּ֑ה וְלֹֽא־יַשְׁאִ֤ירוּ מִֽחְיָה֙ בְּיִשְׂרָאֵ֔ל וְשֶׂ֥ה וָשׁ֖וֹר וַחֲמֽוֹר: ה כִּ֡י הֵם֩ וּמִקְנֵיהֶ֨ם יַעֲל֜וּ וְאׇהֳלֵיהֶ֗ם וּבָ֙אוּ֙ כְדֵֽי־אַרְבֶּ֣ה לָרֹ֔ב וְלָהֶ֥ם וְלִגְמַלֵּיהֶ֖ם אֵ֣ין מִסְפָּ֑ר וַיָּבֹ֥אוּ בָאָ֖רֶץ לְשַׁחֲתָֽהּ: ו וַיִּדַּ֧ל יִשְׂרָאֵ֛ל מְאֹ֖ד מִפְּנֵ֣י מִדְיָ֑ן וַיִּזְעֲק֥וּ בְנֵֽי־יִשְׂרָאֵ֖ל אֶל־יְהֹוָֽה:

ז וַיְהִ֕י כִּֽי־זָעֲק֥וּ בְנֵֽי־יִשְׂרָאֵ֖ל אֶל־יְהֹוָ֑ה עַ֖ל אֹד֥וֹת מִדְיָֽן: ח וַיִּשְׁלַ֧ח יְהֹוָ֛ה אִ֥ישׁ נָבִ֖יא אֶל־בְּנֵ֣י יִשְׂרָאֵ֑ל וַיֹּ֨אמֶר לָהֶ֜ם כֹּֽה־אָמַ֥ר יְהֹוָ֣ה ׀ אֱלֹהֵ֣י יִשְׂרָאֵ֗ל אָנֹכִ֞י הֶעֱלֵ֤יתִי אֶתְכֶם֙ מִמִּצְרַ֔יִם וָאֹצִ֥יא אֶתְכֶ֖ם מִבֵּ֥ית עֲבָדִֽים: ט וָאַצִּ֤ל אֶתְכֶם֙ מִיַּ֣ד מִצְרַ֔יִם וּמִיַּ֖ד כׇּל־לֹֽחֲצֵיכֶ֑ם וָאֲגָרֵ֤שׁ אוֹתָם֙ מִפְּנֵיכֶ֔ם וָאֶתְּנָ֥ה לָכֶ֖ם אֶת־אַרְצָֽם: י וָאֹמְרָ֣ה לָכֶ֗ם אֲנִי֙ יְהֹוָ֣ה אֱלֹֽהֵיכֶ֔ם לֹ֤א תִֽירְאוּ֙ אֶת־אֱלֹהֵ֣י הָאֱמֹרִ֔י אֲשֶׁ֥ר אַתֶּ֖ם יוֹשְׁבִ֣ים בְּאַרְצָ֑ם וְלֹ֥א שְׁמַעְתֶּ֖ם בְּקוֹלִֽי:

יא וַיָּבֹ֞א מַלְאַ֣ךְ יְהֹוָ֗ה וַיֵּ֙שֶׁב֙ תַּ֤חַת הָֽאֵלָה֙ אֲשֶׁ֣ר בְּעׇפְרָ֔ה אֲשֶׁ֥ר לְיוֹאָ֖שׁ אֲבִ֣י הָֽעֶזְרִ֑י וְגִדְע֣וֹן בְּנ֗וֹ חֹבֵ֤ט חִטִּים֙ בַּגַּ֔ת לְהָנִ֖יס מִפְּנֵ֥י מִדְיָֽן:

<hr />

20 They fought from heaven, the stars in their courses fought against Sisera. **21** The brook Kishon swept them away, that ancient brook, the brook Kishon. O my soul, tread them down with strength. **22** Then did the horsehoofs stamp by reason of the prancings, the prancings of their mighty ones. **23** 'Curse ye Meroz', said the angel of Yehovah, 'Curse ye bitterly the inhabitants thereof, because they came not to the help of Yehovah, to the help of Yehovah against the mighty.' **24** Blessed above women shall Jael be, the wife of Heber the Kenite, above women in the tent shall she be blessed. **25** Water he asked, milk she gave him; in a lordly bowl she brought him curd. **26** Her hand she put to the tent-pin, and her right hand to the workmen's hammer; and with the hammer she smote Sisera, she smote through his head, yea, she pierced and struck through his temples. **27** At her feet he sunk, he fell, he lay; at her feet he sunk, he fell; where he sunk, there he fell down dead. **28** Through the window she looked forth, and peered, the mother of Sisera, through the lattice: 'Why is his chariot so long in coming? Why tarry the wheels of his chariots? **29** The wisest of her princesses answer her, yea, she returneth answer to herself: **30** 'Are they not finding, are they not dividing the spoil? A damsel, two damsels to every man; to Sisera a spoil of dyed garments, a spoil of dyed garments of embroidery, two dyed garments of broidery for the neck of every spoiler?' **31** So perish all Thine enemies, Yehovah; but they that love Him be as the sun when he goeth forth in his might. And the land had rest forty years.{P}

6 **1** And the children of Israel did that which was evil in the sight of Yehovah; and Yehovah delivered them into the hand of Midian seven years. **2** And the hand of Midian prevailed against Israel; and because of Midian the children of Israel made them the dens which are in the mountains, and the caves, and the strongholds. **3** And so it was, when Israel had sown, that the Midianites came up, and the Amalekites, and the children of the east; they came up against them; **4** and they encamped against them, and destroyed the produce of the earth, till thou come unto Gaza, and left no sustenance in Israel, neither sheep, nor ox, nor ass. **5** For they came up with their cattle and their tents, and they came in as locusts for multitude; both they and their camels were without number; and they came into the land to destroy it. **6** And Israel was brought very low because of Midian; and the children of Israel cried unto Yehovah.{P}

7 And it came to pass, when the children of Israel cried unto Yehovah because of Midian, **8** that Yehovah sent a prophet unto the children of Israel; and he said unto them: 'Thus saith Yehovah, the God of Israel: I brought you up from Egypt, and brought you forth out of the house of bondage; **9** and I delivered you out of the hand of the Egyptians, and out of the hand of all that oppressed you, and drove them out from before you, and gave you their land. **10** And I said unto you: I am Yehovah your God; ye shall not fear the gods of the Amorites, in whose land ye dwell; but ye have not hearkened unto My voice.'{P}

11 And the angel of Yehovah came, and sat under the terebinth which was in Ophrah, that belonged unto Joash the Abiezrite; and his son Gideon was beating out wheat in the winepress, to hide it from the Midianites.

יב וַיֵּרָ֥א אֵלָ֖יו מַלְאַ֣ךְ יְהוָ֑ה וַיֹּ֣אמֶר אֵלָ֔יו יְהוָ֥ה עִמְּךָ֖ גִּבּ֥וֹר הֶחָֽיִל׃ יג וַיֹּ֨אמֶר
אֵלָ֜יו גִּדְע֗וֹן בִּ֣י אֲדֹנִ֔י וְיֵ֤שׁ יְהוָה֙ עִמָּ֔נוּ וְלָ֥מָּה מְצָאַ֖תְנוּ כָּל־זֹ֑את וְאַיֵּ֣ה
כָֽל־נִפְלְאֹתָ֡יו אֲשֶׁ֣ר סִפְּרוּ־לָ֣נוּ אֲבוֹתֵ֩ינוּ֩ לֵאמֹ֨ר הֲלֹ֤א מִמִּצְרַ֙יִם֙ הֶעֱלָ֣נוּ יְהוָ֔ה
וְעַתָּה֙ נְטָשָׁ֣נוּ יְהוָ֔ה וַֽיִּתְּנֵ֖נוּ בְּכַף־מִדְיָֽן׃ יד וַיִּ֤פֶן אֵלָיו֙ יְהוָ֔ה וַיֹּ֗אמֶר לֵ֚ךְ בְּכֹחֲךָ֣
זֶ֔ה וְהוֹשַׁעְתָּ֥ אֶת־יִשְׂרָאֵ֖ל מִכַּ֣ף מִדְיָ֑ן הֲלֹ֖א שְׁלַחְתִּֽיךָ׃ טו וַיֹּ֤אמֶר אֵלָיו֙ בִּ֣י אֲדֹנָ֔י
בַּמָּ֥ה אוֹשִׁ֖יעַ אֶת־יִשְׂרָאֵ֑ל הִנֵּ֤ה אַלְפִּי֙ הַדַּ֣ל בִּמְנַשֶּׁ֔ה וְאָנֹכִ֥י הַצָּעִ֖יר בְּבֵ֥ית אָבִֽי׃
טז וַיֹּ֤אמֶר אֵלָיו֙ יְהוָ֔ה כִּ֥י אֶהְיֶ֖ה עִמָּ֑ךְ וְהִכִּיתָ֥ אֶת־מִדְיָ֖ן כְּאִ֥ישׁ אֶחָֽד׃ יז וַיֹּ֣אמֶר
אֵלָ֔יו אִם־נָ֛א מָצָ֥אתִי חֵ֖ן בְּעֵינֶ֑יךָ וְעָשִׂ֤יתָ לִּי֙ א֔וֹת שָׁאַתָּ֖ה מְדַבֵּ֥ר עִמִּֽי׃ יח אַל־נָ֨א
תָמֻ֜שׁ מִזֶּ֗ה עַד־בֹּאִ֤י אֵלֶ֙יךָ֙ וְהֹֽצֵאתִי֙ אֶת־מִנְחָתִ֔י וְהִנַּחְתִּ֖י לְפָנֶ֑יךָ וַיֹּאמַ֕ר אָנֹכִ֥י
אֵשֵׁ֖ב עַ֥ד שׁוּבֶֽךָ׃ יט וְגִדְע֣וֹן בָּ֗א וַיַּ֤עַשׂ גְּדִֽי־עִזִּים֙ וְאֵֽיפַת־קֶ֣מַח מַצּ֔וֹת הַבָּשָׂר֙ שָׂ֣ם
בַּסַּ֔ל וְהַמָּרַ֖ק שָׂ֣ם בַּפָּר֑וּר וַיּוֹצֵ֥א אֵלָ֛יו אֶל־תַּ֥חַת הָאֵלָ֖ה וַיַּגַּֽשׁ׃ כ וַיֹּ֨אמֶר אֵלָ֜יו
מַלְאַ֣ךְ הָאֱלֹהִ֗ים קַ֤ח אֶת־הַבָּשָׂר֙ וְאֶת־הַמַּצּ֔וֹת וְהַנַּח֙ אֶל־הַסֶּ֣לַע הַלָּ֔ז
וְאֶת־הַמָּרַ֖ק שְׁפ֑וֹךְ וַיַּ֖עַשׂ כֵּֽן׃ כא וַיִּשְׁלַ֞ח מַלְאַ֣ךְ יְהוָ֗ה אֶת־קְצֵ֤ה הַמִּשְׁעֶ֙נֶת֙ אֲשֶׁ֣ר
בְּיָד֔וֹ וַיִּגַּ֥ע בַּבָּשָׂ֖ר וּבַמַּצּ֑וֹת וַתַּ֨עַל הָאֵ֜שׁ מִן־הַצּ֗וּר וַתֹּ֤אכַל אֶת־הַבָּשָׂר֙
וְאֶת־הַמַּצּ֔וֹת וּמַלְאַ֣ךְ יְהוָ֔ה הָלַ֖ךְ מֵעֵינָֽיו׃ כב וַיַּ֣רְא גִּדְע֔וֹן כִּֽי־מַלְאַ֥ךְ יְהוָ֖ה ה֑וּא
וַיֹּ֣אמֶר גִּדְע֗וֹן אֲהָהּ֙ אֲדֹנָ֣י יְהוִ֔ה כִּֽי־עַל־כֵּ֤ן רָאִ֙יתִי֙ מַלְאַ֣ךְ יְהוָ֔ה פָּנִ֖ים אֶל־פָּנִֽים׃
כג וַיֹּ֨אמֶר ל֧וֹ יְהוָ֛ה שָׁל֥וֹם לְךָ֖ אַל־תִּירָ֑א לֹ֖א תָּמֽוּת׃ כד וַיִּ֨בֶן שָׁ֤ם גִּדְעוֹן֙ מִזְבֵּ֙חַ֙
לַֽיהוָ֔ה וַיִּקְרָא־ל֖וֹ יְהוָ֣ה שָׁל֑וֹם עַ֚ד הַיּ֣וֹם הַזֶּ֔ה עוֹדֶ֕נּוּ בְּעָפְרָ֖ת אֲבִ֥י הָעֶזְרִֽי׃

כה וַיְהִי֙ בַּלַּ֣יְלָה הַה֔וּא וַיֹּ֧אמֶר ל֣וֹ יְהוָ֗ה קַ֤ח אֶת־פַּר־הַשּׁוֹר֙ אֲשֶׁ֣ר לְאָבִ֔יךָ וּפַ֥ר
הַשֵּׁנִ֖י שֶׁ֣בַע שָׁנִ֑ים וְהָרַסְתָּ֗ אֶת־מִזְבַּ֤ח הַבַּ֙עַל֙ אֲשֶׁ֣ר לְאָבִ֔יךָ וְאֶת־הָאֲשֵׁרָ֥ה
אֲשֶׁר־עָלָ֖יו תִּכְרֹֽת׃ כו וּבָנִ֨יתָ מִזְבֵּ֜חַ לַיהוָ֣ה אֱלֹהֶ֗יךָ עַ֣ל רֹ֛אשׁ הַמָּע֥וֹז הַזֶּ֖ה
בַּמַּעֲרָכָ֑ה וְלָקַחְתָּ֙ אֶת־הַפָּ֣ר הַשֵּׁנִ֔י וְהַעֲלִ֣יתָ עוֹלָ֔ה בַּעֲצֵ֥י הָאֲשֵׁרָ֖ה אֲשֶׁ֥ר תִּכְרֹֽת׃
כז וַיִּקַּ֨ח גִּדְע֜וֹן עֲשָׂרָ֤ה אֲנָשִׁים֙ מֵעֲבָדָ֔יו וַיַּ֕עַשׂ כַּאֲשֶׁ֛ר דִּבֶּ֥ר אֵלָ֖יו יְהוָ֑ה וַיְהִ֡י
כַּאֲשֶׁ֣ר יָרֵא֩ אֶת־בֵּ֨ית אָבִ֜יו וְאֶת־אַנְשֵׁ֥י הָעִ֛יר מֵעֲשׂ֥וֹת יוֹמָ֖ם וַיַּ֥עַשׂ לָֽיְלָה׃
כח וַיַּשְׁכִּ֜ימוּ אַנְשֵׁ֤י הָעִיר֙ בַּבֹּ֔קֶר וְהִנֵּ֤ה נֻתַּץ֙ מִזְבַּ֣ח הַבַּ֔עַל וְהָאֲשֵׁרָ֥ה אֲשֶׁר־עָלָ֖יו
כֹּרָ֑תָה וְאֵת֙ הַפָּ֣ר הַשֵּׁנִ֔י הֹֽעֲלָ֔ה עַל־הַמִּזְבֵּ֖חַ הַבָּנֽוּי׃ כט וַיֹּֽאמְרוּ֙ אִ֣ישׁ אֶל־רֵעֵ֔הוּ
מִ֥י עָשָׂ֖ה הַדָּבָ֣ר הַזֶּ֑ה וַֽיִּדְרְשׁוּ֙ וַיְבַקְשׁ֔וּ וַיֹּ֣אמְר֔וּ גִּדְע֥וֹן בֶּן־יוֹאָ֖שׁ עָשָׂ֥ה הַדָּבָ֥ר
הַזֶּֽה׃ ל וַיֹּאמְר֜וּ אַנְשֵׁ֤י הָעִיר֙ אֶל־יוֹאָ֔שׁ הוֹצֵ֥א אֶת־בִּנְךָ֖ וְיָמֹ֑ת כִּ֤י נָתַץ֙ אֶת־מִזְבַּ֣ח
הַבַּ֔עַל וְכִ֥י כָרַ֖ת הָאֲשֵׁרָ֥ה אֲשֶׁר־עָלָֽיו׃ לא וַיֹּ֣אמֶר יוֹאָ֡שׁ לְכֹל֩ אֲשֶׁר־עָמְד֨וּ עָלָ֜יו
הַאַתֶּ֣ם ׀ תְּרִיב֣וּן לַבַּ֗עַל אִם־אַתֶּם֙ תּוֹשִׁיע֣וּן אוֹת֔וֹ אֲשֶׁ֥ר יָרִ֛יב ל֖וֹ יוּמַ֣ת
עַד־הַבֹּ֑קֶר אִם־אֱלֹהִ֥ים הוּא֙ יָ֣רֶב ל֔וֹ כִּ֥י נָתַ֖ץ אֶת־מִזְבְּחֽוֹ׃

12 And the angel of Yehovah appeared unto him, and said unto him: 'Yehovah is with thee, thou mighty man of valour.' **13** And Gideon said unto him: 'Oh, my lord, if Yehovah be with us, why then is all this befallen us? and where are all His wondrous works which our fathers told us of, saying: Did not Yehovah bring us up from Egypt? but now Yehovah hath cast us off, and delivered us into the hand of Midian.' **14** And Yehovah turned towards him, and said: 'Go in this thy might, and save Israel from the hand of Midian; have not I sent thee?' **15** And he said unto him: 'Oh, my lord, wherewith shall I save Israel? behold, my family is the poorest in Manasseh, and I am the least in my father's house.' **16** And Yehovah said unto him: 'Surely I will be with thee, and thou shalt smite the Midianites as one man.' **17** And he said unto him: 'If now I have found favour in thy sight, then show me a sign that it is thou that talkest with me. **18** Depart not hence, I pray thee, until I come unto thee, and bring forth my present, and lay it before thee.' And he said: 'I will tarry until thou come back.' **19** And Gideon went in, and made ready a kid, and unleavened cakes of an ephah of meal; the flesh he put in a basket, and he put the broth in a pot, and brought it out unto him under the terebinth, and presented it.{P}

20 And the angel of God said unto him: 'Take the flesh and the unleavened cakes, and lay them upon this rock, and pour out the broth.' And he did so. **21** Then the angel of Yehovah put forth the end of the staff that was in his hand, and touched the flesh and the unleavened cakes; and there went up fire out of the rock, and consumed the flesh and the unleavened cakes; and the angel of Yehovah departed out of his sight. **22** And Gideon saw that he was the angel of Yehovah; and Gideon said: 'Alas, O Lord GOD [Adonai Yehovi]! forasmuch as I have seen the angel of Yehovah face to face.' **23** And Yehovah said unto him: 'Peace be unto thee; fear not; thou shalt not die.' **24** Then Gideon built an altar there unto Yehovah, and called it 'Adonai-shalom'; unto this day it is yet in Ophrah of the Abiezrites.{S} **25** And it came to pass the same night, that Yehovah said unto him: 'Take thy father's bullock, and the second bullock of seven years old, and throw down the altar of Baal that thy father hath, and cut down the Asherah that is by it; **26** and build an altar unto Yehovah thy God upon the top of this stronghold, in the ordered place, and take the second bullock, and offer a burnt-offering with the wood of the Asherah which thou shalt cut down.' **27** Then Gideon took ten men of his servants, and did as Yehovah had spoken unto him; and it came to pass, because he feared his father's household and the men of the city, so that he could not do it by day, that he did it by night. **28** And when the men of the city arose early in the morning, behold, the altar of Baal was broken down, and the Asherah was cut down that was by it, and the second bullock was offered upon the altar that was built. **29** And they said one to another: 'Who hath done this thing?' And when they inquired and asked, they said: 'Gideon the son of Joash hath done this thing.' **30** Then the men of the city said unto Joash: 'Bring out thy son, that he may die; because he hath broken down the altar of Baal, and because he hath cut down the Asherah that was by it.' **31** And Joash said unto all that stood against him: 'Will ye contend for Baal? or will ye save him? he that will contend for him, shall be put to death before morning; if he be a god, let him contend for himself, because one hath broken down his altar.'

לב וַיִּקְרָא־ל֣וֹ בַיּוֹם־הַה֧וּא יְרֻבַּ֛עַל לֵאמֹ֖ר יָ֣רֶב בּ֣וֹ הַבַּ֑עַל כִּ֥י נָתַ֖ץ אֶת־מִזְבְּחֽוֹ׃

לג וְכָל־מִדְיָ֧ן וַעֲמָלֵ֛ק וּבְנֵי־קֶ֖דֶם נֶאֶסְפ֣וּ יַחְדָּ֑ו וַיַּעַבְר֖וּ וַֽיַּחֲנ֥וּ בְּעֵ֥מֶק יִזְרְעֶֽאל׃ לד וְר֣וּחַ יְהוָ֔ה לָבְשָׁ֖ה אֶת־גִּדְע֑וֹן וַיִּתְקַע֙ בַּשּׁוֹפָ֔ר וַיִּזָּעֵ֥ק אֲבִיעֶ֖זֶר אַחֲרָֽיו׃ לה וּמַלְאָכִים֙ שָׁלַ֣ח בְּכָל־מְנַשֶּׁ֔ה וַיִּזָּעֵ֥ק גַּם־ה֖וּא אַחֲרָ֑יו וּמַלְאָכִ֣ים שָׁלַ֗ח בְּאָשֵׁ֤ר וּבִזְבֻלוּן֙ וּבְנַפְתָּלִ֔י וַֽיַּעֲל֖וּ לִקְרָאתָֽם׃ לו וַיֹּ֥אמֶר גִּדְע֖וֹן אֶל־הָאֱלֹהִ֑ים אִם־יֶשְׁךָ֞ מוֹשִׁ֤יעַ בְּיָדִי֙ אֶת־יִשְׂרָאֵ֔ל כַּאֲשֶׁ֖ר דִּבַּֽרְתָּ׃ לז הִנֵּ֣ה אָנֹכִ֗י מַצִּ֛יג אֶת־גִּזַּ֥ת הַצֶּ֖מֶר בַּגֹּ֑רֶן אִ֡ם טַל֩ יִהְיֶ֨ה עַֽל־הַגִּזָּ֜ה לְבַדָּ֗הּ וְעַל־כָּל־הָאָ֙רֶץ֙ חֹ֔רֶב וְיָדַעְתִּ֗י כִּֽי־תוֹשִׁ֤יעַ בְּיָדִי֙ אֶת־יִשְׂרָאֵ֔ל כַּאֲשֶׁ֖ר דִּבַּֽרְתָּ׃ לח וַיְהִי־כֵ֕ן וַיַּשְׁכֵּם֙ מִֽמָּחֳרָ֔ת וַיָּ֖זַר אֶת־הַגִּזָּ֑ה וַיִּ֤מֶץ טַל֙ מִן־הַגִּזָּ֔ה מְל֥וֹא הַסֵּ֖פֶל מָֽיִם׃ לט וַיֹּ֤אמֶר גִּדְעוֹן֙ אֶל־הָ֣אֱלֹהִ֔ים אַל־יִ֤חַר אַפְּךָ֙ בִּ֔י וַאֲדַבְּרָ֖ה אַ֣ךְ הַפָּ֑עַם אֲנַסֶּ֤ה נָּא־רַק־הַפַּ֙עַם֙ בַּגִּזָּ֔ה יְהִי־נָ֨א חֹ֤רֶב אֶל־הַגִּזָּה֙ לְבַדָּ֔הּ וְעַל־כָּל־הָאָ֖רֶץ יִֽהְיֶה־טָּֽל׃ מ וַיַּ֧עַשׂ אֱלֹהִ֛ים כֵּ֖ן בַּלַּ֣יְלָה הַה֑וּא וַיְהִי־חֹ֤רֶב אֶל־הַגִּזָּה֙ לְבַדָּ֔הּ וְעַל־כָּל־הָאָ֖רֶץ הָ֥יָה טָֽל׃

ז א וַיַּשְׁכֵּ֨ם יְרֻבַּ֜עַל ה֣וּא גִדְע֗וֹן וְכָל־הָעָם֙ אֲשֶׁ֣ר אִתּ֔וֹ וַֽיַּחֲנ֖וּ עַל־עֵ֣ין חֲרֹ֑ד וּמַחֲנֵ֤ה מִדְיָן֙ הָיָה־ל֣וֹ מִצָּפ֔וֹן מִגִּבְעַ֥ת הַמּוֹרֶ֖ה בָּעֵֽמֶק׃ ב וַיֹּ֤אמֶר יְהוָה֙ אֶל־גִּדְע֔וֹן רַ֣ב הָעָם֙ אֲשֶׁ֣ר אִתָּ֔ךְ מִתִּתִּ֥י אֶת־מִדְיָ֖ן בְּיָדָ֑ם פֶּן־יִתְפָּאֵ֤ר עָלַי֙ יִשְׂרָאֵ֣ל לֵאמֹ֔ר יָדִ֖י הוֹשִׁ֥יעָה לִּֽי׃ ג וְעַתָּ֗ה קְרָ֨א נָ֜א בְּאָזְנֵ֤י הָעָם֙ לֵאמֹ֔ר מִי־יָרֵ֣א וְחָרֵ֔ד יָשֹׁ֥ב וְיִצְפֹּ֖ר מֵהַ֣ר הַגִּלְעָ֑ד וַיָּ֣שָׁב מִן־הָעָ֗ם עֶשְׂרִ֤ים וּשְׁנַ֙יִם֙ אֶ֔לֶף וַעֲשֶׂ֥רֶת אֲלָפִ֖ים נִשְׁאָֽרוּ׃ ד וַיֹּ֨אמֶר יְהוָ֜ה אֶל־גִּדְע֗וֹן ע֤וֹד הָעָם֙ רָ֔ב הוֹרֵ֤ד אוֹתָם֙ אֶל־הַמַּ֔יִם וְאֶצְרְפֶ֥נּוּ לְךָ֖ שָׁ֑ם וְהָיָ֡ה אֲשֶׁר֩ אֹמַ֨ר אֵלֶ֜יךָ זֶ֣ה ׀ יֵלֵ֣ךְ אִתָּ֗ךְ ה֚וּא יֵלֵ֣ךְ אִתָּ֔ךְ וְכֹ֨ל אֲשֶׁר־אֹמַ֜ר אֵלֶ֗יךָ זֶ֚ה לֹא־יֵלֵ֣ךְ עִמָּ֔ךְ ה֖וּא לֹ֥א יֵלֵֽךְ׃ ה וַיּ֥וֹרֶד אֶת־הָעָ֖ם אֶל־הַמָּ֑יִם וַיֹּ֨אמֶר יְהוָ֜ה אֶל־גִּדְע֗וֹן כֹּ֧ל אֲשֶׁר־יָלֹ֣ק בִּלְשׁוֹנ֗וֹ מִן־הַמַּ֙יִם֙ כַּאֲשֶׁ֤ר יָלֹק֙ הַכֶּ֔לֶב תַּצִּ֥יג אוֹת֖וֹ לְבָ֑ד וְכֹ֧ל אֲשֶׁר־יִכְרַ֛ע עַל־בִּרְכָּ֖יו לִשְׁתּֽוֹת׃ ו וַיְהִ֗י מִסְפַּ֤ר הַֽמֲלַקְקִים֙ בְּיָדָ֣ם אֶל־פִּיהֶ֔ם שְׁלֹ֥שׁ מֵא֖וֹת אִ֑ישׁ וְכֹל֙ יֶ֣תֶר הָעָ֔ם כָּרְע֥וּ עַל־בִּרְכֵיהֶ֖ם לִשְׁתּ֥וֹת מָֽיִם׃ ז וַיֹּ֨אמֶר יְהוָ֜ה אֶל־גִּדְע֗וֹן בִּשְׁלֹשׁ֩ מֵא֨וֹת הָאִ֤ישׁ הַֽמֲלַקְקִים֙ אוֹשִׁ֣יעַ אֶתְכֶ֔ם וְנָתַתִּ֥י אֶת־מִדְיָ֖ן בְּיָדֶ֑ךָ וְכָל־הָעָ֔ם יֵלְכ֖וּ אִ֥ישׁ לִמְקֹמֽוֹ׃ ח וַיִּקְח֣וּ אֶת־צֵדָה֩ הָעָ֨ם בְּיָדָ֜ם וְאֵ֣ת שׁוֹפְרֹֽתֵיהֶ֗ם וְאֵ֤ת כָּל־אִישׁ֙ יִשְׂרָאֵל֙ שִׁלַּח֙ אִ֣ישׁ לְאֹֽהָלָ֔יו וּבִשְׁלֹ֥שׁ מֵאֽוֹת־הָאִ֖ישׁ הֶחֱזִ֑יק וּמַחֲנֵ֣ה מִדְיָ֔ן הָ֥יָה ל֖וֹ מִתַּ֥חַת בָּעֵֽמֶק׃

ט וַיְהִי֙ בַּלַּ֣יְלָה הַה֔וּא וַיֹּ֤אמֶר אֵלָיו֙ יְהוָ֔ה ק֖וּם רֵ֣ד בַּֽמַּחֲנֶ֑ה כִּ֥י נְתַתִּ֖יו בְּיָדֶֽךָ׃ י וְאִם־יָרֵ֥א אַתָּ֖ה לָרֶ֑דֶת רֵ֥ד אַתָּ֛ה וּפֻרָ֥ה נַעַרְךָ֖ אֶל־הַֽמַּחֲנֶֽה׃

__32__ Therefore on that day he was called Jerubbaal, saying: 'Let Baal contend against him, because he hath broken down his altar.'{S} __33__ Now all the Midianites and the Amalekites and the children of the east assembled themselves together; and they passed over, and pitched in the valley of Jezreel. __34__ But the spirit of Yehovah clothed Gideon; and he blew a horn; and Abiezer was gathered together after him. __35__ And he sent messengers throughout all Manasseh; and they also were gathered together after him; and he sent messengers unto Asher, and unto Zebulun, and unto Naphtali; and they came up to meet them. __36__ And Gideon said unto God: 'If Thou wilt save Israel by my hand, as Thou hast spoken, __37__ behold, I will put a fleece of wool on the threshing-floor; if there be dew on the fleece only, and it be dry upon all the ground, then shall I know that Thou wilt save Israel by my hand, as Thou hast spoken.' __38__ And it was so; for he rose up early on the morrow, and pressed the fleece together, and wrung dew out of the fleece, a bowlful of water. __39__ And Gideon said unto God: 'Let not Thine anger be kindled against me, and I will speak but this once: let me make trial, I pray Thee, but this once with the fleece; let it now be dry only upon the fleece, and upon all the ground let there be dew.' __40__ And God did so that night; for it was dry upon the fleece only, and there was dew on all the ground.{P}

__7__ __1__ Then Jerubbaal, who is Gideon, and all the people that were with him, rose up early, and pitched beside En-harod; and the camp of Midian was on the north side of them, by Gibeath-moreh, in the valley.{S} __2__ And Yehovah said unto Gideon: 'The people that are with thee are too many for Me to give the Midianites into their hand, lest Israel vaunt themselves against Me, saying: mine own hand hath saved me.   __3__ Now therefore make proclamation in the ears of the people, saying: Whosoever is fearful and trembling, let him return and depart early from mount Gilead.' And there returned of the people twenty and two thousand; and there remained ten thousand.{S} __4__ And Yehovah said unto Gideon: 'The people are yet too many; bring them down unto the water, and I will try them for thee there; and it shall be, that of whom I say to thee: This shall go with thee, the same shall go with thee; and of whomsoever I say unto thee: This shall not go with thee, the same shall not go.' __5__ So he brought down the people unto the water; and Yehovah said unto Gideon: 'Everyone that lappeth of the water with his tongue, as a dog lappeth, him shalt thou set by himself; likewise every one that boweth down upon his knees to drink.' __6__ And the number of them that lapped, putting their hand to their mouth, was three hundred men; but all the rest of the people bowed down upon their knees to drink water.{S} __7__ And Yehovah said unto Gideon: 'By the three hundred men that lapped will I save you, and deliver the Midianites into thy hand; and let all the people go every man unto his place.' __8__ So they took the victuals of the people in their hand, and their horns; and he sent all the men of Israel every man unto his tent, but retained the three hundred men; and the camp of Midian was beneath him in the valley.{P}

__9__ And it came to pass the same night, that Yehovah said unto him: 'Arise, get thee down upon the camp; for I have delivered it into thy hand. __10__ But if thou fear to go down, go thou with Purah thy servant down to the camp.

יא וְשָׁמַעְתָּ֙ מַה־יְדַבֵּ֔רוּ וְאַחַר֙ תֶּחֱזַ֣קְנָה יָדֶ֔יךָ וְיָרַדְתָּ֖ בַּֽמַּחֲנֶ֑ה וַיֵּ֤רֶד הוּא֙ וּפֻרָ֣ה
נַעֲר֔וֹ אֶל־קְצֵ֥ה הַחֲמֻשִׁ֖ים אֲשֶׁ֥ר בַּֽמַּחֲנֶֽה׃ יב וּמִדְיָ֨ן וַעֲמָלֵ֜ק וְכָל־בְּנֵי־קֶ֗דֶם
נֹפְלִ֤ים בָּעֵ֙מֶק֙ כָּֽאַרְבֶּ֣ה לָרֹ֔ב וְלִגְמַלֵּיהֶם֙ אֵ֣ין מִסְפָּ֔ר כַּח֛וֹל שֶׁעַל־שְׂפַ֥ת הַיָּ֖ם
לָרֹֽב׃ יג וַיָּבֹ֣א גִדְע֔וֹן וְהִנֵּה־אִ֕ישׁ מְסַפֵּ֥ר לְרֵעֵ֖הוּ חֲל֑וֹם וַיֹּ֜אמֶר הִנֵּ֧ה חֲל֣וֹם
חָלַ֗מְתִּי וְהִנֵּ֨ה צְלִ֤יל[4] לֶ֤חֶם שְׂעֹרִים֙ מִתְהַפֵּךְ֙ בְּמַחֲנֵ֣ה מִדְיָ֔ן וַיָּבֹ֤א עַד־הָאֹ֙הֶל֙
וַיַּכֵּ֥הוּ וַיִּפֹּ֖ל וַיַּהַפְכֵ֣הוּ לְמַ֑עְלָה וְנָפַ֖ל הָאֹֽהֶל׃ יד וַיַּ֨עַן רֵעֵ֜הוּ וַיֹּ֗אמֶר אֵ֚ין זֹ֔את
בִּלְתִּ֗י אִם־חֶ֛רֶב גִּדְע֥וֹן בֶּן־יוֹאָ֖שׁ אִ֣ישׁ יִשְׂרָאֵ֑ל נָתַ֤ן הָֽאֱלֹהִים֙ בְּיָד֔וֹ אֶת־מִדְיָ֖ן
וְאֶת־כָּל־הַֽמַּחֲנֶֽה׃

טו וַיְהִי֩ כִשְׁמֹ֨עַ גִּדְע֜וֹן אֶת־מִסְפַּ֧ר הַחֲל֛וֹם וְאֶת־שִׁבְר֖וֹ וַיִּשְׁתָּ֑חוּ וַיָּ֙שָׁב֙
אֶל־מַחֲנֵ֣ה יִשְׂרָאֵ֔ל וַיֹּ֣אמֶר ק֔וּמוּ כִּֽי־נָתַ֧ן יְהוָ֛ה בְּיֶדְכֶ֖ם אֶת־מַחֲנֵ֥ה מִדְיָֽן׃
טז וַיַּ֛חַץ אֶת־שְׁלֹשׁ־מֵא֥וֹת הָאִ֖ישׁ שְׁלֹשָׁ֣ה רָאשִׁ֑ים וַיִּתֵּ֨ן שׁוֹפָר֤וֹת בְּיַד־כֻּלָּם֙
וְכַדִּ֣ים רֵקִ֔ים וְלַפִּדִ֖ים בְּת֥וֹךְ הַכַּדִּֽים׃ יז וַיֹּ֣אמֶר אֲלֵיהֶ֔ם מִמֶּ֥נִּי תִרְא֖וּ וְכֵ֣ן
תַּעֲשׂ֑וּ וְהִנֵּ֨ה אָנֹכִ֥י בָא֙ בִּקְצֵ֣ה הַֽמַּחֲנֶ֔ה וְהָיָ֥ה כַאֲשֶׁר־אֶעֱשֶׂ֖ה כֵּ֥ן תַּעֲשֽׂוּן׃
יח וְתָקַעְתִּי֙ בַּשּׁוֹפָ֔ר אָנֹכִ֖י וְכָל־אֲשֶׁ֣ר אִתִּ֑י וּתְקַעְתֶּ֨ם בַּשּׁוֹפָר֜וֹת גַּם־אַתֶּ֗ם
סְבִיבוֹת֙ כָּל־הַֽמַּחֲנֶ֔ה וַאֲמַרְתֶּ֖ם לַיהוָ֥ה וּלְגִדְעֽוֹן׃

יט וַיָּבֹ֣א גִֽדְע֡וֹן וּמֵאָה־אִ֣ישׁ אֲשֶׁר־אִ֠תּוֹ בִּקְצֵ֨ה הַֽמַּחֲנֶ֜ה רֹ֚אשׁ הָאַשְׁמֹ֣רֶת
הַתִּֽיכוֹנָ֔ה אַ֛ךְ הָקֵ֥ם הֵקִ֖ימוּ אֶת־הַשֹּֽׁמְרִ֑ים וַֽיִּתְקְעוּ֙ בַּשּׁ֣וֹפָר֔וֹת וְנָפ֥וֹץ הַכַּדִּ֖ים
אֲשֶׁ֥ר בְּיָדָֽם׃ כ וַֽיִּתְקְע֡וּ שְׁלֹ֣שֶׁת הָרָאשִׁ֣ים בַּשּׁוֹפָרוֹת֮ וַיִּשְׁבְּר֣וּ הַכַּדִּים֒ וַיַּחֲזִ֤יקוּ
בְיַד־שְׂמֹאולָם֙ בַּלַּפִּדִ֔ים וּבְיַ֨ד־יְמִינָ֔ם הַשּׁוֹפָר֖וֹת לִתְק֑וֹעַ וַֽיִּקְרְא֕וּ חֶ֥רֶב לַיהוָ֖ה
וּלְגִדְעֽוֹן׃ כא וַיַּֽעַמְדוּ֙ אִ֣ישׁ תַּחְתָּ֔יו סָבִ֖יב לַמַּחֲנֶ֑ה וַיָּ֧רָץ כָּל־הַֽמַּחֲנֶ֛ה וַיָּרִ֖יעוּ
וַיָּנֽוּסוּ[5]׃ כב וַֽיִּתְקְעוּ֮ שְׁלֹשׁ־מֵא֣וֹת הַשּׁוֹפָרוֹת֒ וַיָּ֣שֶׂם יְהוָ֗ה אֵ֣ת חֶ֥רֶב אִ֛ישׁ בְּרֵעֵ֖הוּ
וּבְכָל־הַֽמַּחֲנֶ֑ה וַיָּ֨נָס הַֽמַּחֲנֶ֜ה עַד־בֵּ֧ית הַשִּׁטָּ֣ה צְרֵרָ֗תָה עַ֛ד שְׂפַת־אָבֵ֥ל מְחוֹלָ֖ה
עַל־טַבָּֽת׃ כג וַיִּצָּעֵ֧ק אִֽישׁ־יִשְׂרָאֵ֛ל מִנַּפְתָּלִ֥י וּמִן־אָשֵׁ֖ר וּמִן־כָּל־מְנַשֶּׁ֑ה וַֽיִּרְדְּפ֖וּ
אַחֲרֵ֥י מִדְיָֽן׃ כד וּמַלְאָכִ֡ים שָׁלַ֣ח גִּדְע֩וֹן בְּכָל־הַ֨ר אֶפְרַ֜יִם לֵאמֹ֗ר רְד֞וּ
לִקְרַ֤את מִדְיָן֙ וְלִכְד֤וּ לָהֶם֙ אֶת־הַמַּ֔יִם עַ֛ד בֵּ֥ית בָּרָ֖ה וְאֶת־הַיַּרְדֵּ֑ן וַיִּצָּעֵ֞ק
כָּל־אִ֤ישׁ אֶפְרַ֙יִם֙ וַיִּלְכְּד֣וּ אֶת־הַמַּ֔יִם עַ֛ד בֵּ֥ית בָּרָ֖ה וְאֶת־הַיַּרְדֵּֽן׃ כה וַֽיִּלְכְּד֡וּ
שְׁנֵי־שָׂרֵ֨י מִדְיָ֜ן אֶת־עֹרֵ֣ב וְאֶת־זְאֵ֗ב וַיַּהַרְג֨וּ אֶת־עוֹרֵ֜ב בְּצוּר־עוֹרֵ֗ב וְאֶת־זְאֵ֞ב
הָרְג֣וּ בְיֶקֶב־זְאֵ֔ב וַֽיִּרְדְּפ֖וּ אֶל־מִדְיָ֑ן וְרֹאשׁ־עֹרֵ֣ב וּזְאֵ֔ב הֵבִ֙יאוּ֙ אֶל־גִּדְע֔וֹן
מֵעֵ֖בֶר לַיַּרְדֵּֽן׃

[4] צלול
[5] וינסו

11 And thou shalt hear what they say; and afterward shall thy hands be strengthened to go down upon the camp.' Then went he down with Purah his servant unto the outermost part of the armed men that were in the camp. **12** Now the Midianites and the Amalekites and all the children of the east lay along in the valley like locusts for multitude; and their camels were without number, as the sand which is upon the sea-shore for multitude. **13** And when Gideon was come, behold, there was a man telling a dream unto his fellow, and saying: 'Behold, I dreamed a dream, and, lo, a cake of barley bread tumbled into the camp of Midian, and came unto the tent, and smote it that it fell, and turned it upside down, that the tent lay flat.' **14** And his fellow answered and said: 'This is nothing else save the sword of Gideon the son of Joash, a man of Israel: into his hand God hath delivered Midian, and all the host.'{P}

15 And it was so, when Gideon heard the telling of the dream, and the interpretation thereof, that he worshipped; and he returned into the camp of Israel, and said: 'Arise; for Yehovah hath delivered into your hand the host of Midian.' **16** And he divided the three hundred men into three companies, and he put into the hands of all of them horns, and empty pitchers, with torches within the pitchers. **17** And he said unto them: 'Look on me, and do likewise; and, behold, when I come to the outermost part of the camp, it shall be that, as I do, so shall ye do. **18** When I blow the horn, I and all that are with me, then blow ye the horns also on every side of all the camp, and say: For Yehovah and for Gideon!'{P}

19 So Gideon, and the hundred men that were with him, came unto the outermost part of the camp in the beginning of the middle watch, when they had but newly set the watch; and they blew the horns, and broke in pieces the pitchers that were in their hands. **20** And the three companies blew the horns, and broke the pitchers, and held the torches in their left hands, and the horns in their right hands wherewith to blow; and they cried: 'The sword for Yehovah and for Gideon!' **21** And they stood every man in his place round about the camp; and all the host ran; and they shouted, and fled. **22** And they blew the three hundred horns, and Yehovah set every man's sword against his fellow, even throughout all the host; and the host fled as far as Beth-shittah toward Zererah, as far as the border of Abel-meholah, by Tabbath. **23** And the men of Israel were gathered together out of Naphtali, and out of Asher, and out of all Manasseh, and pursued after Midian. **24** And Gideon sent messengers throughout all the hill-country of Ephraim, saying: 'Come down against Midian, and take before them the waters, as far as Beth-barah, and also the Jordan.' So all the men of Ephraim were gathered together, and took the waters as far as Beth-barah, and also the Jordan. **25** And they took the two princes of Midian, Oreb and Zeeb; and they slew Oreb at the Rock of Oreb, and Zeeb they slew at the Winepress of Zeeb, and pursued Midian; and they brought the heads of Oreb and Zeeb to Gideon beyond the Jordan.

ח א וַיֹּאמְרוּ אֵלָיו אִישׁ אֶפְרַיִם מָה־הַדָּבָר הַזֶּה עָשִׂיתָ לָּנוּ לְבִלְתִּי קְרֹאות
לָנוּ כִּי הָלַכְתָּ לְהִלָּחֵם בְּמִדְיָן וַיְרִיבוּן אִתּוֹ בְּחָזְקָה׃ ב וַיֹּאמֶר אֲלֵיהֶם
מֶה־עָשִׂיתִי עַתָּה כָּכֶם הֲלֹא טוֹב עֹלְלוֹת אֶפְרַיִם מִבְצִיר אֲבִיעֶזֶר׃ ג בְּיֶדְכֶם
נָתַן אֱלֹהִים אֶת־שָׂרֵי מִדְיָן אֶת־עֹרֵב וְאֶת־זְאֵב וּמַה־יָּכֹלְתִּי עֲשׂוֹת כָּכֶם אָז
רָפְתָה רוּחָם מֵעָלָיו בְּדַבְּרוֹ הַדָּבָר הַזֶּה׃ ד וַיָּבֹא גִדְעוֹן הַיַּרְדֵּנָה עֹבֵר הוּא
וּשְׁלֹשׁ־מֵאוֹת הָאִישׁ אֲשֶׁר אִתּוֹ עֲיֵפִים וְרֹדְפִים׃ ה וַיֹּאמֶר לְאַנְשֵׁי סֻכּוֹת תְּנוּ־נָא
כִּכְּרוֹת לֶחֶם לָעָם אֲשֶׁר בְּרַגְלָי כִּי־עֲיֵפִים הֵם וְאָנֹכִי רֹדֵף אַחֲרֵי זֶבַח
וְצַלְמֻנָּע מַלְכֵי מִדְיָן׃ ו וַיֹּאמֶר שָׂרֵי סֻכּוֹת הֲכַף זֶבַח וְצַלְמֻנָּע עַתָּה בְּיָדֶךָ
כִּי־נִתֵּן לִצְבָאֲךָ לָחֶם׃ ז וַיֹּאמֶר גִּדְעוֹן לָכֵן בְּתֵת יְהוָה אֶת־זֶבַח וְאֶת־צַלְמֻנָּע
בְּיָדִי וְדַשְׁתִּי אֶת־בְּשַׂרְכֶם אֶת־קוֹצֵי הַמִּדְבָּר וְאֶת־הַבַּרְקֳנִים׃ ח וַיַּעַל מִשָּׁם
פְּנוּאֵל וַיְדַבֵּר אֲלֵיהֶם כָּזֹאת וַיַּעֲנוּ אוֹתוֹ אַנְשֵׁי פְנוּאֵל כַּאֲשֶׁר עָנוּ אַנְשֵׁי סֻכּוֹת׃
ט וַיֹּאמֶר גַּם־לְאַנְשֵׁי פְנוּאֵל לֵאמֹר בְּשׁוּבִי בְשָׁלוֹם אֶתֹּץ אֶת־הַמִּגְדָּל הַזֶּה׃

י וְזֶבַח וְצַלְמֻנָּע בַּקַּרְקֹר וּמַחֲנֵיהֶם עִמָּם כַּחֲמֵשֶׁת עָשָׂר אֶלֶף כֹּל הַנּוֹתָרִים
מִכֹּל מַחֲנֵה בְנֵי־קֶדֶם וְהַנֹּפְלִים מֵאָה וְעֶשְׂרִים אֶלֶף אִישׁ שֹׁלֵף חָרֶב׃ יא וַיַּעַל
גִּדְעוֹן דֶּרֶךְ הַשְּׁכוּנֵי בָאֳהָלִים מִקֶּדֶם לְנֹבַח וְיָגְבֳּהָה וַיַּךְ אֶת־הַמַּחֲנֶה וְהַמַּחֲנֶה
הָיָה בֶטַח׃ יב וַיָּנוּסוּ זֶבַח וְצַלְמֻנָּע וַיִּרְדֹּף אַחֲרֵיהֶם וַיִּלְכֹּד אֶת־שְׁנֵי ׀ מַלְכֵי
מִדְיָן אֶת־זֶבַח וְאֶת־צַלְמֻנָּע וְכָל־הַמַּחֲנֶה הֶחֱרִיד׃ יג וַיָּשָׁב גִּדְעוֹן בֶּן־יוֹאָשׁ
מִן־הַמִּלְחָמָה מִלְמַעֲלֵה הֶחָרֶס׃ יד וַיִּלְכָּד־נַעַר מֵאַנְשֵׁי סֻכּוֹת וַיִּשְׁאָלֵהוּ
וַיִּכְתֹּב אֵלָיו אֶת־שָׂרֵי סֻכּוֹת וְאֶת־זְקֵנֶיהָ שִׁבְעִים וְשִׁבְעָה אִישׁ׃ טו וַיָּבֹא
אֶל־אַנְשֵׁי סֻכּוֹת וַיֹּאמֶר הִנֵּה זֶבַח וְצַלְמֻנָּע אֲשֶׁר חֵרַפְתֶּם אוֹתִי לֵאמֹר הֲכַף
זֶבַח וְצַלְמֻנָּע עַתָּה בְּיָדֶךָ כִּי נִתֵּן לַאֲנָשֶׁיךָ הַיְּעֵפִים לָחֶם׃ טז וַיִּקַּח אֶת־זִקְנֵי
הָעִיר וְאֶת־קוֹצֵי הַמִּדְבָּר וְאֶת־הַבַּרְקֳנִים וַיֹּדַע בָּהֶם אֵת אַנְשֵׁי סֻכּוֹת׃
יז וְאֶת־מִגְדַּל פְּנוּאֵל נָתָץ וַיַּהֲרֹג אֶת־אַנְשֵׁי הָעִיר׃ יח וַיֹּאמֶר אֶל־זֶבַח
וְאֶל־צַלְמֻנָּע אֵיפֹה הָאֲנָשִׁים אֲשֶׁר הֲרַגְתֶּם בְּתָבוֹר וַיֹּאמְרוּ כָּמוֹךָ כְמוֹהֶם אֶחָד
כְּתֹאַר בְּנֵי הַמֶּלֶךְ׃ יט וַיֹּאמַר אַחַי בְּנֵי־אִמִּי הֵם חַי־יְהוָה לוּ הַחֲיִתֶם אוֹתָם
לֹא הָרַגְתִּי אֶתְכֶם׃ כ וַיֹּאמֶר לְיֶתֶר בְּכוֹרוֹ קוּם הֲרֹג אוֹתָם וְלֹא־שָׁלַף הַנַּעַר
חַרְבּוֹ כִּי יָרֵא כִּי עוֹדֶנּוּ נָעַר׃ כא וַיֹּאמֶר זֶבַח וְצַלְמֻנָּע קוּם אַתָּה וּפְגַע־בָּנוּ כִּי
כָאִישׁ גְּבוּרָתוֹ וַיָּקָם גִּדְעוֹן וַיַּהֲרֹג אֶת־זֶבַח וְאֶת־צַלְמֻנָּע וַיִּקַּח אֶת־הַשַּׂהֲרֹנִים
אֲשֶׁר בְּצַוְּארֵי גְמַלֵּיהֶם׃ כב וַיֹּאמְרוּ אִישׁ־יִשְׂרָאֵל אֶל־גִּדְעוֹן מְשָׁל־בָּנוּ
גַּם־אַתָּה גַּם־בִּנְךָ גַּם בֶּן־בְּנֶךָ כִּי הוֹשַׁעְתָּנוּ מִיַּד מִדְיָן׃ כג וַיֹּאמֶר אֲלֵהֶם
גִּדְעוֹן לֹא־אֶמְשֹׁל אֲנִי בָּכֶם וְלֹא־יִמְשֹׁל בְּנִי בָּכֶם יְהוָה יִמְשֹׁל בָּכֶם׃

8 **1** And the men of Ephraim said unto him: 'Why hast thou served us thus, that thou didst not call us when thou wentest to fight with Midian?' And they did chide with him sharply. **2** And he said unto them: 'What have I now done in comparison with you? Is not the gleaning of Ephraim better than the vintage of Abiezer? **3** God hath delivered into your hand the princes of Midian, Oreb and Zeeb; and what was I able to do in comparison with you?' Then their anger was abated toward him, when he had said that. **4** And Gideon came to the Jordan, and passed over, he, and the three hundred men that were with him, faint, yet pursuing. **5** And he said unto the men of Succoth: 'Give, I pray you, loaves of bread unto the people that follow me; for they are faint, and I am pursuing after Zebah and Zalmunna, the kings of Midian.' **6** And the princes of Succoth said: 'Are the hands of Zebah and Zalmunna now in thy power, that we should give bread unto thine army?' **7** And Gideon said: 'Therefore when Yehovah hath delivered Zebah and Zalmunna into my hand, then I will tear your flesh with the thorns of the wilderness and with briers.' **8** And he went up thence to Penuel, and spoke unto them in like manner; and the men of Penuel answered him as the men of Succoth had answered. **9** And he spoke also unto the men of Penuel, saying: 'When I come back in peace, I will break down this tower.'{P}

10 Now Zebah and Zalmunna were in Karkor, and their hosts with them, about fifteen thousand men, all that were left of all the host of the children of the east; for there fell a hundred and twenty thousand men that drew sword. **11** And Gideon went up by the way of them that dwelt in tents on the east of Nobah and Jogbehah, and smote the host; for the host was secure. **12** And Zebah and Zalmunna fled; and he pursued after them; and he took the two kings of Midian, Zebah and Zalmunna, and discomfited all the host. **13** And Gideon the son of Joash returned from the battle from the ascent of Heres. **14** And he caught a young man of the men of Succoth, and inquired of him; and he wrote down for him the princes of Succoth, and the elders thereof, seventy and seven men. **15** And he came unto the men of Succoth, and said: 'Behold Zebah and Zalmunna, concerning whom ye did taunt me, saying: Are the hands of Zebah and Zalmunna now in thy power, that we should give bread unto thy men that are weary?' **16** And he took the elders of the city, and thorns of the wilderness and briers, and with them he taught the men of Succoth. **17** And he broke down the tower of Penuel, and slew the men of the city. **18** Then said he unto Zebah and Zalmunna: 'Where are the men whom ye slew at Tabor?' And they answered: 'As thou art, so were they; of one form with the children of a king.' **19** And he said: 'They were my brethren, the sons of my mother; as Yehovah liveth, if ye had saved them alive, I would not slay you.' **20** And he said unto Jether his first-born: 'Up, and slay them.' But the youth drew not his sword; for he feared, because he was yet a youth. **21** Then Zebah and Zalmunna said: 'Rise thou, and fall upon us; for as the man is, so is his strength.' And Gideon arose, and slew Zebah and Zalmunna, and took the crescents that were on their camels' necks.{P}

22 Then the men of Israel said unto Gideon: 'Rule thou over us, both thou, and thy son, and thy son's son also; for thou hast saved us out of the hand of Midian.' **23** And Gideon said unto them: 'I will not rule over you, neither shall my son rule over you; Yehovah shall rule over you.'

כד וַיֹּאמֶר אֲלֵהֶם גִּדְעוֹן אֶשְׁאֲלָה מִכֶּם שְׁאֵלָה וּתְנוּ־לִי אִישׁ נֶזֶם שְׁלָלוֹ
כִּי־נִזְמֵי זָהָב לָהֶם כִּי יִשְׁמְעֵאלִים הֵם׃ כה וַיֹּאמְרוּ נָתוֹן נִתֵּן וַיִּפְרְשׂוּ
אֶת־הַשִּׂמְלָה וַיַּשְׁלִיכוּ שָׁמָּה אִישׁ נֶזֶם שְׁלָלוֹ׃ כו וַיְהִי מִשְׁקַל נִזְמֵי הַזָּהָב אֲשֶׁר
שָׁאָל אֶלֶף וּשְׁבַע־מֵאוֹת זָהָב לְבַד מִן־הַשַּׂהֲרֹנִים וְהַנְּטִפוֹת וּבִגְדֵי הָאַרְגָּמָן
שֶׁעַל מַלְכֵי מִדְיָן וּלְבַד מִן־הָעֲנָקוֹת אֲשֶׁר בְּצַוְּארֵי גְמַלֵּיהֶם׃ כז וַיַּעַשׂ אוֹתוֹ
גִדְעוֹן לְאֵפוֹד וַיַּצֵּג אוֹתוֹ בְעִירוֹ בְּעָפְרָה וַיִּזְנוּ כָל־יִשְׂרָאֵל אַחֲרָיו שָׁם וַיְהִי
לְגִדְעוֹן וּלְבֵיתוֹ לְמוֹקֵשׁ׃ כח וַיִּכָּנַע מִדְיָן לִפְנֵי בְּנֵי יִשְׂרָאֵל וְלֹא יָסְפוּ לָשֵׂאת
רֹאשָׁם וַתִּשְׁקֹט הָאָרֶץ אַרְבָּעִים שָׁנָה בִּימֵי גִדְעוֹן׃

כט וַיֵּלֶךְ יְרֻבַּעַל בֶּן־יוֹאָשׁ וַיֵּשֶׁב בְּבֵיתוֹ׃ ל וּלְגִדְעוֹן הָיוּ שִׁבְעִים בָּנִים יֹצְאֵי
יְרֵכוֹ כִּי־נָשִׁים רַבּוֹת הָיוּ לוֹ׃ לא וּפִילַגְשׁוֹ אֲשֶׁר בִּשְׁכֶם יָלְדָה־לּוֹ גַם־הִיא
בֵּן וַיָּשֶׂם אֶת־שְׁמוֹ אֲבִימֶלֶךְ׃ לב וַיָּמָת גִּדְעוֹן בֶּן־יוֹאָשׁ בְּשֵׂיבָה טוֹבָה וַיִּקָּבֵר
בְּקֶבֶר יוֹאָשׁ אָבִיו בְּעָפְרָה אֲבִי הָעֶזְרִי׃

לג וַיְהִי כַּאֲשֶׁר מֵת גִּדְעוֹן וַיָּשׁוּבוּ בְּנֵי יִשְׂרָאֵל וַיִּזְנוּ אַחֲרֵי הַבְּעָלִים וַיָּשִׂימוּ
לָהֶם בַּעַל בְּרִית לֵאלֹהִים׃ לד וְלֹא זָכְרוּ בְּנֵי יִשְׂרָאֵל אֶת־יְהוָה אֱלֹהֵיהֶם
הַמַּצִּיל אוֹתָם מִיַּד כָּל־אֹיְבֵיהֶם מִסָּבִיב׃ לה וְלֹא־עָשׂוּ חֶסֶד עִם־בֵּית
יְרֻבַּעַל גִּדְעוֹן כְּכָל־הַטּוֹבָה אֲשֶׁר עָשָׂה עִם־יִשְׂרָאֵל׃

ט א וַיֵּלֶךְ אֲבִימֶלֶךְ בֶּן־יְרֻבַּעַל שְׁכֶמָה אֶל־אֲחֵי אִמּוֹ וַיְדַבֵּר אֲלֵיהֶם
וְאֶל־כָּל־מִשְׁפַּחַת בֵּית־אֲבִי אִמּוֹ לֵאמֹר׃ ב דַּבְּרוּ־נָא בְּאָזְנֵי כָל־בַּעֲלֵי שְׁכֶם
מַה־טּוֹב לָכֶם הַמְשֹׁל בָּכֶם שִׁבְעִים אִישׁ כֹּל בְּנֵי יְרֻבַּעַל אִם־מְשֹׁל בָּכֶם אִישׁ
אֶחָד וּזְכַרְתֶּם כִּי־עַצְמְכֶם וּבְשַׂרְכֶם אָנִי׃ ג וַיְדַבְּרוּ אֲחֵי־אִמּוֹ עָלָיו בְּאָזְנֵי
כָּל־בַּעֲלֵי שְׁכֶם אֵת כָּל־הַדְּבָרִים הָאֵלֶּה וַיֵּט לִבָּם אַחֲרֵי אֲבִימֶלֶךְ כִּי אָמְרוּ
אָחִינוּ הוּא׃ ד וַיִּתְּנוּ־לוֹ שִׁבְעִים כֶּסֶף מִבֵּית בַּעַל בְּרִית וַיִּשְׂכֹּר בָּהֶם
אֲבִימֶלֶךְ אֲנָשִׁים רֵיקִים וּפֹחֲזִים וַיֵּלְכוּ אַחֲרָיו׃ ה וַיָּבֹא בֵית־אָבִיו עָפְרָתָה
וַיַּהֲרֹג אֶת־אֶחָיו בְּנֵי־יְרֻבַּעַל שִׁבְעִים אִישׁ עַל־אֶבֶן אֶחָת וַיִּוָּתֵר יוֹתָם
בֶּן־יְרֻבַּעַל הַקָּטֹן כִּי נֶחְבָּא׃ ו וַיֵּאָסְפוּ כָּל־בַּעֲלֵי שְׁכֶם וְכָל־בֵּית מִלּוֹא וַיֵּלְכוּ
וַיַּמְלִיכוּ אֶת־אֲבִימֶלֶךְ לְמֶלֶךְ עִם־אֵלוֹן מֻצָּב אֲשֶׁר בִּשְׁכֶם׃ ז וַיַּגִּדוּ לְיוֹתָם
וַיֵּלֶךְ וַיַּעֲמֹד בְּרֹאשׁ הַר־גְּרִזִּים וַיִּשָּׂא קוֹלוֹ וַיִּקְרָא וַיֹּאמֶר לָהֶם שִׁמְעוּ אֵלַי
בַּעֲלֵי שְׁכֶם וְיִשְׁמַע אֲלֵיכֶם אֱלֹהִים׃ ח הָלוֹךְ הָלְכוּ הָעֵצִים לִמְשֹׁחַ עֲלֵיהֶם
מֶלֶךְ וַיֹּאמְרוּ לַזַּיִת מָלְכָה[6] עָלֵינוּ׃

[6] מלוכה

<u>24</u> And Gideon said unto them: 'I would make a request of you, that ye would give me every man the ear-rings of his spoil.'–For they had golden ear-rings, because they were Ishmaelites. <u>25</u> And they answered: 'We will willingly give them.' And they spread a garment, and did cast therein every man the ear-rings of his spoil. <u>26</u> And the weight of the golden ear-rings that he requested was a thousand and seven hundred shekels of gold; beside the crescents, and the pendants, and the purple raiment that was on the kings of Midian, and beside the chains that were about their camels' necks. <u>27</u> And Gideon made an ephod thereof, and put it in his city, even in Ophrah; and all Israel went astray after it there; and it became a snare unto Gideon, and to his house. <u>28</u> So Midian was subdued before the children of Israel, and they lifted up their heads no more. And the land had rest forty years in the days of Gideon.{P}

<u>29</u> And Jerubbaal the son of Joash went and dwelt in his own house. <u>30</u> And Gideon had threescore and ten sons of his body begotten; for he had many wives. <u>31</u> And his concubine that was in Shechem, she also bore him a son, and he called his name Abimelech. <u>32</u> And Gideon the son of Joash died in a good old age, and was buried in the sepulchre of Joash his father, in Ophrah of the Abiezrites.{P}

<u>33</u> And it came to pass, as soon as Gideon was dead, that the children of Israel again went astray after the Baalim, and made Baal-berith their god. <u>34</u> And the children of Israel remembered not Yehovah their God, who had delivered them out of the hand of all their enemies on every side; <u>35</u> neither showed they kindness to the house of Jerubbaal, namely Gideon, according to all the goodness which he had shown unto Israel.{P}

9 <u>1</u> And Abimelech the son of Jerubbaal went to Shechem unto his mother's brethren, and spoke with them, and with all the family of the house of his mother's father, saying: <u>2</u> 'Speak, I pray you, in the ears of all the men of Shechem: Which is better for you, that all the sons of Jerubbaal, who are threescore and ten persons, rule over you, or that one rule over you? remember also that I am your bone and your flesh.' <u>3</u> And his mother's brethren spoke of him in the ears of all the men of Shechem all these words; and their hearts inclined to follow Abimelech; for they said: 'He is our brother.' <u>4</u> And they gave him threescore and ten pieces of silver out of the house of Baal-berith, wherewith Abimelech hired vain and light fellows, who followed him. <u>5</u> And he went unto his father's house at Ophrah, and slew his brethren the sons of Jerubbaal, being threescore and ten persons, upon one stone; but Jotham the youngest son of Jerubbaal was left; for he hid himself.{S} <u>6</u> And all the men of Shechem assembled themselves together, and all Beth-millo, and went and made Abimelech king, by the terebinth of the pillar that was in Shechem. <u>7</u> And when they told it to Jotham, he went and stood in the top of mount Gerizim, and lifted up his voice, and cried, and said unto them: 'Hearken unto me, ye men of Shechem, that God may hearken unto you. <u>8</u> The trees went forth on a time to anoint a king over them; and they said unto the olive-tree: Reign thou over us.

ט וַיֹּ֤אמֶר לָהֶם֙ הַזַּ֔יִת הֶחֳדַ֙לְתִּי֙ אֶת־דִּשְׁנִ֔י אֲשֶׁר־בִּ֛י יְכַבְּד֥וּ אֱלֹהִ֖ים וַאֲנָשִׁ֑ים וְהָ֣לַכְתִּ֔י לָנ֖וּעַ עַל־הָעֵצִֽים: י וַיֹּאמְר֥וּ הָעֵצִ֖ים לַתְּאֵנָ֑ה לְכִ֥י אַ֖תְּ מׇלְכִ֥י עָלֵֽינוּ: יא וַתֹּ֤אמֶר לָהֶם֙ הַתְּאֵנָ֔ה הֶחֳדַ֙לְתִּי֙ אֶת־מׇתְקִ֔י וְאֶת־תְּנוּבָתִ֖י הַטּוֹבָ֑ה וְהָ֣לַכְתִּ֔י לָנ֖וּעַ עַל־הָעֵצִֽים: יב וַיֹּאמְר֥וּ הָעֵצִ֖ים לַגָּ֑פֶן לְכִ֥י אַ֖תְּ מׇלְכִ֥י עָלֵֽינוּ: יג וַתֹּ֤אמֶר לָהֶם֙ הַגֶּ֔פֶן הֶחֳדַ֙לְתִּי֙ אֶת־תִּ֣ירוֹשִׁ֔י הַֽמְשַׂמֵּ֥חַ אֱלֹהִ֖ים וַאֲנָשִׁ֑ים וְהָ֣לַכְתִּ֔י לָנ֖וּעַ עַל־הָעֵצִֽים: יד וַיֹּאמְר֥וּ כׇל־הָעֵצִ֖ים אֶל־הָאָטָ֑ד לֵ֥ךְ אַתָּ֖ה מְלׇךְ־עָלֵֽינוּ: טו וַיֹּ֣אמֶר הָאָטָד֮ אֶל־הָעֵצִים֒ אִ֡ם בֶּאֱמֶ֣ת אַתֶּם֩ מֹשְׁחִ֨ים אֹתִ֤י לְמֶ֙לֶךְ֙ עֲלֵיכֶ֔ם בֹּ֖אוּ חֲס֣וּ בְצִלִּ֑י וְאִם־אַ֕יִן תֵּ֤צֵא אֵשׁ֙ מִן־הָ֣אָטָ֔ד וְתֹאכַ֖ל אֶת־אַרְזֵ֥י הַלְּבָנֽוֹן: טז וְעַתָּ֗ה אִם־בֶּאֱמֶ֤ת וּבְתָמִים֙ עֲשִׂיתֶ֔ם וַתַּמְלִ֖יכוּ אֶת־אֲבִימֶ֑לֶךְ וְאִם־טוֹבָ֤ה עֲשִׂיתֶם֙ עִם־יְרֻבַּ֣עַל וְעִם־בֵּית֔וֹ וְאִם־כִּגְמ֥וּל יָדָ֖יו עֲשִׂ֥יתֶם לֽוֹ: יז אֲשֶׁר־נִלְחַ֥ם אָבִ֖י עֲלֵיכֶ֑ם וַיַּשְׁלֵ֤ךְ אֶת־נַפְשׁוֹ֙ מִנֶּ֔גֶד וַיַּצֵּ֥ל אֶתְכֶ֖ם מִיַּ֥ד מִדְיָֽן: יח וְאַתֶּ֞ם קַמְתֶּ֨ם עַל־בֵּ֤ית אָבִי֙ הַיּ֔וֹם וַתַּהַרְג֧וּ אֶת־בָּנָ֛יו שִׁבְעִ֥ים אִ֖ישׁ עַל־אֶ֣בֶן אֶחָ֑ת וַתַּמְלִ֜יכוּ אֶת־אֲבִימֶ֤לֶךְ בֶּן־אֲמָתוֹ֙ עַל־בַּעֲלֵ֣י שְׁכֶ֔ם כִּ֥י אֲחִיכֶ֖ם הֽוּא: יט וְאִם־בֶּאֱמֶ֨ת וּבְתָמִ֧ים עֲשִׂיתֶ֛ם עִם־יְרֻבַּ֥עַל וְעִם־בֵּית֖וֹ הַיּ֣וֹם הַזֶּ֑ה שִׂמְחוּ֙ בַּאֲבִימֶ֔לֶךְ וְיִשְׂמַ֥ח גַּם־ה֖וּא בָּכֶֽם: כ וְאִם־אַ֕יִן תֵּ֤צֵא אֵשׁ֙ מֵאֲבִימֶ֔לֶךְ וְתֹאכַ֛ל אֶת־בַּעֲלֵ֥י שְׁכֶ֖ם וְאֶת־בֵּ֣ית מִלּ֑וֹא וְתֵצֵ֨א אֵ֜שׁ מִבַּעֲלֵ֤י שְׁכֶם֙ וּמִבֵּ֣ית מִלּ֔וֹא וְתֹאכַ֖ל אֶת־אֲבִימֶֽלֶךְ: כא וַיָּ֣נׇס יוֹתָ֔ם וַיִּבְרַ֖ח וַיֵּ֣לֶךְ בְּאֵ֑רָה וַיֵּ֣שֶׁב שָׁ֔ם מִפְּנֵ֖י אֲבִימֶ֥לֶךְ אָחִֽיו:

כב וַיָּ֧שַׂר אֲבִימֶ֛לֶךְ עַל־יִשְׂרָאֵ֖ל שָׁלֹ֥שׁ שָׁנִֽים: כג וַיִּשְׁלַ֤ח אֱלֹהִים֙ ר֣וּחַ רָעָ֔ה בֵּ֣ין אֲבִימֶ֔לֶךְ וּבֵ֖ין בַּעֲלֵ֣י שְׁכֶ֑ם וַיִּבְגְּד֥וּ בַעֲלֵי־שְׁכֶ֖ם בַּאֲבִימֶֽלֶךְ: כד לָב֣וֹא חֲמַ֗ס שִׁבְעִים֙ בְּנֵ֣י־יְרֻבַּ֔עַל וְדָמָ֕ם לָשׂ֕וּם עַל־אֲבִימֶ֥לֶךְ אֲחִיהֶ֖ם אֲשֶׁ֣ר הָרַ֣ג אוֹתָ֑ם וְעַל֙ בַּעֲלֵ֣י שְׁכֶ֔ם אֲשֶׁר־חִזְּק֥וּ אֶת־יָדָ֖יו לַהֲרֹ֥ג אֶת־אֶחָֽיו: כה וַיָּשִׂ֣ימוּ ל֩וֹ בַעֲלֵ֨י שְׁכֶ֜ם מְאָרְבִ֗ים עַ֚ל רָאשֵׁ֣י הֶהָרִ֔ים וַיִּגְזְל֔וּ אֵ֛ת כׇּל־אֲשֶׁר־יַעֲבֹ֥ר עֲלֵיהֶ֖ם בַּדָּ֑רֶךְ וַיֻּגַּ֖ד לַאֲבִימֶֽלֶךְ:

כו וַיָּבֹ֞א גַּ֤עַל בֶּן־עֶ֙בֶד֙ וְאֶחָ֔יו וַיַּעַבְר֖וּ בִּשְׁכֶ֑ם וַיִּבְטְחוּ־ב֖וֹ בַּעֲלֵ֥י שְׁכֶֽם: כז וַיֵּצְא֨וּ הַשָּׂדֶ֜ה וַֽיִּבְצְר֤וּ אֶת־כַּרְמֵיהֶם֙ וַֽיִּדְרְכ֔וּ וַֽיַּעֲשׂ֖וּ הִלּוּלִ֑ים וַיָּבֹ֙אוּ֙ בֵּ֣ית אֱלֹֽהֵיהֶ֔ם וַיֹּֽאכְלוּ֙ וַיִּשְׁתּ֔וּ וַֽיְקַלְל֖וּ אֶת־אֲבִימֶֽלֶךְ: כח וַיֹּ֣אמֶר ׀ גַּ֣עַל בֶּן־עֶ֗בֶד מִֽי־אֲבִימֶ֤לֶךְ וּמִֽי־שְׁכֶם֙ כִּ֣י נַעַבְדֶ֔נּוּ הֲלֹ֥א בֶן־יְרֻבַּ֖עַל וּזְבֻ֣ל פְּקִיד֑וֹ עִבְד֗וּ אֶת־אַנְשֵׁ֤י חֲמוֹר֙ אֲבִ֣י שְׁכֶ֔ם וּמַדּ֖וּעַ נַעַבְדֶ֥נּוּ אֲנָֽחְנוּ: כט וּמִ֨י יִתֵּ֜ן אֶת־הָעָ֤ם הַזֶּה֙ בְּיָדִ֔י וְאָסִ֖ירָה אֶת־אֲבִימֶ֑לֶךְ וַיֹּ֙אמֶר֙ לַאֲבִימֶ֔לֶךְ רַבֶּ֥ה צְבָאֲךָ֖ וָצֵֽאָה: ל וַיִּשְׁמַ֗ע זְבֻל֙ שַׂר־הָעִ֔יר אֶת־דִּבְרֵ֖י גַּ֣עַל בֶּן־עָ֑בֶד וַיִּ֖חַר אַפּֽוֹ:

9 But the olive-tree said unto them: Should I leave my fatness, seeing that by me they honour God and man, and go to hold sway over the trees? **10** And the trees said to the fig-tree: Come thou, and reign over us. **11** But the fig-tree said unto them: Should I leave my sweetness, and my good fruitage, and go to hold sway over the trees? **12** And the trees said unto the vine: Come thou, and reign over us. **13** And the vine said unto them: Should I leave my wine, which cheereth God and man, and go to hold sway over the trees? **14** Then said all the trees unto the bramble: Come thou, and reign over us. **15** And the bramble said unto the trees: If in truth ye anoint me king over you, then come and take refuge in my shadow; and if not, let fire come out of the bramble, and devour the cedars of Lebanon. **16** Now therefore, if ye have dealt truly and uprightly, in that ye have made Abimelech king, and if ye have dealt well with Jerubbaal and his house, and have done unto him according to the deserving of his hands– **17** for my father fought for you, and adventured his life, and delivered you out of the hand of Midian; **18** and ye are risen up against my father's house this day, and have slain his sons, threescore and ten persons, upon one stone, and have made Abimelech, the son of his maid-servant, king over the men of Shechem, because he is your brother– **19** if ye then have dealt truly and uprightly with Jerubbaal and with his house this day, then rejoice ye in Abimelech, and let him also rejoice in you. **20** But if not, let fire come out from Abimelech, and devour the men of Shechem, and Beth-millo; and let fire come out from the men of Shechem, and from Beth-millo, and devour Abimelech.' **21** And Jotham ran away, and fled, and went to Beer, and dwelt there, for fear of Abimelech his brother.{P}

22 And Abimelech was prince over Israel three years. **23** And God sent an evil spirit between Abimelech and the men of Shechem; and the men of Shechem dealt treacherously with Abimelech; **24** that the violence done to the threescore and ten sons of Jerubbaal might come, and that their blood might be laid upon Abimelech their brother, who slew them, and upon the men of Shechem, who strengthened his hands to slay his brethren. **25** And the men of Shechem set liers-in-wait for him on the tops of the mountains, and they robbed all that came along that way by them; and it was told Abimelech.{P}

26 And Gaal the son of Ebed came with his brethren, and went on to Shechem; and the men of Shechem put their trust in him. **27** And they went out into the field, and gathered their vineyards, and trod the grapes, and held festival, and went into the house of their god, and did eat and drink, and cursed Abimelech. **28** And Gaal the son of Ebed said: 'Who is Abimelech, and who is Shechem, that we should serve him? is not he the son of Jerubbaal? and Zebul his officer? serve ye the men of Hamor the father of Shechem; but why should we serve him? **29** And would that this people were under my hand! then would I remove Abimelech.' And he said to Abimelech: 'Increase thine army, and come out.' **30** And when Zebul the ruler of the city heard the words of Gaal the son of Ebed, his anger was kindled.

לא וַיִּשְׁלַח מַלְאָכִים אֶל־אֲבִימֶלֶךְ בְּתׇרְמָה לֵאמֹר הִנֵּה גַעַל בֶּן־עֶבֶד וְאֶחָיו
בָּאִים שְׁכֶמָה וְהִנָּם צָרִים אֶת־הָעִיר עָלֶיךָ׃ לב וְעַתָּה קוּם לַיְלָה אַתָּה וְהָעָם
אֲשֶׁר־אִתָּךְ וֶאֱרֹב בַּשָּׂדֶה׃ לג וְהָיָה בַבֹּקֶר כִּזְרֹחַ הַשֶּׁמֶשׁ תַּשְׁכִּים וּפָשַׁטְתָּ
עַל־הָעִיר וְהִנֵּה־הוּא וְהָעָם אֲשֶׁר־אִתּוֹ יֹצְאִים אֵלֶיךָ וְעָשִׂיתָ לּוֹ כַּאֲשֶׁר תִּמְצָא
יָדֶךָ׃ לד וַיָּקׇם אֲבִימֶלֶךְ וְכׇל־הָעָם אֲשֶׁר־עִמּוֹ לָיְלָה וַיֶּאֶרְבוּ עַל־שְׁכֶם
אַרְבָּעָה רָאשִׁים׃ לה וַיֵּצֵא גַּעַל בֶּן־עֶבֶד וַיַּעֲמֹד פֶּתַח שַׁעַר הָעִיר וַיָּקׇם
אֲבִימֶלֶךְ וְהָעָם אֲשֶׁר־אִתּוֹ מִן־הַמַּאְרָב׃ לו וַיַּרְא־גַעַל אֶת־הָעָם וַיֹּאמֶר
אֶל־זְבֻל הִנֵּה־עָם יוֹרֵד מֵרָאשֵׁי הֶהָרִים וַיֹּאמֶר אֵלָיו זְבֻל אֵת צֵל הֶהָרִים
אַתָּה רֹאֶה כָּאֲנָשִׁים׃ לז וַיֹּסֶף עוֹד גַּעַל לְדַבֵּר וַיֹּאמֶר הִנֵּה־עָם יוֹרְדִים מֵעִם
טַבּוּר הָאָרֶץ וְרֹאשׁ־אֶחָד בָּא מִדֶּרֶךְ אֵלוֹן מְעוֹנְנִים׃ לח וַיֹּאמֶר אֵלָיו זְבֻל
אַיֵּה אֵפוֹא פִיךָ אֲשֶׁר תֹּאמַר מִי אֲבִימֶלֶךְ כִּי נַעַבְדֶנּוּ הֲלֹא זֶה הָעָם אֲשֶׁר
מָאַסְתָּה בּוֹ צֵא־נָא עַתָּה וְהִלָּחֶם בּוֹ׃ לט וַיֵּצֵא גַעַל לִפְנֵי בַּעֲלֵי שְׁכֶם וַיִּלָּחֶם
בַּאֲבִימֶלֶךְ׃ מ וַיִּרְדְּפֵהוּ אֲבִימֶלֶךְ וַיָּנׇס מִפָּנָיו וַיִּפְּלוּ חֲלָלִים רַבִּים עַד־פֶּתַח
הַשָּׁעַר׃ מא וַיֵּשֶׁב אֲבִימֶלֶךְ בָּארוּמָה וַיְגָרֶשׁ זְבֻל אֶת־גַּעַל וְאֶת־אֶחָיו מִשֶּׁבֶת
בִּשְׁכֶם׃ מב וַיְהִי מִמָּחֳרָת וַיֵּצֵא הָעָם הַשָּׂדֶה וַיַּגִּדוּ לַאֲבִימֶלֶךְ׃ מג וַיִּקַּח
אֶת־הָעָם וַיֶּחֱצֵם לִשְׁלֹשָׁה רָאשִׁים וַיֶּאֱרֹב בַּשָּׂדֶה וַיַּרְא וְהִנֵּה הָעָם יֹצֵא
מִן־הָעִיר וַיָּקׇם עֲלֵיהֶם וַיַּכֵּם׃ מד וַאֲבִימֶלֶךְ וְהָרָאשִׁים אֲשֶׁר עִמּוֹ פָּשְׁטוּ
וַיַּעַמְדוּ פֶּתַח שַׁעַר הָעִיר וּשְׁנֵי הָרָאשִׁים פָּשְׁטוּ עַל־כׇּל־אֲשֶׁר בַּשָּׂדֶה וַיַּכּוּם׃
מה וַאֲבִימֶלֶךְ נִלְחָם בָּעִיר כֹּל הַיּוֹם הַהוּא וַיִּלְכֹּד אֶת־הָעִיר וְאֶת־הָעָם
אֲשֶׁר־בָּהּ הָרָג וַיִּתֹּץ אֶת־הָעִיר וַיִּזְרָעֶהָ מֶלַח׃

מו וַיִּשְׁמְעוּ כׇּל־בַּעֲלֵי מִגְדַּל־שְׁכֶם וַיָּבֹאוּ אֶל־צְרִיחַ בֵּית אֵל בְּרִית׃ מז וַיֻּגַּד
לַאֲבִימֶלֶךְ כִּי הִתְקַבְּצוּ כׇּל־בַּעֲלֵי מִגְדַּל־שְׁכֶם׃ מח וַיַּעַל אֲבִימֶלֶךְ
הַר־צַלְמוֹן הוּא וְכׇל־הָעָם אֲשֶׁר־אִתּוֹ וַיִּקַּח אֲבִימֶלֶךְ אֶת־הַקַּרְדֻּמּוֹת בְּיָדוֹ
וַיִּכְרֹת שׂוֹכַת עֵצִים וַיִּשָּׂאֶהָ וַיָּשֶׂם עַל־שִׁכְמוֹ וַיֹּאמֶר אֶל־הָעָם אֲשֶׁר־עִמּוֹ מָה
רְאִיתֶם עָשִׂיתִי מַהֲרוּ עֲשׂוּ כָמוֹנִי׃ מט וַיִּכְרְתוּ גַם־כׇּל־הָעָם אִישׁ שׂוֹכֹה וַיֵּלְכוּ
אַחֲרֵי אֲבִימֶלֶךְ וַיָּשִׂימוּ עַל־הַצְּרִיחַ וַיַּצִּיתוּ עֲלֵיהֶם אֶת־הַצְּרִיחַ בָּאֵשׁ וַיָּמֻתוּ
גַּם כׇּל־אַנְשֵׁי מִגְדַּל־שְׁכֶם כְּאֶלֶף אִישׁ וְאִשָּׁה׃

נ וַיֵּלֶךְ אֲבִימֶלֶךְ אֶל־תֵּבֵץ וַיִּחַן בְּתֵבֵץ וַיִּלְכְּדָהּ׃ נא וּמִגְדַּל־עֹז הָיָה
בְתוֹךְ־הָעִיר וַיָּנֻסוּ שָׁמָּה כׇּל־הָאֲנָשִׁים וְהַנָּשִׁים וְכֹל בַּעֲלֵי הָעִיר וַיִּסְגְּרוּ
בַּעֲדָם וַיַּעֲלוּ עַל־גַּג הַמִּגְדָּל׃ נב וַיָּבֹא אֲבִימֶלֶךְ עַד־הַמִּגְדָּל וַיִּלָּחֶם בּוֹ וַיִּגַּשׁ
עַד־פֶּתַח הַמִּגְדָּל לְשׇׂרְפוֹ בָאֵשׁ׃

31 And he sent messengers unto Abimelech in Tormah, saying: 'Behold, Gaal the son of Ebed and his brethren are come to Shechem; and, behold, they will incite the city against thee. **32** Now therefore, up by night, thou and the people that are with thee, and lie in wait in the field. **33** And it shall be, that in the morning, as soon as the sun is up, thou shalt rise early, and set upon the city; and, behold, when he and the people that are with him come out against thee, then mayest thou do to them as thou shalt be able.' **34** And Abimelech rose up, and all the people that were with him, by night, and they lay in wait against Shechem in four companies. **35** And Gaal the son of Ebed went out, and stood in the entrance of the gate of the city; and Abimelech rose up, and the people that were with him, from the ambushment. **36** And when Gaal saw the people, he said to Zebul: 'Behold, there come people down from the tops of the mountains.' And Zebul said unto him: 'Thou seest the shadow of the mountains as if they were men.' **37** And Gaal spoke again and said: 'See, there come people down by the middle of the land, and one company cometh by the way of Elon-meonenim.' **38** Then said Zebul unto him: 'Where is now thy mouth, that thou saidst: Who is Abimelech, that we should serve him? is not this the people that thou hast despised? go out now, I pray, and fight with them.' **39** And Gaal went out before the men of Shechem, and fought with Abimelech. **40** And Abimelech chased him, and he fled before him, and there fell many wounded, even unto the entrance of the gate. **41** And Abimelech dwelt at Arumah; and Zebul drove out Gaal and his brethren, that they should not dwell in Shechem.{S} **42** And it came to pass on the morrow, that the people went out into the field; and it was told Abimelech. **43** And he took the people, and divided them into three companies, and lay in wait in the field; and he looked, and, behold, the people were coming forth out of the city; and he rose up against them, and smote them. **44** And Abimelech, and the companies that were with him, rushed forward, and stood in the entrance of the gate of the city; and the two companies rushed upon all that were in the field, and smote them. **45** And Abimelech fought against the city all that day; and he took the city, and slew the people that were therein; and he beat down the city, and sowed it with salt.{P}

46 And when all the men of the tower of Shechem heard thereof, they entered into the hold of the house of El-berith. **47** And it was told Abimelech that all the men of the tower of Shechem were gathered together. **48** And Abimelech got him up to mount Zalmon, he and all the people that were with him; and Abimelech took an axe in his hand, and cut down a bough from the trees, and took it up, and laid it on his shoulder; and he said unto the people that were with him: 'What ye have seen me do, make haste, and do as I have done.' **49** And all the people likewise cut down every man his bough, and followed Abimelech, and put them to the hold, and set the hold on fire upon them; so that all the men of the tower of Shechem died also, about a thousand men and women.{P}

50 Then went Abimelech to Thebez, and encamped against Thebez, and took it. **51** But there was a strong tower within the city, and thither fled all the men and women, even all they of the city, and shut themselves in, and got them up to the roof of the tower. **52** And Abimelech came unto the tower, and fought against it, and went close unto the door of the tower to burn it with fire.

נג וַתַּשְׁלֵךְ אִשָּׁה אַחַת פֶּלַח רֶכֶב עַל־רֹאשׁ אֲבִימֶלֶךְ וַתָּרִץ אֶת־גֻּלְגָּלְתּוֹ׃
נד וַיִּקְרָא מְהֵרָה אֶל־הַנַּעַר ׀ נֹשֵׂא כֵלָיו וַיֹּאמֶר לוֹ שְׁלֹף חַרְבְּךָ וּמוֹתְתֵנִי
פֶּן־יֹאמְרוּ לִי אִשָּׁה הֲרָגָתְהוּ וַיִּדְקְרֵהוּ נַעֲרוֹ וַיָּמֹת׃ נה וַיִּרְאוּ אִישׁ־יִשְׂרָאֵל כִּי
מֵת אֲבִימֶלֶךְ וַיֵּלְכוּ אִישׁ לִמְקֹמוֹ׃ נו וַיָּשֶׁב אֱלֹהִים אֵת רָעַת אֲבִימֶלֶךְ אֲשֶׁר
עָשָׂה לְאָבִיו לַהֲרֹג אֶת־שִׁבְעִים אֶחָיו׃ נז וְאֵת כָּל־רָעַת אַנְשֵׁי שְׁכֶם הֵשִׁיב
אֱלֹהִים בְּרֹאשָׁם וַתָּבֹא אֲלֵיהֶם קִלְלַת יוֹתָם בֶּן־יְרֻבָּעַל׃

י א וַיָּקָם אַחֲרֵי אֲבִימֶלֶךְ לְהוֹשִׁיעַ אֶת־יִשְׂרָאֵל תּוֹלָע בֶּן־פּוּאָה בֶּן־דּוֹדוֹ אִישׁ
יִשָּׂשכָר וְהוּא־יֹשֵׁב בְּשָׁמִיר בְּהַר אֶפְרָיִם׃ ב וַיִּשְׁפֹּט אֶת־יִשְׂרָאֵל עֶשְׂרִים
וְשָׁלֹשׁ שָׁנָה וַיָּמָת וַיִּקָּבֵר בְּשָׁמִיר׃

ג וַיָּקָם אַחֲרָיו יָאִיר הַגִּלְעָדִי וַיִּשְׁפֹּט אֶת־יִשְׂרָאֵל עֶשְׂרִים וּשְׁתַּיִם שָׁנָה׃
ד וַיְהִי־לוֹ שְׁלֹשִׁים בָּנִים רֹכְבִים עַל־שְׁלֹשִׁים עֲיָרִים וּשְׁלֹשִׁים עֲיָרִים לָהֶם
לָהֶם יִקְרְאוּ ׀ חַוֺּת יָאִיר עַד הַיּוֹם הַזֶּה אֲשֶׁר בְּאֶרֶץ הַגִּלְעָד׃ ה וַיָּמָת יָאִיר
וַיִּקָּבֵר בְּקָמוֹן׃

ו וַיֹּסִפוּ ׀ בְּנֵי יִשְׂרָאֵל לַעֲשׂוֹת הָרַע בְּעֵינֵי יְהוָה וַיַּעַבְדוּ אֶת־הַבְּעָלִים
וְאֶת־הָעַשְׁתָּרוֹת וְאֶת־אֱלֹהֵי אֲרָם וְאֶת־אֱלֹהֵי צִידוֹן וְאֵת ׀ אֱלֹהֵי מוֹאָב וְאֵת
אֱלֹהֵי בְנֵי־עַמּוֹן וְאֵת אֱלֹהֵי פְלִשְׁתִּים וַיַּעַזְבוּ אֶת־יְהוָה וְלֹא עֲבָדוּהוּ׃
ז וַיִּחַר־אַף יְהוָה בְּיִשְׂרָאֵל וַיִּמְכְּרֵם בְּיַד־פְּלִשְׁתִּים וּבְיַד בְּנֵי עַמּוֹן׃
ח וַיִּרְעֲצוּ וַיְרֹצְצוּ אֶת־בְּנֵי יִשְׂרָאֵל בַּשָּׁנָה הַהִיא שְׁמֹנֶה עֶשְׂרֵה שָׁנָה
אֶת־כָּל־בְּנֵי יִשְׂרָאֵל אֲשֶׁר בְּעֵבֶר הַיַּרְדֵּן בְּאֶרֶץ הָאֱמֹרִי אֲשֶׁר בַּגִּלְעָד׃
ט וַיַּעַבְרוּ בְנֵי־עַמּוֹן אֶת־הַיַּרְדֵּן לְהִלָּחֵם גַּם־בִּיהוּדָה וּבְבִנְיָמִין וּבְבֵית
אֶפְרָיִם וַתֵּצֶר לְיִשְׂרָאֵל מְאֹד׃ י וַיִּזְעֲקוּ בְּנֵי יִשְׂרָאֵל אֶל־יְהוָה לֵאמֹר חָטָאנוּ
לָךְ וְכִי עָזַבְנוּ אֶת־אֱלֹהֵינוּ וַנַּעֲבֹד אֶת־הַבְּעָלִים׃

יא וַיֹּאמֶר יְהוָה אֶל־בְּנֵי יִשְׂרָאֵל הֲלֹא מִמִּצְרַיִם וּמִן־הָאֱמֹרִי וּמִן־בְּנֵי עַמּוֹן
וּמִן־פְּלִשְׁתִּים׃ יב וְצִידוֹנִים וַעֲמָלֵק וּמָעוֹן לָחֲצוּ אֶתְכֶם וַתִּצְעֲקוּ אֵלַי
וָאוֹשִׁיעָה אֶתְכֶם מִיָּדָם׃ יג וְאַתֶּם עֲזַבְתֶּם אוֹתִי וַתַּעַבְדוּ אֱלֹהִים אֲחֵרִים לָכֵן
לֹא־אוֹסִיף לְהוֹשִׁיעַ אֶתְכֶם׃ יד לְכוּ וְזַעֲקוּ אֶל־הָאֱלֹהִים אֲשֶׁר בְּחַרְתֶּם בָּם
הֵמָּה יוֹשִׁיעוּ לָכֶם בְּעֵת צָרַתְכֶם׃ טו וַיֹּאמְרוּ בְנֵי־יִשְׂרָאֵל אֶל־יְהוָה חָטָאנוּ
עֲשֵׂה־אַתָּה לָנוּ כְּכָל־הַטּוֹב בְּעֵינֶיךָ אַךְ הַצִּילֵנוּ נָא הַיּוֹם הַזֶּה׃ טז וַיָּסִירוּ
אֶת־אֱלֹהֵי הַנֵּכָר מִקִּרְבָּם וַיַּעַבְדוּ אֶת־יְהוָה וַתִּקְצַר נַפְשׁוֹ בַּעֲמַל יִשְׂרָאֵל׃
יז וַיִּצָּעֲקוּ בְּנֵי עַמּוֹן וַיַּחֲנוּ בַּגִּלְעָד וַיֵּאָסְפוּ בְּנֵי יִשְׂרָאֵל וַיַּחֲנוּ בַּמִּצְפָּה׃

53 And a certain woman cast an upper millstone upon Abimelech's head, and broke his skull. 54 Then he called hastily unto the young man his armour-bearer, and said unto him: 'Draw thy sword, and kill me, that men say not of me: A woman slew him.' And his young man thrust him through, and he died. 55 And when the men of Israel saw that Abimelech was dead, they departed every man unto his place. 56 Thus God requited the wickedness of Abimelech, which he did unto his father, in slaying his seventy brethren; 57 and all the wickedness of the men of Shechem did God requite upon their heads; and upon them came the curse of Jotham the son of Jerubbaal.{P}

10 1 And after Abimelech there arose to save Israel Tola the son of Puah, the son of Dodo, a man of Issachar; and he dwelt in Shamir in the hill-country of Ephraim. 2 And he judged Israel twenty and three years, and died, and was buried in Shamir.{P}

3 And after him arose Jair, the Gileadite; and he judged Israel twenty and two years. 4 And he had thirty sons that rode on thirty ass colts, and they had thirty cities, which are called Havvoth-jair unto this day, which are in the land of Gilead. 5 And Jair died, and was buried in Kamon.{P}

6 And the children of Israel again did that which was evil in the sight of Yehovah, and served the Baalim, and the Ashtaroth, and the gods of Aram, and the gods of Zidon, and the gods of Moab, and the gods of the children of Ammon, and the gods of the Philistines; and they forsook Yehovah, and served Him not. 7 And the anger of Yehovah was kindled against Israel, and He gave them over into the hand of the Philistines, and into the hand of the children of Ammon. 8 And they oppressed and crushed the children of Israel that year; eighteen years [oppressed they] all the children of Israel that were beyond the Jordan in the land of the Amorites, which is in Gilead. 9 And the children of Ammon passed over the Jordan to fight also against Judah, and against Benjamin, and against the house of Ephraim, so that Israel was sore distressed. 10 And the children of Israel cried unto Yehovah, saying: 'We have sinned against Thee, in that we have forsaken our God, and have served the Baalim.'{P}

11 And Yehovah said unto the children of Israel: 'Did not I save you from the Egyptians, and from the Amorites, from the children of Ammon, and from the Philistines? 12 The Zidonians also, and the Amalekites, and the Maonites, did oppress you; and ye cried unto Me, and I saved you out of their hand. 13 Yet ye have forsaken Me, and served other gods; wherefore I will save you no more. 14 Go and cry unto the gods which ye have chosen; let them save you in the time of your distress.' 15 And the children of Israel said unto Yehovah: 'We have sinned; do Thou unto us whatsoever seemeth good unto Thee; only deliver us, we pray Thee, this day.' 16 And they put away the strange gods from among them, and served Yehovah; and His soul was grieved for the misery of Israel.{P}

17 Then the children of Ammon were gathered together, and encamped in Gilead. And the children of Israel assembled themselves together, and encamped in Mizpah.

יח וַיֹּאמְר֨וּ הָעָ֜ם שָׂרֵ֤י גִלְעָד֙ אִ֣ישׁ אֶל־רֵעֵ֔הוּ מִ֣י הָאִ֔ישׁ אֲשֶׁ֣ר יָחֵ֔ל לְהִלָּחֵ֖ם
בִּבְנֵ֣י עַמּ֑וֹן יִֽהְיֶ֣ה לְרֹ֔אשׁ לְכֹ֖ל יֹשְׁבֵ֥י גִלְעָֽד׃

יא א וְיִפְתָּ֣ח הַגִּלְעָדִ֗י הָיָה֙ גִּבּ֣וֹר חַ֔יִל וְה֖וּא בֶּן־אִשָּׁ֣ה זוֹנָ֑ה וַיּ֥וֹלֶד גִּלְעָ֖ד
אֶת־יִפְתָּֽח׃ ב וַתֵּ֧לֶד אֵֽשֶׁת־גִּלְעָ֛ד ל֖וֹ בָּנִ֑ים וַיִּגְדְּל֨וּ בְֽנֵי־הָאִשָּׁ֜ה וַיְגָרְשׁ֣וּ
אֶת־יִפְתָּ֗ח וַיֹּ֤אמְרוּ לוֹ֙ לֹא־תִנְחַ֣ל בְּבֵית־אָבִ֔ינוּ כִּ֛י בֶּן־אִשָּׁ֥ה אַחֶ֖רֶת אָֽתָּה׃
ג וַיִּבְרַ֤ח יִפְתָּח֙ מִפְּנֵ֣י אֶחָ֔יו וַיֵּ֖שֶׁב בְּאֶ֣רֶץ ט֑וֹב וַיִּֽתְלַקְּט֤וּ אֶל־יִפְתָּח֙ אֲנָשִׁ֣ים
רֵיקִ֔ים וַיֵּצְא֖וּ עִמּֽוֹ׃

ד וַיְהִ֖י מִיָּמִ֑ים וַיִּלָּחֲמ֥וּ בְנֵֽי־עַמּ֖וֹן עִם־יִשְׂרָאֵֽל׃ ה וַיְהִ֕י כַּאֲשֶׁר־נִלְחֲמ֥וּ
בְנֵי־עַמּ֖וֹן עִם־יִשְׂרָאֵ֑ל וַיֵּֽלְכוּ֙ זִקְנֵ֣י גִלְעָ֔ד לָקַ֥חַת אֶת־יִפְתָּ֖ח מֵאֶ֥רֶץ טֽוֹב׃
ו וַיֹּאמְר֣וּ לְיִפְתָּ֔ח לְכָ֕ה וְהָיִ֥יתָה לָּ֖נוּ לְקָצִ֑ין וְנִֽלָּחֲמָ֖ה בִּבְנֵ֥י עַמּֽוֹן׃ ז וַיֹּ֤אמֶר
יִפְתָּח֙ לְזִקְנֵ֣י גִלְעָ֔ד הֲלֹ֤א אַתֶּם֙ שְׂנֵאתֶ֣ם אוֹתִ֔י וַתְּגָרְשׁ֖וּנִי מִבֵּ֣ית אָבִ֑י וּמַדּ֜וּעַ
בָּאתֶ֤ם אֵלַי֙ עַ֔תָּה כַּאֲשֶׁ֖ר צַ֥ר לָכֶֽם׃ ח וַיֹּ֨אמְר֜וּ זִקְנֵ֣י גִלְעָ֗ד אֶל־יִפְתָּח֙ לָכֵ֗ן
עַתָּה֙ שַׁ֣בְנוּ אֵלֶ֔יךָ וְהָלַכְתָּ֣ עִמָּ֔נוּ וְנִלְחַמְתָּ֖ בִּבְנֵ֣י עַמּ֑וֹן וְהָיִ֤יתָ לָּ֙נוּ֙ לְרֹ֔אשׁ לְכֹ֖ל
יֹשְׁבֵ֥י גִלְעָֽד׃ ט וַיֹּ֨אמֶר יִפְתָּ֜ח אֶל־זִקְנֵ֣י גִלְעָ֗ד אִם־מְשִׁיבִ֨ים אַתֶּ֤ם אוֹתִי֙
לְהִלָּחֵם֙ בִּבְנֵ֣י עַמּ֔וֹן וְנָתַ֧ן יְהוָ֛ה אוֹתָ֖ם לְפָנָ֑י אָנֹכִ֕י אֶהְיֶ֥ה לָכֶ֖ם לְרֹֽאשׁ׃
י וַיֹּאמְר֥וּ זִקְנֵֽי־גִלְעָ֖ד אֶל־יִפְתָּ֑ח יְהוָ֗ה יִהְיֶ֤ה שֹׁמֵ֙עַ֙ בֵּינוֹתֵ֔ינוּ אִם־לֹ֥א כִדְבָרְךָ֖
כֵּ֥ן נַעֲשֶֽׂה׃ יא וַיֵּ֤לֶךְ יִפְתָּח֙ עִם־זִקְנֵ֣י גִלְעָ֔ד וַיָּשִׂ֨ימוּ הָעָ֥ם אוֹת֛וֹ עֲלֵיהֶ֖ם לְרֹ֣אשׁ
וּלְקָצִ֑ין וַיְדַבֵּ֨ר יִפְתָּ֧ח אֶת־כָּל־דְּבָרָ֛יו לִפְנֵ֥י יְהוָ֖ה בַּמִּצְפָּֽה׃

יב וַיִּשְׁלַ֤ח יִפְתָּח֙ מַלְאָכִ֔ים אֶל־מֶ֥לֶךְ בְּנֵֽי־עַמּ֖וֹן לֵאמֹ֑ר מַה־לִּ֣י וָלָ֔ךְ כִּי־בָ֥אתָ
אֵלַ֖י לְהִלָּחֵ֥ם בְּאַרְצִֽי׃ יג וַיֹּ֩אמֶר֩ מֶ֨לֶךְ בְּנֵֽי־עַמּ֜וֹן אֶל־מַלְאֲכֵ֣י יִפְתָּ֗ח כִּֽי־לָקַ֨ח
יִשְׂרָאֵ֤ל אֶת־אַרְצִי֙ בַּעֲלוֹת֣וֹ מִמִּצְרַ֔יִם מֵאַרְנ֥וֹן וְעַד־הַיַּבֹּ֖ק וְעַד־הַיַּרְדֵּ֑ן וְעַתָּ֕ה
הָשִׁ֥יבָה אֶתְהֶ֖ן בְּשָׁלֽוֹם׃ יד וַיּ֥וֹסֶף ע֖וֹד יִפְתָּ֑ח וַיִּשְׁלַח֙ מַלְאָכִ֔ים אֶל־מֶ֖לֶךְ בְּנֵ֥י
עַמּֽוֹן׃ טו וַיֹּ֣אמֶר ל֔וֹ כֹּ֖ה אָמַ֣ר יִפְתָּ֑ח לֹא־לָקַ֤ח יִשְׂרָאֵל֙ אֶת־אֶ֣רֶץ מוֹאָ֔ב
וְאֶת־אֶ֖רֶץ בְּנֵ֥י עַמּֽוֹן׃ טז כִּ֖י בַּעֲלוֹתָ֣ם מִמִּצְרָ֑יִם וַיֵּ֨לֶךְ יִשְׂרָאֵ֤ל בַּמִּדְבָּר֙
עַד־יַם־ס֔וּף וַיָּבֹ֖א קָדֵֽשָׁה׃ יז וַיִּשְׁלַ֣ח יִשְׂרָאֵ֣ל מַלְאָכִ֣ים ׀ אֶל־מֶ֣לֶךְ אֱד֣וֹם ׀
לֵאמֹר֮ אֶעְבְּרָה־נָּ֣א בְאַרְצֶךָ֒ וְלֹ֤א שָׁמַע֙ מֶ֣לֶךְ אֱד֔וֹם וְגַ֧ם אֶל־מֶ֧לֶךְ מוֹאָ֛ב שָׁלַ֖ח
וְלֹ֣א אָבָ֑ה וַיֵּ֥שֶׁב יִשְׂרָאֵ֖ל בְּקָדֵֽשׁ׃ יח וַיֵּ֣לֶךְ בַּמִּדְבָּ֗ר וַיָּ֜סָב אֶת־אֶ֤רֶץ אֱדוֹם֙
וְאֶת־אֶ֣רֶץ מוֹאָ֔ב וַיָּבֹ֤א מִמִּזְרַח־שֶׁ֙מֶשׁ֙ לְאֶ֣רֶץ מוֹאָ֔ב וַֽיַּחֲנ֖וּן בְּעֵ֣בֶר אַרְנ֑וֹן
וְלֹא־בָ֙אוּ֙ בִּגְב֣וּל מוֹאָ֔ב כִּ֥י אַרְנ֖וֹן גְּב֥וּל מוֹאָֽב׃ יט וַיִּשְׁלַ֤ח יִשְׂרָאֵל֙ מַלְאָכִ֔ים
אֶל־סִיח֥וֹן מֶֽלֶךְ־הָאֱמֹרִ֖י מֶ֣לֶךְ חֶשְׁבּ֑וֹן וַיֹּ֤אמֶר לוֹ֙ יִשְׂרָאֵ֔ל נַעְבְּרָה־נָּ֥א בְאַרְצְךָ֖
עַד־מְקוֹמִֽי׃

18 And the people, the princes of Gilead, said one to another: 'What man is he that will begin to fight against the children of Ammon? he shall be head over all the inhabitants of Gilead.'{P}

11 1 Now Jephthah the Gileadite was a mighty man of valour, and he was the son of a harlot; and Gilead begot Jephthah. **2** And Gilead's wife bore him sons; and when his wife's sons grew up, they drove out Jephthah, and said unto him: 'Thou shalt not inherit in our father's house; for thou art the son of another woman.' **3** Then Jephthah fled from his brethren, and dwelt in the land of Tob; and there were gathered vain fellows to Jephthah, and they went out with him.{P}

4 And it came to pass after a while, that the children of Ammon made war against Israel. **5** And it was so, that when the children of Ammon made war against Israel, the elders of Gilead went to fetch Jephthah out of the land of Tob. **6** And they said unto Jephthah: 'Come and be our chief, that we may fight with the children of Ammon.' **7** And Jephthah said unto the elders of Gilead: 'Did not ye hate me, and drive me out of my father's house? and why are ye come unto me now when ye are in distress?' **8** And the elders of Gilead said unto Jephthah: 'Therefore are we returned to thee now, that thou mayest go with us, and fight with the children of Ammon, and thou shalt be our head over all the inhabitants of Gilead.' **9** And Jephthah said unto the elders of Gilead: 'If ye bring me back home to fight with the children of Ammon, and Yehovah deliver them before me, I will be your head.' **10** And the elders of Gilead said unto Jephthah: 'Yehovah shall be witness between us; surely according to thy word so will we do.' **11** Then Jephthah went with the elders of Gilead, and the people made him head and chief over them; and Jephthah spoke all his words before Yehovah in Mizpah.{P}

12 And Jephthah sent messengers unto the king of the children of Ammon, saying: 'What hast thou to do with me, that thou art come unto me to fight against my land?' **13** And the king of the children of Ammon answered unto the messengers of Jephthah: 'Because Israel took away my land, when he came up out of Egypt, from the Arnon even unto the Jabbok, and unto the Jordan; now therefore restore those cities peaceably.' **14** And Jephthah sent messengers again unto the king of the children of Ammon; **15** and he said unto him: 'Thus saith Jephthah: Israel took not away the land of Moab, nor the land of the children of Ammon. **16** But when they came up from Egypt, and Israel walked through the wilderness unto the Red Sea, and came to Kadesh; **17** then Israel sent messengers unto the king of Edom, saying: Let me, I pray thee, pass through thy land; but the king of Edom hearkened not. And in like manner he sent unto the king of Moab; but he would not; and Israel abode in Kadesh. **18** Then he walked through the wilderness, and compassed the land of Edom, and the land of Moab, and came by the east side of the land of Moab, and they pitched on the other side of the Arnon; but they came not within the border of Moab, for the Arnon was the border of Moab. **19** And Israel sent messengers unto Sihon king of the Amorites, the king of Heshbon; and Israel said unto him: Let us pass, we pray thee, through thy land unto my place.

כ וְלֹא־הֶאֱמִין סִיחוֹן אֶת־יִשְׂרָאֵל עֲבֹר בִּגְבֻלוֹ וַיֶּאֱסֹף סִיחוֹן אֶת־כָּל־עַמּוֹ וַיַּחֲנוּ בְּיָהְצָה וַיִּלָּחֶם עִם־יִשְׂרָאֵל: כא וַיִּתֵּן יְהֹוָה אֱלֹהֵי־יִשְׂרָאֵל אֶת־סִיחוֹן וְאֶת־כָּל־עַמּוֹ בְּיַד יִשְׂרָאֵל וַיַּכּוּם וַיִּירַשׁ יִשְׂרָאֵל אֵת כָּל־אֶרֶץ הָאֱמֹרִי יוֹשֵׁב הָאָרֶץ הַהִיא: כב וַיִּירְשׁוּ אֵת כָּל־גְּבוּל הָאֱמֹרִי מֵאַרְנוֹן וְעַד־הַיַּבֹּק וּמִן־הַמִּדְבָּר וְעַד־הַיַּרְדֵּן: כג וְעַתָּה יְהֹוָה ׀ אֱלֹהֵי יִשְׂרָאֵל הוֹרִישׁ אֶת־הָאֱמֹרִי מִפְּנֵי עַמּוֹ יִשְׂרָאֵל וְאַתָּה תִּירָשֶׁנּוּ: כד הֲלֹא אֵת אֲשֶׁר יוֹרִישְׁךָ כְּמוֹשׁ אֱלֹהֶיךָ אוֹתוֹ תִירָשׁ וְאֵת כָּל־אֲשֶׁר הוֹרִישׁ יְהֹוָה אֱלֹהֵינוּ מִפָּנֵינוּ אוֹתוֹ נִירָשׁ: כה וְעַתָּה הֲטוֹב טוֹב אַתָּה מִבָּלָק בֶּן־צִפּוֹר מֶלֶךְ מוֹאָב הֲרוֹב רָב עִם־יִשְׂרָאֵל אִם־נִלְחֹם נִלְחַם בָּם: כו בְּשֶׁבֶת יִשְׂרָאֵל בְּחֶשְׁבּוֹן וּבִבְנוֹתֶיהָ וּבְעַרְעוֹר וּבִבְנוֹתֶיהָ וּבְכָל־הֶעָרִים אֲשֶׁר עַל־יְדֵי אַרְנוֹן שְׁלֹשׁ מֵאוֹת שָׁנָה וּמַדּוּעַ לֹא־הִצַּלְתֶּם בָּעֵת הַהִיא: כז וְאָנֹכִי לֹא־חָטָאתִי לָךְ וְאַתָּה עֹשֶׂה אִתִּי רָעָה לְהִלָּחֶם בִּי יִשְׁפֹּט יְהֹוָה הַשֹּׁפֵט הַיּוֹם בֵּין בְּנֵי יִשְׂרָאֵל וּבֵין בְּנֵי עַמּוֹן: כח וְלֹא שָׁמַע מֶלֶךְ בְּנֵי עַמּוֹן אֶל־דִּבְרֵי יִפְתָּח אֲשֶׁר שָׁלַח אֵלָיו:

כט וַתְּהִי עַל־יִפְתָּח רוּחַ יְהֹוָה וַיַּעֲבֹר אֶת־הַגִּלְעָד וְאֶת־מְנַשֶּׁה וַיַּעֲבֹר אֶת־מִצְפֵּה גִלְעָד וּמִמִּצְפֵּה גִלְעָד עָבַר בְּנֵי עַמּוֹן: ל וַיִּדַּר יִפְתָּח נֶדֶר לַיהֹוָה וַיֹּאמַר אִם־נָתוֹן תִּתֵּן אֶת־בְּנֵי עַמּוֹן בְּיָדִי: לא וְהָיָה הַיּוֹצֵא אֲשֶׁר יֵצֵא מִדַּלְתֵי בֵיתִי לִקְרָאתִי בְּשׁוּבִי בְשָׁלוֹם מִבְּנֵי עַמּוֹן וְהָיָה לַיהֹוָה וְהַעֲלִיתִהוּ עוֹלָה:

לב וַיַּעֲבֹר יִפְתָּח אֶל־בְּנֵי עַמּוֹן לְהִלָּחֶם בָּם וַיִּתְּנֵם יְהֹוָה בְּיָדוֹ: לג וַיַּכֵּם מֵעֲרוֹעֵר וְעַד־בּוֹאֲךָ מִנִּית עֶשְׂרִים עִיר וְעַד אָבֵל כְּרָמִים מַכָּה גְּדוֹלָה מְאֹד וַיִּכָּנְעוּ בְּנֵי עַמּוֹן מִפְּנֵי בְּנֵי יִשְׂרָאֵל:

לד וַיָּבֹא יִפְתָּח הַמִּצְפָּה אֶל־בֵּיתוֹ וְהִנֵּה בִתּוֹ יֹצֵאת לִקְרָאתוֹ בְתֻפִּים וּבִמְחֹלוֹת וְרַק הִיא יְחִידָה אֵין־לוֹ מִמֶּנּוּ בֵּן אוֹ־בַת: לה וַיְהִי כִרְאוֹתוֹ אוֹתָהּ וַיִּקְרַע אֶת־בְּגָדָיו וַיֹּאמֶר אֲהָהּ בִּתִּי הַכְרֵעַ הִכְרַעְתִּנִי וְאַתְּ הָיִית בְּעֹכְרָי וְאָנֹכִי פָּצִיתִי־פִי אֶל־יְהֹוָה וְלֹא אוּכַל לָשׁוּב: לו וַתֹּאמֶר אֵלָיו אָבִי פָּצִיתָה אֶת־פִּיךָ אֶל־יְהֹוָה עֲשֵׂה לִי כַּאֲשֶׁר יָצָא מִפִּיךָ אַחֲרֵי אֲשֶׁר עָשָׂה לְךָ יְהֹוָה נְקָמוֹת מֵאֹיְבֶיךָ מִבְּנֵי עַמּוֹן: לז וַתֹּאמֶר אֶל־אָבִיהָ יֵעָשֶׂה לִּי הַדָּבָר הַזֶּה הַרְפֵּה מִמֶּנִּי שְׁנַיִם חֳדָשִׁים וְאֵלְכָה וְיָרַדְתִּי עַל־הֶהָרִים וְאֶבְכֶּה עַל־בְּתוּלַי אָנֹכִי וְרֵעוֹתָי*: לח וַיֹּאמֶר לֵכִי וַיִּשְׁלַח אוֹתָהּ שְׁנֵי חֳדָשִׁים וַתֵּלֶךְ הִיא וְרֵעוֹתֶיהָ וַתֵּבְךְּ עַל־בְּתוּלֶיהָ עַל־הֶהָרִים: לט וַיְהִי מִקֵּץ ׀ שְׁנַיִם חֳדָשִׁים וַתָּשָׁב אֶל־אָבִיהָ וַיַּעַשׂ לָהּ אֶת־נִדְרוֹ אֲשֶׁר נָדָר וְהִיא לֹא־יָדְעָה אִישׁ וַתְּהִי־חֹק בְּיִשְׂרָאֵל:

---

* וְרֵעִיתִי

20 But Sihon trusted not Israel to pass through his border; but Sihon gathered all his people together, and pitched in Jahaz, and fought against Israel. **21** And Yehovah, the God of Israel, delivered Sihon and all his people into the hand of Israel, and they smote them; so Israel possessed all the land of the Amorites, the inhabitants of that country. **22** And they possessed all the border of the Amorites, from the Arnon even unto the Jabbok, and from the wilderness even unto the Jordan. **23** So now Yehovah, the God of Israel, hath dispossessed the Amorites from before His people Israel, and shouldest thou possess them? **24** Wilt not thou possess that which Chemosh thy god giveth thee to possess? So whomsoever Yehovah our God hath dispossessed from before us, them will we possess. **25** And now art thou any thing better than Balak the son of Zippor, king of Moab? did he ever strive against Israel, or did he ever fight against them? **26** While Israel dwelt in Heshbon and its towns, and in Aroer and its towns, and in all the cities that are along by the side of the Arnon, three hundred years; wherefore did ye not recover them within that time? **27** I therefore have not sinned against thee, but thou doest me wrong to war against me; Yehovah, the Judge, be judge this day between the children of Israel and the children of Ammon.' **28** Howbeit the king of the children of Ammon hearkened not unto the words of Jephthah which he sent him.{P}

29 Then the spirit of Yehovah came upon Jephthah, and he passed over Gilead and Manasseh, and passed over Mizpeh of Gilead, and from Mizpeh of Gilead he passed over unto the children of Ammon. **30** And Jephthah vowed a vow unto Yehovah, and said: 'If Thou wilt indeed deliver the children of Ammon into my hand, **31** then it shall be, that whatsoever cometh forth of the doors of my house to meet me, when I return in peace from the children of Ammon, it shall be Yehovah's, and I will offer it up for a burnt-offering.'{P}

32 So Jephthah passed over unto the children of Ammon to fight against them; and Yehovah delivered them into his hand. **33** And he smote them from Aroer until thou come to Minnith, even twenty cities, and unto Abel-cheramim, with a very great slaughter. So the children of Ammon were subdued before the children of Israel.{P}

34 And Jephthah came to Mizpah unto his house, and, behold, his daughter came out to meet him with timbrels and with dances; and she was his only child; beside her he had neither son nor daughter. **35** And it came to pass, when he saw her, that he rent his clothes, and said: 'Alas, my daughter! thou hast brought me very low, and thou art become my troubler; for I have opened my mouth unto Yehovah, and I cannot go back.' **36** And she said unto him: 'My father, thou hast opened thy mouth unto Yehovah; do unto me according to that which hath proceeded out of thy mouth; forasmuch as Yehovah hath taken vengeance for thee of thine enemies, even of the children of Ammon.' **37** And she said unto her father: 'Let this thing be done for me: let me alone two months, that I may depart and go down upon the mountains, and bewail my virginity, I and my companions.' **38** And he said: 'Go.' And he sent her away for two months; and she departed, she and her companions, and bewailed her virginity upon the mountains. **39** And it came to pass at the end of two months, that she returned unto her father, who did with her according to his vow which he had vowed; and she had not known man. And it was a custom in Israel,

מ מִיָּמִים ׀ יָמִימָה תֵּלַכְנָה בְּנוֹת יִשְׂרָאֵל לְתַנּוֹת לְבַת־יִפְתָּח הַגִּלְעָדִי אַרְבַּעַת
יָמִים בַּשָּׁנָה׃

יב א וַיִּצָּעֵק אִישׁ אֶפְרַיִם וַיַּעֲבֹר צָפוֹנָה וַיֹּאמְרוּ לְיִפְתָּח מַדּוּעַ ׀ עָבַרְתָּ ׀
לְהִלָּחֵם בִּבְנֵי־עַמּוֹן וְלָנוּ לֹא קָרָאתָ לָלֶכֶת עִמָּךְ בֵּיתְךָ נִשְׂרֹף עָלֶיךָ בָּאֵשׁ׃
ב וַיֹּאמֶר יִפְתָּח אֲלֵיהֶם אִישׁ רִיב הָיִיתִי אֲנִי וְעַמִּי וּבְנֵי־עַמּוֹן מְאֹד וָאֶזְעַק
אֶתְכֶם וְלֹא־הוֹשַׁעְתֶּם אוֹתִי מִיָּדָם׃ ג וָאֶרְאֶה כִּי־אֵינְךָ מוֹשִׁיעַ וָאָשִׂימָה נַפְשִׁי
בְכַפִּי וָאֶעְבְּרָה אֶל־בְּנֵי עַמּוֹן וַיִּתְּנֵם יְהוָה בְּיָדִי וְלָמָה עֲלִיתֶם אֵלַי הַיּוֹם
הַזֶּה לְהִלָּחֶם בִּי׃ ד וַיִּקְבֹּץ יִפְתָּח אֶת־כָּל־אַנְשֵׁי גִלְעָד וַיִּלָּחֶם אֶת־אֶפְרָיִם
וַיַּכּוּ אַנְשֵׁי גִלְעָד אֶת־אֶפְרַיִם כִּי אָמְרוּ פְּלִיטֵי אֶפְרַיִם אַתֶּם גִּלְעָד בְּתוֹךְ
אֶפְרַיִם בְּתוֹךְ מְנַשֶּׁה׃ ה וַיִּלְכֹּד גִּלְעָד אֶת־מַעְבְּרוֹת הַיַּרְדֵּן לְאֶפְרָיִם וְהָיָה
כִּי יֹאמְרוּ פְּלִיטֵי אֶפְרַיִם אֶעֱבֹרָה וַיֹּאמְרוּ לוֹ אַנְשֵׁי־גִלְעָד הַאֶפְרָתִי אַתָּה
וַיֹּאמֶר ׀ לֹא׃ ו וַיֹּאמְרוּ לוֹ אֱמָר־נָא שִׁבֹּלֶת וַיֹּאמֶר סִבֹּלֶת וְלֹא יָכִין לְדַבֵּר כֵּן
וַיֹּאחֲזוּ אוֹתוֹ וַיִּשְׁחָטוּהוּ אֶל־מַעְבְּרוֹת הַיַּרְדֵּן וַיִּפֹּל בָּעֵת הַהִיא מֵאֶפְרַיִם
אַרְבָּעִים וּשְׁנַיִם אָלֶף׃ ז וַיִּשְׁפֹּט יִפְתָּח אֶת־יִשְׂרָאֵל שֵׁשׁ שָׁנִים וַיָּמָת יִפְתָּח
הַגִּלְעָדִי וַיִּקָּבֵר בְּעָרֵי גִלְעָד׃

ח וַיִּשְׁפֹּט אַחֲרָיו אֶת־יִשְׂרָאֵל אִבְצָן מִבֵּית לָחֶם׃ ט וַיְהִי־לוֹ שְׁלֹשִׁים בָּנִים
וּשְׁלֹשִׁים בָּנוֹת שִׁלַּח הַחוּצָה וּשְׁלֹשִׁים בָּנוֹת הֵבִיא לְבָנָיו מִן־הַחוּץ וַיִּשְׁפֹּט
אֶת־יִשְׂרָאֵל שֶׁבַע שָׁנִים׃ י וַיָּמָת אִבְצָן וַיִּקָּבֵר בְּבֵית לָחֶם׃

יא וַיִּשְׁפֹּט אַחֲרָיו אֶת־יִשְׂרָאֵל אֵילוֹן הַזְּבוּלֹנִי וַיִּשְׁפֹּט אֶת־יִשְׂרָאֵל עֶשֶׂר
שָׁנִים׃ יב וַיָּמָת אֵילוֹן הַזְּבוּלֹנִי וַיִּקָּבֵר בְּאַיָּלוֹן בְּאֶרֶץ זְבוּלֻן׃

יג וַיִּשְׁפֹּט אַחֲרָיו אֶת־יִשְׂרָאֵל עַבְדּוֹן בֶּן־הִלֵּל הַפִּרְעָתוֹנִי׃ יד וַיְהִי־לוֹ
אַרְבָּעִים בָּנִים וּשְׁלֹשִׁים בְּנֵי בָנִים רֹכְבִים עַל־שִׁבְעִים עֲיָרִם וַיִּשְׁפֹּט
אֶת־יִשְׂרָאֵל שְׁמֹנֶה שָׁנִים׃ טו וַיָּמָת עַבְדּוֹן בֶּן־הִלֵּל הַפִּרְעָתוֹנִי וַיִּקָּבֵר
בְּפִרְעָתוֹן בְּאֶרֶץ אֶפְרַיִם בְּהַר הָעֲמָלֵקִי׃

יג א וַיֹּסִפוּ בְּנֵי יִשְׂרָאֵל לַעֲשׂוֹת הָרַע בְּעֵינֵי יְהוָה וַיִּתְּנֵם יְהוָה בְּיַד־פְּלִשְׁתִּים
אַרְבָּעִים שָׁנָה׃

ב וַיְהִי אִישׁ אֶחָד מִצָּרְעָה מִמִּשְׁפַּחַת הַדָּנִי וּשְׁמוֹ מָנוֹחַ וְאִשְׁתּוֹ עֲקָרָה וְלֹא
יָלָדָה׃ ג וַיֵּרָא מַלְאַךְ־יְהוָה אֶל־הָאִשָּׁה וַיֹּאמֶר אֵלֶיהָ הִנֵּה־נָא אַתְּ־עֲקָרָה
וְלֹא יָלַדְתְּ וְהָרִית וְיָלַדְתְּ בֵּן׃ ד וְעַתָּה הִשָּׁמְרִי נָא וְאַל־תִּשְׁתִּי יַיִן וְשֵׁכָר
וְאַל־תֹּאכְלִי כָּל־טָמֵא׃

40 that the daughters of Israel went yearly to lament the daughter of Jephthah the Gileadite four days in a year.{P}

12 1 And the men of Ephraim were gathered together, and passed to Zaphon; and they said unto Jephthah: 'Wherefore didst thou pass over to fight against the children of Ammon, and didst not call us to go with thee? we will burn thy house upon thee with fire.' 2 And Jephthah said unto them: 'I and my people were at great strife with the children of Ammon; and when I called you, ye saved me not out of their hand. 3 And when I saw that ye saved me not, I put my life in my hand, and passed over against the children of Ammon, and Yehovah delivered them into my hand; wherefore then are ye come up unto me this day, to fight against me?' 4 Then Jephthah gathered together all the men of Gilead, and fought with Ephraim; and the men of Gilead smote Ephraim, because they said: 'Ye are fugitives of Ephraim, ye Gileadites, in the midst of Ephraim, and in the midst of Manasseh.' 5 And the Gileadites took the fords of the Jordan against the Ephraimites; and it was so, that when any of the fugitives of Ephraim said: 'Let me go over,' the men of Gilead said unto him: 'Art thou an Ephraimite?' If he said: 'Nay'; 6 then said they unto him: 'Say now Shibboleth'; and he said 'Sibboleth'; for he could not frame to pronounce it right; then they laid hold on him, and slew him at the fords of the Jordan; and there fell at that time of Ephraim forty and two thousand. 7 And Jephthah judged Israel six years. Then died Jephthah the Gileadite, and was buried in one of the cities of Gilead.{P}

8 And after him Ibzan of Beth-lehem judged Israel. 9 And he had thirty sons, and thirty daughters he sent abroad, and thirty daughters he brought in from abroad for his sons. And he judged Israel seven years. 10 and Ibzan died, and was buried at Beth-lehem.{P}

11 And after him Elon the Zebulunite judged Israel; and he judged Israel ten years. 12 And Elon the Zebulunite died, and was buried in Aijalon in the land of Zebulun.{P}

13 And after him Abdon the son of Hillel the Pirathonite judged Israel. **14** And he had forty sons and thirty sons' sons, that rode on threescore and ten ass colts; and he judged Israel eight years. **15** And Abdon the son of Hillel the Pirathonite died, and was buried in Pirathon in the land of Ephraim, in the hill-country of the Amalekites.{P}

13 1 And the children of Israel again did that which was evil in the sight of Yehovah; and Yehovah delivered them into the hand of the Philistines forty years.{P}

2 And there was a certain man of Zorah, of the family of the Danites, whose name was Manoah; and his wife was barren, and bore not. 3 And the angel of Yehovah appeared unto the woman, and said unto her: 'Behold now, thou art barren, and hast not borne; but thou shalt conceive, and bear a son. 4 Now therefore beware, I pray thee, and drink no wine nor strong drink, and eat not any unclean thing.

ה כִּי הִנָּךְ הָרָה וְיֹלַדְתְּ בֵּן וּמוֹרָה֙ לֹא־יַעֲלֶ֣ה עַל־רֹאשׁ֔וֹ כִּי־נְזִ֧יר אֱלֹהִ֛ים יִהְיֶ֥ה הַנַּ֖עַר מִן־הַבָּ֑טֶן וְה֗וּא יָחֵ֛ל לְהוֹשִׁ֥יעַ אֶת־יִשְׂרָאֵ֖ל מִיַּ֥ד פְּלִשְׁתִּֽים: ו וַתָּבֹ֣א הָאִשָּׁ֗ה וַתֹּ֣אמֶר לְאִישָׁהּ֮ לֵאמֹר֒ אִ֤ישׁ הָאֱלֹהִים֙ בָּ֣א אֵלַ֔י וּמַרְאֵ֕הוּ כְּמַרְאֵ֛ה מַלְאַ֥ךְ הָאֱלֹהִ֖ים נוֹרָ֣א מְאֹ֑ד וְלֹ֤א שְׁאִלְתִּ֙יהוּ֙ אֵֽי־מִזֶּ֣ה ה֔וּא וְאֶת־שְׁמ֖וֹ לֹֽא־הִגִּ֥יד לִֽי: ז וַיֹּ֣אמֶר לִ֔י הִנָּ֥ךְ הָרָ֖ה וְיֹלַ֣דְתְּ בֵּ֑ן וְעַתָּ֞ה אַל־תִּשְׁתִּ֣י ׀ יַ֣יִן וְשֵׁכָ֗ר וְאַל־תֹּֽאכְלִי֙ כָּל־טֻמְאָ֔ה כִּֽי־נְזִ֤יר אֱלֹהִים֙ יִהְיֶ֣ה הַנַּ֔עַר מִן־הַבֶּ֖טֶן עַד־י֥וֹם מוֹתֽוֹ:

ח וַיֶּעְתַּ֥ר מָנ֛וֹחַ אֶל־יְהוָ֖ה וַיֹּאמַ֑ר בִּ֣י אֲדוֹנָ֔י אִ֣ישׁ הָאֱלֹהִ֞ים אֲשֶׁ֣ר שָׁלַ֗חְתָּ יָבוֹא־נָ֥א עוֹד֙ אֵלֵ֔ינוּ וְיוֹרֵ֕נוּ מַֽה־נַּעֲשֶׂ֖ה לַנַּ֥עַר הַיּוּלָּֽד: ט וַיִּשְׁמַ֥ע הָאֱלֹהִ֖ים בְּק֣וֹל מָנ֑וֹחַ וַיָּבֹ֣א מַלְאַךְ֩ הָאֱלֹהִ֨ים ע֜וֹד אֶל־הָאִשָּׁ֗ה וְהִיא֙ יוֹשֶׁ֣בֶת בַּשָּׂדֶ֔ה וּמָנ֥וֹחַ אִישָׁ֖הּ אֵ֥ין עִמָּֽהּ: י וַתְּמַהֵר֙ הָֽאִשָּׁ֔ה וַתָּ֖רָץ וַתַּגֵּ֣ד לְאִישָׁ֑הּ וַתֹּ֣אמֶר אֵלָ֔יו הִנֵּ֨ה נִרְאָ֤ה אֵלַי֙ הָאִ֔ישׁ אֲשֶׁר־בָּ֥א בַיּ֖וֹם אֵלָֽי: יא וַיָּ֛קָם וַיֵּ֥לֶךְ מָנ֖וֹחַ אַחֲרֵ֣י אִשְׁתּ֑וֹ וַיָּבֹא֙ אֶל־הָאִ֔ישׁ וַיֹּ֣אמֶר ל֗וֹ הַאַתָּ֥ה הָאִ֛ישׁ אֲשֶׁר־דִּבַּ֥רְתָּ אֶל־הָאִשָּׁ֖ה וַיֹּ֥אמֶר אָֽנִי: יב וַיֹּ֣אמֶר מָנ֔וֹחַ עַתָּ֖ה יָבֹ֣א דְבָרֶ֑יךָ מַה־יִּֽהְיֶ֥ה מִשְׁפַּט־הַנַּ֖עַר וּמַעֲשֵֽׂהוּ: יג וַיֹּ֛אמֶר מַלְאַ֥ךְ יְהוָ֖ה אֶל־מָנ֑וֹחַ מִכֹּ֛ל אֲשֶׁר־אָמַ֥רְתִּי אֶל־הָאִשָּׁ֖ה תִּשָּׁמֵֽר: יד מִכֹּ֣ל אֲשֶׁר־יֵצֵא֩ מִגֶּ֨פֶן הַיַּ֜יִן לֹ֣א תֹאכַ֗ל וְיַ֤יִן וְשֵׁכָר֙ אַל־תֵּ֔שְׁתְּ וְכָל־טֻמְאָ֖ה אַל־תֹּאכַ֑ל כֹּ֥ל אֲשֶׁר־צִוִּיתִ֖יהָ תִּשְׁמֹֽר: טו וַיֹּ֥אמֶר מָנ֖וֹחַ אֶל־מַלְאַ֣ךְ יְהוָ֑ה נַעְצְרָה־נָּ֣א אוֹתָ֔ךְ וְנַעֲשֶׂ֥ה לְפָנֶ֖יךָ גְּדִ֥י עִזִּֽים: טז וַיֹּאמֶר֩ מַלְאַ֨ךְ יְהוָ֜ה אֶל־מָנ֗וֹחַ אִם־תַּעְצְרֵ֙נִי֙ לֹא־אֹכַ֣ל בְּלַחְמֶ֔ךָ וְאִם־תַּעֲשֶׂ֣ה עֹלָ֔ה לַיהוָ֖ה תַּעֲלֶ֑נָּה כִּ֚י לֹא־יָדַ֣ע מָנ֔וֹחַ כִּֽי־מַלְאַ֥ךְ יְהוָ֖ה הֽוּא: יז וַיֹּ֧אמֶר מָנ֛וֹחַ אֶל־מַלְאַ֥ךְ יְהוָ֖ה מִ֣י שְׁמֶ֑ךָ כִּֽי־יָבֹ֥א דְבָרְךָ֖ וְכִבַּדְנֽוּךָ: יח וַיֹּ֤אמֶר לוֹ֙ מַלְאַ֣ךְ יְהוָ֔ה לָ֥מָּה זֶּ֖ה תִּשְׁאַ֣ל לִשְׁמִ֑י וְהוּא־פֶֽלִאי: יט וַיִּקַּ֨ח מָנ֜וֹחַ אֶת־גְּדִ֤י הָעִזִּים֙ וְאֶת־הַמִּנְחָ֔ה וַיַּ֥עַל עַל־הַצּ֖וּר לַֽיהוָ֑ה וּמַפְלִ֣א לַעֲשׂ֔וֹת וּמָנ֥וֹחַ וְאִשְׁתּ֖וֹ רֹאִֽים: כ וַיְהִי֩ בַעֲל֨וֹת הַלַּ֜הַב מֵעַ֤ל הַמִּזְבֵּ֙חַ֙ הַשָּׁמַ֔יְמָה וַיַּ֥עַל מַלְאַךְ־יְהוָ֖ה בְּלַ֣הַב הַמִּזְבֵּ֑חַ וּמָנ֤וֹחַ וְאִשְׁתּוֹ֙ רֹאִ֔ים וַיִּפְּל֥וּ עַל־פְּנֵיהֶ֖ם אָֽרְצָה: כא וְלֹא־יָ֤סַף עוֹד֙ מַלְאַ֣ךְ יְהוָ֔ה לְהֵרָאֹ֖ה אֶל־מָנ֣וֹחַ וְאֶל־אִשְׁתּ֑וֹ אָ֚ז יָדַ֣ע מָנ֔וֹחַ כִּֽי־מַלְאַ֥ךְ יְהוָ֖ה הֽוּא: כב וַיֹּ֧אמֶר מָנ֛וֹחַ אֶל־אִשְׁתּ֖וֹ מ֣וֹת נָמ֑וּת כִּ֥י אֱלֹהִ֖ים רָאִֽינוּ: כג וַתֹּ֧אמֶר ל֣וֹ אִשְׁתּ֗וֹ לוּ֩ חָפֵ֨ץ יְהוָ֤ה לַהֲמִיתֵ֙נוּ֙ לֹֽא־לָקַ֤ח מִיָּדֵ֙נוּ֙ עֹלָ֣ה וּמִנְחָ֔ה וְלֹ֥א הֶרְאָ֖נוּ אֶת־כָּל־אֵ֑לֶּה וְכָעֵ֕ת לֹ֥א הִשְׁמִיעָ֖נוּ כָּזֹֽאת: כד וַתֵּ֤לֶד הָֽאִשָּׁה֙ בֵּ֔ן וַתִּקְרָ֥א אֶת־שְׁמ֖וֹ שִׁמְשׁ֑וֹן וַיִּגְדַּ֤ל הַנַּ֙עַר֙ וַֽיְבָרְכֵ֖הוּ יְהוָֽה: כה וַתָּ֙חֶל֙ ר֣וּחַ יְהוָ֔ה לְפַעֲמ֖וֹ בְּמַחֲנֵה־דָ֑ן בֵּ֥ין צָרְעָ֖ה וּבֵ֥ין אֶשְׁתָּאֹֽל:

יד א וַיֵּ֥רֶד שִׁמְשׁ֖וֹן תִּמְנָ֑תָה וַיַּ֥רְא אִשָּׁ֛ה בְּתִמְנָ֖תָה מִבְּנ֥וֹת פְּלִשְׁתִּֽים:

5 For, lo, thou shalt conceive, and bear a son; and no razor shall come upon his head; for the child shall be a Nazirite unto God from the womb; and he shall begin to save Israel out of the hand of the Philistines.' **6** Then the woman came and told her husband, saying: 'A man of God came unto me, and his countenance was like the countenance of the angel of God, very terrible; and I asked him not whence he was, neither told he me his name; **7** but he said unto me: Behold, thou shalt conceive, and bear a son; and now drink no wine nor strong drink, and eat not any unclean thing; for the child shall be a Nazirite unto God from the womb to the day of his death.'{P}

8 Then Manoah entreated Yehovah, and said: 'Oh, Yehovah, I pray Thee, let the man of God whom Thou didst send come again unto us, and teach us what we shall do unto the child that shall be born.' **9** And God hearkened to the voice of Manoah; and the angel of God came again unto the woman as she sat in the field; but Manoah her husband was not with her. **10** And the woman made haste, and ran, and told her husband, and said unto him: 'Behold, the man hath appeared unto me, that came unto me that day.' **11** And Manoah arose, and went after his wife, and came to the man, and said unto him: 'Art thou the man that spokest unto the woman?' And he said: 'I am.' **12** And Manoah said: 'Now when thy word cometh to pass, what shall be the rule for the child, and what shall be done with him?' **13** And the angel of Yehovah said unto Manoah: 'Of all that I said unto the woman let her beware. **14** She may not eat of any thing that cometh of the grapevine, neither let her drink wine or strong drink, nor eat any unclean thing; all that I commanded her let her observe.'{S} **15** And Manoah said unto the angel of Yehovah: 'I pray thee, let us detain thee, that we may make ready a kid for thee.' **16** And the angel of Yehovah said unto Manoah: 'Though thou detain me, I will not eat of thy bread; and if thou wilt make ready a burnt-offering, thou must offer it unto Yehovah.' For Manoah knew not that he was the angel of Yehovah. **17** And Manoah said unto the angel of Yehovah: 'What is thy name, that when thy words come to pass we may do thee honour?' **18** And the angel of Yehovah said unto him: 'Wherefore askest thou after my name, seeing it is hidden?'{P}

19 So Manoah took the kid with the meal-offering, and offered it upon the rock unto Yehovah; and [the angel] did wondrously, and Manoah and his wife looked on. **20** For it came to pass, when the flame went up toward heaven from off the altar, that the angel of Yehovah ascended in the flame of the altar; and Manoah and his wife looked on; and they fell on their faces to the ground. **21** But the angel of Yehovah did no more appear to Manoah or to his wife. Then Manoah knew that he was the angel of Yehovah. **22** And Manoah said unto his wife: 'We shall surely die, because we have seen God.' **23** But his wife said unto him: 'If Yehovah were pleased to kill us, He would not have received a burnt-offering and a meal-offering at our hand, neither would He have shown us all these things, nor would at this time have told such things as these.' **24** And the woman bore a son, and called his name Samson; and the child grew, and Yehovah blessed him. **25** And the spirit of Yehovah began to move him in Mahaneh-dan, between Zorah and Eshtaol.{P}

14 **1** And Samson went down to Timnah, and saw a woman in Timnah of the daughters of the Philistines.

ב וַיַּ֗עַל וַיַּגֵּד֙ לְאָבִ֣יו וּלְאִמּ֔וֹ וַיֹּ֗אמֶר אִשָּׁ֛ה רָאִ֥יתִי בְתִמְנָ֖תָה מִבְּנ֣וֹת פְּלִשְׁתִּ֑ים
וְעַתָּ֕ה קְחוּ־אוֹתָ֥הּ לִ֖י לְאִשָּֽׁה׃ ג וַיֹּ֨אמֶר ל֜וֹ אָבִ֣יו וְאִמּ֗וֹ הַאֵין֩ בִּבְנ֨וֹת אַחֶ֤יךָ
וּבְכָל־עַמִּי֙ אִשָּׁ֔ה כִּֽי־אַתָּ֤ה הוֹלֵךְ֙ לָקַ֣חַת אִשָּׁ֔ה מִפְּלִשְׁתִּ֖ים הָעֲרֵלִ֑ים וַיֹּ֨אמֶר
שִׁמְשׁ֤וֹן אֶל־אָבִיו֙ אוֹתָ֣הּ קַח־לִ֔י כִּֽי־הִ֖יא יָשְׁרָ֥ה בְעֵינָֽי׃ ד וְאָבִ֨יו וְאִמּ֜וֹ לֹ֣א יָדְע֗וּ
כִּ֤י מֵֽיְהוָה֙ הִ֔יא כִּֽי־תֹאֲנָ֥ה הֽוּא־מְבַקֵּ֖שׁ מִפְּלִשְׁתִּ֑ים וּבָעֵ֣ת הַהִ֔יא פְּלִשְׁתִּ֖ים
מֹשְׁלִ֥ים בְּיִשְׂרָאֵֽל׃

ה וַיֵּ֥רֶד שִׁמְשׁ֛וֹן וְאָבִ֥יו וְאִמּ֖וֹ תִּמְנָ֑תָה וַיָּבֹ֙אוּ֙ עַד־כַּרְמֵ֣י תִמְנָ֔תָה וְהִנֵּה֙ כְּפִ֣יר
אֲרָי֔וֹת שֹׁאֵ֖ג לִקְרָאתֽוֹ׃ ו וַתִּצְלַ֨ח עָלָ֜יו ר֣וּחַ יְהוָ֗ה וַֽיְשַׁסְּעֵ֙הוּ֙ כְּשַׁסַּ֣ע הַגְּדִ֔י
וּמְא֖וּמָה אֵ֣ין בְּיָד֑וֹ וְלֹ֤א הִגִּיד֙ לְאָבִ֣יו וּלְאִמּ֔וֹ אֵ֖ת אֲשֶׁ֥ר עָשָֽׂה׃ ז וַיֵּ֖רֶד וַיְדַבֵּ֣ר
לָֽאִשָּׁ֑ה וַתִּישַׁ֖ר בְּעֵינֵ֥י שִׁמְשֽׁוֹן׃ ח וַיָּ֤שָׁב מִיָּמִים֙ לְקַחְתָּ֔הּ וַיָּ֣סַר לִרְא֔וֹת אֵ֖ת
מַפֶּ֣לֶת הָאַרְיֵ֑ה וְהִנֵּ֨ה עֲדַ֧ת דְּבוֹרִ֛ים בִּגְוִיַּ֥ת הָאַרְיֵ֖ה וּדְבָֽשׁ׃ ט וַיִּרְדֵּ֣הוּ
אֶל־כַּפָּ֗יו וַיֵּ֤לֶךְ הָלוֹךְ֙ וְאָכֹ֔ל וַיֵּ֙לֶךְ֙ אֶל־אָבִ֣יו וְאֶל־אִמּ֔וֹ וַיִּתֵּ֥ן לָהֶ֖ם וַיֹּאכֵ֑לוּ
וְלֹא־הִגִּ֣יד לָהֶ֔ם כִּ֛י מִגְּוִיַּ֥ת הָאַרְיֵ֖ה רָדָ֥ה הַדְּבָֽשׁ׃ י וַיֵּ֥רֶד אָבִ֖יהוּ אֶל־הָאִשָּׁ֑ה
וַיַּ֨עַשׂ שָׁ֤ם שִׁמְשׁוֹן֙ מִשְׁתֶּ֔ה כִּ֛י כֵּ֥ן יַעֲשׂ֖וּ הַבַּחוּרִֽים׃ יא וַיְהִ֖י כִּרְאוֹתָ֣ם אוֹת֑וֹ
וַיִּקְחוּ֙ שְׁלֹשִׁ֣ים מֵֽרֵעִ֔ים וַיִּהְי֖וּ אִתּֽוֹ׃ יב וַיֹּ֤אמֶר לָהֶם֙ שִׁמְשׁ֔וֹן אָח֥וּדָה־נָּ֖א לָכֶ֑ם
חִידָ֡ה אִם־הַגֵּד֩ תַּגִּ֨ידוּ אוֹתָ֜הּ לִ֠י שִׁבְעַ֨ת יְמֵ֤י הַמִּשְׁתֶּה֙ וּמְצָאתֶ֔ם וְנָתַתִּ֤י לָכֶם֙
שְׁלֹשִׁ֣ים סְדִינִ֔ים וּשְׁלֹשִׁ֖ים חֲלִפֹ֥ת בְּגָדִֽים׃ יג וְאִם־לֹ֣א תוּכְלוּ֮ לְהַגִּ֣יד לִי֒
וּנְתַתֶּ֨ם אַתֶּ֥ם לִי֙ שְׁלֹשִׁ֣ים סְדִינִ֔ים וּשְׁלֹשִׁ֖ים חֲלִיפ֣וֹת בְּגָדִ֑ים וַיֹּ֣אמְרוּ ל֔וֹ ח֥וּדָה
חִידָתְךָ֖ וְנִשְׁמָעֶֽנָּה׃ יד וַיֹּ֣אמֶר לָהֶ֗ם מֵהָֽאֹכֵל֙ יָצָ֣א מַאֲכָ֔ל וּמֵעַ֖ז יָצָ֣א מָת֑וֹק וְלֹ֥א
יָכְל֛וּ לְהַגִּ֥יד הַחִידָ֖ה שְׁלֹ֥שֶׁת יָמִֽים׃ טו וַיְהִ֣י ׀ בַּיּ֣וֹם הַשְּׁבִיעִ֗י וַיֹּאמְר֣וּ
לְאֵֽשֶׁת־שִׁמְשׁ֡וֹן פַּתִּ֣י אֶת־אִישֵׁךְ֩ וְיַגֶּד־לָ֨נוּ֙ אֶת־הַחִידָ֔ה פֶּן־נִשְׂרֹ֥ף אוֹתָ֖ךְ
וְאֶת־בֵּ֣ית אָבִ֑יךְ בָּאֵ֕שׁ הַלְיָרְשֵׁ֛נוּ קְרָאתֶ֥ם לָ֖נוּ הֲלֹֽא׃ טז וַתֵּבְךְּ֩ אֵ֨שֶׁת שִׁמְשׁ֜וֹן
עָלָ֗יו וַתֹּ֙אמֶר֙ רַק־שְׂנֵאתַ֣נִי וְלֹ֣א אֲהַבְתָּ֔נִי הַחִידָ֤ה חַ֙דְתָּ֙ לִבְנֵ֣י עַמִּ֔י וְלִ֖י לֹ֣א
הִגַּ֑דְתָּה וַיֹּ֣אמֶר לָ֗הּ הִנֵּ֨ה לְאָבִ֧י וּלְאִמִּ֛י לֹ֥א הִגַּ֖דְתִּי וְלָ֥ךְ אַגִּֽיד׃ יז וַתֵּ֤בְךְּ עָלָיו֙
שִׁבְעַ֣ת הַיָּמִ֔ים אֲשֶׁר־הָיָ֥ה לָהֶ֖ם הַמִּשְׁתֶּ֑ה וַיְהִ֣י ׀ בַּיּ֣וֹם הַשְּׁבִיעִ֗י וַיַּגֶּד־לָהּ֙ כִּ֣י
הֱצִיקַ֔תְהוּ וַתַּגֵּ֥ד הַחִידָ֖ה לִבְנֵ֥י עַמָּֽהּ׃ יח וַיֹּ֣אמְרוּ ל֜וֹ אַנְשֵׁ֣י הָעִ֗יר בַּיּ֣וֹם
הַשְּׁבִיעִי֙ בְּטֶ֙רֶם֙ יָבֹ֣א הַחַ֔רְסָה מַה־מָּת֣וֹק מִדְּבַ֔שׁ וּמֶ֥ה עַ֖ז מֵאֲרִ֑י וַיֹּ֣אמֶר לָהֶ֔ם
לוּלֵא֙ חֲרַשְׁתֶּ֣ם בְּעֶגְלָתִ֔י לֹ֥א מְצָאתֶ֖ם חִידָתִֽי׃ יט וַתִּצְלַ֨ח עָלָ֜יו ר֣וּחַ יְהוָ֗ה
וַיֵּ֨רֶד אַשְׁקְל֜וֹן וַיַּ֥ךְ מֵהֶ֣ם ׀ שְׁלֹשִׁ֣ים אִ֗ישׁ וַיִּקַּח֙ אֶת־חֲלִ֣יצוֹתָ֔ם וַיִּתֵּן֙ הַחֲלִיפ֔וֹת
לְמַגִּידֵ֖י הַחִידָ֑ה וַיִּ֣חַר אַפּ֔וֹ וַיַּ֖עַל בֵּ֥ית אָבִֽיהוּ׃

כ וַתְּהִ֖י אֵ֣שֶׁת שִׁמְשׁ֑וֹן לְמֵ֣רֵעֵ֔הוּ אֲשֶׁ֖ר רֵעָ֥ה לֽוֹ׃

2 And he came up, and told his father and his mother, and said: 'I have seen a woman in Timnah of the daughters of the Philistines; now therefore get her for me to wife.' **3** Then his father and his mother said unto him: 'Is there never a woman among the daughters of thy brethren, or among all my people, that thou goest to take a wife of the uncircumcised Philistines?' And Samson said unto his father: 'Get her for me; for she pleaseth me well.' **4** But his father and his mother knew not that it was of Yehovah; for he sought an occasion against the Philistines. Now at that time the Philistines had rule over Israel. **5** Then went Samson down, and his father and his mother, to Timnah, and came to the vineyards of Timnah; and, behold, a young lion roared against him. **6** And the spirit of Yehovah came mightily upon him, and he rent him as one would have rent a kid, and he had nothing in his hand; but he told not his father or his mother what he had done. **7** And he went down, and talked with the woman; and she pleased Samson well. **8** And after a while he returned to take her, and he turned aside to see the carcass of the lion; and, behold, there was a swarm of bees in the body of the lion, and honey. **9** And he scraped it out into his hands, and went on, eating as he went, and he came to his father and mother, and gave unto them, and they did eat; but he told them not that he had scraped the honey out of the body of the lion. **10** And his father went down unto the woman; and Samson made there a feast; for so used the young men to do. **11** And it came to pass, when they saw him, that they brought thirty companions to be with him. **12** And Samson said unto them: 'Let me now put forth a riddle unto you; if ye can declare it me within the seven days of the feast, and find it out, then I will give you thirty linen garments and thirty changes of raiment; **13** but if ye cannot declare it me, then shall ye give me thirty linen garments and thirty changes of raiment.' And they said unto him: 'Put forth thy riddle, that we may hear it.' **14** And he said unto them: Out of the eater came forth food, and out of the strong came forth sweetness. And they could not in three days declare the riddle. **15** And it came to pass on the seventh day, that they said unto Samson's wife: 'Entice thy husband, that he may declare unto us the riddle, lest we burn thee and thy father's house with fire; have ye called us hither to impoverish us?' **16** And Samson's wife wept before him, and said: 'Thou dost but hate me, and lovest me not; thou hast put forth a riddle unto the children of my people, and wilt thou not tell it me?' And he said unto her: 'Behold, I have not told it my father nor my mother, and shall I tell thee?' **17** And she wept before him the seven days, while their feast lasted; and it came to pass on the seventh day, that he told her, because she pressed him sore; and she told the riddle to the children of her people. **18** And the men of the city said unto him on the seventh day before the sun went down: What is sweeter than honey? and what is stronger than a lion? And he said unto them: If ye had not plowed with my heifer, ye had not found out my riddle. **19** And the spirit of Yehovah came mightily upon him, and he went down to Ashkelon, and smote thirty men of them, and took their spoil, and gave the changes of raiment unto them that declared the riddle. And his anger was kindled, and he went up to his father's house. **20** But Samson's wife was given to his companion, whom he had had for his friend.{P}

יה א וַיְהִי מִיָּמִים בִּימֵי קְצִיר־חִטִּים וַיִּפְקֹד שִׁמְשׁוֹן אֶת־אִשְׁתּוֹ בִּגְדִי עִזִּים
וַיֹּאמֶר אָבֹאָה אֶל־אִשְׁתִּי הֶחָדְרָה וְלֹא־נְתָנוֹ אָבִיהָ לָבוֹא׃ ב וַיֹּאמֶר אָבִיהָ אָמֹר
אָמַרְתִּי כִּי־שָׂנֹא שְׂנֵאתָהּ וָאֶתְּנֶנָּה לְמֵרֵעֶךָ הֲלֹא אֲחֹתָהּ הַקְּטַנָּה טוֹבָה מִמֶּנָּה
תְּהִי־נָא לְךָ תַּחְתֶּיהָ׃ ג וַיֹּאמֶר לָהֶם שִׁמְשׁוֹן נִקֵּיתִי הַפַּעַם מִפְּלִשְׁתִּים כִּי־עֹשֶׂה
אֲנִי עִמָּם רָעָה׃ ד וַיֵּלֶךְ שִׁמְשׁוֹן וַיִּלְכֹּד שְׁלֹשׁ־מֵאוֹת שׁוּעָלִים וַיִּקַּח לַפִּדִים
וַיֶּפֶן זָנָב אֶל־זָנָב וַיָּשֶׂם לַפִּיד אֶחָד בֵּין־שְׁנֵי הַזְּנָבוֹת בַּתָּוֶךְ׃ ה וַיַּבְעֶר־אֵשׁ
בַּלַּפִּידִים וַיְשַׁלַּח בְּקָמוֹת פְּלִשְׁתִּים וַיַּבְעֵר מִגָּדִישׁ וְעַד־קָמָה וְעַד־כֶּרֶם זָיִת׃
ו וַיֹּאמְרוּ פְלִשְׁתִּים מִי עָשָׂה זֹאת וַיֹּאמְרוּ שִׁמְשׁוֹן חֲתַן הַתִּמְנִי כִּי לָקַח
אֶת־אִשְׁתּוֹ וַיִּתְּנָהּ לְמֵרֵעֵהוּ וַיַּעֲלוּ פְלִשְׁתִּים וַיִּשְׂרְפוּ אוֹתָהּ וְאֶת־אָבִיהָ בָּאֵשׁ׃
ז וַיֹּאמֶר לָהֶם שִׁמְשׁוֹן אִם־תַּעֲשׂוּן כָּזֹאת כִּי אִם־נִקַּמְתִּי בָכֶם וְאַחַר אֶחְדָּל׃
ח וַיַּךְ אוֹתָם שׁוֹק עַל־יָרֵךְ מַכָּה גְדוֹלָה וַיֵּרֶד וַיֵּשֶׁב בִּסְעִיף סֶלַע עֵיטָם׃
ט וַיַּעֲלוּ פְלִשְׁתִּים וַיַּחֲנוּ בִּיהוּדָה וַיִּנָּטְשׁוּ בַּלֶּחִי׃ י וַיֹּאמְרוּ אִישׁ יְהוּדָה לָמָה
עֲלִיתֶם עָלֵינוּ וַיֹּאמְרוּ לֶאֱסוֹר אֶת־שִׁמְשׁוֹן עָלִינוּ לַעֲשׂוֹת לוֹ כַּאֲשֶׁר עָשָׂה לָנוּ׃
יא וַיֵּרְדוּ שְׁלֹשֶׁת אֲלָפִים אִישׁ מִיהוּדָה אֶל־סְעִיף סֶלַע עֵיטָם וַיֹּאמְרוּ לְשִׁמְשׁוֹן
הֲלֹא יָדַעְתָּ כִּי־מֹשְׁלִים בָּנוּ פְּלִשְׁתִּים וּמַה־זֹּאת עָשִׂיתָ לָּנוּ וַיֹּאמֶר לָהֶם כַּאֲשֶׁר
עָשׂוּ לִי כֵּן עָשִׂיתִי לָהֶם׃ יב וַיֹּאמְרוּ לוֹ לֶאֱסָרְךָ יָרַדְנוּ לְתִתְּךָ בְּיַד־פְּלִשְׁתִּים
וַיֹּאמֶר לָהֶם שִׁמְשׁוֹן הִשָּׁבְעוּ לִי פֶּן־תִּפְגְּעוּן בִּי אַתֶּם׃ יג וַיֹּאמְרוּ לוֹ לֵאמֹר לֹא
כִּי־אָסֹר נֶאֱסָרְךָ וּנְתַנּוּךָ בְיָדָם וְהָמֵת לֹא נְמִיתֶךָ וַיַּאַסְרֻהוּ בִּשְׁנַיִם עֲבֹתִים
חֲדָשִׁים וַיַּעֲלוּהוּ מִן־הַסָּלַע׃ יד הוּא־בָא עַד־לֶחִי וּפְלִשְׁתִּים הֵרִיעוּ לִקְרָאתוֹ
וַתִּצְלַח עָלָיו רוּחַ יְהוָה וַתִּהְיֶינָה הָעֲבֹתִים אֲשֶׁר עַל־זְרוֹעוֹתָיו כַּפִּשְׁתִּים אֲשֶׁר
בָּעֲרוּ בָאֵשׁ וַיִּמַּסּוּ אֱסוּרָיו מֵעַל יָדָיו׃ יה וַיִּמְצָא לְחִי־חֲמוֹר טְרִיָּה וַיִּשְׁלַח יָדוֹ
וַיִּקָּחֶהָ וַיַּךְ־בָּהּ אֶלֶף אִישׁ׃ יו וַיֹּאמֶר שִׁמְשׁוֹן בִּלְחִי הַחֲמוֹר חֲמוֹר חֲמֹרָתָיִם
בִּלְחִי הַחֲמוֹר הִכֵּיתִי אֶלֶף אִישׁ׃ יז וַיְהִי כְּכַלֹּתוֹ לְדַבֵּר וַיַּשְׁלֵךְ הַלְּחִי מִיָּדוֹ
וַיִּקְרָא לַמָּקוֹם הַהוּא רָמַת לֶחִי׃ יח וַיִּצְמָא מְאֹד וַיִּקְרָא אֶל־יְהוָה וַיֹּאמַר אַתָּה
נָתַתָּ בְיַד־עַבְדְּךָ אֶת־הַתְּשׁוּעָה הַגְּדֹלָה הַזֹּאת וְעַתָּה אָמוּת בַּצָּמָא וְנָפַלְתִּי
בְּיַד הָעֲרֵלִים׃ יט וַיִּבְקַע אֱלֹהִים אֶת־הַמַּכְתֵּשׁ אֲשֶׁר־בַּלֶּחִי וַיֵּצְאוּ מִמֶּנּוּ מַיִם
וַיֵּשְׁתְּ וַתָּשָׁב רוּחוֹ וַיֶּחִי עַל־כֵּן ׀ קָרָא שְׁמָהּ עֵין הַקּוֹרֵא אֲשֶׁר בַּלֶּחִי עַד הַיּוֹם
הַזֶּה׃ כ וַיִּשְׁפֹּט אֶת־יִשְׂרָאֵל בִּימֵי פְלִשְׁתִּים עֶשְׂרִים שָׁנָה׃

יו א וַיֵּלֶךְ שִׁמְשׁוֹן עַזָּתָה וַיַּרְא־שָׁם אִשָּׁה זוֹנָה וַיָּבֹא אֵלֶיהָ׃ ב לַעַזָּתִים ׀ לֵאמֹר
בָּא שִׁמְשׁוֹן הֵנָּה וַיָּסֹבּוּ וַיֶּאֶרְבוּ־לוֹ כָל־הַלַּיְלָה בְּשַׁעַר הָעִיר וַיִּתְחָרְשׁוּ
כָל־הַלַּיְלָה לֵאמֹר עַד־אוֹר הַבֹּקֶר וַהֲרַגְנֻהוּ׃

15 1 But it came to pass after a while, in the time of wheat harvest, that Samson visited his wife with a kid; and he said: 'I will go in to my wife into the chamber.' But her father would not suffer him to go in. 2 And her father said: 'I verily thought that thou hadst utterly hated her; therefore I gave her to thy companion; is not her younger sister fairer than she? take her, I pray thee, instead of her.' 3 And Samson said unto them: 'This time shall I be quits with the Philistines, when I do them a mischief.' 4 And Samson went and caught three hundred foxes, and took torches, and turned tail to tail, and put a torch in the midst between every two tails. 5 And when he had set the torches on fire, he let them go into the standing corn of the Philistines, and burnt up both the shocks and the standing corn, and also the oliveyards. 6 Then the Philistines said: 'Who hath done this?' And they said: 'Samson, the son-in-law of the Timnite, because he hath taken his wife, and given her to his companion.' And the Philistines came up, and burnt her and her father with fire. 7 And Samson said unto them: 'If ye do after this manner, surely I will be avenged of you, and after that I will cease.' 8 And he smote them hip and thigh with a great slaughter; and he went down and dwelt in the cleft of the rock of Etam.{P}

9 Then the Philistines went up, and pitched in Judah, and spread themselves against Lehi. 10 And the men of Judah said: 'Why are ye come up against us?' And they said: 'To bind Samson are we come up, to do to him as he hath done to us.' 11 Then three thousand men of Judah went down to the cleft of the rock of Etam, and said to Samson: 'Knowest thou not that the Philistines are rulers over us? what then is this that thou hast done unto us?' And he said unto them: 'As they did unto me, so have I done unto them.' 12 And they said unto him: 'We are come down to bind thee, that we may deliver thee into the hand of the Philistines.' And Samson said unto them: 'Swear unto me, that ye will not fall upon me yourselves.' 13 And they spoke unto him, saying: 'No; but we will bind thee fast, and deliver thee into their hand; but surely we will not kill thee.' And they bound him with two new ropes, and brought him up from the rock. 14 When he came unto Lehi, the Philistines shouted as they met him; and the spirit of Yehovah came mightily upon him, and the ropes that were upon his arms became as flax that was burnt with fire, and his bands dropped from off his hands. 15 And he found a new jawbone of an ass, and put forth his hand, and took it, and smote a thousand men therewith. 16 And Samson said: With the jawbone of an ass, heaps upon heaps, with the jawbone of an ass have I smitten a thousand men. 17 And it came to pass, when he had made an end of speaking, that he cast away the jawbone out of his hand; and that place was called Ramath-lehi. 18 And he was sore athirst, and called on Yehovah, and said: 'Thou hast given this great deliverance by the hand of Thy servant; and now shall I die for thirst, and fall into the hand of the uncircumcised?' 19 But God cleaved the hollow place that is in Lehi, and there came water thereout; and when he had drunk, his spirit came back, and he revived; wherefore the name thereof was called En-hakkore, which is in Lehi unto this day. 20 And he judged Israel in the days of the Philistines twenty years.{P}

16 1 And Samson went to Gaza, and saw there a harlot, and went in unto her. 2 [And it was told] the Gazites, saying: 'Samson is come hither.' And they compassed him in, and lay in wait for him all night in the gate of the city, and were quiet all the night, saying: 'Let be till morning light, then we will kill him.'

ג וַיִּשְׁכַּ֣ב שִׁמְשׁוֹן֮ עַד־חֲצִ֣י הַלַּיְלָה֒ וַיָּ֣קָם ׀ בַּחֲצִ֣י הַלַּ֗יְלָה וַיֶּאֱחֹ֞ז בְּדַלְת֤וֹת
שַֽׁעַר־הָעִיר֙ וּבִשְׁתֵּ֣י הַמְּזוּז֔וֹת וַיִּסָּעֵם֙ עִֽם־הַבְּרִ֔יחַ וַיָּ֖שֶׂם עַל־כְּתֵפָ֑יו וַֽיַּעֲלֵם֙
אֶל־רֹ֣אשׁ הָהָ֔ר אֲשֶׁ֖ר עַל־פְּנֵ֥י חֶבְרֽוֹן׃

ד וַֽיְהִי֙ אַֽחֲרֵי־כֵ֔ן וַיֶּאֱהַ֥ב אִשָּׁ֖ה בְּנַ֣חַל שֹׂרֵ֑ק וּשְׁמָ֖הּ דְּלִילָֽה׃ ה וַיַּעֲל֨וּ אֵלֶ֜יהָ
סַרְנֵ֣י פְלִשְׁתִּ֗ים וַיֹּ֨אמְרוּ לָ֜הּ פַּתִּ֣י אוֹת֗וֹ וּרְאִי֙ בַּמֶּה֙ כֹּח֣וֹ גָד֔וֹל וּבַמֶּה֙ נ֣וּכַל ל֔וֹ
וַאֲסַרְנֻ֖הוּ לְעַנֹּת֑וֹ וַאֲנַ֙חְנוּ֙ נִתַּן־לָ֔ךְ אִ֕ישׁ אֶ֥לֶף וּמֵאָ֖ה כָּֽסֶף׃ ו וַתֹּ֤אמֶר דְּלִילָה֙
אֶל־שִׁמְשׁ֔וֹן הַגִּֽידָה־נָּ֣א לִ֔י בַּמֶּ֖ה כֹּחֲךָ֣ גָד֑וֹל וּבַמֶּ֥ה תֵאָסֵ֖ר לְעַנּוֹתֶֽךָ׃ ז וַיֹּ֨אמֶר
אֵלֶ֜יהָ שִׁמְשׁ֗וֹן אִם־יַאַסְרֻ֙נִי֙ בְּשִׁבְעָ֛ה יְתָרִ֥ים לַחִ֖ים אֲשֶׁ֣ר לֹֽא־חֹרָ֑בוּ וְחָלִ֥יתִי
וְהָיִ֖יתִי כְּאַחַ֥ד הָאָדָֽם׃ ח וַיַּעֲלוּ־לָ֞הּ סַרְנֵ֣י פְלִשְׁתִּ֗ים שִׁבְעָ֛ה יְתָרִ֥ים לַחִ֖ים
אֲשֶׁ֣ר לֹֽא־חֹרָ֑בוּ וַתַּאַסְרֵ֖הוּ בָּהֶֽם׃ ט וְהָאֹרֵ֗ב יֹשֵׁ֥ב לָהּ֙ בַּחֶ֔דֶר וַתֹּ֣אמֶר אֵלָ֔יו
פְּלִשְׁתִּ֥ים עָלֶ֖יךָ שִׁמְשׁ֑וֹן וַיְנַתֵּק֙ אֶת־הַיְתָרִ֔ים כַּאֲשֶׁ֨ר יִנָּתֵ֤ק פְּתִֽיל־הַנְּעֹ֙רֶת֙
בַּהֲרִיח֣וֹ אֵ֔שׁ וְלֹ֥א נוֹדַ֖ע כֹּחֽוֹ׃ י וַתֹּ֤אמֶר דְּלִילָה֙ אֶל־שִׁמְשׁ֔וֹן הִנֵּה֙ הֵתַ֣לְתָּ בִּ֔י
וַתְּדַבֵּ֥ר אֵלַ֖י כְּזָבִ֑ים עַתָּה֙ הַגִּֽידָה־נָּ֣א לִ֔י בַּמֶּ֖ה תֵּאָסֵֽר׃ יא וַיֹּ֣אמֶר אֵלֶ֔יהָ
אִם־אָס֤וֹר יַאַסְר֙וּנִי֙ בַּעֲבֹתִ֣ים חֲדָשִׁ֔ים אֲשֶׁ֛ר לֹא־נַעֲשָׂ֥ה בָהֶ֖ם מְלָאכָ֑ה וְחָלִ֥יתִי
וְהָיִ֖יתִי כְּאַחַ֥ד הָאָדָֽם׃ יב וַתִּקַּ֣ח דְּלִילָה֩ עֲבֹתִ֨ים חֲדָשִׁ֜ים וַתַּאַסְרֵ֣הוּ בָהֶ֗ם
וַתֹּ֤אמֶר אֵלָיו֙ פְּלִשְׁתִּ֣ים עָלֶ֙יךָ֙ שִׁמְשׁ֔וֹן וְהָאֹרֵ֖ב יֹשֵׁ֣ב בֶּחָ֑דֶר וַיְנַתְּקֵ֛ם מֵעַ֥ל
זְרֹעֹתָ֖יו כַּחֽוּט׃ יג וַתֹּ֨אמֶר דְּלִילָ֜ה אֶל־שִׁמְשׁ֗וֹן עַד־הֵ֜נָּה הֵתַ֤לְתָּ בִּי֙ וַתְּדַבֵּ֣ר
אֵלַי֙ כְּזָבִ֔ים הַגִּ֣ידָה לִּ֔י בַּמֶּ֖ה תֵּאָסֵ֑ר וַיֹּ֣אמֶר אֵלֶ֔יהָ אִם־תַּאַרְגִ֗י אֶת־שֶׁ֛בַע
מַחְלְפ֥וֹת רֹאשִׁ֖י עִם־הַמַּסָּֽכֶת׃ יד וַתִּתְקַע֙ בַּיָּתֵ֔ד וַתֹּ֣אמֶר אֵלָ֔יו פְּלִשְׁתִּ֥ים עָלֶ֖יךָ
שִׁמְשׁ֑וֹן וַיִּיקַץ֙ מִשְּׁנָת֔וֹ וַיִּסַּ֛ע אֶת־הַיְתַ֥ד הָאֶ֖רֶג וְאֶת־הַמַּסָּֽכֶת׃ טו וַתֹּ֣אמֶר אֵלָ֗יו
אֵ֚יךְ תֹּאמַ֣ר אֲהַבְתִּ֔יךְ וְלִבְּךָ֖ אֵ֣ין אִתִּ֑י זֶ֣ה שָׁל֤שׁ פְּעָמִים֙ הֵתַ֣לְתָּ בִּ֔י וְלֹא־הִגַּ֣דְתָּ
לִּ֔י בַּמֶּ֖ה כֹּחֲךָ֥ גָדֽוֹל׃ טז וַ֠יְהִי כִּֽי־הֵצִ֨יקָה לּ֧וֹ בִדְבָרֶ֛יהָ כָּל־הַיָּמִ֖ים וַתְּאַלֲצֵ֑הוּ
וַתִּקְצַ֥ר נַפְשׁ֖וֹ לָמֽוּת׃ יז וַיַּגֶּד־לָ֣הּ אֶת־כָּל־לִבּ֗וֹ וַיֹּ֤אמֶר לָהּ֙ מוֹרָה֙ לֹא־עָלָ֣ה
עַל־רֹאשִׁ֔י כִּֽי־נְזִ֧יר אֱלֹהִ֛ים אֲנִ֖י מִבֶּ֣טֶן אִמִּ֑י אִם־גֻּלַּ֙חְתִּי֙ וְסָ֣ר מִמֶּ֣נִּי כֹחִ֔י וְחָלִ֥יתִי
וְהָיִ֖יתִי כְּכָל־הָאָדָֽם׃ יח וַתֵּ֣רֶא דְלִילָ֗ה כִּֽי־הִגִּ֣יד לָהּ֮ אֶת־כָּל־לִבּוֹ֒ וַתִּשְׁלַ֡ח
וַתִּקְרָא֩ לְסַרְנֵ֨י פְלִשְׁתִּ֤ים לֵאמֹר֙ עֲל֣וּ הַפַּ֔עַם כִּֽי־הִגִּ֥יד לִ֖י[10] אֶת־כָּל־לִבּ֑וֹ וְעָל֤וּ
אֵלֶ֙יהָ֙ סַרְנֵ֣י פְלִשְׁתִּ֔ים וַיַּעֲל֥וּ הַכֶּ֖סֶף בְּיָדָֽם׃ יט וַתְּיַשְּׁנֵ֙הוּ֙ עַל־בִּרְכֶּ֔יהָ וַתִּקְרָ֣א
לָאִ֔ישׁ וַתְּגַלַּ֕ח אֶת־שֶׁ֖בַע מַחְלְפ֣וֹת רֹאשׁ֑וֹ וַתָּ֙חֶל֙ לְעַנּוֹת֔וֹ וַיָּ֥סַר כֹּח֖וֹ מֵעָלָֽיו׃
כ וַתֹּ֕אמֶר פְּלִשְׁתִּ֥ים עָלֶ֖יךָ שִׁמְשׁ֑וֹן וַיִּקַץ֙ מִשְּׁנָת֔וֹ וַיֹּ֗אמֶר אֵצֵ֞א כְּפַ֤עַם בְּפַ֙עַם֙
וְאִנָּעֵ֔ר וְהוּא֙ לֹ֣א יָדַ֔ע כִּ֥י יְהוָ֖ה סָ֥ר מֵעָלָֽיו׃

[10] לה

3 And Samson lay till midnight, and arose at midnight, and laid hold of the doors of the gate of the city, and the two posts, and plucked them up, bar and all, and put them upon his shoulders, and carried them up to the top of the mountain that is before Hebron.{P}

4 And it came to pass afterward, that he loved a woman in the valley of Sorek, whose name was Delilah. 5 And the lords of the Philistines came up unto her, and said unto her: 'Entice him, and see wherein his great strength lieth, and by what means we may prevail against him, that we may bind him to afflict him; and we will give thee every one of us eleven hundred pieces of silver.' 6 And Delilah said to Samson: 'Tell me, I pray thee, wherein thy great strength lieth, and wherewith thou mightest be bound to afflict thee.' 7 And Samson said unto her: 'If they bind me with seven fresh bowstrings that were never dried, then shall I become weak, and be as any other man.' 8 Then the lords of the Philistines brought up to her seven fresh bowstrings which had not been dried, and she bound him with them. 9 Now she had liers-in-wait abiding in the inner chamber. And she said unto him: 'The Philistines are upon thee, Samson.' And he broke the bowstrings as a string of tow is broken when it toucheth the fire. So his strength was not known. 10 And Delilah said unto Samson: 'Behold, thou hast mocked me, and told me lies; now tell me, I pray thee, wherewith thou mightest be bound.' 11 And he said unto her: 'If they only bind me with new ropes wherewith no work hath been done, then shall I become weak, and be as any other man.' 12 So Delilah took new ropes, and bound him therewith, and said unto him: 'The Philistines are upon thee, Samson.' And the liers-in-wait were abiding in the inner chamber. And he broke them from off his arms like a thread. 13 And Delilah said unto Samson: 'Hitherto thou hast mocked me, and told me lies; tell me wherewith thou mightest be bound.' And he said unto her: 'If thou weavest the seven locks of my head with the web.' 14 And she fastened it with the pin, and said unto him: 'The Philistines are upon thee, Samson.' And he awoke out of his sleep, and plucked away the pin of the beam, and the web. 15 And she said unto him: 'How canst thou say: I love thee, when thy heart is not with me? thou hast mocked me these three times, and hast not told me wherein thy great strength lieth.' 16 And it came to pass, when she pressed him daily with her words, and urged him, that his soul was vexed unto death. 17 And he told her all his heart, and said unto her: 'There hath not come a razor upon my head; for I have been a Nazirite unto God from my mother's womb; if I be shaven, then my strength will go from me, and I shall become weak, and be like any other man.' 18 And when Delilah saw that he had told her all his heart, she sent and called for the lords of the Philistines, saying: 'Come up this once, for he hath told me all his heart.' Then the lords of the Philistines came up unto her, and brought the money in their hand. 19 And she made him sleep upon her knees; and she called for a man, and had the seven locks of his head shaven off; and she began to afflict him, and his strength went from him. 20 And she said: 'The Philistines are upon thee, Samson.' And he awoke out of his sleep, and said: 'I will go out as at other times, and shake myself.' But he knew not that Yehovah was departed from him.

כא וַיֹּאחֲז֣וּהוּ פְלִשְׁתִּ֔ים וַיְנַקְּר֖וּ אֶת־עֵינָ֑יו וַיּוֹרִ֨ידוּ אוֹת֜וֹ עַזָּ֗תָה וַיַּאַסְר֙וּהוּ
בַּֽנְחֻשְׁתַּ֔יִם וַיְהִ֥י טוֹחֵ֖ן בְּבֵ֥ית הָאֲסוּרִֽים[11]׃ כב וַיָּ֧חֶל שְׂעַר־רֹאשׁ֛וֹ לְצַמֵּ֖חַ כַּאֲשֶׁ֥ר
גֻּלָּֽח׃

כג וְסַרְנֵ֣י פְלִשְׁתִּ֗ים נֶאֶֽסְפוּ֙ לִזְבֹּ֧חַ זֶֽבַח־גָּד֛וֹל לְדָג֥וֹן אֱלֹהֵיהֶ֖ם וּלְשִׂמְחָ֑ה
וַיֹּ֣אמְר֔וּ נָתַ֤ן אֱלֹהֵ֙ינוּ֙ בְּיָדֵ֔נוּ אֵ֖ת שִׁמְשׁ֥וֹן אוֹיְבֵֽינוּ׃ כד וַיִּרְא֤וּ אֹתוֹ֙ הָעָ֔ם וַֽיְהַלְל֖וּ
אֶת־אֱלֹהֵיהֶ֑ם כִּ֣י אָמְר֗וּ נָתַ֨ן אֱלֹהֵ֤ינוּ בְיָדֵ֙נוּ֙ אֶת־א֣וֹיְבֵ֔נוּ וְאֵת֙ מַחֲרִ֣יב אַרְצֵ֔נוּ
וַאֲשֶׁ֥ר הִרְבָּ֖ה אֶת־חֲלָלֵֽינוּ׃ כה וַיְהִי֙ כְּט֣וֹב[12] לִבָּ֔ם וַיֹּ֣אמְר֔וּ קִרְא֥וּ לְשִׁמְשׁ֖וֹן
וִישַֽׂחֶק־לָ֑נוּ וַיִּקְרְא֨וּ לְשִׁמְשׁ֜וֹן מִבֵּ֣ית הָאֲסוּרִ֗ים[13] וַיְצַחֵק֙ לִפְנֵיהֶ֔ם וַיַּעֲמִ֥ידוּ אוֹת֖וֹ
בֵּ֥ין הָעַמּוּדִֽים׃ כו וַיֹּ֨אמֶר שִׁמְשׁ֜וֹן אֶל־הַנַּ֣עַר הַמַּחֲזִ֣יק בְּיָד֗וֹ הַנִּ֣יחָה אוֹתִ֔י
וַהֲמִשֵׁ֙נִי֙[14] אֶת־הָֽעַמֻּדִ֔ים אֲשֶׁ֥ר הַבַּ֖יִת נָכ֣וֹן עֲלֵיהֶ֑ם וְאֶשָּׁעֵ֖ן עֲלֵיהֶֽם׃ כז וְהַבַּ֗יִת
מָלֵ֤א הָֽאֲנָשִׁים֙ וְהַנָּשִׁ֔ים וְשָׁ֕מָּה כֹּ֖ל סַרְנֵ֣י פְלִשְׁתִּ֑ים וְעַל־הַגָּ֗ג כִּשְׁלֹ֤שֶׁת אֲלָפִים֙
אִ֣ישׁ וְאִשָּׁ֔ה הָרֹאִ֖ים בִּשְׂח֥וֹק שִׁמְשֽׁוֹן׃ כח וַיִּקְרָ֥א שִׁמְשׁ֛וֹן אֶל־יְהוָ֖ה וַיֹּאמַ֑ר אֲדֹנָ֣י
יֱהֹוִ֡ה זָכְרֵ֣נִי נָא֩ וְחַזְּקֵ֨נִי נָ֜א אַ֣ךְ הַפַּ֤עַם הַזֶּה֙ הָאֱלֹהִ֔ים וְאִנָּקְמָ֧ה נְקַם־אַחַ֛ת
מִשְּׁתֵ֥י עֵינַ֖י מִפְּלִשְׁתִּֽים׃ כט וַיִּלְפֹּ֨ת שִׁמְשׁ֜וֹן אֶת־שְׁנֵ֣י ׀ עַמּוּדֵ֣י הַתָּ֗וֶךְ אֲשֶׁ֤ר הַבַּ֙יִת֙
נָכ֣וֹן עֲלֵיהֶ֔ם וַיִּסָּמֵ֖ךְ עֲלֵיהֶ֑ם אֶחָ֥ד בִּֽימִינ֖וֹ וְאֶחָ֥ד בִּשְׂמֹאלֽוֹ׃ ל וַיֹּ֣אמֶר שִׁמְשׁ֗וֹן
תָּמ֣וֹת נַפְשִׁי֮ עִם־פְּלִשְׁתִּים֒ וַיֵּ֣ט בְּכֹ֔חַ וַיִּפֹּ֤ל הַבַּ֙יִת֙ עַל־הַסְּרָנִ֔ים וְעַל־כָּל־הָעָ֖ם
אֲשֶׁר־בּ֑וֹ וַיִּהְי֤וּ הַמֵּתִים֙ אֲשֶׁ֣ר הֵמִ֣ית בְּמוֹת֔וֹ רַבִּ֕ים מֵאֲשֶׁ֥ר הֵמִ֖ית בְּחַיָּֽיו׃
לא וַיֵּרְד֨וּ אֶחָ֜יו וְכָל־בֵּ֣ית אָבִ֗יהוּ וַיִּשְׂא֣וּ אֹתוֹ֮ וַיַּעֲל֣וּ ׀ וַיִּקְבְּר֣וּ אוֹתוֹ֒ בֵּ֤ין צָרְעָה֙
וּבֵ֣ין אֶשְׁתָּאֹ֔ל בְּקֶ֖בֶר מָנ֣וֹחַ אָבִ֑יו וְה֛וּא שָׁפַ֥ט אֶת־יִשְׂרָאֵ֖ל עֶשְׂרִ֥ים שָׁנָֽה׃

יז א וַֽיְהִי־אִ֥ישׁ מֵֽהַר־אֶפְרָ֖יִם וּשְׁמ֥וֹ מִיכָֽיְהוּ׃ ב וַיֹּ֣אמֶר לְאִמּ֡וֹ אֶלֶף֩ וּמֵאָ֨ה
הַכֶּ֜סֶף אֲשֶׁ֣ר לֻקַּֽח־לָ֗ךְ וְאַ֨תִּי֙[15] אָלִ֜ית וְגַם֙ אָמַ֣רְתְּ בְּאָזְנַ֔י הִנֵּֽה־הַכֶּ֥סֶף אִתִּ֖י אֲנִ֣י
לְקַחְתִּ֑יו וַתֹּ֣אמֶר אִמּ֔וֹ בָּר֥וּךְ בְּנִ֖י לַיהוָֽה׃ ג וַיָּ֛שֶׁב אֶת־אֶֽלֶף־וּמֵאָ֥ה הַכֶּ֖סֶף
לְאִמּ֑וֹ וַתֹּ֣אמֶר אִ֠מּוֹ הַקְדֵּ֨שׁ הִקְדַּ֜שְׁתִּי אֶת־הַכֶּ֤סֶף לַֽיהוָה֙ מִיָּדִ֜י לִבְנִ֗י לַעֲשׂוֹת֙
פֶּ֣סֶל וּמַסֵּכָ֔ה וְעַתָּ֖ה אֲשִׁיבֶ֥נּוּ לָֽךְ׃ ד וַיָּ֥שֶׁב אֶת־הַכֶּ֖סֶף לְאִמּ֑וֹ וַתִּקַּ֣ח אִ֠מּוֹ
מָאתַ֨יִם כֶּ֜סֶף וַֽתִּתְּנֵ֣הוּ לַצּוֹרֵ֗ף וַיַּעֲשֵׂ֙הוּ֙ פֶּ֣סֶל וּמַסֵּכָ֔ה וַיְהִ֖י בְּבֵ֥ית מִיכָֽיְהוּ׃
ה וְהָאִ֣ישׁ מִיכָ֔ה ל֖וֹ בֵּ֣ית אֱלֹהִ֑ים וַיַּ֤עַשׂ אֵפוֹד֙ וּתְרָפִ֔ים וַיְמַלֵּ֗א אֶת־יַ֤ד אַחַד֙
מִבָּנָ֔יו וַֽיְהִי־ל֖וֹ לְכֹהֵֽן׃ ו בַּיָּמִ֣ים הָהֵ֔ם אֵ֥ין מֶ֖לֶךְ בְּיִשְׂרָאֵ֑ל אִ֛ישׁ הַיָּשָׁ֥ר בְּעֵינָ֖יו
יַעֲשֶֽׂה׃

---

[11] האסירים
[12] כי טוב
[13] האסירים
[14] והימשני
[15] ואתי

21 And the Philistines laid hold on him, and put out his eyes; and they brought him down to Gaza, and bound him with fetters of brass; and he did grind in the prison-house. **22** Howbeit the hair of his head began to grow again after he was shaven.{P}

23 And the lords of the Philistines gathered them together to offer a great sacrifice unto Dagon their god, and to rejoice; for they said: 'Our god hath delivered Samson our enemy into our hand.' **24** And when the people saw him, they praised their god; for they said: 'Our god hath delivered into our hand our enemy, and the destroyer of our country, who hath slain many of us.' **25** And it came to pass, when their hearts were merry, that they said: 'Call for Samson, that he may make us sport.' And they called for Samson out of the prison-house; and he made sport before them; and they set him between the pillars. **26** And Samson said unto the lad that held him by the hand: 'Suffer me that I may feel the pillars whereupon the house resteth, that I may lean upon them.' **27** Now the house was full of men and women; and all the lords of the Philistines were there; and there were upon the roof about three thousand men and women, that beheld while Samson made sport. **28** And Samson called unto Yehovah, and said: 'O Lord GOD [Adonai Yehovi], remember me, I pray Thee, and strengthen me, I pray Thee, only this once, O God, that I may be this once avenged of the Philistines for my two eyes.' **29** And Samson took fast hold of the two middle pillars upon which the house rested, and leaned upon them, the one with his right hand, and the other with his left. **30** And Samson said: 'Let me die with the Philistines.' And he bent with all his might; and the house fell upon the lords, and upon all the people that were therein. So the dead that he slew at his death were more than they that he slew in his life. **31** Then his brethren and all the house of his father came down, and took him, and brought him up, and buried him between Zorah and Eshtaol in the burying-place of Manoah his father. And he judged Israel twenty years.{P}

17 **1** Now there was a man of the hill-country of Ephraim, whose name was Micah. **2** And he said unto his mother: 'The eleven hundred pieces of silver that were taken from thee, about which thou didst utter a curse, and didst also speak it in mine ears, behold, the silver is with me; I took it.' And his mother said: 'Blessed be my son of Yehovah.' **3** And he restored the eleven hundred pieces of silver to his mother, and his mother said: 'I verily dedicate the silver unto Yehovah from my hand for my son, to make a graven image and a molten image; now therefore I will restore it unto thee.' **4** And when he restored the money unto his mother, his mother took two hundred pieces of silver, and gave them to the founder, who made thereof a graven image and a molten image; and it was in the house of Micah. **5** And the man Micah had a house of God, and he made an ephod, and teraphim, and consecrated one of his sons, who became his priest. **6** In those days there was no king in Israel; every man did that which was right in his own eyes.{P}

ז וַיְהִי־נַעַר מִבֵּית לֶחֶם יְהוּדָה מִמִּשְׁפַּחַת יְהוּדָה וְהוּא לֵוִי וְהוּא גָר־שָׁם:
ח וַיֵּלֶךְ הָאִישׁ מֵהָעִיר מִבֵּית לֶחֶם יְהוּדָה לָגוּר בַּאֲשֶׁר יִמְצָא וַיָּבֹא
הַר־אֶפְרַיִם עַד־בֵּית מִיכָה לַעֲשׂוֹת דַּרְכּוֹ: ט וַיֹּאמֶר־לוֹ מִיכָה מֵאַיִן תָּבוֹא
וַיֹּאמֶר אֵלָיו לֵוִי אָנֹכִי מִבֵּית לֶחֶם יְהוּדָה וְאָנֹכִי הֹלֵךְ לָגוּר בַּאֲשֶׁר אֶמְצָא:
י וַיֹּאמֶר לוֹ מִיכָה שְׁבָה עִמָּדִי וֶהְיֵה־לִי לְאָב וּלְכֹהֵן וְאָנֹכִי אֶתֶּן־לְךָ עֲשֶׂרֶת
כֶּסֶף לַיָּמִים וְעֵרֶךְ בְּגָדִים וּמִחְיָתֶךָ וַיֵּלֶךְ הַלֵּוִי: יא וַיּוֹאֶל הַלֵּוִי לָשֶׁבֶת
אֶת־הָאִישׁ וַיְהִי הַנַּעַר לוֹ כְּאַחַד מִבָּנָיו: יב וַיְמַלֵּא מִיכָה אֶת־יַד הַלֵּוִי
וַיְהִי־לוֹ הַנַּעַר לְכֹהֵן וַיְהִי בְּבֵית מִיכָה: יג וַיֹּאמֶר מִיכָה עַתָּה יָדַעְתִּי
כִּי־יֵיטִיב יְהוָה לִי כִּי הָיָה־לִי הַלֵּוִי לְכֹהֵן:

יח א בַּיָּמִים הָהֵם אֵין מֶלֶךְ בְּיִשְׂרָאֵל וּבַיָּמִים הָהֵם שֵׁבֶט הַדָּנִי מְבַקֶּשׁ־לוֹ
נַחֲלָה לָשֶׁבֶת כִּי לֹא־נָפְלָה לּוֹ עַד־הַיּוֹם הַהוּא בְּתוֹךְ־שִׁבְטֵי יִשְׂרָאֵל
בְּנַחֲלָה: ב וַיִּשְׁלְחוּ בְנֵי־דָן | מִמִּשְׁפַּחְתָּם חֲמִשָּׁה אֲנָשִׁים מִקְצוֹתָם אֲנָשִׁים
בְּנֵי־חַיִל מִצָּרְעָה וּמֵאֶשְׁתָּאֹל לְרַגֵּל אֶת־הָאָרֶץ וּלְחָקְרָהּ וַיֹּאמְרוּ אֲלֵהֶם
לְכוּ חִקְרוּ אֶת־הָאָרֶץ וַיָּבֹאוּ הַר־אֶפְרַיִם עַד־בֵּית מִיכָה וַיָּלִינוּ שָׁם: ג הֵמָּה
עִם־בֵּית מִיכָה וְהֵמָּה הִכִּירוּ אֶת־קוֹל הַנַּעַר הַלֵּוִי וַיָּסוּרוּ שָׁם וַיֹּאמְרוּ לוֹ
מִי־הֱבִיאֲךָ הֲלֹם וּמָה־אַתָּה עֹשֶׂה בָּזֶה וּמַה־לְּךָ פֹּה: ד וַיֹּאמֶר אֲלֵהֶם כָּזֹה
וְכָזֶה עָשָׂה לִי מִיכָה וַיִּשְׂכְּרֵנִי וָאֱהִי־לוֹ לְכֹהֵן: ה וַיֹּאמְרוּ לוֹ שְׁאַל־נָא
בֵאלֹהִים וְנֵדְעָה הֲתַצְלִיחַ דַּרְכֵּנוּ אֲשֶׁר אֲנַחְנוּ הֹלְכִים עָלֶיהָ: ו וַיֹּאמֶר לָהֶם
הַכֹּהֵן לְכוּ לְשָׁלוֹם נֹכַח יְהוָה דַּרְכְּכֶם אֲשֶׁר תֵּלְכוּ־בָהּ:

ז וַיֵּלְכוּ חֲמֵשֶׁת הָאֲנָשִׁים וַיָּבֹאוּ לָיְשָׁה וַיִּרְאוּ אֶת־הָעָם אֲשֶׁר־בְּקִרְבָּהּ
יוֹשֶׁבֶת־לָבֶטַח כְּמִשְׁפַּט צִדֹנִים שֹׁקֵט | וּבֹטֵחַ וְאֵין־מַכְלִים דָּבָר בָּאָרֶץ יוֹרֵשׁ
עֶצֶר וּרְחֹקִים הֵמָּה מִצִּדֹנִים וְדָבָר אֵין־לָהֶם עִם־אָדָם: ח וַיָּבֹאוּ
אֶל־אֲחֵיהֶם צָרְעָה וְאֶשְׁתָּאֹל וַיֹּאמְרוּ לָהֶם אֲחֵיהֶם מָה אַתֶּם: ט וַיֹּאמְרוּ
קוּמָה וְנַעֲלֶה עֲלֵיהֶם כִּי רָאִינוּ אֶת־הָאָרֶץ וְהִנֵּה טוֹבָה מְאֹד וְאַתֶּם מַחְשִׁים
אַל־תֵּעָצְלוּ לָלֶכֶת לָבֹא לָרֶשֶׁת אֶת־הָאָרֶץ: י כְּבֹאֲכֶם תָּבֹאוּ | אֶל־עַם בֹּטֵחַ
וְהָאָרֶץ רַחֲבַת יָדַיִם כִּי־נְתָנָהּ אֱלֹהִים בְּיֶדְכֶם מָקוֹם אֲשֶׁר אֵין־שָׁם מַחְסוֹר
כָּל־דָּבָר אֲשֶׁר בָּאָרֶץ: יא וַיִּסְעוּ מִשָּׁם מִמִּשְׁפַּחַת הַדָּנִי מִצָּרְעָה וּמֵאֶשְׁתָּאֹל
שֵׁשׁ־מֵאוֹת אִישׁ חָגוּר כְּלֵי מִלְחָמָה: יב וַיַּעֲלוּ וַיַּחֲנוּ בְּקִרְיַת יְעָרִים בִּיהוּדָה
עַל־כֵּן קָרְאוּ לַמָּקוֹם הַהוּא מַחֲנֵה־דָן עַד הַיּוֹם הַזֶּה הִנֵּה אַחֲרֵי קִרְיַת
יְעָרִים: יג וַיַּעַבְרוּ מִשָּׁם הַר־אֶפְרָיִם וַיָּבֹאוּ עַד־בֵּית מִיכָה:

7 And there was a young man out of Beth-lehem in Judah–in the family of Judah–who was a Levite, and he sojourned there. 8 And the man departed out of the city, out of Beth-lehem in Judah, to sojourn where he could find a place; and he came to the hill-country of Ephraim to the house of Micah, as he journeyed. 9 And Micah said unto him: 'Whence comest thou?' And he said unto him: 'I am a Levite of Beth-lehem in Judah, and I go to sojourn where I may find a place.' 10 And Micah said unto him: 'Dwell with me, and be unto me a father and a priest, and I will give thee ten pieces of silver by the year, and a suit of apparel, and thy victuals.' So the Levite went in. 11 And the Levite was content to dwell with the man; and the young man was unto him as one of his sons. 12 And Micah consecrated the Levite, and the young man became his priest, and was in the house of Micah. 13 Then said Micah: 'Now know I that Yehovah will do me good, seeing I have a Levite as my priest.'{P}

18 1 In those days there was no king in Israel; and in those days the tribe of the Danites sought them an inheritance to dwell in; for unto that day there had nothing been allotted unto them among the tribes of Israel for an inheritance.{P}

2 And the children of Dan sent of their family five men from their whole number, men of valour, from Zorah, and from Eshtaol, to spy out the land, and to search it; and they said unto them: 'Go, search the land'; and they came to the hill-country of Ephraim, unto the house of Micah, and lodged there. 3 When they were by the house of Micah, they knew the voice of the young man the Levite; and they turned aside thither, and said unto him: 'Who brought thee hither? and what doest thou in this place? and what hast thou here?' 4 And he said unto them: 'Thus and thus hath Micah dealt with me, and he hath hired me, and I am become his priest.' 5 And they said unto him: 'Ask counsel, we pray thee, of God, that we may know whether our way which we are going shall be prosperous.' 6 And the priest said unto them: 'Go in peace; before Yehovah is your way wherein ye go.'{P}

7 Then the five men departed, and came to Laish, and saw the people that were therein, how they dwelt in security, after the manner of the Zidonians, quiet and secure; for there was none in the land, possessing authority, that might put them to shame in any thing, and they were far from the Zidonians, and had no dealings with any man. 8 And they came unto their brethren to Zorah and Eshtaol; and their brethren said unto them: 'What say ye?' 9 And they said: 'Arise, and let us go up against them; for we have seen the land, and, behold, it is very good; and are ye still? be not slothful to go and to enter in to possess the land. 10 When ye go, ye shall come unto a people secure, and the land is large; for God hath given it into your hand; a place where there is no want; it hath every thing that is in the earth.' 11 And there set forth from thence of the family of the Danites, out of Zorah and out of Eshtaol, six hundred men girt with weapons of war. 12 And they went up, and encamped in Kiriath-jearim, in Judah; wherefore that place was called Mahaneh-dan unto this day; behold, it is behind Kiriath-jearim. 13 And they passed thence unto the hill-country of Ephraim, and came unto the house of Micah.

יד וַיַּעֲנוּ חֲמֵשֶׁת הָאֲנָשִׁים הַהֹלְכִים לְרַגֵּל אֶת־הָאָרֶץ לַיִשׁ וַיֹּאמְרוּ אֶל־אֲחֵיהֶם
הֲיִדַעְתֶּם כִּי יֵשׁ בַּבָּתִּים הָאֵלֶּה אֵפוֹד וּתְרָפִים וּפֶסֶל וּמַסֵּכָה וְעַתָּה דְּעוּ
מַה־תַּעֲשׂוּ׃ יה וַיָּסוּרוּ שָׁמָּה וַיָּבֹאוּ אֶל־בֵּית־הַנַּעַר הַלֵּוִי בֵּית מִיכָה
וַיִּשְׁאֲלוּ־לוֹ לְשָׁלוֹם׃ יו וְשֵׁשׁ־מֵאוֹת אִישׁ חֲגוּרִים כְּלֵי מִלְחַמְתָּם נִצָּבִים פֶּתַח
הַשָּׁעַר אֲשֶׁר מִבְּנֵי־דָן׃ יז וַיַּעֲלוּ חֲמֵשֶׁת הָאֲנָשִׁים הַהֹלְכִים לְרַגֵּל אֶת־הָאָרֶץ
בָּאוּ שָׁמָּה לָקְחוּ אֶת־הַפֶּסֶל וְאֶת־הָאֵפוֹד וְאֶת־הַתְּרָפִים וְאֶת־הַמַּסֵּכָה וְהַכֹּהֵן
נִצָּב פֶּתַח הַשַּׁעַר וְשֵׁשׁ־מֵאוֹת הָאִישׁ הֶחָגוּר כְּלֵי הַמִּלְחָמָה׃ יח וְאֵלֶּה בָּאוּ
בֵּית מִיכָה וַיִּקְחוּ אֶת־פֶּסֶל הָאֵפוֹד וְאֶת־הַתְּרָפִים וְאֶת־הַמַּסֵּכָה וַיֹּאמֶר
אֲלֵיהֶם הַכֹּהֵן מָה אַתֶּם עֹשִׂים׃ יט וַיֹּאמְרוּ לוֹ הַחֲרֵשׁ שִׂים־יָדְךָ עַל־פִּיךָ וְלֵךְ
עִמָּנוּ וֶהְיֵה־לָנוּ לְאָב וּלְכֹהֵן הֲטוֹב ׀ הֱיוֹתְךָ כֹהֵן לְבֵית אִישׁ אֶחָד אוֹ הֱיוֹתְךָ
כֹהֵן לְשֵׁבֶט וּלְמִשְׁפָּחָה בְּיִשְׂרָאֵל׃ כ וַיִּיטַב לֵב הַכֹּהֵן וַיִּקַּח אֶת־הָאֵפוֹד
וְאֶת־הַתְּרָפִים וְאֶת־הַפָּסֶל וַיָּבֹא בְּקֶרֶב הָעָם׃ כא וַיִּפְנוּ וַיֵּלֵכוּ וַיָּשִׂימוּ
אֶת־הַטַּף וְאֶת־הַמִּקְנֶה וְאֶת־הַכְּבוּדָּה לִפְנֵיהֶם׃ כב הֵמָּה הִרְחִיקוּ מִבֵּית
מִיכָה וְהָאֲנָשִׁים אֲשֶׁר בַּבָּתִּים אֲשֶׁר עִם־בֵּית מִיכָה נִזְעֲקוּ וַיַּדְבִּיקוּ
אֶת־בְּנֵי־דָן׃ כג וַיִּקְרְאוּ אֶל־בְּנֵי־דָן וַיַּסֵּבּוּ פְּנֵיהֶם וַיֹּאמְרוּ לְמִיכָה מַה־לְּךָ כִּי
נִזְעָקְתָּ׃ כד וַיֹּאמֶר אֶת־אֱלֹהַי אֲשֶׁר־עָשִׂיתִי לְקַחְתֶּם וְאֶת־הַכֹּהֵן וַתֵּלְכוּ
וּמַה־לִּי עוֹד וּמַה־זֶּה תֹּאמְרוּ אֵלַי מַה־לָּךְ׃ כה וַיֹּאמְרוּ אֵלָיו בְּנֵי־דָן
אַל־תַּשְׁמַע קוֹלְךָ עִמָּנוּ פֶּן־יִפְגְּעוּ בָכֶם אֲנָשִׁים מָרֵי נֶפֶשׁ וְאָסַפְתָּה נַפְשְׁךָ וְנֶפֶשׁ
בֵּיתֶךָ׃ כו וַיֵּלְכוּ בְנֵי־דָן לְדַרְכָּם וַיַּרְא מִיכָה כִּי־חֲזָקִים הֵמָּה מִמֶּנּוּ וַיִּפֶן
וַיָּשָׁב אֶל־בֵּיתוֹ׃ כז וְהֵמָּה לָקְחוּ אֵת אֲשֶׁר־עָשָׂה מִיכָה וְאֶת־הַכֹּהֵן אֲשֶׁר
הָיָה־לוֹ וַיָּבֹאוּ עַל־לַיִשׁ עַל־עַם שֹׁקֵט וּבֹטֵחַ וַיַּכּוּ אוֹתָם לְפִי־חָרֶב וְאֶת־הָעִיר
שָׂרְפוּ בָאֵשׁ׃ כח וְאֵין מַצִּיל כִּי רְחוֹקָה־הִיא מִצִּידוֹן וְדָבָר אֵין־לָהֶם
עִם־אָדָם וְהִיא בְּעֵמֶק אֲשֶׁר לְבֵית־רְחוֹב וַיִּבְנוּ אֶת־הָעִיר וַיֵּשְׁבוּ בָהּ׃
כט וַיִּקְרְאוּ שֵׁם־הָעִיר דָּן בְּשֵׁם דָּן אֲבִיהֶם אֲשֶׁר יוּלַּד לְיִשְׂרָאֵל וְאוּלָם לַיִשׁ
שֵׁם־הָעִיר לָרִאשֹׁנָה׃ ל וַיָּקִימוּ לָהֶם בְּנֵי־דָן אֶת־הַפָּסֶל וִיהוֹנָתָן בֶּן־גֵּרְשֹׁם
בֶּן־מְנַשֶּׁה הוּא וּבָנָיו הָיוּ כֹהֲנִים לְשֵׁבֶט הַדָּנִי עַד־יוֹם גְּלוֹת הָאָרֶץ׃ לא וַיָּשִׂימוּ
לָהֶם אֶת־פֶּסֶל מִיכָה אֲשֶׁר עָשָׂה כָּל־יְמֵי הֱיוֹת בֵּית־הָאֱלֹהִים בְּשִׁלֹה׃

יט א וַיְהִי בַּיָּמִים הָהֵם וּמֶלֶךְ אֵין בְּיִשְׂרָאֵל וַיְהִי ׀ אִישׁ לֵוִי גָּר בְּיַרְכְּתֵי
הַר־אֶפְרַיִם וַיִּקַּח־לוֹ אִשָּׁה פִילֶגֶשׁ מִבֵּית לֶחֶם יְהוּדָה׃ ב וַתִּזְנֶה עָלָיו פִּילַגְשׁוֹ
וַתֵּלֶךְ מֵאִתּוֹ אֶל־בֵּית אָבִיהָ אֶל־בֵּית לֶחֶם יְהוּדָה וַתְּהִי־שָׁם יָמִים אַרְבָּעָה
חֳדָשִׁים׃

14 Then answered the five men that went to spy out the country of Laish, and said unto their brethren: 'Do ye know that there is in these houses an ephod, and teraphim, and a graven image, and a molten image? now therefore consider what ye have to do.' **15** And they turned aside thither, and came to the house of the young man the Levite, even unto the house of Micah, and asked him of his welfare. **16** And the six hundred men girt with their weapons of war, who were of the children of Dan, stood by the entrance of the gate. **17** And the five men that went to spy out the land went up, and came in thither, and took the graven image, and the ephod, and the teraphim, and the molten image; and the priest stood by the entrance of the gate with the six hundred men girt with weapons of war. **18** And when these went into Micah's house, and fetched the graven image of the ephod, and the teraphim, and the molten image, the priest said unto them: 'What do ye?' **19** And they said unto him: 'Hold thy peace, lay thy hand upon thy mouth, and go with us, and be to us a father and a priest; is it better for thee to be priest unto the house of one man, or to be priest unto a tribe and a family in Israel?' **20** And the priest's heart was glad, and he took the ephod, and the teraphim, and the graven image, and went in the midst of the people. **21** So they turned and departed, and put the little ones and the cattle and the goods before them. **22** When they were a good way from the house of Micah, the men that were in the houses near to Micah's house were gathered together, and overtook the children of Dan. **23** And they cried unto the children of Dan. And they turned their faces, and said unto Micah: 'What aileth thee, that thou comest with such a company?' **24** And he said: 'Ye have taken away my god which I made, and the priest, and are gone away, and what have I more? and how then say ye unto me: What aileth thee?' **25** And the children of Dan said unto him: 'Let not thy voice be heard among us, lest angry fellows fall upon you, and thou lose thy life, with the lives of thy household.' **26** And the children of Dan went their way; and when Micah saw that they were too strong for him, he turned and went back unto his house. **27** And they took that which Micah had made, and the priest whom he had, and came unto Laish, unto a people quiet and secure, and smote them with the edge of the sword; and they burnt the city with fire. **28** And there was no deliverer, because it was far from Zidon, and they had no dealings with any man; and it was in the valley that lieth by Beth-rehob. And they built the city, and dwelt therein. **29** And they called the name of the city Dan, after the name of Dan their father, who was born unto Israel; howbeit the name of the city was Laish at the first. **30** And the children of Dan set up for themselves the graven image; and Jonathan, the son of Gershom, the son of Manasseh, he and his sons were priests to the tribe of the Danites until the day of the captivity of the land. **31** So they set them up Micah's graven image which he made, all the time that the house of God was in Shiloh.{P}

19 **1** And it came to pass in those days, when there was no king in Israel, that there was a certain Levite sojourning on the farther side of the hill-country of Ephraim, who took to him a concubine out of Beth-lehem in Judah. **2** And his concubine played the harlot against him, and went away from him unto her father's house to Beth-lehem in Judah, and was there the space of four months.

ג וַיָּ֣קָם אִישָׁ֗הּ וַיֵּ֣לֶךְ אַחֲרֶ֔יהָ לְדַבֵּ֥ר עַל־לִבָּ֖הּ לַהֲשִׁיבָ֑הּ[16] וְנַעֲר֤וֹ עִמּוֹ֙ וְצֶ֣מֶד חֲמֹרִ֔ים וַתְּבִיאֵ֙הוּ֙ בֵּ֣ית אָבִ֔יהָ וַיִּרְאֵ֙הוּ֙ אֲבִ֣י הַֽנַּעֲרָ֔ה וַיִּשְׂמַ֖ח לִקְרָאתֽוֹ: ד וַיֶּחֱזַק־בּ֤וֹ חֹֽתְנוֹ֙ אֲבִ֣י הַֽנַּעֲרָ֔ה וַיֵּ֥שֶׁב אִתּ֖וֹ שְׁלֹ֣שֶׁת יָמִ֑ים וַיֹּֽאכְלוּ֙ וַיִּשְׁתּ֔וּ וַיָּלִ֖ינוּ שָֽׁם: ה וַֽיְהִי֙ בַּיּ֣וֹם הָֽרְבִיעִ֔י וַיַּשְׁכִּ֥ימוּ בַבֹּ֖קֶר וַיָּ֣קָם לָלֶ֑כֶת וַיֹּ֩אמֶר֩ אֲבִ֨י הַֽנַּעֲרָ֜ה אֶל־חֲתָנ֗וֹ סְעָ֧ד לִבְּךָ֛ פַּת־לֶ֖חֶם וְאַחַ֥ר תֵּלֵֽכוּ: ו וַיֵּֽשְׁב֗וּ וַיֹּֽאכְל֧וּ שְׁנֵיהֶ֛ם יַחְדָּ֖ו וַיִּשְׁתּ֑וּ וַיֹּ֜אמֶר אֲבִ֤י הַֽנַּעֲרָה֙ אֶל־הָאִ֔ישׁ הֽוֹאֶל־נָ֥א וְלִ֖ין וְיִטַ֥ב לִבֶּֽךָ: ז וַיָּ֥קָם הָאִ֖ישׁ לָלֶ֑כֶת וַיִּפְצַר־בּוֹ֙ חֹֽתְנ֔וֹ וַיָּ֖שָׁב וַיָּ֥לֶן שָֽׁם: ח וַיַּשְׁכֵּ֨ם בַּבֹּ֜קֶר בַּיּ֣וֹם הַֽחֲמִישִׁי֮ לָלֶכֶת֒ וַיֹּ֣אמֶר ׀ אֲבִ֣י הַֽנַּעֲרָ֗ה סְעָד־נָ֤א לְבָֽבְךָ֙ וְהִֽתְמַהְמְה֔וּ עַד־נְט֖וֹת הַיּ֑וֹם וַיֹּֽאכְל֖וּ שְׁנֵיהֶֽם: ט וַיָּ֤קָם הָאִישׁ֙ לָלֶ֔כֶת ה֥וּא וּפִֽילַגְשׁ֖וֹ וְנַעֲר֑וֹ וַיֹּ֣אמֶר ל֣וֹ חֹתְנ֣וֹ אֲבִ֣י הַֽנַּעֲרָ֡ה הִנֵּ֣ה נָא֩ רָפָ֨ה הַיּ֜וֹם לַעֲרֹ֗ב לִֽינוּ־נָ֞א הִנֵּ֨ה חֲנ֤וֹת הַיּוֹם֙ לִ֣ין פֹּ֔ה וְיִיטַ֣ב לְבָבֶ֔ךָ וְהִשְׁכַּמְתֶּ֤ם מָחָר֙ לְדַרְכְּכֶ֔ם וְהָלַכְתָּ֖ לְאֹהָלֶֽךָ: י וְלֹֽא־אָבָ֤ה הָאִישׁ֙ לָל֔וּן וַיָּ֣קָם וַיֵּ֗לֶךְ וַיָּבֹא֙ עַד־נֹ֣כַח יְב֔וּס הִ֖יא יְרֽוּשָׁלָ֑͏ִם וְעִמּ֗וֹ צֶ֤מֶד חֲמוֹרִים֙ חֲבוּשִׁ֔ים וּפִֽילַגְשׁ֖וֹ עִמּֽוֹ: יא הֵ֣ם עִם־יְב֔וּס וְהַיּ֖וֹם רַ֣ד מְאֹ֑ד וַיֹּ֨אמֶר הַנַּ֜עַר אֶל־אֲדֹנָ֗יו לְכָה־נָּ֛א וְנָס֛וּרָה אֶל־עִֽיר־הַיְבוּסִ֥י הַזֹּ֖את וְנָלִ֥ין בָּֽהּ: יב וַיֹּ֤אמֶר אֵלָיו֙ אֲדֹנָ֔יו לֹ֤א נָסוּר֙ אֶל־עִ֣יר נָכְרִ֔י אֲשֶׁ֛ר לֹֽא־מִבְּנֵ֥י יִשְׂרָאֵ֖ל הֵ֑נָּה וְעָבַ֖רְנוּ עַד־גִּבְעָֽה: יג וַיֹּ֣אמֶר לְנַעֲר֔וֹ לֵ֣ךְ וְנִקְרְבָ֖ה בְּאַחַ֣ד הַמְּקֹמ֑וֹת וְלַ֥נּוּ בַגִּבְעָ֖ה א֥וֹ בָרָמָֽה: יד וַיַּעַבְר֖וּ וַיֵּלֵ֑כוּ וַתָּבֹ֤א לָהֶם֙ הַשֶּׁ֔מֶשׁ אֵ֥צֶל הַגִּבְעָ֖ה אֲשֶׁ֥ר לְבִנְיָמִֽן: טו וַיָּסֻ֣רוּ שָׁ֔ם לָב֖וֹא לָל֣וּן בַּגִּבְעָ֑ה וַיָּבֹ֗א וַיֵּ֙שֶׁב֙ בִּרְח֣וֹב הָעִ֔יר וְאֵ֥ין אִ֛ישׁ מְאַסֵּֽף־אוֹתָ֥ם הַבַּ֖יְתָה לָלֽוּן: טז וְהִנֵּ֣ה ׀ אִ֣ישׁ זָקֵ֗ן בָּ֣א מִֽן־מַעֲשֵׂ֤הוּ מִן־הַשָּׂדֶה֙ בָּעֶ֔רֶב וְהָאִישׁ֙ מֵהַ֣ר אֶפְרַ֔יִם וְהוּא־גָ֖ר בַּגִּבְעָ֑ה וְאַנְשֵׁ֥י הַמָּק֖וֹם בְּנֵ֥י יְמִינִֽי: יז וַיִּשָּׂ֣א עֵינָ֗יו וַיַּ֛רְא אֶת־הָאִ֥ישׁ הָאֹרֵ֖חַ בִּרְחֹ֣ב הָעִ֑יר וַיֹּ֙אמֶר הָאִ֧ישׁ הַזָּקֵ֛ן אָ֥נָה תֵלֵ֖ךְ וּמֵאַ֥יִן תָּבֽוֹא: יח וַיֹּ֣אמֶר אֵלָ֗יו עֹבְרִ֨ים אֲנַ֜חְנוּ מִבֵּֽית־לֶ֣חֶם יְהוּדָה֮ עַד־יַרְכְּתֵ֣י הַר־אֶפְרַיִם֒ מִשָּׁ֣ם אָנֹ֔כִי וָאֵלֵ֕ךְ עַד־בֵּ֥ית לֶ֖חֶם יְהוּדָ֑ה וְאֶת־בֵּ֤ית יְהוָה֙ אֲנִ֣י הֹלֵ֔ךְ וְאֵ֣ין אִ֔ישׁ מְאַסֵּ֥ף אוֹתִ֖י הַבָּֽיְתָה: יט וְגַם־תֶּ֤בֶן גַּם־מִסְפּוֹא֙ יֵ֣שׁ לַחֲמוֹרֵ֔ינוּ וְ֠גַם לֶ֣חֶם וָיַ֤יִן יֶשׁ־לִי֙ וְלַֽאֲמָתֶ֔ךָ וְלַנַּ֖עַר עִם־עֲבָדֶ֑יךָ אֵ֥ין מַחְס֖וֹר כָּל־דָּבָֽר: כ וַיֹּ֨אמֶר הָאִ֤ישׁ הַזָּקֵן֙ שָׁל֣וֹם לָ֔ךְ רַ֥ק כָּל־מַחְסוֹרְךָ֖ עָלָ֑י רַ֥ק בָּרְח֖וֹב אַל־תָּלַֽן: כא וַיְבִיאֵ֣הוּ לְבֵית֔וֹ וַיָּ֖בָול לַחֲמוֹרִ֑ים וַֽיִּרְחֲצוּ֙ רַגְלֵיהֶ֔ם וַיֹּֽאכְל֖וּ וַיִּשְׁתּֽוּ: כב הֵ֘מָּה֮ מֵיטִיבִ֣ים אֶת־לִבָּם֒ וְהִנֵּה֩ אַנְשֵׁ֨י הָעִ֜יר אַנְשֵׁ֣י בְנֵֽי־בְלִיַּ֗עַל נָסַ֙בּוּ֙ אֶת־הַבַּ֔יִת מִֽתְדַּפְּקִ֖ים עַל־הַדָּ֑לֶת וַיֹּ֠אמְרוּ אֶל־הָאִ֨ישׁ בַּ֤עַל הַבַּ֙יִת֙ הַזָּקֵ֣ן לֵאמֹ֔ר הוֹצֵ֗א אֶת־הָאִ֛ישׁ אֲשֶׁר־בָּ֥א אֶל־בֵּיתְךָ֖ וְנֵדָעֶֽנּוּ:

---

[16] לְהָשִׁיב

3 And her husband arose, and went after her, to speak kindly unto her, to bring her back, having his servant with him, and a couple of asses; and she brought him into her father's house; and when the father of the damsel saw him, he rejoiced to meet him. **4** And his father-in-law, the damsel's father, retained him; and he abode with him three days; so they did eat and drink, and lodged there. **5** And it came to pass on the fourth day, that they arose early in the morning, and he rose up to depart; and the damsel's father said unto his son-in-law: 'Stay thy heart with a morsel of bread, and afterward ye shall go your way.' **6** So they sat down, and did eat and drink, both of them together; and the damsel's father said unto the man: 'Be content, I pray thee, and tarry all night, and let thy heart be merry.' **7** And the man rose up to depart; but his father-in-law urged him, and he lodged there again. **8** And he arose early in the morning on the fifth day to depart; and the damsel's father said: 'Stay thy heart, I pray thee, and tarry ye until the day declineth'; and they did eat, both of them. **9** And when the man rose up to depart, he, and his concubine, and his servant, his father-in-law, the damsel's father, said unto him: 'Behold, now the day draweth toward evening; tarry, I pray you, all night; behold, the day groweth to an end; lodge here, that thy heart may be merry; and to-morrow get you early on your way, that thou mayest go home.' **10** But the man would not tarry that night, but he rose up and departed, and came over against Jebus– the same is Yerushalam; and there were with him a couple of asses saddled; his concubine also was with him. **11** When they were by Jebus–the day was far spent–the servant said unto his master: 'Come, I pray thee, and let us turn aside into this city of the Jebusites, and lodge in it.' **12** And his master said unto him: 'We will not turn aside into the city of a foreigner, that is not of the children of Israel; but we will pass over to Gibeah.' **13** And he said unto his servant: 'Come and let us draw near to one of these places; and we will lodge in Gibeah, or in Ramah.' **14** So they passed on and went their way; and the sun went down upon them near to Gibeah, which belongeth to Benjamin. **15** And they turned aside thither, to go in to lodge in Gibeah; and he went in, and sat him down in the broad place of the city; for there was no man that took them into his house to lodge. **16** And, behold, there came an old man from his work out of the field at even; now the man was of the hill-country of Ephraim, and he sojourned in Gibeah; but the men of the place were Benjamites. **17** And he lifted up his eyes, and saw the wayfaring man in the broad place of the city; and the old man said: 'Whither goest thou? and whence comest thou?' **18** And he said unto him: 'We are passing from Beth-lehem in Judah unto the farther side of the hill-country of Ephraim; from thence am I, and I went to Beth-lehem in Judah, and I am now going to the house of Yehovah; and there is no man that taketh me into his house. **19** Yet there is both straw and provender for our asses; and there is bread and wine also for me, and for thy handmaid, and for the young man that is with thy servants; there is no want of any thing.' **20** And the old man said: 'Peace be unto thee; howsoever let all thy wants lie upon me; only lodge not in the broad place.' **21** So he brought him into his house, and gave the asses fodder; and they washed their feet, and did eat and drink. **22** As they were making their hearts merry, behold, the men of the city, certain base fellows, beset the house round about, beating at the door; and they spoke to the master of the house, the old man, saying: 'Bring forth the man that came into thy house, that we may know him.'

כג וַיֵּצֵא אֲלֵיהֶם הָאִישׁ בַּעַל הַבַּיִת וַיֹּאמֶר אֲלֵהֶם אַל־אַחַי אַל־תָּרֵעוּ נָא
אַחֲרֵי אֲשֶׁר־בָּא הָאִישׁ הַזֶּה אֶל־בֵּיתִי אַל־תַּעֲשׂוּ אֶת־הַנְּבָלָה הַזֹּאת׃ כד הִנֵּה
בִתִּי הַבְּתוּלָה וּפִילַגְשֵׁהוּ אוֹצִיאָה־נָּא אוֹתָם וְעַנּוּ אוֹתָם וַעֲשׂוּ לָהֶם הַטּוֹב
בְּעֵינֵיכֶם וְלָאִישׁ הַזֶּה לֹא תַעֲשׂוּ דְּבַר הַנְּבָלָה הַזֹּאת׃ כה וְלֹא־אָבוּ הָאֲנָשִׁים
לִשְׁמֹעַ לוֹ וַיַּחֲזֵק הָאִישׁ בְּפִילַגְשׁוֹ וַיֹּצֵא אֲלֵיהֶם הַחוּץ וַיֵּדְעוּ אוֹתָהּ
וַיִּתְעַלְּלוּ־בָהּ כָּל־הַלַּיְלָה עַד־הַבֹּקֶר וַיְשַׁלְּחוּהָ כַּעֲלוֹת[17] הַשָּׁחַר׃ כו וַתָּבֹא
הָאִשָּׁה לִפְנוֹת הַבֹּקֶר וַתִּפֹּל פֶּתַח בֵּית־הָאִישׁ אֲשֶׁר־אֲדוֹנֶיהָ שָּׁם עַד־הָאוֹר׃
כז וַיָּקָם אֲדֹנֶיהָ בַּבֹּקֶר וַיִּפְתַּח דַּלְתוֹת הַבַּיִת וַיֵּצֵא לָלֶכֶת לְדַרְכּוֹ וְהִנֵּה
הָאִשָּׁה פִילַגְשׁוֹ נֹפֶלֶת פֶּתַח הַבַּיִת וְיָדֶיהָ עַל־הַסַּף׃ כח וַיֹּאמֶר אֵלֶיהָ קוּמִי
וְנֵלֵכָה וְאֵין עֹנֶה וַיִּקָּחֶהָ עַל־הַחֲמוֹר וַיָּקָם הָאִישׁ וַיֵּלֶךְ לִמְקֹמוֹ׃ כט וַיָּבֹא
אֶל־בֵּיתוֹ וַיִּקַּח אֶת־הַמַּאֲכֶלֶת וַיַּחֲזֵק בְּפִילַגְשׁוֹ וַיְנַתְּחֶהָ לַעֲצָמֶיהָ לִשְׁנֵים עָשָׂר
נְתָחִים וַיְשַׁלְּחֶהָ בְּכֹל גְּבוּל יִשְׂרָאֵל׃ ל וְהָיָה כָל־הָרֹאֶה וְאָמַר לֹא־נִהְיְתָה
וְלֹא־נִרְאֲתָה כָּזֹאת לְמִיּוֹם עֲלוֹת בְּנֵי־יִשְׂרָאֵל מֵאֶרֶץ מִצְרַיִם עַד הַיּוֹם הַזֶּה
שִׂימוּ־לָכֶם עָלֶיהָ עֻצוּ וְדַבֵּרוּ׃

כ א וַיֵּצְאוּ כָּל־בְּנֵי יִשְׂרָאֵל וַתִּקָּהֵל הָעֵדָה כְּאִישׁ אֶחָד לְמִדָּן וְעַד־בְּאֵר
שֶׁבַע וְאֶרֶץ הַגִּלְעָד אֶל־יְהוָה הַמִּצְפָּה׃ ב וַיִּתְיַצְּבוּ פִּנּוֹת כָּל־הָעָם כֹּל שִׁבְטֵי
יִשְׂרָאֵל בִּקְהַל עַם הָאֱלֹהִים אַרְבַּע מֵאוֹת אֶלֶף אִישׁ רַגְלִי שֹׁלֵף חָרֶב׃

ג וַיִּשְׁמְעוּ בְּנֵי בִנְיָמִן כִּי־עָלוּ בְנֵי־יִשְׂרָאֵל הַמִּצְפָּה וַיֹּאמְרוּ בְּנֵי יִשְׂרָאֵל דַּבְּרוּ
אֵיכָה נִהְיְתָה הָרָעָה הַזֹּאת׃ ד וַיַּעַן הָאִישׁ הַלֵּוִי אִישׁ הָאִשָּׁה הַנִּרְצָחָה וַיֹּאמַר
הַגִּבְעָתָה אֲשֶׁר לְבִנְיָמִן בָּאתִי אֲנִי וּפִילַגְשִׁי לָלוּן׃ ה וַיָּקֻמוּ עָלַי בַּעֲלֵי הַגִּבְעָה
וַיָּסֹבּוּ עָלַי אֶת־הַבַּיִת לָיְלָה אוֹתִי דִּמּוּ לַהֲרֹג וְאֶת־פִּילַגְשִׁי עִנּוּ וַתָּמֹת׃ ו וָאֹחֵז
בְּפִילַגְשִׁי וָאֲנַתְּחֶהָ וָאֲשַׁלְּחֶהָ בְּכָל־שְׂדֵה נַחֲלַת יִשְׂרָאֵל כִּי עָשׂוּ זִמָּה וּנְבָלָה
בְּיִשְׂרָאֵל׃ ז הִנֵּה כֻלְּכֶם בְּנֵי יִשְׂרָאֵל הָבוּ לָכֶם דָּבָר וְעֵצָה הֲלֹם׃ ח וַיָּקָם
כָּל־הָעָם כְּאִישׁ אֶחָד לֵאמֹר לֹא נֵלֵךְ אִישׁ לְאָהֳלוֹ וְלֹא נָסוּר אִישׁ לְבֵיתוֹ׃
ט וְעַתָּה זֶה הַדָּבָר אֲשֶׁר נַעֲשֶׂה לַגִּבְעָה עָלֶיהָ בְּגוֹרָל׃ י וְלָקַחְנוּ עֲשָׂרָה
אֲנָשִׁים לַמֵּאָה לְכֹל ׀ שִׁבְטֵי יִשְׂרָאֵל וּמֵאָה לָאֶלֶף וְאֶלֶף לָרְבָבָה לָקַחַת צֵדָה
לָעָם לַעֲשׂוֹת לְבוֹאָם לְגֶבַע בִּנְיָמִן כְּכָל־הַנְּבָלָה אֲשֶׁר עָשָׂה בְּיִשְׂרָאֵל׃
יא וַיֵּאָסֵף כָּל־אִישׁ יִשְׂרָאֵל אֶל־הָעִיר כְּאִישׁ אֶחָד חֲבֵרִים׃

יב וַיִּשְׁלְחוּ שִׁבְטֵי יִשְׂרָאֵל אֲנָשִׁים בְּכָל־שִׁבְטֵי בִנְיָמִן לֵאמֹר מָה הָרָעָה הַזֹּאת
אֲשֶׁר נִהְיְתָה בָּכֶם׃

[17]בעלות

23 And the man, the master of the house, went out unto them, and said unto them: 'Nay, my brethren, I pray you, do not so wickedly; seeing that this man is come into my house, do not this wanton deed. **24** Behold, here is my daughter a virgin, and his concubine; I will bring them out now, and humble ye them, and do with them what seemeth good unto you; but unto this man do not so wanton a thing.' **25** But the men would not hearken to him; so the man laid hold on his concubine, and brought her forth unto them; and they knew her, and abused her all the night until the morning; and when the day began to spring, they let her go. **26** Then came the woman in the dawning of the day, and fell down at the door of the man's house where her lord was, till it was light. **27** And her lord rose up in the morning, and opened the doors of the house, and went out to go his way; and, behold, the woman his concubine was fallen down at the door of the house, with her hands upon the threshold. **28** And he said unto her. 'Up, and let us be going'; but none answered; then he took her up upon the ass; and the man rose up, and got him unto his place. **29** And when he was come into his house, he took a knife, and laid hold on his concubine, and divided her, limb by limb, into twelve pieces, and sent her throughout all the borders of Israel. **30** And it was so, that all that saw it said: 'Such a thing hath not happened nor been seen from the day that the children of Israel came up out of the land of Egypt unto this day; consider it, take counsel, and speak.'{P}

20 **1** Then all the children of Israel went out, and the congregation was assembled as one man, from Dan even to Beer-sheba, with the land of Gilead, unto Yehovah at Mizpah. **2** And the chiefs of all the people, even of all the tribes of Israel, presented themselves in the assembly of the people of God, four hundred thousand footmen that drew sword.–{P}

3 Now the children of Benjamin heard that the children of Israel were gone up to Mizpah.–And the children of Israel said: 'Tell us, how was this wickedness brought to pass?' **4** And the Levite, the husband of the woman that was murdered, answered and said: 'I came into Gibeah that belongeth to Benjamin, I and my concubine, to lodge. **5** And the men of Gibeah rose against me, and beset the house round about upon me by night; me they thought to have slain, and my concubine they forced, and she is dead. **6** And I took my concubine, and cut her in pieces, and sent her throughout all the country of the inheritance of Israel; for they have committed lewdness and wantonness in Israel. **7** Behold, ye are all here, children of Israel, give here your advice and council.' **8** And all the people arose as one man, saying: 'We will not any of us go to his tent, neither will we any of us turn unto his house. **9** But now this is the thing which we will do to Gibeah: we will go up against it by lot; **10** and we will take ten men of a hundred throughout all the tribes of Israel, and a hundred of a thousand, and a thousand out of ten thousand, to fetch victuals for the people, that they may do, when they come to Gibeah of Benjamin, according to all the wantonness that they have wrought in Israel.' **11** So all the men of Israel were gathered against the city, knit together as one man.{P}

12 And the tribes of Israel sent men through all the tribe of Benjamin, saying: 'What wickedness is this that is come to pass among you?

יג וְעַתָּ֡ה תְּנוּ֩ אֶת־הָאֲנָשִׁ֨ים בְּנֵֽי־בְלִיַּ֜עַל אֲשֶׁ֣ר בַּגִּבְעָ֗ה וּנְמִיתֵם֙ וּנְבַעֲרָ֤ה רָעָה֙ מִיִּשְׂרָאֵ֔ל וְלֹ֤א אָבוּ֙ בְּנֵ֣י בִנְיָמִ֔ן לִשְׁמֹ֕עַ בְּק֖וֹל אֲחֵיהֶ֥ם בְּנֵֽי־יִשְׂרָאֵֽל: יד וַיֵּאָסְפ֧וּ בְנֵֽי־בִנְיָמִ֛ן מִן־הֶעָרִ֖ים הַגִּבְעָ֑תָה לָצֵ֥את לַמִּלְחָמָ֖ה עִם־בְּנֵ֥י יִשְׂרָאֵֽל: טו וַיִּתְפָּֽקְד֩וּ בְנֵ֨י בִנְיָמִ֜ן בַּיּ֣וֹם הַה֗וּא מֵהֶֽעָרִים֙ עֶשְׂרִ֤ים וְשִׁשָּׁה֙ אֶ֤לֶף אִישׁ֙ שֹׁ֣לֵֽף חֶ֔רֶב לְבַ֗ד מִיֹּֽשְׁבֵ֤י הַגִּבְעָה֙ הִתְפָּ֣קְד֔וּ שְׁבַ֥ע מֵא֖וֹת אִ֥ישׁ בָּחֽוּר: טז מִכֹּ֣ל ׀ הָעָ֣ם הַזֶּ֗ה שְׁבַ֤ע מֵאוֹת֙ אִ֣ישׁ בָּח֔וּר אִטֵּ֖ר יַד־יְמִינ֑וֹ כָּל־זֶ֗ה קֹלֵ֧עַ בָּאֶ֛בֶן אֶל־הַֽשַּׂעֲרָ֖ה וְלֹ֥א יַחֲטִֽא:

יז וְאִ֨ישׁ יִשְׂרָאֵ֜ל הִתְפָּֽקְד֗וּ לְבַד֙ מִבִּ֨נְיָמִ֔ן אַרְבַּ֥ע מֵא֖וֹת אֶ֣לֶף אִ֣ישׁ שֹׁ֣לֵֽף חָ֑רֶב כָּל־זֶ֖ה אִ֥ישׁ מִלְחָמָֽה: יח וַיָּקֻ֜מוּ וַיַּעֲל֣וּ בֵֽית־אֵל֮ וַיִּשְׁאֲל֣וּ בֵֽאלֹהִים֒ וַיֹּֽאמְרוּ֙ בְּנֵ֣י יִשְׂרָאֵ֔ל מִ֚י יַעֲלֶה־לָּ֣נוּ בַתְּחִלָּ֔ה לַמִּלְחָמָ֖ה עִם־בְּנֵ֣י בִנְיָמִ֑ן וַיֹּ֥אמֶר יְהוָ֖ה יְהוּדָ֥ה בַתְּחִלָּֽה: יט וַיָּק֥וּמוּ בְנֵֽי־יִשְׂרָאֵ֖ל בַּבֹּ֑קֶר וַיַּֽחֲנ֖וּ עַל־הַגִּבְעָֽה:

כ וַיֵּצֵא֙ אִ֣ישׁ יִשְׂרָאֵ֔ל לַמִּלְחָמָ֖ה עִם־בִּנְיָמִ֑ן וַיַּֽעַרְכ֨וּ אִתָּ֧ם אִֽישׁ־יִשְׂרָאֵ֛ל מִלְחָמָ֖ה אֶל־הַגִּבְעָֽה: כא וַיֵּֽצְא֥וּ בְנֵֽי־בִנְיָמִ֖ן מִן־הַגִּבְעָ֑ה וַיַּשְׁחִ֨יתוּ בְיִשְׂרָאֵ֜ל בַּיּ֣וֹם הַה֗וּא שְׁנַ֛יִם וְעֶשְׂרִ֥ים אֶ֖לֶף אִ֥ישׁ אָֽרְצָה: כב וַיִּתְחַזֵּ֥ק הָעָ֖ם אִ֣ישׁ יִשְׂרָאֵ֑ל וַיֹּסִ֨פוּ֙ לַעֲרֹ֣ךְ מִלְחָמָ֔ה בַּמָּק֕וֹם אֲשֶׁר־עָ֥רְכוּ שָׁ֖ם בַּיּ֥וֹם הָרִאשֽׁוֹן: כג וַיַּעֲל֣וּ בְנֵֽי־יִשְׂרָאֵ֗ל וַיִּבְכּ֣וּ לִפְנֵֽי־יְהוָה֮ עַד־הָעֶרֶב֒ וַיִּשְׁאֲל֤וּ בַֽיהוָה֙ לֵאמֹ֔ר הַאוֹסִ֗יף לָגֶ֨שֶׁת֙ לַמִּלְחָמָ֔ה עִם־בְּנֵ֥י בִנְיָמִ֖ן אָחִ֑י וַיֹּ֥אמֶר יְהוָ֖ה עֲל֥וּ אֵלָֽיו:

כד וַיִּקְרְב֧וּ בְנֵֽי־יִשְׂרָאֵ֛ל אֶל־בְּנֵ֥י בִנְיָמִ֖ן בַּיּ֥וֹם הַשֵּׁנִֽי: כה וַיֵּצֵא֩ בִנְיָמִ֨ן ׀ לִקְרָאתָ֥ם ׀ מִן־הַגִּבְעָה֮ בַּיּ֣וֹם הַשֵּׁנִי֒ וַיַּשְׁחִ֨יתוּ בִבְנֵ֤י יִשְׂרָאֵל֙ ע֔וֹד שְׁמֹנַ֥ת עָשָׂ֛ר אֶ֖לֶף אִ֣ישׁ אָ֑רְצָה כָּל־אֵ֖לֶּה שֹׁ֥לְפֵי חָֽרֶב: כו וַיַּעֲל֣וּ כָל־בְּנֵי֩ יִשְׂרָאֵ֨ל וְכָל־הָעָ֜ם וַיָּבֹ֣אוּ בֵֽית־אֵ֗ל וַיִּבְכּוּ֙ וַיֵּ֤שְׁבוּ שָׁם֙ לִפְנֵ֣י יְהוָ֔ה וַיָּצ֥וּמוּ בַיּוֹם־הַה֖וּא עַד־הָעָ֑רֶב וַיַּעֲל֛וּ עֹל֥וֹת וּשְׁלָמִ֖ים לִפְנֵ֥י יְהוָֽה: כז וַיִּשְׁאֲל֥וּ בְנֵֽי־יִשְׂרָאֵ֖ל בַּֽיהוָ֑ה וְשָׁ֗ם אֲרוֹן֙ בְּרִ֣ית הָֽאֱלֹהִ֔ים בַּיָּמִ֖ים הָהֵֽם: כח וּ֠פִינְחָס בֶּן־אֶלְעָזָ֨ר בֶּן־אַהֲרֹ֜ן עֹמֵ֣ד ׀ לְפָנָ֗יו בַּיָּמִ֣ים הָהֵם֮ לֵאמֹר֒ הַאוֹסִ֨ף ע֜וֹד לָצֵ֤את לַמִּלְחָמָה֙ עִם־בְּנֵֽי־בִנְיָמִ֤ן אָחִי֙ אִם־אֶחְדָּ֔ל וַיֹּ֤אמֶר יְהוָה֙ עֲל֔וּ כִּ֥י מָחָ֖ר אֶתְּנֶ֥נּוּ בְיָדֶֽךָ: כט וַיָּ֤שֶׂם יִשְׂרָאֵל֙ אֹֽרְבִ֔ים אֶל־הַגִּבְעָ֖ה סָבִֽיב:

ל וַיַּעֲל֧וּ בְנֵֽי־יִשְׂרָאֵ֛ל אֶל־בְּנֵ֥י בִנְיָמִ֖ן בַּיּ֣וֹם הַשְּׁלִישִׁ֑י וַיַּעַרְכ֥וּ אֶל־הַגִּבְעָ֖ה כְּפַ֥עַם בְּפָֽעַם: לא וַיֵּצְא֤וּ בְנֵֽי־בִנְיָמִן֙ לִקְרַ֣את הָעָ֔ם הָנְתְּק֖וּ מִן־הָעִ֑יר וַיָּחֵ֡לּוּ לְהַכּוֹת֩ מֵהָעָ֨ם חֲלָלִ֜ים כְּפַ֣עַם ׀ בְּפַ֗עַם בַּֽמְסִלּוֹת֙ אֲשֶׁ֨ר אַחַ֜ת עֹלָ֣ה בֵֽית־אֵ֗ל וְאַחַ֤ת גִּבְעָ֨תָה֙ בַּשָּׂדֶ֔ה כִּשְׁלֹשִׁ֥ים אִ֖ישׁ בְּיִשְׂרָאֵֽל:

13 Now therefore deliver up the men, the base fellows that are in Gibeah, that we may put them to death, and put away evil from Israel.' But the children of Benjamin would not hearken to the voice of their brethren the children of Israel. 14 And the children of Benjamin gathered themselves together out of their cities unto Gibeah, to go out to battle against the children of Israel. 15 And the children of Benjamin numbered on that day out of the cities twenty and six thousand men that drew sword, besides the inhabitants of Gibeah, who numbered seven hundred chosen men. 16 All this people, even seven hundred chosen men, were left-handed; every one could sling stones at a hair-breadth, and not miss.{P}

17 And the men of Israel, beside Benjamin, numbered four hundred thousand men that drew sword; all these were men of war. 18 And the children of Israel arose, and went up to Beth-el, and asked counsel of God; and they said: 'Who shall go up for us first to battle against the children of Benjamin?' And Yehovah said: 'Judah first.' 19 And the children of Israel rose up in the morning, and encamped against Gibeah. 20 And the men of Israel went out to battle against Benjamin; and the men of Israel set the battle in array against them at Gibeah. 21 And the children of Benjamin came forth out of Gibeah, and destroyed down to the ground of the Israelites on that day twenty and two thousand men. 22 And the people, the men of Israel, encouraged themselves, and set the battle again in array in the place where they set themselves in array the first day. 23 And the children of Israel went up and wept before Yehovah until even; and they asked of Yehovah, saying: 'Shall I again draw nigh to battle against the children of Benjamin my brother?' And Yehovah said: 'Go up against him.'{P}

24 And the children of Israel came near against the children of Benjamin the second day. 25 And Benjamin went forth against them out of Gibeah the second day, and destroyed down to the ground of the children of Israel again eighteen thousand men; all these drew the sword. 26 Then all the children of Israel, and all the people, went up, and came unto Beth-el, and wept, and sat there before Yehovah, and fasted that day until even; and they offered burnt-offerings and peace-offerings before Yehovah. 27 And the children of Israel asked of Yehovah–for the ark of the covenant of God was there in those days, 28 and Phinehas, the son of Eleazar, the son of Aaron, stood before it in those days–saying: 'Shall I yet again go out to battle against the children of Benjamin my brother, or shall I cease?' And Yehovah said: 'Go up; for to-morrow I will deliver him into thy hand.' 29 And Israel set liers-in-wait against Gibeah round about.{P}

30 And the children of Israel went up against the children of Benjamin on the third day, and set themselves in array against Gibeah, as at other times. 31 And the children of Benjamin went out against the people, and were drawn away from the city; and they began to smite and kill of the people, as at other times, in the field, in the highways, of which one goeth up to Beth-el, and the other to Gibeah, about thirty men of Israel.

לב וַיֹּאמְרוּ בְּנֵי בִנְיָמִן נִגָּפִים הֵם לְפָנֵינוּ כְּבָרִאשֹׁנָה וּבְנֵי יִשְׂרָאֵל אָמְרוּ
נָנוּסָה וּנְתַקְּנֻהוּ מִן־הָעִיר אֶל־הַמְסִלּוֹת׃ לג וְכֹל ׀ אִישׁ יִשְׂרָאֵל קָמוּ מִמְּקוֹמוֹ
וַיַּעַרְכוּ בְּבַעַל תָּמָר וְאֹרֵב יִשְׂרָאֵל מֵגִיחַ מִמְּקֹמוֹ מִמַּעֲרֵה־גָבַע׃ לד וַיָּבֹאוּ
מִנֶּגֶד לַגִּבְעָה עֲשֶׂרֶת אֲלָפִים אִישׁ בָּחוּר מִכָּל־יִשְׂרָאֵל וְהַמִּלְחָמָה כָּבֵדָה
וְהֵם לֹא יָדְעוּ כִּי־נֹגַעַת עֲלֵיהֶם הָרָעָה׃
לה וַיִּגֹּף יְהוָה ׀ אֶת־בִּנְיָמִן לִפְנֵי יִשְׂרָאֵל וַיַּשְׁחִיתוּ בְנֵי יִשְׂרָאֵל בְּבִנְיָמִן בַּיּוֹם
הַהוּא עֶשְׂרִים וַחֲמִשָּׁה אֶלֶף וּמֵאָה אִישׁ כָּל־אֵלֶּה שֹׁלֵף חָרֶב׃ לו וַיִּרְאוּ
בְנֵי־בִנְיָמִן כִּי נִגָּפוּ וַיִּתְּנוּ אִישׁ־יִשְׂרָאֵל מָקוֹם לְבִנְיָמִן כִּי בָטְחוּ אֶל־הָאֹרֵב
אֲשֶׁר שָׂמוּ אֶל־הַגִּבְעָה׃ לז וְהָאֹרֵב הֵחִישׁוּ וַיִּפְשְׁטוּ אֶל־הַגִּבְעָה וַיִּמְשֹׁךְ
הָאֹרֵב וַיַּךְ אֶת־כָּל־הָעִיר לְפִי־חָרֶב׃ לח וְהַמּוֹעֵד הָיָה לְאִישׁ יִשְׂרָאֵל
עִם־הָאֹרֵב הֶרֶב לְהַעֲלוֹתָם מַשְׂאַת הֶעָשָׁן מִן־הָעִיר׃ לט וַיַּהֲפֹךְ אִישׁ־יִשְׂרָאֵל
בַּמִּלְחָמָה וּבִנְיָמִן הֵחֵל לְהַכּוֹת חֲלָלִים בְּאִישׁ־יִשְׂרָאֵל כִּשְׁלֹשִׁים אִישׁ כִּי
אָמְרוּ אַךְ נִגּוֹף נִגָּף הוּא לְפָנֵינוּ כַּמִּלְחָמָה הָרִאשֹׁנָה׃ מ וְהַמַּשְׂאֵת הֵחֵלָּה
לַעֲלוֹת מִן־הָעִיר עַמּוּד עָשָׁן וַיִּפֶן בִּנְיָמִן אַחֲרָיו וְהִנֵּה עָלָה כְלִיל־הָעִיר
הַשָּׁמָיְמָה׃ מא וְאִישׁ יִשְׂרָאֵל הָפַךְ וַיִּבָּהֵל אִישׁ בִּנְיָמִן כִּי רָאָה כִּי־נָגְעָה עָלָיו
הָרָעָה׃ מב וַיִּפְנוּ לִפְנֵי אִישׁ יִשְׂרָאֵל אֶל־דֶּרֶךְ הַמִּדְבָּר וְהַמִּלְחָמָה
הִדְבִּיקָתְהוּ וַאֲשֶׁר מֵהֶעָרִים מַשְׁחִיתִים אוֹתוֹ בְּתוֹכוֹ׃ מג כִּתְּרוּ אֶת־בִּנְיָמִן
הִרְדִיפֻהוּ מְנוּחָה הִדְרִיכֻהוּ עַד נֹכַח הַגִּבְעָה מִמִּזְרַח־שָׁמֶשׁ׃ מד וַיִּפְּלוּ
מִבִּנְיָמִן שְׁמֹנָה־עָשָׂר אֶלֶף אִישׁ אֶת־כָּל־אֵלֶּה אַנְשֵׁי־חָיִל׃ מה וַיִּפְנוּ וַיָּנֻסוּ
הַמִּדְבָּרָה אֶל־סֶלַע הָרִמּוֹן וַיְעֹלְלֻהוּ בַּמְסִלּוֹת חֲמֵשֶׁת אֲלָפִים אִישׁ וַיַּדְבִּיקוּ
אַחֲרָיו עַד־גִּדְעֹם וַיַּכּוּ מִמֶּנּוּ אַלְפַּיִם אִישׁ׃ מו וַיְהִי כָל־הַנֹּפְלִים מִבִּנְיָמִן
עֶשְׂרִים וַחֲמִשָּׁה אֶלֶף אִישׁ שֹׁלֵף חֶרֶב בַּיּוֹם הַהוּא אֶת־כָּל־אֵלֶּה אַנְשֵׁי־חָיִל׃
מז וַיִּפְנוּ וַיָּנֻסוּ הַמִּדְבָּרָה אֶל־סֶלַע הָרִמּוֹן שֵׁשׁ מֵאוֹת אִישׁ וַיֵּשְׁבוּ בְּסֶלַע רִמּוֹן
אַרְבָּעָה חֳדָשִׁים׃ מח וְאִישׁ יִשְׂרָאֵל שָׁבוּ אֶל־בְּנֵי בִנְיָמִן וַיַּכּוּם לְפִי־חֶרֶב
מֵעִיר מְתֹם עַד־בְּהֵמָה עַד כָּל־הַנִּמְצָא גַּם כָּל־הֶעָרִים הַנִּמְצָאוֹת שִׁלְּחוּ
בָאֵשׁ׃

כא א וְאִישׁ יִשְׂרָאֵל נִשְׁבַּע בַּמִּצְפָּה לֵאמֹר אִישׁ מִמֶּנּוּ לֹא־יִתֵּן בִּתּוֹ לְבִנְיָמִן
לְאִשָּׁה׃ ב וַיָּבֹא הָעָם בֵּית־אֵל וַיֵּשְׁבוּ שָׁם עַד־הָעֶרֶב לִפְנֵי הָאֱלֹהִים וַיִּשְׂאוּ
קוֹלָם וַיִּבְכּוּ בְּכִי גָדוֹל׃ ג וַיֹּאמְרוּ לָמָה יְהוָה אֱלֹהֵי יִשְׂרָאֵל הָיְתָה זֹּאת
בְיִשְׂרָאֵל לְהִפָּקֵד הַיּוֹם מִיִּשְׂרָאֵל שֵׁבֶט אֶחָד׃ ד וַיְהִי מִמָּחֳרָת וַיַּשְׁכִּימוּ הָעָם
וַיִּבְנוּ־שָׁם מִזְבֵּחַ וַיַּעֲלוּ עֹלוֹת וּשְׁלָמִים׃

<u>32</u> And the children of Benjamin said: 'They are smitten down before us, as at the first.' But the children of Israel said: 'Let us flee, and draw them away from the city unto the highways.' <u>33</u> And all the men of Israel rose up out of their place, and set themselves in array at Baal-tamar; and the liers-in-wait of Israel broke forth out of their place, even out of Maareh-geba. <u>34</u> And there came over against Gibeah ten thousand chosen men out of all Israel, and the battle was sore; but they knew not that evil was close upon them.{P}

<u>35</u> And Yehovah smote Benjamin before Israel; and the children of Israel destroyed of Benjamin that day twenty and five thousand and a hundred men; all these drew the sword. <u>36</u> So the children of Benjamin saw that they were smitten. And the men of Israel gave place to Benjamin, because they trusted unto the liers-in-wait whom they had set against Gibeah.– <u>37</u> And the liers-in-wait hastened, and rushed upon Gibeah; and the liers-in-wait drew forth, and smote all the city with the edge of the sword. <u>38</u> Now there was an appointed sign between the men of Israel and the liers-in-wait, that they should make a great beacon of smoke rise up out of the city.– <u>39</u> And the men of Israel turned in the battle, and Benjamin began to smite and kill of the men of Israel about thirty persons; for they said: 'Surely they are smitten down before us, as in the first battle.' <u>40</u> But when the beacon began to arise up out of the city in a pillar of smoke, the Benjamites looked behind them, and, behold, the whole of the city went up in smoke to heaven. <u>41</u> And the men of Israel turned, and the men of Benjamin were amazed; for they saw that evil was come upon them. <u>42</u> Therefore they turned their backs before the men of Israel unto the way of the wilderness; but the battle followed hard after them; and they that came out of the city destroyed them in the midst of the men of Israel. <u>43</u> They inclosed the Benjamites round about, and chased them, and overtook them at their resting-place, as far as over against Gibeah toward the sunrising. <u>44</u> And there fell of Benjamin eighteen thousand men; all these were men of valour. <u>45</u> And they turned and fled toward the wilderness unto the rock of Rimmon; and they gleaned of them in the highways five thousand men; and followed hard after them unto Gidom, and smote of them two thousand men. <u>46</u> So that all who fell that day of Benjamin were twenty and five thousand men that drew the sword; all these were men of valour. <u>47</u> But six hundred men turned and fled toward the wilderness unto the rock of Rimmon, and abode in the rock of Rimmon four months. <u>48</u> And the men of Israel turned back upon the children of Benjamin, and smote them with the edge of the sword, both the entire city, and the cattle, and all that they found; moreover all the cities which they found they set on fire.{P}

21 <u>1</u> Now the men of Israel had sworn in Mizpah, saying: 'There shall not any of us give his daughter unto Benjamin to wife.' <u>2</u> And the people came to Beth-el, and sat there till even before God, and lifted up their voices, and wept sore. <u>3</u> And they said: 'Yehovah, the God of Israel, why is this come to pass in Israel, that there should be to-day one tribe lacking in Israel?' <u>4</u> And it came to pass on the morrow that the people rose early, and built there an altar, and offered burnt-offerings and peace-offerings.{P}

ה וַיֹּאמְרוּ בְּנֵי יִשְׂרָאֵל מִי אֲשֶׁר לֹא־עָלָה בַקָּהָל מִכָּל־שִׁבְטֵי יִשְׂרָאֵל
אֶל־יְהוָה כִּי הַשְּׁבוּעָה הַגְּדוֹלָה הָיְתָה לַאֲשֶׁר לֹא־עָלָה אֶל־יְהוָה הַמִּצְפָּה
לֵאמֹר מוֹת יוּמָת׃ ו וַיִּנָּחֲמוּ בְּנֵי יִשְׂרָאֵל אֶל־בִּנְיָמִן אָחִיו וַיֹּאמְרוּ נִגְדַּע הַיּוֹם
שֵׁבֶט אֶחָד מִיִּשְׂרָאֵל׃ ז מַה־נַּעֲשֶׂה לָהֶם לַנּוֹתָרִים לְנָשִׁים וַאֲנַחְנוּ נִשְׁבַּעְנוּ
בַיהוָה לְבִלְתִּי תֵת־לָהֶם מִבְּנוֹתֵינוּ לְנָשִׁים׃ ח וַיֹּאמְרוּ מִי אֶחָד מִשִּׁבְטֵי
יִשְׂרָאֵל אֲשֶׁר לֹא־עָלָה אֶל־יְהוָה הַמִּצְפָּה וְהִנֵּה לֹא בָא־אִישׁ אֶל־הַמַּחֲנֶה
מִיָּבֵישׁ גִּלְעָד אֶל־הַקָּהָל׃ ט וַיִּתְפָּקֵד הָעָם וְהִנֵּה אֵין־שָׁם אִישׁ מִיּוֹשְׁבֵי יָבֵשׁ
גִּלְעָד׃ י וַיִּשְׁלְחוּ־שָׁם הָעֵדָה שְׁנֵים־עָשָׂר אֶלֶף אִישׁ מִבְּנֵי הֶחָיִל וַיְצַוּוּ אוֹתָם
לֵאמֹר לְכוּ וְהִכִּיתֶם אֶת־יוֹשְׁבֵי יָבֵשׁ גִּלְעָד לְפִי־חֶרֶב וְהַנָּשִׁים וְהַטָּף׃ יא וְזֶה
הַדָּבָר אֲשֶׁר תַּעֲשׂוּ כָּל־זָכָר וְכָל־אִשָּׁה יֹדַעַת מִשְׁכַּב־זָכָר תַּחֲרִימוּ׃
יב וַיִּמְצְאוּ מִיּוֹשְׁבֵי ׀ יָבֵישׁ גִּלְעָד אַרְבַּע מֵאוֹת נַעֲרָה בְתוּלָה אֲשֶׁר לֹא־יָדְעָה
אִישׁ לְמִשְׁכַּב זָכָר וַיָּבִיאוּ אוֹתָם אֶל־הַמַּחֲנֶה שִׁלֹה אֲשֶׁר בְּאֶרֶץ כְּנָעַן׃
יג וַיִּשְׁלְחוּ כָּל־הָעֵדָה וַיְדַבְּרוּ אֶל־בְּנֵי בִנְיָמִן אֲשֶׁר בְּסֶלַע רִמּוֹן וַיִּקְרְאוּ
לָהֶם שָׁלוֹם׃ יד וַיָּשָׁב בִּנְיָמִן בָּעֵת הַהִיא וַיִּתְּנוּ לָהֶם הַנָּשִׁים אֲשֶׁר חִיּוּ מִנְּשֵׁי
יָבֵשׁ גִּלְעָד וְלֹא־מָצְאוּ לָהֶם כֵּן׃ טו וְהָעָם נִחָם לְבִנְיָמִן כִּי־עָשָׂה יְהוָה פֶּרֶץ
בְּשִׁבְטֵי יִשְׂרָאֵל׃ טז וַיֹּאמְרוּ זִקְנֵי הָעֵדָה מַה־נַּעֲשֶׂה לַנּוֹתָרִים לְנָשִׁים
כִּי־נִשְׁמְדָה מִבִּנְיָמִן אִשָּׁה׃ יז וַיֹּאמְרוּ יְרֻשַּׁת פְּלֵיטָה לְבִנְיָמִן וְלֹא־יִמָּחֶה שֵׁבֶט
מִיִּשְׂרָאֵל׃ יח וַאֲנַחְנוּ לֹא נוּכַל לָתֵת־לָהֶם נָשִׁים מִבְּנוֹתֵינוּ כִּי־נִשְׁבְּעוּ
בְנֵי־יִשְׂרָאֵל לֵאמֹר אָרוּר נֹתֵן אִשָּׁה לְבִנְיָמִן׃ יט וַיֹּאמְרוּ הִנֵּה חַג־יְהוָה בְּשִׁלוֹ
מִיָּמִים ׀ יָמִימָה אֲשֶׁר מִצְּפוֹנָה לְבֵית־אֵל מִזְרְחָה הַשֶּׁמֶשׁ לִמְסִלָּה הָעֹלָה
מִבֵּית־אֵל שְׁכֶמָה וּמִנֶּגֶב לִלְבוֹנָה׃ כ וַיְצַוּוּ[18] אֶת־בְּנֵי בִנְיָמִן לֵאמֹר לְכוּ
וַאֲרַבְתֶּם בַּכְּרָמִים׃ כא וּרְאִיתֶם וְהִנֵּה אִם־יֵצְאוּ בְנוֹת־שִׁילוֹ לָחוּל בַּמְּחֹלוֹת
וִיצָאתֶם מִן־הַכְּרָמִים וַחֲטַפְתֶּם לָכֶם אִישׁ אִשְׁתּוֹ מִבְּנוֹת שִׁילוֹ וַהֲלַכְתֶּם אֶרֶץ
בִּנְיָמִן׃ כב וְהָיָה כִּי־יָבֹאוּ אֲבוֹתָם אוֹ אֲחֵיהֶם לָרִיב[19] ׀ אֵלֵינוּ וְאָמַרְנוּ אֲלֵיהֶם
חָנּוּנוּ אוֹתָם כִּי לֹא לָקַחְנוּ אִישׁ אִשְׁתּוֹ בַּמִּלְחָמָה כִּי לֹא אַתֶּם נְתַתֶּם לָהֶם
כָּעֵת תֶּאְשָׁמוּ׃ כג וַיַּעֲשׂוּ־כֵן בְּנֵי בִנְיָמִן וַיִּשְׂאוּ נָשִׁים לְמִסְפָּרָם מִן־הַמְּחֹלְלוֹת
אֲשֶׁר גָּזָלוּ וַיֵּלְכוּ וַיָּשׁוּבוּ אֶל־נַחֲלָתָם וַיִּבְנוּ אֶת־הֶעָרִים וַיֵּשְׁבוּ בָּהֶם׃
כד וַיִּתְהַלְּכוּ מִשָּׁם בְּנֵי־יִשְׂרָאֵל בָּעֵת הַהִיא אִישׁ לְשִׁבְטוֹ וּלְמִשְׁפַּחְתּוֹ וַיֵּצְאוּ
מִשָּׁם אִישׁ לְנַחֲלָתוֹ׃ כה בַּיָּמִים הָהֵם אֵין מֶלֶךְ בְּיִשְׂרָאֵל אִישׁ הַיָּשָׁר בְּעֵינָיו
יַעֲשֶׂה׃

[18] ויצו
[19] לרוב

5 And the children of Israel said: 'Who is there among all the tribes of Israel that came not up in the assembly unto Yehovah?' For they had made a great oath concerning him that came not up unto Yehovah to Mizpah, saying: 'He shall surely be put to death.' **6** And the children of Israel repented them for Benjamin their brother, and said: 'There is one tribe cut off from Israel this day. **7** How shall we do for wives for them that remain, seeing we have sworn by Yehovah that we will not give them of our daughters to wives?' **8** And they said: 'What one is there of the tribes of Israel that came not up unto Yehovah to Mizpah?' And, behold, there came none to the camp from Jabesh-gilead to the assembly. **9** For when the people were numbered, behold, there were none of the inhabitants of Jabesh-gilead there. **10** And the congregation sent thither twelve thousand men of the valiantest, and commanded them, saying: 'Go and smite the inhabitants of Jabesh-gilead with the edge of the sword, with the women and the little ones. **11** And this is the thing that ye shall do: ye shall utterly destroy every male, and every woman that hath lain by man.' **12** And they found among the inhabitants of Jabesh-gilead four hundred young virgins, that had not known man by lying with him; and they brought them unto the camp to Shiloh, which is in the land of Canaan.{P}

13 And the whole congregation sent and spoke to the children of Benjamin that were in the rock of Rimmon, and proclaimed peace unto them. **14** And Benjamin returned at that time; and they gave them the women whom they had saved alive of the women of Jabesh-gilead; and yet so they sufficed them not. **15** And the people repented them for Benjamin, because that Yehovah had made a breach in the tribes of Israel. **16** Then the elders of the congregation said: 'How shall we do for wives for them that remain, seeing the women are destroyed out of Benjamin?' **17** And they said: 'They that are escaped must be as an inheritance for Benjamin, that a tribe be not blotted out from Israel. **18** Howbeit we may not give them wives of our daughters.' For the children of Israel had sworn, saying: 'Cursed be he that giveth a wife to Benjamin.'{S} **19** And they said: 'Behold, there is the feast of Yehovah from year to year in Shiloh, which is on the north of Beth-el, on the east side of the highway that goeth up from Beth-el to Shechem, and on the south of Lebonah.' **20** And they commanded the children of Benjamin, saying: 'Go and lie in wait in the vineyards; **21** and see, and, behold, if the daughters of Shiloh come out to dance in the dances, then come ye out of the vineyards, and catch you every man his wife of the daughters of Shiloh, and go to the land of Benjamin. **22** And it shall be, when their fathers or their brethren come to strive with us, that we will say unto them: Grant them graciously unto us; because we took not for each man of them his wife in battle; neither did ye give them unto them, that ye should now be guilty.'{S} **23** And the children of Benjamin did so, and took them wives, according to their number, of them that danced, whom they carried off; and they went and returned unto their inheritance, and built the cities, and dwelt in them. **24** And the children of Israel departed thence at that time, every man to his tribe and to his family, and they went out from thence every man to his inheritance.{P}

25 In those days there was no king in Israel; every man did that which was right in his own eyes.{P}

שמואל א

I Samuel

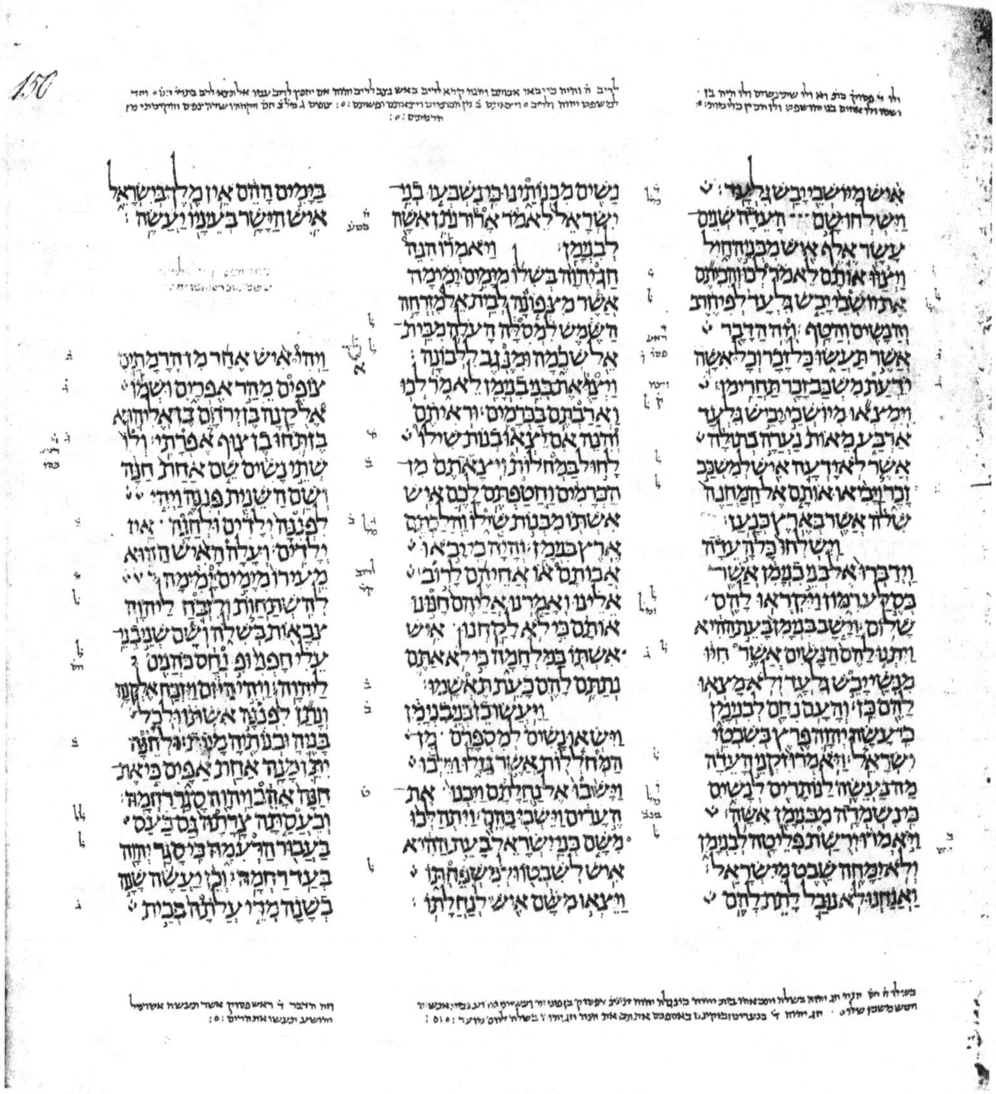

Book of I Samuel in the Leningrad Codex
(left column, upper, page 304 in pdf)

א א וַיְהִי֩ אִ֨ישׁ אֶחָ֜ד מִן־הָרָמָתַ֛יִם צוֹפִ֖ים מֵהַ֣ר אֶפְרָ֑יִם וּשְׁמ֗וֹ אֶלְקָנָה֙ בֶּן־יְרֹחָ֜ם בֶּן־אֱלִיה֥וּא בֶּן־תֹּ֛חוּ בֶן־צ֖וּף אֶפְרָתִֽי: ב וְלוֹ֙ שְׁתֵּ֣י נָשִׁ֔ים שֵׁ֤ם אַחַת֙ חַנָּ֔ה וְשֵׁ֥ם הַשֵּׁנִ֖ית פְּנִנָּ֑ה וַיְהִ֤י לִפְנִנָּה֙ יְלָדִ֔ים וּלְחַנָּ֖ה אֵ֥ין יְלָדִֽים: ג וְעָלָה֩ הָאִ֨ישׁ הַה֤וּא מֵֽעִירוֹ֙ מִיָּמִ֣ים ׀ יָמִ֔ימָה לְהִֽשְׁתַּחֲוֺ֧ת וְלִזְבֹּ֛חַ לַיהֹוָ֥ה צְבָא֖וֹת בְּשִׁלֹ֑ה וְשָׁ֞ם שְׁנֵ֣י בְנֵֽי־עֵלִ֗י חׇפְנִי֙ וּפִ֣נְחָ֔ס כֹּהֲנִ֖ים לַיהֹוָֽה: ד וַיְהִ֣י הַיּ֔וֹם וַיִּזְבַּ֖ח אֶלְקָנָ֑ה וְנָתַ֞ן לִפְנִנָּ֣ה אִשְׁתּ֗וֹ וּֽלְכׇל־בָּנֶ֛יהָ וּבְנוֹתֶ֖יהָ מָנֽוֹת: ה וּלְחַנָּ֕ה יִתֵּ֛ן מָנָ֥ה אַחַ֖ת אַפָּ֑יִם כִּ֤י אֶת־חַנָּה֙ אָהֵ֔ב וַֽיהֹוָ֖ה סָגַ֥ר רַחְמָֽהּ: ו וְכִֽעֲסַ֤תָּה צָֽרָתָהּ֙ גַּם־כַּ֔עַס בַּעֲב֖וּר הַרְּעִמָ֑הּ כִּֽי־סָגַ֥ר יְהֹוָ֖ה בְּעַ֥ד רַחְמָֽהּ: ז וְכֵ֨ן יַעֲשֶׂ֜ה שָׁנָ֣ה בְשָׁנָ֗ה מִדֵּ֤י עֲלֹתָהּ֙ בְּבֵ֣ית יְהֹוָ֔ה כֵּ֖ן תַּכְעִסֶ֑נָּה וַתִּבְכֶּ֖ה וְלֹ֥א תֹאכַֽל: ח וַיֹּ֨אמֶר לָ֜הּ אֶלְקָנָ֣ה אִישָׁ֗הּ חַנָּה֙ לָ֣מֶה תִבְכִּ֗י וְלָ֙מֶה֙ לֹ֣א תֹֽאכְלִ֔י וְלָ֖מֶה יֵרַ֣ע לְבָבֵ֑ךְ הֲל֤וֹא אָנֹכִי֙ ט֣וֹב לָ֔ךְ מֵעֲשָׂרָ֖ה בָּנִֽים: ט וַתָּ֣קׇם חַנָּ֔ה אַחֲרֵ֛י אׇכְלָ֥ה בְשִׁלֹ֖ה וְאַחֲרֵ֣י שָׁתֹ֑ה וְעֵלִ֣י הַכֹּהֵ֗ן יֹשֵׁב֙ עַל־הַכִּסֵּ֔א עַל־מְזוּזַ֖ת הֵיכַ֥ל יְהֹוָֽה: י וְהִ֖יא מָ֣רַת נָ֑פֶשׁ וַתִּתְפַּלֵּ֥ל עַל־יְהֹוָ֖ה וּבָכֹ֥ה תִבְכֶּֽה: יא וַתִּדֹּ֨ר נֶ֜דֶר וַתֹּאמַ֗ר יְהֹוָ֨ה צְבָא֜וֹת אִם־רָאֹ֥ה תִרְאֶ֣ה ׀ בׇּעֳנִ֣י אֲמָתֶ֗ךָ וּזְכַרְתַּ֙נִי֙ וְלֹֽא־תִשְׁכַּ֣ח אֶת־אֲמָתֶ֔ךָ וְנָתַתָּ֥ה לַאֲמָתְךָ֖ זֶ֣רַע אֲנָשִׁ֑ים וּנְתַתִּ֤יו לַֽיהֹוָה֙ כׇּל־יְמֵ֣י חַיָּ֔יו וּמוֹרָ֖ה לֹא־יַעֲלֶ֥ה עַל־רֹאשֽׁוֹ: יב וְהָיָה֙ כִּ֣י הִרְבְּתָ֔ה לְהִתְפַּלֵּ֖ל לִפְנֵ֣י יְהֹוָ֑ה וְעֵלִ֖י שֹׁמֵ֥ר אֶת־פִּֽיהָ: יג וְחַנָּ֗ה הִ֚יא מְדַבֶּ֣רֶת עַל־לִבָּ֔הּ רַ֚ק שְׂפָתֶ֣יהָ נָּע֔וֹת וְקוֹלָ֖הּ לֹ֣א יִשָּׁמֵ֑עַ וַיַּחְשְׁבֶ֥הָ עֵלִ֖י לְשִׁכֹּרָֽה: יד וַיֹּ֤אמֶר אֵלֶ֙יהָ֙ עֵלִ֔י עַד־מָתַ֖י תִּשְׁתַּכָּרִ֑ין הָסִ֥ירִי אֶת־יֵינֵ֖ךְ מֵעָלָֽיִךְ: טו וַתַּ֨עַן חַנָּ֤ה וַתֹּ֙אמֶר֙ לֹ֣א אֲדֹנִ֔י אִשָּׁ֤ה קְשַׁת־ר֙וּחַ֙ אָנֹ֔כִי וְיַ֥יִן וְשֵׁכָ֖ר לֹ֣א שָׁתִ֑יתִי וָאֶשְׁפֹּ֥ךְ אֶת־נַפְשִׁ֖י לִפְנֵ֥י יְהֹוָֽה: טז אַל־תִּתֵּן֙ אֶת־אֲמָ֣תְךָ֔ לִפְנֵ֖י בַּת־בְּלִיָּ֑עַל כִּֽי־מֵרֹ֥ב שִׂיחִ֛י וְכַעְסִ֖י דִּבַּ֥רְתִּי עַד־הֵֽנָּה: יז וַיַּ֧עַן עֵלִ֛י וַיֹּ֖אמֶר לְכִ֣י לְשָׁל֑וֹם וֵאלֹהֵ֣י יִשְׂרָאֵ֗ל יִתֵּן֙ אֶת־שֵׁ֣לָתֵ֔ךְ אֲשֶׁ֥ר שָׁאַ֖לְתְּ מֵעִמּֽוֹ: יח וַתֹּ֗אמֶר תִּמְצָ֧א שִׁפְחָתְךָ֛ חֵ֖ן בְּעֵינֶ֑יךָ וַתֵּ֨לֶךְ הָאִשָּׁ֤ה לְדַרְכָּהּ֙ וַתֹּאכַ֔ל וּפָנֶ֥יהָ לֹא־הָ֥יוּ־לָ֖הּ עֽוֹד: יט וַיַּשְׁכִּ֣מוּ בַבֹּ֗קֶר וַיִּֽשְׁתַּחֲווּ֙ לִפְנֵ֣י יְהֹוָ֔ה וַיָּשֻׁ֛בוּ וַיָּבֹ֥אוּ אֶל־בֵּיתָ֖ם הָרָמָ֑תָה וַיֵּ֤דַע אֶלְקָנָה֙ אֶת־חַנָּ֣ה אִשְׁתּ֔וֹ וַיִּזְכְּרֶ֖הָ יְהֹוָֽה: כ וַיְהִי֙ לִתְקֻפ֣וֹת הַיָּמִ֔ים וַתַּ֖הַר חַנָּ֑ה וַתֵּ֣לֶד בֵּ֔ן וַתִּקְרָ֤א אֶת־שְׁמוֹ֙ שְׁמוּאֵ֔ל כִּ֥י מֵֽיְהֹוָ֖ה שְׁאִלְתִּֽיו: כא וַיַּ֛עַל הָאִ֥ישׁ אֶלְקָנָ֖ה וְכׇל־בֵּית֑וֹ לִזְבֹּ֧חַ לַֽיהֹוָ֛ה אֶת־זֶ֥בַח הַיָּמִ֖ים וְאֶת־נִדְרֽוֹ: כב וְחַנָּ֖ה לֹ֣א עָלָ֑תָה כִּֽי־אָמְרָ֣ה לְאִישָׁ֗הּ עַ֣ד יִגָּמֵ֤ל הַנַּ֙עַר֙ וַהֲבִאֹתִ֗יו וְנִרְאָה֙ אֶת־פְּנֵ֣י יְהֹוָ֔ה וְיָ֥שַׁב שָׁ֖ם עַד־עוֹלָֽם: כג וַיֹּ֣אמֶר לָהּ֩ אֶלְקָנָ֨ה אִישָׁ֜הּ עֲשִׂ֧י הַטּ֣וֹב בְּעֵינַ֗יִךְ שְׁבִי֙ עַד־גׇּמְלֵ֣ךְ אֹת֔וֹ אַ֛ךְ יָקֵ֥ם יְהֹוָ֖ה אֶת־דְּבָר֑וֹ וַתֵּ֤שֶׁב הָֽאִשָּׁה֙ וַתֵּ֣ינֶק אֶת־בְּנָ֔הּ עַד־גׇּמְלָ֖הּ אֹתֽוֹ: כד וַתַּעֲלֵ֨הוּ עִמָּ֜הּ כַּאֲשֶׁ֣ר גְּמָלַ֗תּוּ בְּפָרִ֤ים שְׁלֹשָׁה֙ וְאֵיפָ֨ה אַחַ֥ת קֶ֙מַח֙ וְנֵ֣בֶל יַ֔יִן וַתְּבִאֵ֥הוּ בֵית־יְהֹוָ֖ה שִׁל֑וֹ וְהַנַּ֖עַר נָֽעַר: כה וַֽיִּשְׁחֲט֖וּ אֶת־הַפָּ֑ר וַיָּבִ֥יאוּ אֶת־הַנַּ֖עַר אֶל־עֵלִֽי:

1 **1** Now there was a certain man of Ramathaim-zophim, of the hill-country of Ephraim, and his name was Elkanah, the son of Jeroham, the son of Elihu, the son of Tohu, the son of Zuph, an Ephraimite. **2** And he had two wives: the name of the one was Hannah, and the name of the other Peninnah; and Peninnah had children, but Hannah had no children. **3** And this man went up out of his city from year to year to worship and to sacrifice unto Yehovah of hosts in Shiloh. And the two sons of Eli, Hophni and Phinehas, were there priests unto Yehovah. **4** And it came to pass upon a day, when Elkanah sacrificed, that he gave to Peninnah his wife, and to all her sons and her daughters, portions; **5** but unto Hannah he gave a double portion; for he loved Hannah, but Yehovah had shut up her womb. **6** And her rival vexed her sore, to make her fret, because Yehovah had shut up her womb. **7** And as he did so year by year, when she went up to the house of Yehovah, so she vexed her; therefore she wept, and would not eat. **8** And Elkanah her husband said unto her: 'Hannah, why weepest thou? and why eatest thou not? and why is thy heart grieved? am not I better to thee than ten sons?' **9** So Hannah rose up after they had eaten in Shiloh, and after they had drunk—now Eli the priest sat upon his seat by the door-post of the temple of Yehovah; **10** and she was in bitterness of soul—and prayed unto Yehovah, and wept sore. **11** And she vowed a vow, and said: 'Yehovah of hosts, if Thou wilt indeed look on the affliction of Thy handmaid, and remember me, and not forget Thy handmaid, but wilt give unto Thy handmaid a man-child, then I will give him unto Yehovah all the days of his life, and there shall no razor come upon his head.' **12** And it came to pass, as she prayed long before Yehovah, that Eli watched her mouth. **13** Now Hannah, she spoke in her heart; only her lips moved, but her voice could not be heard; therefore, Eli thought she had been drunken. **14** And Eli said unto her: 'How long wilt thou be drunken? put away thy wine from thee.' **15** And Hannah answered and said: 'No, my lord, I am a woman of a sorrowful spirit; I have drunk neither wine nor strong drink, but I poured out my soul before Yehovah. **16** Count not thy handmaid for a wicked woman: for out of the abundance of my complaint and my vexation have I spoken hitherto.' **17** Then Eli answered and said: 'Go in peace, and the God of Israel grant thy petition that thou hast asked of Him.' **18** And she said: 'Let thy servant find favour in thy sight.' So the woman went her way, and did eat, and her countenance was no more sad. **19** And they rose up in the morning early, and worshipped before Yehovah, and returned, and came to their house to Ramah; and Elkanah knew Hannah his wife; and Yehovah remembered her. **20** And it came to pass, when the time was come about, that Hannah conceived, and bore a son; and she called his name Samuel: 'because I have asked him of Yehovah.' **21** And the man Elkanah, and all his house, went up to offer unto Yehovah the yearly sacrifice, and his vow. **22** But Hannah went not up; for she said unto her husband: 'Until the child be weaned, when I will bring him, that he may appear before Yehovah, and there abide for ever.' **23** And Elkanah her husband said unto her: 'Do what seemeth thee good; tarry until thou have weaned him; only Yehovah establish His word.' So the woman tarried and gave her son suck, until she weaned him. **24** And when she had weaned him, she took him up with her, with three bullocks, and one ephah of meal, and a bottle of wine, and brought him unto the house of Yehovah in Shiloh; and the child was young. **25** And when the bullock was slain, the child was brought to Eli.

כו וַתֹּאמֶר בִּי אֲדֹנִי חֵי נַפְשְׁךָ אֲדֹנִי אֲנִי הָאִשָּׁה הַנִּצֶּבֶת עִמְּכָה בָּזֶה לְהִתְפַּלֵּל
אֶל־יְהוָה׃ כז אֶל־הַנַּעַר הַזֶּה הִתְפַּלָּלְתִּי וַיִּתֵּן יְהוָה לִי אֶת־שְׁאֵלָתִי אֲשֶׁר
שָׁאַלְתִּי מֵעִמּוֹ׃ כח וְגַם אָנֹכִי הִשְׁאִלְתִּהוּ לַיהוָה כָּל־הַיָּמִים אֲשֶׁר הָיָה הוּא
שָׁאוּל לַיהוָה וַיִּשְׁתַּחוּ שָׁם לַיהוָה׃

ב א וַתִּתְפַּלֵּל חַנָּה וַתֹּאמַר עָלַץ לִבִּי בַּיהוָה רָמָה קַרְנִי בַּיהוָה רָחַב פִּי
עַל־אוֹיְבַי כִּי שָׂמַחְתִּי בִּישׁוּעָתֶךָ׃ ב אֵין־קָדוֹשׁ כַּיהוָה כִּי אֵין בִּלְתֶּךָ וְאֵין צוּר
כֵּאלֹהֵינוּ׃ ג אַל־תַּרְבּוּ תְדַבְּרוּ גְּבֹהָה גְבֹהָה יֵצֵא עָתָק מִפִּיכֶם כִּי אֵל דֵּעוֹת
יְהוָה וְלוֹ[1] נִתְכְּנוּ עֲלִלוֹת׃ ד קֶשֶׁת גִּבֹּרִים חַתִּים וְנִכְשָׁלִים אָזְרוּ חָיִל׃
ה שְׂבֵעִים בַּלֶּחֶם נִשְׂכָּרוּ וּרְעֵבִים חָדֵלּוּ עַד־עֲקָרָה יָלְדָה שִׁבְעָה וְרַבַּת בָּנִים
אֻמְלָלָה׃ ו יְהוָה מֵמִית וּמְחַיֶּה מוֹרִיד שְׁאוֹל וַיָּעַל׃ ז יְהוָה מוֹרִישׁ וּמַעֲשִׁיר
מַשְׁפִּיל אַף־מְרוֹמֵם׃ ח מֵקִים מֵעָפָר דָּל מֵאַשְׁפֹּת יָרִים אֶבְיוֹן לְהוֹשִׁיב
עִם־נְדִיבִים וְכִסֵּא כָבוֹד יַנְחִלֵם כִּי לַיהוָה מְצֻקֵי אֶרֶץ וַיָּשֶׁת עֲלֵיהֶם תֵּבֵל׃
ט רַגְלֵי חֲסִידָיו[2] יִשְׁמֹר וּרְשָׁעִים בַּחֹשֶׁךְ יִדָּמּוּ כִּי־לֹא בְכֹחַ יִגְבַּר־אִישׁ׃ י יְהוָה
יֵחַתּוּ מְרִיבָיו[3] עָלָיו[4] בַּשָּׁמַיִם יַרְעֵם יְהוָה יָדִין אַפְסֵי־אָרֶץ וְיִתֶּן־עֹז לְמַלְכּוֹ
וְיָרֵם קֶרֶן מְשִׁיחוֹ׃

יא וַיֵּלֶךְ אֶלְקָנָה הָרָמָתָה עַל־בֵּיתוֹ וְהַנַּעַר הָיָה מְשָׁרֵת אֶת־יְהוָה אֶת־פְּנֵי עֵלִי
הַכֹּהֵן׃ יב וּבְנֵי עֵלִי בְּנֵי בְלִיָּעַל לֹא יָדְעוּ אֶת־יְהוָה׃ יג וּמִשְׁפַּט הַכֹּהֲנִים
אֶת־הָעָם כָּל־אִישׁ זֹבֵחַ זֶבַח וּבָא נַעַר הַכֹּהֵן כְּבַשֵּׁל הַבָּשָׂר וְהַמַּזְלֵג
שְׁלֹשׁ־הַשִּׁנַּיִם בְּיָדוֹ׃ יד וְהִכָּה בַכִּיּוֹר אוֹ בַדּוּד אוֹ בַקַּלַּחַת אוֹ בַפָּרוּר כֹּל
אֲשֶׁר יַעֲלֶה הַמַּזְלֵג יִקַּח הַכֹּהֵן בּוֹ כָּכָה יַעֲשׂוּ לְכָל־יִשְׂרָאֵל הַבָּאִים שָׁם
בְּשִׁלֹה׃ טו גַּם בְּטֶרֶם יַקְטִרוּן אֶת־הַחֵלֶב וּבָא ׀ נַעַר הַכֹּהֵן וְאָמַר לָאִישׁ
הַזֹּבֵחַ תְּנָה בָשָׂר לִצְלוֹת לַכֹּהֵן וְלֹא־יִקַּח מִמְּךָ בָּשָׂר מְבֻשָּׁל כִּי אִם־חָי׃
טז וַיֹּאמֶר אֵלָיו הָאִישׁ קַטֵּר יַקְטִירוּן כַּיּוֹם הַחֵלֶב וְקַח־לְךָ כַּאֲשֶׁר תְּאַוֶּה
נַפְשֶׁךָ וְאָמַר ׀ לוֹא[5] כִּי עַתָּה תִתֵּן וְאִם־לֹא לָקַחְתִּי בְחָזְקָה׃ יז וַתְּהִי חַטַּאת
הַנְּעָרִים גְּדוֹלָה מְאֹד אֶת־פְּנֵי יְהוָה כִּי נִאֲצוּ הָאֲנָשִׁים אֵת מִנְחַת יְהוָה׃
יח וּשְׁמוּאֵל מְשָׁרֵת אֶת־פְּנֵי יְהוָה נַעַר חָגוּר אֵפוֹד בָּד׃ יט וּמְעִיל קָטֹן
תַּעֲשֶׂה־לּוֹ אִמּוֹ וְהַעַלְתָה לוֹ מִיָּמִים ׀ יָמִימָה בַּעֲלוֹתָהּ אֶת־אִישָׁהּ לִזְבֹּחַ
אֶת־זֶבַח הַיָּמִים׃

[1] ולא
[2] חסידו
[3] מריבו
[4] עלו
[5] לו

26 And she said: 'Oh, my lord, as thy soul liveth, my lord, I am the woman that stood by thee here, praying unto Yehovah. **27** For this child I prayed; and Yehovah hath granted me my petition which I asked of Him; **28** therefore I also have lent him to Yehovah; as long as he liveth he is lent to Yehovah.' And he worshipped Yehovah there.{S}

2 **1** And Hannah prayed, and said: my heart exulteth in Yehovah, my horn is exalted in Yehovah; my mouth is enlarged over mine enemies; because I rejoice in Thy salvation. **2** There is none holy as Yehovah, for there is none beside Thee; neither is there any rock like our God.   **3** Multiply not exceeding proud talk; let not arrogancy come out of your mouth; for Yehovah is a God of knowledge, and by Him actions are weighed. **4** The bows of the mighty men are broken, and they that stumbled are girded with strength. **5** They that were full have hired out themselves for bread; and they that were hungry have ceased; while the barren hath borne seven, she that had many children hath languished. **6** Yehovah killeth, and maketh alive; He bringeth down to the grave, and bringeth up. **7** Yehovah maketh poor, and maketh rich; He bringeth low, He also lifteth up. **8** He raiseth up the poor out of the dust, He lifteth up the needy from the dung-hill, to make them sit with princes, and inherit the throne of glory; for the pillars of the earth are Yehovah's, and He hath set the world upon them. **9** He will keep the feet of His holy ones, but the wicked shall be put to silence in darkness; for not by strength shall man prevail. **10** They that strive with Yehovah shall be broken to pieces; against them will He thunder in heaven; Yehovah will judge the ends of the earth; and He will give strength unto His king, and exalt the horn of His anointed.{P}

11 And Elkanah went to Ramah to his house. And the child did minister unto Yehovah before Eli the priest. **12** Now the sons of Eli were base men; they knew not Yehovah. **13** And the custom of the priests with the people was, that, when any man offered sacrifice, the priest's servant came, while the flesh was in seething, with a flesh-hook of three teeth in his hand; **14** and he struck it into the pan, or kettle, or caldron, or pot; all that the flesh-hook brought up the priest took therewith. So they did unto all the Israelites that came thither in Shiloh. **15** Yea, before the fat was made to smoke, the priest's servant came, and said to the man that sacrificed: 'Give flesh to roast for the priest; for he will not have sodden flesh of thee, but raw.' **16** And if the man said unto him: 'Let the fat be made to smoke first of all, and then take as much as thy soul desireth'; then he would say: 'Nay, but thou shalt give it me now; and if not, I will take it by force.' **17** And the sin of the young men was very great before Yehovah; for the men dealt contemptuously with the offering of Yehovah. **18** But Samuel ministered before Yehovah, being a child, girded with a linen ephod. **19** Moreover his mother made him a little robe, and brought it to him from year to year, when she came up with her husband to offer the yearly sacrifice.

כ וּבֵרַךְ עֵלִי אֶת־אֶלְקָנָה וְאֶת־אִשְׁתּוֹ וְאָמַר יָשֵׂם יְהוָה לְךָ זֶרַע מִן־הָאִשָּׁה הַזֹּאת
תַּחַת הַשְּׁאֵלָה אֲשֶׁר שָׁאַל לַיהוָה וְהָלְכוּ לִמְקֹמוֹ׃ כא כִּי־פָקַד יְהוָה אֶת־חַנָּה
וַתַּהַר וַתֵּלֶד שְׁלֹשָׁה־בָנִים וּשְׁתֵּי בָנוֹת וַיִּגְדַּל הַנַּעַר שְׁמוּאֵל עִם־יְהוָה׃ כב וְעֵלִי
זָקֵן מְאֹד וְשָׁמַע אֵת כָּל־אֲשֶׁר יַעֲשׂוּן בָּנָיו לְכָל־יִשְׂרָאֵל וְאֵת אֲשֶׁר־יִשְׁכְּבוּן
אֶת־הַנָּשִׁים הַצֹּבְאוֹת פֶּתַח אֹהֶל מוֹעֵד׃ כג וַיֹּאמֶר לָהֶם לָמָּה תַעֲשׂוּן כַּדְּבָרִים
הָאֵלֶּה אֲשֶׁר אָנֹכִי שֹׁמֵעַ אֶת־דִּבְרֵיכֶם רָעִים מֵאֵת כָּל־הָעָם אֵלֶּה׃ כד אַל בָּנָי
כִּי לוֹא־טוֹבָה הַשְּׁמֻעָה אֲשֶׁר אָנֹכִי שֹׁמֵעַ מַעֲבִרִים עַם־יְהוָה׃ כה אִם־יֶחֱטָא אִישׁ
לְאִישׁ וּפִלְלוֹ אֱלֹהִים וְאִם לַיהוָה יֶחֱטָא־אִישׁ מִי יִתְפַּלֶּל־לוֹ וְלֹא יִשְׁמְעוּ לְקוֹל
אֲבִיהֶם כִּי־חָפֵץ יְהוָה לַהֲמִיתָם׃ כו וְהַנַּעַר שְׁמוּאֵל הֹלֵךְ וְגָדֵל וָטוֹב גַּם
עִם־יְהוָה וְגַם עִם־אֲנָשִׁים׃ כז וַיָּבֹא אִישׁ־אֱלֹהִים אֶל־עֵלִי וַיֹּאמֶר אֵלָיו כֹּה אָמַר
יְהוָה הֲנִגְלֹה נִגְלֵיתִי אֶל־בֵּית אָבִיךָ בִּהְיוֹתָם בְּמִצְרַיִם לְבֵית פַּרְעֹה׃ כח וּבָחֹר
אֹתוֹ מִכָּל־שִׁבְטֵי יִשְׂרָאֵל לִי לְכֹהֵן לַעֲלוֹת עַל־מִזְבְּחִי לְהַקְטִיר קְטֹרֶת לָשֵׂאת
אֵפוֹד לְפָנָי וָאֶתְּנָה לְבֵית אָבִיךָ אֶת־כָּל־אִשֵּׁי בְּנֵי יִשְׂרָאֵל׃ כט לָמָּה תִבְעֲטוּ
בְּזִבְחִי וּבְמִנְחָתִי אֲשֶׁר צִוִּיתִי מָעוֹן וַתְּכַבֵּד אֶת־בָּנֶיךָ מִמֶּנִּי לְהַבְרִיאֲכֶם
מֵרֵאשִׁית כָּל־מִנְחַת יִשְׂרָאֵל לְעַמִּי׃ ל לָכֵן נְאֻם־יְהוָה אֱלֹהֵי יִשְׂרָאֵל אָמוֹר
אָמַרְתִּי בֵּיתְךָ וּבֵית אָבִיךָ יִתְהַלְּכוּ לְפָנַי עַד־עוֹלָם וְעַתָּה נְאֻם־יְהוָה חָלִילָה לִּי
כִּי־מְכַבְּדַי אֲכַבֵּד וּבֹזַי יֵקָלּוּ׃ לא הִנֵּה יָמִים בָּאִים וְגָדַעְתִּי אֶת־זְרֹעֲךָ וְאֶת־זְרֹעַ
בֵּית אָבִיךָ מִהְיוֹת זָקֵן בְּבֵיתֶךָ׃ לב וְהִבַּטְתָּ צַר מָעוֹן בְּכֹל אֲשֶׁר־יֵיטִיב
אֶת־יִשְׂרָאֵל וְלֹא־יִהְיֶה זָקֵן בְּבֵיתְךָ כָּל־הַיָּמִים׃ לג וְאִישׁ לֹא־אַכְרִית לְךָ מֵעִם
מִזְבְּחִי לְכַלּוֹת אֶת־עֵינֶיךָ וְלַאֲדִיב אֶת־נַפְשֶׁךָ וְכָל־מַרְבִּית בֵּיתְךָ יָמוּתוּ אֲנָשִׁים׃
לד וְזֶה־לְּךָ הָאוֹת אֲשֶׁר יָבֹא אֶל־שְׁנֵי בָנֶיךָ אֶל־חָפְנִי וּפִינְחָס בְּיוֹם אֶחָד יָמוּתוּ
שְׁנֵיהֶם׃ לה וַהֲקִימֹתִי לִי כֹּהֵן נֶאֱמָן כַּאֲשֶׁר בִּלְבָבִי וּבְנַפְשִׁי יַעֲשֶׂה וּבָנִיתִי לוֹ
בַּיִת נֶאֱמָן וְהִתְהַלֵּךְ לִפְנֵי־מְשִׁיחִי כָּל־הַיָּמִים׃ לו וְהָיָה כָּל־הַנּוֹתָר בְּבֵיתְךָ
יָבוֹא לְהִשְׁתַּחֲוֺת לוֹ לַאֲגוֹרַת כֶּסֶף וְכִכַּר־לָחֶם וְאָמַר סְפָחֵנִי נָא אֶל־אַחַת
הַכְּהֻנּוֹת לֶאֱכֹל פַּת־לָחֶם׃

ג א וְהַנַּעַר שְׁמוּאֵל מְשָׁרֵת אֶת־יְהוָה לִפְנֵי עֵלִי וּדְבַר־יְהוָה הָיָה יָקָר בַּיָּמִים
הָהֵם אֵין חָזוֹן נִפְרָץ׃ ב וַיְהִי בַּיּוֹם הַהוּא וְעֵלִי שֹׁכֵב בִּמְקֹמוֹ וְעֵינָו[6] הֵחֵלּוּ
כֵהוֹת לֹא יוּכַל לִרְאוֹת׃ ג וְנֵר אֱלֹהִים טֶרֶם יִכְבֶּה וּשְׁמוּאֵל שֹׁכֵב בְּהֵיכַל יְהוָה
אֲשֶׁר־שָׁם אֲרוֹן אֱלֹהִים׃

ד וַיִּקְרָא יְהוָה אֶל־שְׁמוּאֵל וַיֹּאמֶר הִנֵּנִי׃ ה וַיָּרָץ אֶל־עֵלִי וַיֹּאמֶר הִנְנִי
כִּי־קָרָאתָ לִּי וַיֹּאמֶר לֹא־קָרָאתִי שׁוּב שְׁכָב וַיֵּלֶךְ וַיִּשְׁכָּב׃

[6] ועינו

20 And Eli would bless Elkanah and his wife, and say: 'Yehovah give thee seed of this woman for the loan which was lent to Yehovah.' And they would go unto their own home. **21** So Yehovah remembered Hannah, and she conceived, and bore three sons and two daughters. And the child Samuel grew before Yehovah.{S} **22** Now Eli was very old; and he heard all that his sons did unto all Israel, and how that they lay with the women that did service at the door of the tent of meeting. **23** And he said unto them: 'Why do ye such things? for I hear evil reports concerning you from all this people. **24** Nay, my sons; for it is no good report which I hear Yehovah's people do spread abroad. **25** If one man sin against another, God shall judge him; but if a man sin against Yehovah, who shall entreat for him?' But they hearkened not unto the voice of their father, because Yehovah would slay them. **26** And the child Samuel grew on, and increased in favour both with Yehovah, and also with men.{P}

27 And there came a man of God unto Eli, and said unto him: 'Thus saith Yehovah: Did I reveal Myself unto the house of thy father, when they were in Egypt in bondage to Pharaoh's house? **28** And did I choose him out of all the tribes of Israel to be My priest, to go up unto Mine altar, to burn incense, to wear an ephod before Me? and did I give unto the house of thy father all the offerings of the children of Israel made by fire? **29** Wherefore kick ye at My sacrifice and at Mine offering, which I have commanded in My habitation; and honourest thy sons above Me, to make yourselves fat with the chiefest of all the offerings of Israel My people? **30** Therefore Yehovah, the God of Israel, saith: I said indeed that thy house, and the house of thy father, should walk before Me for ever; but now Yehovah saith: Be it far from Me: for them that honour Me I will honour, and they that despise Me shall be lightly esteemed. **31** Behold, the days come, that I will cut off thine arm, and the arm of thy father's house, that there shall not be an old man in thy house. **32** And thou shalt behold a rival in My habitation, in all the good which shall be done to Israel; and there shall not be an old man in thy house for ever. **33** Yet will I not cut off every man of thine from Mine altar, to make thine eyes to fail, and thy heart to languish; and all the increase of thy house shall die young men. **34** And this shall be the sign unto thee, that which shall come upon thy two sons, on Hophni and Phinehas: in one day they shall die both of them. **35** And I will raise Me up a faithful priest, that shall do according to that which is in My heart and in My mind; and I will build him a sure house; and he shall walk before Mine anointed for ever. **36** And it shall come to pass, that every one that is left in thy house shall come and bow down to him for a piece of silver and a loaf of bread, and shall say: Put me, I pray thee, into one of the priests' offices, that I may eat a morsel of bread.'{P}

3 1 And the child Samuel ministered unto Yehovah before Eli. And the word of Yehovah was precious in those days; there was no frequent vision.{S} **2** And it came to pass at that time, when Eli was laid down in his place–now his eyes had begun to wax dim, that he could not see– **3** and the lamp of God was not yet gone out, and Samuel was laid down to sleep in the temple of Yehovah, where the ark of God was,{P}

4 that Yehovah called Samuel; and he said: 'Here am I.' **5** And he ran unto Eli, and said: 'Here am I; for thou didst call me.' And he said: 'I called not; lie down again.' And he went and lay down.{S}

ו וַיֹּ֨סֶף יְהֹוָ֤ה קְרֹא֙ עוֹד֙ שְׁמוּאֵ֔ל וַיָּ֨קׇם֙ שְׁמוּאֵ֔ל וַיֵּ֥לֶךְ אֶל־עֵלִ֖י וַיֹּ֣אמֶר הִנְנִ֥י כִּֽי
קָרָ֣אתָ לִּ֑י וַיֹּ֛אמֶר לֹֽא־קָרָ֥אתִי בְנִ֖י שׁ֥וּב שְׁכָֽב: ז וּשְׁמוּאֵ֕ל טֶ֖רֶם יָדַ֣ע אֶת־יְהֹוָ֑ה
וְטֶ֛רֶם יִגָּלֶ֥ה אֵלָ֖יו דְּבַר־יְהֹוָֽה: ח וַיֹּ֨סֶף יְהֹוָ֥ה קְרֹא־שְׁמוּאֵל֮ בַּשְּׁלִשִׁית֒ וַיָּ֣קׇם
וַיֵּ֣לֶךְ אֶל־עֵלִ֗י וַיֹּ֨אמֶר֙ הִנְנִ֣י כִּ֣י קָרָ֣אתָ לִּ֔י וַיָּ֣בֶן עֵלִ֔י כִּ֥י יְהֹוָ֖ה קֹרֵ֥א לַנָּֽעַר:
ט וַיֹּ֨אמֶר עֵלִ֣י לִשְׁמוּאֵל֮ לֵ֣ךְ שְׁכָב֒ וְהָיָ֣ה אִם־יִקְרָ֣א אֵלֶ֔יךָ וְאָ֣מַרְתָּ֔ דַּבֵּ֣ר יְהֹוָ֔ה
כִּ֥י שֹׁמֵ֖עַ עַבְדֶּ֑ךָ וַיֵּ֣לֶךְ שְׁמוּאֵ֔ל וַיִּשְׁכַּ֖ב בִּמְקוֹמֽוֹ: י וַיָּבֹ֤א יְהֹוָה֙ וַיִּתְיַצַּ֔ב וַיִּקְרָ֥א
כְפַֽעַם־בְּפַ֖עַם שְׁמוּאֵ֣ל ׀ שְׁמוּאֵ֑ל וַיֹּ֤אמֶר שְׁמוּאֵל֙ דַּבֵּ֔ר כִּ֥י שֹׁמֵ֖עַ עַבְדֶּֽךָ:

יא וַיֹּ֤אמֶר יְהֹוָה֙ אֶל־שְׁמוּאֵ֔ל הִנֵּ֧ה אָנֹכִ֛י עֹשֶׂ֥ה דָבָ֖ר בְּיִשְׂרָאֵ֑ל אֲשֶׁר֙ כׇּל־שֹׁ֣מְע֔וֹ
תְּצִלֶּ֖ינָה שְׁתֵּ֥י אׇזְנָֽיו: יב בַּיּ֤וֹם הַהוּא֙ אָקִ֣ים אֶל־עֵלִ֔י אֵ֛ת כׇּל־אֲשֶׁ֥ר דִּבַּ֖רְתִּי
אֶל־בֵּית֑וֹ הָחֵ֖ל וְכַלֵּֽה: יג וְהִגַּ֣דְתִּי ל֔וֹ כִּֽי־שֹׁפֵ֥ט אֲנִ֛י אֶת־בֵּית֖וֹ עַד־עוֹלָ֑ם בַּעֲוֺ֣ן
אֲשֶׁר־יָדַ֗ע כִּֽי־מְקַֽלְלִ֤ים לָהֶם֙ בָּנָ֔יו וְלֹ֥א כִהָ֖ה בָּֽם: יד וְלָכֵ֥ן נִשְׁבַּ֖עְתִּי לְבֵ֣ית
עֵלִ֑י אִֽם־יִתְכַּפֵּ֞ר עֲוֺ֣ן בֵּית־עֵלִ֗י בְּזֶ֧בַח וּבְמִנְחָ֖ה עַד־עוֹלָֽם: טו וַיִּשְׁכַּ֤ב שְׁמוּאֵל֙
עַד־הַבֹּ֔קֶר וַיִּפְתַּ֖ח אֶת־דַּלְת֣וֹת בֵּית־יְהֹוָ֑ה וּשְׁמוּאֵ֣ל יָרֵ֔א מֵהַגִּ֥יד אֶת־הַמַּרְאָ֖ה
אֶל־עֵלִֽי: טז וַיִּקְרָ֤א עֵלִי֙ אֶת־שְׁמוּאֵ֔ל וַיֹּ֖אמֶר שְׁמוּאֵ֣ל בְּנִ֑י וַיֹּ֖אמֶר הִנֵּֽנִי:
יז וַיֹּ֗אמֶר מָ֤ה הַדָּבָר֙ אֲשֶׁ֣ר דִּבֶּ֣ר אֵלֶ֔יךָ אַל־נָ֥א תְכַחֵ֖ד מִמֶּ֑נִּי כֹּ֣ה יַעֲשֶׂה־לְּךָ֤
אֱלֹהִים֙ וְכֹ֣ה יוֹסִ֔יף אִם־תְּכַחֵ֤ד מִמֶּ֨נִּי֙ דָּבָ֔ר מִכׇּל־הַדָּבָ֖ר אֲשֶׁר־דִּבֶּ֥ר אֵלֶֽיךָ:
יח וַיַּגֶּד־ל֤וֹ שְׁמוּאֵל֙ אֶת־כׇּל־הַדְּבָרִ֔ים וְלֹ֥א כִחֵ֖ד מִמֶּ֑נּוּ וַיֹּאמַ֕ר יְהֹוָ֣ה ה֔וּא
הַטּ֥וֹב בְּעֵינָ֖ו יַעֲשֶֽׂה:

יט וַיִּגְדַּ֖ל שְׁמוּאֵ֑ל וַֽיהֹוָה֙ הָיָ֣ה עִמּ֔וֹ וְלֹֽא־הִפִּ֥יל מִכׇּל־דְּבָרָ֖יו אָֽרְצָה: כ וַיֵּ֨דַע֙
כׇּל־יִשְׂרָאֵ֔ל מִדָּ֖ן וְעַד־בְּאֵ֣ר שָׁ֑בַע כִּ֚י נֶאֱמָ֣ן שְׁמוּאֵ֔ל לְנָבִ֖יא לַֽיהֹוָֽה: כא וַיֹּ֤סֶף
יְהֹוָה֙ לְהֵרָאֹ֣ה בְשִׁלֹ֔ה כִּֽי־נִגְלָ֤ה יְהֹוָה֙ אֶל־שְׁמוּאֵ֔ל בְּשִׁלֹ֖ה בִּדְבַ֥ר יְהֹוָֽה:

ד א וַיְהִ֥י דְבַר־שְׁמוּאֵ֖ל לְכׇל־יִשְׂרָאֵ֑ל וַיֵּצֵ֣א יִשְׂרָאֵ֡ל לִקְרַאת֩ פְּלִשְׁתִּ֨ים
לַמִּלְחָמָ֜ה וַֽיַּחֲנ֣וּ עַל־הָאֶ֣בֶן הָעֵ֔זֶר וּפְלִשְׁתִּ֖ים חָנ֥וּ בַאֲפֵֽק: ב וַיַּעַרְכ֨וּ פְלִשְׁתִּ֜ים
לִקְרַ֣את יִשְׂרָאֵ֗ל וַתִּטֹּשׁ֙ הַמִּלְחָמָ֔ה וַיִּנָּ֥גֶף יִשְׂרָאֵ֖ל לִפְנֵ֣י פְלִשְׁתִּ֑ים וַיַּכּ֤וּ
בַמַּֽעֲרָכָה֙ בַּשָּׂדֶ֔ה כְּאַרְבַּ֥עַת אֲלָפִ֖ים אִֽישׁ: ג וַיָּבֹ֣א הָעָם֮ אֶל־הַֽמַּחֲנֶה֒ וַיֹּֽאמְרוּ֙
זִקְנֵ֣י יִשְׂרָאֵ֔ל לָ֣מָּה נְגָפָ֧נוּ יְהֹוָ֛ה הַיּ֖וֹם לִפְנֵ֣י פְלִשְׁתִּ֑ים נִקְחָ֧ה אֵלֵ֣ינוּ מִשִּׁלֹ֗ה
אֶת־אֲרוֹן֙ בְּרִ֣ית יְהֹוָ֔ה וְיָבֹ֣א בְקִרְבֵּ֔נוּ וְיֹשִׁעֵ֖נוּ מִכַּ֥ף אֹיְבֵֽינוּ: ד וַיִּשְׁלַ֣ח הָעָם֮
שִׁלֹה֒ וַיִּשְׂא֣וּ מִשָּׁ֗ם אֵ֣ת אֲרֺ֧ון בְּרִית־יְהֹוָ֛ה צְבָא֖וֹת יֹשֵׁ֣ב הַכְּרֻבִ֑ים וְשָׁ֞ם שְׁנֵ֣י
בְנֵֽי־עֵלִ֗י עִם־אֲרוֹן֙ בְּרִ֣ית הָֽאֱלֹהִ֔ים חׇפְנִ֖י וּפִֽינְחָֽס: ה וַיְהִ֗י כְּב֨וֹא אֲר֤וֹן
בְּרִית־יְהֹוָה֙ אֶל־הַֽמַּחֲנֶ֔ה וַיָּרִ֥עוּ כׇל־יִשְׂרָאֵ֖ל תְּרוּעָ֣ה גְדוֹלָ֑ה וַתֵּהֹ֖ם הָאָֽרֶץ:

6 And Yehovah called yet again Samuel. And Samuel arose and went to Eli, and said: 'Here am I; for thou didst call me.' And he answered: 'I called not, my son; lie down again.' **7** Now Samuel did not yet know Yehovah, neither was the word of Yehovah yet revealed unto him. **8** And Yehovah called Samuel again the third time. And he arose and went to Eli, and said: 'Here am I; for thou didst call me.' And Eli perceived that Yehovah was calling the child. **9** Therefore Eli said unto Samuel: 'Go, lie down; and it shall be, if thou be called, that thou shalt say: Speak, Yehovah; for Thy servant heareth.' So Samuel went and lay down in his place. **10** And Yehovah came, and stood, and called as at other times: 'Samuel, Samuel.' Then Samuel said: 'Speak; for Thy servant heareth.'{P}

11 And Yehovah said to Samuel: 'Behold, I will do a thing in Israel, at which both the ears of every one that heareth it shall tingle. **12** In that day I will perform against Eli all that I have spoken concerning his house, from the beginning even unto the end. **13** For I have told him that I will judge his house for ever, for the iniquity, in that he knew that his sons did bring a curse upon themselves, and he rebuked them not. **14** And therefore I have sworn unto the house of Eli, that the iniquity of Eli's house shall not be expiated with sacrifice nor offering for ever.' **15** And Samuel lay until the morning, and opened the doors of the house of Yehovah. And Samuel feared to tell Eli the vision. **16** Then Eli called Samuel, and said: 'Samuel, my son.' And he said: 'Here am I.' **17** And he said: 'What is the thing that He hath spoken unto thee? I pray thee, hide it not from me, God do so to thee, and more also, if thou hide any thing from me of all the things that He spoke unto thee.' **18** And Samuel told him all the words, and hid nothing from him. And he said: 'It is Yehovah; let Him do what seemeth Him good.'{P}

19 And Samuel grew, and Yehovah was with him, and did let none of his words fall to the ground. **20** And all Israel from Dan even to Beer-sheba knew that Samuel was established to be a prophet of Yehovah.{S} **21** And Yehovah appeared again in Shiloh; for Yehovah revealed Himself to Samuel in Shiloh by the word of Yehovah.{P}

4 **1** And the word of Samuel came to all Israel. Now Israel went out against the Philistines to battle, and pitched beside Eben-ezer; and the Philistines pitched in Aphek. **2** And the Philistines put themselves in array against Israel; and when the battle was spread, Israel was smitten before the Philistines; and they slew of the army in the field about four thousand men. **3** And when the people were come into the camp, the elders of Israel said: 'Wherefore hath Yehovah smitten us to-day before the Philistines? Let us fetch the ark of the covenant of Yehovah out of Shiloh unto us, that He may come among us, and save us out of the hand of our enemies.' **4** So the people sent to Shiloh, and they brought from thence the ark of the covenant of Yehovah of hosts, who sitteth upon the cherubim; and the two sons of Eli, Hophni and Phinehas, were there with the ark of the covenant of God. **5** And when the ark of the covenant of Yehovah came into the camp, all Israel shouted with a great shout, so that the earth rang.

ו וַיִּשְׁמְע֤וּ פְלִשְׁתִּים֙ אֶת־ק֣וֹל הַתְּרוּעָ֔ה וַיֹּ֣אמְר֔וּ מֶ֠ה ק֣וֹל הַתְּרוּעָ֧ה הַגְּדוֹלָ֛ה
הַזֹּ֖את בְּמַחֲנֵ֣ה הָעִבְרִ֑ים וַיֵּ֣דְע֔וּ כִּ֚י אֲר֣וֹן יְהוָ֔ה בָּ֖א אֶל־הַֽמַּחֲנֶֽה׃ ז וַיִּֽרְאוּ֙
הַפְּלִשְׁתִּ֔ים כִּ֣י אָֽמְר֔וּ בָּ֥א אֱלֹהִ֖ים אֶל־הַֽמַּחֲנֶ֑ה וַיֹּאמְרוּ֙ א֣וֹי לָ֔נוּ כִּ֚י לֹ֣א הָֽיְתָ֔ה
כָּזֹ֖את אֶתְמ֥וֹל שִׁלְשֹֽׁם׃ ח א֣וֹי לָ֔נוּ מִ֣י יַצִּילֵ֔נוּ מִיַּ֛ד הָאֱלֹהִ֥ים הָאַדִּירִ֖ים הָאֵ֑לֶּה
אֵ֣לֶּה הֵ֤ם הָֽאֱלֹהִים֙ הַמַּכִּ֣ים אֶת־מִצְרַ֔יִם בְּכָל־מַכָּ֖ה בַּמִּדְבָּֽר׃ ט הִֽתְחַזְּק֞וּ וִֽהְי֤וּ
לַאֲנָשִׁים֙ פְּלִשְׁתִּ֔ים פֶּ֚ן תַּֽעַבְד֣וּ לָעִבְרִ֔ים כַּאֲשֶׁ֖ר עָבְד֣וּ לָכֶ֑ם וִהְיִיתֶ֥ם לַאֲנָשִׁ֖ים
וְנִלְחַמְתֶּֽם׃ י וַיִּלָּחֲמ֣וּ פְלִשְׁתִּ֗ים וַיִּנָּ֤גֶף יִשְׂרָאֵל֙ וַיָּנֻ֙סוּ֙ אִ֣ישׁ לְאֹהָלָ֔יו וַתְּהִ֥י הַמַּכָּ֖ה
גְּדוֹלָ֣ה מְאֹ֑ד וַיִּפֹּל֙ מִיִּשְׂרָאֵ֔ל שְׁלֹשִׁ֥ים אֶ֖לֶף רַגְלִֽי׃ יא וַאֲר֥וֹן אֱלֹהִ֖ים נִלְקָ֑ח
וּשְׁנֵ֤י בְנֵֽי־עֵלִי֙ מֵ֔תוּ חָפְנִ֖י וּפִֽינְחָֽס׃ יב וַיָּ֤רָץ אִישׁ־בִּנְיָמִן֙ מֵהַמַּ֣עֲרָכָ֔ה וַיָּבֹ֥א
שִׁלֹ֖ה בַּיּ֣וֹם הַה֑וּא וּמַדָּ֣יו קְרֻעִ֔ים וַאֲדָמָ֖ה עַל־רֹאשֽׁוֹ׃ יג וַיָּב֗וֹא וְהִנֵּ֣ה עֵ֠לִי יֹשֵׁ֨ב
עַֽל־הַכִּסֵּ֜א יַ֣ד[7] דֶּ֣רֶךְ מְצַפֶּ֗ה כִּֽי־הָיָ֤ה לִבּוֹ֙ חָרֵ֔ד עַ֖ל אֲר֣וֹן הָאֱלֹהִ֑ים וְהָאִ֗ישׁ
בָּ֞א לְהַגִּ֣יד בָּעִ֔יר וַתִּזְעַ֖ק כָּל־הָעִֽיר׃ יד וַיִּשְׁמַ֤ע עֵלִי֙ אֶת־ק֣וֹל הַצְּעָקָ֔ה וַיֹּ֕אמֶר
מֶ֛ה ק֥וֹל הֶהָמ֖וֹן הַזֶּ֑ה וְהָאִ֣ישׁ מִהַ֔ר וַיָּבֹ֖א וַיַּגֵּ֥ד לְעֵלִֽי׃ טו וְעֵלִ֕י בֶּן־תִּשְׁעִ֥ים
וּשְׁמֹנֶ֖ה שָׁנָ֑ה וְעֵינָ֣יו קָ֔מָה וְלֹ֥א יָכ֖וֹל לִרְאֽוֹת׃ טז וַיֹּ֨אמֶר הָאִ֜ישׁ אֶל־עֵלִ֗י אָנֹכִי֙
הַבָּ֣א מִן־הַֽמַּעֲרָכָ֔ה וַאֲנִ֕י מִן־הַֽמַּעֲרָכָ֖ה נַ֣סְתִּי הַיּ֑וֹם וַיֹּ֕אמֶר מֶֽה־הָיָ֥ה הַדָּבָ֖ר
בְּנִֽי׃ יז וַיַּ֨עַן הַֽמְבַשֵּׂ֜ר וַיֹּ֗אמֶר נָ֨ס יִשְׂרָאֵל֙ לִפְנֵ֣י פְלִשְׁתִּ֔ים וְגַ֛ם מַגֵּפָ֥ה גְדוֹלָ֖ה
הָיְתָ֣ה בָעָ֑ם וְגַם־שְׁנֵ֨י בָנֶ֜יךָ מֵ֗תוּ חָפְנִי֙ וּפִ֣ינְחָ֔ס וַאֲר֥וֹן הָאֱלֹהִ֖ים נִלְקָֽחָה׃

יח וַיְהִ֞י כְּהַזְכִּיר֣וֹ ׀ אֶת־אֲר֣וֹן הָאֱלֹהִ֗ים וַיִּפֹּ֣ל מֵֽעַל־הַ֠כִּסֵּא אֲחֹרַנִּ֜ית בְּעַ֣ד ׀ יַ֣ד
הַשַּׁ֗עַר וַתִּשָּׁבֵ֤ר מַפְרַקְתּוֹ֙ וַיָּמֹ֔ת כִּֽי־זָקֵ֥ן הָאִ֖ישׁ וְכָבֵ֑ד וְה֛וּא שָׁפַ֥ט אֶת־יִשְׂרָאֵ֖ל
אַרְבָּעִ֥ים שָׁנָֽה׃ יט וְכַלָּת֣וֹ אֵֽשֶׁת־פִּינְחָס֮ הָרָ֣ה לָלַת֒ וַתִּשְׁמַ֣ע אֶת־הַשְּׁמֻעָ֔ה
אֶל־הִלָּקַח֙ אֲר֣וֹן הָאֱלֹהִ֔ים וּמֵ֖ת חָמִ֣יהָ וְאִישָׁ֑הּ וַתִּכְרַ֣ע וַתֵּ֔לֶד כִּֽי־נֶהֶפְכ֥וּ עָלֶ֖יהָ
צִרֶֽיהָ׃ כ וּכְעֵ֣ת מוּתָ֗הּ וַתְּדַבֵּ֙רְנָה֙ הַנִּצָּב֣וֹת עָלֶ֔יהָ אַל־תִּֽירְאִ֖י כִּ֣י בֵ֣ן יָלָ֑דְתְּ
וְלֹ֥א עָנְתָ֖ה וְלֹא־שָׁ֥תָה לִבָּֽהּ׃ כא וַתִּקְרָ֣א לַנַּ֗עַר אִֽי־כָבוֹד֙ לֵאמֹ֔ר גָּלָ֥ה כָב֖וֹד
מִיִּשְׂרָאֵ֑ל אֶל־הִלָּקַח֙ אֲר֣וֹן הָאֱלֹהִ֔ים וְאֶל־חָמִ֖יהָ וְאִישָֽׁהּ׃ כב וַתֹּ֕אמֶר גָּלָ֥ה
כָב֖וֹד מִיִּשְׂרָאֵ֑ל כִּ֥י נִלְקַ֖ח אֲר֥וֹן הָאֱלֹהִֽים׃

ה א וּפְלִשְׁתִּים֙ לָֽקְח֔וּ אֵ֖ת אֲר֣וֹן הָאֱלֹהִ֑ים וַיְבִאֻ֛הוּ מֵאֶ֥בֶן הָעֵ֖זֶר אַשְׁדּֽוֹדָה׃
ב וַיִּקְח֤וּ פְלִשְׁתִּים֙ אֶת־אֲר֣וֹן הָאֱלֹהִ֔ים וַיָּבִ֥יאוּ אֹת֖וֹ בֵּ֣ית דָּג֑וֹן וַיַּצִּ֥יגוּ אֹת֖וֹ אֵ֥צֶל
דָּגֽוֹן׃ ג וַיַּשְׁכִּ֣מוּ אַשְׁדּוֹדִים֙ מִֽמָּחֳרָ֔ת וְהִנֵּ֣ה דָג֗וֹן נֹפֵ֤ל לְפָנָיו֙ אַ֔רְצָה לִפְנֵ֖י אֲר֣וֹן
יְהוָ֑ה וַיִּקְחוּ֙ אֶת־דָּג֔וֹן וַיָּשִׁ֥בוּ אֹת֖וֹ לִמְקוֹמֽוֹ׃

[7] יך

6 And when the Philistines heard the noise of the shout, they said: 'What meaneth the noise of this great shout in the camp of the Hebrews?' And they knew that the ark of Yehovah was come into the camp. **7** And the Philistines were afraid, for they said: 'God is come into the camp.' And they said: 'Woe unto us! for there was not such a thing yesterday and the day before. **8** Woe unto us! who shall deliver us out of the hand of these mighty gods? these are the gods that smote the Egyptians with all manner of plagues and in the wilderness. **9** Be strong, and quit yourselves like men, O ye Philistines, that ye be not servants unto the Hebrews, as they have been to you; quit yourselves like men, and fight.' **10** And the Philistines fought, and Israel was smitten, and they fled every man to his tent; and there was a very great slaughter; for there fell of Israel thirty thousand footmen. **11** And the ark of God was taken; and the two sons of Eli, Hophni and Phinehas, were slain. **12** And there ran a man of Benjamin out of the army, and came to Shiloh the same day with his clothes rent, and with earth upon his head. **13** And when he came, lo, Eli sat upon his seat by the wayside watching; for his heart trembled for the ark of God. And when the man came into the city, and told it, all the city cried out. **14** And when Eli heard the noise of the crying, he said: 'What meaneth the noise of this tumult?' And the man made haste, and came and told Eli. **15** Now Eli was ninety and eight years old; and his eyes were set, that he could not see. **16** And the man said unto Eli: 'I am he that came out of the army, and I fled to-day out of the army.' And he said: 'How went the matter, my son?' **17** And he that brought the tidings answered and said: 'Israel is fled before the Philistines, and there hath been also a great slaughter among the people, and thy two sons also, Hophni and Phinehas, are dead, and the ark of God is taken.'{P}

18 And it came to pass, when he made mention of the ark of God, that he fell from off his seat backward by the side of the gate, and his neck broke, and he died; for he was an old man, and heavy. And he had judged Israel forty years. **19** And his daughter-in-law, Phinehas' wife, was with child, near to be delivered; and when she heard the tidings that the ark of God was taken, and that her father-in-law and her husband were dead, she bowed herself and brought forth; for her pains came suddenly upon her. **20** And about the time of her death the women that stood by her said unto her: 'Fear not; for thou hast brought forth a son.' But she answered not, neither did she regard it. **21** And she named the child Ichabod, saying: 'The glory is departed from Israel'; because the ark of God was taken, and because of her father-in-law and her husband. **22** And she said: 'The glory is departed from Israel; for the ark of God is taken.'{P}

5 **1** Now the Philistines had taken the ark of God, and they brought it from Eben-ezer unto Ashdod. **2** And the Philistines took the ark of God, and brought it into the house of Dagon, and set it by Dagon. **3** And when they of Ashdod arose early on the morrow, behold, Dagon was fallen upon his face to the ground before the ark of Yehovah. And they took Dagon, and set him in his place again.

ד וַיַּשְׁכִּמוּ בַבֹּקֶר מִֽמָּחֳרָת וְהִנֵּה דָגוֹן נֹפֵל לְפָנָיו אַרְצָה לִפְנֵי אֲרוֹן יְהוָה
וְרֹאשׁ דָּגוֹן וּשְׁתֵּי ׀ כַּפּוֹת יָדָיו כְּרֻתוֹת אֶל־הַמִּפְתָּן רַק דָּגוֹן נִשְׁאַר עָלָיו׃
ה עַל־כֵּן לֹא־יִדְרְכוּ כֹהֲנֵי דָגוֹן וְכָל־הַבָּאִים בֵּית־דָּגוֹן עַל־מִפְתַּן דָּגוֹן
בְּאַשְׁדּוֹד עַד הַיּוֹם הַזֶּה׃ ו וַתִּכְבַּד יַד־יְהוָה אֶל־הָאַשְׁדּוֹדִים וַיְשִׁמֵּם וַיַּךְ אֹתָם
בַּטְּחֹרִים[8] אֶת־אַשְׁדּוֹד וְאֶת־גְּבוּלֶיהָ׃ ז וַיִּרְאוּ אַנְשֵׁי־אַשְׁדּוֹד כִּי־כֵן וְאָמְרוּ
לֹא־יֵשֵׁב אֲרוֹן אֱלֹהֵי יִשְׂרָאֵל עִמָּנוּ כִּי־קָשְׁתָה יָדוֹ עָלֵינוּ וְעַל דָּגוֹן אֱלֹהֵינוּ׃
ח וַיִּשְׁלְחוּ וַיַּאַסְפוּ אֶת־כָּל־סַרְנֵי פְלִשְׁתִּים אֲלֵיהֶם וַיֹּאמְרוּ מַה־נַּעֲשֶׂה לַאֲרוֹן
אֱלֹהֵי יִשְׂרָאֵל וַיֹּאמְרוּ גַּת יִסֹּב אֲרוֹן אֱלֹהֵי יִשְׂרָאֵל וַיַּסֵּבּוּ אֶת־אֲרוֹן אֱלֹהֵי
יִשְׂרָאֵל׃ ט וַיְהִי אַחֲרֵי ׀ הֵסַבּוּ אֹתוֹ וַתְּהִי יַד־יְהוָה ׀ בָּעִיר מְהוּמָה גְּדוֹלָה מְאֹד
וַיַּךְ אֶת־אַנְשֵׁי הָעִיר מִקָּטֹן וְעַד־גָּדוֹל וַיִּשָּׂתְרוּ לָהֶם טְחֹרִים[9]׃ י וַיְשַׁלְּחוּ
אֶת־אֲרוֹן הָאֱלֹהִים עֶקְרוֹן וַיְהִי כְּבוֹא אֲרוֹן הָאֱלֹהִים עֶקְרוֹן וַיִּזְעֲקוּ הָעֶקְרֹנִים
לֵאמֹר הֵסַבּוּ אֵלַי אֶת־אֲרוֹן אֱלֹהֵי יִשְׂרָאֵל לַהֲמִיתֵנִי וְאֶת־עַמִּי׃ יא וַיִּשְׁלְחוּ
וַיַּאַסְפוּ אֶת־כָּל־סַרְנֵי פְלִשְׁתִּים וַיֹּאמְרוּ שַׁלְּחוּ אֶת־אֲרוֹן אֱלֹהֵי יִשְׂרָאֵל וְיָשֹׁב
לִמְקֹמוֹ וְלֹא־יָמִית אֹתִי וְאֶת־עַמִּי כִּי־הָיְתָה מְהוּמַת־מָוֶת בְּכָל־הָעִיר כָּבְדָה
מְאֹד יַד הָאֱלֹהִים שָׁם׃ יב וְהָאֲנָשִׁים אֲשֶׁר לֹא־מֵתוּ הֻכּוּ בַּטְּחֹרִים[10] וַתַּעַל
שַׁוְעַת הָעִיר הַשָּׁמָיִם׃

ו א וַיְהִי אֲרוֹן־יְהוָה בִּשְׂדֵה פְלִשְׁתִּים שִׁבְעָה חֳדָשִׁים׃ ב וַיִּקְרְאוּ פְלִשְׁתִּים
לַכֹּהֲנִים וְלַקֹּסְמִים לֵאמֹר מַה־נַּעֲשֶׂה לַאֲרוֹן יְהוָה הוֹדִעֻנוּ בַּמֶּה נְשַׁלְּחֶנּוּ
לִמְקוֹמוֹ׃ ג וַיֹּאמְרוּ אִם־מְשַׁלְּחִים אֶת־אֲרוֹן אֱלֹהֵי יִשְׂרָאֵל אַל־תְּשַׁלְּחוּ אֹתוֹ
רֵיקָם כִּי־הָשֵׁב תָּשִׁיבוּ לוֹ אָשָׁם אָז תֵּרָפְאוּ וְנוֹדַע לָכֶם לָמָּה לֹא־תָסוּר יָדוֹ
מִכֶּם׃ ד וַיֹּאמְרוּ מָה הָאָשָׁם אֲשֶׁר נָשִׁיב לוֹ וַיֹּאמְרוּ מִסְפַּר סַרְנֵי פְלִשְׁתִּים
חֲמִשָּׁה טְחֹרֵי[11] זָהָב וַחֲמִשָּׁה עַכְבְּרֵי זָהָב כִּי־מַגֵּפָה אַחַת לְכֻלָּם וּלְסַרְנֵיכֶם׃
ה וַעֲשִׂיתֶם צַלְמֵי טְחֹרֵיכֶם[12] וְצַלְמֵי עַכְבְּרֵיכֶם הַמַּשְׁחִיתִם אֶת־הָאָרֶץ וּנְתַתֶּם
לֵאלֹהֵי יִשְׂרָאֵל כָּבוֹד אוּלַי יָקֵל אֶת־יָדוֹ מֵעֲלֵיכֶם וּמֵעַל אֱלֹהֵיכֶם וּמֵעַל
אַרְצְכֶם׃ ו וְלָמָּה תְכַבְּדוּ אֶת־לְבַבְכֶם כַּאֲשֶׁר כִּבְּדוּ מִצְרַיִם וּפַרְעֹה אֶת־לִבָּם
הֲלוֹא כַּאֲשֶׁר הִתְעַלֵּל בָּהֶם וַיְשַׁלְּחוּם וַיֵּלֵכוּ׃ ז וְעַתָּה קְחוּ וַעֲשׂוּ עֲגָלָה חֲדָשָׁה
אֶחָת וּשְׁתֵּי פָרוֹת עָלוֹת אֲשֶׁר לֹא־עָלָה עֲלֵיהֶם עֹל וַאֲסַרְתֶּם אֶת־הַפָּרוֹת
בָּעֲגָלָה וַהֲשֵׁיבֹתֶם בְּנֵיהֶם מֵאַחֲרֵיהֶם הַבָּיְתָה׃

[8] בעפלים
[9] עפלים
[10] בעפלים
[11] עפלי
[12] עפליכם

4 And when they arose early on the morrow morning, behold, Dagon was fallen upon his face to the ground before the ark of Yehovah; and the head of Dagon and both the palms of his hands lay cut off upon the threshold; only the trunk of Dagon was left to him. **5** Therefore neither the priests of Dagon, nor any that come into Dagon's house, tread on the threshold of Dagon in Ashdod unto this day.{P}

6 But the hand of Yehovah was heavy upon them of Ashdod, and He destroyed them, and smote them with emerods, even Ashdod and the borders thereof. **7** And when the men of Ashdod saw that it was so, they said: 'The ark of the God of Israel shall not abide with us; for His hand is sore upon us, and upon Dagon our god.' **8** They sent therefore and gathered all the lords of the Philistines unto them, and said: 'What shall we do with the ark of the God of Israel?' And they answered: 'Let the ark of the God of Israel be carried about unto Gath.' And they carried the ark of the God of Israel about thither.{S} **9** And it was so, that, after they had carried it about, the hand of Yehovah was against the city with a very great discomfiture; and He smote the men of the city, both small and great, and emerods broke out upon them. **10** So they sent the ark of God to Ekron. And it came to pass, as the ark of God came to Ekron, that the Ekronites cried out, saying: 'They have brought about the ark of the God of Israel to us, to slay us and our people.' **11** They sent therefore and gathered together all the lords of the Philistines, and they said: 'Send away the ark of the God of Israel, and let it go back to its own place, that it slay us not, and our people'; for there was a deadly discomfiture throughout all the city; the hand of God was very heavy there. **12** And the men that died not were smitten with the emerods; and the cry of the city went up to heaven.{S}

6 1 And the ark of Yehovah was in the country of the Philistines seven months. **2** And the Philistines called for the priests and the diviners, saying: 'What shall we do with the ark of Yehovah? declare unto us wherewith we shall send it to its place.'{S} **3** And they said: 'If ye send away the ark of the God of Israel, send it not empty; but in any wise return Him a guilt-offering; then ye shall be healed, and it shall be known to you why His hand is not removed from you.' **4** Then said they: 'What shall be the guilt-offering which we shall return to Him?' And they said: 'Five golden emerods, and five golden mice, according to the number of the lords of the Philistines; for one plague was on you all, and on your lords. **5** Wherefore ye shall make images of your emerods, and images of your mice that mar the land; and ye shall give glory unto the God of Israel; peradventure He will lighten His hand from off you, and from off your gods, and from off your land. **6** Wherefore then do ye harden your hearts, as the Egyptians and Pharaoh hardened their hearts? when He had wrought among them, did they not let the people go, and they departed? **7** Now therefore take and prepare you a new cart, and two milch kine, on which there hath come no yoke, and tie the kine to the cart, and bring their calves home from them.

ח וּלְקַחְתֶּ֡ם אֶת־אֲר֣וֹן יְהֹוָ֗ה וּנְתַתֶּ֤ם אֹתוֹ֙ אֶל־הָ֣עֲגָלָ֔ה וְאֵ֣ת ׀ כְּלֵ֣י הַזָּהָ֗ב אֲשֶׁ֨ר הֲשֵׁבֹתֶ֥ם לוֹ֙ אָשָׁ֔ם תָּשִׂ֥ימוּ בָאַרְגַּ֖ז מִצִּדּ֑וֹ וְשִׁלַּחְתֶּ֥ם אֹת֖וֹ וְהָלָֽךְ: ט וּרְאִיתֶ֗ם אִם־דֶּ֨רֶךְ גְּבוּל֤וֹ יַֽעֲלֶה֙ בֵּ֣ית שֶׁ֔מֶשׁ ה֚וּא עָ֣שָׂה לָ֔נוּ אֶת־הָרָעָ֥ה הַגְּדוֹלָ֖ה הַזֹּ֑את וְאִם־לֹ֗א וְיָדַ֙עְנוּ֙ כִּ֣י לֹ֤א יָדוֹ֙ נָ֣גְעָה בָּ֔נוּ מִקְרֶ֥ה ה֖וּא הָ֥יָה לָֽנוּ: י וַיַּֽעֲשׂ֤וּ הָֽאֲנָשִׁים֙ כֵּ֔ן וַיִּקְח֗וּ שְׁתֵּ֤י פָרוֹת֙ עָל֔וֹת וַיַּֽאַסְר֖וּם בָּֽעֲגָלָ֑ה וְאֶת־בְּנֵיהֶ֖ם כָּל֥וּ בַבָּֽיִת: יא וַיָּשִׂ֛מוּ אֶת־אֲר֥וֹן יְהֹוָ֖ה אֶל־הָֽעֲגָלָ֑ה וְאֵ֣ת הָֽאַרְגַּ֗ז וְאֵת֙ עַכְבְּרֵ֣י הַזָּהָ֔ב וְאֵ֖ת צַלְמֵ֥י טְחֹֽרֵיהֶֽם: יב וַיִּשַּׁ֨רְנָה הַפָּר֜וֹת בַּדֶּ֗רֶךְ עַל־דֶּ֙רֶךְ֙ בֵּ֣ית שֶׁ֔מֶשׁ בִּמְסִלָּ֣ה אַחַ֗ת הָֽלְכ֤וּ הָלֹךְ֙ וְגָע֔וֹ וְלֹֽא־סָ֖רוּ יָמִ֣ין וּשְׂמֹ֑אול וְסַרְנֵ֣י פְלִשְׁתִּ֗ים הֹֽלְכִ֤ים אַֽחֲרֵיהֶם֙ עַד־גְּב֖וּל בֵּ֥ית שָֽׁמֶשׁ: יג וּבֵ֣ית שֶׁ֔מֶשׁ קֹֽצְרִ֥ים קְצִיר־חִטִּ֖ים בָּעֵ֑מֶק וַיִּשְׂא֣וּ אֶת־עֵֽינֵיהֶ֗ם וַיִּרְאוּ֙ אֶת־הָ֣אָר֔וֹן וַיִּשְׂמְח֖וּ לִרְאֽוֹת: יד וְהָֽעֲגָלָ֣ה בָ֗אָה אֶל־שְׂדֵ֞ה יְהוֹשֻׁ֤עַ בֵּית־הַשִּׁמְשִׁי֙ וַתַּֽעֲמֹ֣ד שָׁ֔ם וְשָׁ֖ם אֶ֣בֶן גְּדוֹלָ֑ה וַֽיְבַקְּעוּ֙ אֶת־עֲצֵ֣י הָֽעֲגָלָ֔ה וְאֶת־הַ֨פָּר֔וֹת הֶֽעֱל֥וּ עֹלָ֖ה לַֽיהֹוָֽה: טו וְהַֽלְוִיִּ֣ם הוֹרִ֣ידוּ ׀ אֶת־אֲר֣וֹן יְהֹוָ֗ה וְאֶת־הָ֨אַרְגַּ֤ז אֲשֶׁר־אִתּוֹ֙ אֲשֶׁר־בּ֣וֹ כְלֵֽי־זָהָ֔ב וַיָּשִׂ֖מוּ אֶל־הָאֶ֣בֶן הַגְּדוֹלָ֑ה וְאַנְשֵׁ֣י בֵֽית־שֶׁ֗מֶשׁ הֶֽעֱל֤וּ עֹלוֹת֙ וַיִּזְבְּח֣וּ זְבָחִ֔ים בַּיּ֥וֹם הַה֖וּא לַֽיהֹוָֽה: טז וַֽחֲמִשָּׁ֛ה סַרְנֵֽי־פְלִשְׁתִּ֖ים רָא֑וּ וַיָּשֻׁ֥בוּ עֶקְר֖וֹן בַּיּ֥וֹם הַהֽוּא: יז וְאֵ֙לֶּה֙ טְחֹרֵ֣י הַזָּהָ֔ב אֲשֶׁ֨ר הֵשִׁ֧יבוּ פְלִשְׁתִּ֛ים אָשָׁ֖ם לַֽיהֹוָ֑ה לְאַשְׁדּ֨וֹד אֶחָ֤ד לְעַזָּה֙ אֶחָ֔ד לְאַשְׁקְל֥וֹן אֶחָ֖ד לְגַ֥ת אֶחָ֖ד לְעֶקְר֥וֹן אֶחָֽד: יח וְעַכְבְּרֵ֣י הַזָּהָ֗ב מִסְפַּ֞ר כָּל־עָרֵ֤י פְלִשְׁתִּים֙ לַֽחֲמֵ֣שֶׁת הַסְּרָנִ֔ים מֵעִ֥יר מִבְצָ֖ר וְעַ֣ד כֹּ֣פֶר הַפְּרָזִ֑י וְעַ֣ד ׀ אָבֵ֣ל הַגְּדוֹלָ֗ה אֲשֶׁ֨ר הִנִּ֤יחוּ עָלֶ֙יהָ֙ אֵ֚ת אֲר֣וֹן יְהֹוָ֔ה עַ֖ד הַיּ֣וֹם הַזֶּ֑ה בִּשְׂדֵ֥ה יְהוֹשֻׁ֖עַ בֵּֽית־הַשִּׁמְשִֽׁי: יט וַיַּ֞ךְ בְּאַנְשֵׁ֣י בֵֽית־שֶׁ֗מֶשׁ כִּ֤י רָאוּ֙ בַּֽאֲר֣וֹן יְהֹוָ֔ה וַיַּ֤ךְ בָּעָם֙ שִׁבְעִ֣ים אִ֔ישׁ חֲמִשִּׁ֥ים אֶ֖לֶף אִ֑ישׁ וַיִּֽתְאַבְּל֣וּ הָעָ֔ם כִּֽי־הִכָּ֧ה יְהֹוָ֛ה בָּעָ֖ם מַכָּ֥ה גְדוֹלָֽה: כ וַיֹּֽאמְרוּ֙ אַנְשֵׁ֣י בֵֽית־שֶׁ֔מֶשׁ מִ֚י יוּכַ֣ל לַֽעֲמֹ֔ד לִפְנֵ֨י יְהֹוָ֜ה הָֽאֱלֹהִ֥ים הַקָּד֖וֹשׁ הַזֶּ֑ה וְאֶל־מִ֖י יַֽעֲלֶ֥ה מֵֽעָלֵֽינוּ: כא וַֽיִּשְׁלְחוּ֙ מַלְאָכִ֔ים אֶל־יֽוֹשְׁבֵ֥י קִרְיַת־יְעָרִ֖ים לֵאמֹ֑ר הֵשִׁ֤בוּ פְלִשְׁתִּים֙ אֶת־אֲר֣וֹן יְהֹוָ֔ה רְד֕וּ הַֽעֲל֥וּ אֹת֖וֹ אֲלֵיכֶֽם:

ז א וַיָּבֹ֜אוּ אַנְשֵׁ֣י ׀ קִרְיַ֣ת יְעָרִ֗ים וַיַּֽעֲלוּ֙ אֶת־אֲר֣וֹן יְהֹוָ֔ה וַיָּבִ֤אוּ אֹתוֹ֙ אֶל־בֵּ֣ית אֲבִֽינָדָ֔ב בַּגִּבְעָ֑ה וְאֶת־אֶלְעָזָ֤ר בְּנוֹ֙ קִדְּשׁ֔וּ לִשְׁמֹ֖ר אֶת־אֲר֥וֹן יְהֹוָֽה:

ב וַיְהִ֗י מִיּ֞וֹם שֶׁ֤בֶת הָֽאָרוֹן֙ בְּקִרְיַ֣ת יְעָרִ֔ים וַיִּרְבּוּ֙ הַיָּמִ֔ים וַיִּֽהְי֖וּ עֶשְׂרִ֣ים שָׁנָ֑ה וַיִּנָּה֛וּ כָּל־בֵּ֥ית יִשְׂרָאֵ֖ל אַֽחֲרֵ֥י יְהֹוָֽה: ג וַיֹּ֣אמֶר שְׁמוּאֵ֗ל אֶל־כָּל־בֵּ֤ית יִשְׂרָאֵל֙ לֵאמֹ֔ר אִם־בְּכָל־לְבַבְכֶ֗ם אַתֶּ֤ם שָׁבִים֙ אֶל־יְהֹוָ֔ה הָסִ֜ירוּ אֶת־אֱלֹהֵ֧י הַנֵּכָ֛ר מִתּֽוֹכְכֶ֖ם וְהָעַשְׁתָּר֑וֹת וְהָכִ֤ינוּ לְבַבְכֶם֙ אֶל־יְהֹוָ֔ה וְעִבְדֻ֖הוּ לְבַדּ֑וֹ וְיַצֵּ֥ל אֶתְכֶ֖ם מִיַּ֥ד פְּלִשְׁתִּֽים: ד וַיָּסִ֙ירוּ֙ בְּנֵ֣י יִשְׂרָאֵ֔ל אֶת־הַבְּעָלִ֖ים וְאֶת־הָֽעַשְׁתָּרֹ֑ת וַיַּֽעַבְד֥וּ אֶת־יְהֹוָ֖ה לְבַדּֽוֹ:

8 And take the ark of Yehovah, and lay it upon the cart; and put the jewels of gold, which ye return Him for a guilt-offering, in a coffer by the side thereof; and send it away, that it may go. **9** And see, if it goeth up by the way of its own border to Beth-shemesh, then He hath done us this great evil; but if not, then we shall know that it is not His hand that smote us; it was a chance that happened to us.' **10** And the men did so; and took two milch kine, and tied them to the cart, and shut up their calves at home. **11** And they put the ark of Yehovah upon the cart, and the coffer with the mice of gold and the images of their emerods. **12** And the kine took the straight way by the way to Beth-shemesh; they went along the highway, lowing as they went, and turned not aside to the right hand or to the left; and the lords of the Philistines went after them unto the border of Beth-shemesh. **13** And they of Beth-shemesh were reaping their wheat harvest in the valley; and they lifted up their eyes, and saw the ark, and rejoiced to see it. **14** And the cart came into the field of Joshua the Beth-shemite, and stood there, where there was a great stone; and they cleaved the wood of the cart, and offered up the kine for a burnt-offering unto Yehovah.{S} **15** And the Levites took down the ark of Yehovah, and the coffer that was with it, wherein the jewels of gold were, and put them on the great stone; and the men of Beth-shemesh offered burnt-offerings and sacrificed sacrifices the same day unto Yehovah. **16** And when the five lords of the Philistines had seen it, they returned to Ekron the same day.{S} **17** And these are the golden emerods which the Philistines returned for a guilt-offering unto Yehovah: for Ashdod one, for Gaza one, for Ashkelon one, for Gath one, for Ekron one; **18** and the golden mice, according to the number of all the cities of the Philistines belonging to the five lords, both of fortified cities and of country villages, even unto Abel by the great stone, whereon they set down the ark of Yehovah, which stone remaineth unto this day in the field of Joshua the Beth-shemite. **19** And He smote of the men of Beth-shemesh, because they had gazed upon the ark of Yehovah, even He smote of the people seventy men, and fifty thousand men; and the people mourned, because Yehovah had smitten the people with a great slaughter. **20** And the men of Beth-shemesh said: 'Who is able to stand before Yehovah, this holy God? and to whom shall it go up from us?' **21** And they sent messengers to the inhabitants of Kiriath-jearim, saying: 'The Philistines have brought back the ark of Yehovah; come ye down, and fetch it up to you.'

7 **1** And the men of Kiriath-jearim came, and fetched up the ark of Yehovah, and brought it into the house of Abinadab in the hill, and sanctified Eleazar his son to keep the ark of Yehovah.{P}

2 And it came to pass, from the day that the ark abode in Kiriath-jearim, that the time was long; for it was twenty years; and all the house of Israel yearned after Yehovah.{S} **3** And Samuel spoke unto all the house of Israel, saying: 'If ye do return unto Yehovah with all your heart, then put away the foreign gods and the Ashtaroth from among you, and direct your hearts unto Yehovah, and serve Him only; and He will deliver you out of the hand of the Philistines.' **4** Then the children of Israel did put away the Baalim and the Ashtaroth, and served Yehovah only.{P}

ה וַיֹּאמֶר שְׁמוּאֵל קִבְצוּ אֶת־כָּל־יִשְׂרָאֵל הַמִּצְפָּתָה וְאֶתְפַּלֵּל בַּעַדְכֶם
אֶל־יְהוָה׃ ו וַיִּקָּבְצוּ הַמִּצְפָּתָה וַיִּשְׁאֲבוּ־מַיִם וַיִּשְׁפְּכוּ ׀ לִפְנֵי יְהוָה וַיָּצוּמוּ בַּיּוֹם
הַהוּא וַיֹּאמְרוּ שָׁם חָטָאנוּ לַיהוָה וַיִּשְׁפֹּט שְׁמוּאֵל אֶת־בְּנֵי יִשְׂרָאֵל בַּמִּצְפָּה׃
ז וַיִּשְׁמְעוּ פְלִשְׁתִּים כִּי־הִתְקַבְּצוּ בְנֵי־יִשְׂרָאֵל הַמִּצְפָּתָה וַיַּעֲלוּ סַרְנֵי־פְלִשְׁתִּים
אֶל־יִשְׂרָאֵל וַיִּשְׁמְעוּ בְּנֵי יִשְׂרָאֵל וַיִּרְאוּ מִפְּנֵי פְלִשְׁתִּים׃ ח וַיֹּאמְרוּ בְנֵי־יִשְׂרָאֵל
אֶל־שְׁמוּאֵל אַל־תַּחֲרֵשׁ מִמֶּנּוּ מִזְּעֹק אֶל־יְהוָה אֱלֹהֵינוּ וְיֹשִׁעֵנוּ מִיַּד פְּלִשְׁתִּים׃
ט וַיִּקַּח שְׁמוּאֵל טְלֵה חָלָב אֶחָד וַיַּעֲלֵהוּ[13] עוֹלָה כָּלִיל לַיהוָה וַיִּזְעַק שְׁמוּאֵל
אֶל־יְהוָה בְּעַד יִשְׂרָאֵל וַיַּעֲנֵהוּ יְהוָה׃ י וַיְהִי שְׁמוּאֵל מַעֲלֶה הָעוֹלָה וּפְלִשְׁתִּים
נִגְּשׁוּ לַמִּלְחָמָה בְּיִשְׂרָאֵל וַיַּרְעֵם יְהוָה ׀ בְּקוֹל־גָּדוֹל בַּיּוֹם הַהוּא עַל־פְּלִשְׁתִּים
וַיְהֻמֵּם וַיִּנָּגְפוּ לִפְנֵי יִשְׂרָאֵל׃ יא וַיֵּצְאוּ אַנְשֵׁי יִשְׂרָאֵל מִן־הַמִּצְפָּה וַיִּרְדְּפוּ
אֶת־פְּלִשְׁתִּים וַיַּכּוּם עַד־מִתַּחַת לְבֵית כָּר׃ יב וַיִּקַּח שְׁמוּאֵל אֶבֶן אַחַת וַיָּשֶׂם
בֵּין־הַמִּצְפָּה וּבֵין הַשֵּׁן וַיִּקְרָא אֶת־שְׁמָהּ אֶבֶן הָעָזֶר וַיֹּאמַר עַד־הֵנָּה עֲזָרָנוּ
יְהוָה׃ יג וַיִּכָּנְעוּ הַפְּלִשְׁתִּים וְלֹא־יָסְפוּ עוֹד לָבוֹא בִּגְבוּל יִשְׂרָאֵל וַתְּהִי
יַד־יְהוָה בַּפְּלִשְׁתִּים כֹּל יְמֵי שְׁמוּאֵל׃ יד וַתָּשֹׁבְנָה הֶעָרִים אֲשֶׁר
לָקְחוּ־פְלִשְׁתִּים מֵאֵת יִשְׂרָאֵל ׀ לְיִשְׂרָאֵל מֵעֶקְרוֹן וְעַד־גַּת וְאֶת־גְּבוּלָן הִצִּיל
יִשְׂרָאֵל מִיַּד פְּלִשְׁתִּים וַיְהִי שָׁלוֹם בֵּין יִשְׂרָאֵל וּבֵין הָאֱמֹרִי׃ יה וַיִּשְׁפֹּט שְׁמוּאֵל
אֶת־יִשְׂרָאֵל כֹּל יְמֵי חַיָּיו׃ יו וְהָלַךְ מִדֵּי שָׁנָה בְּשָׁנָה וְסָבַב בֵּית־אֵל וְהַגִּלְגָּל
וְהַמִּצְפָּה וְשָׁפַט אֶת־יִשְׂרָאֵל אֵת כָּל־הַמְּקוֹמוֹת הָאֵלֶּה׃ יז וּתְשֻׁבָתוֹ הָרָמָתָה
כִּי־שָׁם בֵּיתוֹ וְשָׁם שָׁפָט אֶת־יִשְׂרָאֵל וַיִּבֶן־שָׁם מִזְבֵּחַ לַיהוָה׃

ח א וַיְהִי כַּאֲשֶׁר זָקֵן שְׁמוּאֵל וַיָּשֶׂם אֶת־בָּנָיו שֹׁפְטִים לְיִשְׂרָאֵל׃ ב וַיְהִי שֶׁם־בְּנוֹ
הַבְּכוֹר יוֹאֵל וְשֵׁם מִשְׁנֵהוּ אֲבִיָּה שֹׁפְטִים בִּבְאֵר שָׁבַע׃ ג וְלֹא־הָלְכוּ בָנָיו
בִּדְרָכָיו[14] וַיִּטּוּ אַחֲרֵי הַבָּצַע וַיִּקְחוּ־שֹׁחַד וַיַּטּוּ מִשְׁפָּט׃

ד וַיִּתְקַבְּצוּ כֹּל זִקְנֵי יִשְׂרָאֵל וַיָּבֹאוּ אֶל־שְׁמוּאֵל הָרָמָתָה׃ ה וַיֹּאמְרוּ אֵלָיו הִנֵּה
אַתָּה זָקַנְתָּ וּבָנֶיךָ לֹא הָלְכוּ בִּדְרָכֶיךָ עַתָּה שִׂימָה־לָּנוּ מֶלֶךְ לְשָׁפְטֵנוּ
כְּכָל־הַגּוֹיִם׃ ו וַיֵּרַע הַדָּבָר בְּעֵינֵי שְׁמוּאֵל כַּאֲשֶׁר אָמְרוּ תְּנָה־לָּנוּ מֶלֶךְ
לְשָׁפְטֵנוּ וַיִּתְפַּלֵּל שְׁמוּאֵל אֶל־יְהוָה׃

ז וַיֹּאמֶר יְהוָה אֶל־שְׁמוּאֵל שְׁמַע בְּקוֹל הָעָם לְכֹל אֲשֶׁר־יֹאמְרוּ אֵלֶיךָ כִּי לֹא
אֹתְךָ מָאָסוּ כִּי־אֹתִי מָאֲסוּ מִמְּלֹךְ עֲלֵיהֶם׃ ח כְּכָל־הַמַּעֲשִׂים אֲשֶׁר־עָשׂוּ מִיּוֹם
הַעֲלֹתִי אֹתָם מִמִּצְרַיִם וְעַד־הַיּוֹם הַזֶּה וַיַּעַזְבֻנִי וַיַּעַבְדוּ אֱלֹהִים אֲחֵרִים כֵּן
הֵמָּה עֹשִׂים גַּם־לָךְ׃

[13] ויעלה
[14] בדרכו

5 And Samuel said: 'Gather all Israel to Mizpah, and I will pray for you unto Yehovah.' **6** And they gathered together to Mizpah, and drew water, and poured it out before Yehovah, and fasted on that day, and said there: 'We have sinned against Yehovah.' And Samuel judged the children of Israel in Mizpah. **7** And when the Philistines heard that the children of Israel were gathered together to Mizpah, the lords of the Philistines went up against Israel. And when the children of Israel heard it, they were afraid of the Philistines. **8** And the children of Israel said to Samuel: 'Cease not to cry unto Yehovah our God for us, that He save us out of the hand of the Philistines.' **9** And Samuel took a sucking lamb, and offered it for a whole burnt-offering unto Yehovah; and Samuel cried unto Yehovah for Israel; and Yehovah answered him. **10** And as Samuel was offering up the burnt-offering, the Philistines drew near to battle against Israel; but Yehovah thundered with a great thunder on that day upon the Philistines, and discomfited them; and they were smitten down before Israel. **11** And the men of Israel went out of Mizpah, and pursued the Philistines, and smote them, until they came under Beth-car. **12** Then Samuel took a stone, and set it between Mizpah and Shen, and called the name of it Eben-ezer, saying: 'Hitherto hath Yehovah helped us.' **13** So the Philistines were subdued, and they came no more within the border of Israel; and the hand of Yehovah was against the Philistines all the days of Samuel. **14** And the cities which the Philistines had taken from Israel were restored to Israel, from Ekron even unto Gath; and the border thereof did Israel deliver out of the hand of the Philistines. And there was peace between Israel and the Amorites. **15** And Samuel judged Israel all the days of his life. **16** And he went from year to year in circuit to Beth-el, and Gilgal, and Mizpah; and he judged Israel in all those places. **17** And his return was to Ramah, for there was his house; and there he judged Israel; and he built there an altar unto Yehovah.{P}

8 1 And it came to pass, when Samuel was old, that he made his sons judges over Israel. **2** Now the name of his first-born was Joel; and the name of his second, Abijah; they were judges in Beer-sheba. **3** And his sons walked not in his ways, but turned aside after lucre, and took bribes, and perverted justice.{P}

4 Then all the elders of Israel gathered themselves together, and came to Samuel unto Ramah. **5** And they said unto him: 'Behold, thou art old, and thy sons walk not in thy ways; now make us a king to judge us like all the nations.' **6** But the thing displeased Samuel, when they said: 'Give us a king to judge us.' And Samuel prayed unto Yehovah.{P}

7 And Yehovah said unto Samuel: 'Hearken unto the voice of the people in all that they say unto thee; for they have not rejected thee, but they have rejected Me, that I should not be king over them. **8** According to all the works which they have done since the day that I brought them up out of Egypt even unto this day, in that they have forsaken Me, and served other gods, so do they also unto thee.

ט וְעַתָּה שְׁמַע בְּקוֹלָם אַךְ כִּי־הָעֵד תָּעִיד בָּהֶם וְהִגַּדְתָּ לָהֶם מִשְׁפַּט הַמֶּלֶךְ
אֲשֶׁר יִמְלֹךְ עֲלֵיהֶם׃ י וַיֹּאמֶר שְׁמוּאֵל אֵת כָּל־דִּבְרֵי יְהוָה אֶל־הָעָם
הַשֹּׁאֲלִים מֵאִתּוֹ מֶלֶךְ׃ יא וַיֹּאמֶר זֶה יִהְיֶה מִשְׁפַּט הַמֶּלֶךְ אֲשֶׁר יִמְלֹךְ עֲלֵיכֶם
אֶת־בְּנֵיכֶם יִקָּח וְשָׂם לוֹ בְּמֶרְכַּבְתּוֹ וּבְפָרָשָׁיו וְרָצוּ לִפְנֵי מֶרְכַּבְתּוֹ׃
יב וְלָשׂוּם לוֹ שָׂרֵי אֲלָפִים וְשָׂרֵי חֲמִשִּׁים וְלַחֲרֹשׁ חֲרִישׁוֹ וְלִקְצֹר קְצִירוֹ
וְלַעֲשׂוֹת כְּלֵי־מִלְחַמְתּוֹ וּכְלֵי רִכְבּוֹ׃ יג וְאֶת־בְּנוֹתֵיכֶם יִקָּח לְרַקָּחוֹת
וּלְטַבָּחוֹת וּלְאֹפוֹת׃ יד וְאֶת־שְׂדוֹתֵיכֶם וְאֶת־כַּרְמֵיכֶם וְזֵיתֵיכֶם הַטּוֹבִים יִקָּח
וְנָתַן לַעֲבָדָיו׃ טו וְזַרְעֵיכֶם וְכַרְמֵיכֶם יַעְשֹׂר וְנָתַן לְסָרִיסָיו וְלַעֲבָדָיו׃
טז וְאֶת־עַבְדֵיכֶם וְאֶת־שִׁפְחוֹתֵיכֶם וְאֶת־בַּחוּרֵיכֶם הַטּוֹבִים וְאֶת־חֲמוֹרֵיכֶם
יִקָּח וְעָשָׂה לִמְלַאכְתּוֹ׃ יז צֹאנְכֶם יַעְשֹׂר וְאַתֶּם תִּהְיוּ־לוֹ לַעֲבָדִים׃ יח וּזְעַקְתֶּם
בַּיּוֹם הַהוּא מִלִּפְנֵי מַלְכְּכֶם אֲשֶׁר בְּחַרְתֶּם לָכֶם וְלֹא־יַעֲנֶה יְהוָה אֶתְכֶם בַּיּוֹם
הַהוּא׃ יט וַיְמָאֲנוּ הָעָם לִשְׁמֹעַ בְּקוֹל שְׁמוּאֵל וַיֹּאמְרוּ לֹּא כִּי אִם־מֶלֶךְ יִהְיֶה
עָלֵינוּ׃ כ וְהָיִינוּ גַם־אֲנַחְנוּ כְּכָל־הַגּוֹיִם וּשְׁפָטָנוּ מַלְכֵּנוּ וְיָצָא לְפָנֵינוּ וְנִלְחַם
אֶת־מִלְחֲמֹתֵנוּ׃ כא וַיִּשְׁמַע שְׁמוּאֵל אֵת כָּל־דִּבְרֵי הָעָם וַיְדַבְּרֵם בְּאָזְנֵי יְהוָה׃

כב וַיֹּאמֶר יְהוָה אֶל־שְׁמוּאֵל שְׁמַע בְּקוֹלָם וְהִמְלַכְתָּ לָהֶם מֶלֶךְ וַיֹּאמֶר
שְׁמוּאֵל אֶל־אַנְשֵׁי יִשְׂרָאֵל לְכוּ אִישׁ לְעִירוֹ׃

ט א וַיְהִי־אִישׁ מִבִּנְיָמִין[15] וּשְׁמוֹ קִישׁ בֶּן־אֲבִיאֵל בֶּן־צְרוֹר בֶּן־בְּכוֹרַת
בֶּן־אֲפִיחַ בֶּן־אִישׁ יְמִינִי גִּבּוֹר חָיִל׃ ב וְלוֹ־הָיָה בֵן וּשְׁמוֹ שָׁאוּל בָּחוּר וָטוֹב
וְאֵין אִישׁ מִבְּנֵי יִשְׂרָאֵל טוֹב מִמֶּנּוּ מִשִּׁכְמוֹ וָמַעְלָה גָּבֹהַּ מִכָּל־הָעָם׃
ג וַתֹּאבַדְנָה הָאֲתֹנוֹת לְקִישׁ אֲבִי שָׁאוּל וַיֹּאמֶר קִישׁ אֶל־שָׁאוּל בְּנוֹ קַח־נָא
אִתְּךָ אֶת־אַחַד מֵהַנְּעָרִים וְקוּם לֵךְ בַּקֵּשׁ אֶת־הָאֲתֹנֹת׃ ד וַיַּעֲבֹר
בְּהַר־אֶפְרַיִם וַיַּעֲבֹר בְּאֶרֶץ־שָׁלִשָׁה וְלֹא מָצָאוּ וַיַּעַבְרוּ בְאֶרֶץ־שַׁעֲלִים וָאַיִן
וַיַּעֲבֹר בְּאֶרֶץ־יְמִינִי וְלֹא מָצָאוּ׃ ה הֵמָּה בָּאוּ בְּאֶרֶץ צוּף וְשָׁאוּל אָמַר לְנַעֲרוֹ
אֲשֶׁר־עִמּוֹ לְכָה וְנָשׁוּבָה פֶּן־יֶחְדַּל אָבִי מִן־הָאֲתֹנוֹת וְדָאַג לָנוּ׃ ו וַיֹּאמֶר לוֹ
הִנֵּה־נָא אִישׁ־אֱלֹהִים בָּעִיר הַזֹּאת וְהָאִישׁ נִכְבָּד כֹּל אֲשֶׁר־יְדַבֵּר בּוֹא יָבוֹא
עַתָּה נֵלְכָה שָּׁם אוּלַי יַגִּיד לָנוּ אֶת־דַּרְכֵּנוּ אֲשֶׁר־הָלַכְנוּ עָלֶיהָ׃ ז וַיֹּאמֶר
שָׁאוּל לְנַעֲרוֹ וְהִנֵּה נֵלֵךְ וּמַה־נָּבִיא לָאִישׁ כִּי הַלֶּחֶם אָזַל מִכֵּלֵינוּ וּתְשׁוּרָה
אֵין־לְהָבִיא לְאִישׁ הָאֱלֹהִים מָה אִתָּנוּ׃ ח וַיֹּסֶף הַנַּעַר לַעֲנוֹת אֶת־שָׁאוּל
וַיֹּאמֶר הִנֵּה נִמְצָא בְיָדִי רֶבַע שֶׁקֶל כָּסֶף וְנָתַתִּי לְאִישׁ הָאֱלֹהִים וְהִגִּיד לָנוּ
אֶת־דַּרְכֵּנוּ׃

[15] מבן־ימין

9 Now therefore hearken unto their voice; howbeit thou shalt earnestly forewarn them, and shalt declare unto them the manner of the king that shall reign over them.'{S} **10** And Samuel told all the words of Yehovah unto the people that asked of him a king.{S} **11** And he said: 'This will be the manner of the king that shall reign over you: he will take your sons, and appoint them unto him, for his chariots, and to be his horsemen; and they shall run before his chariots. **12** And he will appoint them unto him for captains of thousands, and captains of fifties; and to plow his ground, and to reap his harvest, and to make his instruments of war, and the instruments of his chariots. **13** And he will take your daughters to be perfumers, and to be cooks, and to be bakers. **14** And he will take your fields, and your vineyards, and your oliveyards, even the best of them, and give them to his servants. **15** And he will take the tenth of your seed, and of your vineyards, and give to his officers, and to his servants. **16** And he will take your men-servants, and your maid-servants, and your goodliest young men, and your asses, and put them to his work. **17** He will take the tenth of your flocks; and ye shall be his servants. **18** And ye shall cry out in that day because of your king whom ye shall have chosen you; and Yehovah will not answer you in that day.' **19** But the people refused to hearken unto the voice of Samuel; and they said: 'Nay; but there shall be a king over us; **20** that we also may be like all the nations; and that our king may judge us, and go out before us, and fight our battles.' **21** And Samuel heard all the words of the people, and he spoke them in the ears of Yehovah.{P}

22 And Yehovah said to Samuel: 'Hearken unto their voice, and make them a king.' And Samuel said unto the men of Israel: 'Go ye every man unto his city.'{P}

9 **1** Now there was a man of Benjamin, whose name was Kish, the son of Abiel, the son of Zeror, the son of Becorath, the son of Aphiah, the son of a Benjamite, a mighty man of valour. **2** And he had a son, whose name was Saul, young and goodly, and there was not among the children of Israel a goodlier person than he: from his shoulders and upward he was higher than any of the people. **3** Now the asses of Kish Saul's father were lost. And Kish said to Saul his son: 'Take now one of the servants with thee, and arise, go seek the asses.' **4** And he passed through the hill-country of Ephraim, and passed through the land of Shalishah, but they found them not; then they passed through the land of Shaalim, and there they were not; and he passed through the land of the Benjamites, but they found them not. **5** When they were come to the land of Zuph, Saul said to his servant that was with him: 'Come and let us return; lest my father leave caring for the asses, and become anxious concerning us.' **6** And he said unto him: 'Behold now, there is in this city a man of God, and he is a man that is held in honour; all that he saith cometh surely to pass; now let us go thither; peradventure he can tell us concerning our journey whereon we go.' **7** Then said Saul to his servant: 'But, behold, if we go, what shall we bring the man? for the bread is spent in our vessels, and there is not a present to bring to the man of God; what have we?' **8** And the servant answered Saul again, and said: 'Behold, I have in my hand the fourth part of a shekel of silver, that will I give to the man of God, to tell us our way.'–

ט לְפָנִ֣ים ׀ בְּיִשְׂרָאֵ֗ל כֹּֽה־אָמַ֤ר הָאִישׁ֙ בְּלֶכְתּוֹ֙ לִדְר֣וֹשׁ אֱלֹהִ֔ים לְכ֥וּ וְנֵלְכָ֖ה
עַד־הָרֹאֶ֑ה כִּ֤י לַנָּבִיא֙ הַיּ֔וֹם יִקָּרֵ֥א לְפָנִ֖ים הָרֹאֶֽה׃ י וַיֹּ֨אמֶר שָׁא֤וּל לְנַעֲרוֹ֙
ט֥וֹב דְּבָרְךָ֖ לְכָ֣ה ׀ נֵלֵ֑כָה וַיֵּֽלְכוּ֙ אֶל־הָעִ֔יר אֲשֶׁר־שָׁ֖ם אִ֥ישׁ הָאֱלֹהִֽים׃
יא הֵ֗מָּה עֹלִים֙ בְּמַעֲלֵ֣ה הָעִ֔יר וְהֵ֙מָּה֙ מָֽצְא֣וּ נְעָר֔וֹת יֹצְא֖וֹת לִשְׁאֹ֣ב מָ֑יִם
וַיֹּאמְר֣וּ לָהֶ֔ן הֲיֵ֥שׁ בָּזֶ֖ה הָרֹאֶֽה׃ יב וַתַּעֲנֶ֧ינָה אוֹתָ֛ם וַתֹּאמַ֥רְנָה יֵּ֖שׁ הִנֵּ֣ה לְפָנֶ֑יךָ
מַהֵ֣ר ׀ עַתָּ֗ה כִּ֤י הַיּוֹם֙ בָּ֣א לָעִ֔יר כִּ֣י זֶ֥בַח הַיּ֛וֹם לָעָ֖ם בַּבָּמָֽה׃ יג כְּבֹאֲכֶ֣ם הָעִ֣יר
כֵּ֣ן תִּמְצְא֣וּן אֹת֡וֹ בְּטֶרֶם֩ יַעֲלֶ֨ה הַבָּמָ֜תָה לֶאֱכֹ֗ל כִּ֠י לֹא־יֹאכַ֤ל הָעָם֙ עַד־בֹּא֔וֹ
כִּי־הוּא֙ יְבָרֵ֣ךְ הַזֶּ֔בַח אַחֲרֵי־כֵ֖ן יֹאכְל֣וּ הַקְּרֻאִ֑ים וְעַתָּ֣ה עֲל֔וּ כִּֽי־אֹת֥וֹ כְהַיּ֖וֹם
תִּמְצְא֥וּן אֹתֽוֹ׃ יד וַֽיַּעֲל֖וּ הָעִ֑יר הֵ֗מָּה בָּאִים֙ בְּת֣וֹךְ הָעִ֔יר וְהִנֵּ֤ה שְׁמוּאֵל֙ יֹצֵ֣א
לִקְרָאתָ֔ם לַעֲל֖וֹת הַבָּמָֽה׃ טו וַֽיהוָ֔ה גָּלָ֖ה אֶת־אֹ֣זֶן שְׁמוּאֵ֑ל י֣וֹם אֶחָ֔ד לִפְנֵ֥י
ב֥וֹא־שָׁא֖וּל לֵאמֹֽר׃ טז כָּעֵ֣ת ׀ מָחָ֗ר אֶשְׁלַ֨ח אֵלֶ֜יךָ אִ֗ישׁ מֵאֶ֣רֶץ בִּנְיָמִן֮ וּמְשַׁחְתּ֣וֹ
לְנָגִיד֙ עַל־עַמִּ֣י יִשְׂרָאֵ֔ל וְהוֹשִׁ֥יעַ אֶת־עַמִּ֖י מִיַּ֣ד פְּלִשְׁתִּ֑ים כִּ֤י רָאִ֙יתִי֙ אֶת־עַמִּ֔י
כִּ֛י בָּ֥אָה צַעֲקָת֖וֹ אֵלָֽי׃ יז וּשְׁמוּאֵ֖ל רָאָ֣ה אֶת־שָׁא֑וּל וַיהוָ֣ה עָנָ֔הוּ הִנֵּ֤ה הָאִישׁ֙
אֲשֶׁ֣ר אָמַ֣רְתִּי אֵלֶ֔יךָ זֶ֖ה יַעְצֹ֥ר בְּעַמִּֽי׃ יח וַיִּגַּ֥שׁ שָׁא֛וּל אֶת־שְׁמוּאֵ֖ל בְּת֣וֹךְ
הַשָּׁ֑עַר וַיֹּ֙אמֶר֙ הַגִּֽידָה־נָּ֣א לִ֔י אֵי־זֶ֖ה בֵּ֥ית הָרֹאֶֽה׃ יט וַיַּ֨עַן שְׁמוּאֵ֜ל אֶת־שָׁא֗וּל
וַיֹּ֙אמֶר֙ אָנֹכִ֣י הָרֹאֶ֔ה עֲלֵ֤ה לְפָנַי֙ הַבָּמָ֔ה וַאֲכַלְתֶּ֥ם עִמִּ֖י הַיּ֑וֹם וְשִׁלַּחְתִּ֣יךָ בַבֹּ֔קֶר
וְכֹ֛ל אֲשֶׁ֥ר בִּלְבָבְךָ֖ אַגִּ֥יד לָֽךְ׃ כ וְלָאֲתֹנ֞וֹת הָאֹבְד֣וֹת לְךָ֗ הַיּוֹם֙ שְׁלֹ֣שֶׁת הַיָּמִ֔ים
אַל־תָּ֧שֶׂם אֶֽת־לִבְּךָ֛ לָהֶ֖ם כִּ֣י נִמְצָ֑אוּ וּלְמִי֙ כָּל־חֶמְדַּ֣ת יִשְׂרָאֵ֔ל הֲל֣וֹא לְךָ֔
וּלְכֹ֖ל בֵּ֥ית אָבִֽיךָ׃ כא וַיַּ֨עַן שָׁא֜וּל וַיֹּ֗אמֶר הֲל֨וֹא בֶן־יְמִינִ֜י אָנֹ֗כִי מִקַּטַנֵּי֙ שִׁבְטֵ֣י
יִשְׂרָאֵ֔ל וּמִשְׁפַּחְתִּי֙ הַצְּעִרָ֔ה מִכָּל־מִשְׁפְּח֖וֹת שִׁבְטֵ֣י בִנְיָמִ֑ן וְלָ֙מָּה֙ דִּבַּ֣רְתָּ אֵלַ֔י
כַּדָּבָ֖ר הַזֶּֽה׃ כב וַיִּקַּ֤ח שְׁמוּאֵל֙ אֶת־שָׁא֣וּל וְאֶת־נַעֲר֔וֹ וַיְבִיאֵ֖ם לִשְׁכָּ֑תָה וַיִּתֵּ֨ן
לָהֶ֤ם מָקוֹם֙ בְּרֹ֣אשׁ הַקְּרוּאִ֔ים וְהֵ֖מָּה כִּשְׁלֹשִׁ֥ים אִֽישׁ׃ כג וַיֹּ֤אמֶר שְׁמוּאֵל֙
לַטַּבָּ֔ח תְּנָה֙ אֶת־הַמָּנָ֔ה אֲשֶׁר֙ נָתַ֣תִּי לָ֔ךְ אֲשֶׁר֙ אָמַ֣רְתִּי אֵלֶ֔יךָ שִׂ֥ים אֹתָ֖הּ עִמָּֽךְ׃
כד וַיָּ֣רֶם הַ֠טַּבָּח אֶת־הַשּׁ֨וֹק וְהֶעָלֶ֜יהָ וַיָּ֣שֶׂם ׀ לִפְנֵ֣י שָׁא֗וּל וַיֹּ֙אמֶר֙ הִנֵּ֤ה הַנִּשְׁאָר֙
שִׂים־לְפָנֶ֣יךָ אֱכֹ֔ל כִּ֧י לַמּוֹעֵ֛ד שָֽׁמוּר־לְךָ֥ לֵאמֹ֖ר הָעָ֣ם ׀ קָרָ֑אתִי וַיֹּ֧אכַל שָׁא֛וּל
עִם־שְׁמוּאֵ֖ל בַּיּ֥וֹם הַהֽוּא׃ כה וַיֵּרְד֥וּ מֵהַבָּמָ֖ה הָעִ֑יר וַיְדַבֵּ֥ר עִם־שָׁא֖וּל
עַל־הַגָּֽג׃ כו וַיַּשְׁכִּ֗מוּ וַיְהִ֞י כַּעֲל֤וֹת הַשַּׁ֙חַר֙ וַיִּקְרָ֨א שְׁמוּאֵ֤ל אֶל־שָׁאוּל֙
הַגָּ֣גָה[16] לֵאמֹ֔ר ק֖וּמָה וַאֲשַׁלְּחֶ֑ךָּ וַיָּ֣קָם שָׁא֔וּל וַיֵּצְא֧וּ שְׁנֵיהֶ֛ם ה֥וּא וּשְׁמוּאֵ֖ל
הַחֽוּצָה׃ כז הֵ֗מָּה יֽוֹרְדִים֙ בִּקְצֵ֣ה הָעִ֔יר וּשְׁמוּאֵ֗ל אָמַ֤ר אֶל־שָׁאוּל֙ אֱמֹ֥ר לַנַּ֛עַר
וְיַעֲבֹ֥ר לְפָנֵ֖ינוּ וַֽיַּעֲבֹ֑ר וְאַתָּה֙ עֲמֹ֣ד כַּיּ֔וֹם וְאַשְׁמִֽיעֲךָ֖ אֶת־דְּבַ֥ר אֱלֹהִֽים׃

[16]הגג

9 Beforetime in Israel, when a man went to inquire of God, thus he said: 'Come and let us go to the seer'; for he that is now called a prophet was beforetime called a seer.– **10** Then said Saul to his servant: 'Well said; come, let us go.' So they went unto the city where the man of God was. **11** As they went up the ascent to the city, they found young maidens going out to draw water, and said unto them: 'Is the seer here?' **12** And they answered them, and said: 'He is; behold, he is before thee; make haste now, for he is come to-day into the city; for the people have a sacrifice to-day in the high place. **13** As soon as ye are come into the city, ye shall straightway find him, before he go up to the high place to eat; for the people will not eat until he come, because he doth bless the sacrifice; and afterwards they eat that are bidden. Now therefore get you up; for at this time ye shall find him.' **14** And they went up to the city; and as they came within the city, behold, Samuel came out toward them, to go up to the high place.{S} **15** Now Yehovah had revealed unto Samuel a day before Saul came, saying: **16** 'To-morrow about this time I will send thee a man out of the land of Benjamin, and thou shalt anoint him to be prince over My people Israel, and he shall save My people out of the hand of the Philistines; for I have looked upon My people, because their cry is come unto Me.' **17** And when Samuel saw Saul, Yehovah spoke unto him: 'Behold the man of whom I said unto thee: This same shall have authority over My people.' **18** Then Saul drew near to Samuel in the gate, and said: 'Tell me, I pray thee, where the seer's house is.' **19** And Samuel answered Saul, and said: 'I am the seer; go up before me unto the high place, for ye shall eat with me to-day; and in the morning I will let thee go, and will tell thee all that is in thy heart. **20** And as for thine asses that were lost three days ago, set not thy mind on them; for they are found. And on whom is all the desire of Israel? Is it not on thee, and on all thy father's house?'{S} **21** And Saul answered and said: 'Am not I a Benjamite, of the smallest of the tribes of Israel? and my family the least of all the families of the tribe of Benjamin? wherefore then speakest thou to me after this manner?'{S} **22** And Samuel took Saul and his servant, and brought them into the chamber, and made them sit in the chiefest place among them that were bidden, who were about thirty persons. **23** And Samuel said unto the cook: 'Bring the portion which I gave thee, of which I said unto thee: Set it by thee.' **24** And the cook took up the thigh, and that which was upon it, and set it before Saul. And [Samuel] said: 'Behold that which hath been reserved! set it before thee and eat; because unto the appointed time hath it been kept for thee, for I said: I have invited the people.' So Saul did eat with Samuel that day. **25** And when they were come down from the high place into the city, he spoke with Saul upon the housetop. **26** And they arose early; and it came to pass about the break of day, that Samuel called to Saul on the housetop, saying: 'Up, that I may send thee away.' And Saul arose, and they went out both of them, he and Samuel, abroad. **27** As they were going down at the end of the city, Samuel said to Saul: 'Bid the servant pass on before us–and he passed on– but stand thou still at this time, that I may cause thee to hear the word of God.'{P}

י א וַיִּקַּ֨ח שְׁמוּאֵ֜ל אֶת־פַּ֥ךְ הַשֶּׁ֛מֶן וַיִּצֹ֥ק עַל־רֹאשׁ֖וֹ וַיִּשָּׁקֵ֑הוּ וַיֹּ֗אמֶר הֲל֛וֹא
כִּֽי־מְשָׁחֲךָ֧ יְהוָ֛ה עַל־נַחֲלָת֖וֹ לְנָגִֽיד׃ ב בְּלֶכְתְּךָ֣ הַיּוֹם֮ מֵעִמָּדִי֒ וּמָצָאתָ֡ שְׁנֵ֣י
אֲנָשִׁ֜ים עִם־קְבֻרַ֥ת רָחֵ֛ל בִּגְב֥וּל בִּנְיָמִ֖ן בְּצֶלְצַ֑ח וְאָמְר֣וּ אֵלֶ֗יךָ נִמְצְא֤וּ הָאֲתֹנוֹת֙
אֲשֶׁ֣ר הָלַ֣כְתָּ לְבַקֵּ֔שׁ וְהִנֵּ֨ה נָטַ֤שׁ אָבִ֙יךָ֙ אֶת־דִּבְרֵ֣י הָאֲתֹנ֔וֹת וְדָאַ֤ג לָכֶם֙ לֵאמֹ֔ר
מָ֥ה אֶעֱשֶׂ֖ה לִבְנִֽי׃ ג וְחָלַפְתָּ֨ מִשָּׁ֜ם וָהָ֗לְאָה וּבָ֙אתָ֙ עַד־אֵל֣וֹן תָּב֔וֹר וּמְצָא֣וּךָ שָּׁ֗ם
שְׁלֹשָׁ֣ה אֲנָשִׁ֔ים עֹלִ֥ים אֶל־הָאֱלֹהִ֖ים בֵּֽית־אֵ֑ל אֶחָ֞ד נֹשֵׂ֣א ׀ שְׁלֹשָׁ֣ה גְדָיִ֗ים וְאֶחָ֙ד
נֹשֵׂא֙ שְׁלֹ֙שֶׁת֙ כִּכְּר֣וֹת לֶ֔חֶם וְאֶחָ֖ד נֹשֵׂ֥א נֵֽבֶל־יָֽיִן׃ ד וְשָׁאֲל֥וּ לְךָ֖ לְשָׁל֑וֹם וְנָתְנ֣וּ
לְךָ֙ שְׁתֵּי־לֶ֔חֶם וְלָקַחְתָּ֖ מִיָּדָֽם׃ ה אַ֣חַר כֵּ֗ן תָּבוֹא֙ גִּבְעַ֣ת הָאֱלֹהִ֔ים אֲשֶׁר־שָׁ֖ם
נְצִבֵ֣י פְלִשְׁתִּ֑ים וִיהִ֣י כְבֹאֲךָ֩ שָׁ֨ם הָעִ֜יר וּפָגַעְתָּ֨ חֶ֤בֶל נְבִאִים֙ יֹרְדִ֣ים מֵהַבָּמָ֔ה
וְלִפְנֵיהֶ֞ם נֵ֤בֶל וְתֹף֙ וְחָלִ֣יל וְכִנּ֔וֹר וְהֵ֖מָּה מִֽתְנַבְּאִֽים׃ ו וְצָלְחָ֤ה עָלֶ֙יךָ֙ ר֣וּחַ
יְהוָ֔ה וְהִתְנַבִּ֖יתָ עִמָּ֑ם וְנֶהְפַּכְתָּ֖ לְאִ֥ישׁ אַחֵֽר׃ ז וְהָיָ֗ה כִּ֧י תָבֹ֛אנָה[17] הָאֹת֥וֹת
הָאֵ֖לֶּה לָ֑ךְ עֲשֵׂ֤ה לְךָ֙ אֲשֶׁ֣ר תִּמְצָ֣א יָדֶ֔ךָ כִּ֥י הָאֱלֹהִ֖ים עִמָּֽךְ׃ ח וְיָרַדְתָּ֣ לְפָנַי֮
הַגִּלְגָּל֒ וְהִנֵּ֤ה אָֽנֹכִי֙ יֹרֵ֣ד אֵלֶ֔יךָ לְהַעֲל֣וֹת עֹל֔וֹת לִזְבֹּ֖חַ זִבְחֵ֣י שְׁלָמִ֑ים שִׁבְעַ֨ת
יָמִ֤ים תּוֹחֵל֙ עַד־בּוֹאִ֣י אֵלֶ֔יךָ וְהוֹדַעְתִּ֣י לְךָ֔ אֵ֖ת אֲשֶׁ֥ר תַּעֲשֶֽׂה׃ ט וְהָיָ֗ה כְּהַפְנֹת֤וֹ
שִׁכְמוֹ֙ לָלֶ֙כֶת֙ מֵעִ֣ם שְׁמוּאֵ֔ל וַיַּהֲפָךְ־ל֥וֹ אֱלֹהִ֖ים לֵ֣ב אַחֵ֑ר וַיָּבֹ֛אוּ כָּל־הָאֹת֥וֹת
הָאֵ֖לֶּה בַּיּ֥וֹם הַהֽוּא׃ י וַיָּבֹ֤אוּ שָׁם֙ הַגִּבְעָ֔תָה וְהִנֵּ֥ה חֶֽבֶל־נְבִאִ֖ים לִקְרָאת֑וֹ
וַתִּצְלַ֤ח עָלָיו֙ ר֣וּחַ אֱלֹהִ֔ים וַיִּתְנַבֵּ֖א בְּתוֹכָֽם׃ יא וַיְהִ֗י כָּל־יֽוֹדְעוֹ֙ מֵאִתְּמ֣וֹל
שִׁלְשׁ֔וֹם וַיִּרְא֕וּ וְהִנֵּ֥ה עִם־נְבִאִ֖ים נִבָּ֑א וַיֹּ֨אמֶר הָעָ֜ם אִ֣ישׁ אֶל־רֵעֵ֗הוּ מַה־זֶּה֙
הָיָ֣ה לְבֶן־קִ֔ישׁ הֲגַ֥ם שָׁא֖וּל בַּנְּבִיאִֽם׃ יב וַיַּ֨עַן אִ֥ישׁ מִשָּׁ֛ם וַיֹּ֖אמֶר וּמִ֣י אֲבִיהֶ֑ם
עַל־כֵּן֙ הָיְתָ֣ה לְמָשָׁ֔ל הֲגַ֥ם שָׁא֖וּל בַּנְּבִאִֽים׃ יג וַיְכַל֙ מֵֽהִתְנַבּ֔וֹת וַיָּבֹ֖א הַבָּמָֽה׃
יד וַיֹּ֩אמֶר֩ דּ֨וֹד שָׁא֥וּל אֵלָ֛יו וְאֶֽל־נַעֲר֖וֹ אָ֣ן הֲלַכְתֶּ֑ם וַיֹּ֙אמֶר֙ לְבַקֵּ֣שׁ אֶת־הָאֲתֹנ֔וֹת
וַנִּרְאֶ֥ה כִי־אַ֖יִן וַנָּב֥וֹא אֶל־שְׁמוּאֵֽל׃ טו וַיֹּ֖אמֶר דּ֣וֹד שָׁא֑וּל הַגִּֽידָה־נָּ֣א לִ֔י
מָֽה־אָמַ֥ר לָכֶ֖ם שְׁמוּאֵֽל׃ טז וַיֹּ֤אמֶר שָׁאוּל֙ אֶל־דּוֹד֔וֹ הַגֵּ֤ד הִגִּיד֙ לָ֔נוּ כִּ֥י נִמְצְא֖וּ
הָאֲתֹנ֑וֹת וְאֶת־דְּבַ֤ר הַמְּלוּכָה֙ לֹֽא־הִגִּ֣יד ל֔וֹ אֲשֶׁ֖ר אָמַ֥ר שְׁמוּאֵֽל׃

יז וַיַּצְעֵ֤ק שְׁמוּאֵל֙ אֶת־הָעָ֔ם אֶל־יְהוָ֖ה הַמִּצְפָּֽה׃ יח וַיֹּ֣אמֶר ׀ אֶל־בְּנֵ֣י יִשְׂרָאֵ֗ל

כֹּֽה־אָמַ֤ר יְהוָה֙ אֱלֹהֵ֣י יִשְׂרָאֵ֔ל אָנֹכִ֛י הֶעֱלֵ֥יתִי אֶת־יִשְׂרָאֵ֖ל מִמִּצְרָ֑יִם וָאַצִּ֣יל
אֶתְכֶם֙ מִיַּ֣ד מִצְרַ֔יִם וּמִיַּד֙ כָּל־הַמַּמְלָכ֔וֹת הַלֹּחֲצִ֖ים אֶתְכֶֽם׃ יט וְאַתֶּ֨ם הַיּ֜וֹם
מְאַסְתֶּ֣ם אֶת־אֱלֹהֵיכֶ֗ם אֲשֶׁר־הוּא֩ מוֹשִׁ֨יעַ לָכֶ֜ם מִכָּל־רָעוֹתֵיכֶ֣ם וְצָרֹתֵיכֶ֗ם
וַתֹּ֣אמְרוּ ל֔וֹ כִּי־מֶ֖לֶךְ תָּשִׂ֣ים עָלֵ֑ינוּ וְעַתָּ֗ה הִֽתְיַצְּבוּ֙ לִפְנֵ֣י יְהוָ֔ה לְשִׁבְטֵיכֶ֖ם
וּלְאַלְפֵיכֶֽם׃ כ וַיַּקְרֵ֣ב שְׁמוּאֵ֔ל אֵ֖ת כָּל־שִׁבְטֵ֣י יִשְׂרָאֵ֑ל וַיִּלָּכֵ֖ד שֵׁ֥בֶט בִּנְיָמִֽן׃

[17] תבאינה

10 1 Then Samuel took the vial of oil, and poured it upon his head, and kissed him, and said: 'Is it not that Yehovah hath anointed thee to be prince over His inheritance? 2 When thou art departed from me to-day, then thou shalt find two men by the tomb of Rachel, in the border of Benjamin at Zelzah; and they will say unto thee: The asses which thou wentest to seek are found; and, lo, thy father hath left off caring for the asses, and is anxious concerning you, saying: What shall I do for my son? 3 Then shalt thou go on forward from thence, and thou shalt come to the terebinth of Tabor, and there shall meet thee there three men going up to God to Beth-el, one carrying three kids, and another carrying three loaves of bread, and another carrying a bottle of wine. 4 And they will salute thee, and give thee two cakes of bread; which thou shalt receive of their hand. 5 After that thou shalt come to the hill of God, where is the garrison of the Philistines; and it shall come to pass, when thou art come thither to the city, that thou shalt meet a band of prophets coming down from the high place with a psaltery, and a timbrel, and a pipe, and a harp, before them; and they will be prophesying. 6 And the spirit of Yehovah will come mightily upon thee, and thou shalt prophesy with them, and shalt be turned into another man. 7 And let it be, when these signs are come unto thee, that thou do as thy hand shall find; for God is with thee. 8 And thou shalt go down before me to Gilgal; and, behold, I will come down unto thee, to offer burnt-offerings, and to sacrifice sacrifices of peace-offerings; seven days shalt thou tarry, till I come unto thee, and tell thee what thou shalt do.' 9 And it was so, that when he had turned his back to go from Samuel, God gave him another heart; and all those signs came to pass that day.{S} 10 And when they came thither to the hill, behold, a band of prophets met him; and the spirit of God came mightily upon him, and he prophesied among them. 11 And it came to pass, when all that knew him beforetime saw that, behold, he prophesied with the prophets,{S} then the people said one to another: 'What is this that is come unto the son of Kish? Is Saul also among the prophets?' 12 And one of the same place answered and said: 'And who is their father?' Therefore it became a proverb: 'Is Saul also among the prophets?' 13 And when he had made an end of prophesying, he came to the high place. 14 And Saul's uncle said unto him and to his servant: 'Whither went ye?' And he said: 'To seek the asses; and when we saw that they were not found, we came to Samuel.' 15 And Saul's uncle said: 'Tell me, I pray thee, what Samuel said unto you.' 16 And Saul said unto his uncle: 'He told us plainly that the asses were found.' But concerning the matter of the kingdom, whereof Samuel spoke, he told him not.{P}

17 And Samuel called the people together unto Yehovah to Mizpah. 18 And he said unto the children of Israel:{P}

'Thus saith Yehovah, the God of Israel: I brought up Israel out of Egypt, and I delivered you out of the hand of the Egyptians, and out of the hand of all the kingdoms that oppressed you. 19 But ye have this day rejected your God, who Himself saveth you out of all your calamities and your distresses; and ye have said unto Him: Nay, but set a king over us. Now therefore present yourselves before Yehovah by your tribes, and by your thousands.' 20 So Samuel brought all the tribes of Israel near, and the tribe of Benjamin was taken.

י כא וַיַּקְרֵב אֶת־שֵׁבֶט בִּנְיָמִן לְמִשְׁפְּחֹתָיו[18] וַתִּלָּכֵד מִשְׁפַּחַת הַמַּטְרִי וַיִּלָּכֵד
שָׁאוּל בֶּן־קִישׁ וַיְבַקְשֻׁהוּ וְלֹא נִמְצָא׃ כב וַיִּשְׁאֲלוּ־עוֹד בַּיהוָה הֲבָא עוֹד הֲלֹם
אִישׁ וַיֹּאמֶר יְהוָה הִנֵּה־הוּא נֶחְבָּא אֶל־הַכֵּלִים׃ כג וַיָּרֻצוּ וַיִּקָּחֻהוּ מִשָּׁם
וַיִּתְיַצֵּב בְּתוֹךְ הָעָם וַיִּגְבַּהּ מִכָּל־הָעָם מִשִּׁכְמוֹ וָמָעְלָה׃ כד וַיֹּאמֶר שְׁמוּאֵל
אֶל־כָּל־הָעָם הַרְּאִיתֶם אֲשֶׁר בָּחַר־בּוֹ יְהוָה כִּי אֵין כָּמֹהוּ בְּכָל־הָעָם וַיָּרִעוּ
כָל־הָעָם וַיֹּאמְרוּ יְחִי הַמֶּלֶךְ׃

כה וַיְדַבֵּר שְׁמוּאֵל אֶל־הָעָם אֵת מִשְׁפַּט הַמְּלֻכָה וַיִּכְתֹּב בַּסֵּפֶר וַיַּנַּח לִפְנֵי
יְהוָה וַיְשַׁלַּח שְׁמוּאֵל אֶת־כָּל־הָעָם אִישׁ לְבֵיתוֹ׃ כו וְגַם־שָׁאוּל הָלַךְ לְבֵיתוֹ
גִּבְעָתָה וַיֵּלְכוּ עִמּוֹ הַחַיִל אֲשֶׁר־נָגַע אֱלֹהִים בְּלִבָּם׃ כז וּבְנֵי בְלִיַּעַל אָמְרוּ
מַה־יֹּשִׁעֵנוּ זֶה וַיִּבְזֻהוּ וְלֹא־הֵבִיאוּ לוֹ מִנְחָה וַיְהִי כְּמַחֲרִישׁ׃

יא א וַיַּעַל נָחָשׁ הָעַמּוֹנִי וַיִּחַן עַל־יָבֵשׁ גִּלְעָד וַיֹּאמְרוּ כָּל־אַנְשֵׁי יָבֵישׁ
אֶל־נָחָשׁ כְּרָת־לָנוּ בְרִית וְנַעַבְדֶךָּ׃ ב וַיֹּאמֶר אֲלֵיהֶם נָחָשׁ הָעַמּוֹנִי בְּזֹאת
אֶכְרֹת לָכֶם בִּנְקוֹר לָכֶם כָּל־עֵין יָמִין וְשַׂמְתִּיהָ חֶרְפָּה עַל־כָּל־יִשְׂרָאֵל׃
ג וַיֹּאמְרוּ אֵלָיו זִקְנֵי יָבֵישׁ הֶרֶף לָנוּ שִׁבְעַת יָמִים וְנִשְׁלְחָה מַלְאָכִים בְּכֹל
גְּבוּל יִשְׂרָאֵל וְאִם־אֵין מוֹשִׁיעַ אֹתָנוּ וְיָצָאנוּ אֵלֶיךָ׃ ד וַיָּבֹאוּ הַמַּלְאָכִים גִּבְעַת
שָׁאוּל וַיְדַבְּרוּ הַדְּבָרִים בְּאָזְנֵי הָעָם וַיִּשְׂאוּ כָל־הָעָם אֶת־קוֹלָם וַיִּבְכּוּ׃
ה וְהִנֵּה שָׁאוּל בָּא אַחֲרֵי הַבָּקָר מִן־הַשָּׂדֶה וַיֹּאמֶר שָׁאוּל מַה־לָּעָם כִּי יִבְכּוּ
וַיְסַפְּרוּ־לוֹ אֶת־דִּבְרֵי אַנְשֵׁי יָבֵישׁ׃ ו וַתִּצְלַח רוּחַ־אֱלֹהִים עַל־שָׁאוּל
כְּשָׁמְעוֹ[19] אֶת־הַדְּבָרִים הָאֵלֶּה וַיִּחַר אַפּוֹ מְאֹד׃ ז וַיִּקַּח צֶמֶד בָּקָר וַיְנַתְּחֵהוּ
וַיְשַׁלַּח בְּכָל־גְּבוּל יִשְׂרָאֵל בְּיַד הַמַּלְאָכִים ׀ לֵאמֹר אֲשֶׁר אֵינֶנּוּ יֹצֵא אַחֲרֵי
שָׁאוּל וְאַחַר שְׁמוּאֵל כֹּה יֵעָשֶׂה לִבְקָרוֹ וַיִּפֹּל פַּחַד־יְהוָה עַל־הָעָם וַיֵּצְאוּ
כְּאִישׁ אֶחָד׃ ח וַיִּפְקְדֵם בְּבָזֶק וַיִּהְיוּ בְנֵי־יִשְׂרָאֵל שְׁלֹשׁ מֵאוֹת אֶלֶף וְאִישׁ
יְהוּדָה שְׁלֹשִׁים אָלֶף׃ ט וַיֹּאמְרוּ לַמַּלְאָכִים הַבָּאִים כֹּה תֹאמְרוּן לְאִישׁ יָבֵישׁ
גִּלְעָד מָחָר תִּהְיֶה־לָכֶם תְּשׁוּעָה כְּחֹם[20] הַשָּׁמֶשׁ וַיָּבֹאוּ הַמַּלְאָכִים וַיַּגִּידוּ
לְאַנְשֵׁי יָבֵישׁ וַיִּשְׂמָחוּ׃ י וַיֹּאמְרוּ אַנְשֵׁי יָבֵישׁ מָחָר נֵצֵא אֲלֵיכֶם וַעֲשִׂיתֶם לָּנוּ
כְּכָל־הַטּוֹב בְּעֵינֵיכֶם׃ יא וַיְהִי מִמָּחֳרָת וַיָּשֶׂם שָׁאוּל אֶת־הָעָם שְׁלֹשָׁה רָאשִׁים
וַיָּבֹאוּ בְתוֹךְ־הַמַּחֲנֶה בְּאַשְׁמֹרֶת הַבֹּקֶר וַיַּכּוּ אֶת־עַמּוֹן עַד־חֹם הַיּוֹם וַיְהִי
הַנִּשְׁאָרִים וַיָּפֻצוּ וְלֹא נִשְׁאֲרוּ־בָם שְׁנַיִם יָחַד׃ יב וַיֹּאמֶר הָעָם אֶל־שְׁמוּאֵל מִי
הָאֹמֵר שָׁאוּל יִמְלֹךְ עָלֵינוּ תְּנוּ הָאֲנָשִׁים וּנְמִיתֵם׃

18 למשפחתו
19 בשמעו
20 בחם

21 And he brought the tribe of Benjamin near by their families, and the family of the Matrites was taken; and Saul the son of Kish was taken; but when they sought him, he could not be found. **22** Therefore they asked of Yehovah further: 'Is there yet a man come hither?'{S} And Yehovah answered: 'Behold, he hath hid himself among the baggage.' **23** And they ran and fetched him thence; and when he stood among the people, he was higher than any of the people from his shoulders and upward. **24** And Samuel said to all the people: 'See ye him whom Yehovah hath chosen, that there is none like him among all the people?' And all the people shouted, and said: 'Long live the king.'{S}   **25** Then Samuel told the people the manner of the kingdom, and wrote it in a book, and laid it up before Yehovah. And Samuel sent all the people away, every man to his house. **26** And Saul also went to his house to Gibeah; and there went with him the men of valour, whose hearts God had touched. **27** But certain base fellows said: 'How shall this man save us?' And they despised him, and brought him no present. But he was as one that held his peace.{P}

11 **1** Then Nahash the Ammonite came up, and encamped against Jabesh-gilead; and all the men of Jabesh said unto Nahash: 'Make a covenant with us, and we will serve thee.' **2** And Nahash the Ammonite said unto them: 'On this condition will I make it with you, that all your right eyes be put out; and I will lay it for a reproach upon all Israel.' **3** And the elders of Jabesh said unto him: 'Give us seven days' respite, that we may send messengers unto all the borders of Israel; and then, if there be none to deliver us, we will come out to thee.' **4** Then came the messengers to Gibeath-shaul, and spoke these words in the ears of the people; and all the people lifted up their voice, and wept. **5** And, behold, Saul came following the oxen out of the field; and Saul said: 'What aileth the people that they weep?' And they told him the words of the men of Jabesh. **6** And the spirit of God came mightily upon Saul when he heard those words, and his anger was kindled greatly. **7** And he took a yoke of oxen, and cut them in pieces, and sent them throughout all the borders of Israel by the hand of messengers, saying: 'Whosoever cometh not forth after Saul and after Samuel, so shall it be done unto his oxen.' And the dread of Yehovah fell on the people, and they came out as one man. **8** And he numbered them in Bezek; and the children of Israel were three hundred thousand, and the men of Judah thirty thousand. **9** And they said unto the messengers that came: 'Thus shall ye say unto the men of Jabesh-gilead: To-morrow, by the time the sun is hot, ye shall have deliverance.' And the messengers came and told the men of Jabesh; and they were glad. **10** And the men of Jabesh said: 'To-morrow we will come out unto you, and ye shall do with us all that seemeth good unto you.'{S} **11** And it was so on the morrow, that Saul put the people in three companies; and they came into the midst of the camp in the morning watch, and smote the Ammonites until the heat of the day; and it came to pass, that they that remained were scattered, so that two of them were not left together. **12** And the people said unto Samuel: 'Who is he that said: Shall Saul reign over us? bring the men, that we may put them to death.'

יג וַיֹּ֣אמֶר שָׁא֗וּל לֹא־יוּמַ֥ת אִישׁ֙ בַּיּ֣וֹם הַזֶּ֔ה כִּ֥י הַיּ֛וֹם עָשָֽׂה־יְהֹוָ֥ה תְּשׁוּעָ֖ה בְּיִשְׂרָאֵֽל: יד וַיֹּ֤אמֶר שְׁמוּאֵל֙ אֶל־הָעָ֔ם לְכ֖וּ וְנֵלְכָ֣ה הַגִּלְגָּ֑ל וּנְחַדֵּ֥שׁ שָׁ֖ם הַמְּלוּכָֽה: טו וַיֵּלְכ֨וּ כׇל־הָעָ֜ם הַגִּלְגָּ֗ל וַיַּמְלִ֨כוּ שָׁ֤ם אֶת־שָׁאוּל֙ לִפְנֵ֤י יְהֹוָה֙ בַּגִּלְגָּ֔ל וַיִּזְבְּחוּ־שָׁ֛ם זְבָחִ֥ים שְׁלָמִ֖ים לִפְנֵ֣י יְהֹוָ֑ה וַיִּשְׂמַ֨ח שָׁ֥ם שָׁא֛וּל וְכׇל־אַנְשֵׁ֥י יִשְׂרָאֵ֖ל עַד־מְאֹֽד:

יב א וַיֹּ֤אמֶר שְׁמוּאֵל֙ אֶל־כׇּל־יִשְׂרָאֵ֔ל הִנֵּה֙ שָׁמַ֣עְתִּי בְקֹֽלְכֶ֔ם לְכֹ֥ל אֲשֶׁר־אֲמַרְתֶּ֖ם לִ֑י וָאַמְלִ֥יךְ עֲלֵיכֶ֖ם מֶֽלֶךְ: ב וְעַתָּ֞ה הִנֵּ֥ה הַמֶּ֣לֶךְ ׀ מִתְהַלֵּ֣ךְ לִפְנֵיכֶ֗ם וַאֲנִי֙ זָקַ֣נְתִּי וָשַׂ֔בְתִּי וּבָנַ֖י הִנָּ֣ם אִתְּכֶ֑ם וַאֲנִי֙ הִתְהַלַּ֣כְתִּי לִפְנֵיכֶ֔ם מִנְּעֻרַ֖י עַד־הַיּ֥וֹם הַזֶּֽה: ג הִנְנִ֣י עֲנ֣וּ בִי֩ נֶ֨גֶד יְהֹוָ֜ה וְנֶ֣גֶד מְשִׁיח֗וֹ אֶת־שׁוֹר֩ ׀ מִ֨י לָקַ֜חְתִּי וַחֲמ֣וֹר מִ֣י לָקַ֗חְתִּי וְאֶת־מִ֤י עָשַׁ֙קְתִּי֙ אֶת־מִ֣י רַצּ֔וֹתִי וּמִיַּד־מִי֙ לָקַ֣חְתִּי כֹ֔פֶר וְאַעְלִ֥ים עֵינַ֖י בּ֑וֹ וְאָשִׁ֖יב לָכֶֽם: ד וַיֹּ֣אמְר֔וּ לֹ֥א עֲשַׁקְתָּ֖נוּ וְלֹ֣א רַצּוֹתָ֑נוּ וְלֹֽא־לָקַ֥חְתָּ מִיַּד־אִ֖ישׁ מְאֽוּמָה: ה וַיֹּ֨אמֶר אֲלֵיהֶ֜ם עֵ֧ד יְהֹוָ֣ה בָּכֶ֗ם וְעֵ֤ד מְשִׁיחוֹ֙ הַיּ֣וֹם הַזֶּ֔ה כִּ֣י לֹ֧א מְצָאתֶ֛ם בְּיָדִ֖י מְא֑וּמָה וַיֹּ֖אמֶר עֵֽד:

ו וַיֹּ֥אמֶר שְׁמוּאֵ֖ל אֶל־הָעָ֑ם יְהֹוָ֗ה אֲשֶׁ֤ר עָשָׂה֙ אֶת־מֹשֶׁ֣ה וְאֶֽת־אַהֲרֹ֔ן וַאֲשֶׁ֧ר הֶעֱלָ֛ה אֶת־אֲבֹתֵיכֶ֖ם מֵאֶ֥רֶץ מִצְרָֽיִם: ז וְעַתָּ֗ה הִֽתְיַצְּב֛וּ וְאִשָּׁפְטָ֥ה אִתְּכֶ֖ם לִפְנֵ֣י יְהֹוָ֑ה אֵ֚ת כׇּל־צִדְק֣וֹת יְהֹוָ֔ה אֲשֶׁר־עָשָׂ֥ה אִתְּכֶ֖ם וְאֶת־אֲבֽוֹתֵיכֶֽם: ח כַּאֲשֶׁר־בָּ֥א יַעֲקֹ֖ב מִצְרָ֑יִם וַיִּזְעֲק֤וּ אֲבֽוֹתֵיכֶם֙ אֶל־יְהֹוָ֔ה וַיִּשְׁלַ֨ח יְהֹוָ֜ה אֶת־מֹשֶׁ֣ה וְאֶֽת־אַהֲרֹ֗ן וַיּוֹצִ֤יאוּ אֶת־אֲבֹֽתֵיכֶם֙ מִמִּצְרַ֔יִם וַיֹּשִׁב֖וּם בַּמָּק֥וֹם הַזֶּֽה: ט וַֽיִּשְׁכְּח֖וּ אֶת־יְהֹוָ֣ה אֱלֹֽהֵיהֶ֑ם וַיִּמְכֹּ֣ר אֹתָ֡ם בְּיַ֣ד סִֽיסְרָא֩ שַׂר־צְבָ֨א חָצ֜וֹר וּבְיַד־פְּלִשְׁתִּ֗ים וּבְיַד֙ מֶ֣לֶךְ מוֹאָ֔ב וַיִּֽלָּחֲמ֖וּ בָּֽם: י וַיִּזְעֲק֤וּ אֶל־יְהֹוָה֙ [וַיֹּאמְר֣וּ]²¹ חָטָ֔אנוּ כִּ֤י עָזַ֙בְנוּ֙ אֶת־יְהֹוָ֔ה וַנַּעֲבֹ֥ד אֶת־הַבְּעָלִ֖ים וְאֶת־הָעַשְׁתָּר֑וֹת וְעַתָּ֗ה הַצִּילֵ֛נוּ מִיַּ֥ד אֹיְבֵ֖ינוּ וְנַֽעַבְדֶֽךָ: יא וַיִּשְׁלַ֤ח יְהֹוָה֙ אֶת־יְרֻבַּ֣עַל וְאֶת־בְּדָ֔ן וְאֶת־יִפְתָּ֖ח וְאֶת־שְׁמוּאֵ֑ל וַיַּצֵּ֨ל אֶתְכֶ֜ם מִיַּ֤ד אֹֽיְבֵיכֶם֙ מִסָּבִ֔יב וַתֵּשְׁב֖וּ בֶּֽטַח: יב וַתִּרְא֗וּ כִּֽי־נָחָ֞שׁ מֶ֣לֶךְ בְּנֵֽי־עַמּוֹן֮ בָּ֣א עֲלֵיכֶם֒ וַתֹּ֣אמְרוּ לִ֔י לֹ֕א כִּי־מֶ֖לֶךְ יִמְלֹ֣ךְ עָלֵ֑ינוּ וַיהֹוָ֥ה אֱלֹהֵיכֶ֖ם מַלְכְּכֶֽם: יג וְעַתָּ֗ה הִנֵּ֤ה הַמֶּ֙לֶךְ֙ אֲשֶׁ֣ר בְּחַרְתֶּ֔ם אֲשֶׁ֖ר שְׁאֶלְתֶּ֑ם וְהִנֵּ֨ה נָתַ֧ן יְהֹוָ֛ה עֲלֵיכֶ֖ם מֶֽלֶךְ: יד אִם־תִּֽירְא֣וּ אֶת־יְהֹוָ֗ה וַעֲבַדְתֶּ֤ם אֹתוֹ֙ וּשְׁמַעְתֶּ֣ם בְּקֹל֔וֹ וְלֹ֥א תַמְר֖וּ אֶת־פִּ֣י יְהֹוָ֑ה וִהְיִתֶ֣ם גַּם־אַתֶּ֗ם וְגַם־הַמֶּ֙לֶךְ֙ אֲשֶׁ֣ר מָלַ֣ךְ עֲלֵיכֶ֔ם אַחַ֖ר יְהֹוָ֥ה אֱלֹהֵיכֶֽם: טו וְאִם־לֹ֤א תִשְׁמְעוּ֙ בְּק֣וֹל יְהֹוָ֔ה וּמְרִיתֶ֖ם אֶת־פִּ֣י יְהֹוָ֑ה וְהָיְתָ֧ה יַד־יְהֹוָ֛ה בָּכֶ֖ם וּבַאֲבֹֽתֵיכֶֽם: טז גַּם־עַתָּ֣ה הִֽתְיַצְּב֗וּ וּרְא֛וּ אֶת־הַדָּבָ֥ר הַגָּד֖וֹל הַזֶּ֑ה אֲשֶׁ֣ר יְהֹוָ֔ה עֹשֶׂ֖ה לְעֵינֵיכֶֽם:

_13_ And Saul said: 'There shall not a man be put to death this day; for to-day Yehovah hath wrought deliverance in Israel.' _14_ Then said Samuel to the people: 'Come and let us go to Gilgal, and renew the kingdom there.' _15_ And all the people went to Gilgal; and there they made Saul king before Yehovah in Gilgal; and there they sacrificed sacrifices of peace-offerings before Yehovah; and there Saul and all the men of Israel rejoiced greatly.{P}

12 _1_ And Samuel said unto all Israel: 'Behold, I have hearkened unto your voice in all that ye said unto me, and have made a king over you. _2_ And now, behold, the king walketh before you; and I am old and grayheaded; and, behold, my sons are with you; and I have walked before you from my youth unto this day. _3_ Here I am; witness against me before Yehovah, and before His anointed: whose ox have I taken? or whose ass have I taken? or whom have I defrauded? or whom have I oppressed? or of whose hand have I taken a ransom to blind mine eyes therewith? and I will restore it you.' _4_ And they said: 'Thou hast not defrauded us, nor oppressed us, neither hast thou taken aught of any man's hand.' _5_ And he said unto them: 'Yehovah is witness against you, and His anointed is witness this day, that ye have not found aught in my hand.' And they said: 'He is witness.'{P}

_6_ And Samuel said unto the people: 'It is Yehovah that made Moses and Aaron, and that brought your fathers up out of the land of Egypt. _7_ Now therefore stand still, that I may plead with you before Yehovah concerning all the righteous acts of Yehovah, which He did to you and to your fathers. _8_ When Jacob was come into Egypt, then your fathers cried unto Yehovah, and Yehovah sent Moses and Aaron, who brought forth your fathers out of Egypt, and they were made to dwell in this place. _9_ But they forgot Yehovah their God, and He gave them over into the hand of Sisera, captain of the host of Hazor, and into the hand of the Philistines, and into the hand of the king of Moab, and they fought against them. _10_ And they cried unto Yehovah, and said: We have sinned, because we have forsaken Yehovah, and have served the Baalim and the Ashtaroth; but now deliver us out of the hand of our enemies, and we will serve Thee. _11_ And Yehovah sent Jerubbaal, and Bedan, and Jephthah, and Samuel, and delivered you out of the hand of your enemies on every side, and ye dwelt in safety. _12_ And when ye saw that Nahash the king of the children of Ammon came against you, ye said unto me: Nay, but a king shall reign over us; when Yehovah your God was your king. _13_ Now therefore behold the king whom ye have chosen, and whom ye have asked for; and, behold, Yehovah hath set a king over you. _14_ If ye will fear Yehovah, and serve Him, and hearken unto His voice, and not rebel against the commandment of Yehovah, and both ye and also the king that reigneth over you be followers of Yehovah your God–; _15_ but if ye will not hearken unto the voice of Yehovah, but rebel against the commandment of Yehovah, then shall the hand of Yehovah be against you, and against your fathers. _16_ Now therefore stand still and see this great thing, which Yehovah will do before your eyes.

יז הֲל֤וֹא קְצִיר־חִטִּים֙ הַיּ֔וֹם אֶקְרָא֙ אֶל־יְהוָ֔ה וְיִתֵּ֥ן קֹל֖וֹת וּמָטָ֑ר וּדְע֣וּ וּרְא֗וּ
כִּֽי־רָעַתְכֶ֤ם רַבָּה֙ אֲשֶׁ֤ר עֲשִׂיתֶם֙ בְּעֵינֵ֣י יְהוָ֔ה לִשְׁא֥וֹל לָכֶ֖ם מֶֽלֶךְ׃ יח וַיִּקְרָ֤א
שְׁמוּאֵל֙ אֶל־יְהוָ֔ה וַיִּתֵּ֧ן יְהוָ֛ה קֹלֹ֥ת וּמָטָ֖ר בַּיּ֣וֹם הַה֑וּא וַיִּירָ֨א כָל־הָעָ֥ם מְאֹ֛ד
אֶת־יְהוָ֖ה וְאֶת־שְׁמוּאֵֽל׃ יט וַיֹּאמְר֨וּ כָל־הָעָ֜ם אֶל־שְׁמוּאֵ֗ל הִתְפַּלֵּ֛ל
בְּעַד־עֲבָדֶ֛יךָ אֶל־יְהוָ֥ה אֱלֹהֶ֖יךָ וְאַל־נָמ֑וּת כִּֽי־יָסַ֤פְנוּ עַל־כָּל־חַטֹּאתֵ֙ינוּ֙ רָעָ֔ה
לִשְׁאֹ֥ל לָ֖נוּ מֶֽלֶךְ׃ כ וַיֹּ֨אמֶר שְׁמוּאֵ֤ל אֶל־הָעָם֙ אַל־תִּירָ֔אוּ אַתֶּ֣ם עֲשִׂיתֶ֔ם אֵ֥ת
כָּל־הָרָעָ֖ה הַזֹּ֑את אַ֗ךְ אַל־תָּס֙וּרוּ֙ מֵאַחֲרֵ֣י יְהוָ֔ה וַעֲבַדְתֶּ֥ם אֶת־יְהוָ֖ה
בְּכָל־לְבַבְכֶֽם׃ כא וְלֹ֖א תָּס֑וּרוּ כִּ֣י ׀ אַחֲרֵ֣י הַתֹּ֗הוּ אֲשֶׁ֧ר לֹֽא־יוֹעִ֛ילוּ וְלֹ֥א יַצִּ֖ילוּ
כִּי־תֹ֥הוּ הֵֽמָּה׃ כב כִּ֠י לֹֽא־יִטֹּ֤שׁ יְהוָה֙ אֶת־עַמּ֔וֹ בַּעֲב֖וּר שְׁמ֣וֹ הַגָּד֑וֹל כִּ֣י הוֹאִ֣יל
יְהוָ֔ה לַעֲשׂ֥וֹת אֶתְכֶ֛ם ל֖וֹ לְעָֽם׃ כג גַּ֣ם אָנֹכִ֗י חָלִ֤ילָה לִּי֙ מֵחֲטֹ֣א לַֽיהוָ֔ה מֵחֲדֹ֖ל
לְהִתְפַּלֵּ֣ל בַּעַדְכֶ֑ם וְהוֹרֵיתִ֣י אֶתְכֶ֔ם בְּדֶ֥רֶךְ הַטּוֹבָ֖ה וְהַיְשָׁרָֽה׃ כד אַ֣ךְ ׀ יְר֣אוּ
אֶת־יְהוָ֔ה וַעֲבַדְתֶּ֥ם אֹת֛וֹ בֶּאֱמֶ֖ת בְּכָל־לְבַבְכֶ֑ם כִּ֣י רְא֔וּ אֵ֥ת אֲשֶׁר־הִגְדִּ֖ל עִמָּכֶֽם׃
כה וְאִם־הָרֵ֖עַ תָּרֵ֑עוּ גַּם־אַתֶּ֥ם גַּֽם־מַלְכְּכֶ֖ם תִּסָּפֽוּ׃

יג א בֶּן־שָׁנָ֖ה שָׁא֣וּל בְּמָלְכ֑וֹ וּשְׁתֵּ֣י שָׁנִ֔ים מָלַ֖ךְ עַל־יִשְׂרָאֵֽל׃ ב וַיִּבְחַר־ל֨וֹ שָׁא֜וּל
שְׁלֹ֨שֶׁת אֲלָפִ֜ים מִיִּשְׂרָאֵ֗ל וַיִּהְי֨וּ עִם־שָׁא֜וּל אַלְפַּ֗יִם בְּמִכְמָשׂ֙ וּבְהַ֣ר בֵּֽית־אֵ֔ל
וְאֶ֕לֶף הָי֥וּ עִם־יֽוֹנָתָ֖ן בְּגִבְעַ֣ת בִּנְיָמִ֑ין וְיֶ֣תֶר הָעָ֔ם שִׁלַּ֖ח אִ֥ישׁ לְאֹהָלָֽיו׃ ג וַיַּ֣ךְ יוֹנָתָ֗ן
אֵ֣ת נְצִ֤יב פְּלִשְׁתִּים֙ אֲשֶׁ֣ר בְּגֶ֔בַע וַיִּשְׁמְע֖וּ פְּלִשְׁתִּ֑ים וְשָׁא֨וּל תָּקַ֤ע בַּשּׁוֹפָר֙
בְּכָל־הָאָ֣רֶץ לֵאמֹ֔ר יִשְׁמְע֖וּ הָעִבְרִֽים׃ ד וְכָל־יִשְׂרָאֵ֞ל שָׁמְע֣וּ לֵאמֹ֗ר הִכָּ֤ה שָׁאוּל֙
אֶת־נְצִ֣יב פְּלִשְׁתִּ֔ים וְגַם־נִבְאַ֥שׁ יִשְׂרָאֵ֖ל בַּפְּלִשְׁתִּ֑ים וַיִּצָּעֲק֥וּ הָעָ֛ם אַחֲרֵ֥י שָׁא֖וּל
הַגִּלְגָּֽל׃ ה וּפְלִשְׁתִּ֞ים נֶאֶסְפ֣וּ ׀ לְהִלָּחֵ֣ם עִם־יִשְׂרָאֵ֗ל שְׁלֹשִׁ֨ים אֶ֤לֶף רֶ֙כֶב֙ וְשֵׁ֤שֶׁת
אֲלָפִים֙ פָּֽרָשִׁ֔ים וְעָ֕ם כַּח֛וֹל אֲשֶׁ֥ר עַל־שְׂפַת־הַיָּ֖ם לָרֹ֑ב וַֽיַּעֲלוּ֙ וַיַּחֲנ֣וּ בְמִכְמָ֔שׂ
קִדְמַ֖ת בֵּ֥ית אָֽוֶן׃ ו וְאִ֤ישׁ יִשְׂרָאֵל֙ רָא֣וּ כִּ֣י צַר־ל֔וֹ כִּ֥י נִגַּ֖שׂ הָעָ֑ם וַיִּֽתְחַבְּא֣וּ הָעָ֗ם
בַּמְּעָר֤וֹת וּבַֽחֲוָחִים֙ וּבַסְּלָעִ֔ים וּבַצְּרִחִ֖ים וּבַבֹּרֽוֹת׃ ז וְעִבְרִ֗ים עָֽבְרוּ֙ אֶת־הַיַּרְדֵּ֔ן
אֶ֥רֶץ גָּ֖ד וְגִלְעָ֑ד וְשָׁאוּל֙ עוֹדֶ֣נּוּ בַגִּלְגָּ֔ל וְכָל־הָעָ֖ם חָרְד֥וּ אַחֲרָֽיו׃ ח וַיּ֜וֹחֶל [22] ׀
שִׁ֣בְעַת יָמִ֗ים לַמּוֹעֵד֙ אֲשֶׁ֣ר שְׁמוּאֵ֔ל וְלֹא־בָ֥א שְׁמוּאֵ֖ל הַגִּלְגָּ֑ל וַיָּ֥פֶץ הָעָ֖ם מֵעָלָֽיו׃
ט וַיֹּ֣אמֶר שָׁא֔וּל הַגִּ֣שׁוּ אֵלַ֔י הָעֹלָ֖ה וְהַשְּׁלָמִ֑ים וַיַּ֖עַל הָעֹלָֽה׃ י וַיְהִ֗י כְּכַלֹּתוֹ֙
לְהַעֲל֣וֹת הָעֹלָ֔ה וְהִנֵּ֥ה שְׁמוּאֵ֖ל בָּ֑א וַיֵּצֵ֥א שָׁא֛וּל לִקְרָאת֖וֹ לְבָרֲכֽוֹ׃ יא וַיֹּ֣אמֶר
שְׁמוּאֵ֔ל מֶ֖ה עָשִׂ֑יתָ וַיֹּ֣אמֶר שָׁא֡וּל כִּֽי־רָאִ֣יתִי כִֽי־נָפַ֣ץ הָעָם֩ מֵעָלַ֨י וְאַתָּ֜ה לֹא־בָ֙אתָ֙
לְמוֹעֵ֣ד הַיָּמִ֔ים וּפְלִשְׁתִּ֖ים נֶאֱסָפִ֥ים מִכְמָֽשׂ׃ יב וָאֹמַ֗ר עַתָּה֩ יֵרְד֨וּ פְלִשְׁתִּ֤ים אֵלַי֙
הַגִּלְגָּ֔ל וּפְנֵ֥י יְהוָ֖ה לֹ֣א חִלִּ֑יתִי וָאֶֽתְאַפַּ֔ק וָאַעֲלֶ֖ה הָעֹלָֽה׃

---

[22] ויחל

17 Is it not wheat harvest to-day? I will call unto Yehovah, that He may send thunder and rain; and ye shall know and see that your wickedness is great, which ye have done in the sight of Yehovah, in asking you a king.'{S} **18** So Samuel called unto Yehovah; and Yehovah sent thunder and rain that day; and all the people greatly feared Yehovah and Samuel. **19** And all the people said unto Samuel: 'Pray for thy servants unto Yehovah thy God, that we die not; for we have added unto all our sins this evil, to ask us a king.' **20** And Samuel said unto the people: 'Fear not; ye have indeed done all this evil; yet turn not aside from following Yehovah, but serve Yehovah with all your heart; **21** and turn ye not aside; for then should ye go after vain things which cannot profit nor deliver, for they are vain. **22** For Yehovah will not forsake His people for His great name's sake; because it hath pleased Yehovah to make you a people unto Himself. **23** Moreover as for me, far be it from me that I should sin against Yehovah in ceasing to pray for you; but I will instruct you in the good and the right way. **24** Only fear Yehovah, and serve Him in truth with all your heart; for consider how great things He hath done for you. **25** But if ye shall still do wickedly, ye shall be swept away, both ye and your king.'{P}

13 **1** Saul was — years old when he began to reign; and two years he reigned over Israel. **2** And Saul chose him three thousand men of Israel; whereof two thousand were with Saul in Michmas and in the mount of Beth-el, and a thousand were with Jonathan in Gibeath-benjamin; and the rest of the people he sent every man to his tent. **3** And Jonathan smote the garrison of the Philistines that was in Geba, and the Philistines heard of it. And Saul blew the horn throughout all the land, saying: 'Let the Hebrews hear.' **4** And all Israel heard say that Saul had smitten the garrison of the Philistines, and that Israel also had made himself odious with the Philistines. And the people were gathered together after Saul to Gilgal. **5** And the Philistines assembled themselves together to fight with Israel, thirty thousand chariots, and six thousand horsemen, and people as the sand which is on the sea-shore in multitude; and they came up, and pitched in Michmas, eastward of Beth-aven. **6** When the men of Israel saw that they were in a strait–for the people were distressed–then the people did hide themselves in caves, and in thickets, and in rocks, and in holds, and in pits. **7** Now some of the Hebrews had gone over the Jordan to the land of Gad and Gilead; but as for Saul, he was yet in Gilgal, and all the people followed him trembling. **8** And he tarried seven days, according to the set time that Samuel had appointed; but Samuel came not to Gilgal; and the people were scattered from him. **9** And Saul said: 'Bring hither to me the burnt-offering and the peace-offerings.' And he offered the burnt-offering. **10** And it came to pass that, as soon as he had made an end of offering the burnt-offering, behold, Samuel came; and Saul went out to meet him, that he might salute him. **11** And Samuel said: 'What hast thou done?' And Saul said: 'Because I saw that the people were scattered from me, and that thou camest not within the days appointed, and that the Philistines assembled themselves together against Michmas; **12** therefore said I: Now will the Philistines come down upon me to Gilgal, and I have not entreated the favour of Yehovah; I forced myself therefore, and offered the burnt-offering.'{S}

יג וַיֹּ֤אמֶר שְׁמוּאֵל֙ אֶל־שָׁא֔וּל נִסְכָּ֑לְתָּ לֹ֣א שָׁמַ֗רְתָּ אֶת־מִצְוַ֞ת יְהוָ֤ה אֱלֹהֶ֙יךָ֙ אֲשֶׁ֣ר צִוָּ֔ךְ כִּ֣י עַתָּ֗ה הֵכִ֧ין יְהוָ֛ה אֶת־מַֽמְלַכְתְּךָ֥ אֶל־יִשְׂרָאֵ֖ל עַד־עוֹלָֽם: יד וְעַתָּ֖ה מַמְלַכְתְּךָ֣ לֹא־תָק֑וּם בִּקֵּשׁ֩ יְהוָ֨ה ל֜וֹ אִ֣ישׁ כִּלְבָב֗וֹ וַיְצַוֵּ֨הוּ יְהוָ֤ה לְנָגִיד֙ עַל־עַמּ֔וֹ כִּ֚י לֹ֣א שָׁמַ֔רְתָּ אֵ֥ת אֲשֶֽׁר־צִוְּךָ֖ יְהוָֽה:

טו וַיָּ֣קָם שְׁמוּאֵ֗ל וַיַּ֛עַל מִן־הַגִּלְגָּ֖ל גִּבְעַ֣ת בִּנְיָמִ֑ן וַיִּפְקֹ֣ד שָׁא֗וּל אֶת־הָעָם֙ הַנִּמְצְאִ֣ים עִמּ֔וֹ כְּשֵׁ֥שׁ מֵא֖וֹת אִֽישׁ: טז וְשָׁא֞וּל וְיוֹנָתָ֣ן בְּנ֗וֹ וְהָעָם֙ הַנִּמְצָ֣א עִמָּ֔ם יֹשְׁבִ֖ים בְּגֶ֣בַע בִּנְיָמִ֑ן וּפְלִשְׁתִּ֖ים חָנ֥וּ בְמִכְמָֽשׂ: יז וַיֵּצֵ֧א הַמַּשְׁחִ֛ית מִמַּחֲנֵ֥ה פְלִשְׁתִּ֖ים שְׁלֹשָׁ֣ה רָאשִׁ֑ים הָרֹ֨אשׁ אֶחָ֜ד יִפְנֶ֨ה אֶל־דֶּ֤רֶךְ עָפְרָה֙ אֶל־אֶ֣רֶץ שׁוּעָֽל: יח וְהָרֹ֤אשׁ אֶחָד֙ יִפְנֶ֔ה דֶּ֖רֶךְ בֵּ֣ית חֹר֑וֹן וְהָרֹ֨אשׁ אֶחָ֤ד יִפְנֶה֙ דֶּ֣רֶךְ הַגְּב֔וּל הַנִּשְׁקָ֛ף עַל־גֵּ֥י הַצְּבֹעִ֖ים הַמִּדְבָּֽרָה: יט וְחָרָשׁ֙ לֹ֣א יִמָּצֵ֔א בְּכֹ֖ל אֶ֣רֶץ יִשְׂרָאֵ֑ל כִּֽי־אָמְר֣וּ²³ פְלִשְׁתִּ֔ים פֶּ֚ן יַעֲשׂ֣וּ הָעִבְרִ֔ים חֶ֖רֶב א֥וֹ חֲנִֽית: כ וַיֵּרְד֥וּ כָל־יִשְׂרָאֵ֖ל הַפְּלִשְׁתִּ֑ים לִלְט֗וֹשׁ אִ֣ישׁ אֶת־מַחֲרַשְׁתּ֤וֹ וְאֶת־אֵתוֹ֙ וְאֶת־קַרְדֻּמּ֔וֹ וְאֵ֖ת מַחֲרֵשָׁתֽוֹ: כא וְֽהָיְתָ֞ה הַפְּצִ֣ירָה פִ֗ים לַמַּחֲרֵשֹׁת֙ וְלָ֣אֵתִ֔ים וְלִשְׁלֹ֥שׁ קִלְּשׁ֖וֹן וּלְהַקַּרְדֻּמִּ֑ים וּלְהַצִּ֖יב הַדָּרְבָֽן: כב וְהָיָה֙ בְּי֣וֹם מִלְחֶ֔מֶת וְלֹ֨א נִמְצָ֜א חֶ֤רֶב וַחֲנִית֙ בְּיַ֣ד כָּל־הָעָ֔ם אֲשֶׁ֥ר אֶת־שָׁא֖וּל וְאֶת־יוֹנָתָ֑ן וַתִּמָּצֵ֣א לְשָׁא֔וּל וּלְיוֹנָתָ֖ן בְּנֽוֹ: כג וַיֵּצֵא֙ מַצַּ֣ב פְּלִשְׁתִּ֔ים אֶֽל־מַעֲבַ֖ר מִכְמָֽשׂ:

יד א וַיְהִ֣י הַיּ֗וֹם וַיֹּ֨אמֶר יוֹנָתָ֤ן בֶּן־שָׁאוּל֙ אֶל־הַנַּ֙עַר֙ נֹשֵׂ֣א כֵלָ֔יו לְכָ֗ה וְנַעְבְּרָה֙ אֶל־מַצַּ֣ב פְּלִשְׁתִּ֔ים אֲשֶׁ֖ר מֵעֵ֣בֶר הַלָּ֑ז וּלְאָבִ֖יו לֹ֥א הִגִּֽיד: ב וְשָׁא֗וּל יוֹשֵׁב֙ בִּקְצֵ֣ה הַגִּבְעָ֔ה תַּ֥חַת הָרִמּ֖וֹן אֲשֶׁ֣ר בְּמִגְר֑וֹן וְהָעָם֙ אֲשֶׁ֣ר עִמּ֔וֹ כְּשֵׁ֥שׁ מֵא֖וֹת אִֽישׁ: ג וַאֲחִיָּ֣ה בֶן־אֲחִט֡וּב אֲחִ֣י אִיכָבֹ֣ד ׀ בֶּן־פִּינְחָ֣ס בֶּן־עֵלִ֗י כֹּהֵ֤ן ׀ יְהוָה֙ בְּשִׁל֔וֹ נֹשֵׂ֖א אֵפ֑וֹד וְהָעָם֙ לֹ֣א יָדַ֔ע כִּ֥י הָלַ֖ךְ יוֹנָתָֽן: ד וּבֵ֣ין הַֽמַּעְבְּר֗וֹת אֲשֶׁ֨ר בִּקֵּ֤שׁ יוֹנָתָן֙ לַֽעֲבֹר֙ עַל־מַצַּ֣ב פְּלִשְׁתִּ֔ים שֵׁן־הַסֶּ֤לַע מֵהָעֵ֙בֶר֙ מִזֶּ֔ה וְשֵׁן־הַסֶּ֥לַע מֵהָעֵ֖בֶר מִזֶּ֑ה וְשֵׁ֤ם הָאֶחָד֙ בּוֹצֵ֔ץ וְשֵׁ֥ם הָאֶחָ֖ד סֶֽנֶּה: ה הַשֵּׁ֧ן הָאֶחָ֛ד מָצ֥וּק מִצָּפ֖וֹן מ֣וּל מִכְמָ֑שׂ וְהָאֶחָ֥ד מִנֶּ֖גֶב מ֥וּל גָּֽבַע: ו וַיֹּ֨אמֶר יְהוֹנָתָ֜ן אֶל־הַנַּ֣עַר ׀ נֹשֵׂ֣א כֵלָ֗יו לְכָה֙ וְנַעְבְּרָ֗ה אֶל־מַצַּב֙ הָעֲרֵלִ֣ים הָאֵ֔לֶּה אוּלַ֛י יַעֲשֶׂ֥ה יְהוָ֖ה לָ֑נוּ כִּ֣י אֵ֤ין לַֽיהוָה֙ מַעְצ֔וֹר לְהוֹשִׁ֥יעַ בְּרַ֖ב א֥וֹ בִמְעָֽט: ז וַיֹּ֤אמֶר לוֹ֙ נֹשֵׂ֣א כֵלָ֔יו עֲשֵׂ֖ה כָּל־אֲשֶׁ֣ר בִּלְבָבֶ֑ךָ נְטֵ֣ה לָ֔ךְ הִנְנִ֥י עִמְּךָ֖ כִּלְבָבֶֽךָ: ח וַיֹּ֙אמֶר֙ יְה֣וֹנָתָ֔ן הִנֵּ֛ה אֲנַ֥חְנוּ עֹבְרִ֖ים אֶל־הָאֲנָשִׁ֑ים וְנִגְלִ֖ינוּ אֲלֵיהֶֽם: ט אִם־כֹּ֤ה יֹאמְרוּ֙ אֵלֵ֔ינוּ דֹּ֕מּוּ עַד־הַגִּיעֵ֖נוּ אֲלֵיכֶ֑ם וְעָמַ֣דְנוּ תַחְתֵּ֔ינוּ וְלֹ֥א נַעֲלֶ֖ה אֲלֵיהֶֽם: י וְאִם־כֹּ֨ה יֹאמְר֜וּ עֲלֵ֤ה עָלֵ֙ינוּ֙ וְעָלִ֔ינוּ כִּֽי־נְתָנָ֥ם יְהוָ֖ה בְּיָדֵ֑נוּ וְזֶה־לָּ֖נוּ הָאֽוֹת:

<u>13</u> And Samuel said to Saul: 'Thou hast done foolishly; thou hast not kept the commandment of Yehovah thy God, which He commanded thee; for now would Yehovah have established thy kingdom upon Israel for ever. <u>14</u> But now thy kingdom shall not continue; Yehovah hath sought him a man after His own heart, and Yehovah hath appointed him to be prince over His people, because thou hast not kept that which Yehovah commanded thee.'{S} <u>15</u> And Samuel arose, and got him up from Gilgal unto Gibeath-benjamin. And Saul numbered the people that were present with him, about six hundred men. <u>16</u> And Saul, and Jonathan his son, and the people that were present with them, abode in Gibeath-benjamin; but the Philistines encamped in Michmas. <u>17</u> And the spoilers came out of the camp of the Philistines in three companies: one company turned unto the way that leadeth to Ophrah, unto the land of Shual; <u>18</u> and another company turned the way to Beth-horon; and another company turned the way of the border that looketh down upon the valley of Zeboim toward the wilderness.{S} <u>19</u> Now there was no smith found throughout all the land of Israel; for the Philistines said: 'Lest the Hebrews make them swords or spears'; <u>20</u> but all the Israelites went down to the Philistines, to sharpen every man his plowshare, and his coulter, and his axe, and his mattock. <u>21</u> And the price of the filing was a pim for the mattocks, and for the coulters, and for the forks with three teeth, and for the axes; and to set the goads. <u>22</u> So it came to pass in the day of battle, that there was neither sword nor spear found in the hand of any of the people that were with Saul and Jonathan; but with Saul and with Jonathan his son was there found. <u>23</u> And the garrison of the Philistines went out unto the pass of Michmas.{S}

14 <u>1</u> Now it fell upon a day, that Jonathan the son of Saul said unto the young man that bore his armour: 'Come and let us go over to the Philistines' garrison, that is on yonder side. But he told not his father. <u>2</u> And Saul tarried in the uttermost part of Gibeah under the pomegranate-tree which is in Migron; and the people that were with him were about six hundred men, <u>3</u> and Ahijah, the son of Ahitub, Ichabod's brother, the son of Phinehas, the son of Eli, the priest of Yehovah in Shiloh, wearing an ephod. And the people knew not that Jonathan was gone. <u>4</u> And between the passes, by which Jonathan sought to go over unto the Philistines' garrison, there was a rocky crag on the one side, and a rocky crag on the other side; and the name of the one was Bozez, and the name of the other Seneh. <u>5</u> The one crag rose up on the north in front of Michmas, and the other on the south in front of Geba.{S} <u>6</u> And Jonathan said to the young man that bore his armour: 'Come and let us go over unto the garrison of these uncircumcised; it may be that Yehovah will work for us; for there is no restraint to Yehovah to save by many or by few.' <u>7</u> And his armour-bearer said unto him: 'Do all that is in thy heart; turn thee, behold I am with thee according to thy heart.'{S} <u>8</u> Then said Jonathan: 'Behold, we will pass over unto the men, and we will disclose ourselves unto them. <u>9</u> If they say thus unto us: Tarry until we come to you; then we will stand still in our place, and will not go up unto them. <u>10</u> But if they say thus: Come up unto us; then we will go up; for Yehovah hath delivered them into our hand; and this shall be the sign unto us.'

יא וַיִּגָּלוּ שְׁנֵיהֶם אֶל־מַצַּב פְּלִשְׁתִּים וַיֹּאמְרוּ פְלִשְׁתִּים הִנֵּה עִבְרִים יֹצְאִים
מִן־הַחֹרִים אֲשֶׁר הִתְחַבְּאוּ־שָׁם׃ יב וַיַּעֲנוּ אַנְשֵׁי הַמַּצָּבָה אֶת־יוֹנָתָן ׀
וְאֶת־נֹשֵׂא כֵלָיו וַיֹּאמְרוּ עֲלוּ אֵלֵינוּ וְנוֹדִיעָה אֶתְכֶם דָּבָר

וַיֹּאמֶר יוֹנָתָן אֶל־נֹשֵׂא כֵלָיו עֲלֵה אַחֲרַי כִּי־נְתָנָם יְהוָה בְּיַד יִשְׂרָאֵל׃ יג וַיַּעַל
יוֹנָתָן עַל־יָדָיו וְעַל־רַגְלָיו וְנֹשֵׂא כֵלָיו אַחֲרָיו וַיִּפְּלוּ לִפְנֵי יוֹנָתָן וְנֹשֵׂא כֵלָיו
מְמוֹתֵת אַחֲרָיו׃ יד וַתְּהִי הַמַּכָּה הָרִאשֹׁנָה אֲשֶׁר הִכָּה יוֹנָתָן וְנֹשֵׂא כֵלָיו
כְּעֶשְׂרִים אִישׁ כְּבַחֲצִי מַעֲנָה צֶמֶד שָׂדֶה׃ טו וַתְּהִי חֲרָדָה בַמַּחֲנֶה בַשָּׂדֶה
וּבְכָל־הָעָם הַמַּצָּב וְהַמַּשְׁחִית חָרְדוּ גַּם־הֵמָּה וַתִּרְגַּז הָאָרֶץ וַתְּהִי לְחֶרְדַּת
אֱלֹהִים׃ טז וַיִּרְאוּ הַצֹּפִים לְשָׁאוּל בְּגִבְעַת בִּנְיָמִן וְהִנֵּה הֶהָמוֹן נָמוֹג וַיֵּלֶךְ
וַהֲלֹם׃

יז וַיֹּאמֶר שָׁאוּל לָעָם אֲשֶׁר אִתּוֹ פִּקְדוּ־נָא וּרְאוּ מִי הָלַךְ מֵעִמָּנוּ וַיִּפְקְדוּ
וְהִנֵּה אֵין יוֹנָתָן וְנֹשֵׂא כֵלָיו׃ יח וַיֹּאמֶר שָׁאוּל לַאֲחִיָּה הַגִּישָׁה אֲרוֹן הָאֱלֹהִים
כִּי־הָיָה אֲרוֹן הָאֱלֹהִים בַּיּוֹם הַהוּא וּבְנֵי יִשְׂרָאֵל׃ יט וַיְהִי עַד דִּבֶּר שָׁאוּל
אֶל־הַכֹּהֵן וְהֶהָמוֹן אֲשֶׁר בְּמַחֲנֵה פְלִשְׁתִּים וַיֵּלֶךְ הָלוֹךְ וָרָב

וַיֹּאמֶר שָׁאוּל אֶל־הַכֹּהֵן אֱסֹף יָדֶךָ׃ כ וַיִּזָּעֵק שָׁאוּל וְכָל־הָעָם אֲשֶׁר אִתּוֹ
וַיָּבֹאוּ עַד־הַמִּלְחָמָה וְהִנֵּה הָיְתָה חֶרֶב אִישׁ בְּרֵעֵהוּ מְהוּמָה גְּדוֹלָה מְאֹד׃
כא וְהָעִבְרִים הָיוּ לַפְּלִשְׁתִּים כְּאֶתְמוֹל שִׁלְשׁוֹם אֲשֶׁר עָלוּ עִמָּם בַּמַּחֲנֶה
סָבִיב וְגַם־הֵמָּה לִהְיוֹת עִם־יִשְׂרָאֵל אֲשֶׁר עִם־שָׁאוּל וְיוֹנָתָן׃ כב וְכֹל אִישׁ
יִשְׂרָאֵל הַמִּתְחַבְּאִים בְּהַר־אֶפְרַיִם שָׁמְעוּ כִּי־נָסוּ פְּלִשְׁתִּים וַיַּדְבְּקוּ גַם־הֵמָּה
אַחֲרֵיהֶם בַּמִּלְחָמָה׃ כג וַיּוֹשַׁע יְהוָה בַּיּוֹם הַהוּא אֶת־יִשְׂרָאֵל וְהַמִּלְחָמָה
עָבְרָה אֶת־בֵּית אָוֶן׃ כד וְאִישׁ־יִשְׂרָאֵל נִגַּשׂ בַּיּוֹם הַהוּא וַיֹּאֶל שָׁאוּל אֶת־הָעָם
לֵאמֹר אָרוּר הָאִישׁ אֲשֶׁר־יֹאכַל לֶחֶם עַד־הָעֶרֶב וְנִקַּמְתִּי מֵאֹיְבַי וְלֹא טָעַם
כָּל־הָעָם לָחֶם׃ כה וְכָל־הָאָרֶץ בָּאוּ בַיָּעַר וַיְהִי דְבַשׁ עַל־פְּנֵי הַשָּׂדֶה׃
כו וַיָּבֹא הָעָם אֶל־הַיַּעַר וְהִנֵּה הֵלֶךְ דְּבָשׁ וְאֵין־מַשִּׂיג יָדוֹ אֶל־פִּיו כִּי־יָרֵא
הָעָם אֶת־הַשְּׁבֻעָה׃ כז וְיוֹנָתָן לֹא־שָׁמַע בְּהַשְׁבִּיעַ אָבִיו אֶת־הָעָם וַיִּשְׁלַח
אֶת־קְצֵה הַמַּטֶּה אֲשֶׁר בְּיָדוֹ וַיִּטְבֹּל אוֹתָהּ בְּיַעְרַת הַדְּבָשׁ וַיָּשֶׁב יָדוֹ אֶל־פִּיו
וַתָּאֹרְנָה[24] עֵינָיו׃ כח וַיַּעַן אִישׁ מֵהָעָם וַיֹּאמֶר הַשְׁבֵּעַ הִשְׁבִּיעַ אָבִיךָ אֶת־הָעָם
לֵאמֹר אָרוּר הָאִישׁ אֲשֶׁר־יֹאכַל לֶחֶם הַיּוֹם וַיָּעַף הָעָם׃ כט וַיֹּאמֶר יוֹנָתָן
עָכַר אָבִי אֶת־הָאָרֶץ רְאוּ־נָא כִּי־אֹרוּ עֵינַי כִּי טָעַמְתִּי מְעַט דְּבַשׁ הַזֶּה׃

[24] ותראנה

11 And both of them disclosed themselves unto the garrison of the Philistines; and the Philistines said: 'Behold Hebrews coming forth out of the holes where they hid themselves.' **12** And the men of the garrison spoke to Jonathan and his armour-bearer, and said: 'Come up to us, and we will show you a thing.'{P}

And Jonathan said unto his armour-bearer: 'Come up after me; for Yehovah hath delivered them into the hand of Israel.' **13** And Jonathan climbed up upon his hands and upon his feet, and his armour-bearer after him; and they fell before Jonathan; and his armour-bearer slew them after him. **14** And that first slaughter, which Jonathan and his armour-bearer made, was about twenty men, within as it were half a furrow's length in an acre of land. **15** And there was a trembling in the camp in the field, and among all the people; the garrison, and the spoilers, they also trembled; and the earth quaked; so it grew into a terror from God. **16** And the watchmen of Saul in Gibeath-benjamin looked; and, behold, the multitude melted away, and they went hither and thither.{P}

17 Then said Saul unto the people that were with him: 'Number now, and see who is gone from us.' And when they had numbered, behold, Jonathan and his armour-bearer were not there. **18** And Saul said unto Ahijah: 'Bring hither the ark of God.' For the ark of God was there at that time with the children of Israel. **19** And it came to pass, while Saul talked unto the priest, that the tumult that was in the camp of the Philistines went on and increased;{P}

and Saul said unto the priest: 'Withdraw thy hand.' **20** And Saul and all the people that were with him were gathered together, and came to the battle; and, behold, every man's sword was against his fellow, and there was a very great discomfiture. **21** Now the Hebrews that were with the Philistines as beforetime, and that went up with them into the camp round about; even they also turned to be with the Israelites that were with Saul and Jonathan. **22** Likewise all the men of Israel that had hid themselves in the hill-country of Ephraim, when they heard that the Philistines fled, even they also followed hard after them in the battle. **23** So Yehovah saved Israel that day; and the battle passed on as far as Beth-aven. **24** And the men of Israel were distressed that day; but Saul adjured the people, saying: 'Cursed be the man that eateth any food until it be evening, and I be avenged on mine enemies.' So none of the people tasted food.{S} **25** And all the people came into the forest; and there was honey upon the ground. **26** And when the people were come unto the forest, behold a flow of honey; but no man put his hand to his mouth; for the people feared the oath. **27** But Jonathan heard not when his father charged the people with the oath; and he put forth the end of the rod that was in his hand, and dipped it in the honeycomb, and put his hand to his mouth; and his eyes brightened. **28** Then answered one of the people, and said: 'Thy father straitly charged the people with an oath, saying: Cursed be the man that eateth food this day; and the people are faint.' **29** Then said Jonathan: 'My father hath troubled the land; see, I pray you, how mine eyes are brightened, because I tasted a little of this honey.

ל אַף כִּי לוּא אָכֹל אָכַל הַיּוֹם הָעָם מִשְּׁלַל אֹיְבָיו אֲשֶׁר מָצָא כִּי עַתָּה
לֹא־רָבְתָה מַכָּה בַּפְּלִשְׁתִּים׃ לא וַיַּכּוּ בַּיּוֹם הַהוּא בַּפְּלִשְׁתִּים מִמִּכְמָשׂ אַיָּלֹנָה
וַיָּעַף הָעָם מְאֹד׃ לב וַיַּעַט[25] הָעָם אֶל־הַשָּׁלָל[26] וַיִּקְחוּ צֹאן וּבָקָר וּבְנֵי בָקָר
וַיִּשְׁחֲטוּ־אָרְצָה וַיֹּאכַל הָעָם עַל־הַדָּם׃ לג וַיַּגִּידוּ לְשָׁאוּל לֵאמֹר הִנֵּה הָעָם
חֹטְאִים לַיהוָה לֶאֱכֹל עַל־הַדָּם וַיֹּאמֶר בְּגַדְתֶּם גֹּלּוּ־אֵלַי הַיּוֹם אֶבֶן גְּדוֹלָה׃
לד וַיֹּאמֶר שָׁאוּל פֻּצוּ בָעָם וַאֲמַרְתֶּם לָהֶם הַגִּישׁוּ אֵלַי אִישׁ שׁוֹרוֹ וְאִישׁ שֵׂיֵהוּ
וּשְׁחַטְתֶּם בָּזֶה וַאֲכַלְתֶּם וְלֹא־תֶחֶטְאוּ לַיהוָה לֶאֱכֹל אֶל־הַדָּם וַיַּגִּשׁוּ כָל־הָעָם
אִישׁ שׁוֹרוֹ בְיָדוֹ הַלַּיְלָה וַיִּשְׁחֲטוּ־שָׁם׃ לה וַיִּבֶן שָׁאוּל מִזְבֵּחַ לַיהוָה אֹתוֹ הֵחֵל
לִבְנוֹת מִזְבֵּחַ לַיהוָה׃

לו וַיֹּאמֶר שָׁאוּל נֵרְדָה אַחֲרֵי פְלִשְׁתִּים ׀ לַיְלָה וְנָבֹזָּה בָהֶם ׀ עַד־אוֹר הַבֹּקֶר
וְלֹא־נַשְׁאֵר בָּהֶם אִישׁ וַיֹּאמְרוּ כָּל־הַטּוֹב בְּעֵינֶיךָ עֲשֵׂה וַיֹּאמֶר הַכֹּהֵן נִקְרְבָה
הֲלֹם אֶל־הָאֱלֹהִים׃ לז וַיִּשְׁאַל שָׁאוּל בֵּאלֹהִים הַאֵרֵד אַחֲרֵי פְלִשְׁתִּים הֲתִתְּנֵם
בְּיַד יִשְׂרָאֵל וְלֹא עָנָהוּ בַּיּוֹם הַהוּא׃ לח וַיֹּאמֶר שָׁאוּל גֹּשׁוּ הֲלֹם כֹּל פִּנּוֹת
הָעָם וּדְעוּ וּרְאוּ בַּמָּה הָיְתָה הַחַטָּאת הַזֹּאת הַיּוֹם׃ לט כִּי חַי־יְהוָה הַמּוֹשִׁיעַ
אֶת־יִשְׂרָאֵל כִּי אִם־יֶשְׁנוֹ בְּיוֹנָתָן בְּנִי כִּי מוֹת יָמוּת וְאֵין עֹנֵהוּ מִכָּל־הָעָם׃
מ וַיֹּאמֶר אֶל־כָּל־יִשְׂרָאֵל אַתֶּם תִּהְיוּ לְעֵבֶר אֶחָד וַאֲנִי וְיוֹנָתָן בְּנִי נִהְיֶה לְעֵבֶר
אֶחָד וַיֹּאמְרוּ הָעָם אֶל־שָׁאוּל הַטּוֹב בְּעֵינֶיךָ עֲשֵׂה׃ מא וַיֹּאמֶר שָׁאוּל אֶל־יְהוָה
אֱלֹהֵי יִשְׂרָאֵל הָבָה תָמִים וַיִּלָּכֵד יוֹנָתָן וְשָׁאוּל וְהָעָם יָצָאוּ׃ מב וַיֹּאמֶר שָׁאוּל
הַפִּילוּ בֵּינִי וּבֵין יוֹנָתָן בְּנִי וַיִּלָּכֵד יוֹנָתָן׃ מג וַיֹּאמֶר שָׁאוּל אֶל־יוֹנָתָן הַגִּידָה לִּי
מֶה עָשִׂיתָה וַיַּגֶּד־לוֹ יוֹנָתָן וַיֹּאמֶר טָעֹם טָעַמְתִּי בִּקְצֵה הַמַּטֶּה אֲשֶׁר־בְּיָדִי
מְעַט דְּבַשׁ הִנְנִי אָמוּת׃ מד וַיֹּאמֶר שָׁאוּל כֹּה־יַעֲשֶׂה אֱלֹהִים וְכֹה יוֹסִף כִּי־מוֹת
תָּמוּת יוֹנָתָן׃ מה וַיֹּאמֶר הָעָם אֶל־שָׁאוּל הֲיוֹנָתָן ׀ יָמוּת אֲשֶׁר עָשָׂה הַיְשׁוּעָה
הַגְּדוֹלָה הַזֹּאת בְּיִשְׂרָאֵל חָלִילָה חַי־יְהוָה אִם־יִפֹּל מִשַּׂעֲרַת רֹאשׁוֹ אַרְצָה
כִּי־עִם־אֱלֹהִים עָשָׂה הַיּוֹם הַזֶּה וַיִּפְדּוּ הָעָם אֶת־יוֹנָתָן וְלֹא־מֵת׃ מו וַיַּעַל
שָׁאוּל מֵאַחֲרֵי פְּלִשְׁתִּים וּפְלִשְׁתִּים הָלְכוּ לִמְקוֹמָם׃ מז וְשָׁאוּל לָכַד הַמְּלוּכָה
עַל־יִשְׂרָאֵל וַיִּלָּחֶם סָבִיב ׀ בְּכָל־אֹיְבָיו בְּמוֹאָב ׀ וּבִבְנֵי־עַמּוֹן וּבֶאֱדוֹם
וּבְמַלְכֵי צוֹבָה וּבַפְּלִשְׁתִּים וּבְכֹל אֲשֶׁר־יִפְנֶה יַרְשִׁיעַ׃ מח וַיַּעַשׂ חַיִל וַיַּךְ
אֶת־עֲמָלֵק וַיַּצֵּל אֶת־יִשְׂרָאֵל מִיַּד שֹׁסֵהוּ׃ מט וַיִּהְיוּ בְּנֵי שָׁאוּל יוֹנָתָן וְיִשְׁוִי
וּמַלְכִּי־שׁוּעַ וְשֵׁם שְׁתֵּי בְנֹתָיו שֵׁם הַבְּכִירָה מֵרַב וְשֵׁם הַקְּטַנָּה מִיכַל׃ נ וְשֵׁם
אֵשֶׁת שָׁאוּל אֲחִינֹעַם בַּת־אֲחִימָעַץ וְשֵׁם שַׂר־צְבָאוֹ אֲבִינֵר בֶּן־נֵר דּוֹד שָׁאוּל׃

[25] ויעש
[26] שלל

30 How much more, if haply the people had eaten freely to-day of the spoil of their enemies which they found? had there not been then a much greater slaughter among the Philistines?' **31** And they smote of the Philistines that day from Michmas to Aijalon; and the people were very faint. **32** And the people flew upon the spoil, and took sheep, and oxen, and calves, and slew them on the ground; and the people did eat them with the blood. **33** Then they told Saul, saying: 'Behold, the people sin against Yehovah, in that they eat with the blood.' And he said: 'Ye have dealt treacherously; roll a great stone unto me this day.' **34** And Saul said: 'Disperse yourselves among the people, and say unto them: Bring me hither every man his ox, and every man his sheep, and slay them here, and eat; and sin not against Yehovah in eating with the blood.' And all the people brought every man his ox with him that night, and slew them there. **35** And Saul built an altar unto Yehovah; the same was the first altar that he built unto Yehovah.{P}

36 And Saul said: 'Let us go down after the Philistines by night, and spoil them until the morning light, and let us not leave a man of them.' And they said: 'Do whatsoever seemeth good unto thee.'{S} Then said the priest: 'Let us draw near hither unto God.' **37** And Saul asked counsel of God: 'Shall I go down after the Philistines? wilt Thou deliver them into the hand of Israel?' But He answered him not that day. **38** And Saul said: 'Draw nigh hither, all ye chiefs of the people; and know and see wherein this sin hath been this day. **39** For, as Yehovah liveth, who saveth Israel, though it be in Jonathan my son, he shall surely die.' But there was not a man among all the people that answered him. **40** Then said he unto all Israel: 'Be ye on one side, and I and Jonathan my son will be on the other side.' And the people said unto Saul: 'Do what seemeth good unto thee.'{S} **41** Therefore Saul said unto Yehovah, the God of Israel: 'Declare the right.' And Jonathan and Saul were taken by lot; but the people escaped. **42** And Saul said: 'Cast lots between me and Jonathan my son.' And Jonathan was taken. **43** Then Saul said to Jonathan: 'Tell me what thou hast done.' And Jonathan told him, and said: 'I did certainly taste a little honey with the end of the rod that was in my hand; here am I: I will die.'{S} **44** And Saul said: 'God do so and more also; thou shalt surely die, Jonathan.' **45** And the people said unto Saul: 'Shall Jonathan die, who hath wrought this great salvation in Israel? Far from it; as Yehovah liveth, there shall not one hair of his head fall to the ground; for he hath wrought with God this day.' So the people rescued Jonathan, that he died not.{S} **46** Then Saul went up from following the Philistines; and the Philistines went to their own place. **47** So Saul took the kingdom over Israel, and fought against all his enemies on every side, against Moab, and against the children of Ammon, and against Edom, and against the kings of Zobah, and against the Philistines; and whithersoever he turned himself, he put them to the worse. **48** And he did valiantly, and smote the Amalekites, and delivered Israel out of the hands of them that spoiled them.{P}

49 Now the sons of Saul were Jonathan, and Ishvi, and Malchi-shua; and the names of his two daughters were these: the name of the first-born Merab, and the name of the younger Michal; **50** and the name of Saul's wife was Ahinoam the daughter of Ahimaaz; and the name of the captain of his host was Abner, the son of Ner, Saul's uncle.

נא וְקִישׁ אֲבִי־שָׁאוּל וְנֵר אֲבִי־אַבְנֵר בֶּן־אֲבִיאֵל׃ נב וַתְּהִי הַמִּלְחָמָה חֲזָקָה
עַל־פְּלִשְׁתִּים כֹּל יְמֵי שָׁאוּל וְרָאָה שָׁאוּל כָּל־אִישׁ גִּבּוֹר וְכָל־בֶּן־חַיִל
וַיַּאַסְפֵהוּ אֵלָיו׃

יה א וַיֹּאמֶר שְׁמוּאֵל אֶל־שָׁאוּל אֹתִי שָׁלַח יְהוָה לִמְשָׁחֳךָ לְמֶלֶךְ עַל־עַמּוֹ
עַל־יִשְׂרָאֵל וְעַתָּה שְׁמַע לְקוֹל דִּבְרֵי יְהוָה׃ ב כֹּה אָמַר יְהוָה צְבָאוֹת פָּקַדְתִּי
אֵת אֲשֶׁר־עָשָׂה עֲמָלֵק לְיִשְׂרָאֵל אֲשֶׁר־שָׂם לוֹ בַּדֶּרֶךְ בַּעֲלֹתוֹ מִמִּצְרָיִם׃
ג עַתָּה לֵךְ וְהִכִּיתָה אֶת־עֲמָלֵק וְהַחֲרַמְתֶּם אֶת־כָּל־אֲשֶׁר־לוֹ וְלֹא תַחְמֹל
עָלָיו וְהֵמַתָּה מֵאִישׁ עַד־אִשָּׁה מֵעֹלֵל וְעַד־יוֹנֵק מִשּׁוֹר וְעַד־שֶׂה מִגָּמָל
וְעַד־חֲמוֹר׃ ד וַיְשַׁמַּע שָׁאוּל אֶת־הָעָם וַיִּפְקְדֵם בַּטְּלָאִים מָאתַיִם אֶלֶף רַגְלִי
וַעֲשֶׂרֶת אֲלָפִים אֶת־אִישׁ יְהוּדָה׃ ה וַיָּבֹא שָׁאוּל עַד־עִיר עֲמָלֵק וַיָּרֶב בַּנָּחַל׃
ו וַיֹּאמֶר שָׁאוּל אֶל־הַקֵּינִי לְכוּ סֻּרוּ רְדוּ מִתּוֹךְ עֲמָלֵקִי פֶּן־אֹסִפְךָ עִמּוֹ וְאַתָּה
עָשִׂיתָה חֶסֶד עִם־כָּל־בְּנֵי יִשְׂרָאֵל בַּעֲלוֹתָם מִמִּצְרָיִם וַיָּסַר קֵינִי מִתּוֹךְ
עֲמָלֵק׃ ז וַיַּךְ שָׁאוּל אֶת־עֲמָלֵק מֵחֲוִילָה בּוֹאֲךָ שׁוּר אֲשֶׁר עַל־פְּנֵי מִצְרָיִם׃
ח וַיִּתְפֹּשׂ אֶת־אֲגַג מֶלֶךְ־עֲמָלֵק חָי וְאֶת־כָּל־הָעָם הֶחֱרִים לְפִי־חָרֶב׃
ט וַיַּחְמֹל שָׁאוּל וְהָעָם עַל־אֲגָג וְעַל־מֵיטַב הַצֹּאן וְהַבָּקָר וְהַמִּשְׁנִים
וְעַל־הַכָּרִים וְעַל־כָּל־הַטּוֹב וְלֹא אָבוּ הַחֲרִימָם וְכָל־הַמְּלָאכָה נְמִבְזָה וְנָמֵס
אֹתָהּ הֶחֱרִימוּ׃

י וַיְהִי דְּבַר־יְהוָה אֶל־שְׁמוּאֵל לֵאמֹר׃ יא נִחַמְתִּי כִּי־הִמְלַכְתִּי אֶת־שָׁאוּל
לְמֶלֶךְ כִּי־שָׁב מֵאַחֲרַי וְאֶת־דְּבָרַי לֹא הֵקִים וַיִּחַר לִשְׁמוּאֵל וַיִּזְעַק אֶל־יְהוָה
כָּל־הַלָּיְלָה׃ יב וַיַּשְׁכֵּם שְׁמוּאֵל לִקְרַאת שָׁאוּל בַּבֹּקֶר וַיֻּגַּד לִשְׁמוּאֵל לֵאמֹר
בָּא־שָׁאוּל הַכַּרְמֶלָה וְהִנֵּה מַצִּיב לוֹ יָד וַיִּסֹּב וַיַּעֲבֹר וַיֵּרֶד הַגִּלְגָּל׃ יג וַיָּבֹא
שְׁמוּאֵל אֶל־שָׁאוּל וַיֹּאמֶר לוֹ שָׁאוּל בָּרוּךְ אַתָּה לַיהוָה הֲקִימֹתִי אֶת־דְּבַר
יְהוָה׃ יד וַיֹּאמֶר שְׁמוּאֵל וּמֶה קוֹל־הַצֹּאן הַזֶּה בְּאָזְנָי וְקוֹל הַבָּקָר אֲשֶׁר אָנֹכִי
שֹׁמֵעַ׃ טו וַיֹּאמֶר שָׁאוּל מֵעֲמָלֵקִי הֱבִיאוּם אֲשֶׁר חָמַל הָעָם עַל־מֵיטַב הַצֹּאן
וְהַבָּקָר לְמַעַן זְבֹחַ לַיהוָה אֱלֹהֶיךָ וְאֶת־הַיּוֹתֵר הֶחֱרַמְנוּ׃ טז וַיֹּאמֶר שְׁמוּאֵל
אֶל־שָׁאוּל הֶרֶף וְאַגִּידָה לְּךָ אֵת אֲשֶׁר דִּבֶּר יְהוָה אֵלַי הַלָּיְלָה וַיֹּאמֶר[27] לוֹ
דַּבֵּר׃ יז וַיֹּאמֶר שְׁמוּאֵל הֲלוֹא אִם־קָטֹן אַתָּה בְּעֵינֶיךָ רֹאשׁ שִׁבְטֵי יִשְׂרָאֵל
אָתָּה וַיִּמְשָׁחֲךָ יְהוָה לְמֶלֶךְ עַל־יִשְׂרָאֵל׃ יח וַיִּשְׁלָחֲךָ יְהוָה בְּדָרֶךְ וַיֹּאמֶר לֵךְ
וְהַחֲרַמְתָּה אֶת־הַחַטָּאִים אֶת־עֲמָלֵק וְנִלְחַמְתָּ בוֹ עַד כַּלּוֹתָם אֹתָם׃ יט וְלָמָּה
לֹא־שָׁמַעְתָּ בְּקוֹל יְהוָה וַתַּעַט אֶל־הַשָּׁלָל וַתַּעַשׂ הָרַע בְּעֵינֵי יְהוָה׃

[27] ויאמרו

51 And Kish was the father of Saul, and Ner the father of Abner was the son of Abiel.{S}   **52** And there was sore war against the Philistines all the days of Saul; and when Saul saw any mighty man, or any valiant man, he took him unto him.{P}

15 1 And Samuel said unto Saul: 'Yehovah sent me to anoint thee to be king over His people, over Israel; now therefore hearken thou unto the voice of the words of Yehovah.{S}   **2** Thus saith Yehovah of hosts: I remember that which Amalek did to Israel, how he set himself against him in the way, when he came up out of Egypt. **3** Now go and smite Amalek, and utterly destroy all that they have, and spare them not; but slay both man and woman, infant and suckling, ox and sheep, camel and ass.'{S} **4** And Saul summoned the people, and numbered them in Telaim, two hundred thousand footmen, and ten thousand men of Judah. **5** And Saul came to the city of Amalek, and lay in wait in the valley. **6** And Saul said unto the Kenites: 'Go, depart, get you down from among the Amalekites, lest I destroy you with them; for ye showed kindness to all the children of Israel, when they came up out of Egypt.' So the Kenites departed from among the Amalekites. **7** And Saul smote the Amalekites, from Havilah as thou goest to Shur, that is in front of Egypt. **8** And he took Agag the king of the Amalekites alive, and utterly destroyed all the people with the edge of the sword. **9** But Saul and the people spared Agag, and the best of the sheep, and of the oxen, even the young of the second birth, and the lambs, and all that was good, and would not utterly destroy them; but every thing that was of no account and feeble, that they destroyed utterly.{P}

10 Then came the word of Yehovah unto Samuel, saying: **11** 'It repenteth Me that I have set up Saul to be king; for he is turned back from following Me, and hath not performed My commandments.' And it grieved Samuel; and he cried unto Yehovah all night. **12** And Samuel rose early to meet Saul in the morning; and it was told Samuel, saying: 'Saul came to Carmel, and, behold, he is setting him up a monument, and is gone about, and passed on, and gone down to Gilgal.' **13** And Samuel came to Saul; and Saul said unto him: 'Blessed be thou of Yehovah; I have performed the commandment of Yehovah.' **14** And Samuel said: 'What meaneth then this bleating of the sheep in mine ears, and the lowing of the oxen which I hear?' **15** And Saul said: 'They have brought them from the Amalekites; for the people spared the best of the sheep and of the oxen, to sacrifice unto Yehovah thy God; and the rest we have utterly destroyed.'{P}

16 Then Samuel said unto Saul: 'Stay, and I will tell thee what Yehovah hath said to me this night.' And he said unto him: 'Say on.'{S} **17** And Samuel said: 'Though thou be little in thine own sight, art thou not head of the tribes of Israel? And Yehovah anointed thee king over Israel; **18** and Yehovah sent thee on a journey, and said: Go and utterly destroy the sinners the Amalekites, and fight against them until they be consumed. **19** Wherefore then didst thou not hearken to the voice of Yehovah, but didst fly upon the spoil, and didst that which was evil in the sight of Yehovah?'{S}

כ וַיֹּ֨אמֶר שָׁא֜וּל אֶל־שְׁמוּאֵ֗ל אֲשֶׁ֤ר שָׁמַ֙עְתִּי֙ בְּק֣וֹל יְהוָ֔ה וָאֵ֕לֵךְ בַּדֶּ֖רֶךְ
אֲשֶׁר־שְׁלָחַ֣נִי יְהוָ֑ה וָאָבִ֗יא אֶת־אֲגַג֙ מֶ֣לֶךְ עֲמָלֵ֔ק וְאֶת־עֲמָלֵ֖ק הֶחֱרַֽמְתִּי׃
כא וַיִּקַּ֨ח הָעָ֧ם מֵהַשָּׁלָ֛ל צֹ֥אן וּבָקָ֖ר רֵאשִׁ֣ית הַחֵ֑רֶם לִזְבֹּ֛חַ לַיהוָ֥ה אֱלֹהֶ֖יךָ
בַּגִּלְגָּֽל׃ כב וַיֹּ֣אמֶר שְׁמוּאֵ֗ל הַחֵ֤פֶץ לַֽיהוָה֙ בְּעֹל֣וֹת וּזְבָחִ֔ים כִּשְׁמֹ֖עַ בְּק֣וֹל
יְהוָ֑ה הִנֵּ֤ה שְׁמֹ֙עַ֙ מִזֶּ֣בַח ט֔וֹב לְהַקְשִׁ֖יב מֵחֵ֥לֶב אֵילִֽים׃ כג כִּ֤י חַטַּאת־קֶ֙סֶם֙
מֶ֔רִי וְאָ֥וֶן וּתְרָפִ֖ים הַפְצַ֑ר יַ֗עַן מָאַ֙סְתָּ֙ אֶת־דְּבַ֣ר יְהוָ֔ה וַיִּמְאָסְךָ֖ מִמֶּֽלֶךְ׃
כד וַיֹּ֨אמֶר שָׁא֤וּל אֶל־שְׁמוּאֵל֙ חָטָ֔אתִי כִּֽי־עָבַ֥רְתִּי אֶת־פִּֽי־יְהוָ֖ה וְאֶת־דְּבָרֶ֑יךָ
כִּ֤י יָרֵ֙אתִי֙ אֶת־הָעָ֔ם וָאֶשְׁמַ֖ע בְּקוֹלָֽם׃ כה וְעַתָּ֕ה שָׂ֥א נָ֖א אֶת־חַטָּאתִ֑י וְשׁ֣וּב
עִמִּ֔י וְאֶֽשְׁתַּחֲוֶ֖ה לַֽיהוָֽה׃ כו וַיֹּ֤אמֶר שְׁמוּאֵל֙ אֶל־שָׁא֔וּל לֹ֥א אָשׁ֖וּב עִמָּ֑ךְ כִּ֤י
מָאַ֙סְתָּה֙ אֶת־דְּבַ֣ר יְהוָ֔ה וַיִּמְאָסְךָ֣ יְהוָ֔ה מִהְי֥וֹת מֶ֖לֶךְ עַל־יִשְׂרָאֵֽל׃ כז וַיִּסֹּ֥ב
שְׁמוּאֵ֖ל לָלֶ֑כֶת וַיַּחֲזֵ֥ק בִּכְנַף־מְעִיל֖וֹ וַיִּקָּרַֽע׃ כח וַיֹּ֤אמֶר אֵלָיו֙ שְׁמוּאֵ֔ל קָרַ֨ע
יְהוָ֜ה אֶת־מַמְלְכ֧וּת יִשְׂרָאֵ֛ל מֵעָלֶ֖יךָ הַיּ֑וֹם וּנְתָנָ֕הּ לְרֵעֲךָ֖ הַטּ֥וֹב מִמֶּֽךָּ׃ כט וְגַם֙
נֵ֣צַח יִשְׂרָאֵ֔ל לֹ֥א יְשַׁקֵּ֖ר וְלֹ֣א יִנָּחֵ֑ם כִּ֣י לֹ֥א אָדָ֛ם ה֖וּא לְהִנָּחֵֽם׃ ל וַיֹּ֣אמֶר
חָטָ֔אתִי עַתָּ֗ה כַּבְּדֵ֣נִי נָ֛א נֶ֥גֶד זִקְנֵֽי־עַמִּ֖י וְנֶ֣גֶד יִשְׂרָאֵ֑ל וְשׁ֣וּב עִמִּ֔י וְהִֽשְׁתַּחֲוֵ֖יתִי
לַיהוָ֥ה אֱלֹהֶֽיךָ׃ לא וַיָּ֥שָׁב שְׁמוּאֵ֖ל אַחֲרֵ֣י שָׁא֑וּל וַיִּשְׁתַּ֥חוּ שָׁא֖וּל לַֽיהוָֽה׃
לב וַיֹּ֣אמֶר שְׁמוּאֵ֗ל הַגִּ֤ישׁוּ אֵלַי֙ אֶת־אֲגַג֙ מֶ֣לֶךְ עֲמָלֵ֔ק וַיֵּ֣לֶךְ אֵלָ֔יו אֲגַ֖ג מַעֲדַנֹּ֑ת
וַיֹּ֣אמֶר אֲגָ֔ג אָכֵ֖ן סָ֥ר מַר־הַמָּֽוֶת׃ לג וַיֹּ֣אמֶר שְׁמוּאֵ֗ל כַּאֲשֶׁ֨ר שִׁכְּלָ֤ה נָשִׁים֙
חַרְבֶּ֔ךָ כֵּן־תִּשְׁכַּ֥ל מִנָּשִׁ֖ים אִמֶּ֑ךָ וַיְשַׁסֵּ֨ף שְׁמוּאֵ֧ל אֶת־אֲגָ֛ג לִפְנֵ֥י יְהוָ֖ה בַּגִּלְגָּֽל׃
לד וַיֵּ֥לֶךְ שְׁמוּאֵ֖ל הָרָמָ֑תָה וְשָׁא֛וּל עָלָ֥ה אֶל־בֵּית֖וֹ גִּבְעַ֥ת שָׁאֽוּל׃ לה וְלֹא־יָסַ֨ף
שְׁמוּאֵ֜ל לִרְא֤וֹת אֶת־שָׁאוּל֙ עַד־י֣וֹם מוֹת֔וֹ כִּֽי־הִתְאַבֵּ֥ל שְׁמוּאֵ֖ל אֶל־שָׁא֑וּל
וַֽיהוָ֣ה נִחָ֔ם כִּֽי־הִמְלִ֥יךְ אֶת־שָׁא֖וּל עַל־יִשְׂרָאֵֽל׃

יו א וַיֹּ֨אמֶר יְהוָ֜ה אֶל־שְׁמוּאֵ֗ל עַד־מָתַי֙ אַתָּה֙ מִתְאַבֵּ֣ל אֶל־שָׁא֔וּל וַאֲנִ֣י
מְאַסְתִּ֔יו מִמְּלֹ֖ךְ עַל־יִשְׂרָאֵ֑ל מַלֵּ֨א קַרְנְךָ֜ שֶׁ֗מֶן וְלֵ֤ךְ אֶֽשְׁלָחֲךָ֙ אֶל־יִשַׁ֣י
בֵּית־הַלַּחְמִ֔י כִּֽי־רָאִ֧יתִי בְּבָנָ֛יו לִ֖י מֶֽלֶךְ׃ ב וַיֹּ֤אמֶר שְׁמוּאֵל֙ אֵ֣יךְ אֵלֵ֔ךְ וְשָׁמַ֥ע
שָׁא֖וּל וַהֲרָגָ֑נִי וַיֹּ֣אמֶר יְהוָ֗ה עֶגְלַ֤ת בָּקָר֙ תִּקַּ֣ח בְּיָדֶ֔ךָ וְאָמַרְתָּ֕ לִזְבֹּ֥חַ לַֽיהוָ֖ה
בָּֽאתִי׃ ג וְקָרָ֥אתָ לְיִשַׁ֖י בַּזָּ֑בַח וְאָנֹכִ֗י אוֹדִיעֲךָ֙ אֵ֣ת אֲשֶׁר־תַּעֲשֶׂ֔ה וּמָשַׁחְתָּ֣ לִ֔י
אֵ֥ת אֲשֶׁר־אֹמַ֖ר אֵלֶֽיךָ׃ ד וַיַּ֣עַשׂ שְׁמוּאֵ֗ל אֵ֚ת אֲשֶׁ֣ר דִּבֶּ֣ר יְהוָ֔ה וַיָּבֹ֖א בֵּ֣ית לָ֑חֶם
וַיֶּחֶרְד֞וּ זִקְנֵ֤י הָעִיר֙ לִקְרָאת֔וֹ וַיֹּ֖אמֶר שָׁלֹ֥ם בּוֹאֶֽךָ׃ ה וַיֹּ֣אמֶר ׀ שָׁל֗וֹם לִזְבֹּ֤חַ
לַֽיהוָה֙ בָּ֔אתִי הִֽתְקַדְּשׁ֔וּ וּבָאתֶ֥ם אִתִּ֖י בַּזָּ֑בַח וַיְקַדֵּ֤שׁ אֶת־יִשַׁי֙ וְאֶת־בָּנָ֔יו וַיִּקְרָ֥א
לָהֶ֖ם לַזָּֽבַח׃ ו וַיְהִ֣י בְּבוֹאָ֔ם וַיַּ֖רְא אֶת־אֱלִיאָ֑ב וַיֹּ֕אמֶר אַ֛ךְ נֶ֥גֶד יְהוָ֖ה מְשִׁיחֽוֹ׃

20 And Saul said unto Samuel: 'Yea, I have hearkened to the voice of Yehovah, and have gone the way which Yehovah sent me, and have brought Agag the king of Amalek, and have utterly destroyed the Amalekites. **21** But the people took of the spoil, sheep and oxen, the chief of the devoted things, to sacrifice unto Yehovah thy God in Gilgal.'{s} **22** And Samuel said: 'Hath Yehovah as great delight in burnt-offerings and sacrifices, as in hearkening to the voice of Yehovah? Behold, to obey is better than sacrifice, and to hearken than the fat of rams. **23** For rebellion is as the sin of witchcraft, and stubbornness is as idolatry and teraphim. Because thou hast rejected the word of Yehovah, He hath also rejected thee from being king.'{s} **24** And Saul said unto Samuel: 'I have sinned; for I have transgressed the commandment of Yehovah, and thy words; because I feared the people, and hearkened to their voice. **25** Now therefore, I pray thee, pardon my sin, and return with me, that I may worship Yehovah.' **26** And Samuel said unto Saul: 'I will not return with thee; for thou hast rejected the word of Yehovah, and Yehovah hath rejected thee from being king over Israel.'{s} **27** And as Samuel turned about to go away, he laid hold upon the skirt of his robe, and it rent.{s} **28** And Samuel said unto him: 'Yehovah hath rent the kingdom of Israel from thee this day, and hath given it to a neighbour of thine, that is better than thou.{s} **29** And also the Glory of Israel will not lie nor repent; for He is not a man, that He should repent.' **30** Then he said: 'I have sinned; yet honour me now, I pray thee, before the elders of my people, and before Israel, and return with me, that I may worship Yehovah thy God.' **31** So Samuel returned after Saul; and Saul worshipped Yehovah.{s} **32** Then said Samuel: 'Bring ye hither to me Agag the king of the Amalekites.' And Agag came unto him in chains. And Agag said: 'Surely the bitterness of death is at hand.'{s} **33** And Samuel said: As thy sword hath made women childless, so shall thy mother be childless among women. And Samuel hewed Agag in pieces before Yehovah in Gilgal.{s} **34** Then Samuel went to Ramah; and Saul went up to his house to Gibeath-shaul. **35** And Samuel never beheld Saul again until the day of his death; for Samuel mourned for Saul; and Yehovah repented that He had made Saul king over Israel.{P}

16 **1** And Yehovah said unto Samuel: 'How long wilt thou mourn for Saul, seeing I have rejected him from being king over Israel? fill thy horn with oil, and go, I will send thee to Jesse the Beth-lehemite; for I have provided Me a king among his sons.' **2** And Samuel said: 'How can I go? if Saul hear it, he will kill me.' And Yehovah said: 'Take a heifer with thee, and say: I am come to sacrifice to Yehovah. **3** And call Jesse to the sacrifice, and I will tell thee what thou shalt do; and thou shalt anoint unto Me him whom I name unto thee.' **4** And Samuel did that which Yehovah spoke, and came to Beth-lehem. And the elders of the city came to meet him trembling, and said: 'Comest thou peaceably?' **5** And he said: 'Peaceably; I am come to sacrifice unto Yehovah; sanctify yourselves and come with me to the sacrifice.' And he sanctified Jesse and his sons, and called them to the sacrifice. **6** And it came to pass, when they were come, that he beheld Eliab, and said: 'Surely Yehovah's anointed is before Him.'{s}

ז וַיֹּ֨אמֶר יְהֹוָ֜ה אֶל־שְׁמוּאֵ֗ל אַל־תַּבֵּ֧ט אֶל־מַרְאֵ֛הוּ וְאֶל־גְּבֹ֥הַּ קוֹמָת֖וֹ כִּ֣י מְאַסְתִּ֑יהוּ כִּ֣י ׀ לֹ֗א אֲשֶׁ֤ר יִרְאֶה֙ הָאָדָ֔ם כִּ֤י הָאָדָם֙ יִרְאֶ֣ה לַעֵינַ֔יִם וַיהֹוָ֖ה יִרְאֶ֥ה לַלֵּבָֽב: ח וַיִּקְרָ֤א יִשַׁי֙ אֶל־אֲבִֽינָדָ֔ב וַיַּעֲבִרֵ֖הוּ לִפְנֵ֣י שְׁמוּאֵ֑ל וַיֹּ֕אמֶר גַּם־בָּזֶ֖ה לֹא־בָחַ֥ר יְהֹוָֽה: ט וַיַּעֲבֵ֥ר יִשַׁ֖י שַׁמָּ֑ה וַיֹּ֕אמֶר גַּם־בָּזֶ֖ה לֹא־בָחַ֥ר יְהֹוָֽה: י וַיַּעֲבֵ֥ר יִשַׁ֛י שִׁבְעַ֥ת בָּנָ֖יו לִפְנֵ֣י שְׁמוּאֵ֑ל וַיֹּ֤אמֶר שְׁמוּאֵל֙ אֶל־יִשַׁ֔י לֹא־בָחַ֥ר יְהֹוָ֖ה בָּאֵֽלֶּה: יא וַיֹּ֨אמֶר שְׁמוּאֵ֣ל אֶל־יִשַׁי֮ הֲתַ֣מּוּ הַנְּעָרִים֒ וַיֹּ֗אמֶר ע֚וֹד שָׁאַ֣ר הַקָּטָ֔ן וְהִנֵּ֥ה רֹעֶ֖ה בַּצֹּ֑אן וַיֹּ֨אמֶר שְׁמוּאֵ֤ל אֶל־יִשַׁי֙ שִׁלְחָ֣ה וְקָחֶ֔נּוּ כִּ֥י לֹא־נָסֹ֖ב עַד־בֹּא֥וֹ פֹֽה: יב וַיִּשְׁלַ֤ח וַיְבִיאֵ֙הוּ֙ וְה֣וּא אַדְמוֹנִ֔י עִם־יְפֵ֥ה עֵינַ֖יִם וְט֣וֹב רֹ֑אִי

וַיֹּ֧אמֶר יְהֹוָ֛ה ק֥וּם מְשָׁחֵ֖הוּ כִּי־זֶ֥ה הֽוּא: יג וַיִּקַּ֨ח שְׁמוּאֵ֜ל אֶת־קֶ֣רֶן הַשֶּׁ֗מֶן וַיִּמְשַׁ֣ח אֹתוֹ֮ בְּקֶ֣רֶב אֶחָיו֒ וַתִּצְלַ֤ח רֽוּחַ־יְהֹוָה֙ אֶל־דָּוִ֔ד מֵהַיּ֥וֹם הַה֖וּא וָמָ֑עְלָה וַיָּ֣קָם שְׁמוּאֵ֔ל וַיֵּ֖לֶךְ הָרָמָֽתָה: יד וְר֧וּחַ יְהֹוָ֛ה סָ֖רָה מֵעִ֣ם שָׁא֑וּל וּבִֽעֲתַ֥תּוּ רֽוּחַ־רָעָ֖ה מֵאֵ֥ת יְהֹוָֽה: יה וַיֹּאמְר֥וּ עַבְדֵֽי־שָׁא֖וּל אֵלָ֑יו הִנֵּה־נָ֧א רֽוּחַ־אֱלֹהִ֛ים רָעָ֖ה מְבַעִתֶּֽךָ: יו יֹאמַר־נָ֤א אֲדֹנֵ֙נוּ֙ עֲבָדֶ֣יךָ לְפָנֶ֔יךָ יְבַקְשׁ֕וּ אִ֕ישׁ יֹדֵ֥עַ מְנַגֵּ֖ן בַּכִּנּ֑וֹר וְהָיָ֗ה בִּֽהְי֨וֹת עָלֶ֜יךָ רֽוּחַ־אֱלֹהִ֤ים רָעָה֙ וְנִגֵּ֣ן בְּיָד֔וֹ וְט֥וֹב לָֽךְ:

יז וַיֹּ֤אמֶר שָׁאוּל֙ אֶל־עֲבָדָ֔יו רְאוּ־נָ֣א לִ֗י אִ֚ישׁ מֵיטִ֣יב לְנַגֵּ֔ן וַהֲבִיאוֹתֶ֖ם אֵלָֽי: יח וַיַּ֜עַן אֶחָ֣ד מֵהַנְּעָרִ֗ים וַיֹּ֙אמֶר֙ הִנֵּ֨ה רָאִ֜יתִי בֵּ֣ן לְיִשַׁי֮ בֵּ֣ית הַלַּחְמִי֒ יֹדֵ֣עַ נַ֠גֵּ֠ן וְגִבּ֨וֹר חַ֜יִל וְאִ֧ישׁ מִלְחָמָ֛ה וּנְב֥וֹן דָּבָ֖ר וְאִ֣ישׁ תֹּ֑אַר וַֽיהֹוָ֖ה עִמּֽוֹ: יט וַיִּשְׁלַ֥ח שָׁא֛וּל מַלְאָכִ֖ים אֶל־יִשָׁ֑י וַיֹּ֕אמֶר שִׁלְחָ֥ה אֵלַ֛י אֶת־דָּוִ֥ד בִּנְךָ֖ אֲשֶׁ֥ר בַּצֹּֽאן: כ וַיִּקַּ֣ח יִשַׁ֡י חֲמ֣וֹר לֶ֠חֶם וְנֹ֨אד יַ֜יִן וּגְדִ֤י עִזִּים֙ אֶחָ֔ד וַיִּשְׁלַ֛ח בְּיַד־דָּוִ֥ד בְּנ֖וֹ אֶל־שָׁאֽוּל: כא וַיָּבֹ֤א דָוִד֙ אֶל־שָׁא֔וּל וַיַּעֲמֹ֖ד לְפָנָ֑יו וַיֶּאֱהָבֵ֣הֽוּ מְאֹ֔ד וַֽיְהִי־ל֖וֹ נֹשֵׂ֥א כֵלִֽים: כב וַיִּשְׁלַ֣ח שָׁא֔וּל אֶל־יִשַׁ֖י לֵאמֹ֑ר יַעֲמָד־נָ֤א דָוִד֙ לְפָנַ֔י כִּֽי־מָ֥צָא חֵ֖ן בְּעֵינָֽי: כג וְהָיָ֗ה בִּֽהְי֤וֹת רֽוּחַ־אֱלֹהִים֙ אֶל־שָׁא֔וּל וְלָקַ֥ח דָּוִ֛ד אֶת־הַכִּנּ֖וֹר וְנִגֵּ֣ן בְּיָד֑וֹ וְרָוַ֤ח לְשָׁאוּל֙ וְט֣וֹב ל֔וֹ וְסָ֥רָה מֵעָלָ֖יו ר֥וּחַ הָרָעָֽה:

יז א וַיַּאַסְפ֨וּ פְלִשְׁתִּ֤ים אֶת־מַֽחֲנֵיהֶם֙ לַמִּלְחָמָ֔ה וַיֵּאָ֣סְפ֔וּ שֹׂכֹ֖ה אֲשֶׁ֣ר לִיהוּדָ֑ה וַֽיַּחֲנ֥וּ בֵּין־שׂוֹכֹ֛ה וּבֵ֥ין־עֲזֵקָ֖ה בְּאֶ֥פֶס דַּמִּֽים: ב וְשָׁא֤וּל וְאִֽישׁ־יִשְׂרָאֵל֙ נֶֽאֶסְפ֔וּ וַֽיַּחֲנ֖וּ בְּעֵ֣מֶק הָֽאֵלָ֑ה וַיַּֽעַרְכ֥וּ מִלְחָמָ֖ה לִקְרַ֥את פְּלִשְׁתִּֽים: ג וּפְלִשְׁתִּ֞ים עֹֽמְדִ֤ים אֶל־הָהָר֙ מִזֶּ֔ה וְיִשְׂרָאֵ֛ל עֹֽמְדִ֥ים אֶל־הָהָ֖ר מִזֶּ֑ה וְהַגַּ֖יְא בֵּינֵיהֶֽם: ד וַיֵּצֵ֤א אִֽישׁ־הַבֵּנַ֙יִם֙ מִמַּֽחֲנ֣וֹת פְּלִשְׁתִּ֔ים גָּלְיָ֥ת שְׁמ֖וֹ מִגַּ֑ת גָּבְה֕וֹ שֵׁ֥שׁ אַמּ֖וֹת וָזָֽרֶת: ה וְכ֤וֹבַע נְחֹ֙שֶׁת֙ עַל־רֹאשׁ֔וֹ וְשִׁרְי֥וֹן קַשְׂקַשִּׂ֖ים ה֣וּא לָב֑וּשׁ וּמִשְׁקַל֙ הַשִּׁרְי֔וֹן חֲמֵ֥שֶׁת־אֲלָפִ֥ים שְׁקָלִ֖ים נְחֹֽשֶׁת:

7 But Yehovah said unto Samuel: 'Look not on his countenance, or on the height of his stature; because I have rejected him; for it is not as man seeth: for man looketh on the outward appearance, but Yehovah looketh on the heart.' 8 Then Jesse called Abinadab, and made him pass before Samuel. And he said: 'Neither hath Yehovah chosen this.' 9 Then Jesse made Shammah to pass by. And he said: 'Neither hath Yehovah chosen this.' 10 And Jesse made seven of his sons to pass before Samuel. And Samuel said unto Jesse: 'Yehovah hath not chosen these.' 11 And Samuel said unto Jesse: 'Are here all thy children?' And he said: 'There remaineth yet the youngest, and, behold, he keepeth the sheep.' And Samuel said unto Jesse: 'Send and fetch him; for we will not sit down till he come hither.' 12 And he sent, and brought him in. Now he was ruddy, and withal of beautiful eyes, and goodly to look upon.{P}

And Yehovah said: 'Arise, anoint him; for this is he.' 13 Then Samuel took the horn of oil, and anointed him in the midst of his brethren; and the spirit of Yehovah came mightily upon David from that day forward. So Samuel rose up, and went to Ramah. 14 Now the spirit of Yehovah had departed from Saul, and an evil spirit from Yehovah terrified him. 15 And Saul's servants said unto him: 'Behold now, an evil spirit from God terrifieth thee. 16 Let our lord now command thy servants, that are before thee, to seek out a man who is a skilful player on the harp; and it shall be, when the evil spirit from God cometh upon thee, that he shall play with his hand, and thou shalt be well.'{P}

17 And Saul said unto his servants: 'Provide me now a man that can play well, and bring him to me.' 18 Then answered one of the young men, and said: 'Behold, I have seen a son of Jesse the Beth-lehemite, that is skilful in playing, and a mighty man of valour, and a man of war, and prudent in affairs, and a comely person, and Yehovah is with him.' 19 Wherefore Saul sent messengers unto Jesse, and said: 'Send me David thy son, who is with the sheep.' 20 And Jesse took an ass laden with bread, and a bottle of wine, and a kid, and sent them by David his son unto Saul. 21 And David came to Saul, and stood before him; and he loved him greatly; and he became his armour-bearer. 22 And Saul sent to Jesse, saying: 'Let David, I pray thee, stand before me; for he hath found favour in my sight.' 23 And it came to pass, when the [evil] spirit from God was upon Saul, that David took the harp, and played with his hand; so Saul found relief, and it was well with him, and the evil spirit departed from him.{P}

17 1 Now the Philistines gathered together their armies to battle, and they were gathered together at Socoh, which belongeth to Judah, and pitched between Socoh and Azekah, in Ephes-dammim. 2 And Saul and the men of Israel were gathered together, and pitched in the vale of Elah, and set the battle in array against the Philistines. 3 And the Philistines stood on the mountain on the one side, and Israel stood on the mountain on the other side; and there was a valley between them. 4 And there went out a champion from the camp of the Philistines, named Goliath, of Gath, whose height was six cubits and a span. 5 And he had a helmet of brass upon his head, and he was clad with a coat of mail; and the weight of the coat was five thousand shekels of brass.

ו וּמִצְחַ֥ת נְחֹ֖שֶׁת עַל־רַגְלָ֑יו וְכִיד֥וֹן נְחֹ֖שֶׁת בֵּ֥ין כְּתֵפָֽיו׃ ז וְעֵ֨ץ[28] חֲנִית֗וֹ כִּמְנוֹר֙
אֹֽרְגִ֔ים וְלַהֶ֣בֶת חֲנִית֔וֹ שֵׁשׁ־מֵא֥וֹת שְׁקָלִ֖ים בַּרְזֶ֑ל וְנֹשֵׂ֥א הַצִּנָּ֖ה הֹלֵ֥ךְ לְפָנָֽיו׃
ח וַֽיַּעֲמֹ֗ד וַיִּקְרָא֙ אֶל־מַעַרְכֹ֣ת יִשְׂרָאֵ֔ל וַיֹּ֣אמֶר לָהֶ֔ם לָ֥מָּה תֵצְא֖וּ לַעֲרֹ֣ךְ מִלְחָמָ֑ה
הֲל֧וֹא אָנֹכִ֣י הַפְּלִשְׁתִּ֗י וְאַתֶּם֙ עֲבָדִ֣ים לְשָׁא֔וּל בְּרוּ־לָכֶ֥ם אִ֖ישׁ וְיֵרֵ֥ד אֵלָֽי׃
ט אִם־יוּכַ֞ל לְהִלָּחֵ֤ם אִתִּי֙ וְהִכָּ֔נִי וְהָיִ֥ינוּ לָכֶ֖ם לַעֲבָדִ֑ים וְאִם־אֲנִ֤י אֽוּכַל־לוֹ֙
וְהִכִּיתִ֔יו וִהְיִ֤יתֶם לָ֙נוּ֙ לַעֲבָדִ֔ים וַעֲבַדְתֶּ֖ם אֹתָֽנוּ׃ י וַיֹּ֙אמֶר֙ הַפְּלִשְׁתִּ֔י אֲנִ֗י חֵרַ֛פְתִּי
אֶת־מַעַרְכ֥וֹת יִשְׂרָאֵ֖ל הַיּ֣וֹם הַזֶּ֑ה תְּנוּ־לִ֣י אִ֔ישׁ וְנִֽלָּחֲמָ֖ה יָֽחַד׃ יא וַיִּשְׁמַ֤ע שָׁאוּל֙
וְכָל־יִשְׂרָאֵ֔ל אֶת־דִּבְרֵ֥י הַפְּלִשְׁתִּ֖י הָאֵ֑לֶּה וַיֵּחַ֥תּוּ וַיִּֽרְא֖וּ מְאֹֽד׃

יב וְדָוִד֩ בֶּן־אִ֨ישׁ אֶפְרָתִ֜י הַזֶּ֗ה מִבֵּ֥ית לֶ֙חֶם֙ יְהוּדָ֔ה וּשְׁמ֣וֹ יִשַׁ֔י וְל֖וֹ שְׁמֹנָ֣ה בָנִ֑ים
וְהָאִישׁ֙ בִּימֵ֣י שָׁא֔וּל זָקֵ֖ן בָּ֥א בַאֲנָשִֽׁים׃ יג וַיֵּ֨לְכ֜וּ שְׁלֹ֤שֶׁת בְּנֵֽי־יִשַׁי֙ הַגְּדֹלִ֔ים הָלְכ֥וּ
אַחֲרֵי־שָׁא֖וּל לַמִּלְחָמָ֑ה וְשֵׁ֣ם ׀ שְׁלֹ֣שֶׁת בָּנָ֗יו אֲשֶׁ֤ר הָֽלְכוּ֙ בַּמִּלְחָמָ֔ה אֱלִיאָ֣ב
הַבְּכ֗וֹר וּמִשְׁנֵ֙הוּ֙ אֲבִ֣ינָדָ֔ב וְהַשְּׁלִשִׁ֖י שַׁמָּֽה׃ יד וְדָוִ֖ד ה֣וּא הַקָּטָ֑ן וּשְׁלֹשָׁה֙ הַגְּדֹלִ֔ים
הָלְכ֖וּ אַחֲרֵ֥י שָׁאֽוּל׃ טו וְדָוִ֕ד הֹלֵ֥ךְ וָשָׁ֖ב מֵעַ֣ל שָׁא֑וּל לִרְע֛וֹת אֶת־צֹ֥אן אָבִ֖יו
בֵּֽית־לָֽחֶם׃ טז וַיִּגַּ֥שׁ הַפְּלִשְׁתִּ֖י הַשְׁכֵּ֣ם וְהַעֲרֵ֑ב וַיִּתְיַצֵּ֖ב אַרְבָּעִ֥ים יֽוֹם׃

יז וַיֹּ֨אמֶר יִשַׁ֜י לְדָוִ֣ד בְּנ֗וֹ קַח־נָ֤א לְאַחֶ֙יךָ֙ אֵיפַ֤ת הַקָּלִיא֙ הַזֶּ֔ה וַעֲשָׂרָ֥ה לֶ֖חֶם הַזֶּ֑ה
וְהָרֵ֥ץ הַֽמַּחֲנֶ֖ה לְאַחֶֽיךָ׃ יח וְ֠אֵת עֲשֶׂ֜רֶת חֲרִצֵ֤י הֶחָלָב֙ הָאֵ֔לֶּה תָּבִ֖יא
לְשַׂר־הָאָ֑לֶף וְאֶת־אַחֶ֙יךָ֙ תִּפְקֹ֣ד לְשָׁל֔וֹם וְאֶת־עֲרֻבָּתָ֖ם תִּקָּֽח׃ יט וְשָׁא֤וּל וְהֵ֙מָּה֙
וְכָל־אִ֣ישׁ יִשְׂרָאֵ֔ל בְּעֵ֖מֶק הָאֵלָ֑ה נִלְחָמִ֖ים עִם־פְּלִשְׁתִּֽים׃ כ וַיַּשְׁכֵּ֨ם דָּוִ֜ד בַּבֹּ֗קֶר
וַיִּטֹּ֤שׁ אֶת־הַצֹּאן֙ עַל־שֹׁמֵ֔ר וַיִּשָּׂ֣א וַיֵּ֔לֶךְ כַּאֲשֶׁ֖ר צִוָּ֣הוּ יִשָׁ֑י וַיָּבֹא֙ הַמַּעְגָּ֔לָה וְהַחַ֗יִל
הַיֹּצֵא֙ אֶל־הַֽמַּעֲרָכָ֔ה וְהֵרֵ֖עוּ בַּמִּלְחָמָֽה׃ כא וַתַּעֲרֹ֤ךְ יִשְׂרָאֵל֙ וּפְלִשְׁתִּ֔ים מַעֲרָכָ֖ה
לִקְרַ֥את מַעֲרָכָֽה׃ כב וַיִּטֹּשׁ֩ דָּוִ֨ד אֶת־הַכֵּלִ֜ים מֵעָלָ֗יו עַל־יַד֙ שׁוֹמֵ֣ר הַכֵּלִ֔ים
וַיָּ֖רָץ הַֽמַּעֲרָכָ֑ה וַיָּבֹ֕א וַיִּשְׁאַ֥ל לְאֶחָ֖יו לְשָׁלֽוֹם׃ כג וְה֣וּא ׀ מְדַבֵּ֣ר עִמָּ֗ם וְהִנֵּ֣ה אִ֣ישׁ
הַבֵּנַ֡יִם עוֹלֶה֩ גָּלְיָ֨ת הַפְּלִשְׁתִּ֤י שְׁמוֹ֙ מִגַּת֙ מִמַּעַרְכ֣וֹת[29] פְּלִשְׁתִּ֔ים וַיְדַבֵּ֖ר כַּדְּבָרִ֣ים
הָאֵ֑לֶּה וַיִּשְׁמַ֖ע דָּוִֽד׃ כד וְכֹל֙ אִ֣ישׁ יִשְׂרָאֵ֔ל בִּרְאוֹתָ֖ם אֶת־הָאִ֑ישׁ וַיָּנֻ֙סוּ֙ מִפָּנָ֔יו
וַיִּֽירְא֖וּ מְאֹֽד׃ כה וַיֹּ֣אמֶר ׀ אִ֣ישׁ יִשְׂרָאֵ֗ל הַרְּאִיתֶם֙ הָאִ֤ישׁ הָֽעֹלֶה֙ הַזֶּ֔ה כִּ֛י לְחָרֵ֥ף
אֶת־יִשְׂרָאֵ֖ל עֹלֶ֑ה וְֽהָיָ֡ה הָאִ֣ישׁ אֲשֶׁר־יַכֶּ֩נּוּ֩ יַעְשְׁרֶ֨נּוּ הַמֶּ֥לֶךְ ׀ עֹ֤שֶׁר גָּדוֹל֙ וְאֶת־בִּתּוֹ֙
יִתֶּן־ל֔וֹ וְאֵת֙ בֵּ֣ית אָבִ֔יו יַעֲשֶׂ֥ה חָפְשִׁ֖י בְּיִשְׂרָאֵֽל׃ כו וַיֹּ֣אמֶר דָּוִ֗ד אֶֽל־הָאֲנָשִׁ֞ים
הָעֹמְדִ֣ים עִמּוֹ֮ לֵאמֹר֒ מַה־יֵּעָשֶׂ֗ה לָאִישׁ֙ אֲשֶׁ֣ר יַכֶּה֙ אֶת־הַפְּלִשְׁתִּ֣י הַלָּ֔ז וְהֵסִ֥יר
חֶרְפָּ֖ה מֵעַ֣ל יִשְׂרָאֵ֑ל כִּ֣י מִ֗י הַפְּלִשְׁתִּ֤י הֶֽעָרֵל֙ הַזֶּ֔ה כִּ֣י חֵרֵ֔ף מַעַרְכ֖וֹת אֱלֹהִ֥ים
חַיִּֽים׃ כז וַיֹּ֤אמֶר לוֹ֙ הָעָ֔ם כַּדָּבָ֥ר הַזֶּ֖ה לֵאמֹ֑ר כֹּ֣ה יֵעָשֶׂ֔ה לָאִ֖ישׁ אֲשֶׁ֥ר יַכֶּֽנּוּ׃

[28] וחץ
[29] ממערות

6 And he had greaves of brass upon his legs, and a javelin of brass between his shoulders. **7** And the shaft of his spear was like a weaver's beam; and his spear's head weighed six hundred shekels of iron; and his shield-bearer went before him. **8** And he stood and cried unto the armies of Israel, and said unto them: 'Why do ye come out to set your battle in array? am not I a Philistine, and ye servants to Saul? choose you a man for you, and let him come down to me. **9** If he be able to fight with me, and kill me, then will we be your servants; but if I prevail against him, and kill him, then shall ye be our servants, and serve us.' **10** And the Philistine said: 'I do taunt the armies of Israel this day; give me a man, that we may fight together.' **11** And when Saul and all Israel heard those words of the Philistine, they were dismayed, and greatly afraid.{P}

12 Now David was the son of that Ephrathite of Beth-lehem in Judah, whose name was Jesse; and he had eight sons; and the man was an old man in the days of Saul, stricken in years among men. **13** And the three eldest sons of Jesse had gone after Saul to the battle; and the names of his three sons that went to the battle were Eliab the first-born, and next unto him Abinadab, and the third Shammah. **14** And David was the youngest; and the three eldest followed Saul.–{S}   **15** Now David went to and fro from Saul to feed his father's sheep at Beth-lehem.– **16** And the Philistine drew near morning and evening, and presented himself forty days.{P}

17 And Jesse said unto David his son: 'Take now for thy brethren an ephah of this parched corn, and these ten loaves, and carry them quickly to the camp to thy brethren. **18** And bring these ten cheeses unto the captain of their thousand, and to thy brethren shalt thou bring greetings, and take their pledge; **19** now Saul, and they, and all the men of Israel, are in the vale of Elah, fighting with the Philistines.'{S}   **20** And David rose up early in the morning, and left the sheep with a keeper, and took, and went, as Jesse had commanded him; and he came to the barricade, as the host which was going forth to the fight shouted for the battle. **21** And Israel and the Philistines put the battle in array, army against army. **22** And David left his baggage in the hand of the keeper of the baggage, and ran to the army, and came and greeted his brethren. **23** And as he talked with them, behold, there came up the champion, the Philistine of Gath, Goliath by name, out of the ranks of the Philistines, and spoke according to the same words; and David heard them. **24** And all the men of Israel, when they saw the man, fled from him, and were sore afraid. **25** And the men of Israel said: 'Have ye seen this man that is come up? surely to taunt Israel is he come up; and it shall be, that the man who killeth him, the king will enrich him with great riches, and will give him his daughter, and make his father's house free in Israel.'{P}

26 And David spoke to the men that stood by him, saying: 'What shall be done to the man that killeth this Philistine, and taketh away the taunt from Israel? for who is this uncircumcised Philistine, that he should have taunted the armies of the living God?' **27** And the people answered him after this manner, saying: 'So shall it be done to the man that killeth him.'

כח וַיִּשְׁמַע אֱלִיאָב אָחִיו הַגָּדוֹל בְּדַבְּרוֹ אֶל־הָאֲנָשִׁים וַיִּחַר־אַף אֱלִיאָב בְּדָוִד
וַיֹּאמֶר ׀ לָמָּה־זֶּה יָרַדְתָּ וְעַל־מִי נָטַשְׁתָּ מְעַט הַצֹּאן הָהֵנָּה בַּמִּדְבָּר אֲנִי יָדַעְתִּי
אֶת־זְדֹנְךָ וְאֵת רֹעַ לְבָבֶךָ כִּי לְמַעַן רְאוֹת הַמִּלְחָמָה יָרָדְתָּ: כט וַיֹּאמֶר דָּוִד מֶה
עָשִׂיתִי עָתָּה הֲלוֹא דָּבָר הוּא: ל וַיִּסֹּב מֵאֶצְלוֹ אֶל־מוּל אַחֵר וַיֹּאמֶר כַּדָּבָר
הַזֶּה וַיְשִׁבֻהוּ הָעָם דָּבָר כַּדָּבָר הָרִאשׁוֹן: לא וַיִּשָּׁמְעוּ הַדְּבָרִים אֲשֶׁר דִּבֶּר
דָּוִד וַיַּגִּדוּ לִפְנֵי־שָׁאוּל וַיִּקָּחֵהוּ: לב וַיֹּאמֶר דָּוִד אֶל־שָׁאוּל אַל־יִפֹּל לֵב־אָדָם
עָלָיו עַבְדְּךָ יֵלֵךְ וְנִלְחַם עִם־הַפְּלִשְׁתִּי הַזֶּה: לג וַיֹּאמֶר שָׁאוּל אֶל־דָּוִד לֹא
תוּכַל לָלֶכֶת אֶל־הַפְּלִשְׁתִּי הַזֶּה לְהִלָּחֵם עִמּוֹ כִּי־נַעַר אַתָּה וְהוּא אִישׁ מִלְחָמָה
מִנְּעֻרָיו: לד וַיֹּאמֶר דָּוִד אֶל־שָׁאוּל רֹעֶה הָיָה עַבְדְּךָ לְאָבִיו בַּצֹּאן וּבָא הָאֲרִי
וְאֶת־הַדּוֹב וְנָשָׂא שֶׂה מֵהָעֵדֶר: לה וְיָצָאתִי אַחֲרָיו וְהִכִּתִיו וְהִצַּלְתִּי מִפִּיו וַיָּקָם
עָלַי וְהֶחֱזַקְתִּי בִּזְקָנוֹ וְהִכִּתִיו וַהֲמִיתִּיו: לו גַּם אֶת־הָאֲרִי גַּם־הַדּוֹב הִכָּה עַבְדֶּךָ
וְהָיָה הַפְּלִשְׁתִּי הֶעָרֵל הַזֶּה כְּאַחַד מֵהֶם כִּי חֵרֵף מַעַרְכֹת אֱלֹהִים חַיִּים:
לז וַיֹּאמֶר דָּוִד יְהוָה אֲשֶׁר הִצִּלַנִי מִיַּד הָאֲרִי וּמִיַּד הַדֹּב הוּא יַצִּילֵנִי מִיַּד
הַפְּלִשְׁתִּי הַזֶּה וַיֹּאמֶר שָׁאוּל אֶל־דָּוִד לֵךְ וַיהוָה יִהְיֶה עִמָּךְ: לח וַיַּלְבֵּשׁ שָׁאוּל
אֶת־דָּוִד מַדָּיו וְנָתַן קוֹבַע נְחֹשֶׁת עַל־רֹאשׁוֹ וַיַּלְבֵּשׁ אֹתוֹ שִׁרְיוֹן: לט וַיַּחְגֹּר
דָּוִד אֶת־חַרְבּוֹ מֵעַל לְמַדָּיו וַיֹּאֶל לָלֶכֶת כִּי לֹא־נִסָּה וַיֹּאמֶר דָּוִד אֶל־שָׁאוּל
לֹא אוּכַל לָלֶכֶת בָּאֵלֶּה כִּי לֹא נִסִּיתִי וַיְסִרֵם דָּוִד מֵעָלָיו: מ וַיִּקַּח מַקְלוֹ
בְּיָדוֹ וַיִּבְחַר־לוֹ חֲמִשָּׁה חַלֻּקֵי־אֲבָנִים ׀ מִן־הַנַּחַל וַיָּשֶׂם אֹתָם בִּכְלִי הָרֹעִים
אֲשֶׁר־לוֹ וּבַיַּלְקוּט וְקַלְעוֹ בְיָדוֹ וַיִּגַּשׁ אֶל־הַפְּלִשְׁתִּי: מא וַיֵּלֶךְ הַפְּלִשְׁתִּי הֹלֵךְ
וְקָרֵב אֶל־דָּוִד וְהָאִישׁ נֹשֵׂא הַצִּנָּה לְפָנָיו: מב וַיַּבֵּט הַפְּלִשְׁתִּי וַיִּרְאֶה אֶת־דָּוִד
וַיִּבְזֵהוּ כִּי־הָיָה נַעַר וְאַדְמֹנִי עִם־יְפֵה מַרְאֶה: מג וַיֹּאמֶר הַפְּלִשְׁתִּי אֶל־דָּוִד
הֲכֶלֶב אָנֹכִי כִּי־אַתָּה בָא־אֵלַי בַּמַּקְלוֹת וַיְקַלֵּל הַפְּלִשְׁתִּי אֶת־דָּוִד בֵּאלֹהָיו:
מד וַיֹּאמֶר הַפְּלִשְׁתִּי אֶל־דָּוִד לְכָה אֵלַי וְאֶתְּנָה אֶת־בְּשָׂרְךָ לְעוֹף הַשָּׁמַיִם
וּלְבֶהֱמַת הַשָּׂדֶה: מה וַיֹּאמֶר דָּוִד אֶל־הַפְּלִשְׁתִּי אַתָּה בָּא אֵלַי בְּחֶרֶב וּבַחֲנִית
וּבְכִידוֹן וְאָנֹכִי בָא־אֵלֶיךָ בְּשֵׁם יְהוָה צְבָאוֹת אֱלֹהֵי מַעַרְכוֹת יִשְׂרָאֵל אֲשֶׁר
חֵרַפְתָּ: מו הַיּוֹם הַזֶּה יְסַגֶּרְךָ יְהוָה בְּיָדִי וְהִכִּיתִךָ וַהֲסִרֹתִי אֶת־רֹאשְׁךָ מֵעָלֶיךָ
וְנָתַתִּי פֶּגֶר מַחֲנֵה פְלִשְׁתִּים הַיּוֹם הַזֶּה לְעוֹף הַשָּׁמַיִם וּלְחַיַּת הָאָרֶץ וְיֵדְעוּ
כָּל־הָאָרֶץ כִּי יֵשׁ אֱלֹהִים לְיִשְׂרָאֵל: מז וְיֵדְעוּ כָּל־הַקָּהָל הַזֶּה כִּי־לֹא בְּחֶרֶב
וּבַחֲנִית יְהוֹשִׁיעַ יְהוָה כִּי לַיהוָה הַמִּלְחָמָה וְנָתַן אֶתְכֶם בְּיָדֵנוּ: מח וְהָיָה כִּי־קָם
הַפְּלִשְׁתִּי וַיֵּלֶךְ וַיִּקְרַב לִקְרַאת דָּוִד וַיְמַהֵר דָּוִד וַיָּרָץ הַמַּעֲרָכָה לִקְרַאת
הַפְּלִשְׁתִּי:

28 And Eliab his eldest brother heard when he spoke unto the men; and Eliab's anger was kindled against David, and he said: 'Why art thou come down? and with whom hast thou left those few sheep in the wilderness? I know thy presumptuousness, and the naughtiness of thy heart; for thou art come down that thou mightest see the battle.' **29** And David said: 'What have I now done? Was it not but a word?' **30** And he turned away from him toward another, and spoke after the same manner; and the people answered him after the former manner. **31** And when the words were heard which David spoke, they rehearsed them before Saul; and he was taken to him. **32** And David said to Saul: 'Let no man's heart fail within him; thy servant will go and fight with this Philistine.' **33** And Saul said to David: 'Thou art not able to go against this Philistine to fight with him; for thou art but a youth, and he a man of war from his youth.'{s} **34** And David said unto Saul: 'Thy servant kept his father's sheep; and when there came a lion, or a bear, and took a lamb out of the flock, **35** I went out after him, and smote him, and delivered it out of his mouth; and when he arose against me, I caught him by his beard, and smote him, and slew him. **36** Thy servant smote both the lion and the bear; and this uncircumcised Philistine shall be as one of them, seeing he hath taunted the armies of the living God.'{s} **37** And David said: 'Yehovah that delivered me out of the paw of the lion, and out of the paw of the bear, He will deliver me out of the hand of this Philistine.'{s} And Saul said unto David: 'Go, and Yehovah shall be with thee.' **38** And Saul clad David with his apparel, and he put a helmet of brass upon his head, and he clad him with a coat of mail. **39** And David girded his sword upon his apparel, and he essayed to go[, but could not]; for he had not tried it. And David said unto Saul: 'I cannot go with these; for I have not tried them.' And David put them off him. **40** And he took his staff in his hand, and chose him five smooth stones out of the brook, and put them in the shepherd's bag which he had, even in his scrip; and his sling was in his hand; and he drew near to the Philistine. **41** And the Philistine came nearer and nearer unto David; and the man that bore the shield went before him. **42** And when the Philistine looked about, and saw David, he disdained him; for he was but a youth, and ruddy, and withal of a fair countenance. **43** And the Philistine said unto David: 'Am I a dog, that thou comest to me with staves?' And the Philistine cursed David by his god. **44** And the Philistine said to David: 'Come to me, and I will give thy flesh unto the fowls of the air, and to the beasts of the field.'{s} **45** Then said David to the Philistine: 'Thou comest to me with a sword, and with a spear, and with a javelin; but I come to thee in the name of Yehovah of hosts, the God of the armies of Israel, whom thou hast taunted. **46** This day will Yehovah deliver thee into my hand; and I will smite thee, and take thy head from off thee; and I will give the carcasses of the host of the Philistines this day unto the fowls of the air, and to the wild beasts of the earth; that all the earth may know that there is a God in Israel; **47** and that all this assembly may know that Yehovah saveth not with sword and spear; for the battle is Yehovah's, and He will give you into our hand.'{s} **48** And it came to pass, when the Philistine arose, and came and drew nigh to meet David, that David hastened, and ran toward the army to meet the Philistine.

מט וַיִּשְׁלַח דָּוִד אֶת־יָדוֹ אֶל־הַכֶּלִי וַיִּקַּח מִשָּׁם אֶבֶן וַיְקַלַּע וַיַּךְ אֶת־הַפְּלִשְׁתִּי
אֶל־מִצְחוֹ וַתִּטְבַּע הָאֶבֶן בְּמִצְחוֹ וַיִּפֹּל עַל־פָּנָיו אָרְצָה׃ נ וַיֶּחֱזַק דָּוִד
מִן־הַפְּלִשְׁתִּי בַּקֶּלַע וּבָאֶבֶן וַיַּךְ אֶת־הַפְּלִשְׁתִּי וַיְמִיתֵהוּ וְחֶרֶב אֵין בְּיַד־דָּוִד׃
נא וַיָּרָץ דָּוִד וַיַּעֲמֹד אֶל־הַפְּלִשְׁתִּי וַיִּקַּח אֶת־חַרְבּוֹ וַיִּשְׁלְפָהּ מִתַּעְרָהּ וַיְמֹתְתֵהוּ
וַיִּכְרָת־בָּהּ אֶת־רֹאשׁוֹ וַיִּרְאוּ הַפְּלִשְׁתִּים כִּי־מֵת גִּבּוֹרָם וַיָּנֻסוּ׃ נב וַיָּקֻמוּ אַנְשֵׁי
יִשְׂרָאֵל וִיהוּדָה וַיָּרִעוּ וַיִּרְדְּפוּ אֶת־הַפְּלִשְׁתִּים עַד־בּוֹאֲךָ גַיְא וְעַד שַׁעֲרֵי
עֶקְרוֹן וַיִּפְּלוּ חַלְלֵי פְלִשְׁתִּים בְּדֶרֶךְ שַׁעֲרַיִם וְעַד־גַּת וְעַד־עֶקְרוֹן׃ נג וַיָּשֻׁבוּ
בְּנֵי יִשְׂרָאֵל מִדְּלֹק אַחֲרֵי פְּלִשְׁתִּים וַיָּשֹׁסּוּ אֶת־מַחֲנֵיהֶם׃ נד וַיִּקַּח דָּוִד
אֶת־רֹאשׁ הַפְּלִשְׁתִּי וַיְבִאֵהוּ יְרוּשָׁלִָם וְאֶת־כֵּלָיו שָׂם בְּאָהֳלוֹ׃ נה וְכִרְאוֹת שָׁאוּל
אֶת־דָּוִד יֹצֵא לִקְרַאת הַפְּלִשְׁתִּי אָמַר אֶל־אַבְנֵר שַׂר הַצָּבָא בֶּן־מִי־זֶה הַנַּעַר
אַבְנֵר וַיֹּאמֶר אַבְנֵר חֵי־נַפְשְׁךָ הַמֶּלֶךְ אִם־יָדָעְתִּי׃ נו וַיֹּאמֶר הַמֶּלֶךְ שְׁאַל אַתָּה
בֶּן־מִי־זֶה הָעָלֶם׃ נז וּכְשׁוּב דָּוִד מֵהַכּוֹת אֶת־הַפְּלִשְׁתִּי וַיִּקַּח אֹתוֹ אַבְנֵר
וַיְבִאֵהוּ לִפְנֵי שָׁאוּל וְרֹאשׁ הַפְּלִשְׁתִּי בְּיָדוֹ׃ נח וַיֹּאמֶר אֵלָיו שָׁאוּל בֶּן־מִי אַתָּה
הַנָּעַר וַיֹּאמֶר דָּוִד בֶּן־עַבְדְּךָ יִשַׁי בֵּית הַלַּחְמִי׃

יח א וַיְהִי כְּכַלֹּתוֹ לְדַבֵּר אֶל־שָׁאוּל וְנֶפֶשׁ יְהוֹנָתָן נִקְשְׁרָה בְּנֶפֶשׁ דָּוִד
וַיֶּאֱהָבֵהוּ[30] יְהוֹנָתָן כְּנַפְשׁוֹ׃ ב וַיִּקָּחֵהוּ שָׁאוּל בַּיּוֹם הַהוּא וְלֹא נְתָנוֹ לָשׁוּב בֵּית
אָבִיו׃ ג וַיִּכְרֹת יְהוֹנָתָן וְדָוִד בְּרִית בְּאַהֲבָתוֹ אֹתוֹ כְּנַפְשׁוֹ׃ ד וַיִּתְפַּשֵּׁט יְהוֹנָתָן
אֶת־הַמְּעִיל אֲשֶׁר עָלָיו וַיִּתְּנֵהוּ לְדָוִד וּמַדָּיו וְעַד־חַרְבּוֹ וְעַד־קַשְׁתּוֹ
וְעַד־חֲגֹרוֹ׃ ה וַיֵּצֵא דָוִד בְּכֹל אֲשֶׁר יִשְׁלָחֶנּוּ שָׁאוּל יַשְׂכִּיל וַיְשִׂמֵהוּ שָׁאוּל עַל
אַנְשֵׁי הַמִּלְחָמָה וַיִּיטַב בְּעֵינֵי כָל־הָעָם וְגַם בְּעֵינֵי עַבְדֵי שָׁאוּל׃

ו וַיְהִי בְּבוֹאָם בְּשׁוּב דָּוִד מֵהַכּוֹת אֶת־הַפְּלִשְׁתִּי וַתֵּצֶאנָה הַנָּשִׁים מִכָּל־עָרֵי
יִשְׂרָאֵל לָשִׁיר[31] וְהַמְּחֹלוֹת לִקְרַאת שָׁאוּל הַמֶּלֶךְ בְּתֻפִּים בְּשִׂמְחָה וּבְשָׁלִשִׁים׃
ז וַתַּעֲנֶינָה הַנָּשִׁים הַמְשַׂחֲקוֹת וַתֹּאמַרְןָ הִכָּה שָׁאוּל בַּאֲלָפָיו[32] וְדָוִד בְּרִבְבֹתָיו׃
ח וַיִּחַר לְשָׁאוּל מְאֹד וַיֵּרַע בְּעֵינָיו הַדָּבָר הַזֶּה וַיֹּאמֶר נָתְנוּ לְדָוִד רְבָבוֹת וְלִי
נָתְנוּ הָאֲלָפִים וְעוֹד לוֹ אַךְ הַמְּלוּכָה׃ ט וַיְהִי שָׁאוּל עוֹיֵן[33] אֶת־דָּוִד מֵהַיּוֹם
הַהוּא וָהָלְאָה׃ י וַיְהִי מִמָּחֳרָת וַתִּצְלַח רוּחַ אֱלֹהִים ׀ רָעָה ׀ אֶל־שָׁאוּל וַיִּתְנַבֵּא
בְתוֹךְ־הַבַּיִת וְדָוִד מְנַגֵּן בְּיָדוֹ כְּיוֹם ׀ בְּיוֹם וְהַחֲנִית בְּיַד־שָׁאוּל׃ יא וַיָּטֶל שָׁאוּל
אֶת־הַחֲנִית וַיֹּאמֶר אַכֶּה בְדָוִד וּבַקִּיר וַיִּסֹּב דָּוִד מִפָּנָיו פַּעֲמָיִם׃

[30] ויאהבו
[31] לשור
[32] באלפו
[33] עון

49 And David put his hand in his bag, and took thence a stone, and slung it, and smote the Philistine in his forehead; and the stone sank into his forehead, and he fell upon his face to the earth. 50 So David prevailed over the Philistine with a sling and with a stone, and smote the Philistine, and slew him; but there was no sword in the hand of David. 51 And David ran, and stood over the Philistine, and took his sword, and drew it out of the sheath thereof, and slew him, and cut off his head therewith. And when the Philistines saw that their mighty man was dead, they fled. 52 And the men of Israel and of Judah arose, and shouted, and pursued the Philistines, until thou comest to Gai, and to the gates of Ekron. And the wounded of the Philistines fell down by the way to Shaaraim, even unto Gath, and unto Ekron. 53 And the children of Israel returned from chasing after the Philistines, and they spoiled their camp. 54 And David took the head of the philistine, and brought it to Yerushalam; but he put his armour in his tent.{S}   55 And when Saul saw David go forth against the Philistine, he said unto Abner, the captain of the host: 'Abner, whose son is this youth?' And Abner said: 'As thy soul liveth, O king, I cannot tell.' 56 And the king said: 'Inquire thou whose son the stripling is.'{S}   57 And as David returned from the slaughter of the Philistine, Abner took him, and brought him before Saul with the head of the Philistine in his hand. 58 And Saul said to him: 'Whose son art thou, thou young man?' And David answered: 'I am the son of thy servant Jesse the Beth-lehemite.'

18 1 And it came to pass, when he had made an end of speaking unto Saul, that the soul of Jonathan was knit with the soul of David, and Jonathan loved him as his own soul. 2 And Saul took him that day, and would let him go no more home to his father's house. 3 Then Jonathan made a covenant with David, because he loved him as his own soul. 4 And Jonathan stripped himself of the robe that was upon him, and gave it to David, and his apparel, even to his sword, and to his bow, and to his girdle. 5 And David went out; whithersoever Saul sent him, he had good success; and Saul set him over the men of war; and it was good in the sight of all the people, and also in the sight of Saul's servants.{P}

6 And it came to pass as they came, when David returned from the slaughter of the Philistine, that the women came out of all the cities of Israel, singing and dancing, to meet king Saul, with timbrels, with joy, and with three-stringed instruments. 7 And the women sang one to another in their play, and said: Saul hath slain his thousands, and David his ten thousands. 8 And Saul was very wroth, and this saying displeased him; and he said: 'They have ascribed unto David ten thousands, and to me they have ascribed but thousands; and all he lacketh is the kingdom!' 9 And Saul eyed David from that day and forward.{S}   10 And it came to pass on the morrow, that an evil spirit from God came mightily upon Saul, and he raved in the midst of the house; and David played with his hand, as he did day by day; and Saul had his spear in his hand. 11 And Saul cast the spear; for he said: 'I will smite David even to the wall.' And David stepped aside out of his presence twice.

יב וַיִּרָא שָׁאוּל מִלִּפְנֵי דָוִד כִּי־הָיָה יְהוָה עִמּוֹ וּמֵעִם שָׁאוּל סָר׃ יג וַיְסִרֵהוּ
שָׁאוּל מֵעִמּוֹ וַיְשִׂמֵהוּ לוֹ שַׂר־אָלֶף וַיֵּצֵא וַיָּבֹא לִפְנֵי הָעָם׃

יד וַיְהִי דָוִד לְכָל־דְּרָכָו מַשְׂכִּיל וַיהוָה עִמּוֹ׃ טו וַיַּרְא שָׁאוּל אֲשֶׁר־הוּא
מַשְׂכִּיל מְאֹד וַיָּגָר מִפָּנָיו׃ טז וְכָל־יִשְׂרָאֵל וִיהוּדָה אֹהֵב אֶת־דָּוִד כִּי־הוּא
יוֹצֵא וָבָא לִפְנֵיהֶם׃

יז וַיֹּאמֶר שָׁאוּל אֶל־דָּוִד הִנֵּה בִתִּי הַגְּדוֹלָה מֵרַב אֹתָהּ אֶתֶּן־לְךָ לְאִשָּׁה אַךְ
הֱיֵה־לִּי לְבֶן־חַיִל וְהִלָּחֵם מִלְחֲמוֹת יְהוָה וְשָׁאוּל אָמַר אַל־תְּהִי יָדִי בּוֹ
וּתְהִי־בוֹ יַד־פְּלִשְׁתִּים׃ יח וַיֹּאמֶר דָּוִד אֶל־שָׁאוּל מִי אָנֹכִי וּמִי חַיַּי מִשְׁפַּחַת
אָבִי בְּיִשְׂרָאֵל כִּי־אֶהְיֶה חָתָן לַמֶּלֶךְ׃ יט וַיְהִי בְּעֵת תֵּת אֶת־מֵרַב בַּת־שָׁאוּל
לְדָוִד וְהִיא נִתְּנָה לְעַדְרִיאֵל הַמְּחֹלָתִי לְאִשָּׁה׃ כ וַתֶּאֱהַב מִיכַל בַּת־שָׁאוּל
אֶת־דָּוִד וַיַּגִּדוּ לְשָׁאוּל וַיִּשַׁר הַדָּבָר בְּעֵינָיו׃ כא וַיֹּאמֶר שָׁאוּל אֶתְּנֶנָּה לּוֹ
וּתְהִי־לוֹ לְמוֹקֵשׁ וּתְהִי־בוֹ יַד־פְּלִשְׁתִּים וַיֹּאמֶר שָׁאוּל אֶל־דָּוִד בִּשְׁתַּיִם
תִּתְחַתֵּן בִּי הַיּוֹם׃ כב וַיְצַו שָׁאוּל אֶת־עֲבָדָו דַּבְּרוּ אֶל־דָּוִד בַּלָּט לֵאמֹר הִנֵּה
חָפֵץ בְּךָ הַמֶּלֶךְ וְכָל־עֲבָדָיו אֲהֵבוּךָ וְעַתָּה הִתְחַתֵּן בַּמֶּלֶךְ׃ כג וַיְדַבְּרוּ עַבְדֵי
שָׁאוּל בְּאָזְנֵי דָוִד אֶת־הַדְּבָרִים הָאֵלֶּה וַיֹּאמֶר דָּוִד הֲנְקַלָּה בְעֵינֵיכֶם הִתְחַתֵּן
בַּמֶּלֶךְ וְאָנֹכִי אִישׁ־רָשׁ וְנִקְלֶה׃ כד וַיַּגִּדוּ עַבְדֵי שָׁאוּל לוֹ לֵאמֹר כַּדְּבָרִים
הָאֵלֶּה דִּבֶּר דָּוִד׃

כה וַיֹּאמֶר שָׁאוּל כֹּה־תֹאמְרוּ לְדָוִד אֵין־חֵפֶץ לַמֶּלֶךְ בְּמֹהַר כִּי בְּמֵאָה
עָרְלוֹת פְּלִשְׁתִּים לְהִנָּקֵם בְּאֹיְבֵי הַמֶּלֶךְ וְשָׁאוּל חָשַׁב לְהַפִּיל אֶת־דָּוִד
בְּיַד־פְּלִשְׁתִּים׃ כו וַיַּגִּדוּ עֲבָדָיו לְדָוִד אֶת־הַדְּבָרִים הָאֵלֶּה וַיִּשַׁר הַדָּבָר
בְּעֵינֵי דָוִד לְהִתְחַתֵּן בַּמֶּלֶךְ וְלֹא מָלְאוּ הַיָּמִים׃ כז וַיָּקָם דָּוִד וַיֵּלֶךְ ׀ הוּא
וַאֲנָשָׁיו וַיַּךְ בַּפְּלִשְׁתִּים מָאתַיִם אִישׁ וַיָּבֵא דָוִד אֶת־עָרְלֹתֵיהֶם וַיְמַלְאוּם
לַמֶּלֶךְ לְהִתְחַתֵּן בַּמֶּלֶךְ וַיִּתֶּן־לוֹ שָׁאוּל אֶת־מִיכַל בִּתּוֹ לְאִשָּׁה׃ כח וַיַּרְא
שָׁאוּל וַיֵּדַע כִּי יְהוָה עִם־דָּוִד וּמִיכַל בַּת־שָׁאוּל אֲהֵבַתְהוּ׃ כט וַיֹּאסֶף שָׁאוּל
לֵרֹא מִפְּנֵי דָוִד עוֹד וַיְהִי שָׁאוּל אֹיֵב אֶת־דָּוִד כָּל־הַיָּמִים׃ ל וַיֵּצְאוּ שָׂרֵי
פְלִשְׁתִּים וַיְהִי ׀ מִדֵּי צֵאתָם שָׂכַל דָּוִד מִכֹּל עַבְדֵי שָׁאוּל וַיִּיקַר שְׁמוֹ מְאֹד׃

יט א וַיְדַבֵּר שָׁאוּל אֶל־יוֹנָתָן בְּנוֹ וְאֶל־כָּל־עֲבָדָיו לְהָמִית אֶת־דָּוִד וִיהוֹנָתָן
בֶּן־שָׁאוּל חָפֵץ בְּדָוִד מְאֹד׃ ב וַיַּגֵּד יְהוֹנָתָן לְדָוִד לֵאמֹר מְבַקֵּשׁ שָׁאוּל אָבִי
לַהֲמִיתֶךָ וְעַתָּה הִשָּׁמֶר־נָא בַבֹּקֶר וְיָשַׁבְתָּ בַסֵּתֶר וְנַחְבֵּאתָ׃ ג וַאֲנִי אֵצֵא
וְעָמַדְתִּי לְיַד־אָבִי בַּשָּׂדֶה אֲשֶׁר אַתָּה שָׁם וַאֲנִי אֲדַבֵּר בְּךָ אֶל־אָבִי וְרָאִיתִי
מָה וְהִגַּדְתִּי לָךְ׃

12 And Saul was afraid of David, because Yehovah was with him, and was departed from Saul. **13** Therefore Saul removed him from him, and made him his captain over a thousand; and he went out and came in before the people.{S} **14** And David had great success in all his ways; and Yehovah was with him. **15** And when Saul saw that he had great success, he stood in awe of him. **16** But all Israel and Judah loved David; for he went out and came in before them.{P}

17 And Saul said to David: 'Behold my elder daughter Merab, her will I give thee to wife; only be thou valiant for me, and fight Yehovah's battles.' For Saul said: 'Let not my hand be upon him, but let the hand of the Philistines be upon him.'{S} **18** And David said unto Saul: 'Who am I, and what is my life, or my father's family in Israel, that I should be son-in-law to the king?' **19** But it came to pass at the time when Merab Saul's daughter should have been given to David, that she was given unto Adriel the Meholathite to wife. **20** And Michal Saul's daughter loved David; and they told Saul, and the thing pleased him. **21** And Saul said: 'I will give him her, that she may be a snare to him, and that the hand of the Philistines may be against him.' Wherefore Saul said to David: 'Thou shalt this day be my son-in-law through the one of the twain.' **22** And Saul commanded his servants: 'Speak with David secretly, and say: Behold, the king hath delight in thee, and all his servants love thee; now therefore be the king's son-in-law.' **23** And Saul's servants spoke those words in the ears of David. And David said: 'Seemeth it to you a light thing to be the king's son-in-law, seeing that I am a poor man, and lightly esteemed?' **24** And the servants of Saul told him, saying: 'On this manner spoke David.' **25** And Saul said: 'Thus shall ye say to David: The king desireth not any dowry, but a hundred foreskins of the Philistines, to be avenged of the king's enemies.' For Saul thought to make David fall by the hand of the Philistines. **26** And when his servants told David these words, it pleased David well to be the king's son-in-law. And the days were not expired; **27** and David arose and went, he and his men, and slew of the Philistines two hundred men; and David brought their foreskins, and they gave them in full number to the king, that he might be the king's son-in-law. And Saul gave him Michal his daughter to wife.{S} **28** And Saul saw and knew that Yehovah was with David; and Michal Saul's daughter loved him. **29** And Saul was yet the more afraid of David; and Saul was David's enemy continually.{P}

30 Then the princes of the Philistines went forth; and it came to pass, as often as they went forth, that David prospered more than all the servants of Saul; so that his name was much set by.{S}

19 **1** And Saul spoke to Jonathan his son, and to all his servants, that they should slay David; but Jonathan Saul's son delighted much in David. **2** And Jonathan told David, saying: 'Saul my father seeketh to slay thee; now therefore, I pray thee, take heed to thyself in the morning, and abide in a secret place, and hide thyself. **3** And I will go out and stand beside my father in the field where thou art, and I will speak with my father of thee; and if I see aught, I will tell thee.'{S}

ד וַיְדַבֵּ֨ר יְהוֹנָתָ֤ן בְּדָוִד֙ ט֔וֹב אֶל־שָׁא֖וּל אָבִ֑יו וַיֹּ֨אמֶר אֵלָ֜יו אַל־יֶחֱטָ֤א הַמֶּ֙לֶךְ֙
בְּעַבְדּ֣וֹ בְדָוִ֔ד כִּ֣י ל֤וֹא חָטָא֙ לָ֔ךְ וְכִ֥י מַעֲשָׂ֖יו טוֹב־לְךָ֥ מְאֹֽד׃ ה וַיָּשֶׂם֩ אֶת־נַפְשׁ֨וֹ
בְכַפּ֜וֹ וַיַּ֣ךְ אֶת־הַפְּלִשְׁתִּ֗י וַיַּ֨עַשׂ יְהוָ֜ה תְּשׁוּעָ֤ה גְדוֹלָה֙ לְכָל־יִשְׂרָאֵ֔ל רָאִ֖יתָ
וַתִּשְׂמָ֑ח וְלָ֤מָּה תֶֽחֱטָא֙ בְּדָ֣ם נָקִ֔י לְהָמִ֥ית אֶת־דָּוִ֖ד חִנָּֽם׃ ו וַיִּשְׁמַ֥ע שָׁא֖וּל בְּק֣וֹל
יְהוֹנָתָ֑ן וַיִּשָּׁבַ֣ע שָׁא֔וּל חַי־יְהוָ֖ה אִם־יוּמָֽת׃ ז וַיִּקְרָ֨א יְהוֹנָתָ֜ן לְדָוִ֗ד וַיַּגֶּד־לוֹ֙
יְה֣וֹנָתָ֔ן אֵ֥ת כָּל־הַדְּבָרִ֖ים הָאֵ֑לֶּה וַיָּבֵ֨א יְהוֹנָתָ֤ן אֶת־דָּוִד֙ אֶל־שָׁא֔וּל וַיְהִ֥י לְפָנָ֖יו
כְּאֶתְמ֥וֹל שִׁלְשֽׁוֹם׃ ח וַתּ֥וֹסֶף הַמִּלְחָמָ֖ה לִהְי֑וֹת וַיֵּצֵ֨א דָוִ֜ד וַיִּלָּ֣חֶם בַּפְּלִשְׁתִּ֗ים
וַיַּ֤ךְ בָּהֶם֙ מַכָּ֣ה גְדוֹלָ֔ה וַיָּנֻ֖סוּ מִפָּנָֽיו׃ ט וַתְּהִי֩ ר֨וּחַ יְהוָ֤ה ׀ רָעָה֙ אֶל־שָׁא֔וּל וְהוּא֙
בְּבֵית֣וֹ יוֹשֵׁ֔ב וַחֲנִית֖וֹ בְּיָד֑וֹ וְדָוִ֖ד מְנַגֵּ֥ן בְּיָֽד׃ י וַיְבַקֵּ֨שׁ שָׁא֜וּל לְהַכּ֤וֹת בַּחֲנִית֙
בְּדָוִ֣ד וּבַקִּ֔יר וַיִּפְטַר֙ מִפְּנֵ֣י שָׁא֔וּל וַיַּ֥ךְ אֶֽת־הַחֲנִ֖ית בַּקִּ֑יר וְדָוִ֛ד נָ֥ס וַיִּמָּלֵ֖ט
בַּלַּ֥יְלָה הֽוּא׃

יא וַיִּשְׁלַח֩ שָׁא֨וּל מַלְאָכִ֜ים אֶל־בֵּ֤ית דָּוִד֙ לְשָׁמְר֔וֹ וְלַהֲמִית֖וֹ בַּבֹּ֑קֶר וַתַּגֵּ֣ד לְדָוִ֗ד
מִיכַ֤ל אִשְׁתּוֹ֙ לֵאמֹ֔ר אִם־אֵינְךָ֞ מְמַלֵּ֤ט אֶֽת־נַפְשְׁךָ֙ הַלַּ֔יְלָה מָחָ֖ר אַתָּ֥ה מוּמָֽת׃
יב וַתֹּ֧רֶד מִיכַ֛ל אֶת־דָּוִ֖ד בְּעַ֣ד הַחַלּ֑וֹן וַיֵּ֥לֶךְ וַיִּבְרַ֖ח וַיִּמָּלֵֽט׃ יג וַתִּקַּ֨ח מִיכַ֜ל
אֶת־הַתְּרָפִ֗ים וַתָּ֙שֶׂם֙ אֶל־הַמִּטָּ֔ה וְאֵת֙ כְּבִ֣יר הָֽעִזִּ֔ים שָׂ֖מָה מְרַאֲשֹׁתָ֑יו וַתְּכַ֖ס
בַּבָּֽגֶד׃ יד וַיִּשְׁלַ֥ח שָׁא֛וּל מַלְאָכִ֖ים לָקַ֣חַת אֶת־דָּוִ֑ד וַתֹּ֖אמֶר חֹלֶ֥ה הֽוּא׃

טו וַיִּשְׁלַ֤ח שָׁאוּל֙ אֶת־הַמַּלְאָכִ֔ים לִרְא֥וֹת אֶת־דָּוִ֖ד לֵאמֹ֑ר הַעֲל֨וּ אֹת֧וֹ בַמִּטָּ֛ה אֵלַ֖י
לַהֲמִתֽוֹ׃ טז וַיָּבֹ֙אוּ֙ הַמַּלְאָכִ֔ים וְהִנֵּ֥ה הַתְּרָפִ֖ים אֶל־הַמִּטָּ֑ה וּכְבִ֥יר הָעִזִּ֖ים
מְרַאֲשֹׁתָֽיו׃ יז וַיֹּ֨אמֶר שָׁא֜וּל אֶל־מִיכַ֗ל לָ֤מָּה כָּ֙כָה֙ רִמִּיתִ֔נִי וַתְּשַׁלְּחִ֥י אֶת־אֹיְבִ֖י
וַיִּמָּלֵ֑ט וַתֹּ֤אמֶר מִיכַל֙ אֶל־שָׁא֔וּל הוּא־אָמַ֥ר אֵלַ֛י שַׁלְּחִ֖נִי לָמָ֥ה אֲמִיתֵֽךְ׃ יח וְדָוִ֨ד
בָּרַ֜ח וַיִּמָּלֵ֗ט וַיָּבֹ֤א אֶל־שְׁמוּאֵל֙ הָרָמָ֔תָה וַיַּגֶּד־ל֕וֹ אֵ֛ת כָּל־אֲשֶׁ֥ר עָֽשָׂה־ל֖וֹ שָׁא֑וּל
וַיֵּ֤לֶךְ הוּא֙ וּשְׁמוּאֵ֔ל וַיֵּשְׁב֖וּ בְּנָי֑וֹת[34]׃ יט וַיֻּגַּ֥ד לְשָׁא֖וּל לֵאמֹ֑ר הִנֵּ֥ה דָוִ֖ד
בְּנָי֥וֹת[35] בָּרָמָֽה׃ כ וַיִּשְׁלַ֨ח שָׁא֣וּל מַלְאָכִים֮ לָקַ֣חַת אֶת־דָּוִד֒ וַ֠יַּרְא אֶֽת־לַהֲקַ֨ת
הַנְּבִיאִ֜ים נִבְּאִ֗ים וּשְׁמוּאֵ֛ל עֹמֵ֥ד נִצָּ֖ב עֲלֵיהֶ֑ם וַתְּהִ֞י עַל־מַלְאֲכֵ֤י שָׁאוּל֙ ר֣וּחַ
אֱלֹהִ֔ים וַיִּֽתְנַבְּא֖וּ גַּם־הֵֽמָּה׃ כא וַיַּגִּ֣דוּ לְשָׁא֗וּל וַיִּשְׁלַח֙ מַלְאָכִ֣ים אֲחֵרִ֔ים וַיִּֽתְנַבְּא֖וּ
גַּם־הֵ֑מָּה וַיֹּ֣סֶף שָׁא֗וּל וַיִּשְׁלַח֙ מַלְאָכִ֣ים שְׁלִשִׁ֔ים וַיִּֽתְנַבְּא֖וּ גַּם־הֵֽמָּה׃ כב וַיֵּ֨לֶךְ
גַּם־ה֜וּא הָרָמָ֗תָה וַיָּבֹא֙ עַד־בּ֤וֹר הַגָּדוֹל֙ אֲשֶׁ֣ר בַּשֶּׂ֔כוּ וַיִּשְׁאַ֣ל וַיֹּ֔אמֶר אֵיפֹ֥ה
שְׁמוּאֵ֖ל וְדָוִ֑ד וַיֹּ֕אמֶר הִנֵּ֖ה בְּנָי֥וֹת[36] בָּרָמָֽה׃ כג וַיֵּ֣לֶךְ שָׁ֔ם אֶל־נָי֖וֹת[37] בָּרָמָ֑ה וַתְּהִ֨י
עָלָ֜יו גַּם־ה֗וּא ר֚וּחַ אֱלֹהִ֔ים וַיֵּ֤לֶךְ הָלוֹךְ֙ וַיִּתְנַבֵּ֔א עַד־בֹּא֖וֹ בְּנָי֥וֹת[38] בָּרָמָֽה׃

[34] בנוית
[35] בנוית
[36] בנוית
[37] נוית
[38] בנוית

4 And Jonathan spoke good of David unto Saul his father, and said unto him: 'Let not the king sin against his servant, against David; because he hath not sinned against thee, and because his work hath been very good towards thee; **5** for he put his life in his hand, and smote the Philistine, and Yehovah wrought a great victory for all Israel; thou sawest it, and didst rejoice; wherefore then wilt thou sin against innocent blood, to slay David without a cause?' **6** And Saul hearkened unto the voice of Jonathan; and Saul swore: 'As Yehovah liveth, he shall not be put to death.' **7** And Jonathan called David, and Jonathan told him all those things. And Jonathan brought David to Saul, and he was in his presence, as beforetime.{S} **8** And there was war again; and David went out, and fought with the Philistines, and slew them with a great slaughter; and they fled before him. **9** And an evil spirit from Yehovah was upon Saul, as he sat in his house with his spear in his hand; and David was playing with his hand. **10** And Saul sought to smite David even to the wall with the spear; but he slipped away out of Saul's presence, and he smote the spear into the wall; and David fled, and escaped that night.{P}

11 And Saul sent messengers unto David's house, to watch him, and to slay him in the morning; and Michal David's wife told him, saying: 'If thou save not thy life to-night, to-morrow thou shalt be slain.' **12** So Michal let David down through the window; and he went, and fled, and escaped. **13** And Michal took the teraphim, and laid it in the bed, and put a quilt of goats' hair at the head thereof, and covered it with a cloth.{S} **14** And when Saul sent messengers to take David, she said: 'He is sick.'{S} **15** And Saul sent the messengers to see David, saying: 'Bring him up to me in the bed, that I may slay him.' **16** And when the messengers came in, behold, the teraphim was in the bed, with the quilt of goats' hair at the head thereof.{S} **17** And Saul said unto Michal: 'Why hast thou deceived me thus, and let mine enemy go, that he is escaped?' And Michal answered Saul: 'He said unto me: Let me go; why should I kill thee?' **18** Now David fled, and escaped, and came to Samuel to Ramah, and told him all that Saul had done to him. And he and Samuel went and dwelt in Naioth. **19** And it was told Saul, saying: 'Behold, David is at Naioth in Ramah.' **20** And Saul sent messengers to take David; and when they saw the company of the prophets prophesying, and Samuel standing as head over them, the spirit of God came upon the messengers of Saul, and they also prophesied. **21** And when it was told Saul, he sent other messengers, and they also prophesied.{S} And Saul sent messengers again the third time, and they also prophesied. **22** Then went he also to Ramah, and came to the great cistern that is in Secu; and he asked and said: 'Where are Samuel and David?' And one said: 'Behold, they are at Naioth in Ramah.' **23** And he went thither to Naioth in Ramah; and the spirit of God came upon him also, and he went on, and prophesied, until he came to Naioth in Ramah.

כד וַיִּפְשַׁ֨ט גַּם־ה֜וּא בְּגָדָ֗יו וַיִּתְנַבֵּ֤א גַם־הוּא֙ לִפְנֵ֣י שְׁמוּאֵ֔ל וַיִּפֹּ֣ל עָרֹ֔ם כָּל־הַיּ֥וֹם הַה֖וּא וְכָל־הַלָּ֑יְלָה עַל־כֵּן֙ יֹֽאמְר֔וּ הֲגַ֥ם שָׁא֖וּל בַּנְּבִיאִֽם׃

כ א וַיִּבְרַ֣ח דָּוִ֔ד מִנָּי֖וֹת[39] בָּרָמָ֑ה וַיָּבֹ֞א וַיֹּ֣אמֶר ׀ לִפְנֵ֣י יְהוֹנָתָ֗ן מֶ֤ה עָשִׂ֙יתִי֙ מֶ֣ה עֲוֺנִ֤י וּמֶֽה־חַטָּאתִי֙ לִפְנֵ֣י אָבִ֔יךָ כִּ֥י מְבַקֵּ֖שׁ אֶת־נַפְשִֽׁי׃ ב וַיֹּ֨אמֶר ל֣וֹ חָלִ֩ילָה֩ לֹ֨א תָמ֜וּת הִנֵּ֣ה לֹֽא־יַעֲשֶׂ֥ה[40] אָבִ֗י דָּבָ֤ר גָּדוֹל֙ א֣וֹ דָּבָ֣ר קָטֹ֔ן וְלֹ֥א יִגְלֶ֖ה אֶת־אָזְנִ֑י וּמַדּ֩וּעַ֩ יַסְתִּ֨יר אָבִ֥י מִמֶּ֛נִּי אֶת־הַדָּבָ֥ר הַזֶּ֖ה אֵ֥ין זֹֽאת׃ ג וַיִּשָּׁבַ֨ע עוֹד֙ דָּוִ֔ד וַיֹּ֗אמֶר יָדֹ֨עַ יָדַ֜ע אָבִ֗יךָ כִּֽי־מָצָ֤אתִי חֵן֙ בְּעֵינֶ֔יךָ וַיֹּ֛אמֶר אַל־יֵֽדַע־זֹ֥את יְהוֹנָתָ֖ן פֶּן־יֵֽעָצֵ֑ב וְאוּלָ֗ם חַי־יְהֹוָה֙ וְחֵ֣י נַפְשֶׁ֔ךָ כִּ֣י כְפֶ֔שַׂע בֵּינִ֖י וּבֵ֥ין הַמָּֽוֶת׃ ד וַיֹּ֥אמֶר יְהוֹנָתָ֖ן אֶל־דָּוִ֑ד מַה־תֹּאמַ֥ר נַפְשְׁךָ֖ וְאֶֽעֱשֶׂה־לָּֽךְ׃

ה וַיֹּ֨אמֶר דָּוִ֜ד אֶל־יְהוֹנָתָ֗ן הִֽנֵּה־חֹ֙דֶשׁ֙ מָחָ֔ר וְאָנֹכִ֛י יָשֹֽׁב־אֵשֵׁ֥ב עִם־הַמֶּ֖לֶךְ לֶאֱכ֑וֹל וְשִׁלַּחְתַּ֙נִי֙ וְנִסְתַּרְתִּ֣י בַשָּׂדֶ֔ה עַ֖ד הָעֶ֥רֶב הַשְּׁלִשִֽׁית׃ ו אִם־פָּקֹ֥ד יִפְקְדֵ֖נִי אָבִ֑יךָ וְאָמַרְתָּ֗ נִשְׁאֹ֩ל נִשְׁאַ֨ל מִמֶּ֤נִּי דָוִד֙ לָרוּץ֙ בֵּֽית־לֶ֣חֶם עִיר֔וֹ כִּ֣י זֶ֧בַח הַיָּמִ֛ים שָׁ֖ם לְכָל־הַמִּשְׁפָּחָֽה׃ ז אִם־כֹּ֥ה יֹאמַ֛ר ט֖וֹב שָׁל֣וֹם לְעַבְדֶּ֑ךָ וְאִם־חָרֹ֤ה יֶֽחֱרֶה֙ ל֔וֹ דַּ֕ע כִּֽי־כָלְתָ֥ה הָרָעָ֖ה מֵעִמּֽוֹ׃ ח וְעָשִׂ֤יתָ חֶ֙סֶד֙ עַל־עַבְדֶּ֔ךָ כִּ֚י בִּבְרִ֣ית יְהֹוָ֔ה הֵבֵ֥אתָ אֶֽת־עַבְדְּךָ֖ עִמָּ֑ךְ וְאִם־יֶשׁ־בִּ֤י עָוֺן֙ הֲמִיתֵ֣נִי אַ֔תָּה וְעַד־אָבִ֖יךָ לָמָּה־זֶּ֥ה תְבִיאֵֽנִי׃

ט וַיֹּ֥אמֶר יְהוֹנָתָ֖ן חָלִ֣ילָה לָּ֑ךְ כִּ֣י ׀ אִם־יָדֹ֣עַ אֵדַ֗ע כִּֽי־כָלְתָ֨ה הָרָעָ֤ה מֵעִ֣ם אָבִי֙ לָב֣וֹא עָלֶ֔יךָ וְלֹ֥א אֹתָ֖הּ אַגִּ֥יד לָֽךְ׃ י וַיֹּ֤אמֶר דָּוִד֙ אֶל־יְה֣וֹנָתָ֔ן מִ֥י יַגִּ֖יד לִ֑י א֚וֹ מַה־יַּעַנְךָ֥ אָבִ֖יךָ קָשָֽׁה׃ יא וַיֹּ֤אמֶר יְהֽוֹנָתָן֙ אֶל־דָּוִ֔ד לְכָ֖ה וְנֵצֵ֣א הַשָּׂדֶ֑ה וַיֵּצְא֥וּ שְׁנֵיהֶ֖ם הַשָּׂדֶֽה׃ יב וַיֹּ֨אמֶר יְהוֹנָתָ֜ן אֶל־דָּוִ֗ד יְהֹוָ֞ה אֱלֹהֵ֤י יִשְׂרָאֵל֙ כִּֽי־אֶחְקֹ֣ר אֶת־אָבִ֗י כָּעֵ֤ת ׀ מָחָר֙ הַשְּׁלִשִׁ֔ית וְהִנֵּה־ט֖וֹב אֶל־דָּוִ֑ד וְלֹֽא־אָ֞ז אֶשְׁלַ֤ח אֵלֶ֙יךָ֙ וְגָלִ֖יתִי אֶת־אָזְנֶֽךָ׃ יג כֹּֽה־יַעֲשֶׂה֩ יְהֹוָ֨ה לִֽיהוֹנָתָ֜ן וְכֹ֣ה יֹסִ֗יף כִּֽי־יֵיטִ֨ב אֶל־אָבִ֤י אֶת־הָֽרָעָה֙ עָלֶ֔יךָ וְגָלִ֙יתִי֙ אֶת־אָזְנֶ֔ךָ וְשִׁלַּחְתִּ֖יךָ וְהָלַכְתָּ֣ לְשָׁל֑וֹם וִיהִ֤י יְהֹוָה֙ עִמָּ֔ךְ כַּאֲשֶׁ֥ר הָיָ֖ה עִם־אָבִֽי׃ יד וְלֹ֖א אִם־עוֹדֶ֣נִּי חָ֑י וְלֹֽא־תַעֲשֶׂ֧ה עִמָּדִ֛י חֶ֥סֶד יְהֹוָ֖ה וְלֹ֥א אָמֽוּת׃ טו וְלֹֽא־תַכְרִ֧ת אֶֽת־חַסְדְּךָ֛ מֵעִ֥ם בֵּיתִ֖י עַד־עוֹלָ֑ם וְלֹ֗א בְּהַכְרִ֤ת יְהֹוָה֙ אֶת־אֹיְבֵ֣י דָוִ֔ד אִ֕ישׁ מֵעַ֖ל פְּנֵ֥י הָאֲדָמָֽה׃ טז וַיִּכְרֹ֥ת יְהוֹנָתָ֖ן עִם־בֵּ֣ית דָּוִ֑ד וּבִקֵּ֣שׁ יְהֹוָ֔ה מִיַּ֖ד אֹיְבֵ֥י דָוִֽד׃ יז וַיּ֤וֹסֶף יְהֽוֹנָתָן֙ לְהַשְׁבִּ֣יעַ אֶת־דָּוִ֔ד בְּאַהֲבָת֖וֹ אֹת֑וֹ כִּֽי־אַהֲבַ֥ת נַפְשׁ֖וֹ אֲהֵבֽוֹ׃ יח וַיֹּאמֶר־ל֥וֹ יְהוֹנָתָ֖ן מָחָ֣ר חֹ֑דֶשׁ וְנִפְקַ֕דְתָּ כִּ֥י יִפָּקֵ֖ד מוֹשָׁבֶֽךָ׃ יט וְשִׁלַּשְׁתָּ֙ תֵּרֵ֣ד מְאֹ֔ד וּבָאתָ֙ אֶל־הַמָּק֔וֹם אֲשֶׁר־נִסְתַּ֥רְתָּ שָּׁ֖ם בְּי֣וֹם הַֽמַּעֲשֶׂ֑ה וְיָ֣שַׁבְתָּ֔ אֵ֖צֶל הָאֶ֥בֶן הָאָֽזֶל׃

24 And he also stripped off his clothes, and he also prophesied before Samuel, and lay down naked all that day and all that night. Wherefore they say: 'Is Saul also among the prophets?'{P}

20 **1** And David fled from Naioth in Ramah, and came and said before Jonathan: 'What have I done? what is mine iniquity? and what is my sin before thy father, that he seeketh my life?' **2** And he said unto him: 'Far from it; thou shalt not die; behold, my father doeth nothing either great or small, but that he discloseth it unto me; and why should my father hide this thing from me? it is not so.' **3** And David swore moreover, and said: 'Thy father knoweth well that I have found favour in thine eyes; and he saith: Let not Jonathan know this, lest he be grieved; but truly as Yehovah liveth, and as thy soul liveth, there is but a step between me and death.' **4** Then said Jonathan unto David: 'What doth thy soul desire, that I should do it for thee?'{P}

5 And David said unto Jonathan: 'Behold, to-morrow is the new moon, when I should sit with the king to eat; so let me go, that I may hide myself in the field unto the third day at even. **6** If thy father miss me at all, then say: David earnestly asked leave of me that he might run to Beth-lehem his city; for it is the yearly sacrifice there for all the family. **7** If he say thus: It is well; thy servant shall have peace; but if he be wroth, then know that evil is determined by him. **8** Therefore deal kindly with thy servant; for thou hast brought thy servant into a covenant of Yehovah with thee; but if there be in me iniquity, slay me thyself; for why shouldest thou bring me to thy father?'{P}

9 And Jonathan said: 'Far be it from thee; for if I should at all know that evil were determined by my father to come upon thee, then would not I tell it thee?{S} **10** Then said David to Jonathan: 'Who shall tell me if perchance thy father answer thee roughly?'{S} **11** And Jonathan said unto David: 'Come and let us go out into the field.' And they went out both of them into the field.{S} **12** And Jonathan said unto David: 'Yehovah, the God of Israel–when I have sounded my father about this time to-morrow, or the third day, behold, if there be good toward David, shall I not then send unto thee, and disclose it unto thee? **13** Yehovah do so to Jonathan, and more also, should it please my father to do thee evil, if I disclose it not unto thee, and send thee away, that thou mayest go in peace; and Yehovah be with thee, as He hath been with my father. **14** And thou shalt not only while yet I live show me the kindness of Yehovah, that I die not; **15** but also thou shalt not cut off thy kindness from my house for ever; no, not when Yehovah hath cut off the enemies of David every one from the face of the earth.' **16** So Jonathan made a covenant with the house of David: 'Yehovah even require it at the hand of David's enemies.' **17** And Jonathan caused David to swear again, for the love that he had to him; for he loved him as he loved his own soul.{S} **18** And Jonathan said unto him: 'To-morrow is the new moon; and thou wilt be missed, thy seat will be empty. **19** And in the third day thou shalt hide thyself well, and come to the place where thou didst hide thyself in the day of work, and shalt remain by the stone Ezel.

כ וַאֲנִ֕י שְׁלֹ֥שֶׁת הַחִצִּ֖ים צִדָּ֣ה אוֹרֶ֑ה לְשַֽׁלַּֽח־לִ֖י לְמַטָּרָֽה׃ כא וְהִנֵּה֙ אֶשְׁלַ֣ח
אֶת־הַנַּ֔עַר לֵ֖ךְ מְצָ֣א אֶת־הַֽחִצִּ֑ים אִם־אָמֹ֨ר אֹמַ֜ר לַנַּ֗עַר הִנֵּ֤ה הַחִצִּים׀ מִמְּךָ֙
וָהֵ֙נָּה֙ קָחֶ֣נּוּ׀ וָבֹ֗אָה כִּֽי־שָׁל֥וֹם לְךָ֛ וְאֵ֥ין דָּבָ֖ר חַי־יְהוָֽה׃ כב וְאִם־כֹּ֤ה אֹמַר֙
לָעֶ֔לֶם הִנֵּ֥ה הַחִצִּ֖ים מִמְּךָ֣ וָהָ֑לְאָה לֵ֕ךְ כִּ֥י שִֽׁלַּחֲךָ֖ יְהוָֽה׃ כג וְהַ֨דָּבָ֔ר אֲשֶׁ֥ר
דִּבַּ֖רְנוּ אֲנִ֣י וָאָ֑תָּה הִנֵּ֧ה יְהוָ֛ה בֵּינִ֥י וּבֵינְךָ֖ עַד־עוֹלָֽם׃ כד וַיִּסָּתֵ֥ר דָּוִ֖ד בַּשָּׂדֶ֑ה
וַיְהִ֣י הַחֹ֔דֶשׁ וַיֵּ֧שֶׁב הַמֶּ֛לֶךְ אֶל־הַלֶּ֖חֶם [41] לֶאֱכֽוֹל׃ כה וַיֵּ֣שֶׁב הַ֠מֶּלֶךְ עַל־מ֨וֹשָׁב֜וֹ
כְּפַ֣עַם׀ בְּפַ֗עַם אֶל־מוֹשַׁב֙ הַקִּ֔יר וַיָּ֙קָם֙ יְה֣וֹנָתָ֔ן וַיֵּ֥שֶׁב אַבְנֵ֖ר מִצַּ֣ד שָׁא֑וּל וַיִּפָּקֵ֖ד
מְק֥וֹם דָּוִֽד׃ כו וְלֹֽא־דִבֶּ֥ר שָׁא֛וּל מְא֖וּמָה בַּיּ֣וֹם הַה֑וּא כִּ֤י אָמַר֙ מִקְרֶ֣ה ה֔וּא
בִּלְתִּ֥י טָה֛וֹר ה֖וּא כִּֽי־לֹ֥א טָהֽוֹר׃ כז וַיְהִ֗י מִֽמָּחֳרַ֤ת הַחֹ֙דֶשׁ֙ הַשֵּׁנִ֔י וַיִּפָּקֵ֖ד מְק֣וֹם
דָּוִ֑ד

וַיֹּ֤אמֶר שָׁאוּל֙ אֶל־יְהוֹנָתָ֣ן בְּנ֔וֹ מַדּ֜וּעַ לֹא־בָ֧א בֶן־יִשַׁ֛י גַּם־תְּמ֥וֹל גַּם־הַיּ֖וֹם
אֶל־הַלָּֽחֶם׃ כח וַיַּ֥עַן יְהוֹנָתָ֖ן אֶת־שָׁא֑וּל נִשְׁאֹ֨ל נִשְׁאַ֥ל דָּוִ֛ד מֵעִמָּדִ֖י עַד־בֵּ֥ית
לָֽחֶם׃ כט וַיֹּ֗אמֶר שַׁלְּחֵ֣נִי נָ֡א כִּ֣י זֶבַח֩ מִשְׁפָּחָ֨ה לָ֜נוּ בָּעִ֗יר וְה֤וּא צִוָּה־לִי֙ אָחִ֔י
וְעַתָּ֗ה אִם־מָצָ֤אתִי חֵן֙ בְּעֵינֶ֔יךָ אִמָּ֥לְטָה נָּ֖א וְאֶרְאֶ֣ה אֶת־אֶחָ֑י עַל־כֵּ֣ן לֹא־בָ֔א
אֶל־שֻׁלְחַ֖ן הַמֶּֽלֶךְ׃ ל וַיִּֽחַר־אַ֤ף שָׁאוּל֙ בִּיה֣וֹנָתָ֔ן וַיֹּ֣אמֶר ל֔וֹ בֶּֽן־נַעֲוַ֖ת הַמַּרְדּ֑וּת
הֲל֣וֹא יָדַ֗עְתִּי כִּֽי־בֹחֵ֤ר אַתָּה֙ לְבֶן־יִשַׁ֔י לְבָ֨שְׁתְּךָ֔ וּלְבֹ֖שֶׁת עֶרְוַ֥ת אִמֶּֽךָ׃ לא כִּ֣י
כָל־הַיָּמִ֗ים אֲשֶׁ֤ר בֶּן־יִשַׁי֙ חַ֣י עַל־הָאֲדָמָ֔ה לֹ֥א תִכּ֖וֹן אַתָּ֣ה וּמַלְכוּתֶ֑ךָ וְעַתָּ֗ה
שְׁלַ֨ח וְקַ֤ח אֹתוֹ֙ אֵלַ֔י כִּ֥י בֶן־מָ֖וֶת הֽוּא׃ לב וַיַּ֙עַן֙ יְה֣וֹנָתָ֔ן אֶת־שָׁא֖וּל אָבִ֑יו וַיֹּ֣אמֶר
אֵלָ֔יו לָ֥מָּה יוּמַ֖ת מֶ֥ה עָשָֽׂה׃ לג וַיָּ֨טֶל שָׁא֧וּל אֶֽת־הַחֲנִ֛ית עָלָ֖יו לְהַכֹּת֑וֹ וַיֵּ֙דַע֙
יְה֣וֹנָתָ֔ן כִּֽי־כָ֥לָה הִ֛יא מֵעִ֥ם אָבִ֖יו לְהָמִ֥ית אֶת־דָּוִֽד׃ לד וַיָּ֧קָם יְהוֹנָתָ֛ן מֵעִ֥ם
הַשֻּׁלְחָ֖ן בָּחֳרִי־אָ֑ף וְלֹא־אָכַ֞ל בְּיוֹם־הַחֹ֤דֶשׁ הַשֵּׁנִי֙ לֶ֔חֶם כִּ֤י נֶעְצַב֙ אֶל־דָּוִ֔ד כִּ֥י
הִכְלִמ֖וֹ אָבִֽיו׃ לה וַיְהִ֣י בַבֹּ֔קֶר וַיֵּצֵ֧א יְהוֹנָתָ֛ן הַשָּׂדֶ֖ה לְמוֹעֵ֣ד דָּוִ֑ד וְנַ֥עַר קָטֹ֖ן
עִמּֽוֹ׃ לו וַיֹּ֣אמֶר לְנַעֲר֔וֹ רֻ֗ץ מְצָ֥א נָא֙ אֶת־הַ֣חִצִּ֔ים אֲשֶׁ֥ר אָנֹכִ֖י מוֹרֶ֑ה הַנַּ֣עַר רָ֔ץ
וְהֽוּא־יָרָ֥ה הַחֵ֖צִי לְהַעֲבִרֽוֹ׃ לז וַיָּבֹ֤א הַנַּ֙עַר֙ עַד־מְק֣וֹם הַחֵ֔צִי אֲשֶׁ֥ר יָרָ֖ה יְהוֹנָתָ֑ן
וַיִּקְרָ֨א יְהוֹנָתָ֜ן אַחֲרֵ֤י הַנַּ֙עַר֙ וַיֹּ֔אמֶר הֲל֥וֹא הַחֵ֖צִי מִמְּךָ֥ וָהָֽלְאָה׃ לח וַיִּקְרָ֤א
יְהֽוֹנָתָן֙ אַחֲרֵ֣י הַנַּ֔עַר מְהֵרָ֥ה ח֖וּשָׁה אַֽל־תַּעֲמֹ֑ד וַיְלַקֵּ֞ט נַ֤עַר יְהֽוֹנָתָן֙
אֶת־הַֽחִצִּ֔ים[42] וַיָּבֹ֖א אֶל־אֲדֹנָֽיו׃ לט וְהַנַּ֖עַר לֹא־יָדַ֣ע מְא֑וּמָה אַ֤ךְ יְהֽוֹנָתָן֙ וְדָוִ֔ד
יָדְע֖וּ אֶת־הַדָּבָֽר׃ מ וַיִּתֵּ֤ן יְהֽוֹנָתָן֙ אֶת־כֵּלָ֔יו אֶל־הַנַּ֖עַר אֲשֶׁר־ל֑וֹ וַיֹּ֣אמֶר ל֔וֹ לֵ֖ךְ
הָבֵ֥יא הָעִֽיר׃ מא הַנַּעַר֮ בָּא֒ וְדָוִ֗ד קָ֚ם מֵאֵ֣צֶל הַנֶּ֔גֶב וַיִּפֹּ֨ל לְאַפָּ֥יו אַ֛רְצָה וַיִּשְׁתַּ֖חוּ
שָׁלֹ֣שׁ פְּעָמִ֑ים וַֽיִּשְּׁק֣וּ׀ אִ֣ישׁ אֶת־רֵעֵ֗הוּ וַיִּבְכּוּ֙ אִ֣ישׁ אֶת־רֵעֵ֔הוּ עַד־דָּוִ֖ד הִגְדִּֽיל׃

[41]על
[42]החצי

20 And I will shoot three arrows to the side-ward, as though I shot at a mark. **21** And, behold, I will send the lad: Go, find the arrows. If I say unto the lad: Behold, the arrows are on this side of thee; take them, and come; for there is peace to thee and no hurt, as Yehovah liveth. **22** But if I say thus unto the boy: Behold, the arrows are beyond thee; go thy way; for Yehovah hath sent thee away. **23** And as touching the matter which I and thou have spoken of, behold, Yehovah is between me and thee for ever.'{S} **24** So David hid himself in the field; and when the new moon was come, the king sat him down to the meal to eat. **25** And the king sat upon his seat, as at other times, even upon the seat by the wall; and Jonathan stood up, and Abner sat by Saul's side; but David's place was empty. **26** Nevertheless Saul spoke not any thing that day; for he thought: 'Something hath befallen him, he is unclean; surely he is not clean.'{S} **27** And it came to pass on the morrow after the new moon, which was the second day, that David's place was empty;{P}

and Saul said unto Jonathan his son: 'Wherefore cometh not the son of Jesse to the meal, neither yesterday, nor to-day?' **28** And Jonathan answered Saul: 'David earnestly asked leave of me to go to Beth-lehem; **29** and he said: Let me go, I pray thee; for our family hath a sacrifice in the city; and my brother, he hath commanded me; and now, if I have found favour in thine eyes, let me get away, I pray thee, and see my brethren. Therefore he is not come unto the king's table.'{S} **30** Then Saul's anger was kindled against Jonathan, and he said unto him: 'Thou son of perverse rebellion, do not I know that thou hast chosen the son of Jesse to thine own shame, and unto the shame of thy mother's nakedness? **31** For as long as the son of Jesse liveth upon the earth, thou shalt not be established, nor thy kingdom. Wherefore now send and fetch him unto me, for he deserveth to die.'{S} **32** And Jonathan answered Saul his father, and said unto him: 'Wherefore should he be put to death? what hath he done?' **33** And Saul cast his spear at him to smite him; whereby Jonathan knew that it was determined of his father to put David to death.{S} **34** So Jonathan arose from the table in fierce anger, and did eat no food the second day of the month; for he was grieved for David, and because his father had put him to shame.{S} **35** And it came to pass in the morning, that Jonathan went out into the field at the time appointed with David, and a little lad with him. **36** And he said unto his lad: 'Run, find now the arrows which I shoot.' And as the lad ran, he shot an arrow beyond him. **37** And when the lad was come to the place of the arrow which Jonathan had shot, Jonathan cried after the lad, and said: 'Is not the arrow beyond thee?' **38** And Jonathan cried after the lad: 'Make speed, hasten, stay not.' And Jonathan's lad gathered up the arrows, and came to his master. **39** But the lad knew not any thing; only Jonathan and David knew the matter.{S} **40** And Jonathan gave his weapons unto his lad, and said unto him: 'Go, carry them to the city.' **41** And as soon as the lad was gone, David arose out of a place toward the South, and fell on his face to the ground, and bowed down three times; and they kissed one another, and wept one with another, until David exceeded.

מב וַיֹּאמֶר יְהוֹנָתָן לְדָוִד לֵךְ לְשָׁלוֹם אֲשֶׁר נִשְׁבַּעְנוּ שְׁנֵינוּ אֲנַחְנוּ בְּשֵׁם יְהוָה
לֵאמֹר יְהוָה יִהְיֶה ׀ בֵּינִי וּבֵינֶךָ וּבֵין זַרְעִי וּבֵין זַרְעֲךָ עַד־עוֹלָם׃

כא א וַיָּקָם וַיֵּלַךְ וִיהוֹנָתָן בָּא הָעִיר׃ ב וַיָּבֹא דָוִד נֹבֶה אֶל־אֲחִימֶלֶךְ הַכֹּהֵן
וַיֶּחֱרַד אֲחִימֶלֶךְ לִקְרַאת דָּוִד וַיֹּאמֶר לוֹ מַדּוּעַ אַתָּה לְבַדֶּךָ וְאִישׁ אֵין אִתָּךְ׃
ג וַיֹּאמֶר דָּוִד לַאֲחִימֶלֶךְ הַכֹּהֵן הַמֶּלֶךְ צִוַּנִי דָבָר וַיֹּאמֶר אֵלַי אִישׁ אַל־יֵדַע
מְאוּמָה אֶת־הַדָּבָר אֲשֶׁר־אָנֹכִי שֹׁלֵחֲךָ וַאֲשֶׁר צִוִּיתִךָ וְאֶת־הַנְּעָרִים יוֹדַעְתִּי
אֶל־מְקוֹם פְּלֹנִי אַלְמוֹנִי׃ ד וְעַתָּה מַה־יֵּשׁ תַּחַת־יָדְךָ חֲמִשָּׁה־לֶחֶם תְּנָה בְיָדִי
אוֹ הַנִּמְצָא׃ ה וַיַּעַן הַכֹּהֵן אֶת־דָּוִד וַיֹּאמֶר אֵין־לֶחֶם חֹל אֶל־תַּחַת יָדִי
כִּי־אִם־לֶחֶם קֹדֶשׁ יֵשׁ אִם־נִשְׁמְרוּ הַנְּעָרִים אַךְ מֵאִשָּׁה׃

ו וַיַּעַן דָּוִד אֶת־הַכֹּהֵן וַיֹּאמֶר לוֹ כִּי אִם־אִשָּׁה עֲצֻרָה־לָנוּ כִּתְמוֹל שִׁלְשֹׁם
בְּצֵאתִי וַיִּהְיוּ כְלֵי־הַנְּעָרִים קֹדֶשׁ וְהוּא דֶּרֶךְ חֹל וְאַף כִּי הַיּוֹם יִקְדַּשׁ בַּכֶּלִי׃
ז וַיִּתֶּן־לוֹ הַכֹּהֵן קֹדֶשׁ כִּי לֹא־הָיָה שָׁם לֶחֶם כִּי־אִם־לֶחֶם הַפָּנִים הַמּוּסָרִים
מִלִּפְנֵי יְהוָה לָשׂוּם לֶחֶם חֹם בְּיוֹם הִלָּקְחוֹ׃ ח וְשָׁם אִישׁ מֵעַבְדֵי שָׁאוּל בַּיּוֹם
הַהוּא נֶעְצָר לִפְנֵי יְהוָה וּשְׁמוֹ דֹּאֵג הָאֲדֹמִי אַבִּיר הָרֹעִים אֲשֶׁר לְשָׁאוּל׃
ט וַיֹּאמֶר דָּוִד לַאֲחִימֶלֶךְ וְאִין יֶשׁ־פֹּה תַחַת־יָדְךָ חֲנִית אוֹ־חָרֶב כִּי גַם־חַרְבִּי
וְגַם־כֵּלַי לֹא־לָקַחְתִּי בְיָדִי כִּי־הָיָה דְבַר־הַמֶּלֶךְ נָחוּץ׃ י וַיֹּאמֶר הַכֹּהֵן חֶרֶב
גָּלְיָת הַפְּלִשְׁתִּי אֲשֶׁר־הִכִּיתָ ׀ בְּעֵמֶק הָאֵלָה הִנֵּה־הִיא לוּטָה בַשִּׂמְלָה אַחֲרֵי
הָאֵפוֹד אִם־אֹתָהּ תִּקַּח־לְךָ קָח כִּי אֵין אַחֶרֶת זוּלָתָהּ בָּזֶה וַיֹּאמֶר דָּוִד אֵין
כָּמוֹהָ תְּנֶנָּה לִּי׃ יא וַיָּקָם דָּוִד וַיִּבְרַח בַּיּוֹם־הַהוּא מִפְּנֵי שָׁאוּל וַיָּבֹא אֶל־אָכִישׁ
מֶלֶךְ גַּת׃ יב וַיֹּאמְרוּ עַבְדֵי אָכִישׁ אֵלָיו הֲלוֹא־זֶה דָוִד מֶלֶךְ הָאָרֶץ הֲלוֹא לָזֶה
יַעֲנוּ בַמְּחֹלוֹת לֵאמֹר הִכָּה שָׁאוּל בַּאֲלָפָיו[43] וְדָוִד בְּרִבְבֹתָיו[44]׃ יג וַיָּשֶׂם דָּוִד
אֶת־הַדְּבָרִים הָאֵלֶּה בִּלְבָבוֹ וַיִּרָא מְאֹד מִפְּנֵי אָכִישׁ מֶלֶךְ־גַּת׃ יד וַיְשַׁנּוֹ
אֶת־טַעְמוֹ בְּעֵינֵיהֶם וַיִּתְהֹלֵל בְּיָדָם וַיְתָיו[45] עַל־דַּלְתוֹת הַשַּׁעַר וַיּוֹרֶד רִירוֹ
אֶל־זְקָנוֹ׃ טו וַיֹּאמֶר אָכִישׁ אֶל־עֲבָדָיו הִנֵּה תִרְאוּ אִישׁ מִשְׁתַּגֵּעַ לָמָּה תָּבִיאוּ
אֹתוֹ אֵלָי׃ טז חֲסַר מְשֻׁגָּעִים אָנִי כִּי־הֲבֵאתֶם אֶת־זֶה לְהִשְׁתַּגֵּעַ עָלָי הֲזֶה יָבוֹא
אֶל־בֵּיתִי׃

כב א וַיֵּלֶךְ דָּוִד מִשָּׁם וַיִּמָּלֵט אֶל־מְעָרַת עֲדֻלָּם וַיִּשְׁמְעוּ אֶחָיו וְכָל־בֵּית אָבִיו
וַיֵּרְדוּ אֵלָיו שָׁמָּה׃ ב וַיִּתְקַבְּצוּ אֵלָיו כָּל־אִישׁ מָצוֹק וְכָל־אִישׁ אֲשֶׁר־לוֹ נֹשֶׁא
וְכָל־אִישׁ מַר־נֶפֶשׁ וַיְהִי עֲלֵיהֶם לְשָׂר וַיִּהְיוּ עִמּוֹ כְּאַרְבַּע מֵאוֹת אִישׁ׃

---

[43] באלפו
[44] ברבבתו
[45] ויתו

42 And Jonathan said to David: 'Go in peace, forasmuch as we have sworn both of us in the name of Yehovah, saying: Yehovah shall be between me and thee, and between my seed and thy seed, for ever.'{P}

74pt]**21** **1** And he arose and departed; and Jonathan went into the city. **2** Then came David to Nob to Ahimelech the priest; and Ahimelech came to meet David trembling, and said unto him: 'Why art thou alone, and no man with thee?' **3** And David said unto Ahimelech the priest: 'The king hath commanded me a business, and hath said unto me: Let no man know any thing of the business whereabout I send thee, and what I have commanded thee; and the young men have I appointed to such and such a place. **4** Now therefore what is under thy hand? five loaves of bread? give them in my hand, or whatsoever there is present.' **5** And the priest answered David, and said: 'There is no common bread under my hand, but there is holy bread; if only the young men have kept themselves from women.'{P}

6 And David answered the priest, and said unto him: 'Of a truth women have been kept from us about these three days; when I came out, the vessels of the young men were holy, though it was but a common journey; how much more then to-day, when there shall be holy bread in their vessels?' **7** So the priest gave him holy bread; for there was no bread there but the showbread, that was taken from before Yehovah, to put hot bread in the day when it was taken away.– **8** Now a certain man of the servants of Saul was there that day, detained before Yehovah; and his name was Doeg the Edomite, the chiefest of the herdmen that belonged to Saul.– **9** And David said unto Ahimelech: 'And is there peradventure here under thy hand spear or sword? for I have neither brought my sword nor my weapons with me, because the king's business required haste.'{S} **10** And the priest said: 'The sword of Goliath the Philistine, whom thou slewest in the vale of Elah, behold, it is here wrapped in a cloth behind the ephod; if thou wilt take that, take it; for there is no other save that here.'{S} And David said: 'There is none like that; give it me.' **11** And David arose, and fled that day for fear of Saul, and went to Achish the king of Gath. **12** And the servants of Achish said unto him: 'Is not this David the king of the land? Did they not sing one to another of him in dances, saying: Saul hath slain his thousands, and David his ten thousands?' **13** And David laid up these words in his heart, and was sore afraid of Achish the king of Gath. **14** And he changed his demeanour before them, and feigned himself mad in their hands, and scrabbled on the doors of the gate, and let his spittle fall down upon his beard.{S} **15** Then said Achish unto his servants: 'Lo, when ye see a man that is mad, wherefore do ye bring him to me? **16** Do I lack madmen, that ye have brought this fellow to play the madman in my presence? shall this fellow come into my house?'{P}

22 **1** David therefore departed thence, and escaped to the cave of Adullam; and when his brethren and all his father's house heard it, they went down thither to him. **2** And every one that was in distress, and every one that was in debt, and every one that was discontented, gathered themselves unto him; and he became captain over them; and there were with him about four hundred men.

ג וַיֵּלֶךְ דָּוִד מִשָּׁם מִצְפֵּה מוֹאָב וַיֹּאמֶר ׀ אֶל־מֶלֶךְ מוֹאָב יֵצֵא־נָא אָבִי וְאִמִּי
אִתְּכֶם עַד אֲשֶׁר אֵדַע מַה־יַּעֲשֶׂה־לִּי אֱלֹהִים׃ ד וַיַּנְחֵם אֶת־פְּנֵי מֶלֶךְ מוֹאָב
וַיֵּשְׁבוּ עִמּוֹ כָּל־יְמֵי הֱיוֹת־דָּוִד בַּמְּצוּדָה׃ ה וַיֹּאמֶר גָּד הַנָּבִיא אֶל־דָּוִד לֹא
תֵשֵׁב בַּמְּצוּדָה לֵךְ וּבָאתָ־לְּךָ אֶרֶץ יְהוּדָה וַיֵּלֶךְ דָּוִד וַיָּבֹא יַעַר חָרֶת׃
ו וַיִּשְׁמַע שָׁאוּל כִּי נוֹדַע דָּוִד וַאֲנָשִׁים אֲשֶׁר אִתּוֹ וְשָׁאוּל יוֹשֵׁב בַּגִּבְעָה
תַּחַת־הָאֶשֶׁל בָּרָמָה וַחֲנִיתוֹ בְיָדוֹ וְכָל־עֲבָדָיו נִצָּבִים עָלָיו׃ ז וַיֹּאמֶר שָׁאוּל
לַעֲבָדָיו הַנִּצָּבִים עָלָיו שִׁמְעוּ־נָא בְּנֵי יְמִינִי גַּם־לְכֻלְּכֶם יִתֵּן בֶּן־יִשַׁי שָׂדוֹת
וּכְרָמִים לְכֻלְּכֶם יָשִׂים שָׂרֵי אֲלָפִים וְשָׂרֵי מֵאוֹת׃ ח כִּי קְשַׁרְתֶּם כֻּלְּכֶם עָלַי
וְאֵין־גֹּלֶה אֶת־אָזְנִי בִּכְרָת־בְּנִי עִם־בֶּן־יִשַׁי וְאֵין־חֹלֶה מִכֶּם עָלַי וְגֹלֶה אֶת־אָזְנִי
כִּי הֵקִים בְּנִי אֶת־עַבְדִּי עָלַי לְאֹרֵב כַּיּוֹם הַזֶּה׃ ט וַיַּעַן דֹּאֵג הָאֲדֹמִי וְהוּא נִצָּב
עַל־עַבְדֵי־שָׁאוּל וַיֹּאמַר רָאִיתִי אֶת־בֶּן־יִשַׁי בָּא נֹבֶה אֶל־אֲחִימֶלֶךְ בֶּן־אֲחִטוּב׃
י וַיִּשְׁאַל־לוֹ בַּיהוָה וְצֵידָה נָתַן לוֹ וְאֵת חֶרֶב גָּלְיָת הַפְּלִשְׁתִּי נָתַן לוֹ׃
יא וַיִּשְׁלַח הַמֶּלֶךְ לִקְרֹא אֶת־אֲחִימֶלֶךְ בֶּן־אֲחִיטוּב הַכֹּהֵן וְאֵת כָּל־בֵּית אָבִיו
הַכֹּהֲנִים אֲשֶׁר בְּנֹב וַיָּבֹאוּ כֻלָּם אֶל־הַמֶּלֶךְ׃ יב וַיֹּאמֶר שָׁאוּל שְׁמַע־נָא
בֶּן־אֲחִיטוּב וַיֹּאמֶר הִנְנִי אֲדֹנִי׃ יג וַיֹּאמֶר אֵלָיו[46] שָׁאוּל לָמָּה קְשַׁרְתֶּם עָלַי אַתָּה
וּבֶן־יִשָׁי בְּתִתְּךָ לוֹ לֶחֶם וְחֶרֶב וְשָׁאוֹל לוֹ בֵּאלֹהִים לָקוּם אֵלַי לְאֹרֵב כַּיּוֹם
הַזֶּה׃ יד וַיַּעַן אֲחִימֶלֶךְ אֶת־הַמֶּלֶךְ וַיֹּאמַר וּמִי בְכָל־עֲבָדֶיךָ כְּדָוִד נֶאֱמָן וַחֲתַן
הַמֶּלֶךְ וְסָר אֶל־מִשְׁמַעְתֶּךָ וְנִכְבָּד בְּבֵיתֶךָ׃ טו הַיּוֹם הַחִלֹּתִי לִשְׁאָל־לוֹ
[47]בֵאלֹהִים חָלִילָה לִּי אַל־יָשֵׂם הַמֶּלֶךְ בְּעַבְדּוֹ דָבָר בְּכָל־בֵּית אָבִי כִּי
לֹא־יָדַע עַבְדְּךָ בְּכָל־זֹאת דָּבָר קָטֹן אוֹ גָדוֹל׃ טז וַיֹּאמֶר הַמֶּלֶךְ מוֹת תָּמוּת
אֲחִימֶלֶךְ אַתָּה וְכָל־בֵּית אָבִיךָ׃ יז וַיֹּאמֶר הַמֶּלֶךְ לָרָצִים הַנִּצָּבִים עָלָיו סֹבּוּ
וְהָמִיתוּ ׀ כֹּהֲנֵי יְהוָה כִּי גַם־יָדָם עִם־דָּוִד וְכִי יָדְעוּ כִּי־בֹרֵחַ הוּא וְלֹא גָלוּ
אֶת־אָזְנִי[48] וְלֹא־אָבוּ עַבְדֵי הַמֶּלֶךְ לִשְׁלֹחַ אֶת־יָדָם לִפְגֹּעַ בְּכֹהֲנֵי יְהוָה׃
יח וַיֹּאמֶר הַמֶּלֶךְ לְדוֹאֵג[49] סֹב אַתָּה וּפְגַע בַּכֹּהֲנִים וַיִּסֹּב דּוֹאֵג[50] הָאֲדֹמִי
וַיִּפְגַּע־הוּא בַּכֹּהֲנִים וַיָּמֶת ׀ בַּיּוֹם הַהוּא שְׁמֹנִים וַחֲמִשָּׁה אִישׁ נֹשֵׂא אֵפוֹד בָּד׃
יט וְאֵת נֹב עִיר־הַכֹּהֲנִים הִכָּה לְפִי־חֶרֶב מֵאִישׁ וְעַד־אִשָּׁה מֵעוֹלֵל וְעַד־יוֹנֵק
וְשׁוֹר וַחֲמוֹר וָשֶׂה לְפִי־חָרֶב׃ כ וַיִּמָּלֵט בֵּן־אֶחָד לַאֲחִימֶלֶךְ בֶּן־אֲחִטוּב וּשְׁמוֹ
אֶבְיָתָר וַיִּבְרַח אַחֲרֵי דָוִד׃ כא וַיַּגֵּד אֶבְיָתָר לְדָוִד כִּי הָרַג שָׁאוּל אֵת כֹּהֲנֵי
יְהוָה׃

[46] אלו
[47] לשאול
[48] אזנו
[49] לדויג
[50] דויג

3 And David went thence to Mizpeh of Moab; and he said unto the king of Moab: 'Let my father and my mother, I pray thee, come forth, and be with you, till I know what God will do for me.' **4** And he brought them before the king of Moab; and they dwelt with him all the while that David was in the stronghold.{s} **5** And the prophet Gad said unto David: 'Abide not in the stronghold; depart, and get thee into the land of Judah.' Then David departed, and came into the forest of Hereth.{s} **6** And Saul heard that David was discovered, and the men that were with him; now Saul was sitting in Gibeah, under the tamarisk-tree in Ramah, with his spear in his hand, and all his servants were standing about him. **7** And Saul said unto his servants that stood about him: 'Hear now, ye Benjamites; will the son of Jesse give every one of you fields and vineyards, will he make you all captains of thousands and captains of hundreds; **8** that all of you have conspired against me, and there was none that disclosed it to me when my son made a league with the son of Jesse, and there is none of you that is sorry for me, or discloseth unto me that my son hath stirred up my servant against me, to lie in wait, as at this day?'{s} **9** Then answered Doeg the Edomite, who was set over the servants of Saul, and said: 'I saw the son of Jesse coming to Nob, to Ahimelech the son of Ahitub. **10** And he inquired of Yehovah for him, and gave him victuals, and gave him the sword of Goliath the Philistine.' **11** Then the king sent to call Ahimelech the priest, the son of Ahitub, and all his father's house, the priests that were in Nob; and they came all of them to the king.{s} **12** And Saul said: 'Hear now, thou son of Ahitub.' And he answered: 'Here I am, my lord.' **13** And Saul said unto him: 'Why have ye conspired against me, thou and the son of Jesse, in that thou hast given him bread, and a sword, and hast inquired of God for him, that he should rise against me, to lie in wait, as at this day?'{s} **14** Then Ahimelech answered the king, and said: 'And who among all thy servants is so trusted as David, who is the king's son-in-law, and giveth heed unto thy bidding, and is honourable in thy house? **15** Have I to-day begun to inquire of God for him? be it far from me; let not the king impute any thing unto his servant, nor to all the house of my father; for thy servant knoweth nothing of all this, less or more.' **16** And the king said: 'Thou shalt surely die, Ahimelech, thou, and all thy father's house.' **17** And the king said unto the guard that stood about him: 'Turn, and slay the priests of Yehovah; because their hand also is with David, and because they knew that he fled, and did not disclose it to me.' But the servants of the king would not put forth their hand to fall upon the priests of Yehovah.{s} **18** And the king said to Doeg: 'Turn thou, and fall upon the priests.' And Doeg the Edomite turned, and he fell upon the priests, and he slew on that day fourscore and five persons that did wear a linen ephod. **19** And Nob, the city of the priests, smote he with the edge of the sword, both men and women, children and sucklings, and oxen and asses and sheep, with the edge of the sword. **20** And one of the sons of Ahimelech the son of Ahitub, named Abiathar, escaped, and fled after David. **21** And Abiathar told David that Saul had slain Yehovah's priests.

כב וַיֹּ֨אמֶר דָּוִ֜ד לְאֶבְיָתָ֗ר יָדַ֜עְתִּי בַּיּ֤וֹם הַהוּא֙ כִּי־שָׁם֙ דּוֹאֵ֣ג[51] הָאֲדֹמִ֔י כִּֽי־הַגֵּ֥ד
יַגִּ֖יד לְשָׁא֑וּל אָנֹכִ֣י סַבֹּ֔תִי בְּכָל־נֶ֖פֶשׁ בֵּ֥ית אָבִֽיךָ׃ כג שְׁבָ֤ה אִתִּי֙ אַל־תִּירָ֔א כִּ֛י
אֲשֶׁר־יְבַקֵּ֥שׁ אֶת־נַפְשִׁ֖י יְבַקֵּ֣שׁ אֶת־נַפְשֶׁ֑ךָ כִּֽי־מִשְׁמֶ֥רֶת אַתָּ֖ה עִמָּדִֽי׃

כג א וַיַּגִּ֥דוּ לְדָוִ֖ד לֵאמֹ֑ר הִנֵּ֤ה פְלִשְׁתִּים֙ נִלְחָמִ֣ים בִּקְעִילָ֔ה וְהֵ֖מָּה שֹׁסִ֥ים
אֶת־הַגֳּרָנֽוֹת׃ ב וַיִּשְׁאַ֨ל דָּוִ֤ד בַּֽיהוָה֙ לֵאמֹ֔ר הַאֵלֵ֣ךְ וְהִכֵּ֔יתִי בַּפְּלִשְׁתִּ֖ים הָאֵ֑לֶּה
וַיֹּ֨אמֶר יְהוָ֜ה אֶל־דָּוִ֗ד לֵ֚ךְ וְהִכִּ֣יתָ בַפְּלִשְׁתִּ֔ים וְהוֹשַׁעְתָּ֖ אֶת־קְעִילָֽה׃ ג וַיֹּ֨אמְר֜וּ
אַנְשֵׁ֤י דָוִד֙ אֵלָ֔יו הִנֵּ֨ה אֲנַ֥חְנוּ פֹ֛ה בִּיהוּדָ֖ה יְרֵאִ֑ים וְאַף֙ כִּֽי־נֵלֵ֣ךְ קְעִלָ֔ה
אֶל־מַעַרְכ֖וֹת פְּלִשְׁתִּֽים׃ ד וַיּ֨וֹסֶף ע֤וֹד דָּוִד֙ לִשְׁאֹ֣ל בַּֽיהוָ֔ה וַֽיַּעֲנֵ֣הוּ יְהוָ֗ה וַיֹּ֙אמֶר֙
ק֚וּם רֵ֣ד קְעִילָ֔ה כִּֽי־אֲנִ֥י נֹתֵ֛ן אֶת־פְּלִשְׁתִּ֖ים בְּיָדֶֽךָ׃ ה וַיֵּ֣לֶךְ דָּוִד֩
וַאֲנָשָׁ֨יו[52] קְעִילָ֜ה וַיִּלָּ֣חֶם בַּפְּלִשְׁתִּ֗ים וַיִּנְהַג֙ אֶת־מִקְנֵיהֶ֔ם וַיַּ֥ךְ בָּהֶ֖ם מַכָּ֣ה גְדוֹלָ֑ה
וַיֹּ֣שַׁע דָּוִ֔ד אֵ֖ת יֹשְׁבֵ֥י קְעִילָֽה׃ ו וַיְהִ֗י בִּ֠בְרֹחַ אֶבְיָתָ֧ר בֶּן־אֲחִימֶ֛לֶךְ אֶל־דָּוִ֖ד
קְעִילָ֑ה אֵפ֖וֹד יָרַ֥ד בְּיָדֽוֹ׃ ז וַיֻּגַּ֣ד לְשָׁא֔וּל כִּי־בָ֥א דָוִ֖ד קְעִילָ֑ה וַיֹּ֣אמֶר שָׁא֗וּל
נִכַּ֨ר אֹת֤וֹ אֱלֹהִים֙ בְּיָדִ֔י כִּ֚י נִסְגַּ֣ר לָב֔וֹא בְּעִ֖יר דְּלָתַ֥יִם וּבְרִֽיחַ׃ ח וַיְשַׁמַּ֥ע שָׁא֛וּל
אֶת־כָּל־הָעָ֖ם לַמִּלְחָמָ֑ה לָרֶ֣דֶת קְעִילָ֔ה לָצ֥וּר אֶל־דָּוִ֖ד וְאֶל־אֲנָשָֽׁיו׃ ט וַיֵּ֣דַע
דָּוִ֔ד כִּ֣י עָלָ֔יו שָׁא֖וּל מַחֲרִ֣ישׁ הָרָעָ֑ה וַיֹּ֙אמֶר֙ אֶל־אֶבְיָתָ֣ר הַכֹּהֵ֔ן הַגִּ֖ישָׁה הָאֵפֽוֹד׃
י וַיֹּאמֶר֮ דָּוִד֒ יְהוָה֙ אֱלֹהֵ֣י יִשְׂרָאֵ֔ל שָׁמֹ֤עַ שָׁמַע֙ עַבְדְּךָ֔ כִּֽי־מְבַקֵּ֥שׁ שָׁא֖וּל לָב֣וֹא
אֶל־קְעִילָ֑ה לְשַׁחֵ֥ת לָעִ֖יר בַּעֲבוּרִֽי׃ יא הֲיַסְגִּרֻ֣נִי בַעֲלֵי֩ קְעִילָ֨ה בְיָד֜וֹ הֲיֵרֵ֣ד
שָׁא֗וּל כַּאֲשֶׁר֙ שָׁמַ֣ע עַבְדֶּ֔ךָ יְהוָה֙ אֱלֹהֵ֣י יִשְׂרָאֵ֔ל הַגֶּד־נָ֖א לְעַבְדֶּ֑ךָ וַיֹּ֥אמֶר יְהוָ֖ה
יֵרֵֽד׃ יב וַיֹּ֣אמֶר דָּוִ֔ד הֲיַסְגִּ֜רוּ בַּעֲלֵ֧י קְעִילָ֛ה אֹתִ֥י וְאֶת־אֲנָשַׁ֖י בְּיַד־שָׁא֑וּל וַיֹּ֥אמֶר
יְהוָ֖ה יַסְגִּֽירוּ׃ יג וַיָּקָם֩ דָּוִ֨ד וַאֲנָשָׁ֜יו כְּשֵׁשׁ־מֵא֣וֹת אִ֗ישׁ וַיֵּצְאוּ֙ מִקְּעִלָ֔ה וַיִּֽתְהַלְּכ֖וּ
בַּאֲשֶׁ֣ר יִתְהַלָּ֑כוּ וּלְשָׁא֣וּל הֻגַּ֗ד כִּֽי־נִמְלַ֤ט דָּוִד֙ מִקְּעִילָ֔ה וַיֶּחְדַּ֖ל לָצֵֽאת׃ יד וַיֵּשֶׁב֩
דָּוִ֨ד בַּמִּדְבָּ֜ר בַּמְּצָד֗וֹת וַיֵּ֥שֶׁב בָּהָ֖ר בְּמִדְבַּר־זִ֑יף וַיְבַקְשֵׁ֤הוּ שָׁאוּל֙ כָּל־הַיָּמִ֔ים
וְלֹֽא־נְתָנ֥וֹ אֱלֹהִ֖ים בְּיָדֽוֹ׃ טו וַיַּ֣רְא דָוִ֔ד כִּֽי־יָצָ֥א שָׁא֖וּל לְבַקֵּ֣שׁ אֶת־נַפְשׁ֑וֹ וְדָוִ֥ד
בְּמִדְבַּר־זִ֖יף בַּחֹֽרְשָׁה׃ טז וַיָּ֙קָם֙ יְהוֹנָתָ֣ן בֶּן־שָׁא֔וּל וַיֵּ֥לֶךְ אֶל־דָּוִ֖ד חֹ֑רְשָׁה וַיְחַזֵּ֥ק
אֶת־יָד֖וֹ בֵּאלֹהִֽים׃ יז וַיֹּ֨אמֶר אֵלָ֜יו אַל־תִּירָ֗א כִּ֠י לֹ֤א תִֽמְצָאֲךָ֙ יַ֚ד שָׁא֣וּל אָבִ֔י
וְאַתָּה֙ תִּמְלֹ֣ךְ עַל־יִשְׂרָאֵ֔ל וְאָנֹכִ֖י אֶֽהְיֶה־לְּךָ֣ לְמִשְׁנֶ֑ה וְגַם־שָׁא֥וּל אָבִ֖י יֹדֵ֥עַ כֵּֽן׃
יח וַיִּכְרְת֧וּ שְׁנֵיהֶ֛ם בְּרִ֖ית לִפְנֵ֣י יְהוָ֑ה וַיֵּ֤שֶׁב דָּוִד֙ בַּחֹ֔רְשָׁה וִיהוֹנָתָ֖ן הָלַ֥ךְ לְבֵיתֽוֹ׃
יט וַיַּעֲל֤וּ זִפִים֙ אֶל־שָׁא֔וּל הַגִּבְעָ֖תָה לֵאמֹ֑ר הֲל֣וֹא דָ֠וִד מִסְתַּתֵּ֨ר עִמָּ֜נוּ בַמְּצָד֤וֹת
בַּחֹ֙רְשָׁה֙ בְּגִבְעַ֣ת הַחֲכִילָ֔ה אֲשֶׁ֖ר מִימִ֥ין הַיְשִׁימֽוֹן׃ כ וְעַתָּ֡ה לְכָל־אַוַּ֨ת נַפְשְׁךָ֥
הַמֶּ֛לֶךְ לָרֶ֖דֶת רֵ֑ד וְלָ֥נוּ הַסְגִּיר֖וֹ בְּיַ֥ד הַמֶּֽלֶךְ׃

---

[51] דויג
[52] ואנשו

22 And David said unto Abiathar: 'I knew on that day, when Doeg the Edomite was there, that he would surely tell Saul; I have brought about the death of all the persons of thy father's house. **23** Abide thou with me, fear not; for he that seeketh my life seeketh thy life; for with me thou shalt be in safeguard.'{s}

23 1 And they told David, saying: 'Behold, the Philistines are fighting against Keilah, and they rob the threshing-floors.' **2** Therefore David inquired of Yehovah, saying: 'Shall I go and smite these Philistines?'{s} And Yehovah said unto David: 'Go, and smite the Philistines, and save Keilah.' **3** And David's men said unto him: 'Behold, we are afraid here in Judah; how much more then if we go to Keilah against the armies of the Philistines?'{s} **4** Then David inquired of Yehovah yet again. And Yehovah answered him and said: 'Arise, go down to Keilah; for I will deliver the Philistines into thy hand.' **5** And David and his men went to Keilah, and fought with the Philistines, and brought away their cattle, and slew them with a great slaughter. So David saved the inhabitants of Keilah.{s} **6** And it came to pass, when Abiathar the son of Ahimelech fled to David to Keilah, that he came down with an ephod in his hand. **7** And it was told Saul that David was come to Keilah. And Saul said: 'God hath delivered him into my hand; for he is shut in, by entering into a town that hath gates and bars.' **8** And Saul summoned all the people to war, to go down to Keilah, to besiege David and his men. **9** And David knew that Saul devised mischief against him; and he said to Abiathar the priest: 'Bring hither the ephod.'{s} **10** Then said David: 'Yehovah, the God of Israel, Thy servant hath surely heard that Saul seeketh to come to Keilah, to destroy the city for my sake. **11** Will the men of Keilah deliver me up into his hand? will Saul come down, as Thy servant hath heard?' Yehovah, the God of Israel, I beseech Thee, tell Thy servant.'{s} And Yehovah said: 'He will come down.'{s} **12** Then said David: 'Will the men of Keilah deliver up me and my men into the hand of Saul?' And Yehovah said: 'They will deliver thee up.'{s} **13** Then David and his men, who were about six hundred, arose and departed out of Keilah, and went whithersoever they could go. And it was told Saul that David was escaped from Keilah; and he forbore to go forth. **14** And David abode in the wilderness in the strongholds, and remained in the hill-country in the wilderness of Ziph. And Saul sought him every day, but God delivered him not into his hand. **15** And David saw that Saul was come out to seek his life; and David was in the wilderness of Ziph in the wood.{s} **16** And Jonathan Saul's son arose, and went to David into the wood, and strengthened his hand in God. **17** And he said unto him: 'Fear not; for the hand of Saul my father shall not find thee; and thou shalt be king over Israel, and I shall be next unto thee; and that also Saul my father knoweth.' **18** And they two made a covenant before Yehovah; and David abode in the wood, and Jonathan went to his house.{s} **19** Then came up the Ziphites to Saul to Gibeah, saying: 'Doth not David hide himself with us in the strongholds in the wood, in the hill of Hachilah, which is on the south of Jeshimon? **20** Now therefore, O king, come down, according to all the desire of thy soul to come down; and our part shall be to deliver him up into the king's hand.'

כא וַיֹּ֣אמֶר שָׁא֔וּל בְּרוּכִ֥ים אַתֶּ֖ם לַֽיהוָ֑ה כִּ֥י חֲמַלְתֶּ֖ם עָלָֽי׃ כב לְכוּ־נָ֞א הָכִ֣ינוּ
ע֗וֹד וּדְע֤וּ וּרְאוּ֙ אֶת־מְקוֹמוֹ֙ אֲשֶׁ֣ר תִּהְיֶ֣ה רַגְל֔וֹ מִ֖י רָאָ֣הוּ שָׁ֑ם כִּ֚י אָמַ֣ר אֵלַ֔י
עָר֥וֹם יַעְרִ֖ם הֽוּא׃ כג וּרְא֣וּ וּדְע֗וּ מִכֹּ֤ל הַמַּֽחֲבֹאִים֙ אֲשֶׁ֣ר יִתְחַבֵּ֣א שָׁ֔ם וְשַׁבְתֶּ֤ם
אֵלַי֙ אֶל־נָכ֔וֹן וְהָלַכְתִּ֖י אִתְּכֶ֑ם וְהָיָה֙ אִם־יֶשְׁנ֣וֹ בָאָ֔רֶץ וְחִפַּשְׂתִּ֣י אֹת֔וֹ בְּכֹ֖ל אַלְפֵ֥י
יְהוּדָֽה׃ כד וַיָּק֥וּמוּ וַיֵּלְכ֛וּ זִ֖יפָה לִפְנֵ֣י שָׁא֑וּל וְדָוִ֨ד וַאֲנָשָׁ֜יו בְּמִדְבַּ֤ר מָעוֹן֙
בָּעֲרָבָ֔ה אֶ֖ל יְמִ֥ין הַיְשִׁימֽוֹן׃ כה וַיֵּ֨לֶךְ שָׁא֣וּל וַאֲנָשָׁיו֮ לְבַקֵּשׁ֒ וַיַּגִּ֣דוּ לְדָוִ֔ד וַיֵּ֣רֶד
הַסֶּ֔לַע וַיֵּ֖שֶׁב בְּמִדְבַּ֣ר מָע֑וֹן וַיִּשְׁמַ֣ע שָׁא֔וּל וַיִּרְדֹּ֥ף אַחֲרֵי־דָוִ֖ד מִדְבַּ֥ר מָעֽוֹן׃
כו וַיֵּ֨לֶךְ שָׁא֜וּל מִצַּ֤ד הָהָר֙ מִזֶּ֔ה וְדָוִ֧ד וַאֲנָשָׁ֛יו מִצַּ֥ד הָהָ֖ר מִזֶּ֑ה וַיְהִ֨י דָוִ֜ד נֶחְפָּ֗ז
לָלֶ֙כֶת֙ מִפְּנֵ֣י שָׁא֔וּל וְשָׁא֣וּל וַאֲנָשָׁ֗יו עֹֽטְרִ֛ים אֶל־דָּוִ֥ד וְאֶל־אֲנָשָׁ֖יו לְתָפְשָֽׂם׃
כז וּמַלְאָ֣ךְ בָּ֔א אֶל־שָׁא֖וּל לֵאמֹ֑ר מַהֲרָ֣ה וְלֵ֔כָה כִּֽי־פָשְׁט֥וּ פְלִשְׁתִּ֖ים עַל־הָאָֽרֶץ׃
כח וַיָּ֨שָׁב שָׁא֜וּל מִרְדֹף֙ אַחֲרֵ֣י דָוִ֔ד וַיֵּ֖לֶךְ לִקְרַ֣את פְּלִשְׁתִּ֑ים עַל־כֵּ֗ן קָֽרְאוּ֙
לַמָּק֣וֹם הַה֔וּא סֶ֖לַע הַֽמַּחְלְקֽוֹת׃ כט וַיַּ֥עַל דָּוִ֖ד מִשָּׁ֑ם וַיֵּ֖שֶׁב בִּמְצָד֥וֹת עֵין־גֶּֽדִי׃

כד א וַיְהִ֗י כַּאֲשֶׁר֙ שָׁ֣ב שָׁא֔וּל מֵאַחֲרֵ֖י פְּלִשְׁתִּ֑ים וַיַּגִּ֤דוּ לוֹ֙ לֵאמֹ֔ר הִנֵּ֣ה דָוִ֔ד
בְּמִדְבַּ֖ר עֵ֥ין גֶּֽדִי׃ ב וַיִּקַּ֣ח שָׁא֗וּל שְׁלֹ֧שֶׁת אֲלָפִ֛ים אִ֥ישׁ בָּח֖וּר מִכָּל־יִשְׂרָאֵ֑ל
וַיֵּ֗לֶךְ לְבַקֵּ֤שׁ אֶת־דָּוִד֙ וַאֲנָשָׁ֔יו עַל־פְּנֵ֖י צוּרֵ֥י הַיְּעֵלִֽים׃ ג וַיָּבֹ֞א אֶל־גִּדְר֧וֹת הַצֹּ֣אן
עַל־הַדֶּ֗רֶךְ וְשָׁ֣ם מְעָרָ֔ה וַיָּבֹ֥א שָׁא֖וּל לְהָסֵ֣ךְ אֶת־רַגְלָ֑יו וְדָוִד֙ וַאֲנָשָׁ֔יו בְּיַרְכְּתֵ֥י
הַמְּעָרָ֖ה יֹשְׁבִֽים׃ ד וַיֹּאמְרוּ֩ אַנְשֵׁ֨י דָוִ֜ד אֵלָ֗יו הִנֵּ֨ה הַיּ֜וֹם אֲשֶׁר־אָמַ֧ר יְהוָ֣ה אֵלֶ֗יךָ
הִנֵּ֨ה אָנֹכִ֜י נֹתֵ֤ן אֶת־אֹיִבְךָ֙[53] בְּיָדֶ֔ךָ וְעָשִׂ֣יתָ ל֔וֹ כַּאֲשֶׁ֖ר יִטַ֣ב בְּעֵינֶ֑יךָ וַיָּ֣קָם דָּוִ֔ד
וַיִּכְרֹ֛ת אֶת־כְּנַֽף־הַמְּעִ֥יל אֲשֶׁר־לְשָׁא֖וּל בַּלָּֽט׃ ה וַֽיְהִי֙ אַחֲרֵי־כֵ֔ן וַיַּ֥ךְ לֵב־דָּוִ֖ד
אֹת֑וֹ עַ֚ל אֲשֶׁ֣ר כָּרַ֔ת אֶת־כָּנָ֖ף אֲשֶׁ֥ר לְשָׁאֽוּל׃ ו וַיֹּ֨אמֶר לַאֲנָשָׁ֜יו חָלִ֧ילָה לִּ֣י
מֵיְהוָ֗ה אִם־אֶעֱשֶׂ֨ה אֶת־הַדָּבָ֤ר הַזֶּה֙ לַאדֹנִי֙ לִמְשִׁ֣יחַ יְהוָ֔ה לִשְׁלֹ֥חַ יָדִ֖י בּ֑וֹ
כִּֽי־מְשִׁ֥יחַ יְהוָ֖ה הֽוּא׃ ז וַיְשַׁסַּ֨ע דָּוִ֤ד אֶת־אֲנָשָׁיו֙ בַּדְּבָרִ֔ים וְלֹ֥א נְתָנָ֖ם לָק֣וּם
אֶל־שָׁא֑וּל וְשָׁא֛וּל קָ֥ם מֵהַמְּעָרָ֖ה וַיֵּ֥לֶךְ בַּדָּֽרֶךְ׃ ח וַיָּ֨קָם דָּוִ֜ד אַחֲרֵי־כֵ֗ן וַיֵּצֵא֙
מֵֽהַמְּעָרָ֔ה[54] וַיִּקְרָ֧א אַחֲרֵֽי־שָׁא֛וּל לֵאמֹ֖ר אֲדֹנִ֣י הַמֶּ֑לֶךְ וַיַּבֵּ֤ט שָׁאוּל֙ אַחֲרָ֔יו וַיִּקֹּ֨ד
דָּוִ֥ד אַפַּ֛יִם אַ֖רְצָה וַיִּשְׁתָּֽחוּ׃ ט וַיֹּ֤אמֶר דָּוִד֙ לְשָׁא֔וּל לָ֧מָּה תִשְׁמַ֛ע אֶת־דִּבְרֵ֥י
אָדָ֖ם לֵאמֹ֑ר הִנֵּ֣ה דָוִ֔ד מְבַקֵּ֖שׁ רָעָתֶֽךָ׃ י הִנֵּה֩ הַיּ֨וֹם הַזֶּ֜ה רָא֣וּ עֵינֶ֗יךָ אֵ֣ת
אֲשֶׁר־נְתָֽנְךָ֙ יְהוָ֤ה ׀ הַיּוֹם֙ ׀ בְּיָדִי֙ בַּמְּעָרָ֔ה וְאָמַ֥ר לַהֲרָגְךָ֖ וַתָּ֣חָס עָלֶ֑יךָ וָאֹמַ֗ר
לֹא־אֶשְׁלַ֤ח יָדִי֙ בַּֽאדֹנִ֔י כִּֽי־מְשִׁ֥יחַ יְהוָ֖ה הֽוּא׃ יא וְאָבִ֣י רְאֵ֔ה גַּ֗ם רְאֵ֛ה אֶת־כְּנַ֥ף
מְעִילְךָ֖ בְּיָדִ֑י כִּ֡י בְּכָרְתִי֩ אֶת־כְּנַ֨ף מְעִֽילְךָ֜ וְלֹ֣א הֲרַגְתִּ֗יךָ דַּ֤ע וּרְאֵה֙ כִּ֣י אֵ֨ין
בְּיָדִ֜י רָעָ֤ה וָפֶ֙שַׁע֙ וְלֹֽא־חָטָ֣אתִי לָ֔ךְ וְאַתָּ֛ה צֹדֶ֥ה אֶת־נַפְשִׁ֖י לְקַחְתָּֽהּ׃

[53] איביך
[54] מן־המערה

21 And Saul said: 'Blessed be ye of Yehovah; for ye have had compassion on me. **22** Go, I pray you, make yet more sure, and know and see his place where his haunt is, and who hath seen him there; for it is told me that he dealeth very subtly. **23** See therefore, and take knowledge of all the lurking-places where he hideth himself, and come ye back to me with the certainty, and I will go with you; and it shall come to pass, if he be in the land, that I will search him out among all the thousands of Judah.' **24** And they arose, and went to Ziph before Saul; but David and his men were in the wilderness of Maon, in the Arabah on the south of Jeshimon. **25** And Saul and his men went to seek him. And they told David; wherefore he came down to the rock, and abode in the wilderness of Maon. And when Saul heard that, he pursued after David in the wilderness of Maon. **26** And Saul went on this side of the mountain, and David and his men on that side of the mountain; and David made haste to get away for fear of Saul; for Saul and his men compassed David and his men round about to take them. **27** But there came a messenger unto Saul, saying: 'Haste thee, and come; for the Philistines have made a raid upon the land.' **28** So Saul returned from pursuing after David, and went against the Philistines; therefore they called that place Sela-hammahlekoth. **29** And David went up from thence, and dwelt in the strongholds of En-gedi.{s}

24 **1** And it came to pass, when Saul was returned from following the Philistines, that it was told him, saying: 'Behold, David is in the wilderness of En-gedi.'{s} **2** Then Saul took three thousand chosen men out of all Israel, and went to seek David and his men upon the rocks of the wild goats. **3** And he came to the sheepcotes by the way, where was a cave; and Saul went in to cover his feet. Now David and his men were sitting in the innermost parts of the cave. **4** And the men of David said unto him: 'Behold the day in which Yehovah hath said unto thee: Behold, I will deliver thine enemy into thy hand, and thou shalt do to him as it shall seem good unto thee.' Then David arose, and cut off the skirt of Saul's robe privily. **5** And it came to pass afterward, that David's heart smote him, because he had cut off Saul's skirt. **6** And he said unto his men: 'Yehovah forbid it me, that I should do this thing unto my lord, Yehovah's anointed, to put forth my hand against him, seeing he is Yehovah's anointed.' **7** So David checked his men with these words, and suffered them not to rise against Saul. And Saul rose up out of the cave, and went on his way.{s} **8** David also arose afterward, and went out of the cave, and cried after Saul, saying: 'My lord the king.' And when Saul looked behind him, David bowed with his face to the earth, and prostrated himself.{s} **9** And David said to Saul: 'Wherefore hearkenest thou to men's words, saying: Behold, David seeketh thy hurt? **10** Behold, this day thine eyes have seen how that Yehovah had delivered thee to-day into my hand in the cave; and some bade me kill thee; but mine eye spared thee; and I said: I will not put forth my hand against my lord; for he is Yehovah's anointed. **11** Moreover, my father, see, yea, see the skirt of thy robe in my hand; for in that I cut off the skirt of thy robe, and killed thee not, know thou and see that there is neither evil nor transgression in my hand, and I have not sinned against thee, though thou layest wait for my soul to take it.

יב יִשְׁפֹּט יְהוָה בֵּינִי וּבֵינֶךָ וּנְקָמַנִי יְהוָה מִמֶּךָּ וְיָדִי לֹא תִהְיֶה־בָּךְ׃ יג כַּאֲשֶׁר
יֹאמַר מְשַׁל הַקַּדְמֹנִי מֵרְשָׁעִים יֵצֵא רֶשַׁע וְיָדִי לֹא תִהְיֶה־בָּךְ׃ יד אַחֲרֵי מִי
יָצָא מֶלֶךְ יִשְׂרָאֵל אַחֲרֵי מִי אַתָּה רֹדֵף אַחֲרֵי כֶּלֶב מֵת אַחֲרֵי פַּרְעֹשׁ אֶחָד׃
טו וְהָיָה יְהוָה לְדַיָּן וְשָׁפַט בֵּינִי וּבֵינֶךָ וְיֵרֶא וְיָרֵב אֶת־רִיבִי וְיִשְׁפְּטֵנִי מִיָּדֶךָ׃

טז וַיְהִי | כְּכַלּוֹת דָּוִד לְדַבֵּר אֶת־הַדְּבָרִים הָאֵלֶּה אֶל־שָׁאוּל וַיֹּאמֶר שָׁאוּל
הֲקֹלְךָ זֶה בְּנִי דָוִד וַיִּשָּׂא שָׁאוּל קֹלוֹ וַיֵּבְךְּ׃ יז וַיֹּאמֶר אֶל־דָּוִד צַדִּיק אַתָּה
מִמֶּנִּי כִּי אַתָּה גְּמַלְתַּנִי הַטּוֹבָה וַאֲנִי גְּמַלְתִּיךָ הָרָעָה׃ יח וְאַתָּה[55] הִגַּדְתָּ הַיּוֹם
אֵת אֲשֶׁר־עָשִׂיתָה אִתִּי טוֹבָה אֵת אֲשֶׁר סִגְּרַנִי יְהוָה בְּיָדְךָ וְלֹא הֲרַגְתָּנִי׃
יט וְכִי־יִמְצָא אִישׁ אֶת־אֹיְבוֹ וְשִׁלְּחוֹ בְּדֶרֶךְ טוֹבָה וַיהוָה יְשַׁלֶּמְךָ טוֹבָה תַּחַת
הַיּוֹם הַזֶּה אֲשֶׁר עָשִׂיתָה לִי׃ כ וְעַתָּה הִנֵּה יָדַעְתִּי כִּי מָלֹךְ תִּמְלוֹךְ וְקָמָה
בְּיָדְךָ מַמְלֶכֶת יִשְׂרָאֵל׃ כא וְעַתָּה הִשָּׁבְעָה לִּי בַּיהוָה אִם־תַּכְרִית אֶת־זַרְעִי
אַחֲרָי וְאִם־תַּשְׁמִיד אֶת־שְׁמִי מִבֵּית אָבִי׃ כב וַיִּשָּׁבַע דָּוִד לְשָׁאוּל וַיֵּלֶךְ שָׁאוּל
אֶל־בֵּיתוֹ וְדָוִד וַאֲנָשָׁיו עָלוּ עַל־הַמְּצוּדָה׃

כה א וַיָּמָת שְׁמוּאֵל וַיִּקָּבְצוּ כָל־יִשְׂרָאֵל וַיִּסְפְּדוּ־לוֹ וַיִּקְבְּרֻהוּ בְּבֵיתוֹ בָּרָמָה
וַיָּקָם דָּוִד וַיֵּרֶד אֶל־מִדְבַּר פָּארָן׃ ב וְאִישׁ בְּמָעוֹן וּמַעֲשֵׂהוּ בַכַּרְמֶל וְהָאִישׁ
גָּדוֹל מְאֹד וְלוֹ צֹאן שְׁלֹשֶׁת־אֲלָפִים וְאֶלֶף עִזִּים וַיְהִי בִּגְזֹז אֶת־צֹאנוֹ בַּכַּרְמֶל׃
ג וְשֵׁם הָאִישׁ נָבָל וְשֵׁם אִשְׁתּוֹ אֲבִגָיִל וְהָאִשָּׁה טוֹבַת־שֶׂכֶל וִיפַת תֹּאַר וְהָאִישׁ
קָשֶׁה וְרַע מַעֲלָלִים וְהוּא כָלִבִּי[56]׃ ד וַיִּשְׁמַע דָּוִד בַּמִּדְבָּר כִּי־גֹזֵז נָבָל
אֶת־צֹאנוֹ׃ ה וַיִּשְׁלַח דָּוִד עֲשָׂרָה נְעָרִים וַיֹּאמֶר דָּוִד לַנְּעָרִים עֲלוּ כַרְמֶלָה
וּבָאתֶם אֶל־נָבָל וּשְׁאֶלְתֶּם־לוֹ בִשְׁמִי לְשָׁלוֹם׃ ו וַאֲמַרְתֶּם כֹּה לֶחָי וְאַתָּה
שָׁלוֹם וּבֵיתְךָ שָׁלוֹם וְכֹל אֲשֶׁר־לְךָ שָׁלוֹם׃ ז וְעַתָּה שָׁמַעְתִּי כִּי גֹזְזִים לָךְ עַתָּה
הָרֹעִים אֲשֶׁר־לְךָ הָיוּ עִמָּנוּ לֹא הֶכְלַמְנוּם וְלֹא־נִפְקַד לָהֶם מְאוּמָה כָּל־יְמֵי
הֱיוֹתָם בַּכַּרְמֶל׃ ח שְׁאַל אֶת־נְעָרֶיךָ וְיַגִּידוּ לָךְ וְיִמְצְאוּ הַנְּעָרִים חֵן בְּעֵינֶיךָ
כִּי־עַל־יוֹם טוֹב בָּנוּ תְּנָה־נָּא אֵת אֲשֶׁר תִּמְצָא יָדְךָ לַעֲבָדֶיךָ וּלְבִנְךָ לְדָוִד׃
ט וַיָּבֹאוּ נַעֲרֵי דָוִד וַיְדַבְּרוּ אֶל־נָבָל כְּכָל־הַדְּבָרִים הָאֵלֶּה בְּשֵׁם דָּוִד וַיָּנוּחוּ׃
י וַיַּעַן נָבָל אֶת־עַבְדֵי דָוִד וַיֹּאמֶר מִי דָוִד וּמִי בֶן־יִשָׁי הַיּוֹם רַבּוּ עֲבָדִים
הַמִּתְפָּרְצִים אִישׁ מִפְּנֵי אֲדֹנָיו׃ יא וְלָקַחְתִּי אֶת־לַחְמִי וְאֶת־מֵימַי וְאֵת טִבְחָתִי
אֲשֶׁר טָבַחְתִּי לְגֹזְזָי וְנָתַתִּי לַאֲנָשִׁים אֲשֶׁר לֹא יָדַעְתִּי אֵי מִזֶּה הֵמָּה׃ יב וַיַּהַפְכוּ
נַעֲרֵי־דָוִד לְדַרְכָּם וַיָּשֻׁבוּ וַיָּבֹאוּ וַיַּגִּדוּ לוֹ כְּכֹל הַדְּבָרִים הָאֵלֶּה׃

---

[55] ואת

[56] כלבו

12 Yehovah judge between me and thee, and Yehovah avenge me of thee; but my hand shall not be upon thee. **13** As saith the proverb of the ancients: Out of the wicked cometh forth wickedness; but my hand shall not be upon thee. **14** After whom is the king of Israel come out? after whom dost thou pursue? after a dead dog, after a flea. **15** Yehovah therefore be judge, and give sentence between me and thee, and see, and plead my cause, and deliver me out of thy hand.'{P}

16 And it came to pass, when David had made an end of speaking these words unto Saul, that Saul said: 'Is this thy voice, my son David?' And Saul lifted up his voice, and wept. **17** And he said to David: 'Thou art more righteous than I; for thou hast rendered unto me good, whereas I have rendered unto thee evil. **18** And thou hast declared this day how that thou hast dealt well with me; forasmuch as when Yehovah had delivered me up into thy hand, thou didst not kill me. **19** For if a man find his enemy, will he let him go well away? wherefore Yehovah reward thee good for that which thou hast done unto me this day. **20** And now, behold, I know that thou shalt surely be king, and that the kingdom of Israel shall be established in thy hand. **21** Swear now therefore unto me by Yehovah, that thou wilt not cut off my seed after me, and that thou wilt not destroy my name out of my father's house.' **22** And David swore unto Saul. And Saul went home; but David and his men got them up unto the stronghold.{S}

25 **1** And Samuel died; and all Israel gathered themselves together, and lamented him, and buried him in his house at Ramah. And David arose, and went down to the wilderness of Paran.{P}

2 And there was a man in Maon, whose possessions were in Carmel; and the man was very great, and he had three thousand sheep, and a thousand goats; and he was shearing his sheep in Carmel. **3** Now the name of the man was Nabal; and the name of his wife Abigail; and the woman was of good understanding, and of a beautiful form; but the man was churlish and evil in his doings; and he was of the house of Caleb. **4** And David heard in the wilderness that Nabal was shearing his sheep. **5** And David sent ten young men, and David said unto the young men: 'Get you up to Carmel, and go to Nabal, and greet him in my name; **6** and thus ye shall say: All hail! and peace be both unto thee, and peace be to thy house, and peace be unto all that thou hast. **7** And now I have heard that thou hast shearers; thy shepherds have now been with us, and we did them no hurt, neither was there aught missing unto them, all the while they were in Carmel. **8** Ask thy young men, and they will tell thee; wherefore let the young men find favour in thine eyes; for we come on a good day; give, I pray thee, whatsoever cometh to thy hand, unto thy servants, and to thy son David.' **9** And when David's young men came, they spoke to Nabal according to all those words in the name of David, and ceased. **10** And Nabal answered David's servants, and said: 'Who is David? and who is the son of Jesse? there are many servants now-a-days that break away every man from his master; **11** shall I then take my bread, and my water, and my flesh that I have killed for my shearers, and give it unto men of whom I know not whence they are?' **12** So David's young men turned on their way, and went back, and came and told him according to all these words.

יג וַיֹּ֨אמֶר דָּוִ֤ד לַאֲנָשָׁיו֙ חִגְר֣וּ ׀ אִ֣ישׁ אֶת־חַרְבּ֔וֹ וַֽיַּחְגְּרוּ֙ אִ֣ישׁ אֶת־חַרְבּ֔וֹ וַיַּחְגֹּ֥ר גַּם־דָּוִ֖ד אֶת־חַרְבּ֑וֹ וַֽיַּעֲל֣וּ ׀ אַחֲרֵ֣י דָוִ֗ד כְּאַרְבַּ֤ע מֵאוֹת֙ אִ֔ישׁ וּמָאתַ֖יִם יָשְׁב֥וּ עַל־הַכֵּלִֽים: יד וְלַאֲבִיגַ֙יִל֙ אֵ֣שֶׁת נָבָ֔ל הִגִּ֥יד נַֽעַר־אֶחָ֖ד מֵהַנְּעָרִ֣ים לֵאמֹ֑ר הִנֵּ֣ה שָׁלַח֩ דָּוִ֨ד מַלְאָכִ֧ים ׀ מֵֽהַמִּדְבָּ֛ר לְבָרֵ֥ךְ אֶת־אֲדֹנֵ֖ינוּ וַיָּ֥עַט בָּהֶֽם: טו וְהָ֣אֲנָשִׁ֔ים טֹבִ֥ים לָ֖נוּ מְאֹ֑ד וְלֹ֤א הָכְלַ֙מְנוּ֙ וְלֹֽא־פָקַ֣דְנוּ מְא֔וּמָה כָּל־יְמֵי֙ הִתְהַלַּ֣כְנוּ אִתָּ֔ם בִּֽהְיוֹתֵ֖נוּ בַּשָּׂדֶֽה: טז חוֹמָה֙ הָי֣וּ עָלֵ֔ינוּ גַּם־לַ֖יְלָה גַּם־יוֹמָ֑ם כָּל־יְמֵ֛י הֱיוֹתֵ֥נוּ עִמָּ֖ם רֹעִ֥ים הַצֹּֽאן: יז וְעַתָּ֗ה דְּעִ֤י וּרְאִי֙ מַֽה־תַּעֲשִׂ֔י כִּֽי־כָלְתָ֧ה הָרָעָ֛ה אֶל־אֲדֹנֵ֖ינוּ וְעַ֣ל כָּל־בֵּית֑וֹ וְהוּא֙ בֶּן־בְּלִיַּ֔עַל מִדַּבֵּ֖ר אֵלָֽיו: יח וַתְּמַהֵ֣ר אֲבִיגַ֒יִל֒ וַתִּקַּח֩ מָאתַ֨יִם לֶ֜חֶם וּשְׁנַ֣יִם נִבְלֵי־יַ֗יִן וְחָמֵ֨שׁ צֹ֤אן עֲשׂוּוֹת֙ וְחָמֵ֤שׁ סְאִים֙ קָלִ֔י וּמֵאָ֥ה צִמֻּקִ֖ים וּמָאתַ֣יִם דְּבֵלִ֑ים וַתָּ֖שֶׂם עַל־הַחֲמֹרִֽים: יט וַתֹּ֤אמֶר לִנְעָרֶ֙יהָ֙ עִבְר֣וּ לְפָנַ֔י הִנְנִ֖י אַחֲרֵיכֶ֣ם בָּאָ֑ה וּלְאִישָׁ֥הּ נָבָ֖ל לֹ֥א הִגִּֽידָה: כ וְהָיָ֞ה הִ֣יא ׀ רֹכֶ֣בֶת עַֽל־הַחֲמ֗וֹר וְיֹרֶ֙דֶת֙ בְּסֵ֣תֶר הָהָ֔ר וְהִנֵּ֤ה דָוִד֙ וַאֲנָשָׁ֔יו יֹרְדִ֖ים לִקְרָאתָ֑הּ וַתִּפְגֹּ֖שׁ אֹתָֽם: כא וְדָוִ֣ד אָמַ֗ר אַךְ֩ לַשֶּׁ֨קֶר שָׁמַ֜רְתִּי אֶֽת־כָּל־אֲשֶׁ֤ר לָזֶה֙ בַּמִּדְבָּ֔ר וְלֹא־נִפְקַ֥ד מִכָּל־אֲשֶׁר־ל֖וֹ מְא֑וּמָה וַיָּֽשֶׁב־לִ֥י רָעָ֖ה תַּ֥חַת טוֹבָֽה: כב כֹּֽה־יַעֲשֶׂ֧ה אֱלֹהִ֛ים לְאֹיְבֵ֥י דָוִ֖ד וְכֹ֣ה יֹסִ֑יף אִם־אַשְׁאִ֧יר מִכָּל־אֲשֶׁר־ל֛וֹ עַד־הַבֹּ֖קֶר מַשְׁתִּ֥ין בְּקִֽיר: כג וַתֵּ֤רֶא אֲבִיגַ֙יִל֙ אֶת־דָּוִ֔ד וַתְּמַהֵ֕ר וַתֵּ֖רֶד מֵעַ֣ל הַחֲמ֑וֹר וַתִּפֹּ֞ל לְאַפֵּ֤י דָוִד֙ עַל־פָּנֶ֔יהָ וַתִּשְׁתַּ֖חוּ אָֽרֶץ: כד וַתִּפֹּל֙ עַל־רַגְלָ֔יו וַתֹּ֕אמֶר בִּֽי־אֲנִ֥י אֲדֹנִ֖י הֶֽעָוֺ֑ן וּֽתְדַבֶּר־נָ֤א אֲמָֽתְךָ֙ בְּאָזְנֶ֔יךָ וּשְׁמַ֕ע אֵ֖ת דִּבְרֵ֥י אֲמָתֶֽךָ: כה אַל־נָ֣א יָשִׂ֣ים אֲדֹנִ֣י ׀ אֶת־לִבּ֡וֹ אֶל־אִישׁ֩ הַבְּלִיַּ֨עַל הַזֶּ֜ה עַל־נָבָ֗ל כִּ֤י כִשְׁמוֹ֙ כֶּן־ה֔וּא נָבָ֣ל שְׁמ֔וֹ וּנְבָלָ֖ה עִמּ֑וֹ וַֽאֲנִי֙ אֲמָ֣תְךָ֔ לֹ֥א רָאִ֖יתִי אֶת־נַעֲרֵ֥י אֲדֹנִ֖י אֲשֶׁ֥ר שָׁלָֽחְתָּ: כו וְעַתָּ֣ה אֲדֹנִ֗י חַי־יְהוָ֤ה וְחֵֽי־נַפְשְׁךָ֙ אֲשֶׁ֨ר מְנָעֲךָ֤ יְהוָה֙ מִבּ֣וֹא בְדָמִ֔ים וְהוֹשֵׁ֥עַ יָדְךָ֖ לָ֑ךְ וְעַתָּ֗ה יִֽהְי֤וּ כְנָבָל֙ אֹֽיְבֶ֔יךָ וְהַֽמְבַקְשִׁ֥ים אֶל־אֲדֹנִ֖י רָעָֽה: כז וְעַתָּה֙ הַבְּרָכָ֣ה הַזֹּ֔את אֲשֶׁר־הֵבִ֥יא שִׁפְחָתְךָ֖ לַֽאדֹנִ֑י וְנִתְּנָה֙ לַנְּעָרִ֔ים הַמִּֽתְהַלְּכִ֖ים בְּרַגְלֵ֥י אֲדֹנִֽי: כח שָׂ֥א נָ֖א לְפֶ֣שַׁע אֲמָתֶ֑ךָ כִּ֣י עָשֹֽׂה־יַעֲשֶׂה֩ יְהוָ֨ה לַֽאדֹנִ֜י בַּ֣יִת נֶאֱמָ֗ן כִּֽי־מִלְחֲמ֤וֹת יְהוָה֙ אֲדֹנִ֣י נִלְחָ֔ם וְרָעָ֛ה לֹא־תִמָּצֵ֥א בְךָ֖ מִיָּמֶֽיךָ: כט וַיָּ֤קָם אָדָם֙ לִרְדָפְךָ֔ וּלְבַקֵּ֖שׁ אֶת־נַפְשֶׁ֑ךָ וְֽהָיְתָה֩ נֶ֨פֶשׁ אֲדֹנִ֜י צְרוּרָ֣ה ׀ בִּצְר֣וֹר הַחַיִּ֗ים אֵ֚ת יְהוָ֣ה אֱלֹהֶ֔יךָ וְאֵ֨ת נֶ֤פֶשׁ אֹיְבֶ֙יךָ֙ יְקַלְּעֶ֔נָּה בְּת֖וֹךְ כַּ֥ף הַקָּֽלַע: ל וְהָיָ֗ה כִּֽי־יַעֲשֶׂ֤ה יְהוָה֙ לַֽאדֹנִ֔י כְּכֹ֛ל אֲשֶׁר־דִּבֶּ֥ר אֶת־הַטּוֹבָ֖ה עָלֶ֑יךָ וְצִוְּךָ֥ לְנָגִ֖יד עַל־יִשְׂרָאֵֽל: לא וְלֹ֣א תִֽהְיֶ֣ה זֹ֣את ׀ לְךָ֡ לְפוּקָה֩ וּלְמִכְשׁ֨וֹל לֵ֜ב לַֽאדֹנִ֗י וְלִשְׁפָּךְ־דָּם֙ חִנָּ֔ם וּלְהוֹשִׁ֥יעַ אֲדֹנִ֖י ל֑וֹ וְהֵיטִ֤ב יְהוָה֙ לַֽאדֹנִ֔י וְזָכַרְתָּ֖ אֶת־אֲמָתֶֽךָ:

---

13 And David said unto his men: 'Gird ye on every man his sword.' And they girded on every man his sword; and David also girded on his sword; and there went up after David about four hundred men; and two hundred abode by the baggage. **14** But one of the young men told Abigail, Nabal's wife, saying: 'Behold, David sent messengers out of the wilderness to salute our master; and he flew upon them. **15** But the men were very good unto us, and we were not hurt, neither missed we any thing, as long as we went with them, when we were in the fields; **16** they were a wall unto us both by night and by day, all the while we were with them keeping the sheep. **17** Now therefore know and consider what thou wilt do; for evil is determined against our master, and against all his house; for he is such a base fellow, that one cannot speak to him.' **18** Then Abigail made haste, and took two hundred loaves, and two bottles of wine, and five sheep ready dressed, and five measures of parched corn, and a hundred clusters of raisins, and two hundred cakes of figs, and laid them on asses. **19** And she said unto her young men: 'Go on before me; behold, I come after you.' But she told not her husband Nabal. **20** And it was so, as she rode on her ass, and came down by the covert of the mountain, that, behold, David and his men came down towards her; and she met them.– **21** Now David had said: 'Surely in vain have I kept all that this fellow hath in the wilderness, so that nothing was missed of all that pertained unto him; and he hath returned me evil for good. **22** God do so unto the enemies of David, and more also, if I leave of all that pertain to him by the morning light so much as one male.'– **23** And when Abigail saw David, she made haste, and alighted from her ass, and fell before David on her face, and bowed down to the ground. **24** And she fell at his feet, and said: 'Upon me, my lord, upon me be the iniquity; and let thy handmaid, I pray thee, speak in thine ears, and hear thou the words of thy handmaid. **25** Let not my lord, I pray thee, regard this base fellow, even Nabal; for as his name is, so is he: Nabal is his name, and churlishness is with him; but I thy handmaid saw not the young men of my lord, whom thou didst send. **26** Now therefore, my lord, as Yehovah liveth, and as thy soul liveth, seeing Yehovah hath withholden thee from bloodguiltiness, and from finding redress for thyself with thine own hand, now therefore let thine enemies, and them that seek evil to my lord, be as Nabal. **27** And now this present which thy servant hath brought unto my lord, let it be given unto the young men that follow my lord. **28** Forgive, I pray thee, the trespass of thy handmaid; for Yehovah will certainly make my lord a sure house, because my lord fighteth the battles of Yehovah; and evil is not found in thee all thy days. **29** And though man be risen up to pursue thee, and to seek thy soul, yet the soul of my lord shall be bound in the bundle of life with Yehovah thy God; and the souls of thine enemies, them shall he sling out, as from the hollow of a sling. **30** And it shall come to pass, when Yehovah shall have done to my lord according to all the good that He hath spoken concerning thee, and shall have appointed thee prince over Israel; **31** that this shall be no stumbling-block unto thee, nor offence of heart unto my lord, either that thou hast shed blood without cause, or that my lord hath found redress for himself. And when Yehovah shall have dealt well with my lord, then remember thy handmaid.'{s}

לב וַיֹּ֤אמֶר דָּוִד֙ לַאֲבִיגַ֔ל בָּר֤וּךְ יְהֹוָה֙ אֱלֹהֵ֣י יִשְׂרָאֵ֔ל אֲשֶׁ֧ר שְׁלָחֵ֛ךְ הַיּ֥וֹם הַזֶּ֖ה לִקְרָאתִֽי: לג וּבָר֣וּךְ טַעְמֵ֔ךְ וּבְרוּכָ֖ה אָ֑תְּ אֲשֶׁ֨ר כְּלִתִ֜נִי הַיּ֤וֹם הַזֶּה֙ מִבּ֣וֹא בְדָמִ֔ים וְהֹשֵׁ֥עַ יָדִ֖י לִֽי: לד וְאוּלָ֗ם חַי־יְהֹוָה֙ אֱלֹהֵ֣י יִשְׂרָאֵ֔ל אֲשֶׁ֣ר מְנָעַ֔נִי מֵהָרַ֖ע אֹתָ֑ךְ כִּ֣י ׀ לוּלֵ֣י מִהַ֗רְתְּ וַתָּבֹאת֙[59] לִקְרָאתִ֔י כִּ֣י אִם־נוֹתַ֤ר לְנָבָל֙ עַד־א֣וֹר הַבֹּ֔קֶר מַשְׁתִּ֥ין בְּקִֽיר: לה וַיִּקַּ֤ח דָּוִד֙ מִיָּדָ֔הּ אֵ֥ת אֲשֶׁר־הֵבִ֖יאָה ל֑וֹ וְלָ֣הּ אָמַ֗ר עֲלִ֤י לְשָׁלוֹם֙ לְבֵיתֵ֔ךְ רְאִי֙ שָׁמַ֣עְתִּי בְקוֹלֵ֔ךְ וָאֶשָּׂ֖א פָּנָֽיִךְ: לו וַתָּבֹ֣א אֲבִיגַ֣יִל ׀ אֶל־נָבָ֗ל וְהִנֵּה־לוֹ֙ מִשְׁתֶּ֜ה בְּבֵיתוֹ֙ כְּמִשְׁתֵּ֣ה הַמֶּ֔לֶךְ וְלֵ֤ב נָבָל֙ ט֣וֹב עָלָ֔יו וְה֥וּא שִׁכֹּ֖ר עַד־מְאֹ֑ד וְלֹא־הִגִּ֤ידָה לּוֹ֙ דָּבָ֤ר קָטֹן֙ וְגָד֔וֹל עַד־א֥וֹר הַבֹּֽקֶר: לז וַיְהִ֣י בַבֹּ֗קֶר בְּצֵ֤את הַיַּ֙יִן֙ מִנָּבָ֔ל וַתַּגֶּד־ל֣וֹ אִשְׁתּ֔וֹ אֶת־הַדְּבָרִ֖ים הָאֵ֑לֶּה וַיָּ֤מׇת לִבּוֹ֙ בְּקִרְבּ֔וֹ וְה֖וּא הָיָ֥ה לְאָֽבֶן: לח וַיְהִ֖י כַּעֲשֶׂ֣רֶת הַיָּמִ֑ים וַיִּגֹּ֧ף יְהֹוָ֛ה אֶת־נָבָ֖ל וַיָּמֹֽת: לט וַיִּשְׁמַ֣ע דָּוִד֮ כִּ֣י מֵ֣ת נָבָל֒ וַיֹּ֡אמֶר בָּר֣וּךְ יְהֹוָ֡ה אֲשֶׁ֣ר רָ֩ב֩ אֶת־רִ֨יב חֶרְפָּתִ֜י מִיַּ֣ד נָבָ֗ל וְאֶת־עַבְדּוֹ֙ חָשַׂ֣ךְ מֵֽרָעָ֔ה וְאֵת֙ רָעַ֣ת נָבָ֔ל הֵשִׁ֥יב יְהֹוָ֖ה בְּרֹאשׁ֑וֹ וַיִּשְׁלַ֤ח דָּוִד֙ וַיְדַבֵּ֣ר בַּאֲבִיגַ֔יִל לְקַחְתָּ֥הּ ל֖וֹ לְאִשָּֽׁה: מ וַיָּבֹ֜אוּ עַבְדֵ֥י דָוִ֛ד אֶל־אֲבִיגַ֖יִל הַכַּרְמֶ֑לָה וַיְדַבְּר֤וּ אֵלֶ֙יהָ֙ לֵאמֹ֔ר דָּוִד֙ שְׁלָחָ֣נוּ אֵלַ֔יִךְ לְקַחְתֵּ֖ךְ ל֥וֹ לְאִשָּֽׁה: מא וַתָּ֕קׇם וַתִּשְׁתַּ֥חוּ אַפַּ֖יִם אָ֑רְצָה וַתֹּ֕אמֶר הִנֵּ֤ה אֲמָֽתְךָ֙ לְשִׁפְחָ֔ה לִרְחֹ֕ץ רַגְלֵ֖י עַבְדֵ֥י אֲדֹנִֽי: מב וַתְּמַהֵ֞ר וַתָּ֣קׇם אֲבִיגַ֗יִל וַתִּרְכַּב֙ עַֽל־הַחֲמ֔וֹר וְחָמֵשׁ֙ נַעֲרֹתֶ֔יהָ הַהֹלְכ֖וֹת לְרַגְלָ֑הּ וַתֵּ֗לֶךְ אַֽחֲרֵי֙ מַלְאֲכֵ֣י דָוִ֔ד וַתְּהִי־ל֖וֹ לְאִשָּֽׁה: מג וְאֶת־אֲחִינֹ֛עַם לָקַ֥ח דָּוִ֖ד מִֽיִּזְרְעֶ֑אל וַתִּהְיֶ֧יןָ גַּֽם־שְׁתֵּיהֶ֛ן ל֖וֹ לְנָשִֽׁים: מד וְשָׁא֗וּל נָתַ֛ן אֶת־מִיכַ֥ל בִּתּ֖וֹ אֵ֣שֶׁת דָּוִ֑ד לְפַלְטִ֥י בֶן־לַ֖יִשׁ אֲשֶׁ֥ר מִגַּלִּֽים:

כו א וַיָּבֹ֤אוּ הַזִּפִים֙ אֶל־שָׁא֔וּל הַגִּבְעָ֖תָה לֵאמֹ֑ר הֲל֨וֹא דָוִ֤ד מִסְתַּתֵּר֙ בְּגִבְעַ֣ת הַחֲכִילָ֔ה עַ֖ל פְּנֵ֥י הַיְשִׁימֹֽן: ב וַיָּ֣קׇם שָׁא֗וּל וַיֵּ֙רֶד֙ אֶל־מִדְבַּר־זִ֔יף וְאִתּ֛וֹ שְׁלֹֽשֶׁת־אֲלָפִ֥ים אִ֖ישׁ בְּחוּרֵ֣י יִשְׂרָאֵ֑ל לְבַקֵּ֥שׁ אֶת־דָּוִ֖ד בְּמִדְבַּר־זִֽיף: ג וַיִּ֨חַן שָׁא֜וּל בְּגִבְעַ֣ת הַחֲכִילָ֗ה אֲשֶׁ֛ר עַל־פְּנֵ֥י הַיְשִׁימֹ֖ן עַל־הַדָּ֑רֶךְ וְדָוִד֙ יֹשֵׁ֣ב בַּמִּדְבָּ֔ר וַיַּ֕רְא כִּ֣י בָ֥א שָׁא֖וּל אַחֲרָ֥יו הַמִּדְבָּֽרָה: ד וַיִּשְׁלַ֥ח דָּוִ֖ד מְרַגְּלִ֑ים וַיֵּ֕דַע כִּֽי־בָ֥א שָׁא֖וּל אֶל־נָכֽוֹן: ה וַיָּ֣קׇם דָּוִ֗ד וַיָּבֹא֮ אֶל־הַמָּקוֹם֒ אֲשֶׁ֣ר חָנָה־שָׁ֣ם שָׁא֒וּל וַיַּ֣רְא דָּוִ֗ד אֶת־הַמָּקוֹם֙ אֲשֶׁ֣ר שָֽׁכַב־שָׁ֣ם שָׁא֔וּל וְאַבְנֵ֣ר בֶּן־נֵ֔ר שַׂר־צְבָא֑וֹ וְשָׁאוּל֙ שֹׁכֵ֣ב בַּמַּעְגָּ֔ל וְהָעָ֖ם חֹנִ֥ים סְבִֽיבֹתָֽו[60]: ו וַיַּ֨עַן דָּוִ֜ד וַיֹּ֣אמֶר ׀ אֶל־אֲחִימֶ֣לֶךְ הַחִתִּ֗י וְאֶל־אֲבִישַׁ֨י בֶּן־צְרוּיָ֤ה אֲחִ֣י יוֹאָב֙ לֵאמֹ֔ר מִֽי־יֵרֵ֥ד אִתִּ֛י אֶל־שָׁא֖וּל אֶל־הַֽמַּחֲנֶ֑ה וַיֹּ֣אמֶר אֲבִישַׁ֔י אֲנִ֖י אֵרֵ֥ד עִמָּֽךְ: ז וַיָּבֹא֩ דָוִ֨ד וַאֲבִישַׁ֥י ׀ אֶל־הָעָם֮ לַיְלָה֒ וְהִנֵּ֣ה שָׁא֗וּל שֹׁכֵ֤ב יָשֵׁן֙ בַּמַּעְגָּ֔ל וַחֲנִית֥וֹ מְעוּכָֽה־בָאָ֖רֶץ מְרַֽאֲשֹׁתָ֑ו[61] וְאַבְנֵר֙ וְהָעָ֔ם שֹׁכְבִ֖ים סְבִיבֹתָֽו[62]:

---

[59] וְתָבֹ֥אתִי
[60] סְבִיבֹתָֽיו
[61] מְרַאֲשֹׁתָֽיו
[62] סְבִיבֹתָֽיו

32 And David said to Abigail: 'Blessed be Yehovah, the God of Israel, who sent thee this day to meet me; **33** and blessed be thy discretion, and blessed be thou, that hast kept me this day from bloodguiltiness, and from finding redress for myself with mine own hand. **34** For in very deed, as Yehovah, the God of Israel, liveth, who hath withholden me from hurting thee, except thou hadst made haste and come to meet me, surely there had not been left unto Nabal by the morning light so much as one male.' **35** So David received of her hand that which she had brought him; and he said unto her: 'Go up in peace to thy house; see, I have hearkened to thy voice, and have accepted thy person.' **36** And Abigail came to Nabal; and, behold, he held a feast in his house, like the feast of a king; and Nabal's heart was merry within him, for he was very drunken; wherefore she told him nothing, less or more, until the morning light. **37** And it came to pass in the morning, when the wine was gone out of Nabal, that his wife told him these things, and his heart died within him, and he became as a stone. **38** And it came to pass about ten days after, that Yehovah smote Nabal, so that he died. **39** And when David heard that Nabal was dead, he said: 'Blessed be Yehovah, that hath pleaded the cause of my reproach from the hand of Nabal, and hath kept back His servant from evil; and the evil-doing of Nabal hath Yehovah returned upon his own head.' And David sent and spoke concerning Abigail, to take her to him to wife. **40** And when the servants of David were come to Abigail to Carmel, they spoke unto her, saying: 'David hath sent us unto thee, to take thee to him to wife.' **41** And she arose, and bowed down with her face to the earth, and said: 'Behold, thy handmaid is a servant to wash the feet of the servants of my lord.' **42** And Abigail hastened, and arose, and rode upon an ass, with five damsels of hers that followed her; and she went after the messengers of David, and became his wife. **43** David also took Ahinoam of Jezreel; and they became both of them his wives.{s} **44** Now Saul had given Michal his daughter, David's wife, to Palti the son of Laish, who was of Gallim.

26 **1** And the Ziphites came unto Saul to Gibeah, saying: 'Doth not David hide himself in the hill of Hachilah, which is before Jeshimon?' **2** Then Saul arose, and went down to the wilderness of Ziph, having three thousand chosen men of Israel with him, to seek David in the wilderness of Ziph. **3** And Saul pitched in the hill of Hachilah, which is before Jeshimon, by the way. But David abode in the wilderness, and he saw that Saul came after him into the wilderness. **4** David therefore sent out spies, and understood that Saul was come of a certainty. **5** And David arose, and came to the place where Saul had pitched; and David beheld the place where Saul lay, and Abner the son of Ner, the captain of his host; and Saul lay within the barricade, and the people pitched round about him. **6** Then answered David and said to Ahimelech the Hittite, and to Abishai the son of Zeruiah, brother to Joab, saying: 'Who will go down with me to Saul to the camp?' And Abishai said: 'I will go down with thee.' **7** So David and Abishai came to the people by night; and, behold, Saul lay sleeping within the barricade, with his spear stuck in the ground at his head; and Abner and the people lay round about him.{s}

ח וַיֹּ֨אמֶר אֲבִישַׁ֜י אֶל־דָּוִ֗ד סִגַּ֨ר אֱלֹהִ֤ים הַיּוֹם֙ אֶת־אֽוֹיִבְךָ֣ בְּיָדֶ֔ךָ וְעַתָּה֩ אַכֶּ֨נּוּ נָ֜א בַּחֲנִ֤ית וּבָאָ֙רֶץ֙ פַּ֣עַם אַחַ֔ת וְלֹ֥א אֶשְׁנֶ֖ה לֽוֹ: ט וַיֹּ֧אמֶר דָּוִ֛ד אֶל־אֲבִישַׁ֖י אַל־תַּשְׁחִיתֵ֑הוּ כִּ֠י מִ֣י שָׁלַ֥ח יָד֛וֹ בִּמְשִׁ֥יחַ יְהוָ֖ה וְנִקָּֽה:

י וַיֹּ֣אמֶר דָּוִ֗ד חַי־יְהוָה֙ כִּ֤י אִם־יְהוָה֙ יִגָּפֶ֔נּוּ אֽוֹ־יוֹמ֥וֹ יָב֖וֹא וָמֵ֑ת א֧וֹ בַמִּלְחָמָ֛ה יֵרֵ֖ד וְנִסְפָּֽה: יא חָלִ֤ילָה לִּי֙ מֵֽיהוָ֔ה מִשְּׁלֹ֥חַ יָדִ֖י בִּמְשִׁ֣יחַ יְהוָ֑ה וְ֠עַתָּה קַח־נָ֨א אֶת־הַחֲנִ֜ית אֲשֶׁ֧ר מְרַאֲשֹׁתָ֛יו וְאֶת־צַפַּ֥חַת הַמַּ֖יִם וְנֵ֥לֲכָה לָּֽנוּ: יב וַיִּקַּ֣ח דָּוִ֡ד אֶת־הַחֲנִ֣ית וְאֶת־צַפַּ֣חַת הַמַּיִם֩ מֵרַאֲשֹׁתֵ֨י שָׁא֜וּל וַיֵּלְכ֣וּ לָהֶ֗ם וְאֵ֣ין רֹאֶה֩ וְאֵ֨ין יוֹדֵ֜עַ וְאֵ֣ין מֵקִ֗יץ כִּ֤י כֻלָּם֙ יְשֵׁנִ֔ים כִּ֚י תַּרְדֵּמַ֣ת יְהוָ֔ה נָפְלָ֖ה עֲלֵיהֶֽם: יג וַיַּעֲבֹ֤ר דָּוִד֙ הָעֵ֔בֶר וַיַּעֲמֹ֥ד עַל־רֹאשׁ־הָהָ֖ר מֵֽרָחֹ֑ק רַ֥ב הַמָּק֖וֹם בֵּינֵיהֶֽם: יד וַיִּקְרָ֨א דָוִ֜ד אֶל־הָעָ֗ם וְאֶל־אַבְנֵ֤ר בֶּן־נֵר֙ לֵאמֹ֔ר הֲל֥וֹא תַעֲנֶ֖ה אַבְנֵ֑ר וַיַּ֤עַן אַבְנֵר֙ וַיֹּ֔אמֶר מִ֥י אַתָּ֖ה קָרָ֥אתָ אֶל־הַמֶּֽלֶךְ:

יה וַיֹּ֨אמֶר דָּוִ֜ד אֶל־אַבְנֵ֗ר הֲלוֹא־אִ֤ישׁ אַתָּה֙ וּמִ֣י כָמ֣וֹךָ בְּיִשְׂרָאֵ֔ל וְלָ֙מָּה֙ לֹ֣א שָׁמַ֔רְתָּ אֶל־אֲדֹנֶ֖יךָ הַמֶּ֑לֶךְ כִּי־בָא֙ אַחַ֣ד הָעָ֔ם לְהַשְׁחִ֖ית אֶת־הַמֶּ֥לֶךְ אֲדֹנֶֽיךָ: יו לֹא־ט֞וֹב הַדָּבָ֣ר הַזֶּה֮ אֲשֶׁ֣ר עָשִׂ֒יתָ֒ חַי־יְהוָ֗ה כִּ֤י בְנֵי־מָ֙וֶת֙ אַתֶּ֔ם אֲשֶׁ֤ר לֹֽא־שְׁמַרְתֶּם֙ עַל־אֲדֹ֣נֵיכֶ֔ם עַל־מְשִׁ֖יחַ יְהוָ֑ה וְעַתָּ֣ה ׀ רְאֵ֗ה אֵֽי־חֲנִ֤ית הַמֶּ֙לֶךְ֙ וְאֶת־צַפַּ֣חַת הַמַּ֔יִם אֲשֶׁ֖ר מְרַאֲשֹׁתָֽיו: יז וַיַּכֵּ֤ר שָׁאוּל֙ אֶת־ק֣וֹל דָּוִ֔ד וַיֹּ֕אמֶר הֲקוֹלְךָ֥ זֶ֖ה בְּנִ֣י דָוִ֑ד וַיֹּ֣אמֶר דָּוִ֔ד קוֹלִ֖י אֲדֹנִ֥י הַמֶּֽלֶךְ: יח וַיֹּ֕אמֶר לָ֥מָּה זֶּ֛ה אֲדֹנִ֥י רֹדֵ֖ף אַחֲרֵ֣י עַבְדּ֑וֹ כִּ֚י מֶ֣ה עָשִׂ֔יתִי וּמַה־בְּיָדִ֖י רָעָֽה: יט וְעַתָּ֗ה יִֽשְׁמַֽע־נָא֙ אֲדֹנִ֣י הַמֶּ֔לֶךְ אֵ֖ת דִּבְרֵ֣י עַבְדּ֑וֹ אִם־יְהוָ֞ה הֱסִֽיתְךָ֥ בִי֙ יָרַ֣ח מִנְחָ֔ה וְאִ֣ם ׀ בְּנֵ֣י הָאָדָ֗ם אֲרוּרִ֥ים הֵם֙ לִפְנֵ֣י יְהוָ֔ה כִּֽי־גֵרְשׁ֣וּנִי הַיּ֗וֹם מֵהִסְתַּפֵּ֜חַ בְּנַחֲלַ֤ת יְהוָה֙ לֵאמֹ֔ר לֵ֥ךְ עֲבֹ֖ד אֱלֹהִ֥ים אֲחֵרִֽים: כ וְעַתָּ֗ה אַל־יִפֹּ֤ל דָּֽמִי֙ אַ֔רְצָה מִנֶּ֖גֶד פְּנֵ֣י יְהוָ֑ה כִּֽי־יָצָ֞א מֶ֣לֶךְ יִשְׂרָאֵ֗ל לְבַקֵּשׁ֙ אֶת־פַּרְעֹ֣שׁ אֶחָ֔ד כַּאֲשֶׁ֛ר יִרְדֹּ֥ף הַקֹּרֵ֖א בֶּהָרִֽים: כא וַיֹּ֩אמֶר֩ שָׁא֨וּל חָטָ֜אתִי שׁ֥וּב בְּנִֽי־דָוִ֗ד כִּ֠י לֹֽא־אָרַ֤ע לְךָ֙ ע֔וֹד תַּ֗חַת אֲשֶׁ֨ר יָקְרָ֤ה נַפְשִׁי֙ בְּעֵינֶ֣יךָ הַיּ֣וֹם הַזֶּ֔ה הִנֵּ֥ה הִסְכַּ֖לְתִּי וָאֶשְׁגֶּ֥ה הַרְבֵּ֥ה מְאֹֽד: כב וַיַּ֤עַן דָּוִד֙ וַיֹּ֔אמֶר הִנֵּ֖ה הַחֲנִ֣ית הַמֶּ֑לֶךְ וְיַעֲבֹ֛ר אֶחָ֥ד מֵֽהַנְּעָרִ֖ים וְיִקָּחֶֽהָ: כג וַֽיהוָה֙ יָשִׁ֣יב לָאִ֔ישׁ אֶת־צִדְקָת֖וֹ וְאֶת־אֱמֻנָת֑וֹ אֲשֶׁר֩ נְתָנְךָ֨ יְהוָ֤ה ׀ הַיּוֹם֙ בְּיָ֔ד וְלֹ֣א אָבִ֔יתִי לִשְׁלֹ֥חַ יָדִ֖י בִּמְשִׁ֥יחַ יְהוָֽה: כד וְהִנֵּ֗ה כַּאֲשֶׁ֨ר גָּדְלָ֧ה נַפְשְׁךָ֛ הַיּ֥וֹם הַזֶּ֖ה בְּעֵינָ֑י כֵּ֣ן תִּגְדַּ֤ל נַפְשִׁי֙ בְּעֵינֵ֣י יְהוָ֔ה וְיַצִּלֵ֖נִי מִכָּל־צָרָֽה:

כה וַיֹּ֨אמֶר שָׁא֜וּל אֶל־דָּוִ֗ד בָּר֤וּךְ אַתָּה֙ בְּנִ֣י דָוִ֔ד גַּ֚ם עָשֹׂ֣ה תַעֲשֶׂ֔ה וְגַ֖ם יָכֹ֣ל תּוּכָ֑ל וַיֵּ֤לֶךְ דָּוִד֙ לְדַרְכּ֔וֹ וְשָׁא֖וּל שָׁ֥ב לִמְקוֹמֽוֹ:

---

63 מראשתו
64 מראשתו
65 החנית

8 Then said Abishai to David: 'God hath delivered up thine enemy into thy hand this day; now therefore let me smite him, I pray thee, with the spear to the earth at one stroke, and I will not smite him the second time.' **9** And David said to Abishai: 'Destroy him not; for who can put forth his hand against Yehovah's anointed, and be guiltless?'{P}

10 And David said: 'As Yehovah liveth, nay, but Yehovah shall smite him; or his day shall come to die; or he shall go down into battle, and be swept away. **11** Yehovah forbid it me, that I should put forth my hand against Yehovah's anointed; but now take, I pray thee, the spear that is at his head, and the cruse of water and let us go.' **12** So David took the spear and the cruse of water from Saul's head; and they got them away, and no man saw it, nor knew it, neither did any awake; for they were all asleep; because a deep sleep from Yehovah was fallen upon them. **13** Then David went over to the other side, and stood on the top of the mountain afar off; a great space being between them. **14** And David cried to the people, and to Abner the son of Ner, saying: 'Answerest thou not, Abner?' Then Abner answered and said: 'Who art thou that criest to the king?'{P}

15 And David said to Abner: 'Art not thou a valiant man? and who is like to thee in Israel? wherefore then hast thou not kept watch over thy lord the king? for there came one of the people in to destroy the king thy lord. **16** This thing is not good that thou hast done. As Yehovah liveth, ye deserve to die, because ye have not kept watch over your lord, Yehovah's anointed. And now, see, where the king's spear is, and the cruse of water that was at his head.' **17** And Saul knew David's voice, and said: 'Is this thy voice, my son David?' And David said: 'It is my voice, my lord, O king.' **18** And he said: 'Wherefore doth my lord pursue after his servant? for what have I done? or what evil is in my hand? **19** Now therefore, I pray thee, let my lord the king hear the words of his servant. If it be Yehovah that hath stirred thee up against me, let Him accept an offering; but if it be the children of men, cursed be they before Yehovah; for they have driven me out this day that I should not cleave unto the inheritance of Yehovah, saying: Go, serve other gods. **20** Now therefore, let not my blood fall to the earth away from the presence of Yehovah; for the king of Israel is come out to seek a single flea, as when one doth hunt a partridge in the mountains.' **21** Then said Saul: 'I have sinned; return, my son David; for I will no more do thee harm, because my life was precious in thine eyes this day; behold, I have played the fool and erred exceedingly.' **22** And David answered and said: 'Behold the king's spear! let then one of the young men come over and fetch it. **23** And Yehovah will render to every man his righteousness and his faithfulness; forasmuch as Yehovah delivered thee into my hand to-day, and I would not put forth my hand against Yehovah's anointed. **24** And, behold, as thy life was much set by this day in mine eyes, so let my life be much set by in the eyes of Yehovah, and let Him deliver me out of all tribulation.'{P}

25 Then Saul said to David: 'Blessed be thou, my son David; thou shalt both do mightily, and shalt surely prevail.' So David went his way, and Saul returned to his place.{P}

כז א וַיֹּ֤אמֶר דָּוִד֙ אֶל־לִבּ֔וֹ עַתָּ֛ה אֶסָּפֶ֥ה יוֹם־אֶחָ֖ד בְּיַד־שָׁא֑וּל אֵין־לִ֣י ט֡וֹב כִּ֣י
הִמָּלֵ֣ט אִמָּלֵ֣ט ׀ אֶל־אֶ֣רֶץ פְּלִשְׁתִּ֗ים וְנוֹאַ֨שׁ מִמֶּ֤נִּי שָׁאוּל֙ לְבַקְשֵׁ֤נִי עוֹד֙
בְּכָל־גְּב֣וּל יִשְׂרָאֵ֔ל וְנִמְלַטְתִּ֖י מִיָּדֽוֹ׃ ב וַיָּ֣קָם דָּוִ֔ד וַיַּעֲבֹ֣ר ה֔וּא וְשֵׁשׁ־מֵא֥וֹת אִ֖ישׁ
אֲשֶׁ֣ר עִמּ֑וֹ אֶל־אָכִ֥ישׁ בֶּן־מָע֖וֹךְ מֶ֥לֶךְ גַּֽת׃ ג וַיֵּשֶׁב֩ דָּוִ֨ד עִם־אָכִ֥ישׁ בְּגַ֛ת ה֥וּא
וַאֲנָשָׁ֖יו אִ֣ישׁ וּבֵית֑וֹ דָּוִד֙ וּשְׁתֵּ֣י נָשָׁ֔יו אֲחִינֹ֙עַם֙ הַיִּזְרְעֵאלִ֔ית וַאֲבִיגַ֥יִל אֵֽשֶׁת־נָבָ֖ל
הַֽכַּרְמְלִֽית׃ ד וַיֻּגַּ֣ד לְשָׁא֔וּל כִּֽי־בָרַ֥ח דָּוִ֖ד גַּ֑ת וְלֹֽא־יָסַ֥ף[66] ע֖וֹד לְבַקְשֽׁוֹ׃
ה וַיֹּ֨אמֶר דָּוִ֜ד אֶל־אָכִ֗ישׁ אִם־נָ֨א מָצָ֤אתִי חֵן֙ בְּעֵינֶ֔יךָ יִתְּנוּ־לִ֣י מָק֔וֹם בְּאַחַ֛ת
עָרֵ֥י הַשָּׂדֶ֖ה וְאֵ֣שְׁבָה שָּׁ֑ם וְלָ֨מָּה יֵשֵׁ֧ב עַבְדְּךָ֛ בְּעִ֥יר הַמַּמְלָכָ֖ה עִמָּֽךְ׃ ו וַיִּתֶּן־ל֥וֹ
אָכִ֛ישׁ בַּיּ֥וֹם הַה֖וּא אֶת־צִֽקְלָ֑ג לָכֵ֞ן הָיְתָ֤ה צִֽקְלַג֙ לְמַלְכֵ֣י יְהוּדָ֔ה עַ֖ד הַיּ֥וֹם הַזֶּֽה׃

ז וַיְהִי֙ מִסְפַּ֣ר הַיָּמִ֔ים אֲשֶׁר־יָשַׁ֥ב דָּוִ֖ד בִּשְׂדֵ֣ה פְלִשְׁתִּ֑ים יָמִ֖ים וְאַרְבָּעָ֥ה
חֳדָשִֽׁים׃ ח וַיַּ֤עַל דָּוִד֙ וַאֲנָשָׁ֔יו וַֽיִּפְשְׁט֛וּ אֶל־הַגְּשׁוּרִ֥י וְהַגִּזְרִ֖י[67] וְהָעֲמָלֵקִ֑י כִּ֣י הֵ֜נָּה
יֹשְׁב֣וֹת הָאָ֗רֶץ אֲשֶׁ֤ר מֵֽעוֹלָם֙ בּוֹאֲךָ֣ שׁ֔וּרָה וְעַד־אֶ֖רֶץ מִצְרָֽיִם׃ ט וְהִכָּ֤ה דָוִד֙
אֶת־הָאָ֔רֶץ וְלֹ֥א יְחַיֶּ֖ה אִ֣ישׁ וְאִשָּׁ֑ה וְלָקַ֡ח צֹ֣אן וּבָקָ֩ר וַחֲמֹרִ֨ים וּגְמַלִּ֤ים וּבְגָדִים֙
וַיָּ֖שָׁב וַיָּבֹ֥א אֶל־אָכִֽישׁ׃ י וַיֹּ֣אמֶר אָכִ֔ישׁ אַל־פְּשַׁטְתֶּ֖ם הַיּ֑וֹם וַיֹּ֣אמֶר דָּוִ֡ד עַל־נֶ֣גֶב
יְהוּדָה֩ וְעַל־נֶ֨גֶב הַיְּרַחְמְאֵלִ֜י וְאֶל־נֶ֣גֶב הַקֵּינִֽי׃ יא וְאִ֨ישׁ וְאִשָּׁ֜ה לֹֽא־יְחַיֶּ֣ה דָוִ֗ד
לְהָבִ֥יא גַת֙ לֵאמֹ֔ר פֶּן־יַגִּ֥דוּ עָלֵ֖ינוּ לֵאמֹ֑ר כֹּֽה־עָשָׂ֤ה דָוִד֙ וְכֹ֣ה מִשְׁפָּט֔וֹ
כָּל־הַ֨יָּמִ֔ים אֲשֶׁ֥ר יָשַׁ֖ב בִּשְׂדֵ֥ה פְלִשְׁתִּֽים׃ יב וַיַּאֲמֵ֥ן אָכִ֖ישׁ בְּדָוִ֣ד לֵאמֹ֑ר הַבְאֵ֤שׁ
הִבְאִישׁ֙ בְּעַמּ֣וֹ בְיִשְׂרָאֵ֔ל וְהָ֥יָה לִ֖י לְעֶ֥בֶד עוֹלָֽם׃

כח א וַיְהִי֙ בַּיָּמִ֣ים הָהֵ֔ם וַיִּקְבְּצ֨וּ פְלִשְׁתִּ֤ים אֶת־מַֽחֲנֵיהֶם֙ לַצָּבָ֔א לְהִלָּחֵ֖ם
בְּיִשְׂרָאֵ֑ל וַיֹּ֤אמֶר אָכִישׁ֙ אֶל־דָּוִ֔ד יָדֹ֙עַ֙ תֵּדַ֔ע כִּ֤י אִתִּי֙ תֵּצֵ֣א בַֽמַּחֲנֶ֔ה אַתָּ֖ה
וַאֲנָשֶֽׁיךָ׃ ב וַיֹּ֤אמֶר דָּוִד֙ אֶל־אָכִ֔ישׁ לָכֵן֙ אַתָּ֣ה תֵדַ֔ע אֵ֥ת אֲשֶׁר־יַעֲשֶׂ֖ה עַבְדֶּ֑ךָ
וַיֹּ֨אמֶר אָכִ֜ישׁ אֶל־דָּוִ֗ד לָכֵ֛ן שֹׁמֵ֥ר לְרֹאשִׁ֛י אֲשִֽׂימְךָ֖ כָּל־הַיָּמִֽים׃

ג וּשְׁמוּאֵל֙ מֵ֔ת וַיִּסְפְּדוּ־לוֹ֙ כָּל־יִשְׂרָאֵ֔ל וַיִּקְבְּרֻ֥הוּ בָרָמָ֖ה וּבְעִיר֑וֹ וְשָׁא֗וּל הֵסִ֛יר
הָאֹב֥וֹת וְאֶת־הַיִּדְּעֹנִ֖ים מֵהָאָֽרֶץ׃ ד וַיִּקָּבְצ֣וּ פְלִשְׁתִּ֔ים וַיָּבֹ֖אוּ וַיַּחֲנ֣וּ בְשׁוּנֵ֑ם
וַיִּקְבֹּ֤ץ שָׁאוּל֙ אֶת־כָּל־יִשְׂרָאֵ֔ל וַֽיַּחֲנ֖וּ בַּגִּלְבֹּֽעַ׃ ה וַיַּ֥רְא שָׁא֖וּל אֶת־מַחֲנֵ֣ה
פְלִשְׁתִּ֑ים וַיִּרָ֕א וַיֶּחֱרַ֥ד לִבּ֖וֹ מְאֹֽד׃ ו וַיִּשְׁאַ֤ל שָׁאוּל֙ בַּֽיהוָ֔ה וְלֹ֥א עָנָ֖הוּ יְהוָ֑ה גַּ֧ם
בַּחֲלֹמ֛וֹת גַּ֥ם בָּאוּרִ֖ים גַּ֥ם בַּנְּבִיאִֽם׃ ז וַיֹּ֨אמֶר שָׁא֜וּל לַעֲבָדָ֗יו בַּקְּשׁוּ־לִי֙ אֵ֣שֶׁת
בַּעֲלַת־א֔וֹב וְאֵלְכָ֥ה אֵלֶ֖יהָ וְאֶדְרְשָׁה־בָּ֑הּ וַיֹּאמְר֤וּ עֲבָדָיו֙ אֵלָ֔יו הִנֵּ֛ה אֵ֥שֶׁת
בַּעֲלַת־א֖וֹב בְּעֵ֥ין דּֽוֹר׃

[66] יוסף
[67] והגרזי

27 1 And David said in his heart: 'I shall now be swept away one day by the hand of Saul; there is nothing better for me than that I should escape into the land of the Philistines; and Saul will despair of me, to seek me any more in all the borders of Israel; so shall I escape out of his hand.' 2 And David arose, and passed over, he and the six hundred men that were with him, unto Achish the son of Maoch, king of Gath. 3 And David dwelt with Achish at Gath, he and his men, every man with his household, even David with his two wives, Ahinoam the Jezreelitess, and Abigail the Carmelitess, Nabal's wife. 4 And it was told Saul that David was fled to Gath; and he sought no more again for him.{s} 5 And David said unto Achish: 'If now I have found favour in thine eyes, let them give me a place in one of the cities in the country, that I may dwell there; for why should thy servant dwell in the royal city with thee?' 6 Then Achish gave him Ziklag that day; wherefore Ziklag belongeth unto the kings of Judah unto this day.{P}

7 And the number of the days that David dwelt in the country of the Philistines was a full year and four months. 8 And David and his men went up, and made a raid upon the Geshurites, and the Gizrites, and the Amalekites; for those were the inhabitants of the land, who were of old, as thou goest to Shur, even unto the land of Egypt. 9 And David smote the land, and left neither man nor woman alive, and took away the sheep, and the oxen, and the asses, and the camels, and the apparel. And he returned, and came to Achish. 10 And Achish said: 'Whither have ye made a raid to-day?' And David said: 'Against the South of Judah, and against the South of the Jerahmeelites, and against the South of the Kenites.' 11 And David left neither man nor woman alive, to bring them to Gath, saying: 'Lest they should tell on us, saying: So did David, and so hath been his manner all the while he hath dwelt in the country of the Philistines.' 12 And Achish believed David, saying: 'He hath made his people Israel utterly to abhor him; therefore he shall be my servant for ever.'{P}

28 1 And it came to pass in those days, that the Philistines gathered their hosts together for warfare, to fight with Israel. And Achish said unto David: 'Know thou assuredly, that thou shalt go out with me in the host, thou and thy men.' 2 And David said to Achish: 'Therefore thou shalt know what thy servant will do.' And Achish said to David: 'Therefore will I make thee keeper of my head for ever.'{P}

3 Now Samuel was dead, and all Israel had lamented him, and buried him in Ramah, even in his own city. And Saul had put away those that divined by a ghost or a familiar spirit out of the land. 4 And the Philistines gathered themselves together, and came and pitched in Shunem; and Saul gathered all Israel together, and they pitched in Gilboa. 5 And when Saul saw the host of the Philistines, he was afraid, and his heart trembled greatly. 6 And when Saul inquired of Yehovah, Yehovah answered him not, neither by dreams, nor by Urim, nor by prophets. 7 Then said Saul unto his servants: 'Seek me a woman that divineth by a ghost, that I may go to her, and inquire of her.' And his servants said to him: 'Behold, there is a woman that divineth by a ghost at En-dor.'

ח וַיִּתְחַפֵּשׂ שָׁאוּל וַיִּלְבַּשׁ בְּגָדִים אֲחֵרִים וַיֵּלֶךְ הוּא וּשְׁנֵי אֲנָשִׁים עִמּוֹ וַיָּבֹאוּ
אֶל־הָאִשָּׁה לָיְלָה וַיֹּאמֶר קָסֳמִי־נָא[68] לִי בָּאוֹב וְהַעֲלִי לִי אֵת אֲשֶׁר־אֹמַר אֵלָיִךְ׃
ט וַתֹּאמֶר הָאִשָּׁה אֵלָיו הִנֵּה אַתָּה יָדַעְתָּ אֵת אֲשֶׁר־עָשָׂה שָׁאוּל אֲשֶׁר הִכְרִית
אֶת־הָאֹבוֹת וְאֶת־הַיִּדְּעֹנִי מִן־הָאָרֶץ וְלָמָה אַתָּה מִתְנַקֵּשׁ בְּנַפְשִׁי לַהֲמִיתֵנִי׃
י וַיִּשָּׁבַע לָהּ שָׁאוּל בַּיהוָה לֵאמֹר חַי־יְהוָה אִם־יִקְּרֵךְ עָוֺן בַּדָּבָר הַזֶּה׃
יא וַתֹּאמֶר הָאִשָּׁה אֶת־מִי אַעֲלֶה־לָּךְ וַיֹּאמֶר אֶת־שְׁמוּאֵל הַעֲלִי־לִי׃ יב וַתֵּרֶא
הָאִשָּׁה אֶת־שְׁמוּאֵל וַתִּזְעַק בְּקוֹל גָּדוֹל וַתֹּאמֶר הָאִשָּׁה אֶל־שָׁאוּל לֵאמֹר לָמָּה
רִמִּיתָנִי וְאַתָּה שָׁאוּל׃ יג וַיֹּאמֶר לָהּ הַמֶּלֶךְ אַל־תִּירְאִי כִּי מָה רָאִית וַתֹּאמֶר
הָאִשָּׁה אֶל־שָׁאוּל אֱלֹהִים רָאִיתִי עֹלִים מִן־הָאָרֶץ׃ יד וַיֹּאמֶר לָהּ מַה־תָּאֳרוֹ
וַתֹּאמֶר אִישׁ זָקֵן עֹלֶה וְהוּא עֹטֶה מְעִיל וַיֵּדַע שָׁאוּל כִּי־שְׁמוּאֵל הוּא וַיִּקֹּד
אַפַּיִם אַרְצָה וַיִּשְׁתָּחוּ׃ טו וַיֹּאמֶר שְׁמוּאֵל אֶל־שָׁאוּל לָמָּה הִרְגַּזְתַּנִי לְהַעֲלוֹת
אֹתִי וַיֹּאמֶר שָׁאוּל צַר־לִי מְאֹד וּפְלִשְׁתִּים ׀ נִלְחָמִים בִּי וֵאלֹהִים סָר מֵעָלַי
וְלֹא־עָנָנִי עוֹד גַּם בְּיַד־הַנְּבִיאִם גַּם־בַּחֲלֹמוֹת וָאֶקְרָאֶה לְךָ לְהוֹדִיעֵנִי מָה
אֶעֱשֶׂה׃ טז וַיֹּאמֶר שְׁמוּאֵל וְלָמָּה תִּשְׁאָלֵנִי וַיהוָה סָר מֵעָלֶיךָ וַיְהִי עָרֶךָ׃ יז וַיַּעַשׂ
יְהוָה לוֹ כַּאֲשֶׁר דִּבֶּר בְּיָדִי וַיִּקְרַע יְהוָה אֶת־הַמַּמְלָכָה מִיָּדֶךָ וַיִּתְּנָהּ לְרֵעֲךָ
לְדָוִד׃ יח כַּאֲשֶׁר לֹא־שָׁמַעְתָּ בְּקוֹל יְהוָה וְלֹא־עָשִׂיתָ חֲרוֹן־אַפּוֹ בַּעֲמָלֵק
עַל־כֵּן הַדָּבָר הַזֶּה עָשָׂה־לְךָ יְהוָה הַיּוֹם הַזֶּה׃ יט וְיִתֵּן יְהוָה גַּם אֶת־יִשְׂרָאֵל
עִמְּךָ בְּיַד־פְּלִשְׁתִּים וּמָחָר אַתָּה וּבָנֶיךָ עִמִּי גַּם אֶת־מַחֲנֵה יִשְׂרָאֵל יִתֵּן יְהוָה
בְּיַד־פְּלִשְׁתִּים׃ כ וַיְמַהֵר שָׁאוּל וַיִּפֹּל מְלֹא־קוֹמָתוֹ אַרְצָה וַיִּרָא מְאֹד מִדִּבְרֵי
שְׁמוּאֵל גַּם־כֹּחַ לֹא־הָיָה בוֹ כִּי לֹא אָכַל לֶחֶם כָּל־הַיּוֹם וְכָל־הַלָּיְלָה׃
כא וַתָּבוֹא הָאִשָּׁה אֶל־שָׁאוּל וַתֵּרֶא כִּי־נִבְהַל מְאֹד וַתֹּאמֶר אֵלָיו הִנֵּה שָׁמְעָה
שִׁפְחָתְךָ בְּקוֹלֶךָ וָאָשִׂים נַפְשִׁי בְּכַפִּי וָאֶשְׁמַע אֶת־דְּבָרֶיךָ אֲשֶׁר דִּבַּרְתָּ אֵלָי׃
כב וְעַתָּה שְׁמַע־נָא גַם־אַתָּה בְּקוֹל שִׁפְחָתֶךָ וְאָשִׂמָה לְפָנֶיךָ פַּת־לֶחֶם וֶאֱכוֹל
וִיהִי בְךָ כֹּחַ כִּי תֵלֵךְ בַּדָּרֶךְ׃ כג וַיְמָאֵן וַיֹּאמֶר לֹא אֹכַל וַיִּפְרְצוּ־בוֹ עֲבָדָיו
וְגַם־הָאִשָּׁה וַיִּשְׁמַע לְקֹלָם וַיָּקָם מֵהָאָרֶץ וַיֵּשֶׁב אֶל־הַמִּטָּה׃ כד וְלָאִשָּׁה
עֵגֶל־מַרְבֵּק בַּבַּיִת וַתְּמַהֵר וַתִּזְבָּחֵהוּ וַתִּקַּח־קֶמַח וַתָּלָשׁ וַתֹּפֵהוּ מַצּוֹת׃
כה וַתַּגֵּשׁ לִפְנֵי־שָׁאוּל וְלִפְנֵי עֲבָדָיו וַיֹּאכֵלוּ וַיָּקֻמוּ וַיֵּלְכוּ בַּלַּיְלָה הַהוּא׃

כט א וַיִּקְבְּצוּ פְלִשְׁתִּים אֶת־כָּל־מַחֲנֵיהֶם אֲפֵקָה וְיִשְׂרָאֵל חֹנִים בַּעַיִן אֲשֶׁר
בְּיִזְרְעֶאל׃ ב וְסַרְנֵי פְלִשְׁתִּים עֹבְרִים לְמֵאוֹת וְלַאֲלָפִים וְדָוִד וַאֲנָשָׁיו עֹבְרִים
בָּאַחֲרֹנָה עִם־אָכִישׁ׃

[68] קסומי

8 And Saul disguised himself, and put on other raiment, and went, he and two men with him, and they came to the woman by night; and he said: 'Divine unto me, I pray thee, by a ghost, and bring me up whomsoever I shall name unto thee.' **9** And the woman said unto him: 'Behold, thou knowest what Saul hath done, how he hath cut off those that divine by a ghost or a familiar spirit out of the land; wherefore then layest thou a snare for my life, to cause me to die?' **10** And Saul swore to her by Yehovah, saying: 'As Yehovah liveth, there shall no punishment happen to thee for this thing.' **11** Then said the woman: 'Whom shall I bring up unto thee?' And he said: 'Bring me up Samuel.' **12** And when the woman saw Samuel, she cried with a loud voice; and the woman spoke to Saul, saying: 'Why hast thou deceived me? for thou art Saul.' **13** And the king said unto her: 'Be not afraid; for what seest thou?' And the woman said unto Saul: 'I see a godlike being coming up out of the earth.' **14** And he said unto her: 'What form is he of?' And she said: 'An old man cometh up; and he is covered with a robe.' And Saul perceived that it was Samuel, and he bowed with his face to the ground, and prostrated himself.{S} **15** And Samuel said to Saul: 'Why hast thou disquieted me, to bring me up?' And Saul answered: 'I am sore distressed; for the Philistines make war against me, and God is departed from me, and answereth me no more, neither by prophets, nor by dreams; therefore I have called thee, that thou mayest make known unto me what I shall do.'{S} **16** And Samuel said: 'Wherefore then dost thou ask of me, seeing Yehovah is departed from thee, and is become thine adversary? **17** And Yehovah hath wrought for Himself; as He spoke by me; and Yehovah hath rent the kingdom out of thy hand, and given it to thy neighbour, even to David. **18** Because thou didst not hearken to the voice of Yehovah, and didst not execute His fierce wrath upon Amalek, therefore hath Yehovah done this thing unto thee this day. **19** Moreover Yehovah will deliver Israel also with thee into the hand of the Philistines; and to-morrow shalt thou and thy sons be with me; Yehovah will deliver the host of Israel also into the hand of the Philistines.' **20** Then Saul fell straightway his full length upon the earth, and was sore afraid, because of the words of Samuel; and there was no strength in him; for he had eaten no bread all the day, nor all the night. **21** And the woman came unto Saul, and saw that he was sore affrighted, and said unto him: 'Behold, thy handmaid hath hearkened unto thy voice, and I have put my life in my hand, and have hearkened unto thy words which thou spokest unto me. **22** Now therefore, I pray thee, hearken thou also unto the voice of thy handmaid, and let me set a morsel of bread before thee; and eat, that thou mayest have strength, when thou goest on thy way.' **23** But he refused, and said: 'I will not eat.' But his servants, together with the woman, urged him; and he hearkened unto their voice. So he arose from the earth, and sat upon the bed. **24** And the woman had a fatted calf in the house; and she made haste, and killed it; and she took flour, and kneaded it, and did bake unleavened bread thereof; **25** and she brought it before Saul, and before his servants; and they did eat. Then they rose up, and went away that night.{P}

29 1 Now the Philistines gathered together all their hosts to Aphek; and the Israelites pitched by the fountain which is in Jezreel. **2** And the lords of the Philistines passed on by hundreds, and by thousands; and David and his men passed on in the rearward with Achish.

ג וַיֹּאמְרוּ שָׂרֵי פְלִשְׁתִּים מָה הָעִבְרִים הָאֵלֶּה וַיֹּאמֶר אָכִישׁ אֶל־שָׂרֵי
פְלִשְׁתִּים הֲלוֹא־זֶה דָוִד עֶבֶד ׀ שָׁאוּל מֶלֶךְ־יִשְׂרָאֵל אֲשֶׁר הָיָה אִתִּי זֶה יָמִים
אוֹ־זֶה שָׁנִים וְלֹא־מָצָאתִי בוֹ מְאוּמָה מִיּוֹם נָפְלוֹ עַד־הַיּוֹם הַזֶּה׃

ד וַיִּקְצְפוּ עָלָיו שָׂרֵי פְלִשְׁתִּים וַיֹּאמְרוּ לוֹ שָׂרֵי פְלִשְׁתִּים הָשֵׁב אֶת־הָאִישׁ
וְיָשֹׁב אֶל־מְקוֹמוֹ אֲשֶׁר הִפְקַדְתּוֹ שָׁם וְלֹא־יֵרֵד עִמָּנוּ בַמִּלְחָמָה
וְלֹא־יִהְיֶה־לָּנוּ לְשָׂטָן בַּמִּלְחָמָה וּבַמֶּה יִתְרַצֶּה זֶה אֶל־אֲדֹנָיו הֲלוֹא בְּרָאשֵׁי
הָאֲנָשִׁים הָהֵם׃ ה הֲלוֹא־זֶה דָוִד אֲשֶׁר יַעֲנוּ־לוֹ בַמְּחֹלוֹת לֵאמֹר הִכָּה שָׁאוּל
בַּאֲלָפָיו וְדָוִד בְּרִבְבֹתָיו[69]׃ ו וַיִּקְרָא אָכִישׁ אֶל־דָּוִד וַיֹּאמֶר אֵלָיו חַי־יְהוָה
כִּי־יָשָׁר אַתָּה וְטוֹב בְּעֵינַי צֵאתְךָ וּבֹאֲךָ אִתִּי בַּמַּחֲנֶה כִּי לֹא־מָצָאתִי בְךָ
רָעָה מִיּוֹם בֹּאֲךָ אֵלַי עַד־הַיּוֹם הַזֶּה וּבְעֵינֵי הַסְּרָנִים לֹא־טוֹב אָתָּה׃ ז וְעַתָּה
שׁוּב וְלֵךְ בְּשָׁלוֹם וְלֹא־תַעֲשֶׂה רָע בְּעֵינֵי סַרְנֵי פְלִשְׁתִּים׃ ח וַיֹּאמֶר דָּוִד
אֶל־אָכִישׁ כִּי מֶה עָשִׂיתִי וּמַה־מָּצָאתָ בְעַבְדְּךָ מִיּוֹם אֲשֶׁר הָיִיתִי לְפָנֶיךָ עַד
הַיּוֹם הַזֶּה כִּי לֹא אָבוֹא וְנִלְחַמְתִּי בְּאֹיְבֵי אֲדֹנִי הַמֶּלֶךְ׃ ט וַיַּעַן אָכִישׁ וַיֹּאמֶר
אֶל־דָּוִד יָדַעְתִּי כִּי טוֹב אַתָּה בְּעֵינַי כְּמַלְאַךְ אֱלֹהִים אַךְ שָׂרֵי פְלִשְׁתִּים
אָמְרוּ לֹא־יַעֲלֶה עִמָּנוּ בַּמִּלְחָמָה׃ י וְעַתָּה הַשְׁכֵּם בַּבֹּקֶר וְעַבְדֵי אֲדֹנֶיךָ
אֲשֶׁר־בָּאוּ אִתָּךְ וְהִשְׁכַּמְתֶּם בַּבֹּקֶר וְאוֹר לָכֶם וָלֵכוּ׃ יא וַיַּשְׁכֵּם דָּוִד הוּא
וַאֲנָשָׁיו לָלֶכֶת בַּבֹּקֶר לָשׁוּב אֶל־אֶרֶץ פְּלִשְׁתִּים וּפְלִשְׁתִּים עָלוּ יִזְרְעֶאל׃

ל א וַיְהִי בְּבֹא דָוִד וַאֲנָשָׁיו צִקְלַג בַּיּוֹם הַשְּׁלִישִׁי וַעֲמָלֵקִי פָשְׁטוּ אֶל־נֶגֶב
וְאֶל־צִקְלַג וַיַּכּוּ אֶת־צִקְלַג וַיִּשְׂרְפוּ אֹתָהּ בָּאֵשׁ׃ ב וַיִּשְׁבּוּ אֶת־הַנָּשִׁים
אֲשֶׁר־בָּהּ מִקָּטֹן וְעַד־גָּדוֹל לֹא הֵמִיתוּ אִישׁ וַיִּנְהֲגוּ וַיֵּלְכוּ לְדַרְכָּם׃ ג וַיָּבֹא
דָוִד וַאֲנָשָׁיו אֶל־הָעִיר וְהִנֵּה שְׂרוּפָה בָּאֵשׁ וּנְשֵׁיהֶם וּבְנֵיהֶם וּבְנֹתֵיהֶם נִשְׁבּוּ׃
ד וַיִּשָּׂא דָוִד וְהָעָם אֲשֶׁר־אִתּוֹ אֶת־קוֹלָם וַיִּבְכּוּ עַד אֲשֶׁר אֵין־בָּהֶם כֹּחַ
לִבְכּוֹת׃ ה וּשְׁתֵּי נְשֵׁי־דָוִד נִשְׁבּוּ אֲחִינֹעַם הַיִּזְרְעֵלִית וַאֲבִיגַיִל אֵשֶׁת נָבָל
הַכַּרְמְלִי׃ ו וַתֵּצֶר לְדָוִד מְאֹד כִּי־אָמְרוּ הָעָם לְסָקְלוֹ כִּי־מָרָה נֶפֶשׁ
כָּל־הָעָם אִישׁ עַל־בָּנָיו[70] וְעַל־בְּנֹתָיו וַיִּתְחַזֵּק דָּוִד בַּיהוָה אֱלֹהָיו׃ ז וַיֹּאמֶר
דָּוִד אֶל־אֶבְיָתָר הַכֹּהֵן בֶּן־אֲחִימֶלֶךְ הַגִּישָׁה־נָּא לִי הָאֵפֹד וַיַּגֵּשׁ אֶבְיָתָר
אֶת־הָאֵפֹד אֶל־דָּוִד׃ ח וַיִּשְׁאַל דָּוִד בַּיהוָה לֵאמֹר אֶרְדֹּף אַחֲרֵי הַגְּדוּד־הַזֶּה
הַאַשִּׂגֶנּוּ וַיֹּאמֶר לוֹ רְדֹף כִּי־הַשֵּׂג תַּשִּׂיג וְהַצֵּל תַּצִּיל׃ ט וַיֵּלֶךְ דָּוִד הוּא
וְשֵׁשׁ־מֵאוֹת אִישׁ אֲשֶׁר אִתּוֹ וַיָּבֹאוּ עַד־נַחַל הַבְּשׂוֹר וְהַנּוֹתָרִים עָמָדוּ׃

[69] ברבבתו
[70] בנו

<u>3</u> Then said the princes of the Philistines: 'What do these Hebrews here?' And Achish said unto the princes of the Philistines: 'Is not this David, the servant of Saul the king of Israel, who hath been with me these days or these years, and I have found no fault in him since he fell away unto me unto this day?'{P}

<u>4</u> But the princes of the Philistines were wroth with him; and the princes of the Philistines said unto him: 'Make the man return, that he may go back to his place where thou hast appointed him, and let him not go down with us to battle, lest in the battle he become an adversary to us; for wherewith should this fellow reconcile himself unto his lord? should it not be with the heads of these men? <u>5</u> Is not this David, of whom they sang one to another in dances, saying: Saul hath slain his thousands, and David his ten thousands?'{S} <u>6</u> Then Achish called David, and said unto him: 'As Yehovah liveth, thou hast been upright, and thy going out and thy coming in with me in the host is good in my sight; for I have not found evil in thee since the day of thy coming unto me unto this day; nevertheless the lords favour thee not. <u>7</u> Wherefore now return, and go in peace, that thou displease not the lords of the Philistines.'{S} <u>8</u> And David said unto Achish: 'But what have I done? and what hast thou found in thy servant so long as I have been before thee unto this day, that I may not go and fight against the enemies of my lord the king?' <u>9</u> And Achish answered and said to David: 'I know that thou art good in my sight, as an angel of God; notwithstanding the princes of the Philistines have said: He shall not go up with us to the battle. <u>10</u> Wherefore now rise up early in the morning with the servants of thy lord that are come with thee; and as soon as ye are up early in the morning, and have light, depart.' <u>11</u> So David rose up early, he and his men, to depart in the morning, to return into the land of the Philistines. And the Philistines went up to Jezreel.{S}

30 <u>1</u> And it came to pass, when David and his men were come to Ziklag on the third day, that the Amalekites had made a raid upon the South, and upon Ziklag, and had smitten Ziklag, and burned it with fire; <u>2</u> and had taken captive the women and all that were therein, both small and great; they slew not any, but carried them off, and went their way. <u>3</u> And when David and his men came to the city, behold, it was burned with fire; and their wives, and their sons, and their daughters, were taken captives. <u>4</u> Then David and the people that were with him lifted up their voice and wept, until they had no more power to weep. <u>5</u> And David's two wives were taken captives, Ahinoam the Jezreelitess, and Abigail the wife of Nabal the Carmelite. <u>6</u> And David was greatly distressed; for the people spoke of stoning him, because the soul of all the people was grieved, every man for his sons and for his daughters; but David strengthened himself in Yehovah his God.{S} <u>7</u> And David said to Abiathar the priest, the son of Ahimelech: 'I pray thee, bring me hither the ephod.' And Abiathar brought thither the ephod to David. <u>8</u> And David inquired of Yehovah, saying: 'Shall I pursue after this troop? shall I overtake them?' And He answered him: 'Pursue; for thou shalt surely overtake them, and shalt without fail recover all.' <u>9</u> So David went, he and the six hundred men that were with him, and came to the brook Besor, where those that were left behind stayed.

י וַיִּרְדֹּף דָּוִד הוּא וְאַרְבַּע־מֵאוֹת אִישׁ וַיַּעַמְדוּ מָאתַיִם אִישׁ אֲשֶׁר פִּגְּרוּ מֵעֲבֹר
אֶת־נַחַל הַבְּשׂוֹר׃ יא וַיִּמְצְאוּ אִישׁ־מִצְרִי בַּשָּׂדֶה וַיִּקְחוּ אֹתוֹ אֶל־דָּוִד
וַיִּתְּנוּ־לוֹ לֶחֶם וַיֹּאכַל וַיַּשְׁקֻהוּ מָיִם׃ יב וַיִּתְּנוּ־לוֹ פֶלַח דְּבֵלָה וּשְׁנֵי צִמֻּקִים
וַיֹּאכַל וַתָּשָׁב רוּחוֹ אֵלָיו כִּי לֹא־אָכַל לֶחֶם וְלֹא־שָׁתָה מַיִם שְׁלֹשָׁה יָמִים
וּשְׁלֹשָׁה לֵילוֹת׃ יג וַיֹּאמֶר לוֹ דָוִד לְמִי־אַתָּה וְאֵי מִזֶּה אָתָּה וַיֹּאמֶר נַעַר
מִצְרִי אָנֹכִי עֶבֶד לְאִישׁ עֲמָלֵקִי וַיַּעַזְבֵנִי אֲדֹנִי כִּי חָלִיתִי הַיּוֹם שְׁלֹשָׁה׃
יד אֲנַחְנוּ פָּשַׁטְנוּ נֶגֶב הַכְּרֵתִי וְעַל־אֲשֶׁר לִיהוּדָה וְעַל־נֶגֶב כָּלֵב וְאֶת־צִקְלַג
שָׂרַפְנוּ בָאֵשׁ׃ טו וַיֹּאמֶר אֵלָיו דָּוִד הֲתוֹרִדֵנִי אֶל־הַגְּדוּד הַזֶּה וַיֹּאמֶר הִשָּׁבְעָה
לִּי בֵאלֹהִים אִם־תְּמִיתֵנִי וְאִם־תַּסְגִּרֵנִי בְּיַד־אֲדֹנִי וְאוֹרִדְךָ אֶל־הַגְּדוּד הַזֶּה׃
טז וַיֹּרִדֵהוּ וְהִנֵּה נְטֻשִׁים עַל־פְּנֵי כָל־הָאָרֶץ אֹכְלִים וְשֹׁתִים וְחֹגְגִים בְּכֹל
הַשָּׁלָל הַגָּדוֹל אֲשֶׁר לָקְחוּ מֵאֶרֶץ פְּלִשְׁתִּים וּמֵאֶרֶץ יְהוּדָה׃ יז וַיַּכֵּם דָּוִד
מֵהַנֶּשֶׁף וְעַד־הָעֶרֶב לְמָחֳרָתָם וְלֹא־נִמְלַט מֵהֶם אִישׁ כִּי אִם־אַרְבַּע מֵאוֹת
אִישׁ־נַעַר אֲשֶׁר־רָכְבוּ עַל־הַגְּמַלִּים וַיָּנֻסוּ׃ יח וַיַּצֵּל דָּוִד אֵת כָּל־אֲשֶׁר לָקְחוּ
עֲמָלֵק וְאֶת־שְׁתֵּי נָשָׁיו הִצִּיל דָּוִד׃ יט וְלֹא נֶעְדַּר־לָהֶם מִן־הַקָּטֹן וְעַד־הַגָּדוֹל
וְעַד־בָּנִים וּבָנוֹת וּמִשָּׁלָל וְעַד כָּל־אֲשֶׁר לָקְחוּ לָהֶם הַכֹּל הֵשִׁיב דָּוִד׃
כ וַיִּקַּח דָּוִד אֶת־כָּל־הַצֹּאן וְהַבָּקָר נָהֲגוּ לִפְנֵי הַמִּקְנֶה הַהוּא וַיֹּאמְרוּ זֶה
שְׁלַל דָּוִד׃ כא וַיָּבֹא דָוִד אֶל־מָאתַיִם הָאֲנָשִׁים אֲשֶׁר־פִּגְּרוּ ׀ מִלֶּכֶת ׀ אַחֲרֵי
דָוִד וַיֹּשִׁיבֻם בְּנַחַל הַבְּשׂוֹר וַיֵּצְאוּ לִקְרַאת דָּוִד וְלִקְרַאת הָעָם אֲשֶׁר־אִתּוֹ
וַיִּגַּשׁ דָּוִד אֶת־הָעָם וַיִּשְׁאַל לָהֶם לְשָׁלוֹם׃ כב וַיַּעַן כָּל־אִישׁ־רָע וּבְלִיַּעַל
מֵהָאֲנָשִׁים אֲשֶׁר הָלְכוּ עִם־דָּוִד וַיֹּאמְרוּ יַעַן אֲשֶׁר לֹא־הָלְכוּ עִמִּי לֹא־נִתֵּן
לָהֶם מֵהַשָּׁלָל אֲשֶׁר הִצַּלְנוּ כִּי־אִם־אִישׁ אֶת־אִשְׁתּוֹ וְאֶת־בָּנָיו וְיִנְהֲגוּ וְיֵלֵכוּ׃
כג וַיֹּאמֶר דָּוִד לֹא־תַעֲשׂוּ כֵן אֶחָי אֵת אֲשֶׁר־נָתַן יְהוָה לָנוּ וַיִּשְׁמֹר אֹתָנוּ וַיִּתֵּן
אֶת־הַגְּדוּד הַבָּא עָלֵינוּ בְּיָדֵנוּ׃ כד וּמִי יִשְׁמַע לָכֶם לַדָּבָר הַזֶּה כִּי כְּחֵלֶק ׀
הַיֹּרֵד בַּמִּלְחָמָה וּכְחֵלֶק הַיֹּשֵׁב עַל־הַכֵּלִים יַחְדָּו יַחֲלֹקוּ׃ כה וַיְהִי מֵהַיּוֹם
הַהוּא וָמָעְלָה וַיְשִׂמֶהָ לְחֹק וּלְמִשְׁפָּט לְיִשְׂרָאֵל עַד הַיּוֹם הַזֶּה׃

כו וַיָּבֹא דָוִד אֶל־צִקְלַג וַיְשַׁלַּח מֵהַשָּׁלָל לְזִקְנֵי יְהוּדָה לְרֵעֵהוּ לֵאמֹר הִנֵּה
לָכֶם בְּרָכָה מִשְּׁלַל אֹיְבֵי יְהוָה׃ כז לַאֲשֶׁר בְּבֵית־אֵל וְלַאֲשֶׁר בְּרָמוֹת־נֶגֶב
וְלַאֲשֶׁר בְּיַתִּר׃ כח וְלַאֲשֶׁר בַּעֲרֹעֵר וְלַאֲשֶׁר בְּשִׂפְמוֹת וְלַאֲשֶׁר בְּאֶשְׁתְּמֹעַ׃
כט וְלַאֲשֶׁר בְּרָכָל וְלַאֲשֶׁר בְּעָרֵי הַיְּרַחְמְאֵלִי וְלַאֲשֶׁר בְּעָרֵי הַקֵּינִי׃ ל וְלַאֲשֶׁר
בְּחָרְמָה וְלַאֲשֶׁר בְּבוֹר־עָשָׁן וְלַאֲשֶׁר בַּעֲתָךְ׃ לא וְלַאֲשֶׁר בְּחֶבְרוֹן
וּלְכָל־הַמְּקֹמוֹת אֲשֶׁר־הִתְהַלֶּךְ־שָׁם דָּוִד הוּא וַאֲנָשָׁיו׃

10 But David pursued, he and four hundred men; for two hundred stayed behind, who were so faint that they could not go over the brook Besor. **11** And they found an Egyptian in the field, and brought him to David, and gave him bread, and he did eat; and they gave him water to drink; **12** and they gave him a piece of a cake of figs, and two clusters of raisins; and when he had eaten, his spirit came back to him; for he had eaten no bread, nor drunk any water, three days and three nights.{S} **13** And David said unto him: 'To whom belongest thou? and whence art thou?' And he said: 'I am a young Egyptian, servant to an Amalekite; and my master left me, because three days ago I fell sick. **14** We made a raid upon the South of the Cherethites, and upon that which belongeth to Judah, and upon the South of Caleb; and we burned Ziklag with fire.' **15** And David said to him: 'Wilt thou bring me down to this troop?' And he said: 'Swear unto me by God, that thou wilt neither kill me, nor deliver me up into the hands of my master, and I will bring thee down to this troop.' **16** And when he had brought him down, behold, they were spread abroad over all the ground, eating and drinking, and feasting, because of all the great spoil that they had taken out of the land of the Philistines, and out of the land of Judah. **17** And David smote them from the twilight even unto the evening of the next day; and there escaped not a man of them, save four hundred young men, who rode upon camels and fled. **18** And David recovered all that the Amalekites had taken; and David rescued his two wives. **19** And there was nothing lacking to them, neither small nor great, neither sons nor daughters, neither spoil, nor any thing that they had taken to them; David brought back all. **20** And David took all the flocks and the herds, which they drove before those other cattle, and said: 'This is David's spoil.' **21** And David came to the two hundred men, who were so faint that they could not follow David, whom also they had made to abide at the brook Besor; and they went forth to meet David, and to meet the people that were with him; and when David came near to the people, he saluted them.{S} **22** Then answered all the wicked men and base fellows, of those that went with David, and said: 'Because they went not with us, we will not give them aught of the spoil that we have recovered, save to every man his wife and his children, that they may lead them away, and depart.'{S} **23** Then said David: 'Ye shall not do so, my brethren, with that which Yehovah hath given unto us, who hath preserved us, and delivered the troop that came against us into our hand. **24** And who will hearken unto you in this matter? for as is the share of him that goeth down to the battle, so shall be the share of him that tarrieth by the baggage; they shall share alike.'{S} **25** And it was so from that day forward, that he made it a statute and an ordinance for Israel unto this day.{P}

26 And when David came to Ziklag, he sent of the spoil unto the elders of Judah, even to his friends, saying: 'Behold a present for you of the spoil of the enemies of Yehovah'; **27** to them that were in Beth-el, and to them that were in Ramoth of the South, and to them that were in Jattir; **28** and to them that were in Aroer, and to them that were in Siphmoth, and to them that were in Eshtemoa; **29** and to them that were in Racal, and to them that were in the cities of the Jerahmeelites, and to them that were in the cities of the Kenites; **30** and to them that were in Hormah, and to them that were in Bor-ashan, and to them that were in Athach; **31** and to them that were in Hebron, and to all the places where David himself and his men were wont to haunt.{P}

לא א וּפְלִשְׁתִּים נִלְחָמִים בְּיִשְׂרָאֵל וַיָּנֻסוּ אַנְשֵׁי יִשְׂרָאֵל מִפְּנֵי פְלִשְׁתִּים
וַיִּפְּלוּ חֲלָלִים בְּהַר הַגִּלְבֹּעַ׃ ב וַיַּדְבְּקוּ פְלִשְׁתִּים אֶת־שָׁאוּל וְאֶת־בָּנָיו וַיַּכּוּ
פְלִשְׁתִּים אֶת־יְהוֹנָתָן וְאֶת־אֲבִינָדָב וְאֶת־מַלְכִּי־שׁוּעַ בְּנֵי שָׁאוּל׃ ג וַתִּכְבַּד
הַמִּלְחָמָה אֶל־שָׁאוּל וַיִּמְצָאֻהוּ הַמּוֹרִים אֲנָשִׁים בַּקָּשֶׁת וַיָּחֶל מְאֹד מֵהַמּוֹרִים׃
ד וַיֹּאמֶר שָׁאוּל לְנֹשֵׂא כֵלָיו שְׁלֹף חַרְבְּךָ ׀ וְדָקְרֵנִי בָהּ פֶּן־יָבוֹאוּ הָעֲרֵלִים
הָאֵלֶּה וּדְקָרֻנִי וְהִתְעַלְּלוּ־בִי וְלֹא אָבָה נֹשֵׂא כֵלָיו כִּי יָרֵא מְאֹד וַיִּקַּח שָׁאוּל
אֶת־הַחֶרֶב וַיִּפֹּל עָלֶיהָ׃ ה וַיַּרְא נֹשֵׂא־כֵלָיו כִּי מֵת שָׁאוּל וַיִּפֹּל גַּם־הוּא
עַל־חַרְבּוֹ וַיָּמָת עִמּוֹ׃ ו וַיָּמָת שָׁאוּל וּשְׁלֹשֶׁת בָּנָיו וְנֹשֵׂא כֵלָיו גַּם כָּל־אֲנָשָׁיו
בַּיּוֹם הַהוּא יַחְדָּו׃ ז וַיִּרְאוּ אַנְשֵׁי־יִשְׂרָאֵל אֲשֶׁר־בְּעֵבֶר הָעֵמֶק וַאֲשֶׁר ׀ בְּעֵבֶר
הַיַּרְדֵּן כִּי־נָסוּ אַנְשֵׁי יִשְׂרָאֵל וְכִי־מֵתוּ שָׁאוּל וּבָנָיו וַיַּעַזְבוּ אֶת־הֶעָרִים וַיָּנֻסוּ
וַיָּבֹאוּ פְלִשְׁתִּים וַיֵּשְׁבוּ בָּהֶן׃ ח וַיְהִי מִמָּחֳרָת וַיָּבֹאוּ פְלִשְׁתִּים לְפַשֵּׁט
אֶת־הַחֲלָלִים וַיִּמְצְאוּ אֶת־שָׁאוּל וְאֶת־שְׁלֹשֶׁת בָּנָיו נֹפְלִים בְּהַר הַגִּלְבֹּעַ׃
ט וַיִּכְרְתוּ אֶת־רֹאשׁוֹ וַיַּפְשִׁטוּ אֶת־כֵּלָיו וַיְשַׁלְּחוּ בְאֶרֶץ־פְּלִשְׁתִּים סָבִיב
לְבַשֵּׂר בֵּית עֲצַבֵּיהֶם וְאֶת־הָעָם׃ י וַיָּשִׂמוּ אֶת־כֵּלָיו בֵּית עַשְׁתָּרוֹת וְאֶת־גְּוִיָּתוֹ
תָּקְעוּ בְּחוֹמַת בֵּית שָׁן׃ יא וַיִּשְׁמְעוּ אֵלָיו יֹשְׁבֵי יָבֵישׁ גִּלְעָד אֵת אֲשֶׁר־עָשׂוּ
פְלִשְׁתִּים לְשָׁאוּל׃ יב וַיָּקוּמוּ כָּל־אִישׁ חַיִל וַיֵּלְכוּ כָל־הַלַּיְלָה וַיִּקְחוּ אֶת־גְּוִיַּת
שָׁאוּל וְאֵת גְּוִיֹּת בָּנָיו מֵחוֹמַת בֵּית שָׁן וַיָּבֹאוּ יָבֵשָׁה וַיִּשְׂרְפוּ אֹתָם שָׁם׃
יג וַיִּקְחוּ אֶת־עַצְמֹתֵיהֶם וַיִּקְבְּרוּ תַחַת־הָאֶשֶׁל בְּיָבֵשָׁה וַיָּצֻמוּ שִׁבְעַת יָמִים׃

31 1 Now the Philistines fought against Israel, and the men of Israel fled from before the Philistines, and fell down slain in mount Gilboa. 2 And the Philistines followed hard upon Saul and upon his sons; and the Philistines slew Jonathan, and Abinadab, and Malchishua, the sons of Saul. 3 And the battle went sore against Saul, and the archers overtook him; and he was in great anguish by reason of the archers.   4 Then said Saul to his armour-bearer: 'Draw thy sword, and thrust me through therewith; lest these uncircumcised come and thrust me through, and make a mock of me.' But his armour-bearer would not; for he was sore afraid. Therefore Saul took his sword, and fell upon it. 5 And when his armour-bearer saw that Saul was dead, he likewise fell upon his sword, and died with him. 6 So Saul died, and his three sons, and his armour-bearer, and all his men, that same day together. 7 And when the men of Israel that were on the other side of the valley, and they that were beyond the Jordan, saw that the men of Israel fled, and that Saul and his sons were dead, they forsook the cities, and fled; and the Philistines came and dwelt in them.{P}

8 And it came to pass on the morrow, when the Philistines came to strip the slain, that they found Saul and his three sons fallen in mount Gilboa. 9 And they cut off his head, and stripped off his armour, and sent into the land of the Philistines round about, to carry the tidings unto the house of their idols, and to the people. 10 And they put his armour in the house of the Ashtaroth; and they fastened his body to the wall of Beth-shan. 11 And when the inhabitants of Jabesh-gilead heard concerning him that which the Philistines had done to Saul, 12 all the valiant men arose, and went all night, and took the body of Saul and the bodies of his sons from the wall of Beth-shan; and they came to Jabesh, and burnt them there. 13 And they took their bones, and buried them under the tamarisk-tree in Jabesh, and fasted seven days.{P}

שמואל ב

II Samuel

אי מזה וכמא א ב   ויאמר לו דוד השׁתֹנשׁטשׂי
קריעגם ב ודרוד קריעגם ובצריד קריעגם ו : ם ו

Book of II Samuel in the Leningrad Codex
(right column, 5th line from bottom, page 341 in pdf)

א א וַיְהִ֗י אַֽחֲרֵי֙ מ֣וֹת שָׁא֔וּל וְדָוִ֣ד שָׁ֔ב מֵהַכּ֖וֹת אֶת־הָעֲמָלֵ֑ק וַיֵּ֧שֶׁב דָּוִ֛ד
בְּצִקְלָ֖ג יָמִ֥ים שְׁנָֽיִם׃ ב וַיְהִ֣י ׀ בַּיּ֣וֹם הַשְּׁלִישִׁ֗י וְהִנֵּ֨ה אִ֜ישׁ בָּ֤א מִן־הַֽמַּחֲנֶה֙ מֵעִ֣ם
שָׁא֔וּל וּבְגָדָ֣יו קְרֻעִ֔ים וַאֲדָמָ֖ה עַל־רֹאשׁ֑וֹ וַיְהִי֙ בְּבֹא֣וֹ אֶל־דָּוִ֔ד וַיִּפֹּ֥ל אַ֖רְצָה
וַיִּשְׁתָּֽחוּ׃ ג וַיֹּ֤אמֶר לוֹ֙ דָּוִ֔ד אֵ֥י מִזֶּ֖ה תָּב֑וֹא וַיֹּ֣אמֶר אֵלָ֔יו מִמַּחֲנֵ֥ה יִשְׂרָאֵ֖ל
נִמְלָֽטְתִּי׃ ד וַיֹּ֧אמֶר אֵלָ֛יו דָּוִ֖ד מֶה־הָיָ֣ה הַדָּבָ֑ר הַגֶּד־נָ֣א לִ֔י וַ֠יֹּאמֶר אֲשֶׁר־נָ֨ס
הָעָ֜ם מִן־הַמִּלְחָמָ֗ה וְגַם־הַרְבֵּ֞ה נָפַ֤ל מִן־הָעָם֙ וַיָּמֻ֔תוּ וְגַ֗ם שָׁא֛וּל וִיהוֹנָתָ֥ן בְּנ֖וֹ
מֵֽתוּ׃ ה וַיֹּ֣אמֶר דָּוִ֔ד אֶל־הַנַּ֖עַר הַמַּגִּ֣יד ל֑וֹ אֵ֣יךְ יָדַ֔עְתָּ כִּי־מֵ֥ת שָׁא֖וּל וִיהוֹנָתָ֥ן
בְּנֽוֹ׃ ו וַיֹּ֜אמֶר הַנַּ֣עַר ׀ הַמַּגִּ֣יד ל֗וֹ נִקְרֹ֤א נִקְרֵ֙יתִי֙ בְּהַ֣ר הַגִּלְבֹּ֔עַ וְהִנֵּ֥ה שָׁא֖וּל
נִשְׁעָ֣ן עַל־חֲנִית֑וֹ וְהִנֵּ֥ה הָרֶ֛כֶב וּבַעֲלֵ֥י הַפָּרָשִׁ֖ים הִדְבִּקֻֽהוּ׃ ז וַיִּ֥פֶן אַחֲרָ֖יו
וַיִּרְאֵ֑נִי וַיִּקְרָ֣א אֵלָ֔י וָאֹמַ֖ר הִנֵּֽנִי׃ ח וַיֹּ֥אמֶר לִ֖י מִי־אָ֑תָּה וָאֹמַ֣ר[1] אֵלָ֔יו עֲמָלֵקִ֖י
אָנֹֽכִי׃ ט וַיֹּ֣אמֶר אֵלַ֗י עֲמָד־נָ֤א עָלַי֙ וּמֹ֣תְתֵ֔נִי כִּ֥י אֲחָזַ֖נִי הַשָּׁבָ֑ץ כִּֽי־כָל־ע֥וֹד
נַפְשִׁ֖י בִּֽי׃ י וָאֶעֱמֹ֤ד עָלָיו֙ וַאֲמֹ֣תְתֵ֔הוּ כִּ֣י יָדַ֔עְתִּי כִּ֛י לֹ֥א יִחְיֶ֖ה אַחֲרֵ֣י נִפְל֑וֹ וָאֶקַּ֞ח
הַנֵּ֣זֶר ׀ אֲשֶׁ֣ר עַל־רֹאשׁ֗וֹ וְאֶצְעָדָה֙ אֲשֶׁ֣ר עַל־זְרֹע֔וֹ וָאֲבִיאֵ֥ם אֶל־אֲדֹנִ֖י הֵֽנָּה׃
יא וַיַּחֲזֵ֥ק דָּוִ֛ד בִּבְגָדָ֖יו[2] וַיִּקְרָעֵ֑ם וְגַ֥ם כָּל־הָאֲנָשִׁ֖ים אֲשֶׁ֥ר אִתּֽוֹ׃ יב וַֽיִּסְפְּדוּ֙
וַיִּבְכּ֔וּ וַיָּצֻ֖מוּ עַד־הָעָ֑רֶב עַל־שָׁא֞וּל וְעַל־יְהוֹנָתָ֣ן בְּנ֗וֹ וְעַל־עַ֤ם יְהוָה֙ וְעַל־בֵּ֣ית
יִשְׂרָאֵ֔ל כִּ֥י נָפְל֖וּ בֶּחָֽרֶב׃ יג וַיֹּ֣אמֶר דָּוִ֗ד אֶל־הַנַּ֙עַר֙ הַמַּגִּ֣יד ל֔וֹ אֵ֥י מִזֶּ֖ה אָ֑תָּה
וַיֹּ֕אמֶר בֶּן־אִ֛ישׁ גֵּ֥ר עֲמָלֵקִ֖י אָנֹֽכִי׃ יד וַיֹּ֥אמֶר אֵלָ֖יו דָּוִ֑ד אֵ֚יךְ לֹ֣א יָרֵ֔אתָ לִשְׁלֹ֙חַ֙
יָֽדְךָ֔ לְשַׁחֵ֖ת אֶת־מְשִׁ֥יחַ יְהוָֽה׃ טו וַיִּקְרָ֣א דָוִ֗ד לְאַחַד֙ מֵֽהַנְּעָרִ֔ים וַיֹּ֖אמֶר גַּ֣שׁ
פְּגַע־בּ֑וֹ וַיַּכֵּ֖הוּ וַיָּמֹֽת׃ טז וַיֹּ֤אמֶר אֵלָיו֙ דָּוִ֔ד דָּמְךָ֖[3] עַל־רֹאשֶׁ֑ךָ כִּ֣י פִ֗יךָ עָנָ֤ה בְךָ֙
לֵאמֹ֔ר אָנֹכִ֥י מֹתַ֖תִּי אֶת־מְשִׁ֥יחַ יְהוָֽה׃ יז וַיְקֹנֵ֣ן דָּוִ֔ד אֶת־הַקִּינָ֖ה הַזֹּ֑את
עַל־שָׁא֖וּל וְעַל־יְהוֹנָתָ֥ן בְּנֽוֹ׃ יח וַיֹּ֕אמֶר לְלַמֵּ֥ד בְּנֵי־יְהוּדָ֖ה קָ֑שֶׁת הִנֵּ֥ה כְתוּבָ֖ה
עַל־סֵ֥פֶר הַיָּשָֽׁר׃ יט הַצְּבִי֙ יִשְׂרָאֵ֔ל עַל־בָּמוֹתֶ֖יךָ חָלָ֑ל אֵ֖יךְ נָפְל֥וּ גִבּוֹרִֽים׃
כ אַל־תַּגִּ֣ידוּ בְגַ֔ת אַל־תְּבַשְּׂר֖וּ בְּחוּצֹ֣ת אַשְׁקְל֑וֹן פֶּן־תִּשְׂמַ֙חְנָה֙ בְּנ֣וֹת פְּלִשְׁתִּ֔ים
פֶּֽן־תַּעֲלֹ֖זְנָה בְּנ֥וֹת הָעֲרֵלִֽים׃ כא הָרֵ֣י בַגִּלְבֹּ֗עַ אַל־טַ֧ל וְאַל־מָטָ֛ר עֲלֵיכֶ֖ם
וּשְׂדֵ֣י תְרוּמֹ֑ת כִּ֣י שָׁ֤ם נִגְעַל֙ מָגֵ֣ן גִּבּוֹרִ֔ים מָגֵ֣ן שָׁא֔וּל בְּלִ֖י מָשִׁ֥יחַ בַּשָּֽׁמֶן׃
כב מִדַּ֣ם חֲלָלִ֗ים מֵחֵ֙לֶב֙ גִּבּוֹרִ֔ים קֶ֚שֶׁת יְה֣וֹנָתָ֔ן לֹ֥א נָשׂ֖וֹג אָח֑וֹר וְחֶ֣רֶב שָׁא֔וּל
לֹ֥א תָשׁ֖וּב רֵיקָֽם׃ כג שָׁא֣וּל וִיהוֹנָתָ֗ן הַנֶּאֱהָבִ֤ים וְהַנְּעִימִם֙ בְּחַיֵּיהֶ֔ם וּבְמוֹתָ֖ם
לֹ֣א נִפְרָ֑דוּ מִנְּשָׁרִ֣ים קַ֔לּוּ מֵאֲרָי֖וֹת גָּבֵֽרוּ׃ כד בְּנוֹת֙ יִשְׂרָאֵ֔ל אֶל־שָׁא֖וּל בְּכֶ֑ינָה
הַמַּלְבִּֽשְׁכֶ֤ם שָׁנִי֙ עִם־עֲדָנִ֔ים הַמַּעֲלֶה֙ עֲדִ֣י זָהָ֔ב עַ֖ל לְבוּשְׁכֶֽן׃

---

[1] ויאמר
[2] בבגדו
[3] דמיך

1 1 And it came to pass after the death of Saul, when David was returned from the slaughter of the Amalekites, and David had abode two days in Ziklag; 2 it came even to pass on the third day, that, behold, a man came out of the camp from Saul with his clothes rent, and earth upon his head; and so it was, when he came to David, that he fell to the earth, and prostrated himself. 3 And David said unto him: 'From whence comest thou?' And he said unto him: 'Out of the camp of Israel am I escaped.' 4 And David said unto him: 'How went the matter? I pray thee, tell me.' And he answered: 'The people are fled from the battle, and many of the people also are fallen and dead; and Saul and Jonathan his son are dead also.' 5 And David said unto the young man that told him: 'How knowest thou that Saul and Jonathan his son are dead?' 6 And the young man that told him said: 'As I happened by chance upon mount Gilboa, behold, Saul leaned upon his spear; and, lo, the chariots and the horsemen pressed hard upon him. 7 And when he looked behind him, he saw me, and called unto me. And I answered: Here am I. 8 And he said unto me: Who art thou? And I answered him: I am an Amalekite. 9 And he said unto me: Stand, I pray thee, beside me, and slay me, for the agony hath taken hold of me; because my life is just yet in me. 10 So I stood beside him, and slew him, because I was sure that he could not live after that he was fallen; and I took the crown that was upon his head, and the bracelet that was on his arm, and have brought them hither unto my lord.' 11 Then David took hold on his clothes, and rent them; and likewise all the men that were with him. 12 And they wailed, and wept, and fasted until even, for Saul, and for Jonathan his son, and for the people of Yehovah, and for the house of Israel; because they were fallen by the sword.{P}

13 And David said unto the young man that told him: 'Whence art thou?' And he answered: 'I am the son of an Amalekite stranger.' 14 And David said unto him: 'How wast thou not afraid to put forth thy hand to destroy Yehovah's anointed?' 15 And David called one of the young men, and said: 'Go near, and fall upon him.' And he smote him that he died. 16 And David said unto him: 'Thy blood be upon thy head; for thy mouth hath testified against thee, saying: I have slain Yehovah's anointed.'{P}

17 And David lamented with this lamentation over Saul and over Jonathan his son, 18 and said–To teach the sons of Judah the bow. Behold, it is written in the book of Jashar: 19 Thy beauty, O Israel, upon thy high places is slain! How are the mighty fallen! 20 Tell it not in Gath, publish it not in the streets of Ashkelon; lest the daughters of the Philistines rejoice, lest the daughters of the uncircumcised triumph. 21 Ye mountains of Gilboa, let there be no dew nor rain upon you, neither fields of choice fruits; for there the shield of the mighty was vilely cast away, the shield of Saul, not anointed with oil. 22 From the blood of the slain, from the fat of the mighty, the bow of Jonathan turned not back, and the sword of Saul returned not empty. 23 Saul and Jonathan, the lovely and the pleasant in their lives, even in their death they were not divided; they were swifter than eagles, they were stronger than lions. 24 Ye daughters of Israel, weep over Saul, who clothed you in scarlet, with other delights, who put ornaments of gold upon your apparel.

כה אֵיךְ נָפְלוּ גִבֹּרִים בְּתוֹךְ הַמִּלְחָמָה יְהוֹנָתָן עַל־בָּמוֹתֶיךָ חָלָל׃ כו צַר־לִי
עָלֶיךָ אָחִי יְהוֹנָתָן נָעַמְתָּ לִּי מְאֹד נִפְלְאַתָה אַהֲבָתְךָ לִי מֵאַהֲבַת נָשִׁים׃ כז אֵיךְ
נָפְלוּ גִבּוֹרִים וַיֹּאבְדוּ כְּלֵי מִלְחָמָה׃

ב א וַיְהִי אַחֲרֵי־כֵן וַיִּשְׁאַל דָּוִד בַּיהוָה ׀ לֵאמֹר הַאֶעֱלֶה בְּאַחַת עָרֵי יְהוּדָה
וַיֹּאמֶר יְהוָה אֵלָיו עֲלֵה וַיֹּאמֶר דָּוִד אָנָה אֶעֱלֶה וַיֹּאמֶר חֶבְרֹנָה׃ ב וַיַּעַל שָׁם
דָּוִד וְגַם שְׁתֵּי נָשָׁיו אֲחִינֹעַם הַיִּזְרְעֵלִית וַאֲבִיגַיִל אֵשֶׁת נָבָל הַכַּרְמְלִי׃ ג וַאֲנָשָׁיו
אֲשֶׁר־עִמּוֹ הֶעֱלָה דָוִד אִישׁ וּבֵיתוֹ וַיֵּשְׁבוּ בְּעָרֵי חֶבְרוֹן׃ ד וַיָּבֹאוּ אַנְשֵׁי יְהוּדָה
וַיִּמְשְׁחוּ־שָׁם אֶת־דָּוִד לְמֶלֶךְ עַל־בֵּית יְהוּדָה וַיַּגִּדוּ לְדָוִד לֵאמֹר אַנְשֵׁי יָבֵישׁ
גִּלְעָד אֲשֶׁר קָבְרוּ אֶת־שָׁאוּל׃ ה וַיִּשְׁלַח דָּוִד מַלְאָכִים אֶל־אַנְשֵׁי יָבֵישׁ גִּלְעָד
וַיֹּאמֶר אֲלֵיהֶם בְּרֻכִים אַתֶּם לַיהוָה אֲשֶׁר עֲשִׂיתֶם הַחֶסֶד הַזֶּה עִם־אֲדֹנֵיכֶם
עִם־שָׁאוּל וַתִּקְבְּרוּ אֹתוֹ׃ ו וְעַתָּה יַעַשׂ־יְהוָה עִמָּכֶם חֶסֶד וֶאֱמֶת וְגַם אָנֹכִי
אֶעֱשֶׂה אִתְּכֶם הַטּוֹבָה הַזֹּאת אֲשֶׁר עֲשִׂיתֶם הַדָּבָר הַזֶּה׃ ז וְעַתָּה ׀ תֶּחֱזַקְנָה
יְדֵיכֶם וִהְיוּ לִבְנֵי־חַיִל כִּי־מֵת אֲדֹנֵיכֶם שָׁאוּל וְגַם־אֹתִי מָשְׁחוּ בֵית־יְהוּדָה
לְמֶלֶךְ עֲלֵיהֶם׃

ח וְאַבְנֵר בֶּן־נֵר שַׂר־צָבָא אֲשֶׁר לְשָׁאוּל לָקַח אֶת־אִישׁ בֹּשֶׁת בֶּן־שָׁאוּל
וַיַּעֲבִרֵהוּ מַחֲנָיִם׃ ט וַיַּמְלִכֵהוּ אֶל־הַגִּלְעָד וְאֶל־הָאֲשׁוּרִי וְאֶל־יִזְרְעֶאל
וְעַל־אֶפְרַיִם וְעַל־בִּנְיָמִן וְעַל־יִשְׂרָאֵל כֻּלֹּה׃

י בֶּן־אַרְבָּעִים שָׁנָה אִישׁ־בֹּשֶׁת בֶּן־שָׁאוּל בְּמָלְכוֹ עַל־יִשְׂרָאֵל וּשְׁתַּיִם שָׁנִים
מָלָךְ אַךְ בֵּית יְהוּדָה הָיוּ אַחֲרֵי דָוִד׃ יא וַיְהִי מִסְפַּר הַיָּמִים אֲשֶׁר הָיָה דָוִד
מֶלֶךְ בְּחֶבְרוֹן עַל־בֵּית יְהוּדָה שֶׁבַע שָׁנִים וְשִׁשָּׁה חֳדָשִׁים׃ יב וַיֵּצֵא אַבְנֵר
בֶּן־נֵר וְעַבְדֵי אִישׁ־בֹּשֶׁת בֶּן־שָׁאוּל מִמַּחֲנַיִם גִּבְעוֹנָה׃ יג וְיוֹאָב בֶּן־צְרוּיָה
וְעַבְדֵי דָוִד יָצְאוּ וַיִּפְגְּשׁוּם עַל־בְּרֵכַת גִּבְעוֹן יַחְדָּו וַיֵּשְׁבוּ אֵלֶּה עַל־הַבְּרֵכָה
מִזֶּה וְאֵלֶּה עַל־הַבְּרֵכָה מִזֶּה׃ יד וַיֹּאמֶר אַבְנֵר אֶל־יוֹאָב יָקוּמוּ נָא הַנְּעָרִים
וִישַׂחֲקוּ לְפָנֵינוּ וַיֹּאמֶר יוֹאָב יָקֻמוּ׃ טו וַיָּקֻמוּ וַיַּעַבְרוּ בְמִסְפָּר שְׁנֵים עָשָׂר
לְבִנְיָמִן וּלְאִישׁ בֹּשֶׁת בֶּן־שָׁאוּל וּשְׁנֵים עָשָׂר מֵעַבְדֵי דָוִד׃ טז וַיַּחֲזִקוּ אִישׁ ׀
בְּרֹאשׁ רֵעֵהוּ וְחַרְבּוֹ בְּצַד רֵעֵהוּ וַיִּפְּלוּ יַחְדָּו וַיִּקְרָא לַמָּקוֹם הַהוּא חֶלְקַת
הַצֻּרִים אֲשֶׁר בְּגִבְעוֹן׃ יז וַתְּהִי הַמִּלְחָמָה קָשָׁה עַד־מְאֹד בַּיּוֹם הַהוּא וַיִּנָּגֶף
אַבְנֵר וְאַנְשֵׁי יִשְׂרָאֵל לִפְנֵי עַבְדֵי דָוִד׃ יח וַיִּהְיוּ־שָׁם שְׁלֹשָׁה בְּנֵי צְרוּיָה יוֹאָב
וַאֲבִישַׁי וַעֲשָׂהאֵל וַעֲשָׂהאֵל קַל בְּרַגְלָיו כְּאַחַד הַצְּבָיִם אֲשֶׁר בַּשָּׂדֶה׃
יט וַיִּרְדֹּף עֲשָׂהאֵל אַחֲרֵי אַבְנֵר וְלֹא־נָטָה לָלֶכֶת עַל־הַיָּמִין וְעַל־הַשְּׂמֹאול
מֵאַחֲרֵי אַבְנֵר׃ כ וַיִּפֶן אַבְנֵר אַחֲרָיו וַיֹּאמֶר הַאַתָּה זֶה עֲשָׂהאֵל וַיֹּאמֶר אָנֹכִי׃

25 How are the mighty fallen in the midst of the battle! Jonathan upon thy high places is slain! **26** I am distressed for thee, my brother Jonathan; very pleasant hast thou been unto me; wonderful was thy love to me, passing the love of women. **27** How are the mighty fallen, and the weapons of war perished!{P}

2 **1** And it came to pass after this, that David inquired of Yehovah, saying: 'Shall I go up into any of the cities of Judah?' And Yehovah said unto him: 'Go up.' And David said: 'Whither shall I go up?' And He said: 'Unto Hebron.' **2** So David went up thither, and his two wives also, Ahinoam the Jezreelitess, and Abigail the wife of Nabal the Carmelite. **3** And his men that were with him did David bring up, every man with his household; and they dwelt in the cities of Hebron. **4** And the men of Judah came, and they there anointed David king over the house of Judah. And they told David, saying: 'The men of Jabesh-gilead were they that buried Saul.'{S} **5** And David sent messengers unto the men of Jabesh-gilead, and said unto them: 'Blessed be ye of Yehovah, that ye have shown this kindness unto your lord, even unto Saul, and have buried him. **6** And now Yehovah show kindness and truth unto you; and I also will requite you this kindness, because ye have done this thing. **7** Now therefore let your hands be strong, and be ye valiant; for Saul your lord is dead, and also the house of Judah have anointed me king over them.'{P}

8 Now Abner the son of Ner, captain of Saul's host, had taken Ish-bosheth the son of Saul, and brought him over to Mahanaim; **9** and he made him king over Gilead, and over the Ashurites, and over Jezreel, and over Ephraim, and over Benjamin, and over all Israel.{P}

10 Ish-bosheth Saul's son was forty years old when he began to reign over Israel, and he reigned two years. But the house of Judah followed David. **11** And the time that David was king in Hebron over the house of Judah was seven years and six months.{S} **12** And Abner the son of Ner, and the servants of Ish-bosheth the son of Saul, went out from Mahanaim to Gibeon. **13** And Joab the son of Zeruiah, and the servants of David, went out; and they met together by the pool of Gibeon, and sat down, the one on the one side of the pool, and the other on the other side of the pool. **14** And Abner said to Joab: 'Let the young men, I pray thee, arise and play before us.' And Joab said: 'Let them arise.' **15** Then they arose and passed over by number: twelve for Benjamin, and for Ish-bosheth the son of Saul, and twelve of the servants of David. **16** And they caught every one his fellow by the head, and thrust his sword in his fellow's side; so they fell down together; wherefore that place was called Helkath-hazzurim, which is in Gibeon. **17** And the battle was very sore that day; and Abner was beaten, and the men of Israel, before the servants of David. **18** And the three sons of Zeruiah were there, Joab, and Abishai, and Asahel; and Asahel was as light of foot as one of the roes that are in the field. **19** And Asahel pursued after Abner; and in going he turned not to the right hand nor to the left from following Abner. **20** Then Abner looked behind him, and said: 'Is it thou, Asahel?' And he answered: 'It is I.'

כא וַיֹּ֤אמֶר לוֹ֙ אַבְנֵ֔ר נְטֵ֤ה לְךָ֙ עַל־יְמִֽינְךָ֙ א֣וֹ עַל־שְׂמֹאלֶ֔ךָ וֶאֱחֹ֣ז לְךָ֗ אֶחָד֙
מֵֽהַנְּעָרִ֔ים וְקַח־לְךָ֖ אֶת־חֲלִצָת֑וֹ וְלֹֽא־אָבָ֣ה עֲשָׂהאֵ֔ל לָס֖וּר מֵאַחֲרָֽיו׃ כב וַיֹּ֨סֶף
ע֤וֹד אַבְנֵר֙ לֵאמֹר֙ אֶל־עֲשָׂהאֵ֔ל ס֥וּר לְךָ֖ מֵאַחֲרָ֑י לָ֤מָּה אַכֶּ֙כָּה֙ אַ֔רְצָה וְאֵיךְ֙ אֶשָּׂ֣א
פָנַ֔י אֶל־יוֹאָ֖ב אָחִֽיךָ׃ כג וַיְמָאֵ֣ן לָס֗וּר וַיַּכֵּ֣הוּ אַ֠בְנֵר בְּאַחֲרֵ֨י הַחֲנִ֜ית אֶל־הַחֹ֗מֶשׁ
וַתֵּצֵ֤א הַחֲנִית֙ מֵאַחֲרָ֔יו וַיִּפׇּל־שָׁ֖ם וַיָּ֣מׇת תַּחְתָּ֑יו[4] וַיְהִ֡י כׇּל־הַבָּ֣א אֶל־הַמָּק֗וֹם
אֲשֶׁר־נָ֨פַל שָׁ֧ם עֲשָׂהאֵ֛ל וַיָּמֹ֖ת וַֽיַּעֲמֹֽדוּ׃ כד וַֽיִּרְדְּפ֥וּ יוֹאָ֛ב וַאֲבִישַׁ֖י אַחֲרֵ֣י אַבְנֵ֑ר
וְהַשֶּׁ֣מֶשׁ בָּ֔אָה וְהֵ֗מָּה בָּ֚אוּ עַד־גִּבְעַ֣ת אַמָּ֔ה אֲשֶׁר֙ עַל־פְּנֵי־גִ֔יחַ דֶּ֖רֶךְ מִדְבַּ֥ר גִּבְעֽוֹן׃
כה וַיִּֽתְקַבְּצ֤וּ בְנֵֽי־בִנְיָמִן֙ אַחֲרֵ֣י אַבְנֵ֔ר וַיִּהְי֖וּ לַאֲגֻדָּ֣ה אֶחָ֑ת וַיַּ֣עַמְד֔וּ עַ֖ל
רֹאשׁ־גִּבְעָ֥ה אֶחָֽת׃ כו וַיִּקְרָ֨א אַבְנֵ֜ר אֶל־יוֹאָ֗ב וַיֹּ֙אמֶר֙ הֲלָנֶ֙צַח֙ תֹּ֣אכַל חֶ֔רֶב הֲל֣וֹא
יָדַ֔עְתָּה כִּֽי־מָרָ֥ה תִהְיֶ֖ה בָּאַחֲרוֹנָ֑ה וְעַד־מָתַי֙ לֹא־תֹאמַ֣ר לָעָ֔ם לָשׁ֖וּב מֵאַחֲרֵ֥י
אֲחֵיהֶֽם׃ כז וַיֹּ֣אמֶר יוֹאָ֔ב חַ֚י הָאֱלֹהִ֔ים כִּ֚י לוּלֵ֣א דִּבַּ֔רְתָּ כִּ֣י אָ֣ז מֵֽהַבֹּ֗קֶר נַעֲלָ֛ה
הָעָ֖ם אִ֥ישׁ מֵאַחֲרֵ֥י אָחִֽיו׃ כח וַיִּתְקַ֤ע יוֹאָב֙ בַּשּׁוֹפָ֔ר וַיַּעַמְדוּ֙ כׇּל־הָעָ֔ם וְלֹֽא־יִרְדְּפ֥וּ
ע֖וֹד אַחֲרֵ֣י יִשְׂרָאֵ֑ל וְלֹא־יָסְפ֥וּ ע֖וֹד לְהִלָּחֵֽם׃ כט וְאַבְנֵר֙ וַאֲנָשָׁ֔יו הָלְכוּ֙ בָּעֲרָבָ֔ה
כֹּ֖ל הַלַּ֣יְלָה הַה֑וּא וַיַּעַבְר֣וּ אֶת־הַיַּרְדֵּ֗ן וַיֵּֽלְכוּ֙ כׇּל־הַבִּתְר֔וֹן וַיָּבֹ֖אוּ מַחֲנָֽיִם׃
ל וְיוֹאָ֗ב שָׁ֚ב מֵאַחֲרֵ֣י אַבְנֵ֔ר וַיִּקְבֹּ֖ץ אֶת־כׇּל־הָעָ֑ם וַיִּפָּ֨קְד֜וּ מֵעַבְדֵ֥י דָוִ֛ד
תִּשְׁעָֽה־עָשָׂ֥ר אִ֖ישׁ וַעֲשָׂהאֵֽל׃ לא וְעַבְדֵ֣י דָוִ֔ד הִכּוּ֙ מִבִּנְיָמִ֔ן וּבְאַנְשֵׁ֖י אַבְנֵ֑ר
שְׁלֹשׁ־מֵא֧וֹת וְשִׁשִּׁ֛ים אִ֖ישׁ מֵֽתוּ׃ לב וַיִּשְׂאוּ֙ אֶת־עֲשָׂהאֵ֔ל וַֽיִּקְבְּרֻ֔הוּ בְּקֶ֥בֶר אָבִ֖יו
אֲשֶׁ֣ר בֵּ֣ית לָ֑חֶם וַיֵּלְכ֣וּ כׇל־הַלַּ֗יְלָה יוֹאָב֙ וַאֲנָשָׁ֔יו וַיֵּאֹ֥ר לָהֶ֖ם בְּחֶבְרֽוֹן׃

ג א וַתְּהִ֤י הַמִּלְחָמָה֙ אֲרֻכָּ֔ה בֵּ֚ין בֵּ֣ית שָׁא֔וּל וּבֵ֖ין בֵּ֣ית דָּוִ֑ד וְדָוִד֙ הֹלֵ֣ךְ וְחָזֵ֔ק
וּבֵ֥ית שָׁא֖וּל הֹלְכִ֥ים וְדַלִּֽים׃ ב וַיִּוָּלְד֧וּ[5] לְדָוִ֛ד בָּנִ֖ים בְּחֶבְר֑וֹן וַיְהִ֤י בְכוֹרוֹ֙ אַמְנ֔וֹן
לַאֲחִינֹ֖עַם הַיִּזְרְעֵאלִֽת׃ ג וּמִשְׁנֵ֣הוּ כִלְאָ֔ב לַאֲבִיגַ֕יִל[6] אֵ֖שֶׁת נָבָ֣ל הַֽכַּרְמְלִ֑י וְהַשְּׁלִשִׁי֙
אַבְשָׁל֣וֹם בֶּֽן־מַעֲכָ֔ה בַּת־תַּלְמַ֖י מֶ֥לֶךְ גְּשֽׁוּר׃ ד וְהָרְבִיעִ֖י אֲדֹנִיָּ֣ה בֶן־חַגִּ֑ית
וְהַחֲמִישִׁ֖י שְׁפַטְיָ֥ה בֶן־אֲבִיטָֽל׃ ה וְהַשִּׁשִּׁי֙ יִתְרְעָ֔ם לְעֶגְלָ֖ה אֵ֣שֶׁת דָּוִ֑ד אֵ֛לֶּה יֻלְּד֥וּ
לְדָוִ֖ד בְּחֶבְרֽוֹן׃

ו וַיְהִ֗י בִּֽהְיוֹת֙ הַמִּלְחָמָ֔ה בֵּ֚ין בֵּ֣ית שָׁא֔וּל וּבֵ֖ין בֵּ֣ית דָּוִ֑ד וְאַבְנֵ֛ר הָיָ֥ה מִתְחַזֵּ֖ק
בְּבֵ֥ית שָׁאֽוּל׃ ז וּלְשָׁא֣וּל פִּלֶ֔גֶשׁ וּשְׁמָ֖הּ רִצְפָּ֣ה בַת־אַיָּ֑ה וַיֹּ֙אמֶר֙ אֶל־אַבְנֵ֔ר מַדּ֥וּעַ
בָּ֖אתָה אֶל־פִּילֶ֥גֶשׁ אָבִֽי׃ ח וַיִּ֨חַר לְאַבְנֵ֜ר מְאֹ֗ד עַל־דִּבְרֵ֣י אִֽישׁ־בֹּ֘שֶׁת֮ וַיֹּאמֶר֒
הֲרֹ֨אשׁ כֶּ֤לֶב אָנֹ֙כִי֙ אֲשֶׁ֣ר לִֽיהוּדָ֔ה הַיּ֞וֹם אֶעֱשֶׂה־חֶ֗סֶד עִם־בֵּ֣ית ׀ שָׁא֣וּל אָבִ֡יךָ
אֶל־אֶחָיו֙ וְאֶל־מֵ֣רֵעֵ֔הוּ וְלֹ֥א הִמְצִיתִ֖ךָ בְּיַד־דָּוִ֑ד וַתִּפְקֹ֥ד עָלַ֛י עֲוֺ֥ן הָאִשָּׁ֖ה הַיּֽוֹם׃

[4] תחתו
[5] וילדו
[6] לאביגל

21 And Abner said to him: 'Turn thee aside to thy right hand or to thy left, and lay thee hold on one of the young men, and take thee his armour.' But Asahel would not turn aside from following him. **22** And Abner said again to Asahel: 'Turn thee aside from following me; wherefore should I smite thee to the ground? how then should I hold up my face to Joab thy brother?' **23** Howbeit he refused to turn aside; wherefore Abner with the hinder end of the spear smote him in the groin, that the spear came out behind him; and he fell down there, and died in the same place; and it came to pass, that as many as came to the place where Asahel fell down and died stood still. **24** But Joab and Abishai pursued after Abner; and the sun went down when they were come to the hill of Ammah, that lieth before Giah by the way of the wilderness of Gibeon. **25** And the children of Benjamin gathered themselves together after Abner, and became one band, and stood on the top of a hill. **26** Then Abner called to Joab, and said: 'Shall the sword devour for ever? knowest thou not that it will be bitterness in the end? how long shall it be then, ere thou bid the people return from following their brethren?' **27** And Joab said: 'As God liveth, if thou hadst not spoken, surely then only after the morning the people had gone away, every one from following his brother.' **28** So Joab blew the horn, and all the people stood still, and pursued after Israel no more, neither fought they any more. **29** And Abner and his men went all that night through the Arabah; and they passed over the Jordan, and went through all Bithron, and came to Mahanaim. **30** And Joab returned from following Abner; and when he had gathered all the people together, there lacked of David's servants nineteen men and Asahel. **31** But the servants of David had smitten of Benjamin, even of Abner's men–three hundred and threescore men died. **32** And they took up Asahel, and buried him in the sepulchre of his father, which was in Beth-lehem. And Joab and his men went all night, and the day broke upon them at Hebron.

3 **1** Now there was long war between the house of Saul and the house of David; and David waxed stronger and stronger, but the house of Saul waxed weaker and weaker.{S}   **2** And unto David were sons born in Hebron; and his first-born was Amnon, of Ahinoam the Jezreelitess; **3** and his second, Chileab, of Abigail the wife of Nabal the Carmelite; and the third, Absalom the son of Maacah the daughter of Talmai king of Geshur; **4** and the fourth, Adonijah the son of Haggith; and the fifth, Shephatiah the son of Abital; **5** and the sixth, Ithream, of Eglah David's wife. These were born to David in Hebron.{P}

6 And it came to pass, while there was war between the house of Saul and the house of David, that Abner showed himself strong in the house of Saul. **7** Now Saul had a concubine, whose name was Rizpah, the daughter of Aiah; and [Ish-bosheth] said to Abner: 'Wherefore hast thou gone in unto my father's concubine?' **8** Then was Abner very wroth for the words of Ish-bosheth, and said: 'Am I a dog's head that belongeth to Judah? This day do I show kindness unto the house of Saul thy father, to his brethren, and to his friends, and have not delivered thee into the hand of David, and yet thou chargest me this day with a fault concerning this woman.{S}

ט כֹּה־יַעֲשֶׂה אֱלֹהִים לְאַבְנֵר וְכֹה יֹסִיף לוֹ כִּי כַּאֲשֶׁר נִשְׁבַּע יְהוָה לְדָוִד כִּי־כֵן
אֶעֱשֶׂה־לּוֹ׃ י לְהַעֲבִיר הַמַּמְלָכָה מִבֵּית שָׁאוּל וּלְהָקִים אֶת־כִּסֵּא דָוִד
עַל־יִשְׂרָאֵל וְעַל־יְהוּדָה מִדָּן וְעַד־בְּאֵר שָׁבַע׃ יא וְלֹא־יָכֹל עוֹד לְהָשִׁיב
אֶת־אַבְנֵר דָּבָר מִיִּרְאָתוֹ אֹתוֹ׃ יב וַיִּשְׁלַח אַבְנֵר מַלְאָכִים ׀ אֶל־דָּוִד
תַּחְתָּיו[7] לֵאמֹר לְמִי־אָרֶץ לֵאמֹר כָּרְתָה בְרִיתְךָ אִתִּי וְהִנֵּה יָדִי עִמָּךְ לְהָסֵב
אֵלֶיךָ אֶת־כָּל־יִשְׂרָאֵל׃ יג וַיֹּאמֶר טוֹב אֲנִי אֶכְרֹת אִתְּךָ בְּרִית אַךְ דָּבָר אֶחָד
אָנֹכִי שֹׁאֵל מֵאִתְּךָ לֵאמֹר לֹא־תִרְאֶה אֶת־פָּנַי כִּי ׀ אִם־לִפְנֵי הֱבִיאֲךָ אֵת מִיכַל
בַּת־שָׁאוּל בְּבֹאֲךָ לִרְאוֹת אֶת־פָּנָי׃ יד וַיִּשְׁלַח דָּוִד מַלְאָכִים אֶל־אִישׁ־בֹּשֶׁת
בֶּן־שָׁאוּל לֵאמֹר תְּנָה אֶת־אִשְׁתִּי אֶת־מִיכַל אֲשֶׁר אֵרַשְׂתִּי לִי בְּמֵאָה עָרְלוֹת
פְּלִשְׁתִּים׃ טו וַיִּשְׁלַח אִישׁ בֹּשֶׁת וַיִּקָּחֶהָ מֵעִם אִישׁ מֵעִם פַּלְטִיאֵל בֶּן־לָיִשׁ[8]׃
טז וַיֵּלֶךְ אִתָּהּ אִישָׁהּ הָלוֹךְ וּבָכֹה אַחֲרֶיהָ עַד־בַּחֻרִים וַיֹּאמֶר אֵלָיו אַבְנֵר לֵךְ שׁוּב
וַיָּשֹׁב׃ יז וּדְבַר־אַבְנֵר הָיָה עִם־זִקְנֵי יִשְׂרָאֵל לֵאמֹר גַּם־תְּמוֹל גַּם־שִׁלְשֹׁם הֱיִיתֶם
מְבַקְשִׁים אֶת־דָּוִד לְמֶלֶךְ עֲלֵיכֶם׃ יח וְעַתָּה עֲשׂוּ כִּי יְהוָה אָמַר אֶל־דָּוִד לֵאמֹר
בְּיַד ׀ דָּוִד עַבְדִּי הוֹשִׁיעַ אֶת־עַמִּי יִשְׂרָאֵל מִיַּד פְּלִשְׁתִּים וּמִיַּד כָּל־אֹיְבֵיהֶם׃
יט וַיְדַבֵּר גַּם־אַבְנֵר בְּאָזְנֵי בִנְיָמִין וַיֵּלֶךְ גַּם־אַבְנֵר לְדַבֵּר בְּאָזְנֵי דָוִד בְּחֶבְרוֹן
אֵת כָּל־אֲשֶׁר־טוֹב בְּעֵינֵי יִשְׂרָאֵל וּבְעֵינֵי כָּל־בֵּית בִּנְיָמִן׃ כ וַיָּבֹא אַבְנֵר אֶל־דָּוִד
חֶבְרוֹן וְאִתּוֹ עֶשְׂרִים אֲנָשִׁים וַיַּעַשׂ דָּוִד לְאַבְנֵר וְלַאֲנָשִׁים אֲשֶׁר־אִתּוֹ מִשְׁתֶּה׃
כא וַיֹּאמֶר אַבְנֵר אֶל־דָּוִד אָקוּמָה ׀ וְאֵלֵכָה וְאֶקְבְּצָה אֶל־אֲדֹנִי הַמֶּלֶךְ
אֶת־כָּל־יִשְׂרָאֵל וְיִכְרְתוּ אִתְּךָ בְּרִית וּמָלַכְתָּ בְּכֹל אֲשֶׁר־תְּאַוֶּה נַפְשֶׁךָ וַיְשַׁלַּח
דָּוִד אֶת־אַבְנֵר וַיֵּלֶךְ בְּשָׁלוֹם׃ כב וְהִנֵּה עַבְדֵי דָוִד וְיוֹאָב בָּא מֵהַגְּדוּד וְשָׁלָל רָב
עִמָּם הֵבִיאוּ וְאַבְנֵר אֵינֶנּוּ עִם־דָּוִד בְּחֶבְרוֹן כִּי שִׁלְּחוֹ וַיֵּלֶךְ בְּשָׁלוֹם׃ כג וְיוֹאָב
וְכָל־הַצָּבָא אֲשֶׁר־אִתּוֹ בָּאוּ וַיַּגִּדוּ לְיוֹאָב לֵאמֹר בָּא־אַבְנֵר בֶּן־נֵר אֶל־הַמֶּלֶךְ
וַיְשַׁלְּחֵהוּ וַיֵּלֶךְ בְּשָׁלוֹם׃ כד וַיָּבֹא יוֹאָב אֶל־הַמֶּלֶךְ וַיֹּאמֶר מֶה עָשִׂיתָה הִנֵּה־בָא
אַבְנֵר אֵלֶיךָ לָמָּה־זֶּה שִׁלַּחְתּוֹ וַיֵּלֶךְ הָלוֹךְ׃ כה יָדַעְתָּ אֶת־אַבְנֵר בֶּן־נֵר כִּי
לְפַתֹּתְךָ בָּא וְלָדַעַת אֶת־מוֹצָאֲךָ וְאֶת־מוּבָאֶךָ[9] וְלָדַעַת אֵת כָּל־אֲשֶׁר אַתָּה עֹשֶׂה׃
כו וַיֵּצֵא יוֹאָב מֵעִם דָּוִד וַיִּשְׁלַח מַלְאָכִים אַחֲרֵי אַבְנֵר וַיָּשִׁבוּ אֹתוֹ מִבּוֹר הַסִּרָה
וְדָוִד לֹא יָדָע׃ כז וַיָּשָׁב אַבְנֵר חֶבְרוֹן וַיַּטֵּהוּ יוֹאָב אֶל־תּוֹךְ הַשַּׁעַר לְדַבֵּר אִתּוֹ
בַּשֶּׁלִי וַיַּכֵּהוּ שָׁם הַחֹמֶשׁ וַיָּמָת בְּדַם עֲשָׂה־אֵל אָחִיו׃ כח וַיִּשְׁמַע דָּוִד מֵאַחֲרֵי כֵן
וַיֹּאמֶר נָקִי אָנֹכִי וּמַמְלַכְתִּי מֵעִם יְהוָה עַד־עוֹלָם מִדְּמֵי אַבְנֵר בֶּן־נֵר׃ כט יָחֻלוּ
עַל־רֹאשׁ יוֹאָב וְאֶל כָּל־בֵּית אָבִיו וְאַל־יִכָּרֵת מִבֵּית יוֹאָב זָב וּמְצֹרָע וּמַחֲזִיק
בַּפֶּלֶךְ וְנֹפֵל בַּחֶרֶב וַחֲסַר־לָחֶם׃

[7] תחתו
[8] לוש
[9] מבואך

9 God do so to Abner, and more also, if, as Yehovah hath sworn to David, I do not even so to him; **10** to transfer the kingdom from the house of Saul, and to set up the throne of David over Israel and over Judah, from Dan even to Beer-sheba.' **11** And he could not answer Abner another word, because he feared him.{s} **12** And Abner sent messengers to David straightway, saying: 'Whose is the land?' saying also: 'Make thy league with me, and, behold, my hand shall be with thee, to bring over all Israel unto thee.' **13** And he said: 'Well; I will make a league with thee; but one thing I require of thee, that is, thou shalt not see my face, except thou first bring Michal Saul's daughter, when thou comest to see my face.'{s} **14** And David sent messengers to Ish-bosheth Saul's son, saying: 'Deliver me my wife Michal, whom I betrothed to me for a hundred foreskins of the Philistines.' **15** And Ish-bosheth sent, and took her from her husband, even from Paltiel the son of Laish. **16** And her husband went with her, weeping as he went, and followed her to Bahurim. Then said Abner unto him: 'Go, return'; and he returned. **17** And Abner had communication with the elders of Israel, saying: 'In times past ye sought for David to be king over you; **18** now then do it; for Yehovah hath spoken of David, saying: By the hand of My servant David I will save My people Israel out of the hand of the Philistines, and out of the hand of all their enemies.' **19** And Abner also spoke in the ears of Benjamin; and Abner went also to speak in the ears of David in Hebron all that seemed good to Israel, and to the whole house of Benjamin. **20** So Abner came to David to Hebron, and twenty men with him. And David made Abner and the men that were with him a feast. **21** And Abner said unto David: 'I will arise and go, and will gather all Israel unto my lord the king, that they may make a covenant with thee, and that thou mayest reign over all that thy soul desireth.' And David sent Abner away; and he went in peace. **22** And, behold, the servants of David and Joab came from a foray, and brought in a great spoil with them; but Abner was not with David in Hebron; for he had sent him away, and he was gone in peace. **23** When Joab and all the host that was with him were come, they told Joab, saying: 'Abner the son of Ner came to the king, and he hath sent him away, and he is gone in peace.' **24** Then Joab came to the king, and said: 'What hast thou done? behold, Abner came unto thee; why is it that thou hast sent him away, and he is quite gone? **25** Thou knowest Abner the son of Ner, that he came to deceive thee, and to know thy going out and thy coming in, and to know all that thou doest.' **26** And when Joab was come out from David, he sent messengers after Abner, and they brought him back from Bor-sirah; but David knew it not. **27** And when Abner was returned to Hebron, Joab took him aside into the midst of the gate to speak with him quietly, and smote him there in the groin, that he died, for the blood of Asahel his brother. **28** And afterward when David heard it, he said: 'I and my kingdom are guiltless before Yehovah for ever from the blood of Abner the son of Ner; **29** let it fall upon the head of Joab, and upon all his father's house; and let there not fail from the house of Joab one that hath an issue, or that is a leper, or that leaneth on a staff, or that falleth by the sword, or that lacketh bread.'

ל וְיוֹאָב וַאֲבִישַׁי אָחִיו הָרְגוּ לְאַבְנֵר עַל אֲשֶׁר הֵמִית אֶת־עֲשָׂהאֵל אֲחִיהֶם
בְּגִבְעוֹן בַּמִּלְחָמָה׃
לא וַיֹּאמֶר דָּוִד אֶל־יוֹאָב וְאֶל־כָּל־הָעָם אֲשֶׁר־אִתּוֹ קִרְעוּ בִגְדֵיכֶם וְחִגְרוּ שַׂקִּים
וְסִפְדוּ לִפְנֵי אַבְנֵר וְהַמֶּלֶךְ דָּוִד הֹלֵךְ אַחֲרֵי הַמִּטָּה׃ לב וַיִּקְבְּרוּ אֶת־אַבְנֵר
בְּחֶבְרוֹן וַיִּשָּׂא הַמֶּלֶךְ אֶת־קוֹלוֹ וַיֵּבְךְּ אֶל־קֶבֶר אַבְנֵר וַיִּבְכּוּ כָּל־הָעָם׃
לג וַיְקֹנֵן הַמֶּלֶךְ אֶל־אַבְנֵר וַיֹּאמַר הַכְּמוֹת נָבָל יָמוּת אַבְנֵר׃ לד יָדֶךָ
לֹא־אֲסֻרוֹת וְרַגְלֶיךָ לֹא־לִנְחֻשְׁתַּיִם הֻגַּשׁוּ כִּנְפוֹל לִפְנֵי בְנֵי־עַוְלָה נָפָלְתָּ וַיֹּסִפוּ
כָל־הָעָם לִבְכּוֹת עָלָיו׃ לה וַיָּבֹא כָל־הָעָם לְהַבְרוֹת אֶת־דָּוִד לֶחֶם בְּעוֹד
הַיּוֹם וַיִּשָּׁבַע דָּוִד לֵאמֹר כֹּה יַעֲשֶׂה־לִּי אֱלֹהִים וְכֹה יֹסִיף כִּי אִם־לִפְנֵי
בוֹא־הַשֶּׁמֶשׁ אֶטְעַם־לֶחֶם אוֹ כָל־מְאוּמָה׃ לו וְכָל־הָעָם הִכִּירוּ וַיִּיטַב בְּעֵינֵיהֶם
כְּכֹל אֲשֶׁר עָשָׂה הַמֶּלֶךְ בְּעֵינֵי כָל־הָעָם טוֹב׃ לז וַיֵּדְעוּ כָל־הָעָם וְכָל־יִשְׂרָאֵל
בַּיּוֹם הַהוּא כִּי לֹא הָיְתָה מֵהַמֶּלֶךְ לְהָמִית אֶת־אַבְנֵר בֶּן־נֵר׃
לח וַיֹּאמֶר הַמֶּלֶךְ אֶל־עֲבָדָיו הֲלוֹא תֵדְעוּ כִּי־שַׂר וְגָדוֹל נָפַל הַיּוֹם הַזֶּה
בְּיִשְׂרָאֵל׃ לט וְאָנֹכִי הַיּוֹם רַךְ וּמָשׁוּחַ מֶלֶךְ וְהָאֲנָשִׁים הָאֵלֶּה בְּנֵי צְרוּיָה קָשִׁים
מִמֶּנִּי יְשַׁלֵּם יְהוָה לְעֹשֵׂה הָרָעָה כְּרָעָתוֹ׃

ד א וַיִּשְׁמַע בֶּן־שָׁאוּל כִּי מֵת אַבְנֵר בְּחֶבְרוֹן וַיִּרְפּוּ יָדָיו וְכָל־יִשְׂרָאֵל נִבְהָלוּ׃
ב וּשְׁנֵי אֲנָשִׁים שָׂרֵי־גְדוּדִים הָיוּ בֶן־שָׁאוּל שֵׁם הָאֶחָד בַּעֲנָה וְשֵׁם הַשֵּׁנִי רֵכָב
בְּנֵי רִמּוֹן הַבְּאֵרֹתִי מִבְּנֵי בִנְיָמִן כִּי גַּם־בְּאֵרוֹת תֵּחָשֵׁב עַל־בִּנְיָמִן׃ ג וַיִּבְרְחוּ
הַבְּאֵרֹתִים גִּתָּיְמָה וַיִּהְיוּ־שָׁם גָּרִים עַד הַיּוֹם הַזֶּה׃ ד וְלִיהוֹנָתָן בֶּן־שָׁאוּל בֵּן
נְכֵה רַגְלָיִם בֶּן־חָמֵשׁ שָׁנִים הָיָה בְּבֹא שְׁמֻעַת שָׁאוּל וִיהוֹנָתָן מִיִּזְרְעֶאל וַתִּשָּׂאֵהוּ
אֹמַנְתּוֹ וַתָּנֹס וַיְהִי בְּחָפְזָהּ לָנוּס וַיִּפֹּל וַיִּפָּסֵחַ וּשְׁמוֹ מְפִיבֹשֶׁת׃ ה וַיֵּלְכוּ
בְּנֵי־רִמּוֹן הַבְּאֵרֹתִי רֵכָב וּבַעֲנָה וַיָּבֹאוּ כְּחֹם הַיּוֹם אֶל־בֵּית אִישׁ בֹּשֶׁת וְהוּא
שֹׁכֵב אֵת מִשְׁכַּב הַצָּהֳרָיִם׃ ו וְהֵנָּה בָּאוּ עַד־תּוֹךְ הַבַּיִת לֹקְחֵי חִטִּים וַיַּכֻּהוּ
אֶל־הַחֹמֶשׁ וְרֵכָב וּבַעֲנָה אָחִיו נִמְלָטוּ׃ ז וַיָּבֹאוּ הַבַּיִת וְהוּא־שֹׁכֵב עַל־מִטָּתוֹ
בַּחֲדַר מִשְׁכָּבוֹ וַיַּכֻּהוּ וַיְמִתֻהוּ וַיָּסִירוּ אֶת־רֹאשׁוֹ וַיִּקְחוּ אֶת־רֹאשׁוֹ וַיֵּלְכוּ דֶּרֶךְ
הָעֲרָבָה כָּל־הַלָּיְלָה׃ ח וַיָּבִאוּ אֶת־רֹאשׁ אִישׁ־בֹּשֶׁת אֶל־דָּוִד חֶבְרוֹן וַיֹּאמְרוּ
אֶל־הַמֶּלֶךְ הִנֵּה־רֹאשׁ אִישׁ־בֹּשֶׁת בֶּן־שָׁאוּל אֹיִבְךָ אֲשֶׁר בִּקֵּשׁ אֶת־נַפְשֶׁךָ וַיִּתֵּן
יְהוָה לַאדֹנִי הַמֶּלֶךְ נְקָמוֹת הַיּוֹם הַזֶּה מִשָּׁאוּל וּמִזַּרְעוֹ׃ ט וַיַּעַן דָּוִד אֶת־רֵכָב ׀
וְאֶת־בַּעֲנָה אָחִיו בְּנֵי רִמּוֹן הַבְּאֵרֹתִי וַיֹּאמֶר לָהֶם חַי־יְהוָה אֲשֶׁר־פָּדָה
אֶת־נַפְשִׁי מִכָּל־צָרָה׃ י כִּי הַמַּגִּיד לִי לֵאמֹר הִנֵּה־מֵת שָׁאוּל וְהוּא־הָיָה
כִמְבַשֵּׂר בְּעֵינָיו וָאֹחֲזָה בוֹ וָאֶהְרְגֵהוּ בְּצִקְלָג אֲשֶׁר לְתִתִּי־לוֹ בְּשֹׂרָה׃

30 So Joab and Abishai his brother slew Abner, because he had killed their brother Asahel at Gibeon in the battle.{S} **31** And David said to Joab, and to all the people that were with him: 'Rend your clothes, and gird you with sackcloth, and wail before Abner.' And king David followed the bier. **32** And they buried Abner in Hebron; and the king lifted up his voice, and wept at the grave of Abner; and all the people wept.{S} **33** And the king lamented for Abner, and said: Should Abner die as a churl dieth? **34** Thy hands were not bound, nor thy feet put into fetters; as a man falleth before the children of iniquity, so didst thou fall. And all the people wept again over him. **35** And all the people came to cause David to eat bread while it was yet day; but David swore, saying: 'God do so to me, and more also, if I taste bread, or aught else, till the sun be down.' **36** And all the people took notice of it, and it pleased them; whatsoever the king did, pleased all the people. **37** So all the people and all Israel understood that day that it was not of the king to slay Abner the son of Ner.{S} **38** And the king said unto his servants: 'Know ye not that there is a prince and a great man fallen this day in Israel? **39** And I am this day weak, and just anointed king; and these men the sons of Zeruiah are too hard for me; Yehovah reward the evildoer according to his wickedness.'{P}

4 **1** And when Saul's son heard that Abner was dead in Hebron, his hands became feeble, and all the Israelites were affrighted. **2** And Saul's son had two men that were captains of bands; the name of the one was Baanah, and the name of the other Rechab, the sons of Rimmon the Beerothite, of the children of Benjamin; for Beeroth also is reckoned to Benjamin; **3** and the Beerothites fled to Gittaim, and have been sojourners there until this day.{S} **4** Now Jonathan, Saul's son, had a son that was lame of his feet. He was five years old when the tidings came of Saul and Jonathan out of Jezreel, and his nurse took him up, and fled; and it came to pass, as she made haste to flee, that he fell, and became lame. And his name was Mephibosheth. **5** And the sons of Rimmon the Beerothite, Rechab and Baanah, went, and came about the heat of the day to the house of Ish-bosheth, as he took his rest at noon. **6** And they came thither into the midst of the house, as though they would have fetched wheat; and they smote him in the groin; and Rechab and Baanah his brother escaped. **7** Now when they came into the house, as he lay on his bed in his bed-chamber, they smote him, and slew him, and beheaded him, and took his head, and went by the way of the Arabah all night. **8** And they brought the head of Ish-bosheth unto David to Hebron, and said to the king: 'Behold the head of Ish-bosheth the son of Saul thine enemy, who sought thy life; and Yehovah hath avenged my lord the king this day of Saul, and of his seed.' **9** And David answered Rechab and Baanah his brother, the sons of Rimmon the Beerothite, and said unto them: 'As Yehovah liveth, who hath redeemed my soul out of all adversity, **10** when one told me, saying: Behold, Saul is dead, and he was in his own eyes as though he brought good tidings, I took hold of him, and slew him in Ziklag, instead of giving a reward for his tidings.

יא אַ֗ף כִּֽי־אֲנָשִׁ֤ים רְשָׁעִים֙ הָרְג֧וּ אֶת־אִֽישׁ־צַדִּ֛יק בְּבֵית֖וֹ עַל־מִשְׁכָּב֑וֹ וְעַתָּ֗ה הֲלוֹא֙
אֲבַקֵּ֤שׁ אֶת־דָּמוֹ֙ מִיֶּדְכֶ֔ם וּבִעַרְתִּ֥י אֶתְכֶ֖ם מִן־הָאָֽרֶץ׃ יב וַיְצַ֣ו דָּוִ֣ד אֶת־הַנְּעָרִ֡ים
וַיַּהַרְג֜וּם וַיְקַצְּצ֣וּ אֶת־יְדֵיהֶם֮ וְאֶת־רַגְלֵיהֶם֒ וַיִּתְל֥וּ עַל־הַבְּרֵכָ֖ה בְּחֶבְר֑וֹן וְאֵת֙
רֹ֣אשׁ אִֽישׁ־בֹּ֔שֶׁת לָקָ֔חוּ וַיִּקְבְּר֥וּ בְקֶֽבֶר־אַבְנֵ֖ר בְּחֶבְרֽוֹן׃

ה א וַיָּבֹ֜אוּ כָּל־שִׁבְטֵ֧י יִשְׂרָאֵ֛ל אֶל־דָּוִ֖ד חֶבְר֑וֹנָה וַיֹּאמְר֣וּ לֵאמֹ֔ר הִנְנ֛וּ עַצְמְךָ֥
וּבְשָׂרְךָ֖ אֲנָֽחְנוּ׃ ב גַּם־אֶתְמ֣וֹל גַּם־שִׁלְשׁ֗וֹם בִּהְי֨וֹת שָׁא֥וּל מֶ֙לֶךְ֙ עָלֵ֔ינוּ אַתָּ֗ה
הָיִ֛יתָ[10] הַמּוֹצִ֥יא[11] וְהַמֵּבִ֖יא[12] אֶת־יִשְׂרָאֵ֑ל וַיֹּאמֶר֩ יְהוָ֨ה לְךָ֜ אַתָּ֨ה תִרְעֶ֤ה אֶת־עַמִּי֙
אֶת־יִשְׂרָאֵ֔ל וְאַתָּ֛ה תִּהְיֶ֥ה לְנָגִ֖יד עַל־יִשְׂרָאֵֽל׃ ג וַ֠יָּבֹאוּ כָּל־זִקְנֵ֨י יִשְׂרָאֵ֤ל
אֶל־הַמֶּ֙לֶךְ֙ חֶבְר֔וֹנָה וַיִּכְרֹ֣ת לָהֶם֩ הַמֶּ֨לֶךְ דָּוִ֧ד בְּרִ֛ית בְּחֶבְר֖וֹן לִפְנֵ֣י יְהוָ֑ה
וַיִּמְשְׁח֧וּ אֶת־דָּוִ֛ד לְמֶ֖לֶךְ עַל־יִשְׂרָאֵֽל׃
ד בֶּן־שְׁלֹשִׁ֥ים שָׁנָ֛ה דָּוִ֖ד בְּמָלְכ֑וֹ אַרְבָּעִ֥ים שָׁנָ֖ה מָלָֽךְ׃ ה בְּחֶבְרוֹן֙ מָלַ֣ךְ
עַל־יְהוּדָ֔ה שֶׁ֥בַע שָׁנִ֖ים וְשִׁשָּׁ֣ה חֳדָשִׁ֑ים וּבִירוּשָׁלִַ֣ם מָלַ֗ךְ שְׁלֹשִׁ֤ים וְשָׁלֹשׁ֙ שָׁנָ֔ה
עַ֥ל כָּל־יִשְׂרָאֵ֖ל וִיהוּדָֽה׃ ו וַיֵּ֨לֶךְ הַמֶּ֤לֶךְ וַאֲנָשָׁיו֙ יְר֣וּשָׁלִַ֔ם אֶל־הַיְבֻסִ֖י יוֹשֵׁ֣ב
הָאָ֑רֶץ וַיֹּ֨אמֶר לְדָוִ֤ד לֵאמֹר֙ לֹא־תָב֣וֹא הֵ֔נָּה כִּ֣י אִם־הֱסִירְךָ֗ הַעִוְרִ֤ים וְהַפִּסְחִים֙
לֵאמֹ֔ר לֹא־יָב֥וֹא דָוִ֖ד הֵֽנָּה׃ ז וַיִּלְכֹּ֣ד דָּוִ֔ד אֵ֖ת מְצֻדַ֣ת צִיּ֑וֹן הִ֖יא עִ֥יר דָּוִֽד׃
ח וַיֹּ֨אמֶר דָּוִ֜ד בַּיּ֣וֹם הַה֗וּא כָּל־מַכֵּ֤ה יְבֻסִי֙ וְיִגַּ֣ע בַּצִּנּ֔וֹר וְאֶת־הַפִּסְחִים֙
וְאֶת־הַֽעִוְרִ֔ים שְׂנֻאֵ֖י[13] נֶ֣פֶשׁ דָּוִ֑ד עַל־כֵּן֙ יֹֽאמְר֔וּ עִוֵּ֣ר וּפִסֵּ֔חַ לֹ֥א יָב֖וֹא אֶל־הַבָּֽיִת׃
ט וַיֵּ֤שֶׁב דָּוִד֙ בַּמְּצֻדָ֔ה וַיִּקְרָא־לָ֖הּ עִ֣יר דָּוִ֑ד וַיִּ֤בֶן דָּוִד֙ סָבִ֔יב מִן־הַמִּלּ֖וֹא וָבָֽיְתָה׃
י וַיֵּ֥לֶךְ דָּוִ֖ד הָל֣וֹךְ וְגָד֑וֹל וַיהוָ֛ה אֱלֹהֵ֥י צְבָא֖וֹת עִמּֽוֹ׃
יא וַיִּשְׁלַח֩ חִירָ֨ם מֶֽלֶךְ־צֹ֤ר מַלְאָכִים֙ אֶל־דָּוִ֔ד וַעֲצֵ֣י אֲרָזִ֔ים וְחָרָשֵׁ֣י עֵ֔ץ וְחָרָשֵׁ֖י
אֶ֣בֶן קִ֑יר וַיִּבְנוּ־בַ֖יִת לְדָוִֽד׃ יב וַיֵּ֣דַע דָּוִ֔ד כִּֽי־הֱכִינ֧וֹ יְהוָ֛ה לְמֶ֖לֶךְ עַל־יִשְׂרָאֵ֑ל
וְכִי֙ נִשֵּׂ֣א מַמְלַכְתּ֔וֹ בַּעֲב֖וּר עַמּ֥וֹ יִשְׂרָאֵֽל׃ יג וַיִּקַּ֨ח דָּוִ֥ד ע֛וֹד פִּלַגְשִׁ֥ים וְנָשִׁים֙
מִיר֣וּשָׁלִַ֔ם אַחֲרֵ֖י בֹּא֣וֹ מֵחֶבְר֑וֹן וַיִּוָּלְד֥וּ ע֛וֹד לְדָוִ֖ד בָּנִ֥ים וּבָנֽוֹת׃ יד וְאֵ֗לֶּה שְׁמוֹת֙
הַיִּלֹּדִ֣ים ל֔וֹ בִּירוּשָׁלִָ֑ם שַׁמּ֣וּעַ וְשׁוֹבָ֔ב וְנָתָ֖ן וּשְׁלֹמֹֽה׃ טו וְיִבְחָ֥ר וֶאֱלִישׁ֖וּעַ וְנֶ֥פֶג
וְיָפִֽיעַ׃ טז וֶאֱלִישָׁמָ֥ע וְאֶלְיָדָ֖ע וֶאֱלִיפָֽלֶט׃
יז וַיִּשְׁמְע֣וּ פְלִשְׁתִּ֗ים כִּֽי־מָשְׁח֨וּ אֶת־דָּוִ֣ד לְמֶלֶךְ֮ עַל־יִשְׂרָאֵל֒ וַיַּעֲל֥וּ כָל־פְּלִשְׁתִּ֖ים
לְבַקֵּ֣שׁ אֶת־דָּוִ֑ד וַיִּשְׁמַ֣ע דָּוִ֔ד וַיֵּ֖רֶד אֶל־הַמְּצוּדָֽה׃ יח וּפְלִשְׁתִּ֖ים בָּ֑אוּ וַיִּנָּטְשׁ֖וּ
בְּעֵ֥מֶק רְפָאִֽים׃ יט וַיִּשְׁאַ֨ל דָּוִ֤ד בַּֽיהוָה֙ לֵאמֹ֔ר הַאֶֽעֱלֶה֙ אֶל־פְּלִשְׁתִּ֔ים הֲתִתְּנֵ֖ם
בְּיָדִ֑י וַיֹּ֨אמֶר יְהוָ֤ה אֶל־דָּוִד֙ עֲלֵ֔ה כִּֽי־נָתֹ֥ן אֶתֵּ֛ן אֶת־הַפְּלִשְׁתִּ֖ים בְּיָדֶֽךָ׃

[10] הייתה
[11] מוציא
[12] והמבי
[13] שנאו

__11__ How much more, when wicked men have slain a righteous person in his own house upon his bed, shall I not now require his blood of your hand, and take you away from the earth?' __12__ And David commanded his young men, and they slew them, and cut off their hands and their feet, and hanged them up beside the pool in Hebron. But they took the head of Ish-bosheth, and buried it in the grave of Abner in Hebron.{P}

5 __1__ Then came all the tribes of Israel to David unto Hebron, and spoke, saying: 'Behold, we are thy bone and thy flesh. __2__ In times past, when Saul was king over us, it was thou that didst lead out and bring in Israel; and Yehovah said to thee: Thou shalt feed My people Israel, and thou shalt be prince over Israel.' __3__ So all the elders of Israel came to the king to Hebron; and king David made a covenant with them in Hebron before Yehovah; and they anointed David king over Israel.{S} __4__ David was thirty years old when he began to reign, and he reigned forty years. __5__ In Hebron he reigned over Judah seven years and six months; and in Yerushalam he reigned thirty and three years over all Israel and Judah. __6__ And the king and his men went to Yerushalam against the Jebusites, the inhabitants of the land, who spoke unto David, saying: 'Except thou take away the blind and the lame, thou shalt not come in hither'; thinking: 'David cannot come in hither.' __7__ Nevertheless David took the stronghold of Zion; the same is the city of David. __8__ And David said on that day: 'Whosoever smiteth the Jebusites, and getteth up to the gutter, and [taketh away] the lame and the blind, that are hated of David's soul–.' Wherefore they say: 'There are the blind and the lame; he cannot come into the house.' __9__ And David dwelt in the stronghold, and called it the city of David. And David built round about from Millo and inward. __10__ And David waxed greater and greater; for Yehovah, the God of hosts, was with him.{P}

__11__ And Hiram king of Tyre sent messengers to David, and cedar-trees, and carpenters, and masons; and they built David a house. __12__ And David perceived that Yehovah had established him king over Israel, and that He had exalted his kingdom for His people Israel's sake.{S} __13__ And David took him more concubines and wives out of Yerushalam, after he was come from Hebron; and there were yet sons and daughters born to David. __14__ And these are the names of those that were born unto him in Yerushalam: Shammua, and Shobab, and Nathan, and Solomon; __15__ and Ibhar, and Elishua, and Nepheg, and Japhia; __16__ and Elishama, and Eliada, and Eliphelet.{P}

__17__ And when the Philistines heard that David was anointed king over Israel, all the Philistines went up to seek David; and David heard of it, and went down to the hold. __18__ Now the Philistines had come and spread themselves in the valley of Rephaim. __19__ And David inquired of Yehovah, saying: 'Shall I go up against the Philistines? wilt Thou deliver them into my hand?'{P}

And Yehovah said unto David: 'Go up; for I will certainly deliver the Philistines into thy hand.'

כ וַיָּבֹא דָוִד בְּבַעַל־פְּרָצִים וַיַּכֵּם שָׁם דָּוִד וַיֹּאמֶר פָּרַץ יְהוָה אֶת־אֹיְבַי לְפָנַי
כְּפֶרֶץ מָיִם עַל־כֵּן קָרָא שֵׁם־הַמָּקוֹם הַהוּא בַּעַל פְּרָצִים׃ כא וַיַּעַזְבוּ־שָׁם
אֶת־עֲצַבֵּיהֶם וַיִּשָּׂאֵם דָּוִד וַאֲנָשָׁיו׃

כב וַיֹּסִפוּ עוֹד פְּלִשְׁתִּים לַעֲלוֹת וַיִּנָּטְשׁוּ בְּעֵמֶק רְפָאִים׃ כג וַיִּשְׁאַל דָּוִד
בַּיהוָה וַיֹּאמֶר לֹא תַעֲלֶה הָסֵב אֶל־אַחֲרֵיהֶם וּבָאתָ לָהֶם מִמּוּל בְּכָאִים׃
כד וִיהִי כְּשָׁמְעֲךָ[14] אֶת־קוֹל צְעָדָה בְּרָאשֵׁי הַבְּכָאִים אָז תֶּחֱרָץ כִּי אָז יָצָא
יְהוָה לְפָנֶיךָ לְהַכּוֹת בְּמַחֲנֵה פְלִשְׁתִּים׃ כה וַיַּעַשׂ דָּוִד כֵּן כַּאֲשֶׁר צִוָּהוּ יְהוָה
וַיַּךְ אֶת־פְּלִשְׁתִּים מִגֶּבַע עַד־בֹּאֲךָ גָזֶר׃

ו א וַיֹּסֶף עוֹד דָּוִד אֶת־כָּל־בָּחוּר בְּיִשְׂרָאֵל שְׁלֹשִׁים אָלֶף׃ ב וַיָּקָם ׀ וַיֵּלֶךְ
דָּוִד וְכָל־הָעָם אֲשֶׁר אִתּוֹ מִבַּעֲלֵי יְהוּדָה לְהַעֲלוֹת מִשָּׁם אֵת אֲרוֹן הָאֱלֹהִים
אֲשֶׁר־נִקְרָא שֵׁם שֵׁם יְהוָה צְבָאוֹת יֹשֵׁב הַכְּרֻבִים עָלָיו׃ ג וַיַּרְכִּבוּ אֶת־אֲרוֹן
הָאֱלֹהִים אֶל־עֲגָלָה חֲדָשָׁה וַיִּשָּׂאֻהוּ מִבֵּית אֲבִינָדָב אֲשֶׁר בַּגִּבְעָה וְעֻזָּא וְאַחְיוֹ
בְּנֵי אֲבִינָדָב נֹהֲגִים אֶת־הָעֲגָלָה חֲדָשָׁה׃ ד וַיִּשָּׂאֻהוּ מִבֵּית אֲבִינָדָב אֲשֶׁר
בַּגִּבְעָה עִם אֲרוֹן הָאֱלֹהִים וְאַחְיוֹ הֹלֵךְ לִפְנֵי הָאָרוֹן׃ ה וְדָוִד ׀ וְכָל־בֵּית
יִשְׂרָאֵל מְשַׂחֲקִים לִפְנֵי יְהוָה בְּכֹל עֲצֵי בְרוֹשִׁים וּבְכִנֹּרוֹת וּבִנְבָלִים וּבְתֻפִּים
וּבִמְנַעַנְעִים וּבְצֶלְצֶלִים׃ ו וַיָּבֹאוּ עַד־גֹּרֶן נָכוֹן וַיִּשְׁלַח עֻזָּא אֶל־אֲרוֹן
הָאֱלֹהִים וַיֹּאחֶז בּוֹ כִּי שָׁמְטוּ הַבָּקָר׃ ז וַיִּחַר־אַף יְהוָה בְּעֻזָּה וַיַּכֵּהוּ שָׁם
הָאֱלֹהִים עַל־הַשַּׁל וַיָּמָת שָׁם עִם אֲרוֹן הָאֱלֹהִים׃ ח וַיִּחַר לְדָוִד עַל אֲשֶׁר
פָּרַץ יְהוָה פֶּרֶץ בְּעֻזָּה וַיִּקְרָא לַמָּקוֹם הַהוּא פֶּרֶץ עֻזָּה עַד הַיּוֹם הַזֶּה׃
ט וַיִּרָא דָוִד אֶת־יְהוָה בַּיּוֹם הַהוּא וַיֹּאמֶר אֵיךְ יָבוֹא אֵלַי אֲרוֹן יְהוָה׃
י וְלֹא־אָבָה דָוִד לְהָסִיר אֵלָיו אֶת־אֲרוֹן יְהוָה עַל־עִיר דָּוִד וַיַּטֵּהוּ דָוִד בֵּית
עֹבֵד־אֱדוֹם הַגִּתִּי׃ יא וַיֵּשֶׁב אֲרוֹן יְהוָה בֵּית עֹבֵד אֱדֹם הַגִּתִּי שְׁלֹשָׁה חֳדָשִׁים
וַיְבָרֶךְ יְהוָה אֶת־עֹבֵד אֱדֹם וְאֶת־כָּל־בֵּיתוֹ׃ יב וַיֻּגַּד לַמֶּלֶךְ דָּוִד לֵאמֹר
בֵּרַךְ יְהוָה אֶת־בֵּית עֹבֵד אֱדֹם וְאֶת־כָּל־אֲשֶׁר־לוֹ בַּעֲבוּר אֲרוֹן הָאֱלֹהִים
וַיֵּלֶךְ דָּוִד וַיַּעַל אֶת־אֲרוֹן הָאֱלֹהִים מִבֵּית עֹבֵד אֱדֹם עִיר דָּוִד בְּשִׂמְחָה׃
יג וַיְהִי כִּי צָעֲדוּ נֹשְׂאֵי אֲרוֹן־יְהוָה שִׁשָּׁה צְעָדִים וַיִּזְבַּח שׁוֹר וּמְרִיא׃ יד וְדָוִד
מְכַרְכֵּר בְּכָל־עֹז לִפְנֵי יְהוָה וְדָוִד חָגוּר אֵפוֹד בָּד׃ טו וְדָוִד וְכָל־בֵּית
יִשְׂרָאֵל מַעֲלִים אֶת־אֲרוֹן יְהוָה בִּתְרוּעָה וּבְקוֹל שׁוֹפָר׃ טז וְהָיָה אֲרוֹן יְהוָה
בָּא עִיר דָּוִד וּמִיכַל בַּת־שָׁאוּל נִשְׁקְפָה ׀ בְּעַד הַחַלּוֹן וַתֵּרֶא אֶת־הַמֶּלֶךְ דָּוִד
מְפַזֵּז וּמְכַרְכֵּר לִפְנֵי יְהוָה וַתִּבֶז לוֹ בְּלִבָּהּ׃

[14] בשמעך

20 And David came to Baal-perazim, and David smote them there; and he said: 'Yehovah hath broken mine enemies before me, like the breach of waters.' Therefore the name of that place was called Baal-perazim. **21** And they left their images there, and David and his men took them away.{P}

22 And the Philistines came up yet again, and spread themselves in the valley of Rephaim. **23** And when David inquired of Yehovah, He said: 'Thou shalt not go up; make a circuit behind them, and come upon them over against the mulberry-trees. **24** And it shall be, when thou hearest the sound of marching in the tops of the mulberry-trees, that then thou shalt bestir thyself; for then is Yehovah gone out before thee to smite the host of the Philistines.' **25** And David did so, as Yehovah commanded him, and smote the Philistines from Geba until thou come to Gezer.{P}

6 1 And David again gathered together all the chosen men of Israel, thirty thousand. **2** And David arose, and went with all the people that were with him, from Baale-judah, to bring up from thence the ark of God, whereupon is called the Name, even the name of Yehovah of hosts that sitteth upon the cherubim. **3** And they set the ark of God upon a new cart, and brought it out of the house of Abinadab that was in the hill; and Uzzah and Ahio, the sons of Abinadab, drove the new cart. **4** And they brought it out of the house of Abinadab, which was in the hill, with the ark of God, and Ahio went before the ark. **5** And David and all the house of Israel played before Yehovah with all manner of instruments made of cypress-wood, and with harps, and with psalteries, and with timbrels, and with sistra, and with cymbals. **6** And when they came to the threshing-floor of Nacon, Uzzah put forth his hand to the ark of God, and took hold of it; for the oxen stumbled. **7** And the anger of Yehovah was kindled against Uzzah; and God smote him there for his error; and there he died by the ark of God. **8** And David was displeased, because Yehovah had broken forth upon Uzzah; and that place was called Perez-uzzah, unto this day. **9** And David was afraid of Yehovah that day; and he said: 'How shall the ark of Yehovah come unto me?' **10** So David would not remove the ark of Yehovah unto him into the city of David; but David carried it aside into the house of Obed-edom the Gittite. **11** And the ark of Yehovah remained in the house of Obed-edom the Gittite three months; and Yehovah blessed Obed-edom, and all his house. **12** And it was told king David, saying: 'Yehovah hath blessed the house of Obed-edom, and all that pertaineth unto him, because of the ark of God.' And David went and brought up the ark of God from the house of Obed-edom into the city of David with joy. **13** And it was so, that when they that bore the ark of Yehovah had gone six paces, he sacrificed an ox and a fatling. **14** And David danced before Yehovah with all his might; and David was girded with a linen ephod. **15** So David and all the house of Israel brought up the ark of Yehovah with shouting, and with the sound of the horn. **16** And it was so, as the ark of Yehovah came into the city of David, that Michal the daughter of Saul looked out at the window, and saw king David leaping and dancing before Yehovah; and she despised him in her heart.

יז וַיָּבִ֜אוּ אֶת־אֲר֣וֹן יְהוָ֗ה וַיַּצִּ֤גוּ אֹתוֹ֙ בִּמְקוֹמ֔וֹ בְּת֣וֹךְ הָאֹ֔הֶל אֲשֶׁ֥ר נָטָה־ל֖וֹ דָּוִ֑ד
וַיַּ֨עַל דָּוִ֥ד עֹל֛וֹת לִפְנֵ֥י יְהוָ֖ה וּשְׁלָמִֽים׃ יח וַיְכַ֣ל דָּוִ֔ד מֵהַעֲל֥וֹת הָעוֹלָ֖ה
וְהַשְּׁלָמִ֑ים וַיְבָ֣רֶךְ אֶת־הָעָ֔ם בְּשֵׁ֖ם יְהוָ֥ה צְבָאֽוֹת׃ יט וַיְחַלֵּ֨ק לְכָל־הָעָ֜ם
לְכָל־הֲמ֣וֹן יִשְׂרָאֵ֗ל לְמֵאִ֣ישׁ וְעַד־אִשָּׁה֒ לְאִ֗ישׁ חַלַּ֥ת לֶ֙חֶם֙ אַחַ֔ת וְאֶשְׁפָּ֣ר אֶחָ֔ד
וַאֲשִׁישָׁ֖ה אֶחָ֑ת וַיֵּ֥לֶךְ כָּל־הָעָ֖ם אִ֥ישׁ לְבֵיתֽוֹ׃ כ וַיָּ֥שָׁב דָּוִ֖ד לְבָרֵ֣ךְ אֶת־בֵּית֑וֹ
וַתֵּצֵ֞א מִיכַ֤ל בַּת־שָׁאוּל֙ לִקְרַ֣את דָּוִ֔ד וַתֹּ֗אמֶר מַה־נִּכְבַּ֨ד הַיּ֜וֹם מֶ֣לֶךְ יִשְׂרָאֵ֗ל
אֲשֶׁ֨ר נִגְלָ֤ה הַיּוֹם֙ לְעֵינֵי֙ אַמְה֣וֹת עֲבָדָ֔יו כְּהִגָּל֥וֹת נִגְל֖וֹת אַחַ֥ד הָרֵקִֽים׃
כא וַיֹּ֣אמֶר דָּוִד֮ אֶל־מִיכַל֒ לִפְנֵ֣י יְהוָ֗ה אֲשֶׁ֨ר בָּֽחַר־בִּ֤י מֵֽאָבִיךְ֙ וּמִכָּל־בֵּית֔וֹ
לְצַוֺּ֨ת אֹתִ֥י נָגִ֛יד עַל־עַ֥ם יְהוָ֖ה עַל־יִשְׂרָאֵ֑ל וְשִׂחַקְתִּ֖י לִפְנֵ֥י יְהוָֽה׃ כב וּנְקַלֹּ֤תִי
עוֹד֙ מִזֹּ֔את וְהָיִ֥יתִי שָׁפָ֖ל בְּעֵינָ֑י וְעִם־הָֽאֲמָהוֹת֙ אֲשֶׁ֣ר אָמַ֔רְתְּ עִמָּ֖ם אִכָּבֵֽדָה׃
כג וּלְמִיכַל֙ בַּת־שָׁא֔וּל לֹא־הָ֥יָה לָ֖הּ יָ֑לֶד עַ֖ד י֥וֹם מוֹתָֽהּ׃

ז א וַיְהִ֕י כִּי־יָשַׁ֥ב הַמֶּ֖לֶךְ בְּבֵית֑וֹ וַיהוָ֛ה הֵֽנִיחַ־ל֥וֹ מִסָּבִ֖יב מִכָּל־אֹיְבָֽיו׃
ב וַיֹּ֤אמֶר הַמֶּ֙לֶךְ֙ אֶל־נָתָ֣ן הַנָּבִ֔יא רְאֵ֣ה נָ֔א אָנֹכִ֥י יוֹשֵׁ֖ב בְּבֵ֣ית אֲרָזִ֑ים וַֽאֲרוֹן֙
הָֽאֱלֹהִ֔ים יֹשֵׁ֖ב בְּת֥וֹךְ הַיְרִיעָֽה׃ ג וַיֹּ֤אמֶר נָתָן֙ אֶל־הַמֶּ֔לֶךְ כֹּ֛ל אֲשֶׁ֥ר בִּֽלְבָבְךָ֖ לֵ֣ךְ
עֲשֵׂ֑ה כִּ֥י יְהוָ֖ה עִמָּֽךְ׃ ד וַיְהִ֖י בַּלַּ֣יְלָה הַה֑וּא וַֽיְהִי֙ דְּבַר־יְהוָ֔ה אֶל־נָתָ֖ן לֵאמֹֽר׃
ה לֵ֤ךְ וְאָמַרְתָּ֙ אֶל־עַבְדִּ֣י אֶל־דָּוִ֔ד כֹּ֖ה אָמַ֣ר יְהוָ֑ה הַאַתָּ֛ה תִּבְנֶה־לִּ֥י בַ֖יִת
לְשִׁבְתִּֽי׃ ו כִּ֣י לֹ֤א יָשַׁ֙בְתִּי֙ בְּבַ֔יִת לְמִיּ֨וֹם הַעֲלֹתִ֜י אֶת־בְּנֵ֤י יִשְׂרָאֵל֙ מִמִּצְרַ֔יִם וְעַ֖ד
הַיּ֣וֹם הַזֶּ֑ה וָאֶֽהְיֶה֙ מִתְהַלֵּ֔ךְ בְּאֹ֖הֶל וּבְמִשְׁכָּֽן׃ ז בְּכֹ֥ל אֲשֶׁר־הִתְהַלַּ֮כְתִּי֮ בְּכָל־בְּנֵ֣י
יִשְׂרָאֵל֒ הֲדָבָ֣ר דִּבַּ֗רְתִּי אֶת־אַחַד֙ שִׁבְטֵ֣י יִשְׂרָאֵ֔ל אֲשֶׁ֣ר צִוִּ֗יתִי לִרְע֛וֹת אֶת־עַמִּ֥י
אֶת־יִשְׂרָאֵ֖ל לֵאמֹ֑ר לָ֥מָּה לֹא־בְנִיתֶ֛ם לִ֖י בֵּ֥ית אֲרָזִֽים׃ ח וְעַתָּ֗ה כֹּֽה־תֹאמַ֞ר
לְעַבְדִּ֣י לְדָוִ֗ד כֹּ֤ה אָמַר֙ יְהוָ֣ה צְבָא֔וֹת אֲנִ֤י לְקַחְתִּ֙יךָ֙ מִן־הַנָּוֶ֔ה מֵאַחַ֖ר הַצֹּ֑אן
לִֽהְי֣וֹת נָגִ֔יד עַל־עַמִּ֖י עַל־יִשְׂרָאֵֽל׃ ט וָאֶהְיֶ֣ה עִמְּךָ֗ בְּכֹל֙ אֲשֶׁ֣ר הָלַ֔כְתָּ וָאַכְרִ֥תָה
אֶת־כָּל־אֹיְבֶ֖יךָ מִפָּנֶ֑יךָ וְעָשִׂ֤תִי לְךָ֙ שֵׁ֣ם גָּד֔וֹל כְּשֵׁ֥ם הַגְּדֹלִ֖ים אֲשֶׁ֥ר בָּאָֽרֶץ׃
י וְשַׂמְתִּ֣י מָ֠קוֹם לְעַמִּ֨י לְיִשְׂרָאֵ֤ל וּנְטַעְתִּיו֙ וְשָׁכַ֣ן תַּחְתָּ֔יו וְלֹ֥א יִרְגַּ֖ז ע֑וֹד
וְלֹא־יֹסִ֤יפוּ בְנֵֽי־עַוְלָה֙ לְעַנּוֹת֔וֹ כַּאֲשֶׁ֖ר בָּרִאשׁוֹנָֽה׃ יא וּלְמִן־הַיּ֗וֹם אֲשֶׁ֨ר צִוִּ֤יתִי
שֹֽׁפְטִים֙ עַל־עַמִּ֣י יִשְׂרָאֵ֔ל וַהֲנִיחֹ֥תִי לְךָ֖ מִכָּל־אֹיְבֶ֑יךָ וְהִגִּ֤יד לְךָ֙ יְהוָ֔ה כִּי־בַ֖יִת
יַעֲשֶׂה־לְּךָ֥ יְהוָֽה׃ יב כִּ֣י ׀ יִמְלְא֣וּ יָמֶ֗יךָ וְשָֽׁכַבְתָּ֙ אֶת־אֲבֹתֶ֔יךָ וַהֲקִימֹתִ֤י אֶת־זַרְעֲךָ֙
אַחֲרֶ֔יךָ אֲשֶׁ֥ר יֵצֵ֖א מִמֵּעֶ֑יךָ וַהֲכִינֹתִ֖י אֶת־מַמְלַכְתּֽוֹ׃ יג ה֥וּא יִבְנֶה־בַּ֖יִת לִשְׁמִ֑י
וְכֹנַנְתִּ֛י אֶת־כִּסֵּ֥א מַמְלַכְתּ֖וֹ עַד־עוֹלָֽם׃ יד אֲנִי֙ אֶהְיֶה־לּ֣וֹ לְאָ֔ב וְה֖וּא יִהְיֶה־לִּ֣י
לְבֵ֑ן אֲשֶׁר֙ בְּהַעֲוֺת֔וֹ וְהֹכַחְתִּיו֙ בְּשֵׁ֣בֶט אֲנָשִׁ֔ים וּבְנִגְעֵ֖י בְּנֵ֥י אָדָֽם׃ יה וְחַסְדִּ֖י
לֹא־יָס֣וּר מִמֶּ֑נּוּ כַּאֲשֶׁ֤ר הֲסִרֹ֙תִי֙ מֵעִ֣ם שָׁא֔וּל אֲשֶׁ֥ר הֲסִרֹ֖תִי מִלְּפָנֶֽיךָ׃

17 And they brought in the ark of Yehovah, and set it in its place, in the midst of the tent that David had pitched for it; and David offered burnt-offerings and peace-offerings before Yehovah. **18** And when David had made an end of offering the burnt-offering and the peace-offerings, he blessed the people in the name of Yehovah of hosts. **19** And he dealt among all the people, even among the whole multitude of Israel, both to men and women, to every one a cake of bread, and a cake made in a pan, and a sweet cake. So all the people departed every one to his house. **20** Then David returned to bless his household.{s} And Michal the daughter of Saul came out to meet David, and said: 'How did the king of Israel get him honour to-day, who uncovered himself to-day in the eyes of the handmaids of his servants, as one of the vain fellows shamelessly uncovereth himself!' **21** And David said unto Michal: 'Before Yehovah, who chose me above thy father, and above all his house, to appoint me prince over the people of Yehovah, over Israel, before Yehovah will I make merry. **22** And I will be yet more vile than thus, and will be base in mine own sight; and with the handmaids whom thou hast spoken of, with them will I get me honour.' **23** And Michal the daughter of Saul had no child unto the day of her death.{P}

7 1 And it came to pass, when the king dwelt in his house, and Yehovah had given him rest from all his enemies round about, **2** that the king said unto Nathan the prophet: 'See now, I dwell in a house of cedar, but the ark of God dwelleth within curtains.' **3** And Nathan said to the king: 'Go, do all that is in thy heart; for Yehovah is with thee.' **4** And it came to pass the same night,{s} that the word of Yehovah came unto Nathan, saying: **5** 'Go and tell My servant David:{s} Thus saith Yehovah: Shalt thou build Me a house for Me to dwell in? **6** for I have not dwelt in a house since the day that I brought up the children of Israel out of Egypt, even to this day, but have walked in a tent and in a tabernacle. **7** In all places wherein I have walked among all the children of Israel, spoke I a word with any of the tribes of Israel, whom I commanded to feed My people Israel, saying: Why have ye not built Me a house of cedar? **8** Now therefore thus shalt thou say unto My servant David: Thus saith Yehovah of hosts: I took thee from the sheepcote, from following the sheep, that thou shouldest be prince over My people, over Israel. **9** And I have been with thee whithersoever thou didst go, and have cut off all thine enemies from before thee; and I will make thee a great name, like unto the name of the great ones that are in the earth. **10** And I will appoint a place for My people Israel, and will plant them, that they may dwell in their own place, and be disquieted no more; neither shall the children of wickedness afflict them any more, as at the first, **11** even from the day that I commanded judges to be over My people Israel; and I will cause thee to rest from all thine enemies. Moreover Yehovah telleth thee that Yehovah will make thee a house. **12** When thy days are fulfilled, and thou shalt sleep with thy fathers, I will set up thy seed after thee, that shall proceed out of thy body, and I will establish his kingdom. **13** He shall build a house for My name, and I will establish the throne of his kingdom for ever. **14** I will be to him for a father, and he shall be to Me for a son; if he commit iniquity, I will chasten him with the rod of men, and with the stripes of the children of men; **15** but My mercy shall not depart from him, as I took it from Saul, whom I put away before thee.

טז וְנֶאְמַן בֵּיתְךָ וּמַמְלַכְתְּךָ עַד־עוֹלָם לְפָנֶיךָ כִּסְאֲךָ יִהְיֶה נָכוֹן עַד־עוֹלָם׃
יז כְּכֹל הַדְּבָרִים הָאֵלֶּה וּכְכֹל הַחִזָּיוֹן הַזֶּה כֵּן דִּבֶּר נָתָן אֶל־דָּוִד׃ יח וַיָּבֹא
הַמֶּלֶךְ דָּוִד וַיֵּשֶׁב לִפְנֵי יְהוָה וַיֹּאמֶר מִי אָנֹכִי אֲדֹנָי יְהוִה וּמִי בֵיתִי כִּי
הֲבִיאֹתַנִי עַד־הֲלֹם׃ יט וַתִּקְטַן עוֹד זֹאת בְּעֵינֶיךָ אֲדֹנָי יְהוִה וַתְּדַבֵּר גַּם
אֶל־בֵּית־עַבְדְּךָ לְמֵרָחוֹק וְזֹאת תּוֹרַת הָאָדָם אֲדֹנָי יְהוִה׃ כ וּמַה־יּוֹסִיף דָּוִד
עוֹד לְדַבֵּר אֵלֶיךָ וְאַתָּה יָדַעְתָּ אֶת־עַבְדְּךָ אֲדֹנָי יְהוִה׃ כא בַּעֲבוּר דְּבָרְךָ
וּכְלִבְּךָ עָשִׂיתָ אֵת כָּל־הַגְּדוּלָּה הַזֹּאת לְהוֹדִיעַ אֶת־עַבְדֶּךָ׃ כב עַל־כֵּן
גָּדַלְתָּ אֲדֹנָי יְהוִה כִּי־אֵין כָּמוֹךָ וְאֵין אֱלֹהִים זוּלָתֶךָ בְּכֹל אֲשֶׁר־שָׁמַעְנוּ
בְּאָזְנֵינוּ׃ כג וּמִי כְעַמְּךָ כְּיִשְׂרָאֵל גּוֹי אֶחָד בָּאָרֶץ אֲשֶׁר הָלְכוּ־אֱלֹהִים
לִפְדּוֹת־לוֹ לְעָם וְלָשׂוּם לוֹ שֵׁם וְלַעֲשׂוֹת לָכֶם הַגְּדוּלָּה וְנֹרָאוֹת לְאַרְצֶךָ
מִפְּנֵי עַמְּךָ אֲשֶׁר פָּדִיתָ לְּךָ מִמִּצְרַיִם גּוֹיִם וֵאלֹהָיו׃ כד וַתְּכוֹנֵן לְךָ אֶת־עַמְּךָ
יִשְׂרָאֵל ׀ לְךָ לְעָם עַד־עוֹלָם וְאַתָּה יְהוָה הָיִיתָ לָהֶם לֵאלֹהִים׃ כה וְעַתָּה
יְהוָה אֱלֹהִים הַדָּבָר אֲשֶׁר דִּבַּרְתָּ עַל־עַבְדְּךָ וְעַל־בֵּיתוֹ הָקֵם עַד־עוֹלָם
וַעֲשֵׂה כַּאֲשֶׁר דִּבַּרְתָּ׃ כו וְיִגְדַּל שִׁמְךָ עַד־עוֹלָם לֵאמֹר יְהוָה צְבָאוֹת אֱלֹהִים
עַל־יִשְׂרָאֵל וּבֵית עַבְדְּךָ דָוִד יִהְיֶה נָכוֹן לְפָנֶיךָ׃ כז כִּי־אַתָּה יְהוָה צְבָאוֹת
אֱלֹהֵי יִשְׂרָאֵל גָּלִיתָה אֶת־אֹזֶן עַבְדְּךָ לֵאמֹר בַּיִת אֶבְנֶה־לָּךְ עַל־כֵּן מָצָא
עַבְדְּךָ אֶת־לִבּוֹ לְהִתְפַּלֵּל אֵלֶיךָ אֶת־הַתְּפִלָּה הַזֹּאת׃ כח וְעַתָּה ׀ אֲדֹנָי יְהוִה
אַתָּה־הוּא הָאֱלֹהִים וּדְבָרֶיךָ יִהְיוּ אֱמֶת וַתְּדַבֵּר אֶל־עַבְדְּךָ אֶת־הַטּוֹבָה
הַזֹּאת׃ כט וְעַתָּה הוֹאֵל וּבָרֵךְ אֶת־בֵּית עַבְדְּךָ לִהְיוֹת לְעוֹלָם לְפָנֶיךָ
כִּי־אַתָּה אֲדֹנָי יְהוִה דִּבַּרְתָּ וּמִבִּרְכָתְךָ יְבֹרַךְ בֵּית־עַבְדְּךָ לְעוֹלָם׃

ח א וַיְהִי אַחֲרֵי־כֵן וַיַּךְ דָּוִד אֶת־פְּלִשְׁתִּים וַיַּכְנִיעֵם וַיִּקַּח דָּוִד אֶת־מֶתֶג
הָאַמָּה מִיַּד פְּלִשְׁתִּים׃ ב וַיַּךְ אֶת־מוֹאָב וַיְמַדְּדֵם בַּחֶבֶל הַשְׁכֵּב אוֹתָם
אַרְצָה וַיְמַדֵּד שְׁנֵי־חֲבָלִים לְהָמִית וּמְלֹא הַחֶבֶל לְהַחֲיוֹת וַתְּהִי מוֹאָב לְדָוִד
לַעֲבָדִים נֹשְׂאֵי מִנְחָה׃ ג וַיַּךְ דָּוִד אֶת־הֲדַדְעֶזֶר בֶּן־רְחֹב מֶלֶךְ צוֹבָה
בְּלֶכְתּוֹ לְהָשִׁיב יָדוֹ בִּנְהַר־פְּרָת׃ ד וַיִּלְכֹּד דָּוִד מִמֶּנּוּ אֶלֶף וּשְׁבַע־מֵאוֹת
פָּרָשִׁים וְעֶשְׂרִים אֶלֶף אִישׁ רַגְלִי וַיְעַקֵּר דָּוִד אֶת־כָּל־הָרֶכֶב וַיּוֹתֵר מִמֶּנּוּ
מֵאָה רָכֶב׃ ה וַתָּבֹא אֲרַם דַּמֶּשֶׂק לַעְזֹר לַהֲדַדְעֶזֶר מֶלֶךְ צוֹבָה וַיַּךְ דָּוִד
בַּאֲרָם עֶשְׂרִים־וּשְׁנַיִם אֶלֶף אִישׁ׃ ו וַיָּשֶׂם דָּוִד נְצִבִים בַּאֲרַם דַּמֶּשֶׂק וַתְּהִי
אֲרָם לְדָוִד לַעֲבָדִים נוֹשְׂאֵי מִנְחָה וַיֹּשַׁע יְהוָה אֶת־דָּוִד בְּכֹל אֲשֶׁר הָלָךְ׃
ז וַיִּקַּח דָּוִד אֵת שִׁלְטֵי הַזָּהָב אֲשֶׁר הָיוּ אֶל עַבְדֵי הֲדַדְעָזֶר וַיְבִיאֵם
יְרוּשָׁלָםִ׃

16 And thy house and thy kingdom shall be made sure for ever before thee; thy throne shall be established for ever.' **17** According to all these words, and according to all this vision, so did Nathan speak unto David.{P}

18 Then David the king went in, and sat before Yehovah; and he said: 'Who am I, O Lord GOD [Adonai Yehovi], and what is my house, that Thou hast brought me thus far? **19** And this was yet a small thing in Thine eyes, O Lord GOD [Adonai Yehovi]; but Thou hast spoken also of Thy servant's house for a great while to come; and this too after the manner of great men, O Lord GOD [Adonai Yehovi]. **20** And what can David say more unto Thee? for Thou knowest Thy servant, O Lord GOD [Adonai Yehovi]. **21** For Thy word's sake, and according to Thine own heart, hast Thou wrought all this greatness, to make Thy servant know it. **22** Therefore Thou art great, Yehovah God; for there is none like Thee, neither is there any God beside Thee, according to all that we have heard with our ears. **23** And who is like Thy people, like Israel, a nation one in the earth, whom God went to redeem unto Himself for a people, and to make Him a name, and to do for Thy land great things and tremendous, even for you, [in driving out] from before Thy people, whom Thou didst redeem to Thee out of Egypt, the nations and their gods? **24** And Thou didst establish to Thyself Thy people Israel to be a people unto Thee for ever; and Thou, Yehovah, becamest their God.{S} **25** And now, Yehovah God, the word that Thou hast spoken concerning Thy servant, and concerning his house, confirm Thou it for ever, and do as Thou hast spoken. **26** And let Thy name be magnified for ever, that it may be said: Yehovah of hosts is God over Israel; and the house of Thy servant David shall be established before Thee. **27** For Thou, Yehovah of hosts, the God of Israel, hast revealed to Thy servant, saying: I will build thee a house; therefore hath Thy servant taken heart to pray this prayer unto Thee. **28** And now, O Lord GOD [Adonai Yehovi], Thou alone art God, and Thy words are truth, and Thou hast promised this good thing unto Thy servant; **29** now therefore let it please Thee to bless the house of Thy servant, that it may continue for ever before Thee; for Thou, O Lord GOD [Adonai Yehovi], hast spoken it; and through Thy blessing let the house of Thy servant be blessed for ever.'{P}

8 1 And after this it came to pass, that David smote the Philistines, and subdued them; and David took Metheg-ammah out of the hand of the Philistines. **2** And he smote Moab, and measured them with the line, making them to lie down on the ground; and he measured two lines to put to death, and one full line to keep alive. And the Moabites became servants to David, and brought presents. **3** David smote also Hadadezer the son of Rehob, king of Zobah, as he went to establish his dominion at the river Euphrates. **4** And David took from him a thousand and seven hundred horsemen, and twenty thousand footmen; and David houghed all the chariot horses, but reserved of them for a hundred chariots. **5** And when the Arameans of Damascus came to succour Hadadezer king of Zobah, David smote of the Arameans two and twenty thousand men. **6** Then David put garrisons in Aram of Damascus; and the Arameans became servants to David, and brought presents. And Yehovah gave victory to David whithersoever he went. **7** And David took the shields of gold that were on the servants of Hadadezer, and brought them to Yerushalam.

ח וּמִבֶּ֧טַח וּמִבְּרֹתַ֛י עָרֵ֥י הֲדַדְעָ֖זֶר לָקַ֣ח הַמֶּ֣לֶךְ דָּוִ֑ד נְחֹ֖שֶׁת הַרְבֵּ֥ה מְאֹֽד׃ ט וַיִּשְׁמַ֗ע תֹּ֨עִי֙ מֶ֣לֶךְ חֲמָ֔ת כִּ֚י הִכָּ֣ה דָוִ֔ד אֵ֖ת כָּל־חֵ֥יל הֲדַדְעָֽזֶר׃ י וַיִּשְׁלַ֣ח תֹּ֣עִי אֶת־יֽוֹרָם־בְּנ֣וֹ אֶל־הַמֶּֽלֶךְ־דָּ֠וִ֠ד לִשְׁאָל־ל֨וֹ לְשָׁל֜וֹם וּֽלְבָרֲכ֗וֹ עַל֩ אֲשֶׁ֨ר נִלְחַ֤ם בַּהֲדַדְעֶ֙זֶר֙ וַיַּכֵּ֔הוּ כִּי־אִ֛ישׁ מִלְחֲמ֥וֹת תֹּ֖עִי הָיָ֣ה הֲדַדְעָ֑זֶר וּבְיָד֗וֹ הָי֛וּ כְּלֵי־כֶ֥סֶף וּכְלֵי־זָהָ֖ב וּכְלֵ֥י נְחֹֽשֶׁת׃ יא גַּם־אֹתָ֗ם הִקְדִּ֛ישׁ הַמֶּ֥לֶךְ דָּוִ֖ד לַֽיהוָ֑ה עִם־הַכֶּ֤סֶף וְהַזָּהָב֙ אֲשֶׁ֣ר הִקְדִּ֔ישׁ מִכָּל־הַגּוֹיִ֖ם אֲשֶׁ֥ר כִּבֵּֽשׁ׃ יב מֵאֲרָ֤ם וּמִמּוֹאָב֙ וּמִבְּנֵ֣י עַמּ֔וֹן וּמִפְּלִשְׁתִּ֖ים וּמֵֽעֲמָלֵ֑ק וּמִשְּׁלַ֛ל הֲדַדְעֶ֥זֶר בֶּן־רְחֹ֖ב מֶ֥לֶךְ צוֹבָֽה׃ יג וַיַּ֤עַשׂ דָּוִד֙ שֵׁ֔ם בְּשֻׁב֕וֹ מֵהַכּוֹת֥וֹ אֶת־אֲרָ֖ם בְּגֵֽיא־מֶ֑לַח שְׁמוֹנָ֥ה עָשָׂ֖ר אָֽלֶף׃ יד וַיָּ֨שֶׂם בֶּאֱד֜וֹם נְצִבִ֗ים בְּכָל־אֱדוֹם֙ שָׂ֣ם נְצִבִ֔ים וַיְהִ֥י כָל־אֱד֖וֹם עֲבָדִ֣ים לְדָוִ֑ד וַיּ֤וֹשַׁע יְהוָה֙ אֶת־דָּוִ֔ד בְּכֹ֖ל אֲשֶׁ֥ר הָלָֽךְ׃ טו וַיִּמְלֹ֥ךְ דָּוִ֖ד עַל־כָּל־יִשְׂרָאֵ֑ל וַיְהִ֣י דָוִ֗ד עֹשֶׂ֛ה מִשְׁפָּ֥ט וּצְדָקָ֖ה לְכָל־עַמּֽוֹ׃ טז וְיוֹאָ֥ב בֶּן־צְרוּיָ֖ה עַל־הַצָּבָ֑א וִיהוֹשָׁפָ֥ט בֶּן־אֲחִיל֖וּד מַזְכִּֽיר׃ יז וְצָד֧וֹק בֶּן־אֲחִיט֛וּב וַאֲחִימֶ֥לֶךְ בֶּן־אֶבְיָתָ֖ר כֹּהֲנִ֑ים וּשְׂרָיָ֖ה סוֹפֵֽר׃ יח וּבְנָיָ֙הוּ֙ בֶּן־יְה֣וֹיָדָ֔ע וְהַכְּרֵתִ֖י וְהַפְּלֵתִ֑י וּבְנֵ֥י דָוִ֖ד כֹּהֲנִ֥ים הָיֽוּ׃

ט א וַיֹּ֣אמֶר דָּוִ֔ד הֲכִ֣י יֶשׁ־ע֔וֹד אֲשֶׁ֥ר נוֹתַ֖ר לְבֵ֣ית שָׁא֑וּל וְאֶעֱשֶׂ֤ה עִמּוֹ֙ חֶ֔סֶד בַּעֲב֖וּר יְהוֹנָתָֽן׃ ב וּלְבֵ֨ית שָׁא֥וּל עֶ֙בֶד֙ וּשְׁמ֣וֹ צִיבָ֔א וַיִּקְרְאוּ־ל֖וֹ אֶל־דָּוִ֑ד וַיֹּ֨אמֶר הַמֶּ֤לֶךְ אֵלָיו֙ הַאַתָּ֣ה צִיבָ֔א וַיֹּ֖אמֶר עַבְדֶּֽךָ׃ ג וַיֹּ֣אמֶר הַמֶּ֗לֶךְ הַאֶ֨פֶס ע֥וֹד אִישׁ֙ לְבֵ֣ית שָׁא֔וּל וְאֶעֱשֶׂ֥ה עִמּ֖וֹ חֶ֣סֶד אֱלֹהִ֑ים וַיֹּ֤אמֶר צִיבָא֙ אֶל־הַמֶּ֔לֶךְ ע֛וֹד בֵּ֥ן לִיהוֹנָתָ֖ן נְכֵ֥ה רַגְלָֽיִם׃ ד וַיֹּֽאמֶר־ל֥וֹ הַמֶּ֖לֶךְ אֵיפֹ֣ה ה֑וּא וַיֹּ֤אמֶר צִיבָא֙ אֶל־הַמֶּ֔לֶךְ הִנֵּה־ה֗וּא בֵּ֛ית מָכִ֥יר בֶּן־עַמִּיאֵ֖ל בְּל֥וֹ דְבָֽר׃ ה וַיִּשְׁלַ֖ח הַמֶּ֣לֶךְ דָּוִ֑ד וַיִּקָּחֵ֗הוּ מִבֵּ֛ית מָכִ֥יר בֶּן־עַמִּיאֵ֖ל מִלּ֥וֹ דְבָֽר׃ ו וַ֠יָּבֹ֠א מְפִיבֹ֨שֶׁת בֶּן־יְהוֹנָתָ֤ן בֶּן־שָׁאוּל֙ אֶל־דָּוִ֔ד וַיִּפֹּ֥ל עַל־פָּנָ֖יו וַיִּשְׁתָּ֑חוּ וַיֹּ֤אמֶר דָּוִד֙ מְפִיבֹ֔שֶׁת וַיֹּ֖אמֶר הִנֵּ֥ה עַבְדֶּֽךָ׃ ז וַיֹּאמֶר֩ ל֨וֹ דָוִ֜ד אַל־תִּירָ֗א כִּ֣י עָשֹׂה֩ אֶעֱשֶׂ֨ה עִמְּךָ֤ חֶ֙סֶד֙ בַּֽעֲבוּר֙ יְהוֹנָתָ֣ן אָבִ֔יךָ וַהֲשִׁבֹתִ֣י לְךָ֔ אֶֽת־כָּל־שְׂדֵ֖ה שָׁא֣וּל אָבִ֑יךָ וְאַתָּ֗ה תֹּ֥אכַל לֶ֛חֶם עַל־שֻׁלְחָנִ֖י תָּמִֽיד׃ ח וַיִּשְׁתַּ֕חוּ וַיֹּ֖אמֶר מֶ֣ה עַבְדֶּ֑ךָ כִּ֣י פָנִ֔יתָ אֶל־הַכֶּ֥לֶב הַמֵּ֖ת אֲשֶׁ֥ר כָּמֽוֹנִי׃ ט וַיִּקְרָ֣א הַמֶּ֗לֶךְ אֶל־צִיבָ֛א נַ֥עַר שָׁא֖וּל וַיֹּ֣אמֶר אֵלָ֑יו כֹּל֩ אֲשֶׁ֨ר הָיָ֤ה לְשָׁאוּל֙ וּלְכָל־בֵּית֔וֹ נָתַ֖תִּי לְבֶן־אֲדֹנֶֽיךָ׃ י וְעָבַ֣דְתָּ לּ֣וֹ אֶת־הָאֲדָמָ֡ה אַתָּה֩ וּבָנֶ֨יךָ וַעֲבָדֶ֜יךָ וְהֵבֵ֗אתָ וְהָיָ֨ה לְבֶן־אֲדֹנֶ֤יךָ לֶ֙חֶם֙ וַאֲכָל֔וֹ וּמְפִיבֹ֙שֶׁת֙ בֶּן־אֲדֹנֶ֔יךָ יֹאכַ֥ל תָּמִ֖יד לֶ֣חֶם עַל־שֻׁלְחָנִ֑י וּלְצִיבָ֗א חֲמִשָּׁ֥ה עָשָׂ֛ר בָּנִ֖ים וְעֶשְׂרִ֥ים עֲבָדִֽים׃ יא וַיֹּ֤אמֶר צִיבָא֙ אֶל־הַמֶּ֔לֶךְ כְּכֹל֩ אֲשֶׁ֨ר יְצַוֶּ֜ה אֲדֹנִ֤י הַמֶּ֙לֶךְ֙ אֶת־עַבְדּ֔וֹ כֵּ֖ן יַעֲשֶׂ֣ה עַבְדֶּ֑ךָ וּמְפִיבֹ֗שֶׁת אֹכֵל֙ עַל־שֻׁלְחָנִ֔י כְּאַחַ֖ד מִבְּנֵ֥י הַמֶּֽלֶךְ׃

8 And from Betah and from Berothai, cities of Hadadezer, king David took exceeding much brass.{S} **9** And when Toi king of Hamath heard that David had smitten all the host of Hadadezer, **10** then Toi sent Joram his son unto king David, to salute him, and to bless him–because he had fought against Hadadezer and smitten him; for Hadadezer had wars with Toi–and he brought with him vessels of silver, and vessels of gold, and vessels of brass. **11** These also did king David dedicate unto Yehovah, with the silver and gold that he dedicated of all the nations which he subdued: **12** of Aram, and of Moab, and of the children of Ammon, and of the Philistines, and of Amalek, and of the spoil of Hadadezer, son of Rehob, king of Zobah. **13** And David got him a name when he returned from smiting the Arameans in the Valley of Salt, even eighteen thousand men. **14** And he put garrisons in Edom; throughout all Edom put he garrisons, and all the Edomites became servants to David. And Yehovah gave victory to David whithersoever he went. **15** And David reigned over all Israel; and David executed justice and righteousness unto all his people. **16** And Joab the son of Zeruiah was over the host; and Jehoshaphat the son of Ahilud was recorder; **17** and Zadok the son of Ahitub, and Ahimelech the son of Abiathar, were priests; and Seraiah was scribe; **18** and Benaiah the son of Jehoiada was over the Cherethites and the Pelethites; and David's sons were chief ministers.{S}

9 **1** And David said: 'Is there yet any that is left of the house of Saul, that I may show him kindness for Jonathan's sake?' **2** Now there was of the house of Saul a servant whose name was Ziba, and they called him unto David; and the king said unto him: 'Art thou Ziba?' And he said: 'Thy servant is he.' **3** And the king said: 'Is there not yet any of the house of Saul, that I may show the kindness of God unto him?' And Ziba said unto the king: 'Jonathan hath yet a son, who is lame on his feet.' **4** And the king said unto him: 'Where is he?' And Ziba said unto the king: 'Behold, he is in the house of Machir the son of Ammiel, in Lo-debar.' **5** Then king David sent, and fetched him out of the house of Machir the son of Ammiel, from Lo-debar. **6** And Mephibosheth, the son of Jonathan, the son of Saul, came unto David, and fell on his face, and prostrated himself. And David said: 'Mephibosheth!' And he answered: 'Behold thy servant!' **7** And David said unto him: 'Fear not; for I will surely show thee kindness for Jonathan thy father's sake, and will restore thee all the land of Saul thy father; and thou shalt eat bread at my table continually.' **8** And he bowed down, and said: 'What is thy servant, that thou shouldest look upon such a dead dog as I am?' **9** Then the king called to Ziba, Saul's servant, and said unto him: 'All that pertained to Saul and to all his house have I given unto thy master's son. **10** And thou shalt till the land for him, thou, and thy sons, and thy servants; and thou shalt bring in the fruits, that thy master's son may have bread to eat; but Mephibosheth thy master's son shall eat bread continually at my table.' Now Ziba had fifteen sons and twenty servants. **11** Then said Ziba unto the king: 'According to all that my lord the king commandeth his servant, so shall thy servant do; but Mephibosheth eateth at my table as one of the king's sons.'

יב וְלִמְפִיבֹשֶׁת בֵּן־קָטָן וּשְׁמוֹ מִיכָא וְכֹל מוֹשַׁב בֵּית־צִיבָא עֲבָדִים
לִמְפִיבֹשֶׁת׃ יג וּמְפִיבֹשֶׁת יֹשֵׁב בִּירוּשָׁלִַם כִּי עַל־שֻׁלְחַן הַמֶּלֶךְ תָּמִיד הוּא
אֹכֵל וְהוּא פִּסֵּחַ שְׁתֵּי רַגְלָיו׃

י א וַיְהִי אַחֲרֵי־כֵן וַיָּמָת מֶלֶךְ בְּנֵי עַמּוֹן וַיִּמְלֹךְ חָנוּן בְּנוֹ תַּחְתָּיו׃ ב וַיֹּאמֶר
דָּוִד אֶעֱשֶׂה־חֶסֶד ׀ עִם־חָנוּן בֶּן־נָחָשׁ כַּאֲשֶׁר עָשָׂה אָבִיו עִמָּדִי חֶסֶד וַיִּשְׁלַח
דָּוִד לְנַחֲמוֹ בְּיַד־עֲבָדָיו אֶל־אָבִיו וַיָּבֹאוּ עַבְדֵי דָוִד אֶרֶץ בְּנֵי עַמּוֹן׃ ג וַיֹּאמְרוּ
שָׂרֵי בְנֵי־עַמּוֹן אֶל־חָנוּן אֲדֹנֵיהֶם הַמְכַבֵּד דָּוִד אֶת־אָבִיךָ בְּעֵינֶיךָ כִּי־שָׁלַח
לְךָ מְנַחֲמִים הֲלוֹא בַּעֲבוּר חֲקוֹר אֶת־הָעִיר וּלְרַגְּלָהּ וּלְהָפְכָהּ שָׁלַח דָּוִד
אֶת־עֲבָדָיו אֵלֶיךָ׃ ד וַיִּקַּח חָנוּן אֶת־עַבְדֵי דָוִד וַיְגַלַּח אֶת־חֲצִי זְקָנָם וַיִּכְרֹת
אֶת־מַדְוֵיהֶם בַּחֵצִי עַד שְׁתוֹתֵיהֶם וַיְשַׁלְּחֵם׃ ה וַיַּגִּדוּ לְדָוִד וַיִּשְׁלַח לִקְרָאתָם
כִּי־הָיוּ הָאֲנָשִׁים נִכְלָמִים מְאֹד וַיֹּאמֶר הַמֶּלֶךְ שְׁבוּ בִירֵחוֹ עַד־יְצַמַּח זְקַנְכֶם
וְשַׁבְתֶּם׃ ו וַיִּרְאוּ בְּנֵי עַמּוֹן כִּי נִבְאֲשׁוּ בְּדָוִד וַיִּשְׁלְחוּ בְנֵי־עַמּוֹן וַיִּשְׂכְּרוּ
אֶת־אֲרַם בֵּית־רְחוֹב וְאֶת־אֲרַם צוֹבָא עֶשְׂרִים אֶלֶף רַגְלִי וְאֶת־מֶלֶךְ מַעֲכָה
אֶלֶף אִישׁ וְאִישׁ טוֹב שְׁנֵים־עָשָׂר אֶלֶף אִישׁ׃ ז וַיִּשְׁמַע דָּוִד וַיִּשְׁלַח אֶת־יוֹאָב
וְאֵת כָּל־הַצָּבָא הַגִּבֹּרִים׃ ח וַיֵּצְאוּ בְּנֵי עַמּוֹן וַיַּעַרְכוּ מִלְחָמָה פֶּתַח הַשָּׁעַר
וַאֲרַם צוֹבָא וּרְחוֹב וְאִישׁ־טוֹב וּמַעֲכָה לְבַדָּם בַּשָּׂדֶה׃ ט וַיַּרְא יוֹאָב
כִּי־הָיְתָה אֵלָיו פְּנֵי הַמִּלְחָמָה מִפָּנִים וּמֵאָחוֹר וַיִּבְחַר מִכֹּל בְּחוּרֵי
יִשְׂרָאֵל[15] וַיַּעֲרֹךְ לִקְרַאת אֲרָם׃ י וְאֵת יֶתֶר הָעָם נָתַן בְּיַד אַבְשַׁי אָחִיו וַיַּעֲרֹךְ
לִקְרַאת בְּנֵי עַמּוֹן׃ יא וַיֹּאמֶר אִם־תֶּחֱזַק אֲרָם מִמֶּנִּי וְהָיִתָה לִּי לִישׁוּעָה
וְאִם־בְּנֵי עַמּוֹן יֶחֶזְקוּ מִמְּךָ וְהָלַכְתִּי לְהוֹשִׁיעַ לָךְ׃ יב חֲזַק וְנִתְחַזַּק בְּעַד־עַמֵּנוּ
וּבְעַד עָרֵי אֱלֹהֵינוּ וַיהוָה יַעֲשֶׂה הַטּוֹב בְּעֵינָיו׃ יג וַיִּגַּשׁ יוֹאָב וְהָעָם אֲשֶׁר עִמּוֹ
לַמִּלְחָמָה בַּאֲרָם וַיָּנֻסוּ מִפָּנָיו׃ יד וּבְנֵי עַמּוֹן רָאוּ כִּי־נָס אֲרָם וַיָּנֻסוּ מִפְּנֵי
אֲבִישַׁי וַיָּבֹאוּ הָעִיר וַיָּשָׁב יוֹאָב מֵעַל בְּנֵי עַמּוֹן וַיָּבֹא יְרוּשָׁלִָם׃ טו וַיַּרְא אֲרָם
כִּי נִגַּף לִפְנֵי יִשְׂרָאֵל וַיֵּאָסְפוּ יָחַד׃ טז וַיִּשְׁלַח הֲדַדְעֶזֶר וַיֹּצֵא אֶת־אֲרָם אֲשֶׁר
מֵעֵבֶר הַנָּהָר וַיָּבֹאוּ חֵילָם וְשׁוֹבַךְ שַׂר־צְבָא הֲדַדְעֶזֶר לִפְנֵיהֶם׃ יז וַיֻּגַּד
לְדָוִד וַיֶּאֱסֹף אֶת־כָּל־יִשְׂרָאֵל וַיַּעֲבֹר אֶת־הַיַּרְדֵּן וַיָּבֹא חֵלָאמָה וַיַּעַרְכוּ אֲרָם
לִקְרַאת דָּוִד וַיִּלָּחֲמוּ עִמּוֹ׃ יח וַיָּנָס אֲרָם מִפְּנֵי יִשְׂרָאֵל וַיַּהֲרֹג דָּוִד מֵאֲרָם
שְׁבַע מֵאוֹת רֶכֶב וְאַרְבָּעִים אֶלֶף פָּרָשִׁים וְאֵת שׁוֹבַךְ שַׂר־צְבָאוֹ הִכָּה וַיָּמָת
שָׁם׃ יט וַיִּרְאוּ כָל־הַמְּלָכִים עַבְדֵי הֲדַדְעֶזֶר כִּי נִגְּפוּ לִפְנֵי יִשְׂרָאֵל וַיַּשְׁלִמוּ
אֶת־יִשְׂרָאֵל וַיַּעַבְדוּם וַיִּרְאוּ אֲרָם לְהוֹשִׁיעַ עוֹד אֶת־בְּנֵי עַמּוֹן׃

---

[15] בישראל

12 Now Mephibosheth had a young son, whose name was Mica. And all that dwelt in the house of Ziba were servants unto Mephibosheth. **13** But Mephibosheth dwelt in Yerushalam; for he did eat continually at the king's table; and he was lame on both his feet.{P}

10 **1** And it came to pass after this, that the king of the children of Ammon died, and Hanun his son reigned in his stead. **2** And David said: 'I will show kindness unto Hanun the son of Nahash, as his father showed kindness unto me.' So David sent by the hand of his servants to comfort him concerning his father. And David's servants came into the land of the children of Ammon. **3** But the princes of the children of Ammon said unto Hanun their lord: 'Thinkest thou that David doth honour thy father, that he hath sent comforters unto thee? hath not David sent his servants unto thee to search the city, and to spy it out, and to overthrow it?' **4** So Hanun took David's servants, and shaved off the one half of their beards, and cut off their garments in the middle, even to their buttocks, and sent them away. **5** When they told it unto David, he sent to meet them; for the men were greatly ashamed. And the king said: 'Tarry at Jericho until your beards be grown, and then return.' **6** And when the children of Ammon saw that they were become odious to David, the children of Ammon sent and hired the Arameans of Beth-rehob, and the Arameans of Zobah, twenty thousand footmen, and the king of Maacah with a thousand men, and the men of Tob twelve thousand men. **7** And when David heard of it, he sent Joab, and all the host of the mighty men. **8** And the children of Ammon came out, and put the battle in array at the entrance of the gate; and the Arameans of Zobah, and of Rehob, and the men of Tob and Maacah, were by themselves in the field. **9** Now when Joab saw that the battle was set against him before and behind, he chose of all the choice men of Israel, and put them in array against the Arameans; **10** and the rest of the people he committed into the hand of Abishai his brother, and he put them in array against the children of Ammon. **11** And he said: 'If the Arameans be too strong for me, then thou shalt help me, but if the children of Ammon be too strong for thee, then I will come and help thee. **12** Be of good courage, and let us prove strong for our people, and for the cities of our God; and Yehovah do that which seemeth Him good.' **13** So Joab and the people that were with him drew nigh unto the battle against the Arameans; and they fled before him. **14** And when the children of Ammon saw that the Arameans were fled, they likewise fled before Abishai, and entered into the city. Then Joab returned from the children of Ammon, and came to Yerushalam. **15** And when the Arameans saw that they were put to the worse before Israel, they gathered themselves together. **16** And Hadadezer sent, and brought out the Arameans that were beyond the River; and they came to Helam, with Shobach the captain of the host of Hadadezer at their head.{S} **17** And it was told David; and he gathered all Israel together, and passed over the Jordan, and came to Helam. And the Arameans set themselves in array against David, and fought with him. **18** And the Arameans fled before Israel; and David slew of the Arameans seven hundred drivers of chariots, and forty thousand horsemen, and smote Shobach the captain of their host, so that he died there. **19** And when all the kings that were servants to Hadadezer saw that they were put to the worse before Israel, they made peace with Israel, and served them. So the Arameans feared to help the children of Ammon any more.{P}

יא א וַיְהִי֩ לִתְשׁוּבַ֨ת הַשָּׁנָ֜ה לְעֵ֣ת ׀ צֵ֣את הַמַּלְאֿכִ֗ים וַיִּשְׁלַ֣ח דָּוִד֩ אֶת־יוֹאָ֨ב
וְאֶת־עֲבָדָ֤יו עִמּוֹ֙ וְאֶת־כָּל־יִשְׂרָאֵ֔ל וַיַּשְׁחִ֙תוּ֙ אֶת־בְּנֵ֣י עַמּ֔וֹן וַיָּצֻ֖רוּ עַל־רַבָּ֑ה וְדָוִ֖ד
יוֹשֵׁ֥ב בִּירוּשָׁלִָֽם׃ ב וַיְהִ֣י ׀ לְעֵ֣ת הָעֶ֗רֶב וַיָּ֨קָם דָּוִ֜ד מֵעַ֤ל מִשְׁכָּבוֹ֙ וַיִּתְהַלֵּ֙ךְ֙ עַל־גַּ֣ג
בֵּית־הַמֶּ֔לֶךְ וַיַּ֥רְא אִשָּׁ֛ה רֹחֶ֖צֶת מֵעַ֣ל הַגָּ֑ג וְהָ֣אִשָּׁ֔ה טוֹבַ֥ת מַרְאֶ֖ה מְאֹֽד׃ ג וַיִּשְׁלַ֣ח
דָּוִ֔ד וַיִּדְרֹ֖שׁ לָֽאִשָּׁ֑ה וַיֹּ֗אמֶר הֲלוֹא־זֹאת֙ בַּת־שֶׁ֣בַע בַּת־אֱלִיעָ֔ם אֵ֖שֶׁת אוּרִיָּ֥ה
הַחִתִּֽי׃ ד וַיִּשְׁלַח֩ דָּוִ֨ד מַלְאָכִ֜ים וַיִּקָּחֶ֗הָ וַתָּב֤וֹא אֵלָיו֙ וַיִּשְׁכַּ֣ב עִמָּ֔הּ וְהִ֥יא
מִתְקַדֶּ֖שֶׁת מִטֻּמְאָתָ֑הּ וַתָּ֖שָׁב אֶל־בֵּיתָֽהּ׃ ה וַתַּ֖הַר הָֽאִשָּׁ֑ה וַתִּשְׁלַח֙ וַתַּגֵּ֣ד לְדָוִ֔ד
וַתֹּ֖אמֶר הָרָ֥ה אָנֹֽכִי׃ ו וַיִּשְׁלַ֤ח דָּוִד֙ אֶל־יוֹאָ֔ב שְׁלַ֣ח אֵלַ֔י אֶת־אוּרִיָּ֖ה הַחִתִּ֑י
וַיִּשְׁלַ֥ח יוֹאָ֛ב אֶת־אֽוּרִיָּ֖ה אֶל־דָּוִֽד׃ ז וַיָּבֹ֥א אוּרִיָּ֖ה אֵלָ֑יו וַיִּשְׁאַ֣ל דָּוִ֗ד לִשְׁל֤וֹם
יוֹאָב֙ וְלִשְׁל֣וֹם הָעָ֔ם וְלִשְׁל֖וֹם הַמִּלְחָמָֽה׃ ח וַיֹּ֤אמֶר דָּוִד֙ לְאֽוּרִיָּ֔ה רֵ֥ד לְבֵיתְךָ֖
וּרְחַ֣ץ רַגְלֶ֑יךָ וַיֵּצֵ֤א אֽוּרִיָּה֙ מִבֵּ֣ית הַמֶּ֔לֶךְ וַתֵּצֵ֥א אַחֲרָ֖יו מַשְׂאַ֥ת הַמֶּֽלֶךְ׃ ט וַיִּשְׁכַּ֣ב
אֽוּרִיָּ֗ה פֶּ֚תַח בֵּ֣ית הַמֶּ֔לֶךְ אֵ֖ת כָּל־עַבְדֵ֣י אֲדֹנָ֑יו וְלֹ֥א יָרַ֖ד אֶל־בֵּיתֽוֹ׃ י וַיַּגִּ֤דוּ
לְדָוִד֙ לֵאמֹ֔ר לֹא־יָרַ֥ד אוּרִיָּ֖ה אֶל־בֵּית֑וֹ וַיֹּ֨אמֶר דָּוִ֜ד אֶל־אוּרִיָּ֗ה הֲל֤וֹא מִדֶּ֙רֶךְ֙
אַתָּ֣ה בָ֔א מַדּ֖וּעַ לֹא־יָרַ֥דְתָּ אֶל־בֵּיתֶֽךָ׃ יא וַיֹּ֨אמֶר אוּרִיָּ֜ה אֶל־דָּוִ֗ד הָאָר֡וֹן
וְיִשְׂרָאֵ֣ל וִֽיהוּדָ֡ה יֹשְׁבִ֣ים בַּסֻּכּוֹת֩ וַאדֹנִ֨י יוֹאָ֜ב וְעַבְדֵ֨י אֲדֹנִ֜י עַל־פְּנֵ֤י הַשָּׂדֶה֙ חֹנִ֔ים
וַאֲנִ֞י אָב֧וֹא אֶל־בֵּיתִ֛י לֶאֱכֹ֥ל וְלִשְׁתּ֖וֹת וְלִשְׁכַּ֣ב עִם־אִשְׁתִּ֑י חַיֶּ֙ךָ֙ וְחֵ֣י נַפְשֶׁ֔ךָ
אִם־אֶעֱשֶׂ֖ה אֶת־הַדָּבָ֥ר הַזֶּֽה׃ יב וַיֹּ֨אמֶר דָּוִ֜ד אֶל־אוּרִיָּ֗ה שֵׁ֥ב בָּזֶ֛ה גַּם־הַיּ֖וֹם
וּמָחָ֣ר אֲשַׁלְּחֶ֑ךָּ וַיֵּ֨שֶׁב אוּרִיָּ֧ה בִירוּשָׁלִַ֛ם בַּיּ֥וֹם הַה֖וּא וּמִֽמָּחֳרָֽת׃ יג וַיִּקְרָא־ל֣וֹ
דָוִ֗ד וַיֹּ֤אכַל לְפָנָיו֙ וַיֵּ֔שְׁתְּ וַֽיְשַׁכְּרֵ֑הוּ וַיֵּצֵ֣א בָעֶ֗רֶב לִשְׁכַּ֤ב בְּמִשְׁכָּבוֹ֙ עִם־עַבְדֵ֣י
אֲדֹנָ֔יו וְאֶל־בֵּית֖וֹ לֹ֥א יָרָֽד׃ יד וַיְהִ֣י בַבֹּ֔קֶר וַיִּכְתֹּ֥ב דָּוִ֛ד סֵ֖פֶר אֶל־יוֹאָ֑ב וַיִּשְׁלַ֖ח
בְּיַ֥ד אוּרִיָּֽה׃ טו וַיִּכְתֹּ֥ב בַּסֵּ֖פֶר לֵאמֹ֑ר הָב֣וּ אֶת־אֽוּרִיָּ֗ה אֶל־מוּל֙ פְּנֵ֤י הַמִּלְחָמָה֙
הַֽחֲזָקָ֔ה וְשַׁבְתֶּ֥ם מֵאַחֲרָ֖יו וְנִכָּ֥ה וָמֵֽת׃ טז וַיְהִ֕י בִּשְׁמ֥וֹר יוֹאָ֖ב אֶל־הָעִ֑יר וַיִּתֵּן֙
אֶת־אֽוּרִיָּ֔ה אֶל־הַמָּקוֹם֙ אֲשֶׁ֣ר יָדַ֔ע כִּ֥י אַנְשֵׁי־חַ֖יִל שָֽׁם׃ יז וַיֵּ֨צְא֜וּ אַנְשֵׁ֤י הָעִיר֙
וַיִּלָּחֲמ֣וּ אֶת־יוֹאָ֔ב וַיִּפֹּ֥ל מִן־הָעָ֖ם מֵעַבְדֵ֣י דָוִ֑ד וַיָּ֕מָת גַּ֖ם אוּרִיָּ֥ה הַחִתִּֽי׃
יח וַיִּשְׁלַ֖ח יוֹאָ֑ב וַיַּגֵּ֣ד לְדָוִ֔ד אֶֽת־כָּל־דִּבְרֵ֖י הַמִּלְחָמָֽה׃ יט וַיְצַ֥ו אֶת־הַמַּלְאָ֖ךְ
לֵאמֹ֑ר כְּכַלּוֹתְךָ֗ אֵ֛ת כָּל־דִּבְרֵ֥י הַמִּלְחָמָ֖ה לְדַבֵּ֥ר אֶל־הַמֶּֽלֶךְ׃ כ וְהָיָ֗ה
אִם־תַּעֲלֶה֙ חֲמַ֣ת הַמֶּ֔לֶךְ וְאָמַ֣ר לְךָ֔ מַדּ֥וּעַ נִגַּשְׁתֶּ֛ם אֶל־הָעִ֖יר לְהִלָּחֵ֑ם הֲל֣וֹא
יְדַעְתֶּ֔ם אֵ֥ת אֲשֶׁר־יֹר֖וּ מֵעַ֥ל הַחוֹמָֽה׃ כא מִֽי־הִכָּ֞ה אֶת־אֲבִימֶ֣לֶךְ בֶּן־יְרֻבֶּ֗שֶׁת
הֲלוֹא־אִשָּׁ֡ה הִשְׁלִ֣יכָה עָלָיו֩ פֶּ֨לַח רֶ֜כֶב מֵעַ֤ל הַחוֹמָה֙ וַיָּ֣מָת בְּתֵבֵ֔ץ לָ֥מָּה נִגַּשְׁתֶּ֖ם
אֶל־הַחוֹמָ֑ה וְאָ֣מַרְתָּ֔ גַּ֗ם עַבְדְּךָ֛ אוּרִיָּ֥ה הַחִתִּ֖י מֵֽת׃ כב וַיֵּ֖לֶךְ הַמַּלְאָ֑ךְ וַיָּבֹא֙ וַיַּגֵּ֣ד
לְדָוִ֔ד אֵ֛ת כָּל־אֲשֶׁ֥ר שְׁלָח֖וֹ יוֹאָֽב׃ כג וַיֹּ֨אמֶר הַמַּלְאָ֜ךְ אֶל־דָּוִ֗ד כִּֽי־גָבְר֤וּ עָלֵ֙ינוּ֙
הָאֲנָשִׁ֔ים וַיֵּצְא֥וּ אֵלֵ֖ינוּ הַשָּׂדֶ֑ה וַנִּהְיֶ֥ה עֲלֵיהֶ֖ם עַד־פֶּ֥תַח הַשָּֽׁעַר׃

11 1 And it came to pass, at the return of the year, at the time when kings go out to battle, that David sent Joab, and his servants with him, and all Israel; and they destroyed the children of Ammon, and besieged Rabbah. But David tarried at Yerushalam.{s} 2 And it came to pass at eventide, that David arose from off his bed, and walked upon the roof of the king's house; and from the roof he saw a woman bathing; and the woman was very beautiful to look upon. 3 And David sent and inquired after the woman. And one said: 'Is not this Bath-sheba, the daughter of Eliam, the wife of Uriah the Hittite?' 4 And David sent messengers, and took her; and she came in unto him, and he lay with her; for she was purified from her uncleanness; and she returned unto her house. 5 And the woman conceived; and she sent and told David, and said: 'I am with child.' 6 And David sent to Joab[, saying]: 'Send me Uriah the Hittite.' And Joab sent Uriah to David. 7 And when Uriah was come unto him, David asked of him how Joab did, and how the people fared, and how the war prospered. 8 And David said to Uriah: 'Go down to thy house, and wash thy feet.' And Uriah departed out of the king's house, and there followed him a mess of food from the king. 9 But Uriah slept at the door of the king's house with all the servants of his lord, and went not down to his house. 10 And when they had told David, saying: 'Uriah went not down unto his house', David said unto Uriah: 'Art thou not come from a journey? wherefore didst thou not go down unto thy house?' 11 And Uriah said unto David: 'The ark, and Israel, and Judah, abide in booths; and my lord Joab, and the servants of my lord, are encamped in the open field; shall I then go into my house, to eat and to drink, and to lie with my wife? as thou livest, and as thy soul liveth, I will not do this thing.' 12 And David said to Uriah: 'Tarry here to-day also, and to-morrow I will let thee depart.' So Uriah abode in Yerushalam that day, and the morrow. 13 And when David had called him, he did eat and drink before him; and he made him drunk; and at even he went out to lie on his bed with the servants of his lord, but went not down to his house. 14 And it came to pass in the morning, that David wrote a letter to Joab, and sent it by the hand of Uriah. 15 And he wrote in the letter, saying: 'Set ye Uriah in the forefront of the hottest battle, and retire ye from him, that he may be smitten, and die.'{s} 16 And it came to pass, when Joab kept watch upon the city, that he assigned Uriah unto the place where he knew that valiant men were. 17 And the men of the city went out, and fought with Joab; and there fell some of the people, even of the servants of David; and Uriah the Hittite died also. 18 Then Joab sent and told David all the things concerning the war; 19 and he charged the messenger, saying: 'When thou hast made an end of telling all the things concerning the war unto the king, 20 it shall be that, if the king's wrath arise, and he say unto thee: Wherefore went ye so nigh unto the city to fight? knew ye not that they would shoot from the wall? 21 who smote Abimelech the son of Jerubbesheth? did not a woman cast an upper millstone upon him from the wall, that he died at Thebez? why went ye so nigh the wall? then shalt thou say: Thy servant Uriah the Hittite is dead also.' 22 So the messenger went, and came and told David all that Joab had sent him for. 23 And the messenger said unto David: 'The men prevailed against us, and came out unto us into the field, and we were upon them even unto the entrance of the gate.

כד וַיֹּר֨וּ[16] הַמּוֹרִ֤ים[17] אֶל־עֲבָדֶ֙ךָ֙ מֵעַ֣ל הַחוֹמָ֔ה וַיָּמ֖וּתוּ מֵעַבְדֵ֣י הַמֶּ֑לֶךְ וְגַ֗ם עַבְדְּךָ֛
אוּרִיָּ֥ה הַחִתִּ֖י מֵֽת׃ כה וַיֹּ֨אמֶר דָּוִ֜ד אֶל־הַמַּלְאָ֗ךְ כֹּֽה־תֹאמַ֤ר אֶל־יוֹאָב֙ אַל־יֵרַ֤ע
בְּעֵינֶ֙יךָ֙ אֶת־הַדָּבָ֣ר הַזֶּ֔ה כִּֽי־כָזֹ֥ה וְכָזֶ֖ה תֹּאכַ֣ל הֶחָ֑רֶב הַחֲזֵ֧ק מִלְחַמְתְּךָ֛
אֶל־הָעִ֖יר וְהָרְסָ֑הּ וְחַזְּקֵֽהוּ׃ כו וַתִּשְׁמַע֙ אֵ֣שֶׁת אוּרִיָּ֔ה כִּי־מֵ֖ת אוּרִיָּ֣ה אִישָׁ֑הּ
וַתִּסְפֹּ֖ד עַל־בַּעְלָֽהּ׃ כז וַיַּעֲבֹ֣ר הָאֵ֗בֶל וַיִּשְׁלַ֨ח דָּוִ֤ד וַיַּאַסְפָהּ֙ אֶל־בֵּית֔וֹ וַתְּהִי־ל֣וֹ
לְאִשָּׁ֔ה וַתֵּ֥לֶד ל֖וֹ בֵּ֑ן וַיֵּ֧רַע הַדָּבָ֛ר אֲשֶׁר־עָשָׂ֥ה דָוִ֖ד בְּעֵינֵ֥י יְהוָֽה׃

יב א וַיִּשְׁלַ֧ח יְהוָ֛ה אֶת־נָתָ֖ן אֶל־דָּוִ֑ד וַיָּבֹ֣א אֵלָ֗יו וַיֹּ֤אמֶר לוֹ֙ שְׁנֵ֣י אֲנָשִׁ֗ים הָיוּ֙
בְּעִ֣יר אֶחָ֔ת אֶחָ֥ד עָשִׁ֖יר וְאֶחָ֥ד רָֽאשׁ׃ ב לְעָשִׁ֣יר הָיָ֔ה צֹ֥אן וּבָקָ֖ר הַרְבֵּ֥ה מְאֹֽד׃
ג וְלָרָ֣שׁ אֵֽין־כֹּ֗ל כִּ֣י אִם־כִּבְשָׂ֨ה אַחַ֤ת קְטַנָּה֙ אֲשֶׁ֣ר קָנָ֔ה וַיְחַיֶּ֕הָ וַתִּגְדַּ֥ל עִמּ֛וֹ
וְעִם־בָּנָ֖יו יַחְדָּ֑ו מִפִּתּ֨וֹ תֹאכַ֜ל וּמִכֹּס֤וֹ תִשְׁתֶּה֙ וּבְחֵיק֣וֹ תִשְׁכָּ֔ב וַתְּהִי־ל֖וֹ כְּבַֽת׃
ד וַיָּ֣בֹא הֵלֶךְ֮ לְאִ֣ישׁ הֶֽעָשִׁיר֒ וַיַּחְמֹ֗ל לָקַ֤חַת מִצֹּאנוֹ֙ וּמִבְּקָר֔וֹ לַעֲשׂ֕וֹת לָאֹרֵ֖חַ
הַבָּא־ל֑וֹ וַיִּקַּ֗ח אֶת־כִּבְשַׂת֙ הָאִ֣ישׁ הָרָ֔אשׁ וַֽיַּעֲשֶׂ֔הָ לָאִ֖ישׁ הַבָּ֥א אֵלָֽיו׃ ה וַיִּֽחַר־אַ֥ף
דָּוִ֛ד בָּאִ֖ישׁ מְאֹ֑ד וַיֹּ֙אמֶר֙ אֶל־נָתָ֔ן חַי־יְהוָ֕ה כִּ֥י בֶן־מָ֖וֶת הָאִ֥ישׁ הָעֹשֶׂ֥ה זֹֽאת׃
ו וְאֶת־הַכִּבְשָׂ֖ה יְשַׁלֵּ֣ם אַרְבַּעְתָּ֑יִם עֵ֗קֶב אֲשֶׁ֤ר עָשָׂה֙ אֶת־הַדָּבָ֣ר הַזֶּ֔ה וְעַ֖ל אֲשֶׁ֥ר
לֹא־חָמָֽל׃ ז וַיֹּ֥אמֶר נָתָ֛ן אֶל־דָּוִ֖ד אַתָּ֣ה הָאִ֑ישׁ כֹּֽה־אָמַ֞ר יְהוָ֨ה אֱלֹהֵ֜י יִשְׂרָאֵ֗ל
אָנֹכִ֞י מְשַׁחְתִּ֤יךָ לְמֶ֙לֶךְ֙ עַל־יִשְׂרָאֵ֔ל וְאָנֹכִ֥י הִצַּלְתִּ֖יךָ מִיַּ֥ד שָׁאֽוּל׃ ח וָאֶתְּנָ֣ה לְ֠ךָ
אֶת־בֵּ֨ית אֲדֹנֶ֜יךָ וְאֶת־נְשֵׁ֤י אֲדֹנֶ֙יךָ֙ בְּחֵיקֶ֔ךָ וָאֶתְּנָ֣ה לְךָ֔ אֶת־בֵּ֥ית יִשְׂרָאֵ֖ל וִֽיהוּדָ֑ה
וְאִ֨ם־מְעָ֔ט וְאֹסִ֥פָה לְּךָ֖ כָּהֵ֥נָּה וְכָהֵֽנָּה׃ ט מַדּ֜וּעַ בָּזִ֣יתָ ׀ אֶת־דְּבַ֣ר יְהוָ֗ה לַעֲשׂ֣וֹת
הָרַע֮ בְּעֵינַי֒[18] אֵ֣ת אוּרִיָּ֤ה הַחִתִּי֙ הִכִּ֣יתָ בַחֶ֔רֶב וְאֶת־אִשְׁתּ֖וֹ לָקַ֣חְתָּ לְּךָ֣ לְאִשָּׁ֑ה
וְאֹת֣וֹ הָרַ֔גְתָּ בְּחֶ֖רֶב בְּנֵ֥י עַמּֽוֹן׃ י וְעַתָּ֗ה לֹא־תָס֥וּר חֶ֛רֶב מִבֵּיתְךָ֖ עַד־עוֹלָ֑ם עֵ֚קֶב
כִּ֣י בְזִתָ֔נִי וַתִּקַּ֗ח אֶת־אֵ֙שֶׁת֙ אוּרִיָּ֣ה הַחִתִּ֔י לִהְי֥וֹת לְךָ֖ לְאִשָּֽׁה׃ יא כֹּ֣ה ׀ אָמַ֣ר יְהוָ֗ה
הִנְנִ֨י מֵקִ֨ים עָלֶ֤יךָ רָעָה֙ מִבֵּיתֶ֔ךָ וְלָקַחְתִּ֤י אֶת־נָשֶׁ֙יךָ֙ לְעֵינֶ֔יךָ וְנָתַתִּ֖י לְרֵעֶ֑יךָ וְשָׁכַב֙
עִם־נָשֶׁ֔יךָ לְעֵינֵ֖י הַשֶּׁ֥מֶשׁ הַזֹּֽאת׃ יב כִּ֥י אַתָּ֖ה עָשִׂ֣יתָ בַסָּ֑תֶר וַאֲנִ֗י אֶֽעֱשֶׂה֙
אֶת־הַדָּבָ֣ר הַזֶּ֔ה נֶ֥גֶד כָּל־יִשְׂרָאֵ֖ל וְנֶ֥גֶד הַשָּֽׁמֶשׁ׃ יג וַיֹּ֤אמֶר דָּוִד֙ אֶל־נָתָ֔ן חָטָ֖אתִי
לַֽיהוָ֑ה וַיֹּ֨אמֶר נָתָ֜ן אֶל־דָּוִ֗ד גַּם־יְהוָ֛ה הֶעֱבִ֥יר חַטָּאתְךָ֖ לֹ֥א תָמֽוּת׃ יד אֶ֗פֶס
כִּֽי־נִאֵ֤ץ נִאַ֙צְתָּ֙ אֶת־אֹיְבֵ֣י יְהוָ֔ה בַּדָּבָ֖ר הַזֶּ֑ה גַּ֗ם הַבֵּ֛ן הַיִּלּ֥וֹד לְךָ֖ מ֥וֹת יָמֽוּת׃
טו וַיֵּ֥לֶךְ נָתָ֖ן אֶל־בֵּית֑וֹ וַיִּגֹּ֨ף יְהוָ֜ה אֶת־הַיֶּ֗לֶד אֲשֶׁ֨ר יָלְדָ֧ה אֵֽשֶׁת־אוּרִיָּ֛ה לְדָוִ֖ד
וַיֵּאָנַֽשׁ׃ טז וַיְבַקֵּ֥שׁ דָּוִ֛ד אֶת־הָאֱלֹהִ֖ים בְּעַ֣ד הַנָּ֑עַר וַיָּ֤צָם דָּוִד֙ צ֔וֹם וּבָ֕א וְלָ֖ן וְשָׁכַ֥ב
אָֽרְצָה׃ יז וַיָּקֻ֜מוּ זִקְנֵ֤י בֵיתוֹ֙ עָלָ֔יו לַהֲקִימ֖וֹ מִן־הָאָ֑רֶץ וְלֹ֣א אָבָ֔ה וְלֹא־בָרָ֥א אִתָּ֖ם
לָֽחֶם׃

[16] ויראו
[17] המוראים
[18] בעינו

<u>24</u> And the shooters shot at thy servants from off the wall; and some of the king's servants are dead, and thy servant Uriah the Hittite is dead also.'{s} <u>25</u> Then David said unto the messenger: 'Thus shalt thou say unto Joab: Let not this thing displease thee, for the sword devoureth in one manner or another; make thy battle more strong against the city, and overthrow it; and encourage thou him.' <u>26</u> And when the wife of Uriah heard that Uriah her husband was dead, she made lamentation for her husband. <u>27</u> And when the mourning was past, David sent and took her home to his house, and she became his wife, and bore him a son. But the thing that David had done displeased Yehovah.{P}

12 <u>1</u> And Yehovah sent Nathan unto David. And he came unto him, and said unto him: 'There were two men in one city: the one rich, and the other poor. <u>2</u> The rich man had exceeding many flocks and herds; <u>3</u> but the poor man had nothing save one little ewe lamb, which he had bought and reared; and it grew up together with him, and with his children; it did eat of his own morsel, and drank of his own cup, and lay in his bosom, and was unto him as a daughter. <u>4</u> And there came a traveller unto the rich man, and he spared to take of his own flock and of his own herd, to dress for the wayfaring man that was come unto him, but took the poor man's lamb, and dressed it for the man that was come to him.' <u>5</u> And David's anger was greatly kindled against the man; and he said to Nathan: 'As Yehovah liveth, the man that hath done this deserveth to die; <u>6</u> and he shall restore the lamb fourfold, because he did this thing, and because he had no pity.'{s} <u>7</u> And Nathan said to David: 'Thou art the man.{s} Thus saith Yehovah, the God of Israel: I anointed thee king over Israel, and I delivered thee out of the hand of Saul; <u>8</u> and I gave thee thy master's house, and thy master's wives into thy bosom, and gave thee the house of Israel and of Judah; and if that were too little, then would I add unto thee so much more. <u>9</u> Wherefore hast thou despised the word of Yehovah, to do that which is evil in My sight? Uriah the Hittite thou hast smitten with the sword, and his wife thou hast taken to be thy wife, and him thou hast slain with the sword of the children of Ammon. <u>10</u> Now therefore, the sword shall never depart from thy house; because thou hast despised Me, and hast taken the wife of Uriah the Hittite to be thy wife.{s} <u>11</u> Thus saith Yehovah: Behold, I will raise up evil against thee out of thine own house, and I will take thy wives before thine eyes, and give them unto thy neighbour, and he shall lie with thy wives in the sight of this sun. <u>12</u> For thou didst it secretly; but I will do this thing before all Israel, and before the sun.'{s} <u>13</u> And David said unto Nathan: 'I have sinned against Yehovah.'{s} And Nathan said unto David: 'Yehovah also hath put away thy sin; thou shalt not die. <u>14</u> Howbeit, because by this deed thou hast greatly blasphemed the enemies of Yehovah, the child also that is born unto thee shall surely die.' <u>15</u> And Nathan departed unto his house. And Yehovah struck the child that Uriah's wife bore unto David, and it was very sick. <u>16</u> David therefore besought God for the child; and David fasted, and as often as he went in, he lay all night upon the earth. <u>17</u> And the elders of his house arose, and stood beside him, to raise him up from the earth; but he would not, neither did he eat bread with them.

יח וַיְהִי בַּיּוֹם הַשְּׁבִיעִי וַיָּמָת הַיָּלֶד וַיִּרְאוּ עַבְדֵי דָוִד לְהַגִּיד לוֹ ׀ כִּי־מֵת הַיֶּלֶד
כִּי אָמְרוּ הִנֵּה בִהְיוֹת הַיֶּלֶד חַי דִּבַּרְנוּ אֵלָיו וְלֹא־שָׁמַע בְּקוֹלֵנוּ וְאֵיךְ נֹאמַר
אֵלָיו מֵת הַיֶּלֶד וְעָשָׂה רָעָה׃ יט וַיַּרְא דָּוִד כִּי עֲבָדָיו מִתְלַחֲשִׁים וַיָּבֶן דָּוִד
כִּי מֵת הַיָּלֶד וַיֹּאמֶר דָּוִד אֶל־עֲבָדָיו הֲמֵת הַיֶּלֶד וַיֹּאמְרוּ מֵת׃ כ וַיָּקָם דָּוִד
מֵהָאָרֶץ וַיִּרְחַץ וַיָּסֶךְ וַיְחַלֵּף שִׂמְלֹתָיו[19] וַיָּבֹא בֵית־יְהוָה וַיִּשְׁתָּחוּ וַיָּבֹא אֶל־בֵּיתוֹ
וַיִּשְׁאַל וַיָּשִׂימוּ לוֹ לֶחֶם וַיֹּאכַל׃ כא וַיֹּאמְרוּ עֲבָדָיו אֵלָיו מָה־הַדָּבָר הַזֶּה אֲשֶׁר
עָשִׂיתָה בַּעֲבוּר הַיֶּלֶד חַי צַמְתָּ וַתֵּבְךְּ וְכַאֲשֶׁר מֵת הַיֶּלֶד קַמְתָּ וַתֹּאכַל לָחֶם׃
כב וַיֹּאמֶר בְּעוֹד הַיֶּלֶד חַי צַמְתִּי וָאֶבְכֶּה כִּי אָמַרְתִּי מִי יוֹדֵעַ וְחַנַּנִי[20] יְהוָה וְחַי
הַיָּלֶד׃ כג וְעַתָּה ׀ מֵת לָמָּה זֶּה אֲנִי צָם הַאוּכַל לַהֲשִׁיבוֹ עוֹד אֲנִי הֹלֵךְ אֵלָיו
וְהוּא לֹא־יָשׁוּב אֵלָי׃ כד וַיְנַחֵם דָּוִד אֵת בַּת־שֶׁבַע אִשְׁתּוֹ וַיָּבֹא אֵלֶיהָ וַיִּשְׁכַּב
עִמָּהּ וַתֵּלֶד בֵּן וַתִּקְרָא[21] אֶת־שְׁמוֹ שְׁלֹמֹה וַיהוָה אֲהֵבוֹ׃ כה וַיִּשְׁלַח בְּיַד נָתָן
הַנָּבִיא וַיִּקְרָא אֶת־שְׁמוֹ יְדִידְיָהּ בַּעֲבוּר יְהוָה׃

כו וַיִּלָּחֶם יוֹאָב בְּרַבַּת בְּנֵי עַמּוֹן וַיִּלְכֹּד אֶת־עִיר הַמְּלוּכָה׃ כז וַיִּשְׁלַח יוֹאָב
מַלְאָכִים אֶל־דָּוִד וַיֹּאמֶר נִלְחַמְתִּי בְרַבָּה גַּם־לָכַדְתִּי אֶת־עִיר הַמָּיִם׃ כח וְעַתָּה
אֱסֹף אֶת־יֶתֶר הָעָם וַחֲנֵה עַל־הָעִיר וְלָכְדָהּ פֶּן־אֶלְכֹּד אֲנִי אֶת־הָעִיר וְנִקְרָא
שְׁמִי עָלֶיהָ׃ כט וַיֶּאֱסֹף דָּוִד אֶת־כָּל־הָעָם וַיֵּלֶךְ רַבָּתָה וַיִּלָּחֶם בָּהּ וַיִּלְכְּדָהּ׃
ל וַיִּקַּח אֶת־עֲטֶרֶת־מַלְכָּם מֵעַל רֹאשׁוֹ וּמִשְׁקָלָהּ כִּכַּר זָהָב וְאֶבֶן יְקָרָה וַתְּהִי
עַל־רֹאשׁ דָּוִד וּשְׁלַל הָעִיר הוֹצִיא הַרְבֵּה מְאֹד׃ לא וְאֶת־הָעָם אֲשֶׁר־בָּהּ הוֹצִיא
וַיָּשֶׂם בַּמְּגֵרָה וּבַחֲרִצֵי הַבַּרְזֶל וּבְמַגְזְרֹת הַבַּרְזֶל וְהֶעֱבִיר אוֹתָם בַּמַּלְבֵּן[22] וְכֵן
יַעֲשֶׂה לְכֹל עָרֵי בְנֵי־עַמּוֹן וַיָּשָׁב דָּוִד וְכָל־הָעָם יְרוּשָׁלִָם׃

יג א וַיְהִי אַחֲרֵי־כֵן וּלְאַבְשָׁלוֹם בֶּן־דָּוִד אָחוֹת יָפָה וּשְׁמָהּ תָּמָר וַיֶּאֱהָבֶהָ אַמְנוֹן
בֶּן־דָּוִד׃ ב וַיֵּצֶר לְאַמְנוֹן לְהִתְחַלּוֹת בַּעֲבוּר תָּמָר אֲחֹתוֹ כִּי בְתוּלָה הִיא וַיִּפָּלֵא
בְּעֵינֵי אַמְנוֹן לַעֲשׂוֹת לָהּ מְאוּמָה׃ ג וּלְאַמְנוֹן רֵעַ וּשְׁמוֹ יוֹנָדָב בֶּן־שִׁמְעָה אֲחִי
דָוִד וְיוֹנָדָב אִישׁ חָכָם מְאֹד׃ ד וַיֹּאמֶר לוֹ מַדּוּעַ אַתָּה כָּכָה דַּל בֶּן־הַמֶּלֶךְ
בַּבֹּקֶר בַּבֹּקֶר הֲלוֹא תַּגִּיד לִי וַיֹּאמֶר לוֹ אַמְנוֹן אֶת־תָּמָר אֲחוֹת אַבְשָׁלֹם אָחִי
אֲנִי אֹהֵב׃ ה וַיֹּאמֶר לוֹ יְהוֹנָדָב שְׁכַב עַל־מִשְׁכָּבְךָ וְהִתְחָל וּבָא אָבִיךָ לִרְאוֹתֶךָ
וְאָמַרְתָּ אֵלָיו תָּבֹא נָא תָמָר אֲחוֹתִי וְתַבְרֵנִי לֶחֶם וְעָשְׂתָה לְעֵינַי אֶת־הַבִּרְיָה
לְמַעַן אֲשֶׁר אֶרְאֶה וְאָכַלְתִּי מִיָּדָהּ׃

[19] שמלתו
[20] יחנני
[21] ויקרא
[22] במלכן

__18__ And it came to pass on the seventh day, that the child died. And the servants of David feared to tell him that the child was dead; for they said: 'Behold, while the child was yet alive, we spoke unto him, and he hearkened not unto our voice; how then shall we tell him that the child is dead, so that he do himself some harm?' __19__ But when David saw that his servants whispered together, David perceived that the child was dead; and David said unto his servants: 'Is the child dead?' And they said: 'He is dead.' __20__ Then David arose from the earth, and washed, and anointed himself, and changed his apparel; and he came into the house of Yehovah, and worshipped; then he came to his own house; and when he required, they set bread before him, and he did eat. __21__ Then said his servants unto him: 'What thing is this that thou hast done? thou didst fast and weep for the child, while it was alive; but when the child was dead, thou didst rise and eat bread.' __22__ And he said: 'While the child was yet alive, I fasted and wept; for I said: Who knoweth whether Yehovah will not be gracious to me, that the child may live? __23__ But now he is dead, wherefore should I fast? can I bring him back again? I shall go to him, but he will not return to me.' __24__ And David comforted Bath-sheba his wife, and went in unto her, and lay with her; and she bore a son, and called his name Solomon. And Yehovah loved him; __25__ and He sent by the hand of Nathan the prophet, and he called his name Jedidiah, for Yehovah's sake.{P}

__26__ Now Joab fought against Rabbah of the children of Ammon, and took the royal city. __27__ And Joab sent messengers to David, and said: 'I have fought against Rabbah, yea, I have taken the city of waters. __28__ Now therefore gather the rest of the people together, and encamp against the city, and take it; lest I take the city, and it be called after my name.' __29__ And David gathered all the people together, and went to Rabbah, and fought against it, and took it. __30__ And he took the crown of Malcam from off his head; and the weight thereof was a talent of gold, and in it were precious stones; and it was set on David's head. And he brought forth the spoil of the city, exceeding much. __31__ And he brought forth the people that were therein, and put them under saws, and under harrows of iron, and under axes of iron, and made them pass through the brickkiln; and thus did he unto all the cities of the children of Ammon. And David and all the people returned unto Yerushalam.{P}

__13__ __1__ And it came to pass after this, that Absalom the son of David had a fair sister, whose name was Tamar; and Amnon the son of David loved her. __2__ And Amnon was so distressed that he fell sick because of his sister Tamar; for she was a virgin; and it seemed hard to Amnon to do any thing unto her. __3__ But Amnon had a friend, whose name was Jonadab, the son of Shimeah David's brother; and Jonadab was a very subtle man. __4__ And he said unto him: 'Why, O son of the king, art thou thus becoming leaner from day to day? wilt thou not tell me?' And Amnon said unto him: 'I love Tamar, my brother Absalom's sister.' __5__ And Jonadab said unto him: 'Lay thee down on thy bed, and feign thyself sick; and when thy father cometh to see thee, say unto him: Let my sister Tamar come, I pray thee, and give me bread to eat, and dress the food in my sight, that I may see it, and eat it at her hand.'

ו וַיִּשְׁכַּב אַמְנוֹן וַיִּתְחָל וַיָּבֹא הַמֶּלֶךְ לִרְאֹתוֹ וַיֹּאמֶר אַמְנוֹן אֶל־הַמֶּלֶךְ
תָּבוֹא־נָא תָּמָר אֲחֹתִי וּתְלַבֵּב לְעֵינַי שְׁתֵּי לְבִבוֹת וְאֶבְרֶה מִיָּדָהּ׃ ז וַיִּשְׁלַח
דָּוִד אֶל־תָּמָר הַבַּיְתָה לֵאמֹר לְכִי נָא בֵּית אַמְנוֹן אָחִיךְ וַעֲשִׂי־לוֹ הַבִּרְיָה׃
ח וַתֵּלֶךְ תָּמָר בֵּית אַמְנוֹן אָחִיהָ וְהוּא שֹׁכֵב וַתִּקַּח אֶת־הַבָּצֵק וַתָּלָשׁ[23] וַתְּלַבֵּב
לְעֵינָיו וַתְּבַשֵּׁל אֶת־הַלְּבִבוֹת׃ ט וַתִּקַּח אֶת־הַמַּשְׂרֵת וַתִּצֹק לְפָנָיו וַיְמָאֵן
לֶאֱכוֹל וַיֹּאמֶר אַמְנוֹן הוֹצִיאוּ כָל־אִישׁ מֵעָלַי וַיֵּצְאוּ כָל־אִישׁ מֵעָלָיו׃ י וַיֹּאמֶר
אַמְנוֹן אֶל־תָּמָר הָבִיאִי הַבִּרְיָה הַחֶדֶר וְאֶבְרֶה מִיָּדֵךְ וַתִּקַּח תָּמָר
אֶת־הַלְּבִבוֹת אֲשֶׁר עָשָׂתָה וַתָּבֵא לְאַמְנוֹן אָחִיהָ הֶחָדְרָה׃ יא וַתַּגֵּשׁ אֵלָיו
לֶאֱכֹל וַיַּחֲזֶק־בָּהּ וַיֹּאמֶר לָהּ בּוֹאִי שִׁכְבִי עִמִּי אֲחוֹתִי׃ יב וַתֹּאמֶר לוֹ אַל־אָחִי
אַל־תְּעַנֵּנִי כִּי לֹא־יֵעָשֶׂה כֵן בְּיִשְׂרָאֵל אַל־תַּעֲשֵׂה אֶת־הַנְּבָלָה הַזֹּאת׃ יג וַאֲנִי
אָנָה אוֹלִיךְ אֶת־חֶרְפָּתִי וְאַתָּה תִּהְיֶה כְּאַחַד הַנְּבָלִים בְּיִשְׂרָאֵל וְעַתָּה
דַּבֶּר־נָא אֶל־הַמֶּלֶךְ כִּי לֹא יִמְנָעֵנִי מִמֶּךָּ׃ יד וְלֹא אָבָה לִשְׁמֹעַ בְּקוֹלָהּ וַיֶּחֱזַק
מִמֶּנָּה וַיְעַנֶּהָ וַיִּשְׁכַּב אֹתָהּ׃ טו וַיִּשְׂנָאֶהָ אַמְנוֹן שִׂנְאָה גְּדוֹלָה מְאֹד כִּי גְדוֹלָה
הַשִּׂנְאָה אֲשֶׁר שְׂנֵאָהּ מֵאַהֲבָה אֲשֶׁר אֲהֵבָהּ וַיֹּאמֶר־לָהּ אַמְנוֹן קוּמִי לֵכִי׃
טז וַתֹּאמֶר לוֹ אַל־אוֹדֹת הָרָעָה הַגְּדוֹלָה הַזֹּאת מֵאַחֶרֶת אֲשֶׁר־עָשִׂיתָ עִמִּי
לְשַׁלְּחֵנִי וְלֹא אָבָה לִשְׁמֹעַ לָהּ׃ יז וַיִּקְרָא אֶת־נַעֲרוֹ מְשָׁרְתוֹ וַיֹּאמֶר שִׁלְחוּ־נָא
אֶת־זֹאת מֵעָלַי הַחוּצָה וּנְעֹל הַדֶּלֶת אַחֲרֶיהָ׃ יח וְעָלֶיהָ כְּתֹנֶת פַּסִּים כִּי כֵן
תִּלְבַּשְׁןָ בְנוֹת־הַמֶּלֶךְ הַבְּתוּלֹת מְעִילִים וַיֹּצֵא אוֹתָהּ מְשָׁרְתוֹ הַחוּץ וְנָעַל
הַדֶּלֶת אַחֲרֶיהָ׃ יט וַתִּקַּח תָּמָר אֵפֶר עַל־רֹאשָׁהּ וּכְתֹנֶת הַפַּסִּים אֲשֶׁר עָלֶיהָ
קָרָעָה וַתָּשֶׂם יָדָהּ עַל־רֹאשָׁהּ וַתֵּלֶךְ הָלוֹךְ וְזָעָקָה׃ כ וַיֹּאמֶר אֵלֶיהָ אַבְשָׁלוֹם
אָחִיהָ הַאֲמִינוֹן אָחִיךְ הָיָה עִמָּךְ וְעַתָּה אֲחוֹתִי הַחֲרִישִׁי אָחִיךְ הוּא אַל־תָּשִׁיתִי
אֶת־לִבֵּךְ לַדָּבָר הַזֶּה וַתֵּשֶׁב תָּמָר וְשֹׁמֵמָה בֵּית אַבְשָׁלוֹם אָחִיהָ׃ כא וְהַמֶּלֶךְ
דָּוִד שָׁמַע אֵת כָּל־הַדְּבָרִים הָאֵלֶּה וַיִּחַר לוֹ מְאֹד׃ כב וְלֹא־דִבֶּר אַבְשָׁלוֹם
עִם־אַמְנוֹן לְמֵרָע וְעַד־טוֹב כִּי־שָׂנֵא אַבְשָׁלוֹם אֶת־אַמְנוֹן עַל־דְּבַר אֲשֶׁר עִנָּה
אֵת תָּמָר אֲחֹתוֹ׃

כג וַיְהִי לִשְׁנָתַיִם יָמִים וַיִּהְיוּ גֹזְזִים לְאַבְשָׁלוֹם בְּבַעַל חָצוֹר אֲשֶׁר עִם־אֶפְרָיִם
וַיִּקְרָא אַבְשָׁלוֹם לְכָל־בְּנֵי הַמֶּלֶךְ׃ כד וַיָּבֹא אַבְשָׁלוֹם אֶל־הַמֶּלֶךְ וַיֹּאמֶר
הִנֵּה־נָא גֹזְזִים לְעַבְדֶּךָ יֵלֶךְ־נָא הַמֶּלֶךְ וַעֲבָדָיו עִם־עַבְדֶּךָ׃ כה וַיֹּאמֶר הַמֶּלֶךְ
אֶל־אַבְשָׁלוֹם אַל־בְּנִי אַל־נָא נֵלֵךְ כֻּלָּנוּ וְלֹא נִכְבַּד עָלֶיךָ וַיִּפְרָץ־בּוֹ
וְלֹא־אָבָה לָלֶכֶת וַיְבָרְכֵהוּ׃ כו וַיֹּאמֶר אַבְשָׁלוֹם וָלֹא יֵלֶךְ־נָא אִתָּנוּ אַמְנוֹן אָחִי
וַיֹּאמֶר לוֹ הַמֶּלֶךְ לָמָּה יֵלֵךְ עִמָּךְ׃

---

[23] ותלוש

6 So Amnon lay down, and feigned himself sick; and when the king was come to see him, Amnon said unto the king: 'Let my sister Tamar come, I pray thee, and make me a couple of cakes in my sight, that I may eat at her hand.' **7** Then David sent home to Tamar, saying: 'Go now to thy brother Amnon's house, and dress him food.' **8** So Tamar went to her brother Amnon's house; and he was lying down. And she took dough, and kneaded it, and made cakes in his sight, and did bake the cakes. **9** And she took the pan, and poured them out before him; but he refused to eat. And Amnon said: 'Have out all men from me.' And they went out every man from him. **10** And Amnon said unto Tamar: 'Bring the food into the chamber, that I may eat of thy hand.' And Tamar took the cakes which she had made, and brought them into the chamber to Amnon her brother. **11** And when she had brought them near unto him to eat, he took hold of her, and said unto her: 'Come lie with me, my sister.' **12** And she answered him: 'Nay, my brother, do not force me; for no such thing ought to be done in Israel; do not thou this wanton deed. **13** And I, whither shall I carry my shame? and as for thee, thou wilt be as one of the base men in Israel. Now therefore, I pray thee, speak unto the king; for he will not withhold me from thee.' **14** Howbeit he would not hearken unto her voice; but being stronger than she, he forced her, and lay with her. **15** Then Amnon hated her with exceeding great hatred; for the hatred wherewith he hated her was greater than the love wherewith he had loved her. And Amnon said unto her: 'Arise, be gone.' **16** And she said unto him: 'Not so, because this great wrong in putting me forth is worse than the other that thou didst unto me.' But he would not hearken unto her. **17** Then he called his servant that ministered unto him, and said: 'Put now this woman out from me, and bolt the door after her.'– **18** Now she had a garment of many colours upon her; for with such robes were the king's daughters that were virgins apparelled.–And his servant brought her out, and bolted the door after her. **19** And Tamar put ashes on her head, and rent her garment of many colours that was on her; and she laid her hand on her head, and went her way, crying aloud as she went. **20** And Absalom her brother said unto her: 'Hath Amnon thy brother been with thee? but now hold thy peace, my sister: he is thy brother; take not this thing to heart.' So Tamar remained desolate in her brother Absalom's house. **21** But when king David heard of all these things, he was very wroth. **22** And Absalom spoke unto Amnon neither good nor bad; for Absalom hated Amnon, because he had forced his sister Tamar.{P}

23 And it came to pass after two full years, that Absalom had sheep-shearers in Baal-hazor, which is beside Ephraim; and Absalom invited all the king's sons. **24** And Absalom came to the king, and said: 'Behold now, thy servant hath sheep-shearers; let the king, I pray thee, and his servants go with thy servant.' **25** And the king said to Absalom: 'Nay, my son, let us not all go, lest we be burdensome unto thee.' And he pressed him; howbeit he would not go, but blessed him. **26** Then said Absalom: 'If not, I pray thee, let my brother Amnon go with us.' And the king said unto him: 'Why should he go with thee?'

כז וַיִּפְרָץ־בּוֹ אַבְשָׁלוֹם וַיִּשְׁלַח אִתּוֹ אֶת־אַמְנוֹן וְאֵת כָּל־בְּנֵי הַמֶּלֶךְ׃ כח וַיְצַו
אַבְשָׁלוֹם אֶת־נְעָרָיו לֵאמֹר רְאוּ נָא כְּטוֹב לֵב־אַמְנוֹן בַּיַּיִן וְאָמַרְתִּי אֲלֵיכֶם
הַכּוּ אֶת־אַמְנוֹן וַהֲמִתֶּם אֹתוֹ אַל־תִּירָאוּ הֲלוֹא כִּי אָנֹכִי צִוִּיתִי אֶתְכֶם חִזְקוּ
וִהְיוּ לִבְנֵי־חָיִל׃ כט וַיַּעֲשׂוּ נַעֲרֵי אַבְשָׁלוֹם לְאַמְנוֹן כַּאֲשֶׁר צִוָּה אַבְשָׁלוֹם
וַיָּקֻמוּ ׀ כָּל־בְּנֵי הַמֶּלֶךְ וַיִּרְכְּבוּ אִישׁ עַל־פִּרְדּוֹ וַיָּנֻסוּ׃ ל וַיְהִי הֵמָּה בַדֶּרֶךְ
וְהַשְּׁמֻעָה בָּאָה אֶל־דָּוִד לֵאמֹר הִכָּה אַבְשָׁלוֹם אֶת־כָּל־בְּנֵי הַמֶּלֶךְ וְלֹא־נוֹתַר
מֵהֶם אֶחָד׃ לא וַיָּקָם הַמֶּלֶךְ וַיִּקְרַע אֶת־בְּגָדָיו וַיִּשְׁכַּב אָרְצָה וְכָל־עֲבָדָיו
נִצָּבִים קְרֻעֵי בְגָדִים׃ לב וַיַּעַן יוֹנָדָב ׀ בֶּן־שִׁמְעָה אֲחִי־דָוִד וַיֹּאמֶר אַל־יֹאמַר
אֲדֹנִי אֵת כָּל־הַנְּעָרִים בְּנֵי־הַמֶּלֶךְ הֵמִיתוּ כִּי־אַמְנוֹן לְבַדּוֹ מֵת כִּי־עַל־פִּי
אַבְשָׁלוֹם הָיְתָה שׂוּמָה מִיּוֹם עַנֹּתוֹ אֵת תָּמָר אֲחֹתוֹ׃ לג וְעַתָּה אַל־יָשֵׂם אֲדֹנִי
הַמֶּלֶךְ אֶל־לִבּוֹ דָּבָר לֵאמֹר כָּל־בְּנֵי הַמֶּלֶךְ מֵתוּ כִּי־אִם־אַמְנוֹן לְבַדּוֹ מֵת׃

לד וַיִּבְרַח אַבְשָׁלוֹם וַיִּשָּׂא הַנַּעַר הַצֹּפֶה אֶת־עֵינָיו[24] וַיַּרְא וְהִנֵּה עַם־רַב
הֹלְכִים מִדֶּרֶךְ אַחֲרָיו מִצַּד הָהָר׃ לה וַיֹּאמֶר יוֹנָדָב אֶל־הַמֶּלֶךְ הִנֵּה
בְנֵי־הַמֶּלֶךְ בָּאוּ כִּדְבַר עַבְדְּךָ כֵּן הָיָה׃ לו וַיְהִי ׀ כְּכַלֹּתוֹ לְדַבֵּר וְהִנֵּה
בְנֵי־הַמֶּלֶךְ בָּאוּ וַיִּשְׂאוּ קוֹלָם וַיִּבְכּוּ וְגַם־הַמֶּלֶךְ וְכָל־עֲבָדָיו בָּכוּ בְּכִי גָּדוֹל
מְאֹד׃ לז וְאַבְשָׁלוֹם בָּרַח וַיֵּלֶךְ אֶל־תַּלְמַי בֶּן־עַמִּיהוּד[25] מֶלֶךְ גְּשׁוּר וַיִּתְאַבֵּל
עַל־בְּנוֹ כָּל־הַיָּמִים׃ לח וְאַבְשָׁלוֹם בָּרַח וַיֵּלֶךְ גְּשׁוּר וַיְהִי־שָׁם שָׁלֹשׁ שָׁנִים׃
לט וַתְּכַל דָּוִד הַמֶּלֶךְ לָצֵאת אֶל־אַבְשָׁלוֹם כִּי־נִחַם עַל־אַמְנוֹן כִּי־מֵת׃

יד א וַיֵּדַע יוֹאָב בֶּן־צְרֻיָה כִּי־לֵב הַמֶּלֶךְ עַל־אַבְשָׁלוֹם׃ ב וַיִּשְׁלַח יוֹאָב
תְּקוֹעָה וַיִּקַּח מִשָּׁם אִשָּׁה חֲכָמָה וַיֹּאמֶר אֵלֶיהָ הִתְאַבְּלִי־נָא וְלִבְשִׁי־נָא
בִגְדֵי־אֵבֶל וְאַל־תָּסוּכִי שֶׁמֶן וְהָיִית כְּאִשָּׁה זֶה יָמִים רַבִּים מִתְאַבֶּלֶת
עַל־מֵת׃ ג וּבָאת אֶל־הַמֶּלֶךְ וְדִבַּרְתְּ אֵלָיו כַּדָּבָר הַזֶּה וַיָּשֶׂם יוֹאָב
אֶת־הַדְּבָרִים בְּפִיהָ׃ ד וַתֹּאמֶר הָאִשָּׁה הַתְּקֹעִית אֶל־הַמֶּלֶךְ וַתִּפֹּל עַל־אַפֶּיהָ
אַרְצָה וַתִּשְׁתָּחוּ וַתֹּאמֶר הוֹשִׁעָה הַמֶּלֶךְ׃ ה וַיֹּאמֶר־לָהּ הַמֶּלֶךְ מַה־לָּךְ
וַתֹּאמֶר אֲבָל אִשָּׁה־אַלְמָנָה אָנִי וַיָּמָת אִישִׁי׃ ו וּלְשִׁפְחָתְךָ שְׁנֵי בָנִים וַיִּנָּצוּ
שְׁנֵיהֶם בַּשָּׂדֶה וְאֵין מַצִּיל בֵּינֵיהֶם וַיַּכּוּ הָאֶחָד אֶת־הָאֶחָד וַיָּמֶת אֹתוֹ׃ ז וְהִנֵּה
קָמָה כָל־הַמִּשְׁפָּחָה עַל־שִׁפְחָתֶךָ וַיֹּאמְרוּ תְּנִי ׀ אֶת־מַכֵּה אָחִיו וּנְמִתֵהוּ בְּנֶפֶשׁ
אָחִיו אֲשֶׁר הָרָג וְנַשְׁמִידָה גַּם אֶת־הַיּוֹרֵשׁ וְכִבּוּ אֶת־גַּחַלְתִּי אֲשֶׁר נִשְׁאָרָה
לְבִלְתִּי שִׂים־לְאִישִׁי[26] שֵׁם וּשְׁאֵרִית עַל־פְּנֵי הָאֲדָמָה׃

[24] עינו
[25] עמיחור
[26] שום

<u>27</u> But Absalom pressed him, and he let Amnon and all the king's sons go with him.{S} <u>28</u> And Absalom commanded his servants, saying: 'Mark ye now, when Amnon's heart is merry with wine; and when I say unto you: Smite Amnon, then kill him, fear not; have not I commanded you? be courageous, and be valiant.' <u>29</u> And the servants of Absalom did unto Amnon as Absalom had commanded. Then all the king's sons arose, and every man got him up upon his mule, and fled. <u>30</u> And it came to pass, while they were in the way, that the tidings came to David, saying: 'Absalom hath slain all the king's sons, and there is not one of them left.'{P}

<u>31</u> Then the king arose, and rent his garments, and lay on the earth; and all his servants stood by with their clothes rent.{S} <u>32</u> And Jonadab, the son of Shimeah David's brother, answered and said: 'Let not my lord suppose that they have killed all the young men the king's sons; for Amnon only is dead; for by the appointment of Absalom this hath been determined from the day that he forced his sister Tamar. <u>33</u> Now therefore let not my lord the king take the thing to his heart, to think that all the king's sons are dead; for Amnon only is dead.'{P}

<u>34</u> But Absalom fled. And the young man that kept the watch lifted up his eyes, and looked, and, behold, there came much people in a roundabout way by the hill-side. <u>35</u> And Jonadab said unto the king: 'Behold, the king's sons are come; as thy servant said, so it is.' <u>36</u> And it came to pass, as soon as he had made an end of speaking, that, behold, the king's sons came, and lifted up their voice, and wept; and the king also and all his servants wept very sore. <u>37</u> But Absalom fled, and went to Talmai the son of Ammihud, king of Geshur. And [David] mourned for his son every day. <u>38</u> So Absalom fled, and went to Geshur, and was there three years. <u>39</u> And the soul of king David failed with longing for Absalom; for he was comforted concerning Amnon, seeing he was dead.{S}

14 <u>1</u> Now Joab the son of Zeruiah perceived that the king's heart was toward Absalom. <u>2</u> And Joab sent to Tekoa, and fetched thence a wise woman, and said unto her: 'I pray thee, feign thyself to be a mourner, and put on mourning apparel, I pray thee, and anoint not thyself with oil, but be as a woman that had a long time mourned for the dead; <u>3</u> and go in to the king, and speak on this manner unto him.' So Joab put the words in her mouth. <u>4</u> And when the woman of Tekoa spoke to the king, she fell on her face to the ground, and prostrated herself, and said: 'Help, O king.'{S} <u>5</u> And the king said unto her: 'What aileth thee?' And she answered: 'Of a truth I am a widow, my husband being dead. <u>6</u> And thy handmaid had two sons, and they two strove together in the field, and there was none to part them, but the one smote the other, and killed him. <u>7</u> And, behold, the whole family is risen against thy handmaid, and they said: Deliver him that smote his brother, that we may kill him for the life of his brother whom he slew, and so destroy the heir also. Thus will they quench my coal which is left, and will leave to my husband neither name nor remainder upon the face of the earth.'{P}

ח וַיֹּאמֶר הַמֶּלֶךְ אֶל־הָאִשָּׁה לְכִי לְבֵיתֵךְ וַאֲנִי אֲצַוֶּה עָלָיִךְ׃ ט וַתֹּאמֶר
הָאִשָּׁה הַתְּקוֹעִית אֶל־הַמֶּלֶךְ עָלַי אֲדֹנִי הַמֶּלֶךְ הֶעָוֺן וְעַל־בֵּית אָבִי וְהַמֶּלֶךְ
וְכִסְאוֹ נָקִי׃ י וַיֹּאמֶר הַמֶּלֶךְ הַמְדַבֵּר אֵלַיִךְ וַהֲבֵאתוֹ אֵלַי וְלֹא־יֹסִיף עוֹד
לָגַעַת בָּךְ׃ יא וַתֹּאמֶר יִזְכָּר־נָא הַמֶּלֶךְ אֶת־יְהוָה אֱלֹהֶיךָ מֵהַרְבַּת[27] גֹּאֵל
הַדָּם לְשַׁחֵת וְלֹא יַשְׁמִידוּ אֶת־בְּנִי וַיֹּאמֶר חַי־יְהוָה אִם־יִפֹּל מִשַּׂעֲרַת בְּנֵךְ
אָרְצָה׃ יב וַתֹּאמֶר הָאִשָּׁה תְּדַבֶּר־נָא שִׁפְחָתְךָ אֶל־אֲדֹנִי הַמֶּלֶךְ דָּבָר וַיֹּאמֶר
דַּבֵּרִי׃ יג וַתֹּאמֶר הָאִשָּׁה וְלָמָּה חָשַׁבְתָּה כָּזֹאת עַל־עַם אֱלֹהִים וּמִדַּבֵּר
הַמֶּלֶךְ הַדָּבָר הַזֶּה כְּאָשֵׁם לְבִלְתִּי הָשִׁיב הַמֶּלֶךְ אֶת־נִדְּחוֹ׃ יד כִּי־מוֹת
נָמוּת וְכַמַּיִם הַנִּגָּרִים אַרְצָה אֲשֶׁר לֹא יֵאָסֵפוּ וְלֹא־יִשָּׂא אֱלֹהִים נֶפֶשׁ וְחָשַׁב
מַחֲשָׁבוֹת לְבִלְתִּי יִדַּח מִמֶּנּוּ נִדָּח׃ טו וְעַתָּה אֲשֶׁר־בָּאתִי לְדַבֵּר אֶל־הַמֶּלֶךְ
אֲדֹנִי אֶת־הַדָּבָר הַזֶּה כִּי יֵרְאֻנִי הָעָם וַתֹּאמֶר שִׁפְחָתְךָ אֲדַבְּרָה־נָּא
אֶל־הַמֶּלֶךְ אוּלַי יַעֲשֶׂה הַמֶּלֶךְ אֶת־דְּבַר אֲמָתוֹ׃ טז כִּי יִשְׁמַע הַמֶּלֶךְ לְהַצִּיל
אֶת־אֲמָתוֹ מִכַּף הָאִישׁ לְהַשְׁמִיד אֹתִי וְאֶת־בְּנִי יַחַד מִנַּחֲלַת אֱלֹהִים׃
יז וַתֹּאמֶר שִׁפְחָתְךָ יִהְיֶה־נָּא דְּבַר־אֲדֹנִי הַמֶּלֶךְ לִמְנוּחָה כִּי ׀ כְּמַלְאַךְ
הָאֱלֹהִים כֵּן אֲדֹנִי הַמֶּלֶךְ לִשְׁמֹעַ הַטּוֹב וְהָרָע וַיהוָה אֱלֹהֶיךָ יְהִי עִמָּךְ׃

יח וַיַּעַן הַמֶּלֶךְ וַיֹּאמֶר אֶל־הָאִשָּׁה אַל־נָא תְכַחֲדִי מִמֶּנִּי דָּבָר אֲשֶׁר אָנֹכִי
שֹׁאֵל אֹתָךְ וַתֹּאמֶר הָאִשָּׁה יְדַבֶּר־נָא אֲדֹנִי הַמֶּלֶךְ׃ יט וַיֹּאמֶר הַמֶּלֶךְ הֲיַד
יוֹאָב אִתָּךְ בְּכָל־זֹאת וַתַּעַן הָאִשָּׁה וַתֹּאמֶר חֵי־נַפְשְׁךָ אֲדֹנִי הַמֶּלֶךְ אִם־אִשׁ ׀
לְהֵמִין וּלְהַשְׂמִיל מִכֹּל אֲשֶׁר־דִּבֶּר אֲדֹנִי הַמֶּלֶךְ כִּי־עַבְדְּךָ יוֹאָב הוּא צִוָּנִי
וְהוּא שָׂם בְּפִי שִׁפְחָתְךָ אֵת כָּל־הַדְּבָרִים הָאֵלֶּה׃ כ לְבַעֲבוּר סַבֵּב אֶת־פְּנֵי
הַדָּבָר עָשָׂה עַבְדְּךָ יוֹאָב אֶת־הַדָּבָר הַזֶּה וַאדֹנִי חָכָם כְּחָכְמַת מַלְאַךְ
הָאֱלֹהִים לָדַעַת אֶת־כָּל־אֲשֶׁר בָּאָרֶץ׃ כא וַיֹּאמֶר הַמֶּלֶךְ אֶל־יוֹאָב הִנֵּה־נָא
עָשִׂיתִי אֶת־הַדָּבָר הַזֶּה וְלֵךְ הָשֵׁב אֶת־הַנַּעַר אֶת־אַבְשָׁלוֹם׃ כב וַיִּפֹּל יוֹאָב
אֶל־פָּנָיו אַרְצָה וַיִּשְׁתַּחוּ וַיְבָרֶךְ אֶת־הַמֶּלֶךְ וַיֹּאמֶר יוֹאָב הַיּוֹם יָדַע עַבְדְּךָ
כִּי־מָצָאתִי חֵן בְּעֵינֶיךָ אֲדֹנִי הַמֶּלֶךְ אֲשֶׁר־עָשָׂה הַמֶּלֶךְ אֶת־דְּבַר עַבְדֶּךָ[28]׃
כג וַיָּקָם יוֹאָב וַיֵּלֶךְ גְּשׁוּרָה וַיָּבֵא אֶת־אַבְשָׁלוֹם יְרוּשָׁלָםִ׃

כד וַיֹּאמֶר הַמֶּלֶךְ יִסֹּב אֶל־בֵּיתוֹ וּפָנַי לֹא יִרְאֶה וַיִּסֹּב אַבְשָׁלוֹם אֶל־בֵּיתוֹ
וּפְנֵי הַמֶּלֶךְ לֹא רָאָה׃ כה וּכְאַבְשָׁלוֹם לֹא־הָיָה אִישׁ־יָפֶה בְּכָל־יִשְׂרָאֵל
לְהַלֵּל מְאֹד מִכַּף רַגְלוֹ וְעַד קָדְקֳדוֹ לֹא־הָיָה בוֹ מוּם׃

---

[27] מהרבית
[28] עבדו

8 And the king said unto the woman: 'Go to thy house, and I will give charge concerning thee.' **9** And the woman of Tekoa said unto the king: 'My lord, O king, the iniquity be on me, and on my father's house; and the king and his throne be guiltless.'{S} **10** And the king said: 'Whosoever saith aught unto thee, bring him to me, and he shall not touch thee any more.' **11** Then said she: 'I pray thee, let the king remember Yehovah thy God, that the avenger of blood destroy not any more, lest they destroy my son.' And he said: 'As Yehovah liveth, there shall not one hair of thy son fall to the earth.' **12** Then the woman said: 'Let thy handmaid, I pray thee, speak a word unto my lord the king.' And he said: 'Say on.'{S} **13** And the woman said: 'Wherefore then hast thou devised such a thing against the people of God? for in speaking this word the king is as one that is guilty, in that the king doth not fetch home again his banished one. **14** For we must needs die, and are as water spilt on the ground, which cannot be gathered up again; neither doth God respect any person; but let him devise means, that he that is banished be not an outcast from him. **15** Now therefore seeing that I am come to speak this word unto my lord the king, it is because the people have made me afraid; and thy handmaid said: I will now speak unto the king; it may be that the king will perform the request of his servant. **16** For the king will hear, to deliver his servant out of the hand of the man that would destroy me and my son together out of the inheritance of God. **17** Then thy handmaid said: Let, I pray thee, the word of my lord the king be for my comfort; for as an angel of God, so is my lord the king to discern good and bad; and Yehovah thy God be with thee.'{P}

18 Then the king answered and said unto the woman: 'Hide not from me, I pray thee, aught that I shall ask thee.' And the woman said: 'Let my lord the king now speak.' **19** And the king said: 'Is the hand of Joab with thee in all this?' And the woman answered and said: 'As thy soul liveth, my lord the king, none can turn to the right hand or to the left from aught that my lord the king hath spoken; for thy servant Joab, he bade me, and he put all these words in the mouth of thy handmaid; **20** to change the face of the matter hath thy servant Joab done this thing; and my lord is wise, according to the wisdom of an angel of God, to know all things that are in the earth.'{S} **21** And the king said unto Joab: 'Behold now, I have granted this request; go therefore, bring the young man Absalom back.' **22** And Joab fell to the ground on his face, and prostrated himself, and blessed the king; and Joab said: 'To-day thy servant knoweth that I have found favour in thy sight, my lord, O king, in that the king hath performed the request of thy servant.' **23** So Joab arose and went to Geshur, and brought Absalom to Yerushalam.{S} **24** And the king said: 'Let him turn to his own house, but let him not see my face.' So Absalom turned to his own house, and saw not the king's face.{S} **25** Now in all Israel there was none to be so much praised as Absalom for his beauty; from the sole of his foot even to the crown of his head there was no blemish in him.

כו וּבְגַלְּחוֹ אֶת־רֹאשׁוֹ וְהָיָה מִקֵּץ יָמִים ׀ לַיָּמִים אֲשֶׁר יְגַלֵּחַ כִּי־כָבֵד עָלָיו
וְגִלְּחוֹ וְשָׁקַל אֶת־שְׂעַר רֹאשׁוֹ מָאתַיִם שְׁקָלִים בְּאֶבֶן הַמֶּלֶךְ׃ כז וַיִּוָּלְדוּ
לְאַבְשָׁלוֹם שְׁלוֹשָׁה בָנִים וּבַת אַחַת וּשְׁמָהּ תָּמָר הִיא הָיְתָה אִשָּׁה יְפַת מַרְאֶה׃

כח וַיֵּשֶׁב אַבְשָׁלוֹם בִּירוּשָׁלַ͏ִם שְׁנָתַיִם יָמִים וּפְנֵי הַמֶּלֶךְ לֹא רָאָה׃ כט וַיִּשְׁלַח
אַבְשָׁלוֹם אֶל־יוֹאָב לִשְׁלֹחַ אֹתוֹ אֶל־הַמֶּלֶךְ וְלֹא אָבָה לָבוֹא אֵלָיו וַיִּשְׁלַח עוֹד
שֵׁנִית וְלֹא אָבָה לָבוֹא׃ ל וַיֹּאמֶר אֶל־עֲבָדָיו רְאוּ חֶלְקַת יוֹאָב אֶל־יָדִי
וְלוֹ־שָׁם שְׂעֹרִים לְכוּ וְהַצִּיתוּהָ[29] בָאֵשׁ וַיַּצִּתוּ עַבְדֵי אַבְשָׁלוֹם אֶת־הַחֶלְקָה
בָּאֵשׁ׃

לא וַיָּקָם יוֹאָב וַיָּבֹא אֶל־אַבְשָׁלוֹם הַבָּיְתָה וַיֹּאמֶר אֵלָיו לָמָּה הִצִּיתוּ עֲבָדֶיךָ
אֶת־הַחֶלְקָה אֲשֶׁר־לִי בָּאֵשׁ׃ לב וַיֹּאמֶר אַבְשָׁלוֹם אֶל־יוֹאָב הִנֵּה שָׁלַחְתִּי
אֵלֶיךָ ׀ לֵאמֹר בֹּא הֵנָּה וְאֶשְׁלְחָה אֹתְךָ אֶל־הַמֶּלֶךְ לֵאמֹר לָמָּה בָּאתִי מִגְּשׁוּר
טוֹב לִי עֹד אֲנִי־שָׁם וְעַתָּה אֶרְאֶה פְּנֵי הַמֶּלֶךְ וְאִם־יֶשׁ־בִּי עָוֺן וֶהֱמִתָנִי׃
לג וַיָּבֹא יוֹאָב אֶל־הַמֶּלֶךְ וַיַּגֶּד־לוֹ וַיִּקְרָא אֶל־אַבְשָׁלוֹם וַיָּבֹא אֶל־הַמֶּלֶךְ
וַיִּשְׁתַּחוּ לוֹ עַל־אַפָּיו אַרְצָה לִפְנֵי הַמֶּלֶךְ וַיִּשַּׁק הַמֶּלֶךְ לְאַבְשָׁלוֹם׃

יה א וַיְהִי מֵאַחֲרֵי כֵן וַיַּעַשׂ לוֹ אַבְשָׁלוֹם מֶרְכָּבָה וְסֻסִים וַחֲמִשִּׁים אִישׁ
רָצִים לְפָנָיו׃ ב וְהִשְׁכִּים אַבְשָׁלוֹם וְעָמַד עַל־יַד דֶּרֶךְ הַשָּׁעַר וַיְהִי כָּל־הָאִישׁ
אֲשֶׁר־יִהְיֶה־לּוֹ־רִיב לָבוֹא אֶל־הַמֶּלֶךְ לַמִּשְׁפָּט וַיִּקְרָא אַבְשָׁלוֹם אֵלָיו וַיֹּאמֶר
אֵי־מִזֶּה עִיר אַתָּה וַיֹּאמֶר מֵאַחַד שִׁבְטֵי־יִשְׂרָאֵל עַבְדֶּךָ׃ ג וַיֹּאמֶר אֵלָיו
אַבְשָׁלוֹם רְאֵה דְבָרֶךָ טוֹבִים וּנְכֹחִים וְשֹׁמֵעַ אֵין־לְךָ מֵאֵת הַמֶּלֶךְ׃ ד וַיֹּאמֶר
אַבְשָׁלוֹם מִי־יְשִׂמֵנִי שֹׁפֵט בָּאָרֶץ וְעָלַי יָבוֹא כָּל־אִישׁ אֲשֶׁר־יִהְיֶה־לּוֹ־רִיב
וּמִשְׁפָּט וְהִצְדַּקְתִּיו׃ ה וְהָיָה בִּקְרָב־אִישׁ לְהִשְׁתַּחֲוֺת לוֹ וְשָׁלַח אֶת־יָדוֹ
וְהֶחֱזִיק לוֹ וְנָשַׁק לוֹ׃ ו וַיַּעַשׂ אַבְשָׁלוֹם כַּדָּבָר הַזֶּה לְכָל־יִשְׂרָאֵל אֲשֶׁר־יָבֹאוּ
לַמִּשְׁפָּט אֶל־הַמֶּלֶךְ וַיְגַנֵּב אַבְשָׁלוֹם אֶת־לֵב אַנְשֵׁי יִשְׂרָאֵל׃

ז וַיְהִי מִקֵּץ אַרְבָּעִים שָׁנָה וַיֹּאמֶר אַבְשָׁלוֹם אֶל־הַמֶּלֶךְ אֵלְכָה נָּא וַאֲשַׁלֵּם
אֶת־נִדְרִי אֲשֶׁר־נָדַרְתִּי לַיהוָה בְּחֶבְרוֹן׃ ח כִּי־נֵדֶר נָדַר עַבְדְּךָ בְּשִׁבְתִּי
בִגְשׁוּר בַּאֲרָם לֵאמֹר אִם־יָשׁוֹב[30] יְשִׁיבֵנִי יְהוָה יְרוּשָׁלַ͏ִם וְעָבַדְתִּי אֶת־יְהוָה׃
ט וַיֹּאמֶר־לוֹ הַמֶּלֶךְ לֵךְ בְּשָׁלוֹם וַיָּקָם וַיֵּלֶךְ חֶבְרוֹנָה׃

י וַיִּשְׁלַח אַבְשָׁלוֹם מְרַגְּלִים בְּכָל־שִׁבְטֵי יִשְׂרָאֵל לֵאמֹר כְּשָׁמְעֲכֶם אֶת־קוֹל
הַשֹּׁפָר וַאֲמַרְתֶּם מָלַךְ אַבְשָׁלוֹם בְּחֶבְרוֹן׃

---

[29] והוצתיה
[30] ישיב

26 And when he polled his head–now it was at every year's end that he polled it; because the hair was heavy on him, therefore he polled it–he weighed the hair of his head at two hundred shekels, after the king's weight. **27** And unto Absalom there were born three sons, and one daughter, whose name was Tamar; she was a woman of a fair countenance.{P}

28 And Absalom dwelt two full years in Yerushalam; and he saw not the kings face. **29** Then Absalom sent for Joab, to send him to the king; but he would not come to him; and he sent again a second time, but he would not come. **30** Therefore he said unto his servants: 'See, Joab's field is near mine, and he hath barley there; go and set it on fire.' And Absalom's servants set the field on fire.{P}

31 Then Joab arose, and came to Absalom unto his house, and said unto him: 'Wherefore have thy servants set my field on fire?' **32** And Absalom answered Joab: 'Behold, I sent unto thee, saying: Come hither, that I may send thee to the king, to say: Wherefore am I come from Geshur? it were better for me to be there still; now therefore let me see the king's face; and if there be iniquity in me, let him kill me.' **33** So Joab came to the king, and told him; and when he had called for Absalom, he came to the king, and bowed himself on his face to the ground before the king; and the king kissed Absalom.{S}

15 **1** And it came to pass after this, that Absalom prepared him a chariot and horses, and fifty men to run before him. **2** And Absalom used to rise up early, and stand beside the way of the gate; and it was so, that when any man had a suit which should come to the king for judgment, then Absalom called unto him, and said: 'Of what city art thou?' And he said: 'Thy servant is of one of the tribes of Israel.' **3** And Absalom said unto him: 'See, thy matters are good and right; but there is no man deputed of the king to hear thee.' **4** Absalom said moreover: 'Oh that I were made judge in the land, that every man who hath any suit or cause might come unto me, and I would do him justice!' **5** And it was so, that when any man came nigh to prostrate himself before him, he put forth his hand, and took hold of him, and kissed him. **6** And on this manner did Absalom to all Israel that came to the king for judgment; so Absalom stole the hearts of the men of Israel.{P}

7 And it came to pass at the end of forty years, that Absalom said unto the king: 'I pray thee, let me go and pay my vow, which I have vowed unto Yehovah, in Hebron. **8** For thy servant vowed a vow while I abode at Geshur in Aram, saying: If Yehovah shall indeed bring me back to Yerushalam, then I will serve Yehovah.' **9** And the king said unto him: 'Go in peace.' So he arose, and went to Hebron.{P}

10 But Absalom sent spies throughout all the tribes of Israel, saying: 'As soon as ye hear the sound of the horn, then ye shall say: Absalom is king in Hebron.'

יא וְאֶת־אַבְשָׁל֗וֹם הָלְכ֞וּ מָאתַ֤יִם אִישׁ֙ מִירֽוּשָׁלִַ֔ם קְרֻאִ֖ים וְהֹלְכִ֣ים לְתֻמָּ֑ם וְלֹ֥א
יָדְע֖וּ כָּל־דָּבָֽר: יב וַיִּשְׁלַ֣ח אַבְשָׁל֡וֹם אֶת־אֲחִיתֹ֣פֶל הַגִּֽילֹנִי֩ יוֹעֵ֨ץ דָּוִ֤ד מֵֽעִירוֹ֙
מִגִּלֹ֔ה בְּזָבְח֖וֹ אֶת־הַזְּבָחִ֑ים וַיְהִ֤י הַקֶּ֙שֶׁר֙ אַמִּ֔ץ וְהָעָ֛ם הוֹלֵ֥ךְ וָרָ֖ב אֶת־אַבְשָׁלֽוֹם:
יג וַיָּבֹא֙ הַמַּגִּ֔יד אֶל־דָּוִ֖ד לֵאמֹ֑ר הָיָ֛ה לֶב־אִ֥ישׁ יִשְׂרָאֵ֖ל אַחֲרֵ֥י אַבְשָׁלֽוֹם:
יד וַיֹּ֣אמֶר דָּ֠וִד לְכָל־עֲבָדָ֨יו אֲשֶׁר־אִתּ֤וֹ בִירֽוּשָׁלִַ֙ם֙ ק֣וּמוּ וְנִבְרָ֔חָה כִּ֛י
לֹא־תִֽהְיֶה־לָּ֥נוּ פְלֵיטָ֖ה מִפְּנֵ֣י אַבְשָׁל֑וֹם מַהֲר֣וּ לָלֶ֗כֶת פֶּן־יְמַהֵ֤ר וְהִשִּׂגָ֙נוּ֙ וְהִדִּ֤יחַ
עָלֵ֙ינוּ֙ אֶת־הָ֣רָעָ֔ה וְהִכָּ֥ה הָעִ֖יר לְפִי־חָֽרֶב: טו וַיֹּאמְר֥וּ עַבְדֵֽי־הַמֶּ֖לֶךְ אֶל־הַמֶּ֑לֶךְ
כְּכֹ֧ל אֲשֶׁר־יִבְחַ֛ר אֲדֹנִ֥י הַמֶּ֖לֶךְ הִנֵּ֥ה עֲבָדֶֽיךָ: טז וַיֵּצֵ֥א הַמֶּ֛לֶךְ וְכָל־בֵּית֖וֹ בְּרַגְלָ֑יו
וַיַּֽעֲזֹ֣ב הַמֶּ֗לֶךְ אֵ֚ת עֶ֣שֶׂר נָשִׁ֣ים פִּֽלַגְשִׁ֔ים לִשְׁמֹ֖ר הַבָּֽיִת: יז וַיֵּצֵ֥א הַמֶּ֛לֶךְ וְכָל־הָעָ֖ם
בְּרַגְלָ֑יו וַיַּעַמְד֖וּ בֵּ֥ית הַמֶּרְחָֽק: יח וְכָל־עֲבָדָיו֙ עֹבְרִ֣ים עַל־יָד֔וֹ וְכָל־הַכְּרֵתִ֣י
וְכָל־הַפְּלֵתִ֗י וְכָֽל־הַגִּתִּ֞ים שֵׁשׁ־מֵא֣וֹת אִ֗ישׁ אֲשֶׁר־בָּ֤אוּ בְרַגְלוֹ֙ מִגַּ֔ת עֹבְרִ֖ים
עַל־פְּנֵ֥י הַמֶּֽלֶךְ: יט וַיֹּ֤אמֶר הַמֶּ֙לֶךְ֙ אֶל־אִתַּ֣י הַגִּתִּ֔י לָ֧מָּה תֵלֵ֛ךְ גַּם־אַתָּ֖ה אִתָּ֑נוּ שׁ֣וּב
וְשֵׁ֣ב עִם־הַמֶּ֗לֶךְ כִּֽי־נָכְרִ֥י אַ֙תָּה֙ וְגַם־גֹּלֶ֣ה אַתָּ֔ה לִמְקוֹמֶֽךָ: כ תְּמ֣וֹל ׀ בּוֹאֶ֗ךָ וְהַיּ֞וֹם
אֲנִֽיעֲךָ֤[31] עִמָּ֙נוּ֙ לָלֶ֔כֶת וַאֲנִ֣י הוֹלֵ֔ךְ עַ֥ל אֲשֶׁר־אֲנִ֖י הוֹלֵ֑ךְ שׁ֣וּב וְהָשֵׁ֤ב אֶת־אַחֶ֙יךָ֙
עִמָּ֔ךְ חֶ֖סֶד וֶאֱמֶֽת: כא וַיַּ֙עַן אִתַּ֤י אֶת־הַמֶּ֙לֶךְ֙ וַיֹּאמַ֔ר חַי־יְהֹוָ֗ה וְחֵי֙ אֲדֹנִ֣י הַמֶּ֔לֶךְ
כִּ֠י אִֽם־בִּמְק֞וֹם אֲשֶׁ֧ר יִֽהְיֶה־שָּׁ֣ם ׀ אֲדֹנִ֣י הַמֶּ֗לֶךְ אִם־לְמָ֙וֶת֙ אִם־לְחַיִּ֔ים כִּי־שָׁ֖ם
יִהְיֶ֥ה עַבְדֶּֽךָ: כב וַיֹּ֧אמֶר דָּוִ֛ד אֶל־אִתַּ֖י לֵ֣ךְ וַעֲבֹ֑ר וַֽיַּעֲבֹ֞ר אִתַּ֤י הַגִּתִּי֙ וְכָל־אֲנָשָׁ֔יו
וְכָל־הַטַּ֖ף אֲשֶׁ֥ר אִתּֽוֹ: כג וְכָל־הָאָ֗רֶץ בּוֹכִים֙ ק֣וֹל גָּד֔וֹל וְכָל־הָעָ֖ם עֹֽבְרִ֑ים
וְהַמֶּ֗לֶךְ עֹבֵר֙ בְּנַ֣חַל קִדְר֔וֹן וְכָל־הָעָם֙ עֹֽבְרִ֔ים עַל־פְּנֵי־דֶ֖רֶךְ אֶת־הַמִּדְבָּֽר:
כד וְהִנֵּ֤ה גַם־צָדוֹק֙ וְכָל־הַלְוִיִּ֣ם אִתּ֔וֹ נֹֽשְׂאִים֙ אֶת־אֲר֖וֹן בְּרִ֣ית הָאֱלֹהִ֑ים וַיַּצִּ֙קוּ֙
אֶת־אֲר֣וֹן הָאֱלֹהִ֔ים וַיַּ֖עַל אֶבְיָתָ֑ר עַד־תֹּ֥ם כָּל־הָעָ֖ם לַעֲב֥וֹר מִן־הָעִֽיר:
כה וַיֹּ֤אמֶר הַמֶּ֙לֶךְ֙ לְצָד֔וֹק הָשֵׁ֛ב אֶת־אֲר֥וֹן הָאֱלֹהִ֖ים הָעִ֑יר אִם־אֶמְצָ֥א חֵן֙ בְּעֵינֵ֣י
יְהֹוָ֔ה וֶהֱשִׁבַ֕נִי וְהִרְאַ֥נִי אֹת֖וֹ וְאֶת־נָוֵֽהוּ: כו וְאִ֣ם כֹּ֣ה יֹאמַ֔ר לֹ֥א חָפַ֖צְתִּי בָּ֑ךְ הִנְנִ֕י
יַֽעֲשֶׂה־לִּ֕י כַּאֲשֶׁ֥ר ט֖וֹב בְּעֵינָֽיו: כז וַיֹּ֤אמֶר הַמֶּ֙לֶךְ֙ אֶל־צָד֣וֹק הַכֹּהֵ֔ן הֲרוֹאֶ֣ה אַתָּ֔ה
שֻׁ֥בָה הָעִ֖יר בְּשָׁל֑וֹם וַאֲחִימַ֨עַץ בִּנְךָ֜ וִֽיהוֹנָתָ֧ן בֶּן־אֶבְיָתָ֛ר שְׁנֵ֥י בְנֵיכֶ֖ם אִתְּכֶֽם:
כח רְאוּ֙ אָנֹכִ֣י מִתְמַהְמֵ֔הַּ בְּעַבְרוֹת֩[32] הַמִּדְבָּ֨ר עַ֚ד בּ֣וֹא דָבָ֣ר מֵעִמָּכֶ֔ם לְהַגִּ֖יד לִֽי:
כט וַיָּ֨שֶׁב צָד֧וֹק וְאֶבְיָתָ֛ר אֶת־אֲר֥וֹן הָאֱלֹהִ֖ים יְרוּשָׁלִָ֑ם וַיֵּשְׁב֖וּ שָֽׁם: ל וְדָוִ֡ד עֹלֶ֣ה
בְמַעֲלֵ֣ה הַזֵּיתִ֣ים עֹלֶ֣ה ׀ וּבוֹכֶ֡ה וְרֹ֣אשׁ לוֹ֩ חָפ֨וּי וְה֜וּא הֹלֵ֣ךְ יָחֵ֗ף וְכָל־הָעָ֤ם
אֲשֶׁר־אִתּוֹ֙ חָפוּ֙ אִ֣ישׁ רֹאשׁ֔וֹ וְעָל֥וּ עָלֹ֖ה וּבָכֹֽה: לא וְדָוִד֙ הִגִּ֣יד לֵאמֹ֔ר אֲחִיתֹ֥פֶל
בַּקֹּשְׁרִ֖ים עִם־אַבְשָׁל֑וֹם וַיֹּ֣אמֶר דָּוִ֔ד סַכֶּל־נָ֛א אֶת־עֲצַ֥ת אֲחִיתֹ֖פֶל יְהֹוָֽה:

---

[31] אֲנִֽיעֲךָ
[32] בְּעַבְרוֹת

11 And with Absalom went two hundred men out of Yerushalam, that were invited, and went in their simplicity; and they knew not any thing. **12** And Absalom sent for Ahithophel the Gilonite, David's counsellor, from his city, even from Giloh, while he offered the sacrifices. And the conspiracy was strong; for the people increased continually with Absalom. **13** And there came a messenger to David, saying: 'The hearts of the men of Israel are after Absalom.' **14** And David said unto all his servants that were with him at Yerushalam: 'Arise, and let us flee; for else none of us shall escape from Absalom; make speed to depart, lest he overtake us quickly, and bring down evil upon us, and smite the city with the edge of the sword.' **15** And the king's servants said unto the king: 'Behold, thy servants are ready to do whatsoever my lord the king shall choose.' **16** And the king went forth, and all his household after him. And the king left ten women, that were concubines, to keep the house. **17** And the king went forth, and all the people after him; and they tarried in Beth-merhak. **18** And all his servants passed on beside him; and all the Cherethites, and all the Pelethites, and all the Gittites, six hundred men that came after him from Gath, passed on before the king.{s} **19** Then said the king to Ittai the Gittite: 'Wherefore goest thou also with us? return, and abide with the king; for thou art a foreigner, and also an exile from thine own place. **20** Whereas thou camest but yesterday, should I this day make thee go up and down with us, seeing I go whither I may? return thou, and take back thy brethren with thee in kindness and truth.' **21** And Ittai answered the king, and said: 'As Yehovah liveth, and as my lord the king liveth, surely in what place my lord the king shall be, whether for death or for life, even there also will thy servant be.' **22** And David said to Ittai: 'Go and pass over.' And Ittai the Gittite passed over, and all his men, and all the little ones that were with him. **23** And all the country wept with a loud voice, as all the people passed over; and as the king passed over the brook Kidron, all the people passed over, toward the way of the wilderness. **24** And, lo, Zadok also came, and all the Levites with him, bearing the ark of the covenant of God; and they set down the ark of God–but Abiathar went up–until all the people had done passing out of the city.{s} **25** And the king said unto Zadok: 'Carry back the ark of God into the city; if I shall find favour in the eyes of Yehovah, He will bring me back, and show me both it, and His habitation; **26** but if He say thus: I have no delight in thee; behold, here am I, let Him do to me as seemeth good unto Him.'{s} **27** The king said also unto Zadok the priest: 'Seest thou? return into the city in peace, and your two sons with you, Ahimaaz thy son, and Jonathan the son of Abiathar. **28** See, I will tarry in the plains of the wilderness, until there come word from you to announce unto me.' **29** Zadok therefore and Abiathar carried the ark of God back to Yerushalam; and they abode there. **30** And David went up by the ascent of the mount of Olives, and wept as he went up; and he had his head covered, and went barefoot; and all the people that were with him covered every man his head, and they went up, weeping as they went up. **31** And one told David, saying: 'Ahithophel is among the conspirators with Absalom.' And David said: 'Yehovah, I pray Thee, turn the counsel of Ahithophel into foolishness.'

לב וַיְהִי דָוִד בָּא עַד־הָרֹאשׁ אֲשֶׁר־יִשְׁתַּחֲוֶה שָׁם לֵאלֹהִים וְהִנֵּה לִקְרָאתוֹ חוּשַׁי
הָאַרְכִּי קָרוּעַ כֻּתָּנְתּוֹ וַאֲדָמָה עַל־רֹאשׁוֹ׃ לג וַיֹּאמֶר לוֹ דָּוִד אִם עָבַרְתָּ אִתִּי
וְהָיִתָ עָלַי לְמַשָּׂא׃ לד וְאִם־הָעִיר תָּשׁוּב וְאָמַרְתָּ לְאַבְשָׁלוֹם עַבְדְּךָ אֲנִי הַמֶּלֶךְ
אֶהְיֶה עֶבֶד אָבִיךָ וַאֲנִי מֵאָז וְעַתָּה וַאֲנִי עַבְדֶּךָ וְהֵפַרְתָּה לִי אֵת עֲצַת אֲחִיתֹפֶל׃
לה וַהֲלוֹא עִמְּךָ שָׁם צָדוֹק וְאֶבְיָתָר הַכֹּהֲנִים וְהָיָה כָּל־הַדָּבָר אֲשֶׁר תִּשְׁמַע
מִבֵּית הַמֶּלֶךְ תַּגִּיד לְצָדוֹק וּלְאֶבְיָתָר הַכֹּהֲנִים׃ לו הִנֵּה־שָׁם עִמָּם שְׁנֵי בְנֵיהֶם
אֲחִימַעַץ לְצָדוֹק וִיהוֹנָתָן לְאֶבְיָתָר וּשְׁלַחְתֶּם בְּיָדָם אֵלַי כָּל־דָּבָר אֲשֶׁר
תִּשְׁמָעוּ׃ לז וַיָּבֹא חוּשַׁי רֵעֶה דָוִד הָעִיר וְאַבְשָׁלֹם יָבֹא יְרוּשָׁלִָם׃

יו א וְדָוִד עָבַר מְעַט מֵהָרֹאשׁ וְהִנֵּה צִיבָא נַעַר מְפִי־בֹשֶׁת לִקְרָאתוֹ וְצֶמֶד
חֲמֹרִים חֲבֻשִׁים וַעֲלֵיהֶם מָאתַיִם לֶחֶם וּמֵאָה צִמּוּקִים וּמֵאָה קַיִץ וְנֵבֶל יָיִן׃
ב וַיֹּאמֶר הַמֶּלֶךְ אֶל־צִיבָא מָה־אֵלֶּה לָּךְ וַיֹּאמֶר צִיבָא הַחֲמוֹרִים לְבֵית־הַמֶּלֶךְ
לִרְכֹּב וְהַלֶּחֶם[33] וְהַקַּיִץ לֶאֱכוֹל הַנְּעָרִים וְהַיַּיִן לִשְׁתּוֹת הַיָּעֵף בַּמִּדְבָּר׃ ג וַיֹּאמֶר
הַמֶּלֶךְ וְאַיֵּה בֶּן־אֲדֹנֶיךָ וַיֹּאמֶר צִיבָא אֶל־הַמֶּלֶךְ הִנֵּה יוֹשֵׁב בִּירוּשָׁלַם כִּי אָמַר
הַיּוֹם יָשִׁיבוּ לִי בֵּית יִשְׂרָאֵל אֵת מַמְלְכוּת אָבִי׃ ד וַיֹּאמֶר הַמֶּלֶךְ לְצִבָא הִנֵּה
לְךָ כֹּל אֲשֶׁר לִמְפִי־בֹשֶׁת וַיֹּאמֶר צִיבָא הִשְׁתַּחֲוֵיתִי אֶמְצָא־חֵן בְּעֵינֶיךָ אֲדֹנִי
הַמֶּלֶךְ׃ ה וּבָא הַמֶּלֶךְ דָּוִד עַד־בַּחוּרִים וְהִנֵּה מִשָּׁם אִישׁ יוֹצֵא מִמִּשְׁפַּחַת
בֵּית־שָׁאוּל וּשְׁמוֹ שִׁמְעִי בֶן־גֵּרָא יֹצֵא יָצוֹא וּמְקַלֵּל׃ ו וַיְסַקֵּל בָּאֲבָנִים אֶת־דָּוִד
וְאֶת־כָּל־עַבְדֵי הַמֶּלֶךְ דָּוִד וְכָל־הָעָם וְכָל־הַגִּבֹּרִים מִימִינוֹ וּמִשְּׂמֹאלוֹ׃
ז וְכֹה־אָמַר שִׁמְעִי בְּקַלְלוֹ צֵא צֵא אִישׁ הַדָּמִים וְאִישׁ הַבְּלִיָּעַל׃ ח הֵשִׁיב עָלֶיךָ
יְהוָה כֹּל ׀ דְּמֵי בֵית־שָׁאוּל אֲשֶׁר מָלַכְתָּ תַּחְתָּיו[34] וַיִּתֵּן יְהוָה אֶת־הַמְּלוּכָה בְּיַד
אַבְשָׁלוֹם בְּנֶךָ וְהִנְּךָ בְּרָעָתֶךָ כִּי אִישׁ דָּמִים אָתָּה׃ ט וַיֹּאמֶר אֲבִישַׁי בֶן־צְרוּיָה
אֶל־הַמֶּלֶךְ לָמָּה יְקַלֵּל הַכֶּלֶב הַמֵּת הַזֶּה אֶת־אֲדֹנִי הַמֶּלֶךְ אֶעְבְּרָה־נָּא
וְאָסִירָה אֶת־רֹאשׁוֹ׃ י וַיֹּאמֶר הַמֶּלֶךְ מַה־לִּי וְלָכֶם בְּנֵי צְרֻיָה כֹּה[35] יְקַלֵּל
כִּי[36] יְהוָה אָמַר לוֹ קַלֵּל אֶת־דָּוִד וּמִי יֹאמַר מַדּוּעַ עָשִׂיתָה כֵּן׃ יא וַיֹּאמֶר דָּוִד
אֶל־אֲבִישַׁי וְאֶל־כָּל־עֲבָדָיו הִנֵּה בְנִי אֲשֶׁר־יָצָא מִמֵּעַי מְבַקֵּשׁ אֶת־נַפְשִׁי וְאַף
כִּי־עַתָּה בֶּן־הַיְמִינִי הַנִּחוּ לוֹ וִיקַלֵּל כִּי אָמַר־לוֹ יְהוָה׃ יב אוּלַי יִרְאֶה יְהוָה
בְּעֵינִי[37] וְהֵשִׁיב יְהוָה לִי טוֹבָה תַּחַת קִלְלָתוֹ הַיּוֹם הַזֶּה׃ יג וַיֵּלֶךְ דָּוִד וַאֲנָשָׁיו
בַּדֶּרֶךְ וְשִׁמְעִי הֹלֵךְ בְּצֵלַע הָהָר לְעֻמָּתוֹ הָלוֹךְ וַיְקַלֵּל וַיְסַקֵּל בָּאֲבָנִים לְעֻמָּתוֹ
וְעִפַּר בֶּעָפָר׃

---

[33] ולהלחם
[34] תחתו
[35] כי
[36] וכי
[37] בעוני

32 And it came to pass, that when David was come to the top of the ascent, where God was wont to be worshipped, behold, Hushai the Archite came to meet him with his coat rent, and earth upon his head. **33** And David said unto him: 'If thou passest on with me, then thou wilt be a burden unto Me; **34** but if thou return to the city, and say unto Absalom: I will be thy servant, O king; as I have been thy father's servant in time past, so will I now be thy servant; then wilt thou defeat for me the counsel of Ahithophel. **35** And hast thou not there with thee Zadok and Abiathar the priests? therefore it shall be, that what thing soever thou shalt hear out of the king's house, thou shalt tell it to Zadok and Abiathar the priests. **36** Behold, they have there with them their two sons, Ahimaaz Zadok's son, and Jonathan Abiathar's son; and by them ye shall send unto me every thing that ye shall hear.' **37** So Hushai David's friend came into the city; and Absalom was at the point of coming into Yerushalam.{s}

16 1 And when David was a little past the top, behold, Ziba the servant of Mephibosheth met him, with a couple of asses saddled, and upon them two hundred loaves of bread, and a hundred clusters of raisins, and a hundred of summer fruits, and a bottle of wine. **2** And the king said unto Ziba: 'What meanest thou by these?' And Ziba said: 'The asses are for the king's household to ride on; and the bread and summer fruit for the young men to eat; and the wine, that such as are faint in the wilderness may drink.' **3** And the king said: 'And where is thy master's son?' And Ziba said unto the king: 'Behold, he abideth at Yerushalam; for he said: To-day will the house of Israel restore me the kingdom of my father.' **4** Then said the king to Ziba: 'Behold, thine is all that pertaineth unto Mephibosheth.' And Ziba said: 'I prostrate myself; let me find favour in thy sight, my lord, O king.' **5** And when king David came to Bahurim, behold, there came out thence a man of the family of the house of Saul, whose name was Shimei, the son of Gera; he came out, and kept on cursing as he came. **6** And he cast stones at David, and at all the servants of king David; and all the people and all the mighty men were on his right hand and on his left. **7** And thus said Shimei when he cursed: 'Begone, begone, thou man of blood, and base fellow; **8** Yehovah hath returned upon thee all the blood of the house of Saul, in whose stead thou hast reigned; and Yehovah hath delivered the kingdom into the hand of Absalom thy son; and, behold, thou art taken in thine own mischief, because thou art a man of blood.' **9** Then said Abishai the son of Zeruiah unto the king: 'Why should this dead dog curse my lord the king? let me go over, I pray thee, and take off his head.'{s} **10** And the king said: 'What have I to do with you, ye sons of Zeruiah? So let him curse, because Yehovah hath said unto him: Curse David; who then shall say: Wherefore hast thou done so?'{s} **11** And David said to Abishai, and to all his servants: 'Behold, my son, who came forth of my body, seeketh my life; how much more this Benjamite now? let him alone, and let him curse; for Yehovah hath bidden him. **12** It may be that Yehovah will look on mine eye, and that Yehovah will requite me good for his cursing of me this day.' **13** So David and his men went by the way;{s} and Shimei went along on the hill-side over against him, and cursed as he went, and threw stones at him, and cast dust.{P}

יד וַיָּבֹ֥א הַמֶּ֛לֶךְ וְכָל־הָעָ֥ם אֲשֶׁר־אִתּ֖וֹ עֲיֵפִ֑ים וַיִּנָּפֵ֖שׁ שָֽׁם׃ טו וְאַבְשָׁל֗וֹם
וְכָל־הָעָם֙ אִ֣ישׁ יִשְׂרָאֵ֔ל בָּ֖אוּ יְרוּשָׁלִָ֑ם וַאֲחִיתֹ֖פֶל אִתּֽוֹ׃ טז וַיְהִ֗י כַּאֲשֶׁר־בָּ֛א חוּשַׁ֧י
הָאַרְכִּ֛י רֵעֶ֥ה דָוִ֖ד אֶל־אַבְשָׁל֑וֹם וַיֹּ֤אמֶר חוּשַׁי֙ אֶל־אַבְשָׁל֔וֹם יְחִ֥י הַמֶּ֖לֶךְ יְחִ֥י
הַמֶּֽלֶךְ׃ יז וַיֹּ֤אמֶר אַבְשָׁלוֹם֙ אֶל־חוּשַׁ֔י זֶ֖ה חַסְדְּךָ֣ אֶת־רֵעֶ֑ךָ לָ֥מָּה לֹֽא־הָלַ֖כְתָּ
אֶת־רֵעֶֽךָ׃ יח וַיֹּ֣אמֶר חוּשַׁי֮ אֶל־אַבְשָׁלֹם֒ לֹ֕א כִּ֠י אֲשֶׁ֨ר בָּחַ֧ר יְהוָ֛ה וְהָעָ֥ם הַזֶּ֖ה
וְכָל־אִ֣ישׁ יִשְׂרָאֵ֑ל ל֥וֹ[38] אֶהְיֶ֖ה וְאִתּ֥וֹ אֵשֵֽׁב׃ יט וְהַשֵּׁנִ֗ית לְמִי֙ אֲנִ֣י אֶֽעֱבֹ֔ד הֲל֖וֹא
לִפְנֵ֣י בְנ֑וֹ כַּאֲשֶׁ֤ר עָבַ֙דְתִּי֙ לִפְנֵ֣י אָבִ֔יךָ כֵּ֖ן אֶהְיֶ֥ה לְפָנֶֽיךָ׃

כ וַיֹּ֥אמֶר אַבְשָׁל֖וֹם אֶל־אֲחִיתֹ֑פֶל הָב֥וּ לָכֶ֛ם עֵצָ֖ה מַֽה־נַּעֲשֶֽׂה׃ כא וַיֹּ֤אמֶר
אֲחִיתֹ֙פֶל֙ אֶל־אַבְשָׁלֹ֔ם בּ֚וֹא אֶל־פִּלַגְשֵׁ֣י אָבִ֔יךָ אֲשֶׁ֥ר הִנִּ֖יחַ לִשְׁמ֣וֹר הַבָּ֑יִת וְשָׁמַ֤ע
כָּל־יִשְׂרָאֵל֙ כִּֽי־נִבְאַ֣שְׁתָּ אֶת־אָבִ֔יךָ וְחָ֣זְק֔וּ יְדֵ֖י כָּל־אֲשֶׁ֥ר אִתָּֽךְ׃ כב וַיַּטּ֧וּ
לְאַבְשָׁל֛וֹם הָאֹ֖הֶל עַל־הַגָּ֑ג וַיָּבֹ֤א אַבְשָׁלוֹם֙ אֶל־פִּלַגְשֵׁ֣י אָבִ֔יו לְעֵינֵ֖י כָּל־יִשְׂרָאֵֽל׃
כג וַעֲצַ֣ת אֲחִיתֹ֗פֶל אֲשֶׁ֤ר יָעַץ֙ בַּיָּמִ֣ים הָהֵ֔ם כַּאֲשֶׁ֥ר יִשְׁאַל־אִ֖ישׁ בִּדְבַ֣ר הָאֱלֹהִ֑ים
כֵּ֚ן כָּל־עֲצַ֣ת אֲחִיתֹ֔פֶל גַּם־לְדָוִ֖ד גַּ֥ם לְאַבְשָׁלֹֽם׃

יז א וַיֹּ֥אמֶר אֲחִיתֹ֖פֶל אֶל־אַבְשָׁלֹ֑ם אֶבְחֲרָ֣ה נָּ֗א שְׁנֵים־עָשָׂ֤ר אֶ֙לֶף֙ אִ֔ישׁ וְאָק֛וּמָה
וְאֶרְדְּפָ֥ה אַחֲרֵֽי־דָוִ֖ד הַלָּֽיְלָה׃ ב וְאָב֣וֹא עָלָ֗יו וְה֤וּא יָגֵ֙עַ֙ וּרְפֵ֣ה יָדַ֔יִם וְהַחֲרַדְתִּ֣י
אֹת֔וֹ וְנָ֖ס כָּל־הָעָ֣ם אֲשֶׁר־אִתּ֑וֹ וְהִכֵּיתִ֥י אֶת־הַמֶּ֖לֶךְ לְבַדּֽוֹ׃ ג וְאָשִׁ֥יבָה כָל־הָעָ֖ם
אֵלֶ֑יךָ כְּשׁ֣וּב הַכֹּ֗ל הָאִישׁ֙ אֲשֶׁ֣ר אַתָּ֣ה מְבַקֵּ֔שׁ כָּל־הָעָ֖ם יִהְיֶ֥ה שָׁלֽוֹם׃ ד וַיִּישַׁ֥ר
הַדָּבָ֖ר בְּעֵינֵ֣י אַבְשָׁלֹ֑ם וּבְעֵינֵ֖י כָּל־זִקְנֵ֥י יִשְׂרָאֵֽל׃ ה וַיֹּ֙אמֶר֙ אַבְשָׁל֔וֹם קְרָ֣א נָ֔א גַּ֖ם
לְחוּשַׁ֣י הָֽאַרְכִּ֑י וְנִשְׁמְעָ֥ה מַה־בְּפִ֖יו גַּם־הֽוּא׃ ו וַיָּבֹ֣א חוּשַׁי֮ אֶל־אַבְשָׁלוֹם֒ וַיֹּ֨אמֶר
אַבְשָׁל֜וֹם אֵלָ֣יו לֵאמֹ֗ר כַּדָּבָ֤ר הַזֶּה֙ דִּבֶּ֣ר אֲחִיתֹ֔פֶל הֲנַעֲשֶׂ֖ה אֶת־דְּבָר֑וֹ אִם־אַ֖יִן
אַתָּ֥ה דַבֵּֽר׃ ז וַיֹּ֥אמֶר חוּשַׁ֖י אֶל־אַבְשָׁל֑וֹם לֹא־טוֹבָ֧ה הָעֵצָ֛ה אֲשֶׁר־יָעַ֥ץ אֲחִיתֹ֖פֶל
בַּפַּ֥עַם הַזֹּֽאת׃ ח וַיֹּ֣אמֶר חוּשַׁ֡י אַתָּה֩ יָדַ֨עְתָּ אֶת־אָבִ֜יךָ וְאֶת־אֲנָשָׁ֗יו כִּ֣י גִבֹּרִ֥ים הֵ֙מָּה֙
וּמָרֵ֣י נֶ֣פֶשׁ הֵ֔מָּה כְּדֹ֥ב שַׁכּ֖וּל בַּשָּׂדֶ֑ה וְאָבִ֙יךָ֙ אִ֣ישׁ מִלְחָמָ֔ה וְלֹ֥א יָלִ֖ין אֶת־הָעָֽם׃
ט הִנֵּ֨ה עַתָּ֤ה הֽוּא־נֶחְבָּא֙ בְּאַחַ֣ת הַפְּחָתִ֔ים א֖וֹ בְּאַחַ֣ד הַמְּקוֹמֹ֑ת וְהָיָ֗ה כִּנְפֹ֤ל בָּהֶם֙
בַּתְּחִלָּ֔ה וְשָׁמַ֤ע הַשֹּׁמֵ֙עַ֙ וְאָמַ֔ר הָֽיְתָה֙ מַגֵּפָ֔ה בָּעָ֕ם אֲשֶׁ֖ר אַחֲרֵ֥י אַבְשָׁלֹֽם׃ י וְה֣וּא
גַם־בֶּן־חַ֔יִל אֲשֶׁ֥ר לִבּ֛וֹ כְּלֵ֥ב הָאַרְיֵ֖ה הִמֵּ֣ס יִמָּ֑ס כִּֽי־יֹדֵ֤עַ כָּל־יִשְׂרָאֵל֙ כִּֽי־גִבּ֣וֹר
אָבִ֔יךָ וּבְנֵי־חַ֖יִל אֲשֶׁ֥ר אִתּֽוֹ׃ יא כִּ֣י יָעַ֗צְתִּי הֵאָסֹ֨ף יֵאָסֵ֤ף עָלֶ֙יךָ֙ כָל־יִשְׂרָאֵל֙ מִדָּ֣ן
וְעַד־בְּאֵ֣ר שֶׁ֔בַע כַּח֥וֹל אֲשֶׁר־עַל־הַיָּ֖ם לָרֹ֑ב וּפָנֶ֖יךָ הֹלְכִ֥ים בַּקְרָֽב׃ יב וּבָ֣אנוּ אֵלָ֗יו
בְּאַחַ֤ד[39] הַמְּקוֹמֹת֙ אֲשֶׁ֣ר נִמְצָ֣א שָׁ֔ם וְנַ֣חְנוּ עָלָ֔יו כַּאֲשֶׁ֛ר יִפֹּ֥ל הַטַּ֖ל עַל־הָאֲדָמָ֑ה
וְלֹֽא־נ֥וֹתַר בּ֛וֹ וּבְכָל־הָאֲנָשִׁ֥ים אֲשֶׁר־אִתּ֖וֹ גַּם־אֶחָֽד׃

[38] לא
[39] באחת

14 And the king, and all the people that were with him, came weary; and he refreshed himself there. **15** And Absalom, and all the people, the men of Israel, came to Yerushalam, and Ahithophel with him. **16** And it came to pass, when Hushai the Archite, David's friend, was come unto Absalom, that Hushai said unto Absalom: 'Long live the king, long live the king.' **17** And Absalom said to Hushai: 'Is this thy kindness to thy friend? why wentest thou not with thy friend?' **18** And Hushai said unto Absalom: 'Nay; but whom Yehovah, and this people, and all the men of Israel have chosen, his will I be, and with him will I abide. **19** And again, whom should I serve? should I not serve in the presence of his son? as I have served in thy father's presence, so will I be in thy presence.'{P}

20 Then said Absalom to Ahithophel: 'Give your counsel what we shall do.' **21** And Ahithophel said unto Absalom: 'Go in unto thy father's concubines, that he hath left to keep the house; and all Israel will hear that thou art abhorred of thy father; then will the hands of all that are with thee be strong.' **22** So they spread Absalom a tent upon the top of the house; and Absalom went in unto his father's concubines in the sight of all Israel.– **23** Now the counsel of Ahithophel, which he counselled in those days, was as if a man inquired of the word of God; so was all the counsel of Ahithophel both with David and with Absalom.{s}

17 **1** Moreover Ahithophel said unto Absalom: 'Let me now choose out twelve thousand men, and I will arise and pursue after David this night; **2** and I will come upon him while he is weary and weak-handed, and will make him afraid; and all the people that are with him shall flee; and I will smite the king only; **3** and I will bring back all the people unto thee; when all shall have returned, [save] the man whom thou seekest, all the people will be in peace.' **4** And the saying pleased Absalom well, and all the elders of Israel.{s} **5** Then said Absalom: 'Call now Hushai the Archite also, and let us hear likewise what he saith.' **6** And when Hushai was come to Absalom, Absalom spoke unto him, saying: 'Ahithophel hath spoken after this manner; shall we do after his saying? if not, speak thou.'{s} **7** And Hushai said unto Absalom: 'The counsel that Ahithophel hath given this time is not good.' **8** Hushai said moreover: 'Thou knowest thy father and his men, that they are mighty men, and they are embittered in their minds, as a bear robbed of her whelps in the field; and thy father is a man of war, and will not lodge with the people. **9** Behold, he is hid now in some pit, or in some place; and it will come to pass, when they fall upon them at the first, and whosoever heareth it shall say: There is a slaughter among the people that follow Absalom; **10** then even he that is valiant, whose heart is as the heart of a lion, will utterly melt; for all Israel knoweth that thy father is a mighty man, and they that are with him are valiant men. **11** But I counsel that all Israel be gathered together unto thee, from Dan even to Beer-sheba, as the sand that is by the sea for multitude; and that thou go to battle in thine own person. **12** So shall we come upon him in some place where he shall be found, and we will light upon him as the dew falleth on the ground; and of him and of all the men that are with him we will not leave so much as one.

יג וְאִם־אֶל־עִיר֙ יֵֽאָסֵ֔ף וְהִשִּׂ֧יאוּ כָל־יִשְׂרָאֵ֛ל אֶל־הָעִ֥יר הַהִ֖יא חֲבָלִ֑ים וְסָחַ֤בְנוּ אֹתוֹ֙ עַד־הַנַּ֔חַל עַ֛ד אֲשֶׁר־לֹֽא־נִמְצָ֥א שָׁ֖ם גַּם־צְרֽוֹר׃

יד וַיֹּ֤אמֶר אַבְשָׁלוֹם֙ וְכָל־אִ֣ישׁ יִשְׂרָאֵ֔ל טוֹבָ֗ה עֲצַ֞ת חוּשַׁ֤י הָאַרְכִּי֙ מֵֽעֲצַ֣ת אֲחִיתֹ֔פֶל וַֽיהוָ֣ה צִוָּ֗ה לְהָפֵ֞ר אֶת־עֲצַ֤ת אֲחִיתֹ֙פֶל֙ הַטּוֹבָ֔ה לְבַֽעֲב֗וּר הָבִ֤יא יְהוָה֙ אֶל־אַבְשָׁל֔וֹם אֶת־הָרָעָֽה׃ טו וַיֹּ֣אמֶר חוּשַׁ֗י אֶל־צָד֤וֹק וְאֶל־אֶבְיָתָר֙ הַכֹּ֣הֲנִ֔ים כָּזֹ֤את וְכָזֹאת֙ יָעַ֣ץ אֲחִיתֹ֔פֶל אֶת־אַבְשָׁלֹ֖ם וְאֵ֣ת זִקְנֵ֣י יִשְׂרָאֵ֑ל וְכָזֹ֥את וְכָזֹ֖את יָעַ֥צְתִּי אָֽנִי׃ טז וְעַתָּ֡ה שִׁלְח֣וּ מְהֵרָה֩ וְהַגִּ֨ידוּ לְדָוִ֜ד לֵאמֹ֗ר אַל־תָּ֤לֶן הַלַּ֙יְלָה֙ בְּעַֽרְב֣וֹת הַמִּדְבָּ֔ר וְגַ֖ם עָב֣וֹר תַּֽעֲב֑וֹר פֶּ֚ן יְבֻלַּ֣ע לַמֶּ֔לֶךְ וּלְכָל־הָעָ֖ם אֲשֶׁ֥ר אִתּֽוֹ׃ יז וִיהֽוֹנָתָ֨ן וַֽאֲחִימַ֜עַץ עֹֽמְדִ֣ים בְּעֵֽין־רֹגֵ֗ל וְהָֽלְכָ֤ה הַשִּׁפְחָה֙ וְהִגִּ֣ידָה לָהֶ֔ם וְהֵם֙ יֵֽלְכ֔וּ וְהִגִּ֖ידוּ לַמֶּ֣לֶךְ דָּוִ֑ד כִּ֣י לֹ֥א יֽוּכְל֛וּ לְהֵֽרָא֖וֹת לָב֥וֹא הָעִֽירָה׃ יח וַיַּ֤רְא אֹתָם֙ נַ֔עַר וַיַּגֵּ֖ד לְאַבְשָׁלֹ֑ם וַיֵּֽלְכוּ֩ שְׁנֵיהֶ֨ם מְהֵרָ֜ה וַיָּבֹ֣אוּ ׀ אֶל־בֵּֽית־אִ֣ישׁ בְּבַֽחוּרִ֗ים וְל֥וֹ בְאֵ֛ר בַּֽחֲצֵר֖וֹ וַיֵּ֥רְדוּ שָֽׁם׃ יט וַתִּקַּ֣ח הָֽאִשָּׁ֗ה וַתִּפְרֹ֤שׂ אֶת־הַמָּסָךְ֙ עַל־פְּנֵ֣י הַבְּאֵ֔ר וַתִּשְׁטַ֥ח עָלָ֖יו הָֽרִפ֑וֹת וְלֹ֥א נוֹדַ֖ע דָּבָֽר׃ כ וַיָּבֹ֣אוּ עַבְדֵ֣י אַבְשָׁל֣וֹם אֶל־הָֽאִשָּׁ֣ה הַבַּ֗יְתָה וַיֹּֽאמְרוּ֙ אַיֵּ֗ה אֲחִימַ֙עַץ֙ וִיה֣וֹנָתָ֔ן וַתֹּ֤אמֶר לָהֶם֙ הָֽאִשָּׁ֔ה עָֽבְר֖וּ מִיכַ֣ל הַמָּ֑יִם וַיְבַקְשׁוּ֙ וְלֹ֣א מָצָ֔אוּ וַיָּשֻׁ֖בוּ יְרֽוּשָׁלָֽ͏ִם׃ כא וַיְהִ֣י ׀ אַֽחֲרֵ֣י לֶכְתָּ֗ם וַיַּֽעֲלוּ֙ מֵֽהַבְּאֵ֔ר וַיֵּ֣לְכ֔וּ וַיַּגִּ֖דוּ לַמֶּ֣לֶךְ דָּוִ֑ד וַיֹּֽאמְר֣וּ אֶל־דָּוִ֗ד ק֣וּמוּ וְעִבְר֤וּ מְהֵרָה֙ אֶת־הַמַּ֔יִם כִּי־כָ֛כָה יָעַ֥ץ עֲלֵיכֶ֖ם אֲחִיתֹֽפֶל׃ כב וַיָּ֣קָם דָּוִ֗ד וְכָל־הָעָם֙ אֲשֶׁ֣ר אִתּ֔וֹ וַיַּֽעַבְר֖וּ אֶת־הַיַּרְדֵּ֑ן עַד־א֣וֹר הַבֹּ֗קֶר עַד־אַחַד֙ לֹ֣א נֶעְדָּ֔ר אֲשֶׁ֥ר לֹֽא־עָבַ֖ר אֶת־הַיַּרְדֵּֽן׃ כג וַֽאֲחִיתֹ֣פֶל רָאָ֗ה כִּ֣י לֹ֣א נֶֽעֶשְׂתָה֮ עֲצָתוֹ֒ וַיַּֽחֲבֹ֣שׁ אֶת־הַֽחֲמ֗וֹר וַיָּ֜קָם וַיֵּ֤לֶךְ אֶל־בֵּיתוֹ֙ אֶל־עִיר֔וֹ וַיְצַ֥ו אֶל־בֵּית֖וֹ וַיֵּֽחָנַ֑ק וַיָּ֕מָת וַיִּקָּבֵ֖ר בְּקֶ֥בֶר אָבִֽיו׃ כד וְדָוִ֖ד בָּ֣א מַֽחֲנָ֑יְמָה וְאַבְשָׁלֹ֗ם עָבַר֙ אֶת־הַיַּרְדֵּ֔ן ה֕וּא וְכָל־אִ֥ישׁ יִשְׂרָאֵ֖ל עִמּֽוֹ׃ כה וְאֶת־עֲמָשָׂ֗א שָׂ֧ם אַבְשָׁלֹ֛ם תַּ֥חַת יוֹאָ֖ב עַל־הַצָּבָ֑א וַֽעֲמָשָׂ֣א בֶן־אִ֗ישׁ וּשְׁמוֹ֙ יִתְרָ֣א הַיִּשְׂרְאֵלִ֔י אֲשֶׁר־בָּא֙ אֶל־אֲבִיגַ֣ל בַּת־נָחָ֔שׁ אֲח֥וֹת צְרוּיָ֖ה אֵ֥ם יוֹאָֽב׃ כו וַיִּ֤חַן יִשְׂרָאֵל֙ וְאַבְשָׁלֹ֔ם אֶ֖רֶץ הַגִּלְעָֽד׃ כז וַיְהִ֕י כְּב֥וֹא דָוִ֖ד מַֽחֲנָ֑יְמָה וְשֹׁבִ֨י בֶן־נָחָ֜שׁ מֵֽרַבַּ֣ת בְּנֵֽי־עַמּ֗וֹן וּמָכִ֤יר בֶּן־עַמִּיאֵל֙ מִלֹּ֣א דְבָ֔ר וּבַרְזִלַּ֥י הַגִּלְעָדִ֖י מֵֽרֹגְלִֽים׃ כח מִשְׁכָּ֤ב וְסַפּוֹת֙ וּכְלִ֣י יוֹצֵ֔ר וְחִטִּ֥ים וּשְׂעֹרִ֖ים וְקֶ֣מַח וְקָלִ֑י וּפ֥וֹל וַֽעֲדָשִׁ֖ים וְקָלִֽי׃ כט וּדְבַ֣שׁ וְחֶמְאָ֗ה וְצֹאן֙ וּשְׁפ֣וֹת בָּקָ֔ר הִגִּ֛ישׁוּ לְדָוִ֖ד וְלָעָ֥ם אֲשֶׁר־אִתּ֖וֹ לֶֽאֱכ֑וֹל כִּ֣י אָֽמְר֔וּ הָעָ֗ם רָעֵ֛ב וְעָיֵ֥ף וְצָמֵ֖א בַּמִּדְבָּֽר׃

יח א וַיִּפְקֹ֣ד דָּוִ֔ד אֶת־הָעָ֖ם אֲשֶׁ֣ר אִתּ֑וֹ וַיָּ֣שֶׂם עֲלֵיהֶ֔ם שָׂרֵ֥י אֲלָפִ֖ים וְשָׂרֵ֥י מֵאֽוֹת׃ ב וַיְשַׁלַּ֨ח דָּוִ֜ד אֶת־הָעָ֗ם הַשְּׁלִשִׁ֤ית בְּיַד־יוֹאָב֙ וְ֠הַשְּׁלִשִׁ֤ית בְּיַד֙ אֲבִישַׁ֣י בֶּן־צְרוּיָ֔ה אֲחִ֣י יוֹאָ֔ב וְהַ֨שְּׁלִשִׁ֔ת בְּיַ֖ד אִתַּ֣י הַגִּתִּ֑י וַיֹּ֤אמֶר הַמֶּ֙לֶךְ֙ אֶל־הָעָ֔ם יָצֹ֥א אֵצֵ֛א גַּם־אֲנִ֖י עִמָּכֶֽם׃

<u>13</u> Moreover, if he withdraw himself into a city, then shall all Israel bring up ropes to that city, and we will draw it into the valley until there be not one small stone found there.'{P}

<u>14</u> And Absalom and all the men of Israel said: 'The counsel of Hushai the Archite is better than the counsel of Ahithophel.'{S} –For Yehovah had ordained to defeat the good counsel of Ahithophel, to the intent that Yehovah might bring evil upon Absalom.{S} <u>15</u> Then said Hushai unto Zadok and to Abiathar the priests: 'Thus and thus did Ahithophel counsel Absalom and the elders of Israel; and thus and thus have I counselled. <u>16</u> Now therefore send quickly, and tell David, saying: Lodge not this night in the plains of the wilderness, but in any wise pass over; lest the king be swallowed up, and all the people that are with him.' <u>17</u> Now Jonathan and Ahimaaz stayed by En-rogel; and a maid-servant used to go and tell them; and they went and told king David; for they might not be seen to come into the city. <u>18</u> But a lad saw them, and told Absalom; and they went both of them away quickly, and came to the house of a man in Bahurim, who had a well in his court; and they went down thither. <u>19</u> And the woman took and spread the covering over the well's mouth, and strewed groats thereon; and nothing was known. <u>20</u> And Absalom's servants came to the woman to the house; and they said: 'Where are Ahimaaz and Jonathan?' And the woman said unto them: 'They are gone over the brook of water.' And when they had sought and could not find them, they returned to Yerushalam.{S} <u>21</u> And it came to pass, after they were departed, that they came up out of the well, and went and told king David; and they said unto David: 'Arise ye, and pass quickly over the water; for thus hath Ahithophel counselled against you.' <u>22</u> Then David arose, and all the people that were with him, and they passed over the Jordan; by the morning light there lacked not one of them that was not gone over the Jordan. <u>23</u> And when Ahithophel saw that his counsel was not followed, he saddled his ass, and arose, and got him home, unto his city, and set his house in order, and strangled himself; and he died, and was buried in the sepulchre of his father.{S} <u>24</u> When David was come to Mahanaim, Absalom passed over the Jordan, he and all the men of Israel with him. <u>25</u> And Absalom had set Amasa over the host instead of Joab. Now Amasa was the son of a man, whose name was Ithra the Jesraelite, that went in to Abigal the daughter of Nahash, sister to Zeruiah Joab's mother. <u>26</u> And Israel and Absalom pitched in the land of Gilead.{S} <u>27</u> And it came to pass, when David was come to Mahanaim, that Shobi the son of Nahash of Rabbah of the children of Ammon, and Machir the son of Ammiel of Lo-debar, and Barzillai the Gileadite of Rogelim, <u>28</u> brought beds, and basins, and earthen vessels, and wheat, and barley, and meal, and parched corn, and beans, and lentils, and parched pulse, <u>29</u> and honey, and curd, and sheep, and cheese of kine, for David, and for the people that were with him, to eat; for they said: 'The people is hungry, and faint, and thirsty, in the wilderness.'{S}

18 <u>1</u> And David numbered the people that were with him, and set captains of thousands and captains of hundreds over them. <u>2</u> And David sent forth the people, a third part under the hand of Joab, and a third part under the hand of Abishai the son of Zeruiah, Joab's brother, and a third part under the hand of Ittai the Gittite.{S} And the king said unto the people: 'I will surely go forth with you myself also.'

ג וַיֹּאמֶר הָעָם לֹא תֵצֵא כִּי אִם־נֹס נָנוּס לֹא־יָשִׂימוּ אֵלֵינוּ לֵב וְאִם־יָמֻתוּ חֶצְיֵנוּ
לֹא־יָשִׂימוּ אֵלֵינוּ לֵב כִּי־עַתָּה כָמֹנוּ עֲשָׂרָה אֲלָפִים וְעַתָּה טוֹב כִּי־תִהְיֶה־לָּנוּ
מֵעִיר לַעְזוֹר[40]: ד וַיֹּאמֶר אֲלֵיהֶם הַמֶּלֶךְ אֲשֶׁר־יִיטַב בְּעֵינֵיכֶם אֶעֱשֶׂה וַיַּעֲמֹד
הַמֶּלֶךְ אֶל־יַד הַשַּׁעַר וְכָל־הָעָם יָצְאוּ לְמֵאוֹת וְלַאֲלָפִים: ה וַיְצַו הַמֶּלֶךְ
אֶת־יוֹאָב וְאֶת־אֲבִישַׁי וְאֶת־אִתַּי לֵאמֹר לְאַט־לִי לַנַּעַר לְאַבְשָׁלוֹם וְכָל־הָעָם
שָׁמְעוּ בְּצַוֺּת הַמֶּלֶךְ אֶת־כָּל־הַשָּׂרִים עַל־דְּבַר אַבְשָׁלוֹם: ו וַיֵּצֵא הָעָם הַשָּׂדֶה
לִקְרַאת יִשְׂרָאֵל וַתְּהִי הַמִּלְחָמָה בְּיַעַר אֶפְרָיִם: ז וַיִּנָּגְפוּ שָׁם עַם יִשְׂרָאֵל לִפְנֵי
עַבְדֵי דָוִד וַתְּהִי־שָׁם הַמַּגֵּפָה גְדוֹלָה בַּיּוֹם הַהוּא עֶשְׂרִים אָלֶף: ח וַתְּהִי־שָׁם
הַמִּלְחָמָה נָפֹצֶת[41] עַל־פְּנֵי כָל־הָאָרֶץ וַיֶּרֶב הַיַּעַר לֶאֱכֹל בָּעָם מֵאֲשֶׁר אָכְלָה
הַחֶרֶב בַּיּוֹם הַהוּא: ט וַיִּקָּרֵא אַבְשָׁלוֹם לִפְנֵי עַבְדֵי דָוִד וְאַבְשָׁלוֹם רֹכֵב
עַל־הַפֶּרֶד וַיָּבֹא הַפֶּרֶד תַּחַת שׂוֹבֶךְ הָאֵלָה הַגְּדוֹלָה וַיֶּחֱזַק רֹאשׁוֹ בָאֵלָה וַיֻּתַּן
בֵּין הַשָּׁמַיִם וּבֵין הָאָרֶץ וְהַפֶּרֶד אֲשֶׁר־תַּחְתָּיו עָבָר: י וַיַּרְא אִישׁ אֶחָד וַיַּגֵּד
לְיוֹאָב וַיֹּאמֶר הִנֵּה רָאִיתִי אֶת־אַבְשָׁלֹם תָּלוּי בָּאֵלָה: יא וַיֹּאמֶר יוֹאָב לָאִישׁ
הַמַּגִּיד לוֹ וְהִנֵּה רָאִיתָ וּמַדּוּעַ לֹא־הִכִּיתוֹ שָׁם אָרְצָה וְעָלַי לָתֶת לְךָ עֲשָׂרָה כֶסֶף
וַחֲגֹרָה אֶחָת: יב וַיֹּאמֶר הָאִישׁ אֶל־יוֹאָב וְלוּא[42] אָנֹכִי שֹׁקֵל עַל־כַּפַּי אֶלֶף כֶּסֶף
לֹא־אֶשְׁלַח יָדִי אֶל־בֶּן־הַמֶּלֶךְ כִּי בְאָזְנֵינוּ צִוָּה הַמֶּלֶךְ אֹתְךָ וְאֶת־אֲבִישַׁי
וְאֶת־אִתַּי לֵאמֹר שִׁמְרוּ־מִי בַּנַּעַר בְּאַבְשָׁלוֹם: יג אוֹ־עָשִׂיתִי בְנַפְשִׁי[43] שֶׁקֶר
וְכָל־דָּבָר לֹא־יִכָּחֵד מִן־הַמֶּלֶךְ וְאַתָּה תִּתְיַצֵּב מִנֶּגֶד: יד וַיֹּאמֶר יוֹאָב לֹא־כֵן
אֹחִילָה לְפָנֶיךָ וַיִּקַּח שְׁלֹשָׁה שְׁבָטִים בְּכַפּוֹ וַיִּתְקָעֵם בְּלֵב אַבְשָׁלוֹם עוֹדֶנּוּ חַי
בְּלֵב הָאֵלָה: טו וַיָּסֹבּוּ עֲשָׂרָה נְעָרִים נֹשְׂאֵי כְּלֵי יוֹאָב וַיַּכּוּ אֶת־אַבְשָׁלוֹם
וַיְמִיתֻהוּ: טז וַיִּתְקַע יוֹאָב בַּשֹּׁפָר וַיָּשָׁב הָעָם מִרְדֹף אַחֲרֵי יִשְׂרָאֵל כִּי־חָשַׂךְ יוֹאָב
אֶת־הָעָם: יז וַיִּקְחוּ אֶת־אַבְשָׁלוֹם וַיַּשְׁלִיכוּ אֹתוֹ בַיַּעַר אֶל־הַפַּחַת הַגָּדוֹל וַיַּצִּבוּ
עָלָיו גַּל־אֲבָנִים גָּדוֹל מְאֹד וְכָל־יִשְׂרָאֵל נָסוּ אִישׁ לְאֹהָלָיו[44]: יח וְאַבְשָׁלֹם לָקַח
וַיַּצֶּב־לוֹ בְחַיָּיו[45] אֶת־מַצֶּבֶת אֲשֶׁר בְּעֵמֶק־הַמֶּלֶךְ כִּי אָמַר אֵין־לִי בֵן בַּעֲבוּר
הַזְכִּיר שְׁמִי וַיִּקְרָא לַמַּצֶּבֶת עַל־שְׁמוֹ וַיִּקָּרֵא לָהּ יַד אַבְשָׁלֹם עַד הַיּוֹם הַזֶּה:
יט וַאֲחִימַעַץ בֶּן־צָדוֹק אָמַר אָרוּצָה נָּא וַאֲבַשְּׂרָה אֶת־הַמֶּלֶךְ כִּי־שְׁפָטוֹ יְהוָה
מִיַּד אֹיְבָיו: כ וַיֹּאמֶר לוֹ יוֹאָב לֹא אִישׁ בְּשֹׂרָה אַתָּה הַיּוֹם הַזֶּה וּבִשַּׂרְתָּ בְּיוֹם
אַחֵר וְהַיּוֹם הַזֶּה לֹא תְבַשֵּׂר כִּי־עַל־כֵּן[46] בֶּן־הַמֶּלֶךְ מֵת:

---

[40] לעזיר
[41] נפצית
[42] ולא
[43] בנפשו
[44] לאהלו
[45] בחיו
[46] על

<u>3</u> But the people said: 'Thou shalt not go forth; for if we flee away, they will not care for us; neither if half of us die, will they care for us; but thou art worth ten thousand of us: therefore now it is better that thou be ready to succour us out of the city.'{s} <u>4</u> And the king said unto them: 'What seemeth you best I will do.' And the king stood by the gate-side, and all the people went out by hundreds and by thousands. <u>5</u> And the king commanded Joab and Abishai and Ittai, saying: 'Deal gently for my sake with the young man, even with Absalom.' And all the people heard when the king gave all the captains charge concerning Absalom. <u>6</u> So the people went out into the field against Israel; and the battle was in the forest of Ephraim. <u>7</u> And the people of Israel were smitten there before the servants of David, and there was a great slaughter there that day of twenty thousand men. <u>8</u> For the battle was there spread over the face of all the country; and the forest devoured more people that day than the sword devoured. <u>9</u> And Absalom chanced to meet the servants of David. And Absalom was riding upon his mule, and the mule went under the thick boughs of a great terebinth, and his head caught hold of the terebinth, and he was taken up between the heaven and the earth; and the mule that was under him went on. <u>10</u> And a certain man saw it, and told Joab, and said: 'Behold, I saw Absalom hanging in a terebinth.' <u>11</u> And Joab said unto the man that told him: 'And, behold, thou sawest it, and why didst thou not smite him there to the ground? and I would have had to give thee ten pieces of silver, and a girdle.' <u>12</u> And the man said unto Joab: 'Though I should receive a thousand pieces of silver in my hand, yet would I not put forth my hand against the king's son; for in our hearing the king charged thee and Abishai and Ittai, saying: Beware that none touch the young man Absalom. <u>13</u> Otherwise if I had dealt falsely against mine own life–and there is no matter hid from the king–then thou thyself wouldest have stood aloof.' <u>14</u> Then said Joab: 'I may not tarry thus with thee.' And he took three darts in his hand, and thrust them through the heart of Absalom, while he was yet alive in the midst of the terebinth. <u>15</u> And ten young men that bore Joab's armour compassed about and smote Absalom, and slew him. <u>16</u> And Joab blew the horn, and the people returned from pursuing after Israel; for Joab held back the people. <u>17</u> And they took Absalom, and cast him into the great pit in the forest, and raised over him a very great heap of stones; and all Israel fled every one to his tent.– <u>18</u> Now Absalom in his life-time had taken and reared up for himself the pillar, which is in the king's dale; for he said: 'I have no son to keep my name in remembrance'; and he called the pillar after his own name; and it is called Absalom's monument unto this day.{s} <u>19</u> Then said Ahimaaz the son of Zadok: 'Let me now run, and bear the king tidings, how that Yehovah hath avenged him of his enemies.' <u>20</u> And Joab said unto him: 'Thou shalt not be the bearer of tidings this day, but thou shalt bear tidings another day; but this day thou shalt bear no tidings, forasmuch as the king's son is dead.'

כא וַיֹּ֤אמֶר יוֹאָב֙ לַכּוּשִׁ֔י לֵ֥ךְ הַגֵּ֛ד לַמֶּ֖לֶךְ אֲשֶׁ֣ר רָאִ֑יתָה וַיִּשְׁתַּ֧חוּ כוּשִׁ֛י לְיוֹאָ֖ב
וַיָּרֹֽץ׃ כב וַיֹּ֨סֶף ע֜וֹד אֲחִימַ֣עַץ בֶּן־צָד֗וֹק וַיֹּ֙אמֶר֙ אֶל־יוֹאָ֔ב וִיהִ֣י מָ֔ה אָרֻֽצָה־נָּ֣א
גַם־אָ֔נִי אַחֲרֵ֖י הַכּוּשִׁ֑י וַיֹּ֣אמֶר יוֹאָ֗ב לָמָּה־זֶּ֞ה אַתָּ֥ה רָץ֙ בְּנִ֔י וּלְכָ֖ה אֵין־בְּשׂוֹרָ֥ה
מֹצֵֽאת׃ כג וִיהִי־מָ֥ה אָר֖וּץ וַיֹּ֣אמֶר ל֣וֹ ר֑וּץ וַיָּ֤רָץ אֲחִימַ֙עַץ֙ דֶּ֣רֶךְ הַכִּכָּ֔ר וַיַּעֲבֹ֖ר
אֶת־הַכּוּשִֽׁי׃ כד וְדָוִ֥ד יוֹשֵׁ֖ב בֵּין־שְׁנֵ֣י הַשְּׁעָרִ֑ים וַיֵּ֨לֶךְ הַצֹּפֶ֜ה אֶל־גַּ֤ג הַשַּׁ֙עַר֙
אֶל־הַ֣חוֹמָ֔ה וַיִּשָּׂ֤א אֶת־עֵינָיו֙ וַיַּ֔רְא וְהִנֵּה־אִ֖ישׁ רָ֥ץ לְבַדּֽוֹ׃ כה וַיִּקְרָ֤א הַצֹּפֶה֙ וַיַּגֵּ֣ד
לַמֶּ֔לֶךְ וַיֹּ֥אמֶר הַמֶּ֛לֶךְ אִם־לְבַדּ֖וֹ בְּשׂוֹרָ֣ה בְּפִ֑יו וַיֵּ֥לֶךְ הָל֖וֹךְ וְקָרֵֽב׃ כו וַיַּ֨רְא
הַצֹּפֶ֜ה אִישׁ־אַחֵ֣ר רָ֗ץ וַיִּקְרָ֤א הַצֹּפֶה֙ אֶל־הַשֹּׁעֵ֔ר וַיֹּ֕אמֶר הִנֵּה־אִ֖ישׁ רָ֣ץ לְבַדּ֑וֹ
וַיֹּ֥אמֶר הַמֶּ֖לֶךְ גַּם־זֶ֥ה מְבַשֵּֽׂר׃ כז וַיֹּ֙אמֶר֙ הַצֹּפֶ֔ה אֲנִ֥י רֹאֶה֙ אֶת־מְרוּצַ֣ת הָרִאשׁ֔וֹן
כִּמְרֻצַ֖ת אֲחִימַ֣עַץ בֶּן־צָד֑וֹק וַיֹּ֤אמֶר הַמֶּ֙לֶךְ֙ אִישׁ־ט֣וֹב זֶ֔ה וְאֶל־בְּשׂוֹרָ֥ה טוֹבָ֖ה
יָבֽוֹא׃ כח וַיִּקְרָ֣א אֲחִימַ֗עַץ וַיֹּ֤אמֶר אֶל־הַמֶּ֙לֶךְ֙ שָׁל֔וֹם וַיִּשְׁתַּ֨חוּ לַמֶּ֧לֶךְ לְאַפָּ֛יו
אָ֖רְצָה וַיֹּ֗אמֶר בָּר֨וּךְ יְהוָ֤ה אֱלֹהֶ֙יךָ֙ אֲשֶׁ֤ר סִגַּר֙ אֶת־הָ֣אֲנָשִׁ֔ים אֲשֶׁר־נָשְׂא֥וּ אֶת־יָדָ֖ם
בַּאדֹנִ֥י הַמֶּֽלֶךְ׃ כט וַיֹּ֣אמֶר הַמֶּ֗לֶךְ שָׁל֛וֹם לַנַּ֖עַר לְאַבְשָׁל֑וֹם וַיֹּ֣אמֶר אֲחִימַ֡עַץ
רָאִ֣יתִי הֶהָמ֣וֹן הַגָּ֡דוֹל לִשְׁלֹ֞חַ אֶת־עֶ֨בֶד הַמֶּ֤לֶךְ יוֹאָב֙ וְאֶת־עַבְדֶּ֔ךָ וְלֹ֥א יָדַ֖עְתִּי
מָֽה׃ ל וַיֹּ֣אמֶר הַמֶּ֔לֶךְ סֹ֖ב הִתְיַצֵּ֣ב כֹּ֑ה וַיִּסֹּ֖ב וַֽיַּעֲמֹֽד׃ לא וְהִנֵּ֥ה הַכּוּשִׁ֖י בָּ֑א וַיֹּ֣אמֶר
הַכּוּשִׁ֗י יִתְבַּשֵּׂר֙ אֲדֹנִ֣י הַמֶּ֔לֶךְ כִּֽי־שְׁפָטְךָ֤ יְהוָה֙ הַיּ֔וֹם מִיַּ֖ד כָּל־הַקָּמִ֥ים עָלֶֽיךָ׃
לב וַיֹּ֤אמֶר הַמֶּ֙לֶךְ֙ אֶל־הַכּוּשִׁ֔י הֲשָׁל֥וֹם לַנַּ֖עַר לְאַבְשָׁל֑וֹם וַיֹּ֣אמֶר הַכּוּשִׁ֗י יִהְי֤וּ
כַנַּ֙עַר֙ אֹיְבֵי֙ אֲדֹנִ֣י הַמֶּ֔לֶךְ וְכֹ֛ל אֲשֶׁר־קָ֥מוּ עָלֶ֖יךָ לְרָעָֽה׃

יט א וַיִּרְגַּ֣ז הַמֶּ֔לֶךְ וַיַּ֛עַל עַל־עֲלִיַּ֥ת הַשַּׁ֖עַר וַיֵּ֑בְךְּ וְכֹ֣ה ׀ אָמַ֣ר בְּלֶכְתּ֗וֹ בְּנִ֤י
אַבְשָׁלוֹם֙ בְּנִ֣י בְנִ֣י אַבְשָׁל֔וֹם מִֽי־יִתֵּ֤ן מוּתִי֙ אֲנִ֣י תַחְתֶּ֔יךָ אַבְשָׁל֖וֹם בְּנִ֥י בְנִֽי׃ ב וַיֻּגַּ֖ד
לְיוֹאָ֑ב הִנֵּ֤ה הַמֶּ֙לֶךְ֙ בֹּכֶ֣ה וַיִּתְאַבֵּ֔ל עַל־אַבְשָׁלֹֽם׃ ג וַתְּהִ֨י הַתְּשֻׁעָ֜ה בַּיּ֥וֹם הַה֛וּא
לְאֵ֖בֶל לְכָל־הָעָ֑ם כִּֽי־שָׁמַ֣ע הָעָ֗ם בַּיּ֤וֹם הַהוּא֙ לֵאמֹ֔ר נֶעֱצַ֥ב הַמֶּ֖לֶךְ עַל־בְּנֽוֹ׃
ד וַיִּתְגַּנֵּ֥ב הָעָ֛ם בַּיּ֥וֹם הַה֖וּא לָב֣וֹא הָעִ֑יר כַּאֲשֶׁ֤ר יִתְגַּנֵּב֙ הָעָ֣ם הַנִּכְלָמִ֔ים בְּנוּסָ֖ם
בַּמִּלְחָמָֽה׃ ה וְהַמֶּ֙לֶךְ֙ לָאַ֣ט אֶת־פָּנָ֔יו וַיִּזְעַ֥ק הַמֶּ֖לֶךְ ק֣וֹל גָּד֑וֹל בְּנִי֙ אַבְשָׁל֔וֹם
אַבְשָׁל֖וֹם בְּנִ֥י בְנִֽי׃ ו וַיָּבֹ֥א יוֹאָ֛ב אֶל־הַמֶּ֖לֶךְ הַבָּ֑יִת וַיֹּ֡אמֶר הֹבַ֣שְׁתָּ הַיּוֹם֩ אֶת־פְּנֵ֨י
כָל־עֲבָדֶ֜יךָ הַֽמְמַלְּטִ֧ים אֶֽת־נַפְשְׁךָ֣ הַיּ֗וֹם וְאֵ֨ת נֶ֤פֶשׁ בָּנֶ֙יךָ֙ וּבְנֹתֶ֔יךָ וְנֶ֣פֶשׁ נָשֶׁ֔יךָ
וְנֶ֖פֶשׁ פִּלַגְשֶֽׁיךָ׃ ז לְאַֽהֲבָה֙ אֶת־שֹׂ֣נְאֶ֔יךָ וְלִשְׂנֹ֖א אֶת־אֹהֲבֶ֑יךָ כִּ֣י ׀ הִגַּ֣דְתָּ הַיּ֗וֹם כִּ֣י
אֵ֤ין לְךָ֙ שָׂרִ֣ים וַעֲבָדִ֔ים כִּ֣י ׀ יָדַ֣עְתִּי הַיּ֗וֹם כִּ֠י לוּ[47] אַבְשָׁל֨וֹם חַ֜י וְכֻלָּ֤נוּ הַיּוֹם֙
מֵתִ֔ים כִּי־אָ֖ז יָשָׁ֥ר בְּעֵינֶֽיךָ׃ ח וְעַתָּה֙ ק֣וּם צֵ֔א וְדַבֵּ֖ר עַל־לֵ֣ב עֲבָדֶ֑יךָ כִּי֩ בַֽיהוָ֨ה
נִשְׁבַּ֜עְתִּי כִּֽי־אֵינְךָ֤ יוֹצֵא֙ אִם־יָלִ֨ין אִ֤ישׁ אִתְּךָ֙ הַלַּ֔יְלָה וְרָעָ֤ה לְךָ֙ זֹ֔את מִכָּל־הָרָעָ֕ה
אֲשֶׁר־בָּ֥אָה עָלֶ֖יךָ מִנְּעֻרֶ֥יךָ עַד־עָֽתָּה׃

[47] לא

21 Then said Joab to the Cushite: 'Go tell the king what thou hast seen.' And the Cushite bowed down unto Joab, and ran. **22** Then said Ahimaaz the son of Zadok yet again to Joab: 'But come what may, let me, I pray thee, also run after the Cushite.' And Joab said: 'Wherefore wilt thou run, my son, seeing that thou wilt have no reward for the tidings?' **23** 'But come what may, [said he,] I will run.' And he said unto him: 'Run.' Then Ahimaaz ran by the way of the Plain, and overran the Cushite. **24** Now David sat between the two gates; and the watchman went up to the roof of the gate unto the wall, and lifted up his eyes, and looked, and behold a man running alone. **25** And the watchman cried, and told the king. And the king said: 'If he be alone, there is tidings in his mouth.' And he came apace, and drew near. **26** And the watchman saw another man running; and the watchman called unto the porter, and said: 'Behold another man running alone.' And the king said: 'He also bringeth tidings.' **27** And the watchman said: 'I think the running of the foremost is like the running of Ahimaaz the son of Zadok.' And the king said: 'He is a good man, and cometh with good tidings.' **28** And Ahimaaz called, and said unto the king: 'All is well.' And he bowed down before the king with his face to the earth,{s} and said: 'Blessed be Yehovah thy God, who hath delivered up the men that lifted up their hand against my lord the king.'{s} **29** And the king said: 'Is it well with the young man Absalom?' And Ahimaaz answered: 'When Joab sent the king's servant, and me thy servant, I saw a great tumult, but I knew not what it was.' **30** And the king said: 'Turn aside, and stand here.' And he turned aside, and stood still. **31** And, behold, the Cushite came; and the Cushite said: 'Tidings for my lord the king; for Yehovah hath avenged thee this day of all them that rose up against thee.'{s} **32** And the king said unto the Cushite: 'Is it well with the young man Absalom?' And the Cushite answered: 'The enemies of my lord the king and all that rise up against thee to do thee hurt, be as that young man is.'{s}

19 **1** And the king was much moved, and went up to the chamber over the gate, and wept; and as he went, thus he said: 'O my son Absalom, my son, my son Absalom! would I had died for thee, O Absalom, my son, my son!' **2** And it was told Joab: 'Behold, the king weepeth and mourneth for Absalom.' **3** And the victory that day was turned into mourning unto all the people; for the people heard say that day: 'The king grieveth for his son.' **4** And the people got them by stealth that day into the city, as people that are ashamed steal away when they flee in battle. **5** And the king covered his face, and the king cried with a loud voice: 'O my son Absalom, O Absalom, my son, my son!'{s} **6** And Joab came into the house to the king, and said: 'Thou hast shamed this day the faces of all thy servants, who this day have saved thy life, and the lives of thy sons and of thy daughters, and the lives of thy wives, and the lives of thy concubines; **7** in that thou lovest them that hate thee, and hatest them that love thee. For thou hast declared this day, that princes and servants are nought unto thee; for this day I perceive, that if Absalom had lived, and all we had died this day, then it had pleased thee well. **8** Now therefore arise, go forth, and speak to the heart of thy servants;{s} for I swear by Yehovah, if thou go not forth, there will not tarry a man with thee this night; and that will be worse unto thee than all the evil that hath befallen thee from thy youth until now.'{s}

ט וַיָּ֣קָם הַמֶּ֗לֶךְ וַיֵּ֖שֶׁב בַּשָּׁ֑עַר וּֽלְכָל־הָעָ֞ם הִגִּ֤ידוּ לֵאמֹר֙ הִנֵּ֤ה הַמֶּ֙לֶךְ֙ יוֹשֵׁ֣ב בַּשַּׁ֔עַר וַיָּבֹ֤א כָל־הָעָם֙ לִפְנֵ֣י הַמֶּ֔לֶךְ וְיִשְׂרָאֵ֔ל נָ֖ס אִ֥ישׁ לְאֹהָלָֽיו: י וַיְהִ֤י כָל־הָעָ֣ם נָד֗וֹן בְּכָל־שִׁבְטֵ֣י יִשְׂרָאֵ֖ל לֵאמֹ֑ר הַמֶּ֣לֶךְ הִצִּילָ֣נוּ ׀ מִכַּ֣ף אֹֽיְבֵ֗ינוּ וְה֤וּא מִלְּטָ֙נוּ֙ מִכַּ֣ף פְּלִשְׁתִּ֔ים וְעַתָּ֛ה בָּרַ֥ח מִן־הָאָ֖רֶץ מֵעַ֥ל אַבְשָׁלֽוֹם: יא וְאַבְשָׁל֗וֹם אֲשֶׁ֤ר מָשַׁ֙חְנוּ֙ עָלֵ֔ינוּ מֵ֖ת בַּמִּלְחָמָ֑ה וְעַתָּ֗ה לָ֤מָה אַתֶּם֙ מַחֲרִשִׁ֔ים לְהָשִׁ֖יב אֶת־הַמֶּֽלֶךְ: יב וְהַמֶּ֣לֶךְ דָּוִ֗ד שָׁלַ֞ח אֶל־צָד֣וֹק וְאֶל־אֶבְיָתָ֣ר הַכֹּהֲנִים֮ לֵאמֹר֒ דַּבְּר֞וּ אֶל־זִקְנֵ֤י יְהוּדָה֙ לֵאמֹ֔ר לָ֤מָה תִהְיוּ֙ אַחֲרֹנִ֔ים לְהָשִׁ֥יב אֶת־הַמֶּ֖לֶךְ אֶל־בֵּית֑וֹ וּדְבַר֙ כָּל־יִשְׂרָאֵ֔ל בָּ֥א אֶל־הַמֶּ֖לֶךְ אֶל־בֵּיתֽוֹ: יג אַחַ֣י אַתֶּ֗ם עַצְמִ֤י וּבְשָׂרִי֙ אַתֶּ֑ם וְלָ֥מָּה תִהְי֛וּ אַחֲרֹנִ֖ים לְהָשִׁ֥יב אֶת־הַמֶּֽלֶךְ: יד וְלַֽעֲמָשָׂא֙ תֹּֽמְר֔וּ הֲל֛וֹא עַצְמִ֥י וּבְשָׂרִ֖י אָ֑תָּה כֹּ֣ה יַֽעֲשֶׂה־לִּ֤י אֱלֹהִים֙ וְכֹ֣ה יוֹסִ֔יף אִם־לֹ֠א שַׂר־צָבָ֞א תִּֽהְיֶ֧ה לְפָנַ֛י כָּל־הַיָּמִ֖ים תַּ֥חַת יוֹאָֽב: טו וַיַּ֛ט אֶת־לְבַ֥ב כָּל־אִישׁ־יְהוּדָ֖ה כְּאִ֣ישׁ אֶחָ֑ד וַֽיִּשְׁלְחוּ֙ אֶל־הַמֶּ֔לֶךְ שׁ֥וּב אַתָּ֖ה וְכָל־עֲבָדֶֽיךָ: טז וַיָּ֣שָׁב הַמֶּ֔לֶךְ וַיָּבֹ֖א עַד־הַיַּרְדֵּ֑ן וִיהוּדָ֞ה בָּ֣א הַגִּלְגָּ֗לָה לָלֶ֙כֶת֙ לִקְרַ֣את הַמֶּ֔לֶךְ לְהַֽעֲבִ֥יר אֶת־הַמֶּ֖לֶךְ אֶת־הַיַּרְדֵּֽן: יז וַיְמַהֵ֗ר שִׁמְעִ֤י בֶן־גֵּרָא֙ בֶּן־הַיְמִינִ֔י אֲשֶׁ֖ר מִבַּֽחוּרִ֑ים וַיֵּ֙רֶד֙ עִם־אִ֣ישׁ יְהוּדָ֔ה לִקְרַ֖את הַמֶּ֥לֶךְ דָּוִֽד: יח וְאֶ֨לֶף אִ֣ישׁ עִמּוֹ֮ מִבִּנְיָמִן֒ וְצִיבָ֗א נַ֚עַר בֵּ֣ית שָׁא֔וּל וַֽחֲמֵ֨שֶׁת עָשָׂ֤ר בָּנָיו֙ וְעֶשְׂרִ֣ים עֲבָדָ֔יו אִתּ֑וֹ וְצָֽלְח֥וּ הַיַּרְדֵּ֖ן לִפְנֵ֥י הַמֶּֽלֶךְ: יט וְעָ֣בְרָ֣ה הָֽעֲבָרָ֗ה לַֽעֲבִיר֙ אֶת־בֵּ֣ית הַמֶּ֔לֶךְ וְלַֽעֲשׂ֥וֹת הַטּ֖וֹב בְּעֵינָ֑יו[48] וְשִׁמְעִ֤י בֶן־גֵּרָא֙ נָפַל֙ לִפְנֵ֣י הַמֶּ֔לֶךְ בְּעָבְר֖וֹ בַּיַּרְדֵּֽן: כ וַיֹּ֣אמֶר אֶל־הַמֶּ֗לֶךְ אַל־יַֽחֲשָׁב־לִ֣י אֲדֹנִי֮ עָוֹן֒ וְאַל־תִּזְכֹּ֗ר אֵ֚ת אֲשֶׁ֣ר הֶֽעֱוָ֣ה עַבְדְּךָ֔ בַּיּ֕וֹם אֲשֶׁר־יָצָ֥א אֲדֹנִֽי־הַמֶּ֖לֶךְ מִירֽוּשָׁלָ֑͏ִם לָשׂ֥וּם הַמֶּ֖לֶךְ אֶל־לִבּֽוֹ: כא כִּ֤י יָדַע֙ עַבְדְּךָ֔ כִּ֥י אֲנִ֖י חָטָ֑אתִי וְהִנֵּֽה־בָ֣אתִי הַיּ֗וֹם רִֽאשׁוֹן֙ לְכָל־בֵּ֣ית יוֹסֵ֔ף לָרֶ֕דֶת לִקְרַ֖את אֲדֹנִ֥י הַמֶּֽלֶךְ: כב וַיַּ֨עַן אֲבִישַׁ֤י בֶּן־צְרוּיָה֙ וַיֹּ֔אמֶר הֲתַ֣חַת זֹ֔את לֹ֥א יוּמַ֖ת שִׁמְעִ֑י כִּ֥י קִלֵּ֖ל אֶת־מְשִׁ֥יחַ יְהוָֽה: כג וַיֹּ֣אמֶר דָּוִ֗ד מַה־לִּ֤י וְלָכֶם֙ בְּנֵ֣י צְרוּיָ֔ה כִּֽי־תִֽהְיוּ־לִ֥י הַיּ֖וֹם לְשָׂטָ֑ן הַיּ֗וֹם י֤וּמַת אִישׁ֙ בְּיִשְׂרָאֵ֔ל כִּ֚י הֲל֣וֹא יָדַ֔עְתִּי כִּ֥י הַיּ֖וֹם אֲנִי־מֶ֥לֶךְ עַל־יִשְׂרָאֵֽל: כד וַיֹּ֧אמֶר הַמֶּ֛לֶךְ אֶל־שִׁמְעִ֖י לֹ֣א תָמ֑וּת וַיִּשָּׁ֥בַֽע ל֖וֹ הַמֶּֽלֶךְ: כה וּמְפִבֹ֙שֶׁת֙ בֶּן־שָׁא֔וּל יָרַ֖ד לִקְרַ֣את הַמֶּ֑לֶךְ וְלֹא־עָשָׂ֨ה רַגְלָ֜יו וְלֹא־עָשָׂ֣ה שְׂפָמ֗וֹ וְאֶת־בְּגָדָיו֙ לֹ֣א כִבֵּ֔ס לְמִן־הַיּוֹם֙ לֶ֣כֶת הַמֶּ֔לֶךְ עַד־הַיּ֖וֹם אֲשֶׁר־בָּ֥א בְשָׁלֽוֹם: כו וַיְהִ֛י כִּי־בָ֥א יְרוּשָׁלַ֖͏ִם לִקְרַ֣את הַמֶּ֑לֶךְ וַיֹּ֤אמֶר לוֹ֙ הַמֶּ֔לֶךְ לָ֛מָּה לֹֽא־הָלַ֥כְתָּ עִמִּ֖י מְפִיבֹֽשֶׁת: כז וַיֹּאמַ֕ר אֲדֹנִ֥י הַמֶּ֖לֶךְ עַבְדִּ֣י רִמָּ֑נִי כִּֽי־אָמַ֨ר עַבְדְּךָ֜ אֶחְבְּשָׁה־לִּ֤י הַחֲמוֹר֙ וְאֶרְכַּ֣ב עָלֶ֔יהָ וְאֵלֵ֖ךְ אֶת־הַמֶּ֑לֶךְ כִּ֥י פִסֵּ֖חַ עַבְדֶּֽךָ: כח וַיְרַגֵּ֣ל בְּעַבְדְּךָ֗ אֶל־אֲדֹנִ֣י הַמֶּ֔לֶךְ וַֽאדֹנִ֥י הַמֶּ֖לֶךְ כְּמַלְאַ֣ךְ הָֽאֱלֹהִ֑ים וַעֲשֵׂ֥ה הַטּ֖וֹב בְּעֵינֶֽיךָ:

9 Then the king arose, and sat in the gate. And they told unto all the people, saying: 'Behold, the king doth sit in the gate'; and all the people came before the king. Now Israel had fled every man to his tent.{s} **10** And all the people were at strife throughout all the tribes of Israel, saying: 'The king delivered us out of the hand of our enemies, and he saved us out of the hand of the Philistines; and now he is fled out of the land from Absalom. **11** And Absalom, whom we anointed over us, is dead in battle. Now, therefore, why speak ye not a word of bringing the king back?'{s} **12** And king David sent to Zadok and to Abiathar the priests, saying: 'Speak unto the elders of Judah, saying: Why are ye the last to bring the king back to his house?–For the speech of all Israel was come to the king, to bring him to his house.– **13** Ye are my brethren, ye are my bone and my flesh; wherefore then should ye be the last to bring back the king? **14** And say ye to Amasa: Art thou not my bone and my flesh? God do so to me, and more also, if thou be not captain of the host before me continually in the room of Joab.' **15** And he bowed the heart of all the men of Judah, even as the heart of one man; so that they sent unto the king: 'Return thou, and all thy servants.' **16** So the king returned, and came to the Jordan. And Judah came to Gilgal, to go to meet the king, to bring the king over the Jordan. **17** And Shimei the son of Gera, the Benjamite, who was of Bahurim, made haste and came down with the men of Judah to meet king David. **18** And there were a thousand men of Benjamin with him, and Ziba the servant of the house of Saul, and his fifteen sons and his twenty servants with him. And they rushed into the Jordan before the king. **19** And the ferryboat passed to and fro to bring over the king's household, and to do what he thought good. And Shimei the son of Gera fell down before the king, when he would go over the Jordan. **20** And he said unto the king: 'Let not my lord impute iniquity unto me, neither do thou remember that which thy servant did iniquitously the day that my lord the king went out of Yerushalam, that the king should take it to his heart. **21** For thy servant doth know that I have sinned; therefore, behold, I am come this day the first of all the house of Joseph to go down to meet my lord the king.'{s} **22** But Abishai the son of Zeruiah answered and said: 'Shall not Shimei be put to death for this, because he cursed Yehovah's anointed?'{s} **23** And David said: 'What have I to do with you, ye sons of Zeruiah, that ye should this day be adversaries unto me? shall there any man be put to death this day in Israel? for do not I know that I am this day king over Israel?' **24** And the king said unto Shimei: 'Thou shalt not die.' And the king swore unto him.{s} **25** And Mephibosheth the son of Saul came down to meet the king; and he had neither dressed his feet, nor trimmed his beard, nor washed his clothes, from the day the king departed until the day he came home in peace. **26** And it came to pass, when he was come to Yerushalam to meet the king, that the king said unto him: 'Wherefore wentest not thou with me, Mephibosheth?' **27** And he answered: 'My lord, O king, my servant deceived me; for thy servant said: I will saddle me an ass, that I may ride thereon, and go with the king; because thy servant is lame. **28** And he hath slandered thy servant unto my lord the king; but my lord the king is as an angel of God; do therefore what is good in thine eyes.

כט כִּי לֹא הָיָה כָּל־בֵּית אָבִי כִּי אִם־אַנְשֵׁי־מָוֶת לַאדֹנִי הַמֶּלֶךְ וַתָּשֶׁת
אֶת־עַבְדְּךָ בְּאֹכְלֵי שֻׁלְחָנֶךָ וּמַה־יֶּשׁ־לִי עוֹד צְדָקָה וְלִזְעֹק עוֹד אֶל־הַמֶּלֶךְ׃
ל וַיֹּאמֶר לוֹ הַמֶּלֶךְ לָמָּה תְּדַבֵּר עוֹד דְּבָרֶיךָ אָמַרְתִּי אַתָּה וְצִיבָא תַּחְלְקוּ
אֶת־הַשָּׂדֶה׃ לא וַיֹּאמֶר מְפִיבֹשֶׁת אֶל־הַמֶּלֶךְ גַּם אֶת־הַכֹּל יִקָּח אַחֲרֵי
אֲשֶׁר־בָּא אֲדֹנִי הַמֶּלֶךְ בְּשָׁלוֹם אֶל־בֵּיתוֹ׃ לב וּבַרְזִלַּי הַגִּלְעָדִי יָרַד מֵרֹגְלִים
וַיַּעֲבֹר אֶת־הַמֶּלֶךְ הַיַּרְדֵּן לְשַׁלְּחוֹ אֶת־הַיַּרְדֵּן[49]׃ לג וּבַרְזִלַּי זָקֵן מְאֹד
בֶּן־שְׁמֹנִים שָׁנָה וְהוּא־כִלְכַּל אֶת־הַמֶּלֶךְ בְּשִׁיבָתוֹ בְמַחֲנַיִם כִּי־אִישׁ גָּדוֹל הוּא
מְאֹד׃ לד וַיֹּאמֶר הַמֶּלֶךְ אֶל־בַּרְזִלָּי אַתָּה עֲבֹר אִתִּי וְכִלְכַּלְתִּי אֹתְךָ עִמָּדִי
בִּירוּשָׁלִָם׃ לה וַיֹּאמֶר בַּרְזִלַּי אֶל־הַמֶּלֶךְ כַּמָּה יְמֵי שְׁנֵי חַיַּי כִּי־אֶעֱלֶה
אֶת־הַמֶּלֶךְ יְרוּשָׁלִָם׃ לו בֶּן־שְׁמֹנִים שָׁנָה אָנֹכִי הַיּוֹם הַאֵדַע ׀ בֵּין־טוֹב לְרָע
אִם־יִטְעַם עַבְדְּךָ אֶת־אֲשֶׁר אֹכַל וְאֶת־אֲשֶׁר אֶשְׁתֶּה אִם־אֶשְׁמַע עוֹד בְּקוֹל
שָׁרִים וְשָׁרוֹת וְלָמָּה יִהְיֶה עַבְדְּךָ עוֹד לְמַשָּׂא אֶל־אֲדֹנִי הַמֶּלֶךְ׃ לז כִּמְעַט
יַעֲבֹר עַבְדְּךָ אֶת־הַיַּרְדֵּן אֶת־הַמֶּלֶךְ וְלָמָּה יִגְמְלֵנִי הַמֶּלֶךְ הַגְּמוּלָה הַזֹּאת׃
לח יָשָׁב־נָא עַבְדְּךָ וְאָמֻת בְּעִירִי עִם קֶבֶר אָבִי וְאִמִּי וְהִנֵּה ׀ עַבְדְּךָ כִמְהָם
יַעֲבֹר עִם־אֲדֹנִי הַמֶּלֶךְ וַעֲשֵׂה־לוֹ אֵת אֲשֶׁר־טוֹב בְּעֵינֶיךָ׃ לט וַיֹּאמֶר הַמֶּלֶךְ
אִתִּי יַעֲבֹר כִּמְהָם וַאֲנִי אֶעֱשֶׂה־לּוֹ אֶת־הַטּוֹב בְּעֵינֶיךָ וְכֹל אֲשֶׁר־תִּבְחַר עָלַי
אֶעֱשֶׂה־לָּךְ׃ מ וַיַּעֲבֹר כָּל־הָעָם אֶת־הַיַּרְדֵּן וְהַמֶּלֶךְ עָבָר וַיִּשַּׁק הַמֶּלֶךְ
לְבַרְזִלַּי וַיְבָרְכֵהוּ וַיָּשָׁב לִמְקֹמוֹ׃ מא וַיַּעֲבֹר הַמֶּלֶךְ הַגִּלְגָּלָה וְכִמְהָן עָבַר עִמּוֹ
וְכָל־עַם יְהוּדָה הֶעֱבִירוּ[50] אֶת־הַמֶּלֶךְ וְגַם חֲצִי עַם יִשְׂרָאֵל׃ מב וְהִנֵּה
כָל־אִישׁ יִשְׂרָאֵל בָּאִים אֶל־הַמֶּלֶךְ וַיֹּאמְרוּ אֶל־הַמֶּלֶךְ מַדּוּעַ גְּנָבוּךָ אַחֵינוּ
אִישׁ יְהוּדָה וַיַּעֲבִרוּ אֶת־הַמֶּלֶךְ וְאֶת־בֵּיתוֹ אֶת־הַיַּרְדֵּן וְכָל־אַנְשֵׁי דָוִד עִמּוֹ׃
מג וַיַּעַן כָּל־אִישׁ יְהוּדָה עַל־אִישׁ יִשְׂרָאֵל כִּי־קָרוֹב הַמֶּלֶךְ אֵלַי וְלָמָּה זֶּה
חָרָה לְךָ עַל־הַדָּבָר הַזֶּה הֶאָכוֹל אָכַלְנוּ מִן־הַמֶּלֶךְ אִם־נִשֵּׂאת נִשָּׂא לָנוּ׃
מד וַיַּעַן אִישׁ־יִשְׂרָאֵל אֶת־אִישׁ יְהוּדָה וַיֹּאמֶר עֶשֶׂר־יָדוֹת לִי בַמֶּלֶךְ
וְגַם־בְּדָוִד אֲנִי מִמְּךָ וּמַדּוּעַ הֱקִלֹּתַנִי וְלֹא־הָיָה דְבָרִי רִאשׁוֹן לִי לְהָשִׁיב
אֶת־מַלְכִּי וַיִּקֶשׁ דְּבַר־אִישׁ יְהוּדָה מִדְּבַר אִישׁ יִשְׂרָאֵל׃

כ א וְשָׁם נִקְרָא אִישׁ בְּלִיַּעַל וּשְׁמוֹ שֶׁבַע בֶּן־בִּכְרִי אִישׁ יְמִינִי וַיִּתְקַע בַּשֹּׁפָר
וַיֹּאמֶר אֵין־לָנוּ חֵלֶק בְּדָוִד וְלֹא נַחֲלָה־לָנוּ בְּבֶן־יִשַׁי אִישׁ לְאֹהָלָיו יִשְׂרָאֵל׃
ב וַיַּעַל כָּל־אִישׁ יִשְׂרָאֵל מֵאַחֲרֵי דָוִד אַחֲרֵי שֶׁבַע בֶּן־בִּכְרִי וְאִישׁ יְהוּדָה
דָּבְקוּ בְמַלְכָּם מִן־הַיַּרְדֵּן וְעַד־יְרוּשָׁלִָם׃

[49] בירדן
[50] ויעברו

<u>29</u> For all my father's house were deserving of death at the hand of my lord the king; yet didst thou set thy servant among them that did eat at thine own table. What right therefore have I yet? or why should I cry any more unto the king?'{P}

<u>30</u> And the king said unto him: 'Why speakest thou any more of thy matters? I say: Thou and Ziba divide the land.' <u>31</u> And Mephibosheth said unto the king: 'Yea, let him take all, forasmuch as my lord the king is come in peace unto his own house.'{S} <u>32</u> And Barzillai the Gileadite came down from Rogelim; and he passed on to Jordan with the king, to bring him on the way over the Jordan. <u>33</u> Now Barzillai was a very aged man, even fourscore years old; and he had provided the king with sustenance while he lay at Mahanaim; for he was a very great man. <u>34</u> And the king said unto Barzillai: 'Come thou over with me, and I will sustain thee with me in Yerushalam.' <u>35</u> And Barzillai said unto the king: 'How many are the days of the years of my life, that I should go up with the king unto Yerushalam? <u>36</u> I am this day fourscore years old; can I discern between good and bad? can thy servant taste what I eat or what I drink? can I hear any more the voice of singing men and singing women? wherefore then should thy servant be yet a burden unto my lord the king? <u>37</u> Thy servant would but just go over the Jordan with the king; and why should the king recompense it me with such a reward? <u>38</u> Let thy servant, I pray thee, turn back, that I may die in mine own city, by the grave of my father and my mother. But behold thy servant Chimham; let him go over with my lord the king; and do to him what shall seem good unto thee.'{S} <u>39</u> And the king answered: 'Chimham shall go over with me, and I will do to him that which shall seem good unto thee; and whatsoever thou shalt require of me, that will I do for thee.' <u>40</u> And all the people went over the Jordan, and the king went over; and the king kissed Barzillai, and blessed him; and he returned unto his own place.{S} <u>41</u> So the king went over to Gilgal, and Chimham went over with him; and all the people of Judah brought the king over, and also half the people of Israel. <u>42</u> And, behold, all the men of Israel came to the king, and said unto the king: 'Why have our brethren the men of Judah stolen thee away, and brought the king, and his household, over the Jordan, and all David's men with him?'{S} <u>43</u> And all the men of Judah answered the men of Israel: 'Because the king is near of kin to us; wherefore then are ye angry for this matter? have we eaten at all of the king's cost? or hath any gift been given us?'{S} <u>44</u> And the men of Israel answered the men of Judah, and said: 'We have ten parts in the king, and we have also more right in David than ye; why then did ye despise us, that our advice should not be first had in bringing back our king?' And the words of the men of Judah were fiercer than the words of the men of Israel.{S}

20 <u>1</u> Now there happened to be there a base fellow, whose name was Sheba, the son of Bichri, a Benjamite; and he blew the horn, and said: 'We have no portion in David, neither have we inheritance in the son of Jesse; every man to his tents, O Israel.' <u>2</u> So all the men of Israel went up from following David, and followed Sheba the son of Bichri; but the men of Judah did cleave unto their king, from the Jordan even to Yerushalam.

ג וַיָּבֹא דָוִד אֶל־בֵּיתוֹ יְרוּשָׁלִַם וַיִּקַּח הַמֶּלֶךְ אֵת עֶשֶׂר־נָשִׁים ׀ פִּלַגְשִׁים אֲשֶׁר
הִנִּיחַ לִשְׁמֹר הַבַּיִת וַיִּתְּנֵם בֵּית־מִשְׁמֶרֶת וַיְכַלְכְּלֵם וַאֲלֵיהֶם לֹא־בָא וַתִּהְיֶינָה
צְרֻרוֹת עַד־יוֹם מֻתָן אַלְמְנוּת חַיּוּת׃ ד וַיֹּאמֶר הַמֶּלֶךְ אֶל־עֲמָשָׂא הַזְעֶק־לִי
אֶת־אִישׁ־יְהוּדָה שְׁלֹשֶׁת יָמִים וְאַתָּה פֹּה עֲמֹד׃ ה וַיֵּלֶךְ עֲמָשָׂא לְהַזְעִיק
אֶת־יְהוּדָה וַיּוֹחֶר[51] מִן־הַמּוֹעֵד אֲשֶׁר יְעָדוֹ׃ ו וַיֹּאמֶר דָּוִד אֶל־אֲבִישַׁי עַתָּה יֵרַע
לָנוּ שֶׁבַע בֶּן־בִּכְרִי מִן־אַבְשָׁלוֹם אַתָּה קַח אֶת־עַבְדֵי אֲדֹנֶיךָ וּרְדֹף אַחֲרָיו
פֶּן־מָצָא לוֹ עָרִים בְּצֻרוֹת וְהִצִּיל עֵינֵנוּ׃ ז וַיֵּצְאוּ אַחֲרָיו אַנְשֵׁי יוֹאָב וְהַכְּרֵתִי
וְהַפְּלֵתִי וְכָל־הַגִּבֹּרִים וַיֵּצְאוּ מִירוּשָׁלִַם לִרְדֹּף אַחֲרֵי שֶׁבַע בֶּן־בִּכְרִי׃ ח הֵם
עִם־הָאֶבֶן הַגְּדוֹלָה אֲשֶׁר בְּגִבְעוֹן וַעֲמָשָׂא בָּא לִפְנֵיהֶם וְיוֹאָב חָגוּר ׀ מִדּוֹ לְבֻשׁוֹ
וְעָלָו[52] חֲגוֹר חֶרֶב מְצֻמֶּדֶת עַל־מָתְנָיו בְּתַעְרָהּ וְהוּא יָצָא וַתִּפֹּל׃ ט וַיֹּאמֶר
יוֹאָב לַעֲמָשָׂא הֲשָׁלוֹם אַתָּה אָחִי וַתֹּחֶז יַד־יְמִין יוֹאָב בִּזְקַן עֲמָשָׂא לִנְשָׁק־לוֹ׃
י וַעֲמָשָׂא לֹא־נִשְׁמַר בַּחֶרֶב ׀ אֲשֶׁר בְּיַד־יוֹאָב וַיַּכֵּהוּ בָהּ אֶל־הַחֹמֶשׁ וַיִּשְׁפֹּךְ
מֵעָיו אַרְצָה וְלֹא־שָׁנָה לוֹ וַיָּמֹת וְיוֹאָב וַאֲבִישַׁי אָחִיו רָדַף אַחֲרֵי שֶׁבַע
בֶּן־בִּכְרִי׃ יא וְאִישׁ עָמַד עָלָיו מִנַּעֲרֵי יוֹאָב וַיֹּאמֶר מִי אֲשֶׁר חָפֵץ בְּיוֹאָב וּמִי
אֲשֶׁר־לְדָוִד אַחֲרֵי יוֹאָב׃ יב וַעֲמָשָׂא מִתְגֹּלֵל בַּדָּם בְּתוֹךְ הַמְסִלָּה וַיַּרְא הָאִישׁ
כִּי־עָמַד כָּל־הָעָם וַיַּסֵּב אֶת־עֲמָשָׂא מִן־הַמְסִלָּה הַשָּׂדֶה וַיַּשְׁלֵךְ עָלָיו בֶּגֶד
כַּאֲשֶׁר רָאָה כָּל־הַבָּא עָלָיו וְעָמָד׃ יג כַּאֲשֶׁר הֹגָה מִן־הַמְסִלָּה עָבַר כָּל־אִישׁ
אַחֲרֵי יוֹאָב לִרְדֹּף אַחֲרֵי שֶׁבַע בֶּן־בִּכְרִי׃ יד וַיַּעֲבֹר בְּכָל־שִׁבְטֵי יִשְׂרָאֵל
אָבֵלָה וּבֵית מַעֲכָה וְכָל־הַבֵּרִים וַיִּקָּלֲהוּ[53] וַיָּבֹאוּ אַף־אַחֲרָיו׃ טו וַיָּבֹאוּ וַיָּצֻרוּ
עָלָיו בְּאָבֵלָה בֵּית הַמַּעֲכָה וַיִּשְׁפְּכוּ סֹלְלָה אֶל־הָעִיר וַתַּעֲמֹד בַּחֵל וְכָל־הָעָם
אֲשֶׁר אֶת־יוֹאָב מַשְׁחִיתִם לְהַפִּיל הַחוֹמָה׃ טז וַתִּקְרָא אִשָּׁה חֲכָמָה מִן־הָעִיר
שִׁמְעוּ שִׁמְעוּ אִמְרוּ־נָא אֶל־יוֹאָב קְרַב עַד־הֵנָּה וַאֲדַבְּרָה אֵלֶיךָ׃ יז וַיִּקְרַב
אֵלֶיהָ וַתֹּאמֶר הָאִשָּׁה הַאַתָּה יוֹאָב וַיֹּאמֶר אָנִי וַתֹּאמֶר לוֹ שְׁמַע דִּבְרֵי אֲמָתֶךָ
וַיֹּאמֶר שֹׁמֵעַ אָנֹכִי׃ יח וַתֹּאמֶר לֵאמֹר דַּבֵּר יְדַבְּרוּ בָרִאשֹׁנָה לֵאמֹר שָׁאֹל
יְשָׁאֲלוּ בְּאָבֵל וְכֵן הֵתַמּוּ׃ יט אָנֹכִי שְׁלֻמֵי אֱמוּנֵי יִשְׂרָאֵל אַתָּה מְבַקֵּשׁ לְהָמִית
עִיר וְאֵם בְּיִשְׂרָאֵל לָמָּה תְבַלַּע נַחֲלַת יְהוָה׃
כ וַיַּעַן יוֹאָב וַיֹּאמַר חָלִילָה חָלִילָה לִי אִם־אֲבַלַּע וְאִם־אַשְׁחִית׃ כא לֹא־כֵן
הַדָּבָר כִּי אִישׁ מֵהַר אֶפְרַיִם שֶׁבַע בֶּן־בִּכְרִי שְׁמוֹ נָשָׂא יָדוֹ בַּמֶּלֶךְ בְּדָוִד
תְּנוּ־אֹתוֹ לְבַדּוֹ וְאֵלְכָה מֵעַל הָעִיר וַתֹּאמֶר הָאִשָּׁה אֶל־יוֹאָב הִנֵּה רֹאשׁוֹ מֻשְׁלָךְ
אֵלֶיךָ בְּעַד הַחוֹמָה׃

[51] וייחר
[52] ועלו
[53] ויקלהו

3 And David came to his house at Yerushalam; and the king took the ten women his concubines, whom he had left to keep the house, and put them in ward, and provided them with sustenance, but went not in unto them. So they were shut up unto the day of their death, in widowhood, with their husband alive.{s} **4** Then said the king to Amasa: 'Call me the men of Judah together within three days, and be thou here present.' **5** So Amasa went to call the men of Judah together; but he tarried longer than the set time which he had appointed him.{s} **6** And David said to Abishai: 'Now will Sheba the son of Bichri do us more harm than did Absalom; take thou thy lord's servants, and pursue after him, lest he get him fortified cities, and escape out of our sight.' **7** And there went out after him Joab's men, and the Cherethites and the Pelethites, and all the mighty men; and they went out of Yerushalam, to pursue after Sheba the son of Bichri. **8** When they were at the great stone which is in Gibeon, Amasa came to meet them. And Joab was girded with his apparel of war that he had put on, and thereon was a girdle with a sword fastened upon his loins in the sheath thereof; and as he went forth it fell out.{s} **9** And Joab said to Amasa: 'Is it well with thee, my brother?' And Joab took Amasa by the beard with his right hand to kiss him. **10** But Amasa took no heed to the sword that was in Joab's hand; so he smote him therewith in the groin, and shed out his bowels to the ground, and struck him not again; and he died. And Joab and Abishai his brother pursued after Sheba the son of Bichri. **11** And there stood by him one of Joab's young men, and said: 'He that favoureth Joab, and he that is for David let him follow Joab.' **12** And Amasa lay wallowing in his blood in the midst of the highway. And when the man saw that all the people stood still, he carried Amasa out of the highway into the field, and cast a garment over him, when he saw that every one that came by him stood still. **13** When he was removed out of the highway, all the people went on after Joab, to pursue after Sheba the son of Bichri. **14** And he went through all the tribes of Israel unto Abel, and to Beth-maacah, and all the Berites;{s} and they were gathered together, and went in also after him. **15** And they came and besieged him in Abel of Beth-maacah, and they cast up a mound against the city, and it stood in the moat; and all the people that were with Joab battered the wall, to throw it down. **16** Then cried a wise woman out of the city: 'Hear, hear; say, I pray you, unto Joab: Come near hither, that I may speak with thee.' **17** And he came near unto her; and the woman said: 'Art thou Joab?' And he answered: 'I am.' Then she said unto him: 'Hear the words of thy handmaid.' And he answered: 'I do hear.' **18** Then she spoke, saying: 'They were wont to speak in old time, saying: They shall surely ask counsel at Abel; and so they ended the matter. **19** We are of them that are peaceable and faithful in Israel; seekest thou to destroy a city and a mother in Israel? why wilt thou swallow up the inheritance of Yehovah?'{P}

20 And Joab answered and said: 'Far be it, far be it from me, that I should swallow up or destroy. **21** The matter is not so; but a man of the hill-country of Ephraim, Sheba the son of Bichri by name, hath lifted up his hand against the king, even against David; deliver him only, and I will depart from the city.' And the woman said unto Joab: 'Behold, his head shall be thrown to thee over the wall.'

כב וַתָּבוֹא הָאִשָּׁה אֶל־כָּל־הָעָם בְּחָכְמָתָהּ וַיִּכְרְתוּ אֶת־רֹאשׁ שֶׁבַע בֶּן־בִּכְרִי
וַיַּשְׁלִכוּ אֶל־יוֹאָב וַיִּתְקַע בַּשּׁוֹפָר וַיָּפֻצוּ מֵעַל־הָעִיר אִישׁ לְאֹהָלָיו וְיוֹאָב שָׁב
יְרוּשָׁלִַם אֶל־הַמֶּלֶךְ׃ כג וְיוֹאָב אֶל כָּל־הַצָּבָא יִשְׂרָאֵל וּבְנָיָה בֶּן־יְהוֹיָדָע
עַל־הַכְּרֵתִי[54] וְעַל־הַפְּלֵתִי׃ כד וַאֲדֹרָם עַל־הַמַּס וִיהוֹשָׁפָט בֶּן־אֲחִילוּד הַמַּזְכִּיר׃
כה וּשְׁוָא[55] סֹפֵר וְצָדוֹק וְאֶבְיָתָר כֹּהֲנִים׃ כו וְגַם עִירָא הַיָּאִרִי הָיָה כֹהֵן לְדָוִד׃

כא א וַיְהִי רָעָב בִּימֵי דָוִד שָׁלֹשׁ שָׁנִים שָׁנָה אַחֲרֵי שָׁנָה וַיְבַקֵּשׁ דָּוִד אֶת־פְּנֵי
יְהוָה וַיֹּאמֶר יְהוָה אֶל־שָׁאוּל וְאֶל־בֵּית הַדָּמִים עַל־אֲשֶׁר־הֵמִית אֶת־הַגִּבְעֹנִים׃
ב וַיִּקְרָא הַמֶּלֶךְ לַגִּבְעֹנִים וַיֹּאמֶר אֲלֵיהֶם וְהַגִּבְעֹנִים לֹא מִבְּנֵי יִשְׂרָאֵל הֵמָּה כִּי
אִם־מִיֶּתֶר הָאֱמֹרִי וּבְנֵי יִשְׂרָאֵל נִשְׁבְּעוּ לָהֶם וַיְבַקֵּשׁ שָׁאוּל לְהַכֹּתָם בְּקַנֹּאתוֹ
לִבְנֵי־יִשְׂרָאֵל וִיהוּדָה׃ ג וַיֹּאמֶר דָּוִד אֶל־הַגִּבְעֹנִים מָה אֶעֱשֶׂה לָכֶם וּבַמָּה אֲכַפֵּר
וּבָרְכוּ אֶת־נַחֲלַת יְהוָה׃ ד וַיֹּאמְרוּ לוֹ הַגִּבְעֹנִים אֵין־לָנוּ[56] כֶּסֶף וְזָהָב עִם־שָׁאוּל
וְעִם־בֵּיתוֹ וְאֵין־לָנוּ אִישׁ לְהָמִית בְּיִשְׂרָאֵל וַיֹּאמֶר מָה־אַתֶּם אֹמְרִים אֶעֱשֶׂה לָכֶם׃
ה וַיֹּאמְרוּ אֶל־הַמֶּלֶךְ הָאִישׁ אֲשֶׁר כִּלָּנוּ וַאֲשֶׁר דִּמָּה־לָנוּ נִשְׁמַדְנוּ מֵהִתְיַצֵּב
בְּכָל־גְּבֻל יִשְׂרָאֵל׃ ו יֻתַּן־לָנוּ [57] שִׁבְעָה אֲנָשִׁים מִבָּנָיו וְהוֹקַעֲנוּם לַיהוָה בְּגִבְעַת
שָׁאוּל בְּחִיר יְהוָה וַיֹּאמֶר הַמֶּלֶךְ אֲנִי אֶתֵּן׃ ז וַיַּחְמֹל הַמֶּלֶךְ עַל־מְפִי־בֹשֶׁת
בֶּן־יְהוֹנָתָן בֶּן־שָׁאוּל עַל־שְׁבֻעַת יְהוָה אֲשֶׁר בֵּינֹתָם בֵּין דָּוִד וּבֵין יְהוֹנָתָן
בֶּן־שָׁאוּל׃ ח וַיִּקַּח הַמֶּלֶךְ אֶת־שְׁנֵי בְּנֵי רִצְפָּה בַת־אַיָּה אֲשֶׁר יָלְדָה לְשָׁאוּל
אֶת־אַרְמֹנִי וְאֶת־מְפִבֹשֶׁת וְאֶת־חֲמֵשֶׁת בְּנֵי מִיכַל בַּת־שָׁאוּל אֲשֶׁר יָלְדָה
לְעַדְרִיאֵל בֶּן־בַּרְזִלַּי הַמְּחֹלָתִי׃ ט וַיִּתְּנֵם בְּיַד הַגִּבְעֹנִים וַיֹּקִיעֻם בָּהָר לִפְנֵי יְהוָה
וַיִּפְּלוּ שְׁבַעְתָּם[58] יָחַד וְהֵמָּה[59] הֻמְתוּ בִּימֵי קָצִיר בָּרִאשֹׁנִים בִּתְחִלַּת[60] קְצִיר
שְׂעֹרִים׃ י וַתִּקַּח רִצְפָּה בַת־אַיָּה אֶת־הַשַּׂק וַתַּטֵּהוּ לָהּ אֶל־הַצּוּר מִתְּחִלַּת קְצִיר
עַד נִתַּךְ־מַיִם עֲלֵיהֶם מִן־הַשָּׁמָיִם וְלֹא־נָתְנָה עוֹף הַשָּׁמַיִם לָנוּחַ עֲלֵיהֶם יוֹמָם
וְאֶת־חַיַּת הַשָּׂדֶה לָיְלָה׃ יא וַיֻּגַּד לְדָוִד אֵת אֲשֶׁר־עָשְׂתָה רִצְפָּה בַת־אַיָּה פִּלֶגֶשׁ
שָׁאוּל׃ יב וַיֵּלֶךְ דָּוִד וַיִּקַּח אֶת־עַצְמוֹת שָׁאוּל וְאֶת־עַצְמוֹת יְהוֹנָתָן בְּנוֹ מֵאֵת בַּעֲלֵי
יָבֵישׁ גִּלְעָד אֲשֶׁר גָּנְבוּ אֹתָם מֵרְחֹב בֵּית־שַׁן אֲשֶׁר תְּלָאוּם[61] שָׁמָּה
פְּלִשְׁתִּים[62] בְּיוֹם הַכּוֹת פְּלִשְׁתִּים אֶת־שָׁאוּל בַּגִּלְבֹּעַ׃ יג וַיַּעַל מִשָּׁם אֶת־עַצְמוֹת
שָׁאוּל וְאֶת־עַצְמוֹת יְהוֹנָתָן בְּנוֹ וַיַּאַסְפוּ אֶת־עַצְמוֹת הַמּוּקָעִים׃

---

[54] הכרי
[55] ושיא
[56] לִי
[57] ינתן
[58] שבעתים
[59] והם
[60] תחלת
[61] תלום
[62] שם הפלשתים

22 Then the woman went unto all the people in her wisdom. And they cut off the head of Sheba the son of Bichri, and threw it out to Joab. And he blew the horn, and they were dispersed from the city, every man to his tent. And Joab returned to Yerushalam unto the king.{S} **23** Now Joab was over all the host of Israel; and Benaiah the son of Jehoiada was over the Cherethites and over the Pelethites; **24** and Adoram was over the levy; and Jehoshaphat the son of Ahilud was the recorder; **25** and Sheva was scribe; and Zadok and Abiathar were priests; **26** and Ira also the Jairite was chief minister unto David.{S}

21 **1** And there was a famine in the days of David three years, year after year; and David sought the face of Yehovah.{S} And Yehovah said: 'It is for Saul, and for his bloody house, because he put to death the Gibeonites.' **2** And the king called the Gibeonites, and said unto them–now the Gibeonites were not of the children of Israel, but of the remnant of the Amorites; and the children of Israel had sworn unto them; and Saul sought to slay them in his zeal for the children of Israel and Judah– **3** and David said unto the Gibeonites: 'What shall I do for you? and wherewith shall I make atonement, that ye may bless the inheritance of Yehovah?' **4** And the Gibeonites said unto him: 'It is no matter of silver or gold between us and Saul, or his house; neither is it for us to put any man to death in Israel.' And he said: 'What say ye that I should do for you?' **5** And they said unto the king: 'The man that consumed us, and that devised against us, so that we have been destroyed from remaining in any of the borders of Israel, **6** let seven men of his sons be delivered unto us, and we will hang them up unto Yehovah in Gibeah of Saul, the chosen of Yehovah.'{P}

And the king said: 'I will deliver them.' **7** But the king spared Mephibosheth, the son of Jonathan the son of Saul, because of Yehovah's oath that was between them, between David and Jonathan the son of Saul. **8** But the king took the two sons of Rizpah the daughter of Aiah, whom she bore unto Saul, Armoni and Mephibosheth; and the five sons of Michal the daughter of Saul, whom she bore to Adriel the son of Barzillai the Meholathite; **9** and he delivered them into the hands of the Gibeonites, and they hanged them in the mountain before Yehovah, and they fell all seven together; and they were put to death in the days of harvest, in the first days, at the beginning of barley harvest. **10** And Rizpah the daughter of Aiah took sackcloth, and spread it for her upon the rock, from the beginning of harvest until water was poured upon them from heaven; and she suffered neither the birds of the air to rest on them by day, nor the beasts of the field by night. **11** And it was told David what Rizpah the daughter of Aiah, the concubine of Saul, had done. **12** And David went and took the bones of Saul and the bones of Jonathan his son from the men of Jabesh-gilead, who had stolen them from the broad place of Beth-shan, where the Philistines had hanged them, in the day that the Philistines slew Saul in Gilboa; **13** and he brought up from thence the bones of Saul and the bones of Jonathan his son; and they gathered the bones of them that were hanged.

יד וַיִּקְבְּרוּ אֶת־עַצְמוֹת־שָׁאוּל וִיהוֹנָתָן־בְּנוֹ בְּאֶרֶץ בִּנְיָמִן בְּצֵלָע בְּקֶבֶר קִישׁ
אָבִיו וַיַּעֲשׂוּ כֹּל אֲשֶׁר־צִוָּה הַמֶּלֶךְ וַיֵּעָתֵר אֱלֹהִים לָאָרֶץ אַחֲרֵי־כֵן׃

טו וַתְּהִי־עוֹד מִלְחָמָה לַפְּלִשְׁתִּים אֶת־יִשְׂרָאֵל וַיֵּרֶד דָּוִד וַעֲבָדָיו עִמּוֹ וַיִּלָּחֲמוּ
אֶת־פְּלִשְׁתִּים וַיָּעַף דָּוִד׃ טז וְיִשְׁבִּי[63] בְּנֹב אֲשֶׁר ׀ בִּילִידֵי הָרָפָה וּמִשְׁקַל קֵינוֹ
שְׁלֹשׁ מֵאוֹת מִשְׁקַל נְחֹשֶׁת וְהוּא חָגוּר חֲדָשָׁה וַיֹּאמֶר לְהַכּוֹת אֶת־דָּוִד׃
יז וַיַּעֲזָר־לוֹ אֲבִישַׁי בֶּן־צְרוּיָה וַיַּךְ אֶת־הַפְּלִשְׁתִּי וַיְמִיתֵהוּ אָז נִשְׁבְּעוּ אַנְשֵׁי־דָוִד
לוֹ לֵאמֹר לֹא־תֵצֵא עוֹד אִתָּנוּ לַמִּלְחָמָה וְלֹא תְכַבֶּה אֶת־נֵר יִשְׂרָאֵל׃

יח וַיְהִי אַחֲרֵי־כֵן וַתְּהִי־עוֹד הַמִּלְחָמָה בְּגוֹב עִם־פְּלִשְׁתִּים אָז הִכָּה סִבְּכַי
הַחֻשָׁתִי אֶת־סַף אֲשֶׁר בִּילִדֵי הָרָפָה׃

יט וַתְּהִי־עוֹד הַמִּלְחָמָה בְּגוֹב עִם־פְּלִשְׁתִּים וַיַּךְ אֶלְחָנָן בֶּן־יַעְרֵי אֹרְגִים בֵּית
הַלַּחְמִי אֵת גָּלְיָת הַגִּתִּי וְעֵץ חֲנִיתוֹ כִּמְנוֹר אֹרְגִים׃ כ וַתְּהִי־עוֹד מִלְחָמָה בְּגַת
וַיְהִי ׀ אִישׁ מָדוֹן[64] וְאֶצְבְּעֹת יָדָיו וְאֶצְבְּעֹת רַגְלָיו שֵׁשׁ וָשֵׁשׁ עֶשְׂרִים וְאַרְבַּע
מִסְפָּר וְגַם־הוּא יֻלַּד לְהָרָפָה׃ כא וַיְחָרֵף אֶת־יִשְׂרָאֵל וַיַּכֵּהוּ יְהוֹנָתָן
בֶּן־שִׁמְעָה[65] אֲחִי דָוִד׃ כב אֶת־אַרְבַּעַת אֵלֶּה יֻלְּדוּ לְהָרָפָה בְּגַת וַיִּפְּלוּ
בְיַד־דָּוִד וּבְיַד עֲבָדָיו׃

כב א וַיְדַבֵּר דָּוִד לַיהוָה אֶת־דִּבְרֵי הַשִּׁירָה הַזֹּאת בְּיוֹם הִצִּיל יְהוָה אֹתוֹ
מִכַּף כָּל־אֹיְבָיו וּמִכַּף שָׁאוּל׃ ב וַיֹּאמַר יְהוָה סַלְעִי וּמְצֻדָתִי וּמְפַלְטִי־לִי׃
ג אֱלֹהֵי צוּרִי אֶחֱסֶה־בּוֹ מָגִנִּי וְקֶרֶן יִשְׁעִי מִשְׂגַּבִּי וּמְנוּסִי מֹשִׁעִי מֵחָמָס תֹּשִׁעֵנִי׃
ד מְהֻלָּל אֶקְרָא יְהוָה וּמֵאֹיְבַי אִוָּשֵׁעַ׃ ה כִּי אֲפָפֻנִי מִשְׁבְּרֵי־מָוֶת נַחֲלֵי בְלִיַּעַל
יְבַעֲתֻנִי׃ ו חֶבְלֵי שְׁאוֹל סַבֻּנִי קִדְּמֻנִי מֹקְשֵׁי־מָוֶת׃ ז בַּצַּר־לִי אֶקְרָא יְהוָה
וְאֶל־אֱלֹהַי אֶקְרָא וַיִּשְׁמַע מֵהֵיכָלוֹ קוֹלִי וְשַׁוְעָתִי בְּאָזְנָיו׃ ח וַיִּתְגָּעַשׁ[66] וַתִּרְעַשׁ
הָאָרֶץ מוֹסְדוֹת הַשָּׁמַיִם יִרְגָּזוּ וַיִּתְגָּעֲשׁוּ כִּי־חָרָה לוֹ׃ ט עָלָה עָשָׁן בְּאַפּוֹ וְאֵשׁ
מִפִּיו תֹּאכֵל גֶּחָלִים בָּעֲרוּ מִמֶּנּוּ׃ י וַיֵּט שָׁמַיִם וַיֵּרַד וַעֲרָפֶל תַּחַת רַגְלָיו׃
יא וַיִּרְכַּב עַל־כְּרוּב וַיָּעֹף וַיֵּרָא עַל־כַּנְפֵי־רוּחַ׃ יב וַיָּשֶׁת חֹשֶׁךְ סְבִיבֹתָיו סֻכּוֹת
חַשְׁרַת־מַיִם עָבֵי שְׁחָקִים׃ יג מִנֹּגַהּ נֶגְדּוֹ בָּעֲרוּ גַּחֲלֵי־אֵשׁ׃ יד יַרְעֵם מִן־שָׁמַיִם
יְהוָה וְעֶלְיוֹן יִתֵּן קוֹלוֹ׃ טו וַיִּשְׁלַח חִצִּים וַיְפִיצֵם בָּרָק וַיָּהֹם[67]׃ טז וַיֵּרָאוּ אֲפִקֵי
יָם יִגָּלוּ מֹסְדוֹת תֵּבֵל בְּגַעֲרַת יְהוָה מִנִּשְׁמַת רוּחַ אַפּוֹ׃ יז יִשְׁלַח מִמָּרוֹם יִקָּחֵנִי
יַמְשֵׁנִי מִמַּיִם רַבִּים׃

---

63 וישבו
64 מדין
65 שמעי
66 ותגעש
67 ויהמם

<u>14</u> And they buried the bones of Saul and Jonathan his son in the country of Benjamin in Zela, in the sepulchre of Kish his father; and they performed all that the king commanded. And after that God was entreated for the land.{P}

<u>15</u> And the Philistines had war again with Israel; and David went down, and his servants with him, and fought against the Philistines; and David waxed faint. <u>16</u> And Ishbibenob, who was of the sons of the giant, the weight of whose spear was three hundred shekels of brass in weight, he being girded with new armour, thought to have slain David. <u>17</u> But Abishai the son of Zeruiah succoured him, and smote the Philistine, and killed him. Then the men of David swore unto him, saying: 'Thou shalt go no more out with us to battle, that thou quench not the lamp of Israel.'{P}

<u>18</u> And it came to pass after this, that there was again war with the Philistines at Gob; then Sibbecai the Hushathite slew Saph, who was of the sons of the giant.{S} <u>19</u> And there was again war with the Philistines at Gob; and Elhanan the son of Jaare-oregim the Beth-lehemite slew Goliath the Gittite, the staff of whose spear was like a weaver's beam.{S} <u>20</u> And there was again war at Gath, where was a champion, that had on every hand six fingers, and on every foot six toes, four and twenty in number; and he also was born to the giant. <u>21</u> And when he taunted Israel, Jonathan the son of Shimea David's brother slew him. <u>22</u> These four were born to the giant in Gath; and they fell by the hand of David, and by the hand of his servants.{P}

22 <u>1</u> And David spoke unto Yehovah the words of this song in the day that Yehovah delivered him out of the hand of all his enemies, and out of the hand of Saul; <u>2</u> and he said: Yehovah is my rock, and my fortress, and my deliverer; <u>3</u> The God who is my rock, in Him I take refuge; my shield, and my horn of salvation, my high tower, and my refuge; my saviour, Thou savest me from violence. <u>4</u> Praised, I cry, is Yehovah, and I am saved from mine enemies. <u>5</u> For the waves of Death compassed me. The floods of Belial assailed me. <u>6</u> The cords of Sheol surrounded me; the snares of Death confronted me. <u>7</u> In my distress I called upon Yehovah, yea, I called unto my God; and out of His temple He heard my voice, and my cry did enter into His ears. <u>8</u> Then the earth did shake and quake, the foundations of heaven did tremble; they were shaken, because He was wroth. <u>9</u> Smoke arose up in His nostrils, and fire out of His mouth did devour; coals flamed forth from Him. <u>10</u> He bowed the heavens also, and came down; and thick darkness was under His feet. <u>11</u> And He rode upon a cherub, and did fly; yea, He was seen upon the wings of the wind. <u>12</u> And He made darkness pavilions round about Him, gathering of waters, thick clouds of the skies. <u>13</u> At the brightness before Him coals of fire flamed forth. <u>14</u> Yehovah thundered from heaven, and the Most High gave forth His voice. <u>15</u> And He sent out arrows, and scattered them; lightning, and discomfited them. <u>16</u> And the channels of the sea appeared, the foundations of the world were laid bare by the rebuke of Yehovah, at the blast of the breath of His nostrils. <u>17</u> He sent from on high, He took me; He drew me out of many waters;

יח יַצִּילֵנִי מֵאֹיְבִי עָז מִשֹּׂנְאַי כִּי אָמְצוּ מִמֶּנִּי: יט יְקַדְּמֻנִי בְּיוֹם אֵידִי וַיְהִי יְהֹוָה מִשְׁעָן לִי: כ וַיֹּצֵא לַמֶּרְחָב אֹתִי יְחַלְּצֵנִי כִּי־חָפֵץ בִּי: כא יִגְמְלֵנִי יְהֹוָה כְּצִדְקָתִי כְּבֹר יָדַי יָשִׁיב לִי: כב כִּי שָׁמַרְתִּי דַּרְכֵי יְהֹוָה וְלֹא רָשַׁעְתִּי מֵאֱלֹהָי: כג כִּי כָל־מִשְׁפָּטָו [68] לְנֶגְדִּי וְחֻקֹּתָיו לֹא־אָסוּר מִמֶּנָּה: כד וָאֶהְיֶה תָמִים לוֹ וָאֶשְׁתַּמְּרָה מֵעֲוֹנִי: כה וַיָּשֶׁב יְהֹוָה לִי כְּצִדְקָתִי כְּבֹרִי לְנֶגֶד עֵינָיו: כו עִם־חָסִיד תִּתְחַסָּד עִם־גִּבּוֹר תָּמִים תִּתַּמָּם: כז עִם־נָבָר תִּתָּבָר וְעִם־עִקֵּשׁ תִּתַּפָּל: כח וְאֶת־עַם עָנִי תּוֹשִׁיעַ וְעֵינֶיךָ עַל־רָמִים תַּשְׁפִּיל: כט כִּי־אַתָּה נֵירִי יְהֹוָה וַיהֹוָה יַגִּיהַּ חָשְׁכִּי: ל כִּי בְכָה אָרוּץ גְּדוּד בֵּאלֹהַי אֲדַלֶּג־שׁוּר: לא הָאֵל תָּמִים דַּרְכּוֹ אִמְרַת יְהֹוָה צְרוּפָה מָגֵן הוּא לְכֹל הַחֹסִים בּוֹ: לב כִּי מִי־אֵל מִבַּלְעֲדֵי יְהֹוָה וּמִי צוּר מִבַּלְעֲדֵי אֱלֹהֵינוּ: לג הָאֵל מָעוּזִּי חָיִל וַיַּתֵּר תָּמִים דַּרְכִּי [69]: לד מְשַׁוֶּה רַגְלַי [70] כָּאַיָּלוֹת וְעַל בָּמוֹתַי יַעֲמִדֵנִי: לה מְלַמֵּד יָדַי לַמִּלְחָמָה וְנִחַת קֶשֶׁת־נְחוּשָׁה זְרֹעֹתָי: לו וַתִּתֶּן־לִי מָגֵן יִשְׁעֶךָ וַעֲנֹתְךָ תַּרְבֵּנִי: לז תַּרְחִיב צַעֲדִי תַּחְתֵּנִי וְלֹא מָעֲדוּ קַרְסֻלָּי: לח אֶרְדְּפָה אֹיְבַי וָאַשְׁמִידֵם וְלֹא אָשׁוּב עַד־כַּלּוֹתָם: לט וָאֲכַלֵּם וָאֶמְחָצֵם וְלֹא יְקוּמוּן וַיִּפְּלוּ תַּחַת רַגְלָי: מ וַתַּזְרֵנִי חַיִל לַמִּלְחָמָה תַּכְרִיעַ קָמַי תַּחְתֵּנִי: מא וְאֹיְבַי תַּתָּה לִּי עֹרֶף מְשַׂנְאַי וָאַצְמִיתֵם: מב יִשְׁעוּ וְאֵין מֹשִׁיעַ אֶל־יְהֹוָה וְלֹא עָנָם: מג וְאֶשְׁחָקֵם כַּעֲפַר־אָרֶץ כְּטִיט־חוּצוֹת אֲדִקֵּם אֶרְקָעֵם: מד וַתְּפַלְּטֵנִי מֵרִיבֵי עַמִּי תִּשְׁמְרֵנִי לְרֹאשׁ גּוֹיִם עַם לֹא־יָדַעְתִּי יַעַבְדֻנִי: מה בְּנֵי נֵכָר יִתְכַּחֲשׁוּ־לִי לִשְׁמוֹעַ אֹזֶן יִשָּׁמְעוּ לִי: מו בְּנֵי נֵכָר יִבֹּלוּ וְיַחְגְּרוּ מִמִּסְגְּרוֹתָם: מז חַי־יְהֹוָה וּבָרוּךְ צוּרִי וְיָרֻם אֱלֹהֵי צוּר יִשְׁעִי: מח הָאֵל הַנֹּתֵן נְקָמֹת לִי וּמוֹרִיד עַמִּים תַּחְתֵּנִי: מט וּמוֹצִיאִי מֵאֹיְבָי וּמִקָּמַי תְּרוֹמְמֵנִי מֵאִישׁ חֲמָסִים תַּצִּילֵנִי: נ עַל־כֵּן אוֹדְךָ יְהֹוָה בַּגּוֹיִם וּלְשִׁמְךָ אֲזַמֵּר: נא מִגְדּוֹל [71] יְשׁוּעוֹת מַלְכּוֹ וְעֹשֶׂה־חֶסֶד לִמְשִׁיחוֹ לְדָוִד וּלְזַרְעוֹ עַד־עוֹלָם:

כג א וְאֵלֶּה דִּבְרֵי דָוִד הָאַחֲרֹנִים נְאֻם דָּוִד בֶּן־יִשַׁי וּנְאֻם הַגֶּבֶר הֻקַם עָל מְשִׁיחַ אֱלֹהֵי יַעֲקֹב וּנְעִים זְמִרוֹת יִשְׂרָאֵל: ב רוּחַ יְהֹוָה דִּבֶּר־בִּי וּמִלָּתוֹ עַל־לְשׁוֹנִי: ג אָמַר אֱלֹהֵי יִשְׂרָאֵל לִי דִבֶּר צוּר יִשְׂרָאֵל מוֹשֵׁל בָּאָדָם צַדִּיק מוֹשֵׁל יִרְאַת אֱלֹהִים:

[68] משפטו
[69] דרכו
[70] רגליו
[71] מגדיל

18 He delivered me from mine enemy most strong, from them that hated me, for they were too mighty for me. **19** They confronted me in the day of my calamity; but Yehovah was a stay unto me. **20** He brought me forth also into a large place; He delivered me, because He delighted in me. **21** Yehovah rewarded me according to my righteousness; according to the cleanness of my hands hath He recompensed me. **22** For I have kept the ways of Yehovah, and have not wickedly departed from my God. **23** For all His ordinances were before me; and as for His statutes, I did not depart from them. **24** And I was single-hearted toward Him, and I kept myself from mine iniquity. **25** Therefore hath Yehovah recompensed me according to my righteousness, according to my cleanness in His eyes. **26** With the merciful Thou dost show Thyself merciful, with the upright man Thou dost show Thyself upright, **27** With the pure Thou dost show Thyself pure; and with the crooked Thou dost show Thyself subtle. **28** And the afflicted people Thou dost save; but Thine eyes are upon the haughty, that Thou mayest humble them. **29** For Thou art my lamp, Yehovah; and Yehovah doth lighten my darkness. **30** For by Thee I run upon a troop; by my God do I scale a wall. **31** As for God, His way is perfect; the word of Yehovah is tried; He is a shield unto all them that take refuge in Him. **32** For who is God, save Yehovah? and who is a Rock, save our God? **33** The God who is my strong fortress, and who letteth my way go forth straight; **34** Who maketh my feet like hinds', and setteth me upon my high places; **35** Who traineth my hands for war, so that mine arms do bend a bow of brass. **36** Thou hast also given me Thy shield of salvation; and Thy condescension hath made me great. **37** Thou hast enlarged my steps under me, and my feet have not slipped. **38** I have pursued mine enemies, and destroyed them; neither did I turn back till they were consumed. **39** And I have consumed them, and smitten them through, that they cannot arise; yea, they are fallen under my feet. **40** For Thou hast girded me with strength unto the battle; Thou hast subdued under me those that rose up against me. **41** Thou hast also made mine enemies turn their backs unto me; yea, them that hate me, that I might cut them off. **42** They looked, but there was none to save; even unto Yehovah, but He answered them not. **43** Then did I beat them small as the dust of the earth, I did stamp them as the mire of the streets, and did tread them down. **44** Thou also hast delivered me from the contentions of my people; Thou hast kept me to be the head of the nations; a people whom I have not known serve me. **45** The sons of the stranger dwindle away before me; as soon as they hear of me, they obey me. **46** The sons of the stranger fade away, and come halting out of their close places. **47** Yehovah liveth, and blessed be my Rock; and exalted be the God, my Rock of salvation; **48** Even the God that executeth vengeance for me, and bringeth down peoples under me, **49** And that bringeth me forth from mine enemies; yea, Thou liftest me up above them that rise up against me; Thou deliverest me from the violent man. **50** Therefore I will give thanks unto Thee, Yehovah, among the nations, and will sing praises unto Thy name. **51** A tower of salvation is He to His king; and showeth mercy to His anointed, to David and to his seed, for evermore.{P}

23 **1** Now these are the last words of David: The saying of David the son of Jesse, and the saying of the man raised on high, the anointed of the God of Jacob, and the sweet singer of Israel: **2** The spirit of Yehovah spoke by me, and His word was upon my tongue. **3** The God of Israel said, The Rock of Israel spoke to me: 'Ruler over men shall be the righteous, even he that ruleth in the fear of God,

ד וּכְאוֹר בֹּקֶר יִזְרַח־שָׁמֶשׁ בֹּקֶר לֹא עָבוֹת מִנֹּגַהּ מִמָּטָר דֶּשֶׁא מֵאָרֶץ׃
ה כִּי־לֹא־כֵן בֵּיתִי עִם־אֵל כִּי בְרִית עוֹלָם שָׂם לִי עֲרוּכָה בַכֹּל וּשְׁמֻרָה
כִּי־כָל־יִשְׁעִי וְכָל־חֵפֶץ כִּי־לֹא יַצְמִיחַ׃ ו וּבְלִיַּעַל כְּקוֹץ מֻנָד כֻּלָּהַם כִּי־לֹא
בְיָד יִקָּחוּ׃ ז וְאִישׁ יִגַּע בָּהֶם יִמָּלֵא בַרְזֶל וְעֵץ חֲנִית וּבָאֵשׁ שָׂרוֹף יִשָּׂרְפוּ
בַּשָּׁבֶת׃

ח אֵלֶּה שְׁמוֹת הַגִּבֹּרִים אֲשֶׁר לְדָוִד יֹשֵׁב בַּשֶּׁבֶת תַּחְכְּמֹנִי ׀ רֹאשׁ הַשָּׁלִשִׁי הוּא
עֲדִינוֹ הָעֶצְנִי[72] עַל־שְׁמֹנֶה מֵאוֹת חָלָל בְּפַעַם אֶחָת[73]׃ ט וְאַחֲרָיו[74] אֶלְעָזָר
בֶּן־דֹּדוֹ[75] בֶּן־אֲחֹחִי בִּשְׁלֹשָׁה הַגִּבֹּרִים[76] עִם־דָּוִד בְּחָרְפָם בַּפְּלִשְׁתִּים
נֶאֶסְפוּ־שָׁם לַמִּלְחָמָה וַיַּעֲלוּ אִישׁ יִשְׂרָאֵל׃ י הוּא קָם וַיַּךְ בַּפְּלִשְׁתִּים עַד ׀
כִּי־יָגְעָה יָדוֹ וַתִּדְבַּק יָדוֹ אֶל־הַחֶרֶב וַיַּעַשׂ יְהוָה תְּשׁוּעָה גְדוֹלָה בַּיּוֹם הַהוּא
וְהָעָם יָשֻׁבוּ אַחֲרָיו אַךְ־לְפַשֵּׁט׃ יא וְאַחֲרָיו שַׁמָּא בֶן־אָגֵא הָרָרִי וַיֵּאָסְפוּ
פְלִשְׁתִּים לַחַיָּה וַתְּהִי־שָׁם חֶלְקַת הַשָּׂדֶה מְלֵאָה עֲדָשִׁים וְהָעָם נָס מִפְּנֵי
פְלִשְׁתִּים׃ יב וַיִּתְיַצֵּב בְּתוֹךְ־הַחֶלְקָה וַיַּצִּילֶהָ וַיַּךְ אֶת־פְּלִשְׁתִּים וַיַּעַשׂ יְהוָה
תְּשׁוּעָה גְדוֹלָה׃ יג וַיֵּרְדוּ שְׁלֹשָׁה[77] מֵהַשְּׁלשִׁים רֹאשׁ וַיָּבֹאוּ אֶל־קָצִיר אֶל־דָּוִד
אֶל־מְעָרַת עֲדֻלָּם וְחַיַּת פְּלִשְׁתִּים חֹנָה בְּעֵמֶק רְפָאִים׃ יד וְדָוִד אָז בַּמְּצוּדָה
וּמַצַּב פְּלִשְׁתִּים אָז בֵּית לָחֶם׃ טו וַיִּתְאַוֶּה דָוִד וַיֹּאמַר מִי יַשְׁקֵנִי מַיִם מִבֹּאר
בֵּית־לֶחֶם אֲשֶׁר בַּשָּׁעַר׃ טז וַיִּבְקְעוּ שְׁלֹשֶׁת הַגִּבֹּרִים בְּמַחֲנֵה פְלִשְׁתִּים
וַיִּשְׁאֲבוּ־מַיִם מִבֹּאר בֵּית־לֶחֶם אֲשֶׁר בַּשַּׁעַר וַיִּשְׂאוּ וַיָּבִאוּ אֶל־דָּוִד וְלֹא אָבָה
לִשְׁתּוֹתָם וַיַּסֵּךְ אֹתָם לַיהוָה׃ יז וַיֹּאמֶר חָלִילָה לִּי יְהוָה מֵעֲשֹׂתִי זֹאת הֲדַם
הָאֲנָשִׁים הַהֹלְכִים בְּנַפְשׁוֹתָם וְלֹא אָבָה לִשְׁתּוֹתָם אֵלֶּה עָשׂוּ שְׁלֹשֶׁת הַגִּבֹּרִים׃
יח וַאֲבִישַׁי אֲחִי ׀ יוֹאָב בֶּן־צְרוּיָה הוּא רֹאשׁ הַשְּׁלֹשָׁה[78] וְהוּא עוֹרֵר אֶת־חֲנִיתוֹ
עַל־שְׁלֹשׁ מֵאוֹת חָלָל וְלוֹ־שֵׁם בַּשְּׁלֹשָׁה׃ יט מִן־הַשְּׁלֹשָׁה הֲכִי נִכְבָּד וַיְהִי לָהֶם
לְשָׂר וְעַד־הַשְּׁלֹשָׁה לֹא־בָא׃ כ וּבְנָיָהוּ בֶן־יְהוֹיָדָע בֶּן־אִישׁ־חַיִל[79] רַב־פְּעָלִים
מִקַּבְצְאֵל הוּא הִכָּה אֵת שְׁנֵי אֲרִאֵל מוֹאָב וְהוּא יָרַד וְהִכָּה אֶת־הָאֲרִי[80] בְּתוֹךְ
הַבֹּאר בְּיוֹם הַשָּׁלֶג׃ כא וְהוּא־הִכָּה אֶת־אִישׁ מִצְרִי אִישׁ[81] מַרְאֶה וּבְיַד הַמִּצְרִי
חֲנִית וַיֵּרֶד אֵלָיו בַּשָּׁבֶט וַיִּגְזֹל אֶת־הַחֲנִית מִיַּד הַמִּצְרִי וַיַּהַרְגֵהוּ בַּחֲנִיתוֹ׃

---

72 העצנו
73 אחד
74 ואחרו
75 דדי
76 גברים
77 שלשים
78 השלשי
79 חי
80 האריה
81 אשר

4 And as the light of the morning, when the sun riseth, a morning without clouds; when through clear shining after rain, the tender grass springeth out of the earth.' **5** For is not my house established with God? for an everlasting covenant He hath made with me, ordered in all things, and sure; for all my salvation, and all my desire, will he not make it to grow? **6** But the ungodly, they are as thorns thrust away, all of them, for they cannot be taken with the hand; **7** But the man that toucheth them must be armed with iron and the staff of a spear; and they shall be utterly burned with fire in their place.{P}

8 These are the names of the mighty men whom David had: Josheb-basshebeth a Tahchemonite, chief of the captains; the same was Adino the Eznite; [he lifted up his spear] against eight hundred, whom he slew at one time.{S} **9** And after him was Eleazar the son of Dodo the son of an Ahohite, one of the three mighty men with David, when they jeoparded their lives against the Philistines that were there gathered together to battle, and the men of Israel were gone away; **10** he stood firm, and smote the Philistines until his hand was weary, and his hand did cleave unto the sword; and Yehovah wrought a great victory that day; and the people returned after him only to strip the slain.{S} **11** And after him was Shammah the son of Age the Ararite. And the Philistines were gathered together into a troop, where was a plot of ground full of lentils; and the people fled from the Philistines. **12** But he stood in the midst of the plot, and defended it, and slew the Philistines; and Yehovah wrought a great victory.{S} **13** And three of the thirty chief went down, and came to David in the harvest time unto the cave of Adullam; and the troop of the Philistines were encamped in the valley of Rephaim. **14** And David was then in the stronghold, and the garrison of the Philistines was then in Beth-lehem. **15** And David longed, and said: 'Oh that one would give me water to drink of the well of Beth-lehem, which is by the gate!'{S} **16** And the three mighty men broke through the host of the Philistines, and drew water out of the well of Beth-lehem, that was by the gate, and took it, and brought it to David; but he would not drink thereof, but poured it out unto Yehovah. **17** And he said: 'Be it far from me, Yehovah, that I should do this; shall I drink the blood of the men that went in jeopardy of their lives?' therefore he would not drink it. These things did the three mighty men.{S} **18** And Abishai, the brother of Joab, the son of Zeruiah, was chief of the three. And he lifted up his spear against three hundred and slew them, and had a name among the three. **19** He was most honourable of the three; therefore he was made their captain; howbeit he attained not unto the first three.{S} **20** And Benaiah the son of Jehoiada, the son of a valiant man of Kabzeel, who had done mighty deeds, he smote the two altar-hearths of Moab; he went down also and slew a lion in the midst of a pit in time of snow; **21** and he slew an Egyptian, a goodly man; and the Egyptian had a spear in his hand; but he went down to him with a staff, and plucked the spear out of the Egyptian's hand, and slew him with his own spear.

כב אֵ֣לֶּה עָשָׂ֔ה בְּנָיָ֖הוּ בֶּן־יְהוֹיָדָ֑ע וְלוֹ־שֵׁ֖ם בִּשְׁלֹשָׁ֥ה הַגִּבֹּרִֽים׃ כג מִן־הַשְּׁלֹשִׁ֣ים
נִכְבָּ֔ד וְאֶל־הַשְּׁלֹשָׁ֖ה לֹא־בָ֑א וַיְשִׂמֵ֥הוּ דָוִ֖ד אֶל־מִשְׁמַעְתּֽוֹ׃ כד עֲשָׂה־אֵ֥ל
אֲחִֽי־יוֹאָ֖ב בַּשְּׁלֹשִׁ֑ים אֶלְחָנָ֥ן בֶּן־דֹּד֖וֹ בֵּ֥ית לָֽחֶם׃ כה שַׁמָּה֙ הַחֲרֹדִ֔י אֱלִיקָ֖א
הַחֲרֹדִֽי׃ כו חֶ֚לֶץ הַפַּלְטִ֔י עִירָ֥א בֶן־עִקֵּ֖שׁ הַתְּקוֹעִֽי׃ כז אֲבִיעֶ֙זֶר֙ הָֽעַנְּתֹתִ֔י מְבֻנַּ֖י
הַחֻשָׁתִֽי׃ כח צַלְמוֹן֙ הָאֲחֹחִ֔י מַהְרַ֖י הַנְּטֹפָתִֽי׃ כט חֵ֥לֶב בֶּֽן־בַּעֲנָ֖ה הַנְּטֹפָתִ֑י אִתַּ֙י
בֶּן־רִיבַ֔י מִגִּבְעַ֖ת בְּנֵ֥י בִנְיָמִֽן׃ ל בְּנָיָ֙הוּ֙ פִּרְעָתֹנִ֔י הִדַּ֖י מִנַּ֥חֲלֵי גָֽעַשׁ׃
לא אֲבִֽי־עַלְבוֹן֙ הָֽעַרְבָתִ֔י עַזְמָ֖וֶת הַבַּרְחֻמִֽי׃ לב אֶלְיַחְבָּא֙ הַשַּׁ֣עַלְבֹנִ֔י בְּנֵ֥י יָשֵׁ֖ן
יְהוֹנָתָֽן׃ לג שַׁמָּה֙ הַהֲרָרִ֔י אֲחִיאָ֥ם בֶּן־שָׁרָ֖ר הָארָרִֽי׃ לד אֱלִיפֶ֥לֶט בֶּן־אֲחַסְבַּ֖י
בֶּן־הַמַּֽעֲכָתִ֑י אֱלִיעָ֥ם בֶּן־אֲחִיתֹ֖פֶל הַגִּלֹנִֽי׃ לה חֶצְרַי֙[82] הַכַּרְמְלִ֔י פַּעֲרַ֖י הָאַרְבִּֽי׃
לו יִגְאָ֤ל בֶּן־נָתָן֙ מִצֹּבָ֔ה בָּנִ֖י הַגָּדִֽי׃ לז צֶ֖לֶק הָעַמֹּנִ֑י נַחְרַי֙ הַבְּאֵ֣רֹתִ֔י נֹשֵׂ֕א[83] כְּלֵ֖י
יוֹאָ֥ב בֶּן־צְרֻיָֽה׃ לח עִירָא֙ הַיִּתְרִ֔י גָּרֵ֖ב הַיִּתְרִֽי׃ לט אוּרִיָּה֙ הַחִתִּ֔י כֹּ֖ל שְׁלֹשִׁ֥ים
וְשִׁבְעָֽה׃

כד א וַיֹּ֙סֶף֙ אַף־יְהוָ֔ה לַחֲר֖וֹת בְּיִשְׂרָאֵ֑ל וַיָּ֨סֶת אֶת־דָּוִ֤ד בָּהֶם֙ לֵאמֹ֔ר לֵ֛ךְ מְנֵ֥ה
אֶת־יִשְׂרָאֵ֖ל וְאֶת־יְהוּדָֽה׃ ב וַיֹּ֨אמֶר הַמֶּ֜לֶךְ אֶל־יוֹאָ֣ב ׀ שַׂר־הַחַ֣יִל אֲשֶׁר־אִתּ֗וֹ
שֽׁוּט־נָ֞א בְּכָל־שִׁבְטֵ֣י יִשְׂרָאֵ֗ל מִדָּן֙ וְעַד־בְּאֵ֣ר שֶׁ֔בַע וּפִקְד֖וּ אֶת־הָעָ֑ם וְיָ֣דַעְתִּ֔י
אֵ֖ת מִסְפַּ֥ר הָעָֽם׃ ג וַיֹּ֨אמֶר יוֹאָ֜ב אֶל־הַמֶּ֗לֶךְ וְיוֹסֵ֣ף יְהוָה֩ אֱלֹהֶ֨יךָ אֶל־הָעָ֜ם
כָּהֵ֤ם ׀ וְכָהֵם֙ מֵאָ֣ה פְעָמִ֔ים וְעֵינֵ֥י אֲדֹנִֽי־הַמֶּ֖לֶךְ רֹא֑וֹת וַאדֹנִ֣י הַמֶּ֔לֶךְ לָ֥מָּה חָפֵ֖ץ
בַּדָּבָ֥ר הַזֶּֽה׃ ד וַיֶּחֱזַ֤ק דְּבַר־הַמֶּ֙לֶךְ֙ אֶל־יוֹאָ֔ב וְעַ֖ל שָׂרֵ֣י הֶחָ֑יִל וַיֵּצֵ֨א יוֹאָ֜ב
וְשָׂרֵ֤י הַחַ֙יִל֙ לִפְנֵ֣י הַמֶּ֔לֶךְ לִפְקֹ֥ד אֶת־הָעָ֖ם אֶת־יִשְׂרָאֵֽל׃ ה וַיַּעַבְר֖וּ אֶת־הַיַּרְדֵּ֑ן
וַיַּחֲנ֣וּ בַעֲרוֹעֵ֗ר יְמִ֤ין הָעִיר֙ אֲשֶׁ֣ר בְּתוֹךְ־הַנַּ֣חַל הַגָּ֔ד וְאֶל־יַעְזֵֽר׃ ו וַיָּבֹ֙אוּ֙
הַגִּלְעָ֔דָה וְאֶל־אֶ֖רֶץ תַּחְתִּ֣ים חָדְשִׁ֑י וַיָּבֹ֙אוּ֙ דָּ֣נָה יַּ֔עַן וְסָבִ֖יב אֶל־צִידֽוֹן׃ ז וַיָּבֹ֙אוּ֙
מִבְצַר־צֹ֔ר וְכָל־עָרֵ֥י הַחִוִּ֖י וְהַֽכְּנַעֲנִ֑י וַיֵּצְא֛וּ אֶל־נֶ֥גֶב יְהוּדָ֖ה בְּאֵ֥ר שָֽׁבַע׃
ח וַיָּשֻׁ֖טוּ בְּכָל־הָאָ֑רֶץ וַיָּבֹ֜אוּ מִקְצֵ֨ה תִשְׁעָ֧ה חֳדָשִׁ֛ים וְעֶשְׂרִ֥ים י֖וֹם יְרוּשָׁלִָֽם׃
ט וַיִּתֵּ֥ן יוֹאָ֛ב אֶת־מִסְפַּ֥ר מִפְקַד־הָעָ֖ם אֶל־הַמֶּ֑לֶךְ וַתְּהִ֣י יִשְׂרָאֵ֡ל שְׁמֹנֶה֩ מֵא֨וֹת
אֶ֤לֶף אִֽישׁ־חַ֙יִל֙ שֹׁ֣לֵֽף חֶ֔רֶב וְאִ֣ישׁ יְהוּדָ֔ה חֲמֵשׁ־מֵא֥וֹת אֶ֖לֶף אִֽישׁ׃ י וַיַּ֤ךְ
לֵב־דָּוִד֙ אֹת֔וֹ אַחֲרֵי־כֵ֖ן סָפַ֣ר אֶת־הָעָ֑ם וַיֹּ֨אמֶר דָּוִ֜ד אֶל־יְהוָ֗ה חָטָ֤אתִי מְאֹד֙
אֲשֶׁ֣ר עָשִׂ֔יתִי וְעַתָּ֣ה יְהוָ֔ה הַֽעֲבֶר־נָא֙ אֶת־עֲוֺ֣ן עַבְדְּךָ֔ כִּ֥י נִסְכַּ֖לְתִּי מְאֹֽד׃ יא וַיָּ֥קָם
דָּוִ֖ד בַּבֹּ֑קֶר

וּדְבַר־יְהוָ֗ה הָיָה֙ אֶל־גָּ֣ד הַנָּבִ֔יא חֹזֵ֥ה דָוִ֖ד לֵאמֹֽר׃ יב הָל֞וֹךְ וְדִבַּרְתָּ֣ אֶל־דָּוִ֗ד
כֹּ֚ה אָמַ֣ר יְהוָ֔ה שָׁלֹ֕שׁ אָנֹכִ֖י נוֹטֵ֣ל עָלֶ֑יךָ בְּחַר־לְךָ֥ אַֽחַת־מֵהֶ֖ם וְאֶֽעֱשֶׂה־לָּֽךְ׃

---

[82] חצרו
[83] נשאי

22 These things did Benaiah the son of Jehoiada, and had a name among the three mighty men. **23** He was more honourable than the thirty, but he attained not to the first three. And David set him over his guard. **24** Asahel the brother of Joab was one of the thirty; Elhanan the son of Dodo of Beth-lehem; **25** Shammah the Harodite, Elika the Harodite; **26** Helez the Paltite, Ira the son of Ikkesh the Tekoite; **27** Abiezer the Anathothite, Mebunnai the Hushathite; **28** Zalmon the Ahohite, Maharai the Netophathite; **29** Heleb the son of Baanah the Netophathite, Ittai the son of Ribai of Gibeah of the children of Benjamin; **30** Benaiah a Pirathonite, Hiddai of Nahale-gaash; **31** Abi-albon the Arbathite, Azmaveth the Barhumite; **32** Eliahba the Shaalbonite, of the sons of Jashen, Jonathan; **33** Shammah the Hararite, Ahiam the son of Sharar the Ararite; **34** Eliphelet the son of Ahasbai, the son of the Maacathite, Eliam the son of Ahithophel the Gilonite; **35** Hezrai the Carmelite, Paarai the Arbite; **36** Igal the son of Nathan of Zobah, Bani the Gadite; **37** Zelek the Ammonite, Naharai the Beerothite, armour-bearer to Joab the son of Zeruiah; **38** Ira the Ithrite, Gareb the Ithrite; **39** Uriah the Hittite. Thirty and seven in all.{P}

24 1 And again the anger of Yehovah was kindled against Israel, and He moved David against them, saying: 'Go, number Israel and Judah.' **2** And the king said to Joab the captain of the host that was with him: 'Go now to and fro through all the tribes of Israel, from Dan even to Beer-sheba, and number ye the people, that I may know the sum of the people.'{S} **3** And Joab said unto the king: 'Now Yehovah thy God add unto the people, how many soever they may be, a hundredfold, and may the eyes of my lord the king see it; but why doth my lord the king delight in this thing?' **4** Notwithstanding the king's word prevailed against Joab, and against the captains of the host. And Joab and the captains of the host went out from the presence of the king, to number the people of Israel. **5** And they passed over the Jordan, and pitched in Aroer, on the right side of the city that is in the middle of the valley of Gad, and unto Jazer; **6** then they came to Gilead, and to the land of Tahtim-hodshi; and they came to Dan-jaan, and round about to Zidon, **7** and came to the stronghold of Tyre, and to all the cities of the Hivites, and of the Canaanites; and they went out to the south of Judah, at Beer-sheba. **8** So when they had gone to and fro through all the land, they came to Yerushalam at the end of nine months and twenty days. **9** And Joab gave up the sum of the numbering of the people unto the king; and there were in Israel eight hundred thousand valiant men that drew the sword; and the men of Judah were five hundred thousand men. **10** And David's heart smote him after that he had numbered the people.{P}

And David said unto Yehovah: 'I have sinned greatly in what I have done; but now, Yehovah, put away, I beseech Thee, the iniquity of Thy servant; for I have done very foolishly.' **11** And when David rose up in the morning,{P}

the word of Yehovah came unto the prophet Gad, David's seer, saying: **12** 'Go and speak unto David: Thus saith Yehovah: I lay upon thee three things; choose thee one of them, that I may do it unto thee.'

יג וַיָּבֹא־גָד אֶל־דָּוִד וַיַּגֶּד־לוֹ וַיֹּאמֶר לוֹ הֲתָבוֹא לְךָ שֶׁבַע שָׁנִים ׀ רָעָב ׀
בְּאַרְצֶךָ אִם־שְׁלֹשָׁה חֳדָשִׁים נֻסְךָ לִפְנֵי־צָרֶיךָ וְהוּא רֹדְפֶךָ וְאִם־הֱיוֹת שְׁלֹשֶׁת
יָמִים דֶּבֶר בְּאַרְצֶךָ עַתָּה דַּע וּרְאֵה מָה־אָשִׁיב שֹׁלְחִי דָּבָר׃ יד וַיֹּאמֶר דָּוִד
אֶל־גָּד צַר־לִי מְאֹד נִפְּלָה־נָּא בְיַד־יְהוָה כִּי־רַבִּים רַחֲמָיו[84] וּבְיַד־אָדָם
אַל־אֶפֹּלָה׃ טו וַיִּתֵּן יְהוָה דֶּבֶר בְּיִשְׂרָאֵל מֵהַבֹּקֶר וְעַד־עֵת מוֹעֵד וַיָּמָת
מִן־הָעָם מִדָּן וְעַד־בְּאֵר שֶׁבַע שִׁבְעִים אֶלֶף אִישׁ׃ טז וַיִּשְׁלַח יָדוֹ הַמַּלְאָךְ ׀
יְרוּשָׁלִַם לְשַׁחֲתָהּ וַיִּנָּחֶם יְהוָה אֶל־הָרָעָה וַיֹּאמֶר לַמַּלְאָךְ הַמַּשְׁחִית בָּעָם רַב
עַתָּה הֶרֶף יָדֶךָ וּמַלְאַךְ יְהוָה הָיָה עִם־גֹּרֶן הָאֲרַוְנָה[85] הַיְבֻסִי׃ יז וַיֹּאמֶר דָּוִד
אֶל־יְהוָה בִּרְאֹתוֹ ׀ אֶת־הַמַּלְאָךְ ׀ הַמַּכֶּה בָעָם וַיֹּאמֶר הִנֵּה אָנֹכִי חָטָאתִי
וְאָנֹכִי הֶעֱוֵיתִי וְאֵלֶּה הַצֹּאן מֶה עָשׂוּ תְּהִי נָא יָדְךָ בִּי וּבְבֵית אָבִי׃

יח וַיָּבֹא־גָד אֶל־דָּוִד בַּיּוֹם הַהוּא וַיֹּאמֶר לוֹ עֲלֵה הָקֵם לַיהוָה מִזְבֵּחַ בְּגֹרֶן
אֲרַוְנָה[86] הַיְבֻסִי׃ יט וַיַּעַל דָּוִד כִּדְבַר־גָּד כַּאֲשֶׁר צִוָּה יְהוָה׃ כ וַיַּשְׁקֵף אֲרַוְנָה
וַיַּרְא אֶת־הַמֶּלֶךְ וְאֶת־עֲבָדָיו עֹבְרִים עָלָיו וַיֵּצֵא אֲרַוְנָה וַיִּשְׁתַּחוּ לַמֶּלֶךְ אַפָּיו
אָרְצָה׃ כא וַיֹּאמֶר אֲרַוְנָה מַדּוּעַ בָּא אֲדֹנִי־הַמֶּלֶךְ אֶל־עַבְדּוֹ וַיֹּאמֶר דָּוִד
לִקְנוֹת מֵעִמְּךָ אֶת־הַגֹּרֶן לִבְנוֹת מִזְבֵּחַ לַיהוָה וְתֵעָצַר הַמַּגֵּפָה מֵעַל הָעָם׃
כב וַיֹּאמֶר אֲרַוְנָה אֶל־דָּוִד יִקַּח וְיַעַל אֲדֹנִי הַמֶּלֶךְ הַטּוֹב בְּעֵינָיו[87] רְאֵה
הַבָּקָר לָעֹלָה וְהַמֹּרִגִּים וּכְלֵי הַבָּקָר לָעֵצִים׃ כג הַכֹּל נָתַן אֲרַוְנָה הַמֶּלֶךְ
לַמֶּלֶךְ וַיֹּאמֶר אֲרַוְנָה אֶל־הַמֶּלֶךְ יְהוָה אֱלֹהֶיךָ יִרְצֶךָ׃ כד וַיֹּאמֶר הַמֶּלֶךְ
אֶל־אֲרַוְנָה לֹא כִּי־קָנוֹ אֶקְנֶה מֵאוֹתְךָ בִּמְחִיר וְלֹא אַעֲלֶה לַיהוָה אֱלֹהַי עֹלוֹת
חִנָּם וַיִּקֶן דָּוִד אֶת־הַגֹּרֶן וְאֶת־הַבָּקָר בְּכֶסֶף שְׁקָלִים חֲמִשִּׁים׃ כה וַיִּבֶן שָׁם
דָּוִד מִזְבֵּחַ לַיהוָה וַיַּעַל עֹלוֹת וּשְׁלָמִים וַיֵּעָתֵר יְהוָה לָאָרֶץ וַתֵּעָצַר הַמַּגֵּפָה
מֵעַל יִשְׂרָאֵל׃

[84] רחמו
[85] האורנה
[86] ארניה
[87] בעינו

13 So Gad came to David, and told him, and said unto him: 'Shall seven years of famine come unto thee in thy land? or wilt thou flee three months before thy foes while they pursue thee? or shall there be three days' pestilence in thy land? now advise thee, and consider what answer I shall return to Him that sent Me.'{S} **14** And David said unto Gad: 'I am in a great strait; let us fall now into the hand of Yehovah; for His mercies are great; and let me not fall into the hand of man.' **15** So Yehovah sent a pestilence upon Israel from the morning even to the time appointed; and there died of the people from Dan even to Beer-sheba seventy thousand men. **16** And when the angel stretched out his hand toward Yerushalam to destroy it, Yehovah repented Him of the evil, and said to the angel that destroyed the people: 'It is enough; now stay thy hand.' And the angel of Yehovah was by the threshing-floor of Araunah the Jebusite.{S} **17** And David spoke unto Yehovah when he saw the angel that smote the people, and said: 'Lo, I have sinned, and I have done iniquitously; but these sheep, what have they done? let Thy hand, I pray Thee, be against me, and against my father's house.'{P}

18 And Gad came that day to David, and said unto him: 'Go up, rear an altar unto Yehovah in the threshing-floor of Araunah the Jebusite.' **19** And David went up according to the saying of Gad, as Yehovah commanded. **20** And Araunah looked forth, and saw the king and his servants coming on toward him; and Araunah went out, and bowed down before the king with his face to the ground. **21** And Araunah said: 'Wherefore is my lord the king come to his servant?' And David said: 'To buy the threshing-floor of thee, to build an altar unto Yehovah, that the plague may be stayed from the people.' **22** And Araunah said unto David: 'Let my lord the king take and offer up what seemeth good unto him; behold the oxen for the burnt-offering, and the threshing-instruments and the furniture of the oxen for the wood.' **23** All this did Araunah the king give unto the king.{S} And Araunah said unto the king: 'Yehovah thy God accept thee.' **24** And the king said unto Araunah: 'Nay; but I will verily buy it of thee at a price; neither will I offer burnt-offerings unto Yehovah my God which cost me nothing.' So David bought the threshing-floor and the oxen for fifty shekels of silver. **25** And David built there an altar unto Yehovah, and offered burnt-offerings and peace-offerings. So Yehovah was entreated for the land, and the plague was stayed from Israel.{P}

מלכים א

I Kings

Book of I Kings in the Leningrad Codex
(middle column, middle, page 372 in pdf)

א א וְהַמֶּ֤לֶךְ דָּוִד֙ זָקֵ֔ן בָּ֖א בַּיָּמִ֑ים וַיְכַסֻּ֙הוּ֙ בַּבְּגָדִ֔ים וְלֹ֥א יִחַ֖ם לֽוֹ: ב וַיֹּ֧אמְרוּ ל֣וֹ עֲבָדָ֗יו יְבַקְשׁ֞וּ לַאדֹנִ֤י הַמֶּ֙לֶךְ֙ נַעֲרָ֣ה בְתוּלָ֔ה וְעָֽמְדָ֖ה לִפְנֵ֣י הַמֶּ֑לֶךְ וּתְהִי־ל֣וֹ סֹכֶ֔נֶת וְשָׁכְבָ֣ה בְחֵיקֶ֔ךָ וְחַ֖ם לַאדֹנִ֥י הַמֶּֽלֶךְ: ג וַיְבַקְשׁוּ֙ נַעֲרָ֣ה יָפָ֔ה בְּכֹ֖ל גְּב֣וּל יִשְׂרָאֵ֑ל וַיִּמְצְא֗וּ אֶת־אֲבִישַׁג֙ הַשּׁ֣וּנַמִּ֔ית וַיָּבִ֥אוּ אֹתָ֖הּ לַמֶּֽלֶךְ: ד וְהַֽנַּעֲרָ֖ה יָפָ֣ה עַד־מְאֹ֑ד וַתְּהִ֨י לַמֶּ֤לֶךְ סֹכֶ֙נֶת֙ וַתְּשָׁ֣רְתֵ֔הוּ וְהַמֶּ֖לֶךְ לֹ֥א יְדָעָֽהּ: ה וַאֲדֹנִיָּ֧ה בֶן־חַגִּ֛ית מִתְנַשֵּׂ֥א לֵאמֹ֖ר אֲנִ֣י אֶמְלֹ֑ךְ וַיַּ֣עַשׂ ל֗וֹ רֶ֚כֶב וּפָ֣רָשִׁ֔ים וַחֲמִשִּׁ֥ים אִ֖ישׁ רָצִ֥ים לְפָנָֽיו: ו וְלֹֽא־עֲצָב֨וֹ אָבִ֤יו מִיָּמָיו֙ לֵאמֹ֔ר מַדּ֖וּעַ כָּ֣כָה עָשִׂ֑יתָ וְגַם־ה֤וּא טֽוֹב־תֹּ֙אַר֙ מְאֹ֔ד וְאֹת֥וֹ יָֽלְדָ֖ה אַחֲרֵ֥י אַבְשָׁלֽוֹם: ז וַיִּהְי֣וּ דְבָרָ֔יו עִ֚ם יוֹאָ֣ב בֶּן־צְרוּיָ֔ה וְעִ֖ם אֶבְיָתָ֣ר הַכֹּהֵ֑ן וַֽיַּעְזְר֔וּ אַחֲרֵ֖י אֲדֹנִיָּֽה: ח וְצָד֣וֹק הַ֠כֹּהֵן וּבְנָיָ֨הוּ בֶן־יְהוֹיָדָ֜ע וְנָתָ֤ן הַנָּבִיא֙ וְשִׁמְעִ֣י וְרֵעִ֔י וְהַגִּבּוֹרִ֖ים אֲשֶׁ֣ר לְדָוִ֑ד לֹ֥א הָי֖וּ עִם־אֲדֹנִיָּֽהוּ: ט וַיִּזְבַּ֣ח אֲדֹנִיָּ֗הוּ צֹ֤אן וּבָקָר֙ וּמְרִ֔יא עִ֚ם אֶ֣בֶן הַזֹּחֶ֔לֶת אֲשֶׁר־אֵ֖צֶל עֵ֣ין רֹגֵ֑ל וַיִּקְרָ֗א אֶת־כָּל־אֶחָיו֙ בְּנֵ֣י הַמֶּ֔לֶךְ וּלְכָל־אַנְשֵׁ֥י יְהוּדָ֖ה עַבְדֵ֥י הַמֶּֽלֶךְ: י וְֽאֶת־נָתָן֩ הַנָּבִ֨יא וּבְנָיָ֜הוּ וְאֶת־הַגִּבּוֹרִ֗ים וְאֶת־שְׁלֹמֹ֖ה אָחִ֑יו לֹ֥א קָרָֽא: יא וַיֹּ֣אמֶר נָתָ֗ן אֶל־בַּת־שֶׁ֤בַע אֵם־שְׁלֹמֹה֙ לֵאמֹ֔ר הֲל֣וֹא שָׁמַ֔עַתְּ כִּ֥י מָלַ֖ךְ אֲדֹנִיָּ֣הוּ בֶן־חַגִּ֑ית וַאֲדֹנֵ֥ינוּ דָוִ֖ד לֹ֥א יָדָֽע: יב וְעַתָּ֕ה לְכִ֛י אִיעָצֵ֥ךְ נָ֖א עֵצָ֑ה וּמַלְּטִי֙ אֶת־נַפְשֵׁ֔ךְ וְאֶת־נֶ֥פֶשׁ בְּנֵ֖ךְ שְׁלֹמֹֽה: יג לְכִ֞י וּבֹ֣אִי ׀ אֶל־הַמֶּ֣לֶךְ דָּוִ֗ד וְאָמַ֤רְתְּ אֵלָיו֙ הֲלֹֽא־אַתָּ֞ה אֲדֹנִ֣י הַמֶּ֗לֶךְ נִשְׁבַּ֤עְתָּ לַאֲמָֽתְךָ֙ לֵאמֹ֔ר כִּֽי־שְׁלֹמֹ֤ה בְנֵךְ֙ יִמְלֹ֣ךְ אַחֲרַ֔י וְה֖וּא יֵשֵׁ֣ב עַל־כִּסְאִ֑י וּמַדּ֖וּעַ מָלַ֥ךְ אֲדֹנִיָּֽהוּ: יד הִנֵּ֗ה עוֹדָ֛ךְ מְדַבֶּ֥רֶת שָׁ֖ם עִם־הַמֶּ֑לֶךְ וַאֲנִי֙ אָב֣וֹא אַחֲרַ֔יִךְ וּמִלֵּאתִ֖י אֶת־דְּבָרָֽיִךְ: טו וַתָּבֹ֣א בַת־שֶׁ֩בַע֩ אֶל־הַמֶּ֨לֶךְ הַחַ֜דְרָה וְהַמֶּ֖לֶךְ זָקֵ֣ן מְאֹ֑ד וַֽאֲבִישַׁג֙ הַשּׁ֣וּנַמִּ֔ית מְשָׁרַ֖ת אֶת־הַמֶּֽלֶךְ: טז וַתִּקֹּ֣ד בַּת־שֶׁ֔בַע וַתִּשְׁתַּ֖חוּ לַמֶּ֑לֶךְ וַיֹּ֥אמֶר הַמֶּ֖לֶךְ מַה־לָּֽךְ: יז וַתֹּ֣אמֶר ל֗וֹ אֲדֹנִי֙ אַתָּ֨ה נִשְׁבַּ֜עְתָּ בַּֽיהוָ֤ה אֱלֹהֶ֙יךָ֙ לַֽאֲמָתֶ֔ךָ כִּֽי־שְׁלֹמֹ֥ה בְנֵ֖ךְ יִמְלֹ֣ךְ אַחֲרָ֑י וְה֖וּא יֵשֵׁ֥ב עַל־כִּסְאִֽי: יח וְעַתָּ֕ה הִנֵּ֥ה אֲדֹנִיָּ֖ה מָלָ֑ךְ וְעַתָּ֛ה אֲדֹנִ֥י הַמֶּ֖לֶךְ לֹ֥א יָדָֽעְתָּ: יט וַ֠יִּזְבַּח שׁ֥וֹר וּֽמְרִיא־וְצֹאן֮ לָרֹב֒ וַיִּקְרָא֙ לְכָל־בְּנֵ֣י הַמֶּ֔לֶךְ וּלְאֶבְיָתָר֙ הַכֹּהֵ֔ן וּלְיֹאָ֖ב שַׂ֣ר הַצָּבָ֑א וְלִשְׁלֹמֹ֥ה עַבְדְּךָ֖ לֹ֥א קָרָֽא: כ וְאַתָּה֙ אֲדֹנִ֣י הַמֶּ֔לֶךְ עֵינֵ֥י כָל־יִשְׂרָאֵ֖ל עָלֶ֑יךָ לְהַגִּ֣יד לָהֶ֔ם מִ֗י יֵשֵׁ֛ב עַל־כִּסֵּ֥א אֲדֹנִֽי־הַמֶּ֖לֶךְ אַחֲרָֽיו: כא וְהָיָ֕ה כִּשְׁכַ֥ב אֲדֹנִֽי־הַמֶּ֖לֶךְ עִם־אֲבֹתָ֑יו וְהָיִ֗יתִי אֲנִ֛י וּבְנִ֥י שְׁלֹמֹ֖ה חַטָּאִֽים: כב וְהִנֵּ֛ה עוֹדֶ֥נָּה מְדַבֶּ֖רֶת עִם־הַמֶּ֑לֶךְ וְנָתָ֥ן הַנָּבִ֖יא בָּֽא: כג וַיַּגִּ֤ידוּ לַמֶּ֙לֶךְ֙ לֵאמֹ֔ר הִנֵּ֖ה נָתָ֣ן הַנָּבִ֑יא וַיָּבֹא֙ לִפְנֵ֣י הַמֶּ֔לֶךְ וַיִּשְׁתַּ֧חוּ לַמֶּ֛לֶךְ עַל־אַפָּ֖יו אָֽרְצָה: כד וַיֹּאמֶר֮ נָתָן֒ אֲדֹנִ֣י הַמֶּ֔לֶךְ אַתָּ֣ה אָמַ֔רְתָּ אֲדֹנִיָּ֖הוּ יִמְלֹ֣ךְ אַחֲרָ֑י וְה֖וּא יֵשֵׁ֥ב עַל־כִּסְאִֽי: כה כִּ֣י ׀ יָרַ֣ד הַיּ֗וֹם וַ֠יִּזְבַּח שׁ֥וֹר וּֽמְרִיא־וְצֹאן֮ לָרֹב֒ וַיִּקְרָא֙ לְכָל־בְּנֵ֣י הַמֶּ֔לֶךְ וּלְשָׂרֵ֥י הַצָּבָ֖א וּלְאֶבְיָתָ֣ר הַכֹּהֵ֑ן וְהִנָּ֗ם אֹֽכְלִ֤ים וְשֹׁתִים֙ לְפָנָ֔יו וַיֹּ֣אמְר֔וּ יְחִ֖י הַמֶּ֥לֶךְ אֲדֹנִיָּֽהוּ:

1 **1** Now king David was old and stricken in years; and they covered him with clothes, but he could get no heat. **2** Wherefore his servants said unto him: 'Let there be sought for my lord the king a young virgin; and let her stand before the king, and be a companion unto him; and let her lie in thy bosom, that my lord the king may get heat.' **3** So they sought for a fair damsel throughout all the borders of Israel, and found Abishag the Shunammite, and brought her to the king. **4** And the damsel was very fair; and she became a companion unto the king, and ministered to him; but the king knew her not. **5** Now Adonijah the son of Haggith exalted himself, saying: 'I will be king'; and he prepared him chariots and horsemen, and fifty men to run before him. **6** And his father had not grieved him all his life in saying: 'Why hast thou done so?' and he was also a very goodly man; and he was born after Absalom. **7** And he conferred with Joab the son of Zeruiah, and with Abiathar the priest; and they following Adonijah helped him. **8** But Zadok the priest, and Benaiah the son of Jehoiada, and Nathan the prophet, and Shimei, and Rei, and the mighty men that belonged to David, were not with Adonijah. **9** And Adonijah slew sheep and oxen and fatlings by the stone of Zoheleth, which is beside En-rogel; and he called all his brethren the king's sons, and all the men of Judah the king's servants; **10** but Nathan the prophet, and Benaiah, and the mighty men, and Solomon his brother, he called not. **11** Then Nathan spoke unto Bath-sheba the mother of Solomon, saying: 'Hast thou not heard that Adonijah the son of Haggith doth reign, and David our lord knoweth it not? **12** Now therefore come, let me, I pray thee, give thee counsel, that thou mayest save thine own life, and the life of thy son Solomon. **13** Go and get thee in unto king David, and say unto him: Didst not thou, my lord, O king, swear unto thy handmaid, saying: Assuredly Solomon thy son shall reign after me, and he shall sit upon my throne? why then doth Adonijah reign? **14** Behold, while thou yet talkest there with the king, I also will come in after thee, and confirm thy words.' **15** And Bath-sheba went in unto the king into the chamber.– Now the king was very old; and Abishag the Shunammite ministered unto the king.– **16** And Bath-sheba bowed, and prostrated herself unto the king. And the king said: 'What wouldest thou?' **17** And she said unto him: 'My lord, thou didst swear by Yehovah thy God unto thy handmaid: Assuredly Solomon thy son shall reign after me, and he shall sit upon my throne. **18** And now, behold, Adonijah reigneth; and thou, my lord the king, knowest it not. **19** And he hath slain oxen and fatlings and sheep in abundance,{P}

and hath called all the sons of the king, and Abiathar, the priest, and Joab the captain of the host; but Solomon thy servant hath he not called. **20** And thou, my lord the king, the eyes of all Israel are upon thee, that thou shouldest tell them who shall sit on the throne of my lord the king after him. **21** Otherwise it will come to pass, when my lord the king shall sleep with his fathers, that I and my son Solomon shall be counted offenders.' **22** And, lo, while she yet talked with the king, Nathan the prophet came in. **23** And they told the king, saying: 'Behold Nathan the prophet.' And when he was come in before the king, he bowed down before the king with his face to the ground. **24** And Nathan said: 'My lord, O king, hast thou said: Adonijah shall reign after me, and he shall sit upon my throne? **25** For he is gone down this day, and hath slain oxen and fatlings and sheep in abundance, and hath called all the king's sons, and the captains of the host, and Abiathar the priest; and, behold, they eat and drink before him, and say: Long live king Adonijah.

כו וְלִ֣י אֲנִֽי־עַבְדֶּ֗ךָ וּלְצָדֹ֣ק הַכֹּהֵ֡ן וְלִבְנָיָ֣הוּ בֶן־יְהוֹיָדָ֣ע וְלִשְׁלֹמֹ֥ה עַבְדְּךָ֖ לֹ֥א
קָרָֽא׃ כז אִ֗ם מֵאֵת֙ אֲדֹנִ֣י הַמֶּ֔לֶךְ נִהְיָ֖ה הַדָּבָ֣ר הַזֶּ֑ה וְלֹ֤א הוֹדַ֙עְתָּ֙ אֶת־עַבְדְּךָ֔[1] מִ֗י
יֵשֵׁ֛ב עַל־כִּסֵּ֥א אֲדֹנִֽי־הַמֶּ֖לֶךְ אַחֲרָֽיו׃ כח וַיַּ֨עַן הַמֶּ֤לֶךְ דָּוִד֙ וַיֹּ֔אמֶר קִרְאוּ־לִ֖י
לְבַת־שָׁ֑בַע וַתָּבֹא֙ לִפְנֵ֣י הַמֶּ֔לֶךְ וַֽתַּעֲמֹ֖ד לִפְנֵ֥י הַמֶּֽלֶךְ׃ כט וַיִּשָּׁבַ֥ע הַמֶּ֖לֶךְ וַיֹּאמַ֑ר
חַי־יְהוָ֕ה אֲשֶׁר־פָּדָ֥ה אֶת־נַפְשִׁ֖י מִכָּל־צָרָֽה׃ ל כִּ֡י כַּאֲשֶׁר֩ נִשְׁבַּ֨עְתִּי לָ֜ךְ בַּֽיהוָ֨ה
אֱלֹהֵ֤י יִשְׂרָאֵל֙ לֵאמֹ֔ר כִּֽי־שְׁלֹמֹ֤ה בְנֵךְ֙ יִמְלֹ֣ךְ אַחֲרַ֔י וְה֛וּא יֵשֵׁ֥ב עַל־כִּסְאִ֖י
תַּחְתָּ֑י כִּ֛י כֵּ֥ן אֶעֱשֶׂ֖ה הַיּ֥וֹם הַזֶּֽה׃ לא וַתִּקֹּ֨ד בַּת־שֶׁ֤בַע אַפַּ֙יִם֙ אֶ֔רֶץ וַתִּשְׁתַּ֖חוּ
לַמֶּ֑לֶךְ וַתֹּ֕אמֶר יְחִ֗י אֲדֹנִ֛י הַמֶּ֥לֶךְ דָּוִ֖ד לְעֹלָֽם׃

לב וַיֹּ֣אמֶר ׀ הַמֶּ֣לֶךְ דָּוִ֗ד קִרְאוּ־לִ֞י לְצָד֤וֹק הַכֹּהֵן֙ וּלְנָתָ֣ן הַנָּבִ֔יא וְלִבְנָיָ֖הוּ
בֶּן־יְהוֹיָדָ֑ע וַיָּבֹ֖אוּ לִפְנֵ֥י הַמֶּֽלֶךְ׃ לג וַיֹּ֨אמֶר הַמֶּ֜לֶךְ לָהֶ֗ם קְח֤וּ עִמָּכֶם֙ אֶת־עַבְדֵ֣י
אֲדֹנֵיכֶ֔ם וְהִרְכַּבְתֶּם֙ אֶת־שְׁלֹמֹ֣ה בְנִ֔י עַל־הַפִּרְדָּ֖ה אֲשֶׁר־לִ֑י וְהוֹרַדְתֶּ֥ם אֹת֖וֹ
אֶל־גִּחֽוֹן׃ לד וּמָשַׁ֣ח אֹת֣וֹ שָׁ֠ם צָד֨וֹק הַכֹּהֵ֜ן וְנָתָ֧ן הַנָּבִ֛יא לְמֶ֖לֶךְ עַל־יִשְׂרָאֵ֑ל
וּתְקַעְתֶּם֙ בַּשּׁוֹפָ֔ר וַאֲמַרְתֶּ֕ם יְחִ֖י הַמֶּ֥לֶךְ שְׁלֹמֹֽה׃ לה וַעֲלִיתֶ֣ם אַחֲרָ֗יו וּבָא֙ וְיָשַׁ֣ב
עַל־כִּסְאִ֔י וְה֥וּא יִמְלֹ֖ךְ תַּחְתָּ֑י וְאֹת֤וֹ צִוִּ֙יתִי֙ לִהְי֣וֹת נָגִ֔יד עַל־יִשְׂרָאֵ֖ל
וְעַל־יְהוּדָֽה׃ לו וַיַּ֨עַן בְּנָיָ֧הוּ בֶן־יְהוֹיָדָ֛ע אֶת־הַמֶּ֖לֶךְ וַיֹּ֣אמֶר ׀ אָמֵ֗ן כֵּ֚ן יֹאמַ֣ר
יְהוָ֔ה אֱלֹהֵ֖י אֲדֹנִ֥י הַמֶּֽלֶךְ׃ לז כַּאֲשֶׁ֨ר הָיָ֤ה יְהוָה֙ עִם־אֲדֹנִ֣י הַמֶּ֔לֶךְ כֵּ֖ן
יִהְיֶ֣ה[2] עִם־שְׁלֹמֹ֑ה וִֽיגַדֵּל֙ אֶת־כִּסְא֔וֹ מִכִּסֵּ֕א אֲדֹנִ֖י הַמֶּ֥לֶךְ דָּוִֽד׃ לח וַיֵּ֣רֶד צָד֣וֹק
הַ֠כֹּהֵן וְנָתָ֨ן הַנָּבִ֜יא וּבְנָיָ֣הוּ בֶן־יְהוֹיָדָ֗ע וְהַכְּרֵתִי֙ וְהַפְּלֵתִ֔י וַיַּרְכִּ֙בוּ֙ אֶת־שְׁלֹמֹ֔ה
עַל־פִּרְדַּ֖ת הַמֶּ֣לֶךְ דָּוִ֑ד וַיֹּלִ֥כוּ אֹת֖וֹ עַל־גִּחֽוֹן׃ לט וַיִּקַּח֩ צָד֨וֹק הַכֹּהֵ֜ן אֶת־קֶ֤רֶן
הַשֶּׁ֙מֶן֙ מִן־הָאֹ֔הֶל וַיִּמְשַׁ֖ח אֶת־שְׁלֹמֹ֑ה וַֽיִּתְקְעוּ֙ בַּשּׁוֹפָ֔ר וַיֹּֽאמְרוּ֙ כָּל־הָעָ֔ם יְחִ֖י
הַמֶּ֥לֶךְ שְׁלֹמֹֽה׃ מ וַיַּעֲל֨וּ כָל־הָעָ֜ם אַחֲרָ֗יו וְהָעָם֙ מְחַלְּלִ֣ים בַּחֲלִלִ֔ים וּשְׂמֵחִ֖ים
שִׂמְחָ֣ה גְדוֹלָ֑ה וַתִּבָּקַ֥ע הָאָ֖רֶץ בְּקוֹלָֽם׃ מא וַיִּשְׁמַ֣ע אֲדֹנִיָּ֗הוּ וְכָל־הַקְּרֻאִים֙ אֲשֶׁ֣ר
אִתּ֔וֹ וְהֵ֥ם כִּלּ֖וּ לֶאֱכֹ֑ל וַיִּשְׁמַ֤ע יוֹאָב֙ אֶת־ק֣וֹל הַשּׁוֹפָ֔ר וַיֹּ֕אמֶר מַדּ֥וּעַ קוֹל־הַקִּרְיָ֖ה
הוֹמָֽה׃ מב עוֹדֶ֣נּוּ מְדַבֵּ֔ר וְהִנֵּ֧ה יוֹנָתָ֛ן בֶּן־אֶבְיָתָ֥ר הַכֹּהֵ֖ן בָּ֑א וַיֹּ֤אמֶר אֲדֹנִיָּ֙הוּ֙ בֹּ֔א
כִּ֣י אִ֥ישׁ חַ֛יִל אַ֖תָּה וְט֥וֹב תְּבַשֵּֽׂר׃ מג וַיַּ֙עַן֙ יוֹנָתָ֔ן וַיֹּ֖אמֶר לַאֲדֹנִיָּ֑הוּ אֲבָ֕ל אֲדֹנֵ֥ינוּ
הַמֶּֽלֶךְ־דָּוִ֖ד הִמְלִ֥יךְ אֶת־שְׁלֹמֹֽה׃ מד וַיִּשְׁלַ֣ח אִתּֽוֹ־הַ֠מֶּלֶךְ אֶת־צָד֨וֹק הַכֹּהֵ֜ן
וְאֶת־נָתָ֣ן הַנָּבִ֗יא וּבְנָיָ֙הוּ֙ בֶּן־יְה֣וֹיָדָ֔ע וְהַכְּרֵתִ֖י וְהַפְּלֵתִ֑י וַיַּרְכִּ֣בוּ אֹת֔וֹ עַ֖ל פִּרְדַּ֥ת
הַמֶּֽלֶךְ׃ מה וַיִּמְשְׁח֣וּ אֹת֡וֹ צָד֣וֹק הַכֹּהֵ֣ן וְנָתָ֣ן הַנָּבִיא֩ לְמֶ֨לֶךְ בְּגִח֜וֹן וַיַּעֲל֤וּ מִשָּׁם֙
שְׂמֵחִ֔ים וַתֵּהֹ֖ם הַקִּרְיָ֑ה ה֥וּא הַקּ֖וֹל אֲשֶׁ֥ר שְׁמַעְתֶּֽם׃ מו וְגַם֙ יָשַׁ֣ב שְׁלֹמֹ֔ה עַ֖ל כִּסֵּ֥א
הַמְּלוּכָֽה׃

[1] עבדיך
[2] יהי

26 But me, even me thy servant, and Zadok the priest, and Benaiah the son of Jehoiada, and thy servant Solomon hath he not called. **27** Is this thing done by my lord the king, and thou hast not declared unto thy servant who should sit on the throne of my lord the king after him?'{S} **28** Then king David answered and said: 'Call me Bath-sheba.' And she came into the king's presence, and stood before the king. **29** And the king swore and said: 'As Yehovah liveth, who hath redeemed my soul out of all adversity, **30** verily as I swore unto thee by Yehovah, the God of Israel, saying: Assuredly Solomon thy son shall reign after me, and he shall sit upon my throne in my stead; verily so will I do this day.' **31** Then Bath-sheba bowed with her face to the earth, and prostrated herself to the king, and said: 'Let my lord king David live for ever.'{P}

32 And king David said: 'Call me Zadok the priest, and Nathan the prophet, and Benaiah the son of Jehoiada.' And they came before the king. **33** And the king said unto them: 'Take with you the servants of your lord, and cause Solomon my son to ride upon mine own mule, and bring him down to Gihon. **34** And let Zadok the priest and Nathan the prophet anoint him there king over Israel; and blow ye with the horn, and say: Long live king Solomon. **35** Then ye shall come up after him, and he shall come and sit upon my throne; for he shall be king in my stead; and I have appointed him to be prince over Israel and over Judah.' **36** And Benaiah the son of Jehoiada answered the king, and said: 'Amen; so say Yehovah, the God of my lord the king. **37** As Yehovah hath been with my lord the king, even so be He with Solomon, and make his throne greater than the throne of my lord king David.' **38** So Zadok the priest, and Nathan the prophet, and Benaiah the son of Jehoiada, and the Cherethites and the Pelethites, went down, and caused Solomon to ride upon king David's mule, and brought him to Gihon. **39** And Zadok the priest took the horn of oil out of the Tent, and anointed Solomon. And they blew the ram's horn; and all the people said: 'Long live king Solomon.' **40** And all the people came up after him, and the people piped with pipes, and rejoiced with great joy, so that the earth rent with the sound of them. **41** And Adonijah and all the guests that were with him heard it as they had made an end of eating. And when Joab heard the sound of the horn, he said: 'Wherefore is this noise of the city being in an uproar?' **42** While he yet spoke, behold, Jonathan the son of Abiathar the priest came; and Adonijah said: 'Come in; for thou art a worthy man, and bringest good tidings.' **43** And Jonathan answered and said to Adonijah: 'Verily our lord king David hath made Solomon king. **44** And the king hath sent with him Zadok the priest, and Nathan the prophet, and Benaiah the son of Jehoiada, and the Cherethites and the Pelethites, and they have caused him to ride upon the king's mule. **45** And Zadok the priest and Nathan the prophet have anointed him king in Gihon; and they are come up from thence rejoicing, so that the city is in an uproar. This is the noise that ye have heard. **46** And also Solomon sitteth on the throne of the kingdom.

מז וְגַם־בָּאוּ עַבְדֵי הַמֶּלֶךְ לְבָרֵךְ אֶת־אֲדֹנֵינוּ הַמֶּלֶךְ דָּוִד לֵאמֹר יֵיטֵב
אֱלֹהִים[3] אֶת־שֵׁם שְׁלֹמֹה מִשְּׁמֶךָ וִיגַדֵּל אֶת־כִּסְאוֹ מִכִּסְאֶךָ וַיִּשְׁתַּחוּ הַמֶּלֶךְ
עַל־הַמִּשְׁכָּב׃ מח וְגַם־כָּכָה אָמַר הַמֶּלֶךְ בָּרוּךְ יְהוָה אֱלֹהֵי יִשְׂרָאֵל אֲשֶׁר נָתַן
הַיּוֹם יֹשֵׁב עַל־כִּסְאִי וְעֵינַי רֹאוֹת׃ מט וַיֶּחֶרְדוּ וַיָּקֻמוּ כָּל־הַקְּרֻאִים אֲשֶׁר
לַאֲדֹנִיָּהוּ וַיֵּלְכוּ אִישׁ לְדַרְכּוֹ׃ נ וַאֲדֹנִיָּהוּ יָרֵא מִפְּנֵי שְׁלֹמֹה וַיָּקָם וַיֵּלֶךְ וַיַּחֲזֵק
בְּקַרְנוֹת הַמִּזְבֵּחַ׃ נא וַיֻּגַּד לִשְׁלֹמֹה לֵאמֹר הִנֵּה אֲדֹנִיָּהוּ יָרֵא אֶת־הַמֶּלֶךְ
שְׁלֹמֹה וְהִנֵּה אָחַז בְּקַרְנוֹת הַמִּזְבֵּחַ לֵאמֹר יִשָּׁבַע־לִי כַיּוֹם הַמֶּלֶךְ שְׁלֹמֹה
אִם־יָמִית אֶת־עַבְדּוֹ בֶּחָרֶב׃ נב וַיֹּאמֶר שְׁלֹמֹה אִם יִהְיֶה לְבֶן־חַיִל לֹא־יִפֹּל
מִשַּׂעֲרָתוֹ אָרְצָה וְאִם־רָעָה תִמָּצֵא־בוֹ וָמֵת׃ נג וַיִּשְׁלַח הַמֶּלֶךְ שְׁלֹמֹה וַיֹּרִדֻהוּ
מֵעַל הַמִּזְבֵּחַ וַיָּבֹא וַיִּשְׁתַּחוּ לַמֶּלֶךְ שְׁלֹמֹה וַיֹּאמֶר־לוֹ שְׁלֹמֹה לֵךְ לְבֵיתֶךָ׃

ב א וַיִּקְרְבוּ יְמֵי־דָוִד לָמוּת וַיְצַו אֶת־שְׁלֹמֹה בְנוֹ לֵאמֹר׃ ב אָנֹכִי הֹלֵךְ
בְּדֶרֶךְ כָּל־הָאָרֶץ וְחָזַקְתָּ וְהָיִיתָ לְאִישׁ׃ ג וְשָׁמַרְתָּ אֶת־מִשְׁמֶרֶת ׀ יְהוָה אֱלֹהֶיךָ
לָלֶכֶת בִּדְרָכָיו לִשְׁמֹר חֻקֹּתָיו מִצְוֹתָיו וּמִשְׁפָּטָיו וְעֵדְוֹתָיו כַּכָּתוּב בְּתוֹרַת
מֹשֶׁה לְמַעַן תַּשְׂכִּיל אֵת כָּל־אֲשֶׁר תַּעֲשֶׂה וְאֵת כָּל־אֲשֶׁר תִּפְנֶה שָׁם׃ ד לְמַעַן
יָקִים יְהוָה אֶת־דְּבָרוֹ אֲשֶׁר דִּבֶּר עָלַי לֵאמֹר אִם־יִשְׁמְרוּ בָנֶיךָ אֶת־דַּרְכָּם
לָלֶכֶת לְפָנַי בֶּאֱמֶת בְּכָל־לְבָבָם וּבְכָל־נַפְשָׁם לֵאמֹר לֹא־יִכָּרֵת לְךָ אִישׁ
מֵעַל כִּסֵּא יִשְׂרָאֵל׃ ה וְגַם אַתָּה יָדַעְתָּ אֵת אֲשֶׁר־עָשָׂה לִי יוֹאָב בֶּן־צְרוּיָה
אֲשֶׁר עָשָׂה לִשְׁנֵי־שָׂרֵי צִבְאוֹת יִשְׂרָאֵל לְאַבְנֵר בֶּן־נֵר וְלַעֲמָשָׂא בֶן־יֶתֶר
וַיַּהַרְגֵם וַיָּשֶׂם דְּמֵי־מִלְחָמָה בְּשָׁלֹם וַיִּתֵּן דְּמֵי מִלְחָמָה בַּחֲגֹרָתוֹ אֲשֶׁר בְּמָתְנָיו
וּבְנַעֲלוֹ אֲשֶׁר בְּרַגְלָיו׃ ו וְעָשִׂיתָ כְּחָכְמָתֶךָ וְלֹא־תוֹרֵד שֵׂיבָתוֹ בְּשָׁלֹם שְׁאֹל׃
ז וְלִבְנֵי בַרְזִלַּי הַגִּלְעָדִי תַּעֲשֶׂה־חֶסֶד וְהָיוּ בְּאֹכְלֵי שֻׁלְחָנֶךָ כִּי־כֵן קָרְבוּ אֵלַי
בְּבָרְחִי מִפְּנֵי אַבְשָׁלוֹם אָחִיךָ׃ ח וְהִנֵּה עִמְּךָ שִׁמְעִי בֶן־גֵּרָא בֶן־הַיְמִינִי
מִבַּחֻרִים וְהוּא קִלְלַנִי קְלָלָה נִמְרֶצֶת בְּיוֹם לֶכְתִּי מַחֲנָיִם וְהוּא־יָרַד לִקְרָאתִי
הַיַּרְדֵּן וָאֶשָּׁבַע לוֹ בַיהוָה לֵאמֹר אִם־אֲמִיתְךָ בֶּחָרֶב׃ ט וְעַתָּה אַל־תְּנַקֵּהוּ כִּי
אִישׁ חָכָם אָתָּה וְיָדַעְתָּ אֵת אֲשֶׁר תַּעֲשֶׂה־לּוֹ וְהוֹרַדְתָּ אֶת־שֵׂיבָתוֹ בְּדָם שְׁאוֹל׃
י וַיִּשְׁכַּב דָּוִד עִם־אֲבֹתָיו וַיִּקָּבֵר בְּעִיר דָּוִד׃

יא וְהַיָּמִים אֲשֶׁר מָלַךְ דָּוִד עַל־יִשְׂרָאֵל אַרְבָּעִים שָׁנָה בְּחֶבְרוֹן מָלַךְ שֶׁבַע
שָׁנִים וּבִירוּשָׁלַםִ מָלַךְ שְׁלֹשִׁים וְשָׁלֹשׁ שָׁנִים׃ יב וּשְׁלֹמֹה יָשַׁב עַל־כִּסֵּא דָּוִד
אָבִיו וַתִּכֹּן מַלְכֻתוֹ מְאֹד׃ יג וַיָּבֹא אֲדֹנִיָּהוּ בֶן־חַגִּית אֶל־בַּת־שֶׁבַע אֵם־שְׁלֹמֹה
וַתֹּאמֶר הֲשָׁלוֹם בֹּאֶךָ וַיֹּאמֶר שָׁלוֹם׃

[3] אלהיך

47 And moreover the king's servants came to bless our lord king David, saying: God make the name of Solomon better than thy name, and make his throne greater than thy throne; and the king bowed down upon the bed. **48** And also thus said the king: Blessed be Yehovah, the God of Israel, who hath given one to sit on my throne this day, mine eyes even seeing it.' **49** And all the guests of Adonijah were afraid, and rose up, and went every man his way. **50** And Adonijah feared because of Solomon; and he arose, and went, and caught hold on the horns of the altar. **51** And it was told Solomon, saying: 'Behold, Adonijah feareth king Solomon; for, lo, he hath laid hold on the horns of the altar, saying: Let king Solomon swear unto me first of all that he will not slay his servant with the sword.' **52** And Solomon said: 'If he shall show himself a worthy man, there shall not a hair of him fall to the earth; but if wickedness be found in him, he shall die.' **53** So king Solomon sent, and they brought him down from the altar. And he came and prostrated himself before king Solomon; and Solomon said unto him: 'Go to thy house.'{P}

2 **1** Now the days of David drew nigh that he should die; and he charged Solomon his son, saying: **2** 'I go the way of all the earth; be thou strong therefore, and show thyself a man; **3** and keep the charge of Yehovah thy God, to walk in His ways, to keep His statutes, and His commandments, and His ordinances, and His testimonies, according to that which is written in the Torah of Moses, that thou mayest prosper in all that thou doest, and whithersoever thou turnest thyself; **4** that Yehovah may establish His word which He spoke concerning me, saying: If thy children take heed to their way, to walk before Me in truth with all their heart and with all their soul, there shall not fail thee, said He, a man on the throne of Israel. **5** Moreover thou knowest also what Joab the son of Zeruiah did unto me, even what he did to the two captains of the hosts of Israel, unto Abner the son of Ner and unto Amasa the son of Jether, whom he slew, and shed the blood of war in peace, and put the blood of war upon his girdle that was about his loins, and in his shoes that were on his feet. **6** Do therefore according to thy wisdom, and let not his hoar head go down to the grave in peace. **7** But show kindness unto the sons of Barzillai the Gileadite, and let them be of those that eat at thy table; for so they drew nigh unto me when I fled from Absalom thy brother. **8** And, behold, there is with thee Shimei the son of Gera, the Benjamite, of Bahurim, who cursed me with a grievous curse in the day when I went to Mahanaim; but he came down to meet me at the Jordan, and I swore to him by Yehovah, saying: I will not put thee to death with the sword. **9** Now therefore hold him not guiltless, for thou art a wise man; and thou wilt know what thou oughtest to do unto him, and thou shalt bring his hoar head down to the grave with blood.' **10** And David slept with his fathers, and was buried in the city of David.{P}

11 And the days that David reigned over Israel were forty years: seven years reigned he in Hebron, and thirty and three years reigned he in Yerushalam. **12** And Solomon sat upon the throne of David his father; and his kingdom was established firmly.{S}   **13** Then Adonijah the son of Haggith came to Bath-sheba the mother of Solomon.   And she said: 'Comest thou peaceably?' And he said: 'Peaceably.'

יד וַיֹּ֫אמֶר דָּבָ֣ר לִ֣י אֵלָ֑יִךְ וַתֹּ֖אמֶר דַּבֵּֽר: יה וַיֹּ֗אמֶר אַ֤תְּ יָדַ֙עַתְּ֙ כִּי־לִי֙ הָיְתָ֣ה
הַמְּלוּכָ֔ה וְעָלַ֞י שָׂ֧מוּ כָֽל־יִשְׂרָאֵ֛ל פְּנֵיהֶ֖ם לִמְלֹ֑ךְ וַתִּסֹּ֤ב הַמְּלוּכָה֙ וַתְּהִ֣י לְאָחִ֔י
כִּ֥י מֵיהֹוָ֖ה הָ֥יְתָה לּֽוֹ: יו וְעַתָּ֗ה שְׁאֵלָ֤ה אַחַת֙ אָֽנֹכִי֙ שֹׁאֵ֣ל מֵֽאִתָּ֔ךְ אַל־תָּשִׁ֖בִי
אֶת־פָּנָ֑י וַתֹּ֥אמֶר אֵלָ֖יו דַּבֵּֽר: יז וַיֹּ֗אמֶר אִמְרִי־נָא֙ לִשְׁלֹמֹ֣ה הַמֶּ֔לֶךְ כִּ֥י לֹֽא־יָשִׁ֖יב
אֶת־פָּנָ֑יִךְ וְיִתֶּן־לִ֛י אֶת־אֲבִישַׁ֥ג הַשּׁוּנַמִּ֖ית לְאִשָּֽׁה: יח וַתֹּ֥אמֶר בַּת־שֶׁ֖בַע ט֑וֹב
אָֽנֹכִ֕י אֲדַבֵּ֥ר עָלֶ֖יךָ אֶל־הַמֶּֽלֶךְ: יט וַתָּבֹ֤א בַת־שֶׁ֙בַע֙ אֶל־הַמֶּ֣לֶךְ שְׁלֹמֹ֔ה
לְדַבֶּר־ל֖וֹ עַל־אֲדֹֽנִיָּ֑הוּ וַיָּקָם֩ הַמֶּ֨לֶךְ לִקְרָאתָ֜הּ וַיִּשְׁתַּ֣חוּ לָ֗הּ וַיֵּ֙שֶׁב֙ עַל־כִּסְא֔וֹ
וַיָּ֤שֶׂם כִּסֵּא֙ לְאֵ֣ם הַמֶּ֔לֶךְ וַתֵּ֖שֶׁב לִֽימִינֽוֹ: כ וַתֹּ֗אמֶר שְׁאֵלָ֨ה אַחַ֤ת קְטַנָּה֙ אָֽנֹכִי֙
שֹׁאֶ֣לֶת מֵֽאִתָּ֔ךְ אַל־תָּ֖שֶׁב אֶת־פָּנָ֑י וַיֹּֽאמֶר־לָ֤הּ הַמֶּ֙לֶךְ֙ שַֽׁאֲלִ֣י אִמִּ֔י כִּ֥י לֹֽא־אָשִׁ֖יב
אֶת־פָּנָֽיִךְ: כא וַתֹּ֕אמֶר יֻתַּ֖ן אֶת־אֲבִישַׁ֣ג הַשֻּׁנַמִּ֑ית לַאֲדֹנִיָּ֥הוּ אָחִ֖יךָ לְאִשָּֽׁה:
כב וַיַּ֩עַן֩ הַמֶּ֨לֶךְ שְׁלֹמֹ֜ה וַיֹּ֣אמֶר לְאִמּ֗וֹ וְלָמָה֩ אַ֨תְּ שֹׁאֶ֜לֶת אֶת־אֲבִישַׁ֤ג הַשֻּֽׁנַמִּית֙
לַֽאֲדֹ֣נִיָּ֔הוּ וְשַֽׁאֲלִי־לוֹ֙ אֶת־הַמְּלוּכָ֔ה כִּ֛י ה֥וּא אָחִ֖י הַגָּד֣וֹל מִמֶּ֑נִּי וְלוֹ֙ וּלְאֶבְיָתָ֣ר
הַכֹּהֵ֔ן וּלְיוֹאָ֖ב בֶּן־צְרוּיָֽה:
כג וַיִּשָּׁבַע֙ הַמֶּ֣לֶךְ שְׁלֹמֹ֔ה בַּֽיהֹוָ֖ה לֵאמֹ֑ר כֹּ֣ה יַֽעֲשֶׂה־לִּ֤י אֱלֹהִים֙ וְכֹ֣ה יוֹסִ֔יף כִּ֣י
בְנַפְשׁ֔וֹ דִּבֶּר֙ אֲדֹ֣נִיָּ֔הוּ אֶת־הַדָּבָ֖ר הַזֶּֽה: כד וְעַתָּ֗ה חַי־יְהֹוָה֙ אֲשֶׁ֣ר הֱכִינַ֔נִי
וַיֹּֽשִׁיבַ֙נִי֙ עַל־כִּסֵּא֙ דָּוִ֣ד אָבִ֔י וַֽאֲשֶׁ֧ר עָֽשָׂה־לִ֛י בַּ֖יִת כַּֽאֲשֶׁ֣ר דִּבֵּ֑ר כִּ֣י הַיּ֔וֹם יוּמַ֖ת
אֲדֹֽנִיָּֽהוּ: כה וַיִּשְׁלַח֙ הַמֶּ֣לֶךְ שְׁלֹמֹ֔ה בְּיַ֖ד בְּנָיָ֣הוּ בֶן־יְהֽוֹיָדָ֑ע וַיִּפְגַּע־בּ֖וֹ וַיָּמֹֽת:
כו וּלְאֶבְיָתָ֨ר הַכֹּהֵ֜ן אָמַ֣ר הַמֶּ֗לֶךְ עֲנָתֹת֙ לֵ֣ךְ עַל־שָׂדֶ֔יךָ כִּ֛י אִ֥ישׁ מָ֖וֶת אָ֑תָּה
וּבַיּ֨וֹם הַזֶּ֜ה לֹ֣א אֲמִיתֶ֗ךָ כִּֽי־נָשָׂ֜אתָ אֶת־אֲר֨וֹן אֲדֹנָ֤י יְהֹוִה֙ לִפְנֵי֙ דָּוִ֣ד אָבִ֔י וְכִ֣י
הִתְעַנִּ֔יתָ בְּכֹ֥ל אֲשֶֽׁר־הִתְעַנָּ֖ה אָבִֽי: כז וַיְגָ֤רֶשׁ שְׁלֹמֹה֙ אֶת־אֶבְיָתָ֔ר מִֽהְי֥וֹת כֹּהֵ֖ן
לַֽיהֹוָ֑ה לְמַלֵּא֙ אֶת־דְּבַ֣ר יְהֹוָ֔ה אֲשֶׁ֥ר דִּבֶּ֛ר עַל־בֵּ֥ית עֵלִ֖י בְּשִׁלֹֽה:
כח וְהַשְּׁמֻעָה֙ בָּ֣אָה עַד־יוֹאָ֔ב כִּ֣י יוֹאָ֗ב נָטָ֤ה אַֽחֲרֵ֣י אֲדֹנִיָּ֔ה וְאַֽחֲרֵ֥י אַבְשָׁל֖וֹם לֹ֣א
נָטָ֑ה וַיָּ֤נָס יוֹאָב֙ אֶל־אֹ֣הֶל יְהֹוָ֔ה וַֽיַּחֲזֵ֖ק בְּקַרְנ֥וֹת הַמִּזְבֵּֽחַ: כט וַיֻּגַּ֞ד לַמֶּ֣לֶךְ
שְׁלֹמֹ֗ה כִּ֣י נָ֤ס יוֹאָב֙ אֶל־אֹ֣הֶל יְהֹוָ֔ה וְהִנֵּ֖ה אֵ֣צֶל הַמִּזְבֵּ֑חַ וַיִּשְׁלַ֤ח שְׁלֹמֹה֙
אֶת־בְּנָיָ֣הוּ בֶן־יְהֽוֹיָדָ֔ע לֵאמֹ֖ר לֵ֥ךְ פְּגַע־בּֽוֹ: ל וַיָּבֹ֨א בְנָיָ֜הוּ אֶל־אֹ֣הֶל יְהֹוָ֗ה
וַיֹּ֤אמֶר אֵלָיו֙ כֹּֽה־אָמַ֤ר הַמֶּ֙לֶךְ֙ צֵ֔א וַיֹּ֥אמֶר ׀ לֹ֗א כִּ֥י פֹ֣ה אָמ֑וּת וַיָּ֨שֶׁב בְּנָיָ֤הוּ
אֶת־הַמֶּ֙לֶךְ֙ דָּבָ֣ר לֵאמֹ֔ר כֹּֽה־דִבֶּ֥ר יוֹאָ֖ב וְכֹ֥ה עָנָ֑נִי: לא וַיֹּ֧אמֶר ל֣וֹ הַמֶּ֗לֶךְ עֲשֵׂה֙
כַּֽאֲשֶׁ֣ר דִּבֶּ֔ר וּפְגַע־בּ֖וֹ וּקְבַרְתּ֑וֹ וַֽהֲסִירֹ֣תָ ׀ דְּמֵ֣י חִנָּ֗ם אֲשֶׁר֙ שָׁפַ֣ךְ יוֹאָ֔ב מֵֽעָלַ֕י
וּמֵעַ֖ל בֵּ֥ית אָבִֽי: לב וְהֵשִׁיב֩ יְהֹוָ֨ה אֶת־דָּמ֜וֹ עַל־רֹאשׁ֗וֹ אֲשֶׁ֣ר פָּגַ֣ע בִּשְׁנֵֽי־אֲנָשִׁ֡ים
צַדִּקִ֨ים וְטֹבִ֤ים מִמֶּ֙נּוּ֙ וַיַּֽהַרְגֵ֣ם בַּחֶ֔רֶב וְאָבִ֥י דָוִ֖ד לֹ֣א יָדָ֑ע אֶת־אַבְנֵ֤ר בֶּן־נֵר֙
שַׂר־צְבָ֣א יִשְׂרָאֵ֔ל וְאֶת־עֲמָשָׂ֥א בֶן־יֶ֖תֶר שַׂר־צְבָ֥א יְהוּדָֽה:

14 He said moreover: 'I have somewhat to say unto thee.' And she said: 'Say on.' **15** And he said: 'Thou knowest that the kingdom was mine, and that all Israel set their faces on me, that I should reign; howbeit the kingdom is turned about, and is become my brother's; for it was his from Yehovah. **16** And now I ask one petition of thee, deny me not.' And she said unto him: 'Say on.' **17** And he said: 'Speak, I pray thee, unto Solomon the king–for he will not say thee nay–that he give me Abishag the Shunammite to wife.' **18** And Bath-sheba said: 'Well; I will speak for thee unto the king.' **19** Bath-sheba therefore went unto king Solomon, to speak unto him for Adonijah. And the king rose up to meet her, and bowed down unto her, and sat down on his throne, and caused a throne to be set for the king's mother; and she sat on his right hand. **20** Then she said: 'I ask one small petition of thee; deny me not.' And the king said unto her: 'Ask on, my mother; for I will not deny thee.' **21** And she said: 'Let Abishag the Shunammite be given to Adonijah thy brother to wife.' **22** And king Solomon answered and said unto his mother: 'And why dost thou ask Abishag the Shunammite for Adonijah? ask for him the kingdom also; for he is mine elder brother; even for him, and for Abiathar the priest, and for Joab the son of Zeruiah.'{P}

23 Then king Solomon swore by Yehovah, saying: 'God do so to me, and more also, if Adonijah have not spoken this word against his own life. **24** Now therefore as Yehovah liveth, who hath established me, and set me on the throne of David my father, and who hath made me a house, as He promised, surely Adonijah shall be put to death this day.' **25** And king Solomon sent by the hand of Benaiah the son of Jehoiada; and he fell upon him, so that he died.{S} **26** And unto Abiathar the priest said the king: 'Get thee to Anathoth, unto thine own fields; for thou art deserving of death; but I will not at this time put thee to death, because thou didst bear the ark of the Lord GOD [Adonai Yehovi] before David my father, and because thou wast afflicted in all wherein my father was afflicted.' **27** So Solomon thrust out Abiathar from being priest unto Yehovah; that the word of Yehovah might be fulfilled, which He spoke concerning the house of Eli in Shiloh.{P}

28 And the tidings came to Joab; for Joab had turned after Adonijah, though he turned not after Absalom. And Joab fled unto the Tent of Yehovah, and caught hold on the horns of the altar. **29** And it was told king Solomon: 'Joab is fled unto the Tent of Yehovah, and, behold, he is by the altar.' Then Solomon sent Benaiah the son of Jehoiada, saying: 'Go, fall upon him.' **30** And Benaiah came to the Tent of Yehovah, and said unto him: 'Thus saith the king: Come forth.' And he said: 'Nay; but I will die here.' And Benaiah brought back word unto the king, saying: 'Thus said Joab, and thus he answered me.' **31** And the king said unto him: 'Do as he hath said, and fall upon him, and bury him; that thou mayest take away the blood, which Joab shed without cause, from me and from my father's house. **32** And Yehovah will return his blood upon his own head, because he fell upon two men more righteous and better than he, and slew them with the sword, and my father David knew it not: Abner the son of Ner, captain of the host of Israel, and Amasa the son of Jether, captain of the host of Judah.

לג וְשָׁבוּ דְמֵיהֶם בְּרֹאשׁ יוֹאָב וּבְרֹאשׁ זַרְעוֹ לְעֹלָם וּלְדָוִד וּלְזַרְעוֹ וּלְבֵיתוֹ
וּלְכִסְאוֹ יִהְיֶה שָׁלוֹם עַד־עוֹלָם מֵעִם יְהוָה׃ לד וַיַּעַל בְּנָיָהוּ בֶּן־יְהוֹיָדָע
וַיִּפְגַּע־בּוֹ וַיְמִתֵהוּ וַיִּקָּבֵר בְּבֵיתוֹ בַּמִּדְבָּר׃ לה וַיִּתֵּן הַמֶּלֶךְ אֶת־בְּנָיָהוּ
בֶן־יְהוֹיָדָע תַּחְתָּיו עַל־הַצָּבָא וְאֶת־צָדוֹק הַכֹּהֵן נָתַן הַמֶּלֶךְ תַּחַת אֶבְיָתָר׃
לו וַיִּשְׁלַח הַמֶּלֶךְ וַיִּקְרָא לְשִׁמְעִי וַיֹּאמֶר לוֹ בְּנֵה־לְךָ בַיִת בִּירוּשָׁלִַם וְיָשַׁבְתָּ
שָׁם וְלֹא־תֵצֵא מִשָּׁם אָנֶה וָאָנָה׃ לז וְהָיָה ׀ בְּיוֹם צֵאתְךָ וְעָבַרְתָּ אֶת־נַחַל
קִדְרוֹן יָדֹעַ תֵּדַע כִּי מוֹת תָּמוּת דָּמְךָ יִהְיֶה בְרֹאשֶׁךָ׃ לח וַיֹּאמֶר שִׁמְעִי
לַמֶּלֶךְ טוֹב הַדָּבָר כַּאֲשֶׁר דִּבֶּר אֲדֹנִי הַמֶּלֶךְ כֵּן יַעֲשֶׂה עַבְדֶּךָ וַיֵּשֶׁב שִׁמְעִי
בִּירוּשָׁלִַם יָמִים רַבִּים׃ לט וַיְהִי מִקֵּץ שָׁלֹשׁ שָׁנִים וַיִּבְרְחוּ שְׁנֵי־עֲבָדִים
לְשִׁמְעִי אֶל־אָכִישׁ בֶּן־מַעֲכָה מֶלֶךְ גַּת וַיַּגִּידוּ לְשִׁמְעִי לֵאמֹר הִנֵּה עֲבָדֶיךָ
בְּגַת׃ מ וַיָּקָם שִׁמְעִי וַיַּחֲבֹשׁ אֶת־חֲמֹרוֹ וַיֵּלֶךְ גַּתָה אֶל־אָכִישׁ לְבַקֵּשׁ
אֶת־עֲבָדָיו וַיֵּלֶךְ שִׁמְעִי וַיָּבֵא אֶת־עֲבָדָיו מִגַּת׃ מא וַיֻּגַּד לִשְׁלֹמֹה כִּי־הָלַךְ
שִׁמְעִי מִירוּשָׁלִַם גַּת וַיָּשֹׁב׃ מב וַיִּשְׁלַח הַמֶּלֶךְ וַיִּקְרָא לְשִׁמְעִי וַיֹּאמֶר אֵלָיו
הֲלוֹא הִשְׁבַּעְתִּיךָ בַיהוָה וָאָעִד בְּךָ לֵאמֹר בְּיוֹם צֵאתְךָ וְהָלַכְתָּ אָנֶה וָאָנָה
יָדֹעַ תֵּדַע כִּי מוֹת תָּמוּת וַתֹּאמֶר אֵלַי טוֹב הַדָּבָר שָׁמָעְתִּי׃ מג וּמַדּוּעַ לֹא
שָׁמַרְתָּ אֵת שְׁבֻעַת יְהוָה וְאֶת־הַמִּצְוָה אֲשֶׁר־צִוִּיתִי עָלֶיךָ׃ מד וַיֹּאמֶר הַמֶּלֶךְ
אֶל־שִׁמְעִי אַתָּה יָדַעְתָּ אֵת כָּל־הָרָעָה אֲשֶׁר יָדַע לְבָבְךָ אֲשֶׁר עָשִׂיתָ לְדָוִד
אָבִי וְהֵשִׁיב יְהוָה אֶת־רָעָתְךָ בְּרֹאשֶׁךָ׃ מה וְהַמֶּלֶךְ שְׁלֹמֹה בָּרוּךְ וְכִסֵּא דָוִד
יִהְיֶה נָכוֹן לִפְנֵי יְהוָה עַד־עוֹלָם׃ מו וַיְצַו הַמֶּלֶךְ אֶת־בְּנָיָהוּ בֶּן־יְהוֹיָדָע וַיֵּצֵא
וַיִּפְגַּע־בּוֹ וַיָּמֹת וְהַמַּמְלָכָה נָכוֹנָה בְּיַד־שְׁלֹמֹה׃

ג א וַיִּתְחַתֵּן שְׁלֹמֹה אֶת־פַּרְעֹה מֶלֶךְ מִצְרָיִם וַיִּקַּח אֶת־בַּת־פַּרְעֹה וַיְבִיאֶהָ
אֶל־עִיר דָּוִד עַד כַּלֹּתוֹ לִבְנוֹת אֶת־בֵּיתוֹ וְאֶת־בֵּית יְהוָה וְאֶת־חוֹמַת
יְרוּשָׁלִַם סָבִיב׃ ב רַק הָעָם מְזַבְּחִים בַּבָּמוֹת כִּי לֹא־נִבְנָה בַיִת לְשֵׁם יְהוָה
עַד הַיָּמִים הָהֵם׃

ג וַיֶּאֱהַב שְׁלֹמֹה אֶת־יְהוָה לָלֶכֶת בְּחֻקּוֹת דָּוִד אָבִיו רַק בַּבָּמוֹת הוּא מְזַבֵּחַ
וּמַקְטִיר׃ ד וַיֵּלֶךְ הַמֶּלֶךְ גִּבְעֹנָה לִזְבֹּחַ שָׁם כִּי הִיא הַבָּמָה הַגְּדוֹלָה אֶלֶף
עֹלוֹת יַעֲלֶה שְׁלֹמֹה עַל הַמִּזְבֵּחַ הַהוּא׃ ה בְּגִבְעוֹן נִרְאָה יְהוָה אֶל־שְׁלֹמֹה
בַּחֲלוֹם הַלָּיְלָה וַיֹּאמֶר אֱלֹהִים שְׁאַל מָה אֶתֶּן־לָךְ׃ ו וַיֹּאמֶר שְׁלֹמֹה אַתָּה
עָשִׂיתָ עִם־עַבְדְּךָ דָוִד אָבִי חֶסֶד גָּדוֹל כַּאֲשֶׁר הָלַךְ לְפָנֶיךָ בֶּאֱמֶת וּבִצְדָקָה
וּבְיִשְׁרַת לֵבָב עִמָּךְ וַתִּשְׁמָר־לוֹ אֶת־הַחֶסֶד הַגָּדוֹל הַזֶּה וַתִּתֶּן־לוֹ בֵן יֹשֵׁב
עַל־כִּסְאוֹ כַּיּוֹם הַזֶּה׃

<u>33</u> So shall their blood return upon the head of Joab, and upon the head of his seed for ever; but unto David, and unto his seed, and unto his house, and unto his throne, shall there be peace for ever from Yehovah.' <u>34</u> Then Benaiah the son of Jehoiada went up, and fell upon him, and slew him; and he was buried in his own house in the wilderness. <u>35</u> And the king put Benaiah the son of Jehoiada in his room over the host; and Zadok the priest did the king put in the room of Abiathar. <u>36</u> And the king sent and called for Shimei, and said unto him: Build thee a house in Yerushalam, and dwell there, and go not forth thence any whither. <u>37</u> For on the day thou goest out, and passest over the brook Kidron, know thou for certain that thou shalt surely die; thy blood shall be upon thine own head.' <u>38</u> And Shimei said unto the king: 'The saying is good; as my lord the king hath said, so will thy servant do.' And Shimei dwelt in Yerushalam many days.{S} <u>39</u> And it came to pass at the end of three years, that two of the servants of Shimei ran away unto Achish, son of Maacah, king of Gath. And they told Shimei, saying: 'Behold, thy servants are in Gath.' <u>40</u> And Shimei arose, and saddled his ass, and went to Gath to Achish, to seek his servants; and Shimei went, and brought his servants from Gath.{S} <u>41</u> And it was told Solomon that Shimei had gone from Yerushalam to Gath, and was come back. <u>42</u> And the king sent and called for Shimei, and said unto him: 'Did I not make thee to swear by Yehovah, and forewarned thee, saying: Know for certain, that on the day thou goest out, and walkest abroad any whither, thou shalt surely die? and thou saidst unto me: The saying is good; I have heard it. <u>43</u> Why then hast thou not kept the oath of Yehovah, and the commandment that I have charged thee with?' <u>44</u> The king said moreover to Shimei: 'Thou knowest all the wickedness which thy heart is privy to, that thou didst to David my father; therefore Yehovah shall return thy wickedness upon thine own head. <u>45</u> But king Solomon shall be blessed, and the throne of David shall be established before Yehovah for ever.' <u>46</u> So the king commanded Benaiah the son of Jehoiada; and he went out, and fell upon him, so that he died. And the kingdom was established in the hand of Solomon.

3 <u>1</u> And Solomon became allied to Pharaoh king of Egypt by marriage, and took Pharaoh's daughter, and brought her into the city of David, until he had made an end of building his own house, and the house of Yehovah, and the wall of Yerushalam round about. <u>2</u> Only the people sacrificed in the high places, because there was no house built for the name of Yehovah until those days.{P}

<u>3</u> And Solomon loved Yehovah, walking in the statutes of David his father; only he sacrificed and offered in the high places. <u>4</u> And the king went to Gibeon to sacrifice there; for that was the great high place; a thousand burnt-offerings did Solomon offer upon that altar. <u>5</u> In Gibeon Yehovah appeared to Solomon in a dream by night; and God said: 'Ask what I shall give thee.' <u>6</u> And Solomon said: 'Thou hast shown unto Thy servant David my father great kindness, according as he walked before Thee in truth, and in righteousness, and in uprightness of heart with Thee; and Thou hast kept for him this great kindness, that Thou hast given him a son to sit on his throne, as it is this day.

ז וְעַתָּה יְהוָה אֱלֹהָי אַתָּה הִמְלַכְתָּ אֶת־עַבְדְּךָ תַּחַת דָּוִד אָבִי וְאָנֹכִי נַעַר קָטֹן
לֹא אֵדַע צֵאת וָבֹא׃ ח וְעַבְדְּךָ בְּתוֹךְ עַמְּךָ אֲשֶׁר בָּחָרְתָּ עַם־רָב אֲשֶׁר
לֹא־יִמָּנֶה וְלֹא יִסָּפֵר מֵרֹב׃ ט וְנָתַתָּ לְעַבְדְּךָ לֵב שֹׁמֵעַ לִשְׁפֹּט אֶת־עַמְּךָ
לְהָבִין בֵּין־טוֹב לְרָע כִּי מִי יוּכַל לִשְׁפֹּט אֶת־עַמְּךָ הַכָּבֵד הַזֶּה׃ י וַיִּיטַב
הַדָּבָר בְּעֵינֵי אֲדֹנָי כִּי שָׁאַל שְׁלֹמֹה אֶת־הַדָּבָר הַזֶּה׃ יא וַיֹּאמֶר אֱלֹהִים אֵלָיו
יַעַן אֲשֶׁר שָׁאַלְתָּ אֶת־הַדָּבָר הַזֶּה וְלֹא־שָׁאַלְתָּ לְּךָ יָמִים רַבִּים וְלֹא־שָׁאַלְתָּ
לְּךָ עֹשֶׁר וְלֹא שָׁאַלְתָּ נֶפֶשׁ אֹיְבֶיךָ וְשָׁאַלְתָּ לְּךָ הָבִין לִשְׁמֹעַ מִשְׁפָּט׃ יב הִנֵּה
עָשִׂיתִי כִּדְבָרֶיךָ הִנֵּה | נָתַתִּי לְךָ לֵב חָכָם וְנָבוֹן אֲשֶׁר כָּמוֹךָ לֹא־הָיָה לְפָנֶיךָ
וְאַחֲרֶיךָ לֹא־יָקוּם כָּמוֹךָ׃ יג וְגַם אֲשֶׁר לֹא־שָׁאַלְתָּ נָתַתִּי לָךְ גַּם־עֹשֶׁר
גַּם־כָּבוֹד אֲשֶׁר לֹא־הָיָה כָמוֹךָ אִישׁ בַּמְּלָכִים כָּל־יָמֶיךָ׃ יד וְאִם | תֵּלֵךְ
בִּדְרָכַי לִשְׁמֹר חֻקַּי וּמִצְוֺתַי כַּאֲשֶׁר הָלַךְ דָּוִיד אָבִיךָ וְהַאַרַכְתִּי אֶת־יָמֶיךָ׃
טו וַיִּקַץ שְׁלֹמֹה וְהִנֵּה חֲלוֹם וַיָּבוֹא יְרוּשָׁלִַם וַיַּעֲמֹד | לִפְנֵי | אֲרוֹן בְּרִית־אֲדֹנָי
וַיַּעַל עֹלוֹת וַיַּעַשׂ שְׁלָמִים וַיַּעַשׂ מִשְׁתֶּה לְכָל־עֲבָדָיו׃

טז אָז תָּבֹאנָה שְׁתַּיִם נָשִׁים זֹנוֹת אֶל־הַמֶּלֶךְ וַתַּעֲמֹדְנָה לְפָנָיו׃ יז וַתֹּאמֶר
הָאִשָּׁה הָאַחַת בִּי אֲדֹנִי אֲנִי וְהָאִשָּׁה הַזֹּאת יֹשְׁבֹת בְּבַיִת אֶחָד וָאֵלֵד עִמָּהּ
בַּבָּיִת׃ יח וַיְהִי בַּיּוֹם הַשְּׁלִישִׁי לְלִדְתִּי וַתֵּלֶד גַּם־הָאִשָּׁה הַזֹּאת וַאֲנַחְנוּ יַחְדָּו
אֵין־זָר אִתָּנוּ בַּבַּיִת זוּלָתִי שְׁתַּיִם־אֲנַחְנוּ בַּבָּיִת׃ יט וַיָּמָת בֶּן־הָאִשָּׁה הַזֹּאת
לָיְלָה אֲשֶׁר שָׁכְבָה עָלָיו׃ כ וַתָּקָם בְּתוֹךְ הַלַּיְלָה וַתִּקַּח אֶת־בְּנִי מֵאֶצְלִי
וַאֲמָתְךָ יְשֵׁנָה וַתַּשְׁכִּיבֵהוּ בְּחֵיקָהּ וְאֶת־בְּנָהּ הַמֵּת הִשְׁכִּיבָה בְחֵיקִי׃ כא וָאָקֻם
בַּבֹּקֶר לְהֵינִיק אֶת־בְּנִי וְהִנֵּה־מֵת וָאֶתְבּוֹנֵן אֵלָיו בַּבֹּקֶר וְהִנֵּה לֹא־הָיָה בְנִי
אֲשֶׁר יָלָדְתִּי׃ כב וַתֹּאמֶר הָאִשָּׁה הָאַחֶרֶת לֹא כִי בְּנִי הַחַי וּבְנֵךְ הַמֵּת וְזֹאת
אֹמֶרֶת לֹא כִי בְּנֵךְ הַמֵּת וּבְנִי הֶחָי וַתְּדַבֵּרְנָה לִפְנֵי הַמֶּלֶךְ׃ כג וַיֹּאמֶר הַמֶּלֶךְ
זֹאת אֹמֶרֶת זֶה־בְּנִי הַחַי וּבְנֵךְ הַמֵּת וְזֹאת אֹמֶרֶת לֹא כִי בְּנֵךְ הַמֵּת וּבְנִי הֶחָי׃

כד וַיֹּאמֶר הַמֶּלֶךְ קְחוּ לִי־חָרֶב וַיָּבִאוּ הַחֶרֶב לִפְנֵי הַמֶּלֶךְ׃ כה וַיֹּאמֶר
הַמֶּלֶךְ גִּזְרוּ אֶת־הַיֶּלֶד הַחַי לִשְׁנָיִם וּתְנוּ אֶת־הַחֲצִי לְאַחַת וְאֶת־הַחֲצִי
לְאֶחָת׃ כו וַתֹּאמֶר הָאִשָּׁה אֲשֶׁר־בְּנָהּ הַחַי אֶל־הַמֶּלֶךְ כִּי־נִכְמְרוּ רַחֲמֶיהָ
עַל־בְּנָהּ וַתֹּאמֶר | בִּי אֲדֹנִי תְּנוּ־לָהּ אֶת־הַיָּלוּד הַחַי וְהָמֵת אַל־תְּמִיתֻהוּ וְזֹאת
אֹמֶרֶת גַּם־לִי גַם־לָךְ לֹא יִהְיֶה גְּזֹרוּ׃ כז וַיַּעַן הַמֶּלֶךְ וַיֹּאמֶר תְּנוּ־לָהּ
אֶת־הַיָּלוּד הַחַי וְהָמֵת לֹא תְמִיתֻהוּ הִיא אִמּוֹ׃ כח וַיִּשְׁמְעוּ כָל־יִשְׂרָאֵל
אֶת־הַמִּשְׁפָּט אֲשֶׁר שָׁפַט הַמֶּלֶךְ וַיִּרְאוּ מִפְּנֵי הַמֶּלֶךְ כִּי רָאוּ כִּי־חָכְמַת
אֱלֹהִים בְּקִרְבּוֹ לַעֲשׂוֹת מִשְׁפָּט׃

<u>7</u> And now, Yehovah my God, Thou hast made Thy servant king instead of David my father; and I am but a little child; I know not how to go out or come in. <u>8</u> And Thy servant is in the midst of Thy people which Thou hast chosen, a great people, that cannot be numbered nor counted for multitude. <u>9</u> Give Thy servant therefore an understanding heart to judge Thy people, that I may discern between good and evil; for who is able to judge this Thy great people?' <u>10</u> And the speech pleased Yehovah, that Solomon had asked this thing. <u>11</u> And God said unto him: 'Because thou hast asked this thing, and hast not asked for thyself long life; neither hast asked riches for thyself, nor hast asked the life of thine enemies; but hast asked for thyself understanding to discern justice; <u>12</u> behold, I have done according to thy word: lo, I have given thee a wise and an understanding heart; so that there hath been none like thee before thee, neither after thee shall any arise like unto thee. <u>13</u> And I have also given thee that which thou hast not asked, both riches and honour–so that there hath not been any among the kings like unto thee–all thy days. <u>14</u> And if thou wilt walk in My ways, to keep My statutes and My commandments, as thy father David did walk, then I will lengthen thy days.'{S} <u>15</u> And Solomon awoke, and, behold, it was a dream; and he came to Yerushalam, and stood before the ark of the covenant of Yehovah, and offered up burnt-offerings, and offered peace-offerings, and made a feast to all his servants.{P}

<u>16</u> Then came there two women, that were harlots, unto the king, and stood before him. <u>17</u> And the one woman said: 'Oh, my lord, I and this woman dwell in one house; and I was delivered of a child with her in the house. <u>18</u> And it came to pass the third day after I was delivered, that this woman was delivered also; and we were together; there was no stranger with us in the house, save we two in the house. <u>19</u> And this woman's child died in the night; because she overlay it. <u>20</u> And she arose at midnight, and took my son from beside me, while thy handmaid slept, and laid it in her bosom, and laid her dead child in my bosom. <u>21</u> And when I rose in the morning to give my child suck, behold, it was dead; but when I had looked well at it in the morning, behold, it was not my son, whom I did bear.' <u>22</u> And the other woman said: 'Nay; but the living is my son, and the dead is thy son.' And this said: 'No; but the dead is thy son, and the living is my son.' Thus they spoke before the king. <u>23</u> Then said the king: 'The one saith: This is my son that liveth, and thy son is the dead; and the other saith: Nay; but thy son is the dead, and my son is the living.'{P}

<u>24</u> And the king said: 'Fetch me a sword.' And they brought a sword before the king. <u>25</u> And the king said: 'Divide the living child in two, and give half to the one, and half to the other.' <u>26</u> Then spoke the woman whose the living child was unto the king, for her heart yearned upon her son, and she said: 'Oh, my lord, give her the living child, and in no wise slay it.' But the other said: 'It shall be neither mine nor thine; divide it.' <u>27</u> Then the king answered and said: 'Give her the living child, and in no wise slay it: she is the mother thereof.'{S} <u>28</u> And all Israel heard of the judgment which the king had judged; and they feared the king; for they saw that the wisdom of God was in him, to do justice.{S}

ד א וַיְהִי הַמֶּלֶךְ שְׁלֹמֹה מֶלֶךְ עַל־כָּל־יִשְׂרָאֵל׃ ב וְאֵלֶּה הַשָּׂרִים אֲשֶׁר־לוֹ
עֲזַרְיָהוּ בֶן־צָדוֹק הַכֹּהֵן׃ ג אֱלִיחֹרֶף וַאֲחִיָּה בְּנֵי שִׁישָׁא סֹפְרִים יְהוֹשָׁפָט
בֶּן־אֲחִילוּד הַמַּזְכִּיר׃ ד וּבְנָיָהוּ בֶן־יְהוֹיָדָע עַל־הַצָּבָא וְצָדוֹק וְאֶבְיָתָר
כֹּהֲנִים׃ ה וַעֲזַרְיָהוּ בֶן־נָתָן עַל־הַנִּצָּבִים וְזָבוּד בֶּן־נָתָן כֹּהֵן רֵעֶה הַמֶּלֶךְ׃
ו וַאֲחִישָׁר עַל־הַבָּיִת וַאֲדֹנִירָם בֶּן־עַבְדָּא עַל־הַמַּס׃ ז וְלִשְׁלֹמֹה שְׁנֵים־עָשָׂר
נִצָּבִים עַל־כָּל־יִשְׂרָאֵל וְכִלְכְּלוּ אֶת־הַמֶּלֶךְ וְאֶת־בֵּיתוֹ חֹדֶשׁ בַּשָּׁנָה יִהְיֶה
עַל־הָאֶחָד[5] לְכַלְכֵּל׃ ח וְאֵלֶּה שְׁמוֹתָם בֶּן־חוּר בְּהַר אֶפְרָיִם׃ ט בֶּן־דֶּקֶר
בְּמָקַץ וּבְשַׁעַלְבִים וּבֵית שָׁמֶשׁ וְאֵילוֹן בֵּית חָנָן׃ י בֶּן־חֶסֶד בָּאֲרֻבּוֹת לוֹ שֹׂכֹה
וְכָל־אֶרֶץ חֵפֶר׃ יא בֶּן־אֲבִינָדָב כָּל־נָפַת דֹּאר טָפַת בַּת־שְׁלֹמֹה הָיְתָה לּוֹ
לְאִשָּׁה׃ יב בַּעֲנָא בֶּן־אֲחִילוּד תַּעְנַךְ וּמְגִדּוֹ וְכָל־בֵּית שְׁאָן אֲשֶׁר אֵצֶל צָרְתַנָה
מִתַּחַת לְיִזְרְעֶאל מִבֵּית שְׁאָן עַד אָבֵל מְחוֹלָה עַד מֵעֵבֶר לְיָקְמֳעָם׃
יג בֶּן־גֶּבֶר בְּרָמֹת גִּלְעָד לוֹ חַוֺּת יָאִיר בֶּן־מְנַשֶּׁה אֲשֶׁר בַּגִּלְעָד לוֹ חֶבֶל
אַרְגֹּב אֲשֶׁר בַּבָּשָׁן שִׁשִּׁים עָרִים גְּדֹלוֹת חוֹמָה וּבְרִיחַ נְחֹשֶׁת׃ יד אֲחִינָדָב
בֶּן־עִדֹּא מַחֲנָיְמָה׃ טו אֲחִימַעַץ בְּנַפְתָּלִי גַּם־הוּא לָקַח אֶת־בָּשְׂמַת
בַּת־שְׁלֹמֹה לְאִשָּׁה׃ טז בַּעֲנָא בֶּן־חוּשָׁי בְּאָשֵׁר וּבְעָלוֹת׃ יז יְהוֹשָׁפָט בֶּן־פָּרוּחַ
בְּיִשָּׂשכָר׃ יח שִׁמְעִי בֶן־אֵלָא בְּבִנְיָמִן׃ יט גֶּבֶר בֶּן־אֻרִי בְּאֶרֶץ גִּלְעָד אֶרֶץ
סִיחוֹן ׀ מֶלֶךְ הָאֱמֹרִי וְעֹג מֶלֶךְ הַבָּשָׁן וּנְצִיב אֶחָד אֲשֶׁר בָּאָרֶץ׃ כ יְהוּדָה
וְיִשְׂרָאֵל רַבִּים כַּחוֹל אֲשֶׁר־עַל־הַיָּם לָרֹב אֹכְלִים וְשֹׁתִים וּשְׂמֵחִים׃

ה א וּשְׁלֹמֹה הָיָה מוֹשֵׁל בְּכָל־הַמַּמְלָכוֹת מִן־הַנָּהָר אֶרֶץ פְּלִשְׁתִּים וְעַד
גְּבוּל מִצְרָיִם מַגִּשִׁים מִנְחָה וְעֹבְדִים אֶת־שְׁלֹמֹה כָּל־יְמֵי חַיָּיו׃

ב וַיְהִי לֶחֶם־שְׁלֹמֹה לְיוֹם אֶחָד שְׁלֹשִׁים כֹּר סֹלֶת וְשִׁשִּׁים כֹּר קָמַח׃ ג עֲשָׂרָה
בָקָר בְּרִאִים וְעֶשְׂרִים בָּקָר רְעִי וּמֵאָה צֹאן לְבַד מֵאַיָּל וּצְבִי וְיַחְמוּר
וּבַרְבֻּרִים אֲבוּסִים׃ ד כִּי־הוּא רֹדֶה ׀ בְּכָל־עֵבֶר הַנָּהָר מִתִּפְסַח וְעַד־עַזָּה
בְּכָל־מַלְכֵי עֵבֶר הַנָּהָר וְשָׁלוֹם הָיָה לוֹ מִכָּל־עֲבָרָיו מִסָּבִיב׃ ה וַיֵּשֶׁב
יְהוּדָה וְיִשְׂרָאֵל לָבֶטַח אִישׁ תַּחַת גַּפְנוֹ וְתַחַת תְּאֵנָתוֹ מִדָּן וְעַד־בְּאֵר שָׁבַע
כֹּל יְמֵי שְׁלֹמֹה׃ ו וַיְהִי לִשְׁלֹמֹה אַרְבָּעִים אֶלֶף אֻרְוֺת סוּסִים לְמֶרְכָּבוֹ
וּשְׁנֵים־עָשָׂר אֶלֶף פָּרָשִׁים׃ ז וְכִלְכְּלוּ הַנִּצָּבִים הָאֵלֶּה אֶת־הַמֶּלֶךְ שְׁלֹמֹה
וְאֵת כָּל־הַקָּרֵב אֶל־שֻׁלְחַן הַמֶּלֶךְ־שְׁלֹמֹה אִישׁ חָדְשׁוֹ לֹא יְעַדְּרוּ דָּבָר׃
ח וְהַשְּׂעֹרִים וְהַתֶּבֶן לַסּוּסִים וְלָרֶכֶשׁ יָבִאוּ אֶל־הַמָּקוֹם אֲשֶׁר יִהְיֶה־שָּׁם אִישׁ
כְּמִשְׁפָּטוֹ׃

[5] אחד

4 1 And king Solomon was king over all Israel.{s} 2 And these were the princes whom he had: Azariah the son of Zadok, the priest;{s} 3 Elihoreph and Ahijah, the sons of Shisha, scribes;{s} Jehoshaphat the son of Ahilud, the recorder;{s} 4 and Benaiah the son of Jehoiada was over the host;{s} and Zadok and Abiathar were priests;{s} 5 and Azariah the son of Nathan was over the officers;{s} and Zabud the son of Nathan was chief minister and the king's friend;{s} 6 and Ahishar was over the household;{s} and Adoniram the son of Abda was over the levy.{s} 7 And Solomon had twelve officers over all Israel, who provided victuals for the king and his household: each man had to make provision for a month in the year.{s} 8 And these are their names: The son of Hur, in the hill-country of Ephraim;{s}   9 the son of Deker, in Makaz, and in Shaalbim, and Beth-shemesh, and Elon-beth-hanan;{s} 10 the son of Hesed, in Arubboth; to him pertained Socoh, and all the land of Hepher;{s}   11 the son of Abinadab, in all the region of Dor; he had Taphath the daughter of Solomon to wife;{s} 12 Baana the son of Ahilud, in Taanach and Megiddo, and all Beth-shean which is beside Zarethan, beneath Jezreel, from Beth-shean to Abel-meholah, as far as beyond Jokmeam;{s} 13 the son of Geber, in Ramoth-gilead; to him pertained the villages of Jair the son of Manasseh, which are in Gilead; even to him pertained the region of Argob, which is in Bashan, threescore great cities with walls and brazen bars;{s} 14 Ahinadab the son of Iddo, in Mahanaim;{s} 15 Ahimaaz, in Naphtali; he also took Basemath the daughter of Solomon to wife;{s} 16 Baana the son of Hushai, in Asher and Bealoth;{s}   17 Jehoshaphat the son of Paruah, in Issachar;{s} 18 Shimei the son of Ela, in Benjamin;{s} 19 Geber the son of Uri, in the land of Gilead, the country of Sihon king of the Amorites and of Og king of Bashan; and one officer that was [over all the officers] in the land. 20 Judah and Israel were many, as the sand which is by the sea in multitude, eating and drinking and making merry.

5 1 And Solomon ruled over all the kingdoms from the River unto the land of the Philistines, and unto the border of Egypt; they brought presents, and served Solomon all the days of his life.{P}

2 And Solomon's provision for one day was thirty measures of fine flour, and threescore measures of meal; 3 ten fat oxen, and twenty oxen out of the pastures, and a hundred sheep, beside harts, and gazelles, and roebucks, and fatted fowl. 4 For he had dominion over all the region on this side the River, from Tiphsah even to Gaza, over all the kings on this side the River; and he had peace on all sides round about him. 5 And Judah and Israel dwelt safely, every man under his vine and under his fig-tree, from Dan even to Beer-sheba, all the days of Solomon.{s} 6 And Solomon had forty thousand stalls of horses for his chariots, and twelve thousand horsemen. 7 And those officers provided victual for king Solomon, and for all that came unto king Solomon's table, every man in his month; they let nothing be lacking. 8 Barley also and straw for the horses and swift steeds brought they unto the place where it should be, every man according to his charge.{s}

ט וַיִּתֵּן אֱלֹהִים חׇכְמָה לִשְׁלֹמֹה וּתְבוּנָה הַרְבֵּה מְאֹד וְרֹחַב לֵב כַּחוֹל אֲשֶׁר
עַל־שְׂפַת הַיָּם: י וַתֵּרֶב חׇכְמַת שְׁלֹמֹה מֵחׇכְמַת כׇּל־בְּנֵי־קֶדֶם וּמִכֹּל חׇכְמַת
מִצְרָיִם: יא וַיֶּחְכַּם מִכׇּל־הָאָדָם מֵאֵיתָן הָאֶזְרָחִי וְהֵימָן וְכַלְכֹּל וְדַרְדַּע בְּנֵי
מָחוֹל וַיְהִי־שְׁמוֹ בְכׇל־הַגּוֹיִם סָבִיב: יב וַיְדַבֵּר שְׁלֹשֶׁת אֲלָפִים מָשָׁל וַיְהִי
שִׁירוֹ חֲמִשָּׁה וָאָלֶף: יג וַיְדַבֵּר עַל־הָעֵצִים מִן־הָאֶרֶז אֲשֶׁר בַּלְּבָנוֹן וְעַד
הָאֵזוֹב אֲשֶׁר יֹצֵא בַּקִּיר וַיְדַבֵּר עַל־הַבְּהֵמָה וְעַל־הָעוֹף וְעַל־הָרֶמֶשׂ
וְעַל־הַדָּגִים: יד וַיָּבֹאוּ מִכׇּל־הָעַמִּים לִשְׁמֹעַ אֵת חׇכְמַת שְׁלֹמֹה מֵאֵת
כׇּל־מַלְכֵי הָאָרֶץ אֲשֶׁר שָׁמְעוּ אֶת־חׇכְמָתוֹ: יה וַיִּשְׁלַח חִירָם מֶלֶךְ־צוֹר
אֶת־עֲבָדָיו אֶל־שְׁלֹמֹה כִּי שָׁמַע כִּי אֹתוֹ מָשְׁחוּ לְמֶלֶךְ תַּחַת אָבִיהוּ כִּי אֹהֵב
הָיָה חִירָם לְדָוִד כׇּל־הַיָּמִים: יו וַיִּשְׁלַח שְׁלֹמֹה אֶל־חִירָם לֵאמֹר: יז אַתָּה
יָדַעְתָּ אֶת־דָּוִד אָבִי כִּי לֹא יָכֹל לִבְנוֹת בַּיִת לְשֵׁם יְהֹוָה אֱלֹהָיו מִפְּנֵי
הַמִּלְחָמָה אֲשֶׁר סְבָבֻהוּ עַד תֵּת־יְהֹוָה אֹתָם תַּחַת כַּפּוֹת רַגְלָי׳: יח וְעַתָּה
הֵנִיחַ יְהֹוָה אֱלֹהַי לִי מִסָּבִיב אֵין שָׂטָן וְאֵין פֶּגַע רָע: יט וְהִנְנִי אֹמֵר לִבְנוֹת
בַּיִת לְשֵׁם יְהֹוָה אֱלֹהָי כַּאֲשֶׁר ׀ דִּבֶּר יְהֹוָה אֶל־דָּוִד אָבִי לֵאמֹר בִּנְךָ אֲשֶׁר
אֶתֵּן תַּחְתֶּיךָ עַל־כִּסְאֶךָ הוּא־יִבְנֶה הַבַּיִת לִשְׁמִי: כ וְעַתָּה צַוֵּה וְיִכְרְתוּ־לִי
אֲרָזִים מִן־הַלְּבָנוֹן וַעֲבָדַי יִהְיוּ עִם־עֲבָדֶיךָ וּשְׂכַר עֲבָדֶיךָ אֶתֵּן לְךָ כְּכֹל
אֲשֶׁר תֹּאמֵר כִּי ׀ אַתָּה יָדַעְתָּ כִּי אֵין בָּנוּ אִישׁ יֹדֵעַ לִכְרׇת־עֵצִים כַּצִּדֹנִים:
כא וַיְהִי כִּשְׁמֹעַ חִירָם אֶת־דִּבְרֵי שְׁלֹמֹה וַיִּשְׂמַח מְאֹד וַיֹּאמֶר בָּרוּךְ יְהֹוָה
הַיּוֹם אֲשֶׁר נָתַן לְדָוִד בֵּן חָכָם עַל־הָעָם הָרָב הַזֶּה: כב וַיִּשְׁלַח חִירָם
אֶל־שְׁלֹמֹה לֵאמֹר שָׁמַעְתִּי אֵת אֲשֶׁר־שָׁלַחְתָּ אֵלָי אֲנִי אֶעֱשֶׂה אֶת־כׇּל־חֶפְצְךָ
בַּעֲצֵי אֲרָזִים וּבַעֲצֵי בְרוֹשִׁים: כג עֲבָדַי יֹרִדוּ מִן־הַלְּבָנוֹן יָמָּה וַאֲנִי אֲשִׂימֵם
דֹּבְרוֹת בַּיָּם עַד־הַמָּקוֹם אֲשֶׁר־תִּשְׁלַח אֵלַי וְנִפַּצְתִּים שָׁם וְאַתָּה תִשָּׂא וְאַתָּה
תַּעֲשֶׂה אֶת־חֶפְצִי לָתֵת לֶחֶם בֵּיתִי: כד וַיְהִי חִירוֹם נֹתֵן לִשְׁלֹמֹה עֲצֵי אֲרָזִים
וַעֲצֵי בְרוֹשִׁים כׇּל־חֶפְצוֹ: כה וּשְׁלֹמֹה נָתַן לְחִירָם עֶשְׂרִים אֶלֶף כֹּר חִטִּים
מַכֹּלֶת לְבֵיתוֹ וְעֶשְׂרִים כֹּר שֶׁמֶן כָּתִית כֹּה־יִתֵּן שְׁלֹמֹה לְחִירָם שָׁנָה בְשָׁנָה:

כו וַיהֹוָה נָתַן חׇכְמָה לִשְׁלֹמֹה כַּאֲשֶׁר דִּבֶּר־לוֹ וַיְהִי שָׁלֹם בֵּין חִירָם וּבֵין
שְׁלֹמֹה וַיִּכְרְתוּ בְרִית שְׁנֵיהֶם: כז וַיַּעַל הַמֶּלֶךְ שְׁלֹמֹה מַס מִכׇּל־יִשְׂרָאֵל וַיְהִי
הַמַּס שְׁלֹשִׁים אֶלֶף אִישׁ: כח וַיִּשְׁלָחֵם לְבָנוֹנָה עֲשֶׂרֶת אֲלָפִים בַּחֹדֶשׁ
חֲלִיפוֹת חֹדֶשׁ יִהְיוּ בַלְּבָנוֹן שְׁנַיִם חֳדָשִׁים בְּבֵיתוֹ וַאֲדֹנִירָם עַל־הַמַּס:
כט וַיְהִי לִשְׁלֹמֹה שִׁבְעִים אֶלֶף נֹשֵׂא סַבָּל וּשְׁמֹנִים אֶלֶף חֹצֵב בָּהָר:

---

9 And God gave Solomon wisdom and understanding exceeding much, and largeness of heart, even as the sand that is on the sea-shore. **10** And Solomon's wisdom excelled the wisdom of all the children of the east, and all the wisdom of Egypt. **11** For he was wiser than all men: than Ethan the Ezrahite, and Heman, and Calcol, and Darda, the sons of Mahol; and his fame was in all the nations round about. **12** And he spoke three thousand proverbs; and his songs were a thousand and five. **13** And he spoke of trees, from the cedar that is in Lebanon even unto the hyssop that springeth out of the wall; he spoke also of beasts, and of fowl, and of creeping things, and of fishes. **14** And there came of all peoples to hear the wisdom of Solomon, from all kings of the earth, who had heard of his wisdom.{S} **15** And Hiram king of Tyre sent his servants unto Solomon; for he had heard that they had anointed him king in the room of his father; for Hiram was ever a lover of David.{S} **16** And Solomon sent to Hiram, saying: **17** 'Thou knowest how that David my father could not build a house for the name of Yehovah his God for the wars which were about him on every side, until Yehovah put them under the soles of my feet. **18** But now Yehovah my God hath given me rest on every side; there is neither adversary, nor evil occurrence. **19** And, behold, I purpose to build a house for the name of Yehovah my God, as Yehovah spoke unto David my father, saying: Thy son, whom I will set upon thy throne in thy room, he shall build the house for My name. **20** Now therefore command thou that they hew me cedar-trees out of Lebanon; and my servants shall be with thy servants; and I will give thee hire for thy servants according to all that thou shalt say; for thou knowest that there is not among us any that hath skill to hew timber like unto the Zidonians.' **21** And it came to pass, when Hiram heard the words of Solomon, that he rejoiced greatly, and said: 'Blessed be Yehovah this day, who hath given unto David a wise son over this great people.' **22** And Hiram sent to Solomon, saying: 'I have heard that which thou hast sent unto me; I will do all thy desire concerning timber of cedar, and concerning timber of cypress. **23** My servants shall bring them down from Lebanon unto the sea; and I will make them into rafts to go by sea unto the place that thou shalt appoint me, and will cause them to be broken up there, and thou shalt receive them; and thou shalt accomplish my desire, in giving food for my household.' **24** So Hiram gave Solomon timber of cedar and timber of cypress according to all his desire. **25** And Solomon gave Hiram twenty thousand measures of wheat for food to his household, and twenty measures of beaten oil; thus gave Solomon to Hiram year by year.{P}

26 And Yehovah gave Solomon wisdom, as He promised him; and there was peace between Hiram and Solomon; and they two made a league together. **27** And king Solomon raised a levy out of all Israel; and the levy was thirty thousand men. **28** And he sent them to Lebanon, ten thousand a month by courses: a month they were in Lebanon, and two months at home; and Adoniram was over the levy.{S} **29** And Solomon had threescore and ten thousand that bore burdens, and fourscore thousand that were hewers in the mountains;

ל לְבַד מִשָּׂרֵי הַנִּצָּבִים לִשְׁלֹמֹה אֲשֶׁר עַל־הַמְּלָאכָה שְׁלֹשֶׁת אֲלָפִים וּשְׁלֹשׁ
מֵאוֹת הָרֹדִים בָּעָם הָעֹשִׂים בַּמְּלָאכָה׃ לא וַיְצַו הַמֶּלֶךְ וַיַּסִּעוּ אֲבָנִים גְּדֹלוֹת
אֲבָנִים יְקָרוֹת לְיַסֵּד הַבָּיִת אַבְנֵי גָזִית׃ לב וַיִּפְסְלוּ בֹּנֵי שְׁלֹמֹה וּבֹנֵי חִירוֹם
וְהַגִּבְלִים וַיָּכִינוּ הָעֵצִים וְהָאֲבָנִים לִבְנוֹת הַבָּיִת׃

ו א וַיְהִי בִשְׁמוֹנִים שָׁנָה וְאַרְבַּע מֵאוֹת שָׁנָה לְצֵאת בְּנֵי־יִשְׂרָאֵל מֵאֶרֶץ־מִצְרַיִם
בַּשָּׁנָה הָרְבִיעִית בְּחֹדֶשׁ זִו הוּא הַחֹדֶשׁ הַשֵּׁנִי לִמְלֹךְ שְׁלֹמֹה עַל־יִשְׂרָאֵל וַיִּבֶן
הַבַּיִת לַיהוָה׃ ב וְהַבַּיִת אֲשֶׁר בָּנָה הַמֶּלֶךְ שְׁלֹמֹה לַיהוָה שִׁשִּׁים־אַמָּה אָרְכּוֹ
וְעֶשְׂרִים רָחְבּוֹ וּשְׁלֹשִׁים אַמָּה קוֹמָתוֹ׃ ג וְהָאוּלָם עַל־פְּנֵי הֵיכַל הַבַּיִת עֶשְׂרִים
אַמָּה אָרְכּוֹ עַל־פְּנֵי רֹחַב הַבָּיִת עֶשֶׂר בָּאַמָּה רָחְבּוֹ עַל־פְּנֵי הַבָּיִת׃ ד וַיַּעַשׂ
לַבָּיִת חַלּוֹנֵי שְׁקֻפִים אֲטֻמִים׃ ה וַיִּבֶן עַל־קִיר הַבַּיִת יָצִיעַ[7] סָבִיב אֶת־קִירוֹת
הַבַּיִת סָבִיב לַהֵיכָל וְלַדְּבִיר וַיַּעַשׂ צְלָעוֹת סָבִיב׃ ו הַיָּצִיעַ[8] הַתַּחְתֹּנָה חָמֵשׁ
בָּאַמָּה רָחְבָּהּ וְהַתִּיכֹנָה שֵׁשׁ בָּאַמָּה רָחְבָּהּ וְהַשְּׁלִישִׁית שֶׁבַע בָּאַמָּה רָחְבָּהּ כִּי
מִגְרָעוֹת נָתַן לַבַּיִת סָבִיב חוּצָה לְבִלְתִּי אֲחֹז בְּקִירוֹת־הַבָּיִת׃ ז וְהַבַּיִת
בְּהִבָּנֹתוֹ אֶבֶן־שְׁלֵמָה מַסָּע נִבְנָה וּמַקָּבוֹת וְהַגַּרְזֶן כָּל־כְּלִי בַרְזֶל לֹא־נִשְׁמַע
בַּבַּיִת בְּהִבָּנֹתוֹ׃ ח פֶּתַח הַצֵּלָע הַתִּיכֹנָה אֶל־כֶּתֶף הַבַּיִת הַיְמָנִית וּבְלוּלִּים
יַעֲלוּ עַל־הַתִּיכֹנָה וּמִן־הַתִּיכֹנָה אֶל־הַשְּׁלִשִׁים׃ ט וַיִּבֶן אֶת־הַבַּיִת וַיְכַלֵּהוּ
וַיִּסְפֹּן אֶת־הַבַּיִת גֵּבִים וּשְׂדֵרֹת בָּאֲרָזִים׃ י וַיִּבֶן אֶת־הַיָּצִיעַ[9] עַל־כָּל־הַבַּיִת
חָמֵשׁ אַמּוֹת קוֹמָתוֹ וַיֶּאֱחֹז אֶת־הַבַּיִת בַּעֲצֵי אֲרָזִים׃

יא וַיְהִי דְּבַר־יְהוָה אֶל־שְׁלֹמֹה לֵאמֹר׃ יב הַבַּיִת הַזֶּה אֲשֶׁר־אַתָּה בֹנֶה
אִם־תֵּלֵךְ בְּחֻקֹּתַי וְאֶת־מִשְׁפָּטַי תַּעֲשֶׂה וְשָׁמַרְתָּ אֶת־כָּל־מִצְוֹתַי לָלֶכֶת בָּהֶם
וַהֲקִמֹתִי אֶת־דְּבָרִי אִתָּךְ אֲשֶׁר דִּבַּרְתִּי אֶל־דָּוִד אָבִיךָ׃ יג וְשָׁכַנְתִּי בְּתוֹךְ בְּנֵי
יִשְׂרָאֵל וְלֹא אֶעֱזֹב אֶת־עַמִּי יִשְׂרָאֵל׃ יד וַיִּבֶן שְׁלֹמֹה אֶת־הַבַּיִת וַיְכַלֵּהוּ׃
טו וַיִּבֶן אֶת־קִירוֹת הַבַּיִת מִבַּיְתָה בְּצַלְעוֹת אֲרָזִים מִקַּרְקַע הַבַּיִת עַד־קִירוֹת
הַסִּפֻּן צִפָּה עֵץ מִבָּיִת וַיְצַף אֶת־קַרְקַע הַבַּיִת בְּצַלְעוֹת בְּרוֹשִׁים׃ טז וַיִּבֶן
אֶת־עֶשְׂרִים אַמָּה מִיַּרְכְּתֵי[10] הַבַּיִת בְּצַלְעוֹת אֲרָזִים מִן־הַקַּרְקַע עַד־הַקִּירוֹת
וַיִּבֶן לוֹ מִבַּיִת לִדְבִיר לְקֹדֶשׁ הַקֳּדָשִׁים׃ יז וְאַרְבָּעִים בָּאַמָּה הָיָה הַבָּיִת הוּא
הַהֵיכָל לִפְנָי׃ יח וְאֶרֶז אֶל־הַבַּיִת פְּנִימָה מִקְלַעַת פְּקָעִים וּפְטוּרֵי צִצִּים הַכֹּל
אֶרֶז אֵין אֶבֶן נִרְאָה׃

---

[7] יצוע
[8] היצוע
[9] היצוע
[10] מירכותי

<u>30</u> besides Solomon's chief officers that were over the work, three thousand and three hundred, who bore rule over the people that wrought in the work.{S} <u>31</u> And the king commanded, and they quarried great stones, costly stones, to lay the foundation of the house with hewn stone. <u>32</u> And Solomon's builders and Hiram's builders and the Gebalites did fashion them, and prepared the timber and the stones to build the house.{P}

6 <u>1</u> And it came to pass in the four hundred and eightieth year after the children of Israel were come out of the land of Egypt, in the fourth year of Solomon's reign over Israel, in the month Ziv, which is the second month, that he began to build the house of Yehovah. <u>2</u> And the house which king Solomon built for Yehovah, the length thereof was threescore cubits, and the breadth thereof twenty cubits, and the height thereof thirty cubits. <u>3</u> And the porch before the temple of the house, twenty cubits was the length thereof, according to the breadth of the house; and ten cubits was the breadth thereof before the house. <u>4</u> And for the house he made windows broad within, and narrow without. <u>5</u> And against the wall of the house he built a side-structure round about, against the walls of the house round about, both of the temple and of the sanctuary; and he made side-chambers round about; <u>6</u> the nethermost story of the side-structure was five cubits broad, and the middle was six cubits broad, and the third was seven cubits broad; for on the outside he made rebatements in the wall of the house round about, that the beams should not have hold in the walls of the house.– <u>7</u> For the house, when it was in building, was built of stone made ready at the quarry; and there was neither hammer nor axe nor any tool of iron heard in the house, while it was in building.– <u>8</u> The door for the lowest row of chambers was in the right side of the house and they went up by winding stairs into the middle row, and out of the middle into the third. <u>9</u> So he built the house, and finished it; and he covered in the house with planks of cedar over beams. <u>10</u> And he built the stories of the side-structure against all the house, each five cubits high; and they rested on the house with timber of cedar.{P}

<u>11</u> And the word of Yehovah came to Solomon, saying: <u>12</u> 'As for this house which thou art building, if thou wilt walk in My statutes, and execute Mine ordinances, and keep all My commandments to walk in them; then will I establish My word with thee, which I spoke unto David thy father; <u>13</u> in that I will dwell therein among the children of Israel, and will not forsake My people Israel.'{P}

<u>14</u> So Solomon built the house, and finished it. <u>15</u> And he built the walls of the house within with boards of cedar; from the floor of the house unto the joists of the ceiling, he covered them on the inside with wood; and he covered the floor of the house with boards of cypress. <u>16</u> And he built twenty cubits on the hinder part of the house with boards of cedar from the floor unto the joists; he even built them for himself within, for a Sanctuary, even for the most holy place. <u>17</u> And the house, that is, the temple before [the Sanctuary], was forty cubits long. <u>18</u> And the cedar on the house within was carved with knops and open flowers; all was cedar; there was no stone seen.

יט וּדְבִיר בְּתוֹךְ־הַבַּיִת מִפְּנִימָה הֵכִין לְתִתֵּן שָׁם אֶת־אֲרוֹן בְּרִית יְהוָה׃
כ וְלִפְנֵי הַדְּבִיר עֶשְׂרִים אַמָּה אֹרֶךְ וְעֶשְׂרִים אַמָּה רֹחַב וְעֶשְׂרִים אַמָּה קוֹמָתוֹ
וַיְצַפֵּהוּ זָהָב סָגוּר וַיְצַף מִזְבֵּחַ אָרֶז׃ כא וַיְצַף שְׁלֹמֹה אֶת־הַבַּיִת מִפְּנִימָה זָהָב
סָגוּר וַיְעַבֵּר בְּרַתּוּקוֹת[11] זָהָב לִפְנֵי הַדְּבִיר וַיְצַפֵּהוּ זָהָב׃ כב וְאֶת־כָּל־הַבַּיִת
צִפָּה זָהָב עַד־תֹּם כָּל־הַבָּיִת וְכָל־הַמִּזְבֵּחַ אֲשֶׁר־לַדְּבִיר צִפָּה זָהָב׃ כג וַיַּעַשׂ
בַּדְּבִיר שְׁנֵי כְרוּבִים עֲצֵי־שָׁמֶן עֶשֶׂר אַמּוֹת קוֹמָתוֹ׃ כד וְחָמֵשׁ אַמּוֹת כְּנַף
הַכְּרוּב הָאֶחָת וְחָמֵשׁ אַמּוֹת כְּנַף הַכְּרוּב הַשֵּׁנִית עֶשֶׂר אַמּוֹת מִקְצוֹת כְּנָפָיו
וְעַד־קְצוֹת כְּנָפָיו׃ כה וְעֶשֶׂר בָּאַמָּה הַכְּרוּב הַשֵּׁנִי מִדָּה אַחַת וְקֶצֶב אֶחָד
לִשְׁנֵי הַכְּרֻבִים׃ כו קוֹמַת הַכְּרוּב הָאֶחָד עֶשֶׂר בָּאַמָּה וְכֵן הַכְּרוּב הַשֵּׁנִי׃
כז וַיִּתֵּן אֶת־הַכְּרוּבִים בְּתוֹךְ ׀ הַבַּיִת הַפְּנִימִי וַיִּפְרְשׂוּ אֶת־כַּנְפֵי הַכְּרֻבִים וַתִּגַּע
כְּנַף־הָאֶחָד בַּקִּיר וּכְנַף הַכְּרוּב הַשֵּׁנִי נֹגַעַת בַּקִּיר הַשֵּׁנִי וְכַנְפֵיהֶם אֶל־תּוֹךְ
הַבַּיִת נֹגְעֹת כָּנָף אֶל־כָּנָף׃ כח וַיְצַף אֶת־הַכְּרוּבִים זָהָב׃ כט וְאֵת כָּל־קִירוֹת
הַבַּיִת מֵסַב ׀ קָלַע פִּתּוּחֵי מִקְלְעוֹת כְּרוּבִים וְתִמֹרֹת וּפְטוּרֵי צִצִּים מִלִּפְנִים
וְלַחִיצוֹן׃ ל וְאֶת־קַרְקַע הַבַּיִת צִפָּה זָהָב לִפְנִימָה וְלַחִיצוֹן׃ לא וְאֵת פֶּתַח
הַדְּבִיר עָשָׂה דַּלְתוֹת עֲצֵי־שָׁמֶן הָאַיִל מְזוּזוֹת חֲמִשִׁית׃ לב וּשְׁתֵּי דַּלְתוֹת
עֲצֵי־שֶׁמֶן וְקָלַע עֲלֵיהֶם מִקְלְעוֹת כְּרוּבִים וְתִמֹרוֹת וּפְטוּרֵי צִצִּים וְצִפָּה זָהָב
וַיָּרֶד עַל־הַכְּרוּבִים וְעַל־הַתִּמֹרוֹת אֶת־הַזָּהָב׃ לג וְכֵן עָשָׂה לְפֶתַח הַהֵיכָל
מְזוּזוֹת עֲצֵי־שָׁמֶן מֵאֵת רְבִעִית׃ לד וּשְׁתֵּי דַלְתוֹת עֲצֵי בְרוֹשִׁים שְׁנֵי צְלָעִים
הַדֶּלֶת הָאַחַת גְּלִילִים וּשְׁנֵי קְלָעִים הַדֶּלֶת הַשֵּׁנִית גְּלִילִים׃ לה וְקָלַע כְּרוּבִים
וְתִמֹרוֹת וּפְטֻרֵי צִצִּים וְצִפָּה זָהָב מְיֻשָּׁר עַל־הַמְּחֻקֶּה׃ לו וַיִּבֶן אֶת־הֶחָצֵר
הַפְּנִימִית שְׁלֹשָׁה טוּרֵי גָזִית וְטוּר כְּרֻתֹת אֲרָזִים׃ לז בַּשָּׁנָה הָרְבִיעִית יֻסַּד
בֵּית יְהוָה בְּיֶרַח זִו׃ לח וּבַשָּׁנָה הָאַחַת עֶשְׂרֵה בְּיֶרַח בּוּל הוּא הַחֹדֶשׁ הַשְּׁמִינִי
כָּלָה הַבַּיִת לְכָל־דְּבָרָיו וּלְכָל־מִשְׁפָּטָיו[12] וַיִּבְנֵהוּ שֶׁבַע שָׁנִים׃

ז א וְאֶת־בֵּיתוֹ בָּנָה שְׁלֹמֹה שְׁלֹשׁ עֶשְׂרֵה שָׁנָה וַיְכַל אֶת־כָּל־בֵּיתוֹ׃ ב וַיִּבֶן
אֶת־בֵּית ׀ יַעַר הַלְּבָנוֹן מֵאָה אַמָּה אָרְכּוֹ וַחֲמִשִּׁים אַמָּה רָחְבּוֹ וּשְׁלֹשִׁים אַמָּה
קוֹמָתוֹ עַל אַרְבָּעָה טוּרֵי עַמּוּדֵי אֲרָזִים וּכְרֻתוֹת אֲרָזִים עַל־הָעַמּוּדִים׃
ג וְסָפֻן בָּאֶרֶז מִמַּעַל עַל־הַצְּלָעֹת אֲשֶׁר עַל־הָעַמּוּדִים אַרְבָּעִים וַחֲמִשָּׁה
חֲמִשָּׁה עָשָׂר הַטּוּר׃ ד וּשְׁקֻפִים שְׁלֹשָׁה טוּרִים וּמֶחֱזָה אֶל־מֶחֱזָה שָׁלֹשׁ
פְּעָמִים׃ ה וְכָל־הַפְּתָחִים וְהַמְּזוּזֹת רְבֻעִים שָׁקֶף וּמוּל מֶחֱזָה אֶל־מֶחֱזָה שָׁלֹשׁ
פְּעָמִים׃

[11] ברתיקות
[12] משפטו

19 And he prepared the Sanctuary in the midst of the house within, to set there the ark of the covenant of Yehovah. **20** And before the Sanctuary which was twenty cubits in length, and twenty cubits in breadth, and twenty cubits in the height thereof, overlaid with pure gold, he set an altar, which he covered with cedar. **21** So Solomon overlaid the house within with pure gold; and he drew chains of gold across the wall before the Sanctuary; and he overlaid it with gold. **22** And the whole house he overlaid with gold, until all the house was finished; also the whole altar that belonged to the Sanctuary he overlaid with gold. **23** And in the Sanctuary he made two cherubim of olive-wood, each ten cubits high. **24** And five cubits was the one wing of the cherub, and five cubits the other wing of the cherub; from the uttermost part of the one wing unto the uttermost part of the other were ten cubits. **25** And the other cherub was ten cubits; both the cherubim were of one measure and one form. **26** The height of the one cherub was ten cubits, and so was it of the other cherub. **27** And he set the cherubim within the inner house; and the wings of the cherubim were stretched forth, so that the wing of the one touched the one wall, and the wing of the other cherub touched the other wall; and their wings touched one another in the midst of the house. **28** And he overlaid the cherubim with gold. **29** And he carved all the walls of the house round about with carved figures of cherubim and palm-trees and open flowers, within and without. **30** And the floor of the house he overlaid with gold, within and without. **31** And for the entrance of the Sanctuary he made doors of olive-wood, the door-posts within the frame having five angles. **32** And as for the two doors of olive-wood, he carved upon them carvings of cherubim and palm-trees and open flowers, and overlaid them with gold; and he spread the gold upon the cherubim, and upon the palm-trees. **33** So also made he for the entrance of the temple door-posts of olive-wood, within a frame four-square; **34** and two doors of cypress-wood; the two leaves of the one door were folding, and the two leaves of the other door were folding. **35** And he carved thereon cherubim and palm-trees and open flowers; and he overlaid them with gold fitted upon the graven work. **36** And he built the inner court with three rows of hewn stone, and a row of cedar beams. **37** In the fourth year was the foundation of the house of Yehovah laid, in the month Ziv. **38** And in the eleventh year, in the month Bul, which is the eighth month, was the house finished throughout all the parts thereof, and according to all the fashion of it. So was he seven years in building it.

7 1 And Solomon was building his own house thirteen years, and he finished all his house. **2** For he built the house of the forest of Lebanon: the length thereof was a hundred cubits, and the breadth thereof fifty cubits, and the height thereof thirty cubits, upon four rows of cedar pillars, with cedar beams upon the pillars. **3** And it was covered with cedar above upon the side-chambers, that lay on forty and five pillars, fifteen in a row. **4** And there were beams in three rows; and light was over against light in three ranks. **5** And all the doors with their posts were square in the frame; and light was over against light in three ranks.

ו וְאֵת אוּלָם הָעַמּוּדִים עָשָׂה חֲמִשִּׁים אַמָּה אָרְכּוֹ וּשְׁלֹשִׁים אַמָּה רָחְבּוֹ וְאוּלָם
עַל־פְּנֵיהֶם וְעַמֻּדִים וְעָב עַל־פְּנֵיהֶם: ז וְאוּלָם הַכִּסֵּא אֲשֶׁר יִשְׁפָּט־שָׁם אֻלָם
הַמִּשְׁפָּט עָשָׂה וְסָפוּן בָּאֶרֶז מֵהַקַּרְקַע עַד־הַקַּרְקַע: ח וּבֵיתוֹ אֲשֶׁר־יֵשֶׁב שָׁם חָצֵר
הָאַחֶרֶת מִבֵּית לָאוּלָם כַּמַּעֲשֶׂה הַזֶּה הָיָה וּבַיִת יַעֲשֶׂה לְבַת־פַּרְעֹה אֲשֶׁר לָקַח
שְׁלֹמֹה כָּאוּלָם הַזֶּה: ט כָּל־אֵלֶּה אֲבָנִים יְקָרֹת כְּמִדֹּת גָּזִית מְגֹרָרוֹת בַּמְּגֵרָה
מִבַּיִת וּמִחוּץ וּמִמַּסָּד עַד־הַטְּפָחוֹת וּמִחוּץ עַד־הֶחָצֵר הַגְּדוֹלָה: י וּמְיֻסָּד אֲבָנִים
יְקָרוֹת אֲבָנִים גְּדֹלוֹת אַבְנֵי עֶשֶׂר אַמּוֹת וְאַבְנֵי שְׁמֹנֶה אַמּוֹת: יא וּמִלְמַעְלָה
אֲבָנִים יְקָרוֹת כְּמִדּוֹת גָּזִית וָאָרֶז: יב וְחָצֵר הַגְּדוֹלָה סָבִיב שְׁלֹשָׁה טוּרִים גָּזִית
וְטוּר כְּרֻתֹת אֲרָזִים וְלַחֲצַר בֵּית־יְהוָה הַפְּנִימִית וּלְאֻלָם הַבָּיִת:

יג וַיִּשְׁלַח הַמֶּלֶךְ שְׁלֹמֹה וַיִּקַּח אֶת־חִירָם מִצֹּר: יד בֶּן־אִשָּׁה אַלְמָנָה הוּא מִמַּטֵּה
נַפְתָּלִי וְאָבִיו אִישׁ־צֹרִי חֹרֵשׁ נְחֹשֶׁת וַיִּמָּלֵא אֶת־הַחָכְמָה וְאֶת־הַתְּבוּנָה
וְאֶת־הַדַּעַת לַעֲשׂוֹת כָּל־מְלָאכָה בַּנְּחֹשֶׁת וַיָּבוֹא אֶל־הַמֶּלֶךְ שְׁלֹמֹה וַיַּעַשׂ
אֶת־כָּל־מְלַאכְתּוֹ: טו וַיָּצַר אֶת־שְׁנֵי הָעַמּוּדִים נְחֹשֶׁת שְׁמֹנֶה עֶשְׂרֵה אַמָּה קוֹמַת
הָעַמּוּד הָאֶחָד וְחוּט שְׁתֵּים־עֶשְׂרֵה אַמָּה יָסֹב אֶת־הָעַמּוּד הַשֵּׁנִי: טז וּשְׁתֵּי כֹתָרֹת
עָשָׂה לָתֵת עַל־רָאשֵׁי הָעַמּוּדִים מֻצַק נְחֹשֶׁת חָמֵשׁ אַמּוֹת קוֹמַת הַכֹּתֶרֶת הָאֶחָת
וְחָמֵשׁ אַמּוֹת קוֹמַת הַכֹּתֶרֶת הַשֵּׁנִית: יז שְׂבָכִים מַעֲשֵׂה שְׂבָכָה גְּדִלִים מַעֲשֵׂה
שַׁרְשְׁרוֹת לַכֹּתָרֹת אֲשֶׁר עַל־רֹאשׁ הָעַמּוּדִים שִׁבְעָה לַכֹּתֶרֶת הָאֶחָת וְשִׁבְעָה
לַכֹּתֶרֶת הַשֵּׁנִית: יח וַיַּעַשׂ אֶת־הָעַמּוּדִים וּשְׁנֵי טוּרִים סָבִיב עַל־הַשְּׂבָכָה הָאֶחָת
לְכַסּוֹת אֶת־הַכֹּתָרֹת אֲשֶׁר עַל־רֹאשׁ הָרִמֹּנִים וְכֵן עָשָׂה לַכֹּתֶרֶת הַשֵּׁנִית:
יט וְכֹתָרֹת אֲשֶׁר עַל־רֹאשׁ הָעַמּוּדִים מַעֲשֵׂה שׁוּשַׁן בָּאוּלָם אַרְבַּע אַמּוֹת:
כ וְכֹתָרֹת עַל־שְׁנֵי הָעַמּוּדִים גַּם־מִמַּעַל מִלְּעֻמַּת הַבֶּטֶן אֲשֶׁר לְעֵבֶר
הַשְּׂבָכָה[13] וְהָרִמּוֹנִים מָאתַיִם טֻרִים סָבִיב עַל הַכֹּתֶרֶת הַשֵּׁנִית: כא וַיָּקֶם
אֶת־הָעַמֻּדִים לְאֻלָם הַהֵיכָל וַיָּקֶם אֶת־הָעַמּוּד הַיְמָנִי וַיִּקְרָא אֶת־שְׁמוֹ יָכִין וַיָּקֶם
אֶת־הָעַמּוּד הַשְּׂמָאלִי וַיִּקְרָא אֶת־שְׁמוֹ בֹּעַז: כב וְעַל רֹאשׁ הָעַמּוּדִים מַעֲשֵׂה
שׁוֹשָׁן וַתִּתֹּם מְלֶאכֶת הָעַמּוּדִים: כג וַיַּעַשׂ אֶת־הַיָּם מוּצָק עֶשֶׂר בָּאַמָּה מִשְּׂפָתוֹ
עַד־שְׂפָתוֹ עָגֹל ׀ סָבִיב וְחָמֵשׁ בָּאַמָּה קוֹמָתוֹ וְקָו[14] שְׁלֹשִׁים בָּאַמָּה יָסֹב אֹתוֹ
סָבִיב: כד וּפְקָעִים מִתַּחַת לִשְׂפָתוֹ ׀ סָבִיב סֹבְבִים אֹתוֹ עֶשֶׂר בָּאַמָּה מַקִּפִים
אֶת־הַיָּם סָבִיב שְׁנֵי טוּרִים הַפְּקָעִים יְצֻקִים בִּיצֻקָתוֹ: כה עֹמֵד עַל־שְׁנֵי עָשָׂר
בָּקָר שְׁלֹשָׁה פֹנִים ׀ צָפוֹנָה וּשְׁלֹשָׁה פֹנִים ׀ יָמָּה וּשְׁלֹשָׁה ׀ פֹּנִים נֶגְבָּה וּשְׁלֹשָׁה
פֹּנִים מִזְרָחָה וְהַיָּם עֲלֵיהֶם מִלְמָעְלָה וְכָל־אֲחֹרֵיהֶם בָּיְתָה:

[13] שבכה
[14] וקוה

6 And he made the porch of pillars: the length thereof was fifty cubits, and the breadth thereof thirty cubits; and a porch before them; and pillars and thick beams before them. **7** And he made the porch of the throne where he might judge, even the porch of judgment; and it was covered with cedar from floor to floor. **8** And his house where he might dwell, in the other court, within the porch, was of the like work. He made also a house for Pharaoh's daughter, whom Solomon had taken to wife, like unto this porch. **9** All these were of costly stones, according to the measures of hewn stones, sawed with saws, within and without, even from the foundation unto the coping, and so on the outside unto the great court. **10** And the foundation was of costly stones, even great stones, stones of ten cubits, and stones of eight cubits. **11** And above were costly stones, after the measure of hewn stones, and cedar-wood. **12** And the great court round about had three rows of hewn stone, and a row of cedar beams, like as the inner court of the house of Yehovah, and the court of the porch of the house.{P}

13 And king Solomon sent and fetched Hiram out of Tyre. **14** He was the son of a widow of the tribe of Naphtali, and his father was a man of Tyre, a worker in brass; and he was filled with wisdom and understanding and skill, to work all works in brass. And he came to king Solomon, and wrought all his work. **15** Thus he fashioned the two pillars of brass, of eighteen cubits high each; and a line of twelve cubits did compass it about; [and so] the other pillar. **16** And he made two capitals of molten brass, to set upon the tops of the pillars; the height of the one capital was five cubits, and the height of the other capital was five cubits. **17** He also made nets of checker-work, and wreaths of chain-work, for the capitals which were upon the top of the pillars: seven for the one capital, and seven for the other capital. **18** And he made the pillars; and there were two rows round about upon the one network, to cover the capitals that were upon the top of the pomegranates; and so did he for the other capital. **19** And the capitals that were upon the top of the pillars in the porch were of lily-work, four cubits. **20** And there were capitals above also upon the two pillars, close by the belly which was beside the network; and the pomegranates were two hundred, in rows round about upon each capital. **21** And he set up the pillars at the porch of the temple; and he set up the right pillar, and called the name thereof Jachin; and he set up the left pillar, and called the name thereof Boaz. **22** And upon the top of the pillars was lily-work; so was the work of the pillars finished. **23** And he made the molten sea of ten cubits from brim to brim, round in compass, and the height thereof was five cubits; and a line of thirty cubits did compass it round about. **24** And under the brim of it round about there were knops which did compass it, for ten cubits, compassing the sea round about; the knops were in two rows, cast when it was cast. **25** It stood upon twelve oxen, three looking toward the north, and three looking toward the west, and three looking toward the south, and three looking toward the east; and the sea was set upon them above, and all their hinder parts were inward.

כו וְעָבְיוֹ טֶפַח וּשְׂפָתוֹ כְּמַעֲשֵׂה שְׂפַת־כּוֹס פֶּרַח שׁוֹשָׁן אַלְפַּיִם בַּת יָכִיל׃

כז וַיַּעַשׂ אֶת־הַמְּכֹנוֹת עֶשֶׂר נְחֹשֶׁת אַרְבַּע בָּאַמָּה אֹרֶךְ הַמְּכוֹנָה הָאֶחָת וְאַרְבַּע
בָּאַמָּה רָחְבָּהּ וְשָׁלֹשׁ בָּאַמָּה קוֹמָתָהּ׃ כח וְזֶה מַעֲשֵׂה הַמְּכוֹנָה מִסְגְּרֹת לָהֶם
וּמִסְגְּרֹת בֵּין הַשְׁלַבִּים׃ כט וְעַל־הַמִּסְגְּרוֹת אֲשֶׁר ׀ בֵּין הַשְׁלַבִּים אֲרָיוֹת ׀ בָּקָר
וּכְרוּבִים וְעַל־הַשְׁלַבִּים כֵּן מִמָּעַל וּמִתַּחַת לַאֲרָיוֹת וְלַבָּקָר לֹיוֹת מַעֲשֵׂה מוֹרָד׃
ל וְאַרְבָּעָה אוֹפַנֵּי נְחֹשֶׁת לַמְּכוֹנָה הָאַחַת וְסַרְנֵי נְחֹשֶׁת וְאַרְבָּעָה פַעֲמֹתָיו כְּתֵפֹת
לָהֶם מִתַּחַת לַכִּיֹּר הַכְּתֵפֹת יְצֻקוֹת מֵעֵבֶר אִישׁ לֹיוֹת׃ לא וּפִיהוּ מִבֵּית לַכֹּתֶרֶת
וָמַעְלָה בָּאַמָּה וּפִיהָ עָגֹל מַעֲשֵׂה־כֵן אַמָּה וַחֲצִי הָאַמָּה וְגַם־עַל־פִּיהָ מִקְלָעוֹת
וּמִסְגְּרֹתֵיהֶם מְרֻבָּעוֹת לֹא עֲגֻלּוֹת׃ לב וְאַרְבַּעַת הָאוֹפַנִּים לְמִתַּחַת לַמִּסְגְּרוֹת
וִידוֹת הָאוֹפַנִּים בַּמְּכוֹנָה וְקוֹמַת הָאוֹפַן הָאֶחָד אַמָּה וַחֲצִי הָאַמָּה׃ לג וּמַעֲשֵׂה
הָאוֹפַנִּים כְּמַעֲשֵׂה אוֹפַן הַמֶּרְכָּבָה יְדוֹתָם וְגַבֵּיהֶם וְחִשֻּׁקֵיהֶם וְחִשֻּׁרֵיהֶם הַכֹּל
מוּצָק׃ לד וְאַרְבַּע כְּתֵפוֹת אֶל אַרְבַּע פִּנּוֹת הַמְּכֹנָה הָאֶחָת מִן־הַמְּכֹנָה כְּתֵפֶיהָ׃
לה וּבְרֹאשׁ הַמְּכוֹנָה חֲצִי הָאַמָּה קוֹמָה עָגֹל ׀ סָבִיב וְעַל רֹאשׁ הַמְּכֹנָה יְדֹתֶיהָ
וּמִסְגְּרֹתֶיהָ מִמֶּנָּה׃ לו וַיְפַתַּח עַל־הַלֻּחֹת יְדֹתֶיהָ וְעַל מִסְגְּרֹתֶיהָ[15] כְּרוּבִים אֲרָיוֹת
וְתִמֹרֹת כְּמַעַר־אִישׁ וְלֹיוֹת סָבִיב׃ לז כָּזֹאת עָשָׂה אֵת עֶשֶׂר הַמְּכֹנוֹת מוּצָק אֶחָד
מִדָּה אַחַת קֶצֶב אֶחָד לְכֻלָּהְנָה׃ לח וַיַּעַשׂ עֲשָׂרָה כִיֹּרוֹת נְחֹשֶׁת אַרְבָּעִים בַּת
יָכִיל ׀ הַכִּיּוֹר הָאֶחָד אַרְבַּע בָּאַמָּה הַכִּיּוֹר הָאֶחָד כִּיּוֹר אֶחָד עַל־הַמְּכוֹנָה
הָאַחַת לְעֶשֶׂר הַמְּכֹנוֹת׃ לט וַיִּתֵּן אֶת־הַמְּכֹנוֹת חָמֵשׁ עַל־כֶּתֶף הַבַּיִת מִיָּמִין
וְחָמֵשׁ עַל־כֶּתֶף הַבַּיִת מִשְּׂמֹאלוֹ וְאֶת־הַיָּם נָתַן מִכֶּתֶף הַבַּיִת הַיְמָנִית קֵדְמָה
מִמּוּל נֶגֶב׃ מ וַיַּעַשׂ חִירוֹם אֶת־הַכִּיֹּרוֹת וְאֶת־הַיָּעִים וְאֶת־הַמִּזְרָקוֹת וַיְכַל חִירָם
לַעֲשׂוֹת אֶת־כָּל־הַמְּלָאכָה אֲשֶׁר עָשָׂה לַמֶּלֶךְ שְׁלֹמֹה בֵּית יְהוָה׃ מא עַמֻּדִים
שְׁנַיִם וְגֻלֹּת הַכֹּתָרֹת אֲשֶׁר־עַל־רֹאשׁ הָעַמֻּדִים שְׁתָּיִם וְהַשְּׂבָכוֹת שְׁתַּיִם לְכַסּוֹת
אֶת־שְׁתֵּי גֻּלֹּת הַכֹּתָרֹת אֲשֶׁר עַל־רֹאשׁ הָעַמּוּדִים׃ מב וְאֶת־הָרִמֹּנִים אַרְבַּע
מֵאוֹת לִשְׁתֵּי הַשְּׂבָכוֹת שְׁנֵי־טוּרִים רִמֹּנִים לַשְּׂבָכָה הָאֶחָת לְכַסּוֹת אֶת־שְׁתֵּי גֻּלֹּת
הַכֹּתָרֹת אֲשֶׁר עַל־פְּנֵי הָעַמּוּדִים׃ מג וְאֶת־הַמְּכֹנוֹת עָשֶׂר וְאֶת־הַכִּיֹּרֹת עֲשָׂרָה
עַל־הַמְּכֹנוֹת׃ מד וְאֶת־הַיָּם הָאֶחָד וְאֶת־הַבָּקָר שְׁנֵים־עָשָׂר תַּחַת הַיָּם׃
מה וְאֶת־הַסִּירוֹת וְאֶת־הַיָּעִים וְאֶת־הַמִּזְרָקוֹת וְאֵת כָּל־הַכֵּלִים הָאֵלֶּה[16] אֲשֶׁר
עָשָׂה חִירָם לַמֶּלֶךְ שְׁלֹמֹה בֵּית יְהוָה נְחֹשֶׁת מְמֹרָט׃ מו בְּכִכַּר הַיַּרְדֵּן יְצָקָם
הַמֶּלֶךְ בְּמַעֲבֵה הָאֲדָמָה בֵּין סֻכּוֹת וּבֵין צָרְתָן׃ מז וַיַּנַּח שְׁלֹמֹה אֶת־כָּל־הַכֵּלִים
מֵרֹב מְאֹד מְאֹד לֹא נֶחְקַר מִשְׁקַל הַנְּחֹשֶׁת׃

[15] ומסגרתיה
[16] האהל

26 And it was a hand-breadth thick; and the brim thereof was wrought like the brim of a cup, like the flower of a lily; it held two thousand baths.{P}

27 And he made the ten bases of brass; four cubits was the length of one base, and four cubits the breadth thereof, and three cubits the height of it. **28** And the work of the bases was on this manner: they had borders; and there were borders between the stays; **29** and on the borders that were between the stays were lions, oxen, and cherubim; and upon the stays it was in like manner above; and beneath the lions and oxen were wreaths of hanging work. **30** And every base had four brazen wheels, and axles of brass; and the four feet thereof had undersetters; beneath the laver were the undersetters molten, with wreaths at the side of each. **31** And the mouth of it within the crown and above was a cubit high; and the mouth thereof was round after the work of a pedestal, a cubit and a half; and also upon the mouth of it were gravings; and their borders were foursquare, not round. **32** And the four wheels were underneath the borders; and the axletrees of the wheels were in the base; and the height of a wheel was a cubit and half a cubit. **33** And the work of the wheels was like the work of a chariot wheel; their axletrees, and their felloes, and their spokes, and their naves, were all molten. **34** And there were four undersetters at the four corners of each base; the undersetters thereof were of one piece with the base itself. **35** And in the top of the base was there a round compass of half a cubit high; and on the top of the base the stays thereof and the borders thereof were of one piece therewith. **36** And on the plates of the stays thereof, and on the borders thereof, he graved cherubim, lions, and palm-trees, according to the space of each, with wreaths round about. **37** After this manner he made the ten bases; all of them had one casting, one measure, and one form.{S} **38** And he made ten lavers of brass: one laver contained forty baths; and every laver was four cubits; and upon every one of the ten bases one laver. **39** And he set the bases, five on the right side of the house, and five on the left side of the house; and he set the sea on the right side of the house eastward, toward the south.{S} **40** And Hiram made the pots, and the shovels, and the basins. So Hiram made an end of doing all the work that he wrought for king Solomon in the house of Yehovah: **41** the two pillars, and the two bowls of the capitals that were on the top of the pillars; and the two networks to cover the two bowls of the capitals that were on the top of the pillars; **42** and the four hundred pomegranates for the two networks, two rows of pomegranates for each network, to cover the two bowls of the capitals that were upon the top of the pillars; **43** and the ten bases, and the ten lavers on the bases; **44** and the one sea, and the twelve oxen under the sea; **45** and the pots, and the shovels, and the basins; even all these vessels, which Hiram made for king Solomon, in the house of Yehovah, were of burnished brass. **46** In the plain of the Jordan did the king cast them, in the clay ground between Succoth and Zarethan. **47** And Solomon left all the vessels unweighed, because they were exceeding many; the weight of the brass could not be found out.

מח וַיַּ֣עַשׂ שְׁלֹמֹ֔ה אֵ֚ת כָּל־הַכֵּלִ֔ים אֲשֶׁ֖ר בֵּ֣ית יְהֹוָ֑ה אֵ֚ת מִזְבַּ֣ח הַזָּהָ֔ב וְאֶת־הַשֻּׁלְחָ֗ן אֲשֶׁ֥ר עָלָ֛יו לֶ֥חֶם הַפָּנִ֖ים זָהָֽב: מט וְאֶת־הַמְּנֹר֗וֹת חָמֵ֣שׁ מִיָּמִ֞ין וְחָמֵ֤שׁ מִשְּׂמֹאול֙ לִפְנֵ֣י הַדְּבִ֔יר זָהָ֖ב סָג֑וּר וְהַפֶּ֧רַח וְהַנֵּרֹ֛ת וְהַמֶּלְקַחַ֖יִם זָהָֽב: נ וְ֠הַסִּפּ֠וֹת וְהַֽמְזַמְּר֧וֹת וְהַמִּזְרָק֛וֹת וְהַכַּפּ֥וֹת וְהַמַּחְתּ֖וֹת זָהָ֣ב סָג֑וּר וְהַפֹּת֡וֹת לְדַלְתוֹת֩ הַבַּ֨יִת הַפְּנִימִ֜י לְקֹ֣דֶשׁ הַקֳּדָשִׁ֗ים לְדַלְתֵ֥י הַבַּ֛יִת לַֽהֵיכָ֖ל זָהָֽב:

נא וַתִּשְׁלַם֙ כָּל־הַמְּלָאכָ֔ה אֲשֶׁ֥ר עָשָׂ֛ה הַמֶּ֥לֶךְ שְׁלֹמֹ֖ה בֵּ֣ית יְהֹוָ֑ה וַיָּבֵ֨א שְׁלֹמֹ֜ה אֶת־קׇדְשֵׁ֣י ׀ דָּוִ֣ד אָבִ֗יו אֶת־הַכֶּ֤סֶף וְאֶת־הַזָּהָב֙ וְאֶת־הַכֵּלִ֔ים נָתַ֕ן בְּאֹצְר֖וֹת בֵּ֥ית יְהֹוָֽה:

ח א אָ֣ז יַקְהֵ֣ל שְׁלֹמֹ֣ה אֶת־זִקְנֵ֣י יִשְׂרָאֵ֡ל אֶת־כָּל־רָאשֵׁ֣י הַמַּטּוֹת֩ נְשִׂיאֵ֨י הָאָב֜וֹת לִבְנֵ֣י יִשְׂרָאֵ֗ל אֶל־הַמֶּ֤לֶךְ שְׁלֹמֹה֙ יְר֣וּשָׁלָ֔͏ִם לְֽהַעֲל֞וֹת אֶת־אֲר֧וֹן בְּרִית־יְהֹוָ֛ה מֵעִ֥יר דָּוִ֖ד הִ֥יא צִיּֽוֹן: ב וַיִּקָּ֨הֲל֜וּ אֶל־הַמֶּ֤לֶךְ שְׁלֹמֹה֙ כָּל־אִ֣ישׁ יִשְׂרָאֵ֔ל בְּיֶ֥רַח הָאֵתָנִ֖ים בֶּחָ֑ג ה֖וּא הַחֹ֥דֶשׁ הַשְּׁבִיעִֽי: ג וַיָּבֹ֕אוּ כֹּ֖ל זִקְנֵ֣י יִשְׂרָאֵ֑ל וַיִּשְׂא֥וּ הַכֹּהֲנִ֖ים אֶת־הָאָרֽוֹן: ד וַֽיַּעֲל֞וּ אֶת־אֲר֤וֹן יְהֹוָה֙ וְאֶת־אֹ֣הֶל מוֹעֵ֔ד וְאֶ֨ת־כָּל־כְּלֵ֥י הַקֹּ֖דֶשׁ אֲשֶׁ֣ר בָּאֹ֑הֶל וַיַּעֲל֣וּ אֹתָ֔ם הַכֹּהֲנִ֖ים וְהַלְוִיִּֽם: ה וְהַמֶּ֣לֶךְ שְׁלֹמֹ֗ה וְכָל־עֲדַ֤ת יִשְׂרָאֵל֙ הַנּוֹעָדִ֣ים עָלָ֔יו אִתּ֖וֹ לִפְנֵ֣י הָֽאָר֑וֹן מְזַבְּחִים֙ צֹ֣אן וּבָקָ֔ר אֲשֶׁ֛ר לֹא־יִסָּפְר֥וּ וְלֹ֥א יִמָּנ֖וּ מֵרֹֽב: ו וַיָּבִ֣אוּ הַ֠כֹּהֲנִ֠ים אֶת־אֲר֨וֹן בְּרִית־יְהֹוָ֧ה אֶל־מְקוֹמ֛וֹ אֶל־דְּבִ֥יר הַבַּ֖יִת אֶל־קֹ֣דֶשׁ הַקֳּדָשִׁ֑ים אֶל־תַּ֖חַת כַּנְפֵ֥י הַכְּרוּבִֽים: ז כִּ֤י הַכְּרוּבִים֙ פֹּרְשִׂ֣ים כְּנָפַ֔יִם אֶל־מְק֖וֹם הָֽאָר֑וֹן וַיָּסֹ֧כּוּ הַכְּרֻבִ֛ים עַל־הָאָר֥וֹן וְעַל־בַּדָּ֖יו מִלְמָֽעְלָה: ח וַֽיַּאֲרִכוּ֮ הַבַּדִּים֒ וַיֵּרָאוּ֩ רָאשֵׁ֨י הַבַּדִּ֤ים מִן־הַקֹּ֙דֶשׁ֙ עַל־פְּנֵ֣י הַדְּבִ֔יר וְלֹ֥א יֵרָא֖וּ הַח֑וּצָה וַיִּ֣הְיוּ שָׁ֔ם עַ֖ד הַיּ֥וֹם הַזֶּֽה: ט אֵ֚ין בָּֽאָר֔וֹן רַ֚ק שְׁנֵ֣י לֻח֣וֹת הָאֲבָנִ֔ים אֲשֶׁ֨ר הִנִּ֥חַ שָׁ֛ם מֹשֶׁ֖ה בְּחֹרֵ֑ב אֲשֶׁ֨ר כָּרַ֤ת יְהֹוָה֙ עִם־בְּנֵ֣י יִשְׂרָאֵ֔ל בְּצֵאתָ֖ם מֵאֶ֥רֶץ מִצְרָֽיִם: י וַיְהִ֕י בְּצֵ֥את הַכֹּהֲנִ֖ים מִן־הַקֹּ֑דֶשׁ וְהֶעָנָ֥ן מָלֵ֖א אֶת־בֵּ֥ית יְהֹוָֽה: יא וְלֹֽא־יָכְל֧וּ הַכֹּהֲנִ֛ים לַעֲמֹ֥ד לְשָׁרֵ֖ת מִפְּנֵ֣י הֶֽעָנָ֑ן כִּֽי־מָלֵ֥א כְבוֹד־יְהֹוָ֖ה אֶת־בֵּ֥ית יְהֹוָֽה:

יב אָ֖ז אָמַ֣ר שְׁלֹמֹ֑ה יְהֹוָ֣ה אָמַ֔ר לִשְׁכֹּ֖ן בָּעֲרָפֶֽל: יג בָּנֹ֥ה בָנִ֛יתִי בֵּ֥ית זְבֻ֖ל לָ֑ךְ מָכ֥וֹן לְשִׁבְתְּךָ֖ עוֹלָמִֽים: יד וַיַּסֵּ֤ב הַמֶּ֙לֶךְ֙ אֶת־פָּנָ֔יו וַיְבָ֕רֶךְ אֵ֖ת כָּל־קְהַ֣ל יִשְׂרָאֵ֑ל וְכָל־קְהַ֥ל יִשְׂרָאֵ֖ל עֹמֵֽד: טו וַיֹּ֗אמֶר בָּר֤וּךְ יְהֹוָה֙ אֱלֹהֵ֣י יִשְׂרָאֵ֔ל אֲשֶׁר֙ דִּבֶּ֣ר בְּפִ֔יו אֵ֖ת דָּוִ֣ד אָבִ֑י וּבְיָד֥וֹ מִלֵּ֖א לֵאמֹֽר: טז מִן־הַיּ֗וֹם אֲשֶׁ֨ר הוֹצֵ֜אתִי אֶת־עַמִּ֣י אֶת־יִשְׂרָאֵל֮ מִמִּצְרַיִם֒ לֹֽא־בָחַ֣רְתִּי בְעִ֗יר מִכֹּל֙ שִׁבְטֵ֣י יִשְׂרָאֵ֔ל לִבְנ֣וֹת בַּ֔יִת לִהְי֥וֹת שְׁמִ֖י שָׁ֑ם וָאֶבְחַ֣ר בְּדָוִ֔ד לִֽהְי֖וֹת עַל־עַמִּ֥י יִשְׂרָאֵֽל: יז וַיְהִ֕י עִם־לְבַ֖ב דָּוִ֣ד אָבִ֑י לִבְנ֣וֹת בַּ֔יִת לְשֵׁ֥ם יְהֹוָ֖ה אֱלֹהֵ֥י יִשְׂרָאֵֽל:

48 And Solomon made all the vessels that were in the house of Yehovah: the golden altar, and the table whereupon the showbread was, of gold; **49** and the candlesticks, five on the right side, and five on the left, before the Sanctuary, of pure gold; and the flowers, and the lamps, and the tongs, of gold; **50** and the cups, and the snuffers, and the basins, and the pans, and the fire-pans, of pure gold; and the hinges, both for the doors of the inner house, the most holy place, and for the doors of the house, that is, of the temple, of gold.{P}

51 Thus all the work that king Solomon wrought in the house of Yehovah was finished. And Solomon brought in the things which David his father had dedicated, the silver, and the gold, and the vessels, and put them in the treasuries of the house of Yehovah.{P}

8 **1** Then Solomon assembled the elders of Israel, and all the heads of the tribes, the princes of the fathers' houses of the children of Israel, unto king Solomon in Yerushalam, to bring up the ark of the covenant of Yehovah out of the city of David, which is Zion. **2** And all the men of Israel assembled themselves unto king Solomon at the feast, in the month Ethanim, which is the seventh month. **3** And all the elders of Israel came, and the priests took up the ark. **4** And they brought up the ark of Yehovah, and the tent of meeting, and all the holy vessels that were in the Tent; even these did the priests and the Levites bring up. **5** And king Solomon and all the congregation of Israel, that were assembled unto him, were with him before the ark, sacrificing sheep and oxen, that could not be told nor numbered for multitude. **6** And the priests brought in the ark of the covenant of Yehovah unto its place, into the Sanctuary of the house, to the most holy place, even under the wings of the cherubim. **7** For the cherubim spread forth their wings over the place of the ark, and the cherubim covered the ark and the staves thereof above. **8** And the staves were so long that the ends of the staves were seen from the holy place, even before the Sanctuary; but they could not be seen without; and there they are unto this day. **9** There was nothing in the ark save the two tables of stone which Moses put there at Horeb, when Yehovah made a covenant with the children of Israel when they came out of the land of Egypt. **10** And it came to pass, when the priests were come out of the holy place, that the cloud filled the house of Yehovah, **11** so that the priests could not stand to minister by reason of the cloud; for the glory of Yehovah filled the house of Yehovah.{P}

12 Then spoke Solomon: Yehovah hath said that He would dwell in the thick darkness. **13** I have surely built Thee a house of habitation, a place for Thee to dwell in for ever. **14** And the king turned his face about, and blessed all the congregation of Israel; and all the congregation of Israel stood. **15** And he said: 'Blessed be Yehovah, the God of Israel, who spoke with His mouth unto David my father, and hath with His hand fulfilled it, saying: **16** Since the day that I brought forth My people Israel out of Egypt, I chose no city out of all the tribes of Israel to build a house, that My name might be there; but I chose David to be over My people Israel. **17** Now it was in the heart of David my father to build a house for the name of Yehovah, the God of Israel.

יח וַיֹּאמֶר יְהֹוָה אֶל־דָּוִד אָבִי יַעַן אֲשֶׁר הָיָה עִם־לְבָבְךָ לִבְנוֹת בַּיִת לִשְׁמִי הֱטִיבֹתָ כִּי הָיָה עִם־לְבָבֶךָ: יט רַק אַתָּה לֹא תִבְנֶה הַבָּיִת כִּי אִם־בִּנְךָ הַיֹּצֵא מֵחֲלָצֶיךָ הוּא־יִבְנֶה הַבַּיִת לִשְׁמִי: כ וַיָּקֶם יְהֹוָה אֶת־דְּבָרוֹ אֲשֶׁר דִּבֵּר וָאָקֻם תַּחַת דָּוִד אָבִי וָאֵשֵׁב עַל־כִּסֵּא יִשְׂרָאֵל כַּאֲשֶׁר דִּבֶּר יְהֹוָה וָאֶבְנֶה הַבַּיִת לְשֵׁם יְהֹוָה אֱלֹהֵי יִשְׂרָאֵל: כא וָאָשִׂם שָׁם מָקוֹם לָאָרוֹן אֲשֶׁר־שָׁם בְּרִית יְהֹוָה אֲשֶׁר כָּרַת עִם־אֲבֹתֵינוּ בְּהוֹצִיאוֹ אֹתָם מֵאֶרֶץ מִצְרָיִם: כב וַיַּעֲמֹד שְׁלֹמֹה לִפְנֵי מִזְבַּח יְהֹוָה נֶגֶד כָּל־קְהַל יִשְׂרָאֵל וַיִּפְרֹשׂ כַּפָּיו הַשָּׁמָיִם: כג וַיֹּאמַר יְהֹוָה אֱלֹהֵי יִשְׂרָאֵל אֵין־כָּמוֹךָ אֱלֹהִים בַּשָּׁמַיִם מִמַּעַל וְעַל־הָאָרֶץ מִתָּחַת שֹׁמֵר הַבְּרִית וְהַחֶסֶד לַעֲבָדֶיךָ הַהֹלְכִים לְפָנֶיךָ בְּכָל־לִבָּם: כד אֲשֶׁר שָׁמַרְתָּ לְעַבְדְּךָ דָּוִד אָבִי אֵת אֲשֶׁר־דִּבַּרְתָּ לוֹ וַתְּדַבֵּר בְּפִיךָ וּבְיָדְךָ מִלֵּאתָ כַּיּוֹם הַזֶּה: כה וְעַתָּה יְהֹוָה ׀ אֱלֹהֵי יִשְׂרָאֵל שְׁמֹר לְעַבְדְּךָ דָוִד אָבִי אֵת אֲשֶׁר דִּבַּרְתָּ לּוֹ לֵאמֹר לֹא־יִכָּרֵת לְךָ אִישׁ מִלְּפָנַי יֹשֵׁב עַל־כִּסֵּא יִשְׂרָאֵל רַק אִם־יִשְׁמְרוּ בָנֶיךָ אֶת־דַּרְכָּם לָלֶכֶת לְפָנַי כַּאֲשֶׁר הָלַכְתָּ לְפָנָי: כו וְעַתָּה אֱלֹהֵי יִשְׂרָאֵל יֵאָמֶן נָא דְבָרֶךָ[17] אֲשֶׁר דִּבַּרְתָּ לְעַבְדְּךָ דָּוִד אָבִי: כז כִּי הַאֻמְנָם יֵשֵׁב אֱלֹהִים עַל־הָאָרֶץ הִנֵּה הַשָּׁמַיִם וּשְׁמֵי הַשָּׁמַיִם לֹא יְכַלְכְּלוּךָ אַף כִּי־הַבַּיִת הַזֶּה אֲשֶׁר בָּנִיתִי: כח וּפָנִיתָ אֶל־תְּפִלַּת עַבְדְּךָ וְאֶל־תְּחִנָּתוֹ יְהֹוָה אֱלֹהָי לִשְׁמֹעַ אֶל־הָרִנָּה וְאֶל־הַתְּפִלָּה אֲשֶׁר עַבְדְּךָ מִתְפַּלֵּל לְפָנֶיךָ הַיּוֹם: כט לִהְיוֹת עֵינֶךָ פְתֻחוֹת אֶל־הַבַּיִת הַזֶּה לַיְלָה וָיוֹם אֶל־הַמָּקוֹם אֲשֶׁר אָמַרְתָּ יִהְיֶה שְׁמִי שָׁם לִשְׁמֹעַ אֶל־הַתְּפִלָּה אֲשֶׁר יִתְפַּלֵּל עַבְדְּךָ אֶל־הַמָּקוֹם הַזֶּה: ל וְשָׁמַעְתָּ אֶל־תְּחִנַּת עַבְדְּךָ וְעַמְּךָ יִשְׂרָאֵל אֲשֶׁר יִתְפַּלְלוּ אֶל־הַמָּקוֹם הַזֶּה וְאַתָּה תִּשְׁמַע אֶל־מְקוֹם שִׁבְתְּךָ אֶל־הַשָּׁמַיִם וְשָׁמַעְתָּ וְסָלָחְתָּ: לא אֵת אֲשֶׁר יֶחֱטָא אִישׁ לְרֵעֵהוּ וְנָשָׁא־בוֹ אָלָה לְהַאֲלֹתוֹ וּבָא אָלָה לִפְנֵי מִזְבַּחֲךָ בַּבַּיִת הַזֶּה: לב וְאַתָּה ׀ תִּשְׁמַע הַשָּׁמַיִם וְעָשִׂיתָ וְשָׁפַטְתָּ אֶת־עֲבָדֶיךָ לְהַרְשִׁיעַ רָשָׁע לָתֵת דַּרְכּוֹ בְּרֹאשׁוֹ וּלְהַצְדִּיק צַדִּיק לָתֶת לוֹ כְּצִדְקָתוֹ: לג בְּהִנָּגֵף עַמְּךָ יִשְׂרָאֵל לִפְנֵי אוֹיֵב אֲשֶׁר יֶחֶטְאוּ־לָךְ וְשָׁבוּ אֵלֶיךָ וְהוֹדוּ אֶת־שְׁמֶךָ וְהִתְפַּלְלוּ וְהִתְחַנְנוּ אֵלֶיךָ בַּבַּיִת הַזֶּה: לד וְאַתָּה תִּשְׁמַע הַשָּׁמַיִם וְסָלַחְתָּ לְחַטַּאת עַמְּךָ יִשְׂרָאֵל וַהֲשֵׁבֹתָם אֶל־הָאֲדָמָה אֲשֶׁר נָתַתָּ לַאֲבוֹתָם: לה בְּהֵעָצֵר שָׁמַיִם וְלֹא־יִהְיֶה מָטָר כִּי יֶחֶטְאוּ־לָךְ וְהִתְפַּלְלוּ אֶל־הַמָּקוֹם הַזֶּה וְהוֹדוּ אֶת־שְׁמֶךָ וּמֵחַטָּאתָם יְשׁוּבוּן כִּי תַעֲנֵם: לו וְאַתָּה ׀ תִּשְׁמַע הַשָּׁמַיִם וְסָלַחְתָּ לְחַטַּאת עֲבָדֶיךָ וְעַמְּךָ יִשְׂרָאֵל כִּי תוֹרֵם אֶת־הַדֶּרֶךְ הַטּוֹבָה אֲשֶׁר יֵלְכוּ־בָהּ וְנָתַתָּה מָטָר עַל־אַרְצְךָ אֲשֶׁר־נָתַתָּה לְעַמְּךָ לְנַחֲלָה:

---

[17] דברך

18 But Yehovah said unto David my father: Whereas it was in thy heart to build a house for My name, thou didst well that it was in thy heart; **19** nevertheless thou shalt not build the house; but thy son that shall come forth out of thy loins, he shall build the house for My name. **20** And Yehovah hath established His word that He spoke; for I am risen up in the room of David my father, and sit on the throne of Israel, as Yehovah promised, and have built the house for the name of Yehovah, the God of Israel. **21** And there have I set a place for the ark, wherein is the covenant of Yehovah, which He made with our fathers, when He brought them out of the land of Egypt.'{S} **22** And Solomon stood before the altar of Yehovah in the presence of all the congregation of Israel, and spread forth his hands toward heaven; **23** and he said: 'Yehovah, the God of Israel, there is no God like Thee, in heaven above, or on earth beneath; who keepest covenant and mercy with Thy servants, that walk before Thee with all their heart; **24** who hast kept with Thy servant David my father that which Thou didst promise him; yea, Thou spokest with Thy mouth, and hast fulfilled it with Thy hand, as it is this day. **25** Now therefore, Yehovah, the God of Israel, keep with Thy servant David my father that which Thou hast promised him saying: There shall not fail thee a man in My sight to sit on the throne of Israel, if only thy children take heed to their way, to walk before Me as thou hast walked before Me. **26** Now therefore, O God of Israel, let Thy word, I pray Thee, be verified, which Thou didst speak unto Thy servant David my father. **27** But will God in very truth dwell on the earth? behold, heaven and the heaven of heavens cannot contain Thee; how much less this house that I have builded! **28** Yet have Thou respect unto the prayer of Thy servant, and to his supplication, Yehovah my God, to hearken unto the cry and to the prayer which Thy servant prayeth before Thee this day; **29** that Thine eyes may be open toward this house night and day, even toward the place whereof Thou hast said: My name shall be there; to hearken unto the prayer which Thy servant shall pray toward this place. **30** And hearken Thou to the supplication of Thy servant, and of Thy people Israel, when they shall pray toward this place; yea, hear Thou in heaven Thy dwelling-place; and when Thou hearest, forgive. **31** If a man sin against his neighbour, and an oath be exacted of him to cause him to swear, and he come and swear before Thine altar in this house; **32** then hear Thou in heaven, and do, and judge Thy servants, condemning the wicked, to bring his way upon his own head; and justifying the righteous, to give him according to his righteousness. **33** When Thy people Israel are smitten down before the enemy, when they do sin against Thee, if they turn again to Thee, and confess Thy name, and pray and make supplication unto Thee in this house; **34** then hear Thou in heaven, and forgive the sin of Thy people Israel, and bring them back unto the land which Thou gavest unto their fathers.{S} **35** When heaven is shut up, and there is no rain, when they do sin against Thee; if they pray toward this place, and confess Thy name, and turn from their sin, when Thou dost afflict them; **36** then hear Thou in heaven, and forgive the sin of Thy servants, and of Thy people Israel, when Thou teachest them the good way wherein they should walk; and send rain upon Thy land, which Thou hast given to Thy people for an inheritance.{S}

לז רָעָ֞ב כִּֽי־יִהְיֶ֣ה בָאָ֗רֶץ דֶּ֣בֶר כִּֽי־יִ֠הְיֶה שִׁדָּפ֨וֹן יֵרָק֜וֹן אַרְבֶּ֤ה חָסִיל֙ כִּ֣י יִהְיֶ֔ה
כִּ֧י יָֽצַר־ל֛וֹ אֹיְב֖וֹ בְּאֶ֣רֶץ שְׁעָרָ֑יו כָּל־נֶ֖גַע כָּֽל־מַחֲלָֽה׃ לח כָּל־תְּפִלָּ֨ה
כָל־תְּחִנָּ֜ה אֲשֶׁ֤ר תִֽהְיֶה֙ לְכָל־הָ֣אָדָ֔ם לְכֹ֖ל עַמְּךָ֣ יִשְׂרָאֵ֑ל אֲשֶׁ֨ר יֵֽדְע֜וּן אִ֣ישׁ נֶ֣גַע
לְבָב֗וֹ וּפָרַ֥שׂ כַּפָּ֖יו אֶל־הַבַּ֥יִת הַזֶּֽה׃ לט וְ֠אַתָּה תִּשְׁמַ֨ע הַשָּׁמַ֜יִם מְכ֣וֹן שִׁבְתֶּ֗ךָ
וְסָלַחְתָּ֙ וְעָשִׂ֔יתָ וְנָתַתָּ֤ לָאִישׁ֙ כְּכָל־דְּרָכָ֔יו אֲשֶׁ֥ר תֵּדַ֖ע אֶת־לְבָב֑וֹ כִּֽי־אַתָּ֤ה
יָדַ֙עְתָּ֙ לְבַדְּךָ֔ אֶת־לְבַ֖ב כָּל־בְּנֵ֥י הָאָדָֽם׃ מ לְמַ֙עַן֙ יִֽרָא֔וּךָ כָּל־הַיָּמִ֔ים
אֲשֶׁר־הֵ֣ם חַיִּ֔ים עַל־פְּנֵ֖י הָֽאֲדָמָ֑ה אֲשֶׁ֥ר נָתַ֖תָּה לַאֲבֹתֵֽינוּ׃ מא וְגַם֙ אֶל־הַנָּכְרִ֔י
אֲשֶׁ֛ר לֹא־מֵעַמְּךָ֥ יִשְׂרָאֵ֖ל ה֑וּא וּבָ֛א מֵאֶ֥רֶץ רְחוֹקָ֖ה לְמַ֥עַן שְׁמֶֽךָ׃ מב כִּ֤י יִשְׁמְעוּן֙
אֶת־שִׁמְךָ֣ הַגָּד֔וֹל וְאֶת־יָֽדְךָ֙ הַחֲזָקָ֔ה וּֽזְרֹעֲךָ֖ הַנְּטוּיָ֑ה וּבָ֥א וְהִתְפַּלֵּ֖ל אֶל־הַבַּ֥יִת
הַזֶּֽה׃ מג אַתָּ֞ה תִּשְׁמַ֤ע הַשָּׁמַ֙יִם֙ מְכ֣וֹן שִׁבְתֶּ֔ךָ וְעָשִׂ֕יתָ כְּכֹ֛ל אֲשֶׁר־יִקְרָ֥א אֵלֶ֖יךָ
הַנָּכְרִ֑י לְמַ֣עַן יֵדְע֣וּן כָּל־עַמֵּ֣י הָ֠אָרֶץ אֶת־שְׁמֶ֨ךָ לְיִרְאָ֤ה אֹֽתְךָ֙ כְּעַמְּךָ֣ יִשְׂרָאֵ֔ל
וְלָדַ֕עַת כִּֽי־שִׁמְךָ֣ נִקְרָ֔א עַל־הַבַּ֥יִת הַזֶּ֖ה אֲשֶׁ֥ר בָּנִֽיתִי׃ מד כִּֽי־יֵצֵ֨א עַמְּךָ֜
לַמִּלְחָמָ֣ה עַל־אֹיְב֗וֹ בַּדֶּ֙רֶךְ֙ אֲשֶׁ֣ר תִּשְׁלָחֵ֔ם וְהִתְפַּֽלְל֣וּ אֶל־יְהוָ֗ה דֶּ֤רֶךְ הָעִיר֙
אֲשֶׁ֣ר בָּחַ֣רְתָּ בָּ֔הּ וְהַבַּ֖יִת אֲשֶׁר־בָּנִ֥תִי לִשְׁמֶֽךָ׃ מה וְשָׁמַעְתָּ֙ הַשָּׁמַ֔יִם אֶת־תְּפִלָּתָ֖ם
וְאֶת־תְּחִנָּתָ֑ם וְעָשִׂ֖יתָ מִשְׁפָּטָֽם׃ מו כִּ֣י יֶחֶטְאוּ־לָ֗ךְ כִּ֣י אֵ֤ין אָדָם֙ אֲשֶׁ֣ר לֹא־יֶחֱטָ֔א
וְאָנַפְתָּ֣ בָ֔ם וּנְתַתָּ֖ם לִפְנֵ֣י אוֹיֵ֑ב וְשָׁב֤וּם שֹֽׁבֵיהֶם֙ אֶל־אֶ֣רֶץ הָֽאוֹיֵ֔ב רְחוֹקָ֖ה א֥וֹ
קְרוֹבָֽה׃ מז וְהֵשִׁ֙יבוּ֙ אֶל־לִבָּ֔ם בָּאָ֖רֶץ אֲשֶׁ֣ר נִשְׁבּוּ־שָׁ֑ם וְשָׁ֣בוּ ׀ וְהִתְחַנְּנ֣וּ אֵלֶ֗יךָ
בְּאֶ֤רֶץ שֹֽׁבֵיהֶם֙ לֵאמֹ֔ר חָטָ֥אנוּ וְהֶעֱוִ֖ינוּ רָשָֽׁעְנוּ׃ מח וְשָׁ֣בוּ אֵלֶ֗יךָ בְּכָל־לְבָבָם֙
וּבְכָל־נַפְשָׁ֔ם בְּאֶ֥רֶץ אֹֽיְבֵיהֶ֖ם אֲשֶׁר־שָׁב֣וּ אֹתָ֑ם וְהִֽתְפַּֽלְל֣וּ אֵלֶ֗יךָ דֶּ֤רֶךְ אַרְצָם֙
אֲשֶׁ֣ר נָתַ֣תָּה לַאֲבוֹתָ֔ם הָעִיר֙ אֲשֶׁ֣ר בָּחַ֔רְתָּ וְהַבַּ֖יִת אֲשֶׁר־בָּנִ֥יתִי[18] לִשְׁמֶֽךָ׃
מט וְשָׁמַעְתָּ֤ הַשָּׁמַ֙יִם֙ מְכ֣וֹן שִׁבְתְּךָ֔ אֶת־תְּפִלָּתָ֖ם וְאֶת־תְּחִנָּתָ֑ם וְעָשִׂ֖יתָ מִשְׁפָּטָֽם׃
נ וְסָלַחְתָּ֤ לְעַמְּךָ֙ אֲשֶׁ֣ר חָֽטְאוּ־לָ֔ךְ וּלְכָל־פִּשְׁעֵיהֶ֖ם אֲשֶׁ֣ר פָּשְׁעוּ־בָ֑ךְ וּנְתַתָּ֧ם
לְרַחֲמִ֛ים לִפְנֵ֥י שֹׁבֵיהֶ֖ם וְרִחֲמֽוּם׃ נא כִּֽי־עַמְּךָ֥ וְנַחֲלָתְךָ֖ הֵ֑ם אֲשֶׁ֤ר הוֹצֵ֙אתָ֙
מִמִּצְרַ֔יִם מִתּ֖וֹךְ כּ֥וּר הַבַּרְזֶֽל׃ נב לִהְי֨וֹת עֵינֶ֤יךָ פְתֻחוֹת֙ אֶל־תְּחִנַּ֣ת עַבְדְּךָ֔
וְאֶל־תְּחִנַּ֖ת עַמְּךָ֣ יִשְׂרָאֵ֑ל לִשְׁמֹ֣עַ אֲלֵיהֶ֔ם בְּכֹ֖ל קָרְאָ֥ם אֵלֶֽיךָ׃ נג כִּֽי־אַתָּ֞ה
הִבְדַּלְתָּ֤ם לְךָ֙ לְנַחֲלָ֔ה מִכֹּ֖ל עַמֵּ֣י הָאָ֑רֶץ כַּאֲשֶׁ֨ר דִּבַּ֜רְתָּ בְּיַ֣ד ׀ מֹשֶׁ֣ה עַבְדֶּ֗ךָ
בְּהוֹצִיאֲךָ֧ אֶת־אֲבֹתֵ֛ינוּ מִמִּצְרַ֖יִם אֲדֹנָ֥י יְהוִֽה׃

נד וַיְהִ֣י ׀ כְּכַלּ֣וֹת שְׁלֹמֹ֗ה לְהִתְפַּלֵּל֙ אֶל־יְהוָ֔ה אֵ֛ת כָּל־הַתְּפִלָּ֥ה וְהַתְּחִנָּ֖ה
הַזֹּ֑את קָ֞ם מִלִּפְנֵ֨י מִזְבַּ֤ח יְהוָה֙ מִכְּרֹ֣עַ עַל־בִּרְכָּ֔יו וְכַפָּ֖יו פְּרֻשׂ֥וֹת הַשָּׁמָֽיִם׃
נה וַֽיַּעֲמֹ֕ד וַיְבָ֕רֶךְ אֵ֖ת כָּל־קְהַ֣ל יִשְׂרָאֵ֑ל ק֥וֹל גָּד֖וֹל לֵאמֹֽר׃

[18] בנית

__37__ If there be in the land famine, if there be pestilence, if there be blasting or mildew, locust or caterpillar; if their enemy besiege them in the land of their cities; whatsoever plague, whatsoever sickness there be; __38__ what prayer and supplication soever be made by any man of all Thy people Israel, who shall know every man the plague of his own heart, and spread forth his hands toward this house; __39__ then hear Thou in heaven Thy dwelling-place, and forgive, and do, and render unto every man according to all his ways, whose heart Thou knowest–for Thou, even Thou only, knowest the hearts of all the children of men– __40__ that they may fear Thee all the days that they live in the land which Thou gavest unto our fathers. __41__ Moreover concerning the stranger that is not of Thy people Israel, when he shall come out of a far country for Thy name's sake– __42__ for they shall hear of Thy great name, and of Thy mighty hand, and of Thine outstretched arm–when he shall come and pray toward this house; __43__ hear Thou in heaven Thy dwelling-place, and do according to all that the stranger calleth to Thee for; that all the peoples of the earth may know Thy name, to fear Thee, as doth Thy people Israel, and that they may know that Thy name is called upon this house which I have built. __44__ If Thy people go out to battle against their enemy, by whatsoever way Thou shalt send them, and they pray unto Yehovah toward the city which Thou hast chosen, and toward the house which I have built for Thy name; __45__ then hear Thou in heaven their prayer and their supplication, and maintain their cause. __46__ If they sin against Thee–for there is no man that sinneth not–and Thou be angry with them, and deliver them to the enemy, so that they carry them away captive unto the land of the enemy, far off or near; __47__ yet if they shall bethink themselves in the land whither they are carried captive, and turn back, and make supplication unto Thee in the land of them that carried them captive, saying: We have sinned, and have done iniquitously, we have dealt wickedly; __48__ if they return unto Thee with all their heart and with all their soul in the land of their enemies, who carried them captive, and pray unto Thee toward their land, which Thou gavest unto their fathers, the city which Thou hast chosen, and the house which I have built for Thy name; __49__ then hear Thou their prayer and their supplication in heaven Thy dwelling-place, and maintain their cause; __50__ and forgive Thy people who have sinned against Thee, and all their transgressions wherein they have transgressed against Thee; and give them compassion before those who carried them captive, that they may have compassion on them; __51__ for they are Thy people, and Thine inheritance, which Thou broughtest forth out of Egypt, from the midst of the furnace of iron; __52__ that Thine eyes may be open unto the supplication of Thy servant, and unto the supplication of Thy people Israel, to hearken unto them whensoever they cry unto Thee. __53__ For Thou didst set them apart from among all the peoples of the earth, to be Thine inheritance, as Thou didst speak by the hand of Moses Thy servant, when Thou broughtest our fathers out of Egypt, O Lord GOD [Adonai Yehovi].'{P}

__54__ And it was so, that when Solomon had made an end of praying all this prayer and supplication unto Yehovah, he arose from before the altar of Yehovah, from kneeling on his knees with his hands spread forth toward heaven. __55__ And he stood, and blessed all the congregation of Israel with a loud voice, saying:

נו בָּר֣וּךְ יְהוָ֗ה אֲשֶׁ֨ר נָתַ֤ן מְנוּחָה֙ לְעַמּ֣וֹ יִשְׂרָאֵ֔ל כְּכֹ֖ל אֲשֶׁ֣ר דִּבֵּ֑ר לֹֽא־נָפַ֞ל דָּבָ֣ר
אֶחָ֗ד מִכֹּל֙ דְּבָר֣וֹ הַטּ֔וֹב אֲשֶׁ֣ר דִּבֶּ֔ר בְּיַ֖ד מֹשֶׁ֥ה עַבְדּֽוֹ׃ נז יְהִ֨י יְהוָ֤ה אֱלֹהֵ֙ינוּ֙
עִמָּ֔נוּ כַּאֲשֶׁ֥ר הָיָ֖ה עִם־אֲבֹתֵ֑ינוּ אַל־יַעַזְבֵ֖נוּ וְאַֽל־יִטְּשֵֽׁנוּ׃ נח לְהַטּ֥וֹת לְבָבֵ֖נוּ אֵלָ֑יו
לָלֶ֣כֶת בְּכָל־דְּרָכָ֗יו וְלִשְׁמֹ֨ר מִצְוֺתָ֤יו וְחֻקָּיו֙ וּמִשְׁפָּטָ֔יו אֲשֶׁ֖ר צִוָּ֥ה אֶת־אֲבֹתֵֽינוּ׃
נט וְיִהְי֨וּ דְבָרַ֜י אֵ֗לֶּה אֲשֶׁ֤ר הִתְחַנַּ֙נְתִּי֙ לִפְנֵ֣י יְהוָ֔ה קְרֹבִ֛ים אֶל־יְהוָ֥ה אֱלֹהֵ֖ינוּ
יוֹמָ֣ם וָלָ֑יְלָה לַעֲשׂ֣וֹת ׀ מִשְׁפַּ֣ט עַבְדּ֗וֹ וּמִשְׁפַּ֛ט עַמּ֥וֹ יִשְׂרָאֵ֖ל דְּבַר־י֥וֹם בְּיוֹמֽוֹ׃
ס לְמַ֗עַן דַּ֚עַת כָּל־עַמֵּ֣י הָאָ֔רֶץ כִּ֥י יְהוָ֖ה ה֣וּא הָאֱלֹהִ֑ים אֵ֖ין עֽוֹד׃ סא וְהָיָ֤ה
לְבַבְכֶם֙ שָׁלֵ֔ם עִ֖ם יְהוָ֣ה אֱלֹהֵ֑ינוּ לָלֶ֧כֶת בְּחֻקָּ֛יו וְלִשְׁמֹ֥ר מִצְוֺתָ֖יו כַּיּ֥וֹם הַזֶּֽה׃
סב וְהַמֶּ֕לֶךְ וְכָל־יִשְׂרָאֵ֖ל עִמּ֑וֹ זֹבְחִ֥ים זֶ֖בַח לִפְנֵ֥י יְהוָֽה׃ סג וַיִּזְבַּ֣ח שְׁלֹמֹ֗ה אֵ֣ת
זֶ֣בַח הַשְּׁלָמִים֮ אֲשֶׁ֣ר זָבַ֣ח לַיהוָה֒ בָּקָ֗ר עֶשְׂרִ֤ים וּשְׁנַ֙יִם֙ אֶ֔לֶף וְצֹ֕אן מֵאָ֥ה וְעֶשְׂרִ֖ים
אָ֑לֶף וַֽיַּחְנְכוּ֙ אֶת־בֵּ֣ית יְהוָ֔ה הַמֶּ֖לֶךְ וְכָל־בְּנֵ֥י יִשְׂרָאֵֽל׃ סד בַּיּ֣וֹם הַה֗וּא קִדַּ֨שׁ
הַמֶּ֜לֶךְ אֶת־ת֣וֹךְ הֶחָצֵ֗ר אֲשֶׁר֙ לִפְנֵ֣י בֵית־יְהוָ֔ה כִּי־עָ֣שָׂה שָׁ֗ם אֶת־הָֽעֹלָה֙
וְאֶת־הַמִּנְחָ֔ה וְאֵ֖ת חֶלְבֵ֣י הַשְּׁלָמִ֑ים כִּֽי־מִזְבַּ֤ח הַנְּחֹ֙שֶׁת֙ אֲשֶׁ֣ר לִפְנֵ֣י יְהוָ֔ה קָטֹ֗ן
מֵֽהָכִיל֙ אֶת־הָעֹלָ֣ה וְאֶת־הַמִּנְחָ֔ה וְאֵ֖ת חֶלְבֵ֥י הַשְּׁלָמִֽים׃ סה וַיַּ֣עַשׂ שְׁלֹמֹ֣ה
בָעֵת־הַהִ֣יא ׀ אֶת־הֶחָ֡ג וְכָל־יִשְׂרָאֵ֣ל עִמּוֹ֩ קָהָ֨ל גָּד֜וֹל מִלְּב֥וֹא חֲמָ֣ת ׀ עַד־נַ֣חַל
מִצְרַ֗יִם לִפְנֵי֙ יְהוָ֣ה אֱלֹהֵ֔ינוּ שִׁבְעַ֥ת יָמִ֖ים וְשִׁבְעַ֣ת יָמִ֑ים אַרְבָּעָ֥ה עָשָׂ֖ר יֽוֹם׃
סו בַּיּ֤וֹם הַשְּׁמִינִי֙ שִׁלַּ֣ח אֶת־הָעָ֔ם וַֽיְבָרְכ֖וּ אֶת־הַמֶּ֑לֶךְ וַיֵּלְכ֣וּ לְאָהֳלֵיהֶ֗ם שְׂמֵחִים֙
וְט֣וֹבֵי לֵ֔ב עַ֣ל כָּל־הַטּוֹבָ֗ה אֲשֶׁ֨ר עָשָׂ֤ה יְהוָה֙ לְדָוִ֣ד עַבְדּ֔וֹ וּלְיִשְׂרָאֵ֖ל עַמּֽוֹ׃

ט א וַיְהִי֙ כְּכַלּ֣וֹת שְׁלֹמֹ֔ה לִבְנ֥וֹת אֶת־בֵּית־יְהוָ֖ה וְאֶת־בֵּ֣ית הַמֶּ֑לֶךְ וְאֵת֙
כָּל־חֵ֣שֶׁק שְׁלֹמֹ֔ה אֲשֶׁ֥ר חָפֵ֖ץ לַעֲשֽׂוֹת׃

ב וַיֵּרָ֤א יְהוָה֙ אֶל־שְׁלֹמֹ֔ה שֵׁנִ֑ית כַּאֲשֶׁ֥ר נִרְאָ֖ה אֵלָ֥יו בְּגִבְעֽוֹן׃ ג וַיֹּ֨אמֶר יְהוָ֜ה
אֵלָ֗יו שָׁ֠מַעְתִּי אֶת־תְּפִלָּתְךָ֣ וְאֶת־תְּחִנָּתְךָ֮ אֲשֶׁ֣ר הִתְחַנַּ֣נְתָּה לְפָנַי֒ הִקְדַּ֗שְׁתִּי
אֶת־הַבַּ֤יִת הַזֶּה֙ אֲשֶׁ֣ר בָּנִ֔תָה לָשֽׂוּם־שְׁמִ֥י שָׁ֖ם עַד־עוֹלָ֑ם וְהָי֨וּ עֵינַ֧י וְלִבִּ֛י שָׁ֖ם
כָּל־הַיָּמִֽים׃ ד וְאַתָּ֗ה אִם־תֵּלֵ֣ךְ לְפָנַ֡י כַּאֲשֶׁ֨ר הָלַ֜ךְ דָּוִ֤ד אָבִ֙יךָ֙ בְּתָם־לֵבָ֣ב
וּבְיֹ֔שֶׁר לַעֲשׂ֕וֹת כְּכֹ֖ל אֲשֶׁ֣ר צִוִּיתִ֑יךָ חֻקַּ֥י וּמִשְׁפָּטַ֖י תִּשְׁמֹֽר׃ ה וַהֲקִ֨מֹתִ֜י אֶת־כִּסֵּ֧א
מַֽמְלַכְתְּךָ֛ עַל־יִשְׂרָאֵ֖ל לְעֹלָ֑ם כַּאֲשֶׁ֣ר דִּבַּ֗רְתִּי עַל־דָּוִ֤ד אָבִ֙יךָ֙ לֵאמֹ֔ר
לֹֽא־יִכָּרֵ֤ת לְךָ֙ אִ֔ישׁ מֵעַ֖ל כִּסֵּ֥א יִשְׂרָאֵֽל׃ ו אִם־שׁ֨וֹב תְּשֻׁב֜וּן אַתֶּ֤ם וּבְנֵיכֶם֙
מֵֽאַחֲרַ֔י וְלֹ֤א תִשְׁמְרוּ֙ מִצְוֺתַ֣י חֻקֹּתַ֔י אֲשֶׁ֥ר נָתַ֖תִּי לִפְנֵיכֶ֑ם וַהֲלַכְתֶּ֗ם וַעֲבַדְתֶּם֙
אֱלֹהִ֣ים אֲחֵרִ֔ים וְהִשְׁתַּחֲוִיתֶ֖ם לָהֶֽם׃ ז וְהִכְרַתִּ֣י אֶת־יִשְׂרָאֵ֗ל מֵעַ֨ל פְּנֵ֣י הָאֲדָמָה֮
אֲשֶׁ֣ר נָתַ֣תִּי לָהֶם֒ וְאֶת־הַבַּ֙יִת֙ אֲשֶׁ֣ר הִקְדַּ֣שְׁתִּי לִשְׁמִ֔י אֲשַׁלַּ֖ח מֵעַ֣ל פָּנָ֑י וְהָיָ֧ה
יִשְׂרָאֵ֛ל לְמָשָׁ֥ל וְלִשְׁנִינָ֖ה בְּכָל־הָעַמִּֽים׃

56 'Blessed be Yehovah, that hath given rest unto His people Israel, according to all that He promised; there hath not failed one word of all His good promise, which He promised by the hand of Moses His servant. **57** Yehovah our God be with us, as He was with our fathers; let Him not leave us, nor forsake us; **58** that He may incline our hearts unto Him, to walk in all His ways, and to keep His commandments, and His statutes, and His ordinances, which He commanded our fathers. **59** And let these my words, wherewith I have made supplication before Yehovah, be nigh unto Yehovah our God day and night, that He maintain the cause of His servant, and the cause of His people Israel, as every day shall require; **60** that all the peoples of the earth may know that Yehovah, He is God; there is none else. **61** Let your heart therefore be whole with Yehovah our God, to walk in His statutes, and to keep His commandments, as at this day.' **62** And the king, and all Israel with him, offered sacrifice before Yehovah. **63** And Solomon offered for the sacrifice of peace-offerings, which he offered unto Yehovah, two and twenty thousand oxen, and a hundred and twenty thousand sheep. So the king and all the children of Israel dedicated the house of Yehovah. **64** The same day did the king hallow the middle of the court that was before the house of Yehovah; for there he offered the burnt-offering, and the meal-offering, and the fat of the peace-offerings; because the brazen altar that was before Yehovah was too little to receive the burnt-offering, and the meal-offering, and the fat of the peace-offerings. **65** So Solomon held the feast at that time, and all Israel with him, a great congregation, from the entrance Hamath unto the Brook of Egypt, before Yehovah our God, seven days and seven days, even fourteen days. **66** On the eighth day he sent the people away, and they blessed the king, and went unto their tents joyful and glad of heart for all the goodness that Yehovah had shown unto David His servant, and to Israel His people.

9 **1** And it came to pass, when Solomon had finished the building of the house of Yehovah, and the king's house, and all Solomon's delight which he was pleased to do,{P}

2 that Yehovah appeared to Solomon the second time, as He had appeared unto him at Gibeon. **3** And Yehovah said unto him: 'I have heard thy prayer and thy supplication, that thou hast made before Me: I have hallowed this house, which thou hast built, to put My name there for ever; and Mine eyes and My heart shall be there perpetually. **4** And as for thee, if thou wilt walk before Me, as David thy father walked, in integrity of heart, and in uprightness, to do according to all that I have commanded thee, and wilt keep My statutes and Mine ordinances; **5** then I will establish the throne of thy kingdom over Israel for ever; according as I promised to David thy father, saying: There shall not fail thee a man upon the throne of Israel. **6** But if ye shall turn away from following Me, ye or your children, and not keep My commandments and My statutes which I have set before you, but shall go and serve other gods, and worship them; **7** then will I cut off Israel out of the land which I have given them; and this house, which I have hallowed for My name, will I cast out of My sight; and Israel shall be a proverb and a by word among all peoples;

ח וְהַבַּ֤יִת הַזֶּה֙ יִהְיֶ֣ה עֶלְי֔וֹן כָּל־עֹבֵ֥ר עָלָ֖יו יִשֹּׁ֣ם וְשָׁרָ֑ק וְאָמְר֗וּ עַל־מֶ֨ה עָשָׂ֤ה יְהוָה֙ כָּ֔כָה לָאָ֥רֶץ הַזֹּ֖את וְלַבַּ֥יִת הַזֶּֽה: ט וְאָמְר֗וּ עַ֤ל אֲשֶׁ֣ר עָֽזְבוּ֙ אֶת־יְהוָ֣ה אֱלֹֽהֵיהֶ֔ם אֲשֶׁ֣ר הוֹצִ֣יא אֶת־אֲבֹתָם֘ מֵאֶ֣רֶץ מִצְרַיִם֒ וַיַּֽחֲזִ֙קוּ֙ בֵּֽאלֹהִ֣ים אֲחֵרִ֔ים וַיִּֽשְׁתַּֽחֲו֥וּ[19] לָהֶ֖ם וַיַּֽעַבְדֻ֑ם עַל־כֵּ֗ן הֵבִ֤יא יְהוָה֙ עֲלֵיהֶ֔ם אֵ֥ת כָּל־הָֽרָעָ֖ה הַזֹּֽאת:

י וַיְהִ֗י מִקְצֵה֙ עֶשְׂרִ֣ים שָׁנָ֔ה אֲשֶׁר־בָּנָ֥ה שְׁלֹמֹ֖ה אֶת־שְׁנֵ֣י הַבָּתִּ֑ים אֶת־בֵּ֥ית יְהוָ֖ה וְאֶת־בֵּ֥ית הַמֶּֽלֶךְ: יא חִירָ֣ם מֶֽלֶךְ־צֹ֠ר נִשָּׂ֙א אֶת־שְׁלֹמֹ֜ה בַּֽעֲצֵ֤י אֲרָזִים֙ וּבַֽעֲצֵ֣י בְרוֹשִׁ֔ים וּבַזָּהָ֖ב לְכָל־חֶפְצ֑וֹ אָ֠ז יִתֵּ֙ן הַמֶּ֤לֶךְ שְׁלֹמֹה֙ לְחִירָ֔ם עֶשְׂרִ֥ים עִ֖יר בְּאֶ֥רֶץ הַגָּלִֽיל: יב וַיֵּצֵ֤א חִירָם֙ מִצֹּ֔ר לִרְא֣וֹת אֶת־הֶ֣עָרִ֔ים אֲשֶׁ֥ר נָֽתַן־ל֖וֹ שְׁלֹמֹ֑ה וְלֹ֥א יָֽשְׁר֖וּ בְּעֵינָֽיו: יג וַיֹּ֕אמֶר מָ֚ה הֶֽעָרִ֣ים הָאֵ֔לֶּה אֲשֶׁר־נָתַ֖תָּה לִּ֣י אָחִ֑י וַיִּקְרָ֤א לָהֶם֙ אֶ֣רֶץ כָּב֔וּל עַ֖ד הַיּ֥וֹם הַזֶּֽה:

יד וַיִּשְׁלַ֥ח חִירָ֖ם לַמֶּ֑לֶךְ מֵאָ֥ה וְעֶשְׂרִ֖ים כִּכַּ֥ר זָהָֽב: טו וְזֶ֙ה דְבַר־הַמַּ֤ס אֲשֶֽׁר־הֶֽעֱלָ֣ה ׀ הַמֶּ֣לֶךְ שְׁלֹמֹ֗ה לִבְנ֞וֹת אֶת־בֵּ֤ית יְהוָה֙ וְאֶת־בֵּית֔וֹ וְאֶת־הַמִּלּ֖וֹא וְאֵ֣ת חוֹמַ֣ת יְרֽוּשָׁלִָ֑ם וְאֶת־חָצֹ֥ר וְאֶת־מְגִדּ֖וֹ וְאֶת־גָּֽזֶר: טז פַּרְעֹ֣ה מֶֽלֶךְ־מִצְרַ֗יִם עָלָ֞ה וַיִּלְכֹּ֤ד אֶת־גֶּ֙זֶר֙ וַיִּשְׂרְפָ֣הּ בָּאֵ֔שׁ וְאֶת־הַֽכְּנַֽעֲנִ֛י הַיֹּשֵׁ֥ב בָּעִ֖יר הָרָ֑ג וַֽיִּתְּנָהּ֙ שִׁלֻּחִ֔ים לְבִתּ֖וֹ אֵ֥שֶׁת שְׁלֹמֹֽה: יז וַיִּ֣בֶן שְׁלֹמֹ֔ה אֶת־גָּ֖זֶר וְאֶת־בֵּ֥ית חֹרֹ֖ן תַּחְתּֽוֹן: יח וְאֶֽת־בַּֽעֲלָ֛ת וְאֶת־תַּדְמֹ֖ר[20] בַּמִּדְבָּ֥ר בָּאָֽרֶץ: יט וְאֵ֣ת כָּל־עָרֵ֤י הַֽמִּסְכְּנוֹת֙ אֲשֶׁ֣ר הָי֣וּ לִשְׁלֹמֹ֔ה וְאֵת֙ עָרֵ֣י הָרֶ֔כֶב וְאֵ֖ת עָרֵ֣י הַפָּֽרָשִׁ֑ים וְאֵ֣ת ׀ חֵ֣שֶׁק שְׁלֹמֹ֗ה אֲשֶׁ֤ר חָשַׁק֙ לִבְנ֤וֹת בִּירֽוּשָׁלִַ֙ם֙ וּבַלְּבָנ֔וֹן וּבְכֹ֖ל אֶ֥רֶץ מֶמְשַׁלְתּֽוֹ: כ כָּל־הָעָ֣ם הַנּוֹתָ֗ר מִן־הָ֠אֱמֹרִ֙י הַֽחִתִּ֤י הַפְּרִזִּי֙ הַֽחִוִּ֣י וְהַיְבוּסִ֔י אֲשֶׁ֛ר לֹֽא־מִבְּנֵ֥י יִשְׂרָאֵ֖ל הֵֽמָּה: כא בְּנֵיהֶ֗ם אֲשֶׁ֙ר נֹתְר֤וּ אַֽחֲרֵיהֶם֙ בָּאָ֔רֶץ אֲשֶׁ֧ר לֹֽא־יָֽכְל֛וּ בְּנֵ֥י יִשְׂרָאֵ֖ל לְהַֽחֲרִימָ֑ם וַיַּֽעֲלֵ֤ם שְׁלֹמֹה֙ לְמַס־עֹבֵ֔ד עַ֖ד הַיּ֥וֹם הַזֶּֽה: כב וּמִבְּנֵי֙ יִשְׂרָאֵ֔ל לֹֽא־נָתַ֥ן שְׁלֹמֹ֖ה עָ֑בֶד כִּי־הֵ֞ם אַנְשֵׁ֣י הַמִּלְחָמָ֗ה וַֽעֲבָדָיו֙ וְשָׂרָ֣יו וְשָֽׁלִשָׁ֔יו וְשָׂרֵ֥י רִכְבּ֖וֹ וּפָֽרָשָֽׁיו: כג אֵ֣לֶּה ׀ שָׂרֵ֣י הַנִּצָּבִ֗ים אֲשֶׁ֤ר עַל־הַמְּלָאכָה֙ לִשְׁלֹמֹ֔ה חֲמִשִּׁ֖ים וַֽחֲמֵ֣שׁ מֵא֑וֹת הָֽרֹדִ֣ים בָּעָ֔ם הָֽעֹשִׂ֖ים בַּמְּלָאכָֽה: כד אַ֣ךְ בַּת־פַּרְעֹ֗ה עָֽלְתָה֙ מֵעִ֣יר דָּוִ֔ד אֶל־בֵּיתָ֖הּ אֲשֶׁ֣ר בָּֽנָה־לָ֑הּ אָ֖ז בָּנָ֥ה אֶת־הַמִּלּֽוֹא: כה וְהֶֽעֱלָ֣ה שְׁלֹמֹ֗ה שָׁלֹ֣שׁ פְּעָמִ֣ים בַּשָּׁנָ֗ה עֹל֤וֹת וּשְׁלָמִים֙ עַל־הַמִּזְבֵּ֙חַ֙ אֲשֶׁ֣ר בָּנָ֣ה לַֽיהוָ֔ה וְהַקְטֵ֤יר אִתּ֙וֹ אֲשֶׁ֖ר לִפְנֵ֣י יְהוָ֑ה וְשִׁלַּ֖ם אֶת־הַבָּֽיִת: כו וָֽאֳנִ֡י עָשָׂה֩ הַמֶּ֙לֶךְ שְׁלֹמֹ֤ה בְּעֶצְיֽוֹן־גֶּ֙בֶר֙ אֲשֶׁ֣ר אֶת־אֵל֔וֹת עַל־שְׂפַ֥ת יַם־ס֖וּף בְּאֶ֥רֶץ אֱד֑וֹם: כז וַיִּשְׁלַ֙ח חִירָ֤ם בָּֽאֳנִי֙ אֶת־עֲבָדָ֔יו אַנְשֵׁ֣י אֳנִיּ֔וֹת יֹֽדְעֵ֖י הַיָּ֑ם עִ֖ם עַבְדֵ֥י שְׁלֹמֹֽה: כח וַיָּבֹ֣אוּ אוֹפִ֔ירָה וַיִּקְח֤וּ מִשָּׁם֙ זָהָ֔ב אַרְבַּע־מֵא֥וֹת וְעֶשְׂרִ֖ים כִּכָּ֑ר וַיָּבִ֖אוּ אֶל־הַמֶּ֥לֶךְ שְׁלֹמֹֽה:

---

[19] וישתחוו
[20] תמר

8 and this house which is so high [shall become desolate], and every one that passeth by it shall be astonished, and shall hiss; and when they shall say: Why hath Yehovah done thus unto this land, and to this house? **9** they shall be answered: Because they forsook Yehovah their God, who brought forth their fathers out of the land of Egypt, and laid hold on other gods, and worshipped them, and served them; therefore hath Yehovah brought all this evil upon them.'{P}

10 And it came to pass at the end of twenty years, wherein Solomon had built the two houses, the house of Yehovah and the king's house– **11** now Hiram the king of Tyre had furnished Solomon with cedar-trees and cypress-trees, and with gold, according to all his desire–that then king Solomon gave Hiram twenty cities in the land of Galilee. **12** And Hiram came out from Tyre to see the cities which Solomon had given him: and they pleased him not. **13** And he said: 'What cities are these which thou hast given me, my brother?' And they were called the land of Cabul, unto this day.{P}

14 And Hiram sent to the king sixscore talents of gold. **15** And this is the account of the levy which king Solomon raised; to build the house of Yehovah, and his own house, and Millo, and the wall of Yerushalam, and Hazor, and Megiddo, and Gezer. **16** Pharaoh king of Egypt had gone up, and taken Gezer, and burnt it with fire, and slain the Canaanites that dwelt in the city, and given it for a portion unto his daughter, Solomon's wife. **17** And Solomon built Gezer, and Beth-horon the nether, **18** and Baalath, and Tadmor in the wilderness, in the land, **19** and all the store-cities that Solomon had, and the cities for his chariots, and the cities for his horsemen, and that which Solomon desired to build for his pleasure in Yerushalam, and in Lebanon, and in all the land of his dominion. **20** All the people that were left of the Amorites, the Hittites, the Perizzites, the Hivites, and the Jebusites, who were not of the children of Israel; **21** even their children that were left after them in the land, whom the children of Israel were not able utterly to destroy, of them did Solomon raise a levy of bondservants, unto this day. **22** But of the children of Israel did Solomon make no bondservants; but they were the men of war, and his servants, and his princes, and his captains, and rulers of his chariots and of his horsemen.{S} **23** These were the chief officers that were over Solomon's work, five hundred and fifty, who bore rule over the people that wrought in the work. **24** But Pharaoh's daughter came up out of the city of David unto her house which [Solomon] had built for her; then did he build Millo. **25** And three times in a year did Solomon offer burnt-offerings and peace-offerings upon the altar which he built unto Yehovah, offering thereby, upon the altar that was before Yehovah. So he finished the house. **26** And king Solomon made a navy of ships in Ezion-geber, which is beside Eloth, on the shore of the Red Sea, in the land of Edom. **27** And Hiram sent in the navy his servants, shipmen that had knowledge of the sea, with the servants of Solomon. **28** And they came to Ophir, and fetched from thence gold, four hundred and twenty talents, and brought it to king Solomon.{P}

י א וּמַלְכַּת־שְׁבָא שֹׁמַעַת אֶת־שֵׁמַע שְׁלֹמֹה לְשֵׁם יְהוָה וַתָּבֹא לְנַסֹּתוֹ בְּחִידוֹת׃
ב וַתָּבֹא יְרוּשָׁלַמָה בְּחַיִל כָּבֵד מְאֹד גְּמַלִּים נֹשְׂאִים בְּשָׂמִים וְזָהָב רַב־מְאֹד
וְאֶבֶן יְקָרָה וַתָּבֹא אֶל־שְׁלֹמֹה וַתְּדַבֵּר אֵלָיו אֵת כָּל־אֲשֶׁר הָיָה עִם־לְבָבָהּ׃
ג וַיַּגֶּד־לָהּ שְׁלֹמֹה אֶת־כָּל־דְּבָרֶיהָ לֹא־הָיָה דָּבָר נֶעְלָם מִן־הַמֶּלֶךְ אֲשֶׁר לֹא
הִגִּיד לָהּ׃ ד וַתֵּרֶא מַלְכַּת־שְׁבָא אֵת כָּל־חָכְמַת שְׁלֹמֹה וְהַבַּיִת אֲשֶׁר בָּנָה׃
ה וּמַאֲכַל שֻׁלְחָנוֹ וּמוֹשַׁב עֲבָדָיו וּמַעֲמַד מְשָׁרְתָיו[21] וּמַלְבֻּשֵׁיהֶם וּמַשְׁקָיו וְעֹלָתוֹ
אֲשֶׁר יַעֲלֶה בֵּית יְהוָה וְלֹא־הָיָה בָהּ עוֹד רוּחַ׃ ו וַתֹּאמֶר אֶל־הַמֶּלֶךְ אֱמֶת הָיָה
הַדָּבָר אֲשֶׁר שָׁמַעְתִּי בְּאַרְצִי עַל־דְּבָרֶיךָ וְעַל־חָכְמָתֶךָ׃ ז וְלֹא־הֶאֱמַנְתִּי
לַדְּבָרִים עַד אֲשֶׁר־בָּאתִי וַתִּרְאֶינָה עֵינַי וְהִנֵּה לֹא־הֻגַּד־לִי הַחֵצִי הוֹסַפְתָּ
חָכְמָה וָטוֹב אֶל־הַשְּׁמוּעָה אֲשֶׁר שָׁמָעְתִּי׃ ח אַשְׁרֵי אֲנָשֶׁיךָ אַשְׁרֵי עֲבָדֶיךָ אֵלֶּה
הָעֹמְדִים לְפָנֶיךָ תָּמִיד הַשֹּׁמְעִים אֶת־חָכְמָתֶךָ׃ ט יְהִי יְהוָה אֱלֹהֶיךָ בָּרוּךְ
אֲשֶׁר חָפֵץ בְּךָ לְתִתְּךָ עַל־כִּסֵּא יִשְׂרָאֵל בְּאַהֲבַת יְהוָה אֶת־יִשְׂרָאֵל לְעֹלָם
וַיְשִׂימְךָ לְמֶלֶךְ לַעֲשׂוֹת מִשְׁפָּט וּצְדָקָה׃ י וַתִּתֵּן לַמֶּלֶךְ מֵאָה וְעֶשְׂרִים ׀ כִּכַּר
זָהָב וּבְשָׂמִים הַרְבֵּה מְאֹד וְאֶבֶן יְקָרָה לֹא־בָא כַבֹּשֶׂם הַהוּא עוֹד לָרֹב
אֲשֶׁר־נָתְנָה מַלְכַּת־שְׁבָא לַמֶּלֶךְ שְׁלֹמֹה׃ יא וְגַם אֳנִי חִירָם אֲשֶׁר־נָשָׂא זָהָב
מֵאוֹפִיר הֵבִיא מֵאֹפִיר עֲצֵי אַלְמֻגִּים הַרְבֵּה מְאֹד וְאֶבֶן יְקָרָה׃ יב וַיַּעַשׂ הַמֶּלֶךְ
אֶת־עֲצֵי הָאַלְמֻגִּים מִסְעָד לְבֵית־יְהוָה וּלְבֵית הַמֶּלֶךְ וְכִנֹּרוֹת וּנְבָלִים לַשָּׁרִים
לֹא בָא־כֵן עֲצֵי אַלְמֻגִּים וְלֹא נִרְאָה עַד הַיּוֹם הַזֶּה׃ יג וְהַמֶּלֶךְ שְׁלֹמֹה נָתַן
לְמַלְכַּת־שְׁבָא אֶת־כָּל־חֶפְצָהּ אֲשֶׁר שָׁאָלָה מִלְּבַד אֲשֶׁר נָתַן־לָהּ כְּיַד הַמֶּלֶךְ
שְׁלֹמֹה וַתֵּפֶן וַתֵּלֶךְ לְאַרְצָהּ הִיא וַעֲבָדֶיהָ׃ יד וַיְהִי מִשְׁקַל הַזָּהָב אֲשֶׁר־בָּא
לִשְׁלֹמֹה בְּשָׁנָה אֶחָת שֵׁשׁ מֵאוֹת שִׁשִּׁים וָשֵׁשׁ כִּכַּר זָהָב׃ טו לְבַד מֵאַנְשֵׁי
הַתָּרִים וּמִסְחַר הָרֹכְלִים וְכָל־מַלְכֵי הָעֶרֶב וּפַחוֹת הָאָרֶץ׃ טז וַיַּעַשׂ הַמֶּלֶךְ
שְׁלֹמֹה מָאתַיִם צִנָּה זָהָב שָׁחוּט שֵׁשׁ־מֵאוֹת זָהָב יַעֲלֶה עַל־הַצִּנָּה הָאֶחָת׃
יז וּשְׁלֹשׁ־מֵאוֹת מָגִנִּים זָהָב שָׁחוּט שְׁלֹשֶׁת מָנִים זָהָב יַעֲלֶה עַל־הַמָּגֵן הָאֶחָת
וַיִּתְּנֵם הַמֶּלֶךְ בֵּית יַעַר הַלְּבָנוֹן׃

יח וַיַּעַשׂ הַמֶּלֶךְ כִּסֵּא־שֵׁן גָּדוֹל וַיְצַפֵּהוּ זָהָב מוּפָז׃ יט שֵׁשׁ מַעֲלוֹת לַכִּסֵּה
וְרֹאשׁ־עָגֹל לַכִּסֵּה מֵאַחֲרָיו וְיָדֹת מִזֶּה וּמִזֶּה אֶל־מְקוֹם הַשָּׁבֶת וּשְׁנַיִם אֲרָיוֹת
עֹמְדִים אֵצֶל הַיָּדוֹת׃ כ וּשְׁנֵים עָשָׂר אֲרָיִים עֹמְדִים שָׁם עַל־שֵׁשׁ הַמַּעֲלוֹת מִזֶּה
וּמִזֶּה לֹא־נַעֲשָׂה כֵן לְכָל־מַמְלָכוֹת׃ כא וְכֹל כְּלֵי מַשְׁקֵה הַמֶּלֶךְ שְׁלֹמֹה זָהָב
וְכֹל כְּלֵי בֵּית־יַעַר הַלְּבָנוֹן זָהָב סָגוּר אֵין כֶּסֶף לֹא נֶחְשָׁב בִּימֵי שְׁלֹמֹה
לִמְאוּמָה׃

[21] משרתו

10 1 And when the queen of Sheba heard of the fame of Solomon because of the name of Yehovah, she came to prove him with hard questions. 2 And she came to Yerushalam with a very great train, with camels that bore spices and gold very much, and precious stones; and when she was come to Solomon, she spoke with him of all that was in her heart. 3 And Solomon told her all her questions; there was not any thing hid from the king which he told her not. 4 And when the queen of Sheba had seen all the wisdom of Solomon, and the house that he had built, 5 and the food of his table, and the sitting of his servants, and the attendance of his ministers, and their apparel, and his cupbearers, and his burnt-offering which he offered in the house of Yehovah, there was no more spirit in her. 6 And she said to the king: 'It was a true report that I heard in mine own land of thine acts, and of thy wisdom. 7 Howbeit I believed not the words, until I came, and mine eyes had seen it; and, behold, the half was not told me; thou hast wisdom and prosperity exceeding the fame which I heard. 8 Happy are thy men, happy are these thy servants, that stand continually before thee, and that hear thy wisdom. 9 Blessed be Yehovah thy God, who delighted in thee, to set thee on the throne of Israel; because Yehovah loved Israel for ever, therefore made He thee king, to do justice and righteousness.' 10 And she gave the king a hundred and twenty talents of gold, and of spices very great store, and precious stones; there came no more such abundance of spices as these which the queen of Sheba gave to king Solomon. 11 And the navy also of Hiram, that brought gold from Ophir, brought in from Ophir great plenty of sandal-wood and precious stones. 12 And the king made of the sandal-wood pillars for the house of Yehovah, and for the king's house, harps also and psalteries for the singers; there came no such sandal-wood, nor was seen, unto this day. 13 And king Solomon gave to the queen of Sheba all her desire, whatsoever she asked, beside that which Solomon gave her of his royal bounty. So she turned, and went to her own land, she and her servants.{P}

14 Now the weight of gold that came to Solomon in one year was six hundred threescore and six talents of gold, 15 beside that which came of the merchants, and of the traffic of the traders, and of all the kings of the mingled people and of the governors of the country. 16 And king Solomon made two hundred targets of beaten gold: six hundred shekels of gold went to one target. 17 And he made three hundred shields of beaten gold: three pounds of gold went to one shield; and the king put them in the house of the forest of Lebanon.{P}

18 Moreover the king made a great throne of ivory, and overlaid it with the finest gold. 19 There were six steps to the throne, and the top of the throne was round behind; and there were arms on either side by the place of the seat, and two lions standing beside the arms. 20 And twelve lions stood there on the one side and on the other upon the six steps; there was not the like made in any kingdom. 21 And all king Solomon's drinking-vessels were of gold, and all the vessels of the house of the forest of Lebanon were of pure gold; none were of silver; it was nothing accounted of in the days of Solomon.

כב כִּי֩ אֳנִ֨י תַרְשִׁ֤ישׁ לַמֶּ֙לֶךְ֙ בַּיָּ֔ם עִ֖ם אֳנִ֣י חִירָ֑ם אַחַת֩ לְשָׁלֹ֨שׁ שָׁנִ֜ים תָּב֣וֹא ׀ אֳנִ֣י
תַרְשִׁ֗ישׁ נֹֽשְׂאֵת֙ זָהָ֣ב וָכֶ֔סֶף שֶׁנְהַבִּ֖ים וְקֹפִ֥ים וְתֻכִּיִּֽים׃ כג וַיִּגְדַּל֙ הַמֶּ֣לֶךְ שְׁלֹמֹ֔ה
מִכֹּ֖ל מַלְכֵ֣י הָאָ֑רֶץ לְעֹ֖שֶׁר וּלְחָכְמָֽה׃ כד וְכָל־הָאָ֔רֶץ מְבַקְשִׁ֖ים אֶת־פְּנֵ֣י שְׁלֹמֹ֑ה
לִשְׁמֹ֙עַ֙ אֶת־חָכְמָת֔וֹ אֲשֶׁר־נָתַ֥ן אֱלֹהִ֖ים בְּלִבּֽוֹ׃ כה וְהֵ֜מָּה מְבִאִ֣ים אִ֣ישׁ מִנְחָת֗וֹ
כְּלֵ֨י כֶ֜סֶף וּכְלֵ֤י זָהָב֙ וּשְׂלָמ֔וֹת וְנֶ֖שֶׁק וּבְשָׂמִ֑ים סוּסִ֣ים וּפְרָדִ֔ים דְּבַר־שָׁנָ֖ה
בְּשָׁנָֽה׃ כו וַיֶּאֱסֹ֣ף שְׁלֹמֹה֮ רֶ֣כֶב וּפָרָשִׁים֒ וַיְהִי־ל֗וֹ אֶ֤לֶף וְאַרְבַּע־מֵאוֹת֙ רֶ֔כֶב
וּשְׁנֵים־עָשָׂ֥ר אֶ֖לֶף פָּרָשִׁ֑ים וַיַּנְחֵם֙ בְּעָרֵ֣י הָרֶ֔כֶב וְעִם־הַמֶּ֖לֶךְ בִּירוּשָׁלִָֽם׃
כז וַיִּתֵּ֨ן הַמֶּ֧לֶךְ אֶת־הַכֶּ֛סֶף בִּירוּשָׁלִַ֖ם כָּאֲבָנִ֑ים וְאֵ֣ת הָאֲרָזִ֗ים נָתַ֛ן כַּשִּׁקְמִ֥ים
אֲשֶׁר־בַּשְּׁפֵלָ֖ה לָרֹֽב׃ כח וּמוֹצָ֥א הַסּוּסִ֛ים אֲשֶׁ֥ר לִשְׁלֹמֹ֖ה מִמִּצְרָ֑יִם וּמִקְוֵ֗ה
סֹחֲרֵ֤י הַמֶּ֙לֶךְ֙ יִקְח֥וּ מִקְוֵ֖א בִּמְחִֽיר׃ כט וַתַּעֲלֶה֩ וַתֵּצֵ֨א מֶרְכָּבָ֜ה מִמִּצְרַ֗יִם בְּשֵׁ֥שׁ
מֵא֣וֹת כֶּ֔סֶף וְס֖וּס בַּחֲמִשִּׁ֣ים וּמֵאָ֑ה וְ֠כֵן לְכָל־מַלְכֵ֧י הַחִתִּ֛ים וּלְמַלְכֵ֥י אֲרָ֖ם
בְּיָדָ֥ם יֵצִֽאוּ׃

יא א וְהַמֶּ֣לֶךְ שְׁלֹמֹ֗ה אָהַ֞ב נָשִׁ֧ים נָכְרִיּ֛וֹת רַבּ֖וֹת וְאֶת־בַּת־פַּרְעֹ֑ה מוֹאֲבִיּ֤וֹת
עַמֳּנִיּוֹת֙ אֲדֹ֣מִיֹּ֔ת צֵדְנִיֹּ֖ת חִתִּיֹּֽת׃ ב מִן־הַגּוֹיִ֞ם אֲשֶׁ֧ר אָֽמַר־יְהוָ֣ה אֶל־בְּנֵ֣י יִשְׂרָאֵ֗ל
לֹֽא־תָבֹ֤אוּ בָהֶם֙ וְהֵם֙ לֹא־יָבֹ֣אוּ בָכֶ֔ם אָכֵן֙ יַטּ֣וּ אֶת־לְבַבְכֶ֔ם אַחֲרֵ֖י אֱלֹהֵיהֶ֑ם
בָּהֶ֛ם דָּבַ֥ק שְׁלֹמֹ֖ה לְאַהֲבָֽה׃ ג וַיְהִי־ל֣וֹ נָשִׁ֗ים שָׂרוֹת֙ שְׁבַ֣ע מֵא֔וֹת וּפִלַגְשִׁ֖ים
שְׁלֹ֣שׁ מֵא֑וֹת וַיַּטּ֥וּ נָשָׁ֖יו אֶת־לִבּֽוֹ׃ ד וַיְהִ֗י לְעֵת֙ זִקְנַ֣ת שְׁלֹמֹ֔ה נָשָׁיו֙ הִטּ֣וּ
אֶת־לְבָב֔וֹ אַחֲרֵ֖י אֱלֹהִ֣ים אֲחֵרִ֑ים וְלֹא־הָיָ֨ה לְבָב֜וֹ שָׁלֵ֗ם עִם־יְהוָ֣ה אֱלֹהָ֔יו
כִּלְבַ֖ב דָּוִ֥יד אָבִֽיו׃ ה וַיֵּ֣לֶךְ שְׁלֹמֹ֔ה אַחֲרֵ֕י עַשְׁתֹּ֕רֶת אֱלֹהֵ֖י צִדֹנִ֑ים וְאַחֲרֵ֣י
מִלְכֹּ֔ם שִׁקֻּ֖ץ עַמֹּנִֽים׃ ו וַיַּ֧עַשׂ שְׁלֹמֹ֛ה הָרַ֖ע בְּעֵינֵ֣י יְהוָ֑ה וְלֹ֥א מִלֵּ֛א אַחֲרֵ֥י יְהוָ֖ה
כְּדָוִ֥ד אָבִֽיו׃ ז אָ֣ז יִבְנֶ֣ה שְׁלֹמֹ֗ה בָּמָ֗ה לִכְמוֹשׁ֙ שִׁקֻּ֣ץ מוֹאָ֔ב בָּהָ֕ר אֲשֶׁ֖ר עַל־פְּנֵ֣י
יְרוּשָׁלִָ֑ם וּלְמֹ֕לֶךְ שִׁקֻּ֖ץ בְּנֵ֥י עַמּֽוֹן׃ ח וְכֵ֣ן עָשָׂ֔ה לְכָל־נָשָׁ֖יו הַנָּכְרִיּ֑וֹת מַקְטִיר֥וֹת
וּֽמְזַבְּח֖וֹת לֵאלֹהֵיהֶֽן׃ ט וַיִּתְאַנַּ֥ף יְהוָ֖ה בִּשְׁלֹמֹ֑ה כִּֽי־נָטָ֣ה לְבָב֗וֹ מֵעִ֤ם יְהוָה֙
אֱלֹהֵ֣י יִשְׂרָאֵ֔ל הַנִּרְאָ֥ה אֵלָ֖יו פַּעֲמָֽיִם׃ י וְצִוָּ֤ה אֵלָיו֙ עַל־הַדָּבָ֣ר הַזֶּ֔ה
לְבִלְתִּי־לֶ֔כֶת אַחֲרֵ֖י אֱלֹהִ֣ים אֲחֵרִ֑ים וְלֹ֣א שָׁמַ֔ר אֵ֥ת אֲשֶׁר־צִוָּ֖ה יְהוָֽה׃

יא וַיֹּ֨אמֶר יְהוָ֜ה לִשְׁלֹמֹ֗ה יַ֚עַן אֲשֶׁ֣ר הָֽיְתָה־זֹּ֣את עִמָּ֔ךְ וְלֹ֤א שָׁמַ֙רְתָּ֙ בְּרִיתִ֣י
וְחֻקֹּתַ֔י אֲשֶׁ֥ר צִוִּ֖יתִי עָלֶ֑יךָ קָרֹ֨עַ אֶקְרַ֧ע אֶת־הַמַּמְלָכָ֛ה מֵעָלֶ֖יךָ וּנְתַתִּ֥יהָ
לְעַבְדֶּֽךָ׃ יב אַךְ־בְּיָמֶ֙יךָ֙ לֹ֣א אֶעֱשֶׂ֔נָּה לְמַ֖עַן דָּוִ֣ד אָבִ֑יךָ מִיַּ֥ד בִּנְךָ֖ אֶקְרָעֶֽנָּה׃
יג רַ֤ק אֶת־כָּל־הַמַּמְלָכָה֙ לֹ֣א אֶקְרָ֔ע שֵׁ֥בֶט אֶחָ֖ד אֶתֵּ֣ן לִבְנֶ֑ךָ לְמַ֙עַן֙ דָּוִ֣ד עַבְדִּ֔י
וּלְמַ֥עַן יְרוּשָׁלִַ֖ם אֲשֶׁ֥ר בָּחָֽרְתִּי׃ יד וַיָּ֨קֶם יְהוָ֥ה שָׂטָ֛ן לִשְׁלֹמֹ֔ה אֵ֖ת הֲדַ֣ד הָאֲדֹמִ֑י
מִזֶּ֧רַע הַמֶּ֛לֶךְ ה֖וּא בֶּאֱדֽוֹם׃

22 For the king had at sea a navy of Tarshish with the navy of Hiram; once every three years came the navy of Tarshish, bringing gold, and silver, ivory, and apes, and peacocks. **23** So king Solomon exceeded all the kings of the earth in riches and in wisdom. **24** And all the earth sought the presence of Solomon, to hear his wisdom, which God had put in his heart. **25** And they brought every man his present, vessels of silver, and vessels of gold, and raiment, and armour, and spices, horses, and mules, a rate year by year.{S} **26** And Solomon gathered together chariots and horsemen; and he had a thousand and four hundred chariots, and twelve thousand horsemen, that he bestowed in the chariot cities, and with the king at Yerushalam. **27** And the king made silver to be in Yerushalam as stones, and cedars made he to be as the sycamore-trees that are in the Lowland, for abundance. **28** And the horses which Solomon had were brought out of Egypt; also out of Keveh, the king's merchants buying them of the men of Keveh at a price. **29** And a chariot came up and went out of Egypt for six hundred shekels of silver, and a horse for a hundred and fifty; and so for all the kings of the Hittites, and for the kings of Aram, did they bring them out by their means.{P}

11 **1** Now king Solomon loved many foreign women, besides the daughter of Pharaoh, women of the Moabites, Ammonites, Edomites, Zidonians, and Hittites; **2** of the nations concerning which Yehovah said unto the children of Israel: 'Ye shall not go among them, neither shall they come among you; for surely they will turn away your heart after their gods'; Solomon did cleave unto these in love. **3** And he had seven hundred wives, princesses, and three hundred concubines; and his wives turned away his heart. **4** For it came to pass, when Solomon was old, that his wives turned away his heart after other gods; and his heart was not whole with Yehovah his God, as was the heart of David his father. **5** For Solomon went after Ashtoreth the goddess of the Zidonians, and after Milcom the detestation of the Ammonites. **6** And Solomon did that which was evil in the sight of Yehovah, and went not fully after Yehovah, as did David his father.{S} **7** Then did Solomon build a high place for Chemosh the detestation of Moab, in the mount that is before Yerushalam, and for Molech the detestation of the children of Ammon. **8** And so did he for all his foreign wives, who offered and sacrificed unto their gods. **9** And Yehovah was angry with Solomon, because his heart was turned away from Yehovah, the God of Israel, who had appeared unto him twice, **10** and had commanded him concerning this thing, that he should not go after other gods; but he kept not that which Yehovah commanded.{P}

11 Wherefore Yehovah said unto Solomon: 'Forasmuch as this hath been in thy mind, and thou hast not kept My covenant and My statutes, which I have commanded thee, I will surely rend the kingdom from thee, and will give it to thy servant. **12** Notwithstanding in thy days I will not do it, for David thy father's sake; but I will rend it out of the hand of thy son. **13** Howbeit I will not rend away all the kingdom; but I will give one tribe to thy son; for David My servant's sake, and for Yerushalam's sake which I have chosen.'{S} **14** And Yehovah raised up an adversary unto Solomon, Hadad the Edomite; he was of the king's seed in Edom.

יה וַיְהִ֞י בִּהְי֤וֹת דָּוִד֙ אֶת־אֱד֔וֹם בַּעֲל֗וֹת יוֹאָב֙ שַׂ֣ר הַצָּבָ֔א לְקַבֵּ֖ר אֶת־הַחֲלָלִ֑ים וַיַּ֥ךְ כָּל־זָכָ֖ר בֶּאֱדֽוֹם: יו כִּ֣י שֵׁ֧שֶׁת חֳדָשִׁ֛ים יָשַׁב־שָׁ֥ם יוֹאָ֖ב וְכָל־יִשְׂרָאֵ֑ל עַד־הִכְרִ֥ית כָּל־זָכָ֖ר בֶּאֱדֽוֹם: יז וַיִּבְרַ֣ח אֲדַ֣ד ה֗וּא וַאֲנָשִׁ֧ים אֲדֹמִיִּ֛ים מֵעַבְדֵ֥י אָבִ֖יו אִתּ֑וֹ לָב֣וֹא מִצְרָ֑יִם וַהֲדַ֖ד נַ֥עַר קָטָֽן: יח וַיָּקֻ֨מוּ֙ מִמִּדְיָ֔ן וַיָּבֹ֖אוּ פָּארָ֑ן וַיִּקְחוּ֩ אֲנָשִׁ֨ים עִמָּ֜ם מִפָּארָ֗ן וַיָּבֹ֤אוּ מִצְרַ֙יִם֙ אֶל־פַּרְעֹ֣ה מֶֽלֶךְ־מִצְרַ֔יִם וַיִּתֶּן־ל֣וֹ בַ֗יִת וְלֶ֙חֶם֙ אָ֣מַר ל֔וֹ וְאֶ֖רֶץ נָ֥תַן לֽוֹ: יט וַיִּמְצָא֩ הֲדַ֨ד חֵ֤ן בְּעֵינֵ֣י פַרְעֹה֙ מְאֹ֔ד וַיִּתֶּן־ל֤וֹ אִשָּׁה֙ אֶת־אֲח֣וֹת אִשְׁתּ֔וֹ אֲח֖וֹת תַּחְפְּנֵ֥יס הַגְּבִירָֽה: כ וַתֵּ֨לֶד ל֜וֹ אֲח֣וֹת תַּחְפְּנֵ֗יס אֵ֚ת גְּנֻ֣בַת בְּנ֔וֹ וַתִּגְמְלֵ֣הוּ תַחְפְּנֵ֔ס בְּת֖וֹךְ בֵּ֣ית פַּרְעֹ֑ה וַיְהִ֤י גְנֻבַת֙ בֵּ֣ית פַּרְעֹ֔ה בְּת֖וֹךְ בְּנֵ֥י פַרְעֹֽה: כא וַהֲדַ֞ד שָׁמַ֣ע בְּמִצְרַ֗יִם כִּֽי־שָׁכַ֤ב דָּוִד֙ עִם־אֲבֹתָ֔יו וְכִי־מֵ֖ת יוֹאָ֣ב שַׂר־הַצָּבָ֑א וַיֹּ֤אמֶר הֲדַד֙ אֶל־פַּרְעֹ֔ה שַׁלְּחֵ֖נִי וְאֵלֵ֥ךְ אֶל־אַרְצִֽי: כב וַיֹּ֧אמֶר ל֣וֹ פַרְעֹ֗ה כִּ֠י מָה־אַתָּ֤ה חָסֵר֙ עִמִּ֔י וְהִנְּךָ֥ מְבַקֵּ֖שׁ לָלֶ֣כֶת אֶל־אַרְצֶ֑ךָ וַיֹּ֣אמֶר ׀ לֹ֔א כִּ֥י שַׁלֵּ֖חַ תְּשַׁלְּחֵֽנִי: כג וַיָּ֨קֶם אֱלֹהִ֥ים לוֹ֙ שָׂטָ֔ן אֶת־רְז֕וֹן בֶּן־אֶלְיָדָ֑ע אֲשֶׁ֣ר בָּרַ֗ח מֵאֵ֛ת הֲדַדְעֶ֥זֶר מֶֽלֶךְ־צוֹבָ֖ה אֲדֹנָֽיו: כד וַיִּקְבֹּ֤ץ עָלָיו֙ אֲנָשִׁ֔ים וַיְהִ֤י שַׂר־גְּדוּד֙ בַּהֲרֹ֤ג דָּוִד֙ אֹתָ֔ם וַיֵּלְכ֤וּ דַמֶּ֙שֶׂק֙ וַיֵּ֣שְׁבוּ בָ֔הּ וַיִּמְלְכ֖וּ בְּדַמָּֽשֶׂק: כה וַיְהִ֨י שָׂטָ֤ן לְיִשְׂרָאֵל֙ כָּל־יְמֵ֣י שְׁלֹמֹ֔ה וְאֶת־הָרָעָ֖ה אֲשֶׁ֣ר הֲדָ֑ד וַיָּ֙קָץ֙ בְּיִשְׂרָאֵ֔ל וַיִּמְלֹ֖ךְ עַל־אֲרָֽם:

כו וְיָרָבְעָם֩ בֶּן־נְבָ֨ט אֶפְרָתִ֜י מִן־הַצְּרֵדָ֗ה וְשֵׁ֤ם אִמּוֹ֙ צְרוּעָה֙ אִשָּׁ֣ה אַלְמָנָ֔ה עֶ֖בֶד לִשְׁלֹמֹ֑ה וַיָּ֥רֶם יָ֖ד בַּמֶּֽלֶךְ: כז וְזֶ֣ה הַדָּבָ֔ר אֲשֶׁר־הֵרִ֥ים יָ֖ד בַּמֶּ֑לֶךְ שְׁלֹמֹה֙ בָּנָ֣ה אֶת־הַמִּלּ֔וֹא סָגַ֕ר אֶת־פֶּ֖רֶץ עִ֥יר דָּוִ֥ד אָבִֽיו: כח וְהָאִ֥ישׁ יָרָבְעָ֖ם גִּבּ֣וֹר חָ֑יִל וַיַּ֨רְא שְׁלֹמֹ֜ה אֶת־הַנַּ֗עַר כִּֽי־עֹשֵׂ֤ה מְלָאכָה֙ ה֔וּא וַיַּפְקֵ֣ד אֹת֔וֹ לְכָל־סֵ֖בֶל בֵּ֥ית יוֹסֵֽף: כט וַֽיְהִי֙ בָּעֵ֣ת הַהִ֔יא וְיָֽרָבְעָ֖ם יָצָ֣א מִירוּשָׁלִָ֑ם וַיִּמְצָ֣א אֹת֡וֹ אֲחִיָּה֩ הַשִּׁילֹנִ֨י הַנָּבִ֜יא בַּדֶּ֗רֶךְ וְה֤וּא מִתְכַּסֶּה֙ בְּשַׂלְמָ֣ה חֲדָשָׁ֔ה וּשְׁנֵיהֶ֥ם לְבַדָּ֖ם בַּשָּׂדֶֽה: ל וַיִּתְפֹּ֣שׂ אֲחִיָּ֔ה בַּשַּׂלְמָ֥ה הַחֲדָשָׁ֖ה אֲשֶׁ֣ר עָלָ֑יו וַיִּ֨קְרָעֶ֔הָ שְׁנֵ֥ים עָשָׂ֖ר קְרָעִֽים: לא וַיֹּ֙אמֶר֙ לְיָרָבְעָ֔ם קַח־לְךָ֖ עֲשָׂרָ֣ה קְרָעִ֑ים כִּ֣י כֹ֩ה אָמַ֨ר יְהוָ֜ה אֱלֹהֵ֣י יִשְׂרָאֵ֗ל הִנְנִ֤י קֹרֵ֙עַ֙ אֶת־הַמַּמְלָכָה֙ מִיַּ֣ד שְׁלֹמֹ֔ה וְנָתַתִּ֣י לְךָ֔ אֵ֖ת עֲשָׂרָ֥ה הַשְּׁבָטִֽים: לב וְהַשֵּׁ֥בֶט הָאֶחָ֖ד יִֽהְיֶה־לּ֑וֹ לְמַ֣עַן ׀ עַבְדִּ֣י דָוִ֗ד וּלְמַ֙עַן֙ יְר֣וּשָׁלִַ֔ם הָעִיר֙ אֲשֶׁ֣ר בָּחַ֣רְתִּי בָ֔הּ מִכֹּ֖ל שִׁבְטֵ֥י יִשְׂרָאֵֽל: לג יַ֣עַן ׀ אֲשֶׁ֣ר עֲזָב֗וּנִי וַיִּֽשְׁתַּחֲו֡וּ לְעַשְׁתֹּרֶת֩ אֱלֹהֵ֨י צִדֹנִ֜ין לִכְמ֣וֹשׁ אֱלֹהֵ֣י מוֹאָ֗ב וּלְמִלְכֹּם֙ אֱלֹהֵ֣י בְנֵֽי־עַמּ֔וֹן וְלֹֽא־הָלְכ֣וּ בִדְרָכַ֗י לַעֲשׂ֨וֹת הַיָּשָׁ֧ר בְּעֵינַ֛י וְחֻקֹּתַ֥י וּמִשְׁפָּטַ֖י כְּדָוִ֥ד אָבִֽיו: לד וְלֹֽא־אֶקַּ֥ח אֶת־כָּל־הַמַּמְלָכָ֖ה מִיָּד֑וֹ כִּ֣י ׀ נָשִׂ֣יא אֲשִׁתֶ֗נּוּ כֹּ֚ל יְמֵ֣י חַיָּ֔יו לְמַ֗עַן דָּוִ֤ד עַבְדִּי֙ אֲשֶׁ֣ר בָּחַ֣רְתִּי אֹת֔וֹ אֲשֶׁ֥ר שָׁמַ֖ר מִצְוֺתַ֥י וְחֻקֹּתָֽי:

15 For it came to pass, when David was in Edom, and Joab the captain of the host was gone up to bury the slain, and had smitten every male in Edom– 16 for Joab and all Israel remained there six months, until he had cut off every male in Edom– 17 that Hadad fled, he and certain Edomites of his father's servants with him, to go into Egypt; Hadad being yet a little child. 18 And they arose out of Midian, and came to Paran; and they took men with them out of Paran, and they came to Egypt, unto Pharaoh king of Egypt, who gave him a house, and appointed him victuals, and gave him land. 19 And Hadad found great favour in the sight of Pharaoh, so that he gave him to wife the sister of his own wife, the sister of Tahpenes the queen. 20 And the sister of Tahpenes bore him Genubath his son, whom Tahpenes weaned in Pharaoh's house; and Genubath was in Pharaoh's house among the sons of Pharaoh. 21 And when Hadad heard in Egypt that David slept with his fathers, and that Joab the captain of the host was dead, Hadad said to Pharaoh: 'Let me depart, that I may go to mine own country.' 22 Then Pharaoh said unto him: 'But what hast thou lacked with me, that, behold, thou seekest to go to thine own country?' And he answered: 'Nothing; howbeit let me depart in any wise.' 23 And God raised up another adversary unto him, Rezon the son of Eliada, who had fled from his lord Hadadezer king of Zobah. 24 And he gathered men unto him, and became captain over a troop, when David slew them [of Zobah]; and they went to Damascus, and dwelt therein, and reigned in Damascus. 25 And he was an adversary to Israel all the days of Solomon, beside the mischief that Hadad did; and he abhorred Israel, and reigned over Aram.{P}

26 And Jeroboam the son of Nebat, an Ephraimite of Zeredah, a servant of Solomon, whose mother's name was Zeruah, a widow, he also lifted up his hand against the king. 27 And this was the cause that he lifted up his hand against the king: Solomon built Millo, and repaired the breach of the city of David his father. 28 And the man Jeroboam was a mighty man of valour; and Solomon saw the young man that he was industrious, and he gave him charge over all the labour of the house of Joseph.{S} 29 And it came to pass at that time, when Jeroboam went out of Yerushalam, that the prophet Ahijah the Shilonite found him in the way; now Ahijah had clad himself with a new garment; and they two were alone in the field. 30 And Ahijah laid hold of the new garment that was on him, and rent it in twelve pieces. 31 And he said to Jeroboam: 'Take thee ten pieces; for thus saith Yehovah, the God of Israel: Behold, I will rend the kingdom out of the hand of Solomon, and will give ten tribes to thee– 32 but he shall have one tribe, for My servant David's sake, and for Yerushalam's sake, the city which I have chosen out of all the tribes of Israel– 33 because that they have forsaken Me, and have worshipped Ashtoreth the goddess of the Zidonians, Chemosh the god of Moab, and Milcom the god of the children of Ammon; and they have not walked in My ways, to do that which is right in Mine eyes, and to keep My statutes and Mine ordinances, as did David his father. 34 Howbeit I will not take the whole kingdom out of his hand; but I will make him prince all the days of his life, for David My servant's sake, whom I chose, because he kept My commandments and My statutes;

לה וְלָקַחְתִּ֧י הַמְּלוּכָ֛ה מִיַּ֥ד בְּנ֖וֹ וּנְתַתִּ֣יהָ לְּךָ֔ אֵ֖ת עֲשֶׂ֥רֶת הַשְּׁבָטִֽים׃ לו וְלִבְנ֖וֹ אֶתֵּ֣ן
שֵֽׁבֶט־אֶחָ֑ד לְמַ֣עַן הֱיֽוֹת־נִ֣יר לְדָֽוִיד־עַ֠בְדִּי כָּֽל־הַיָּמִ֤ים ׀ לְפָנַי֙ בִּיר֣וּשָׁלִַ֔ם הָעִיר֙
אֲשֶׁ֣ר בָּחַ֣רְתִּי לִ֔י לָשׂ֥וּם שְׁמִ֖י שָֽׁם׃ לז וְאֹתְךָ֣ אֶקַּ֔ח וּמָ֣לַכְתָּ֔ בְּכֹ֥ל אֲשֶׁר־תְּאַוֶּ֖ה
נַפְשֶׁ֑ךָ וְהָיִ֥יתָ מֶּ֖לֶךְ עַל־יִשְׂרָאֵֽל׃ לח וְהָיָ֗ה אִם־תִּשְׁמַע֮ אֶת־כָּל־אֲשֶׁ֣ר אֲצַוֶּ֒ךָ֒
וְהָלַכְתָּ֣ בִדְרָכַ֗י וְעָשִׂ֨יתָ הַיָּשָׁ֤ר בְּעֵינַי֙ לִשְׁמ֤וֹר חֻקּוֹתַי֙ וּמִצְוֺתַ֔י כַּאֲשֶׁ֥ר עָשָׂ֖ה דָּוִ֣ד
עַבְדִּ֑י וְהָיִ֣יתִי עִמָּ֗ךְ וּבָנִ֨יתִי לְךָ֤ בַֽיִת־נֶאֱמָן֙ כַּאֲשֶׁ֣ר בָּנִ֣יתִי לְדָוִ֔ד וְנָתַתִּ֥י לְךָ֖
אֶת־יִשְׂרָאֵֽל׃ לט וַאְעַנֶּ֛ה אֶת־זֶ֥רַע דָּוִ֖ד לְמַ֣עַן זֹ֑את אַ֖ךְ לֹ֥א כָל־הַיָּמִֽים׃ מ וַיְבַקֵּ֥שׁ
שְׁלֹמֹ֖ה לְהָמִ֣ית אֶת־יָרָבְעָ֑ם וַיָּ֣קָם יָרָבְעָ֗ם וַיִּבְרַ֤ח מִצְרַ֙יִם֙ אֶל־שִׁישַׁ֣ק
מֶֽלֶךְ־מִצְרַ֔יִם וַיְהִ֥י בְמִצְרַ֖יִם עַד־מ֥וֹת שְׁלֹמֹֽה׃ מא וְיֶ֨תֶר דִּבְרֵ֧י שְׁלֹמֹ֛ה וְכָל־אֲשֶׁ֥ר
עָשָׂ֖ה וְחָכְמָת֑וֹ הֲלוֹא־הֵ֣ם כְּתֻבִ֔ים עַל־סֵ֖פֶר דִּבְרֵ֥י שְׁלֹמֹֽה׃ מב וְהַיָּמִ֗ים אֲשֶׁ֨ר
מָלַ֧ךְ שְׁלֹמֹ֛ה בִירוּשָׁלִַ֖ם עַל־כָּל־יִשְׂרָאֵ֑ל אַרְבָּעִ֖ים שָׁנָֽה׃ מג וַיִּשְׁכַּ֤ב שְׁלֹמֹה֙
עִם־אֲבֹתָ֔יו וַיִּקָּבֵ֕ר בְּעִ֖יר דָּוִ֣ד אָבִ֑יו וַיִּמְלֹ֛ךְ רְחַבְעָ֥ם בְּנ֖וֹ תַּחְתָּֽיו׃

יב א וַיֵּ֥לֶךְ רְחַבְעָ֖ם שְׁכֶ֑ם כִּ֥י שְׁכֶ֛ם בָּ֥א כָל־יִשְׂרָאֵ֖ל לְהַמְלִ֥יךְ אֹתֽוֹ׃ ב וַיְהִ֞י
כִּשְׁמֹ֣עַ ׀ יָרָבְעָ֣ם בֶּן־נְבָ֗ט וְהוּא֙ עוֹדֶ֣נּוּ בְמִצְרַ֔יִם אֲשֶׁ֣ר בָּרַ֔ח מִפְּנֵ֖י הַמֶּ֣לֶךְ שְׁלֹמֹ֑ה
וַיֵּ֥שֶׁב יָרָבְעָ֖ם בְּמִצְרָֽיִם׃ ג וַיִּשְׁלְח֙וּ וַיִּקְרְאוּ־ל֔וֹ וַיָּבֹ֥א[22] יָרָבְעָ֖ם וְכָל־קְהַ֣ל יִשְׂרָאֵ֑ל
וַֽיְדַבְּר֔וּ אֶל־רְחַבְעָ֖ם לֵאמֹֽר׃ ד אָבִ֖יךָ הִקְשָׁ֣ה אֶת־עֻלֵּ֑נוּ וְאַתָּ֡ה עַתָּה֩ הָקֵ֨ל
מֵעֲבֹדַ֜ת אָבִ֗יךָ הַקָּשָׁה֙ וּמֵעֻלּ֧וֹ הַכָּבֵ֛ד אֲשֶׁר־נָתַ֥ן עָלֵ֖ינוּ וְנַעַבְדֶֽךָּ׃ ה וַיֹּ֣אמֶר
אֲלֵיהֶ֔ם לְכ֥וּ עֹ֛ד שְׁלֹשָׁ֥ה יָמִ֖ים וְשׁ֣וּבוּ אֵלָ֑י וַיֵּלְכ֖וּ הָעָֽם׃ ו וַיִּוָּעַ֨ץ הַמֶּ֜לֶךְ רְחַבְעָ֗ם
אֶת־הַזְּקֵנִים֙ אֲשֶׁר־הָי֣וּ עֹמְדִ֗ים אֶת־פְּנֵי֙ שְׁלֹמֹ֣ה אָבִ֔יו בִּֽהְיֹת֥וֹ חַ֖י לֵאמֹ֑ר אֵ֚יךְ אַתֶּ֣ם
נֽוֹעָצִ֔ים לְהָשִׁ֥יב אֶת־הָעָֽם־הַזֶּ֖ה דָּבָֽר׃ ז וַיְדַבְּר֙[23] אֵלָ֜יו לֵאמֹ֗ר אִם־הַיּ֞וֹם
תִּֽהְיֶה־עֶ֜בֶד לָעָ֤ם הַזֶּה֙ וַעֲבַדְתָּ֔ם וַעֲנִיתָ֕ם וְדִבַּרְתָּ֥ אֲלֵיהֶ֖ם דְּבָרִ֣ים טוֹבִ֑ים וְהָי֥וּ
לְךָ֛ עֲבָדִ֖ים כָּל־הַיָּמִֽים׃ ח וַיַּעֲזֹ֛ב אֶת־עֲצַ֥ת הַזְּקֵנִ֖ים אֲשֶׁ֣ר יְעָצֻ֑הוּ וַיִּוָּעַ֗ץ
אֶת־הַיְלָדִים֙ אֲשֶׁ֣ר גָּדְל֣וּ אִתּ֔וֹ אֲשֶׁ֥ר הָעֹמְדִ֖ים לְפָנָֽיו׃ ט וַיֹּ֣אמֶר אֲלֵיהֶ֗ם מָ֤ה אַתֶּם֙
נֽוֹעָצִ֔ים וְנָשִׁ֥יב דָּבָ֖ר אֶת־הָעָ֣ם הַזֶּ֑ה אֲשֶׁ֨ר דִּבְּר֤וּ אֵלַי֙ לֵאמֹ֔ר הָקֵל֙ מִן־הָעֹ֔ל
אֲשֶׁר־נָתַ֥ן אָבִ֖יךָ עָלֵֽינוּ׃ י וַיְדַבְּר֣וּ אֵלָ֗יו הַיְלָדִים֙ אֲשֶׁ֨ר גָּדְל֣וּ אִתּוֹ֮ לֵאמֹר֒
כֹּֽה־תֹאמַ֞ר לָעָ֣ם הַזֶּה֩ אֲשֶׁ֨ר דִּבְּר֜וּ אֵלֶ֣יךָ לֵאמֹ֗ר אָבִ֙יךָ֙ הִכְבִּ֣יד אֶת־עֻלֵּ֔נוּ וְאַתָּ֖ה
הָקֵ֣ל מֵעָלֵ֑ינוּ כֹּ֚ה תְּדַבֵּ֣ר אֲלֵיהֶ֔ם קָטָנִּ֥י עָבָ֖ה מִמָּתְנֵ֥י אָבִֽי׃ יא וְעַתָּ֗ה אָבִי֙ הֶעְמִ֤יס
עֲלֵיכֶם֙ עֹ֣ל כָּבֵ֔ד וַאֲנִ֖י אוֹסִ֣יף עַֽל־עֻלְּכֶ֑ם אָבִ֗י יִסַּ֤ר אֶתְכֶם֙ בַּשּׁוֹטִ֔ים וַאֲנִ֕י אֲיַסֵּ֥ר
אֶתְכֶ֖ם בָּעַקְרַבִּֽים׃ יב וַיָּב֨וֹ[24] יָרָבְעָ֧ם וְכָל־הָעָ֛ם אֶל־רְחַבְעָ֖ם בַּיּ֣וֹם הַשְּׁלִשִׁ֑י
כַּאֲשֶׁ֨ר דִּבֶּ֤ר הַמֶּ֙לֶךְ֙ לֵאמֹ֔ר שׁ֥וּבוּ אֵלַ֖י בַּיּ֥וֹם הַשְּׁלִשִֽׁי׃

---

[22] ויבאו
[23] וידבר
[24] ויבו

<u>35</u> but I will take the kingdom out of his son's hand, and will give it unto thee, even ten tribes. <u>36</u> And unto his son will I give one tribe, that David My servant may have a lamp alway before Me in Yerushalam, the city which I have chosen Me to put My name there. <u>37</u> And I will take thee, and thou shalt reign over all that thy soul desireth, and shalt be king over Israel. <u>38</u> And it shall be, if thou wilt hearken unto all that I command thee, and wilt walk in My ways, and do that which is right in Mine eyes, to keep My statutes and My commandments, as David My servant did, that I will be with thee, and will build thee a sure house, as I built for David, and will give Israel unto thee. <u>39</u> And I will for this afflict the seed of David, but not for ever.'{S} <u>40</u> Solomon sought therefore to kill Jeroboam; but Jeroboam arose, and fled into Egypt, unto Shishak king of Egypt, and was in Egypt until the death of Solomon.{S} <u>41</u> Now the rest of the acts of Solomon, and all that he did, and his wisdom, are they not written in the book of the acts of Solomon? <u>42</u> And the time that Solomon reigned in Yerushalam over all Israel was forty years. <u>43</u> And Solomon slept with his fathers, and was buried in the city of David his father; and Rehoboam his son reigned in his stead.{S}

12 <u>1</u> And Rehoboam went to Shechem; for all Israel were come to Shechem to make him king. <u>2</u> And it came to pass, when Jeroboam the son of Nebat heard of it–for he was yet in Egypt, whither he had fled from the presence of king Solomon, and Jeroboam dwelt in Egypt, <u>3</u> and they sent and called him–that Jeroboam and all the congregation of Israel came, and spoke unto Rehoboam, saying: <u>4</u> 'Thy father made our yoke grievous; now therefore make thou the grievous service of thy father, and his heavy yoke which he put upon us, lighter, and we will serve thee.' <u>5</u> And he said unto them: 'Depart yet for three days, then come again to me.' And the people departed. <u>6</u> And king Rehoboam took counsel with the old men, that had stood before Solomon his father while he yet lived, saying: 'What counsel give ye me to return answer to this people?' <u>7</u> And they spoke unto him, saying: 'If thou wilt be a servant unto this people this day, and wilt serve them, and answer them, and speak good words to them, then they will be thy servants for ever.' <u>8</u> But he forsook the counsel of the old men which they had given him, and took counsel with the young men that were grown up with him, that stood before him. <u>9</u> And he said unto them: 'What counsel give ye, that we may return answer to this people, who have spoken to me, saying: Make the yoke that thy father did put upon us lighter?' <u>10</u> And the young men that were grown up with him spoke unto him, saying: 'Thus shalt thou say unto this people that spoke unto thee, saying: Thy father made our yoke heavy, but make thou it lighter unto us; thus shalt thou speak unto them: My little finger is thicker than my father's loins. <u>11</u> And now whereas my father did burden you with a heavy yoke, I will add to your yoke; my father chastised you with whips, but I will chastise you with scorpions.' <u>12</u> So Jeroboam and all the people came to Rehoboam the third day, as the king bade, saying: 'Come to me again the third day.'

יג וַיַּעַן הַמֶּלֶךְ אֶת־הָעָם קָשָׁה וַיַּעֲזֹב אֶת־עֲצַת הַזְּקֵנִים אֲשֶׁר יְעָצֻהוּ: יד וַיְדַבֵּר
אֲלֵיהֶם כַּעֲצַת הַיְלָדִים לֵאמֹר אָבִי הִכְבִּיד אֶת־עֻלְּכֶם וַאֲנִי אֹסִיף עַל־עֻלְּכֶם
אָבִי יִסַּר אֶתְכֶם בַּשּׁוֹטִים וַאֲנִי אֲיַסֵּר אֶתְכֶם בָּעַקְרַבִּים: טו וְלֹא־שָׁמַע הַמֶּלֶךְ
אֶל־הָעָם כִּי־הָיְתָה סִבָּה מֵעִם יְהוָה לְמַעַן הָקִים אֶת־דְּבָרוֹ אֲשֶׁר דִּבֶּר יְהוָה
בְּיַד אֲחִיָּה הַשִּׁילֹנִי אֶל־יָרָבְעָם בֶּן־נְבָט: טז וַיַּרְא כָּל־יִשְׂרָאֵל כִּי לֹא־שָׁמַע
הַמֶּלֶךְ אֲלֵיהֶם וַיָּשִׁבוּ הָעָם אֶת־הַמֶּלֶךְ דָּבָר ׀ לֵאמֹר מַה־לָּנוּ חֵלֶק בְּדָוִד
וְלֹא־נַחֲלָה בְּבֶן־יִשַׁי לְאֹהָלֶיךָ יִשְׂרָאֵל עַתָּה רְאֵה בֵיתְךָ דָּוִד וַיֵּלֶךְ יִשְׂרָאֵל
לְאֹהָלָיו: יז וּבְנֵי יִשְׂרָאֵל הַיֹּשְׁבִים בְּעָרֵי יְהוּדָה וַיִּמְלֹךְ עֲלֵיהֶם רְחַבְעָם:

יח וַיִּשְׁלַח הַמֶּלֶךְ רְחַבְעָם אֶת־אֲדֹרָם אֲשֶׁר עַל־הַמַּס וַיִּרְגְּמוּ כָל־יִשְׂרָאֵל בּוֹ
אֶבֶן וַיָּמֹת וְהַמֶּלֶךְ רְחַבְעָם הִתְאַמֵּץ לַעֲלוֹת בַּמֶּרְכָּבָה לָנוּס יְרוּשָׁלִָם:
יט וַיִּפְשְׁעוּ יִשְׂרָאֵל בְּבֵית דָּוִד עַד הַיּוֹם הַזֶּה: כ וַיְהִי כִּשְׁמֹעַ כָּל־יִשְׂרָאֵל
כִּי־שָׁב יָרָבְעָם וַיִּשְׁלְחוּ וַיִּקְרְאוּ אֹתוֹ אֶל־הָעֵדָה וַיַּמְלִיכוּ אֹתוֹ עַל־כָּל־יִשְׂרָאֵל
לֹא הָיָה אַחֲרֵי בֵית־דָּוִד זוּלָתִי שֵׁבֶט־יְהוּדָה לְבַדּוֹ: כא וַיָּבֹא[25] רְחַבְעָם
יְרוּשָׁלִַם וַיַּקְהֵל אֶת־כָּל־בֵּית יְהוּדָה וְאֶת־שֵׁבֶט בִּנְיָמִן מֵאָה וּשְׁמֹנִים אֶלֶף
בָּחוּר עֹשֵׂה מִלְחָמָה לְהִלָּחֵם עִם־בֵּית יִשְׂרָאֵל לְהָשִׁיב אֶת־הַמְּלוּכָה
לִרְחַבְעָם בֶּן־שְׁלֹמֹה:

כב וַיְהִי דְּבַר הָאֱלֹהִים אֶל־שְׁמַעְיָה אִישׁ־הָאֱלֹהִים לֵאמֹר: כג אֱמֹר
אֶל־רְחַבְעָם בֶּן־שְׁלֹמֹה מֶלֶךְ יְהוּדָה וְאֶל־כָּל־בֵּית יְהוּדָה וּבִנְיָמִין וְיֶתֶר הָעָם
לֵאמֹר: כד כֹּה אָמַר יְהוָה לֹא־תַעֲלוּ וְלֹא־תִלָּחֲמוּן עִם־אֲחֵיכֶם בְּנֵי־יִשְׂרָאֵל
שׁוּבוּ אִישׁ לְבֵיתוֹ כִּי מֵאִתִּי נִהְיָה הַדָּבָר הַזֶּה וַיִּשְׁמְעוּ אֶת־דְּבַר יְהוָה וַיָּשֻׁבוּ
לָלֶכֶת כִּדְבַר יְהוָה: כה וַיִּבֶן יָרָבְעָם אֶת־שְׁכֶם בְּהַר אֶפְרַיִם וַיֵּשֶׁב בָּהּ וַיֵּצֵא
מִשָּׁם וַיִּבֶן אֶת־פְּנוּאֵל: כו וַיֹּאמֶר יָרָבְעָם בְּלִבּוֹ עַתָּה תָּשׁוּב הַמַּמְלָכָה לְבֵית
דָּוִד: כז אִם־יַעֲלֶה ׀ הָעָם הַזֶּה לַעֲשׂוֹת זְבָחִים בְּבֵית־יְהוָה בִּירוּשָׁלִַם וְשָׁב לֵב
הָעָם הַזֶּה אֶל־אֲדֹנֵיהֶם אֶל־רְחַבְעָם מֶלֶךְ יְהוּדָה וַהֲרָגֻנִי וְשָׁבוּ אֶל־רְחַבְעָם
מֶלֶךְ־יְהוּדָה: כח וַיִּוָּעַץ הַמֶּלֶךְ וַיַּעַשׂ שְׁנֵי עֶגְלֵי זָהָב וַיֹּאמֶר אֲלֵהֶם רַב־לָכֶם
מֵעֲלוֹת יְרוּשָׁלִַם הִנֵּה אֱלֹהֶיךָ יִשְׂרָאֵל אֲשֶׁר הֶעֱלוּךָ מֵאֶרֶץ מִצְרָיִם: כט וַיָּשֶׂם
אֶת־הָאֶחָד בְּבֵית־אֵל וְאֶת־הָאֶחָד נָתַן בְּדָן: ל וַיְהִי הַדָּבָר הַזֶּה לְחַטָּאת וַיֵּלְכוּ
הָעָם לִפְנֵי הָאֶחָד עַד־דָּן: לא וַיַּעַשׂ אֶת־בֵּית בָּמוֹת וַיַּעַשׂ כֹּהֲנִים מִקְצוֹת הָעָם
אֲשֶׁר לֹא־הָיוּ מִבְּנֵי לֵוִי: לב וַיַּעַשׂ יָרָבְעָם ׀ חָג בַּחֹדֶשׁ הַשְּׁמִינִי בַּחֲמִשָּׁה־עָשָׂר
יוֹם ׀ לַחֹדֶשׁ כֶּחָג ׀ אֲשֶׁר בִּיהוּדָה וַיַּעַל עַל־הַמִּזְבֵּחַ כֵּן עָשָׂה בְּבֵית־אֵל לְזַבֵּחַ
לָעֲגָלִים אֲשֶׁר־עָשָׂה וְהֶעֱמִיד בְּבֵית אֵל אֶת־כֹּהֲנֵי הַבָּמוֹת אֲשֶׁר עָשָׂה:

[25] ויבאו

13 And the king answered the people roughly, and forsook the counsel of the old men which they had given him; **14** and spoke to them after the counsel of the young men, saying: 'My father made your yoke heavy, but I will add to your yoke; my father chastised you with whips, but I will chastise you with scorpions.' **15** So the king hearkened not unto the people; for it was a thing brought about of Yehovah, that He might establish His word, which Yehovah spoke by the hand of Ahijah the Shilonite to Jeroboam the son of Nebat. **16** And when all Israel saw that the king hearkened not unto them, the people answered the king, saying: 'What portion have we in David? neither have we inheritance in the son of Jesse; to your tents, O Israel; now see to thine own house, David.' So Israel departed unto their tents. **17** But as for the children of Israel that dwelt in the cities of Judah, Rehoboam reigned over them.{P}

18 Then king Rehoboam sent Adoram, who was over the levy; and all Israel stoned him with stones, so that he died. And king Rehoboam made speed to get him up to his chariot, to flee to Yerushalam. **19** So Israel rebelled against the house of David, unto this day.{S} **20** And it came to pass, when all Israel heard that Jeroboam was returned, that they sent and called him unto the congregation, and made him king over all Israel; there was none that followed the house of David, but the tribe of Judah only. **21** And when Rehoboam was come to Yerushalam, be assembled all the house of Judah, and the tribe of Benjamin, a hundred and fourscore thousand chosen men that were warriors, to fight against the house of Israel, to bring the kingdom back to Rehoboam the son of Solomon.{P}

22 But the word of God came unto Shemaiah the man of God, saying: **23** 'Speak unto Rehoboam the son of Solomon, king of Judah, and unto all the house of Judah and Benjamin, and to the rest of the people, saying: **24** Thus saith Yehovah: Ye shall not go up, nor fight against your brethren the children of Israel; return every man to his house; for this thing is of Me.' So they hearkened unto the word of Yehovah, and returned and went their way, according to the word of Yehovah.{S} **25** Then Jeroboam built Shechem in the hill-country of Ephraim, and dwelt therein; and he went out from thence, and built Penuel. **26** And Jeroboam said in his heart: 'Now will the kingdom return to the house of David. **27** If this people go up to offer sacrifices in the house of Yehovah at Yerushalam, then will the heart of this people turn back unto their lord, even unto Rehoboam king of Judah; and they will kill me, and return to Rehoboam king of Judah.' **28** Whereupon the king took counsel, and made two calves of gold; and he said unto them: 'Ye have gone up long enough to Yerushalam; behold thy gods, O Israel, which brought thee up out of the land of Egypt.' **29** And he set the one in Beth-el, and the other put he in Dan. **30** And this thing became a sin; for the people went to worship before the one, even unto Dan. **31** And he made houses of high places, and made priests from among all the people, that were not of the sons of Levi. **32** And Jeroboam ordained a feast in the eighth month, on the fifteenth day of the month, like unto the feast that is in Judah, and he went up unto the altar; so did he in Beth-el, to sacrifice unto the calves that he had made; and he placed in Beth-el the priests of the high places that he had made.

לג וַיַּ֨עַל עַל־הַמִּזְבֵּ֜חַ ׀ אֲשֶׁר־עָשָׂ֣ה בְּבֵֽית־אֵ֗ל בַּחֲמִשָּׁ֨ה עָשָׂ֥ר יוֹם֙ בַּחֹ֣דֶשׁ הַשְּׁמִינִ֔י
בַּחֹ֖דֶשׁ אֲשֶׁר־בָּדָ֣א מִלִּבּ֑וֹ[26] וַיַּ֤עַשׂ חָג֙ לִבְנֵ֣י יִשְׂרָאֵ֔ל וַיַּ֥עַל עַל־הַמִּזְבֵּ֖חַ לְהַקְטִֽיר׃

יג א וְהִנֵּ֣ה ׀ אִ֣ישׁ אֱלֹהִ֗ים בָּ֚א מִֽיהוּדָ֔ה בִּדְבַ֥ר יְהוָ֖ה אֶל־בֵּֽית־אֵ֑ל וְיָרָבְעָ֛ם עֹמֵ֥ד
עַל־הַמִּזְבֵּ֖חַ לְהַקְטִֽיר׃ ב וַיִּקְרָ֨א עַל־הַמִּזְבֵּ֜חַ בִּדְבַ֣ר יְהוָ֗ה וַיֹּ֙אמֶר֙ מִזְבֵּ֣חַ מִזְבֵּ֔חַ
כֹּ֖ה אָמַ֣ר יְהוָ֑ה הִנֵּֽה־בֵ֞ן נוֹלָ֣ד לְבֵית־דָּוִד֮ יֹאשִׁיָּ֣הוּ שְׁמוֹ֒ וְזָבַ֣ח עָלֶ֗יךָ אֶת־כֹּהֲנֵ֤י
הַבָּמוֹת֙ הַמַּקְטִרִ֣ים עָלֶ֔יךָ וְעַצְמ֣וֹת אָדָ֔ם יִשְׂרְפ֖וּ עָלֶֽיךָ׃ ג וְנָתַ֨ן בַּיּ֣וֹם הַהוּא֮ מוֹפֵת֒
לֵאמֹ֕ר זֶ֚ה הַמּוֹפֵ֔ת אֲשֶׁ֖ר דִּבֶּ֣ר יְהוָ֑ה הִנֵּ֤ה הַמִּזְבֵּ֙חַ֙ נִקְרָ֔ע וְנִשְׁפַּ֥ךְ הַדֶּ֖שֶׁן
אֲשֶׁר־עָלָֽיו׃ ד וַיְהִי֩ כִשְׁמֹ֨עַ הַמֶּ֜לֶךְ אֶת־דְּבַ֣ר אִישׁ־הָאֱלֹהִ֗ים אֲשֶׁ֨ר קָרָ֤א
עַל־הַמִּזְבֵּ֙חַ֙ בְּבֵֽית־אֵ֔ל וַיִּשְׁלַ֨ח יָרָבְעָ֧ם אֶת־יָד֛וֹ מֵעַ֥ל הַמִּזְבֵּ֖חַ לֵאמֹ֣ר ׀ תִּפְשֻׂ֑הוּ
וַתִּיבַ֤שׁ יָדוֹ֙ אֲשֶׁ֣ר שָׁלַ֣ח עָלָ֔יו וְלֹ֥א יָכֹ֖ל לַהֲשִׁיבָ֥הּ אֵלָֽיו׃ ה וְהַמִּזְבֵּ֣חַ נִקְרָ֔ע וַיִּשָּׁפֵ֥ךְ
הַדֶּ֖שֶׁן מִן־הַמִּזְבֵּ֑חַ כַּמּוֹפֵ֗ת אֲשֶׁ֥ר נָתַ֛ן אִ֥ישׁ הָאֱלֹהִ֖ים בִּדְבַ֥ר יְהוָֽה׃ ו וַיַּ֣עַן הַמֶּ֗לֶךְ
וַיֹּ֣אמֶר ׀ אֶל־אִ֣ישׁ הָאֱלֹהִ֗ים חַל־נָ֞א אֶת־פְּנֵ֨י יְהוָ֤ה אֱלֹהֶ֙יךָ֙ וְהִתְפַּלֵּ֣ל בַּעֲדִ֔י וְתָשֹׁ֥ב
יָדִ֖י אֵלָ֑י וַיְחַ֤ל אִישׁ־הָֽאֱלֹהִים֙ אֶת־פְּנֵ֣י יְהוָ֔ה וַתָּ֤שָׁב יַד־הַמֶּ֙לֶךְ֙ אֵלָ֔יו וַתְּהִ֖י
כְּבָרִאשֹׁנָֽה׃ ז וַיְדַבֵּ֤ר הַמֶּ֙לֶךְ֙ אֶל־אִ֣ישׁ הָאֱלֹהִ֔ים בֹּֽאָה־אִתִּ֥י הַבַּ֖יְתָה וּסְעָ֑דָה
וְאֶתְּנָ֥ה לְךָ֖ מַתָּֽת׃ ח וַיֹּ֤אמֶר אִישׁ־הָֽאֱלֹהִים֙ אֶל־הַמֶּ֔לֶךְ אִם־תִּתֶּן־לִי֙ אֶת־חֲצִ֣י
בֵיתֶ֔ךָ לֹ֥א אָבֹ֖א עִמָּ֑ךְ וְלֹֽא־אֹ֤כַל לֶ֙חֶם֙ וְלֹ֣א אֶשְׁתֶּה־מַּ֔יִם בַּמָּק֖וֹם הַזֶּֽה׃ ט כִּֽי־כֵ֣ן ׀
צִוָּ֣ה אֹתִ֗י בִּדְבַ֤ר יְהוָה֙ לֵאמֹ֔ר לֹא־תֹ֥אכַל לֶ֖חֶם וְלֹ֣א תִשְׁתֶּה־מָּ֑יִם וְלֹ֣א תָשׁ֔וּב
בַּדֶּ֖רֶךְ אֲשֶׁ֥ר הָלָֽכְתָּ׃ י וַיֵּ֖לֶךְ בְּדֶ֣רֶךְ אַחֵ֑ר וְלֹא־שָׁ֣ב בַּדֶּ֔רֶךְ אֲשֶׁ֥ר בָּ֛א בָ֖הּ
אֶל־בֵּֽית־אֵֽל׃

יא וְנָבִ֤יא אֶחָד֙ זָקֵ֔ן יֹשֵׁ֖ב בְּבֵֽית־אֵ֑ל וַיָּב֣וֹא בְנ֡וֹ וַיְסַפֶּר־ל֣וֹ אֶת־כָּל־הַמַּעֲשֶׂה֩
אֲשֶׁר־עָשָׂ֨ה אִישׁ־הָאֱלֹהִ֤ים ׀ הַיּוֹם֙ בְּבֵֽית־אֵ֔ל אֶת־הַדְּבָרִים֙ אֲשֶׁ֣ר דִּבֶּ֣ר
אֶל־הַמֶּ֔לֶךְ וַיְסַפְּר֖וּם לַאֲבִיהֶֽם׃ יב וַיְדַבֵּ֤ר אֲלֵהֶם֙ אֲבִיהֶ֔ם אֵי־זֶ֥ה הַדֶּ֖רֶךְ הָלָ֑ךְ
וַיִּרְא֣וּ בָנָ֗יו אֶת־הַדֶּ֙רֶךְ֙ אֲשֶׁ֣ר הָלַךְ֙ אִ֣ישׁ הָאֱלֹהִ֔ים אֲשֶׁר־בָּ֖א מִֽיהוּדָֽה׃ יג וַיֹּ֙אמֶר֙
אֶל־בָּנָ֔יו חִבְשׁוּ־לִ֖י הַחֲמ֑וֹר וַיַּחְבְּשׁוּ־ל֣וֹ הַחֲמ֔וֹר וַיִּרְכַּ֖ב עָלָֽיו׃ יד וַיֵּ֗לֶךְ אַחֲרֵי֙
אִ֣ישׁ הָאֱלֹהִ֔ים וַיִּ֨מְצָאֵ֔הוּ יֹשֵׁ֖ב תַּ֣חַת הָאֵלָ֑ה וַיֹּ֣אמֶר אֵלָ֗יו הַאַתָּ֛ה אִישׁ־הָאֱלֹהִ֛ים
אֲשֶׁר־בָּ֥אתָ מִֽיהוּדָ֖ה וַיֹּ֥אמֶר אָֽנִי׃ טו וַיֹּ֣אמֶר אֵלָ֔יו לֵ֥ךְ אִתִּ֖י הַבָּ֑יְתָה וֶאֱכֹ֖ל לָֽחֶם׃
טז וַיֹּ֗אמֶר לֹ֥א אוּכַ֛ל לָשׁ֥וּב אִתָּ֖ךְ וְלָב֣וֹא אִתָּ֑ךְ וְלֹֽא־אֹ֣כַל לֶ֗חֶם וְלֹֽא־אֶשְׁתֶּ֤ה אִתְּךָ֙
מַ֔יִם בַּמָּק֖וֹם הַזֶּֽה׃ יז כִּֽי־דָבָ֤ר אֵלַי֙ בִּדְבַ֣ר יְהוָ֔ה לֹא־תֹאכַ֣ל לֶ֔חֶם וְלֹֽא־תִשְׁתֶּ֥ה
שָׁ֖ם מָ֑יִם לֹֽא־תָשׁ֣וּב לָלֶ֔כֶת בַּדֶּ֖רֶךְ אֲשֶׁר־הָלַ֥כְתָּ בָּֽהּ׃ יח וַיֹּ֣אמֶר ל֗וֹ גַּם־אֲנִ֣י נָבִיא֮
כָּמוֹךָ֒ וּמַלְאָ֗ךְ דִּבֶּ֨ר אֵלַ֤י בִּדְבַר֙ יְהוָ֣ה לֵאמֹ֔ר הֲשִׁבֵ֤הוּ אִתְּךָ֙ אֶל־בֵּיתֶ֔ךָ וְיֹ֥אכַל
לֶ֖חֶם וְיֵ֣שְׁתְּ מָ֑יִם כִּחֵ֖שׁ לֽוֹ׃

[26] מלבד

33 And he went up unto the altar which he had made in Beth-el on the fifteenth day in the eighth month, even in the month which he had devised of his own heart; and he ordained a feast for the children of Israel, and went up unto the altar, to offer.{P}

13 **1** And, behold, there came a man of God out of Judah by the word of Yehovah unto Beth-el; and Jeroboam was standing by the altar to offer. **2** And he cried against the altar by the word of Yehovah, and said: 'O altar, altar, thus saith Yehovah: Behold, a son shall be born unto the house of David, Josiah by name; and upon thee shall he sacrifice the priests of the high places that offer upon thee, and men's bones shall they burn upon thee.' **3** And he gave a sign the same day saying: 'This is the sign which Yehovah hath spoken: Behold, the altar shall be rent, and the ashes that are upon it shall be poured out.' **4** And it came to pass, when the king heard the saying of the man of God, which he cried against the altar in Beth-el, that Jeroboam put forth his hand from the altar, saying: 'Lay hold on him.' And his hand, which he put forth against him, dried up, so that he could not draw it back to him. **5** The altar also was rent, and the ashes poured out from the altar, according to the sign which the man of God had given by the word of Yehovah. **6** And the king answered and said unto the man of God: 'Entreat now the favour of Yehovah thy God, and pray for me, that my hand may be restored me.' And the man of God entreated Yehovah, and the king's hand was restored him, and became as it was before. **7** And the king said unto the man of God: 'Come home with me, and refresh thyself, and I will give thee a reward.' **8** And the man of God said unto the king: 'If thou wilt give me half thy house, I will not go in with thee, neither will I eat bread nor drink water in this place. **9** For it so was charged me by the word of Yehovah, saying: Thou shalt eat no bread, nor drink water, neither return by the way that thou camest.' **10** So he went another way, and returned not by the way that he came to Beth-el.{P}

11 Now there dwelt an old prophet in Beth-el; and one of his sons came and told him all the works that the man of God had done that day in Beth-el, and the words which he had spoken unto the king, and they told them unto their father. **12** And their father said unto them: 'What way went he?' For his sons had seen what way the man of God went, that came from Judah. **13** And he said unto his sons: 'Saddle me the ass.' So they saddled him the ass; and he rode thereon. **14** And he went after the man of God, and found him sitting under a terebinth; and he said unto him: 'Art thou the man of God that camest from Judah?' And he said: 'I am.' **15** Then he said unto him: 'Come home with me, and eat bread.' **16** And he said: 'I may not return with thee, nor go in with thee; neither will I eat bread nor drink water with thee in this place. **17** For it was said to me by the word of Yehovah: Thou shalt eat no bread nor drink water there, nor turn back to go by the way that thou camest.' **18** And he said unto him: 'I also am a prophet as thou art; and an angel spoke unto me by the word of Yehovah, saying: Bring him back with thee into thy house, that he may eat bread and drink water.'–He lied unto him.–

יט וַיָּ֣שָׁב אִתּ֗וֹ וַיֹּ֥אכַל לֶ֛חֶם בְּבֵית֖וֹ וַיֵּ֥שְׁתְּ מָֽיִם: כ וַיְהִ֗י הֵ֤ם יֹשְׁבִים֙ אֶל־הַשֻּׁלְחָ֔ן וַיְהִי֙ דְּבַר־יְהֹוָ֔ה אֶל־הַנָּבִ֖יא אֲשֶׁ֥ר הֱשִׁיבֽוֹ: כא וַיִּקְרָ֞א אֶל־אִ֣ישׁ הָאֱלֹהִ֗ים אֲשֶׁר־בָּ֣א מִֽיהוּדָה֮ לֵאמֹר֒ כֹּ֚ה אָמַ֣ר יְהֹוָ֔ה יַ֛עַן כִּ֥י מָרִ֖יתָ פִּ֣י יְהֹוָ֑ה וְלֹ֣א שָׁמַ֗רְתָּ אֶת־הַמִּצְוָה֙ אֲשֶׁ֣ר צִוְּךָ֔ יְהֹוָ֖ה אֱלֹהֶֽיךָ: כב וַתָּ֗שָׁב וַתֹּ֤אכַל לֶ֙חֶם֙ וַתֵּ֣שְׁתְּ מַ֔יִם בַּמָּקוֹם֙ אֲשֶׁ֣ר דִּבֶּ֣ר אֵלֶ֔יךָ אַל־תֹּ֥אכַל לֶ֖חֶם וְאַל־תֵּ֣שְׁתְּ מָ֑יִם לֹא־תָב֥וֹא נִבְלָתְךָ֖ אֶל־קֶ֥בֶר אֲבֹתֶֽיךָ: כג וַיְהִ֗י אַחֲרֵ֛י אׇכְל֥וֹ לֶ֖חֶם וְאַחֲרֵ֣י שְׁתוֹת֑וֹ וַיַּחֲבׇשׁ־ל֣וֹ הַחֲמ֔וֹר לַנָּבִ֖יא אֲשֶׁ֥ר הֱשִׁיבֽוֹ: כד וַיֵּ֕לֶךְ וַיִּמְצָאֵ֧הוּ אַרְיֵ֛ה בַּדֶּ֖רֶךְ וַיְמִיתֵ֑הוּ וַתְּהִ֤י נִבְלָתוֹ֙ מֻשְׁלֶ֣כֶת בַּדֶּ֔רֶךְ וְהַֽחֲמוֹר֙ עֹמֵ֣ד אֶצְלָ֔הּ וְהָ֣אַרְיֵ֔ה עֹמֵ֖ד אֵ֥צֶל הַנְּבֵלָֽה: כה וְהִנֵּ֧ה אֲנָשִׁ֣ים עֹבְרִ֗ים וַיִּרְא֤וּ אֶת־הַנְּבֵלָה֙ מֻשְׁלֶ֣כֶת בַּדֶּ֔רֶךְ וְאֶת־הָ֣אַרְיֵ֔ה עֹמֵ֖ד אֵ֣צֶל הַנְּבֵלָ֑ה וַיָּבֹ֙אוּ֙ וַיְדַבְּר֣וּ בָעִ֔יר אֲשֶׁ֛ר הַנָּבִ֥יא הַזָּקֵ֖ן יֹשֵׁ֥ב בָּֽהּ: כו וַיִּשְׁמַ֣ע הַנָּבִיא֮ אֲשֶׁ֣ר הֱשִׁיב֣וֹ מִן־הַדֶּרֶךְ֒ וַיֹּ֗אמֶר אִ֤ישׁ הָֽאֱלֹהִים֙ ה֔וּא אֲשֶׁ֥ר מָרָ֖ה אֶת־פִּ֣י יְהֹוָ֑ה וַיִּתְּנֵ֨הוּ יְהֹוָ֜ה לָאַרְיֵ֗ה וַֽיִּשְׁבְּרֵ֙הוּ֙ וַיְמִתֵ֔הוּ כִּדְבַ֥ר יְהֹוָ֖ה אֲשֶׁ֥ר דִּבֶּר־לֽוֹ: כז וַיְדַבֵּ֤ר אֶל־בָּנָיו֙ לֵאמֹ֔ר חִבְשׁוּ־לִ֖י אֶת־הַחֲמ֑וֹר וַֽיַּחֲבֹֽשׁוּ: כח וַיֵּ֗לֶךְ וַיִּמְצָ֤א אֶת־נִבְלָתוֹ֙ מֻשְׁלֶ֣כֶת בַּדֶּ֔רֶךְ וַֽחֲמוֹר֙ וְהָ֣אַרְיֵ֔ה עֹמְדִ֖ים אֵ֣צֶל הַנְּבֵלָ֑ה לֹֽא־אָכַ֤ל הָֽאַרְיֵה֙ אֶת־הַנְּבֵלָ֔ה וְלֹ֥א שָׁבַ֖ר אֶת־הַחֲמֽוֹר: כט וַיִּשָּׂ֨א הַנָּבִ֜יא אֶת־נִבְלַ֣ת אִישׁ־הָֽאֱלֹהִ֗ים וַיַּנִּחֵ֙הוּ֙ אֶל־הַ֣חֲמ֔וֹר וַיְשִׁיבֵ֑הוּ וַיָּבֹ֗א אֶל־עִיר֙ הַנָּבִ֣יא הַזָּקֵ֔ן לִסְפֹּ֖ד וּלְקׇבְרֽוֹ: ל וַיַּנַּ֥ח אֶת־נִבְלָת֖וֹ בְּקִבְר֑וֹ וַיִּסְפְּד֥וּ עָלָ֖יו ה֥וֹי אָחִֽי: לא וַיְהִ֗י אַֽחֲרֵי֮ קׇבְר֣וֹ אֹתוֹ֒ וַיֹּ֤אמֶר אֶל־בָּנָיו֙ לֵאמֹ֔ר בְּמוֹתִי֙ וּקְבַרְתֶּ֣ם אֹתִ֔י בַּקֶּ֕בֶר אֲשֶׁ֛ר אִ֥ישׁ הָאֱלֹהִ֖ים קָב֣וּר בּ֑וֹ אֵ֚צֶל עַצְמֹתָ֔יו הַנִּ֖יחוּ אֶת־עַצְמֹתָֽי: לב כִּי֩ הָיֹ֨ה יִהְיֶ֜ה הַדָּבָ֗ר אֲשֶׁ֤ר קָרָא֙ בִּדְבַ֣ר יְהֹוָ֔ה עַל־הַמִּזְבֵּ֖חַ אֲשֶׁ֣ר בְּבֵֽית־אֵ֑ל וְעַל֙ כׇּל־בָּתֵּ֣י הַבָּמ֔וֹת אֲשֶׁ֖ר בְּעָרֵ֥י שֹׁמְרֽוֹן:

לג אַחַר֙ הַדָּבָ֣ר הַזֶּ֔ה לֹא־שָׁ֥ב יָרׇבְעָ֖ם מִדַּרְכּ֣וֹ הָרָעָ֑ה וַ֠יָּ֠שׇׁב וַיַּ֜עַשׂ מִקְצ֤וֹת הָעָם֙ כֹּהֲנֵ֣י בָמ֔וֹת הֶחָפֵץ֙ יְמַלֵּ֣א אֶת־יָד֔וֹ וִיהִ֖י כֹּהֲנֵ֥י בָמֽוֹת: לד וַיְהִי֙ בַּדָּבָ֣ר הַזֶּ֔ה לְחַטַּ֖את בֵּ֣ית יָרׇבְעָ֑ם וּֽלְהַכְחִיד֙ וּלְהַשְׁמִ֔יד מֵעַ֖ל פְּנֵ֥י הָאֲדָמָֽה:

יד א בָּעֵ֣ת הַהִ֔יא חָלָ֖ה אֲבִיָּ֣ה בֶן־יָרׇבְעָֽם: ב וַיֹּ֨אמֶר יָרׇבְעָ֜ם לְאִשְׁתּ֗וֹ ק֤וּמִי נָא֙ וְהִשְׁתַּנִּ֔ית וְלֹ֣א יֵֽדְע֔וּ כִּי־[אַ֖תְּ]²⁷ אֵ֣שֶׁת יָרׇבְעָ֑ם וְהָלַ֣כְתְּ שִׁלֹ֗ה הִנֵּה־שָׁם֙ אֲחִיָּ֣ה הַנָּבִ֔יא הֽוּא־דִבֶּ֥ר עָלַ֛י לְמֶ֖לֶךְ עַל־הָעָ֥ם הַזֶּֽה: ג וְלָקַ֣חַתְּ בְּ֠יָדֵ֠ךְ עֲשָׂרָ֨ה לֶ֜חֶם וְנִקֻּדִ֗ים וּבַקְבֻּ֤ק דְּבַשׁ֙ וּבָ֣את אֵלָ֔יו ה֥וּא יַגִּ֛יד לָ֖ךְ מַה־יִּהְיֶ֥ה לַנָּֽעַר: ד וַתַּ֤עַשׂ כֵּן֙ אֵ֣שֶׁת יָרׇבְעָ֔ם וַתָּ֙קׇם֙ וַתֵּ֣לֶךְ שִׁלֹ֔ה וַתָּבֹ֖א בֵּ֣ית אֲחִיָּ֑ה וַאֲחִיָּ֙הוּ֙ לֹא־יָכֹ֣ל לִרְא֔וֹת כִּ֛י קָ֥מוּ עֵינָ֖יו מִשֵּׂיבֽוֹ:

²⁷אַתְּ

19 So he went back with him, and did eat bread in his house, and drank water. **20** And it came to pass, as they sat at the table,{P}

that the word of Yehovah came unto the prophet that brought him back. **21** And he cried unto the man of God that came from Judah, saying: 'Thus saith Yehovah: Forasmuch as thou hast rebelled against the word of Yehovah, and hast not kept the commandment which Yehovah thy God commanded thee, **22** but camest back, and hast eaten bread and drunk water in the place of which He said to thee: Eat no bread, and drink no water; thy carcass shall not come unto the sepulchre of thy fathers.' **23** And it came to pass, after he had eaten bread, and after he had drunk, that he saddled for him the ass, namely, for the prophet whom he had brought back. **24** And when he was gone, a lion met him by the way, and slew him; and his carcass was cast in the way, and the ass stood by it; the lion also stood by the carcass. **25** And, behold, men passed by, and saw the carcass cast in the way, and the lion standing by the carcass; and they came and told it in the city where the old prophet dwelt. **26** And when the prophet that brought him back from the way heard thereof, he said: 'It is the man of God, who rebelled against the word of Yehovah; therefore Yehovah hath delivered him unto the lion, which hath torn him, and slain him, according to the word of Yehovah, which He spoke unto him.' **27** And he spoke to his sons, saying: 'Saddle me the ass.' And they saddled it. **28** And he went and found his carcass cast in the way, and the ass and the lion standing by the carcass; the lion had not eaten the carcass, nor torn the ass. **29** And the prophet took up the carcass of the man of God, and laid it upon the ass, and brought it back; and he came to the city of the old prophet, to lament, and to bury him. **30** And he laid his carcass in his own grave; and they made lamentation for him: 'Alas, my brother!' **31** And it came to pass, after he had buried him, that he spoke to his sons, saying: 'When I am dead, then bury me in the sepulchre wherein the man of God is buried; lay my bones beside his bones. **32** For the saying which he cried by the word of Yehovah against the altar in Beth-el, and against all the houses of the high places which are in the cities of Samaria, shall surely come to pass.'{P}

33 After this thing Jeroboam returned not from his evil way, but made again from among all the people priests of the high places; whosoever would, he consecrated him, that he might be one of the priests of the high places. **34** And by this thing there was sin unto the house of Jeroboam, even to cut it off, and to destroy it from off the face of the earth.{P}

14 **1** At that time Abijah the son of Jeroboam fell sick. **2** And Jeroboam said to his wife: 'Arise, I pray thee, and disguise thyself, that thou be not known to be the wife of Jeroboam; and get thee to Shiloh; behold, there is Ahijah the prophet, who spoke concerning me that I should be king over this people. **3** And take with thee ten loaves, and biscuits, and a cruse of honey, and go to him; he will tell thee what shall become of the child.' **4** And Jeroboam's wife did so, and arose, and went to Shiloh, and came to the house of Ahijah. Now Ahijah could not see; for his eyes were set by reason of his age.{P}

ה וַיהֹוָה אָמַר אֶל־אֲחִיָּהוּ הִנֵּה אֵשֶׁת יָרׇבְעָם בָּאָה לִדְרֹשׁ דָּבָר מֵעִמְּךָ אֶל־בְּנָהּ כִּי־חֹלֶה הוּא כָּזֹה וְכָזֶה תְּדַבֵּר אֵלֶיהָ וִיהִי כְבֹאָהּ וְהִיא מִתְנַכֵּרָה:
ו וַיְהִי כִשְׁמֹעַ אֲחִיָּהוּ אֶת־קוֹל רַגְלֶיהָ בָּאָה בַפֶּתַח וַיֹּאמֶר בֹּאִי אֵשֶׁת יָרׇבְעָם לָמָּה זֶּה אַתְּ מִתְנַכֵּרָה וְאָנֹכִי שָׁלוּחַ אֵלַיִךְ קָשָׁה:
ז לְכִי אִמְרִי לְיָרׇבְעָם כֹּה־אָמַר יְהֹוָה אֱלֹהֵי יִשְׂרָאֵל יַעַן אֲשֶׁר הֲרִימֹתִיךָ מִתּוֹךְ הָעָם וָאֶתֶּנְךָ נָגִיד עַל עַמִּי יִשְׂרָאֵל:
ח וָאֶקְרַע אֶת־הַמַּמְלָכָה מִבֵּית דָּוִד וָאֶתְּנֶהָ לָךְ וְלֹא־הָיִיתָ כְּעַבְדִּי דָוִד אֲשֶׁר שָׁמַר מִצְוֺתַי וַאֲשֶׁר־הָלַךְ אַחֲרַי בְּכׇל־לְבָבוֹ לַעֲשׂוֹת רַק הַיָּשָׁר בְּעֵינָי:
ט וַתָּרַע לַעֲשׂוֹת מִכֹּל אֲשֶׁר־הָיוּ לְפָנֶיךָ וַתֵּלֶךְ וַתַּעֲשֶׂה־לְּךָ אֱלֹהִים אֲחֵרִים וּמַסֵּכוֹת לְהַכְעִיסֵנִי וְאֹתִי הִשְׁלַכְתָּ אַחֲרֵי גַוֶּךָ:
י לָכֵן הִנְנִי מֵבִיא רָעָה אֶל־בֵּית יָרׇבְעָם וְהִכְרַתִּי לְיָרׇבְעָם מַשְׁתִּין בְּקִיר עָצוּר וְעָזוּב בְּיִשְׂרָאֵל וּבִעַרְתִּי אַחֲרֵי בֵית־יָרׇבְעָם כַּאֲשֶׁר יְבַעֵר הַגָּלָל עַד־תֻּמּוֹ:
יא הַמֵּת לְיָרׇבְעָם בָּעִיר יֹאכְלוּ הַכְּלָבִים וְהַמֵּת בַּשָּׂדֶה יֹאכְלוּ עוֹף הַשָּׁמָיִם כִּי יְהֹוָה דִּבֵּר:
יב וְאַתְּ קוּמִי לְכִי לְבֵיתֵךְ בְּבֹאָה רַגְלַיִךְ הָעִירָה וּמֵת הַיָּלֶד:
יג וְסָפְדוּ־לוֹ כׇל־יִשְׂרָאֵל וְקָבְרוּ אֹתוֹ כִּי־זֶה לְבַדּוֹ יָבֹא לְיָרׇבְעָם אֶל־קָבֶר יַעַן נִמְצָא־בוֹ דָּבָר טוֹב אֶל־יְהֹוָה אֱלֹהֵי יִשְׂרָאֵל בְּבֵית יָרׇבְעָם:
יד וְהֵקִים יְהֹוָה לוֹ מֶלֶךְ עַל־יִשְׂרָאֵל אֲשֶׁר יַכְרִית אֶת־בֵּית יָרׇבְעָם זֶה הַיּוֹם וּמֶה גַּם־עָתָּה:
טו וְהִכָּה יְהֹוָה אֶת־יִשְׂרָאֵל כַּאֲשֶׁר יָנוּד הַקָּנֶה בַּמַּיִם וְנָתַשׁ אֶת־יִשְׂרָאֵל מֵעַל הָאֲדָמָה הַטּוֹבָה הַזֹּאת אֲשֶׁר נָתַן לַאֲבוֹתֵיהֶם וְזֵרָם מֵעֵבֶר לַנָּהָר יַעַן אֲשֶׁר עָשׂוּ אֶת־אֲשֵׁרֵיהֶם מַכְעִיסִים אֶת־יְהֹוָה:
טז וְיִתֵּן אֶת־יִשְׂרָאֵל בִּגְלַל חַטֹּאות יָרׇבְעָם אֲשֶׁר חָטָא וַאֲשֶׁר הֶחֱטִיא אֶת־יִשְׂרָאֵל:
יז וַתָּקׇם אֵשֶׁת יָרׇבְעָם וַתֵּלֶךְ וַתָּבֹא תִּרְצָתָה הִיא בָּאָה בְסַף־הַבַּיִת וְהַנַּעַר מֵת:
יח וַיִּקְבְּרוּ אֹתוֹ וַיִּסְפְּדוּ־לוֹ כׇל־יִשְׂרָאֵל כִּדְבַר יְהֹוָה אֲשֶׁר דִּבֶּר בְּיַד־עַבְדּוֹ אֲחִיָּהוּ הַנָּבִיא:
יט וְיֶתֶר דִּבְרֵי יָרׇבְעָם אֲשֶׁר נִלְחַם וַאֲשֶׁר מָלָךְ הִנָּם כְּתוּבִים עַל־סֵפֶר דִּבְרֵי הַיָּמִים לְמַלְכֵי יִשְׂרָאֵל:
כ וְהַיָּמִים אֲשֶׁר מָלַךְ יָרׇבְעָם עֶשְׂרִים וּשְׁתַּיִם שָׁנָה וַיִּשְׁכַּב עִם־אֲבֹתָיו וַיִּמְלֹךְ נָדָב בְּנוֹ תַּחְתָּיו:

כא וּרְחַבְעָם בֶּן־שְׁלֹמֹה מָלַךְ בִּיהוּדָה בֶּן־אַרְבָּעִים וְאַחַת שָׁנָה רְחַבְעָם בְּמׇלְכוֹ וּשְׁבַע עֶשְׂרֵה שָׁנָה ׀ מָלַךְ בִּירוּשָׁלַ͏ִם הָעִיר אֲשֶׁר־בָּחַר יְהֹוָה לָשׂוּם אֶת־שְׁמוֹ שָׁם מִכֹּל שִׁבְטֵי יִשְׂרָאֵל וְשֵׁם אִמּוֹ נַעֲמָה הָעַמֹּנִית:
כב וַיַּעַשׂ יְהוּדָה הָרַע בְּעֵינֵי יְהֹוָה וַיְקַנְאוּ אֹתוֹ מִכֹּל אֲשֶׁר עָשׂוּ אֲבֹתָם בְּחַטֹּאתָם אֲשֶׁר חָטָאוּ:
כג וַיִּבְנוּ גַם־הֵמָּה לָהֶם בָּמוֹת וּמַצֵּבוֹת וַאֲשֵׁרִים עַל כׇּל־גִּבְעָה גְבֹהָה וְתַחַת כׇּל־עֵץ רַעֲנָן:

5 Now Yehovah had said unto Ahijah: 'Behold, the wife of Jeroboam cometh to inquire of thee concerning her son; for he is sick; thus and thus shalt thou say unto her; for it will be, when she cometh in, that she will feign herself to be another woman.' **6** And it was so, when Ahijah heard the sound of her feet, as she came in at the door, that he said: 'Come in, thou wife of Jeroboam; why feignest thou thyself to be another? for I am sent to thee with heavy tidings. **7** Go, tell Jeroboam: Thus saith Yehovah, the God of Israel: Forasmuch as I exalted thee from among the people, and made thee prince over My people Israel, **8** and rent the kingdom away from the house of David, and gave it thee; and yet thou hast not been as My servant David, who kept My commandments, and who followed Me with all his heart, to do that only which was right in Mine eyes; **9** but hast done evil above all that were before thee, and hast gone and made thee other gods, and molten images, to provoke Me, and hast cast Me behind thy back; **10** therefore, behold, I will bring evil upon the house of Jeroboam, and will cut off from Jeroboam every man-child, and him that is shut up and him that is left at large in Israel, and will utterly sweep away the house of Jeroboam, as a man sweepeth away dung, till it be all gone. **11** Him that dieth of Jeroboam in the city shall the dogs eat; and him that dieth in the field shall the fowls of the air eat; for Yehovah hath spoken it. **12** Arise thou therefore, get thee to thy house; and when thy feet enter into the city, the child shall die. **13** And all Israel shall make lamentation for him, and bury him; for he only of Jeroboam shall come to the grave; because in him there is found some good thing toward Yehovah, the God of Israel, in the house of Jeroboam. **14** Moreover Yehovah will raise Him up a king over Israel, who shall cut off the house of Jeroboam that day. But what is it even then? **15** for Yehovah will smite Israel, as a reed is shaken in the water; and He will root up Israel out of this good land, which He gave to their fathers, and will scatter them beyond the River; because they have made their Asherim, provoking Yehovah. **16** And He will give Israel up because of the sins of Jeroboam, which he hath sinned, and wherewith he hath made Israel to sin.' **17** And Jeroboam's wife arose, and departed, and came to Tirzah; and as she came to the threshold of the house, the child died. **18** And all Israel buried him, and made lamentation for him; according to the word of Yehovah, which He spoke by the hand of His servant Ahijah the prophet. **19** And the rest of the acts of Jeroboam, how he warred, and how he reigned, behold, they are written in the book of the chronicles of the kings of Israel. **20** And the days which Jeroboam reigned were two and twenty years; and he slept with his fathers, and Nadab his son reigned in his stead.{P}

21 And Rehoboam the son of Solomon reigned in Judah. Rehoboam was forty and one years old when he began to reign, and he reigned seventeen years in Yerushalam, the city which Yehovah had chosen out of all the tribes of Israel, to put His name there; and his mother's name was Naamah the Ammonitess. **22** And Judah did that which was evil in the sight of Yehovah; and they moved Him to jealousy with their sins which they committed, above all that their fathers had done. **23** For they also built them high places, and pillars, and Asherim, on every high hill, and under every leafy tree;

כד וְגַם־קָדֵשׁ הָיָה בָאָרֶץ עָשׂוּ כְּכֹל הַתּוֹעֲבֹת הַגּוֹיִם אֲשֶׁר הוֹרִישׁ יְהוָה מִפְּנֵי
בְּנֵי יִשְׂרָאֵל׃

כה וַיְהִי בַּשָּׁנָה הַחֲמִישִׁית לַמֶּלֶךְ רְחַבְעָם עָלָה שִׁישַׁק[28] מֶלֶךְ־מִצְרַיִם
עַל־יְרוּשָׁלִָם׃ כו וַיִּקַּח אֶת־אֹצְרוֹת בֵּית־יְהוָה וְאֶת־אוֹצְרוֹת בֵּית הַמֶּלֶךְ
וְאֶת־הַכֹּל לָקָח וַיִּקַּח אֶת־כָּל־מָגִנֵּי הַזָּהָב אֲשֶׁר עָשָׂה שְׁלֹמֹה׃ כז וַיַּעַשׂ הַמֶּלֶךְ
רְחַבְעָם תַּחְתָּם מָגִנֵּי נְחֹשֶׁת וְהִפְקִיד עַל־יַד שָׂרֵי הָרָצִים הַשֹּׁמְרִים פֶּתַח בֵּית
הַמֶּלֶךְ׃ כח וַיְהִי מִדֵּי־בֹא הַמֶּלֶךְ בֵּית יְהוָה יִשָּׂאוּם הָרָצִים וֶהֱשִׁיבוּם אֶל־תָּא
הָרָצִים׃ כט וְיֶתֶר דִּבְרֵי רְחַבְעָם וְכָל־אֲשֶׁר עָשָׂה הֲלֹא־הֵמָּה כְתוּבִים
עַל־סֵפֶר דִּבְרֵי הַיָּמִים לְמַלְכֵי יְהוּדָה׃ ל וּמִלְחָמָה הָיְתָה בֵין־רְחַבְעָם וּבֵין
יָרָבְעָם כָּל־הַיָּמִים׃ לא וַיִּשְׁכַּב רְחַבְעָם עִם־אֲבֹתָיו וַיִּקָּבֵר עִם־אֲבֹתָיו בְּעִיר
דָּוִד וְשֵׁם אִמּוֹ נַעֲמָה הָעַמֹּנִית וַיִּמְלֹךְ אֲבִיָּם בְּנוֹ תַּחְתָּיו׃

יה א וּבִשְׁנַת שְׁמֹנֶה עֶשְׂרֵה לַמֶּלֶךְ יָרָבְעָם בֶּן־נְבָט מָלַךְ אֲבִיָּם עַל־יְהוּדָה׃
ב שָׁלֹשׁ שָׁנִים מָלַךְ בִּירוּשָׁלִָם וְשֵׁם אִמּוֹ מַעֲכָה בַּת־אֲבִישָׁלוֹם׃ ג וַיֵּלֶךְ
בְּכָל־חַטֹּאות אָבִיו אֲשֶׁר־עָשָׂה לְפָנָיו וְלֹא־הָיָה לְבָבוֹ שָׁלֵם עִם־יְהוָה אֱלֹהָיו
כִּלְבַב דָּוִד אָבִיו׃ ד כִּי לְמַעַן דָּוִד נָתַן יְהוָה אֱלֹהָיו לוֹ נִיר בִּירוּשָׁלִָם
לְהָקִים אֶת־בְּנוֹ אַחֲרָיו וּלְהַעֲמִיד אֶת־יְרוּשָׁלִָם׃ ה אֲשֶׁר עָשָׂה דָוִד
אֶת־הַיָּשָׁר בְּעֵינֵי יְהוָה וְלֹא־סָר מִכֹּל אֲשֶׁר־צִוָּהוּ כֹּל יְמֵי חַיָּיו רַק בִּדְבַר
אוּרִיָּה הַחִתִּי׃ ו וּמִלְחָמָה הָיְתָה בֵין־רְחַבְעָם וּבֵין יָרָבְעָם כָּל־יְמֵי חַיָּיו׃
ז וְיֶתֶר דִּבְרֵי אֲבִיָּם וְכָל־אֲשֶׁר עָשָׂה הֲלוֹא־הֵם כְּתוּבִים עַל־סֵפֶר דִּבְרֵי
הַיָּמִים לְמַלְכֵי יְהוּדָה וּמִלְחָמָה הָיְתָה בֵּין אֲבִיָּם וּבֵין יָרָבְעָם׃ ח וַיִּשְׁכַּב
אֲבִיָּם עִם־אֲבֹתָיו וַיִּקְבְּרוּ אֹתוֹ בְּעִיר דָּוִד וַיִּמְלֹךְ אָסָא בְנוֹ תַּחְתָּיו׃

ט וּבִשְׁנַת עֶשְׂרִים לְיָרָבְעָם מֶלֶךְ יִשְׂרָאֵל מָלַךְ אָסָא מֶלֶךְ יְהוּדָה׃
י וְאַרְבָּעִים וְאַחַת שָׁנָה מָלַךְ בִּירוּשָׁלִָם וְשֵׁם אִמּוֹ מַעֲכָה בַּת־אֲבִישָׁלוֹם׃
יא וַיַּעַשׂ אָסָא הַיָּשָׁר בְּעֵינֵי יְהוָה כְּדָוִד אָבִיו׃ יב וַיַּעֲבֵר הַקְּדֵשִׁים מִן־הָאָרֶץ
וַיָּסַר אֶת־כָּל־הַגִּלֻּלִים אֲשֶׁר עָשׂוּ אֲבֹתָיו׃ יג וְגַם ׀ אֶת־מַעֲכָה אִמּוֹ וַיְסִרֶהָ
מִגְּבִירָה אֲשֶׁר־עָשְׂתָה מִפְלֶצֶת לָאֲשֵׁרָה וַיִּכְרֹת אָסָא אֶת־מִפְלַצְתָּהּ וַיִּשְׂרֹף
בְּנַחַל קִדְרוֹן׃ יד וְהַבָּמוֹת לֹא־סָרוּ רַק לְבַב־אָסָא הָיָה שָׁלֵם עִם־יְהוָה
כָּל־יָמָיו׃ יה וַיָּבֵא אֶת־קָדְשֵׁי אָבִיו וְקָדְשֵׁי[29] בֵּית יְהוָה כֶּסֶף וְזָהָב וְכֵלִים׃
יו וּמִלְחָמָה הָיְתָה בֵּין אָסָא וּבֵין בַּעְשָׁא מֶלֶךְ־יִשְׂרָאֵל כָּל־יְמֵיהֶם׃

[28] שושק
[29] וקדשו

<u>24</u> and there were also sodomites in the land; they did according to all the abominations of the nations which Yehovah drove out before the children of Israel.{P}

<u>25</u> And it came to pass in the fifth year of king Rehoboam, that Shishak king of Egypt came up against Yerushalam; <u>26</u> and he took away the treasures of the house of Yehovah, and the treasures of the king's house; he even took away all; and he took away all the shields of gold which Solomon had made. <u>27</u> And king Rehoboam made in their stead shields of brass, and committed them to the hands of the captains of the guard, who kept the door of the king's house. <u>28</u> And it was so, that as oft as the king went into the house of Yehovah, the guard bore them, and brought them back into the guard-chamber. <u>29</u> Now the rest of the acts of Rehoboam, and all that he did, are they not written in the book of the chronicles of the kings of Judah?   <u>30</u> And there was war between Rehoboam and Jeroboam continually. <u>31</u> And Rehoboam slept with his fathers, and was buried with his fathers in the city of David; and his mother's name was Naamah the Ammonitess. And Abijam his son reigned in his stead.{P}

15 <u>1</u> Now in the eighteenth year of king Jeroboam the son of Nebat began Abijam to reign over Judah. <u>2</u> Three years reigned he in Yerushalam; and his mother's name was Maacah the daughter of Abishalom. <u>3</u> And he walked in all the sins of his father, which he had done before him; and his heart was not whole with Yehovah his God, as the heart of David his father. <u>4</u> Nevertheless for David's sake did Yehovah his God give him a lamp in Yerushalam, to set up his son after him, and to establish Yerushalam; <u>5</u> because David did that which was right in the eyes of Yehovah, and turned not aside from any thing that He commanded him all the days of his life, save only in the matter of Uriah the Hittite. <u>6</u> Now there was war between Rehoboam and Jeroboam all the days of his life. <u>7</u> And the rest of the acts of Abijam, and all that he did, are they not written in the book of the chronicles of the kings of Judah? And there was war between Abijam and Jeroboam. <u>8</u> And Abijam slept with his fathers; and they buried him in the city of David; and Asa his son reigned in his stead.{P}

<u>9</u> And in the twentieth year of Jeroboam king of Israel began Asa to reign over Judah. <u>10</u> And forty and one years reigned he in Yerushalam; and his mother's name was Maacah the daughter of Abishalom. <u>11</u> And Asa did that which was right in the eyes of Yehovah, as did David his father. <u>12</u> And he put away the sodomites out of the land, and removed all the idols that his fathers had made. <u>13</u> And also Maacah his mother he removed from being queen, because she had made an abominable image for an Asherah; and Asa cut down her image, and burnt it at the brook Kidron. <u>14</u> But the high places were not taken away; nevertheless the heart of Asa was whole with Yehovah all his days.{S} <u>15</u> And he brought into the house of Yehovah the things that his father had hallowed, and the things that himself had hallowed, silver, and gold, and vessels. <u>16</u> And there was war between Asa and Baasa king of Israel all their days.

יז וַיַּעַל בַּעְשָׁא מֶלֶךְ־יִשְׂרָאֵל עַל־יְהוּדָה וַיִּבֶן אֶת־הָרָמָה לְבִלְתִּי תֵּת יֹצֵא וָבָא לְאָסָא מֶלֶךְ יְהוּדָה: יח וַיִּקַּח אָסָא אֶת־כָּל־הַכֶּסֶף וְהַזָּהָב הַנּוֹתָרִים ׀ בְּאוֹצְרוֹת בֵּית־יְהֹוָה וְאֶת־אוֹצְרוֹת בֵּית הַמֶּלֶךְ[30] וַיִּתְּנֵם בְּיַד־עֲבָדָיו וַיִּשְׁלָחֵם הַמֶּלֶךְ אָסָא אֶל־בֶּן־הֲדַד בֶּן־טַבְרִמֹּן בֶּן־חֶזְיוֹן מֶלֶךְ אֲרָם הַיֹּשֵׁב בְּדַמֶּשֶׂק לֵאמֹר: יט בְּרִית בֵּינִי וּבֵינֶךָ בֵּין אָבִי וּבֵין אָבִיךָ הִנֵּה שָׁלַחְתִּי לְךָ שֹׁחַד כֶּסֶף וְזָהָב לֵךְ הָפֵרָה אֶת־בְּרִיתְךָ אֶת־בַּעְשָׁא מֶלֶךְ־יִשְׂרָאֵל וְיַעֲלֶה מֵעָלָי: כ וַיִּשְׁמַע בֶּן־הֲדַד אֶל־הַמֶּלֶךְ אָסָא וַיִּשְׁלַח אֶת־שָׂרֵי הַחֲיָלִים אֲשֶׁר־לוֹ עַל־עָרֵי יִשְׂרָאֵל וַיַּךְ אֶת־עִיּוֹן וְאֶת־דָּן וְאֵת אָבֵל בֵּית־מַעֲכָה וְאֵת כָּל־כִּנְּרוֹת עַל כָּל־אֶרֶץ נַפְתָּלִי: כא וַיְהִי כִּשְׁמֹעַ בַּעְשָׁא וַיֶּחְדַּל מִבְּנוֹת אֶת־הָרָמָה וַיֵּשֶׁב בְּתִרְצָה: כב וְהַמֶּלֶךְ אָסָא הִשְׁמִיעַ אֶת־כָּל־יְהוּדָה אֵין נָקִי וַיִּשְׂאוּ אֶת־אַבְנֵי הָרָמָה וְאֶת־עֵצֶיהָ אֲשֶׁר בָּנָה בַּעְשָׁא וַיִּבֶן בָּם הַמֶּלֶךְ אָסָא אֶת־גֶּבַע בִּנְיָמִן וְאֶת־הַמִּצְפָּה: כג וְיֶתֶר כָּל־דִּבְרֵי־אָסָא וְכָל־גְּבוּרָתוֹ וְכָל־אֲשֶׁר עָשָׂה וְהֶעָרִים אֲשֶׁר בָּנָה הֲלֹא־הֵמָּה כְתוּבִים עַל־סֵפֶר דִּבְרֵי הַיָּמִים לְמַלְכֵי יְהוּדָה רַק לְעֵת זִקְנָתוֹ חָלָה אֶת־רַגְלָיו: כד וַיִּשְׁכַּב אָסָא עִם־אֲבֹתָיו וַיִּקָּבֵר עִם־אֲבֹתָיו בְּעִיר דָּוִד אָבִיו וַיִּמְלֹךְ יְהוֹשָׁפָט בְּנוֹ תַּחְתָּיו:

כה וְנָדָב בֶּן־יָרָבְעָם מָלַךְ עַל־יִשְׂרָאֵל בִּשְׁנַת שְׁתַּיִם לְאָסָא מֶלֶךְ יְהוּדָה וַיִּמְלֹךְ עַל־יִשְׂרָאֵל שְׁנָתָיִם: כו וַיַּעַשׂ הָרַע בְּעֵינֵי יְהֹוָה וַיֵּלֶךְ בְּדֶרֶךְ אָבִיו וּבְחַטָּאתוֹ אֲשֶׁר הֶחֱטִיא אֶת־יִשְׂרָאֵל: כז וַיִּקְשֹׁר עָלָיו בַּעְשָׁא בֶן־אֲחִיָּה לְבֵית יִשָּׂשכָר וַיַּכֵּהוּ בַעְשָׁא בְּגִבְּתוֹן אֲשֶׁר לַפְּלִשְׁתִּים וְנָדָב וְכָל־יִשְׂרָאֵל צָרִים עַל־גִּבְּתוֹן: כח וַיְמִתֵהוּ בַעְשָׁא בִּשְׁנַת שָׁלֹשׁ לְאָסָא מֶלֶךְ יְהוּדָה וַיִּמְלֹךְ תַּחְתָּיו: כט וַיְהִי כְמָלְכוֹ הִכָּה אֶת־כָּל־בֵּית יָרָבְעָם לֹא־הִשְׁאִיר כָּל־נְשָׁמָה לְיָרָבְעָם עַד־הִשְׁמִדוֹ כִּדְבַר יְהֹוָה אֲשֶׁר דִּבֶּר בְּיַד־עַבְדּוֹ אֲחִיָּה הַשִּׁילֹנִי: ל עַל־חַטֹּאות יָרָבְעָם אֲשֶׁר חָטָא וַאֲשֶׁר הֶחֱטִיא אֶת־יִשְׂרָאֵל בְּכַעְסוֹ אֲשֶׁר הִכְעִיס אֶת־יְהֹוָה אֱלֹהֵי יִשְׂרָאֵל: לא וְיֶתֶר דִּבְרֵי נָדָב וְכָל־אֲשֶׁר עָשָׂה הֲלֹא־הֵם כְּתוּבִים עַל־סֵפֶר דִּבְרֵי הַיָּמִים לְמַלְכֵי יִשְׂרָאֵל: לב וּמִלְחָמָה הָיְתָה בֵּין אָסָא וּבֵין בַּעְשָׁא מֶלֶךְ־יִשְׂרָאֵל כָּל־יְמֵיהֶם:

לג בִּשְׁנַת שָׁלֹשׁ לְאָסָא מֶלֶךְ יְהוּדָה מָלַךְ בַּעְשָׁא בֶן־אֲחִיָּה עַל־כָּל־יִשְׂרָאֵל בְּתִרְצָה עֶשְׂרִים וְאַרְבַּע שָׁנָה: לד וַיַּעַשׂ הָרַע בְּעֵינֵי יְהֹוָה וַיֵּלֶךְ בְּדֶרֶךְ יָרָבְעָם וּבְחַטָּאתוֹ אֲשֶׁר הֶחֱטִיא אֶת־יִשְׂרָאֵל:

יו א וַיְהִי דְבַר־יְהֹוָה אֶל־יֵהוּא בֶן־חֲנָנִי עַל־בַּעְשָׁא לֵאמֹר:

[30]מֶלֶךְ

17 And Baasa king of Israel went up against Judah, and built Ramah, that he might not suffer any to go out or come in to Asa king of Judah. **18** Then Asa took all the silver and the gold that were left in the treasures of the house of Yehovah, and the treasures of the king's house, and delivered them into the hand of his servants; and king Asa sent them to Ben-hadad, the son of Tabrimmon, the son of Hezion, king of Aram, that dwelt at Damascus, saying: **19** 'There is a league between me and thee, between my father and thy father; behold, I have sent unto thee a present of silver and gold; go, break thy league with Baasa king of Israel, that he may depart from me.' **20** And Ben-hadad hearkened unto king Asa, and sent the captains of his armies against the cities of Israel, and smote Ijon, and Dan, and Abel-beth-maacah, and all Chinneroth, with all the land of Naphtali. **21** And it came to pass, when Baasa heard thereof, that he left off building Ramah, and dwelt in Tirzah. **22** Then king Asa made a proclamation unto all Judah; none was exempted; and they carried away the stones of Ramah, and the timber thereof, wherewith Baasa had builded; and king Asa built therewith Geba of Benjamin, and Mizpah. **23** Now the rest of all the acts of Asa, and all his might, and all that he did, and the cities which he built, are they not written in the book of the chronicles of the kings of Judah? But in the time of his old age he was diseased in his feet. **24** And Asa slept with his fathers, and was buried with his fathers in the city of David his father; and Jehoshaphat his son reigned in his stead.{P}

25 And Nadab the son of Jeroboam began to reign over Israel in the second year of Asa king of Judah, and he reigned over Israel two years. **26** And he did that which was evil in the sight of Yehovah, and walked in the way of his father, and in his sin wherewith he made Israel to sin. **27** And Baasa the son of Ahijah, of the house of Issachar, conspired against him; and Baasa smote him at Gibbethon, which belonged to the Philistines; for Nadab and all Israel were laying siege to Gibbethon. **28** Even in the third year of Asa king of Judah did Baasa slay him, and reigned in his stead. **29** And it came to pass that, as soon as he was king, he smote all the house of Jeroboam; he left not to Jeroboam any that breathed, until he had destroyed him; according unto the saying of Yehovah, which He spoke by the hand of His servant Ahijah the Shilonite; **30** for the sins of Jeroboam which he sinned, and wherewith he made Israel to sin; because of his provocation wherewith he provoked Yehovah, the God of Israel. **31** Now the rest of the acts of Nadab and all that he did, are they not written in the book of the chronicles of the kings of Israel? **32** And there was war between Asa and Baasa king of Israel all their days.{P}

33 In the third year of Asa king of Judah began Baasa the son of Ahijah to reign over all Israel in Tirzah, and reigned twenty and four years. **34** And he did that which was evil in the sight of Yehovah, and walked in the way of Jeroboam, and in his sin wherewith he made Israel to sin.{S}

16 **1** And the word of Yehovah came to Jehu the son of Hanani against Baasa, saying:

ב יַעַן אֲשֶׁר הֲרִימֹתִ֙יךָ֙ מִן־הֶ֣עָפָ֔ר וָאֶתֶּנְךָ֣ נָגִ֔יד עַ֖ל עַמִּ֣י יִשְׂרָאֵ֑ל וַתֵּ֣לֶךְ ׀ בְּדֶ֣רֶךְ יָרָבְעָ֗ם וַתַּחֲטִא֙ אֶת־עַמִּ֣י יִשְׂרָאֵ֔ל לְהַכְעִיסֵ֖נִי בְּחַטֹּאתָֽם׃ ג הִנְנִ֥י מַבְעִ֛יר אַחֲרֵ֥י בַעְשָׁ֖א וְאַחֲרֵ֣י בֵית֑וֹ וְנָתַתִּי֙ אֶת־בֵּ֣יתְךָ֔ כְּבֵ֖ית יָרָבְעָ֥ם בֶּן־נְבָֽט׃ ד הַמֵּ֤ת לְבַעְשָׁא֙ בָּעִ֔יר יֹֽאכְל֖וּ הַכְּלָבִ֑ים וְהַמֵּ֥ת לוֹ֙ בַּשָּׂדֶ֔ה יֹֽאכְל֖וּ ע֥וֹף הַשָּׁמָֽיִם׃ ה וְיֶ֙תֶר֙ דִּבְרֵ֣י בַעְשָׁ֔א וַאֲשֶׁ֥ר עָשָׂ֖ה וּגְבֽוּרָת֑וֹ הֲלֹא־הֵ֣ם כְּתוּבִ֗ים עַל־סֵ֛פֶר דִּבְרֵ֥י הַיָּמִ֖ים לְמַלְכֵ֥י יִשְׂרָאֵֽל׃ ו וַיִּשְׁכַּ֤ב בַּעְשָׁא֙ עִם־אֲבֹתָ֔יו וַיִּקָּבֵ֖ר בְּתִרְצָ֑ה וַיִּמְלֹ֛ךְ אֵלָ֥ה בְנ֖וֹ תַּחְתָּֽיו׃ ז וְגַ֡ם בְּיַד־יֵה֣וּא בֶן־חֲנָנִי֩ הַנָּבִ֜יא דְּבַר־יְהֹוָ֗ה הָיָ֤ה אֶל־בַּעְשָׁא֙ וְאֶל־בֵּית֔וֹ וְעַ֥ל כָּל־הָרָעָ֣ה ׀ אֲשֶׁר־עָשָׂ֣ה ׀ בְּעֵינֵ֤י יְהֹוָה֙ לְהַכְעִיס֔וֹ בְּמַעֲשֵׂ֣ה יָדָ֔יו לִֽהְי֖וֹת כְּבֵ֣ית יָרָבְעָ֑ם וְעַ֥ל אֲשֶׁר־הִכָּ֖ה אֹתֽוֹ׃

ח בִּשְׁנַת֩ עֶשְׂרִ֨ים וָשֵׁ֜שׁ שָׁנָ֗ה לְאָסָא֙ מֶ֣לֶךְ יְהוּדָ֔ה מָלַ֞ךְ אֵלָ֤ה בֶן־בַּעְשָׁא֙ עַל־יִשְׂרָאֵ֣ל בְּתִרְצָ֔ה שְׁנָתָֽיִם׃ ט וַיִּקְשֹׁ֤ר עָלָיו֙ עַבְדּ֣וֹ זִמְרִ֔י שַׂ֖ר מַחֲצִ֣ית הָרָ֑כֶב וְה֤וּא בְתִרְצָה֙ שֹׁתֶ֣ה שִׁכּ֔וֹר בֵּ֣ית אַרְצָ֔א אֲשֶׁ֥ר עַל־הַבַּ֖יִת בְּתִרְצָֽה׃ י וַיָּבֹ֤א זִמְרִי֙ וַיַּכֵּ֣הוּ וַיְמִיתֵ֔הוּ בִּשְׁנַת֙ עֶשְׂרִ֣ים וָשֶׁ֔בַע לְאָסָ֖א מֶ֣לֶךְ יְהוּדָ֑ה וַיִּמְלֹ֖ךְ תַּחְתָּֽיו׃ יא וַיְהִ֨י בְמָלְכ֜וֹ כְּשִׁבְתּ֣וֹ עַל־כִּסְא֗וֹ הִכָּה֙ אֶת־כָּל־בֵּ֣ית בַּעְשָׁ֔א לֹֽא־הִשְׁאִ֥יר ל֖וֹ מַשְׁתִּ֣ין בְּקִ֑יר וְגֹֽאֲלָ֖יו וְרֵעֵֽהוּ׃ יב וַיַּשְׁמֵ֣ד זִמְרִ֔י אֵ֖ת כָּל־בֵּ֣ית בַּעְשָׁ֑א כִּדְבַ֤ר יְהֹוָה֙ אֲשֶׁ֣ר דִּבֶּ֣ר אֶל־בַּעְשָׁ֔א בְּיַ֖ד יֵה֥וּא הַנָּבִֽיא׃ יג אֶ֣ל כָּל־חַטֹּאות֩ בַּעְשָׁ֨א וְחַטֹּ֜אות אֵלָ֣ה בְנ֗וֹ אֲשֶׁ֤ר חָטְאוּ֙ וַאֲשֶׁ֣ר הֶחֱטִ֔יאוּ אֶת־יִשְׂרָאֵ֑ל לְהַכְעִ֗יס אֶת־יְהֹוָ֛ה אֱלֹהֵ֥י יִשְׂרָאֵ֖ל בְּהַבְלֵיהֶֽם׃ יד וְיֶ֙תֶר֙ דִּבְרֵ֣י אֵלָ֔ה וְכָל־אֲשֶׁ֖ר עָשָׂ֑ה הֲלֽוֹא־הֵ֣ם כְּתוּבִ֗ים עַל־סֵ֛פֶר דִּבְרֵ֥י הַיָּמִ֖ים לְמַלְכֵ֥י יִשְׂרָאֵֽל׃

יה בִּשְׁנַת֩ עֶשְׂרִ֨ים וָשֶׁ֜בַע שָׁנָ֗ה לְאָסָא֙ מֶ֣לֶךְ יְהוּדָ֔ה מָלַ֥ךְ זִמְרִ֛י שִׁבְעַ֥ת יָמִ֖ים בְּתִרְצָ֑ה וְהָעָ֣ם חֹנִ֔ים עַל־גִּבְּת֖וֹן אֲשֶׁ֥ר לַפְּלִשְׁתִּֽים׃ יו וַיִּשְׁמַ֤ע הָעָם֙ הַחֹנִ֣ים לֵאמֹ֔ר קָשַׁ֣ר זִמְרִ֔י וְגַ֖ם הִכָּ֣ה אֶת־הַמֶּ֑לֶךְ וַיַּמְלִ֣כוּ כָֽל־יִשְׂרָאֵ֡ל אֶת־עָמְרִ֣י שַׂר־צָבָ֧א עַל־יִשְׂרָאֵ֛ל בַּיּ֥וֹם הַה֖וּא בַּֽמַּחֲנֶֽה׃ יז וַיַּעֲלֶ֥ה עָמְרִ֛י וְכָל־יִשְׂרָאֵ֥ל עִמּ֖וֹ מִגִּבְּת֑וֹן וַיָּצֻ֖רוּ עַל־תִּרְצָֽה׃ יח וַיְהִ֞י כִּרְא֤וֹת זִמְרִי֙ כִּֽי־נִלְכְּדָ֣ה הָעִ֔יר וַיָּבֹ֖א אֶל־אַרְמ֣וֹן בֵּית־הַמֶּ֑לֶךְ וַיִּשְׂרֹ֨ף עָלָ֧יו אֶת־בֵּֽית־מֶ֛לֶךְ בָּאֵ֖שׁ וַיָּמֹֽת׃ יט עַל־חַטֹּאתָיו֙[31] אֲשֶׁ֣ר חָטָ֔א לַעֲשׂ֥וֹת הָרַ֖ע בְּעֵינֵ֣י יְהֹוָ֑ה לָלֶ֙כֶת֙ בְּדֶ֣רֶךְ יָרָבְעָ֔ם וּבְחַטָּאת֔וֹ אֲשֶׁ֥ר עָשָׂ֖ה לְהַחֲטִ֥יא אֶת־יִשְׂרָאֵֽל׃ כ וְיֶ֙תֶר֙ דִּבְרֵ֣י זִמְרִ֔י וְקִשְׁר֖וֹ אֲשֶׁ֣ר קָשָׁ֑ר הֲלֹא־הֵ֣ם כְּתוּבִ֗ים עַל־סֵ֛פֶר דִּבְרֵ֥י הַיָּמִ֖ים לְמַלְכֵ֥י יִשְׂרָאֵֽל׃

כא אָ֧ז יֵחָלֵ֛ק הָעָ֥ם יִשְׂרָאֵ֖ל לַחֵ֑צִי חֲצִ֣י הָעָ֡ם הָיָ֣ה אַחֲרֵי֩ תִבְנִ֨י בֶן־גִּינַ֤ת לְהַמְלִיכ֔וֹ וְהַחֲצִ֖י אַחֲרֵ֥י עָמְרִֽי׃

---

[31] חַטֹּאתָֽיו

2 'Forasmuch as I exalted thee out of the dust, and made thee prince over My people Israel; and thou hast walked in the way of Jeroboam, and hast made My people Israel to sin, to provoke Me with their sins; **3** behold, I will utterly sweep away Baasa and his house; and I will make thy house like the house of Jeroboam the son of Nebat. **4** Him that dieth of Baasa in the city shall the dogs eat; and him that dieth of his in the field shall the fowls of the air eat.' **5** Now the rest of the acts of Baasa, and what he did, and his might, are they not written in the book of the chronicles of the kings of Israel? **6** And Baasa slept with his fathers, and was buried in Tirzah; and Elah his son reigned in his stead. **7** And moreover by the hand of the prophet Jehu the son of Hanani came the word of Yehovah against Baasa, and against his house, both because of all the evil that he did in the sight of Yehovah, to provoke Him with the work of his hands, in being like the house of Jeroboam, and because he smote him.{P}

8 In the twenty and sixth year of Asa king of Judah began Elah the son of Baasa to reign over Israel in Tirzah, and reigned two years. **9** And his servant Zimri, captain of half his chariots, conspired against him; now he was in Tirzah, drinking himself drunk in the house of Arza, who was over the household in Tirzah; **10** and Zimri went in and smote him, and killed him, in the twenty and seventh year of Asa king of Judah, and reigned in his stead. **11** And it came to pass, when he began to reign, as soon as he sat on his throne, that he smote all the house of Baasa; he left him not a single man-child, neither of his kinsfolks, nor of his friends. **12** Thus did Zimri destroy all the house of Baasa, according to the word of Yehovah, which He spoke against Baasa by Jehu the prophet, **13** for all the sins of Baasa, and the sins of Elah his son, which they sinned, and wherewith they made Israel to sin, to provoke Yehovah, the God of Israel, with their vanities. **14** Now the rest of the acts of Elah, and all that he did, are they not written in the book of the chronicles of the kings of Israel?{P}

15 In the twenty and seventh year of Asa king of Judah did Zimri reign seven days in Tirzah. Now the people were encamped against Gibbethon, which belonged to the Philistines. **16** And the people that were encamped heard say: 'Zimri hath conspired, and hath also smitten the king'; wherefore all Israel made Omri, the captain of the host, king over Israel that day in the camp. **17** And Omri went up from Gibbethon, and all Israel with him, and they besieged Tirzah. **18** And it came to pass, when Zimri saw that the city was taken, that he went into the castle of the king's house, and burnt the king's house over him with fire, and died; **19** for his sins which he sinned in doing that which was evil in the sight of Yehovah, in walking in the way of Jeroboam, and in his sin which he did, to make Israel to sin. **20** Now the rest of the acts of Zimri, and his treason that he wrought, are they not written in the book of the chronicles of the kings of Israel?{P}

21 Then were the people of Israel divided into two parts: half of the people followed Tibni the son of Ginath, to make him king; and half followed Omri.

כב וַיֶּחֱזַק הָעָם אֲשֶׁר אַחֲרֵי עָמְרִי אֶת־הָעָם אֲשֶׁר אַחֲרֵי תִּבְנִי בֶן־גִּינַת וַיָּמָת
תִּבְנִי וַיִּמְלֹךְ עָמְרִי׃

כג בִּשְׁנַת שְׁלֹשִׁים וְאַחַת שָׁנָה לְאָסָא מֶלֶךְ יְהוּדָה מָלַךְ עָמְרִי עַל־יִשְׂרָאֵל
שְׁתֵּים עֶשְׂרֵה שָׁנָה בְּתִרְצָה מָלַךְ שֵׁשׁ־שָׁנִים׃ כד וַיִּקֶן אֶת־הָהָר שֹׁמְרוֹן מֵאֶת
שֶׁמֶר בְּכִכְּרַיִם כָּסֶף וַיִּבֶן אֶת־הָהָר וַיִּקְרָא אֶת־שֵׁם הָעִיר אֲשֶׁר בָּנָה עַל
שֶׁם־שֶׁמֶר אֲדֹנֵי הָהָר שֹׁמְרוֹן׃ כה וַיַּעֲשֶׂה עָמְרִי הָרַע בְּעֵינֵי יְהוָה וַיָּרַע מִכֹּל
אֲשֶׁר לְפָנָיו׃ כו וַיֵּלֶךְ בְּכָל־דֶּרֶךְ יָרָבְעָם בֶּן־נְבָט וּבְחַטָּאתוֹ[32] אֲשֶׁר הֶחֱטִיא
אֶת־יִשְׂרָאֵל לְהַכְעִיס אֶת־יְהוָה אֱלֹהֵי יִשְׂרָאֵל בְּהַבְלֵיהֶם׃ כז וְיֶתֶר דִּבְרֵי
עָמְרִי אֲשֶׁר עָשָׂה וּגְבוּרָתוֹ אֲשֶׁר עָשָׂה הֲלֹא־הֵם כְּתוּבִים עַל־סֵפֶר דִּבְרֵי
הַיָּמִים לְמַלְכֵי יִשְׂרָאֵל׃ כח וַיִּשְׁכַּב עָמְרִי עִם־אֲבֹתָיו וַיִּקָּבֵר בְּשֹׁמְרוֹן וַיִּמְלֹךְ
אַחְאָב בְּנוֹ תַּחְתָּיו׃

כט וְאַחְאָב בֶּן־עָמְרִי מָלַךְ עַל־יִשְׂרָאֵל בִּשְׁנַת שְׁלֹשִׁים וּשְׁמֹנֶה שָׁנָה לְאָסָא
מֶלֶךְ יְהוּדָה וַיִּמְלֹךְ אַחְאָב בֶּן־עָמְרִי עַל־יִשְׂרָאֵל בְּשֹׁמְרוֹן עֶשְׂרִים וּשְׁתַּיִם
שָׁנָה׃ ל וַיַּעַשׂ אַחְאָב בֶּן־עָמְרִי הָרַע בְּעֵינֵי יְהוָה מִכֹּל אֲשֶׁר לְפָנָיו׃ לא וַיְהִי
הֲנָקֵל לֶכְתּוֹ בְּחַטֹּאות יָרָבְעָם בֶּן־נְבָט וַיִּקַּח אִשָּׁה אֶת־אִיזֶבֶל בַּת־אֶתְבַּעַל
מֶלֶךְ צִידֹנִים וַיֵּלֶךְ וַיַּעֲבֹד אֶת־הַבַּעַל וַיִּשְׁתַּחוּ לוֹ׃ לב וַיָּקֶם מִזְבֵּחַ לַבָּעַל
בֵּית הַבַּעַל אֲשֶׁר בָּנָה בְּשֹׁמְרוֹן׃ לג וַיַּעַשׂ אַחְאָב אֶת־הָאֲשֵׁרָה וַיּוֹסֶף אַחְאָב
לַעֲשׂוֹת לְהַכְעִיס אֶת־יְהוָה אֱלֹהֵי יִשְׂרָאֵל מִכֹּל מַלְכֵי יִשְׂרָאֵל אֲשֶׁר הָיוּ
לְפָנָיו׃ לד בְּיָמָיו בָּנָה חִיאֵל בֵּית הָאֱלִי אֶת־יְרִיחֹה בַּאֲבִירָם בְּכֹרוֹ יִסְּדָהּ
וּבִשְׂגוּב[33] צְעִירוֹ הִצִּיב דְּלָתֶיהָ כִּדְבַר יְהוָה אֲשֶׁר דִּבֶּר בְּיַד יְהוֹשֻׁעַ בִּן־נוּן׃

יז א וַיֹּאמֶר אֵלִיָּהוּ הַתִּשְׁבִּי מִתֹּשָׁבֵי גִלְעָד אֶל־אַחְאָב חַי־יְהוָה אֱלֹהֵי
יִשְׂרָאֵל אֲשֶׁר עָמַדְתִּי לְפָנָיו אִם־יִהְיֶה הַשָּׁנִים הָאֵלֶּה טַל וּמָטָר כִּי אִם־לְפִי
דְבָרִי׃ ב וַיְהִי דְבַר־יְהוָה אֵלָיו לֵאמֹר׃ ג לֵךְ מִזֶּה וּפָנִיתָ לְּךָ קֵדְמָה וְנִסְתַּרְתָּ
בְּנַחַל כְּרִית אֲשֶׁר עַל־פְּנֵי הַיַּרְדֵּן׃ ד וְהָיָה מֵהַנַּחַל תִּשְׁתֶּה וְאֶת־הָעֹרְבִים
צִוִּיתִי לְכַלְכֶּלְךָ שָׁם׃ ה וַיֵּלֶךְ וַיַּעַשׂ כִּדְבַר יְהוָה וַיֵּלֶךְ וַיֵּשֶׁב בְּנַחַל כְּרִית
אֲשֶׁר עַל־פְּנֵי הַיַּרְדֵּן׃ ו וְהָעֹרְבִים מְבִיאִים לוֹ לֶחֶם וּבָשָׂר בַּבֹּקֶר וְלֶחֶם
וּבָשָׂר בָּעָרֶב וּמִן־הַנַּחַל יִשְׁתֶּה׃ ז וַיְהִי מִקֵּץ יָמִים וַיִּיבַשׁ הַנָּחַל כִּי לֹא־הָיָה
גֶשֶׁם בָּאָרֶץ׃ ח וַיְהִי דְבַר־יְהוָה אֵלָיו לֵאמֹר׃ ט קוּם לֵךְ צָרְפַתָה אֲשֶׁר
לְצִידוֹן וְיָשַׁבְתָּ שָׁם הִנֵּה צִוִּיתִי שָׁם אִשָּׁה אַלְמָנָה לְכַלְכְּלֶךָ׃

---

[32] ובחטאתיו
[33] ובשגיב

22 But the people that followed Omri prevailed against the people that followed Tibni the son of Ginath; so Tibni died, and Omri reigned.{P}

23 In the thirty and first year of Asa king of Judah began Omri to reign over Israel, and reigned twelve years; six years reigned he in Tirzah. **24** And he bought the hill Samaria of Shemer for two talents of silver; and he built on the hill, and called the name of the city which he built, after the name of Shemer, the owner of the hill, Samaria. **25** And Omri did that which was evil in the sight of Yehovah, and dealt wickedly above all that were before him. **26** For he walked in all the way of Jeroboam the son of Nebat, and in his sins wherewith he made Israel to sin, to provoke Yehovah, the God of Israel, with their vanities. **27** Now the rest of the acts of Omri which he did, and his might that he showed, are they not written in the book of the chronicles of the kings of Israel? **28** And Omri slept with his fathers, and was buried in Samaria; and Ahab his son reigned in his stead.{P}

29 And in the thirty and eighth year of Asa king of Judah began Ahab the son of Omri to reign over Israel; and Ahab the son of Omri reigned over Israel in Samaria twenty and two years. **30** And Ahab the son of Omri did that which was evil in the sight of Yehovah above all that were before him. **31** And it came to pass, as if it had been a light thing for him to walk in the sins of Jeroboam the son of Nebat, that he took to wife Jezebel the daughter of Ethbaal king of the Zidonians, and went and served Baal, and worshipped him. **32** And he reared up an altar for Baal in the house of Baal, which he had built in Samaria. **33** And Ahab made the Asherah; and Ahab did yet more to provoke Yehovah, the God of Israel, than all the kings of Israel that were before him. **34** In his days did Hiel the Bethelite build Jericho; with Abiram his first-born he laid the foundation thereof, and with his youngest son Segub he set up the gates thereof; according to the word of Yehovah, which He spoke by the hand of Joshua the son of Nun.{S}

17 **1** And Elijah the Tishbite, who was of the settlers of Gilead, said unto Ahab: 'As Yehovah, the God of Israel, liveth, before whom I stand, there shall not be dew nor rain these years, but according to my word.'{S} **2** And the word of Yehovah came unto him, saying: **3** 'Get thee hence, and turn thee eastward, and hide thyself by the brook Cherith, that is before the Jordan. **4** And it shall be, that thou shalt drink of the brook; and I have commanded the ravens to feed thee there.' **5** So he went and did according unto the word of Yehovah; for he went and dwelt by the brook Cherith, that is before the Jordan. **6** And the ravens brought him bread and flesh in the morning, and bread and flesh in the evening; and he drank of the brook. **7** And it came to pass after a while, that the brook dried up, because there was no rain in the land.{S} **8** And the word of Yehovah came unto him, saying: **9** 'Arise, get thee to Zarephath, which belongeth to Zidon, and dwell there; behold, I have commanded a widow there to sustain thee.'

י וַיָּ֣קָם ׀ וַיֵּ֣לֶךְ צָרְפַ֒תָה֒ וַיָּבֹא֙ אֶל־פֶּ֣תַח הָעִ֔יר וְהִנֵּֽה־שָׁ֥ם אִשָּׁ֛ה אַלְמָנָ֖ה מְקֹשֶׁ֣שֶׁת עֵצִ֑ים וַיִּקְרָ֤א אֵלֶ֙יהָ֙ וַיֹּאמַ֔ר קְחִי־נָ֨א לִ֧י מְעַט־מַ֛יִם בַּכְּלִ֖י וְאֶשְׁתֶּֽה: יא וַתֵּ֖לֶךְ לָקַ֑חַת וַיִּקְרָ֤א אֵלֶ֙יהָ֙ וַיֹּאמַ֔ר לִקְחִי־נָ֥א לִ֛י פַּת־לֶ֖חֶם בְּיָדֵֽךְ: יב וַתֹּ֗אמֶר חַי־יְהֹוָ֣ה אֱלֹהֶ֘יךָ֮ אִם־יֶשׁ־לִ֣י מָעוֹג֒ כִּ֣י אִם־מְלֹ֤א כַף־קֶ֙מַח֙ בַּכַּ֔ד וּמְעַט־שֶׁ֖מֶן בַּצַּפָּ֑חַת וְהִנְנִ֨י מְקֹשֶׁ֜שֶׁת שְׁנַ֣יִם עֵצִ֗ים וּבָ֙אתִי֙ וַעֲשִׂיתִ֙יהוּ֙ לִ֣י וְלִבְנִ֔י וַאֲכַלְנֻ֖הוּ וָמָֽתְנוּ: יג וַיֹּ֩אמֶר֩ אֵלֶ֨יהָ אֵלִיָּ֜הוּ אַל־תִּ֣ירְאִ֗י בֹּ֚אִי עֲשִׂ֣י כִדְבָרֵ֔ךְ אַ֣ךְ עֲשִׂי־לִ֣י מִ֠שָּׁם עֻגָ֨ה קְטַנָּ֤ה בָרִֽאשֹׁנָה֙ וְהוֹצֵ֣אתְ לִ֔י וְלָ֣ךְ וְלִבְנֵ֔ךְ תַּעֲשִׂ֖י בָּאַחֲרֹנָֽה: יד כִּ֣י כֹה֩ אָמַ֨ר יְהֹוָ֜ה אֱלֹהֵ֣י יִשְׂרָאֵ֗ל כַּ֤ד הַקֶּ֙מַח֙ לֹ֣א תִכְלָ֔ה וְצַפַּ֥חַת הַשֶּׁ֖מֶן לֹ֣א תֶחְסָ֑ר עַ֠ד י֧וֹם תֵּת־יְהֹוָ֛ה[34] גֶּ֖שֶׁם עַל־פְּנֵ֥י הָאֲדָמָֽה: טו וַתֵּ֥לֶךְ וַתַּעֲשֶׂ֖ה כִּדְבַ֣ר אֵלִיָּ֑הוּ וַתֹּ֧אכַל הִֽיא־וָה֛וּא[35] וּבֵיתָ֖הּ יָמִֽים: טז כַּ֤ד הַקֶּ֙מַח֙ לֹ֣א כָלָ֔תָה וְצַפַּ֥חַת הַשֶּׁ֖מֶן לֹ֣א חָסֵ֑ר כִּדְבַ֣ר יְהֹוָ֔ה אֲשֶׁ֥ר דִּבֶּ֖ר בְּיַ֥ד אֵלִיָּֽהוּ:

יז וַיְהִ֗י אַחַר֙ הַדְּבָרִ֣ים הָאֵ֔לֶּה חָלָ֕ה בֶּן־הָאִשָּׁ֖ה בַּעֲלַ֣ת הַבָּ֑יִת וַיְהִ֤י חׇלְיוֹ֙ חָזָ֣ק מְאֹ֔ד עַ֛ד אֲשֶׁ֥ר לֹא־נֽוֹתְרָה־בּ֖וֹ נְשָׁמָֽה: יח וַתֹּ֙אמֶר֙ אֶל־אֵ֣לִיָּ֔הוּ מַה־לִּ֥י וָלָ֖ךְ אִ֣ישׁ הָאֱלֹהִ֑ים בָּ֧אתָ אֵלַ֛י לְהַזְכִּ֥יר אֶת־עֲוֺנִ֖י וּלְהָמִ֥ית אֶת־בְּנִֽי: יט וַיֹּ֣אמֶר אֵלֶ֗יהָ תְּנִי־לִ֣י אֶת־בְּנֵ֔ךְ וַיִּקָּחֵ֙הוּ֙ מֵחֵיקָ֔הּ וַֽיַּעֲלֵ֙הוּ֙ אֶל־הָ֣עֲלִיָּ֔ה אֲשֶׁר־ה֖וּא יֹשֵׁ֣ב שָׁ֑ם וַיַּשְׁכִּבֵ֖הוּ עַל־מִטָּתֽוֹ: כ וַיִּקְרָ֥א אֶל־יְהֹוָ֖ה וַיֹּאמַ֑ר יְהֹוָ֣ה אֱלֹהָ֔י הֲ֠גַם עַל־הָאַלְמָנָ֞ה אֲשֶׁר־אֲנִ֨י מִתְגּוֹרֵ֥ר עִמָּ֛הּ הֲרֵע֖וֹתָ לְהָמִ֥ית אֶת־בְּנָֽהּ: כא וַיִּתְמֹדֵ֤ד עַל־הַיֶּ֙לֶד֙ שָׁלֹ֣שׁ פְּעָמִ֔ים וַיִּקְרָ֥א אֶל־יְהֹוָ֖ה וַיֹּאמַ֑ר יְהֹוָ֣ה אֱלֹהָ֔י תָּ֧שׇׁב נָ֛א נֶ֥פֶשׁ־הַיֶּ֥לֶד הַזֶּ֖ה עַל־קִרְבּֽוֹ: כב וַיִּשְׁמַ֥ע יְהֹוָ֖ה בְּק֣וֹל אֵלִיָּ֑הוּ וַתָּ֧שׇׁב נֶ֣פֶשׁ־הַיֶּ֛לֶד עַל־קִרְבּ֖וֹ וַיֶּֽחִי: כג וַיִּקַּ֨ח אֵלִיָּ֜הוּ אֶת־הַיֶּ֗לֶד וַיֹּרִדֵ֤הוּ מִן־הָעֲלִיָּה֙ הַבַּ֔יְתָה וַֽיִּתְּנֵ֖הוּ לְאִמּ֑וֹ וַיֹּ֙אמֶר֙ אֵ֣לִיָּ֔הוּ רְאִ֖י חַ֥י בְּנֵֽךְ: כד וַתֹּ֤אמֶר הָֽאִשָּׁה֙ אֶל־אֵ֣לִיָּ֔הוּ עַתָּה֙ זֶ֣ה יָדַ֔עְתִּי כִּ֛י אִ֥ישׁ אֱלֹהִ֖ים אָ֑תָּה וּדְבַר־יְהֹוָ֥ה בְּפִ֖יךָ אֱמֶֽת:

יח א וַיְהִי֙ יָמִ֣ים רַבִּ֔ים וּדְבַר־יְהֹוָ֗ה הָיָה֙ אֶל־אֵ֣לִיָּ֔הוּ בַּשָּׁנָ֥ה הַשְּׁלִישִׁ֖ית לֵאמֹ֑ר לֵ֚ךְ הֵרָאֵ֣ה אֶל־אַחְאָ֔ב וְאֶתְּנָ֥ה מָטָ֖ר עַל־פְּנֵ֥י הָאֲדָמָֽה: ב וַיֵּ֙לֶךְ֙ אֵֽלִיָּ֔הוּ לְהֵרָא֖וֹת אֶל־אַחְאָ֑ב וְהָרָעָ֖ב חָזָ֥ק בְּשֹׁמְרֽוֹן: ג וַיִּקְרָ֣א אַחְאָ֔ב אֶל־עֹבַדְיָ֖הוּ אֲשֶׁ֣ר עַל־הַבָּ֑יִת וְעֹבַדְיָ֗הוּ הָיָ֥ה יָרֵ֛א אֶת־יְהֹוָ֖ה מְאֹֽד: ד וַיְהִי֙ בְּהַכְרִ֣ית אִיזֶ֔בֶל אֵ֖ת נְבִיאֵ֣י יְהֹוָ֑ה וַיִּקַּ֨ח עֹבַדְיָ֜הוּ מֵאָ֣ה נְבִאִ֗ים וַֽיַּחְבִּיאֵ֞ם חֲמִשִּׁ֥ים אִישׁ֙ בַּמְּעָרָ֔ה וְכִלְכְּלָ֖ם לֶ֥חֶם וָמָֽיִם: ה וַיֹּ֤אמֶר אַחְאָב֙ אֶל־עֹ֣בַדְיָ֔הוּ לֵ֤ךְ בָּאָ֙רֶץ֙ אֶל־כׇּל־מַעְיְנֵ֣י הַמַּ֔יִם וְאֶ֖ל כׇּל־הַנְּחָלִ֑ים אוּלַ֣י ׀ נִמְצָ֣א חָצִ֗יר וּנְחַיֶּה֙ ס֣וּס וָפֶ֔רֶד וְל֥וֹא נַכְרִ֖ית מֵהַבְּהֵמָֽה:

10 So he arose and went to Zarephath; and when he came to the gate of the city, behold, a widow was there gathering sticks; and he called to her, and said: 'Fetch me, I pray thee, a little water in a vessel, that I may drink.' **11** And as she was going to fetch it, he called to her, and said: 'Bring me, I pray thee, a morsel of bread in thy hand.' **12** And she said: 'As Yehovah thy God liveth, I have not a cake, only a handful of meal in the jar, and a little oil in the cruse; and, behold, I am gathering two sticks, that I may go in and dress it for me and my son, that we may eat it, and die.' **13** And Elijah said unto her: 'Fear not; go and do as thou hast said; but make me thereof a little cake first, and bring it forth unto me, and afterward make for thee and for thy son. **14** For thus saith Yehovah, the God of Israel: The jar of meal shall not be spent, neither shall the cruse of oil fail, until the day that Yehovah sendeth rain upon the land.' **15** And she went and did according to the saying of Elijah; and she, and he, and her house, did eat many days. **16** The jar of meal was not spent, neither did the cruse of oil fail, according to the word of Yehovah, which He spoke by Elijah.{P}

17 And it came to pass after these things, that the son of the woman, the mistress of the house, fell sick; and his sickness was so sore, that there was no breath left in him. **18** And she said unto Elijah: 'What have I to do with thee, O thou man of God? art thou come unto me to bring my sin to remembrance, and to slay my son?' **19** And he said unto her: 'Give me thy son.' And he took him out of her bosom, and carried him up into the upper chamber, where he abode, and laid him upon his own bed. **20** And he cried unto Yehovah, and said: 'Yehovah my God, hast Thou also brought evil upon the widow with whom I sojourn, by slaying her son?' **21** And he stretched himself upon the child three times, and cried unto Yehovah, and said: 'Yehovah my God, I pray thee, let this child's soul come back into him.' **22** And Yehovah hearkened unto the voice of Elijah; and the soul of the child came back into him, and he revived. **23** And Elijah took the child, and brought him down out of the upper chamber into the house, and delivered him unto his mother; and Elijah said: 'See, thy son liveth.' **24** And the woman said to Elijah: 'Now I know that thou art a man of God, and that the word of Yehovah in thy mouth is truth.'{P}

18 1 And it came to pass after many days, that the word of Yehovah came to Elijah, in the third year, saying: 'Go, show thyself unto Ahab, and I will send rain upon the land.' **2** And Elijah went to show himself unto Ahab. And the famine was sore in Samaria. **3** And Ahab called Obadiah, who was over the household.–Now Obadiah feared Yehovah greatly; **4** for it was so, when Jezebel cut off the prophets of Yehovah, that Obadiah took a hundred prophets, and hid them fifty in a cave, and fed them with bread and water.– **5** And Ahab said unto Obadiah: 'Go through the land, unto all the springs of water, and unto all the brooks; peradventure we may find grass and save the horses and mules alive, that we lose not all the beasts.'

ו וַיְחַלְּק֥וּ לָהֶ֛ם אֶת־הָאָ֖רֶץ לַעֲבָר־בָּ֑הּ אַחְאָ֞ב הָלַ֨ךְ בְּדֶ֤רֶךְ אֶחָד֙ לְבַדּ֔וֹ וְעֹבַדְיָ֛הוּ
הָלַ֥ךְ בְּדֶֽרֶךְ־אֶחָ֖ד לְבַדּֽוֹ׃ ז וַיְהִ֤י עֹבַדְיָ֙הוּ֙ בַּדֶּ֔רֶךְ וְהִנֵּ֥ה אֵלִיָּ֖הוּ לִקְרָאת֑וֹ וַיַּכִּרֵ֙הוּ֙
וַיִּפֹּ֣ל עַל־פָּנָ֔יו וַיֹּ֕אמֶר הַאַתָּ֥ה זֶ֖ה אֲדֹנִ֥י אֵלִיָּֽהוּ׃ ח וַיֹּ֥אמֶר ל֖וֹ אָ֑נִי לֵ֛ךְ אֱמֹ֥ר
לַאדֹנֶ֖יךָ הִנֵּ֥ה אֵלִיָּֽהוּ׃ ט וַיֹּ֖אמֶר מֶ֣ה חָטָ֑אתִי כִּֽי־אַתָּ֞ה נֹתֵ֧ן אֶֽת־עַבְדְּךָ֛
בְּיַד־אַחְאָ֖ב לַהֲמִיתֵֽנִי׃ י חַ֣י ׀ יְהוָ֣ה אֱלֹהֶ֗יךָ אִם־יֶשׁ־גּ֤וֹי וּמַמְלָכָה֙ אֲשֶׁ֨ר לֹֽא־שָׁלַ֜ח
אֲדֹנִ֥י שָׁם֙ לְבַקֶּשְׁךָ֔ וְאָמְר֖וּ אָ֑יִן וְהִשְׁבִּ֤יעַ אֶת־הַמַּמְלָכָה֙ וְאֶת־הַגּ֔וֹי כִּ֖י לֹ֥א
יִמְצָאֶֽכָּה׃ יא וְעַתָּ֖ה אַתָּ֣ה אֹמֵ֑ר לֵ֛ךְ אֱמֹ֥ר לַאדֹנֶ֖יךָ הִנֵּ֥ה אֵלִיָּֽהוּ׃ יב וְהָיָ֞ה אֲנִ֣י ׀
אֵלֵ֣ךְ מֵאִתָּ֗ךְ וְר֨וּחַ יְהוָ֥ה ׀ יִשָּׂאֲךָ֮ עַ֣ל אֲשֶׁ֣ר לֹֽא־אֵדָ֒ע֒ וּבָ֙אתִי֙ לְהַגִּ֣יד לְאַחְאָ֔ב וְלֹ֥א
יִֽמְצָאֲךָ֖ וַהֲרָגָ֑נִי וְעַבְדְּךָ֛ יָרֵ֥א אֶת־יְהוָ֖ה מִנְּעֻרָֽי׃ יג הֲלֹֽא־הֻגַּ֤ד לַֽאדֹנִי֙ אֵ֣ת
אֲשֶׁר־עָשִׂ֔יתִי בַּהֲרֹ֣ג אִיזֶ֔בֶל אֵ֖ת נְבִיאֵ֣י יְהוָ֑ה וָאַחְבִּא֩ מִנְּבִיאֵ֨י יְהוָ֜ה מֵ֣אָה אִ֗ישׁ
חֲמִשִּׁ֨ים חֲמִשִּׁ֥ים אִישׁ֙ בַּמְּעָרָ֔ה וָאֲכַלְכְּלֵ֖ם לֶ֥חֶם וָמָֽיִם׃ יד וְעַתָּה֙ אַתָּ֣ה אֹמֵ֔ר לֵ֛ךְ
אֱמֹ֥ר לַאדֹנֶ֖יךָ הִנֵּ֣ה אֵלִיָּ֑הוּ וַהֲרָגָֽנִי׃ טו וַיֹּ֙אמֶר֙ אֵלִיָּ֔הוּ חַ֚י יְהוָ֣ה צְבָא֔וֹת אֲשֶׁ֥ר
עָמַ֖דְתִּי לְפָנָ֑יו כִּ֥י הַיּ֖וֹם אֵרָאֶ֥ה אֵלָֽיו׃ טז וַיֵּ֧לֶךְ עֹבַדְיָ֛הוּ לִקְרַ֥את אַחְאָ֖ב וַיַּגֶּד־ל֑וֹ
וַיֵּ֥לֶךְ אַחְאָ֖ב לִקְרַ֥את אֵלִיָּֽהוּ׃ יז וַיְהִ֛י כִּרְא֥וֹת אַחְאָ֖ב אֶת־אֵלִיָּ֑הוּ וַיֹּ֤אמֶר אַחְאָב֙
אֵלָ֔יו הַאַתָּ֥ה זֶ֖ה עֹכֵ֥ר יִשְׂרָאֵֽל׃ יח וַיֹּ֗אמֶר לֹ֤א עָכַ֙רְתִּי֙ אֶת־יִשְׂרָאֵ֔ל כִּ֥י אִם־אַתָּ֖ה
וּבֵ֣ית אָבִ֑יךָ בַּעֲזָבְכֶם֙ אֶת־מִצְוֺ֣ת יְהוָ֔ה וַתֵּ֖לֶךְ אַחֲרֵ֥י הַבְּעָלִֽים׃ יט וְעַתָּ֗ה שְׁלַ֨ח
קְבֹ֥ץ אֵלַ֛י אֶת־כָּל־יִשְׂרָאֵ֖ל אֶל־הַ֣ר הַכַּרְמֶ֑ל וְאֶת־נְבִיאֵ֨י הַבַּ֜עַל אַרְבַּ֧ע מֵא֣וֹת
וַחֲמִשִּׁ֗ים וּנְבִיאֵ֤י הָֽאֲשֵׁרָה֙ אַרְבַּ֣ע מֵא֔וֹת אֹכְלֵ֖י שֻׁלְחַ֥ן אִיזָֽבֶל׃ כ וַיִּשְׁלַ֥ח אַחְאָ֖ב
בְּכָל־בְּנֵ֣י יִשְׂרָאֵ֑ל וַיִּקְבֹּ֥ץ אֶת־הַנְּבִיאִ֖ים אֶל־הַ֥ר הַכַּרְמֶֽל׃ כא וַיִּגַּ֨שׁ אֵלִיָּ֜הוּ
אֶל־כָּל־הָעָ֗ם וַיֹּ֙אמֶר֙ עַד־מָתַ֞י אַתֶּ֣ם פֹּסְחִים֮ עַל־שְׁתֵּ֣י הַסְּעִפִּים֒ אִם־יְהוָ֤ה
הָֽאֱלֹהִים֙ לְכ֣וּ אַחֲרָ֔יו וְאִם־הַבַּ֖עַל לְכ֣וּ אַחֲרָ֑יו וְלֹֽא־עָנ֥וּ הָעָ֛ם אֹת֖וֹ דָּבָֽר׃
כב וַיֹּ֤אמֶר אֵלִיָּ֙הוּ֙ אֶל־הָעָ֔ם אֲנִ֞י נוֹתַ֧רְתִּי נָבִ֛יא לַיהוָ֖ה לְבַדִּ֑י וּנְבִיאֵ֣י הַבַּ֔עַל
אַרְבַּע־מֵא֥וֹת וַחֲמִשִּׁ֖ים אִֽישׁ׃ כג וְיִתְּנוּ־לָ֜נוּ שְׁנַ֣יִם פָּרִ֗ים וְיִבְחֲר֣וּ לָהֶם֩ הַפָּ֨ר
הָאֶחָ֜ד וִֽינַתְּחֻ֗הוּ וְיָשִׂ֙ימוּ֙ עַל־הָ֣עֵצִ֔ים וְאֵ֖שׁ לֹ֣א יָשִׂ֑ימוּ וַאֲנִ֞י אֶעֱשֶׂ֣ה ׀ אֶת־הַפָּ֣ר
הָאֶחָ֗ד וְנָֽתַתִּי֙ עַל־הָ֣עֵצִ֔ים וְאֵ֖שׁ לֹ֥א אָשִֽׂים׃ כד וּקְרָאתֶ֞ם בְּשֵׁ֣ם אֱלֹֽהֵיכֶ֗ם וַאֲנִי֙
אֶקְרָ֣א בְשֵׁם־יְהוָ֔ה וְהָיָ֧ה הָאֱלֹהִ֛ים אֲשֶׁר־יַעֲנֶ֥ה בָאֵ֖שׁ ה֣וּא הָאֱלֹהִ֑ים וַיַּ֧עַן
כָּל־הָעָ֛ם וַיֹּאמְר֖וּ ט֥וֹב הַדָּבָֽר׃ כה וַיֹּ֨אמֶר אֵלִיָּ֜הוּ לִנְבִיאֵ֣י הַבַּ֗עַל בַּחֲר֨וּ לָכֶ֜ם
הַפָּ֤ר הָֽאֶחָד֙ וַעֲשׂ֣וּ רִאשֹׁנָ֔ה כִּ֥י אַתֶּ֖ם הָרַבִּ֑ים וְקִרְאוּ֙ בְּשֵׁ֣ם אֱלֹהֵיכֶ֔ם וְאֵ֖שׁ לֹ֥א
תָשִֽׂימוּ׃ כו וַ֠יִּקְחוּ אֶת־הַפָּ֨ר אֲשֶׁר־נָתַ֣ן לָהֶם֮ וַיַּעֲשׂוּ֒ וַיִּקְרְא֣וּ בְשֵׁם־הַבַּ֣עַל מֵהַבֹּ֤קֶר
וְעַד־הַצָּהֳרַ֙יִם֙ לֵאמֹר֙ הַבַּ֣עַל עֲנֵ֔נוּ וְאֵ֥ין ק֖וֹל וְאֵ֣ין עֹנֶ֑ה וַיְפַסְּח֔וּ עַל־הַמִּזְבֵּ֖חַ אֲשֶׁ֥ר
עָשָֽׂה׃ כז וַיְהִ֨י בַֽצָּהֳרַ֜יִם וַיְהַתֵּ֧ל בָּהֶ֣ם אֵלִיָּ֗הוּ וַיֹּ֤אמֶר קִרְא֤וּ בְקוֹל־גָּדוֹל֙
כִּֽי־אֱלֹהִ֣ים ה֔וּא כִּ֥י שִׂ֛יחַ וְכִֽי־שִׂ֥יג ל֖וֹ וְכִֽי־דֶ֣רֶךְ ל֑וֹ אוּלַ֛י יָשֵׁ֥ן ה֖וּא וְיִקָֽץ׃

6 So they divided the land between them to pass throughout it: Ahab went one way by himself, and Obadiah went another way by himself. **7** And as Obadiah was in the way, behold, Elijah met him; and he knew him, and fell on his face, and said: 'Is it thou, my lord Elijah?' **8** And he answered him: 'It is I; go, tell thy lord: Behold, Elijah is here.' **9** And he said: 'Wherein have I sinned, that thou wouldest deliver thy servant into the hand of Ahab, to slay me? **10** As Yehovah thy God liveth, there is no nation or kingdom, whither my lord hath not sent to seek thee; and when they said: He is not here, he took an oath of the kingdom and nation, that they found thee not. **11** And now thou sayest: Go, tell thy lord: Behold, Elijah is here. **12** And it will come to pass, as soon as I am gone from thee, that the spirit of Yehovah will carry thee whither I know not; and so when I come and tell Ahab, and he cannot find thee, he will slay me; but I thy servant fear Yehovah from my youth. **13** Was it not told my lord what I did when Jezebel slew the prophets of Yehovah, how I hid a hundred men of Yehovah's prophets by fifty in a cave, and fed them with bread and water? **14** And now thou sayest: Go, tell thy lord: Behold, Elijah is here; and he will slay me.'{S} **15** And Elijah said: 'As Yehovah of hosts liveth, before whom I stand, I will surely show myself unto him to-day.' **16** So Obadiah went to meet Ahab, and told him; and Ahab went to meet Elijah. **17** And it came to pass, when Ahab saw Elijah, that Ahab said unto him: 'Is it thou, thou troubler of Israel?' **18** And he answered: 'I have not troubled Israel; but thou, and thy father's house, in that ye have forsaken the commandments of Yehovah, and thou hast followed the Baalim. **19** Now therefore send, and gather to me all Israel unto mount Carmel, and the prophets of Baal four hundred and fifty, and the prophets of the Asherah four hundred, that eat at Jezebel's table.' **20** And Ahab sent unto all the children of Israel, and gathered the prophets together unto mount Carmel. **21** And Elijah came near unto all the people, and said: 'How long halt ye between two opinions? if Yehovah be God, follow Him; but if Baal, follow him.' And the people answered him not a word. **22** Then said Elijah unto the people: 'I, even I only, am left a prophet of Yehovah; but Baal's prophets are four hundred and fifty men. **23** Let them therefore give us two bullocks; and let them choose one bullock for themselves, and cut it in pieces, and lay it on the wood, and put no fire under; and I will dress the other bullock, and lay it on the wood, and put no fire under. **24** And call ye on the name of your god, and I will call on the name of Yehovah; and the God that answereth by fire, let him be God.' And all the people answered and said: 'It is well spoken.' **25** And Elijah said unto the prophets of Baal: 'Choose you one bullock for yourselves, and dress it first; for ye are many; and call on the name of your god, but put no fire under.' **26** And they took the bullock which was given them, and they dressed it, and called on the name of Baal from morning even until noon, saying: 'O Baal, answer us.' But there was no voice, nor any that answered. And they danced in halting wise about the altar which was made. **27** And it came to pass at noon, that Elijah mocked them, and said: 'Cry aloud; for he is a god; either he is musing, or he is gone aside, or he is in a journey, or peradventure he sleepeth, and must be awaked.'

כח וַֽיִּקְרְאוּ֙ בְּק֣וֹל גָּד֔וֹל וַיִּתְגֹּֽדְדוּ֙ כְּמִשְׁפָּטָ֔ם בַּחֲרָב֖וֹת וּבָרְמָחִ֑ים עַד־שְׁפָךְ־דָּ֖ם
עֲלֵיהֶֽם׃ כט וַיְהִי֙ כַּעֲבֹ֣ר הַֽצָּהֳרַ֔יִם וַיִּֽתְנַבְּא֔וּ עַ֖ד לַעֲל֣וֹת הַמִּנְחָ֑ה וְאֵין־ק֥וֹל
וְאֵין־עֹנֶ֖ה וְאֵ֥ין קָֽשֶׁב׃ ל וַיֹּ֨אמֶר אֵלִיָּ֤הוּ לְכָל־הָעָם֙ גְּשׁ֣וּ אֵלַ֔י וַיִּגְּשׁ֥וּ כָל־הָעָ֖ם אֵלָ֑יו
וַיְרַפֵּ֛א אֶת־מִזְבַּ֥ח יְהוָ֖ה הֶהָרֽוּס׃ לא וַיִּקַּ֣ח אֵלִיָּ֗הוּ שְׁתֵּ֤ים עֶשְׂרֵה֙ אֲבָנִ֔ים כְּמִסְפַּ֖ר
שִׁבְטֵ֣י בְנֵֽי־יַעֲקֹ֑ב אֲשֶׁ֨ר הָיָ֤ה דְבַר־יְהוָה֙ אֵלָיו֙ לֵאמֹ֔ר יִשְׂרָאֵ֖ל יִהְיֶ֥ה שְׁמֶֽךָ׃
לב וַיִּבְנֶ֧ה אֶת־הָאֲבָנִ֛ים מִזְבֵּ֖חַ בְּשֵׁ֣ם יְהוָ֑ה וַיַּ֣עַשׂ תְּעָלָ֗ה כְּבֵית֙ סָאתַ֣יִם זֶ֔רַע סָבִ֖יב
לַמִּזְבֵּֽחַ׃ לג וַיַּעֲרֹ֖ךְ אֶת־הָעֵצִ֑ים וַיְנַתַּח֙ אֶת־הַפָּ֔ר וַיָּ֖שֶׂם עַל־הָעֵצִֽים׃ לד וַיֹּ֗אמֶר
מִלְא֨וּ אַרְבָּעָ֤ה כַדִּים֙ מַ֔יִם וְיִֽצְק֥וּ עַל־הָעֹלָ֖ה וְעַל־הָעֵצִ֑ים וַיֹּ֤אמֶר שְׁנוּ֙ וַיִּשְׁנ֔וּ
וַיֹּ֥אמֶר שַׁלֵּ֖שׁוּ וַיְשַׁלֵּֽשׁוּ׃ לה וַיֵּלְכ֣וּ הַמַּ֔יִם סָבִ֖יב לַמִּזְבֵּ֑חַ וְגַ֥ם אֶת־הַתְּעָלָ֖ה
מִלֵּא־מָֽיִם׃ לו וַיְהִ֣י ׀ בַּעֲל֣וֹת הַמִּנְחָ֗ה וַיִּגַּ֞שׁ אֵלִיָּ֣הוּ הַנָּבִיא֮ וַיֹּאמַר֒ יְהוָ֗ה אֱלֹהֵי֙
אַבְרָהָם֙ יִצְחָ֣ק וְיִשְׂרָאֵ֔ל הַיּ֣וֹם יִוָּדַ֗ע כִּֽי־אַתָּ֧ה אֱלֹהִ֛ים בְּיִשְׂרָאֵ֖ל וַאֲנִ֣י עַבְדֶּ֑ךָ
וּבִדְבָרְךָ֣[36] עָשִׂ֔יתִי אֵ֥ת כָּל־הַדְּבָרִ֖ים הָאֵֽלֶּה׃ לז עֲנֵ֤נִי יְהוָה֙ עֲנֵ֔נִי וְיֵֽדְעוּ֙ הָעָ֣ם
הַזֶּ֔ה כִּֽי־אַתָּ֥ה יְהוָ֖ה הָאֱלֹהִ֑ים וְאַתָּ֛ה הֲסִבֹּ֥תָ אֶת־לִבָּ֖ם אֲחֹרַנִּֽית׃ לח וַתִּפֹּ֣ל
אֵשׁ־יְהוָ֗ה וַתֹּ֤אכַל אֶת־הָעֹלָה֙ וְאֶת־הָ֣עֵצִ֔ים וְאֶת־הָאֲבָנִ֖ים וְאֶת־הֶעָפָ֑ר וְאֶת־הַמַּ֥יִם
אֲשֶׁר־בַּתְּעָלָ֖ה לִחֵֽכָה׃ לט וַיַּרְא֙ כָּל־הָעָ֔ם וַֽיִּפְּל֖וּ עַל־פְּנֵיהֶ֑ם וַיֹּ֣אמְר֔וּ יְהוָה֙ ה֣וּא
הָאֱלֹהִ֔ים יְהוָ֖ה ה֥וּא הָאֱלֹהִֽים׃ מ וַיֹּ֨אמֶר אֵלִיָּ֜הוּ לָהֶ֗ם תִּפְשׂ֣וּ ׀ אֶת־נְבִיאֵ֣י הַבַּ֗עַל
אִ֛ישׁ אַל־יִמָּלֵ֥ט מֵהֶ֖ם וַֽיִּתְפְּשׂ֑וּם וַיּוֹרִדֵ֤ם אֵלִיָּ֙הוּ֙ אֶל־נַ֣חַל קִישׁ֔וֹן וַיִּשְׁחָטֵ֖ם שָֽׁם׃
מא וַיֹּ֤אמֶר אֵלִיָּ֙הוּ֙ לְאַחְאָ֔ב עֲלֵ֖ה אֱכֹ֣ל וּשְׁתֵ֑ה כִּי־ק֖וֹל הֲמ֥וֹן הַגָּֽשֶׁם׃ מב וַיַּעֲלֶ֥ה
אַחְאָ֖ב לֶאֱכֹ֣ל וְלִשְׁתּ֑וֹת וְאֵ֨לִיָּ֜הוּ עָלָ֨ה אֶל־רֹ֤אשׁ הַכַּרְמֶל֙ וַיִּגְהַ֣ר אַ֔רְצָה וַיָּ֥שֶׂם
פָּנָ֖יו בֵּ֥ין בִּרְכָּֽיו[37]׃ מג וַיֹּ֣אמֶר אֶל־נַעֲר֗וֹ עֲלֵה־נָא֙ הַבֵּ֣ט דֶּרֶךְ־יָ֔ם וַיַּ֙עַל֙ וַיַּבֵּ֔ט
וַיֹּ֖אמֶר אֵ֣ין מְא֑וּמָה וַיֹּ֕אמֶר שֻׁ֖ב שֶׁ֥בַע פְּעָמִֽים׃ מד וַיְהִי֙ בַּשְּׁבִעִ֔ית וַיֹּ֕אמֶר הִנֵּה־עָ֛ב
קְטַנָּ֥ה כְּכַף־אִ֖ישׁ עֹלָ֣ה מִיָּ֑ם וַיֹּ֗אמֶר עֲלֵ֨ה אֱמֹ֤ר אֶל־אַחְאָב֙ אֱסֹ֣ר וָרֵ֔ד וְלֹ֥א
יַעַצָרְכָ֖ה הַגָּֽשֶׁם׃ מה וַיְהִ֣י ׀ עַד־כֹּ֣ה וְעַד־כֹּ֗ה וְהַשָּׁמַ֙יִם֙ הִתְקַדְּר֣וּ עָבִ֔ים וְר֕וּחַ
וַיְהִ֖י גֶּ֣שֶׁם גָּד֑וֹל וַיִּרְכַּ֣ב אַחְאָ֔ב וַיֵּ֖לֶךְ יִזְרְעֶֽאלָה׃ מו וְיַד־יְהוָ֗ה הָֽיְתָה֙ אֶל־אֵ֣לִיָּ֔הוּ
וַיְשַׁנֵּ֖ס מָתְנָ֑יו וַיָּ֙רָץ֙ לִפְנֵ֣י אַחְאָ֔ב עַד־בֹּאֲכָ֖ה יִזְרְעֶֽאלָה׃

יט א וַיַּגֵּ֤ד אַחְאָב֙ לְאִיזֶ֔בֶל אֵ֛ת כָּל־אֲשֶׁ֥ר עָשָׂ֖ה אֵלִיָּ֑הוּ וְאֵ֨ת כָּל־אֲשֶׁ֥ר הָרַ֛ג
אֶת־כָּל־הַנְּבִיאִ֖ים בֶּחָֽרֶב׃ ב וַתִּשְׁלַ֤ח אִיזֶ֙בֶל֙ מַלְאָ֔ךְ אֶל־אֵלִיָּ֖הוּ לֵאמֹ֑ר
כֹּֽה־יַעֲשׂ֤וּן אֱלֹהִים֙ וְכֹ֣ה יוֹסִפ֔וּן כִּֽי־כָעֵ֣ת מָחָ֗ר אָשִׂ֙ים֙ אֶֽת־נַפְשְׁךָ֔ כְּנֶ֖פֶשׁ אַחַ֥ד
מֵהֶֽם׃ ג וַיַּ֗רְא וַיָּ֙קָם֙ וַיֵּ֣לֶךְ אֶל־נַפְשׁ֔וֹ וַיָּבֹ֕א בְּאֵ֥ר שֶׁ֖בַע אֲשֶׁ֣ר לִיהוּדָ֑ה וַיַּנַּ֥ח
אֶת־נַעֲר֖וֹ שָֽׁם׃

[36] ובדבריך
[37] ברכו

28 And they cried aloud, and cut themselves after their manner with swords and lances, till the blood gushed out upon them. **29** And it was so, when midday was past, that they prophesied until the time of the offering of the evening offering; but their was neither voice, nor any to answer, nor any that regarded. **30** And Elijah said unto all the people: 'Come near unto me'; and all the people came near unto him. And he repaired the altar of Yehovah that was thrown down. **31** And Elijah took twelve stones, according to the number of the tribes of the sons of Jacob, unto whom the word of Yehovah came, saying: 'Israel shall be thy name.' **32** And with the stones he built an altar in the name of Yehovah; and he made a trench about the altar, as great as would contain two measures of seed. **33** And he put the wood in order, and cut the bullock in pieces, and laid it on the wood. **34** And he said: 'Fill four jars with water, and pour it on the burnt-offering, and on the wood.' And he said: 'Do it the second time'; and they did it the second time. And he said: 'Do it the third time'; and they did it the third time. **35** And the water ran round about the altar; and he filled the trench also with water. **36** And it came to pass at the time of the offering of the evening offering, that Elijah the prophet came near, and said: 'Yehovah, the God of Abraham, of Isaac, and of Israel, let it be known this day that Thou art God in Israel, and that I am Thy servant, and that I have done all these things at Thy word. **37** Hear me, Yehovah, hear me, that this people may know that Thou, Yehovah, art God, for Thou didst turn their heart backward.' **38** Then the fire of Yehovah fell, and consumed the burnt-offering, and the wood, and the stones, and the dust, and licked up the water that was in the trench. **39** And when all the people saw it, they fell on their faces; and they said: 'Yehovah, He is God; Yehovah, He is God.' **40** And Elijah said unto them: 'Take the prophets of Baal; let not one of them escape.' And they took them; and Elijah brought them down to the brook Kishon, and slew them there. **41** And Elijah said unto Ahab: 'Get thee up, eat and drink; for there is the sound of abundance of rain.' **42** So Ahab went up to eat and to drink. And Elijah went up to the top of Carmel; and he bowed himself down upon the earth, and put his face between his knees. **43** And he said to his servant: 'Go up now, look toward the sea.' And he went up, and looked, and said: 'There is nothing.' And he said: 'Go again seven times.' **44** And it came to pass at the seventh time, that he said: 'Behold, there ariseth a cloud out of the sea, as small as a man's hand.' And he said: 'Go up, say unto Ahab: Make ready thy chariot, and get thee down, that the rain stop thee not.' **45** And it came to pass in a little while, that the heaven grew black with clouds and wind, and there was a great rain. And Ahab rode, and went to Jezreel. **46** And the hand of Yehovah was on Elijah; and he girded up his loins, and ran before Ahab to the entrance of Jezreel.

19 **1** And Ahab told Jezebel all that Elijah had done, and withal how he had slain all the prophets with the sword. **2** Then Jezebel sent a messenger unto Elijah, saying: 'So let the gods do [to me], and more also, if I make not thy life as the life of one of them by to-morrow about this time.' **3** And when he saw that, he arose, and went for his life, and came to Beer-sheba, which belongeth to Judah, and left his servant there.

ד וְהוּא־הָלַ֤ךְ בַּמִּדְבָּר֙ דֶּ֣רֶךְ י֔וֹם וַיָּבֹ֕א וַיֵּ֕שֶׁב תַּ֖חַת רֹ֣תֶם אֶחָ֑ד[38] וַיִּשְׁאַ֤ל
אֶת־נַפְשׁוֹ֙ לָמ֔וּת וַיֹּ֣אמֶר ׀ רַ֗ב עַתָּ֤ה יְהוָה֙ קַ֣ח נַפְשִׁ֔י כִּֽי־לֹא־ט֥וֹב אָנֹכִ֖י מֵאֲבֹתָֽי׃
ה וַיִּשְׁכַּב֙ וַיִּישַׁ֔ן תַּ֖חַת רֹ֣תֶם אֶחָ֑ד וְהִנֵּה־זֶ֤ה מַלְאָךְ֙ נֹגֵ֣עַ בּ֔וֹ וַיֹּ֥אמֶר ל֖וֹ ק֥וּם
אֱכֽוֹל׃ ו וַיַּבֵּ֕ט וְהִנֵּ֧ה מְרַאֲשֹׁתָ֛יו עֻגַ֥ת רְצָפִ֖ים וְצַפַּ֣חַת מָ֑יִם וַיֹּ֣אכַל וַיֵּ֔שְׁתְּ וַיָּ֖שָׁב
וַיִּשְׁכָּֽב׃ ז וַיָּשָׁב֩ מַלְאַ֨ךְ יְהוָ֤ה ׀ שֵׁנִית֙ וַיִּגַּע־בּ֔וֹ וַיֹּ֖אמֶר ק֣וּם אֱכֹ֑ל כִּ֛י רַ֥ב מִמְּךָ֖
הַדָּֽרֶךְ׃ ח וַיָּ֖קָם וַיֹּ֣אכַל וַיִּשְׁתֶּ֑ה וַיֵּ֜לֶךְ בְּכֹ֣חַ ׀ הָאֲכִילָ֣ה הַהִ֗יא אַרְבָּעִ֥ים יוֹם֙
וְאַרְבָּעִ֣ים לַ֔יְלָה עַ֛ד הַ֥ר הָאֱלֹהִ֖ים חֹרֵֽב׃ ט וַיָּבֹא־שָׁ֥ם אֶל־הַמְּעָרָ֖ה וַיָּ֣לֶן שָׁ֑ם
וְהִנֵּ֤ה דְבַר־יְהוָה֙ אֵלָ֔יו וַיֹּ֣אמֶר ל֔וֹ מַה־לְּךָ֥ פֹ֖ה אֵלִיָּֽהוּ׃ י וַיֹּ֡אמֶר קַנֹּ֨א קִנֵּ֜אתִי
לַיהוָ֣ה ׀ אֱלֹהֵ֣י צְבָא֗וֹת כִּֽי־עָזְב֤וּ בְרִֽיתְךָ֙ בְּנֵ֣י יִשְׂרָאֵ֔ל אֶת־מִזְבְּחֹתֶ֣יךָ הָרָ֔סוּ
וְאֶת־נְבִיאֶ֖יךָ הָרְג֣וּ בֶחָ֑רֶב וָאִוָּתֵ֤ר אֲנִי֙ לְבַדִּ֔י וַיְבַקְשׁ֥וּ אֶת־נַפְשִׁ֖י לְקַחְתָּֽהּ׃
יא וַיֹּ֗אמֶר צֵ֣א וְעָמַדְתָּ֣ בָהָר֮ לִפְנֵ֣י יְהוָה֒ וְהִנֵּ֧ה יְהוָ֣ה עֹבֵ֗ר וְר֣וּחַ גְּדוֹלָ֡ה וְחָזָ֞ק
מְפָרֵק֩ הָרִ֨ים וּמְשַׁבֵּ֤ר סְלָעִים֙ לִפְנֵ֣י יְהוָ֔ה לֹ֥א בָר֖וּחַ יְהוָ֑ה וְאַחַ֤ר הָר֙וּחַ֙ רַ֔עַשׁ
לֹ֥א בָרַ֖עַשׁ יְהוָֽה׃ יב וְאַחַ֤ר הָרַ֙עַשׁ֙ אֵ֔שׁ לֹ֥א בָאֵ֖שׁ יְהוָ֑ה וְאַחַ֣ר הָאֵ֔שׁ ק֖וֹל דְּמָמָ֥ה
דַקָּֽה׃ יג וַיְהִ֣י ׀ כִּשְׁמֹ֣עַ אֵלִיָּ֗הוּ וַיָּ֤לֶט פָּנָיו֙ בְּאַדַּרְתּ֔וֹ וַיֵּצֵ֕א וַֽיַּעֲמֹ֖ד פֶּ֣תַח הַמְּעָרָ֑ה
וְהִנֵּ֤ה אֵלָיו֙ ק֔וֹל וַיֹּ֕אמֶר מַה־לְּךָ֥ פֹ֖ה אֵלִיָּֽהוּ׃ יד וַיֹּ֡אמֶר קַנֹּ֨א קִנֵּ֜אתִי לַיהוָ֣ה ׀
אֱלֹהֵ֣י צְבָא֗וֹת כִּֽי־עָזְב֤וּ בְרִֽיתְךָ֙ בְּנֵ֣י יִשְׂרָאֵ֔ל אֶת־מִזְבְּחֹתֶ֣יךָ הָרָ֔סוּ
וְאֶת־נְבִיאֶ֖יךָ הָרְג֣וּ בֶחָ֑רֶב וָאִוָּתֵ֤ר אֲנִי֙ לְבַדִּ֔י וַיְבַקְשׁ֥וּ אֶת־נַפְשִׁ֖י לְקַחְתָּֽהּ׃
טו וַיֹּ֤אמֶר יְהוָה֙ אֵלָ֔יו לֵ֛ךְ שׁ֥וּב לְדַרְכְּךָ֖ מִדְבַּ֣רָה דַמָּ֑שֶׂק וּבָ֗אתָ וּמָשַׁחְתָּ֧
אֶת־חֲזָאֵ֛ל לְמֶ֖לֶךְ עַל־אֲרָֽם׃ טז וְאֵת֙ יֵה֣וּא בֶן־נִמְשִׁ֔י תִּמְשַׁ֥ח לְמֶ֖לֶךְ עַל־יִשְׂרָאֵ֑ל
וְאֶת־אֱלִישָׁ֤ע בֶּן־שָׁפָט֙ מֵאָבֵ֣ל מְחוֹלָ֔ה תִּמְשַׁ֥ח לְנָבִ֖יא תַּחְתֶּֽיךָ׃ יז וְהָיָ֗ה הַנִּמְלָ֛ט
מֵחֶ֥רֶב חֲזָאֵ֖ל יָמִ֣ית יֵה֑וּא וְהַנִּמְלָ֛ט מֵחֶ֥רֶב יֵה֖וּא יָמִ֥ית אֱלִישָֽׁע׃ יח וְהִשְׁאַרְתִּ֥י
בְיִשְׂרָאֵ֖ל שִׁבְעַ֣ת אֲלָפִ֑ים כָּל־הַבִּרְכַּ֗יִם אֲשֶׁ֤ר לֹא־כָֽרְעוּ֙ לַבַּ֔עַל וְכָל־הַפֶּ֖ה
אֲשֶׁ֥ר לֹא־נָשַׁ֖ק לֽוֹ׃ יט וַיֵּ֨לֶךְ מִשָּׁ֜ם וַיִּמְצָ֣א אֶת־אֱלִישָׁ֣ע בֶּן־שָׁפָ֗ט וְה֤וּא חֹרֵשׁ֙
שְׁנֵים־עָשָׂ֤ר צְמָדִים֙ לְפָנָ֔יו וְה֖וּא בִּשְׁנֵ֣ים הֶעָשָׂ֑ר וַיַּעֲבֹ֤ר אֵלִיָּ֙הוּ֙ אֵלָ֔יו וַיַּשְׁלֵ֥ךְ
אַדַּרְתּ֖וֹ אֵלָֽיו׃ כ וַיַּעֲזֹ֣ב אֶת־הַבָּקָ֗ר וַיָּ֙רָץ֙ אַחֲרֵ֣י אֵלִיָּ֔הוּ וַיֹּ֗אמֶר אֶשְּׁקָה־נָּא֙
לְאָבִ֣י וּלְאִמִּ֔י וְאֵלְכָ֖ה אַחֲרֶ֑יךָ וַיֹּ֤אמֶר לוֹ֙ לֵ֣ךְ שׁ֔וּב כִּ֥י מֶה־עָשִׂ֖יתִי לָֽךְ׃
כא וַיָּ֨שָׁב מֵאַחֲרָ֜יו וַיִּקַּ֨ח אֶת־צֶ֤מֶד הַבָּקָר֙ וַיִּזְבָּחֵ֔הוּ וּבִכְלִ֤י הַבָּקָר֙ בִּשְּׁלָ֣ם
הַבָּשָׂ֔ר וַיִּתֵּ֥ן לָעָ֖ם וַיֹּאכֵ֑לוּ וַיָּ֗קָם וַיֵּ֛לֶךְ אַחֲרֵ֥י אֵלִיָּ֖הוּ וַיְשָׁרְתֵֽהוּ׃

כ א וּבֶן־הֲדַ֣ד מֶֽלֶךְ־אֲרָ֗ם קָבַץ֙ אֶת־כָּל־חֵיל֔וֹ וּשְׁלֹשִׁ֨ים וּשְׁנַ֥יִם מֶ֛לֶךְ אִתּ֖וֹ
וְס֣וּס וָרָ֑כֶב וַיַּ֗עַל וַיָּ֙צַר֙ עַל־שֹׁ֣מְר֔וֹן וַיִּלָּ֖חֶם בָּֽהּ׃

[38] אחת

4 But he himself went a day's journey into the wilderness, and came and sat down under a broom-tree; and he requested for himself that he might die; and said: 'It is enough; now, Yehovah, take away my life; for I am not better than my fathers.' **5** And he lay down and slept under a broom-tree; and, behold, an angel touched him, and said unto him: 'Arise and eat.' **6** And he looked, and, behold, there was at his head a cake baked on the hot stones, and a cruse of water. And he did eat and drink, and laid him down again. **7** And the angel of Yehovah came again the second time, and touched him, and said: 'Arise and eat; because the journey is too great for thee.' **8** And he arose, and did eat and drink, and went in the strength of that meal forty days and forty nights unto Horeb the mount of God. **9** And he came thither unto a cave, and lodged there; and, behold, the word of Yehovah came to him, and He said unto him: 'What doest thou here, Elijah?' **10** And he said: 'I have been very jealous for Yehovah, the God of hosts; for the children of Israel have forsaken Thy covenant, thrown down Thine altars, and slain Thy prophets with the sword; and I, even I only, am left; and they seek my life, to take it away.' **11** And He said: 'Go forth, and stand upon the mount before Yehovah.' And, behold, Yehovah passed by, and a great and strong wind rent the mountains, and broke in pieces the rocks before Yehovah; but Yehovah was not in the wind; and after the wind an earthquake; but Yehovah was not in the earthquake; **12** and after the earthquake a fire; but Yehovah was not in the fire; and after the fire a still small voice. **13** And it was so, when Elijah heard it, that he wrapped his face in his mantle, and went out, and stood in the entrance of the cave. And, behold, there came a voice unto him, and said: 'What doest thou here, Elijah?' **14** And he said: 'I have been very jealous for Yehovah, the God of hosts; for the children of Israel have forsaken Thy covenant, thrown down Thine altars, and slain Thy prophets with the sword; and I, even I only, am left; and they seek my life, to take it away.'{S}
15 And Yehovah said unto him: 'Go, return on thy way to the wilderness of Damascus; and when thou comest, thou shalt anoint Hazael to be king over Aram; **16** and Jehu the son of Nimshi shalt thou anoint to be king over Israel; and Elisha the son of Shaphat of Abel-meholah shalt thou anoint to be prophet in thy room. **17** And it shall come to pass, that him that escapeth from the sword of Hazael shall Jehu slay; and him that escapeth from the sword of Jehu shall Elisha slay. **18** Yet will I leave seven thousand in Israel, all the knees which have not bowed unto Baal, and every mouth which hath not kissed him.' **19** So he departed thence, and found Elisha the son of Shaphat, who was plowing, with twelve yoke of oxen before him, and he with the twelfth; and Elijah passed over unto him, and cast his mantle upon him. **20** And he left the oxen, and ran after Elijah, and said: 'Let me, I pray thee, kiss my father and my mother, and then I will follow thee.' And he said unto him: 'Go back; for what have I done to thee?' **21** And he returned from following him, and took the yoke of oxen, and slew them, and boiled their flesh with the instruments of the oxen, and gave unto the people, and they did eat. Then he arose, and went after Elijah, and ministered unto him.{P}

20 **1** And Ben-hadad the king of Aram gathered all his host together; and there were thirty and two kings with him, and horses and chariots; and he went up and besieged Samaria, and fought against it.

ב וַיִּשְׁלַ֞ח מַלְאָכִ֨ים אֶל־אַחְאָ֧ב מֶֽלֶךְ־יִשְׂרָאֵ֛ל הָעִֽירָה: ג וַיֹּ֤אמֶר לוֹ֙ כֹּ֣ה אָמַ֣ר
בֶּן־הֲדַ֔ד כַּסְפְּךָ֥ וּֽזְהָבְךָ֖ לִֽי־ה֑וּא וְנָשֶׁ֧יךָ וּבָנֶ֛יךָ הַטּוֹבִ֖ים לִי־הֵֽם: ד וַיַּ֨עַן
מֶֽלֶךְ־יִשְׂרָאֵ֜ל וַיֹּ֗אמֶר כִּדְבָרְךָ֙ אֲדֹנִ֣י הַמֶּ֔לֶךְ לְךָ֥ אֲנִ֖י וְכָל־אֲשֶׁר־לִֽי: ה וַיָּשֻׁ֨בוּ֙
הַמַּלְאָכִ֔ים וַיֹּ֣אמְר֔וּ כֹּֽה־אָמַ֥ר בֶּן־הֲדַ֖ד לֵאמֹ֑ר כִּֽי־שָׁלַ֤חְתִּי אֵלֶ֨יךָ֙ לֵאמֹ֔ר
כַּסְפְּךָ֧ וּזְהָבְךָ֛ וְנָשֶׁ֥יךָ וּבָנֶ֖יךָ לִ֥י תִתֵּֽן: ו כִּ֣י ׀ אִם־כָּעֵ֣ת מָחָ֗ר אֶשְׁלַ֤ח אֶת־עֲבָדַי֙
אֵלֶ֔יךָ וְחִפְּשׂוּ֙ אֶת־בֵּֽיתְךָ֔ וְאֵ֖ת בָּתֵּ֣י עֲבָדֶ֑יךָ וְהָיָ֗ה כָּל־מַחְמַ֤ד עֵינֶ֨יךָ֙ יָשִׂ֣ימוּ
בְיָדָ֖ם וְלָקָֽחוּ: ז וַיִּקְרָ֤א מֶֽלֶךְ־יִשְׂרָאֵל֙ לְכָל־זִקְנֵ֣י הָאָ֔רֶץ וַיֹּ֨אמֶר֙ דְּעֽוּ־נָ֣א וּרְא֔וּ
כִּ֥י רָעָ֖ה זֶ֣ה מְבַקֵּ֑שׁ כִּֽי־שָׁלַ֨ח אֵלַ֜י לְנָשַׁ֤י וּלְבָנַי֙ וּלְכַסְפִּ֣י וְלִזְהָבִ֔י וְלֹ֥א מָנַ֖עְתִּי
מִמֶּֽנּוּ: ח וַיֹּאמְר֤וּ אֵלָיו֙ כָּל־הַזְּקֵנִ֔ים וְכָל־הָעָ֑ם אַל־תִּשְׁמַ֖ע וְל֥וֹא תֹאבֶֽה:
ט וַיֹּ֜אמֶר לְמַלְאֲכֵ֣י בֶן־הֲדַ֗ד אִמְר֞וּ לַֽאדֹנִ֤י הַמֶּ֨לֶךְ֙ כֹּל֩ אֲשֶׁר־שָׁלַ֨חְתָּ
אֶל־עַבְדְּךָ֤ בָרִֽאשֹׁנָה֙ אֶֽעֱשֶׂ֔ה וְהַדָּבָ֣ר הַזֶּ֔ה לֹ֥א אוּכַ֖ל לַעֲשׂ֑וֹת וַיֵּֽלְכוּ֙ הַמַּלְאָכִ֔ים
וַיְשִׁבֻ֖הוּ דָּבָֽר: י וַיִּשְׁלַ֤ח אֵלָיו֙ בֶּן־הֲדַ֔ד וַיֹּ֕אמֶר כֹּֽה־יַעֲשׂ֥וּן לִ֛י אֱלֹהִ֖ים וְכֹ֣ה
יוֹסִ֑פוּ אִם־יִשְׂפֹּק֙ עֲפַ֣ר שֹׁמְר֔וֹן לִשְׁעָלִ֕ים לְכָל־הָעָ֖ם אֲשֶׁ֥ר בְּרַגְלָֽי: יא וַיַּ֤עַן
מֶֽלֶךְ־יִשְׂרָאֵל֙ וַיֹּ֣אמֶר דַּבְּר֔וּ אַל־יִתְהַלֵּ֥ל חֹגֵ֖ר כִּמְפַתֵּֽחַ: יב וַיְהִ֗י כִּשְׁמֹ֤עַ
אֶת־הַדָּבָ֣ר הַזֶּ֔ה וְה֥וּא שֹׁתֶ֛ה ה֥וּא וְהַמְּלָכִ֖ים בַּסֻּכּ֑וֹת וַיֹּ֤אמֶר אֶל־עֲבָדָיו֙ שִׂ֔ימוּ
וַיָּשִׂ֖ימוּ עַל־הָעִֽיר: יג וְהִנֵּ֣ה ׀ נָבִ֣יא אֶחָ֗ד נִגַּשׁ֙ אֶל־אַחְאָ֣ב מֶֽלֶךְ־יִשְׂרָאֵ֔ל וַיֹּ֗אמֶר
כֹּ֚ה אָמַ֣ר יְהֹוָ֔ה הֲֽרָאִ֔יתָ אֵ֛ת כָּל־הֶהָמ֥וֹן הַגָּד֖וֹל הַזֶּ֑ה הִנְנִ֨י נֹתְנ֤וֹ בְיָֽדְךָ֙ הַיּ֔וֹם
וְיָדַעְתָּ֖ כִּֽי־אֲנִ֥י יְהֹוָֽה: יד וַיֹּ֤אמֶר אַחְאָב֙ בְּמִ֔י וַיֹּ֨אמֶר֙ כֹּֽה־אָמַ֣ר יְהֹוָ֔ה בְּנַעֲרֵ֖י
שָׂרֵ֣י הַמְּדִינ֑וֹת וַיֹּ֛אמֶר מִֽי־יֶאְסֹ֥ר הַמִּלְחָמָ֖ה וַיֹּ֥אמֶר אָֽתָּה: טו וַיִּפְקֹ֗ד אֶֽת־נַעֲרֵי֙
שָׂרֵ֣י הַמְּדִינ֔וֹת וַיִּהְי֕וּ מָאתַ֖יִם שְׁנַ֣יִם וּשְׁלֹשִׁ֑ים וְאַחֲרֵיהֶ֛ם פָּקַ֥ד אֶת־כָּל־הָעָ֖ם
כָּל־בְּנֵ֥י יִשְׂרָאֵ֖ל שִׁבְעַ֥ת אֲלָפִֽים: טז וַיֵּצְא֖וּ בַּֽצָּהֳרָ֑יִם וּבֶן־הֲדַד֩ שֹׁתֶ֨ה שִׁכּ֜וֹר
בַּסֻּכּ֗וֹת ה֚וּא וְהַמְּלָכִ֔ים שְׁלֹשִׁ֥ים וּשְׁנַ֖יִם מֶ֥לֶךְ עֹזֵ֥ר אֹתֽוֹ: יז וַיֵּצְא֗וּ נַעֲרֵ֛י שָׂרֵ֥י
הַמְּדִינ֖וֹת בָּרִֽאשֹׁנָ֑ה וַיִּשְׁלַ֣ח בֶּן־הֲדַ֗ד וַיַּגִּ֤ידוּ לוֹ֙ לֵאמֹ֔ר אֲנָשִׁ֥ים יָצְא֖וּ מִשֹּׁמְרֽוֹן:
יח וַיֹּ֛אמֶר אִם־לְשָׁל֥וֹם יָצָ֖אוּ תִּפְשׂ֣וּם חַיִּ֑ים וְאִ֧ם לְמִלְחָמָ֛ה יָצָ֖אוּ חַיִּ֥ים
תִּפְשֽׂוּם: יט וְאֵ֜לֶּה יָצְא֣וּ מִן־הָעִ֗יר נַעֲרֵ֛י שָׂרֵ֥י הַמְּדִינ֖וֹת וְהַחַ֥יִל אֲשֶׁ֥ר
אַחֲרֵיהֶֽם: כ וַיַּכּוּ֙ אִ֣ישׁ אִישׁ֔וֹ וַיָּנֻ֣סוּ אֲרָ֗ם וַֽיִּרְדְּפֵם֙ יִשְׂרָאֵ֔ל וַיִּמָּלֵ֛ט בֶּן־הֲדַ֥ד
מֶ֥לֶךְ אֲרָ֖ם עַל־ס֥וּס וּפָרָשִֽׁים: כא וַיֵּצֵא֙ מֶ֣לֶךְ יִשְׂרָאֵ֔ל וַיַּ֥ךְ אֶת־הַסּ֖וּס
וְאֶת־הָרָ֑כֶב וְהִכָּ֥ה בַאֲרָ֖ם מַכָּ֥ה גְדוֹלָֽה: כב וַיִּגַּ֤שׁ הַנָּבִיא֙ אֶל־מֶ֣לֶךְ יִשְׂרָאֵ֔ל
וַיֹּ֤אמֶר לוֹ֙ לֵ֣ךְ הִתְחַזַּ֔ק וְדַ֥ע וּרְאֵ֖ה אֵ֣ת אֲשֶֽׁר־תַּעֲשֶׂ֑ה כִּ֚י לִתְשׁוּבַ֣ת הַשָּׁנָ֔ה מֶ֥לֶךְ
אֲרָ֖ם עֹלֶ֥ה עָלֶֽיךָ: כג וְעַבְדֵ֨י מֶֽלֶךְ־אֲרָ֜ם אָמְר֣וּ אֵלָ֗יו אֱלֹהֵ֤י הָרִים֙ אֱלֹ֣הֵיהֶ֔ם
עַל־כֵּ֖ן חָזְק֣וּ מִמֶּ֑נּוּ וְאוּלָ֗ם נִלָּחֵ֤ם אִתָּם֙ בַּמִּישׁ֔וֹר אִם־לֹ֥א נֶחֱזַ֖ק מֵהֶֽם:

2 And he sent messengers to Ahab king of Israel, into the city, **3** and said unto him: 'Thus saith Ben-hadad: Thy silver and thy gold is mine; thy wives also and thy children, even the goodliest, are mine.' **4** And the king of Israel answered and said: 'It is according to thy saying, my lord, O king: I am thine, and all that I have.' **5** And the messengers came again, and said: 'Thus speaketh Ben-hadad, saying: I sent indeed unto thee, saying: Thou shalt deliver me thy silver, and thy gold, and thy wives, and thy children; **6** but I will send my servants unto thee tomorrow about this time, and they shall search thy house, and the houses of thy servants; and it shall be, that whatsoever is pleasant in thine eyes, they shall put it in their hand, and take it away.' **7** Then the king of Israel called all the elders of the land, and said: 'Mark, I pray you, and see how this man seeketh mischief; for he sent unto me for my wives, and for my children, and for my silver, and for my gold; and I denied him not.' **8** And all the elders and all the people said unto him: 'Hearken thou not, neither consent.' **9** Wherefore he said unto the messengers of Ben-hadad: 'Tell my lord the king: All that thou didst send for to thy servant at the first I will do; but this thing I may not do.' And the messengers departed, and brought him back word. **10** And Ben-hadad sent unto him, and said: 'The gods do so unto me, and more also, if the dust of Samaria shall suffice for handfuls for all the people that follow me.' **11** And the king of Israel answered and said: 'Tell him: Let not him that girdeth on his armour boast himself as he that putteth it off.' **12** And it came to pass, when [Ben-hadad] heard this message, as he was drinking, he and the kings, in the booths, that he said unto his servants: 'Set yourselves in array.' And they set themselves in array against the city. **13** And, behold, a prophet came near unto Ahab king of Israel, and said: 'Thus saith Yehovah: Hast thou seen all this great multitude? behold, I will deliver it into thy hand this day; and thou shalt know that I am Yehovah.' **14** And Ahab said: 'By whom?' And he said: 'Thus saith Yehovah: By the young men of the princes of the provinces.' Then he said: 'Who shall begin the battle?' And he answered: 'Thou.' **15** Then he numbered the young men of the princes of the provinces, and they were two hundred and thirty-two; and after them he numbered all the people, even all the children of Israel, being seven thousand. **16** And they went out at noon. But Ben-hadad was drinking himself drunk in the booths, he and the kings, the thirty and two kings that helped him. **17** And the young men of the princes of the provinces went out first; and Ben-hadad sent out, and they told him, saying: 'There are men come out from Samaria.' **18** And he said: 'Whether they are come out for peace, take them alive; or whether they are come out for war, take them alive.' **19** So these went out of the city, the young men of the princes of the provinces, and the army which followed them. **20** And they slew every one his man; and the Arameans fled, and Israel pursued them; and Ben-hadad the king of Aram escaped on a horse with horsemen. **21** And the king of Israel went out, and smote the horses and chariots, and slew the Arameans with a great slaughter. **22** And the prophet came near to the king of Israel, and said unto him: 'Go, strengthen thyself, and mark, and see what thou doest; for at the return of the year the king of Aram will come up against thee.'{P}

23 And the servants of the king of Aram said unto him: 'Their God is a God of the hills; therefore they were stronger than we; but let us fight against them in the plain, and surely we shall be stronger than they.

כד וְאֶת־הַדָּבָר הַזֶּה עֲשֵׂה הָסֵר הַמְּלָכִים אִישׁ מִמְּקֹמוֹ וְשִׂים פַּחוֹת תַּחְתֵּיהֶם׃
כה וְאַתָּה תִמְנֶה־לְךָ ׀ חַיִל כַּחַיִל הַנֹּפֵל מֵאוֹתָךְ וְסוּס כַּסּוּס ׀ וְרֶכֶב כָּרֶכֶב
וְנִלָּחֲמָה אוֹתָם בַּמִּישׁוֹר אִם־לֹא נֶחֱזַק מֵהֶם וַיִּשְׁמַע לְקֹלָם וַיַּעַשׂ כֵּן׃

כו וַיְהִי לִתְשׁוּבַת הַשָּׁנָה וַיִּפְקֹד בֶּן־הֲדַד אֶת־אֲרָם וַיַּעַל אֲפֵקָה לַמִּלְחָמָה
עִם־יִשְׂרָאֵל׃ כז וּבְנֵי יִשְׂרָאֵל הָתְפָּקְדוּ וְכָלְכְּלוּ וַיֵּלְכוּ לִקְרָאתָם וַיַּחֲנוּ
בְנֵי־יִשְׂרָאֵל נֶגְדָּם כִּשְׁנֵי חֲשִׂפֵי עִזִּים וַאֲרָם מִלְאוּ אֶת־הָאָרֶץ׃ כח וַיִּגַּשׁ אִישׁ
הָאֱלֹהִים וַיֹּאמֶר אֶל־מֶלֶךְ יִשְׂרָאֵל וַיֹּאמֶר כֹּה־אָמַר יְהוָה יַעַן אֲשֶׁר אָמְרוּ
אֲרָם אֱלֹהֵי הָרִים יְהוָה וְלֹא־אֱלֹהֵי עֲמָקִים הוּא וְנָתַתִּי אֶת־כָּל־הֶהָמוֹן הַגָּדוֹל
הַזֶּה בְּיָדֶךָ וִידַעְתֶּם כִּי־אֲנִי יְהוָה׃ כט וַיַּחֲנוּ אֵלֶּה נֹכַח אֵלֶּה שִׁבְעַת יָמִים וַיְהִי
׀ בַּיּוֹם הַשְּׁבִיעִי וַתִּקְרַב הַמִּלְחָמָה וַיַּכּוּ בְנֵי־יִשְׂרָאֵל אֶת־אֲרָם מֵאָה־אֶלֶף רַגְלִי
בְּיוֹם אֶחָד׃ ל וַיָּנֻסוּ הַנּוֹתָרִים ׀ אֲפֵקָה אֶל־הָעִיר וַתִּפֹּל הַחוֹמָה עַל־עֶשְׂרִים
וְשִׁבְעָה אֶלֶף אִישׁ הַנּוֹתָרִים וּבֶן־הֲדַד נָס וַיָּבֹא אֶל־הָעִיר חֶדֶר בְּחָדֶר׃
לא וַיֹּאמְרוּ אֵלָיו עֲבָדָיו הִנֵּה־נָא שָׁמַעְנוּ כִּי מַלְכֵי בֵּית יִשְׂרָאֵל כִּי־מַלְכֵי חֶסֶד
הֵם נָשִׂימָה נָּא שַׂקִּים בְּמָתְנֵינוּ וַחֲבָלִים בְּרֹאשֵׁנוּ וְנֵצֵא אֶל־מֶלֶךְ יִשְׂרָאֵל אוּלַי
יְחַיֶּה אֶת־נַפְשֶׁךָ׃ לב וַיַּחְגְּרוּ שַׂקִּים בְּמָתְנֵיהֶם וַחֲבָלִים בְּרָאשֵׁיהֶם וַיָּבֹאוּ
אֶל־מֶלֶךְ יִשְׂרָאֵל וַיֹּאמְרוּ עַבְדְּךָ בֶן־הֲדַד אָמַר תְּחִי־נָא נַפְשִׁי וַיֹּאמֶר הַעוֹדֶנּוּ
חַי אָחִי הוּא׃ לג וְהָאֲנָשִׁים יְנַחֲשׁוּ וַיְמַהֲרוּ וַיַּחְלְטוּ הֲמִמֶּנּוּ וַיֹּאמְרוּ אָחִיךָ
בֶן־הֲדַד וַיֹּאמֶר בֹּאוּ קָחֻהוּ וַיֵּצֵא אֵלָיו בֶּן־הֲדַד וַיַּעֲלֵהוּ עַל־הַמֶּרְכָּבָה׃
לד וַיֹּאמֶר אֵלָיו הֶעָרִים אֲשֶׁר־לָקַח־אָבִי מֵאֵת אָבִיךָ אָשִׁיב וְחוּצוֹת תָּשִׂים לְךָ
בְדַמֶּשֶׂק כַּאֲשֶׁר־שָׂם אָבִי בְּשֹׁמְרוֹן וַאֲנִי בַּבְּרִית אֲשַׁלְּחֶךָּ וַיִּכְרָת־לוֹ בְרִית
וַיְשַׁלְּחֵהוּ׃ לה וְאִישׁ אֶחָד מִבְּנֵי הַנְּבִיאִים אָמַר אֶל־רֵעֵהוּ בִּדְבַר יְהוָה הַכֵּינִי
נָא וַיְמָאֵן הָאִישׁ לְהַכֹּתוֹ׃ לו וַיֹּאמֶר לוֹ יַעַן אֲשֶׁר לֹא־שָׁמַעְתָּ בְּקוֹל יְהוָה הִנְּךָ
הוֹלֵךְ מֵאִתִּי וְהִכְּךָ הָאַרְיֵה וַיֵּלֶךְ מֵאֶצְלוֹ וַיִּמְצָאֵהוּ הָאַרְיֵה וַיַּכֵּהוּ׃ לז וַיִּמְצָא
אִישׁ אַחֵר וַיֹּאמֶר הַכֵּינִי נָא וַיַּכֵּהוּ הָאִישׁ הַכֵּה וּפָצֹעַ׃ לח וַיֵּלֶךְ הַנָּבִיא וַיַּעֲמֹד
לַמֶּלֶךְ עַל־הַדָּרֶךְ וַיִּתְחַפֵּשׂ בָּאֲפֵר עַל־עֵינָיו׃ לט וַיְהִי הַמֶּלֶךְ עֹבֵר וְהוּא צָעַק
אֶל־הַמֶּלֶךְ וַיֹּאמֶר עַבְדְּךָ ׀ יָצָא בְקֶרֶב־הַמִּלְחָמָה וְהִנֵּה־אִישׁ סָר וַיָּבֵא אֵלַי
אִישׁ וַיֹּאמֶר שְׁמֹר אֶת־הָאִישׁ הַזֶּה אִם־הִפָּקֵד יִפָּקֵד וְהָיְתָה נַפְשְׁךָ תַּחַת נַפְשׁוֹ
אוֹ כִכַּר־כֶּסֶף תִּשְׁקוֹל׃ מ וַיְהִי עַבְדְּךָ עֹשֶׂה הֵנָּה וָהֵנָּה וְהוּא אֵינֶנּוּ וַיֹּאמֶר אֵלָיו
מֶלֶךְ־יִשְׂרָאֵל כֵּן מִשְׁפָּטֶךָ אַתָּה חָרָצְתָּ׃ מא וַיְמַהֵר וַיָּסַר אֶת־הָאֲפֵר
מֵעֲלֵי[39] עֵינָיו וַיַּכֵּר אֹתוֹ מֶלֶךְ יִשְׂרָאֵל כִּי מֵהַנְּבִאִים הוּא׃

[39] מעל

__24__ And do this thing: take the kings away, every man out of his place, and put governors in their room: __25__ and number thee an army, like the army that thou hast lost, horse for horse, and chariot for chariot; and we will fight against them in the plain, and surely we shall be stronger than they.' And he hearkened unto their voice, and did so.{P}

__26__ And it came to pass at the return of the year, that Ben-hadad mustered the Arameans, and went up to Aphek, to fight against Israel. __27__ And the children of Israel were mustered, and were victualled, and went against them; and the children of Israel encamped before them like two little flocks of kids; but the Arameans filled the country. __28__ And a man of God came near and spoke unto the king of Israel, and said: 'Thus saith Yehovah: Because the Arameans have said: Yehovah is a God of the hills, but he is not a God of the valleys; therefore will I deliver all this great multitude into thy hand, and ye shall know that I am Yehovah.' __29__ And they encamped one over against the other seven days. And so it was, that in the seventh day the battle was joined; and the children of Israel slew of the Arameans a hundred thousand footmen in one day. __30__ But the rest fled to Aphek, into the city; and the wall fell upon twenty and seven thousand men that were left. And Ben-hadad fled, and came into the city, into an inner chamber. __31__ And his servants said unto him: 'Behold now, we have heard that the kings of the house of Israel are merciful kings; let us, we pray thee, put sackcloth on our loins, and ropes upon our heads, and go out to the king of Israel; peradventure he will save thy life.' __32__ So they girded sackcloth on their loins, and put ropes on their heads, and came to the king of Israel, and said: 'Thy servant Ben-hadad saith: I pray thee, let me live.' And he said: 'Is he yet alive? he is my brother.' __33__ Now the men took it for a sign, and hastened to catch it from him; and they said: 'Thy brother Ben-hadad.' Then he said: 'Go ye, bring him.' Then Ben-hadad came forth to him; and he caused him to come up into his chariot. __34__ And [Ben-hadad] said unto him: 'The cities which my father took from thy father I will restore; and thou shalt make streets for thee in Damascus, as my father made in Samaria.' 'And I[, said Ahab,] will let thee go with this covenant.' So he made a covenant with him, and let him go.{S} __35__ And a certain man of the sons of the prophets said unto his fellow by the word of Yehovah: 'Smite me, I pray thee.' And the man refused to smite him. __36__ Then said he unto him: 'Because thou hast not hearkened to the voice of Yehovah, behold, as soon as thou art departed from me, a lion shall slay thee.' And as soon as he was departed from him, a lion found him; and slew him. __37__ Then he found another man, and said: 'Smite me, I pray thee.' And the man smote him, smiting and wounding him. __38__ So the prophet departed, and waited for the king by the way, and disguised himself with his headband over his eyes. __39__ And as the king passed by, he cried unto the king; and he said: 'Thy servant went out into the midst of the battle; and, behold, a man turned aside, and brought a man unto me, and said: Keep this man; if by any means he be missing, then shall thy life be for his life, or else thou shalt pay a talent of silver. __40__ And as thy servant was busy here and there, he was gone.' And the king of Israel said unto him: 'So shall thy judgment be; thyself hast decided it.' __41__ And he hastened, and took the headband away from his eyes; and the king of Israel discerned him that he was of the prophets.

מב וַיֹּ֨אמֶר אֵלָ֜יו כֹּ֣ה אָמַ֣ר יְהֹוָ֗ה יַ֛עַן שִׁלַּ֥חְתָּ אֶת־אִישׁ־חֶרְמִ֖י מִיָּ֑ד וְהָיְתָ֤ה נַפְשְׁךָ֙ תַּ֣חַת נַפְשׁ֔וֹ וְעַמְּךָ֖ תַּ֥חַת עַמּֽוֹ: מג וַיֵּ֧לֶךְ מֶֽלֶךְ־יִשְׂרָאֵ֛ל עַל־בֵּית֖וֹ סַ֣ר וְזָעֵ֑ף וַיָּבֹ֖א שֹׁמְרֽוֹנָה:

כא א וַיְהִ֗י אַחַר֙ הַדְּבָרִ֣ים הָאֵ֔לֶּה כֶּ֧רֶם הָיָ֛ה לְנָב֥וֹת הַיִּזְרְעֵאלִ֖י אֲשֶׁ֣ר בְּיִזְרְעֶ֑אל אֵ֕צֶל הֵיכַ֥ל אַחְאָ֖ב מֶ֥לֶךְ שֹׁמְרֽוֹן: ב וַיְדַבֵּ֣ר אַחְאָ֣ב אֶל־נָב֣וֹת ׀ לֵאמֹר֩ ׀ תְּנָה־לִּ֨י אֶֽת־כַּרְמְךָ֜ וִיהִי־לִ֣י לְגַן־יָרָ֗ק כִּ֣י ה֤וּא קָרוֹב֙ אֵ֣צֶל בֵּיתִ֔י וְאֶתְּנָ֤ה לְךָ֙ תַּחְתָּ֔יו כֶּ֖רֶם ט֣וֹב מִמֶּ֑נּוּ אִ֣ם ט֣וֹב בְּעֵינֶ֔יךָ אֶתְּנָה־לְךָ֥ כֶ֖סֶף מְחִ֥יר זֶֽה: ג וַיֹּ֥אמֶר נָב֖וֹת אֶל־אַחְאָ֑ב חָלִ֤ילָה לִּי֙ מֵֽיהֹוָ֔ה מִתִּתִּ֛י אֶת־נַחֲלַ֥ת אֲבֹתַ֖י לָֽךְ: ד וַיָּבֹא֩ אַחְאָ֨ב אֶל־בֵּית֜וֹ סַ֣ר וְזָעֵ֗ף עַל־הַדָּבָר֙ אֲשֶׁ֨ר־דִּבֶּ֣ר אֵלָ֗יו נָבוֹת֙ הַיִּזְרְעֵאלִ֔י וַיֹּ֕אמֶר לֹֽא־אֶתֵּ֥ן לְךָ֖ אֶת־נַחֲלַ֣ת אֲבוֹתָ֑י וַיִּשְׁכַּב֙ עַל־מִטָּת֔וֹ וַיַּסֵּ֥ב אֶת־פָּנָ֖יו וְלֹֽא־אָ֥כַל לָֽחֶם: ה וַתָּבֹ֥א אֵלָ֖יו אִיזֶ֣בֶל אִשְׁתּ֑וֹ וַתְּדַבֵּ֣ר אֵלָ֗יו מַה־זֶּה֙ רֽוּחֲךָ֣ סָרָ֔ה וְאֵינְךָ֖ אֹכֵ֥ל לָֽחֶם: ו וַיְדַבֵּ֣ר אֵלֶ֗יהָ כִּֽי־אֲדַבֵּ֣ר אֶל־נָבוֹת֮ הַיִּזְרְעֵאלִי֒ וָאֹ֣מַר ל֗וֹ תְּנָה־לִּ֤י אֶֽת־כַּרְמְךָ֙ בְּכֶ֔סֶף א֚וֹ אִם־חָפֵ֣ץ אַתָּ֔ה אֶתְּנָה־לְךָ֥ כֶ֖רֶם תַּחְתָּ֑יו וַיֹּ֕אמֶר לֹֽא־אֶתֵּ֥ן לְךָ֖ אֶת־כַּרְמִֽי: ז וַתֹּ֤אמֶר אֵלָיו֙ אִיזֶ֣בֶל אִשְׁתּ֔וֹ אַתָּ֕ה עַתָּ֛ה תַּעֲשֶׂ֥ה מְלוּכָ֖ה עַל־יִשְׂרָאֵ֑ל ק֤וּם אֱכׇל־לֶ֙חֶם֙ וְיִטַ֣ב לִבֶּ֔ךָ אֲנִי֙ אֶתֵּ֣ן לְךָ֔ אֶת־כֶּ֖רֶם נָב֥וֹת הַיִּזְרְעֵאלִֽי: ח וַתִּכְתֹּ֤ב סְפָרִים֙ בְּשֵׁ֣ם אַחְאָ֔ב וַתַּחְתֹּ֖ם בְּחֹתָמ֑וֹ וַתִּשְׁלַ֣ח סְפָרִ֗ים[40] אֶל־הַזְּקֵנִ֤ים וְאֶל־הַֽחֹרִים֙ אֲשֶׁ֣ר בְּעִיר֔וֹ הַיֹּשְׁבִ֖ים אֶת־נָבֽוֹת: ט וַתִּכְתֹּ֥ב בַּסְּפָרִ֖ים לֵאמֹ֑ר קִרְאוּ־צ֔וֹם וְהוֹשִׁ֥יבוּ אֶת־נָב֖וֹת בְּרֹ֥אשׁ הָעָֽם: י וְ֠הוֹשִׁ֠יבוּ שְׁנַ֨יִם אֲנָשִׁ֥ים בְּנֵֽי־בְלִיַּ֘עַל֮ נֶגְדּוֹ֒ וִיעִדֻ֣הוּ לֵאמֹ֔ר בֵּרַ֥כְתָּ אֱלֹהִ֖ים וָמֶ֑לֶךְ וְהוֹצִיאֻ֥הוּ וְסִקְלֻ֖הוּ וְיָמֹֽת: יא וַיַּעֲשׂ֜וּ אַנְשֵׁ֧י עִיר֣וֹ הַזְּקֵנִ֣ים וְהַחֹרִ֗ים אֲשֶׁ֤ר הַיֹּֽשְׁבִים֙ בְּעִיר֔וֹ כַּאֲשֶׁ֛ר שָׁלְחָ֥ה אֲלֵיהֶ֖ם אִיזָ֑בֶל כַּאֲשֶׁ֤ר כָּתוּב֙ בַּסְּפָרִ֔ים אֲשֶׁ֥ר שָׁלְחָ֖ה אֲלֵיהֶֽם: יב קָרְא֣וּ צ֑וֹם וְהֹשִׁ֥יבוּ אֶת־נָב֖וֹת בְּרֹ֥אשׁ הָעָֽם: יג וַ֠יָּבֹ֠אוּ שְׁנֵ֨י הָאֲנָשִׁ֥ים בְּנֵֽי־בְלִיַּ֘עַל֮ וַיֵּשְׁב֣וּ נֶגְדּוֹ֒ וַיְעִדֻ֩הוּ֩ אַנְשֵׁ֨י הַבְּלִיַּ֜עַל אֶת־נָב֗וֹת נֶ֤גֶד הָעָם֙ לֵאמֹ֔ר בֵּרַ֥ךְ נָב֛וֹת אֱלֹהִ֖ים וָמֶ֑לֶךְ וַיֹּצִאֻ֙הוּ֙ מִח֣וּץ לָעִ֔יר וַיִּסְקְלֻ֥הוּ בָאֲבָנִ֖ים וַיָּמֹֽת: יד וַֽיִּשְׁלְח֖וּ אֶל־אִיזֶ֣בֶל לֵאמֹ֑ר סֻקַּ֥ל נָב֖וֹת וַיָּמֹֽת: טו וַֽיְהִי֙ כִּשְׁמֹ֣עַ אִיזֶ֔בֶל כִּֽי־סֻקַּ֥ל נָב֖וֹת וַיָּמֹ֑ת וַתֹּ֨אמֶר אִיזֶ֜בֶל אֶל־אַחְאָ֗ב ק֣וּם רֵ֞שׁ אֶת־כֶּ֣רֶם ׀ נָב֣וֹת הַיִּזְרְעֵאלִ֗י אֲשֶׁ֤ר מֵאֵן֙ לָתֶת־לְךָ֣ בְכֶ֔סֶף כִּ֣י אֵ֥ין נָב֖וֹת חַ֥י כִּי־מֵֽת: טז וַֽיְהִ֛י כִּשְׁמֹ֥עַ אַחְאָ֖ב כִּ֣י מֵ֣ת נָב֑וֹת וַיָּ֣קׇם אַחְאָ֗ב לָרֶ֛דֶת אֶל־כֶּ֛רֶם נָב֥וֹת הַיִּזְרְעֵאלִ֖י לְרִשְׁתּֽוֹ: יז וַֽיְהִי֙ דְּבַר־יְהֹוָ֔ה אֶל־אֵלִיָּ֥הוּ הַתִּשְׁבִּ֖י לֵאמֹֽר: יח ק֣וּם רֵ֗ד לִקְרַ֛את אַחְאָ֥ב מֶֽלֶךְ־יִשְׂרָאֵ֖ל אֲשֶׁ֣ר בְּשֹׁמְר֑וֹן הִנֵּה֙ בְּכֶ֣רֶם נָב֔וֹת אֲשֶׁר־יָ֥רַד שָׁ֖ם לְרִשְׁתּֽוֹ:

42 And he said unto him: 'Thus saith Yehovah: Because thou hast let go out of thy hand the man whom I had devoted to destruction, therefore thy life shall go for his life, and thy people for his people.' **43** And the king of Israel went to his house sullen and displeased, and came to Samaria.{P}

21 1 And it came to pass after these things, that Naboth the Jezreelite had a vineyard, which was in Jezreel, hard by the palace of Ahab, king of Samaria. **2** And Ahab spoke unto Naboth, saying: 'Give me thy vineyard, that I may have it for a garden of herbs, because it is near unto my house; and I will give thee for it a better vineyard than it; or, if it seem good to thee, I will give thee the worth of it in money.' **3** And Naboth said to Ahab: 'Yehovah forbid it me, that I should give the inheritance of my fathers unto thee.' **4** And Ahab came into his house sullen and displeased because of the word which Naboth the Jezreelite had spoken to him; for he had said: 'I will not give thee the inheritance of my fathers.' And he laid him down upon his bed, and turned away his face, and would eat no bread. **5** But Jezebel his wife came to him, and said unto him: 'Why is thy spirit so sullen, that thou eatest no bread?' **6** And he said unto her: 'Because I spoke unto Naboth the Jezreelite, and said unto him: Give me thy vineyard for money; or else, if it please thee, I will give thee another vineyard for it; and he answered: I will not give thee my vineyard.' **7** And Jezebel his wife said unto him: 'Dost thou now govern the kingdom of Israel? arise, and eat bread, and let thy heart be merry; I will give thee the vineyard of Naboth the Jezreelite.' **8** So she wrote letters in Ahab's name, and sealed them with his seal, and sent the letters unto the elders and to the nobles that were in his city, and that dwelt with Naboth. **9** And she wrote in the letters, saying: 'Proclaim a fast, and set Naboth at the head of the people; **10** and set two men, base fellows, before him, and let them bear witness against him, saying: Thou didst curse God and the king. And then carry him out, and stone him, that he die.' **11** And the men of his city, even the elders and the nobles who dwelt in his city, did as Jezebel had sent unto them, according as it was written in the letters which she had sent unto them. **12** They proclaimed a fast, and set Naboth at the head of the people. **13** And the two men, the base fellows, came in and sat before him; and the base fellows bore witness against him, even against Naboth, in the presence of the people, saying: 'Naboth did curse God and the king.' Then they carried him forth out of the city, and stoned him with stones, that he died. **14** Then they sent to Jezebel, saying: 'Naboth is stoned, and is dead.' **15** And it came to pass, when Jezebel heard that Naboth was stoned, and was dead, that Jezebel said to Ahab: 'Arise, take possession of the vineyard of Naboth the Jezreelite, which he refused to give thee for money; for Naboth is not alive, but dead.' **16** And it came to pass, when Ahab heard that Naboth was dead, that Ahab rose up to go down to the vineyard of Naboth the Jezreelite, to take possession of it.{P}

17 And the word of Yehovah came to Elijah the Tishbite, saying: **18** 'Arise, go down to meet Ahab king of Israel, who dwelleth in Samaria; behold, he is in the vineyard of Naboth, whither he is gone down to take possession of it.

יט וְדִבַּרְתָּ אֵלָיו לֵאמֹר כֹּה אָמַר יְהוָה הֲרָצַחְתָּ וְגַם־יָרָשְׁתָּ וְדִבַּרְתָּ אֵלָיו לֵאמֹר כֹּה אָמַר יְהוָה בִּמְקוֹם אֲשֶׁר לָקְקוּ הַכְּלָבִים אֶת־דַּם נָבוֹת יָלֹקּוּ הַכְּלָבִים אֶת־דָּמְךָ גַּם־אָתָּה: כ וַיֹּאמֶר אַחְאָב אֶל־אֵלִיָּהוּ הַמְצָאתַנִי אֹיְבִי וַיֹּאמֶר מָצָאתִי יַעַן הִתְמַכֶּרְךָ לַעֲשׂוֹת הָרַע בְּעֵינֵי יְהוָה: כא הִנְנִי מֵבִיא[41] אֵלֶיךָ רָעָה וּבִעַרְתִּי אַחֲרֶיךָ וְהִכְרַתִּי לְאַחְאָב מַשְׁתִּין בְּקִיר וְעָצוּר וְעָזוּב בְּיִשְׂרָאֵל: כב וְנָתַתִּי אֶת־בֵּיתְךָ כְּבֵית יָרָבְעָם בֶּן־נְבָט וּכְבֵית בַּעְשָׁא בֶן־אֲחִיָּה אֶל־הַכַּעַס אֲשֶׁר הִכְעַסְתָּ וַתַּחֲטִא אֶת־יִשְׂרָאֵל: כג וְגַם־לְאִיזֶבֶל דִּבֶּר יְהוָה לֵאמֹר הַכְּלָבִים יֹאכְלוּ אֶת־אִיזֶבֶל בְּחֵל יִזְרְעֶאל: כד הַמֵּת לְאַחְאָב בָּעִיר יֹאכְלוּ הַכְּלָבִים וְהַמֵּת בַּשָּׂדֶה יֹאכְלוּ עוֹף הַשָּׁמָיִם: כה רַק לֹא־הָיָה כְאַחְאָב אֲשֶׁר הִתְמַכֵּר לַעֲשׂוֹת הָרַע בְּעֵינֵי יְהוָה אֲשֶׁר־הֵסַתָּה אֹתוֹ אִיזֶבֶל אִשְׁתּוֹ: כו וַיַּתְעֵב מְאֹד לָלֶכֶת אַחֲרֵי הַגִּלֻּלִים כְּכֹל אֲשֶׁר עָשׂוּ הָאֱמֹרִי אֲשֶׁר הוֹרִישׁ יְהוָה מִפְּנֵי בְּנֵי יִשְׂרָאֵל: כז וַיְהִי כִשְׁמֹעַ אַחְאָב אֶת־הַדְּבָרִים הָאֵלֶּה וַיִּקְרַע בְּגָדָיו וַיָּשֶׂם־שַׂק עַל־בְּשָׂרוֹ וַיָּצוֹם וַיִּשְׁכַּב בַּשָּׂק וַיְהַלֵּךְ אַט: כח וַיְהִי דְּבַר־יְהוָה אֶל־אֵלִיָּהוּ הַתִּשְׁבִּי לֵאמֹר: כט הֲרָאִיתָ כִּי־נִכְנַע אַחְאָב מִלְּפָנָי יַעַן כִּי־נִכְנַע מִפָּנַי לֹא־אָבִיא[42] הָרָעָה בְּיָמָיו בִּימֵי בְנוֹ אָבִיא הָרָעָה עַל־בֵּיתוֹ:

כב א וַיֵּשְׁבוּ שָׁלֹשׁ שָׁנִים אֵין מִלְחָמָה בֵּין אֲרָם וּבֵין יִשְׂרָאֵל:
ב וַיְהִי בַּשָּׁנָה הַשְּׁלִישִׁית וַיֵּרֶד יְהוֹשָׁפָט מֶלֶךְ־יְהוּדָה אֶל־מֶלֶךְ יִשְׂרָאֵל: ג וַיֹּאמֶר מֶלֶךְ־יִשְׂרָאֵל אֶל־עֲבָדָיו הַיְדַעְתֶּם כִּי־לָנוּ רָמֹת גִּלְעָד וַאֲנַחְנוּ מַחְשִׁים מִקַּחַת אֹתָהּ מִיַּד מֶלֶךְ אֲרָם: ד וַיֹּאמֶר אֶל־יְהוֹשָׁפָט הֲתֵלֵךְ אִתִּי לַמִּלְחָמָה רָמֹת גִּלְעָד וַיֹּאמֶר יְהוֹשָׁפָט אֶל־מֶלֶךְ יִשְׂרָאֵל כָּמוֹנִי כָמוֹךָ כְּעַמִּי כְעַמֶּךָ כְּסוּסַי כְּסוּסֶיךָ: ה וַיֹּאמֶר יְהוֹשָׁפָט אֶל־מֶלֶךְ יִשְׂרָאֵל דְּרָשׁ־נָא כַיּוֹם אֶת־דְּבַר יְהוָה: ו וַיִּקְבֹּץ מֶלֶךְ־יִשְׂרָאֵל אֶת־הַנְּבִיאִים כְּאַרְבַּע מֵאוֹת אִישׁ וַיֹּאמֶר אֲלֵהֶם הַאֵלֵךְ עַל־רָמֹת גִּלְעָד לַמִּלְחָמָה אִם־אֶחְדָּל וַיֹּאמְרוּ עֲלֵה וְיִתֵּן אֲדֹנָי בְּיַד הַמֶּלֶךְ: ז וַיֹּאמֶר יְהוֹשָׁפָט הַאֵין פֹּה נָבִיא לַיהוָה עוֹד וְנִדְרְשָׁה מֵאוֹתוֹ: ח וַיֹּאמֶר מֶלֶךְ־יִשְׂרָאֵל אֶל־יְהוֹשָׁפָט עוֹד אִישׁ־אֶחָד לִדְרֹשׁ אֶת־יְהוָה מֵאֹתוֹ וַאֲנִי שְׂנֵאתִיו כִּי לֹא־יִתְנַבֵּא עָלַי טוֹב כִּי אִם־רָע מִיכָיְהוּ בֶּן־יִמְלָה וַיֹּאמֶר יְהוֹשָׁפָט אַל־יֹאמַר הַמֶּלֶךְ כֵּן: ט וַיִּקְרָא מֶלֶךְ יִשְׂרָאֵל אֶל־סָרִיס אֶחָד וַיֹּאמֶר מַהֲרָה מִיכָיְהוּ בֶן־יִמְלָה: י וּמֶלֶךְ יִשְׂרָאֵל וִיהוֹשָׁפָט מֶלֶךְ־יְהוּדָה יֹשְׁבִים אִישׁ עַל־כִּסְאוֹ מְלֻבָּשִׁים בְּגָדִים בְּגֹרֶן פֶּתַח שַׁעַר שֹׁמְרוֹן וְכָל־הַנְּבִיאִים מִתְנַבְּאִים לִפְנֵיהֶם:

---

[41] מבי
[42] אבי

19 And thou shalt speak unto him, saying: Thus saith Yehovah: Hast thou
killed, and also taken possessions? and thou shalt speak unto him, saying:
Thus saith Yehovah: In the place where dogs licked the blood of Naboth
shall dogs lick thy blood, even thine.' 20 And Ahab said to Elijah: 'Hast
thou found me, O mine enemy?' And he answered: 'I have found thee;
because thou hast given thyself over to do that which is evil in the sight of
Yehovah. 21 Behold, I will bring evil upon thee, and will utterly sweep thee
away, and will cut off from Ahab every man-child, and him that is shut up
and him that is left at large in Israel. 22 And I will make thy house like the
house of Jeroboam the son of Nebat, and like the house of Baasa the son of
Ahijah, for the provocation wherewith thou hast provoked Me, and hast
made Israel to sin. 23 And of Jezebel also spoke Yehovah, saying: The dogs
shall eat Jezebel in the moat of Jezreel. 24 Him that dieth of Ahab in the city
the dogs shall eat; and him that dieth in the field shall the fowls of the air
eat.' 25 But there was none like unto Ahab, who did give himself over to do
that which was evil in the sight of Yehovah, whom Jezebel his wife stirred
up. 26 And he did very abominably in following idols, according to all that
the Amorites did, whom Yehovah cast out before the children of Israel.{P}

27 And it came to pass, when Ahab heard those words, that he rent his
clothes, and put sackcloth upon his flesh, and fasted, and lay in sackcloth,
and went softy.{P}

28 And the word of Yehovah came to Elijah the Tishbite, saying: 29 'Seest
thou how Ahab humbleth himself before Me? because he humbleth
himself before Me, I will not bring the evil in his days; but in his son's days
will I bring the evil upon his house.'

22
1 And they continued three years without war between Aram and
Israel.{P}

2 And it came to pass in the third year, that Jehoshaphat the king of Judah
came down to the king of Israel. 3 And the king of Israel said unto his
servants: 'Know ye that Ramoth-gilead is ours, and we are still, and take it
not out of the hand of the king of Aram?' 4 And he said unto Jehoshaphat:
'Wilt thou go with me to battle to Ramoth-gilead?' And Jehoshaphat said
to the king of Israel: 'I am as thou art, my people as thy people, my horses
as thy horses.' 5 And Jehoshaphat said unto the king of Israel: 'Inquire, I
pray thee, at the word of Yehovah today.' 6 Then the king of Israel gathered
the prophets together, about four hundred men, and said unto them: 'Shall
I go against Ramoth-gilead to battle, or shall I forbear?' And they said: 'Go
up; for Yehovah will deliver it into the hand of the king.' 7 But Jehoshaphat
said: 'Is there not here besides a prophet of Yehovah, that we might inquire
of him?' 8 And the king of Israel said unto Jehoshaphat: 'There is yet one
man by whom we may inquire of Yehovah, Micaiah the son of Imlah; but I
hate him; for he doth not prophesy good concerning me, but evil.' And
Jehoshaphat said: 'Let not the king say so.' 9 Then the king of Israel called
an officer, and said: 'Fetch quickly Micaiah the son of Imlah.' 10 Now the
king of Israel and Jehoshaphat the king of Judah sat each on his throne,
arrayed in their robes, in a threshing-floor, at the entrance of the gate of
Samaria; and all the prophets prophesied before them.

יא וַיַּעַשׂ לוֹ צִדְקִיָּה בֶן־כְּנַעֲנָה קַרְנֵי בַרְזֶל וַיֹּאמֶר כֹּה־אָמַר יְהוָה בְּאֵלֶּה
תְּנַגַּח אֶת־אֲרָם עַד־כַּלֹּתָם׃ יב וְכָל־הַנְּבִאִים נִבְּאִים כֵּן לֵאמֹר עֲלֵה רָמֹת
גִּלְעָד וְהַצְלַח וְנָתַן יְהוָה בְּיַד הַמֶּלֶךְ׃ יג וְהַמַּלְאָךְ אֲשֶׁר־הָלַךְ ׀ לִקְרֹא מִיכָיְהוּ
דִּבֶּר אֵלָיו לֵאמֹר הִנֵּה־נָא דִּבְרֵי הַנְּבִיאִים פֶּה־אֶחָד טוֹב אֶל־הַמֶּלֶךְ יְהִי־נָא
דְבָרְךָ[43] כִּדְבַר אַחַד מֵהֶם וְדִבַּרְתָּ טּוֹב׃ יד וַיֹּאמֶר מִיכָיְהוּ חַי־יְהוָה כִּי
אֶת־אֲשֶׁר יֹאמַר יְהוָה אֵלַי אֹתוֹ אֲדַבֵּר׃ טו וַיָּבוֹא אֶל־הַמֶּלֶךְ וַיֹּאמֶר הַמֶּלֶךְ
אֵלָיו מִיכָיְהוּ הֲנֵלֵךְ אֶל־רָמֹת גִּלְעָד לַמִּלְחָמָה אִם־נֶחְדָּל וַיֹּאמֶר אֵלָיו עֲלֵה
וְהַצְלַח וְנָתַן יְהוָה בְּיַד הַמֶּלֶךְ׃ טז וַיֹּאמֶר אֵלָיו הַמֶּלֶךְ עַד־כַּמֶּה פְעָמִים אֲנִי
מַשְׁבִּעֶךָ אֲשֶׁר לֹא־תְדַבֵּר אֵלַי רַק־אֱמֶת בְּשֵׁם יְהוָה׃ יז וַיֹּאמֶר רָאִיתִי
אֶת־כָּל־יִשְׂרָאֵל נְפֹצִים אֶל־הֶהָרִים כַּצֹּאן אֲשֶׁר אֵין־לָהֶם רֹעֶה וַיֹּאמֶר יְהוָה
לֹא־אֲדֹנִים לָאֵלֶּה יָשׁוּבוּ אִישׁ־לְבֵיתוֹ בְּשָׁלוֹם׃ יח וַיֹּאמֶר מֶלֶךְ־יִשְׂרָאֵל
אֶל־יְהוֹשָׁפָט הֲלוֹא אָמַרְתִּי אֵלֶיךָ לוֹא־יִתְנַבֵּא עָלַי טוֹב כִּי אִם־רָע׃ יט וַיֹּאמֶר
לָכֵן שְׁמַע דְּבַר־יְהוָה רָאִיתִי אֶת־יְהוָה יֹשֵׁב עַל־כִּסְאוֹ וְכָל־צְבָא הַשָּׁמַיִם
עֹמֵד עָלָיו מִימִינוֹ וּמִשְּׂמֹאלוֹ׃ כ וַיֹּאמֶר יְהוָה מִי יְפַתֶּה אֶת־אַחְאָב וְיַעַל וְיִפֹּל
בְּרָמֹת גִּלְעָד וַיֹּאמֶר זֶה בְּכֹה וְזֶה אֹמֵר בְּכֹה׃ כא וַיֵּצֵא הָרוּחַ וַיַּעֲמֹד לִפְנֵי
יְהוָה וַיֹּאמֶר אֲנִי אֲפַתֶּנּוּ וַיֹּאמֶר יְהוָה אֵלָיו בַּמָּה׃ כב וַיֹּאמֶר אֵצֵא וְהָיִיתִי רוּחַ
שֶׁקֶר בְּפִי כָּל־נְבִיאָיו וַיֹּאמֶר תְּפַתֶּה וְגַם־תּוּכָל צֵא וַעֲשֵׂה־כֵן׃ כג וְעַתָּה הִנֵּה
נָתַן יְהוָה רוּחַ שֶׁקֶר בְּפִי כָּל־נְבִיאֶיךָ אֵלֶּה וַיהוָה דִּבֶּר עָלֶיךָ רָעָה׃ כד וַיִּגַּשׁ
צִדְקִיָּהוּ בֶן־כְּנַעֲנָה וַיַּכֶּה אֶת־מִיכָיְהוּ עַל־הַלֶּחִי וַיֹּאמֶר אֵי־זֶה עָבַר
רוּחַ־יְהוָה מֵאִתִּי לְדַבֵּר אוֹתָךְ׃ כה וַיֹּאמֶר מִיכָיְהוּ הִנְּךָ רֹאֶה בַּיּוֹם הַהוּא
אֲשֶׁר תָּבֹא חֶדֶר בְּחֶדֶר לְהֵחָבֵה׃ כו וַיֹּאמֶר מֶלֶךְ יִשְׂרָאֵל קַח אֶת־מִיכָיְהוּ
וַהֲשִׁיבֵהוּ אֶל־אָמֹן שַׂר־הָעִיר וְאֶל־יוֹאָשׁ בֶּן־הַמֶּלֶךְ׃ כז וְאָמַרְתָּ כֹּה אָמַר
הַמֶּלֶךְ שִׂימוּ אֶת־זֶה בֵּית הַכֶּלֶא וְהַאֲכִילֻהוּ לֶחֶם לַחַץ וּמַיִם לַחַץ עַד בֹּאִי
בְשָׁלוֹם׃ כח וַיֹּאמֶר מִיכָיְהוּ אִם־שׁוֹב תָּשׁוּב בְּשָׁלוֹם לֹא־דִבֶּר יְהוָה בִּי וַיֹּאמֶר
שִׁמְעוּ עַמִּים כֻּלָּם׃ כט וַיַּעַל מֶלֶךְ־יִשְׂרָאֵל וִיהוֹשָׁפָט מֶלֶךְ־יְהוּדָה רָמֹת גִּלְעָד׃
ל וַיֹּאמֶר מֶלֶךְ יִשְׂרָאֵל אֶל־יְהוֹשָׁפָט הִתְחַפֵּשׂ וָבֹא בַמִּלְחָמָה וְאַתָּה לְבַשׁ
בְּגָדֶיךָ וַיִּתְחַפֵּשׂ מֶלֶךְ יִשְׂרָאֵל וַיָּבוֹא בַּמִּלְחָמָה׃ לא וּמֶלֶךְ אֲרָם צִוָּה אֶת־שָׂרֵי
הָרֶכֶב אֲשֶׁר־לוֹ שְׁלֹשִׁים וּשְׁנַיִם לֵאמֹר לֹא תִּלָּחֲמוּ אֶת־קָטֹן וְאֶת־גָּדוֹל כִּי
אִם־אֶת־מֶלֶךְ יִשְׂרָאֵל לְבַדּוֹ׃ לב וַיְהִי כִּרְאוֹת שָׂרֵי הָרֶכֶב אֶת־יְהוֹשָׁפָט וְהֵמָּה
אָמְרוּ אַךְ מֶלֶךְ־יִשְׂרָאֵל הוּא וַיָּסֻרוּ עָלָיו לְהִלָּחֵם וַיִּזְעַק יְהוֹשָׁפָט׃ לג וַיְהִי
כִּרְאוֹת שָׂרֵי הָרֶכֶב כִּי־לֹא־מֶלֶךְ יִשְׂרָאֵל הוּא וַיָּשׁוּבוּ מֵאַחֲרָיו׃

[43] דבריך

11 And Zedekiah the son of Chenaanah made him horns of iron, and said: 'Thus saith Yehovah: With these shalt thou gore the Arameans, until they be consumed.' **12** And all the prophets prophesied so, saying: 'Go up to Ramoth-gilead, and prosper; for Yehovah will deliver it into the hand of the king.' **13** And the messenger that went to call Micaiah spoke unto him, saying: 'Behold now, the words of the prophets declare good unto the king with one mouth, let thy word, I pray thee, be like the word of one of them, and speak thou good.' **14** And Micaiah said: 'As Yehovah liveth, what Yehovah saith unto me, that will I speak.' **15** And when he was come to the king, the king said unto him: 'Micaiah, shall we go to Ramoth-gilead to battle, or shall we forbear?' And he answered him: 'Go up, and prosper; and Yehovah will deliver it into the hand of the king.' **16** And the king said unto him: 'How many times shall I adjure thee that thou speak unto me nothing but the truth in the name of Yehovah?' **17** And he said: 'I saw all Israel scattered upon the mountains, as sheep that have no shepherd; and Yehovah said: These have no master; let them return every man to his house in peace.' **18** And the king of Israel said to Jehoshaphat: 'Did I not tell thee that he would not prophesy good concerning me, but evil?'{S} **19** And he said: 'Therefore hear thou the word of Yehovah. I saw Yehovah sitting on His throne, and all the host of heaven standing by Him on His right hand and on his left. **20** And Yehovah said: Who shall entice Ahab, that he may go up and fall at Ramoth-gilead. And one said: On this manner; and another said: On that manner. **21** And there came forth the spirit, and stood before Yehovah, and said: I will entice him. **22** And Yehovah said unto him: Wherewith? And he said: I will go forth, and will be a lying spirit in the mouth of all his prophets. And He said: Thou shalt entice him, and shalt prevail also; go forth, and do so. **23** Now therefore, behold, Yehovah hath put a lying spirit in the mouth of all these thy prophets; and Yehovah hath spoken evil concerning thee.' **24** Then Zedekiah the son of Chenaanah came near, and smote Micaiah on the cheek, and said: 'Which way went the spirit of Yehovah from me to speak unto thee?' **25** And Micaiah said: 'Behold, thou shalt see on that day, when thou shalt go into an inner chamber to hide thyself.' **26** And the king of Israel said: 'Take Micaiah, and carry him back unto Amon the governor of the city, and to Joash the king's son; **27** and say: Thus saith the king: Put this fellow in the prison, and feed him with scant bread and with scant water, until I come in peace.' **28** And Micaiah said: 'If thou return at all in peace, Yehovah hath not spoken by me.' And he said: 'Hear, ye peoples, all of you.' **29** So the king of Israel and Jehoshaphat the king of Judah went up to Ramoth-gilead. **30** And the king of Israel said unto Jehoshaphat: 'I will disguise myself, and go into the battle; but put thou on thy robes.' And the king of Israel disguised himself, and went into the battle. **31** Now the king of Aram had commanded the thirty and two captains of his chariots, saying: 'Fight neither with small nor great, save only with the king of Israel.' **32** And it came to pass, when the captains of the chariots saw Jehoshaphat, that they said: 'Surely it is the king of Israel'; and they turned aside to fight against him; and Jehoshaphat cried out. **33** And it came to pass, when the captains of the chariots saw that it was not the king of Israel, that they turned back from pursuing him.

לד וְאִישׁ מָשַׁךְ בַּקֶּשֶׁת לְתֻמּוֹ וַיַּכֶּה אֶת־מֶלֶךְ יִשְׂרָאֵל בֵּין הַדְּבָקִים וּבֵין
הַשִּׁרְיָן וַיֹּאמֶר לְרַכָּבוֹ הֲפֹךְ יָדְךָ וְהוֹצִיאֵנִי מִן־הַמַּחֲנֶה כִּי הָחֳלֵיתִי׃
לה וַתַּעֲלֶה הַמִּלְחָמָה בַּיּוֹם הַהוּא וְהַמֶּלֶךְ הָיָה מָעֳמָד בַּמֶּרְכָּבָה נֹכַח אֲרָם
וַיָּמָת בָּעֶרֶב וַיִּצֶק דַּם־הַמַּכָּה אֶל־חֵיק הָרָכֶב׃ לו וַיַּעֲבֹר הָרִנָּה בַּמַּחֲנֶה
כְּבֹא הַשֶּׁמֶשׁ לֵאמֹר אִישׁ אֶל־עִירוֹ וְאִישׁ אֶל־אַרְצוֹ׃ לז וַיָּמָת הַמֶּלֶךְ וַיָּבוֹא
שֹׁמְרוֹן וַיִּקְבְּרוּ אֶת־הַמֶּלֶךְ בְּשֹׁמְרוֹן׃ לח וַיִּשְׁטֹף אֶת־הָרֶכֶב עַל ׀ בְּרֵכַת
שֹׁמְרוֹן וַיָּלֹקּוּ הַכְּלָבִים אֶת־דָּמוֹ וְהַזֹּנוֹת רָחָצוּ כִּדְבַר יְהוָה אֲשֶׁר דִּבֵּר׃
לט וְיֶתֶר דִּבְרֵי אַחְאָב וְכָל־אֲשֶׁר עָשָׂה וּבֵית הַשֵּׁן אֲשֶׁר בָּנָה וְכָל־הֶעָרִים
אֲשֶׁר בָּנָה הֲלוֹא־הֵם כְּתוּבִים עַל־סֵפֶר דִּבְרֵי הַיָּמִים לְמַלְכֵי יִשְׂרָאֵל׃
מ וַיִּשְׁכַּב אַחְאָב עִם־אֲבֹתָיו וַיִּמְלֹךְ אֲחַזְיָהוּ בְנוֹ תַּחְתָּיו׃

מא וִיהוֹשָׁפָט בֶּן־אָסָא מָלַךְ עַל־יְהוּדָה בִּשְׁנַת אַרְבַּע לְאַחְאָב מֶלֶךְ יִשְׂרָאֵל׃
מב יְהוֹשָׁפָט בֶּן־שְׁלֹשִׁים וְחָמֵשׁ שָׁנָה בְּמָלְכוֹ וְעֶשְׂרִים וְחָמֵשׁ שָׁנָה מָלַךְ
בִּירוּשָׁלִָם וְשֵׁם אִמּוֹ עֲזוּבָה בַּת־שִׁלְחִי׃ מג וַיֵּלֶךְ בְּכָל־דֶּרֶךְ אָסָא אָבִיו
לֹא־סָר מִמֶּנּוּ לַעֲשׂוֹת הַיָּשָׁר בְּעֵינֵי יְהוָה׃ מד אַךְ הַבָּמוֹת לֹא־סָרוּ עוֹד הָעָם
מְזַבְּחִים וּמְקַטְּרִים בַּבָּמוֹת׃ מה וַיַּשְׁלֵם יְהוֹשָׁפָט עִם־מֶלֶךְ יִשְׂרָאֵל׃ מו וְיֶתֶר
דִּבְרֵי יְהוֹשָׁפָט וּגְבוּרָתוֹ אֲשֶׁר־עָשָׂה וַאֲשֶׁר נִלְחָם הֲלֹא־הֵם כְּתוּבִים
עַל־סֵפֶר דִּבְרֵי הַיָּמִים לְמַלְכֵי יְהוּדָה׃ מז וְיֶתֶר הַקָּדֵשׁ אֲשֶׁר נִשְׁאַר בִּימֵי
אָסָא אָבִיו בִּעֵר מִן־הָאָרֶץ׃ מח וּמֶלֶךְ אֵין בֶּאֱדוֹם נִצָּב מֶלֶךְ׃ מט יְהוֹשָׁפָט
עָשָׂה[44] אֳנִיּוֹת תַּרְשִׁישׁ לָלֶכֶת אוֹפִירָה לַזָּהָב וְלֹא הָלָךְ כִּי־נִשְׁבְּרוּ[45] אֳנִיּוֹת
בְּעֶצְיוֹן גָּבֶר׃ נ אָז אָמַר אֲחַזְיָהוּ בֶן־אַחְאָב אֶל־יְהוֹשָׁפָט יֵלְכוּ עֲבָדַי
עִם־עֲבָדֶיךָ בָּאֳנִיּוֹת וְלֹא אָבָה יְהוֹשָׁפָט׃ נא וַיִּשְׁכַּב יְהוֹשָׁפָט עִם־אֲבֹתָיו
וַיִּקָּבֵר עִם־אֲבֹתָיו בְּעִיר דָּוִד אָבִיו וַיִּמְלֹךְ יְהוֹרָם בְּנוֹ תַּחְתָּיו׃ נב אֲחַזְיָהוּ
בֶן־אַחְאָב מָלַךְ עַל־יִשְׂרָאֵל בְּשֹׁמְרוֹן בִּשְׁנַת שְׁבַע עֶשְׂרֵה לִיהוֹשָׁפָט מֶלֶךְ
יְהוּדָה וַיִּמְלֹךְ עַל־יִשְׂרָאֵל שְׁנָתָיִם׃ נג וַיַּעַשׂ הָרַע בְּעֵינֵי יְהוָה וַיֵּלֶךְ בְּדֶרֶךְ
אָבִיו וּבְדֶרֶךְ אִמּוֹ וּבְדֶרֶךְ יָרָבְעָם בֶּן־נְבָט אֲשֶׁר הֶחֱטִיא אֶת־יִשְׂרָאֵל׃
נד וַיַּעֲבֹד אֶת־הַבַּעַל וַיִּשְׁתַּחֲוֶה לוֹ וַיַּכְעֵס אֶת־יְהוָה אֱלֹהֵי יִשְׂרָאֵל כְּכֹל
אֲשֶׁר־עָשָׂה אָבִיו׃

---

[44] עשר
[45] נשברה

34 And a certain man drew his bow at a venture, and smote the king of Israel between the lower armour and the breastplate; wherefore he said unto the driver of his chariot: 'Turn thy hand, and carry me out of the host; for I am sore wounded.' 35 And the battle increased that day; and the king was stayed up in his chariot against the Arameans, and died at even; and the blood ran out of the wound into the bottom of the chariot. 36 And there went a cry throughout the host about the going down of the sun, saying: 'Every man to his city, and every man to his country.' 37 So the king died, and was brought to Samaria; and they buried the king in Samaria. 38 And they washed the chariot by the pool of Samaria; and the dogs licked up his blood; the harlots also washed themselves there; according unto the word of Yehovah which He spoke. 39 Now the rest of the acts of Ahab, and all that he did, and the ivory house which he built, and all the cities that he built, are they not written in the book of the chronicles of the kings of Israel? 40 So Ahab slept with his fathers; and Ahaziah his son reigned in his stead.{P}

41 And Jehoshaphat the son of Asa began to reign over Judah in the fourth year of Ahab king of Israel. 42 Jehoshaphat was thirty and five years old when he began to reign; and he reigned twenty and five years in Yerushalam. And his mother's name was Azubah the daughter of Shilhi. 43 And he walked in all the way of Asa his father; he turned not aside from it, doing that which was right in the eyes of Yehovah; 44 howbeit the high places were not taken away; the people still sacrificed and offered in the high places. 45 And Jehoshaphat made peace with the king of Israel. 46 Now the rest of the acts of Jehoshaphat, and his might that he showed, and how he warred, are they not written in the book of the chronicles of the kings of Judah? 47 And the remnant of the sodomites that remained in the days of his father Asa, he put away out of the land. 48 And there was no king in Edom: a deputy was king. 49 Jehoshaphat made ships of Tarshish to go to Ophir for gold; but they went not; for the ships were broken at Ezion-geber. 50 Then said Ahaziah the son of Ahab unto Jehoshaphat: 'Let my servants go with thy servants in the ships.' But Jehoshaphat would not. 51 And Jehoshaphat slept with his fathers, and was buried with his fathers in the city of David his father; and Jehoram his son reigned in his stead.{S} 52 Ahaziah the son of Ahab began to reign over Israel in Samaria in the seventeenth year of Jehoshaphat king of Judah, and he reigned two years over Israel. 53 And he did that which was evil in the sight of Yehovah, and walked in the way of his father, and in the way of his mother, and in the way of Jeroboam the son of Nebat, wherein he made Israel to sin. 54 And he served Baal, and worshipped him, and provoked Yehovah, the God of Israel, according to all that his father had done.

מלכים ב
II Kings

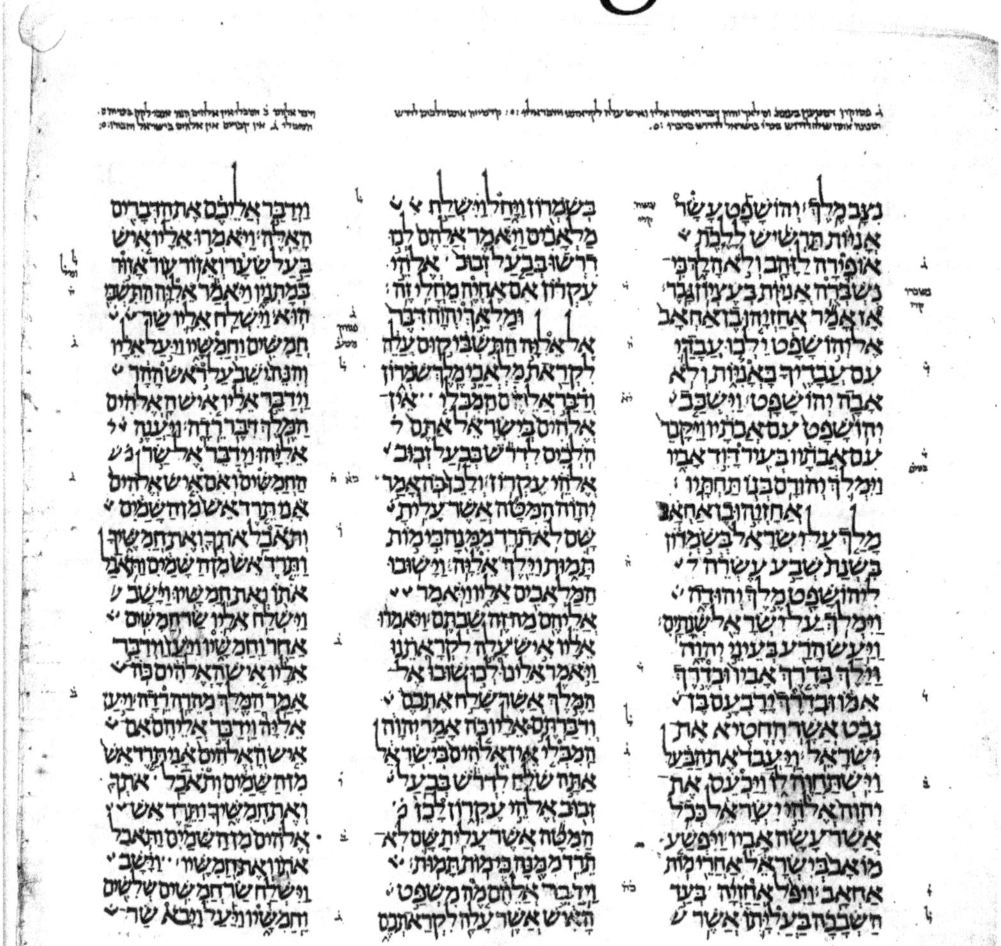

Book of II Kings in the Leningrad Codex
(right column, 4th line from bottom, at last word on line, page 409 in pdf)

א א וַיִּפְשַׁע מוֹאָב בְּיִשְׂרָאֵל אַחֲרֵי מוֹת אַחְאָב׃ ב וַיִּפֹּל אֲחַזְיָה בְּעַד הַשְּׂבָכָה
בַּעֲלִיָּתוֹ אֲשֶׁר בְּשֹׁמְרוֹן וַיָּחַל וַיִּשְׁלַח מַלְאָכִים וַיֹּאמֶר אֲלֵהֶם לְכוּ דִרְשׁוּ בְּבַעַל
זְבוּב אֱלֹהֵי עֶקְרוֹן אִם־אֶחְיֶה מֵחֳלִי זֶה׃ ג וּמַלְאַךְ יְהוָה דִּבֶּר אֶל־אֵלִיָּה
הַתִּשְׁבִּי קוּם עֲלֵה לִקְרַאת מַלְאֲכֵי מֶלֶךְ־שֹׁמְרוֹן וְדַבֵּר אֲלֵהֶם הֲמִבְּלִי
אֵין־אֱלֹהִים בְּיִשְׂרָאֵל אַתֶּם הֹלְכִים לִדְרֹשׁ בְּבַעַל זְבוּב אֱלֹהֵי עֶקְרוֹן׃ ד וְלָכֵן
כֹּה־אָמַר יְהוָה הַמִּטָּה אֲשֶׁר־עָלִיתָ שָּׁם לֹא־תֵרֵד מִמֶּנָּה כִּי מוֹת תָּמוּת וַיֵּלֶךְ
אֵלִיָּה׃ ה וַיָּשׁוּבוּ הַמַּלְאָכִים אֵלָיו וַיֹּאמֶר אֲלֵיהֶם מַה־זֶּה שַׁבְתֶּם׃ ו וַיֹּאמְרוּ
אֵלָיו אִישׁ ׀ עָלָה לִקְרָאתֵנוּ וַיֹּאמֶר אֵלֵינוּ לְכוּ שׁוּבוּ אֶל־הַמֶּלֶךְ אֲשֶׁר־שָׁלַח
אֶתְכֶם וְדִבַּרְתֶּם אֵלָיו כֹּה אָמַר יְהוָה הֲמִבְּלִי אֵין־אֱלֹהִים בְּיִשְׂרָאֵל אַתָּה שֹׁלֵחַ
לִדְרֹשׁ בְּבַעַל זְבוּב אֱלֹהֵי עֶקְרוֹן לָכֵן הַמִּטָּה אֲשֶׁר־עָלִיתָ שָּׁם לֹא־תֵרֵד מִמֶּנָּה
כִּי־מוֹת תָּמוּת׃ ז וַיְדַבֵּר אֲלֵהֶם מֶה מִשְׁפַּט הָאִישׁ אֲשֶׁר עָלָה לִקְרַאתְכֶם
וַיְדַבֵּר אֲלֵיכֶם אֶת־הַדְּבָרִים הָאֵלֶּה׃ ח וַיֹּאמְרוּ אֵלָיו אִישׁ בַּעַל שֵׂעָר וְאֵזוֹר
עוֹר אָזוּר בְּמָתְנָיו וַיֹּאמַר אֵלִיָּה הַתִּשְׁבִּי הוּא׃ ט וַיִּשְׁלַח אֵלָיו שַׂר־חֲמִשִּׁים
וַחֲמִשָּׁיו וַיַּעַל אֵלָיו וְהִנֵּה יֹשֵׁב עַל־רֹאשׁ הָהָר וַיְדַבֵּר אֵלָיו אִישׁ הָאֱלֹהִים
הַמֶּלֶךְ דִּבֶּר רֵדָה׃ י וַיַּעֲנֶה אֵלִיָּהוּ וַיְדַבֵּר אֶל־שַׂר הַחֲמִשִּׁים וְאִם־אִישׁ אֱלֹהִים
אָנִי תֵּרֶד אֵשׁ מִן־הַשָּׁמַיִם וְתֹאכַל אֹתְךָ וְאֶת־חֲמִשֶּׁיךָ וַתֵּרֶד אֵשׁ מִן־הַשָּׁמַיִם
וַתֹּאכַל אֹתוֹ וְאֶת־חֲמִשָּׁיו׃ יא וַיָּשָׁב וַיִּשְׁלַח אֵלָיו שַׂר־חֲמִשִּׁים אַחֵר וַחֲמִשָּׁיו
וַיַּעַן וַיְדַבֵּר אֵלָיו אִישׁ הָאֱלֹהִים כֹּה־אָמַר הַמֶּלֶךְ מְהֵרָה רֵדָה׃ יב וַיַּעַן אֵלִיָּה
וַיְדַבֵּר אֲלֵיהֶם אִם־אִישׁ הָאֱלֹהִים אָנִי תֵּרֶד אֵשׁ מִן־הַשָּׁמַיִם וְתֹאכַל אֹתְךָ
וְאֶת־חֲמִשֶּׁיךָ וַתֵּרֶד אֵשׁ־אֱלֹהִים מִן־הַשָּׁמַיִם וַתֹּאכַל אֹתוֹ וְאֶת־חֲמִשָּׁיו׃ יג וַיָּשָׁב
וַיִּשְׁלַח שַׂר־חֲמִשִּׁים שְׁלִשִׁים וַחֲמִשָּׁיו וַיַּעַל וַיָּבֹא שַׂר־הַחֲמִשִּׁים הַשְּׁלִישִׁי וַיִּכְרַע
עַל־בִּרְכָּיו ׀ לְנֶגֶד אֵלִיָּהוּ וַיִּתְחַנֵּן אֵלָיו וַיְדַבֵּר אֵלָיו אִישׁ הָאֱלֹהִים תִּיקַר־נָא
נַפְשִׁי וְנֶפֶשׁ עֲבָדֶיךָ אֵלֶּה חֲמִשִּׁים בְּעֵינֶיךָ׃ יד הִנֵּה יָרְדָה אֵשׁ מִן־הַשָּׁמַיִם
וַתֹּאכַל אֶת־שְׁנֵי שָׂרֵי הַחֲמִשִּׁים הָרִאשֹׁנִים וְאֶת־חֲמִשֵּׁיהֶם וְעַתָּה תִּיקַר נַפְשִׁי
בְּעֵינֶיךָ׃ טו וַיְדַבֵּר מַלְאַךְ יְהוָה אֶל־אֵלִיָּהוּ רֵד אוֹתוֹ אַל־תִּירָא מִפָּנָיו וַיָּקָם
וַיֵּרֶד אוֹתוֹ אֶל־הַמֶּלֶךְ׃ טז וַיְדַבֵּר אֵלָיו כֹּה־אָמַר יְהוָה יַעַן אֲשֶׁר־שָׁלַחְתָּ
מַלְאָכִים לִדְרֹשׁ בְּבַעַל זְבוּב אֱלֹהֵי עֶקְרוֹן הֲמִבְּלִי אֵין־אֱלֹהִים בְּיִשְׂרָאֵל
לִדְרֹשׁ בִּדְבָרוֹ לָכֵן הַמִּטָּה אֲשֶׁר־עָלִיתָ שָּׁם לֹא־תֵרֵד מִמֶּנָּה כִּי־מוֹת תָּמוּת׃
יז וַיָּמָת כִּדְבַר יְהוָה ׀ אֲשֶׁר־דִּבֶּר אֵלִיָּהוּ וַיִּמְלֹךְ יְהוֹרָם תַּחְתָּיו

בִּשְׁנַת שְׁתַּיִם לִיהוֹרָם בֶּן־יְהוֹשָׁפָט מֶלֶךְ יְהוּדָה כִּי לֹא־הָיָה לוֹ בֵּן׃ יח וְיֶתֶר
דִּבְרֵי אֲחַזְיָהוּ אֲשֶׁר עָשָׂה הֲלוֹא־הֵמָּה כְתוּבִים עַל־סֵפֶר דִּבְרֵי הַיָּמִים לְמַלְכֵי
יִשְׂרָאֵל׃

1 1 And Moab rebelled against Israel after the death of Ahab. 2 And Ahaziah fell down through the lattice in his upper chamber that was in Samaria, and was sick; and he sent messengers, and said unto them: 'Go, inquire of Baal-zebub the god of Ekron whether I shall recover of this sickness.'{S} 3 But an angel of Yehovah said to Elijah the Tishbite: 'Arise, go up to meet the messengers of the king of Samaria, and say unto them: Is it because there is no God in Israel, that ye go to inquire of Baal-zebub the god of Ekron? 4 Now therefore thus saith Yehovah: Thou shalt not come down from the bed whither thou art gone up, but shalt surely die.' And Elijah departed. 5 And the messengers returned unto him, and he said unto them: 'Why is it that ye are returned?' 6 And they said unto him: 'There came up a man to meet us, and said unto us: Go, return unto the king that sent you, and say unto him: Thus saith Yehovah: Is it because there is no God in Israel, that thou sendest to inquire of Baal-zebub the god of Ekron? therefore thou shalt not come down from the bed whither thou art gone up, but shalt surely die.' 7 And he said unto them: 'What manner of man was he that came up to meet you, and told you these words?' 8 And they answered him: 'He was a hairy man, and girt with a girdle of leather about his loins.' And he said: 'It is Elijah the Tishbite.' 9 Then the king sent unto him a captain of fifty with his fifty. And he went up to him; and, behold, he sat on the top of the hill. And he spoke unto him: 'O man of God, the king hath said: Come down.' 10 And Elijah answered and said to the captain of fifty: 'If I be a man of God, let fire come down from heaven, and consume thee and thy fifty.' And there came down fire from heaven, and consumed him and his fifty. 11 And again he sent unto him another captain of fifty with his fifty. And he answered and said unto him: 'O man of God, thus hath the king said: Come down quickly.' 12 And Elijah answered and said unto them: 'If I be a man of God, let fire come down from heaven, and consume thee and thy fifty.' And the fire of God came down from heaven, and consumed him and his fifty. 13 And again he sent the captain of a third fifty with his fifty. And the third captain of fifty went up, and came and fell on his knees before Elijah, and besought him, and said unto him: 'O man of God, I pray thee, let my life, and the life of these fifty thy servants, be precious in thy sight. 14 Behold, there came fire down from heaven, and consumed the two former captains of fifty with their fifties; but now let my life be precious in thy sight'{S} 15 And the angel of Yehovah said unto Elijah: 'Go down with him; be not afraid of him.' And he arose, and went down with him unto the king. 16 And he said unto him: 'Thus saith Yehovah: Forasmuch as thou hast sent messengers to inquire of Baal-zebub the god of Ekron, is it because there is no God in Israel to inquire of His word? therefore thou shalt not come down from the bed whether thou art gone up, but shalt surely die.' 17 So he died according to the word of Yehovah which Elijah had spoken. And Jehoram began to reign in his stead{P}

in the second year of Jehoram the son of Jehoshaphat king of Judah; because he had no son.{S} 18 Now the rest of the acts of Ahaziah which he did, are they not written in the book of the chronicles of the kings of Israel?{P}

ב א וַיְהִ֗י בְּהַעֲל֤וֹת יְהוָה֙ אֶת־אֵ֣לִיָּ֔הוּ בַּֽסְעָרָ֖ה הַשָּׁמָ֑יִם וַיֵּ֧לֶךְ אֵלִיָּ֛הוּ וֶאֱלִישָׁ֖ע
מִן־הַגִּלְגָּֽל: ב וַיֹּ֩אמֶר֩ אֵלִיָּ֨הוּ אֶל־אֱלִישָׁ֜ע שֵֽׁב־נָ֣א פֹ֗ה כִּ֤י יְהוָה֙ שְׁלָחַ֣נִי
עַד־בֵּֽית־אֵ֔ל וַיֹּ֣אמֶר אֱלִישָׁ֗ע חַי־יְהוָ֤ה וְחֵֽי־נַפְשְׁךָ֙ אִם־אֶעֶזְבֶ֔ךָּ וַיֵּרְד֖וּ
בֵּֽית־אֵֽל: ג וַיֵּצְא֨וּ בְנֵֽי־הַנְּבִיאִ֤ים אֲשֶׁר־בֵּֽית־אֵל֙ אֶל־אֱלִישָׁ֔ע וַיֹּאמְר֣וּ אֵלָ֔יו
הֲיָדַ֗עְתָּ כִּ֣י הַיּ֞וֹם יְהוָ֗ה לֹקֵ֧חַ אֶת־אֲדֹנֶ֛יךָ מֵעַ֥ל רֹאשֶׁ֖ךָ וַיֹּ֥אמֶר גַּם־אֲנִ֥י יָדַ֖עְתִּי
הֶחֱשֽׁוּ: ד וַיֹּאמֶר֩ ל֨וֹ אֵלִיָּ֜הוּ אֱלִישָׁ֣ע ׀ שֵֽׁב־נָ֣א פֹ֗ה כִּ֤י יְהוָה֙ שְׁלָחַ֣נִי יְרִיח֔וֹ
וַיֹּ֕אמֶר חַי־יְהוָ֤ה וְחֵֽי־נַפְשְׁךָ֙ אִם־אֶעֶזְבֶ֔ךָּ וַיָּבֹ֖אוּ יְרִיחֽוֹ: ה וַיִּגְּשׁ֨וּ בְנֵֽי־הַנְּבִיאִ֥ים
אֲשֶׁר־בִּֽירִיחוֹ֮ אֶל־אֱלִישָׁע֒ וַיֹּאמְר֣וּ אֵלָ֔יו הֲיָדַ֗עְתָּ כִּ֣י הַיּ֞וֹם יְהוָ֧ה לֹקֵ֛חַ
אֶת־אֲדֹנֶ֖יךָ מֵעַ֣ל רֹאשֶׁ֑ךָ וַיֹּ֕אמֶר גַּם־אֲנִ֥י יָדַ֖עְתִּי הֶחֱשֽׁוּ: ו וַיֹּאמֶר֩ ל֨וֹ אֵלִיָּ֜הוּ
שֵֽׁב־נָ֣א פֹ֗ה כִּ֤י יְהוָה֙ שְׁלָחַ֣נִי הַיַּרְדֵּ֔נָה וַיֹּ֕אמֶר חַי־יְהוָ֤ה וְחֵֽי־נַפְשְׁךָ֙
אִם־אֶעֶזְבֶ֔ךָּ וַיֵּלְכ֖וּ שְׁנֵיהֶֽם: ז וַחֲמִשִּׁ֣ים אִ֗ישׁ מִבְּנֵ֤י הַנְּבִיאִים֙ הָֽלְכ֔וּ וַיַּעַמְד֥וּ
מִנֶּ֖גֶד מֵֽרָח֑וֹק וּשְׁנֵיהֶ֖ם עָמְד֥וּ עַל־הַיַּרְדֵּֽן: ח וַיִּקַּח֩ אֵלִיָּ֨הוּ אֶת־אַדַּרְתּ֤וֹ וַיִּגְלֹם֙
וַיַּכֶּ֣ה אֶת־הַמַּ֔יִם וַיֵּחָצ֖וּ הֵ֣נָּה וָהֵ֑נָּה וַיַּעַבְר֥וּ שְׁנֵיהֶ֖ם בֶּחָֽרָבָֽה: ט וַיְהִ֣י כְעָבְרָ֗ם
וְאֵ֨לִיָּ֜הוּ אָמַ֣ר אֶל־אֱלִישָׁ֗ע שְׁאַל֙ מָ֣ה אֶֽעֱשֶׂה־לָּ֔ךְ בְּטֶ֖רֶם אֶלָּקַ֣ח מֵעִמָּ֑ךְ וַיֹּ֣אמֶר
אֱלִישָׁ֔ע וִֽיהִי־נָ֛א פִּֽי־שְׁנַ֖יִם בְּרוּחֲךָ֥ אֵלָֽי: י וַיֹּ֖אמֶר הִקְשִׁ֣יתָ לִשְׁא֑וֹל אִם־תִּרְאֶ֨ה
אֹתִ֜י לֻקָּ֤ח מֵֽאִתָּךְ֙ יְהִי־לְךָ֣ כֵ֔ן וְאִם־אַ֖יִן לֹ֥א יִהְיֶֽה: יא וַיְהִ֗י הֵ֣מָּה הֹלְכִ֤ים הָלוֹךְ֙
וְדַבֵּ֔ר וְהִנֵּ֤ה רֶֽכֶב־אֵשׁ֙ וְס֣וּסֵי אֵ֔שׁ וַיַּפְרִ֖דוּ בֵּ֣ין שְׁנֵיהֶ֑ם וַיַּ֙עַל֙ אֵ֣לִיָּ֔הוּ בַּֽסְעָרָ֖ה
הַשָּׁמָֽיִם: יב וֶאֱלִישָׁ֣ע רֹאֶ֗ה וְה֤וּא מְצַעֵק֙ אָבִ֣י ׀ אָבִ֗י רֶ֤כֶב יִשְׂרָאֵל֙ וּפָ֣רָשָׁ֔יו וְלֹ֥א
רָאָ֖הוּ ע֑וֹד וַֽיַּחֲזֵק֙ בִּבְגָדָ֔יו וַיִּקְרָעֵ֖ם לִשְׁנַ֥יִם קְרָעִֽים: יג וַיָּ֙רֶם֙ אֶת־אַדֶּ֣רֶת
אֵ֣לִיָּ֔הוּ אֲשֶׁ֥ר נָפְלָ֖ה מֵֽעָלָ֑יו וַיָּ֥שָׁב וַֽיַּעֲמֹ֖ד עַל־שְׂפַ֥ת הַיַּרְדֵּֽן: יד וַיִּקַּח֩
אֶת־אַדֶּ֨רֶת אֵלִיָּ֜הוּ אֲשֶׁר־נָפְלָ֤ה מֵֽעָלָיו֙ וַיַּכֶּ֣ה אֶת־הַמַּ֔יִם וַיֹּאמַ֕ר אַיֵּ֕ה יְהוָ֖ה
אֱלֹהֵ֣י אֵלִיָּ֑הוּ אַף־ה֣וּא ׀ וַיַּכֶּ֣ה אֶת־הַמַּ֗יִם וַיֵּֽחָצוּ֙ הֵ֣נָּה וָהֵ֔נָּה וַֽיַּעֲבֹ֖ר אֱלִישָֽׁע:
טו וַיִּרְאֻ֨הוּ בְנֵֽי־הַנְּבִיאִ֤ים אֲשֶׁר־בִּֽירִיחוֹ֙ מִנֶּ֔גֶד וַיֹּ֣אמְר֔וּ נָ֛חָה ר֥וּחַ אֵלִיָּ֖הוּ
עַל־אֱלִישָׁ֑ע וַיָּבֹ֙אוּ֙ לִקְרָאת֔וֹ וַיִּשְׁתַּחֲווּ־ל֖וֹ אָֽרְצָה: טז וַיֹּאמְר֣וּ אֵלָ֗יו הִנֵּה־נָ֣א
יֵֽשׁ־אֶת־עֲבָדֶיךָ֮ חֲמִשִּׁ֣ים אֲנָשִׁים֮ בְּנֵֽי־חַ֒יִל֒ יֵ֣לְכוּ נָא֮ וִיבַקְשׁ֣וּ אֶת־אֲדֹנֶיךָ֒
פֶּן־נְשָׂא֗וֹ ר֚וּחַ יְהוָ֔ה וַיַּשְׁלִכֵ֙הוּ֙ בְּאַחַ֣ד הֶֽהָרִ֔ים א֖וֹ בְּאַחַ֣ת הַגֵּיאָ֑וֹת[1] וַיֹּ֖אמֶר לֹ֥א
תִשְׁלָֽחוּ: יז וַיִּפְצְרוּ־ב֥וֹ עַד־בֹּ֖שׁ וַיֹּ֣אמֶר שְׁלָ֑חוּ וַֽיִּשְׁלְחוּ֙ חֲמִשִּׁ֣ים אִ֔ישׁ וַיְבַקְשׁ֥וּ
שְׁלֹשָֽׁה־יָמִ֖ים וְלֹ֥א מְצָאֻֽהוּ: יח וַיָּשֻׁ֣בוּ אֵלָ֔יו וְה֖וּא יֹשֵׁ֣ב בִּֽירִיח֑וֹ וַיֹּ֣אמֶר אֲלֵהֶ֔ם
הֲלוֹא־אָמַ֥רְתִּי אֲלֵיכֶ֖ם אַל־תֵּלֵֽכוּ: יט וַיֹּאמְר֞וּ אַנְשֵׁ֤י הָעִיר֙ אֶל־אֱלִישָׁ֔ע
הִנֵּה־נָ֞א מוֹשַׁ֤ב הָעִיר֙ ט֔וֹב כַּאֲשֶׁ֥ר אֲדֹנִ֖י רֹאֶ֑ה וְהַמַּ֥יִם רָעִ֖ים וְהָאָ֥רֶץ מְשַׁכָּֽלֶת:

---

[1] הגיאות

2 **1** And it came to pass, when Yehovah would take up Elijah by a whirlwind into heaven, that Elijah went with Elisha from Gilgal. **2** And Elijah said unto Elisha: 'Tarry here, I pray thee; for Yehovah hath sent me as far as Beth-el.' And Elisha said: 'As Yehovah liveth, and as thy soul liveth, I will not leave thee.' So they went down to Beth-el.– **3** And the sons of the prophets that were at Beth-el came forth to Elisha, and said unto him: 'Knowest thou that Yehovah will take away thy master from thy head to-day?' And he said: 'Yea, I know it; hold ye your peace.'– **4** And Elijah said unto him: 'Elisha, tarry here, I pray thee; for Yehovah hath sent me to Jericho.' And he said: 'As Yehovah liveth, and as thy soul liveth, I will not leave thee.' So they came to Jericho.– **5** And the sons of the prophets that were at Jericho came near to Elisha, and said unto him: 'Knowest thou that Yehovah will take away thy master from thy head to-day?' And he answered: 'Yea, I know it; hold ye your peace.'– **6** And Elijah said unto him: 'Tarry here, I pray thee; for Yehovah hath sent me to the Jordan.' And he said: 'As Yehovah liveth, and as thy soul liveth, I will not leave thee.' And they two went on. **7** And fifty men of the sons of the prophets went, and stood over against them afar off; and they two stood by the Jordan. **8** And Elijah took his mantle, and wrapped it together, and smote the waters, and they were divided hither and thither, so that they two went over on dry ground. **9** And it came to pass, when they were gone over, that Elijah said unto Elisha: 'Ask what I shall do for thee, before I am taken from thee.' And Elisha said: 'I pray thee, let a double portion of thy spirit be upon me.' **10** And he said: 'Thou hast asked a hard thing; nevertheless, if thou see me when I am taken from thee, it shall be so unto thee; but if not, it shall not be so.' **11** And it came to pass, as they still went on, and talked, that, behold, there appeared a chariot of fire, and horses of fire, which parted them both asunder; and Elijah went up by a whirlwind into heaven. **12** And Elisha saw it, and he cried: 'My father, my father, the chariots of Israel and the horsemen thereof!' And he saw him no more; and he took hold of his own clothes, and rent them in two pieces. **13** He took up also the mantle of Elijah that fell from him, and went back, and stood by the bank of the Jordan. **14** And he took the mantle of Elijah that fell from him, and smote the waters, and said: 'Where is Yehovah, the God of Elijah?' and when he also had smitten the waters, they were divided hither and thither; and Elisha went over. **15** And when the sons of the prophets that were at Jericho some way off saw him, they said: 'The spirit of Elijah doth rest on Elisha.' And they came to meet him, and bowed down to the ground before him. **16** And they said unto him: 'Behold now, there are with thy servants fifty strong men; let them go, we pray thee, and seek thy master; lest peradventure the spirit of Yehovah hath taken him up, and cast him upon some mountain, or into some valley.' And he said: 'Ye shall not send.' **17** And when they urged him till he was ashamed, he said: 'Send.' They sent therefore fifty men; and they sought three days, but found him not. **18** And they came back to him, while he tarried at Jericho; and he said unto them: 'Did I not say unto you: Go not?'{s} **19** And the men of the city said unto Elisha: 'Behold, we pray thee, the situation of this city is pleasant, as my lord seeth; but the water is bad, and the land miscarrieth.

כ וַיֹּאמֶר קְחוּ־לִי צְלֹחִית חֲדָשָׁה וְשִׂימוּ שָׁם מֶלַח וַיִּקְחוּ אֵלָיו׃ כא וַיֵּצֵא
אֶל־מוֹצָא הַמַּיִם וַיַּשְׁלֶךְ־שָׁם מֶלַח וַיֹּאמֶר כֹּה־אָמַר יְהוָה רִפִּאתִי לַמַּיִם
הָאֵלֶּה לֹא־יִהְיֶה מִשָּׁם עוֹד מָוֶת וּמְשַׁכָּלֶת׃ כב וַיֵּרָפוּ הַמַּיִם עַד הַיּוֹם הַזֶּה
כִּדְבַר אֱלִישָׁע אֲשֶׁר דִּבֵּר׃

כג וַיַּעַל מִשָּׁם בֵּית־אֵל וְהוּא ׀ עֹלֶה בַדֶּרֶךְ וּנְעָרִים קְטַנִּים יָצְאוּ מִן־הָעִיר
וַיִּתְקַלְּסוּ־בוֹ וַיֹּאמְרוּ לוֹ עֲלֵה קֵרֵחַ עֲלֵה קֵרֵחַ׃ כד וַיִּפֶן אַחֲרָיו וַיִּרְאֵם
וַיְקַלְלֵם בְּשֵׁם יְהוָה וַתֵּצֶאנָה שְׁתַּיִם דֻּבִּים מִן־הַיַּעַר וַתְּבַקַּעְנָה מֵהֶם
אַרְבָּעִים וּשְׁנֵי יְלָדִים׃ כה וַיֵּלֶךְ מִשָּׁם אֶל־הַר הַכַּרְמֶל וּמִשָּׁם שָׁב שֹׁמְרוֹן׃

ג א וִיהוֹרָם בֶּן־אַחְאָב מָלַךְ עַל־יִשְׂרָאֵל בְּשֹׁמְרוֹן בִּשְׁנַת שְׁמֹנֶה עֶשְׂרֵה
לִיהוֹשָׁפָט מֶלֶךְ יְהוּדָה וַיִּמְלֹךְ שְׁתֵּים־עֶשְׂרֵה שָׁנָה׃ ב וַיַּעֲשֶׂה הָרַע בְּעֵינֵי
יְהוָה רַק לֹא כְאָבִיו וּכְאִמּוֹ וַיָּסַר אֶת־מַצְּבַת הַבַּעַל אֲשֶׁר עָשָׂה אָבִיו׃ ג רַק
בְּחַטֹּאות יָרָבְעָם בֶּן־נְבָט אֲשֶׁר־הֶחֱטִיא אֶת־יִשְׂרָאֵל דָּבֵק לֹא־סָר מִמֶּנָּה׃
ד וּמֵישַׁע מֶלֶךְ־מוֹאָב הָיָה נֹקֵד וְהֵשִׁיב לְמֶלֶךְ־יִשְׂרָאֵל מֵאָה־אֶלֶף כָּרִים
וּמֵאָה אֶלֶף אֵילִים צָמֶר׃ ה וַיְהִי כְּמוֹת אַחְאָב וַיִּפְשַׁע מֶלֶךְ־מוֹאָב בְּמֶלֶךְ
יִשְׂרָאֵל׃ ו וַיֵּצֵא הַמֶּלֶךְ יְהוֹרָם בַּיּוֹם הַהוּא מִשֹּׁמְרוֹן וַיִּפְקֹד אֶת־כָּל־יִשְׂרָאֵל׃
ז וַיֵּלֶךְ וַיִּשְׁלַח אֶל־יְהוֹשָׁפָט מֶלֶךְ־יְהוּדָה לֵאמֹר מֶלֶךְ מוֹאָב פָּשַׁע בִּי הֲתֵלֵךְ
אִתִּי אֶל־מוֹאָב לַמִּלְחָמָה וַיֹּאמֶר אֶעֱלֶה כָּמוֹנִי כָמוֹךָ כְּעַמִּי כְעַמֶּךָ כְּסוּסַי
כְּסוּסֶיךָ׃ ח וַיֹּאמֶר אֵי־זֶה הַדֶּרֶךְ נַעֲלֶה וַיֹּאמֶר דֶּרֶךְ מִדְבַּר אֱדוֹם׃ ט וַיֵּלֶךְ
מֶלֶךְ יִשְׂרָאֵל וּמֶלֶךְ־יְהוּדָה וּמֶלֶךְ אֱדוֹם וַיָּסֹבּוּ דֶּרֶךְ שִׁבְעַת יָמִים וְלֹא־הָיָה
מַיִם לַמַּחֲנֶה וְלַבְּהֵמָה אֲשֶׁר בְּרַגְלֵיהֶם׃ י וַיֹּאמֶר מֶלֶךְ יִשְׂרָאֵל אֲהָהּ
כִּי־קָרָא יְהוָה לִשְׁלֹשֶׁת הַמְּלָכִים הָאֵלֶּה לָתֵת אוֹתָם בְּיַד־מוֹאָב׃ יא וַיֹּאמֶר
יְהוֹשָׁפָט הַאֵין פֹּה נָבִיא לַיהוָה וְנִדְרְשָׁה אֶת־יְהוָה מֵאוֹתוֹ וַיַּעַן אֶחָד מֵעַבְדֵי
מֶלֶךְ־יִשְׂרָאֵל וַיֹּאמֶר פֹּה אֱלִישָׁע בֶּן־שָׁפָט אֲשֶׁר־יָצַק מַיִם עַל־יְדֵי אֵלִיָּהוּ׃
יב וַיֹּאמֶר יְהוֹשָׁפָט יֵשׁ אוֹתוֹ דְּבַר־יְהוָה וַיֵּרְדוּ אֵלָיו מֶלֶךְ יִשְׂרָאֵל וִיהוֹשָׁפָט
וּמֶלֶךְ אֱדוֹם׃ יג וַיֹּאמֶר אֱלִישָׁע אֶל־מֶלֶךְ יִשְׂרָאֵל מַה־לִּי וָלָךְ לֵךְ אֶל־נְבִיאֵי
אָבִיךָ וְאֶל־נְבִיאֵי אִמֶּךָ וַיֹּאמֶר לוֹ מֶלֶךְ יִשְׂרָאֵל אַל כִּי־קָרָא יְהוָה לִשְׁלֹשֶׁת
הַמְּלָכִים הָאֵלֶּה לָתֵת אוֹתָם בְּיַד־מוֹאָב׃ יד וַיֹּאמֶר אֱלִישָׁע חַי־יְהוָה צְבָאוֹת
אֲשֶׁר עָמַדְתִּי לְפָנָיו כִּי לוּלֵי פְּנֵי יְהוֹשָׁפָט מֶלֶךְ־יְהוּדָה אֲנִי נֹשֵׂא אִם־אַבִּיט
אֵלֶיךָ וְאִם־אֶרְאֶךָּ׃ טו וְעַתָּה קְחוּ־לִי מְנַגֵּן וְהָיָה כְּנַגֵּן הַמְנַגֵּן וַתְּהִי עָלָיו
יַד־יְהוָה׃ טז וַיֹּאמֶר כֹּה אָמַר יְהוָה עָשֹׂה הַנַּחַל הַזֶּה גֵּבִים ׀ גֵּבִים׃

20 And he said: 'Bring me a new cruse, and put salt therein.' And they brought it to him. **21** And he went forth unto the spring of the waters, and cast salt therein, and said: 'Thus saith Yehovah: I have healed these waters; there shall not be from thence any more death or miscarrying.' **22** So the waters were healed unto this day, according to the word of Elisha which he spoke.{P}

23 And he went up from thence unto Beth-el; and as he was going up by the way, there came forth little children out of the city, and mocked him, and said unto him: 'Go up, thou baldhead; go up, thou baldhead.' **24** And he looked behind him and saw them, and cursed them in the name of Yehovah. And there came forth two she-bears out of the wood, and tore forty and two children of them. **25** And he went from thence to mount Carmel, and from thence he returned to Samaria.{P}

3 **1** Now Jehoram the son of Ahab began to reign over Israel in Samaria in the eighteenth year of Jehoshaphat king of Judah, and reigned twelve years. **2** And he did that which was evil in the sight of Yehovah; but not like his father, and like his mother; for he put away the pillar of Baal that his father had made. **3** Nevertheless he cleaved unto the sins of Jeroboam the son of Nebat, wherewith he made Israel to sin; he departed not therefrom.{P}

4 Now Mesha king of Moab was a sheep-master; and he rendered unto the king of Israel the wool of a hundred thousand lambs, and of a hundred thousand rams. **5** But it came to pass, when Ahab was dead, that the king of Moab rebelled against the king of Israel. **6** And king Jehoram went out of Samaria at that time, and mustered all Israel. **7** And he went and sent to Jehoshaphat the king of Judah, saying: 'The king of Moab hath rebelled against me; wilt thou go with me against Moab to battle?' And he said: 'I will go up; I am as thou art, my people as thy people, my horses as thy horses.' **8** And he said: 'Which way shall we go up?' And he answered: 'The way of the wilderness of Edom.' **9** So the king of Israel went, and the king of Judah, and the king of Edom; and they made a circuit of seven days' journey; and there was no water for the host, nor for the beasts that followed them. **10** And the king of Israel said: 'Alas! for Yehovah hath called these three kings together to deliver them into the hand of Moab.'{S} **11** But Jehoshaphat said: 'Is there not here a prophet of Yehovah, that we may inquire of Yehovah by him?' And one of the king of Israel's servants answered and said: 'Elisha the son of Shaphat is here, who poured water on the hands of Elijah.' **12** And Jehoshaphat said: 'The word of Yehovah is with him.' So the king of Israel and Jehoshaphat and the king of Edom went down to him. **13** And Elisha said unto the king of Israel: 'What have I to do with thee? get thee to the prophets of thy father, and to the prophets of thy mother.' And the king of Israel said unto him: 'Nay; for Yehovah hath called these three kings together to deliver them into the hand of Moab.' **14** And Elisha said: 'As Yehovah of hosts liveth, before whom I stand, surely, were it not that I regard the presence of Jehoshaphat the king of Judah, I would not look toward thee, nor see thee. **15** But now bring me a minstrel.' And it came to pass, when the minstrel played, that the hand of Yehovah came upon him. **16** And he said: 'Thus saith Yehovah: Make this valley full of trenches.

יז כִּי־כֹ֣ה ׀ אָמַ֣ר יְהוָ֗ה לֹֽא־תִרְא֥וּ ר֙וּחַ֙ וְלֹֽא־תִרְא֣וּ גֶ֔שֶׁם וְהַנַּ֥חַל הַה֖וּא יִמָּ֣לֵא
מָ֑יִם וּשְׁתִיתֶ֛ם אַתֶּ֥ם וּמִקְנֵיכֶ֖ם וּֽבְהֶמְתְּכֶֽם: יח וְנָקַ֥ל זֹ֖את בְּעֵינֵ֣י יְהוָ֑ה וְנָתַ֥ן
אֶת־מוֹאָ֖ב בְּיֶדְכֶֽם: יט וְהִכִּיתֶ֞ם כָּל־עִ֤יר מִבְצָר֙ וְכָל־עִ֣יר מִבְח֔וֹר וְכָל־עֵ֥ץ
טוֹב֙ תַּפִּ֔ילוּ וְכָל־מַעְיְנֵי־מַ֖יִם תִּסְתֹּ֑מוּ וְכֹל֙ הַחֶלְקָ֣ה הַטּוֹבָ֔ה תַּכְאִ֖בוּ בָּאֲבָנִֽים:
כ וַיְהִ֤י בַבֹּ֙קֶר֙ כַּעֲל֣וֹת הַמִּנְחָ֔ה וְהִנֵּה־מַ֥יִם בָּאִ֖ים מִדֶּ֣רֶךְ אֱד֑וֹם וַתִּמָּלֵ֥א הָאָ֖רֶץ
אֶת־הַמָּֽיִם: כא וְכָל־מוֹאָב֙ שָֽׁמְע֔וּ כִּֽי־עָל֥וּ הַמְּלָכִ֖ים לְהִלָּ֣חֶם בָּ֑ם וַיִּצָּעֲק֗וּ
מִכֹּ֨ל חֹגֵ֤ר חֲגֹרָה֙ וָמַ֔עְלָה וַיַּעַמְד֖וּ עַל־הַגְּבֽוּל: כב וַיַּשְׁכִּ֣ימוּ בַבֹּ֔קֶר וְהַשֶּׁ֖מֶשׁ
זָרְחָ֣ה עַל־הַמָּ֑יִם וַיִּרְא֨וּ מוֹאָ֥ב מִנֶּ֛גֶד אֶת־הַמַּ֖יִם אֲדֻמִּ֥ים כַּדָּֽם: כג וַיֹּֽאמְרוּ֙ דָּ֣ם
זֶ֔ה הָחֳרֵ֤ב נֶֽחֶרְבוּ֙ הַמְּלָכִ֔ים וַיַּכּ֖וּ אִ֣ישׁ אֶת־רֵעֵ֑הוּ וְעַתָּ֥ה לַשָּׁלָ֖ל מוֹאָֽב:
כד וַיָּבֹ֘אוּ֮ אֶל־מַחֲנֵ֣ה יִשְׂרָאֵל֒ וַיָּקֻ֤מוּ יִשְׂרָאֵל֙ וַיַּכּ֣וּ אֶת־מוֹאָ֔ב וַיָּנֻ֖סוּ מִפְּנֵיהֶ֑ם
וַיַּכּוּ־בָ֔הּ [2] וְהַכּ֖וֹת אֶת־מוֹאָֽב: כה וְהֶעָרִ֣ים יַהֲרֹ֡סוּ וְכָל־חֶלְקָ֣ה ט֠וֹבָה יַשְׁלִ֨יכוּ
אִישׁ־אַבְנ֜וֹ וּמִלְא֗וּהָ וְכָל־מַעְיַן־מַ֤יִם יִסְתֹּ֙מוּ֙ וְכָל־עֵֽץ־ט֣וֹב יַפִּ֔ילוּ עַד־הִשְׁאִ֧יר
אֲבָנֶ֛יהָ בַּקִּ֖יר חֲרָ֑שֶׂת וַיָּסֹ֥בּוּ הַקַּלָּעִ֖ים וַיַּכּֽוּהָ: כו וַיַּ֙רְא֙ מֶ֣לֶךְ מוֹאָ֔ב כִּֽי־חָזַ֥ק
מִמֶּ֖נּוּ הַמִּלְחָמָ֑ה וַיִּקַּ֣ח א֠וֹתוֹ שְׁבַע־מֵא֨וֹת אִ֜ישׁ שֹׁ֣לֵֽף חֶ֗רֶב לְהַבְקִ֙יעַ֙ אֶל־מֶ֣לֶךְ
אֱד֔וֹם וְלֹ֖א יָכֹֽלוּ: כז וַיִּקַּח֩ אֶת־בְּנ֨וֹ הַבְּכ֜וֹר אֲשֶׁר־יִמְלֹ֣ךְ תַּחְתָּ֗יו וַיַּעֲלֵ֤הוּ עֹלָה֙
עַל־הַ֣חֹמָ֔ה וַיְהִ֥י קֶֽצֶף־גָּד֖וֹל עַל־יִשְׂרָאֵ֑ל וַיִּסְעוּ֙ מֵֽעָלָ֔יו וַיָּשֻׁ֖בוּ לָאָֽרֶץ:

ד א וְאִשָּׁ֣ה אַחַ֣ת מִנְּשֵׁ֣י בְנֵֽי־הַ֠נְּבִיאִים צָעֲקָ֨ה אֶל־אֱלִישָׁ֤ע לֵאמֹר֙ עַבְדְּךָ֣ אִישִׁ֣י
מֵ֔ת וְאַתָּ֣ה יָדַ֔עְתָּ כִּ֣י עַבְדְּךָ֔ הָיָ֥ה יָרֵ֖א אֶת־יְהוָ֑ה וְהַ֨נֹּשֶׁ֔ה בָּ֗א לָקַ֜חַת אֶת־שְׁנֵ֧י
יְלָדַ֛י ל֖וֹ לַעֲבָדִֽים: ב וַיֹּ֨אמֶר אֵלֶ֤יהָ אֱלִישָׁע֙ מָ֣ה אֶֽעֱשֶׂה־לָּ֔ךְ הַגִּ֣ידִי לִ֔י
מַה־יֶּשׁ־לָ֖ךְ [3] בַּבָּ֑יִת וַתֹּ֗אמֶר אֵ֣ין לְשִׁפְחָתְךָ֥ כֹל֙ בַּבַּ֔יִת כִּ֖י אִם־אָס֥וּךְ שָֽׁמֶן:
ג וַיֹּ֗אמֶר לְכִ֨י שַׁאֲלִי־לָ֤ךְ כֵּלִים֙ מִן־הַח֔וּץ מֵאֵ֖ת כָּל־שְׁכֵנָ֑יִךְ [4] כֵּלִ֥ים רֵקִ֖ים
אַל־תַּמְעִֽיטִי: ד וּבָ֗את וְסָגַ֤רְתְּ הַדֶּ֙לֶת֙ בַּעֲדֵ֣ךְ וּבְעַד־בָּנַ֔יִךְ וְיָצַ֕קְתְּ עַ֖ל
כָּל־הַכֵּלִ֣ים הָאֵ֑לֶּה וְהַמָּלֵ֖א תַּסִּֽיעִי: ה וַתֵּ֙לֶךְ֙ מֵֽאִתּ֔וֹ וַתִּסְגֹּ֣ר הַדֶּ֔לֶת בַּעֲדָ֖הּ
וּבְעַ֣ד בָּנֶ֑יהָ הֵ֛ם מַגִּשִׁ֥ים אֵלֶ֖יהָ וְהִ֥יא מוֹצָֽקֶת [5]: ו וַיְהִ֣י ׀ כִּמְלֹ֣את הַכֵּלִ֗ים
וַתֹּ֤אמֶר אֶל־בְּנָהּ֙ הַגִּ֨ישָׁה אֵלַ֥י עוֹד֙ כֶּ֔לִי וַיֹּ֣אמֶר אֵלֶ֔יהָ אֵ֥ין ע֖וֹד כֶּ֑לִי וַֽיַּעֲמֹ֖ד
הַשָּֽׁמֶן: ז וַתָּבֹ֗א וַתַּגֵּד֙ לְאִ֣ישׁ הָֽאֱלֹהִ֔ים וַיֹּ֗אמֶר לְכִי֙ מִכְרִ֣י אֶת־הַשֶּׁ֔מֶן וְשַׁלְּמִ֖י
אֶת־נִשְׁיֵ֑ךְ [6] וְאַ֣תְּ וּבָנַ֔יִךְ [7] תִּֽחְיִ֖י בַּנּוֹתָֽר:

---

[2] וַיִּבּוּ
[3] לַכִי
[4] שְׁכֵנַכִי
[5] מֵיצֶקֶת
[6] נִשְׁיֵכִי
[7] בָּנַיְכִי

17 For thus saith Yehovah: Ye shall not see wind, neither shall ye see rain, yet that valley shall be filled with water; and ye shall drink, both ye and your cattle and your beasts. **18** And this is but a light thing in the sight of Yehovah; He will also deliver the Moabites into your hand. **19** And ye shall smite every fortified city, and every choice city, and shall fell every good tree, and stop all fountains of water, and mar every good piece of land with stones.' **20** And it came to pass in the morning, about the time of making the offering, that, behold, there came water by the way of Edom, and the country was filled with water. **21** Now when all the Moabites heard that the kings were come up to fight against them, they gathered themselves together, all that were able to put on armour, and upward, and stood on the border. **22** And they rose up early in the morning, and the sun shone upon the water, and the Moabites saw the water some way off as red as blood; **23** and they said: 'This is blood: the kings have surely fought together, and they have smitten each man his fellow; now therefore, Moab, to the spoil.' **24** And when they came to the camp of Israel, the Israelites rose up and smote the Moabites, so that they fled before them. And they smote the land, even Moab, mightily. **25** And they beat down the cities; and on every good piece of land they cast every man his stone, and filled it; and they stopped all the fountains of water, and felled all the good trees; until there was left only Kir-hareseth with the stones of the wall thereof; so the slingers encompassed it, and smote it. **26** And when the king of Moab saw that the battle was too sore for him, he took with him seven hundred men that drew sword, to break through unto the king of Edom; but they could not. **27** Then he took his eldest son that should have reigned in his stead, and offered him for a burnt-offering upon the wall. And there came great wrath upon Israel; and they departed from him, and returned to their own land.{P}

4 **1** Now there cried a certain woman of the wives of the sons of the prophets unto Elisha, saying: 'Thy servant my husband is dead; and thou knowest that thy servant did fear Yehovah; and the creditor is come to take unto him my two children to be bondmen.' **2** And Elisha said unto her: 'What shall I do for thee? tell me; what hast thou in the house?' And she said: 'Thy handmaid hath not any thing in the house, save a pot of oil.' **3** Then he said: 'Go, borrow thee vessels abroad of all thy neighbours, even empty vessels; borrow not a few. **4** And thou shalt go in, and shut the door upon thee and upon thy sons, and pour out into all those vessels; and thou shalt set aside that which is full.' **5** So she went from him, and shut the door upon her and upon her sons; they brought the vessels to her, and she poured out. **6** And it came to pass, when the vessels were full, that she said unto her son: 'Bring me yet a vessel.' And he said unto her: 'There is not a vessel more.' And the oil stayed. **7** Then she came and told the man of God. And he said: 'Go, sell the oil, and pay thy debt, and live thou and thy sons of the rest.'{P}

ח וַיְהִי הַיּוֹם וַיַּעֲבֹר אֱלִישָׁע אֶל־שׁוּנֵם וְשָׁם אִשָּׁה גְדוֹלָה וַתַּחֲזֶק־בּוֹ
לֶאֱכָל־לָחֶם וַיְהִי מִדֵּי עָבְרוֹ יָסֻר שָׁמָּה לֶאֱכָל־לָחֶם׃ ט וַתֹּאמֶר אֶל־אִישָׁהּ
הִנֵּה־נָא יָדַעְתִּי כִּי אִישׁ אֱלֹהִים קָדוֹשׁ הוּא עֹבֵר עָלֵינוּ תָּמִיד׃ י נַעֲשֶׂה־נָּא
עֲלִיַּת־קִיר קְטַנָּה וְנָשִׂים לוֹ שָׁם מִטָּה וְשֻׁלְחָן וְכִסֵּא וּמְנוֹרָה וְהָיָה בְּבֹאוֹ אֵלֵינוּ
יָסוּר שָׁמָּה׃ יא וַיְהִי הַיּוֹם וַיָּבֹא שָׁמָּה וַיָּסַר אֶל־הָעֲלִיָּה וַיִּשְׁכַּב־שָׁמָּה׃
יב וַיֹּאמֶר אֶל־גֵּחֲזִי נַעֲרוֹ קְרָא לַשּׁוּנַמִּית הַזֹּאת וַיִּקְרָא־לָהּ וַתַּעֲמֹד לְפָנָיו׃
יג וַיֹּאמֶר לוֹ אֱמָר־נָא אֵלֶיהָ הִנֵּה חָרַדְתְּ ׀ אֵלֵינוּ אֶת־כָּל־הַחֲרָדָה הַזֹּאת מֶה
לַעֲשׂוֹת לָךְ הֲיֵשׁ לְדַבֶּר־לָךְ אֶל־הַמֶּלֶךְ אוֹ אֶל־שַׂר הַצָּבָא וַתֹּאמֶר בְּתוֹךְ עַמִּי
אָנֹכִי יֹשָׁבֶת׃ יד וַיֹּאמֶר וּמֶה לַעֲשׂוֹת לָהּ וַיֹּאמֶר גֵּיחֲזִי אֲבָל בֵּן אֵין־לָהּ וְאִישָׁהּ
זָקֵן׃ טו וַיֹּאמֶר קְרָא־לָהּ וַיִּקְרָא־לָהּ וַתַּעֲמֹד בַּפָּתַח׃ טז וַיֹּאמֶר לַמּוֹעֵד הַזֶּה
כָּעֵת חַיָּה אַתְּ[8] חֹבֶקֶת בֵּן וַתֹּאמֶר אַל־אֲדֹנִי אִישׁ הָאֱלֹהִים אַל־תְּכַזֵּב
בְּשִׁפְחָתֶךָ׃ יז וַתַּהַר הָאִשָּׁה וַתֵּלֶד בֵּן לַמּוֹעֵד הַזֶּה כָּעֵת חַיָּה אֲשֶׁר־דִּבֶּר אֵלֶיהָ
אֱלִישָׁע׃ יח וַיִּגְדַּל הַיָּלֶד וַיְהִי הַיּוֹם וַיֵּצֵא אֶל־אָבִיו אֶל־הַקֹּצְרִים׃ יט וַיֹּאמֶר
אֶל־אָבִיו רֹאשִׁי ׀ רֹאשִׁי וַיֹּאמֶר אֶל־הַנַּעַר שָׂאֵהוּ אֶל־אִמּוֹ׃ כ וַיִּשָּׂאֵהוּ וַיְבִיאֵהוּ
אֶל־אִמּוֹ וַיֵּשֶׁב עַל־בִּרְכֶּיהָ עַד־הַצָּהֳרַיִם וַיָּמֹת׃ כא וַתַּעַל וַתַּשְׁכִּבֵהוּ עַל־מִטַּת
אִישׁ הָאֱלֹהִים וַתִּסְגֹּר בַּעֲדוֹ וַתֵּצֵא׃ כב וַתִּקְרָא אֶל־אִישָׁהּ וַתֹּאמֶר שִׁלְחָה נָא
לִי אֶחָד מִן־הַנְּעָרִים וְאַחַת הָאֲתֹנוֹת וְאָרוּצָה עַד־אִישׁ הָאֱלֹהִים וְאָשׁוּבָה׃
כג וַיֹּאמֶר מַדּוּעַ אַתְּ[9] הֹלֶכֶת[10] אֵלָיו הַיּוֹם לֹא־חֹדֶשׁ וְלֹא שַׁבָּת וַתֹּאמֶר שָׁלוֹם׃
כד וַתַּחֲבֹשׁ הָאָתוֹן וַתֹּאמֶר אֶל־נַעֲרָהּ נְהַג וָלֵךְ אַל־תַּעֲצָר־לִי לִרְכֹּב כִּי
אִם־אָמַרְתִּי לָךְ׃ כה וַתֵּלֶךְ וַתָּבוֹא אֶל־אִישׁ הָאֱלֹהִים אֶל־הַר הַכַּרְמֶל וַיְהִי
כִּרְאוֹת אִישׁ־הָאֱלֹהִים אֹתָהּ מִנֶּגֶד וַיֹּאמֶר אֶל־גֵּיחֲזִי נַעֲרוֹ הִנֵּה הַשּׁוּנַמִּית הַלָּז׃
כו עַתָּה רוּץ־נָא לִקְרָאתָהּ וֶאֱמָר־לָהּ הֲשָׁלוֹם לָךְ הֲשָׁלוֹם לְאִישֵׁךְ הֲשָׁלוֹם
לַיָּלֶד וַתֹּאמֶר שָׁלוֹם׃ כז וַתָּבֹא אֶל־אִישׁ הָאֱלֹהִים אֶל־הָהָר וַתַּחֲזֵק בְּרַגְלָיו
וַיִּגַּשׁ גֵּיחֲזִי לְהָדְפָהּ וַיֹּאמֶר אִישׁ הָאֱלֹהִים הַרְפֵּה־לָהּ כִּי־נַפְשָׁהּ מָרָה־לָהּ
וַיהוָה הֶעְלִים מִמֶּנִּי וְלֹא הִגִּיד לִי׃ כח וַתֹּאמֶר הֲשָׁאַלְתִּי בֵן מֵאֵת אֲדֹנִי הֲלֹא
אָמַרְתִּי לֹא תַשְׁלֶה אֹתִי׃ כט וַיֹּאמֶר לְגֵיחֲזִי חֲגֹר מָתְנֶיךָ וְקַח מִשְׁעַנְתִּי בְיָדְךָ
וָלֵךְ כִּי־תִמְצָא אִישׁ לֹא תְבָרְכֶנּוּ וְכִי־יְבָרֶכְךָ אִישׁ לֹא תַעֲנֶנּוּ וְשַׂמְתָּ מִשְׁעַנְתִּי
עַל־פְּנֵי הַנָּעַר׃ ל וַתֹּאמֶר אֵם הַנַּעַר חַי־יְהוָה וְחֵי־נַפְשְׁךָ אִם־אֶעֶזְבֶךָּ וַיָּקָם
וַיֵּלֶךְ אַחֲרֶיהָ׃ לא וְגֵחֲזִי עָבַר לִפְנֵיהֶם וַיָּשֶׂם אֶת־הַמִּשְׁעֶנֶת עַל־פְּנֵי הַנַּעַר וְאֵין
קוֹל וְאֵין קָשֶׁב וַיָּשָׁב לִקְרָאתוֹ וַיַּגֶּד־לוֹ לֵאמֹר לֹא הֵקִיץ הַנָּעַר׃

---

[8] אתי
[9] אתי
[10] הלכתי

8 And it fell on a day, that Elisha passed to Shunem, where was a great woman; and she constrained him to eat bread. And so it was, that as oft as he passed by, he turned in thither to eat bread. **9** And she said unto her husband: 'Behold now, I perceive that this is a holy man of God, that passeth by us continually. **10** Let us make, I pray thee, a little chamber on the roof; and let us set for him there a bed, and a table, and a stool, and a candlestick; and it shall be, when he cometh to us, that he shall turn in thither.' **11** And it fell on a day, that he came thither, and he turned into the upper chamber and lay there. **12** And he said to Gehazi his servant: 'Call this Shunammite.' And when he had called her, she stood before him. **13** And he said unto him: 'Say now unto her: Behold, thou hast been careful for us with all this care; what is to be done for thee? wouldest thou be spoken for to the king, or to the captain of the host?' And she answered: 'I dwell among mine own people.' **14** And he said: 'What then is to be done for her?' And Gehazi answered: 'Verily she hath no son, and her husband is old.' **15** And he said: 'Call her.' And when he had called her, she stood in the door. **16** And he said: 'At this season, when the time cometh round, thou shalt embrace a son.' And she said: 'Nay, my lord, thou man of God, do not lie unto thy handmaid.' **17** And the woman conceived, and bore a son at that season, when the time came round, as Elisha had said unto her. **18** And when the child was grown, it fell on a day, that he went out to his father to the reapers. **19** And he said unto his father: 'My head, my head.' And he said to his servant: 'Carry him to his mother.' **20** And when he had taken him, and brought him to his mother, he sat on her knees till noon, and then died. **21** And she went up, and laid him on the bed of the man of God, and shut the door upon him, and went out. **22** And she called unto her husband, and said: 'Send me, I pray thee, one of the servants, and one of the asses, that I may run to the man of God, and come back.' **23** And he said: Wherefore wilt thou go to him today? it is neither new moon nor sabbath.' And she said: 'It shall be well.' **24** Then she saddled an ass, and said to her servant: 'Drive, and go forward; slacken me not the riding, except I bid thee.' **25** So she went, and came unto the man of God to mount Carmel. And it came to pass, when the man of God saw her afar off, that he said to Gehazi his servant: 'Behold, yonder is that Shunammite. **26** Run, I pray thee, now to meet her, and say unto her: Is it well with thee? is it well with thy husband? is it well with the child?' And she answered: 'It is well.' **27** And when she came to the man of God to the hill, she caught hold of his feet. And Gehazi came near to thrust her away; but the man of God said: 'Let her alone; for her soul is bitter within her; and Yehovah hath hid it from me, and hath not told Me.' **28** Then she said: 'Did I desire a son of my lord? did I not say: Do not deceive me?' **29** Then he said to Gehazi: 'Gird up thy loins, and take my staff in thy hand, and go thy way; if thou meet any man, salute him not; and if any salute thee, answer him not; and lay my staff upon the face of the child.' **30** And the mother of the child said: 'As Yehovah liveth, and as thy soul liveth, I will not leave thee.' And he arose, and followed her. **31** And Gehazi passed on before them, and laid the staff upon the face of the child; but there was neither voice, nor hearing. Wherefore he returned to meet him, and told him, saying: 'The child is not awaked.'

לב וַיָּבֹא אֱלִישָׁע הַבָּיְתָה וְהִנֵּה הַנַּעַר מֵת מֻשְׁכָּב עַל־מִטָּתוֹ׃ לג וַיָּבֹא וַיִּסְגֹּר
הַדֶּלֶת בְּעַד שְׁנֵיהֶם וַיִּתְפַּלֵּל אֶל־יְהוָה׃ לד וַיַּעַל וַיִּשְׁכַּב עַל־הַיֶּלֶד וַיָּשֶׂם פִּיו
עַל־פִּיו וְעֵינָיו עַל־עֵינָיו וְכַפָּיו עַל־כַּפָּיו[11] וַיִּגְהַר עָלָיו וַיָּחָם בְּשַׂר הַיָּלֶד׃
לה וַיָּשָׁב וַיֵּלֶךְ בַּבַּיִת אַחַת הֵנָּה וְאַחַת הֵנָּה וַיַּעַל וַיִּגְהַר עָלָיו וַיְזוֹרֵר הַנַּעַר
עַד־שֶׁבַע פְּעָמִים וַיִּפְקַח הַנַּעַר אֶת־עֵינָיו׃ לו וַיִּקְרָא אֶל־גֵּיחֲזִי וַיֹּאמֶר קְרָא
אֶל־הַשֻּׁנַמִּית הַזֹּאת וַיִּקְרָאֶהָ וַתָּבוֹא אֵלָיו וַיֹּאמֶר שְׂאִי בְנֵךְ׃ לז וַתָּבֹא וַתִּפֹּל
עַל־רַגְלָיו וַתִּשְׁתַּחוּ אָרְצָה וַתִּשָּׂא אֶת־בְּנָהּ וַתֵּצֵא׃

לח וֶאֱלִישָׁע שָׁב הַגִּלְגָּלָה וְהָרָעָב בָּאָרֶץ וּבְנֵי הַנְּבִיאִים יֹשְׁבִים לְפָנָיו וַיֹּאמֶר
לְנַעֲרוֹ שְׁפֹת הַסִּיר הַגְּדוֹלָה וּבַשֵּׁל נָזִיד לִבְנֵי הַנְּבִיאִים׃ לט וַיֵּצֵא אֶחָד
אֶל־הַשָּׂדֶה לְלַקֵּט אֹרֹת וַיִּמְצָא גֶּפֶן שָׂדֶה וַיְלַקֵּט מִמֶּנּוּ פַּקֻּעֹת שָׂדֶה מְלֹא בִגְדוֹ
וַיָּבֹא וַיְפַלַּח אֶל־סִיר הַנָּזִיד כִּי־לֹא יָדָעוּ׃ מ וַיִּצְקוּ לַאֲנָשִׁים לֶאֱכוֹל וַיְהִי
כְּאָכְלָם מֵהַנָּזִיד וְהֵמָּה צָעָקוּ וַיֹּאמְרוּ מָוֶת בַּסִּיר אִישׁ הָאֱלֹהִים וְלֹא יָכְלוּ
לֶאֱכֹל׃ מא וַיֹּאמֶר וּקְחוּ־קֶמַח וַיַּשְׁלֵךְ אֶל־הַסִּיר וַיֹּאמֶר צַק לָעָם וְיֹאכֵלוּ וְלֹא
הָיָה דָּבָר רָע בַּסִּיר׃ מב וְאִישׁ בָּא מִבַּעַל שָׁלִשָׁה וַיָּבֵא לְאִישׁ הָאֱלֹהִים לֶחֶם
בִּכּוּרִים עֶשְׂרִים־לֶחֶם שְׂעֹרִים וְכַרְמֶל בְּצִקְלֹנוֹ וַיֹּאמֶר תֵּן לָעָם וְיֹאכֵלוּ׃
מג וַיֹּאמֶר מְשָׁרְתוֹ מָה אֶתֵּן זֶה לִפְנֵי מֵאָה אִישׁ וַיֹּאמֶר תֵּן לָעָם וְיֹאכֵלוּ כִּי כֹה
אָמַר יְהוָה אָכֹל וְהוֹתֵר׃ מד וַיִּתֵּן לִפְנֵיהֶם וַיֹּאכְלוּ וַיּוֹתִרוּ כִּדְבַר יְהוָה׃

ה א וְנַעֲמָן שַׂר־צְבָא מֶלֶךְ־אֲרָם הָיָה אִישׁ גָּדוֹל לִפְנֵי אֲדֹנָיו וּנְשֻׂא פָנִים כִּי־בוֹ
נָתַן־יְהוָה תְּשׁוּעָה לַאֲרָם וְהָאִישׁ הָיָה גִּבּוֹר חַיִל מְצֹרָע׃ ב וַאֲרָם יָצְאוּ גְדוּדִים
וַיִּשְׁבּוּ מֵאֶרֶץ יִשְׂרָאֵל נַעֲרָה קְטַנָּה וַתְּהִי לִפְנֵי אֵשֶׁת נַעֲמָן׃ ג וַתֹּאמֶר אֶל־גְּבִרְתָּהּ
אַחֲלֵי אֲדֹנִי לִפְנֵי הַנָּבִיא אֲשֶׁר בְּשֹׁמְרוֹן אָז יֶאֱסֹף אֹתוֹ מִצָּרַעְתּוֹ׃ ד וַיָּבֹא וַיַּגֵּד
לַאדֹנָיו לֵאמֹר כָּזֹאת וְכָזֹאת דִּבְּרָה הַנַּעֲרָה אֲשֶׁר מֵאֶרֶץ יִשְׂרָאֵל׃ ה וַיֹּאמֶר
מֶלֶךְ־אֲרָם לֶךְ־בֹּא וְאֶשְׁלְחָה סֵפֶר אֶל־מֶלֶךְ יִשְׂרָאֵל וַיֵּלֶךְ וַיִּקַּח בְּיָדוֹ עֶשֶׂר
כִּכְּרֵי־כֶסֶף וְשֵׁשֶׁת אֲלָפִים זָהָב וְעֶשֶׂר חֲלִיפוֹת בְּגָדִים׃ ו וַיָּבֵא הַסֵּפֶר אֶל־מֶלֶךְ
יִשְׂרָאֵל לֵאמֹר וְעַתָּה כְּבוֹא הַסֵּפֶר הַזֶּה אֵלֶיךָ הִנֵּה שָׁלַחְתִּי אֵלֶיךָ אֶת־נַעֲמָן
עַבְדִּי וַאֲסַפְתּוֹ מִצָּרַעְתּוֹ׃ ז וַיְהִי כִּקְרֹא מֶלֶךְ־יִשְׂרָאֵל אֶת־הַסֵּפֶר וַיִּקְרַע בְּגָדָיו
וַיֹּאמֶר הַאֱלֹהִים אָנִי לְהָמִית וּלְהַחֲיוֹת כִּי־זֶה שֹׁלֵחַ אֵלַי לֶאֱסֹף אִישׁ מִצָּרַעְתּוֹ
כִּי אַךְ־דְּעוּ־נָא וּרְאוּ כִּי־מִתְאַנֶּה הוּא לִי׃ ח וַיְהִי כִּשְׁמֹעַ ׀ אֱלִישָׁע אִישׁ־הָאֱלֹהִים
כִּי־קָרַע מֶלֶךְ־יִשְׂרָאֵל אֶת־בְּגָדָיו וַיִּשְׁלַח אֶל־הַמֶּלֶךְ לֵאמֹר לָמָּה קָרַעְתָּ בְּגָדֶיךָ
יָבֹא־נָא אֵלַי וְיֵדַע כִּי יֵשׁ נָבִיא בְּיִשְׂרָאֵל׃

[11] כפו

32 And when Elisha was come into the house, behold, the child was dead, and laid upon his bed. **33** He went in therefore, and shut the door upon them twain, and prayed unto Yehovah. **34** And he went up, and lay upon the child, and put his mouth upon his mouth, and his eyes upon his eyes, and his hands upon his hands; and he stretched himself upon him; and the flesh of the child waxed warm. **35** Then he returned, and walked in the house once to and fro; and went up, and stretched himself upon him; and the child sneezed seven times, and the child opened his eyes. **36** And he called Gehazi, and said: 'Call this Shunammite.' So he called her. And when she was come in unto him, he said: 'Take up thy son.' **37** Then she went in, and fell at his feet, and bowed down to the ground; and she took up her son, and went out.{P}

38 And Elisha came again to Gilgal; and there was a dearth in the land; and the sons of the prophets were sitting before him; and he said unto his servant: 'Set on the great pot, and seethe pottage for the sons of the prophets.' **39** And one went out into the field to gather herbs, and found a wild vine, and gathered thereof wild gourds his lap full, and came and shred them into the pot of pottage; for they knew them not. **40** So they poured out for the men to eat. And it came to pass, as they were eating of the pottage, that they cried out, and said: 'O man of God, there is death in the pot.' And they could not eat thereof. **41** But he said: 'Then bring meal.' And he cast it into the pot; and he said: 'Pour out for the people, that they may eat.' And there was no harm in the pot.{S} **42** And there came a man from Baal-shalishah, and brought the man of God bread of the first-fruits, twenty loaves of barley, and fresh ears of corn in his sack. And he said: 'Give unto the people, that they may eat.' **43** And his servant said: 'How should I set this before a hundred men?' But he said: 'Give the people, that they may eat; for thus saith Yehovah: They shall eat, and shall leave thereof.' **44** So he set it before them, and they did eat, and left thereof, according to the word of Yehovah.{P}

5 1 Now Naaman, captain of the host of the king of Aram, was a great man with his master, and held in esteem, because by him Yehovah had given victory unto Aram; he was also a mighty man of valour, but he was a leper. **2** And the Arameans had gone out in bands, and had brought away captive out of the land of Israel a little maid; and she waited on Naaman's wife. **3** And she said unto her mistress: 'Would that my lord were with the prophet that is in Samaria! then would he recover him of his leprosy.' **4** And he went in, and told his lord, saying: 'Thus and thus said the maid that is of the land of Israel.' **5** And the king of Aram said: 'Go now, and I will send a letter unto the king of Israel.' And he departed, and took with him ten talents of silver, and six thousand pieces of gold, and ten changes of raiment. **6** And he brought the letter to the king of Israel, saying: 'And now when this letter is come unto thee, behold, I have sent Naaman my servant to thee, that thou mayest recover him of his leprosy.' **7** And it came to pass, when the king of Israel had read the letter, that he rent his clothes, and said: 'Am I God, to kill and to make alive, that this man doth send unto me to recover a man of his leprosy? but consider, I pray you, and see how he seeketh an occasion against me.' **8** And it was so, when Elisha the man of God heard that the king of Israel had rent his clothes, that he sent to the king, saying: 'Wherefore hast thou rent thy clothes? let him come now to me, and he shall know that there is a prophet in Israel.'

ט וַיָּבֹא נַעֲמָן בְּסוּסָיו[12] וּבְרִכְבּוֹ וַיַּעֲמֹד פֶּתַח־הַבַּיִת לֶאֱלִישָׁע׃ י וַיִּשְׁלַח אֵלָיו
אֱלִישָׁע מַלְאָךְ לֵאמֹר הָלוֹךְ וְרָחַצְתָּ שֶׁבַע־פְּעָמִים בַּיַּרְדֵּן וְיָשֹׁב בְּשָׂרְךָ לְךָ
וּטְהָר׃ יא וַיִּקְצֹף נַעֲמָן וַיֵּלַךְ וַיֹּאמֶר הִנֵּה אָמַרְתִּי אֵלַי ׀ יֵצֵא יָצוֹא וְעָמַד וְקָרָא
בְּשֵׁם־יְהוָה אֱלֹהָיו וְהֵנִיף יָדוֹ אֶל־הַמָּקוֹם וְאָסַף הַמְּצֹרָע׃ יב הֲלֹא טוֹב
אֲמָנָה[13] וּפַרְפַּר נַהֲרוֹת דַּמֶּשֶׂק מִכֹּל מֵימֵי יִשְׂרָאֵל הֲלֹא־אֶרְחַץ בָּהֶם וְטָהָרְתִּי
וַיִּפֶן וַיֵּלֶךְ בְּחֵמָה׃ יג וַיִּגְּשׁוּ עֲבָדָיו וַיְדַבְּרוּ אֵלָיו וַיֹּאמְרוּ אָבִי דָּבָר גָּדוֹל
הַנָּבִיא דִּבֶּר אֵלֶיךָ הֲלוֹא תַעֲשֶׂה וְאַף כִּי־אָמַר אֵלֶיךָ רְחַץ וּטְהָר׃ יד וַיֵּרֶד
וַיִּטְבֹּל בַּיַּרְדֵּן שֶׁבַע פְּעָמִים כִּדְבַר אִישׁ הָאֱלֹהִים וַיָּשָׁב בְּשָׂרוֹ כִּבְשַׂר נַעַר
קָטֹן וַיִּטְהָר׃ טו וַיָּשָׁב אֶל־אִישׁ הָאֱלֹהִים הוּא וְכָל־מַחֲנֵהוּ וַיָּבֹא וַיַּעֲמֹד לְפָנָיו
וַיֹּאמֶר הִנֵּה־נָא יָדַעְתִּי כִּי אֵין אֱלֹהִים בְּכָל־הָאָרֶץ כִּי אִם־בְּיִשְׂרָאֵל וְעַתָּה
קַח־נָא בְרָכָה מֵאֵת עַבְדֶּךָ׃ טז וַיֹּאמֶר חַי־יְהוָה אֲשֶׁר־עָמַדְתִּי לְפָנָיו אִם־אֶקָּח
וַיִּפְצַר־בּוֹ לָקַחַת וַיְמָאֵן׃ יז וַיֹּאמֶר נַעֲמָן וָלֹא יֻתַּן־נָא לְעַבְדְּךָ מַשָּׂא
צֶמֶד־פְּרָדִים אֲדָמָה כִּי לוֹא־יַעֲשֶׂה עוֹד עַבְדְּךָ עֹלָה וָזֶבַח לֵאלֹהִים אֲחֵרִים
כִּי אִם־לַיהוָה׃ יח לַדָּבָר הַזֶּה יִסְלַח יְהוָה לְעַבְדֶּךָ בְּבוֹא אֲדֹנִי בֵית־רִמּוֹן
לְהִשְׁתַּחֲוֺת שָׁמָּה וְהוּא ׀ נִשְׁעָן עַל־יָדִי וְהִשְׁתַּחֲוֵיתִי בֵּית רִמֹּן בְּהִשְׁתַּחֲוָיָתִי בֵּית
רִמֹּן יִסְלַח־[14] יְהוָה לְעַבְדְּךָ בַּדָּבָר הַזֶּה׃ יט וַיֹּאמֶר לוֹ לֵךְ לְשָׁלוֹם וַיֵּלֶךְ מֵאִתּוֹ
כִּבְרַת־אָרֶץ׃ כ וַיֹּאמֶר גֵּיחֲזִי נַעַר אֱלִישָׁע אִישׁ־הָאֱלֹהִים הִנֵּה ׀ חָשַׂךְ אֲדֹנִי
אֶת־נַעֲמָן הָאֲרַמִּי הַזֶּה מִקַּחַת מִיָּדוֹ אֵת אֲשֶׁר־הֵבִיא חַי־יְהוָה כִּי־אִם־רַצְתִּי
אַחֲרָיו וְלָקַחְתִּי מֵאִתּוֹ מְאוּמָה׃ כא וַיִּרְדֹּף גֵּיחֲזִי אַחֲרֵי נַעֲמָן וַיִּרְאֶה נַעֲמָן רָץ
אַחֲרָיו וַיִּפֹּל מֵעַל הַמֶּרְכָּבָה לִקְרָאתוֹ וַיֹּאמֶר הֲשָׁלוֹם׃ כב וַיֹּאמֶר ׀ שָׁלוֹם אֲדֹנִי
שְׁלָחַנִי לֵאמֹר הִנֵּה עַתָּה זֶה בָּאוּ אֵלַי שְׁנֵי־נְעָרִים מֵהַר אֶפְרַיִם מִבְּנֵי הַנְּבִיאִים
תְּנָה־נָּא לָהֶם כִּכַּר־כֶּסֶף וּשְׁתֵּי חֲלִפוֹת בְּגָדִים׃ כג וַיֹּאמֶר נַעֲמָן הוֹאֵל קַח
כִּכָּרָיִם וַיִּפְרָץ־בּוֹ וַיָּצַר כִּכְּרַיִם כֶּסֶף בִּשְׁנֵי חֲרִטִים וּשְׁתֵּי חֲלִפוֹת בְּגָדִים וַיִּתֵּן
אֶל־שְׁנֵי נְעָרָיו וַיִּשְׂאוּ לְפָנָיו׃ כד וַיָּבֹא אֶל־הָעֹפֶל וַיִּקַּח מִיָּדָם וַיִּפְקֹד בַּבָּיִת
וַיְשַׁלַּח אֶת־הָאֲנָשִׁים וַיֵּלֵכוּ׃ כה וְהוּא־בָא וַיַּעֲמֹד אֶל־אֲדֹנָיו וַיֹּאמֶר אֵלָיו
אֱלִישָׁע מֵאַיִן[15] גֵּחֲזִי וַיֹּאמֶר לֹא־הָלַךְ עַבְדְּךָ אָנֶה וָאָנָה׃ כו וַיֹּאמֶר אֵלָיו
לֹא־לִבִּי הָלַךְ כַּאֲשֶׁר הָפַךְ־אִישׁ מֵעַל מֶרְכַּבְתּוֹ לִקְרָאתֶךָ הַעֵת לָקַחַת
אֶת־הַכֶּסֶף וְלָקַחַת בְּגָדִים וְזֵיתִים וּכְרָמִים וְצֹאן וּבָקָר וַעֲבָדִים וּשְׁפָחוֹת׃
כז וְצָרַעַת נַעֲמָן תִּדְבַּק־בְּךָ וּבְזַרְעֲךָ לְעוֹלָם וַיֵּצֵא מִלְּפָנָיו מְצֹרָע כַּשָּׁלֶג׃

[12] בסוסו
[13] אבנה
[14] נא
[15] מאן

9 So Naaman came with his horses and with his chariots, and stood at the door of the house of Elisha. **10** And Elisha sent a messenger unto him, saying: 'Go and wash in the Jordan seven times, and thy flesh shall come back to thee, and thou shalt be clean.' **11** But Naaman was wroth, and went away, and said: 'Behold, I thought: He will surely come out to me, and stand, and call on the name of Yehovah his God, and wave his hand over the place, and recover the leper. **12** Are not Amanah and Pharpar, the rivers of Damascus, better than all the waters of Israel? may I not wash in them, and be clean?' So he turned, and went away in a rage. **13** And his servants came near, and spoke unto him, and said: 'My father, if the prophet had bid thee do some great thing, wouldest thou not have done it? how much rather then, when he saith to thee: Wash, and be clean?' **14** Then went he down, and dipped himself seven times in the Jordan, according to the saying of the man of God; and his flesh came back like unto the flesh of a little child, and he was clean. **15** And he returned to the man of God, he and all his company, and came, and stood before him; and he said: 'Behold now, I know that there is no God in all the earth, but in Israel; now therefore, I pray thee, take a present of thy servant.' **16** But he said: 'As Yehovah liveth, before whom I stand, I will receive none.' And he urged him to take it; but he refused. **17** And Naaman said: 'If not, yet I pray thee let there be given to thy servant two mules' burden of earth; for thy servant will henceforth offer neither burnt-offering nor sacrifice unto other gods, but unto Yehovah. **18** In this thing Yehovah pardon thy servant: when my master goeth into the house of Rimmon to worship there, and he leaneth on my hand, and I prostrate myself in the house of Rimmon, when I prostrate myself in the house of Rimmon, Yehovah pardon thy servant in this thing.' **19** And he said unto him: 'Go in peace.' So he departed from him some way.{S} **20** But Gehazi, the servant of Elisha the man of God, said: 'Behold, my master hath spared this Naaman the Aramean, in not receiving at his hands that which he brought; as Yehovah liveth, I will surely run after him, and take somewhat of him.' **21** So Gehazi followed after Naaman. And when Naaman saw one running after him, he alighted from the chariot to meet him, and said: 'Is all well?' **22** And he said: 'All is well. My master hath sent me, saying: Behold, even now there are come to me from the hill-country of Ephraim two young men of the sons of the prophets; give them, I pray thee, a talent of silver, and two changes of raiment.' **23** And Naaman said: 'Be content, take two talents.' And he urged him, and bound two talents of silver in two bags, with two changes of raiment, and laid them upon two of his servants; and they bore them before him. **24** And when he came to the hill, he took them from their hand, and deposited them in the house; and he let the men go, and they departed. **25** But he went in, and stood before his master. And Elisha said unto him: 'Whence comest thou, Gehazi?' And he said: 'Thy servant went no whither.' **26** And he said unto him: 'Went not my heart [with thee], when the man turned back from his chariot to meet thee? Is it a time to receive money, and to receive garments, and oliveyards and vineyards, and sheep and oxen, and men-servants and maid-servants? **27** The leprosy therefore of Naaman shall cleave unto thee, and unto thy seed for ever.' And he went out from his presence a leper as white as snow.

ו א וַיֹּאמְרוּ בְנֵי־הַנְּבִיאִים אֶל־אֱלִישָׁע הִנֵּה־נָא הַמָּקוֹם אֲשֶׁר אֲנַחְנוּ יֹשְׁבִים שָׁם
לְפָנֶיךָ צַר מִמֶּנּוּ׃ ב נֵלְכָה־נָּא עַד־הַיַּרְדֵּן וְנִקְחָה מִשָּׁם אִישׁ קוֹרָה אֶחָת
וְנַעֲשֶׂה־לָּנוּ שָׁם מָקוֹם לָשֶׁבֶת שָׁם וַיֹּאמֶר לֵכוּ׃ ג וַיֹּאמֶר הָאֶחָד הוֹאֶל נָא וְלֵךְ
אֶת־עֲבָדֶיךָ וַיֹּאמֶר אֲנִי אֵלֵךְ׃ ד וַיֵּלֶךְ אִתָּם וַיָּבֹאוּ הַיַּרְדֵּנָה וַיִּגְזְרוּ הָעֵצִים׃
ה וַיְהִי הָאֶחָד מַפִּיל הַקּוֹרָה וְאֶת־הַבַּרְזֶל נָפַל אֶל־הַמָּיִם וַיִּצְעַק וַיֹּאמֶר אֲהָהּ
אֲדֹנִי וְהוּא שָׁאוּל׃ ו וַיֹּאמֶר אִישׁ־הָאֱלֹהִים אָנָה נָפָל וַיַּרְאֵהוּ אֶת־הַמָּקוֹם
וַיִּקְצָב־עֵץ וַיַּשְׁלֶךְ־שָׁמָּה וַיָּצֶף הַבַּרְזֶל׃ ז וַיֹּאמֶר הָרֶם לָךְ וַיִּשְׁלַח יָדוֹ וַיִּקָּחֵהוּ׃

ח וּמֶלֶךְ אֲרָם הָיָה נִלְחָם בְּיִשְׂרָאֵל וַיִּוָּעַץ אֶל־עֲבָדָיו לֵאמֹר אֶל־מְקוֹם פְּלֹנִי
אַלְמֹנִי תַּחֲנֹתִי׃ ט וַיִּשְׁלַח אִישׁ הָאֱלֹהִים אֶל־מֶלֶךְ יִשְׂרָאֵל לֵאמֹר הִשָּׁמֶר מֵעֲבֹר
הַמָּקוֹם הַזֶּה כִּי־שָׁם אֲרָם נְחִתִּים׃ י וַיִּשְׁלַח מֶלֶךְ יִשְׂרָאֵל אֶל־הַמָּקוֹם אֲשֶׁר
אָמַר־לוֹ אִישׁ־הָאֱלֹהִים וְהִזְהִירֹו[16] וְנִשְׁמַר שָׁם לֹא אַחַת וְלֹא שְׁתָּיִם׃ יא וַיִּסָּעֵר
לֵב מֶלֶךְ־אֲרָם עַל־הַדָּבָר הַזֶּה וַיִּקְרָא אֶל־עֲבָדָיו וַיֹּאמֶר אֲלֵיהֶם הֲלוֹא תַּגִּידוּ
לִי מִי מִשֶּׁלָּנוּ אֶל־מֶלֶךְ יִשְׂרָאֵל׃ יב וַיֹּאמֶר אַחַד מֵעֲבָדָיו לוֹא אֲדֹנִי הַמֶּלֶךְ
כִּי־אֱלִישָׁע הַנָּבִיא אֲשֶׁר בְּיִשְׂרָאֵל יַגִּיד לְמֶלֶךְ יִשְׂרָאֵל אֶת־הַדְּבָרִים אֲשֶׁר
תְּדַבֵּר בַּחֲדַר מִשְׁכָּבֶךָ׃ יג וַיֹּאמֶר לְכוּ וּרְאוּ אֵיכֹה הוּא וְאֶשְׁלַח וְאֶקָּחֵהוּ
וַיֻּגַּד־לוֹ לֵאמֹר הִנֵּה בְדֹתָן׃ יד וַיִּשְׁלַח־שָׁמָּה סוּסִים וְרֶכֶב וְחַיִל כָּבֵד וַיָּבֹאוּ
לַיְלָה וַיַּקִּפוּ עַל־הָעִיר׃ טו וַיַּשְׁכֵּם מְשָׁרֵת אִישׁ הָאֱלֹהִים לָקוּם וַיֵּצֵא
וְהִנֵּה־חַיִל סוֹבֵב אֶת־הָעִיר וְסוּס וָרָכֶב וַיֹּאמֶר נַעֲרוֹ אֵלָיו אֲהָהּ אֲדֹנִי אֵיכָה
נַעֲשֶׂה׃ טז וַיֹּאמֶר אַל־תִּירָא כִּי רַבִּים אֲשֶׁר אִתָּנוּ מֵאֲשֶׁר אוֹתָם׃ יז וַיִּתְפַּלֵּל
אֱלִישָׁע וַיֹּאמַר יְהוָה פְּקַח־נָא אֶת־עֵינָיו וְיִרְאֶה וַיִּפְקַח יְהוָה אֶת־עֵינֵי הַנַּעַר
וַיַּרְא וְהִנֵּה הָהָר מָלֵא סוּסִים וְרֶכֶב אֵשׁ סְבִיבֹת אֱלִישָׁע׃ יח וַיֵּרְדוּ אֵלָיו
וַיִּתְפַּלֵּל אֱלִישָׁע אֶל־יְהוָה וַיֹּאמַר הַךְ־נָא אֶת־הַגּוֹי־הַזֶּה בַּסַּנְוֵרִים וַיַּכֵּם
בַּסַּנְוֵרִים כִּדְבַר אֱלִישָׁע׃ יט וַיֹּאמֶר אֲלֵהֶם אֱלִישָׁע לֹא זֶה הַדֶּרֶךְ וְלֹא זֹה
הָעִיר לְכוּ אַחֲרַי וְאוֹלִיכָה אֶתְכֶם אֶל־הָאִישׁ אֲשֶׁר תְּבַקֵּשׁוּן וַיֹּלֶךְ אוֹתָם
שֹׁמְרוֹנָה׃ כ וַיְהִי כְּבֹאָם שֹׁמְרוֹן וַיֹּאמֶר אֱלִישָׁע יְהוָה פְּקַח אֶת־עֵינֵי־אֵלֶּה וְיִרְאוּ
וַיִּפְקַח יְהוָה אֶת־עֵינֵיהֶם וַיִּרְאוּ וְהִנֵּה בְּתוֹךְ שֹׁמְרוֹן׃ כא וַיֹּאמֶר מֶלֶךְ־יִשְׂרָאֵל
אֶל־אֱלִישָׁע כִּרְאֹתוֹ אוֹתָם הַאַכֶּה אַכֶּה אָבִי׃ כב וַיֹּאמֶר לֹא תַכֶּה הַאֲשֶׁר שָׁבִיתָ
בְּחַרְבְּךָ וּבְקַשְׁתְּךָ אַתָּה מַכֶּה שִׂים לֶחֶם וָמַיִם לִפְנֵיהֶם וְיֹאכְלוּ וְיִשְׁתּוּ וְיֵלְכוּ
אֶל־אֲדֹנֵיהֶם׃ כג וַיִּכְרֶה לָהֶם כֵּרָה גְדוֹלָה וַיֹּאכְלוּ וַיִּשְׁתּוּ וַיְשַׁלְּחֵם וַיֵּלְכוּ
אֶל־אֲדֹנֵיהֶם וְלֹא־יָסְפוּ עוֹד גְּדוּדֵי אֲרָם לָבוֹא בְּאֶרֶץ יִשְׂרָאֵל׃

[16] והזהירה

6 1 And the sons of the prophets said unto Elisha: 'Behold now, the place where we dwell before thee is too strait for us. 2 Let us go, we pray thee, unto the Jordan, and take thence every man a beam, and let us make us a place there, where we may dwell.' And he answered: 'Go ye.' 3 And one said: 'Be content, I pray thee, and go with thy servants.' And he answered: 'I will go.' 4 So he went with them. And when they came to the Jordan, they cut down wood. 5 But as one was felling a beam, the axe-head fell into the water; and he cried, and said: 'Alas, my master! for it was borrowed.' 6 And the man of God said: 'Where fell it?' And he showed him the place. And he cut down a stick, and cast it in thither, and made the iron to swim. 7 And he said: 'Take it up to thee.' So he put out his hand, and took it.{P}

8 Now the king of Aram warred against Israel; and he took counsel with his servants, saying: 'In such and such a place shall be my camp.' 9 And the man of God sent unto the king of Israel, saying: 'Beware that thou pass not such a place; for thither the Arameans are coming down.' 10 And the king of Israel sent to the place which the man of God told him and warned him of; and he guarded himself there, not once nor twice. 11 And the heart of the king of Aram was sore troubled for this thing; and he called his servants, and said unto them: 'Will ye not tell me which of us is for the king of Israel?' 12 And one of his servants said: 'Nay, my lord, O king; but Elisha, the prophet that is in Israel, telleth the king of Israel the words that thou speakest in thy bed-chamber.' 13 And he said: 'Go and see where he is, that I may send and fetch him.' And it was told him, saying: 'Behold, he is in Dothan.' 14 Therefore sent he thither horses, and chariots, and a great host; and they came by night, and compassed the city about. 15 And when the servant of the man of God was risen early, and gone forth, behold, a host with horses and chariots was round about the city. And his servant said unto him: 'Alas, my master! how shall we do?' 16 And he answered: 'Fear not: for they that are with us are more than they that are with them.' 17 And Elisha prayed, and said: 'Yehovah, I pray Thee, open his eyes, that he may see.' And Yehovah opened the eyes of the young man; and he saw; and, behold, the mountain was full of horses and chariots of fire round about Elisha. 18 And when they came down to him, Elisha prayed unto Yehovah, and said: 'Smite this people, I pray Thee, with blindness.' And He smote them with blindness according to the word of Elisha. 19 And Elisha said unto them: 'This is not the way, neither is this the city; follow me, and I will bring you to the man whom ye seek.' And he led them to Samaria. 20 And it came to pass, when they were come into Samaria, that Elisha said: 'Yehovah, open the eyes of these men, that they may see.' And Yehovah opened their eyes, and they saw; and, behold, they were in the midst of Samaria. 21 And the king of Israel said unto Elisha, when he saw them: 'My father, shall I smite them? shall I smite them?' 22 And he answered: 'Thou shalt not smite them; hast thou taken captive with thy sword and with thy bow those whom thou wouldest smite? set bread and water before them, that they may eat and drink, and go to their master.' 23 And he prepared great provision for them; and when they had eaten and drunk, he sent them away, and they went to their master. And the bands of Aram came no more into the land of Israel.{P}

כד וַֽיְהִי֙ אַחֲרֵי־כֵ֔ן וַיִּקְבֹּ֛ץ בֶּן־הֲדַ֥ד מֶֽלֶךְ־אֲרָ֖ם אֶת־כָּל־מַחֲנֵ֑הוּ וַיַּ֕עַל וַיָּ֖צַר
עַל־שֹׁמְרֽוֹן׃ כה וַיְהִ֞י רָעָ֤ב גָּדוֹל֙ בְּשֹׁ֣מְר֔וֹן וְהִנֵּ֖ה צָרִ֣ים עָלֶ֑יהָ עַ֣ד הֱי֤וֹת
רֹאשׁ־חֲמוֹר֙ בִּשְׁמֹנִ֣ים כֶּ֔סֶף וְרֹ֧בַע הַקַּ֛ב דִּבְיוֹנִ֖ים[17] בַּחֲמִשָּׁה־כָֽסֶף׃ כו וַיְהִי֙ מֶ֣לֶךְ
יִשְׂרָאֵ֔ל עֹבֵ֖ר עַל־הַחֹמָ֑ה וְאִשָּׁ֗ה צָעֲקָ֤ה אֵלָיו֙ לֵאמֹ֔ר הוֹשִׁ֖יעָה אֲדֹנִ֥י הַמֶּֽלֶךְ׃
כז וַיֹּאמֶר֙ אַל־יוֹשִׁעֵ֣ךְ יְהוָ֔ה מֵאַ֖יִן אוֹשִׁיעֵ֑ךְ הֲמִן־הַגֹּ֖רֶן א֥וֹ מִן־הַיָּֽקֶב׃
כח וַיֹּֽאמֶר־לָ֥הּ הַמֶּ֖לֶךְ מַה־לָּ֑ךְ וַתֹּ֗אמֶר הָאִשָּׁ֤ה הַזֹּאת֙ אָמְרָ֣ה אֵלַ֔י תְּנִ֤י אֶת־בְּנֵךְ֙
וְנֹאכְלֶ֣נּוּ הַיּ֔וֹם וְאֶת־בְּנִ֖י נֹאכַ֥ל מָחָֽר׃ כט וַנְּבַשֵּׁ֥ל אֶת־בְּנִ֖י וַנֹּאכְלֵ֑הוּ וָאֹמַ֨ר אֵלֶ֜יהָ
בַּיּ֣וֹם הָאַחֵ֗ר תְּנִ֤י אֶת־בְּנֵךְ֙ וְנֹ֣אכְלֶ֔נּוּ וַתַּחְבִּ֖א אֶת־בְּנָֽהּ׃ ל וַיְהִי֩ כִשְׁמֹ֨עַ הַמֶּ֜לֶךְ
אֶת־דִּבְרֵ֣י הָאִשָּׁ֗ה וַיִּקְרַע֙ אֶת־בְּגָדָ֔יו וְה֖וּא עֹבֵ֣ר עַל־הַחֹמָ֑ה וַיַּ֣רְא הָעָ֗ם וְהִנֵּ֛ה
הַשַּׂ֥ק עַל־בְּשָׂר֖וֹ מִבָּֽיִת׃ לא וַיֹּ֗אמֶר כֹּה־יַעֲשֶׂה־לִּ֥י אֱלֹהִ֖ים וְכֹ֣ה יוֹסִ֑ף אִֽם־יַעֲמֹ֞ד
רֹ֣אשׁ אֱלִישָׁ֧ע בֶּן־שָׁפָ֛ט עָלָ֖יו הַיּֽוֹם׃ לב וֶאֱלִישָׁע֙ יֹשֵׁ֣ב בְּבֵית֔וֹ וְהַזְּקֵנִ֖ים יֹשְׁבִ֣ים
אִתּ֑וֹ וַיִּשְׁלַ֨ח אִ֜ישׁ מִלְּפָנָ֗יו בְּטֶרֶם֩ יָבֹ֨א הַמַּלְאָ֜ךְ אֵלָ֗יו וְה֣וּא ׀ אָמַ֣ר אֶל־הַזְּקֵנִ֗ים
הַרְּאִיתֶם֙ כִּֽי־שָׁלַ֞ח בֶּן־הַֽמְרַצֵּ֤חַ הַזֶּה֙ לְהָסִ֣יר אֶת־רֹאשִׁ֔י רְא֣וּ ׀ כְּבֹ֣א הַמַּלְאָ֗ךְ
סִגְר֤וּ הַדֶּ֙לֶת֙ וּלְחַצְתֶּ֤ם אֹתוֹ֙ בַּדֶּ֔לֶת הֲל֗וֹא ק֛וֹל רַגְלֵ֥י אֲדֹנָ֖יו אַחֲרָֽיו׃ לג עוֹדֶ֙נּוּ֙
מְדַבֵּ֣ר עִמָּ֔ם וְהִנֵּ֥ה הַמַּלְאָ֖ךְ יֹרֵ֣ד אֵלָ֑יו וַיֹּ֗אמֶר הִנֵּה־זֹ֤את הָֽרָעָה֙ מֵאֵ֣ת יְהוָ֔ה
מָֽה־אוֹחִ֥יל לַיהוָ֖ה עֽוֹד׃

ז א וַיֹּ֣אמֶר אֱלִישָׁ֔ע שִׁמְע֖וּ דְּבַר־יְהוָ֑ה כֹּ֣ה ׀ אָמַ֣ר יְהוָ֗ה כָּעֵ֤ת ׀ מָחָר֙ סְאָֽה־סֹ֙לֶת֙
בְּשֶׁ֔קֶל וְסָאתַ֧יִם שְׂעֹרִ֛ים בְּשֶׁ֖קֶל בְּשַׁ֥עַר שֹׁמְרֽוֹן׃ ב וַיַּ֣עַן הַשָּׁלִ֡ישׁ אֲשֶׁר־לַמֶּ֩לֶךְ֩
נִשְׁעָ֨ן עַל־יָד֜וֹ אֶת־אִ֣ישׁ הָאֱלֹהִים֮ וַיֹּאמַר֒ הִנֵּ֣ה יְהוָ֗ה עֹשֶׂ֤ה אֲרֻבּוֹת֙ בַּשָּׁמַ֔יִם הֲיִֽהְיֶ֖ה
הַדָּבָ֣ר הַזֶּ֑ה וַיֹּ֗אמֶר הִנְּכָ֤ה רֹאֶה֙ בְּעֵינֶ֔יךָ וּמִשָּׁ֖ם לֹ֥א תֹאכֵֽל׃ ג וְאַרְבָּעָ֣ה אֲנָשִׁ֗ים
הָי֧וּ מְצֹרָעִ֛ים פֶּ֖תַח הַשָּׁ֑עַר וַיֹּאמְרוּ֙ אִ֣ישׁ אֶל־רֵעֵ֔הוּ מָ֛ה אֲנַ֥חְנוּ יֹשְׁבִ֥ים פֹּ֖ה
עַד־מָֽתְנוּ׃ ד אִם־אָמַ֜רְנוּ נָב֣וֹא הָעִ֗יר וְהָרָעָ֤ב בָּעִיר֙ וָמַ֣תְנוּ שָׁ֔ם וְאִם־יָשַׁ֥בְנוּ פֹ֖ה
וָמָ֑תְנוּ וְעַתָּ֗ה לְכוּ֙ וְנִפְּלָה֙ אֶל־מַחֲנֵ֣ה אֲרָ֔ם אִם־יְחַיֻּ֣נוּ נִֽחְיֶ֔ה וְאִם־יְמִיתֻ֖נוּ וָמָֽתְנוּ׃
ה וַיָּקֻ֣מוּ בַנֶּ֔שֶׁף לָב֖וֹא אֶל־מַחֲנֵ֣ה אֲרָ֑ם וַיָּבֹ֗אוּ עַד־קְצֵה֙ מַחֲנֵ֣ה אֲרָ֔ם וְהִנֵּ֥ה
אֵֽין־שָׁ֖ם אִֽישׁ׃ ו וַאדֹנָ֞י הִשְׁמִ֣יעַ ׀ אֶֽת־מַחֲנֵ֣ה אֲרָ֗ם ק֥וֹל רֶ֙כֶב֙ ק֣וֹל ס֔וּס ק֖וֹל חַ֣יִל
גָּד֑וֹל וַיֹּאמְר֞וּ אִ֣ישׁ אֶל־אָחִ֗יו הִנֵּ֣ה שָֽׂכַר־עָ֠לֵינוּ מֶ֣לֶךְ יִשְׂרָאֵ֞ל אֶת־מַלְכֵ֧י הַחִתִּ֛ים
וְאֶת־מַלְכֵ֥י מִצְרַ֖יִם לָב֥וֹא עָלֵֽינוּ׃ ז וַיָּק֗וּמוּ וַיָּנ֣וּסוּ בַנֶּ֔שֶׁף וַיַּעַזְב֣וּ אֶת־אָהֳלֵיהֶ֗ם
וְאֶת־סֽוּסֵיהֶם֙ וְאֶת־חֲמֹ֣רֵיהֶ֔ם הַֽמַּחֲנֶ֖ה כַּאֲשֶׁר־הִ֑יא וַיָּנֻ֖סוּ אֶל־נַפְשָֽׁם׃ ח וַיָּבֹ֜אוּ
הַֽמְצֹרָעִ֣ים הָאֵ֗לֶּה עַד־קְצֵ֣ה הַֽמַּחֲנֶ֔ה וַיָּבֹ֜אוּ אֶל־אֹ֤הֶל אֶחָד֙ וַיֹּאכְל֣וּ וַיִּשְׁתּ֔וּ וַיִּשְׂא֣וּ
מִשָּׁ֗ם כֶּ֤סֶף וְזָהָב֙ וּבְגָדִ֔ים וַיֵּלְכ֖וּ וַיַּטְמִ֑נוּ וַיָּשֻׁ֗בוּ וַיָּבֹ֙אוּ֙ אֶל־אֹ֣הֶל אַחֵ֔ר וַיִּשְׂא֣וּ מִשָּׁ֔ם
וַיֵּלְכ֖וּ וַיַּטְמִֽנוּ׃

[17]חריונים

24 And it came to pass after this, that Ben-hadad king of Aram gathered all his host, and went up, and besieged Samaria. **25** And there was a great famine in Samaria; and, behold, they besieged it, until an ass's head was sold for fourscore pieces of silver, and the fourth part of a kab of dove's dung for five pieces of silver. **26** And as the king of Israel was passing by upon the wall, there cried a woman unto him, saying: 'Help, my lord, O king.' **27** And he said: 'If Yehovah do not help thee, whence shall I help thee? out of the threshingfloor, or out of the winepress?' **28** And the king said unto her: 'What aileth thee?' And she answered: 'This woman said unto me: Give thy son, that we may eat him to-day, and we will eat my son to-morrow. **29** So we boiled my son, and did eat him; and I said unto her on the next day: Give thy son, that we may eat him; and she hath hid her son.' **30** And it came to pass, when the king heard the words of the woman, that he rent his clothes–now he was passing by upon the wall–and the people looked, and, behold, he had sackcloth within upon his flesh. **31** Then he said: 'God do so to me, and more also, if the head of Elisha the son of Shaphat shall stand on him this day.' **32** But Elisha sat in his house, and the elders sat with him; and the king sent a man from before him; but ere the messenger came to him, he said to the elders: 'See ye how this son of a murderer hath sent to take away my head? look, when the messenger cometh, shut the door, and hold the door fast against him; is not the sound of his master's feet behind him?' **33** And while he yet talked with them, behold, the messenger came down unto him; and [the king] said: 'Behold, this evil is of Yehovah; why should I wait for Yehovah any longer?'{P}

7 **1** And Elisha said: 'Hear ye the word of Yehovah; thus saith Yehovah: To-morrow about this time shall a measure of fine flour be sold for a shekel, and two measures of barley for a shekel, in the gate of Samaria.' **2** Then the captain on whose hand the king leaned answered the man of God, and said: 'Behold, if Yehovah should make windows in heaven, might this thing be?' And he said: 'Behold, thou shalt see it with thine eyes, but shalt not eat thereof.'{P}

3 Now there were four leprous men at the entrance of the gate; and they said one to another: 'Why sit we here until we die? **4** If we say: We will enter into the city, then the famine is in the city, and we shall die there; and if we sit still here, we die also. Now therefore come, and let us fall unto the host of the Arameans; if they save us alive, we shall live; and if they kill us, we shall but die.' **5** And they rose up in the twilight, to go unto the camp of the Arameans; and when they were come to the outermost part of the camp of the Arameans, behold, there was no man there. **6** For the Lord had made the host of the Arameans to hear a noise of chariots, and a noise of horses, even the noise of a great host; and they said one to another: 'Lo, the king of Israel hath hired against us the kings of the Hittites, and the kings of the Egyptians, to come upon us.' **7** Wherefore they arose and fled in the twilight, and left their tents, and their horses, and their asses, even the camp as it was, and fled for their life. **8** And when these lepers came to the outermost part of the camp, they went into one tent, and did eat and drink, and carried thence silver, and gold, and raiment, and went and hid it; and they came back, and entered into another tent, and carried thence also, and went and hid it.

ט וַיֹּאמְרוּ אִישׁ אֶל־רֵעֵהוּ לֹא־כֵן ׀ אֲנַחְנוּ עֹשִׂים הַיּוֹם הַזֶּה יוֹם־בְּשֹׂרָה הוּא
וַאֲנַחְנוּ מַחְשִׁים וְחִכִּינוּ עַד־אוֹר הַבֹּקֶר וּמְצָאָנוּ עָווֹן וְעַתָּה לְכוּ וְנָבֹאָה
וְנַגִּידָה בֵּית הַמֶּלֶךְ׃ י וַיָּבֹאוּ וַיִּקְרְאוּ אֶל־שֹׁעֵר הָעִיר וַיַּגִּידוּ לָהֶם לֵאמֹר
בָּאנוּ אֶל־מַחֲנֵה אֲרָם וְהִנֵּה אֵין־שָׁם אִישׁ וְקוֹל אָדָם כִּי אִם־הַסּוּס אָסוּר
וְהַחֲמוֹר אָסוּר וְאֹהָלִים כַּאֲשֶׁר־הֵמָּה׃ יא וַיִּקְרָא הַשֹּׁעֲרִים וַיַּגִּידוּ בֵּית
הַמֶּלֶךְ פְּנִימָה׃ יב וַיָּקָם הַמֶּלֶךְ לַיְלָה וַיֹּאמֶר אֶל־עֲבָדָיו אַגִּידָה־נָּא לָכֶם
אֵת אֲשֶׁר־עָשׂוּ לָנוּ אֲרָם יָדְעוּ כִּי־רְעֵבִים אֲנַחְנוּ וַיֵּצְאוּ מִן־הַמַּחֲנֶה לְהֵחָבֵה
בַשָּׂדֶה[18] לֵאמֹר כִּי־יֵצְאוּ מִן־הָעִיר וְנִתְפְּשֵׂם חַיִּים וְאֶל־הָעִיר נָבֹא׃ יג וַיַּעַן
אֶחָד מֵעֲבָדָיו וַיֹּאמֶר וְיִקְחוּ־נָא חֲמִשָּׁה מִן־הַסּוּסִים הַנִּשְׁאָרִים אֲשֶׁר
נִשְׁאֲרוּ־בָהּ הִנָּם כְּכָל־הֶמוֹן[19] יִשְׂרָאֵל אֲשֶׁר נִשְׁאֲרוּ־בָהּ הִנָּם כְּכָל־הֲמוֹן
יִשְׂרָאֵל אֲשֶׁר־תָּמּוּ וְנִשְׁלְחָה וְנִרְאֶה׃ יד וַיִּקְחוּ שְׁנֵי רֶכֶב סוּסִים וַיִּשְׁלַח
הַמֶּלֶךְ אַחֲרֵי מַחֲנֵה־אֲרָם לֵאמֹר לְכוּ וּרְאוּ׃ טו וַיֵּלְכוּ אַחֲרֵיהֶם עַד־הַיַּרְדֵּן
וְהִנֵּה כָל־הַדֶּרֶךְ מְלֵאָה בְגָדִים וְכֵלִים אֲשֶׁר־הִשְׁלִיכוּ אֲרָם בְּחָפְזָם[20] וַיָּשֻׁבוּ
הַמַּלְאָכִים וַיַּגִּדוּ לַמֶּלֶךְ׃ טז וַיֵּצֵא הָעָם וַיָּבֹזּוּ אֵת מַחֲנֵה אֲרָם וַיְהִי
סְאָה־סֹלֶת בְּשֶׁקֶל וְסָאתַיִם שְׂעֹרִים בְּשֶׁקֶל כִּדְבַר יְהוָה׃ יז וְהַמֶּלֶךְ הִפְקִיד
אֶת־הַשָּׁלִישׁ אֲשֶׁר־נִשְׁעָן עַל־יָדוֹ עַל־הַשַּׁעַר וַיִּרְמְסֻהוּ הָעָם בַּשַּׁעַר וַיָּמֹת
כַּאֲשֶׁר דִּבֶּר אִישׁ הָאֱלֹהִים אֲשֶׁר דִּבֶּר בְּרֶדֶת הַמֶּלֶךְ אֵלָיו׃ יח וַיְהִי כְּדַבֵּר
אִישׁ הָאֱלֹהִים אֶל־הַמֶּלֶךְ לֵאמֹר סָאתַיִם שְׂעֹרִים בְּשֶׁקֶל וּסְאָה־סֹלֶת בְּשֶׁקֶל
יִהְיֶה כָּעֵת מָחָר בְּשַׁעַר שֹׁמְרוֹן׃ יט וַיַּעַן הַשָּׁלִישׁ אֶת־אִישׁ הָאֱלֹהִים וַיֹּאמַר
וְהִנֵּה יְהוָה עֹשֶׂה אֲרֻבּוֹת בַּשָּׁמַיִם הֲיִהְיֶה כַּדָּבָר הַזֶּה וַיֹּאמֶר הִנְּךָ רֹאֶה
בְּעֵינֶיךָ וּמִשָּׁם לֹא תֹאכֵל׃ כ וַיְהִי־לוֹ כֵּן וַיִּרְמְסוּ אֹתוֹ הָעָם בַּשַּׁעַר וַיָּמֹת׃

ח א וֶאֱלִישָׁע דִּבֶּר אֶל־הָאִשָּׁה אֲשֶׁר־הֶחֱיָה אֶת־בְּנָהּ לֵאמֹר קוּמִי וּלְכִי
אַתְּ[21] וּבֵיתֵךְ וְגוּרִי בַּאֲשֶׁר תָּגוּרִי כִּי־קָרָא יְהוָה לָרָעָב וְגַם־בָּא אֶל־הָאָרֶץ
שֶׁבַע שָׁנִים׃ ב וַתָּקָם הָאִשָּׁה וַתַּעַשׂ כִּדְבַר אִישׁ הָאֱלֹהִים וַתֵּלֶךְ הִיא וּבֵיתָהּ
וַתָּגָר בְּאֶרֶץ־פְּלִשְׁתִּים שֶׁבַע שָׁנִים׃ ג וַיְהִי מִקְצֵה שֶׁבַע שָׁנִים וַתָּשָׁב הָאִשָּׁה
מֵאֶרֶץ פְּלִשְׁתִּים וַתֵּצֵא לִצְעֹק אֶל־הַמֶּלֶךְ אֶל־בֵּיתָהּ וְאֶל־שָׂדָהּ׃ ד וְהַמֶּלֶךְ
מְדַבֵּר אֶל־גֵּחֲזִי נַעַר אִישׁ־הָאֱלֹהִים לֵאמֹר סַפְּרָה־נָּא לִי אֵת כָּל־הַגְּדֹלוֹת
אֲשֶׁר־עָשָׂה אֱלִישָׁע׃

[18] בהשדה
[19] ההמון
[20] בהחפזם
[21] אתי

<u>9</u> Then they said one to another: 'We do not well; this day is a day of good tidings, and we hold our peace; if we tarry till the morning light, punishment will overtake us; now therefore come, let us go and tell the king's household.' <u>10</u> So they came and called unto the porters of the city; and they told them, saying. 'We came to the camp of the Arameans, and, behold, there was no man there, neither voice of man, but the horses tied, and the asses tied, and the tents as they were.' <u>11</u> And the porters called, and they told it to the king's household within. <u>12</u> And the king arose in the night, and said unto his servants: 'I will now tell you what the Arameans have done to us. They know that we are hungry; therefore are they gone out of the camp to hide themselves in the field, saying: When they come out of the city, we shall take them alive, and get into the city.' <u>13</u> And one of his servants answered and said: 'Let some take, I pray thee, five of the horses that remain, which are left in the city–behold, they are as all the multitude of Israel that are left in it; behold, they are as all the multitude of Israel that are consumed–and let us send and see.' <u>14</u> They took therefore two chariots with horses; and the king sent after the host of the Arameans, saying: 'Go and see.' <u>15</u> And they went after them unto the Jordan; and, lo, all the way was full of garments and vessels, which the Arameans had cast away in their haste. And the messengers returned, and told the king. <u>16</u> And the people went out, and spoiled the camp of the Arameans. So a measure of fine flour was sold for a shekel, and two measures of barley for a shekel, according to the word of Yehovah. <u>17</u> And the king appointed the captain on whose hand he leaned to have the charge of the gate; and the people trod upon him in the gate, and he died as the man of God had said, who spoke when the king came down to him. <u>18</u> And it came to pass, as the man of God had spoken to the king, saying: 'Two measures of barley for a shekel, and a measure of fine flour for a shekel, shall be to-morrow about this time in the gate of Samaria'; <u>19</u> and that captain answered the man of God, and said: 'Now, behold, if Yehovah should make windows in heaven, might such a thing be?' and he said: 'Behold, thou shalt see it with thine eyes, but shalt not eat thereof'; <u>20</u> it came to pass even so unto him; for the people trod upon him in the gate, and he died.{s}

8 <u>1</u> Now Elisha had spoken unto the woman, whose son he had restored to life, saying: 'Arise, and go thou and thy household, and sojourn wheresoever thou canst sojourn; for Yehovah hath called for a famine; and it shall also come upon the land seven years.' <u>2</u> And the woman arose, and did according to the word of the man of God; and she went with her household, and sojourned in the land of the Philistines seven years. <u>3</u> And it came to pass at the seven years' end, that the woman returned out of the land of the Philistines; and she went forth to cry unto the king for her house and for her land. <u>4</u> Now the king was talking with Gehazi the servant of the man of God, saying: 'Tell me, I pray thee, all the great things that Elisha hath done.'{s}

ה וַיְהִ֣י ה֗וּא מְסַפֵּ֣ר לַמֶּ֘לֶךְ֮ אֵ֣ת אֲשֶׁר־הֶחֱיָ֣ה אֶת־הַמֵּת֒ וְהִנֵּ֨ה הָאִשָּׁ֜ה אֲשֶׁר־הֶחֱיָ֤ה אֶת־בְּנָהּ֙ צֹעֶ֣קֶת אֶל־הַמֶּ֔לֶךְ עַל־בֵּיתָ֖הּ וְעַל־שָׂדָ֑הּ וַיֹּ֤אמֶר גֵּֽחֲזִי֙ אֲדֹנִ֣י הַמֶּ֔לֶךְ זֹ֚את הָֽאִשָּׁ֔ה וְזֶה־בְּנָ֖הּ אֲשֶׁר־הֶחֱיָ֥ה אֱלִישָֽׁע: ו וַיִּשְׁאַ֥ל הַמֶּ֛לֶךְ לָֽאִשָּׁ֖ה וַתְּסַפֶּר־ל֑וֹ וַיִּתֶּן־לָ֣הּ הַמֶּלֶךְ֩ סָרִ֨יס אֶחָ֜ד לֵאמֹ֗ר הָשֵׁ֤יב אֶת־כָּל־אֲשֶׁר־לָהּ֙ וְאֵת֙ כָּל־תְּבוּאֹ֣ת הַשָּׂדֶ֔ה מִיּ֛וֹם עׇזְבָ֥ה אֶת־הָאָ֖רֶץ וְעַד־עָֽתָּה:

ז וַיָּבֹ֤א אֱלִישָׁע֙ דַּמֶּ֔שֶׂק וּבֶן־הֲדַ֥ד מֶֽלֶךְ־אֲרָ֖ם חֹלֶ֑ה וַיֻּגַּד־ל֣וֹ לֵאמֹ֔ר בָּ֛א אִ֥ישׁ הָאֱלֹהִ֖ים עַד־הֵֽנָּה: ח וַיֹּ֨אמֶר הַמֶּ֜לֶךְ אֶל־חֲזָהאֵ֗ל קַ֤ח בְּיָֽדְךָ֙ מִנְחָ֔ה וְלֵ֕ךְ לִקְרַ֖את אִ֣ישׁ הָאֱלֹהִ֑ים וְדָרַשְׁתָּ֨ אֶת־יְהֹוָ֤ה מֵֽאוֹתוֹ֙ לֵאמֹ֔ר הַאֶחְיֶ֖ה מֵחֳלִ֥י זֶֽה: ט וַיֵּ֣לֶךְ חֲזָאֵ֘ל לִקְרָאתוֹ֒ וַיִּקַּ֨ח מִנְחָ֤ה בְיָדוֹ֙ וְכׇל־ט֣וּב דַּמֶּ֔שֶׂק מַשָּׂ֖א אַרְבָּעִ֣ים גָּמָ֑ל וַיָּבֹא֙ וַיַּעֲמֹ֣ד לְפָנָ֔יו וַיֹּ֗אמֶר בִּנְךָ֨ בֶן־הֲדַ֤ד מֶֽלֶךְ־אֲרָם֙ שְׁלָחַ֤נִי אֵלֶ֨יךָ֙ לֵאמֹ֔ר הַאֶחְיֶ֖ה מֵחֳלִ֥י זֶֽה: י וַיֹּ֤אמֶר אֵלָיו֙ אֱלִישָׁ֔ע לֵ֥ךְ אֱמׇר־ל֖וֹ[22] חָיֹ֣ה תִחְיֶ֑ה וְהִרְאַ֥נִי יְהֹוָ֖ה כִּֽי־מ֥וֹת יָמֽוּת: יא וַיַּעֲמֵ֥ד אֶת־פָּנָ֖יו וַיָּ֣שֶׂם עַד־בֹּ֑שׁ וַיֵּ֖בְךְּ אִ֥ישׁ הָאֱלֹהִֽים: יב וַיֹּ֣אמֶר חֲזָאֵ֔ל מַדּ֖וּעַ אֲדֹנִ֣י בֹכֶ֑ה וַיֹּ֗אמֶר כִּֽי־יָדַ֡עְתִּי אֵ֣ת אֲשֶׁר־תַּעֲשֶׂ֩ה לִבְנֵ֨י יִשְׂרָאֵ֜ל רָעָ֗ה מִבְצְרֵיהֶ֞ם תְּשַׁלַּ֤ח בָּאֵשׁ֙ וּבַחֻרֵיהֶם֙ בַּחֶ֣רֶב תַּהֲרֹ֔ג וְעֹלְלֵיהֶ֣ם תְּרַטֵּ֔שׁ וְהָרֹתֵיהֶ֖ם תְּבַקֵּֽעַ: יג וַיֹּ֣אמֶר חֲזָהאֵ֗ל כִּ֣י מָ֤ה עַבְדְּךָ֙ הַכֶּ֔לֶב כִּ֣י יַעֲשֶׂ֔ה הַדָּבָ֥ר הַגָּד֖וֹל הַזֶּ֑ה וַיֹּ֣אמֶר אֱלִישָׁ֔ע הִרְאַ֧נִי יְהֹוָ֛ה אֹתְךָ֖ מֶ֥לֶךְ עַל־אֲרָֽם: יד וַיֵּ֣לֶךְ ׀ מֵאֵ֣ת אֱלִישָׁ֗ע וַיָּבֹא֙ אֶל־אֲדֹנָ֔יו וַיֹּ֤אמֶר לוֹ֙ מָה־אָמַ֣ר לְךָ֣ אֱלִישָׁ֔ע וַיֹּ֕אמֶר אָ֥מַר לִ֖י חָיֹ֥ה תִחְיֶֽה: טו וַיְהִ֣י מִֽמׇּחֳרָ֗ת וַיִּקַּ֤ח הַמַּכְבֵּר֙ וַיִּטְבֹּ֣ל בַּמַּ֔יִם וַיִּפְרֹ֥שׂ עַל־פָּנָ֖יו וַיָּמֹ֑ת וַיִּמְלֹ֥ךְ חֲזָהאֵ֖ל תַּחְתָּֽיו:

טז וּבִשְׁנַ֣ת חָמֵ֗שׁ לְיוֹרָ֤ם בֶּן־אַחְאָב֙ מֶ֣לֶךְ יִשְׂרָאֵ֔ל וִיהוֹשָׁפָ֖ט מֶ֣לֶךְ יְהוּדָ֑ה מָלַ֛ךְ יְהוֹרָ֥ם בֶּן־יְהוֹשָׁפָ֖ט מֶ֥לֶךְ יְהוּדָֽה: יז בֶּן־שְׁלֹשִׁ֤ים וּשְׁתַּ֨יִם֙ שָׁנָ֔ה הָיָ֖ה בְמׇלְכ֑וֹ וּשְׁמֹנֶ֣ה שָׁנִ֔ים[23] מָלַ֖ךְ בִּירוּשָׁלָֽ͏ִם: יח וַיֵּ֜לֶךְ בְּדֶ֣רֶךְ ׀ מַלְכֵ֣י יִשְׂרָאֵ֗ל כַּאֲשֶׁ֤ר עָשׂוּ֙ בֵּ֣ית אַחְאָ֔ב כִּ֚י בַּת־אַחְאָ֔ב הָיְתָה־לּ֖וֹ לְאִשָּׁ֑ה וַיַּ֥עַשׂ הָרַ֖ע בְּעֵינֵ֥י יְהֹוָֽה: יט וְלֹֽא־אָבָ֤ה יְהֹוָה֙ לְהַשְׁחִ֣ית אֶת־יְהוּדָ֔ה לְמַ֖עַן דָּוִ֣ד עַבְדּ֑וֹ כַּאֲשֶׁ֣ר אָֽמַר־ל֗וֹ לָתֵ֨ת ל֥וֹ נִ֛יר לְבָנָ֖יו כׇּל־הַיָּמִֽים: כ בְּיָמָיו֙ פָּשַׁ֣ע אֱד֔וֹם מִתַּ֖חַת יַד־יְהוּדָ֑ה וַיַּמְלִ֖כוּ עֲלֵיהֶ֥ם מֶֽלֶךְ: כא וַיַּעֲבֹ֤ר יוֹרָם֙ צָעִ֔ירָה וְכׇל־הָרֶ֖כֶב עִמּ֑וֹ וַיְהִי־ה֞וּא קָ֣ם לַ֗יְלָה וַיַּכֶּ֨ה אֶת־אֱד֜וֹם הַסֹּבֵ֤יב אֵלָיו֙ וְאֵת֙ שָׂרֵ֣י הָרֶ֔כֶב וַיָּ֥נׇס הָעָ֖ם לְאֹהָלָֽיו: כב וַיִּפְשַׁ֣ע אֱד֗וֹם מִתַּ֤חַת יַד־יְהוּדָה֙ עַ֚ד הַיּ֣וֹם הַזֶּ֔ה אָ֛ז תִּפְשַׁ֥ע לִבְנָ֖ה בָּעֵ֥ת הַהִֽיא: כג וְיֶ֛תֶר דִּבְרֵ֥י יוֹרָ֖ם וְכׇל־אֲשֶׁ֣ר עָשָׂ֑ה הֲלֽוֹא־הֵ֣ם כְּתוּבִ֗ים עַל־סֵ֛פֶר דִּבְרֵ֥י הַיָּמִ֖ים לְמַלְכֵ֥י יְהוּדָֽה:

5 And it came to pass, as he was telling the king how he had restored to life him that was dead, that, behold, the woman, whose son he had restored to life, cried to the king for her house and for her land. And Gehazi said: 'My lord, O king, this is the woman, and this is her son, whom Elisha restored to life.' **6** And when the king asked the woman, she told him. So the king appointed unto her a certain officer, saying: 'Restore all that was hers, and all the fruits of the field since the day that she left the land, even until now.'{P}

7 And Elisha came to Damascus; and Ben-hadad the king of Aram was sick; and it was told him, saying. 'The man of God is come hither.' **8** And the king said unto Hazael: 'Take a present in thy hand, and go meet the man of God, and inquire of Yehovah by him, saying: Shall I recover of this sickness?' **9** So Hazael went to meet him, and took a present with him, even of every good thing of Damascus, forty camels' burden, and came and stood before him, and said: 'Thy son Ben-hadad king of Aram hath sent me to thee, saying: Shall I recover of this sickness?' **10** And Elisha said unto him: 'Go, say unto him: Thou shalt surely recover; howbeit Yehovah hath shown me that he shall surely die.' **11** And he settled his countenance stedfastly upon him, until he was ashamed; and the man of God wept. **12** And Hazael said: 'Why weepeth my lord?' And he answered: 'Because I know the evil that thou wilt do unto the children of Israel: their strongholds wilt thou set on fire, and their young men wilt thou slay with the sword, and wilt dash in pieces their little ones, and rip up their women with child.' **13** And Hazael said: 'But what is thy servant, who is but a dog, that he should do this great thing?' And Elisha answered: 'Yehovah hath shown me that thou shalt be king over Aram.' **14** Then he departed from Elisha, and came to his master, who said to him: 'What said Elisha to thee?' And he answered: 'He told me that thou wouldest surely recover.' **15** And it came to pass on the morrow, that he took the coverlet, and dipped it in water, and spread it on his face, so that he died; and Hazael reigned in his stead.{P}

16 And in the fifth year of Joram the son of Ahab king of Israel, Jehoshaphat being the king of Judah, Jehoram the son of Jehoshaphat king of Judah began to reign. **17** Thirty and two years old was he when he began to reign; and he reigned eight years in Yerushalam. **18** And he walked in the way of the kings of Israel, as did the house of Ahab; for he had the daughter of Ahab to wife; and he did that which was evil in the sight of Yehovah. **19** Howbeit Yehovah would not destroy Judah, for David His servant's sake, as He promised him to give unto him a lamp and to his children alway. **20** In his days Edom revolted from under the hand of Judah, and made a king over themselves. **21** Then Joram passed over to Zair, and all his chariots with him; and he rose up by night, and smote the Edomites that compassed him about, and the captains of the chariots; and the people fled to their tents. **22** Yet Edom revolted from under the hand of Judah, unto this day. Then did Libnah revolt at the same time. **23** And the rest of the acts of Joram, and all that he did, are they not written in the book of the chronicles of the kings of Judah?

כד וַיִּשְׁכַּב יוֹרָם עִם־אֲבֹתָיו וַיִּקָּבֵר עִם־אֲבֹתָיו בְּעִיר דָּוִד וַיִּמְלֹךְ אֲחַזְיָהוּ בְנוֹ
תַּחְתָּיו׃

כה בִּשְׁנַת שְׁתֵּים־עֶשְׂרֵה שָׁנָה לְיוֹרָם בֶּן־אַחְאָב מֶלֶךְ יִשְׂרָאֵל מָלַךְ אֲחַזְיָהוּ
בֶן־יְהוֹרָם מֶלֶךְ יְהוּדָה׃ כו בֶּן־עֶשְׂרִים וּשְׁתַּיִם שָׁנָה אֲחַזְיָהוּ בְמָלְכוֹ וְשָׁנָה אַחַת
מָלַךְ בִּירוּשָׁלָ͏ִם וְשֵׁם אִמּוֹ עֲתַלְיָהוּ בַּת־עָמְרִי מֶלֶךְ יִשְׂרָאֵל׃ כז וַיֵּלֶךְ בְּדֶרֶךְ
בֵּית אַחְאָב וַיַּעַשׂ הָרַע בְּעֵינֵי יְהוָה כְּבֵית אַחְאָב כִּי חֲתַן בֵּית־אַחְאָב הוּא׃
כח וַיֵּלֶךְ אֶת־יוֹרָם בֶּן־אַחְאָב לַמִּלְחָמָה עִם־חֲזָהאֵל מֶלֶךְ־אֲרָם בְּרָמֹת גִּלְעָד
וַיַּכּוּ אֲרַמִּים אֶת־יוֹרָם׃ כט וַיָּשָׁב יוֹרָם הַמֶּלֶךְ לְהִתְרַפֵּא בְיִזְרְעֶאל מִן־הַמַּכִּים
אֲשֶׁר יַכֻּהוּ אֲרַמִּים בָּרָמָה בְּהִלָּחֲמוֹ אֶת־חֲזָהאֵל מֶלֶךְ אֲרָם וַאֲחַזְיָהוּ בֶן־יְהוֹרָם
מֶלֶךְ יְהוּדָה יָרַד לִרְאוֹת אֶת־יוֹרָם בֶּן־אַחְאָב בְּיִזְרְעֶאל כִּי־חֹלֶה הוּא׃

ט א וֶאֱלִישָׁע הַנָּבִיא קָרָא לְאַחַד מִבְּנֵי הַנְּבִיאִים וַיֹּאמֶר לוֹ חֲגֹר מָתְנֶיךָ וְקַח
פַּךְ הַשֶּׁמֶן הַזֶּה בְּיָדֶךָ וְלֵךְ רָמֹת גִּלְעָד׃ ב וּבָאתָ שָׁמָּה וּרְאֵה־שָׁם יֵהוּא
בֶן־יְהוֹשָׁפָט בֶּן־נִמְשִׁי וּבָאתָ וַהֲקֵמֹתוֹ מִתּוֹךְ אֶחָיו וְהֵבֵיאתָ אֹתוֹ חֶדֶר בְּחָדֶר׃
ג וְלָקַחְתָּ פַךְ־הַשֶּׁמֶן וְיָצַקְתָּ עַל־רֹאשׁוֹ וְאָמַרְתָּ כֹּה־אָמַר יְהוָה מְשַׁחְתִּיךָ לְמֶלֶךְ
אֶל־יִשְׂרָאֵל וּפָתַחְתָּ הַדֶּלֶת וְנַסְתָּה וְלֹא תְחַכֶּה׃ ד וַיֵּלֶךְ הַנַּעַר הַנַּעַר הַנָּבִיא
רָמֹת גִּלְעָד׃ ה וַיָּבֹא וְהִנֵּה שָׂרֵי הַחַיִל יֹשְׁבִים וַיֹּאמֶר דָּבָר לִי אֵלֶיךָ הַשָּׂר
וַיֹּאמֶר יֵהוּא אֶל־מִי מִכֻּלָּנוּ וַיֹּאמֶר אֵלֶיךָ הַשָּׂר׃ ו וַיָּקָם וַיָּבֹא הַבַּיְתָה וַיִּצֹק
הַשֶּׁמֶן אֶל־רֹאשׁוֹ וַיֹּאמֶר לוֹ כֹּה־אָמַר יְהוָה אֱלֹהֵי יִשְׂרָאֵל מְשַׁחְתִּיךָ לְמֶלֶךְ
אֶל־עַם יְהוָה אֶל־יִשְׂרָאֵל׃ ז וְהִכִּיתָה אֶת־בֵּית אַחְאָב אֲדֹנֶיךָ וְנִקַּמְתִּי דְּמֵי ׀
עֲבָדַי הַנְּבִיאִים וּדְמֵי כָּל־עַבְדֵי יְהוָה מִיַּד אִיזָבֶל׃ ח וְאָבַד כָּל־בֵּית אַחְאָב
וְהִכְרַתִּי לְאַחְאָב מַשְׁתִּין בְּקִיר וְעָצוּר וְעָזוּב בְּיִשְׂרָאֵל׃ ט וְנָתַתִּי אֶת־בֵּית אַחְאָב
כְּבֵית יָרָבְעָם בֶּן־נְבָט וּכְבֵית בַּעְשָׁא בֶן־אֲחִיָּה׃ י וְאֶת־אִיזֶבֶל יֹאכְלוּ הַכְּלָבִים
בְּחֵלֶק יִזְרְעֶאל וְאֵין קֹבֵר וַיִּפְתַּח הַדֶּלֶת וַיָּנֹס׃ יא וְיֵהוּא יָצָא אֶל־עַבְדֵי אֲדֹנָיו
וַיֹּאמֶר לוֹ הֲשָׁלוֹם מַדּוּעַ בָּא־הַמְשֻׁגָּע הַזֶּה אֵלֶיךָ וַיֹּאמֶר אֲלֵיהֶם אַתֶּם יְדַעְתֶּם
אֶת־הָאִישׁ וְאֶת־שִׂיחוֹ׃ יב וַיֹּאמְרוּ שֶׁקֶר הַגֶּד־נָא לָנוּ וַיֹּאמֶר כָּזֹאת וְכָזֹאת אָמַר
אֵלַי לֵאמֹר כֹּה אָמַר יְהוָה מְשַׁחְתִּיךָ לְמֶלֶךְ אֶל־יִשְׂרָאֵל׃ יג וַיְמַהֲרוּ וַיִּקְחוּ אִישׁ
בִּגְדוֹ וַיָּשִׂימוּ תַחְתָּיו אֶל־גֶּרֶם הַמַּעֲלוֹת וַיִּתְקְעוּ בַּשּׁוֹפָר וַיֹּאמְרוּ מָלַךְ יֵהוּא׃
יד וַיִּתְקַשֵּׁר יֵהוּא בֶּן־יְהוֹשָׁפָט בֶּן־נִמְשִׁי אֶל־יוֹרָם וְיוֹרָם הָיָה שֹׁמֵר בְּרָמֹת גִּלְעָד
הוּא וְכָל־יִשְׂרָאֵל מִפְּנֵי חֲזָאֵל מֶלֶךְ־אֲרָם׃ טו וַיָּשָׁב יְהוֹרָם הַמֶּלֶךְ לְהִתְרַפֵּא
בְיִזְרְעֶאל מִן־הַמַּכִּים אֲשֶׁר יַכֻּהוּ אֲרַמִּים בְּהִלָּחֲמוֹ אֶת־חֲזָאֵל מֶלֶךְ אֲרָם וַיֹּאמֶר
יֵהוּא אִם־יֵשׁ נַפְשְׁכֶם אַל־יֵצֵא פָלִיט מִן־הָעִיר לָלֶכֶת לְהַגִּיד[24] בְּיִזְרְעֶאל׃

[24] לגיד

<u>24</u> And Joram slept with his fathers, and was buried with his fathers in the city of David; and Ahaziah his son reigned in his stead.{P}

<u>25</u> In the twelfth year of Joram the son of Ahab king of Israel did Ahaziah the son of Jehoram king of Judah begin to reign. <u>26</u> Two and twenty years old was Ahaziah when he began to reign; and he reigned one year in Yerushalam. And his mother's name was Athaliah the daughter of Omri king of Israel. <u>27</u> And he walked in the way of the house of Ahab, and did that which was evil in the sight of Yehovah, as did the house of Ahab; for he was the son-in-law of the house of Ahab. <u>28</u> And he went with Joram the son of Ahab to war against Hazael king of Aram at Ramoth-gilead; and the Arameans wounded Joram. <u>29</u> And king Joram returned to be healed in Jezreel of the wounds which the Arameans had given him at Ramah, when he fought against Hazael king of Aram. And Ahaziah the son of Jehoram king of Judah went down to see Joram the son of Ahab in Jezreel, because he was sick.{P}

9 <u>1</u> And Elisha the prophet called one of the sons of the prophets, and said unto him: 'Gird up thy loins, and take this vial of oil in thy hand, and go to Ramoth-gilead. <u>2</u> And when thou comest thither, look out there Jehu the son of Jehoshaphat the son of Nimshi, and go in, and make him arise up from among his brethren, and carry him to an inner chamber. <u>3</u> Then take the vial of oil, and pour it on his head, and say: Thus saith Yehovah: I have anointed thee king over Israel. Then open the door, and flee, and tarry not.' <u>4</u> So the young man, even the young man the prophet, went to Ramoth-gilead. <u>5</u> And when he came, behold, the captains of the host were sitting; and he said: 'I have an errand to thee, O captain.' And Jehu said: 'Unto which of us all?' And he said: 'To thee, O captain.' <u>6</u> And he arose, and went into the house; and he poured the oil on his head, and said unto him: 'Thus saith Yehovah, the God of Israel: I have anointed thee king over the people of Yehovah, even over Israel. <u>7</u> And thou shalt smite the house of Ahab thy master, that I may avenge the blood of My servants the prophets, and the blood of all the servants of Yehovah, at the hand of Jezebel. <u>8</u> For the whole house of Ahab shall perish; and I will cut off from Ahab every man-child, and him that is shut up and him that is left at large in Israel. <u>9</u> And I will make the house of Ahab like the house of Jeroboam the son of Nebat, and like the house of Baasa the son of Ahijah. <u>10</u> And the dogs shall eat Jezebel in the portion of Jezreel, and there shall be none to bury her.' And he opened the door, and fled. <u>11</u> Then Jehu came forth to the servants of his lord; and one said unto him: 'Is all well? wherefore came this mad fellow to thee?' And he said unto them: 'Ye know the man and what his talk was.' <u>12</u> And they said: 'It is false; tell us now.' And he said: 'Thus and thus spoke he to me, saying: Thus saith Yehovah: I have anointed thee king over Israel.' <u>13</u> Then they hastened, and took every man his garment, and put it under him on the top of the stairs, and blew the horn, saying: 'Jehu is king.' <u>14</u> So Jehu the son of Jehoshaphat the son of Nimshi conspired against Joram.–Now Joram had been guarding Ramoth-gilead, he and all Israel, because of Hazael king of Aram; <u>15</u> but king Joram was returned to be healed in Jezreel of the wounds which the Arameans had given him, when he fought with Hazael king of Aram.–And Jehu said: 'If this be your mind, then let none escape and go forth out of the city, to go to tell it in Jezreel.'

יו וַיִּרְכַּ֤ב יֵהוּא֙ וַיֵּ֣לֶךְ יִזְרְעֶ֔אלָה כִּ֥י יוֹרָ֖ם שֹׁכֵ֣ב שָׁ֑מָּה וַאֲחַזְיָה֙ מֶ֣לֶךְ יְהוּדָ֔ה יָרַ֖ד
לִרְא֥וֹת אֶת־יוֹרָֽם׃ יז וְהַצֹּפֶ֡ה עֹמֵ֣ד עַֽל־הַמִּגְדָּ֜ל בְּֽיִזְרְעֶ֗אל וַיַּ֞רְא אֶת־שִׁפְעַ֤ת
יֵהוּא֙ בְּבֹא֔וֹ וַיֹּ֕אמֶר שִׁפְעַ֖ת אֲנִ֣י רֹאֶ֑ה וַיֹּ֣אמֶר יְהוֹרָ֗ם קַ֥ח רַכָּ֛ב וּשְׁלַ֥ח לִקְרָאתָ֖ם
וְיֹאמַ֥ר הֲשָׁלֽוֹם׃ יח וַיֵּ֨לֶךְ רֹכֵ֣ב הַסּ֜וּס לִקְרָאת֗וֹ וַיֹּ֨אמֶר֙ כֹּה־אָמַ֤ר הַמֶּ֨לֶךְ֙
הֲשָׁל֔וֹם וַיֹּ֣אמֶר יֵה֔וּא מַה־לְּךָ֥ וּלְשָׁל֖וֹם סֹ֣ב אֶל־אַחֲרָ֑י וַיַּגֵּ֤ד הַצֹּפֶה֙ לֵאמֹ֔ר
בָּֽא־הַמַּלְאָ֥ךְ עַד־הֵ֖ם וְלֹא־שָֽׁב׃ יט וַיִּשְׁלַ֗ח רֹכֵ֣ב סוּס֮ שֵׁנִי֒ וַיָּבֹ֣א אֲלֵהֶ֔ם וַיֹּ֛אמֶר
כֹּה־אָמַ֥ר הַמֶּ֖לֶךְ שָׁל֑וֹם וַיֹּ֧אמֶר יֵה֛וּא מַה־לְּךָ֥ וּלְשָׁל֖וֹם סֹ֥ב אֶל־אַחֲרָֽי׃ כ וַיַּגֵּ֤ד
הַצֹּפֶה֙ לֵאמֹ֔ר בָּ֥א עַד־אֲלֵיהֶ֖ם וְלֹא־שָׁ֑ב וְהַמִּנְהָ֗ג כְּמִנְהַג֙ יֵה֣וּא בֶן־נִמְשִׁ֔י כִּ֥י
בְשִׁגָּע֖וֹן יִנְהָֽג׃ כא וַיֹּ֤אמֶר יְהוֹרָם֙ אֱסֹ֔ר וַיֶּאְסֹ֖ר רִכְבּ֑וֹ וַיֵּצֵ֣א יְהוֹרָ֣ם
מֶֽלֶךְ־יִ֠שְׂרָאֵל וַאֲחַזְיָ֨הוּ מֶֽלֶךְ־יְהוּדָ֜ה אִ֣ישׁ בְּרִכְבּ֗וֹ וַיֵּֽצְאוּ֙ לִקְרַ֣את יֵה֔וּא
וַיִּמְצָאֻ֔הוּ בְּחֶלְקַ֖ת נָב֥וֹת הַיִּזְרְעֵאלִֽי׃ כב וַיְהִ֗י כִּרְא֤וֹת יְהוֹרָם֙ אֶת־יֵה֔וּא וַיֹּ֖אמֶר
הֲשָׁל֣וֹם יֵה֑וּא וַיֹּ֗אמֶר מָ֚ה הַשָּׁל֔וֹם עַד־זְנוּנֵ֞י אִיזֶ֧בֶל אִמְּךָ֛ וּכְשָׁפֶ֖יהָ הָרַבִּֽים׃
כג וַיַּהֲפֹ֧ךְ יְהוֹרָ֛ם יָדָ֖יו וַיָּנֹ֑ס וַיֹּ֥אמֶר אֶל־אֲחַזְיָ֖הוּ מִרְמָ֥ה אֲחַזְיָֽה׃ כד וְיֵה֞וּא מִלֵּ֧א
יָד֣וֹ בַקֶּ֗שֶׁת וַיַּ֨ךְ אֶת־יְהוֹרָם֙ בֵּ֣ין זְרֹעָ֔יו וַיֵּצֵ֥א הַחֵ֖צִי מִלִּבּ֑וֹ וַיִּכְרַ֖ע בְּרִכְבּֽוֹ׃
כה וַיֹּ֗אמֶר אֶל־בִּדְקַר֙ שָׁלִשֹׁ֔ו[25] שָׂ֚א הַשְׁלִכֵ֔הוּ בְּחֶלְקַ֕ת שְׂדֵ֖ה נָב֣וֹת הַיִּזְרְעֵאלִ֑י
כִּֽי־זְכֹ֞ר אֲנִ֣י וָאַ֗תָּה אֵ֣ת רֹכְבִ֤ים צְמָדִים֙ אַחֲרֵי֙ אַחְאָ֣ב אָבִ֔יו וַֽיהוָה֙ נָשָׂ֣א עָלָ֔יו
אֶת־הַמַּשָּׂ֖א הַזֶּֽה׃ כו אִם־לֹ֡א אֶת־דְּמֵי֩ נָב֨וֹת וְאֶת־דְּמֵ֥י בָנָ֛יו רָאִ֥יתִי אֶ֖מֶשׁ
נְאֻם־יְהוָ֔ה וְשִׁלַּמְתִּ֥י לְךָ֛ בַּחֶלְקָ֥ה הַזֹּ֖את נְאֻם־יְהוָ֑ה וְעַתָּ֗ה שָׂ֧א הַשְׁלִכֵ֛הוּ
בַּחֶלְקָ֖ה כִּדְבַ֥ר יְהוָֽה׃ כז וַאֲחַזְיָ֤ה מֶֽלֶךְ־יְהוּדָה֙ רָאָ֔ה וַיָּ֕נָס דֶּ֖רֶךְ בֵּ֣ית הַגָּ֑ן
וַיִּרְדֹּ֨ף אַחֲרָ֜יו יֵה֗וּא וַיֹּ֙אמֶר֙ גַּם־אֹת֣וֹ הַכֻּ֣הוּ אֶל־הַמֶּרְכָּבָ֗ה בְּמַֽעֲלֵה־גוּר֙ אֲשֶׁ֣ר
אֶֽת־יִבְלְעָ֔ם וַיָּ֥נָס מְגִדּ֖וֹ וַיָּ֥מָת שָֽׁם׃ כח וַיַּרְכִּ֧בוּ אֹת֛וֹ עֲבָדָ֖יו יְרוּשָׁלָ֑מָה וַיִּקְבְּר֨וּ
אֹת֧וֹ בִקְבֻרָת֛וֹ עִם־אֲבֹתָ֖יו בְּעִ֥יר דָּוִֽד׃

כט וּבִשְׁנַ֨ת אַחַ֤ת עֶשְׂרֵה֙ שָׁנָ֔ה לְיוֹרָ֖ם בֶּן־אַחְאָ֑ב מָלַ֥ךְ אֲחַזְיָ֖ה עַל־יְהוּדָֽה׃
ל וַיָּב֥וֹא יֵה֖וּא יִזְרְעֶ֑אלָה וְאִיזֶ֣בֶל שָֽׁמְעָ֗ה וַתָּ֨שֶׂם בַּפּ֤וּךְ עֵינֶ֨יהָ֙ וַתֵּ֣יטֶב אֶת־רֹאשָׁ֔הּ
וַתַּשְׁקֵ֖ף בְּעַ֥ד הַחַלּֽוֹן׃ לא וְיֵה֖וּא בָּ֣א בַשָּׁ֑עַר וַתֹּ֗אמֶר הֲשָׁל֔וֹם זִמְרִ֖י הֹרֵ֥ג אֲדֹנָֽיו׃
לב וַיִּשָּׂ֤א פָנָיו֙ אֶל־הַֽחַלּ֔וֹן וַיֹּ֕אמֶר מִ֥י אִתִּ֖י מִ֑י וַיַּשְׁקִ֣יפוּ אֵלָ֔יו שְׁנַ֖יִם שְׁלֹשָׁ֥ה
סָרִיסִֽים׃ לג וַיֹּ֖אמֶר שִׁמְט֑וּהָ[26] וַֽיִּשְׁמְט֔וּהָ וַיִּ֨ז מִדָּמָ֧הּ אֶל־הַקִּ֛יר וְאֶל־הַסּוּסִ֖ים
וַֽיִּרְמְסֶֽנָּה׃ לד וַיָּבֹ֖א וַיֹּ֣אכַל וַיֵּ֑שְׁתְּ וַיֹּ֗אמֶר פִּקְדוּ־נָ֞א אֶת־הָאֲרוּרָ֤ה הַזֹּאת֙
וְקִבְר֔וּהָ כִּ֥י בַת־מֶ֖לֶךְ הִֽיא׃ לה וַיֵּלְכ֖וּ לְקָבְרָ֑הּ וְלֹא־מָ֣צְאוּ בָ֔הּ כִּ֣י
אִם־הַגֻּלְגֹּ֥לֶת וְהָרַגְלַ֖יִם וְכַפּ֥וֹת הַיָּדָֽיִם׃

[25] שלשה
[26] שמטהו

16 So Jehu rode in a chariot, and went to Jezreel; for Joram lay there. And Ahaziah king of Judah was come down to see Joram. **17** Now the watchman stood on the tower in Jezreel, and he spied the company of Jehu as he came, and said: 'I see a company.' And Joram said: 'Take a horseman, and send to meet them, and let him say: Is it peace?' **18** So there went one on horseback to meet him, and said: 'Thus saith the king: Is it peace?' And Jehu said: 'What hast thou to do with peace? turn thee behind me.' And the watchman told, saying: 'The messenger came to them, but he cometh not back.' **19** Then he sent out a second on horseback, who came to them, and said: 'Thus saith the king: Is it peace?' And Jehu answered: 'What hast thou to do with peace? turn thee behind me.' **20** And the watchman told, saying: 'He came even unto them, and cometh not back; and the driving is like the driving of Jehu the son of Nimshi; for he driveth furiously.' **21** And Joram said: 'Make ready.' And they made ready his chariot. And Joram king of Israel and Ahaziah king of Judah went out, each in his chariot, and they went out to meet Jehu, and found him in the portion of Naboth the Jezreelite. **22** And it came to pass, when Joram saw Jehu, that he said: 'Is it peace, Jehu?' And he answered: 'What peace, so long as the harlotries of thy mother Jezebel and her witchcrafts are so many?' **23** And Joram turned his hands, and fled, and said to Ahaziah: 'There is treachery, O Ahaziah.' **24** And Jehu drew his bow with his full strength, and smote Joram between his arms, and the arrow went out at his heart, and he sunk down in his chariot. **25** Then said [Jehu] to Bidkar his captain: 'Take up, and cast him in the portion of the field of Naboth the Jezreelite; for remember how that, when I and thou rode together after Ahab his father, Yehovah pronounced this burden against him: **26** Surely I have seen yesterday the blood of Naboth, and the blood of his sons, saith Yehovah; and I will requite thee in this plot, saith Yehovah. Now therefore take and cast him into the plot of ground, according to the word of Yehovah.' **27** But when Ahaziah the king of Judah saw this, he fled by the way of the garden-house. And Jehu followed after him, and said: 'Smite him also in the chariot'; [and they smote him] at the ascent of Gur, which is by Ibleam. And he fled to Megiddo, and died there. **28** And his servants carried him in a chariot to Yerushalam, and buried him in his sepulchre with his fathers in the city of David.{P}

29 And in the eleventh year of Joram the son of Ahab began Ahaziah to reign over Judah. **30** And when Jehu was come to Jezreel, Jezebel heard of it; and she painted her eyes, and attired her head, and looked out at the window. **31** And as Jehu entered in at the gate, she said: 'Is it peace, thou Zimri, thy master's murderer?' **32** And he lifted up his face to the window, and said: 'Who is on my side? who?' And there looked out to him two or three officers. **33** And he said: 'Throw her down.' So they threw her down; and some of her blood was sprinkled on the wall, and on the horses; and she was trodden under foot. **34** And when he was come in, he did eat and drink; and he said: 'Look now after this cursed woman, and bury her; for she is a king's daughter.' **35** And they went to bury her; but they found no more of her than the skull, and the feet, and the palms of her hands.

לו וַיָּשֻׁ֙בוּ֙ וַיַּגִּ֣ידוּ ל֔וֹ וַיֹּ֗אמֶר דְּבַר־יְהוָ֣ה ה֔וּא אֲשֶׁ֣ר דִּבֶּ֗ר בְּיַד־עַבְדּ֛וֹ אֵלִיָּ֥הוּ
הַתִּשְׁבִּ֖י לֵאמֹ֑ר בְּחֵ֣לֶק יִזְרְעֶ֔אל יֹאכְל֥וּ הַכְּלָבִ֖ים אֶת־בְּשַׂ֥ר אִיזָֽבֶל׃
לז וְהָיְתָה֩[27] נִבְלַ֨ת אִיזֶ֜בֶל כְּדֹ֧מֶן עַל־פְּנֵ֛י הַשָּׂדֶ֖ה בְּחֵ֣לֶק יִזְרְעֶ֑אל אֲשֶׁ֥ר
לֹא־יֹאמְר֖וּ זֹ֥את אִיזָֽבֶל׃

י א וּלְאַחְאָ֛ב שִׁבְעִ֥ים בָּנִ֖ים בְּשֹׁמְר֑וֹן וַיִּכְתֹּב֩ יֵה֨וּא סְפָרִ֜ים וַיִּשְׁלַ֣ח שֹׁמְר֗וֹן
אֶל־שָׂרֵ֤י יִזְרְעֶאל֙ הַזְּקֵנִ֔ים וְאֶל־הָאֹמְנִ֥ים אַחְאָ֖ב לֵאמֹֽר׃ ב וְעַתָּ֗ה כְּבֹ֨א הַסֵּ֤פֶר
הַזֶּה֙ אֲלֵיכֶ֔ם וְאִתְּכֶם֙ בְּנֵ֣י אֲדֹנֵיכֶ֔ם וְאִתְּכֶם֙ הָרֶ֣כֶב וְהַסּוּסִ֔ים וְעִ֥יר מִבְצָ֖ר
וְהַנָּֽשֶׁק׃ ג וּרְאִיתֶ֞ם הַטּ֤וֹב וְהַיָּשָׁר֙ מִבְּנֵ֣י אֲדֹנֵיכֶ֔ם וְשַׂמְתֶּ֖ם עַל־כִּסֵּ֣א אָבִ֑יו
וְהִֽלָּחֲמ֖וּ עַל־בֵּ֥ית אֲדֹנֵיכֶֽם׃ ד וַיִּרְאוּ֙ מְאֹ֣ד מְאֹ֔ד וַיֹּ֣אמְר֔וּ הִנֵּה֙ שְׁנֵ֣י הַמְּלָכִ֔ים לֹ֥א
עָמְד֖וּ לְפָנָ֑יו וְאֵ֖יךְ נַעֲמֹ֥ד אֲנָֽחְנוּ׃ ה וַיִּשְׁלַ֣ח אֲשֶׁר־עַל־הַ֠בַּיִת וַאֲשֶׁ֨ר עַל־הָעִ֜יר
וְהַזְּקֵנִ֣ים וְהָאֹמְנִ֗ים אֶל־יֵה֤וּא ׀ לֵאמֹר֙ עֲבָדֶ֣יךָ אֲנַ֔חְנוּ וְכֹ֛ל אֲשֶׁר־תֹּאמַ֥ר אֵלֵ֖ינוּ
נַעֲשֶׂ֑ה לֹא־נַמְלִ֣יךְ אִ֔ישׁ הַטּ֥וֹב בְּעֵינֶ֖יךָ עֲשֵֽׂה׃ ו וַיִּכְתֹּ֣ב אֲלֵיהֶם֩ סֵ֨פֶר ׀ שֵׁנִ֜ית
לֵאמֹ֗ר אִם־לִ֨י אַתֶּ֜ם וּלְקֹלִ֣י ׀ אַתֶּ֣ם שֹׁמְעִ֗ים קְח֞וּ אֶת־רָאשֵׁי֙ אַנְשֵׁ֣י בְנֵֽי־אֲדֹנֵיכֶ֔ם
וּבֹ֥אוּ אֵלַ֛י כָּעֵ֥ת מָחָ֖ר יִזְרְעֶ֑אלָה וּבְנֵ֤י הַמֶּ֙לֶךְ֙ שִׁבְעִ֣ים אִ֔ישׁ אֶת־גְּדֹלֵ֥י הָעִ֖יר
מְגַדְּלִ֥ים אוֹתָֽם׃ ז וַיְהִ֗י כְּבֹ֤א הַסֵּ֙פֶר֙ אֲלֵיהֶ֔ם וַיִּקְחוּ֙ אֶת־בְּנֵ֣י הַמֶּ֔לֶךְ וַֽיִּשְׁחֲט֖וּ
שִׁבְעִ֣ים אִ֑ישׁ וַיָּשִׂ֤ימוּ אֶת־רָאשֵׁיהֶם֙ בַּדּ֣וּדִ֔ים וַיִּשְׁלְח֥וּ אֵלָ֖יו יִזְרְעֶֽאלָה׃ ח וַיָּבֹ֤א
הַמַּלְאָךְ֙ וַיַּגֶּד־ל֣וֹ לֵאמֹ֔ר הֵבִ֖יאוּ רָאשֵׁ֣י בְנֵֽי־הַמֶּ֑לֶךְ וַיֹּ֗אמֶר שִׂ֣ימוּ אֹתָ֞ם שְׁנֵ֧י
צִבֻּרִ֛ים פֶּ֥תַח הַשַּׁ֖עַר עַד־הַבֹּֽקֶר׃ ט וַיְהִ֤י בַבֹּ֙קֶר֙ וַיֵּצֵ֣א וַֽיַּעֲמֹ֔ד וַיֹּ֙אמֶר֙
אֶל־כָּל־הָעָ֔ם צַדִּקִ֖ים אַתֶּ֑ם הִנֵּה֩ אֲנִ֨י קָשַׁ֤רְתִּי עַל־אֲדֹנִי֙ וָאֶ֣הֶרְגֵ֔הוּ וּמִ֥י הִכָּ֖ה
אֶת־כָּל־אֵֽלֶּה׃ י דְּע֣וּ אֵפוֹא֒ כִּי֩ לֹ֨א יִפֹּ֜ל מִדְּבַ֤ר יְהוָה֙ אַ֔רְצָה אֲשֶׁר־דִּבֶּ֥ר יְהוָ֖ה
עַל־בֵּ֣ית אַחְאָ֑ב וַֽיהוָ֣ה עָשָׂ֔ה אֵ֣ת אֲשֶׁ֣ר דִּבֶּ֔ר בְּיַ֖ד עַבְדּ֥וֹ אֵלִיָּֽהוּ׃ יא וַיַּ֣ךְ יֵה֗וּא
אֵ֣ת כָּל־הַנִּשְׁאָרִ֤ים לְבֵית־אַחְאָב֙ בְּיִזְרְעֶ֔אל וְכָל־גְּדֹלָ֖יו וּמְיֻדָּעָ֣יו וְכֹהֲנָ֑יו
עַד־בִּלְתִּ֥י הִשְׁאִֽיר־ל֖וֹ שָׂרִֽיד׃ יב וַיָּ֙קָם֙ וַיָּבֹ֔א וַיֵּ֖לֶךְ שֹׁמְר֑וֹן ה֛וּא בֵּית־עֵ֥קֶד
הָרֹעִ֖ים בַּדָּֽרֶךְ׃ יג וְיֵה֗וּא מָצָא֙ אֶת־אֲחֵי֙ אֲחַזְיָ֣הוּ מֶלֶךְ־יְהוּדָ֔ה וַיֹּ֖אמֶר מִ֣י אַתֶּ֑ם
וַיֹּאמְר֗וּ אֲחֵ֤י אֲחַזְיָ֙הוּ֙ אֲנַ֔חְנוּ וַנֵּ֕רֶד לִשְׁל֥וֹם בְּנֵֽי־הַמֶּ֖לֶךְ וּבְנֵ֥י הַגְּבִירָֽה׃ יד וַיֹּ֙אמֶר֙
תִּפְשׂ֣וּם חַיִּ֔ים וַֽיִּתְפְּשׂ֖וּם חַיִּ֑ים וַֽיִּשְׁחָט֞וּם אֶל־בּ֣וֹר בֵּית־עֵ֗קֶד אַרְבָּעִ֤ים וּשְׁנַ֙יִם֙
אִ֔ישׁ וְלֹֽא־הִשְׁאִ֥יר אִ֖ישׁ מֵהֶֽם׃ יה וַיֵּ֣לֶךְ מִשָּׁ֗ם וַיִּמְצָ֣א אֶת־יְהוֹנָדָ֣ב בֶּן־רֵכָב֮
לִקְרָאתוֹ֒ וַֽיְבָרְכֵ֗הוּ וַיֹּ֣אמֶר אֵ֠לָיו הֲיֵ֨שׁ אֶת־לְבָבְךָ֜ יָשָׁ֗ר כַּאֲשֶׁ֤ר לְבָבִי֙ עִם־לְבָבֶ֔ךָ
וַיֹּ֨אמֶר יְהוֹנָדָ֥ב יֵ֛שׁ וָיֵ֖שׁ תְּנָ֣ה אֶת־יָדֶ֑ךָ וַיִּתֵּ֣ן יָד֔וֹ וַיַּעֲלֵ֥הוּ אֵלָ֖יו אֶל־הַמֶּרְכָּבָֽה׃
יו וַיֹּ֙אמֶר֙ לְכָ֣ה אִתִּ֔י וּרְאֵ֖ה בְּקִנְאָתִ֣י לַֽיהוָ֑ה וַיַּרְכִּ֥בוּ אֹת֖וֹ בְּרִכְבּֽוֹ׃

[27] והית

36 Wherefore they came back, and told him. And he said: 'This is the word of Yehovah, which He spoke by His servant Elijah the Tishbite, saying: In the portion of Jezreel shall the dogs eat the flesh of Jezebel; **37** and the carcass of Jezebel shall be as dung upon the face of the field in the portion of Jezreel; so that they shall not say: This is Jezebel.'{s}

10 **1** Now Ahab had seventy sons in Samaria. And Jehu wrote letters, and sent to Samaria, unto the rulers of Jezreel, even the elders, and unto them that brought up [the sons of] Ahab, saying: **2** 'And now as soon as this letter cometh to you, seeing your master's sons are with you, and there are with you chariots and horses, fortified cities also, and armour; **3** look ye out the best and meetest of your master's sons, and set him on his father's throne, and fight for your master's house.' **4** But they were exceedingly afraid, and said: 'Behold, the two kings stood not before him; how then shall we stand?' **5** And he that was over the household, and he that was over the city, the elders also, and they that brought up the children, sent to Jehu, saying: 'We are thy servants, and will do all that thou shalt bid us; we will not make any man king; do thou that which is good in thine eyes.' **6** Then he wrote a letter the second time to them, saying: 'If ye be on my side, and if ye will hearken unto my voice, take ye the heads of the men your master's sons, and come to me to Jezreel by to-morrow this time.' Now the king's sons, being seventy persons, were with the great men of the city, who brought them up. **7** And it came to pass, when the letter came to them, that they took the king's sons, and slew them, even seventy persons, and put their heads in baskets, and sent them unto him to Jezreel. **8** And there came a messenger, and told him, saying: 'They have brought the heads of the king's sons.' And he said: 'Lay ye them in two heaps at the entrance of the gate until the morning.' **9** And it came to pass in the morning, that he went out, and stood, and said to all the people: 'Ye are righteous; behold, I conspired against my master, and slew him; but who smote all these? **10** Know now that there shall fall unto the earth nothing of the word of Yehovah, which Yehovah spoke concerning the house of Ahab; for Yehovah hath done that which He spoke by His servant Elijah.' **11** So Jehu smote all that remained of the house of Ahab in Jezreel, and all his great men, and his familiar friends, and his priests, until there was left him none remaining. **12** And he arose and departed, and went to Samaria. And as he was at the shearing-house of the shepherds in the way, **13** Jehu met with the brethren of Ahaziah king of Judah, and said: 'Who are ye?' And they answered: 'We are the brethren of Ahaziah; and we go down to salute the children of the king and the children of the queen.' **14** And he said: 'Take them alive.' And they took them alive, and slew them at the pit of the shearing-house, even two and forty men; neither left he any of them.{s}

15 And when he was departed thence, he lighted on Jehonadab the son of Rechab coming to meet him; and he saluted him, and said to him: 'Is thy heart right, as my heart is with thy heart?' And Jehonadab answered: 'It is.' 'If it be, [said Jehu,] give me thy hand.' And he gave him his hand; and he took him up to him into the chariot. **16** And he said: 'Come with me, and see my zeal for Yehovah.' So they made him ride in his chariot.

יז וַיָּבֹא֙ שֹׁמְר֔וֹן וַ֕יַּךְ אֶת־כָּל־הַנִּשְׁאָרִ֥ים לְאַחְאָ֖ב בְּשֹׁמְר֑וֹן עַד־הִשְׁמִיד֔וֹ
כִּדְבַ֣ר יְהוָ֔ה אֲשֶׁ֥ר דִּבֶּ֖ר אֶל־אֵלִיָּֽהוּ׃
יח וַיִּקְבֹּ֤ץ יֵהוּא֙ אֶת־כָּל־הָעָ֔ם וַיֹּ֖אמֶר אֲלֵהֶ֑ם אַחְאָ֗ב עָבַ֤ד אֶת־הַבַּ֙עַל֙ מְעָ֔ט
יֵה֖וּא יַעַבְדֶ֥נּוּ הַרְבֵּֽה׃ יט וְעַתָּה֩ כָל־נְבִיאֵ֨י הַבַּ֜עַל כָּל־עֹבְדָ֣יו וְכָל־כֹּהֲנָ֗יו
קִרְא֣וּ אֵלַ֔י אִ֚ישׁ אַל־יִפָּקֵ֔ד כִּ֣י זֶ֤בַח גָּדוֹל֙ לִ֣י לַבַּ֔עַל כֹּ֥ל אֲשֶׁר־יִפָּקֵ֖ד לֹ֣א יִֽחְיֶ֑ה
וְיֵהוּא֙ עָשָׂ֣ה בְעָקְבָּ֔ה לְמַ֥עַן הַאֲבִ֖יד אֶת־עֹבְדֵ֥י הַבָּֽעַל׃ כ וַיֹּ֣אמֶר יֵה֔וּא קַדְּשׁ֧וּ
עֲצָרָ֛ה לַבַּ֖עַל וַיִּקְרָֽאוּ׃ כא וַיִּשְׁלַ֤ח יֵהוּא֙ בְּכָל־יִשְׂרָאֵ֔ל וַיָּבֹ֙אוּ֙ כָּל־עֹבְדֵ֣י
הַבַּ֔עַל וְלֹֽא־נִשְׁאַ֥ר אִ֖ישׁ אֲשֶׁ֣ר לֹא־בָ֑א וַיָּבֹ֙אוּ֙ בֵּ֣ית הַבַּ֔עַל וַיִּמָּלֵ֥א בֵית־הַבַּ֖עַל
פֶּ֥ה לָפֶֽה׃ כב וַיֹּ֗אמֶר לַֽאֲשֶׁר֙ עַל־הַמֶּלְתָּחָ֔ה הוֹצֵ֣א לְב֔וּשׁ לְכֹ֖ל עֹבְדֵ֣י הַבָּ֑עַל
וַיֹּצֵ֥א לָהֶ֖ם הַמַּלְבּֽוּשׁ׃ כג וַיָּבֹ֥א יֵה֛וּא וִיהוֹנָדָ֥ב בֶּן־רֵכָ֖ב בֵּ֣ית הַבָּ֑עַל וַיֹּ֜אמֶר
לְעֹבְדֵ֣י הַבַּ֗עַל חַפְּשׂ֤וּ וּרְאוּ֙ פֶּן־יֶשׁ־פֹּ֤ה עִמָּכֶם֙ מֵעַבְדֵ֣י יְהוָ֔ה כִּ֛י אִם־עֹבְדֵ֥י
הַבַּ֖עַל לְבַדָּֽם׃ כד וַיָּבֹ֕אוּ לַעֲשׂ֥וֹת זְבָחִ֖ים וְעֹל֑וֹת וְיֵה֞וּא שָׂם־ל֤וֹ בַחוּץ֙ שְׁמֹנִ֣ים
אִ֔ישׁ וַיֹּ֗אמֶר הָאִ֤ישׁ אֲשֶׁר־יִמָּלֵט֙ מִן־הָ֣אֲנָשִׁ֗ים אֲשֶׁ֨ר אֲנִ֤י מֵבִיא֙ עַל־יְדֵיכֶ֔ם
נַפְשׁ֖וֹ תַּ֥חַת נַפְשֽׁוֹ׃ כה וַיְהִ֞י כְּכַלֹּת֣וֹ ׀ לַעֲשׂ֣וֹת הָעֹלָ֗ה וַיֹּ֣אמֶר יֵ֠הוּא לָרָצִ֨ים
וְלַשָּׁלִשִׁ֜ים בֹּ֤אוּ הַכּוּם֙ אִ֣ישׁ אַל־יֵצֵ֔א וַיַּכּ֖וּם לְפִי־חָ֑רֶב וַיַּשְׁלִ֙כוּ֙ הָרָצִ֣ים
וְהַשָּׁלִשִׁ֔ים וַיֵּלְכ֖וּ עַד־עִ֥יר בֵּית־הַבָּֽעַל׃ כו וַיֹּצִ֛אוּ אֶת־מַצְּב֥וֹת בֵּית־הַבַּ֖עַל
וַיִּשְׂרְפֽוּהָ׃ כז וַֽיִּתְּצ֔וּ אֵ֖ת מַצְּבַ֣ת הַבָּ֑עַל וַֽיִּתְּצוּ֙ אֶת־בֵּ֣ית הַבַּ֔עַל וַיְשִׂמֻ֥הוּ
לְמוֹצָא֖וֹת[28] עַד־הַיּֽוֹם׃ כח וַיַּשְׁמֵ֥ד יֵה֛וּא אֶת־הַבַּ֖עַל מִיִּשְׂרָאֵֽל׃ כט רַ֞ק חֲטָאֵ֨י
יָרָבְעָ֤ם בֶּן־נְבָט֙ אֲשֶׁ֣ר הֶחֱטִ֣יא אֶת־יִשְׂרָאֵ֔ל לֹא־סָ֥ר יֵה֖וּא מֵאַחֲרֵיהֶ֑ם עֶגְלֵי֙
הַזָּהָ֔ב אֲשֶׁ֥ר בֵּֽית־אֵ֖ל וַאֲשֶׁ֥ר בְּדָֽן׃ ל וַיֹּ֨אמֶר יְהוָ֜ה אֶל־יֵה֗וּא יַ֚עַן
אֲשֶׁר־הֱטִיבֹ֙תָ֙ לַעֲשׂ֤וֹת הַיָּשָׁר֙ בְּעֵינַ֔י כְּכֹל֙ אֲשֶׁ֣ר בִּלְבָבִ֔י עָשִׂ֖יתָ לְבֵ֣ית אַחְאָ֑ב
בְּנֵ֣י רְבִעִ֔ים יֵשְׁב֥וּ לְךָ֖ עַל־כִּסֵּ֥א יִשְׂרָאֵֽל׃ לא וְיֵה֗וּא לֹ֥א שָׁמַ֛ר לָלֶ֛כֶת
בְּתוֹרַת־יְהוָ֥ה אֱלֹהֵֽי־יִשְׂרָאֵ֖ל בְּכָל־לְבָב֑וֹ לֹ֣א סָ֗ר מֵעַל֙ חַטֹּ֣אות יָרָבְעָ֔ם אֲשֶׁ֥ר
הֶחֱטִ֖יא אֶת־יִשְׂרָאֵֽל׃ לב בַּיָּמִ֣ים הָהֵ֔ם הֵחֵ֣ל יְהוָ֔ה לְקַצּ֖וֹת בְּיִשְׂרָאֵ֑ל וַיַּכֵּ֥ם
חֲזָאֵ֖ל בְּכָל־גְּב֥וּל יִשְׂרָאֵֽל׃ לג מִן־הַיַּרְדֵּן֙ מִזְרַ֣ח הַשֶּׁ֔מֶשׁ אֵ֚ת כָּל־אֶ֣רֶץ
הַגִּלְעָ֔ד הַגָּדִ֥י וְהָרֻאוּבֵנִ֖י וְהַֽמְנַשִּׁ֑י מֵעֲרֹעֵר֙ אֲשֶׁ֣ר עַל־נַ֣חַל אַרְנֹ֔ן וְהַגִּלְעָ֖ד
וְהַבָּשָֽׁן׃ לד וְיֶ֨תֶר דִּבְרֵ֥י יֵה֛וּא וְכָל־אֲשֶׁ֥ר עָשָׂ֖ה וְכָל־גְּבוּרָת֑וֹ הֲלוֹא־הֵ֣ם
כְּתוּבִ֗ים עַל־סֵ֛פֶר דִּבְרֵ֥י הַיָּמִ֖ים לְמַלְכֵ֥י יִשְׂרָאֵֽל׃ לה וַיִּשְׁכַּ֤ב יֵהוּא֙
עִם־אֲבֹתָ֔יו וַיִּקְבְּר֥וּ אֹת֖וֹ בְּשֹׁמְר֑וֹן וַיִּמְלֹ֛ךְ יְהוֹאָחָ֥ז בְּנ֖וֹ תַּחְתָּֽיו׃ לו וְהַיָּמִ֗ים
אֲשֶׁ֨ר מָלַ֤ךְ יֵהוּא֙ עַל־יִשְׂרָאֵ֔ל עֶשְׂרִים־וּשְׁמֹנֶה־שָׁנָ֖ה בְּשֹׁמְרֽוֹן׃

[28] למחראות

17 And when he came to Samaria, he smote all that remained unto Ahab in Samaria, till he had destroyed him, according to the word of Yehovah, which He spoke to Elijah.{P}

18 And Jehu gathered all the people together, and said unto them: 'Ahab served Baal a little; but Jehu will serve him much. **19** Now therefore call unto me all the prophets of Baal, all his worshippers, and all his priests, let none be wanting; for I have a great sacrifice to do to Baal; whosoever shall be wanting, he shall not live.' But Jehu did it in subtlety, to the intent that he might destroy the worshippers of Baal. **20** And Jehu said: 'Sanctify a solemn assembly for Baal.' And they proclaimed it. **21** And Jehu sent through all Israel; and all the worshippers of Baal came, so that there was not a man left that came not. And they came into the house of Baal; and the house of Baal was filled from one end to another. **22** And he said unto him that was over the vestry: 'Bring forth vestments for all the worshippers of Baal.' And he brought them forth vestments. **23** And Jehu went, and Jehonadab the son of Rechab, into the house of Baal; and he said unto the worshippers of Baal: 'Search, and look that there be here with you none of the servants of Yehovah, but the worshippers of Baal only.' **24** And they went in to offer sacrifices and burnt-offerings. Now Jehu had appointed him fourscore men without, and said: 'If any of the men whom I bring into your hands escape, his life shall be for the life of him.' **25** And it came to pass, as soon as he had made an end of offering the burnt-offering, that Jehu said to the guard and to the captains: 'Go in, and slay them; let none come forth.' And they smote them with the edge of the sword; and the guard and the captains cast them out, and went to the city of the house of Baal. **26** And they brought forth the pillars that were in the house of Baal, and burned them. **27** And they broke down the pillar of Baal, and broke down the house of Baal, and made it a draught-house, unto this day. **28** Thus Jehu destroyed Baal out of Israel. **29** Howbeit from the sins of Jeroboam the son of Nebat, wherewith he made Israel to sin, Jehu departed not from after them, the golden calves that were in Beth-el, and that were in Dan.{P}

30 And Yehovah said unto Jehu: 'Because thou hast done well in executing that which is right in Mine eyes, and hast done unto the house of Ahab according to all that was in My heart, thy sons of the fourth generation shall sit on the throne of Israel.' **31** But Jehu took no heed to walk in the Torah of Yehovah, the God of Israel, with all his heart; he departed not from the sins of Jeroboam, wherewith he made Israel to sin. **32** In those days Yehovah began to cut Israel short; and Hazael smote them in all the borders of Israel: **33** from the Jordan eastward, all the land of Gilead, the Gadites, and the Reubenites, and the Manassites, from Aroer, which is by the valley of Arnon, even Gilead and Bashan. **34** Now the rest of the acts of Jehu, and all that he did, and all his might, are they not written in the book of the chronicles of the kings of Israel? **35** And Jehu slept with his fathers; and they buried him in Samaria. And Jehoahaz his son reigned in his stead. **36** And the time that Jehu reigned over Israel in Samaria was twenty and eight years.{P}

יא א וַעֲתַלְיָה֙ אֵ֣ם אֲחַזְיָ֔הוּ רָאֲתָה[29] כִּ֣י מֵ֣ת בְּנָ֑הּ וַתָּ֙קָם֙ וַתְּאַבֵּ֔ד אֵ֖ת כָּל־זֶ֥רַע
הַמַּמְלָכָֽה׃ ב וַתִּקַּח֩ יְהוֹשֶׁ֨בַע בַּת־הַמֶּֽלֶךְ־יוֹרָ֜ם אֲח֣וֹת אֲחַזְיָ֗הוּ אֶת־יוֹאָ֤שׁ
בֶּן־אֲחַזְיָה֙ וַתִּגְנֹ֤ב אֹתוֹ֙ מִתּ֤וֹךְ בְּנֵֽי־הַמֶּ֙לֶךְ֙ הַמּֽוּמָתִים[30] אֹת֥וֹ וְאֶת־מֵינִקְתּ֖וֹ בַּחֲדַ֣ר
הַמִּטּ֑וֹת וַיַּסְתִּ֧רוּ אֹת֛וֹ מִפְּנֵ֥י עֲתַלְיָ֖הוּ וְלֹ֥א הוּמָֽת׃ ג וַיְהִ֣י אִתָּ֗הּ בֵּ֧ית יְהוָ֛ה מִתְחַבֵּ֖א
שֵׁ֣שׁ שָׁנִ֑ים וַעֲתַלְיָ֖ה מֹלֶ֥כֶת עַל־הָאָֽרֶץ׃

ד וּבַשָּׁנָ֣ה הַשְּׁבִיעִ֗ית שָׁלַ֣ח יְהוֹיָדָ֡ע וַיִּקַּ֣ח ׀ אֶת־שָׂרֵ֣י הַמֵּא֡וֹת[31] לַכָּרִי֙ וְלָ֣רָצִ֔ים
וַיָּבֵ֥א אֹתָ֛ם אֵלָ֖יו בֵּ֣ית יְהוָ֑ה וַיִּכְרֹ֨ת לָהֶ֜ם בְּרִ֗ית וַיַּשְׁבַּ֤ע אֹתָם֙ בְּבֵ֣ית יְהוָ֔ה וַיַּ֥רְא
אֹתָ֖ם אֶת־בֶּן־הַמֶּֽלֶךְ׃ ה וַיְצַוֵּ֣ם לֵאמֹ֔ר זֶ֥ה הַדָּבָ֖ר אֲשֶׁ֣ר תַּעֲשׂ֑וּן הַשְּׁלִשִׁ֣ית מִכֶּם֙
בָּאֵ֣י הַשַּׁבָּ֔ת וְשֹׁ֣מְרֵ֔י מִשְׁמֶ֖רֶת בֵּ֥ית הַמֶּֽלֶךְ׃ ו וְהַשְּׁלִשִׁית֙ בְּשַׁ֣עַר ס֔וּר וְהַשְּׁלִשִׁ֛ית
בַּשַּׁ֖עַר אַחַ֣ר הָרָצִ֑ים וּשְׁמַרְתֶּ֛ם אֶת־מִשְׁמֶ֥רֶת הַבַּ֖יִת מַסָּֽח׃ ז וּשְׁתֵּ֤י הַיָּדוֹת֙ בָּכֶ֔ם
כֹּ֖ל יֹצְאֵ֣י הַשַּׁבָּ֑ת וְשָֽׁמְרוּ֙ אֶת־מִשְׁמֶ֣רֶת בֵּית־יְהוָ֔ה אֶל־הַמֶּֽלֶךְ׃ ח וְהִקַּפְתֶּ֨ם
עַל־הַמֶּ֜לֶךְ סָבִ֗יב אִ֚ישׁ וְכֵלָ֣יו בְּיָד֔וֹ וְהַבָּ֥א אֶל־הַשְּׂדֵר֖וֹת יוּמָ֑ת וִהְי֥וּ אֶת־הַמֶּ֖לֶךְ
בְּצֵאת֥וֹ וּבְבֹאֽוֹ׃ ט וַיַּעֲשׂוּ֩ שָׂרֵ֨י הַמֵּא֜וֹת[32] כְּכֹ֣ל אֲשֶׁר־צִוָּה֮ יְהוֹיָדָ֣ע הַכֹּהֵן֒ וַיִּקְחוּ֙
אִ֣ישׁ אֶת־אֲנָשָׁ֔יו בָּאֵ֣י הַשַּׁבָּ֔ת עִ֖ם יֹצְאֵ֣י הַשַּׁבָּ֑ת וַיָּבֹ֖אוּ אֶל־יְהוֹיָדָ֥ע הַכֹּהֵֽן׃ י וַיִּתֵּ֨ן
הַכֹּהֵ֜ן לְשָׂרֵ֣י הַמֵּא֗וֹת[33] אֶֽת־הַחֲנִית֙ וְאֶת־הַשְּׁלָטִ֔ים אֲשֶׁ֖ר לַמֶּ֣לֶךְ דָּוִ֑ד אֲשֶׁ֖ר בְּבֵ֥ית
יְהוָֽה׃ יא וַיַּעַמְד֨וּ הָרָצִ֜ים אִ֣ישׁ ׀ וְכֵלָ֣יו בְּיָד֗וֹ מִכֶּ֨תֶף הַבַּ֤יִת הַיְמָנִית֙ עַד־כֶּ֣תֶף
הַבַּ֔יִת הַשְּׂמָאלִ֖ית לַמִּזְבֵּ֣חַ וְלַבָּ֑יִת עַל־הַמֶּ֖לֶךְ סָבִֽיב׃ יב וַיּוֹצִ֣א אֶת־בֶּן־הַמֶּ֗לֶךְ
וַיִּתֵּ֤ן עָלָיו֙ אֶת־הַנֵּ֙זֶר֙ וְאֶת־הָ֣עֵד֔וּת וַיַּמְלִ֥כוּ אֹת֖וֹ וַיִּמְשָׁחֻ֑הוּ וַיַּכּוּ־כָ֕ף וַיֹּאמְר֖וּ יְחִ֥י
הַמֶּֽלֶךְ׃ יג וַתִּשְׁמַ֣ע עֲתַלְיָ֔ה אֶת־ק֥וֹל הָרָצִ֖ין הָעָ֑ם וַתָּבֹ֥א אֶל־הָעָ֖ם בֵּ֥ית יְהוָֽה׃
יד וַתֵּ֡רֶא וְהִנֵּ֣ה הַמֶּלֶךְ֩ עֹמֵ֨ד עַֽל־הָעַמּ֜וּד כַּמִּשְׁפָּ֗ט וְהַשָּׂרִ֤ים וְהַחֲצֹצְרוֹת֙
אֶל־הַמֶּ֔לֶךְ וְכָל־עַ֤ם הָאָ֙רֶץ֙ שָׂמֵ֔חַ וְתֹקֵ֖עַ בַּחֲצֹֽצְר֑וֹת וַתִּקְרַ֤ע עֲתַלְיָה֙ אֶת־בְּגָדֶ֔יהָ
וַתִּקְרָ֖א קֶ֥שֶׁר קָֽשֶׁר׃ טו וַיְצַו֩ יְהוֹיָדָ֨ע הַכֹּהֵ֜ן אֶת־שָׂרֵ֥י הַמֵּא֣וֹת[34] ׀ פְּקֻדֵ֣י הַחַ֗יִל
וַיֹּ֣אמֶר אֲלֵיהֶ֗ם הוֹצִ֤יאוּ אֹתָהּ֙ אֶל־מִבֵּ֣ית לַשְּׂדֵרֹ֔ת וְהַבָּ֥א אַחֲרֶ֖יהָ הָמֵ֣ת בֶּחָ֑רֶב כִּ֚י
אָמַ֣ר הַכֹּהֵ֔ן אַל־תּוּמַ֖ת בֵּ֥ית יְהוָֽה׃ טז וַיָּשִׂ֤מוּ לָהּ֙ יָדַ֔יִם וַתָּב֛וֹא דֶּֽרֶךְ־מְב֥וֹא
הַסּוּסִ֖ים בֵּ֣ית הַמֶּ֑לֶךְ וַתּוּמַ֖ת שָֽׁם׃ יז וַיִּכְרֹ֨ת יְהוֹיָדָ֜ע אֶֽת־הַבְּרִ֗ית בֵּ֤ין יְהוָה֙ וּבֵ֣ין
הַמֶּ֣לֶךְ וּבֵ֣ין הָעָ֔ם לִהְי֥וֹת לְעָ֖ם לַיהוָ֑ה וּבֵ֥ין הַמֶּ֖לֶךְ וּבֵ֥ין הָעָֽם׃ יח וַיָּבֹ֣אוּ כָל־עַם֩
הָאָ֨רֶץ בֵּית־הַבַּ֜עַל וַֽיִּתְּצֻ֗הוּ אֶת־מִזְבְּחֹתָיו[35] וְאֶת־צְלָמָיו֙ שִׁבְּר֣וּ הֵיטֵ֔ב וְאֵ֗ת מַתָּן֙
כֹּהֵ֣ן הַבַּ֔עַל הָרְג֖וּ לִפְנֵ֣י הַֽמִּזְבְּח֑וֹת וַיָּ֧שֶׂם הַכֹּהֵ֛ן פְּקֻדֹּ֖ת עַל־בֵּ֥ית יְהוָֽה׃

[29] וראתה
[30] הממותתים
[31] המאיות
[32] המאיות
[33] המאיות
[34] המיאות
[35] מזבחתו

11 1 Now when Athaliah the mother of Ahaziah saw that her son was dead, she arose and destroyed all the seed royal. 2 But Jehosheba, the daughter of king Joram, sister of Ahaziah, took Joash the son of Ahaziah, and stole him away from among the king's sons that were slain, even him and his nurse, and put them in the bed-chamber; and they hid him from Athaliah, so that he was not slain. 3 And he was with her hid in the house of Yehovah six years; and Athaliah reigned over the land.{P}

4 And in the seventh year Jehoiada sent and fetched the captains over hundreds, of the Carites and of the guard, and brought them to him into the house of Yehovah; and he made a covenant with them, and took an oath of them in the house of Yehovah, and showed them the king's son. 5 And he commanded them, saying: 'This is the thing that ye shall do: a third part of you, that come in on the sabbath, and that keep the watch of the king's house– 6 now another third part was at the gate Sur, and another third part at the gate behind the guard–shall keep the watch of the house, and be a barrier. 7 And the other two parts of you, even all that go forth on the sabbath, shall keep the watch of the house of Yehovah about the king. 8 And ye shall compass the king round about, every man with his weapons in his hand; and he that cometh within the ranks, let him be slain; and be ye with the king when he goeth out, and when he cometh in.' 9 And the captains over hundreds did according to all that Jehoiada the priest commanded; and they took every man his men, those that were to come in on the sabbath, with those that were to go out on the sabbath, and came to Jehoiada the priest. 10 And the priest delivered to the captains over hundreds the spear and shields that had been king David's, which were in the house of Yehovah. 11 And the guard stood, every man with his weapons in his hand, from the right side of the house to the left side of the house, along by the altar and the house, by the king round about. 12 Then he brought out the king's son, and put upon him the crown and the insignia; and they made him king, and anointed him; and they clapped their hands, and said: 'Long live the king.'{S} 13 And when Athaliah heard the noise of the guard and of the people, she came to the people into the house of Yehovah. 14 And she looked, and, behold, the king stood on the platform, as the manner was, and the captains and the trumpets by the king; and all the people of the land rejoiced, and blew with trumpets. Then Athaliah rent her clothes, and cried: 'Treason, treason.' 15 And Jehoiada the priest commanded the captains of hundreds, the officers of the host, and said unto them: 'Have her forth between the ranks; and him that followeth her slay with the sword'; for the priest said: 'Let her not be slain in the house of Yehovah.' 16 So they made way for her; and she went by the way of the horses' entry to the king's house; and there was she slain.{S} 17 And Jehoiada made a covenant between Yehovah and the king and the people, that they should be Yehovah's people; between the king also and the people. 18 And all the people of the land went to the house of Baal, and broke it down; his altars and his images broke they in pieces thoroughly, and slew Mattan the priest of Baal before the altars. And the priest appointed officers over the house of Yehovah.

יט וַיִּקַּ֞ח אֶת־שָׂרֵ֣י הַמֵּא֗וֹת וְאֶת־הַכָּרִ֞י וְאֶת־הָרָצִ֜ים וְאֵ֣ת ׀ כָּל־עַ֣ם הָאָ֗רֶץ
וַיֹּרִ֤ידוּ אֶת־הַמֶּ֙לֶךְ֙ מִבֵּ֣ית יְהוָ֔ה וַיָּב֛וֹאוּ דֶּֽרֶךְ־שַׁ֥עַר הָרָצִ֖ים בֵּ֣ית הַמֶּ֑לֶךְ וַיֵּ֖שֶׁב
עַל־כִּסֵּ֥א הַמְּלָכִֽים׃ כ וַיִּשְׂמַ֥ח כָּל־עַם־הָאָ֖רֶץ וְהָעִ֣יר שָׁקָ֑טָה וְאֶת־עֲתַלְיָ֛הוּ
הֵמִ֥יתוּ בַחֶ֖רֶב בֵּ֥ית הַמֶּֽלֶךְ[36]׃

יב א בֶּן־שֶׁ֥בַע שָׁנִ֖ים יְהוֹאָ֥שׁ בְּמָלְכֽוֹ׃

ב בִּשְׁנַת־שֶׁ֤בַע לְיֵהוּא֙ מָלַ֣ךְ יְהוֹאָ֔שׁ וְאַרְבָּעִ֣ים שָׁנָ֔ה מָלַ֖ךְ בִּירוּשָׁלִָ֑ם וְשֵׁ֣ם אִמּ֔וֹ
צִבְיָ֖ה מִבְּאֵ֥ר שָֽׁבַע׃ ג וַיַּ֨עַשׂ יְהוֹאָ֥שׁ הַיָּשָׁ֛ר בְּעֵינֵ֥י יְהוָ֖ה כָּל־יָמָ֑יו אֲשֶׁ֣ר הוֹרָ֔הוּ
יְהוֹיָדָ֖ע הַכֹּהֵֽן׃ ד רַ֥ק הַבָּמ֖וֹת לֹא־סָ֑רוּ ע֥וֹד הָעָ֛ם מְזַבְּחִ֥ים וּֽמְקַטְּרִ֖ים בַּבָּמֽוֹת׃
ה וַיֹּ֨אמֶר יְהוֹאָ֜שׁ אֶל־הַכֹּהֲנִ֗ים כֹּל֩ כֶּ֨סֶף הַקֳּדָשִׁ֜ים אֲשֶׁר־יוּבָ֣א בֵית־יְהוָ֗ה כֶּ֚סֶף
עוֹבֵ֔ר אִ֕ישׁ כֶּ֖סֶף נַפְשׁ֣וֹת עֶרְכּ֑וֹ כָּל־כֶּ֗סֶף אֲשֶׁ֤ר יַעֲלֶה֙ עַ֣ל לֶב־אִ֔ישׁ לְהָבִ֖יא
בֵּ֥ית יְהוָֽה׃ ו יִקְח֤וּ לָהֶם֙ הַכֹּ֣הֲנִ֔ים אִ֖ישׁ מֵאֵ֣ת מַכָּר֑וֹ וְהֵ֗ם יְחַזְּקוּ֙ אֶת־בֶּ֣דֶק
הַבַּ֔יִת לְכֹ֛ל אֲשֶׁר־יִמָּצֵ֥א שָׁ֖ם בָּֽדֶק׃

ז וַיְהִ֗י בִּשְׁנַ֨ת עֶשְׂרִ֧ים וְשָׁלֹ֛שׁ שָׁנָ֖ה לַמֶּ֣לֶךְ יְהוֹאָ֑שׁ לֹא־חִזְּק֥וּ הַכֹּהֲנִ֖ים אֶת־בֶּ֥דֶק
הַבָּֽיִת׃ ח וַיִּקְרָא֩ הַמֶּ֨לֶךְ יְהוֹאָ֜שׁ לִיהוֹיָדָ֣ע הַכֹּהֵ֗ן וְלַכֹּהֲנִים֙ וַיֹּ֣אמֶר אֲלֵהֶ֔ם
מַדּ֛וּעַ אֵינְכֶ֥ם מְחַזְּקִ֖ים אֶת־בֶּ֣דֶק הַבָּ֑יִת וְעַתָּ֗ה אַל־תִּקְחוּ־כֶ֙סֶף֙ מֵאֵ֣ת מַכָּרֵיכֶ֔ם
כִּֽי־לְבֶ֥דֶק הַבַּ֖יִת תִּתְּנֻֽהוּ׃ ט וַיֵּאֹ֖תוּ הַכֹּהֲנִ֑ים לְבִלְתִּ֤י קְחַת־כֶּ֙סֶף֙ מֵאֵ֣ת הָעָ֔ם
וּלְבִלְתִּ֥י חַזֵּ֖ק אֶת־בֶּ֥דֶק הַבָּֽיִת׃ י וַיִּקַּ֞ח יְהוֹיָדָ֤ע הַכֹּהֵן֙ אֲר֣וֹן אֶחָ֔ד וַיִּקֹּ֥ב חֹ֖ר
בְּדַלְתּ֑וֹ וַיִּתֵּ֣ן אֹת֡וֹ אֵ֣צֶל הַמִּזְבֵּ֡חַ מִיָּמִין[37] בְּבוֹא־אִישׁ֮ בֵּ֣ית יְהוָה֒ וְנָֽתְנוּ־שָׁ֣מָּה
הַכֹּהֲנִים֙ שֹׁמְרֵ֣י הַסַּ֔ף אֶת־כָּל־הַכֶּ֖סֶף הַמּוּבָ֥א בֵית־יְהוָֽה׃ יא וַיְהִי֙ כִּרְאוֹתָ֔ם
כִּי־רַ֥ב הַכֶּ֖סֶף בָּאָר֑וֹן וַיַּ֨עַל סֹפֵ֤ר הַמֶּ֙לֶךְ֙ וְהַכֹּהֵ֣ן הַגָּד֔וֹל וַיָּצֻ֙רוּ֙ וַיִּמְנ֔וּ
אֶת־הַכֶּ֖סֶף הַנִּמְצָ֥א בֵית־יְהוָֽה׃ יב וְנָֽתְנוּ֙ אֶת־הַכֶּ֣סֶף הַֽמְתֻכָּ֔ן עַל־יְדֵי[38] עֹשֵׂ֣י
הַמְּלָאכָ֔ה הַמֻּפְקָדִ֖ים[39] בֵּ֣ית יְהוָ֑ה וַיּוֹצִיאֻ֜הוּ לְחָרָשֵׁ֤י הָעֵץ֙ וְלַבֹּנִ֔ים הָעֹשִׂ֖ים בֵּ֥ית
יְהוָֽה׃ יג וְלַגֹּֽדְרִים֙ וּלְחֹצְבֵ֣י הָאֶ֔בֶן וְלִקְנ֥וֹת עֵצִ֖ים וְאַבְנֵ֣י מַחְצֵ֑ב לְחַזֵּק֙
אֶת־בֶּ֣דֶק בֵּית־יְהוָ֔ה וּלְכֹ֛ל אֲשֶׁר־יֵצֵ֥א עַל־הַבַּ֖יִת לְחָזְקָֽה׃ יד אַךְ֩ לֹ֨א יֵעָשֶׂ֜ה
בֵּ֣ית יְהוָ֗ה סִפּ֥וֹת כֶּ֙סֶף֙ מְזַמְּר֤וֹת מִזְרָקוֹת֙ חֲצֹ֣צְר֔וֹת כָּל־כְּלִ֥י זָהָ֖ב וּכְלִי־כָ֑סֶף
מִן־הַכֶּ֖סֶף הַמּוּבָ֥א בֵית־יְהוָֽה׃ טו כִּֽי־לְעֹשֵׂ֥י הַמְּלָאכָ֖ה יִתְּנֻ֑הוּ וְחִזְּקוּ־ב֖וֹ
אֶת־בֵּ֥ית יְהוָֽה׃ טז וְלֹ֧א יְחַשְּׁב֣וּ אֶת־הָאֲנָשִׁ֗ים אֲשֶׁ֨ר יִתְּנ֤וּ אֶת־הַכֶּ֙סֶף֙ עַל־יָדָ֔ם
לָתֵ֖ת לְעֹשֵׂ֣י הַמְּלָאכָ֑ה כִּ֥י בֶאֱמֻנָ֖ה הֵ֥ם עֹשִֽׂים׃

[36] מלך
[37] בימין
[38] יד
[39] הפקדים

19 And he took the captains over hundreds, and the Carites, and the guard, and all the people of the land; and they brought down the king from the house of Yehovah, and came by the way of the gate of the guard unto the king's house. And he sat on the throne of the kings. **20** So all the people of the land rejoiced, and the city was quiet; and they slew Athaliah with the sword at the king's house.{S}

12 **1** Jehoash was seven years old when he began to reign.{P}

2 In the seventh year of Jehu began Jehoash to reign; and he reigned forty years in Yerushalam; and his mother's name was Zibiah of Beer-sheba. **3** And Jehoash did that which was right in the eyes of Yehovah all his days wherein Jehoiada the priest instructed him. **4** Howbeit the high places were not taken away; the people still sacrificed and offered in the high places. **5** And Jehoash said to the priests: 'All the money of the hallowed things that is brought into the house of Yehovah, in current money, the money of the persons for whom each man is rated, all the money that cometh into any man's heart to bring into the house of Yehovah, **6** let the priests take it to them, every man from him that bestoweth it upon him; and they shall repair the breaches of the house, wheresoever any breach shall be found.'{P}

7 But it was so, that in the three and twentieth year of king Jehoash the priests had not repaired the breaches of the house. **8** Then king Jehoash called for Jehoiada the priest, and for the other priests, and said unto them: 'Why repair ye not the breaches of the house? now therefore take no longer money from them that bestow it upon you, but deliver it for the breaches of the house.' **9** And the priests consented that they should take no longer money from the people, neither repair the breaches of the house. **10** And Jehoiada the priest took a chest, and bored a hole in the lid of it, and set it beside the altar, on the right side as one cometh into the house of Yehovah; and the priests that kept the threshold put therein all the money that was brought into the house of Yehovah. **11** And it was so, when they saw that there was much money in the chest, that the king's scribe and the high priest came up, and they put up in bags and counted the money that was found in the house of Yehovah. **12** And they gave the money that was weighed out into the hands of them that did the work, that had the oversight of the house of Yehovah; and they paid it out to the carpenters and the builders, that wrought upon the house of Yehovah, **13** and to the masons and the hewers of stone, and for buying timber and hewn stone to repair the breaches of the house of Yehovah, and for all that was laid out for the house to repair it. **14** But there were not made for the house of Yehovah cups of silver, snuffers, basins, trumpets, any vessels of gold, or vessels of silver, of the money that was brought into the house of Yehovah; **15** for they gave that to them that did the work, and repaired therewith the house of Yehovah. **16** Moreover they reckoned not with the men, into whose hand they delivered the money to give to them that did the work; for they dealt faithfully.

יז כֶּ֤סֶף אָשָׁם֙ וְכֶ֣סֶף חַטָּא֔וֹת לֹ֥א יוּבָ֖א בֵּ֣ית יְהוָ֑ה לַכֹּהֲנִ֖ים יִהְיֽוּ׃

יח אָ֣ז יַעֲלֶ֗ה חֲזָאֵל֙ מֶ֣לֶךְ אֲרָ֔ם וַיִּלָּ֥חֶם עַל־גַּ֖ת וַֽיִּלְכְּדָ֑הּ וַיָּ֤שֶׂם חֲזָאֵל֙ פָּנָ֔יו לַעֲל֖וֹת
עַל־יְרוּשָׁלִָֽם׃ יט וַיִּקַּ֞ח יְהוֹאָ֣שׁ מֶֽלֶךְ־יְהוּדָ֗ה אֵ֣ת כָּל־הַקֳּדָשִׁ֡ים אֲשֶׁר־הִקְדִּ֣ישׁוּ
יְהוֹשָׁפָ֣ט וִיהוֹרָ֣ם וַאֲחַזְיָ֡הוּ אֲבֹתָ֜יו מַלְכֵ֤י יְהוּדָה֙ וְאֶת־קֳדָשָׁ֔יו וְאֵ֣ת כָּל־הַזָּהָ֔ב
הַנִּמְצָ֛א בְּאֹצְר֥וֹת בֵּית־יְהוָ֖ה וּבֵ֣ית הַמֶּ֑לֶךְ וַיִּשְׁלַ֗ח לַחֲזָאֵל֙ מֶ֣לֶךְ אֲרָ֔ם וַיַּ֖עַל מֵעַ֥ל
יְרוּשָׁלִָֽם׃ כ וְיֶ֛תֶר דִּבְרֵ֥י יוֹאָ֖שׁ וְכָל־אֲשֶׁ֣ר עָשָׂ֑ה הֲלוֹא־הֵ֣ם כְּתוּבִ֗ים עַל־סֵ֛פֶר
דִּבְרֵ֥י הַיָּמִ֖ים לְמַלְכֵ֥י יְהוּדָֽה׃ כא וַיָּקֻ֥מוּ עֲבָדָ֖יו וַיִּקְשְׁרוּ־קָ֑שֶׁר וַיַּכּוּ֙ אֶת־יוֹאָ֔שׁ
בֵּ֥ית מִלֹּ֖א הַיּוֹרֵ֥ד סִלָּֽא׃ כב וְיוֹזָבָ֣ד בֶּן־שִׁ֠מְעָת וִיהוֹזָבָ֨ד בֶּן־שֹׁמֵ֤ר ׀ עֲבָדָיו֙
הִכֻּ֣הוּ וַיָּמֹ֔ת וַיִּקְבְּר֥וּ אֹת֛וֹ עִם־אֲבֹתָ֖יו בְּעִ֣יר דָּוִ֑ד וַיִּמְלֹ֛ךְ אֲמַצְיָ֥ה בְנ֖וֹ תַּחְתָּֽיו׃

יג א בִּשְׁנַ֨ת עֶשְׂרִ֤ים וְשָׁלֹשׁ֙ שָׁנָ֔ה לְיוֹאָ֥שׁ בֶּן־אֲחַזְיָ֖הוּ מֶ֣לֶךְ יְהוּדָ֑ה מָ֠לַךְ
יְהוֹאָחָ֨ז בֶּן־יֵה֤וּא עַל־יִשְׂרָאֵל֙ בְּשֹׁ֣מְר֔וֹן שְׁבַ֥ע עֶשְׂרֵ֖ה שָׁנָֽה׃ ב וַיַּ֥עַשׂ הָרַ֖ע
בְּעֵינֵ֣י יְהוָ֑ה וַ֠יֵּלֶךְ אַחַ֨ר חַטֹּ֜את יָרָבְעָ֧ם בֶּן־נְבָ֛ט אֲשֶׁר־הֶחֱטִ֥יא אֶת־יִשְׂרָאֵ֖ל
לֹא־סָ֥ר מִמֶּֽנָּה׃ ג וַיִּֽחַר־אַ֥ף יְהוָ֖ה בְּיִשְׂרָאֵ֑ל וַֽיִּתְּנֵ֞ם בְּיַ֣ד ׀ חֲזָאֵ֣ל מֶֽלֶךְ־אֲרָ֗ם
וּבְיַ֛ד בֶּן־הֲדַ֥ד בֶּן־חֲזָאֵ֖ל כָּל־הַיָּמִֽים׃ ד וַיְחַ֥ל יְהוֹאָחָ֖ז אֶת־פְּנֵ֣י יְהוָ֑ה וַיִּשְׁמַ֤ע
אֵלָיו֙ יְהוָ֔ה כִּ֤י רָאָה֙ אֶת־לַ֣חַץ יִשְׂרָאֵ֔ל כִּֽי־לָחַ֥ץ אֹתָ֖ם מֶ֥לֶךְ אֲרָֽם׃ ה וַיִּתֵּ֨ן
יְהוָ֤ה לְיִשְׂרָאֵל֙ מוֹשִׁ֔יעַ וַיֵּ֣צְא֔וּ מִתַּ֖חַת יַד־אֲרָ֑ם וַיֵּשְׁב֧וּ בְנֵֽי־יִשְׂרָאֵ֛ל בְּאָהֳלֵיהֶ֖ם
כִּתְמ֥וֹל שִׁלְשֽׁוֹם׃ ו אַ֠ךְ לֹא־סָ֜רוּ מֵחַטֹּ֤אות בֵּית־יָרָבְעָם֙
אֲשֶׁר־הֶחֱטִ֣יא[40] אֶת־יִשְׂרָאֵ֔ל בָּ֖הּ הָלָ֑ךְ וְגַם֙ הָאֲשֵׁרָ֔ה עָֽמְדָ֖ה בְּשֹׁמְרֽוֹן׃ ז כִּ֣י לֹא֩
הִשְׁאִ֨יר לִֽיהוֹאָחָ֜ז עָ֗ם כִּ֣י אִם־חֲמִשִּׁ֤ים פָּֽרָשִׁים֙ וַעֲשָׂ֣רָה רֶ֔כֶב וַעֲשֶׂ֥רֶת אֲלָפִ֖ים
רַגְלִ֑י כִּ֤י אִבְּדָם֙ מֶ֣לֶךְ אֲרָ֔ם וַיְשִׂמֵ֥ם כֶּעָפָ֖ר לָדֻֽשׁ׃ ח וְיֶ֨תֶר דִּבְרֵ֧י יְהוֹאָחָ֛ז
וְכָל־אֲשֶׁ֥ר עָשָׂ֖ה וּגְבוּרָת֑וֹ הֲלוֹא־הֵ֣ם כְּתוּבִ֗ים עַל־סֵ֛פֶר דִּבְרֵ֥י הַיָּמִ֖ים לְמַלְכֵ֥י
יִשְׂרָאֵֽל׃ ט וַיִּשְׁכַּ֤ב יְהוֹאָחָז֙ עִם־אֲבֹתָ֔יו וַיִּקְבְּרֻ֖הוּ בְּשֹׁמְר֑וֹן וַיִּמְלֹ֛ךְ יוֹאָ֥שׁ בְּנ֖וֹ
תַּחְתָּֽיו׃

י בִּשְׁנַ֨ת שְׁלֹשִׁ֤ים וָשֶׁ֙בַע֙ שָׁנָ֔ה לְיוֹאָ֖שׁ מֶ֣לֶךְ יְהוּדָ֑ה מָ֠לַךְ יְהוֹאָ֨שׁ בֶּן־יְהוֹאָחָ֤ז
עַל־יִשְׂרָאֵל֙ בְּשֹׁ֣מְר֔וֹן שֵׁ֥שׁ עֶשְׂרֵ֖ה שָׁנָֽה׃ יא וַיַּעֲשֶׂ֥ה הָרַ֖ע בְּעֵינֵ֣י יְהוָ֑ה לֹ֣א סָ֗ר
מִכָּל־חַטֹּ֞אות יָרָבְעָ֧ם בֶּן־נְבָ֛ט אֲשֶׁר־הֶחֱטִ֥יא אֶת־יִשְׂרָאֵ֖ל בָּ֥הּ הָלָֽךְ׃ יב וְיֶ֨תֶר
דִּבְרֵ֥י יוֹאָ֛שׁ וְכָל־אֲשֶׁ֥ר עָשָׂ֖ה וּגְבוּרָת֑וֹ אֲשֶׁ֤ר נִלְחַם֙ עִ֚ם אֲמַצְיָ֣ה מֶֽלֶךְ־יְהוּדָ֔ה
הֲלוֹא־הֵ֣ם כְּתוּבִ֗ים עַל־סֵ֛פֶר דִּבְרֵ֥י הַיָּמִ֖ים לְמַלְכֵ֥י יִשְׂרָאֵֽל׃ יג וַיִּשְׁכַּ֤ב יוֹאָשׁ֙
עִם־אֲבֹתָ֔יו וְיָרָבְעָ֖ם יָשַׁ֣ב עַל־כִּסְא֑וֹ וַיִּקָּבֵ֤ר יוֹאָשׁ֙ בְּשֹׁ֣מְר֔וֹן עִ֖ם מַלְכֵ֥י
יִשְׂרָאֵֽל׃

[40] החטי

17 The forfeit money, and the sin money, was not brought into the house of Yehovah; it was the priests'.{P}

18 Then Hazael king of Aram went up, and fought against Gath, and took it; and Hazael set his face to go up to Yerushalam. **19** And Jehoash king Judah took all the hallowed things that Jehoshaphat, and Jehoram, and Ahaziah, his fathers, kings of Judah, had dedicated, and his own hallowed things, and all the gold that was found in the treasures of the house of Yehovah, and of the king's house, and sent it to Hazael king of Aram; and he went away from Yerushalam. **20** Now the rest of the acts of Joash, and all that he did, are they not written in the book of the chronicles of the kings of Judah? **21** And his servants arose, and made a conspiracy, and smote Joash at Beth-millo, on the way that goeth down to Silla. **22** For Jozacar the son of Shimeath, and Jehozabad the son of Shomer, his servants, smote him, and he died; and they buried him with his fathers in the city of David; and Amaziah his son reigned in his stead.{P}

13 **1** In the three and twentieth year of Joash the son of Ahaziah, king of Judah, Jehoahaz the son of Jehu began to reign over Israel in Samaria, and reigned seventeen years. **2** And he did that which was evil in the sight of Yehovah, and followed the sins of Jeroboam the son of Nebat, wherewith he made Israel to sin; he departed not therefrom. **3** And the anger of Yehovah was kindled against Israel, and He delivered them into the hand of Hazael king of Aram, and into the hand of Ben-hadad the son of Hazael, continually. **4** And Jehoahaz besought Yehovah, and Yehovah hearkened unto him; for He saw the oppression of Israel, how that the king of Aram oppressed them.– **5** And Yehovah gave Israel a deliverer, so that they went out from under the hand of the Arameans; and the children of Israel dwelt in their tents, as beforetime. **6** Nevertheless they departed not from the sins of the house of Jeroboam, wherewith he made Israel to sin, but walked therein; and there remained the Asherah also in Samaria.– **7** For there was not left to Jehoahaz of the people save fifty horsemen, and ten chariots, and ten thousand footmen; for the king of Aram destroyed them, and made them like the dust in threshing. **8** Now the rest of the acts of Jehoahaz, and all that he did, and his might, are they not written in the book of the chronicles of the kings of Israel? **9** And Jehoahaz slept with his fathers; and they buried him in Samaria; and Joash his son reigned in his stead.{P}

10 In the thirty and seventh year of Joash king of Judah began Jehoash the son of Jehoahaz to reign over Israel in Samaria, and reigned sixteen years. **11** And he did that which was evil in the sight of Yehovah; he departed not from all the sins of Jeroboam the son of Nebat, wherewith he made Israel to sin; but he walked therein. **12** Now the rest of the acts of Joash, and all that he did, and his might wherewith he fought against Amaziah king of Judah, are they not written in the book of the chronicles of the kings of Israel? **13** And Joash slept with his fathers; and Jeroboam sat upon his throne; and Joash was buried in Samaria with the kings of Israel.{P}

יד וֶאֱלִישָׁע֙ חָלָ֣ה אֶת־חׇלְי֔וֹ אֲשֶׁ֥ר יָמ֖וּת בּ֑וֹ וַיֵּ֣רֶד אֵ֠לָיו יוֹאָ֨שׁ מֶֽלֶךְ־יִשְׂרָאֵ֜ל
וַיֵּ֣בְךְּ עַל־פָּנָ֗יו וַיֹּאמַ֙ר אָבִ֣י ׀ אָבִ֔י רֶ֥כֶב יִשְׂרָאֵ֖ל וּפָרָשָֽׁיו׃ טו וַיֹּ֤אמֶר לוֹ֙
אֱלִישָׁ֔ע קַ֥ח קֶ֖שֶׁת וְחִצִּ֑ים וַיִּקַּ֥ח אֵלָ֛יו קֶ֖שֶׁת וְחִצִּֽים׃ טז וַיֹּ֣אמֶר ׀ לְמֶ֣לֶךְ
יִשְׂרָאֵ֗ל הַרְכֵּ֤ב יָֽדְךָ֙ עַל־הַקֶּ֔שֶׁת וַיַּרְכֵּ֖ב יָד֑וֹ וַיָּ֧שֶׂם אֱלִישָׁ֛ע יָדָ֖יו עַל־יְדֵ֥י
הַמֶּֽלֶךְ׃ יז וַיֹּ֗אמֶר פְּתַ֛ח הַחַלּ֥וֹן קֵ֖דְמָה וַיִּפְתָּ֑ח וַיֹּ֨אמֶר אֱלִישָׁ֥ע יְרֵה֙ וַיּ֔וֹר
וַ֠יֹּאמֶר חֵֽץ־תְּשׁוּעָ֨ה לַֽיהֹוָ֜ה וְחֵ֤ץ תְּשׁוּעָה֙ בַאֲרָ֔ם וְהִכִּיתָ֧ אֶת־אֲרָ֛ם בַּאֲפֵ֖ק
עַד־כַּלֵּֽה׃ יח וַיֹּ֙אמֶר קַ֣ח הַחִצִּ֔ים וַיִּקָּ֑ח וַיֹּ֤אמֶר לְמֶֽלֶךְ־יִשְׂרָאֵל֙ הַךְ־אַ֔רְצָה
וַיַּ֥ךְ שָׁלֹשׁ־פְּעָמִ֖ים וַֽיַּעֲמֹֽד׃ יט וַיִּקְצֹ֨ף עָלָ֜יו אִ֣ישׁ הָאֱלֹהִ֗ים וַיֹּ֙אמֶר֙ לְהַכּ֔וֹת
חָמֵ֤שׁ אוֹ־שֵׁשׁ֙ פְּעָמִ֔ים אָ֛ז הִכִּ֥יתָ אֶת־אֲרָ֖ם עַד־כַּלֵּ֑ה וְעַתָּ֕ה שָׁלֹ֥שׁ פְּעָמִ֖ים
תַּכֶּ֥ה אֶת־אֲרָֽם׃ כ וַיָּ֥מׇת אֱלִישָׁ֖ע וַֽיִּקְבְּרֻ֑הוּ וּגְדוּדֵ֥י מוֹאָ֛ב יָבֹ֥אוּ בָאָ֖רֶץ בָּ֥א
שָׁנָֽה׃ כא וַיְהִ֞י הֵ֣ם ׀ קֹבְרִ֣ים אִ֗ישׁ וְהִנֵּה֙ רָא֣וּ אֶת־הַגְּד֔וּד וַיַּשְׁלִ֥יכוּ אֶת־הָאִ֖ישׁ
בְּקֶ֣בֶר אֱלִישָׁ֑ע וַיֵּ֣לֶךְ וַיִּגַּ֤ע הָאִישׁ֙ בְּעַצְמ֣וֹת אֱלִישָׁ֔ע וַיְחִ֖י וַיָּ֥קׇם עַל־רַגְלָֽיו׃

כב וַחֲזָאֵל֙ מֶ֣לֶךְ אֲרָ֔ם לָחַ֖ץ אֶת־יִשְׂרָאֵ֑ל כֹּ֖ל יְמֵ֥י יְהוֹאָחָֽז׃ כג וַיָּ֣חׇן יְהֹוָ֣ה
אֹתָ֡ם וַֽיְרַחֲמֵם֩ וַיִּ֨פֶן אֲלֵיהֶ֜ם לְמַ֣עַן בְּרִית֗וֹ אֶת־אַבְרָהָ֥ם יִצְחָ֖ק וְיַעֲקֹ֑ב וְלֹ֤א
אָבָה֙ הַשְׁחִיתָ֔ם וְלֹא־הִשְׁלִיכָ֥ם מֵעַל־פָּנָ֖יו עַד־עָֽתָּה׃ כד וַיָּ֖מׇת חֲזָאֵ֣ל
מֶֽלֶךְ־אֲרָ֑ם וַיִּמְלֹ֛ךְ בֶּן־הֲדַ֥ד בְּנ֖וֹ תַּחְתָּֽיו׃ כה וַיָּ֡שׇׁב יְהוֹאָ֣שׁ בֶּן־יְהוֹאָחָ֡ז וַיִּקַּ֣ח
אֶת־הֶ֠עָרִ֠ים מִיַּ֨ד בֶּן־הֲדַ֤ד בֶּן־חֲזָאֵל֙ אֲשֶׁ֣ר לָקַ֔ח מִיַּ֛ד יְהוֹאָחָ֥ז אָבִ֖יו
בַּמִּלְחָמָ֑ה שָׁלֹ֤שׁ פְּעָמִים֙ הִכָּ֣הוּ יוֹאָ֔שׁ וַיָּ֖שֶׁב אֶת־עָרֵ֥י יִשְׂרָאֵֽל׃

יד א בִּשְׁנַ֣ת שְׁתַּ֔יִם לְיוֹאָ֥שׁ בֶּן־יוֹאָחָ֖ז מֶ֣לֶךְ יִשְׂרָאֵ֑ל מָלַ֕ךְ אֲמַצְיָ֥הוּ בֶן־יוֹאָ֖שׁ
מֶ֥לֶךְ יְהוּדָֽה׃ ב בֶּן־עֶשְׂרִ֨ים וְחָמֵ֤שׁ שָׁנָה֙ הָיָ֣ה בְמׇלְכ֔וֹ וְעֶשְׂרִ֤ים וָתֵ֙שַׁע֙ שָׁנָ֔ה
מָלַ֖ךְ בִּירוּשָׁלָ֑ם וְשֵׁ֣ם אִמּ֔וֹ יְהוֹעַדָּ֖ן[41] מִן־יְרוּשָׁלָֽם׃ ג וַיַּ֤עַשׂ הַיָּשָׁר֙ בְּעֵינֵ֣י יְהֹוָ֔ה
רַ֕ק לֹ֖א כְּדָוִ֣ד אָבִ֑יו כְּכֹ֧ל אֲשֶׁר־עָשָׂ֛ה יוֹאָ֥שׁ אָבִ֖יו עָשָֽׂה׃ ד רַ֥ק הַבָּמ֖וֹת
לֹא־סָ֑רוּ ע֥וֹד הָעָ֛ם מְזַבְּחִ֥ים וּֽמְקַטְּרִ֖ים בַּבָּמֽוֹת׃ ה וַיְהִ֕י כַּאֲשֶׁ֛ר חָזְקָ֥ה
הַמַּמְלָכָ֖ה בְּיָד֑וֹ וַיַּךְ֙ אֶת־עֲבָדָ֔יו הַמַּכִּ֖ים אֶת־הַמֶּ֥לֶךְ אָבִֽיו׃ ו וְאֶת־בְּנֵ֥י
הַמַּכִּ֖ים לֹ֣א הֵמִ֑ית כַּכָּת֣וּב בְּסֵֽפֶר תּֽוֹרַת־מֹשֶׁה֩ אֲשֶׁר־צִוָּ֨ה יְהֹוָ֜ה לֵאמֹ֗ר
לֹא־יוּמְת֨וּ אָב֤וֹת עַל־בָּנִים֙ וּבָנִ֞ים לֹא־יוּמְת֣וּ עַל־אָב֔וֹת כִּ֛י אִם־אִ֥ישׁ בְּחֶטְא֖וֹ
יוּמָֽת[42]׃ ז הֽוּא־הִכָּ֨ה אֶת־אֱד֤וֹם בְּגֵיא־מֶ֙לַח֙[43] עֲשֶׂ֣רֶת אֲלָפִ֔ים וְתָפַ֥שׂ
אֶת־הַסֶּ֖לַע בַּמִּלְחָמָ֑ה וַיִּקְרָ֤א אֶת־שְׁמָהּ֙ יׇקְתְאֵ֔ל עַ֖ד הַיּ֥וֹם הַזֶּֽה׃

[41] יהועדין
[42] ימות
[43] המלח

14 Now Elisha was fallen sick of his sickness whereof he was to die; and Joash the king of Israel came down unto him, and wept over him, and said: 'My father, my father, the chariots of Israel and the horsemen thereof!' **15** And Elisha said unto him: 'Take bow and arrows'; and he took unto him bow and arrows. **16** And he said to the king of Israel: 'Put thy hand upon the bow'; and he put his hand upon it. And Elisha laid his hands upon the king's hands. **17** And he said: 'Open the window eastward'; and he opened it. Then Elisha said: 'Shoot'; and he shot. And he said: 'Yehovah's arrow of victory, even the arrow of victory against Aram; for thou shalt smite the Arameans in Aphek, till thou have consumed them.' **18** And he said: 'Take the arrows'; and he took them. And he said unto the king of Israel: 'Smite upon the ground'; and he smote thrice, and stayed. **19** And the man of God was wroth with him, and said: 'Thou shouldest have smitten five or six times; then hadst thou smitten Aram till thou hadst consumed it; whereas now thou shalt smite Aram but thrice.'{P}

20 And Elisha died, and they buried him. Now the bands of the Moabites used to invade the land at the coming in of the year. **21** And it came to pass, as they were burying a man, that, behold, they spied a band; and they cast the man into the sepulchre of Elisha; and as soon as the man touched the bones of Elisha, he revived, and stood up on his feet.{P}

22 And Hazael king of Aram oppressed Israel all the days of Jehoahaz. **23** But Yehovah was gracious unto them, and had compassion on them, and had respect unto them, because of His covenant with Abraham, Isaac, and Jacob, and would not destroy them, neither hath He cast them from His presence until now. **24** And Hazael king of Aram died; and Ben-hadad his son reigned in his stead. **25** And Jehoash the son of Jehoahaz took again out of the hand of Ben-hadad the son of Hazael the cities which he had taken out of the hand of Jehoahaz his father by war. Three times did Joash smite him, and recovered the cities of Israel.{P}

14 **1** In the second year of Joash son of Joahaz king of Israel began Amaziah the son of Joash king of Judah to reign. **2** He was twenty and five years old when he began to reign; and he reigned twenty and nine years in Yerushalam; and his mother's name was Jehoaddan of Yerushalam. **3** And he did that which was right in the eyes of Yehovah, yet not like David his father; he did according to all that Joash his father had done. **4** Howbeit the high places were not taken away; the people still sacrificed and offered in the high places. **5** And it came to pass, as soon as the kingdom was established in his hand, that he slew his servants who had slain the king his father; **6** but the children of the murderers he put not to death; according to that which is written in the book of the Torah of Moses, as Yehovah commanded saying: 'The fathers shall not be put to death for the children, nor the children be put to death for the fathers; but every man shall be put to death for his own sin.' **7** He slew of Edom in the Valley of Salt ten thousand, and took Sela by war, and called the name of it Joktheel, unto this day.{P}

חַ אָ֣ז שָׁלַ֣ח אֲמַצְיָ֗ה מַלְאָכִ֞ים אֶל־יְהוֹאָ֨שׁ בֶּן־יְהוֹאָחָ֧ז בֶּן־יֵה֛וּא מֶ֥לֶךְ יִשְׂרָאֵ֖ל לֵאמֹ֑ר לְכָ֖ה נִתְרָאֶ֥ה פָנִֽים: ט וַיִּשְׁלַ֞ח יְהוֹאָ֣שׁ מֶֽלֶךְ־יִשְׂרָאֵ֗ל אֶל־אֲמַצְיָ֣הוּ מֶֽלֶךְ־יְהוּדָה֮ לֵאמֹר֒ הַח֜וֹחַ אֲשֶׁ֣ר בַּלְּבָנ֗וֹן שָׁ֠לַ֠ח אֶל־הָאֶ֜רֶז אֲשֶׁ֤ר בַּלְּבָנוֹן֙ לֵאמֹ֔ר תְּנָֽה־אֶת־בִּתְּךָ֥ לִבְנִ֖י לְאִשָּׁ֑ה וַֽתַּעֲבֹ֞ר חַיַּ֤ת הַשָּׂדֶה֙ אֲשֶׁ֣ר בַּלְּבָנ֔וֹן וַתִּרְמֹ֖ס אֶת־הַחֽוֹחַ: י הַכֵּ֤ה הִכִּ֙יתָ֙ אֶת־אֱד֔וֹם וּֽנְשָׂאֲךָ֖ לִבֶּ֑ךָ הִכָּבֵד֙ וְשֵׁ֣ב בְּבֵיתֶ֔ךָ וְלָ֤מָּה תִתְגָּרֶה֙ בְּרָעָ֔ה וְנָ֣פַלְתָּ֔ה אַתָּ֖ה וִיהוּדָ֥ה עִמָּֽךְ: יא וְלֹא־שָׁמַ֣ע אֲמַצְיָ֗הוּ וַיַּ֨עַל יְהוֹאָ֤שׁ מֶֽלֶךְ־יִשְׂרָאֵל֙ וַיִּתְרָא֣וּ פָנִ֔ים ה֖וּא וַאֲמַצְיָ֣הוּ מֶֽלֶךְ־יְהוּדָ֑ה בְּבֵ֥ית שֶׁ֖מֶשׁ אֲשֶׁ֥ר לִיהוּדָֽה: יב וַיִּנָּ֥גֶף יְהוּדָ֖ה לִפְנֵ֣י יִשְׂרָאֵ֑ל וַיָּנֻ֖סוּ אִ֥ישׁ לְאֹהָלָֽיו:[44] יג וְאֵת֩ אֲמַצְיָ֨הוּ מֶֽלֶךְ־יְהוּדָ֜ה בֶּן־יְהוֹאָ֣שׁ בֶּן־אֲחַזְיָ֗הוּ תָּפַ֛שׂ יְהוֹאָ֥שׁ מֶֽלֶךְ־יִשְׂרָאֵ֖ל בְּבֵ֣ית שָׁ֑מֶשׁ וַיָּבֹא֙[45] יְר֣וּשָׁלַ֔͏ִם וַיִּפְרֹ֞ץ בְּחוֹמַ֣ת יְרוּשָׁלַ֗͏ִם בְּשַׁ֤עַר אֶפְרַ֙יִם֙ עַד־שַׁ֣עַר הַפִּנָּ֔ה אַרְבַּ֖ע מֵא֥וֹת אַמָּֽה: יד וְלָקַ֣ח אֶת־כָּל־הַזָּהָ֣ב־וְ֠הַכֶּ֠סֶף וְאֵ֨ת כָּל־הַכֵּלִ֜ים הַנִּמְצְאִ֣ים בֵּית־יְהֹוָ֗ה וּבְאֹֽצְרוֹת֙ בֵּ֣ית הַמֶּ֔לֶךְ וְאֵ֖ת בְּנֵ֣י הַתַּֽעֲרֻב֑וֹת וַיָּ֖שָׁב שֹׁמְרֽוֹנָה: טו וְיֶ֩תֶר֩ דִּבְרֵ֨י יְהוֹאָ֜שׁ אֲשֶׁ֤ר עָשָׂה֙ וּגְב֣וּרָת֔וֹ וַאֲשֶׁ֣ר נִלְחַ֔ם עִ֖ם אֲמַצְיָ֣הוּ מֶֽלֶךְ־יְהוּדָ֑ה הֲלֹא־הֵ֣ם כְּתוּבִ֗ים עַל־סֵ֛פֶר דִּבְרֵ֥י הַיָּמִ֖ים לְמַלְכֵ֥י יִשְׂרָאֵֽל: טז וַיִּשְׁכַּ֤ב יְהוֹאָשׁ֙ עִם־אֲבֹתָ֔יו וַיִּקָּבֵר֙ בְּשֹׁ֣מְר֔וֹן עִ֖ם מַלְכֵ֣י יִשְׂרָאֵ֑ל וַיִּמְלֹ֛ךְ יָרָבְעָ֥ם בְּנ֖וֹ תַּחְתָּֽיו:

יז וַיְחִ֨י אֲמַצְיָ֤הוּ בֶן־יוֹאָשׁ֙ מֶ֣לֶךְ יְהוּדָ֔ה אַֽחֲרֵ֣י מ֗וֹת יְהוֹאָ֧שׁ בֶּן־יְהוֹאָחָ֛ז מֶ֥לֶךְ יִשְׂרָאֵ֖ל חֲמֵ֥שׁ עֶשְׂרֵ֖ה שָׁנָֽה: יח וְיֶ֛תֶר דִּבְרֵ֥י אֲמַצְיָ֖הוּ הֲלֹא־הֵ֣ם כְּתוּבִ֗ים עַל־סֵ֛פֶר דִּבְרֵ֥י הַיָּמִ֖ים לְמַלְכֵ֥י יְהוּדָֽה: יט וַיִּקְשְׁר֨וּ עָלָ֥יו קֶ֛שֶׁר בִּירוּשָׁלַ֖͏ִם וַיָּ֣נָס לָכִ֑ישָׁה וַיִּשְׁלְח֤וּ אַֽחֲרָיו֙ לָכִ֔ישָׁה וַיְמִתֻ֖הוּ שָֽׁם: כ וַיִּשְׂא֖וּ אֹת֣וֹ עַל־הַסּוּסִ֑ים וַיִּקָּבֵ֧ר בִּירוּשָׁלַ֛͏ִם עִם־אֲבֹתָ֖יו בְּעִ֥יר דָּוִֽד: כא וַיִּקְח֞וּ כָּל־עַ֤ם יְהוּדָה֙ אֶת־עֲזַרְיָ֔ה וְה֕וּא בֶּן־שֵׁ֥שׁ עֶשְׂרֵ֖ה שָׁנָ֑ה וַיַּמְלִ֣כוּ אֹת֔וֹ תַּ֖חַת אָבִ֥יו אֲמַצְיָֽהוּ: כב ה֣וּא בָּנָ֤ה אֶת־אֵילַת֙ וַיְשִׁבֶ֣הָ לִֽיהוּדָ֔ה אַחֲרֵ֥י שְׁכַֽב־הַמֶּ֖לֶךְ עִם־אֲבֹתָֽיו:

כג בִּשְׁנַת֩ חֲמֵשׁ־עֶשְׂרֵ֨ה שָׁנָ֜ה לַֽאֲמַצְיָ֤הוּ בֶן־יוֹאָשׁ֙ מֶ֣לֶךְ יְהוּדָ֔ה מָ֠לַ֠ךְ יָרָבְעָ֨ם בֶּן־יוֹאָ֧שׁ מֶֽלֶךְ־יִשְׂרָאֵ֛ל בְּשֹׁמְר֖וֹן אַרְבָּעִ֥ים וְאַחַ֖ת שָׁנָֽה: כד וַיַּ֥עַשׂ הָרַ֖ע בְּעֵינֵ֣י יְהֹוָ֑ה לֹ֣א סָ֗ר מִכָּל־חַטֹּאות֙ יָרָבְעָ֣ם בֶּן־נְבָ֔ט אֲשֶׁ֥ר הֶחֱטִ֖יא אֶת־יִשְׂרָאֵֽל: כה ה֣וּא הֵשִׁ֞יב אֶת־גְּב֣וּל יִשְׂרָאֵ֗ל מִלְּב֥וֹא חֲמָ֛ת עַד־יָ֥ם הָעֲרָבָ֖ה כִּדְבַ֤ר יְהֹוָה֙ אֱלֹהֵ֣י יִשְׂרָאֵ֔ל אֲשֶׁ֣ר דִּבֶּ֗ר בְּיַד־עַבְדּ֞וֹ יוֹנָ֤ה בֶן־אֲמִתַּי֙ הַנָּבִ֔יא אֲשֶׁ֖ר מִגַּ֥ת הַחֵֽפֶר: כו כִּֽי־רָאָ֧ה יְהֹוָ֛ה אֶת־עֳנִ֥י יִשְׂרָאֵ֖ל מֹרֶ֣ה מְאֹ֑ד וְאֶ֤פֶס עָצוּר֙ וְאֶ֣פֶס עָז֔וּב וְאֵ֥ין עֹזֵ֖ר לְיִשְׂרָאֵֽל: כז וְלֹא־דִבֶּ֣ר יְהֹוָ֔ה לִמְח֙וֹת֙ אֶת־שֵׁ֣ם יִשְׂרָאֵ֔ל מִתַּ֖חַת הַשָּׁמָ֑יִם וַיּ֣וֹשִׁיעֵ֔ם בְּיַ֖ד יָרָבְעָ֥ם בֶּן־יוֹאָֽשׁ:

---

[44] לְאֹהָלָֽיו
[45] וַיָּבֹא

8 Then Amaziah sent messengers to Jehoash, the son of Jehoahaz son of Jehu, king of Israel, saying: 'Come, let us look one another in the face.' **9** And Jehoash the king of Israel sent to Amaziah king of Judah, saying: 'The thistle that was in Lebanon sent to the cedar that was in Lebanon, saying: Give thy daughter to my son to wife; and there passed by the wild beasts that were in Lebanon, and trod down the thistle. **10** Thou hast indeed smitten Edom, and will thy heart lift thee up? glory therein, and remain at home; for why shouldest thou meddle with evil, that thou shouldest fall, even thou, and Judah with thee? **11** But Amaziah would not hear. So Jehoash king of Israel went up; and he and Amaziah king of Judah looked one another in the face at Beth-shemesh, which belongeth to Judah. **12** And Judah was put to the worse before Israel; and they fled every man to his tent. **13** And Jehoash king of Israel took Amaziah king of Judah, the son of Jehoash the son of Ahaziah, at Beth-shemesh, and came to Yerushalam, and broke down the wall of Yerushalam from the gate of Ephraim unto the corner gate, four hundred cubits. **14** And he took all the gold and silver, and all the vessels that were found in the house of Yehovah, and in the treasures of the king's house, the hostages also, and returned to Samaria. **15** Now the rest of the acts of Jehoash which he did, and his might, and how he fought with Amaziah king of Judah, are they not written in the book of the chronicles of the kings of Israel? **16** And Jehoash slept with his fathers, and was buried in Samaria with the kings of Israel; and Jeroboam his son reigned in his stead.{P}

17 And Amaziah the son of Joash king of Judah lived after the death of Jehoash son of Jehoahaz king of Israel fifteen years. **18** Now the rest of the acts of Amaziah, are they not written in the book of the chronicles of the kings of Judah? **19** And they made a conspiracy against him in Yerushalam; and he fled to Lachish; but they sent after him to Lachish, and slew him there. **20** And they brought him upon horses; and he was buried at Yerushalam with his fathers in the city of David. **21** And all the people of Judah took Azariah, who was sixteen years old, and made him king in the room of his father Amaziah. **22** He built Elath, and restored it to Judah, after that the king slept with his fathers.{P}

23 In the fifteenth year of Amaziah the son of Joash king of Judah Jeroboam the son of Joash king of Israel began to reign in Samaria, and reigned forty and one years. **24** And he did that which was evil in the sight of Yehovah; he departed not from all the sins of Jeroboam the son of Nebat, wherewith he made Israel to sin. **25** He restored the border of Israel from the entrance of Hamath unto the sea of the Arabah, according to the word of Yehovah, the God of Israel, which He spoke by the hand of His servant Jonah the son of Amittai, the prophet, who was of Gath-hepher. **26** For Yehovah saw the affliction of Israel, that it was very bitter; for there was none shut up nor left at large, neither was there any helper for Israel. **27** And Yehovah said not that He would blot out the name of Israel from under heaven; but He saved them by the hand of Jeroboam the son of Joash.

כח וְיֶ֩תֶר֩ דִּבְרֵ֨י יָרׇבְעָ֜ם וְכׇל־אֲשֶׁ֣ר עָשָׂ֗ה וּגְבֽוּרָתֹ֤ו אֲשֶׁר־נִלְחָם֙ וַאֲשֶׁ֣ר הֵשִׁ֔יב אֶת־דַּמֶּ֤שֶׂק וְאֶת־חֲמָת֙ לִיהוּדָ֣ה בְּיִשְׂרָאֵ֔ל הֲלֹא־הֵ֣ם כְּתוּבִ֔ים עַל־סֵ֖פֶר דִּבְרֵ֣י הַיָּמִ֑ים לְמַלְכֵ֖י יִשְׂרָאֵֽל: כט וַיִּשְׁכַּ֤ב יָרׇבְעָם֙ עִם־אֲבֹתָ֔יו עִ֖ם מַלְכֵ֣י יִשְׂרָאֵ֑ל וַיִּמְלֹ֛ךְ זְכַרְיָ֥ה בְּנֹ֖ו תַּחְתָּֽיו:

יה א בִּשְׁנַ֨ת עֶשְׂרִ֤ים וָשֶׁ֙בַע֙ שָׁנָ֔ה לְיָרׇבְעָ֖ם מֶ֣לֶךְ יִשְׂרָאֵ֑ל מָלַ֛ךְ עֲזַרְיָ֥ה בֶן־אֲמַצְיָ֖ה מֶ֥לֶךְ יְהוּדָֽה: ב בֶּן־שֵׁ֣שׁ עֶשְׂרֵ֤ה שָׁנָה֙ הָיָ֣ה בְמׇלְכֹ֔ו וַחֲמִשִּׁ֤ים וּשְׁתַּ֙יִם֙ שָׁנָ֔ה מָלַ֖ךְ בִּירוּשָׁלָ֑͏ִם וְשֵׁ֣ם אִמֹּ֔ו יְכׇלְיָ֖הוּ מִירוּשָׁלָֽ͏ִם: ג וַיַּ֥עַשׂ הַיָּשָׁ֖ר בְּעֵינֵ֣י יְהֹוָ֑ה כְּכֹ֥ל אֲשֶׁר־עָשָׂ֖ה אֲמַצְיָ֥הוּ אָבִֽיו: ד רַ֥ק הַבָּמֹ֖ות לֹא־סָ֑רוּ עֹ֥וד הָעָ֛ם מְזַבְּחִ֥ים וּֽמְקַטְּרִ֖ים בַּבָּמֹֽות: ה וַיְנַגַּ֨ע יְהֹוָ֜ה אֶת־הַמֶּ֗לֶךְ וַיְהִ֤י מְצֹרָע֙ עַד־יֹ֣ום מֹתֹ֔ו וַיֵּ֖שֶׁב בְּבֵ֣ית הַחׇפְשִׁ֑ית וְיֹותָ֤ם בֶּן־הַמֶּ֙לֶךְ֙ עַל־הַבַּ֔יִת שֹׁפֵ֖ט אֶת־עַ֥ם הָאָֽרֶץ: ו וְיֶ֛תֶר דִּבְרֵ֥י עֲזַרְיָ֖הוּ וְכׇל־אֲשֶׁ֣ר עָשָׂ֑ה הֲלֹא־הֵ֣ם כְּתוּבִ֗ים עַל־סֵ֛פֶר דִּבְרֵ֥י הַיָּמִ֖ים לְמַלְכֵ֥י יְהוּדָֽה: ז וַיִּשְׁכַּ֨ב עֲזַרְיָ֜ה עִם־אֲבֹתָ֗יו וַיִּקְבְּר֤וּ אֹתֹו֙ עִם־אֲבֹתָ֔יו בְּעִ֣יר דָּוִ֑ד וַיִּמְלֹ֛ךְ יֹותָ֥ם בְּנֹ֖ו תַּחְתָּֽיו:

ח בִּשְׁנַ֨ת שְׁלֹשִׁ֤ים וּשְׁמֹנֶה֙ שָׁנָ֔ה לַעֲזַרְיָ֖הוּ מֶ֣לֶךְ יְהוּדָ֑ה מָ֠לַ֠ךְ זְכַרְיָ֨הוּ בֶן־יָרׇבְעָ֧ם עַל־יִשְׂרָאֵ֛ל בְּשֹׁמְרֹ֖ון שִׁשָּׁ֥ה חֳדָשִֽׁים: ט וַיַּ֤עַשׂ הָרַע֙ בְּעֵינֵ֣י יְהֹוָ֔ה כַּאֲשֶׁ֥ר עָשׂ֖וּ אֲבֹתָ֑יו לֹ֣א סָ֗ר מֵֽחַטֹּאות֙ יָרׇבְעָ֣ם בֶּן־נְבָ֔ט אֲשֶׁ֥ר הֶחֱטִ֖יא אֶת־יִשְׂרָאֵֽל: י וַיִּקְשֹׁ֤ר עָלָיו֙ שַׁלֻּ֣ם בֶּן־יָבֵ֔שׁ וַיַּכֵּ֥הוּ קׇבׇלְעָ֖ם וַיְמִיתֵ֑הוּ וַיִּמְלֹ֖ךְ תַּחְתָּֽיו: יא וְיֶ֖תֶר דִּבְרֵ֣י זְכַרְיָ֑ה הִנָּ֣ם כְּתוּבִ֗ים עַל־סֵ֛פֶר דִּבְרֵ֥י הַיָּמִ֖ים לְמַלְכֵ֥י יִשְׂרָאֵֽל: יב ה֣וּא דְבַר־יְהֹוָ֗ה אֲשֶׁ֨ר דִּבֶּ֤ר אֶל־יֵהוּא֙ לֵאמֹ֔ר בְּנֵ֣י רְבִיעִ֔ים יֵשְׁב֥וּ לְךָ֖ עַל־כִּסֵּ֣א יִשְׂרָאֵ֑ל וַֽיְהִי־כֵֽן:

יג שַׁלּ֣וּם בֶּן־יָבֵ֗ישׁ מָלַ֤ךְ בִּשְׁנַת֙ שְׁלֹשִׁ֣ים וָתֵ֔שַׁע שָׁנָ֖ה לְעֻזִּיָּ֣ה מֶ֣לֶךְ יְהוּדָ֑ה וַיִּמְלֹ֥ךְ יֶֽרַח־יָמִ֖ים בְּשֹׁמְרֹֽון: יד וַיַּֽעַל֩ מְנַחֵ֨ם בֶּן־גָּדִ֜י מִתִּרְצָ֗ה וַיָּבֹא֙ שֹׁמְרֹ֔ון וַיַּ֛ךְ אֶת־שַׁלּ֥וּם בֶּן־יָבֵ֖ישׁ בְּשֹׁמְרֹ֑ון וַיְמִיתֵ֖הוּ וַיִּמְלֹ֥ךְ תַּחְתָּֽיו: טו וְיֶ֤תֶר דִּבְרֵ֤י שַׁלּוּם֙ וְקִשְׁרֹ֣ו אֲשֶׁ֣ר קָשָׁ֔ר הִנָּ֣ם כְּתֻבִ֗ים עַל־סֵ֛פֶר דִּבְרֵ֥י הַיָּמִ֖ים לְמַלְכֵ֥י יִשְׂרָאֵֽל: טז אָ֣ז יַכֶּֽה־מְ֠נַחֵ֠ם אֶת־תִּפְסַ֨ח וְאֶת־כׇּל־אֲשֶׁר־בָּ֤הּ וְאֶת־גְּבוּלֶ֙יהָ֙ מִתִּרְצָ֔ה כִּ֛י לֹ֥א פָתַ֖ח וַיַּ֑ךְ אֵ֥ת כׇּל־הֶהָרֹותֶ֖יהָ בִּקֵּֽעַ:

יז בִּשְׁנַ֨ת שְׁלֹשִׁ֤ים וָתֵ֙שַׁע֙ שָׁנָ֔ה לַעֲזַרְיָ֖ה מֶ֣לֶךְ יְהוּדָ֑ה מָ֠לַ֠ךְ מְנַחֵ֨ם בֶּן־גָּדִ֤י עַל־יִשְׂרָאֵל֙ עֶ֣שֶׂר שָׁנִ֔ים בְּשֹׁמְרֹֽון: יח וַיַּ֥עַשׂ הָרַ֖ע בְּעֵינֵ֣י יְהֹוָ֑ה לֹ֣א סָ֗ר מֵעַ֛ל חַטֹּאות יָרׇבְעָ֧ם בֶּן־נְבָ֛ט אֲשֶׁ֥ר הֶחֱטִ֖יא אֶת־יִשְׂרָאֵ֑ל כׇּל־יָמָֽיו: יט בָּ֣א פ֤וּל מֶֽלֶךְ־אַשּׁוּר֙ עַל־הָאָ֔רֶץ וַיִּתֵּ֤ן מְנַחֵם֙ לְפ֔וּל אֶ֖לֶף כִּכַּר־כָּ֑סֶף לִהְיֹ֤ות יָדָיו֙ אִתֹּ֔ו לְהַחֲזִ֥יק הַמַּמְלָכָ֖ה בְּיָדֹֽו:

28 Now the rest of the acts of Jeroboam, and all that he did, and his might, how he warred, and how he recovered Damascus, and Hamath, for Judah in Israel, are they not written in the book of the chronicles of the kings of Israel? **29** And Jeroboam slept with his fathers, even with the kings of Israel; and Zechariah his son reigned in his stead.{P}

15 1 In the twenty and seventh year of Jeroboam king of Israel began Azariah son of Amaziah king of Judah to reign. **2** Sixteen years old was he when he began to reign; and he reigned two and fifty years in Yerushalam; and his mother's name was Jecoliah of Yerushalam. **3** And he did that which was right in the eyes of Yehovah, according to all that his father Amaziah had done. **4** Howbeit the high places were not taken away; the people still sacrificed and offered in the high places. **5** And Yehovah smote the king, so that he was a leper unto the day of his death, and dwelt in a house set apart. And Jotham the king's son was over the household, judging the people of the land. **6** Now the rest of the acts of Azariah, and all that he did, are they not written in the book of the chronicles of the kings of Judah? **7** And Azariah slept with his fathers; and they buried him with his fathers in the city of David; and Jotham his son reigned in his stead.{P}

8 In the thirty and eighth year of Azariah king of Judah did Zechariah the son of Jeroboam reign over Israel in Samaria six months. **9** And he did that which was evil in the sight of Yehovah, as his fathers had done; he departed not from the sins of Jeroboam the son of Nebat, wherewith he made Israel to sin. **10** And Shallum the son of Jabesh conspired against him, and smote him before the people, and slew him, and reigned in his stead. **11** Now the rest of the acts of Zechariah, behold, they are written in the book of the chronicles of the kings of Israel. **12** This was the word of Yehovah which He spoke unto Jehu, saying: 'Thy sons to the fourth generation shall sit upon the throne of Israel.' And so it came to pass.{P}

13 Shallum the son of Jabesh began to reign in the nine and thirtieth year of Uzziah king of Judah; and he reigned the space of a month in Samaria. **14** And Menahem the son of Gadi went up from Tirzah, and came to Samaria, and smote Shallum the son of Jabesh in Samaria, and slew him, and reigned in his stead. **15** Now the rest of the acts of Shallum, and his conspiracy which he made, behold, they are written in the book of the chronicles of the kings of Israel.{S} **16** Then Menahem smote Tiphsah, and all that were therein, and the borders thereof, from Tirzah; because they opened not to him, therefore he smote it; and all the women therein that were with child he ripped up.{P}

17 In the nine and thirtieth year of Azariah king of Judah began Menahem the son of Gadi to reign over Israel, and reigned ten years in Samaria. **18** And he did that which was evil in the sight of Yehovah; he departed not all his days from the sins of Jeroboam the son of Nebat, wherewith he made Israel to sin. **19** There came against the land Pul the king of Assyria; and Menahem gave Pul a thousand talents of silver, that his hand might be with him to confirm the kingdom in his hand.

כ וַיֹּצֵא מְנַחֵם אֶת־הַכֶּסֶף עַל־יִשְׂרָאֵל עַל כָּל־גִּבּוֹרֵי הַחַיִל לָתֵת לְמֶלֶךְ
אַשּׁוּר חֲמִשִּׁים שְׁקָלִים כֶּסֶף לְאִישׁ אֶחָד וַיָּשָׁב מֶלֶךְ אַשּׁוּר וְלֹא־עָמַד שָׁם
בָּאָרֶץ׃ כא וְיֶתֶר דִּבְרֵי מְנַחֵם וְכָל־אֲשֶׁר עָשָׂה הֲלוֹא־הֵם כְּתוּבִים עַל־סֵפֶר
דִּבְרֵי הַיָּמִים לְמַלְכֵי יִשְׂרָאֵל׃ כב וַיִּשְׁכַּב מְנַחֵם עִם־אֲבֹתָיו וַיִּמְלֹךְ פְּקַחְיָה
בְנוֹ תַּחְתָּיו׃

כג בִּשְׁנַת חֲמִשִּׁים שָׁנָה לַעֲזַרְיָה מֶלֶךְ יְהוּדָה מָלַךְ פְּקַחְיָה בֶן־מְנַחֵם
עַל־יִשְׂרָאֵל בְּשֹׁמְרוֹן שְׁנָתָיִם׃ כד וַיַּעַשׂ הָרַע בְּעֵינֵי יְהוָה לֹא סָר מֵחַטֹּאות
יָרָבְעָם בֶּן־נְבָט אֲשֶׁר הֶחֱטִיא אֶת־יִשְׂרָאֵל׃ כה וַיִּקְשֹׁר עָלָיו פֶּקַח
בֶּן־רְמַלְיָהוּ שָׁלִישׁוֹ וַיַּכֵּהוּ בְשֹׁמְרוֹן בְּאַרְמוֹן בֵּית־הַמֶּלֶךְ[46] אֶת־אַרְגֹּב
וְאֶת־הָאַרְיֵה וְעִמּוֹ חֲמִשִּׁים אִישׁ מִבְּנֵי גִלְעָדִים וַיְמִיתֵהוּ וַיִּמְלֹךְ תַּחְתָּיו׃
כו וְיֶתֶר דִּבְרֵי פְקַחְיָה וְכָל־אֲשֶׁר עָשָׂה הִנָּם כְּתוּבִים עַל־סֵפֶר דִּבְרֵי הַיָּמִים
לְמַלְכֵי יִשְׂרָאֵל׃

כז בִּשְׁנַת חֲמִשִּׁים וּשְׁתַּיִם שָׁנָה לַעֲזַרְיָה מֶלֶךְ יְהוּדָה מָלַךְ פֶּקַח בֶּן־רְמַלְיָהוּ
עַל־יִשְׂרָאֵל בְּשֹׁמְרוֹן עֶשְׂרִים שָׁנָה׃ כח וַיַּעַשׂ הָרַע בְּעֵינֵי יְהוָה לֹא סָר
מִן־חַטֹּאות יָרָבְעָם בֶּן־נְבָט אֲשֶׁר הֶחֱטִיא אֶת־יִשְׂרָאֵל׃ כט בִּימֵי פֶּקַח
מֶלֶךְ־יִשְׂרָאֵל בָּא תִּגְלַת פִּלְאֶסֶר מֶלֶךְ אַשּׁוּר וַיִּקַּח אֶת־עִיּוֹן וְאֶת־אָבֵל
בֵּית־מַעֲכָה וְאֶת־יָנוֹחַ וְאֶת־קֶדֶשׁ וְאֶת־חָצוֹר וְאֶת־הַגִּלְעָד וְאֶת־הַגָּלִילָה כֹּל
אֶרֶץ נַפְתָּלִי וַיַּגְלֵם אַשּׁוּרָה׃ ל וַיִּקְשָׁר־קֶשֶׁר הוֹשֵׁעַ בֶּן־אֵלָה עַל־פֶּקַח
בֶּן־רְמַלְיָהוּ וַיַּכֵּהוּ וַיְמִיתֵהוּ וַיִּמְלֹךְ תַּחְתָּיו בִּשְׁנַת עֶשְׂרִים לְיוֹתָם בֶּן־עֻזִּיָּה׃
לא וְיֶתֶר דִּבְרֵי־פֶקַח וְכָל־אֲשֶׁר עָשָׂה הִנָּם כְּתוּבִים עַל־סֵפֶר דִּבְרֵי הַיָּמִים
לְמַלְכֵי יִשְׂרָאֵל׃

לב בִּשְׁנַת שְׁתַּיִם לְפֶקַח בֶּן־רְמַלְיָהוּ מֶלֶךְ יִשְׂרָאֵל מָלַךְ יוֹתָם בֶּן־עֻזִּיָּהוּ מֶלֶךְ
יְהוּדָה׃ לג בֶּן־עֶשְׂרִים וְחָמֵשׁ שָׁנָה הָיָה בְמָלְכוֹ וְשֵׁשׁ־עֶשְׂרֵה שָׁנָה מָלַךְ
בִּירוּשָׁלִָם וְשֵׁם אִמּוֹ יְרוּשָׁא בַּת־צָדוֹק׃ לד וַיַּעַשׂ הַיָּשָׁר בְּעֵינֵי יְהוָה כְּכֹל
אֲשֶׁר־עָשָׂה עֻזִּיָּהוּ אָבִיו עָשָׂה׃ לה רַק הַבָּמוֹת לֹא סָרוּ עוֹד הָעָם מְזַבְּחִים
וּמְקַטְּרִים בַּבָּמוֹת הוּא בָּנָה אֶת־שַׁעַר בֵּית־יְהוָה הָעֶלְיוֹן׃ לו וְיֶתֶר דִּבְרֵי
יוֹתָם אֲשֶׁר עָשָׂה הֲלֹא־הֵם כְּתוּבִים עַל־סֵפֶר דִּבְרֵי הַיָּמִים לְמַלְכֵי יְהוּדָה׃
לז בַּיָּמִים הָהֵם הֵחֵל יְהוָה לְהַשְׁלִיחַ בִּיהוּדָה רְצִין מֶלֶךְ אֲרָם וְאֵת פֶּקַח
בֶּן־רְמַלְיָהוּ׃ לח וַיִּשְׁכַּב יוֹתָם עִם־אֲבֹתָיו וַיִּקָּבֵר עִם־אֲבֹתָיו בְּעִיר דָּוִד אָבִיו
וַיִּמְלֹךְ אָחָז בְּנוֹ תַּחְתָּיו׃

---

[46]מלך

20 And Menahem exacted the money of Israel, even of all the mighty men of wealth, of each man fifty shekels of silver, to give to the king of Assyria. So the king of Assyria turned back, and stayed not there in the land. **21** Now the rest of the acts of Menahem, and all that he did, are they not written in the book of the chronicles of the kings of Israel? **22** And Menahem slept with his fathers; and Pekahiah his son reigned in his stead.{P}

23 In the fiftieth year of Azariah king of Judah Pekahiah the son of Menahem began to reign over Israel in Samaria, and reigned two years. **24** And he did that which was evil in the sight of Yehovah; he departed not from the sins of Jeroboam the son of Nebat, wherewith he made Israel to sin. **25** And Pekah the son of Remaliah, his captain, conspired against him, and smote him in Samaria, in the castle of the king's house, by Argob and by Arieh; and with him were fifty men of the Gileadites; and he slew him, and reigned in his stead. **26** Now the rest of the acts of Pekahiah, and all that he did, behold, they are written in the book of the chronicles of the kings of Israel.{P}

27 In the two and fiftieth year of Azariah king of Judah Pekah the son of Remaliah began to reign over Israel in Samaria, and reigned twenty years. **28** And he did that which was evil in the sight of Yehovah; he departed not from the sins of Jeroboam the son of Nebat, wherewith he made Israel to sin. **29** In the days of Pekah king of Israel came Tiglath-pileser king of Assyria, and took Ijon, and Abel-beth-maacah, and Janoah, and Kedesh, and Hazor, and Gilead, and Galilee, all the land of Naphtali; and he carried them captive to Assyria. **30** And Hoshea the son of Elah made a conspiracy against Pekah the son of Remaliah, and smote him, and slew him, and reigned in his stead, in the twentieth year of Jotham the son of Uzziah. **31** Now the rest of the acts of Pekah, and all that he did, behold, they are written in the book of the chronicles of the kings of Israel.{P}

32 In the second year of Pekah the son of Remaliah king of Israel began Jotham the son of Uzziah king of Judah to reign. **33** Five and twenty years old was he when he began to reign; and he reigned sixteen years in Yerushalam; and his mother's name was Jerusha the daughter of Zadok. **34** And he did that which was right in the eyes of Yehovah; he did according to all that his father Uzziah had done. **35** Howbeit the high places were not taken away; the people still sacrificed and offered in the high places. He built the upper gate of the house of Yehovah. **36** Now the rest of the acts of Jotham, and all that he did, are they not written in the book of the chronicles of the kings of Judah? **37** In those days Yehovah began to send against Judah Rezin the king of Aram, and Pekah the son of Remaliah. **38** And Jotham slept with his fathers, and was buried with his fathers in the city of David his father; and Ahaz his son reigned in his stead.{P}

יו א בִּשְׁנַת שְׁבַע־עֶשְׂרֵה שָׁנָה לְפֶקַח בֶּן־רְמַלְיָהוּ מָלַךְ אָחָז בֶּן־יוֹתָם מֶלֶךְ
יְהוּדָה׃ ב בֶּן־עֶשְׂרִים שָׁנָה אָחָז בְּמָלְכוֹ וְשֵׁשׁ־עֶשְׂרֵה שָׁנָה מָלַךְ בִּירוּשָׁלָ͏ִם
וְלֹא־עָשָׂה הַיָּשָׁר בְּעֵינֵי יְהוָה אֱלֹהָיו כְּדָוִד אָבִיו׃ ג וַיֵּלֶךְ בְּדֶרֶךְ מַלְכֵי יִשְׂרָאֵל
וְגַם אֶת־בְּנוֹ הֶעֱבִיר בָּאֵשׁ כְּתֹעֲבוֹת הַגּוֹיִם אֲשֶׁר הוֹרִישׁ יְהוָה אֹתָם מִפְּנֵי בְּנֵי
יִשְׂרָאֵל׃ ד וַיְזַבֵּחַ וַיְקַטֵּר בַּבָּמוֹת וְעַל־הַגְּבָעוֹת וְתַחַת כָּל־עֵץ רַעֲנָן׃ ה אָז יַעֲלֶה
רְצִין מֶלֶךְ־אֲרָם וּפֶקַח בֶּן־רְמַלְיָהוּ מֶלֶךְ־יִשְׂרָאֵל יְרוּשָׁלַ͏ִם לַמִּלְחָמָה וַיָּצֻרוּ
עַל־אָחָז וְלֹא יָכְלוּ לְהִלָּחֵם׃ ו בָּעֵת הַהִיא הֵשִׁיב רְצִין מֶלֶךְ־אֲרָם אֶת־אֵילַת
לַאֲרָם וַיְנַשֵּׁל אֶת־הַיְהוּדִים מֵאֵילוֹת וַאֲדוֹמִים[47] בָּאוּ אֵילַת וַיֵּשְׁבוּ שָׁם עַד הַיּוֹם
הַזֶּה׃

ז וַיִּשְׁלַח אָחָז מַלְאָכִים אֶל־תִּגְלַת פְּלֶסֶר מֶלֶךְ־אַשּׁוּר לֵאמֹר עַבְדְּךָ וּבִנְךָ אָנִי
עֲלֵה וְהוֹשִׁעֵנִי מִכַּף מֶלֶךְ־אֲרָם וּמִכַּף מֶלֶךְ יִשְׂרָאֵל הַקּוֹמִים עָלָי׃ ח וַיִּקַּח אָחָז
אֶת־הַכֶּסֶף וְאֶת־הַזָּהָב הַנִּמְצָא בֵּית יְהוָה וּבְאֹצְרוֹת בֵּית הַמֶּלֶךְ וַיִּשְׁלַח
לְמֶלֶךְ־אַשּׁוּר שֹׁחַד׃ ט וַיִּשְׁמַע אֵלָיו מֶלֶךְ אַשּׁוּר וַיַּעַל מֶלֶךְ אַשּׁוּר אֶל־דַּמֶּשֶׂק
וַיִּתְפְּשֶׂהָ וַיַּגְלֶהָ קִירָה וְאֶת־רְצִין הֵמִית׃ י וַיֵּלֶךְ הַמֶּלֶךְ אָחָז לִקְרַאת תִּגְלַת
פִּלְאֶסֶר מֶלֶךְ־אַשּׁוּר דּוּמֶּשֶׂק וַיַּרְא אֶת־הַמִּזְבֵּחַ אֲשֶׁר בְּדַמָּשֶׂק וַיִּשְׁלַח הַמֶּלֶךְ
אָחָז אֶל־אוּרִיָּה הַכֹּהֵן אֶת־דְּמוּת הַמִּזְבֵּחַ וְאֶת־תַּבְנִיתוֹ לְכָל־מַעֲשֵׂהוּ׃ יא וַיִּבֶן
אוּרִיָּה הַכֹּהֵן אֶת־הַמִּזְבֵּחַ כְּכֹל אֲשֶׁר־שָׁלַח הַמֶּלֶךְ אָחָז מִדַּמֶּשֶׂק כֵּן עָשָׂה
אוּרִיָּה הַכֹּהֵן עַד־בּוֹא הַמֶּלֶךְ־אָחָז מִדַּמָּשֶׂק׃ יב וַיָּבֹא הַמֶּלֶךְ מִדַּמֶּשֶׂק וַיַּרְא
הַמֶּלֶךְ אֶת־הַמִּזְבֵּחַ וַיִּקְרַב הַמֶּלֶךְ עַל־הַמִּזְבֵּחַ וַיַּעַל עָלָיו׃ יג וַיַּקְטֵר אֶת־עֹלָתוֹ
וְאֶת־מִנְחָתוֹ וַיַּסֵּךְ אֶת־נִסְכּוֹ וַיִּזְרֹק אֶת־דַּם־הַשְּׁלָמִים אֲשֶׁר־לוֹ עַל־הַמִּזְבֵּחַ׃
יד וְאֵת הַמִּזְבַּח הַנְּחֹשֶׁת אֲשֶׁר לִפְנֵי יְהוָה וַיַּקְרֵב מֵאֵת פְּנֵי הַבַּיִת מִבֵּין הַמִּזְבֵּחַ
וּמִבֵּין בֵּית יְהוָה וַיִּתֵּן אֹתוֹ עַל־יֶרֶךְ הַמִּזְבֵּחַ צָפוֹנָה׃ טו וַיְצַוֶּה[48] הַמֶּלֶךְ־אָחָז
אֶת־אוּרִיָּה הַכֹּהֵן לֵאמֹר עַל הַמִּזְבֵּחַ הַגָּדוֹל הַקְטֵר אֶת־עֹלַת־הַבֹּקֶר
וְאֶת־מִנְחַת הָעֶרֶב וְאֶת־עֹלַת הַמֶּלֶךְ וְאֶת־מִנְחָתוֹ וְאֵת עֹלַת כָּל־עַם הָאָרֶץ
וּמִנְחָתָם וְנִסְכֵּיהֶם וְכָל־דַּם עֹלָה וְכָל־דַּם־זֶבַח עָלָיו תִּזְרֹק וּמִזְבַּח הַנְּחֹשֶׁת
יִהְיֶה־לִּי לְבַקֵּר׃ טז וַיַּעַשׂ אוּרִיָּה הַכֹּהֵן כְּכֹל אֲשֶׁר־צִוָּה הַמֶּלֶךְ אָחָז׃ יז וַיְקַצֵּץ
הַמֶּלֶךְ אָחָז אֶת־הַמִּסְגְּרוֹת הַמְּכֹנוֹת וַיָּסַר מֵעֲלֵיהֶם אֶת־הַכִּיֹּר [49] וְאֶת־הַיָּם הוֹרִד
מֵעַל הַבָּקָר הַנְּחֹשֶׁת אֲשֶׁר תַּחְתֶּיהָ וַיִּתֵּן אֹתוֹ עַל מַרְצֶפֶת אֲבָנִים׃
יח וְאֶת־מוּסַךְ[50] הַשַּׁבָּת אֲשֶׁר־בָּנוּ בַבַּיִת וְאֶת־מְבוֹא הַמֶּלֶךְ הַחִיצוֹנָה הֵסֵב בֵּית
יְהוָה מִפְּנֵי מֶלֶךְ אַשּׁוּר׃

[47] וארמים
[48] ויצוהו
[49] ואת
[50] מיסך

16 1 In the seventeenth year of Pekah the son of Remaliah Ahaz the son of Jotham king of Judah began to reign. 2 Twenty years old was Ahaz when he began to reign; and he reigned sixteen years in Yerushalam; and he did not that which was right in the eyes of Yehovah his God, like David his father. 3 But he walked in the way of the kings of Israel, yea, and made his son to pass through the fire, according to the abominations of the heathen, whom Yehovah cast out from before the children of Israel. 4 And he sacrificed and offered in the high places, and on the hills, and under every leafy tree. 5 Then Rezin king of Aram and Pekah son of Remaliah king of Israel came up to Yerushalam to war; and they besieged Ahaz, but could not overcome him. 6 At that time Rezin king of Aram recovered Elath to Aram, and drove the Jews from Elath; and the Edomites came to Elath, and dwelt there, unto this day.{P}

7 So Ahaz sent messengers to Tiglath-pileser king of Assyria, saying: 'I am thy servant and thy son; come up, and save me out of the hand of the king of Aram, and out of the hand of the king of Israel, who rise up against me.' 8 And Ahaz took the silver and gold that was found in the house of Yehovah, and in the treasures of the king's house, and sent it for a present to the king of Assyria. 9 And the king of Assyria hearkened unto him; and the king of Assyria went up against Damascus, and took it, and carried the people of it captive to Kir, and slew Rezin. 10 And king Ahaz went to Damascus to meet Tiglath-pileser king of Assyria, and saw the altar that was at Damascus; and king Ahaz sent to Urijah the priest the fashion of the altar, and the pattern of it, according to all the workmanship thereof. 11 And Urijah the priest built an altar; according to all that king Ahaz had sent from Damascus, so did Urijah the priest make it against the coming of king Ahaz from Damascus. 12 And when the king was come from Damascus, the king saw the altar; and the king drew near unto the altar, and offered thereon. 13 And he offered his burnt-offering and his meal-offering, and poured his drink-offering, and dashed the blood of his peace-offerings against the altar. 14 And the brazen altar, which was before Yehovah, he brought from the forefront of the house, from between his altar and the house of Yehovah, and put it on the north side of his altar. 15 And king Ahaz commanded Urijah the priest, saying: 'Upon the great altar offer the morning burnt-offering, and the evening meal-offering, and the king's burnt-offering, and his meal-offering, with the burnt-offering of all the people of the land, and their meal-offering, and their drink-offerings; and dash against it all the blood of the burnt-offering, and all the blood of the sacrifice; but the brazen altar shall be for me to look to.' 16 Thus did Urijah the priest, according to all that king Ahaz commanded. 17 And king Ahaz cut off the borders of the bases, and removed the laver from off them; and took down the sea from off the brazen oxen that were under it, and put it upon a pavement of stone. 18 And the covered place for the sabbath that they had built in the house, and the king's entry without, turned he unto the house of Yehovah, because of the king of Assyria.

יט וְיֶ֣תֶר דִּבְרֵ֤י אָחָז֙ אֲשֶׁ֣ר עָשָׂ֔ה הֲלֹא־הֵ֣ם כְּתוּבִ֗ים עַל־סֵ֛פֶר דִּבְרֵ֥י הַיָּמִ֖ים לְמַלְכֵ֣י יְהוּדָֽה: כ וַיִּשְׁכַּ֤ב אָחָז֙ עִם־אֲבֹתָ֔יו וַיִּקָּבֵ֥ר עִם־אֲבֹתָ֖יו בְּעִ֣יר דָּוִ֑ד וַיִּמְלֹ֛ךְ חִזְקִיָּ֥הוּ בְנ֖וֹ תַּחְתָּֽיו:

יז א בִּשְׁנַת֩ שְׁתֵּ֨ים עֶשְׂרֵ֜ה לְאָחָ֣ז מֶ֣לֶךְ יְהוּדָ֗ה מָלַ֞ךְ הוֹשֵׁ֧עַ בֶּן־אֵלָ֛ה בְשֹׁמְר֖וֹן עַל־יִשְׂרָאֵ֑ל תֵּ֖שַׁע שָׁנִֽים: ב וַיַּ֥עַשׂ הָרַ֖ע בְּעֵינֵ֣י יְהוָ֑ה רַ֗ק לֹ֚א כְּמַלְכֵ֣י יִשְׂרָאֵ֔ל אֲשֶׁ֥ר הָי֖וּ לְפָנָֽיו: ג עָלָ֣יו עָלָ֔ה שַׁלְמַנְאֶ֖סֶר מֶ֣לֶךְ אַשּׁ֑וּר וַיְהִי־ל֤וֹ הוֹשֵׁ֙עַ֙ עֶ֔בֶד וַיָּ֥שֶׁב ל֖וֹ מִנְחָֽה: ד וַיִּמְצָ֣א מֶֽלֶךְ־אַשּׁ֣וּר בְּהוֹשֵׁ֣עַ קֶ֗שֶׁר אֲשֶׁ֨ר שָׁלַ֤ח מַלְאָכִים֙ אֶל־ס֣וֹא מֶֽלֶךְ־מִצְרַ֔יִם וְלֹא־הֶעֱלָ֥ה מִנְחָ֛ה לְמֶ֥לֶךְ אַשּׁ֖וּר כְּשָׁנָ֣ה בְשָׁנָ֑ה וַיַּעַצְרֵ֙הוּ֙ מֶ֣לֶךְ אַשּׁ֔וּר וַיַּאַסְרֵ֖הוּ בֵּ֥ית כֶּֽלֶא: ה וַיַּ֥עַל מֶֽלֶךְ־אַשּׁ֖וּר בְּכָל־הָאָ֑רֶץ וַיַּ֙עַל֙ שֹׁ֣מְר֔וֹן וַיָּ֥צַר עָלֶ֖יהָ שָׁלֹ֥שׁ שָׁנִֽים: ו בִּשְׁנַ֨ת הַתְּשִׁיעִ֜ית לְהוֹשֵׁ֗עַ לָכַ֤ד מֶֽלֶךְ־אַשּׁוּר֙ אֶת־שֹׁ֣מְר֔וֹן וַיֶּ֥גֶל אֶת־יִשְׂרָאֵ֖ל אַשּׁ֑וּרָה וַיֹּ֨שֶׁב אֹתָ֤ם בַּחְלַח֙ וּבְחָב֔וֹר נְהַ֣ר גּוֹזָ֑ן וְעָרֵ֖י מָדָֽי:

ז וַיְהִ֗י כִּֽי־חָטְא֤וּ בְנֵֽי־יִשְׂרָאֵל֙ לַיהוָ֣ה אֱלֹהֵיהֶ֔ם הַמַּעֲלֶ֥ה אֹתָ֖ם מֵאֶ֣רֶץ מִצְרַ֑יִם מִתַּ֕חַת יַ֖ד פַּרְעֹ֣ה מֶֽלֶךְ־מִצְרָ֑יִם וַיִּֽירְא֖וּ אֱלֹהִ֥ים אֲחֵרִֽים: ח וַיֵּֽלְכוּ֙ בְּחֻקּ֣וֹת הַגּוֹיִ֔ם אֲשֶׁר֙ הוֹרִ֣ישׁ יְהוָ֔ה מִפְּנֵ֖י בְּנֵ֣י יִשְׂרָאֵ֑ל וּמַלְכֵ֥י יִשְׂרָאֵ֖ל אֲשֶׁ֥ר עָשֽׂוּ: ט וַיְחַפְּא֣וּ בְנֵֽי־יִשְׂרָאֵ֗ל דְּבָרִים֙ אֲשֶׁ֣ר לֹא־כֵ֔ן עַל־יְהוָ֖ה אֱלֹהֵיהֶ֑ם וַיִּבְנ֨וּ לָהֶ֤ם בָּמוֹת֙ בְּכָל־עָ֣רֵיהֶ֔ם מִמִּגְדַּ֥ל נוֹצְרִ֖ים עַד־עִ֥יר מִבְצָֽר: י וַיַּצִּ֧בוּ לָהֶ֛ם מַצֵּב֖וֹת וַאֲשֵׁרִ֑ים עַ֚ל כָּל־גִּבְעָ֣ה גְבֹהָ֔ה וְתַ֖חַת כָּל־עֵ֥ץ רַעֲנָֽן: יא וַיְקַטְּרוּ־שָׁ֗ם בְּכָל־בָּמ֛וֹת כַּגּוֹיִ֖ם אֲשֶׁר־הֶגְלָ֣ה יְהוָ֣ה מִפְּנֵיהֶ֑ם וַיַּעֲשׂוּ֙ דְּבָרִ֣ים רָעִ֔ים לְהַכְעִ֖יס אֶת־יְהוָֽה: יב וַיַּֽעַבְד֖וּ הַגִּלֻּלִ֑ים אֲשֶׁ֨ר אָמַ֤ר יְהוָה֙ לָהֶ֔ם לֹ֥א תַעֲשׂ֖וּ אֶת־הַדָּבָ֥ר הַזֶּֽה: יג וַיָּ֣עַד יְהוָ֡ה בְּיִשְׂרָאֵ֣ל וּבִיהוּדָ֡ה בְּיַד֩ כָּל־נְבִיאוֹ[51] כָל־חֹזֶה֙ לֵאמֹ֔ר שֻׁ֜בוּ מִדַּרְכֵיכֶ֤ם הָֽרָעִים֙ וְשִׁמְרוּ֙ מִצְוֺתַ֣י חֻקּוֹתַ֔י כְּכָל־הַתּוֹרָ֕ה אֲשֶׁ֥ר צִוִּ֖יתִי אֶת־אֲבֹתֵיכֶ֑ם וַאֲשֶׁר֙ שָׁלַ֣חְתִּי אֲלֵיכֶ֔ם בְּיַ֖ד עֲבָדַ֥י הַנְּבִיאִֽים: יד וְלֹ֖א שָׁמֵ֑עוּ וַיַּקְשׁ֤וּ אֶת־עָרְפָּם֙ כְּעֹ֣רֶף אֲבוֹתָ֔ם אֲשֶׁר֙ לֹ֣א הֶאֱמִ֔ינוּ בַּֽיהוָ֖ה אֱלֹהֵיהֶֽם: טו וַיִּמְאֲס֣וּ אֶת־חֻקָּ֗יו וְאֶת־בְּרִיתוֹ֙ אֲשֶׁ֣ר כָּרַ֣ת אֶת־אֲבוֹתָ֔ם וְאֵת֙ עֵדְוֺתָ֔יו אֲשֶׁ֥ר הֵעִ֖יד בָּ֑ם וַיֵּ֨לְכ֜וּ אַחֲרֵ֤י הַהֶ֙בֶל֙ וַיֶּהְבָּ֔לוּ וְאַחֲרֵ֤י הַגּוֹיִם֙ אֲשֶׁ֣ר סְבִיבֹתָ֔ם אֲשֶׁ֨ר צִוָּ֤ה יְהוָה֙ אֹתָ֔ם לְבִלְתִּ֖י עֲשׂ֥וֹת כָּהֶֽם: טז וַיַּעַזְב֗וּ אֶת־כָּל־מִצְוֺת֙ יְהוָ֣ה אֱלֹהֵיהֶ֔ם וַיַּעֲשׂ֥וּ לָהֶ֛ם מַסֵּכָ֖ה שְׁנֵ֣י[52] עֲגָלִ֑ים וַיַּעֲשׂ֣וּ אֲשֵׁירָ֗ה וַיִּֽשְׁתַּחֲווּ֙ לְכָל־צְבָ֣א הַשָּׁמַ֔יִם וַיַּעַבְד֖וּ אֶת־הַבָּֽעַל: יז וַ֠יַּעֲבִ֠ירוּ אֶת־בְּנֵיהֶ֤ם וְאֶת־בְּנֽוֹתֵיהֶם֙ בָּאֵ֔שׁ וַיִּקְסְמ֥וּ קְסָמִ֖ים וַיְנַחֵ֑שׁוּ וַיִּֽתְמַכְּר֗וּ לַעֲשׂ֥וֹת הָרַ֛ע בְּעֵינֵ֥י יְהוָ֖ה לְהַכְעִיסֽוֹ:

---

51 נביאו
52 שנים

<u>19</u> Now the rest of the acts of Ahaz which he did, are they not written in the book of the chronicles of the kings of Judah? <u>20</u> And Ahaz slept with his fathers, and was buried with his fathers in the city of David; and Hezekiah his son reigned in his stead.{P}

17 <u>1</u> In the twelfth year of Ahaz king of Judah began Hoshea the son of Elah to reign in Samaria over Israel, and reigned nine years. <u>2</u> And he did that which was evil in the sight of Yehovah, yet not as the kings of Israel that were before him. <u>3</u> Against him came up Shalmaneser king of Assyria; and Hoshea became his servant, and brought him presents. <u>4</u> And the king of Assyria found conspiracy in Hoshea; for he had sent messengers to So king of Egypt, and offered no present to the king of Assyria, as he had done year by year; therefore the king of Assyria shut him up, and bound him in prison. <u>5</u> Then the king of Assyria came up throughout all the land, and went up to Samaria, and besieged it three years. <u>6</u> In the ninth year of Hoshea, the king of Assyria took Samaria, and carried Israel away unto Assyria, and placed them in Halah, and in Habor, on the river of Gozan, and in the cities of the Medes.{P}

<u>7</u> And it was so, because the children of Israel had sinned against Yehovah their God, who brought them up out of the land of Egypt from under the hand of Pharaoh king of Egypt, and had feared other gods, <u>8</u> and walked in the statutes of the nations, whom Yehovah cast out from before the children of Israel, and of the kings of Israel, which they practised; <u>9</u> and the children of Israel did impute things that were not right unto Yehovah their God, and they built them high places in all their cities, from the tower of the watchmen to the fortified city; <u>10</u> and they set them up pillars and Asherim upon every high hill, and under every leafy tree; <u>11</u> and there they offered in all the high places, as did the nations whom Yehovah carried away before them; and wrought wicked things to provoke Yehovah; <u>12</u> and they served idols, whereof Yehovah had said unto them: 'Ye shall not do this thing'; <u>13</u> yet Yehovah forewarned Israel, and Judah, by the hand of every prophet, and of every seer, saying: 'Turn ye from your evil ways, and keep My commandments and My statutes, according to all the Torah which I commanded your fathers, and which I sent to you by the hand of My servants the prophets'; <u>14</u> notwithstanding they would not hear, but hardened their neck, like to the neck of their fathers, who believed not in Yehovah their God; <u>15</u> and they rejected His statutes, and His covenant that He made with their fathers, and His testimonies wherewith He testified against them; and they went after things of nought, and became nought, and after the nations that were round about them, concerning whom Yehovah had charged them that they should not do like them; <u>16</u> and they forsook all the commandments of Yehovah their God, and made them molten images, even two calves, and made an Asherah, and worshipped all the host of heaven, and served Baal; <u>17</u> and they caused their sons and their daughters to pass through the fire, and used divination and enchantments, and gave themselves over to do that which was evil in the sight of Yehovah, to provoke Him;

יח וַיִּתְאַנַּף יְהוָה מְאֹד בְּיִשְׂרָאֵל וַיְסִרֵם מֵעַל פָּנָיו לֹא נִשְׁאַר רַק שֵׁבֶט יְהוּדָה
לְבַדּוֹ׃ יט גַּם־יְהוּדָה לֹא שָׁמַר אֶת־מִצְוֺת יְהוָה אֱלֹהֵיהֶם וַיֵּלְכוּ בְּחֻקּוֹת יִשְׂרָאֵל
אֲשֶׁר עָשׂוּ׃ כ וַיִּמְאַס יְהוָה בְּכָל־זֶרַע יִשְׂרָאֵל וַיְעַנֵּם וַיִּתְּנֵם בְּיַד־שֹׁסִים עַד
אֲשֶׁר הִשְׁלִיכָם מִפָּנָיו׃ כא כִּי־קָרַע יִשְׂרָאֵל מֵעַל בֵּית דָּוִד וַיַּמְלִיכוּ אֶת־יָרָבְעָם
בֶּן־נְבָט וַיַּדַּח[53] יָרָבְעָם אֶת־יִשְׂרָאֵל מֵאַחֲרֵי יְהוָה וְהֶחֱטִיאָם חֲטָאָה גְדוֹלָה׃
כב וַיֵּלְכוּ בְּנֵי יִשְׂרָאֵל בְּכָל־חַטֹּאות יָרָבְעָם אֲשֶׁר עָשָׂה לֹא־סָרוּ מִמֶּנָּה׃ כג עַד
אֲשֶׁר־הֵסִיר יְהוָה אֶת־יִשְׂרָאֵל מֵעַל פָּנָיו כַּאֲשֶׁר דִּבֶּר בְּיַד כָּל־עֲבָדָיו הַנְּבִיאִים
וַיִּגֶל יִשְׂרָאֵל מֵעַל אַדְמָתוֹ אַשּׁוּרָה עַד הַיּוֹם הַזֶּה׃

כד וַיָּבֵא מֶלֶךְ־אַשּׁוּר מִבָּבֶל וּמִכּוּתָה וּמֵעַוָּא וּמֵחֲמָת וּסְפַרְוַיִם וַיֹּשֶׁב בְּעָרֵי
שֹׁמְרוֹן תַּחַת בְּנֵי יִשְׂרָאֵל וַיִּרְשׁוּ אֶת־שֹׁמְרוֹן וַיֵּשְׁבוּ בְּעָרֶיהָ׃ כה וַיְהִי בִּתְחִלַּת
שִׁבְתָּם שָׁם לֹא יָרְאוּ אֶת־יְהוָה וַיְשַׁלַּח יְהוָה בָּהֶם אֶת־הָאֲרָיוֹת וַיִּהְיוּ הֹרְגִים
בָּהֶם׃ כו וַיֹּאמְרוּ לְמֶלֶךְ אַשּׁוּר לֵאמֹר הַגּוֹיִם אֲשֶׁר הִגְלִיתָ וַתּוֹשֶׁב בְּעָרֵי שֹׁמְרוֹן
לֹא יָדְעוּ אֶת־מִשְׁפַּט אֱלֹהֵי הָאָרֶץ וַיְשַׁלַּח־בָּם אֶת־הָאֲרָיוֹת וְהִנָּם מְמִיתִים אוֹתָם
כַּאֲשֶׁר אֵינָם יֹדְעִים אֶת־מִשְׁפַּט אֱלֹהֵי הָאָרֶץ׃ כז וַיְצַו מֶלֶךְ־אַשּׁוּר לֵאמֹר הֹלִיכוּ
שָׁמָּה אֶחָד מֵהַכֹּהֲנִים אֲשֶׁר הִגְלִיתֶם מִשָּׁם וְיֵלְכוּ וְיֵשְׁבוּ שָׁם וְיֹרֵם אֶת־מִשְׁפַּט
אֱלֹהֵי הָאָרֶץ׃ כח וַיָּבֹא אֶחָד מֵהַכֹּהֲנִים אֲשֶׁר הִגְלוּ מִשֹּׁמְרוֹן וַיֵּשֶׁב בְּבֵית־אֵל
וַיְהִי מוֹרֶה אֹתָם אֵיךְ יִירְאוּ אֶת־יְהוָה׃ כט וַיִּהְיוּ עֹשִׂים גּוֹי גּוֹי אֱלֹהָיו וַיַּנִּיחוּ
׀ בְּבֵית הַבָּמוֹת אֲשֶׁר עָשׂוּ הַשֹּׁמְרֹנִים גּוֹי גּוֹי בְּעָרֵיהֶם אֲשֶׁר הֵם יֹשְׁבִים שָׁם׃
ל וְאַנְשֵׁי בָבֶל עָשׂוּ אֶת־סֻכּוֹת בְּנוֹת וְאַנְשֵׁי־כוּת עָשׂוּ אֶת־נֵרְגַל וְאַנְשֵׁי חֲמָת עָשׂוּ
אֶת־אֲשִׁימָא׃ לא וְהָעַוִּים עָשׂוּ נִבְחַז וְאֶת־תַּרְתָּק וְהַסְפַרְוִים שֹׂרְפִים אֶת־בְּנֵיהֶם
בָּאֵשׁ לְאַדְרַמֶּלֶךְ וַעֲנַמֶּלֶךְ אֱלֹהֵי[54] סְפַרְוָיִם[55]׃ לב וַיִּהְיוּ יְרֵאִים אֶת־יְהוָה וַיַּעֲשׂוּ
לָהֶם מִקְצוֹתָם כֹּהֲנֵי בָמוֹת וַיִּהְיוּ עֹשִׂים לָהֶם בְּבֵית הַבָּמוֹת׃ לג אֶת־יְהוָה
הָיוּ יְרֵאִים וְאֶת־אֱלֹהֵיהֶם הָיוּ עֹבְדִים כְּמִשְׁפַּט הַגּוֹיִם אֲשֶׁר־הִגְלוּ אֹתָם מִשָּׁם׃
לד עַד הַיּוֹם הַזֶּה הֵם עֹשִׂים כַּמִּשְׁפָּטִים הָרִאשֹׁנִים אֵינָם יְרֵאִים אֶת־יְהוָה וְאֵינָם
עֹשִׂים כְּחֻקֹּתָם וּכְמִשְׁפָּטָם וְכַתּוֹרָה וְכַמִּצְוָה אֲשֶׁר צִוָּה יְהוָה אֶת־בְּנֵי יַעֲקֹב
אֲשֶׁר־שָׂם שְׁמוֹ יִשְׂרָאֵל׃ לה וַיִּכְרֹת יְהוָה אִתָּם בְּרִית וַיְצַוֵּם לֵאמֹר לֹא תִירְאוּ
אֱלֹהִים אֲחֵרִים וְלֹא־תִשְׁתַּחֲווּ לָהֶם וְלֹא תַעַבְדוּם וְלֹא תִזְבְּחוּ לָהֶם׃ לו כִּי
אִם־אֶת־יְהוָה אֲשֶׁר הֶעֱלָה אֶתְכֶם מֵאֶרֶץ מִצְרַיִם בְּכֹחַ גָּדוֹל וּבִזְרוֹעַ נְטוּיָה
אֹתוֹ תִירָאוּ וְלוֹ תִשְׁתַּחֲווּ וְלוֹ תִזְבָּחוּ׃

[53] וידא
[54] אלה
[55] ספרים

18 that Yehovah was very angry with Israel, and removed them out of His sight; there was none left but the tribe of Judah only. **19** Also Judah kept not the commandments of Yehovah their God, but walked in the statutes of Israel which they practised. **20** And Yehovah rejected all the seed of Israel, and afflicted them, and delivered them into the hand of spoilers, until He had cast them out of His sight. **21** For He rent Israel from the house of David; and they made Jeroboam the son of Nebat king; and Jeroboam drew Israel away from following Yehovah, and made them sin a great sin. **22** And the children of Israel walked in all the sins of Jeroboam which he did; they departed not from them; **23** until Yehovah removed Israel out of His sight, as He spoke by the hand of all His servants the prophets. So Israel was carried away out of their own land to Assyria, unto this day.{P}

24 And the king of Assyria brought men from Babylon, and from Cuthah, and from Avva, and from Hamath and Sepharvaim, and placed them in the cities of Samaria instead of the children of Israel; and they possessed Samaria, and dwelt in the cities thereof. **25** And so it was, at the beginning of their dwelling there, that they feared not Yehovah; therefore Yehovah sent lions among them, which killed some of them. **26** Wherefore they spoke to the king of Assyria, saying: 'The nations which thou hast carried away, and placed in the cities of Samaria, know not the manner of the God of the land; therefore He hath sent lions among them, and, behold, they slay them, because they know not the manner of the God of the land.' **27** Then the king of Assyria commanded, saying: 'Carry thither one of the priests whom ye brought from thence; and let them go and dwell there, and let him teach them the manner of the God of the land.' **28** So one of the priests whom they had carried away from Samaria came and dwelt in Beth-el, and taught them how they should fear Yehovah. **29** Howbeit every nation made gods of their own, and put them in the houses of the high places which the Samaritans had made, every nation in their cities wherein they dwelt. **30** And the men of Babylon made Succoth-benoth, and the men of Cuth made Nergal, and the men of Hamath made Ashima, **31** and the Avvites made Nibhaz and Tartak, and the Sepharvites burnt their children in the fire to Adrammelech and Anammelech, the gods of Sepharvaim. **32** So they feared Yehovah, and made unto them from among themselves priests of the high places, who sacrificed for them in the houses of the high places. **33** They feared Yehovah, and served their own gods, after the manner of the nations from among whom they had been carried away. **34** Unto this day they do after the former manners: they fear not Yehovah, neither do they after their statutes, or after their ordinances, or after the Torah or after the commandment which Yehovah commanded the children of Jacob, whom He named Israel; **35** with whom Yehovah had made a covenant, and charged them, saying: 'Ye shall not fear other gods, nor bow down to them, nor serve them, nor sacrifice to them; **36** but Yehovah, who brought you up out of the land of Egypt with great power and with an outstretched arm, Him shall ye fear, and Him shall ye worship, and to Him shall ye sacrifice;

לז וְאֶת־הַחֻקִּ֨ים וְאֶת־הַמִּשְׁפָּטִ֜ים וְהַתּוֹרָ֤ה וְהַמִּצְוָה֙ אֲשֶׁ֣ר כָּתַ֣ב לָכֶ֔ם תִּשְׁמְר֥וּן
לַעֲשׂ֖וֹת כָּל־הַיָּמִ֑ים וְלֹ֥א תִֽירְא֖וּ אֱלֹהִ֥ים אֲחֵרִֽים׃ לח וְהַבְּרִ֛ית אֲשֶׁר־כָּרַ֥תִּי
אִתְּכֶ֖ם לֹ֣א תִשְׁכָּ֑חוּ וְלֹ֥א תִֽירְא֖וּ אֱלֹהִ֥ים אֲחֵרִֽים׃ לט כִּ֛י אִֽם־אֶת־יְהוָ֥ה
אֱלֹהֵיכֶ֖ם תִּירָ֑אוּ וְהוּא֙ יַצִּ֣יל אֶתְכֶ֔ם מִיַּ֖ד כָּל־אֹיְבֵיכֶֽם׃ מ וְלֹ֖א שָׁמֵ֑עוּ כִּ֛י
אִֽם־כְּמִשְׁפָּטָ֥ם הָֽרִאשׁ֖וֹן הֵ֥ם עֹשִֽׂים׃ מא וַיִּהְי֣וּ ׀ הַגּוֹיִ֣ם הָאֵ֗לֶּה יְרֵאִים֙ אֶת־יְהוָ֔ה
וְאֶת־פְּסִֽילֵיהֶ֖ם הָי֣וּ עֹֽבְדִ֑ים גַּם־בְּנֵיהֶ֣ם ׀ וּבְנֵ֣י בְנֵיהֶ֗ם כַּאֲשֶׁ֨ר עָשׂ֤וּ אֲבֹתָם֙ הֵ֣ם
עֹשִׂ֔ים עַ֖ד הַיּ֥וֹם הַזֶּֽה׃

יח א וַיְהִ֗י בִּשְׁנַ֨ת שָׁל֔שׁ לְהוֹשֵׁ֥עַ בֶּן־אֵלָ֖ה מֶ֣לֶךְ יִשְׂרָאֵ֑ל מָלַ֛ךְ חִזְקִיָּ֥ה בֶן־אָחָ֖ז
מֶ֥לֶךְ יְהוּדָֽה׃ ב בֶּן־עֶשְׂרִ֨ים וְחָמֵ֤שׁ שָׁנָה֙ הָיָ֣ה בְמָלְכ֔וֹ וְעֶשְׂרִ֤ים וָתֵ֨שַׁע֙ שָׁנָ֔ה
מָלַ֖ךְ בִּירוּשָׁלָ֑͏ִם וְשֵׁ֣ם אִמּ֔וֹ אֲבִ֖י בַּת־זְכַרְיָֽה׃ ג וַיַּ֥עַשׂ הַיָּשָׁ֖ר בְּעֵינֵ֣י יְהוָ֑ה כְּכֹ֥ל
אֲשֶׁר־עָשָׂ֖ה דָּוִ֥ד אָבִֽיו׃ ד ה֣וּא ׀ הֵסִ֣יר אֶת־הַבָּמ֗וֹת וְשִׁבַּר֙ אֶת־הַמַּצֵּבֹ֔ת וְכָרַ֖ת
אֶת־הָאֲשֵׁרָ֑ה וְכִתַּת֩ נְחַ֨שׁ הַנְּחֹ֜שֶׁת אֲשֶׁר־עָשָׂ֣ה מֹשֶׁ֗ה כִּ֣י עַד־הַיָּמִ֤ים הָהֵ֨מָּה֙ הָי֤וּ
בְנֵֽי־יִשְׂרָאֵל֙ מְקַטְּרִ֣ים ל֔וֹ וַיִּקְרָא־ל֖וֹ נְחֻשְׁתָּֽן׃ ה בַּיהוָ֥ה אֱלֹהֵֽי־יִשְׂרָאֵ֖ל בָּטָ֑ח
וְאַחֲרָ֞יו לֹא־הָיָ֣ה כָמֹ֗הוּ בְּכֹל֙ מַלְכֵ֣י יְהוּדָ֔ה וַאֲשֶׁ֖ר הָי֥וּ לְפָנָֽיו׃ ו וַיִּדְבַּק֙ בַּֽיהוָ֔ה
לֹא־סָ֖ר מֵאַחֲרָ֑יו וַיִּשְׁמֹר֙ מִצְוֹתָ֔יו אֲשֶׁר־צִוָּ֥ה יְהוָ֖ה אֶת־מֹשֶֽׁה׃ ז וְהָיָ֤ה יְהוָה֙ עִמּ֔וֹ
בְּכֹ֥ל אֲשֶׁר־יֵצֵ֖א יַשְׂכִּ֑יל וַיִּמְרֹ֛ד בְּמֶֽלֶךְ־אַשּׁ֖וּר וְלֹ֥א עֲבָדֽוֹ׃ ח הֽוּא־הִכָּ֥ה
אֶת־פְּלִשְׁתִּ֖ים עַד־עַזָּ֣ה וְאֶת־גְּבוּלֶ֑יהָ מִמִּגְדַּ֥ל נוֹצְרִ֖ים עַד־עִ֥יר מִבְצָֽר׃

ט וַיְהִ֞י בַּשָּׁנָ֣ה הָרְבִיעִית֩ לַמֶּ֨לֶךְ חִזְקִיָּ֜הוּ הִ֗יא הַשָּׁנָ֤ה הַשְּׁבִיעִית֙ לְהוֹשֵׁ֣עַ
בֶּן־אֵלָ֔ה מֶ֖לֶךְ יִשְׂרָאֵ֑ל עָלָ֞ה שַׁלְמַנְאֶ֧סֶר מֶֽלֶךְ־אַשּׁ֛וּר עַל־שֹׁמְר֖וֹן וַיָּ֥צַר עָלֶֽיהָ׃
י וַֽיִּלְכְּדֻ֗הָ מִקְצֵה֙ שָׁלֹ֣שׁ שָׁנִ֔ים בִּשְׁנַת־שֵׁ֖שׁ לְחִזְקִיָּ֑ה הִ֚יא שְׁנַת־תֵּ֔שַׁע לְהוֹשֵׁ֨עַ֙
מֶ֣לֶךְ יִשְׂרָאֵ֔ל נִלְכְּדָ֖ה שֹׁמְרֽוֹן׃ יא וַיֶּ֧גֶל מֶֽלֶךְ־אַשּׁ֛וּר אֶת־יִשְׂרָאֵ֖ל אַשּׁ֑וּרָה
וַיַּנְחֵ֞ם בַּחְלַ֧ח וּבְחָב֛וֹר נְהַ֥ר גּוֹזָ֖ן וְעָרֵ֥י מָדָֽי׃ יב עַ֣ל ׀ אֲשֶׁ֣ר לֹֽא־שָׁמְע֗וּ בְּקוֹל֙
יְהוָ֣ה אֱלֹהֵיהֶ֔ם וַיַּעַבְרוּ֙ אֶת־בְּרִית֔וֹ אֵ֚ת כָּל־אֲשֶׁ֣ר צִוָּ֔ה מֹשֶׁ֖ה עֶ֣בֶד יְהוָ֑ה וְלֹ֥א
שָׁמְע֖וּ וְלֹ֥א עָשֽׂוּ׃

יג וּבְאַרְבַּ֨ע עֶשְׂרֵ֜ה שָׁנָ֗ה לַמֶּ֙לֶךְ֙ חִזְקִיָּ֔ה עָלָ֞ה סַנְחֵרִ֤יב מֶֽלֶךְ־אַשּׁוּר֙ עַ֣ל
כָּל־עָרֵ֧י יְהוּדָ֛ה הַבְּצֻר֖וֹת וַֽיִּתְפְּשֵֽׂם׃ יד וַיִּשְׁלַ֣ח חִזְקִיָּ֣ה מֶֽלֶךְ־יְהוּדָ֡ה
אֶל־מֶֽלֶךְ־אַשּׁ֣וּר ׀ לָכִ֣ישָׁה ׀ לֵאמֹ֣ר ׀ חָטָ֗אתִי שׁ֚וּב מֵֽעָלַ֔י אֵ֛ת אֲשֶׁר־תִּתֵּ֥ן עָלַ֖י
אֶשָּׂ֑א וַיָּ֨שֶׂם מֶֽלֶךְ־אַשּׁ֜וּר עַל־חִזְקִיָּ֣ה מֶֽלֶךְ־יְהוּדָ֗ה שְׁלֹ֤שׁ מֵאוֹת֙ כִּכַּר־כֶּ֔סֶף
וּשְׁלֹשִׁ֖ים כִּכַּ֥ר זָהָֽב׃ טו וַיִּתֵּן֙ חִזְקִיָּ֔ה אֶת־כָּל־הַכֶּ֖סֶף הַנִּמְצָ֣א בֵית־יְהוָ֑ה
וּבְאֹצְר֖וֹת בֵּ֥ית הַמֶּֽלֶךְ׃ טז בָּעֵ֣ת הַהִ֗יא קִצַּ֨ץ חִזְקִיָּ֜ה אֶת־דַּלְת֨וֹת הֵיכַ֤ל יְהוָה֙
וְאֶת־הָאֹ֣מְנ֔וֹת אֲשֶׁ֥ר צִפָּ֖ה חִזְקִיָּ֣ה מֶ֣לֶךְ יְהוּדָ֑ה וַֽיִּתְּנֵ֖ם לְמֶ֥לֶךְ אַשּֽׁוּר׃

37 and the statutes and the ordinances, and the Torah and the commandment, which He wrote for you, ye shall observe to do for evermore; and ye shall not fear other gods; **38** and the covenant that I have made with you ye shall not forget; neither shall ye fear other gods; **39** but Yehovah your God shall ye fear; and He will deliver you out of the hand of all your enemies.' **40** Howbeit they did not hearken, but they did after their former manner. **41** So these nations feared Yehovah, and served their graven images; their children likewise, and their children's children, as did their fathers, so do they unto this day.{P}

18 **1** Now it came to pass in the third year of Hoshea son of Elah king of Israel, that Hezekiah the son of Ahaz king of Judah began to reign. **2** Twenty and five years old was he when he began to reign; and he reigned twenty and nine years in Yerushalam; and his mother's name was Abi the daughter of Zechariah. **3** And he did that which was right in the eyes of Yehovah, according to all that David his father had done. **4** He removed the high places, and broke the pillars, and cut down the Asherah; and he broke in pieces the brazen serpent that Moses had made; for unto those days the children of Israel did offer to it; and it was called Nehushtan. **5** He trusted in Yehovah, the God of Israel; so that after him was none like him among all the kings of Judah, nor among them that were before him. **6** For he cleaved to Yehovah, he departed not from following Him, but kept His commandments, which Yehovah commanded Moses. **7** And Yehovah was with him: whithersoever he went forth he prospered; and he rebelled against the king of Assyria, and served him not. **8** He smote the Philistines unto Gaza and the borders thereof, from the tower of the watchmen to the fortified city.{P}

9 And it came to pass in the fourth year of king Hezekiah, which was the seventh year of Hoshea son of Elah king of Israel, that Shalmaneser king of Assyria came up against Samaria, and besieged it. **10** And at the end of three years they took it; even in the sixth year of Hezekiah, which was the ninth year of Hoshea king of Israel, Samaria was taken. **11** And the king of Assyria carried Israel away unto Assyria, and put them in Halah, and in Habor, on the river of Gozan, and in the cities of the Medes; **12** because they hearkened not to the voice of Yehovah their God, but transgressed His covenant, even all that Moses the servant of Yehovah commanded, and would not hear it, nor do it.{P}

13 Now in the fourteenth year of king Hezekiah did Sennacherib king of Assyria come up against all the fortified cities of Judah, and took them. **14** And Hezekiah king of Judah sent to the king of Assyria to Lachish, saying: 'I have offended; return from me; that which thou puttest on me will I bear.' And the king of Assyria appointed unto Hezekiah king of Judah three hundred talents of silver and thirty talents of gold. **15** And Hezekiah gave him all the silver that was found in the house of Yehovah, and in the treasures of the king's house. **16** At that time did Hezekiah cut off the gold from the doors of the temple of Yehovah, and from the door-posts which Hezekiah king of Judah had overlaid, and gave it to the king of Assyria.{P}

יז וַיִּשְׁלַ֣ח מֶֽלֶךְ־אַשּׁ֡וּר אֶת־תַּרְתָּ֣ן וְאֶת־רַב־סָרִ֣יס ׀ וְאֶת־רַב־שָׁקֵ֨ה מִן־לָכִ֜ישׁ אֶל־הַמֶּ֧לֶךְ חִזְקִיָּ֛הוּ בְּחֵ֥יל כָּבֵ֖ד יְרוּשָׁלָ֑͏ִם וַיַּֽעֲלוּ֙ וַיָּבֹ֣אוּ יְרוּשָׁלַ֔͏ִם וַיַּעֲלוּ֙ וַיָּבֹ֔אוּ וַיַּ֣עַמְד֔וּ בִּתְעָלַת֙ הַבְּרֵכָ֣ה הָֽעֶלְיוֹנָ֔ה אֲשֶׁ֕ר בִּמְסִלַּ֖ת שְׂדֵ֥ה כוֹבֵֽס׃ יח וַיִּקְרְאוּ֙ אֶל־הַמֶּ֔לֶךְ וַיֵּצֵ֧א אֲלֵהֶ֛ם אֶלְיָקִ֥ים בֶּן־חִלְקִיָּ֖הוּ אֲשֶׁ֣ר עַל־הַבָּ֑יִת וְשֶׁבְנָה֙ הַסֹּפֵ֔ר וְיוֹאָ֥ח בֶּן־אָסָ֖ף הַמַּזְכִּֽיר׃ יט וַיֹּ֤אמֶר אֲלֵהֶם֙ רַב־שָׁקֵ֔ה אִמְרוּ־נָ֖א אֶל־חִזְקִיָּ֑הוּ כֹּֽה־אָמַ֞ר הַמֶּ֣לֶךְ הַגָּדוֹל֙ מֶ֣לֶךְ אַשּׁ֔וּר מָ֧ה הַבִּטָּח֛וֹן הַזֶּ֖ה אֲשֶׁ֥ר בָּטָֽחְתָּ׃ כ אָמַ֙רְתָּ֙ אַךְ־דְּבַר־שְׂפָתַ֔יִם עֵצָ֥ה וּגְבוּרָ֖ה לַמִּלְחָמָ֑ה עַתָּה֙ עַל־מִ֣י בָטַ֔חְתָּ כִּ֥י מָרַ֖דְתָּ בִּֽי׃ כא עַתָּ֡ה הִנֵּ֣ה בָטַ֣חְתָּ לְּךָ֡ עַל־מִשְׁעֶ֩נֶת֩ הַקָּנֶ֨ה הָרָצ֤וּץ הַזֶּה֙ עַל־מִצְרַ֔יִם אֲשֶׁ֨ר יִסָּמֵ֥ךְ אִישׁ֙ עָלָ֔יו וּבָ֥א בְכַפּ֖וֹ וּנְקָבָ֑הּ כֵּ֚ן פַּרְעֹ֣ה מֶֽלֶךְ־מִצְרַ֔יִם לְכָֽל־הַבֹּטְחִ֖ים עָלָֽיו׃ כב וְכִֽי־תֹאמְר֣וּן אֵלַ֔י אֶל־יְהֹוָ֥ה אֱלֹהֵ֖ינוּ בָּטָ֑חְנוּ הֲלוֹא־ה֗וּא אֲשֶׁ֨ר הֵסִ֤יר חִזְקִיָּ֙הוּ֙ אֶת־בָּמֹתָ֣יו וְאֶת־מִזְבְּחֹתָ֔יו וַיֹּ֤אמֶר לִֽיהוּדָה֙ וְלִיר֣וּשָׁלַ֔͏ִם לִפְנֵי֙ הַמִּזְבֵּ֣חַ הַזֶּ֔ה תִּֽשְׁתַּחֲו֖וּ בִּירוּשָׁלָֽ͏ִם׃ כג וְעַתָּה֙ הִתְעָ֣רֶב נָ֔א אֶת־אֲדֹנִ֖י אֶת־מֶ֣לֶךְ אַשּׁ֑וּר וְאֶתְּנָ֤ה לְךָ֙ אַלְפַּ֣יִם סוּסִ֔ים אִם־תּוּכַ֕ל לָ֥תֶת לְךָ֖ רֹכְבִ֥ים עֲלֵיהֶֽם׃ כד וְאֵ֣יךְ תָּשִׁ֗יב אֵ֠ת פְּנֵ֨י פַחַ֥ת אַחַ֛ד עַבְדֵ֥י אֲדֹנִ֖י הַקְּטַנִּ֑ים וַתִּבְטַ֤ח לְךָ֙ עַל־מִצְרַ֔יִם לְרֶ֖כֶב וּלְפָרָשִֽׁים׃ כה עַתָּה֙ הֲמִבַּלְעֲדֵ֣י יְהֹוָ֔ה עָלִ֛יתִי עַל־הַמָּק֥וֹם הַזֶּ֖ה לְהַשְׁחִת֑וֹ יְהֹוָה֙ אָמַ֣ר אֵלַ֔י עֲלֵ֛ה עַל־הָאָ֥רֶץ הַזֹּ֖את וְהַשְׁחִיתָֽהּ׃ כו וַיֹּ֣אמֶר אֶלְיָקִ֣ים בֶּן־חִ֠לְקִיָּ֠הוּ וְשֶׁבְנָ֨ה וְיוֹאָ֜ח אֶל־רַב־שָׁקֵ֗ה דַּבֶּר־נָ֤א אֶל־עֲבָדֶ֙יךָ֙ אֲרָמִ֔ית כִּ֥י שֹׁמְעִ֖ים אֲנָ֑חְנוּ וְאַל־תְּדַבֵּ֤ר עִמָּ֙נוּ֙ יְהוּדִ֔ית בְּאָזְנֵ֣י הָעָ֔ם אֲשֶׁ֖ר עַל־הַֽחֹמָֽה׃ כז וַיֹּ֨אמֶר אֲלֵיהֶ֜ם רַב־שָׁקֵ֗ה הַעַ֨ל אֲדֹנֶ֤יךָ וְאֵלֶ֙יךָ֙ שְׁלָחַ֣נִי אֲדֹנִ֔י לְדַבֵּ֖ר אֶת־הַדְּבָרִ֣ים הָאֵ֑לֶּה הֲלֹ֣א עַל־הָאֲנָשִׁ֗ים הַיֹּֽשְׁבִים֙ עַל־הַ֣חֹמָ֔ה לֶאֱכֹ֣ל אֶת־צוֹאָתָ֓ם[56] וְלִשְׁתּ֛וֹת אֶת־מֵימֵ֥י רַגְלֵיהֶ֖ם[57] עִמָּכֶֽם׃ כח וַֽיַּעֲמֹד֙ רַב־שָׁקֵ֔ה וַיִּקְרָ֥א בְקוֹל־גָּד֖וֹל יְהוּדִ֑ית וַיְדַבֵּ֣ר וַיֹּ֔אמֶר שִׁמְע֛וּ דְּבַר־הַמֶּ֥לֶךְ הַגָּד֖וֹל מֶ֥לֶךְ אַשּֽׁוּר׃ כט כֹּ֚ה אָמַ֣ר הַמֶּ֔לֶךְ אַל־יַשִּׁ֥יא לָכֶ֖ם חִזְקִיָּ֑הוּ כִּי־לֹ֣א יוּכַ֔ל לְהַצִּ֥יל אֶתְכֶ֖ם מִיָּדֽוֹ׃ ל וְאַל־יַבְטַ֨ח אֶתְכֶ֤ם חִזְקִיָּ֙הוּ֙ אֶל־יְהֹוָ֣ה לֵאמֹ֔ר הַצֵּ֥ל יַצִּילֵ֖נוּ יְהֹוָ֑ה וְלֹ֤א תִנָּתֵן֙ אֶת־הָעִ֣יר הַזֹּ֔את בְּיַ֖ד מֶ֥לֶךְ אַשּֽׁוּר׃ לא אַֽל־תִּשְׁמְע֖וּ אֶל־חִזְקִיָּ֑הוּ כִּי֩ כֹ֨ה אָמַ֜ר מֶ֣לֶךְ אַשּׁ֗וּר עֲשֽׂוּ־אִתִּ֤י בְרָכָה֙ וּצְא֣וּ אֵלַ֔י וְאִכְל֤וּ אִישׁ־גַּפְנוֹ֙ וְאִ֣ישׁ תְּאֵֽנָת֔וֹ וּשְׁת֖וּ אִ֥ישׁ מֵֽי־בוֹרֽוֹ׃ לב עַד־בֹּאִ֡י וְלָקַחְתִּי֩ אֶתְכֶ֨ם אֶל־אֶ֜רֶץ כְּאַרְצְכֶ֗ם אֶרֶץ֩ דָּגָ֨ן וְתִיר֜וֹשׁ אֶ֧רֶץ לֶ֣חֶם וּכְרָמִ֗ים אֶ֣רֶץ זֵ֤ית יִצְהָר֙ וּדְבַ֔שׁ וִֽחְי֖וּ וְלֹ֣א תָמֻ֑תוּ וְאַֽל־תִּשְׁמְעוּ֙ אֶל־חִזְקִיָּ֔הוּ כִּֽי־יַסִּ֤ית אֶתְכֶם֙ לֵאמֹ֔ר יְהֹוָ֖ה יַצִּילֵֽנוּ׃ לג הַהַצֵּ֤ל הִצִּ֙ילוּ֙ אֱלֹהֵ֣י הַגּוֹיִ֔ם אִ֖ישׁ אֶת־אַרְצ֑וֹ מִיַּ֖ד מֶ֥לֶךְ אַשּֽׁוּר׃ לד אַיֵּה֩ אֱלֹהֵ֨י חֲמָ֜ת וְאַרְפָּ֗ד אַיֵּ֛ה אֱלֹהֵ֥י סְפַרְוַ֖יִם הֵנַ֣ע וְעִוָּ֑ה כִּֽי־הִצִּ֥ילוּ אֶת־שֹׁמְר֖וֹן מִיָּדִֽי׃

17 And the king of Assyria sent Tartan and Rab-saris and Rab-shakeh from Lachish to king Hezekiah with a great army unto Yerushalam. And they went up and came to Yerushalam. And when they were come up, they came and stood by the conduit of the upper pool, which is in the highway of the fullers' field. **18** And when they had called to the king, there came out to them Eliakim the son of Hilkiah, who was over the household, and Shebnah the scribe, and Joah the son of Asaph the recorder. **19** And Rab-shakeh said unto them: 'Say ye now to Hezekiah: Thus saith the great king, the king of Assyria: What confidence is this wherein thou trustest? **20** Sayest thou that a mere word of the lips is counsel and strength for the war? Now on whom dost thou trust, that thou hast rebelled against me? **21** Now, behold, thou trustest upon the staff of this bruised reed, even upon Egypt; whereon if a man lean, it will go into his hand, and pierce it; so is Pharaoh king of Egypt unto all that trust on him. **22** But if ye say unto me: We trust in Yehovah our God; is not that He, whose high places and whose altars Hezekiah hath taken away, and hath said to Judah and to Yerushalam: Ye shall worship before this altar in Yerushalam? **23** Now therefore, I pray thee, make a wager with my master the king of Assyria, and I will give thee two thousand horses, if thou be able on thy part to set riders upon them. **24** How then canst thou turn away the face of one captain, even of the least of my masters servants? and yet thou puttest thy trust on Egypt for chariots and for horsemen! **25** Am I now come up without Yehovah against this place to destroy it? Yehovah said unto me: Go up against this land, destroy it.' **26** Then said Eliakim the son of Hilkiah, and Shebnah, and Joah, unto Rab-shakeh: 'Speak, I pray thee, to thy servants in the Aramean language; for we understand it; and speak not with us in the Jews' language, in the ears of the people that are on the wall.' **27** But Rab-shakeh said unto them: 'Hath my master sent me to thy master, and to thee, to speak these words? hath he not sent me to the men that sit on the wall, to eat their own dung, and to drink their own water with you?' **28** Then Rab-shakeh stood, and cried with a loud voice in the Jews' language, and spoke, saying: 'Hear ye the word of the great king, the king of Assyria. **29** Thus saith the king: Let not Hezekiah beguile you; for he will not be able to deliver you out of his hand; **30** neither let Hezekiah make you trust in Yehovah, saying: Yehovah will surely deliver us, and this city shall not be given into the hand of the king of Assyria. **31** Hearken not to Hezekiah; for thus saith the king of Assyria: Make your peace with me, and come out to me; and eat ye every one of his vine, and every one of his fig-tree, and drink ye every one the waters of his own cistern; **32** until I come and take you away to a land like your own land, a land of corn and wine, a land of bread and vineyards, a land of olive-trees and of honey, that ye may live, and not die; and hearken not unto Hezekiah, when he persuadeth you, saying: Yehovah will deliver us. **33** Hath any of the gods of the nations ever delivered his land out of the hand of the king of Assyria? **34** Where are the gods of Hamath, and of Arpad? where are the gods of Sepharvaim, of Hena, and Ivvah? have they delivered Samaria out of my hand?

לה מִי בְּכָל־אֱלֹהֵי הָאֲרָצוֹת אֲשֶׁר־הִצִּילוּ אֶת־אַרְצָם מִיָּדִי כִּי־יַצִּיל יְהוָה
אֶת־יְרוּשָׁלִַם מִיָּדִי׃ לו וְהֶחֱרִישׁוּ הָעָם וְלֹא־עָנוּ אֹתוֹ דָּבָר כִּי־מִצְוַת הַמֶּלֶךְ
הִיא לֵאמֹר לֹא תַעֲנֻהוּ׃ לז וַיָּבֹא אֶלְיָקִים בֶּן־חִלְקִיָּה אֲשֶׁר־עַל־הַבַּיִת וְשֶׁבְנָא
הַסֹּפֵר וְיוֹאָח בֶּן־אָסָף הַמַּזְכִּיר אֶל־חִזְקִיָּהוּ קְרוּעֵי בְגָדִים וַיַּגִּדוּ לוֹ דִּבְרֵי
רַב־שָׁקֵה׃

יט א וַיְהִי כִּשְׁמֹעַ הַמֶּלֶךְ חִזְקִיָּהוּ וַיִּקְרַע אֶת־בְּגָדָיו וַיִּתְכַּס בַּשָּׂק וַיָּבֹא בֵּית
יְהוָה׃ ב וַיִּשְׁלַח אֶת־אֶלְיָקִים אֲשֶׁר־עַל־הַבַּיִת וְשֶׁבְנָא הַסֹּפֵר וְאֵת זִקְנֵי
הַכֹּהֲנִים מִתְכַּסִּים בַּשַּׂקִּים אֶל־יְשַׁעְיָהוּ הַנָּבִיא בֶּן־אָמוֹץ׃ ג וַיֹּאמְרוּ אֵלָיו כֹּה
אָמַר חִזְקִיָּהוּ יוֹם־צָרָה וְתוֹכֵחָה וּנְאָצָה הַיּוֹם הַזֶּה כִּי בָאוּ בָנִים עַד־מַשְׁבֵּר
וְכֹחַ אַיִן לְלֵדָה׃ ד אוּלַי יִשְׁמַע יְהוָה אֱלֹהֶיךָ אֵת ׀ כָּל־דִּבְרֵי רַב־שָׁקֵה אֲשֶׁר
שְׁלָחוֹ מֶלֶךְ־אַשּׁוּר ׀ אֲדֹנָיו לְחָרֵף אֱלֹהִים חַי וְהוֹכִיחַ בַּדְּבָרִים אֲשֶׁר שָׁמַע
יְהוָה אֱלֹהֶיךָ וְנָשָׂאתָ תְפִלָּה בְּעַד הַשְּׁאֵרִית הַנִּמְצָאָה׃ ה וַיָּבֹאוּ עַבְדֵי הַמֶּלֶךְ
חִזְקִיָּהוּ אֶל־יְשַׁעְיָהוּ׃ ו וַיֹּאמֶר לָהֶם יְשַׁעְיָהוּ כֹּה תֹאמְרוּן אֶל־אֲדֹנֵיכֶם כֹּה ׀
אָמַר יְהוָה אַל־תִּירָא מִפְּנֵי הַדְּבָרִים אֲשֶׁר שָׁמַעְתָּ אֲשֶׁר גִּדְּפוּ נַעֲרֵי
מֶלֶךְ־אַשּׁוּר אֹתִי׃ ז הִנְנִי נֹתֵן בּוֹ רוּחַ וְשָׁמַע שְׁמוּעָה וְשָׁב לְאַרְצוֹ וְהִפַּלְתִּיו
בַּחֶרֶב בְּאַרְצוֹ׃ ח וַיָּשָׁב רַב־שָׁקֵה וַיִּמְצָא אֶת־מֶלֶךְ אַשּׁוּר נִלְחָם עַל־לִבְנָה
כִּי שָׁמַע כִּי נָסַע מִלָּכִישׁ׃ ט וַיִּשְׁמַע אֶל־תִּרְהָקָה מֶלֶךְ־כּוּשׁ לֵאמֹר הִנֵּה יָצָא
לְהִלָּחֵם אִתָּךְ וַיָּשָׁב וַיִּשְׁלַח מַלְאָכִים אֶל־חִזְקִיָּהוּ לֵאמֹר׃ י כֹּה תֹאמְרוּן
אֶל־חִזְקִיָּהוּ מֶלֶךְ־יְהוּדָה לֵאמֹר אַל־יַשִּׁאֲךָ אֱלֹהֶיךָ אֲשֶׁר אַתָּה בֹּטֵחַ בּוֹ
לֵאמֹר לֹא תִנָּתֵן יְרוּשָׁלִַם בְּיַד מֶלֶךְ אַשּׁוּר׃ יא הִנֵּה ׀ אַתָּה שָׁמַעְתָּ אֵת אֲשֶׁר
עָשׂוּ מַלְכֵי אַשּׁוּר לְכָל־הָאֲרָצוֹת לְהַחֲרִימָם וְאַתָּה תִּנָּצֵל׃ יב הַהִצִּילוּ אֹתָם
אֱלֹהֵי הַגּוֹיִם אֲשֶׁר שִׁחֲתוּ אֲבוֹתַי אֶת־גּוֹזָן וְאֶת־חָרָן וְרֶצֶף וּבְנֵי־עֶדֶן אֲשֶׁר
בִּתְלַאשָּׂר׃ יג אַיּוֹ מֶלֶךְ־חֲמָת וּמֶלֶךְ אַרְפָּד וּמֶלֶךְ לָעִיר סְפַרְוָיִם הֵנַע וְעִוָּה׃
יד וַיִּקַּח חִזְקִיָּהוּ אֶת־הַסְּפָרִים מִיַּד הַמַּלְאָכִים וַיִּקְרָאֵם וַיַּעַל בֵּית יְהוָה
וַיִּפְרְשֵׂהוּ חִזְקִיָּהוּ לִפְנֵי יְהוָה׃

יה וַיִּתְפַּלֵּל חִזְקִיָּהוּ לִפְנֵי יְהוָה וַיֹּאמַר יְהוָה אֱלֹהֵי יִשְׂרָאֵל יֹשֵׁב הַכְּרֻבִים
אַתָּה־הוּא הָאֱלֹהִים לְבַדְּךָ לְכֹל מַמְלְכוֹת הָאָרֶץ אַתָּה עָשִׂיתָ אֶת־הַשָּׁמַיִם
וְאֶת־הָאָרֶץ׃ יו הַטֵּה יְהוָה ׀ אָזְנְךָ וּשְׁמָע פְּקַח יְהוָה עֵינֶיךָ וּרְאֵה וּשְׁמַע אֵת
דִּבְרֵי סַנְחֵרִיב אֲשֶׁר שְׁלָחוֹ לְחָרֵף אֱלֹהִים חָי׃ יז אָמְנָם יְהוָה הֶחֱרִיבוּ מַלְכֵי
אַשּׁוּר אֶת־הַגּוֹיִם וְאֶת־אַרְצָם׃ יח וְנָתְנוּ אֶת־אֱלֹהֵיהֶם בָּאֵשׁ כִּי לֹא אֱלֹהִים
הֵמָּה כִּי אִם־מַעֲשֵׂה יְדֵי־אָדָם עֵץ וָאֶבֶן וַיְאַבְּדוּם׃

35 Who are they among all the gods of the countries, that have delivered their country out of my hand, that Yehovah should deliver Yerushalam out of my hand?' 36 But the people held their peace, and answered him not a word; for the king's commandment was, saying: 'Answer him not.' 37 Then came Eliakim the son of Hilkiah, who was over the household, and Shebna the scribe, and Joah the son of Asaph the recorder, to Hezekiah with their clothes rent, and told him the words of Rab-shakeh.

19 1 And it came to pass, when king Hezekiah heard it, that he rent his clothes, and covered himself with sackcloth, and went into the house of Yehovah. 2 And he sent Eliakim, who was over the household, and Shebna the scribe, and the elders of the priests, covered with sackcloth, unto Isaiah the prophet the son of Amoz. 3 And they said unto him: 'Thus saith Hezekiah: This day is a day of trouble, and of rebuke, and of contumely; for the children are come to the birth, and there is not strength to bring forth. 4 It may be Yehovah thy God will hear all the words of Rab-shakeh, whom the king of Assyria his master hath sent to taunt the living God, and will rebuke the words which Yehovah thy God hath heard; wherefore make prayer for the remnant that is left.' 5 So the servants of king Hezekiah came to Isaiah. 6 And Isaiah said unto them: 'Thus shall ye say to your master: Thus saith Yehovah: Be not afraid of the words that thou hast heard, wherewith the servants of the king of Assyria have blasphemed Me. 7 Behold, I will put a spirit in him, and he shall hear a rumour, and shall return to his own land; and I will cause him to fall by the sword in his own land.' 8 So Rab-shakeh returned, and found the king of Assyria warring against Libnah; for he had heard that he was departed from Lachish. 9 And when he heard say of Tirhakah king of Ethiopia: 'Behold, he is come out to fight against thee'; he sent messengers again unto Hezekiah, saying: 10 'Thus shall ye speak to Hezekiah king of Judah, saying: Let not thy God in whom thou trustest beguile thee, saying: Yerushalam shall not be given into the hand of the king of Assyria. 11 Behold, thou hast heard what the kings of Assyria have done to all lands, by destroying them utterly; and shalt thou be delivered? 12 Have the gods of the nations delivered them, which my fathers have destroyed, Gozan, and Haran, and Rezeph, and the children of Eden that were in Telassar? 13 Where is the king of Hamath, and the king of Arpad, and the king of the city of Sepharvaim, of Hena, and Ivvah?' 14 And Hezekiah received the letter from the hand of the messengers, and read it; and Hezekiah went up unto the house of Yehovah, and spread it before Yehovah.{P}

15 And Hezekiah prayed before Yehovah, and said: 'Yehovah, the God of Israel, that sittest upon the cherubim, Thou art the God, even Thou alone, of all the kingdoms of the earth; Thou hast made heaven and earth. 16 Incline Thine ear, Yehovah, and hear; open Thine eyes, Yehovah, and see; and hear the words of Sennacherib, wherewith he hath sent him to taunt the living God. 17 Of a truth, Yehovah, the kings of Assyria have laid waste the nations and their lands, 18 and have cast their gods into the fire; for they were no gods, but the work of men's hands, wood and stone; therefore they have destroyed them.

יט וְעַתָּה יְהוָה אֱלֹהֵינוּ הוֹשִׁיעֵנוּ נָא מִיָּדוֹ וְיֵדְעוּ כָּל־מַמְלְכוֹת הָאָרֶץ כִּי
אַתָּה יְהוָה אֱלֹהִים לְבַדֶּךָ׃ כ וַיִּשְׁלַח יְשַׁעְיָהוּ בֶן־אָמוֹץ אֶל־חִזְקִיָּהוּ לֵאמֹר
כֹּה־אָמַר יְהוָה אֱלֹהֵי יִשְׂרָאֵל אֲשֶׁר הִתְפַּלַּלְתָּ אֵלַי אֶל־סַנְחֵרִב מֶלֶךְ־אַשּׁוּר
שָׁמָעְתִּי׃ כא זֶה הַדָּבָר אֲשֶׁר־דִּבֶּר יְהוָה עָלָיו בָּזָה לְךָ לָעֲגָה לְךָ בְּתוּלַת
בַּת־צִיּוֹן אַחֲרֶיךָ רֹאשׁ הֵנִיעָה בַּת יְרוּשָׁלִָם׃ כב אֶת־מִי חֵרַפְתָּ וְגִדַּפְתָּ
וְעַל־מִי הֲרִימוֹתָ קּוֹל וַתִּשָּׂא מָרוֹם עֵינֶיךָ עַל־קְדוֹשׁ יִשְׂרָאֵל׃ כג בְּיַד
מַלְאָכֶיךָ חֵרַפְתָּ | אֲדֹנָי וַתֹּאמֶר בְּרֹב[58] רִכְבִּי אֲנִי עָלִיתִי מְרוֹם הָרִים יַרְכְּתֵי
לְבָנוֹן וְאֶכְרֹת קוֹמַת אֲרָזָיו מִבְחוֹר בְּרֹשָׁיו וְאָבוֹאָה מְלוֹן קִצֹּה יַעַר כַּרְמִלּוֹ׃
כד אֲנִי קַרְתִּי וְשָׁתִיתִי מַיִם זָרִים וְאַחְרִב בְּכַף־פְּעָמַי כֹּל יְאֹרֵי מָצוֹר׃
כה הֲלֹא־שָׁמַעְתָּ לְמֵרָחוֹק אֹתָהּ עָשִׂיתִי לְמִימֵי קֶדֶם וִיצַרְתִּיהָ עַתָּה
הֲבֵיאתִיהָ וּתְהִי לְהַשְׁאוֹת גַּלִּים נִצִּים עָרִים בְּצֻרוֹת׃ כו וְיֹשְׁבֵיהֶן קִצְרֵי־יָד
חַתּוּ וַיֵּבֹשׁוּ הָיוּ עֵשֶׂב שָׂדֶה וִירַק דֶּשֶׁא חֲצִיר גַּגּוֹת וּשְׁדֵפָה לִפְנֵי קָמָה׃
כז וְשִׁבְתְּךָ וְצֵאתְךָ וּבֹאֲךָ יָדָעְתִּי וְאֵת הִתְרַגֶּזְךָ אֵלָי׃ כח יַעַן הִתְרַגֶּזְךָ אֵלַי
וְשַׁאֲנַנְךָ עָלָה בְאָזְנָי וְשַׂמְתִּי חַחִי בְּאַפֶּךָ וּמִתְגִּי בִּשְׂפָתֶיךָ וַהֲשִׁבֹתִיךָ בַּדֶּרֶךְ
אֲשֶׁר־בָּאתָ בָּהּ׃ כט וְזֶה־לְּךָ הָאוֹת אָכוֹל הַשָּׁנָה סָפִיחַ וּבַשָּׁנָה הַשֵּׁנִית סָחִישׁ
וּבַשָּׁנָה הַשְּׁלִישִׁית זִרְעוּ וְקִצְרוּ וְנִטְעוּ כְרָמִים וְאִכְלוּ פִרְיָם׃ ל וְיָסְפָה
פְּלֵיטַת בֵּית־יְהוּדָה הַנִּשְׁאָרָה שֹׁרֶשׁ לְמָטָּה וְעָשָׂה פְרִי לְמָעְלָה׃ לא כִּי
מִירוּשָׁלִַם תֵּצֵא שְׁאֵרִית וּפְלֵיטָה מֵהַר צִיּוֹן קִנְאַת יְהוָה צְבָאוֹת
תַּעֲשֶׂה־זֹּאת׃ לב לָכֵן כֹּה־אָמַר יְהוָה אֶל־מֶלֶךְ אַשּׁוּר לֹא יָבֹא אֶל־הָעִיר
הַזֹּאת וְלֹא־יוֹרֶה שָׁם חֵץ וְלֹא־יְקַדְּמֶנָּה מָגֵן וְלֹא־יִשְׁפֹּךְ עָלֶיהָ סֹלְלָה׃
לג בַּדֶּרֶךְ אֲשֶׁר־יָבֹא בָּהּ יָשׁוּב וְאֶל־הָעִיר הַזֹּאת לֹא יָבֹא נְאֻם־יְהוָה׃
לד וְגַנּוֹתִי אֶל־הָעִיר הַזֹּאת לְהוֹשִׁיעָהּ לְמַעֲנִי וּלְמַעַן דָּוִד עַבְדִּי׃ לה וַיְהִי
בַּלַּיְלָה הַהוּא וַיֵּצֵא | מַלְאַךְ יְהוָה וַיַּךְ בְּמַחֲנֵה אַשּׁוּר מֵאָה שְׁמוֹנִים וַחֲמִשָּׁה
אָלֶף וַיַּשְׁכִּימוּ בַבֹּקֶר וְהִנֵּה כֻלָּם פְּגָרִים מֵתִים׃ לו וַיִּסַּע וַיֵּלֶךְ וַיָּשָׁב סַנְחֵרִיב
מֶלֶךְ־אַשּׁוּר וַיֵּשֶׁב בְּנִינְוֵה׃ לז וַיְהִי הוּא מִשְׁתַּחֲוֶה בֵּית | נִסְרֹךְ אֱלֹהָיו
וְאַדְרַמֶּלֶךְ וְשַׂרְאֶצֶר בָּנָיו הִכֻּהוּ בַחֶרֶב וְהֵמָּה נִמְלְטוּ אֶרֶץ אֲרָרָט וַיִּמְלֹךְ
אֵסַר־חַדֹּן בְּנוֹ תַּחְתָּיו׃

כ א בַּיָּמִים הָהֵם חָלָה חִזְקִיָּהוּ לָמוּת וַיָּבֹא אֵלָיו יְשַׁעְיָהוּ בֶן־אָמוֹץ הַנָּבִיא
וַיֹּאמֶר אֵלָיו כֹּה־אָמַר יְהוָה צַו לְבֵיתֶךָ כִּי מֵת אַתָּה וְלֹא תִחְיֶה׃ ב וַיַּסֵּב
אֶת־פָּנָיו אֶל־הַקִּיר וַיִּתְפַּלֵּל אֶל־יְהוָה לֵאמֹר׃

---

[58] ברכב

19 Now therefore, Yehovah our God, save Thou us, I beseech Thee, out of his hand, that all the kingdoms of the earth may know that Thou art Yehovah God, even Thou only.'{S} **20** Then Isaiah the son of Amoz sent to Hezekiah, saying: 'Thus saith Yehovah, the God of Israel: Whereas thou hast prayed to Me against Sennacherib king of Assyria, I have heard thee. **21** This is the word that Yehovah hath spoken concerning him: The virgin daughter of Zion hath despised thee and laughed thee to scorn; the daughter of Yerushalam hath shaken her head at thee. **22** Whom hast thou taunted and blasphemed? and against whom hast thou exalted thy voice? Yea, thou hast lifted up thine eyes on high, even against the Holy One of Israel! **23** By the messengers thou hast taunted the Lord, and hast said: With the multitude of my chariots am I come up to the height of the mountains, to the innermost parts of Lebanon; and I have cut down the tall cedars thereof, and the choice cypresses thereof; and I have entered into his farthest lodge, the forest of his fruitful field. **24** I have digged and drunk strange waters, and with the sole of my feet have I dried up all the rivers of Egypt. **25** Hast thou not heard? long ago I made it, in ancient times I fashioned it; now have I brought it to pass, yea, it is done; that fortified cities should be laid waste into ruinous heaps. **26** Therefore their inhabitants were of small power, they were dismayed and confounded; they were as the grass of the field, and as the green herb, as the grass on the housetops, and as corn blasted before it is grown up. **27** But I know thy sitting down, and thy going out, and thy coming in, and thy raging against Me. **28** Because of thy raging against Me, and for that thy tumult is come up into Mine ears, therefore will I put My hook in thy nose, and My bridle in thy lips, and I will turn thee back by the way by which thou camest. **29** And this shall be the sign unto thee: ye shall eat this year that which groweth of itself, and in the second year that which springeth of the same; and in the third year sow ye, and reap, and plant vineyards, and eat the fruit thereof. **30** And the remnant that is escaped of the house of Judah shall again take root downward, and bear fruit upward. **31** For out of Yerushalam shall go forth a remnant, and out of mount Zion they that shall escape; the zeal of Yehovah of hosts shall perform this.{S} **32** Therefore thus saith Yehovah concerning the king of Assyria: He shall not come unto this city, nor shoot an arrow there, neither shall he come before it with shield, nor cast a mound against it. **33** By the way that he came, by the same shall he return, and he shall not come unto this city, saith Yehovah. **34** For I will defend this city to save it, for Mine own sake, and for My servant David's sake.' **35** And it came to pass that night, that the angel of Yehovah went forth, and smote in the camp of the Assyrians a hundred fourscore and five thousand; and when men arose early in the morning, behold, they were all dead corpses. **36** So Sennacherib king of Assyria departed, and went and returned, and dwelt at Nineveh. **37** And it came to pass, as he was worshipping in the house of Nisroch his god, that Adrammelech and Sarezer his sons smote him with the sword; and they escaped into the land of Ararat. And Esarhaddon his son reigned in his stead.{P}

20 **1** In those days was Hezekiah sick unto death. And Isaiah the prophet the son of Amoz came to him, and said unto him: 'Thus saith Yehovah: Set thy house in order; for thou shalt die, and not live.' **2** Then he turned his face to the wall, and prayed unto Yehovah, saying:

ג אָנָּה יְהוָה זְכָר־נָא אֵת אֲשֶׁר הִתְהַלַּכְתִּי לְפָנֶיךָ בֶּאֱמֶת וּבְלֵבָב שָׁלֵם וְהַטּוֹב
בְּעֵינֶיךָ עָשִׂיתִי וַיֵּבְךְּ חִזְקִיָּהוּ בְּכִי גָדוֹל׃ ד וַיְהִי יְשַׁעְיָהוּ לֹא יָצָא
חָצֵר[59] הַתִּיכֹנָה וּדְבַר־יְהוָה הָיָה אֵלָיו לֵאמֹר׃ ה שׁוּב וְאָמַרְתָּ אֶל־חִזְקִיָּהוּ
נְגִיד־עַמִּי כֹּה־אָמַר יְהוָה אֱלֹהֵי דָּוִד אָבִיךָ שָׁמַעְתִּי אֶת־תְּפִלָּתֶךָ רָאִיתִי
אֶת־דִּמְעָתֶךָ הִנְנִי רֹפֶא לָךְ בַּיּוֹם הַשְּׁלִישִׁי תַּעֲלֶה בֵּית יְהוָה׃ ו וְהֹסַפְתִּי
עַל־יָמֶיךָ חֲמֵשׁ עֶשְׂרֵה שָׁנָה וּמִכַּף מֶלֶךְ־אַשּׁוּר אַצִּילְךָ וְאֵת הָעִיר הַזֹּאת
וְגַנּוֹתִי עַל־הָעִיר הַזֹּאת לְמַעֲנִי וּלְמַעַן דָּוִד עַבְדִּי׃ ז וַיֹּאמֶר יְשַׁעְיָהוּ קְחוּ
דְּבֶלֶת תְּאֵנִים וַיִּקְחוּ וַיָּשִׂימוּ עַל־הַשְּׁחִין וַיֶּחִי׃ ח וַיֹּאמֶר חִזְקִיָּהוּ אֶל־יְשַׁעְיָהוּ
מָה אוֹת כִּי־יִרְפָּא יְהוָה לִי וְעָלִיתִי בַּיּוֹם הַשְּׁלִישִׁי בֵּית יְהוָה׃ ט וַיֹּאמֶר
יְשַׁעְיָהוּ זֶה־לְּךָ הָאוֹת מֵאֵת יְהוָה כִּי יַעֲשֶׂה יְהוָה אֶת־הַדָּבָר אֲשֶׁר דִּבֵּר הָלַךְ
הַצֵּל עֶשֶׂר מַעֲלוֹת אִם־יָשׁוּב עֶשֶׂר מַעֲלוֹת׃ י וַיֹּאמֶר יְחִזְקִיָּהוּ נָקֵל לַצֵּל
לִנְטוֹת עֶשֶׂר מַעֲלוֹת לֹא כִּי יָשׁוּב הַצֵּל אֲחֹרַנִּית עֶשֶׂר מַעֲלוֹת׃ יא וַיִּקְרָא
יְשַׁעְיָהוּ הַנָּבִיא אֶל־יְהוָה וַיָּשֶׁב אֶת־הַצֵּל בַּמַּעֲלוֹת אֲשֶׁר יָרְדָה בְּמַעֲלוֹת אָחָז
אֲחֹרַנִּית עֶשֶׂר מַעֲלוֹת׃

יב בָּעֵת הַהִיא שָׁלַח בְּרֹאדַךְ בַּלְאֲדָן בֶּן־בַּלְאֲדָן מֶלֶךְ־בָּבֶל סְפָרִים וּמִנְחָה
אֶל־חִזְקִיָּהוּ כִּי שָׁמַע כִּי חָלָה חִזְקִיָּהוּ׃ יג וַיִּשְׁמַע עֲלֵיהֶם חִזְקִיָּהוּ וַיַּרְאֵם
אֶת־כָּל־בֵּית נְכֹתֹה אֶת־הַכֶּסֶף וְאֶת־הַזָּהָב וְאֶת־הַבְּשָׂמִים וְאֵת ׀ שֶׁמֶן הַטּוֹב
וְאֵת בֵּית כֵּלָיו וְאֵת כָּל־אֲשֶׁר נִמְצָא בְּאוֹצְרֹתָיו לֹא־הָיָה דָבָר אֲשֶׁר
לֹא־הֶרְאָם חִזְקִיָּהוּ בְּבֵיתוֹ וּבְכָל־מֶמְשַׁלְתּוֹ׃ יד וַיָּבֹא יְשַׁעְיָהוּ הַנָּבִיא
אֶל־הַמֶּלֶךְ חִזְקִיָּהוּ וַיֹּאמֶר אֵלָיו מָה אָמְרוּ ׀ הָאֲנָשִׁים הָאֵלֶּה וּמֵאַיִן יָבֹאוּ
אֵלֶיךָ וַיֹּאמֶר חִזְקִיָּהוּ מֵאֶרֶץ רְחוֹקָה בָּאוּ מִבָּבֶל׃ טו וַיֹּאמֶר מָה רָאוּ בְּבֵיתֶךָ
וַיֹּאמֶר חִזְקִיָּהוּ אֵת כָּל־אֲשֶׁר בְּבֵיתִי רָאוּ לֹא־הָיָה דָבָר אֲשֶׁר לֹא־הִרְאִיתִם
בְּאֹצְרֹתָי׃ טז וַיֹּאמֶר יְשַׁעְיָהוּ אֶל־חִזְקִיָּהוּ שְׁמַע דְּבַר־יְהוָה׃ יז הִנֵּה יָמִים בָּאִים
וְנִשָּׂא ׀ כָּל־אֲשֶׁר בְּבֵיתֶךָ וַאֲשֶׁר אָצְרוּ אֲבֹתֶיךָ עַד־הַיּוֹם הַזֶּה בָּבֶלָה לֹא־יִוָּתֵר
דָּבָר אָמַר יְהוָה׃ יח וּמִבָּנֶיךָ אֲשֶׁר יֵצְאוּ מִמְּךָ אֲשֶׁר תּוֹלִיד יִקָּחוּ[60] וְהָיוּ
סָרִיסִים בְּהֵיכַל מֶלֶךְ בָּבֶל׃ יט וַיֹּאמֶר חִזְקִיָּהוּ אֶל־יְשַׁעְיָהוּ טוֹב דְּבַר־יְהוָה
אֲשֶׁר דִּבַּרְתָּ וַיֹּאמֶר הֲלוֹא אִם־שָׁלוֹם וֶאֱמֶת יִהְיֶה בְיָמָי׃ כ וְיֶתֶר דִּבְרֵי
חִזְקִיָּהוּ וְכָל־גְּבוּרָתוֹ וַאֲשֶׁר עָשָׂה אֶת־הַבְּרֵכָה וְאֶת־הַתְּעָלָה וַיָּבֵא אֶת־הַמַּיִם
הָעִירָה הֲלֹא־הֵם כְּתוּבִים עַל־סֵפֶר דִּבְרֵי הַיָּמִים לְמַלְכֵי יְהוּדָה׃ כא וַיִּשְׁכַּב
חִזְקִיָּהוּ עִם־אֲבֹתָיו וַיִּמְלֹךְ מְנַשֶּׁה בְנוֹ תַּחְתָּיו׃

[59] העיר
[60] יקח

3 'Remember now, Yehovah, I beseech Thee, how I have walked before Thee in truth and with a whole heart, and have done that which is good in Thy sight.' And Hezekiah wept sore.{S} **4** And it came to pass, before Isaiah was gone out of the inner court of the city, that the word of Yehovah came to him, saying: **5** 'Return, and say to Hezekiah the prince of My people: Thus saith Yehovah, the God of David thy father: I have heard thy prayer, I have seen thy tears; behold, I will heal thee; on the third day thou shalt go up unto the house of Yehovah. **6** And I will add unto thy days fifteen years; and I will deliver thee and this city out of the hand of the king of Assyria; and I will defend this city for Mine own sake, and for My servant David's sake.' **7** And Isaiah said: 'Take a cake of figs.' And they took and laid it on the boil, and he recovered. **8** And Hezekiah said unto Isaiah: 'What shall be the sign that Yehovah will heal me, and that I shall go up unto the house of Yehovah the third day?' **9** And Isaiah said: 'This shall be the sign unto thee from Yehovah, that Yehovah will do the thing that He hath spoken: shall the shadow go forward ten degrees, or go back ten degrees? **10** And Hezekiah answered: 'It is a light thing for the shadow to decline ten degrees; nay, but let the shadow return backward ten degrees.' **11** And Isaiah the prophet cried unto Yehovah; and he brought the shadow ten degrees backward, by which it had gone down on the dial of Ahaz.{P}

12 At that time Berodach-baladan the son of Baladan, king of Babylon, sent a letter and a present unto Hezekiah; for he had heard that Hezekiah had been sick. **13** And Hezekiah hearkened unto them, and showed them all his treasure-house, the silver, and the gold, and the spices, and the precious oil, and the house of his armour, and all that was found in his treasures; there was nothing in his house, nor in all his dominion, that Hezekiah showed them not. **14** Then came Isaiah the prophet unto king Hezekiah, and said unto him: 'What said these men? and from whence came they unto thee?' And Hezekiah said: 'They are come from a far country, even from Babylon.' **15** And he said: 'What have they seen in thy house?' And Hezekiah answered: 'All that is in my house have they seen; there is nothing among my treasures that I have not shown them.' **16** And Isaiah said unto Hezekiah: 'Hear the word of Yehovah. **17** Behold, the days come, that all that is in thy house, and that which thy fathers have laid up in store unto this day, shall be carried to Babylon; nothing shall be left, saith Yehovah. **18** And of thy sons that shall issue from thee, whom thou shalt beget, shall they take away; and they shall be officers in the palace of the king of Babylon.' **19** Then said Hezekiah unto Isaiah: 'Good is the word of Yehovah which thou hast spoken.' He said moreover: 'Is it not so, if peace and truth shall be in my days?' **20** Now the rest of the acts of Hezekiah, and all his might, and how he made the pool, and the conduit, and brought water into the city, are they not written in the book of the chronicles of the kings of Judah? **21** And Hezekiah slept with his fathers; and Manasseh his son reigned in his stead.{P}

כא א בֶּן־שְׁתֵּ֥ים עֶשְׂרֵ֣ה שָׁנָ֖ה מְנַשֶּׁ֣ה בְמָלְכ֑וֹ וַחֲמִשִּׁ֤ים וְחָמֵשׁ֙ שָׁנָ֔ה מָלַ֖ךְ בִּירוּשָׁלָ֑͏ִם וְשֵׁ֥ם אִמּ֖וֹ חֶפְצִי־בָֽהּ: ב וַיַּ֥עַשׂ הָרַ֖ע בְּעֵינֵ֣י יְהוָ֑ה כְּתוֹעֲבֹת֙ הַגּוֹיִ֔ם אֲשֶׁר֙ הוֹרִ֣ישׁ יְהוָ֔ה מִפְּנֵ֖י בְּנֵ֥י יִשְׂרָאֵֽל: ג וַיָּ֗שׇׁב וַיִּ֙בֶן֙ אֶת־הַבָּמ֔וֹת אֲשֶׁ֥ר אִבַּ֖ד חִזְקִיָּ֣הוּ אָבִ֑יו וַיָּ֨קֶם מִזְבְּחֹ֜ת לַבַּ֗עַל וַיַּ֤עַשׂ אֲשֵׁרָה֙ כַּאֲשֶׁ֤ר עָשָׂה֙ אַחְאָ֣ב מֶ֣לֶךְ יִשְׂרָאֵ֔ל וַיִּשְׁתַּ֙חוּ֙ לְכׇל־צְבָ֣א הַשָּׁמַ֔יִם וַיַּעֲבֹ֖ד אֹתָֽם: ד וּבָנָ֥ה מִזְבְּחֹ֖ת בְּבֵ֣ית יְהוָ֑ה אֲשֶׁר֙ אָמַ֣ר יְהוָ֔ה בִּירוּשָׁלַ֖͏ִם אָשִׂ֥ים אֶת־שְׁמִֽי: ה וַיִּ֥בֶן מִזְבְּח֖וֹת לְכׇל־צְבָ֣א הַשָּׁמָ֑יִם בִּשְׁתֵּ֖י חַצְר֥וֹת בֵּית־יְהוָֽה: ו וְהֶעֱבִ֤יר אֶת־בְּנוֹ֙ בָּאֵ֔שׁ וְעוֹנֵ֣ן וְנִחֵ֔שׁ וְעָ֥שָׂה א֖וֹב וְיִדְּעֹנִ֑ים הִרְבָּ֗ה לַעֲשׂ֥וֹת הָרַ֛ע בְּעֵינֵ֥י יְהוָ֖ה לְהַכְעִֽיס: ז וַיָּ֕שֶׂם אֶת־פֶּ֥סֶל הָאֲשֵׁרָ֖ה אֲשֶׁ֣ר עָשָׂ֑ה בַּבַּ֗יִת אֲשֶׁ֨ר אָמַ֤ר יְהוָה֙ אֶל־דָּוִ֔ד וְאֶל־שְׁלֹמֹ֣ה בְנ֔וֹ בַּבַּ֤יִת הַזֶּה֙ וּבִיר֣וּשָׁלַ֔͏ִם אֲשֶׁ֤ר בָּחַ֙רְתִּי֙ מִכֹּל֙ שִׁבְטֵ֣י יִשְׂרָאֵ֔ל אָשִׂ֥ים אֶת־שְׁמִ֖י לְעוֹלָֽם: ח וְלֹ֣א אֹסִ֗יף לְהָנִיד֙ רֶ֣גֶל יִשְׂרָאֵ֔ל מִן־הָ֣אֲדָמָ֔ה אֲשֶׁ֥ר נָתַ֖תִּי לַאֲבוֹתָ֑ם רַ֣ק ׀ אִם־יִשְׁמְר֣וּ לַעֲשׂ֗וֹת כְּכֹל֙ אֲשֶׁ֣ר צִוִּיתִ֔ים וּלְכׇל־הַתּוֹרָ֕ה אֲשֶׁר־צִוָּ֥ה אֹתָ֖ם עַבְדִּ֥י מֹשֶֽׁה: ט וְלֹ֖א שָׁמֵ֑עוּ וַיַּתְעֵ֤ם מְנַשֶּׁה֙ לַעֲשׂ֣וֹת אֶת־הָרָ֔ע מִן־הַ֨גּוֹיִ֔ם אֲשֶׁר֙ הִשְׁמִ֣יד יְהוָ֔ה מִפְּנֵ֖י בְּנֵ֥י יִשְׂרָאֵֽל: י וַיְדַבֵּ֧ר יְהוָ֛ה בְּיַד־עֲבָדָ֥יו הַנְּבִיאִ֖ים לֵאמֹֽר: יא יַ֗עַן אֲשֶׁ֨ר עָשָׂ֜ה מְנַשֶּׁ֤ה מֶֽלֶךְ־יְהוּדָה֙ הַתֹּעֵב֣וֹת הָאֵ֔לֶּה הֵרַ֖ע מִכֹּ֛ל אֲשֶׁר־עָשׂ֥וּ הָאֱמֹרִ֖י אֲשֶׁ֣ר לְפָנָ֑יו וַיַּחֲטִ֥א גַֽם־אֶת־יְהוּדָ֖ה בְּגִלּוּלָֽיו:

יב לָכֵ֗ן כֹּֽה־אָמַ֤ר יְהוָה֙ אֱלֹהֵ֣י יִשְׂרָאֵ֔ל הִנְנִ֨י מֵבִ֤יא רָעָה֙ עַל־יְ֣רוּשָׁלַ֔͏ִם וִיהוּדָ֑ה אֲשֶׁר֙ כׇּל־[שֹׁמְעָ֔הּ](61) תִּצַּ֖לְנָה שְׁתֵּ֥י אׇזְנָֽיו: יג וְנָטִ֣יתִי עַל־יְרוּשָׁלַ֗͏ִם אֵ֚ת קָ֣ו שֹׁמְר֔וֹן וְאֶת־מִשְׁקֹ֖לֶת בֵּ֣ית אַחְאָ֑ב וּמָחִ֤יתִי אֶת־יְרוּשָׁלַ֙͏ִם֙ כַּֽאֲשֶׁר־יִמְחֶ֣ה אֶת־הַצַּלַּ֔חַת מָחָ֖ה וְהָפַ֥ךְ עַל־פָּנֶֽיהָ: יד וְנָטַשְׁתִּ֗י אֵ֚ת שְׁאֵרִ֣ית נַחֲלָתִ֔י וּנְתַתִּ֖ים בְּיַ֣ד אֹֽיְבֵיהֶ֑ם וְהָי֥וּ לְבַ֛ז וְלִמְשִׁסָּ֖ה לְכׇל־אֹיְבֵיהֶֽם: טו יַ֗עַן אֲשֶׁ֨ר עָשׂ֤וּ אֶת־הָרַע֙ בְּעֵינַ֔י וַיִּהְי֥וּ מַכְעִסִ֖ים אֹתִ֑י מִן־הַיּ֗וֹם אֲשֶׁ֨ר יָצְא֤וּ אֲבוֹתָם֙ מִמִּצְרַ֔יִם וְעַ֖ד הַיּ֥וֹם הַזֶּֽה: טז וְגַם֩ דָּ֨ם נָקִ֜י שָׁפַ֤ךְ מְנַשֶּׁה֙ הַרְבֵּ֣ה מְאֹ֔ד עַ֛ד אֲשֶׁר־מִלֵּ֥א אֶת־יְרוּשָׁלַ֖͏ִם פֶּ֣ה לָפֶ֑ה לְבַ֤ד מֵחַטָּאתוֹ֙ אֲשֶׁ֣ר הֶחֱטִ֣יא אֶת־יְהוּדָ֔ה לַעֲשׂ֥וֹת הָרַ֖ע בְּעֵינֵ֥י יְהוָֽה: יז וְיֶ֨תֶר דִּבְרֵ֤י מְנַשֶּׁה֙ וְכׇל־אֲשֶׁ֣ר עָשָׂ֔ה וְחַטָּאת֖וֹ אֲשֶׁ֣ר חָטָ֑א הֲלֹא־הֵ֣ם כְּתוּבִ֗ים עַל־סֵ֛פֶר דִּבְרֵ֥י הַיָּמִ֖ים לְמַלְכֵ֥י יְהוּדָֽה: יח וַיִּשְׁכַּ֤ב מְנַשֶּׁה֙ עִם־אֲבֹתָ֔יו וַיִּקָּבֵ֥ר בְּגַן־בֵּית֖וֹ בְּגַן־עֻזָּ֑א וַיִּמְלֹ֛ךְ אָמ֥וֹן בְּנ֖וֹ תַּחְתָּֽיו:

יט בֶּן־עֶשְׂרִ֨ים וּשְׁתַּ֤יִם שָׁנָה֙ אָמ֣וֹן בְּמׇלְכ֔וֹ וּשְׁתַּ֣יִם שָׁנִ֔ים מָלַ֖ךְ בִּירוּשָׁלָ֑͏ִם וְשֵׁ֣ם אִמּ֔וֹ מְשֻׁלֶּ֥מֶת בַּת־חָר֖וּץ מִן־יׇטְבָֽה: כ וַיַּ֥עַשׂ הָרַ֖ע בְּעֵינֵ֣י יְהוָ֑ה כַּאֲשֶׁ֥ר עָשָׂ֖ה מְנַשֶּׁ֥ה אָבִֽיו:

---

21 1 Manasseh was twelve years old when he began to reign; and he reigned five and fifty years in Yerushalam; and his mother's name was Hephzi-bah. 2 And he did that which was evil in the sight of Yehovah, after the abominations of the nations, whom Yehovah cast out before the children of Israel. 3 For he built again the high places which Hezekiah his father had destroyed; and he reared up altars for Baal, and made an Asherah, as did Ahab king of Israel, and worshipped all the host of heaven, and served them. 4 And he built altars in the house of Yehovah, whereof Yehovah said: 'In Yerushalam will I put My name.' 5 And he built altars for all the host of heaven in the two courts of the house of Yehovah. 6 And he made his son to pass through the fire, and practised soothsaying, and used enchantments, and appointed them that divined by a ghost or a familiar spirit: he wrought much evil in the sight of Yehovah, to provoke Him. 7 And he set the graven image of Asherah, that he had made, in the house of which Yehovah said to David and to Solomon his son: 'In this house, and in Yerushalam, which I have chosen out of all the tribes of Israel, will I put My name for ever; 8 neither will I cause the feet of Israel to wander any more out of the land which I gave their fathers; if only they will observe to do according to all that I have commanded them, and according to all the Torah that My servant Moses commanded them.' 9 But they hearkened not; and Manasseh seduced them to do that which is evil more than did the nations, whom Yehovah destroyed before the children of Israel. 10 And Yehovah spoke by His servants the prophets, saying: 11 'Because Manasseh king of Judah hath done these abominations, and hath done wickedly above all that the Amorites did, that were before him, and hath made Judah also to sin with his idols;{S} 12 therefore thus saith Yehovah, the God of Israel: Behold, I bring such evil upon Yerushalam and Judah, that whosoever heareth of it, both his ears shall tingle. 13 And I will stretch over Yerushalam the line of Samaria, and the plummet of the house of Ahab; and I will wipe Yerushalam as a man wipeth a dish, wiping it and turning it upside down. 14 And I will cast off the remnant of Mine inheritance, and deliver them into the hand of their enemies; and they shall become a prey and a spoil to all their enemies; 15 because they have done that which is evil in My sight, and have provoked Me, since the day their fathers came forth out of Egypt, even unto this day.' 16 Moreover Manasseh shed innocent blood very much, till he had filled Yerushalam from one end to another; beside his sin wherewith he made Judah to sin, in doing that which was evil in the sight of Yehovah. 17 Now the rest of the acts of Manasseh, and all that he did, and his sin that he sinned, are they not written in the book of the chronicles of the kings of Judah? 18 And Manasseh slept with his fathers, and was buried in the garden of his own house, in the garden of Uzza; and Amon his son reigned in his stead.{P}

19 Amon was twenty and two years old when he began to reign; and he reigned two years in Yerushalam; and his mother's name was Meshullemeth the daughter of Haruz of Jotbah. 20 And he did that which was evil in the sight of Yehovah, as did Manasseh his father.

כא וַיֵּ֕לֶךְ בְּכָל־הַדֶּ֖רֶךְ אֲשֶׁר־הָלַ֣ךְ אָבִ֑יו וַיַּעֲבֹ֗ד אֶת־הַגִּלֻּלִים֙ אֲשֶׁ֣ר עָבַ֣ד אָבִ֔יו וַיִּשְׁתַּ֖חוּ לָהֶֽם: כב וַֽיַּעֲזֹ֛ב אֶת־יְהוָ֖ה אֱלֹהֵ֣י אֲבֹתָ֑יו וְלֹ֥א הָלַ֖ךְ בְּדֶ֥רֶךְ יְהוָֽה: כג וַיִּקְשְׁר֤וּ עַבְדֵֽי־אָמוֹן֙ עָלָ֔יו וַיָּמִ֥יתוּ אֶת־הַמֶּ֖לֶךְ בְּבֵיתֽוֹ: כד וַיַּךְ֩ עַם־הָאָ֨רֶץ אֵ֤ת כָּל־הַקֹּשְׁרִים֙ עַל־הַמֶּ֣לֶךְ אָמ֔וֹן וַיַּמְלִ֧יכוּ עַם־הָאָ֛רֶץ אֶת־יֹאשִׁיָּ֥הוּ בְנ֖וֹ תַּחְתָּֽיו: כה וְיֶ֛תֶר דִּבְרֵ֥י אָמ֖וֹן אֲשֶׁ֣ר עָשָׂ֑ה הֲלֹא־הֵ֣ם כְּתוּבִ֗ים עַל־סֵ֛פֶר דִּבְרֵ֥י הַיָּמִ֖ים לְמַלְכֵ֥י יְהוּדָֽה: כו וַיִּקְבֹּ֥ר אֹת֛וֹ בִּקְבֻרָת֖וֹ בְּגַן־עֻזָּ֑א וַיִּמְלֹ֛ךְ יֹאשִׁיָּ֥הוּ בְנ֖וֹ תַּחְתָּֽיו:

כב א בֶּן־שְׁמֹנֶ֤ה שָׁנָה֙ יֹאשִׁיָּ֣הוּ בְמָלְכ֔וֹ וּשְׁלֹשִׁ֤ים וְאַחַת֙ שָׁנָ֔ה מָלַ֖ךְ בִּירוּשָׁלָ֑͏ִם וְשֵׁ֣ם אִמּ֔וֹ יְדִידָ֥ה בַת־עֲדָ֖יָה מִבָּצְקַֽת: ב וַיַּ֥עַשׂ הַיָּשָׁ֖ר בְּעֵינֵ֣י יְהוָ֑ה וַיֵּ֗לֶךְ בְּכָל־דֶּ֙רֶךְ֙ דָּוִ֣ד אָבִ֔יו וְלֹא־סָ֖ר יָמִ֥ין וּשְׂמֹֽאול:

ג וַיְהִ֗י בִּשְׁמֹנֶ֤ה עֶשְׂרֵה֙ שָׁנָ֔ה לַמֶּ֖לֶךְ יֹאשִׁיָּ֑הוּ שָׁלַ֣ח הַמֶּ֡לֶךְ אֶת־שָׁפָ֣ן בֶּן־אֲצַלְיָ֣הוּ בֶן־מְשֻׁלָּ֡ם הַסֹּפֵ֜ר בֵּ֧ית יְהוָ֛ה לֵאמֹֽר: ד עֲלֵ֗ה אֶל־חִלְקִיָּ֙הוּ֙ הַכֹּהֵ֣ן הַגָּד֔וֹל וְיַתֵּ֗ם אֶת־הַכֶּ֙סֶף֙ הַמּוּבָ֣א בֵּ֣ית יְהוָ֔ה אֲשֶׁ֥ר אָסְפ֛וּ שֹׁמְרֵ֥י הַסַּ֖ף מֵאֵ֥ת הָעָֽם: ה וְיִתְּנֻ֗הוּ[62] עַל־יַד֙ עֹשֵׂ֣י הַמְּלָאכָ֔ה הַמֻּפְקָדִ֖ים בֵּ֣ית יְהוָ֑ה[63] וְיִתְּנ֣וּ אֹת֗וֹ לְעֹשֵׂ֤י הַמְּלָאכָה֙ אֲשֶׁר֙ בְּבֵ֣ית יְהוָ֔ה לְחַזֵּ֖ק בֶּ֥דֶק הַבָּֽיִת: ו לֶחָֽרָשִׁים֙ וְלַבֹּנִ֔ים וְלַגֹּֽדְרִ֑ים וְלִקְנ֤וֹת עֵצִים֙ וְאַבְנֵ֣י מַחְצֵ֔ב לְחַזֵּ֖ק אֶת־הַבָּֽיִת: ז אַ֚ךְ לֹֽא־יֵחָשֵׁ֣ב אִתָּ֔ם הַכֶּ֖סֶף הַנִּתָּ֣ן עַל־יָדָ֑ם כִּ֥י בֶאֱמוּנָ֖ה הֵ֥ם עֹשִֽׂים: ח וַ֠יֹּאמֶר חִלְקִיָּ֜הוּ הַכֹּהֵ֤ן הַגָּדוֹל֙ עַל־שָׁפָ֣ן הַסֹּפֵ֔ר סֵ֧פֶר הַתּוֹרָ֛ה מָצָ֖אתִי בְּבֵ֣ית יְהוָ֑ה וַיִּתֵּ֨ן חִלְקִיָּ֧ה אֶת־הַסֵּ֛פֶר אֶל־שָׁפָ֖ן וַיִּקְרָאֵֽהוּ: ט וַיָּבֹ֞א שָׁפָ֤ן הַסֹּפֵר֙ אֶל־הַמֶּ֔לֶךְ וַיָּ֥שֶׁב אֶת־הַמֶּ֖לֶךְ דָּבָ֑ר וַיֹּ֗אמֶר הִתִּ֤יכוּ עֲבָדֶ֙יךָ֙ אֶת־הַכֶּ֙סֶף֙ הַנִּמְצָ֣א בַבַּ֔יִת וַֽיִּתְּנֻ֗הוּ עַל־יַד֙ עֹשֵׂ֣י הַמְּלָאכָ֔ה הַמֻּפְקָדִ֖ים בֵּ֥ית יְהוָֽה: י וַיַּגֵּ֞ד שָׁפָ֤ן הַסֹּפֵר֙ לַמֶּ֣לֶךְ לֵאמֹ֔ר סֵ֚פֶר נָ֣תַן לִ֔י חִלְקִיָּ֖ה הַכֹּהֵ֑ן וַיִּקְרָאֵ֥הוּ שָׁפָ֖ן לִפְנֵ֥י הַמֶּֽלֶךְ: יא וַיְהִ֛י כִּשְׁמֹ֥עַ הַמֶּ֖לֶךְ אֶת־דִּבְרֵ֣י סֵ֣פֶר הַתּוֹרָ֑ה וַיִּקְרַ֖ע אֶת־בְּגָדָֽיו: יב וַיְצַ֣ו הַמֶּ֡לֶךְ אֶת־חִלְקִיָּ֣ה הַכֹּהֵ֡ן וְאֶת־אֲחִיקָ֣ם בֶּן־שָׁ֠פָן וְאֶת־עַכְבּ֨וֹר בֶּן־מִיכָיָ֜ה וְאֵ֣ת ׀ שָׁפָ֣ן הַסֹּפֵ֗ר וְאֵ֛ת עֲשָׂיָ֥ה עֶֽבֶד־הַמֶּ֖לֶךְ לֵאמֹֽר: יג לְכוּ֩ דִרְשׁ֨וּ אֶת־יְהוָ֜ה בַּעֲדִ֣י וּבְעַד־הָעָ֗ם וּבְעַד֙ כָּל־יְהוּדָ֔ה עַל־דִּבְרֵ֛י הַסֵּ֥פֶר הַנִּמְצָ֖א הַזֶּ֑ה כִּֽי־גְדוֹלָ֞ה חֲמַ֣ת יְהוָ֗ה אֲשֶׁר־הִיא֙ נִצְּתָ֣ה בָ֔נוּ עַל֩ אֲשֶׁ֨ר לֹֽא־שָׁמְע֜וּ אֲבֹתֵ֗ינוּ עַל־דִּבְרֵי֙ הַסֵּ֣פֶר הַזֶּ֔ה לַעֲשׂ֖וֹת כְּכָל־הַכָּת֥וּב עָלֵֽינוּ: יד וַיֵּ֣לֶךְ חִלְקִיָּ֣הוּ הַ֠כֹּהֵן וַאֲחִיקָ֨ם וְעַכְבּ֜וֹר וְשָׁפָ֣ן וַעֲשָׂיָ֗ה אֶל־חֻלְדָּ֨ה הַנְּבִיאָ֜ה אֵ֣שֶׁת ׀ שַׁלֻּ֣ם בֶּן־תִּקְוָ֗ה בֶּן־חַרְחַס֙ שֹׁמֵ֣ר הַבְּגָדִ֔ים וְהִ֛יא יֹשֶׁ֥בֶת בִּירוּשָׁלַ֖͏ִם בַּמִּשְׁנֶ֑ה וַיְדַבְּר֖וּ אֵלֶֽיהָ:

---

[62] וְיִתְּנֻ֫ה
[63] בְּבֵ֣ית

21 And he walked in all the way that his father walked in, and served the idols that his father served, and worshipped them. **22** And he forsook Yehovah, the God of his fathers, and walked not in the way of Yehovah. **23** And the servants of Amon conspired against him, and put the king to death in his own house. **24** But the people of the land slew all them that had conspired against king Amon; and the people of the land made Josiah his son king in his stead. **25** Now the rest of the acts of Amon which he did, are they not written in the book of the chronicles of the kings of Judah? **26** And he was buried in his sepulchre in the garden of Uzza; and Josiah his son reigned in his stead.{P}

22 **1** Josiah was eight years old when he began to reign; and he reigned thirty and one years in Yerushalam; and his mother's name was Jedidah the daughter of Adaiah of Bozkath. **2** And he did that which was right in the eyes of Yehovah, and walked in all the way of David his father, and turned not aside to the right hand or to the left.{P}

3 And it came to pass in the eighteenth year of king Josiah, that the king sent Shaphan the son of Azaliah, the son of Meshullam, the scribe, to the house of Yehovah, saying. **4** 'Go up to Hilkiah the high priest, that he may sum the money which is brought into the house of Yehovah, which the keepers of the door have gathered of the people; **5** and let them deliver it into the hand of the workmen that have the oversight of the house of Yehovah; and let them give it to the workmen that are in the house of Yehovah, to repair the breaches of the house; **6** unto the carpenters, and to the builders, and to the masons; and for buying timber and hewn stone to repair the house.'– **7** Howbeit there was no reckoning made with them of the money that was delivered into their hand; for they dealt faithfully. **8** And Hilkiah the high priest said unto Shaphan the scribe: 'I have found the book of the Torah in the house of Yehovah.' And Hilkiah delivered the book to Shaphan, and he read it. **9** And Shaphan the scribe came to the king, and brought back word unto the king, and said: 'Thy servants have poured out the money that was found in the house, and have delivered it into the hand of the workmen that have the oversight of the house of Yehovah.' **10** And Shaphan the scribe told the king, saying: 'Hilkiah the priest hath delivered me a book.' And Shaphan read it before the king. **11** And it came to pass, when the king had heard the words of the book of the Torah, that he rent his clothes. **12** And the king commanded Hilkiah the priest, and Ahikam the son of Shaphan, and Achbor the son of Micaiah, and Shaphan the scribe, and Asaiah the king's servant, saying: **13** 'Go ye, inquire of Yehovah for me, and for the people, and for all Judah, concerning the words of this book that is found; for great is the wrath of Yehovah that is kindled against us, because our fathers have not hearkened unto the words of this book, to do according unto all that which is written concerning us.' **14** So Hilkiah the priest, and Ahikam, and Achbor, and Shaphan, and Asaiah, went unto Huldah the prophetess, the wife of Shallum the son of Tikvah, the son of Harhas, keeper of the wardrobe–now she dwelt in Yerushalam in the second quarter–and they spoke with her.

יה וַתֹּ֣אמֶר אֲלֵיהֶ֗ם כֹּֽה־אָמַ֤ר יְהֹוָה֙ אֱלֹהֵ֣י יִשְׂרָאֵ֔ל אִמְר֣וּ לָאִ֔ישׁ אֲשֶׁר־שָׁלַ֥ח אֶתְכֶ֖ם אֵלָֽי: יו כֹּ֚ה אָמַ֣ר יְהֹוָ֔ה הִנְנִ֨י מֵבִ֥יא רָעָ֛ה אֶל־הַמָּק֥וֹם הַזֶּ֖ה וְעַל־יֹשְׁבָ֑יו אֵ֚ת כׇּל־דִּבְרֵ֣י הַסֵּ֔פֶר אֲשֶׁ֥ר קָרָ֖א מֶ֥לֶךְ יְהוּדָֽה: יז תַּ֣חַת ׀ אֲשֶׁ֣ר עֲזָב֗וּנִי וַֽיְקַטְּרוּ֙ לֵאלֹהִ֣ים אֲחֵרִ֔ים לְמַ֙עַן֙ הַכְעִיסֵ֔נִי בְּכֹ֖ל מַעֲשֵׂ֣ה יְדֵיהֶ֑ם וְנִצְּתָ֧ה חֲמָתִ֛י בַּמָּק֥וֹם הַזֶּ֖ה וְלֹ֥א תִכְבֶּֽה: יח וְאֶל־מֶ֣לֶךְ יְהוּדָ֗ה הַשֹּׁלֵ֤חַ אֶתְכֶם֙ לִדְרֹ֣שׁ אֶת־יְהֹוָ֔ה כֹּ֥ה תֹֽאמְר֖וּ אֵלָ֑יו כֹּֽה־אָמַ֤ר יְהֹוָה֙ אֱלֹהֵ֣י יִשְׂרָאֵ֔ל הַדְּבָרִ֖ים אֲשֶׁ֥ר שָׁמָֽעְתָּ: יט יַ֠עַן רַךְ־לְבָבְךָ֨ וַתִּכָּנַ֜ע ׀ מִפְּנֵ֣י יְהֹוָ֗ה בְּשׇׁמְעֲךָ֡ אֲשֶׁ֣ר דִּבַּ֩רְתִּי֩ עַל־הַמָּק֨וֹם הַזֶּ֜ה וְעַל־יֹשְׁבָ֗יו לִהְי֤וֹת לְשַׁמָּה֙ וְלִקְלָלָ֔ה וַתִּקְרַע֙ אֶת־בְּגָדֶ֔יךָ וַתִּבְכֶּ֖ה לְפָנָ֑י וְגַ֧ם אָנֹכִ֛י שָׁמַ֖עְתִּי נְאֻם־יְהֹוָֽה: כ לָכֵן֩ הִנְנִ֨י אֹֽסִפְךָ֜ עַל־אֲבֹתֶ֗יךָ וְנֶאֱסַפְתָּ֣ אֶל־קִבְרֹתֶ֘יךָ֮ בְּשָׁלוֹם֒ וְלֹא־תִרְאֶ֣ינָה עֵינֶ֔יךָ בְּכֹל֙ הָֽרָעָ֔ה אֲשֶׁר־אֲנִ֥י מֵבִ֖יא עַל־הַמָּק֣וֹם הַזֶּ֑ה וַיָּשִׁ֥יבוּ אֶת־הַמֶּ֖לֶךְ דָּבָֽר:

כג א וַיִּשְׁלַ֖ח הַמֶּ֑לֶךְ וַיַּאַסְפ֣וּ אֵלָ֔יו כׇּל־זִקְנֵ֥י יְהוּדָ֖ה וִירֽוּשָׁלָֽ͏ִם: ב וַיַּ֣עַל הַמֶּ֣לֶךְ בֵּית־יְהֹוָ֡ה וְכׇל־אִ֣ישׁ יְהוּדָה֩ וְכׇל־יֹשְׁבֵ֨י יְרוּשָׁלַ֜͏ִם אִתּ֗וֹ וְהַכֹּֽהֲנִים֙ וְהַנְּבִיאִ֔ים וְכׇל־הָעָ֖ם לְמִקָּטֹ֣ן וְעַד־גָּד֑וֹל וַיִּקְרָ֣א בְאׇזְנֵיהֶ֗ם אֶת־כׇּל־דִּבְרֵי֙ סֵ֣פֶר הַבְּרִ֔ית הַנִּמְצָ֖א בְּבֵ֥ית יְהֹוָֽה: ג וַיַּעֲמֹ֣ד הַמֶּ֡לֶךְ עַֽל־הָעַמּוּד֩ וַיִּכְרֹ֨ת אֶֽת־הַבְּרִ֜ית ׀ לִפְנֵ֣י יְהֹוָ֗ה לָלֶ֜כֶת אַחַ֤ר יְהֹוָה֙ וְלִשְׁמֹ֨ר מִצְוֺתָ֜יו וְאֶת־עֵדְוֺתָ֤יו וְאֶת־חֻקֹּתָיו֙ בְּכׇל־לֵ֣ב וּבְכׇל־נֶ֔פֶשׁ לְהָקִ֗ים אֶת־דִּבְרֵי֙ הַבְּרִ֣ית הַזֹּ֔את הַכְּתֻבִ֖ים עַל־הַסֵּ֣פֶר הַזֶּ֑ה וַיַּעֲמֹ֥ד כׇּל־הָעָ֖ם בַּבְּרִֽית: ד וַיְצַ֣ו הַמֶּ֡לֶךְ אֶת־חִלְקִיָּ֩הוּ֩ הַכֹּהֵ֨ן הַגָּד֜וֹל וְאֶת־כֹּהֲנֵ֣י הַמִּשְׁנֶה֮ וְאֶת־שֹׁמְרֵ֣י הַסַּף֒ לְהוֹצִיא֙ מֵהֵיכַ֣ל יְהֹוָ֔ה אֵ֣ת כׇּל־הַכֵּלִ֗ים הָעֲשׂוּיִם֙ לַבַּ֙עַל֙ וְלָ֣אֲשֵׁרָ֔ה וּלְכֹ֖ל צְבָ֣א הַשָּׁמָ֑יִם וַֽיִּשְׂרְפֵ֞ם מִח֤וּץ לִירוּשָׁלַ֙͏ִם֙ בְּשַׁדְמ֣וֹת קִדְר֔וֹן וְנָשָׂ֥א אֶת־עֲפָרָ֖ם בֵּֽית־אֵֽל: ה וְהִשְׁבִּ֣ית אֶת־הַכְּמָרִ֗ים אֲשֶׁ֤ר נָֽתְנוּ֙ מַלְכֵ֣י יְהוּדָ֔ה וַיְקַטֵּ֤ר בַּבָּמוֹת֙ בְּעָרֵ֣י יְהוּדָ֔ה וּמְסִבֵּ֖י יְרֽוּשָׁלָ֑͏ִם וְאֶת־הַֽמְקַטְּרִ֣ים לַבַּ֗עַל לַשֶּׁ֤מֶשׁ וְלַיָּרֵ֙חַ֙ וְלַמַּזָּל֔וֹת וּלְכֹ֖ל צְבָ֥א הַשָּׁמָֽיִם: ו וַיֹּצֵ֣א אֶת־הָאֲשֵׁרָה֩ מִבֵּ֨ית יְהֹוָ֜ה מִח֤וּץ לִירוּשָׁלַ֙͏ִם֙ אֶל־נַ֣חַל קִדְר֔וֹן וַיִּשְׂרֹ֥ף אֹתָ֛הּ בְּנַ֥חַל קִדְר֖וֹן וַיָּ֣דֶק לְעָפָ֑ר וַיַּשְׁלֵךְ֙ אֶת־עֲפָרָ֔הּ עַל־קֶ֖בֶר בְּנֵ֥י הָעָֽם: ז וַיִּתֹּץ֙ אֶת־בָּתֵּ֣י הַקְּדֵשִׁ֔ים אֲשֶׁ֖ר בְּבֵ֣ית יְהֹוָ֑ה אֲשֶׁ֣ר הַנָּשִׁ֗ים אֹרְג֥וֹת שָׁ֛ם בָּתִּ֖ים לָאֲשֵׁרָֽה: ח וַיָּבֵ֤א אֶת־כׇּל־הַכֹּֽהֲנִים֙ מֵעָרֵ֣י יְהוּדָ֔ה וַיְטַמֵּ֣א אֶת־הַבָּמ֗וֹת אֲשֶׁ֤ר קִטְּרוּ־שָׁ֙מָּה֙ הַכֹּ֣הֲנִ֔ים מִגֶּ֖בַע עַד־בְּאֵ֣ר שָׁ֑בַע וְנָתַ֞ץ אֶת־בָּמ֣וֹת הַשְּׁעָרִ֗ים אֲשֶׁר־פֶּ֜תַח שַׁ֤עַר יְהוֹשֻׁ֙עַ֙ שַׂר־הָעִ֔יר אֲשֶׁר־עַל־שְׂמֹ֥אול אִ֖ישׁ בְּשַׁ֥עַר הָעִֽיר: ט אַ֣ךְ לֹ֤א יַֽעֲלוּ֙ כֹּהֲנֵ֣י הַבָּמ֔וֹת אֶל־מִזְבַּ֥ח יְהֹוָ֖ה בִּירֽוּשָׁלָ֑͏ִם כִּ֛י אִם־אָכְל֥וּ מַצּ֖וֹת בְּת֥וֹךְ אֲחֵיהֶֽם:

15 And she said unto them: 'Thus saith Yehovah, the God of Israel: Tell ye the man that sent you unto me: **16** Thus saith Yehovah: Behold, I will bring evil upon this place, and upon the inhabitants thereof, even all the words of the book which the king of Judah hath read; **17** because they have forsaken Me, and have offered unto other gods, that they might provoke Me with all the work of their hands; therefore My wrath shall be kindled against this place, and it shall not be quenched. **18** But unto the king of Judah, who sent you to inquire of Yehovah, thus shall ye say to him: Thus saith Yehovah, the God of Israel: As touching the words which thou hast heard, **19** because thy heart was tender, and thou didst humble thyself before Yehovah, when thou heardest what I spoke against this place, and against the inhabitants thereof, that they should become an astonishment and a curse, and hast rent thy clothes, and wept before Me, I also have heard thee, saith Yehovah. **20** Therefore, behold, I will gather thee to thy fathers, and thou shalt be gathered to thy grave in peace, neither shall thine eyes see all the evil which I will bring upon this place.' And they brought back word unto the king.

23 **1** And the king sent, and they gathered unto him all the elders of Judah and of Yerushalam. **2** And the king went up to the house of Yehovah, and all the men of Judah and all the inhabitants of Yerushalam with him, and the priests, and the prophets, and all the people, both small and great; and he read in their ears all the words of the book of the covenant which was found in the house of Yehovah. **3** And the king stood on the platform, and made a covenant before Yehovah, to walk after Yehovah, and to keep His commandments, and His testimonies, and His statutes, with all his heart, and all his soul, to confirm the words of this covenant that were written in this book; and all the people stood to the covenant. **4** And the king commanded Hilkiah the high priest, and the priests of the second order, and the keepers of the door, to bring forth out of the temple of Yehovah all the vessels that were made for Baal, and for the Asherah, and for all the host of heaven; and he burned them without Yerushalam in the fields of Kidron, and carried the ashes of them unto Beth-el. **5** And he put down the idolatrous priests, whom the kings of Judah had ordained to offer in the high places in the cities of Judah, and in the places round about Yerushalam; them also that offered unto Baal, to the sun, and to the moon, and to the constellations, and to all the host of heaven. **6** And he brought out the Asherah from the house of Yehovah, without Yerushalam, unto the brook Kidron, and burned it at the brook Kidron, and stamped it small to powder, and cast the powder thereof upon the graves of the common people. **7** And he broke down the houses of the sodomites, that were in the house of Yehovah, where the women wove coverings for the Asherah. **8** And he brought all the priests out of the cities of Judah, and defiled the high places where the priests had made offerings, from Geba to Beer-sheba; and he broke down the high places of the gates that were at the entrance of the gate of Joshua the governor of the city, which were on a man's left hand as he entered the gate of the city. **9** Nevertheless the priests of the high places came not up to the altar of Yehovah in Yerushalam, but they did eat unleavened bread among their brethren.

י וְטִמֵּא אֶת־הַתֹּפֶת אֲשֶׁר בְּגֵי בֶן־הִנֹּם [64] לְבִלְתִּי לְהַעֲבִיר אִישׁ אֶת־בְּנ֣וֹ
וְאֶת־בִּתּ֖וֹ בָּאֵ֥שׁ לַמֹּֽלֶךְ: יא וַיַּשְׁבֵּ֣ת אֶת־הַסּוּסִ֗ים אֲשֶׁ֨ר נָתְנ֜וּ מַלְכֵ֤י יְהוּדָה֙
לַשֶּׁ֔מֶשׁ מִבֹּ֖א בֵית־יְהוָ֑ה אֶל־לִשְׁכַּת֙ נְתַן־מֶ֣לֶךְ הַסָּרִ֔יס אֲשֶׁ֖ר בַּפַּרְוָרִ֑ים
וְאֶת־מַרְכְּב֥וֹת הַשֶּׁ֖מֶשׁ שָׂרַ֥ף בָּאֵֽשׁ: יב וְאֶת־הַֽמִּזְבְּח֡וֹת אֲשֶׁ֣ר עַל־הַגָּג֩ עֲלִיַּ֨ת אָחָ֜ז
אֲשֶׁר־עָשׂ֣וּ ׀ מַלְכֵ֣י יְהוּדָ֗ה וְאֶת־הַֽמִּזְבְּחוֹת֙ אֲשֶׁר־עָשָׂ֣ה מְנַשֶּׁ֔ה בִּשְׁתֵּ֖י חַצְר֣וֹת
בֵּית־יְהוָ֑ה נָתַ֣ץ הַמֶּ֔לֶךְ וַיָּ֖רָץ מִשָּׁ֑ם וְהִשְׁלִ֥יךְ אֶת־עֲפָרָ֖ם אֶל־נַ֥חַל קִדְרֽוֹן:
יג וְֽאֶת־הַבָּמ֞וֹת אֲשֶׁ֣ר ׀ עַל־פְּנֵ֣י יְרוּשָׁלִַ֗ם אֲשֶׁר֮ מִימִ֣ין לְהַר־הַמַּשְׁחִית֒ אֲשֶׁ֣ר בָּנָ֗ה
שְׁלֹמֹ֣ה מֶֽלֶךְ־יִשְׂרָאֵ֡ל לְעַשְׁתֹּ֣רֶת ׀ שִׁקֻּ֣ץ צִֽידֹנִ֗ים וְלִכְמוֹשׁ֙ שִׁקֻּ֣ץ מוֹאָ֔ב וּלְמִלְכֹּ֖ם
תּוֹעֲבַ֣ת בְּנֵֽי־עַמּ֑וֹן טִמֵּ֖א הַמֶּֽלֶךְ: יד וְשִׁבַּר֙ אֶת־הַמַּצֵּב֔וֹת וַיִּכְרֹ֖ת אֶת־הָאֲשֵׁרִ֑ים
וַיְמַלֵּ֥א אֶת־מְקוֹמָ֖ם עַצְמ֥וֹת אָדָֽם: טו וְגַ֨ם אֶת־הַמִּזְבֵּ֜חַ אֲשֶׁ֣ר בְּבֵֽית־אֵ֗ל הַבָּמָה֙
אֲשֶׁ֨ר עָשָׂ֜ה יָרָבְעָ֤ם בֶּן־נְבָט֙ אֲשֶׁ֣ר הֶחֱטִ֣יא אֶת־יִשְׂרָאֵ֔ל גַּ֣ם אֶת־הַמִּזְבֵּ֧חַ הַה֛וּא
וְאֶת־הַבָּמָ֖ה נָתָ֑ץ וַיִּשְׂרֹ֧ף אֶת־הַבָּמָ֛ה הֵדַ֥ק לְעָפָ֖ר וְשָׂרַ֥ף אֲשֵׁרָֽה: טז וַיִּ֣פֶן
יֹֽאשִׁיָּ֗הוּ וַיַּ֨רְא אֶת־הַקְּבָרִ֤ים אֲשֶׁר־שָׁם֙ בָּהָ֔ר וַיִּשְׁלַ֗ח וַיִּקַּ֤ח אֶת־הָֽעֲצָמוֹת֙
מִן־הַקְּבָרִ֔ים וַיִּשְׂרֹ֥ף עַל־הַמִּזְבֵּ֖חַ וַֽיְטַמְּאֵ֑הוּ כִּדְבַ֣ר יְהוָ֗ה אֲשֶׁ֤ר קָרָא֙ אִ֣ישׁ
הָ֣אֱלֹהִ֔ים אֲשֶׁ֣ר קָרָ֔א אֶת־הַדְּבָרִ֖ים הָאֵֽלֶּה: יז וַיֹּ֕אמֶר מָ֚ה הַצִּיּ֣וּן הַלָּ֔ז אֲשֶׁ֖ר אֲנִ֣י
רֹאֶ֑ה וַיֹּאמְר֨וּ אֵלָ֜יו אַנְשֵׁ֣י הָעִ֗יר הַקֶּ֤בֶר אִישׁ־הָֽאֱלֹהִים֙ אֲשֶׁר־בָּ֣א מִֽיהוּדָ֔ה
וַיִּקְרָ֗א אֶת־הַדְּבָרִ֤ים הָאֵ֨לֶּה֙ אֲשֶׁ֣ר עָשִׂ֔יתָ עַ֖ל הַמִּזְבַּ֥ח בֵּֽית־אֵֽל: יח וַיֹּ֣אמֶר֮
הַנִּ֣יחוּ לוֹ֒ אִ֛ישׁ אַל־יָנַ֖ע עַצְמֹתָ֑יו וַֽיְמַלְּטוּ֙ עַצְמֹתָ֔יו אֵ֚ת עַצְמ֣וֹת הַנָּבִ֔יא אֲשֶׁר־בָּ֖א
מִשֹּׁמְרֽוֹן: יט וְגַם֩ אֶת־כָּל־בָּתֵּ֨י הַבָּמ֜וֹת אֲשֶׁ֣ר ׀ בְּעָרֵ֣י שֹׁמְר֗וֹן אֲשֶׁ֤ר עָשׂוּ֙ מַלְכֵ֣י
יִשְׂרָאֵ֔ל לְהַכְעִ֖יס הֵסִ֣יר יֹֽאשִׁיָּ֑הוּ וַיַּ֣עַשׂ לָהֶ֔ם כְּכָל־הַֽמַּעֲשִׂ֔ים אֲשֶׁ֥ר עָשָׂ֖ה
בְּבֵֽית־אֵֽל: כ וַ֠יִּזְבַּח אֶת־כָּל־כֹּהֲנֵ֨י הַבָּמ֤וֹת אֲשֶׁר־שָׁם֙ עַל־הַֽמִּזְבְּח֔וֹת וַיִּשְׂרֹ֛ף
אֶת־עַצְמ֥וֹת אָדָ֖ם עֲלֵיהֶ֑ם וַיָּ֖שָׁב יְרוּשָׁלָֽ͏ִם: כא וַיְצַ֤ו הַמֶּ֨לֶךְ֙ אֶת־כָּל־הָעָ֣ם
לֵאמֹ֔ר עֲשׂ֣וּ פֶ֔סַח לַֽיהוָ֖ה אֱלֹֽהֵיכֶ֑ם כַּכָּת֕וּב עַ֛ל סֵ֥פֶר הַבְּרִ֖ית הַזֶּֽה: כב כִּ֣י לֹ֤א
נַֽעֲשָׂה֙ כַּפֶּ֣סַח הַזֶּ֔ה מִימֵי֙ הַשֹּׁ֣פְטִ֔ים אֲשֶׁ֥ר שָׁפְט֖וּ אֶת־יִשְׂרָאֵ֑ל וְכֹ֗ל יְמֵ֛י מַלְכֵ֥י
יִשְׂרָאֵ֖ל וּמַלְכֵ֥י יְהוּדָֽה: כג כִּ֗י אִם־בִּשְׁמֹנֶ֤ה עֶשְׂרֵה֙ שָׁנָ֔ה לַמֶּ֖לֶךְ יֹֽאשִׁיָּ֑הוּ נַעֲשָׂ֞ה
הַפֶּ֧סַח הַזֶּ֛ה לַיהוָ֖ה בִּירוּשָׁלָֽ͏ִם: כד וְגַ֣ם אֶת־הָאֹב֣וֹת וְאֶת־הַיִּדְּעֹנִ֡ים
וְאֶת־הַתְּרָפִ֣ים וְאֶת־הַגִּלֻּלִ֗ים וְאֵ֤ת כָּל־הַשִּׁקֻּצִים֙ אֲשֶׁ֣ר נִרְא֗וּ בְּאֶ֤רֶץ יְהוּדָה֙
וּבִיר֣וּשָׁלִַ֔ם בִּעֵ֖ר יֹֽאשִׁיָּ֑הוּ לְמַ֗עַן הָקִ֞ים אֶת־דִּבְרֵ֤י הַתּוֹרָה֙ הַכְּתֻבִ֣ים עַל־הַסֵּ֔פֶר
אֲשֶׁ֥ר מָצָ֛א חִלְקִיָּ֥הוּ הַכֹּהֵ֖ן בֵּ֣ית יְהוָֽה: כה וְכָמֹהוּ֩ לֹֽא־הָיָ֨ה לְפָנָ֜יו מֶ֗לֶךְ
אֲשֶׁר־שָׁ֨ב אֶל־יְהוָ֜ה בְּכָל־לְבָבוֹ֙ וּבְכָל־נַפְשׁוֹ֙ וּבְכָל־מְאֹד֔וֹ כְּכֹ֖ל תּוֹרַ֣ת מֹשֶׁ֑ה
וְאַחֲרָ֖יו לֹֽא־קָ֥ם כָּמֹֽהוּ:

---

10 And he defiled Topheth, which is in the valley of the son of Hinnom, that no man might make his son or his daughter to pass through the fire to Molech. **11** And he took away the horses that the kings of Judah had given to the sun, at the entrance of the house of Yehovah, by the chamber of Nethan-melech the officer, which was in the precincts; and he burned the chariots of the sun with fire. **12** And the altars that were on the roof of the upper chamber of Ahaz, which the kings of Judah had made, and the altars which Manasseh had made in the two courts of the house of Yehovah, did the king break down, and beat them down from thence, and cast the dust of them into the brook Kidron. **13** And the high places that were before Yerushalam, which were on the right hand of the mount of corruption, which Solomon the king of Israel had builded for Ashtoreth the detestation of the Zidonians, and for Chemosh the detestation of Moab, and for Milcom the abomination of the children of Ammon, did the king defile. **14** And he broke in pieces the pillars, and cut down the Asherim, and filled their places with the bones of men. **15** Moreover the altar that was at Beth-el, and the high place which Jeroboam the son of Nebat, who made Israel to sin, had made, even that altar and the high place he broke down; and he burned the high place and stamped it small to powder, and burned the Asherah. **16** And as Josiah turned himself, he spied the sepulchres that were there in the mount; and he sent, and took the bones out of the sepulchres, and burned them upon the altar, and defiled it, according to the word of Yehovah which the man of God proclaimed, who proclaimed these things. **17** Then he said: 'What monument is that which I see?' And the men of the city told him: 'It is the sepulchre of the man of God, who came from Judah, and proclaimed these things that thou hast done against the altar of Beth-el.' **18** And he said: 'Let him be; let no man move his bones.' So they let his bones alone, with the bones of the prophet that came out of Samaria. **19** And all the houses also of the high places that were in the cities of Samaria, which the kings of Israel had made to provoke [Yehovah], Josiah took away, and did to them according to all the acts that he had done in Beth-el. **20** And he slew all the priests of the high places that were there, upon the altars, and burned men's bones upon them; and he returned to Yerushalam. **21** And the king commanded all the people, saying: 'Keep the passover unto Yehovah your God, as it is written in this book of the covenant.' **22** For there was not kept such a passover from the days of the judges that judged Israel, nor in all the days of the kings of Israel, nor of the kings of Judah; **23** but in the eighteenth year of king Josiah was this passover kept to Yehovah in Yerushalam. **24** Moreover them that divined by a ghost or a familiar spirit, and the teraphim, and the idols, and all the detestable things that were spied in the land of Judah and in Yerushalam, did Josiah put away, that he might confirm the words of the Torah which were written in the book that Hilkiah the priest found in the house of Yehovah. **25** And like unto him was there no king before him, that turned to Yehovah with all his heart, and with all his soul, and with all his might, according to all the Torah of Moses; neither after him arose there any like him.

כו אַךְ ׀ לֹא־שָׁב יְהוָה מֵחֲרוֹן אַפּוֹ הַגָּדוֹל אֲשֶׁר־חָרָה אַפּוֹ בִּיהוּדָה עַל
כָּל־הַכְּעָסִים אֲשֶׁר הִכְעִיסוֹ מְנַשֶּׁה׃ כז וַיֹּאמֶר יְהוָה גַּם אֶת־יְהוּדָה אָסִיר מֵעַל
פָּנַי כַּאֲשֶׁר הֲסִרֹתִי אֶת־יִשְׂרָאֵל וּמָאַסְתִּי אֶת־הָעִיר הַזֹּאת אֲשֶׁר־בָּחַרְתִּי
אֶת־יְרוּשָׁלִַם וְאֶת־הַבַּיִת אֲשֶׁר אָמַרְתִּי יִהְיֶה שְׁמִי שָׁם׃ כח וְיֶתֶר דִּבְרֵי יֹאשִׁיָּהוּ
וְכָל־אֲשֶׁר עָשָׂה הֲלֹא־הֵם כְּתוּבִים עַל־סֵפֶר דִּבְרֵי הַיָּמִים לְמַלְכֵי יְהוּדָה׃
כט בְּיָמָיו עָלָה פַרְעֹה נְכֹה מֶלֶךְ־מִצְרַיִם עַל־מֶלֶךְ אַשּׁוּר עַל־נְהַר־פְּרָת וַיֵּלֶךְ
הַמֶּלֶךְ יֹאשִׁיָּהוּ לִקְרָאתוֹ וַיְמִיתֵהוּ בִּמְגִדּוֹ כִּרְאֹתוֹ אֹתוֹ׃ ל וַיַּרְכִּבֻהוּ עֲבָדָיו מֵת
מִמְּגִדּוֹ וַיְבִאֻהוּ יְרוּשָׁלִַם וַיִּקְבְּרֻהוּ בִּקְבֻרָתוֹ וַיִּקַּח עַם־הָאָרֶץ אֶת־יְהוֹאָחָז
בֶּן־יֹאשִׁיָּהוּ וַיִּמְשְׁחוּ אֹתוֹ וַיַּמְלִיכוּ אֹתוֹ תַּחַת אָבִיו׃
לא בֶּן־עֶשְׂרִים וְשָׁלֹשׁ שָׁנָה יְהוֹאָחָז בְּמָלְכוֹ וּשְׁלֹשָׁה חֳדָשִׁים מָלַךְ בִּירוּשָׁלִָם
וְשֵׁם אִמּוֹ חֲמוּטַל בַּת־יִרְמְיָהוּ מִלִּבְנָה׃ לב וַיַּעַשׂ הָרַע בְּעֵינֵי יְהוָה כְּכֹל
אֲשֶׁר־עָשׂוּ אֲבֹתָיו׃ לג וַיַּאַסְרֵהוּ פַרְעֹה נְכֹה בְרִבְלָה בְּאֶרֶץ חֲמָת
מִמְּלֹךְ[65] בִּירוּשָׁלִָם וַיִּתֶּן־עֹנֶשׁ עַל־הָאָרֶץ מֵאָה כִכַּר־כֶּסֶף וְכִכַּר זָהָב׃
לד וַיַּמְלֵךְ פַּרְעֹה נְכֹה אֶת־אֶלְיָקִים בֶּן־יֹאשִׁיָּהוּ תַּחַת יֹאשִׁיָּהוּ אָבִיו וַיַּסֵּב
אֶת־שְׁמוֹ יְהוֹיָקִים וְאֶת־יְהוֹאָחָז לָקַח וַיָּבֹא מִצְרַיִם וַיָּמָת שָׁם׃ לה וְהַכֶּסֶף
וְהַזָּהָב נָתַן יְהוֹיָקִים לְפַרְעֹה אַךְ הֶעֱרִיךְ אֶת־הָאָרֶץ לָתֵת אֶת־הַכֶּסֶף עַל־פִּי
פַרְעֹה אִישׁ כְּעֶרְכּוֹ נָגַשׂ אֶת־הַכֶּסֶף וְאֶת־הַזָּהָב אֶת־עַם הָאָרֶץ לָתֵת לְפַרְעֹה
נְכֹה׃ לו בֶּן־עֶשְׂרִים וְחָמֵשׁ שָׁנָה יְהוֹיָקִים בְּמָלְכוֹ וְאַחַת עֶשְׂרֵה שָׁנָה מָלַךְ
בִּירוּשָׁלִָם וְשֵׁם אִמּוֹ זְבוּדָּה[66] בַת־פְּדָיָה מִן־רוּמָה׃ לז וַיַּעַשׂ הָרַע בְּעֵינֵי יְהוָה
כְּכֹל אֲשֶׁר־עָשׂוּ אֲבֹתָיו׃

כד א בְּיָמָיו עָלָה נְבֻכַדְנֶאצַּר מֶלֶךְ בָּבֶל וַיְהִי־לוֹ יְהוֹיָקִים עֶבֶד שָׁלֹשׁ שָׁנִים
וַיָּשָׁב וַיִּמְרָד־בּוֹ׃ ב וַיְשַׁלַּח יְהוָה ׀ בּוֹ אֶת־גְּדוּדֵי כַשְׂדִּים וְאֶת־גְּדוּדֵי אֲרָם וְאֵת
׀ גְּדוּדֵי מוֹאָב וְאֵת גְּדוּדֵי בְנֵי־עַמּוֹן וַיְשַׁלְּחֵם בִּיהוּדָה לְהַאֲבִידוֹ כִּדְבַר יְהוָה
אֲשֶׁר דִּבֶּר בְּיַד עֲבָדָיו הַנְּבִיאִים׃ ג אַךְ ׀ עַל־פִּי יְהוָה הָיְתָה בִּיהוּדָה לְהָסִיר
מֵעַל פָּנָיו בְּחַטֹּאת מְנַשֶּׁה כְּכֹל אֲשֶׁר עָשָׂה׃ ד וְגַם דַּם־הַנָּקִי אֲשֶׁר שָׁפָךְ וַיְמַלֵּא
אֶת־יְרוּשָׁלִַם דָּם נָקִי וְלֹא־אָבָה יְהוָה לִסְלֹחַ׃ ה וְיֶתֶר דִּבְרֵי יְהוֹיָקִים
וְכָל־אֲשֶׁר עָשָׂה הֲלֹא־הֵם כְּתוּבִים עַל־סֵפֶר דִּבְרֵי הַיָּמִים לְמַלְכֵי יְהוּדָה׃
ו וַיִּשְׁכַּב יְהוֹיָקִים עִם־אֲבֹתָיו וַיִּמְלֹךְ יְהוֹיָכִין בְּנוֹ תַּחְתָּיו׃ ז וְלֹא־הֹסִיף עוֹד
מֶלֶךְ מִצְרַיִם לָצֵאת מֵאַרְצוֹ כִּי־לָקַח מֶלֶךְ בָּבֶל מִנַּחַל מִצְרַיִם עַד־נְהַר־פְּרָת
כֹּל אֲשֶׁר הָיְתָה לְמֶלֶךְ מִצְרָיִם׃

[65] במלך
[66] זבידה

26 Notwithstanding Yehovah turned not from the fierceness of His great wrath, wherewith His anger was kindled against Judah, because of all the provocations wherewith Manasseh had provoked Him. **27** And Yehovah said: 'I will remove Judah also out of My sight, as I have removed Israel, and I will cast off this city which I have chosen, even Yerushalam, and the house of which I said: My name shall be there.' **28** Now the rest of the acts of Josiah, and all that he did, are they not written in the book of the chronicles of the kings of Judah? **29** In his days Pharaoh-necoh king of Egypt went up against the king of Assyria to the river Euphrates; and king Josiah went against him; and he slew him at Megiddo, when he had seen him. **30** And his servants carried him in a chariot dead from Megiddo, and brought him to Yerushalam, and buried him in his own sepulchre. And the people of the land took Jehoahaz the son of Josiah, and anointed him, and made him king in his father's stead.{P}

31 Jehoahaz was twenty and three years old when he began to reign; and he reigned three months in Yerushalam; and his mother's name was Hamutal the daughter of Jeremiah of Libnah. **32** And he did that which was evil in the sight of Yehovah, according to all that his fathers had done. **33** And Pharaoh-necoh put him in bands at Riblah in the land of Hamath, that he might not reign in Yerushalam; and put the land to a fine of a hundred talents of silver, and a talent of gold. **34** And Pharaoh-necoh made Eliakim the son of Josiah king in the room of Josiah his father, and changed his name to Jehoiakim; but he took Jehoahaz away; and he came to Egypt, and died there. **35** And Jehoiakim gave the silver and the gold to Pharaoh; but he taxed the land to give the money according to the commandment of Pharaoh; he exacted the silver and the gold of the people of the land, of every one according to his taxation, to give it unto Pharaoh-necoh.{S} **36** Jehoiakim was twenty and five years old when he began to reign; and he reigned eleven years in Yerushalam; and his mother's name was Zebudah the daughter of Pedaiah of Rumah. **37** And he did that which was evil in the sight of Yehovah, according to all that his fathers had done.

24 1 In his days Nebuchadnezzar king of Babylon came up, and Jehoiakim became his servant three years; then he turned and rebelled against him. **2** And Yehovah sent against him bands of the Chaldeans, and bands of the Arameans, and bands of the Moabites, and bands of the children of Ammon, and sent them against Judah to destroy it, according to the word of Yehovah, which He spoke by the hand of His servants the prophets. **3** Surely at the commandment of Yehovah came this upon Judah, to remove them out of His sight, for the sins of Manasseh, according to all that he did; **4** and also for the innocent blood that he shed; for he filled Yerushalam with innocent blood; and Yehovah would not pardon. **5** Now the rest of the acts of Jehoiakim, and all that he did, are they not written in the book of the chronicles of the kings of Judah? **6** So Jehoiakim slept with his fathers; and Jehoiachin his son reigned in his stead. **7** And the king of Egypt came not again any more out of his land; for the king of Babylon had taken, from the Brook of Egypt unto the river Euphrates, all that pertained to the king of Egypt.{P}

ח בֶּן־שְׁמֹנֶה עֶשְׂרֵה שָׁנָה יְהוֹיָכִין בְּמָלְכוֹ וּשְׁלֹשָׁה חֳדָשִׁים מָלַךְ בִּירוּשָׁלָםִ וְשֵׁם
אִמּוֹ נְחֻשְׁתָּא בַת־אֶלְנָתָן מִירוּשָׁלָםִ׃ ט וַיַּעַשׂ הָרַע בְּעֵינֵי יְהוָה כְּכֹל אֲשֶׁר־עָשָׂה
אָבִיו׃ י בָּעֵת הַהִיא עָלוּ[67] עַבְדֵי נְבֻכַדְנֶאצַּר מֶלֶךְ־בָּבֶל יְרוּשָׁלָםִ וַתָּבֹא הָעִיר
בַּמָּצוֹר׃ יא וַיָּבֹא נְבוּכַדְנֶאצַּר מֶלֶךְ־בָּבֶל עַל־הָעִיר וַעֲבָדָיו צָרִים עָלֶיהָ׃
יב וַיֵּצֵא יְהוֹיָכִין מֶלֶךְ־יְהוּדָה עַל־מֶלֶךְ בָּבֶל הוּא וְאִמּוֹ וַעֲבָדָיו וְשָׂרָיו וְסָרִיסָיו
וַיִּקַּח אֹתוֹ מֶלֶךְ בָּבֶל בִּשְׁנַת שְׁמֹנֶה לְמָלְכוֹ׃ יג וַיּוֹצֵא מִשָּׁם אֶת־כָּל־אוֹצְרוֹת
בֵּית יְהוָה וְאוֹצְרוֹת בֵּית הַמֶּלֶךְ וַיְקַצֵּץ אֶת־כָּל־כְּלֵי הַזָּהָב אֲשֶׁר עָשָׂה שְׁלֹמֹה
מֶלֶךְ־יִשְׂרָאֵל בְּהֵיכַל יְהוָה כַּאֲשֶׁר דִּבֶּר יְהוָה׃ יד וְהִגְלָה אֶת־כָּל־יְרוּשָׁלַםִ
וְאֶת־כָּל־הַשָּׂרִים וְאֵת ׀ כָּל־גִּבּוֹרֵי הַחַיִל עֲשֶׂרֶת[68] אֲלָפִים גּוֹלֶה וְכָל־הֶחָרָשׁ
וְהַמַּסְגֵּר לֹא נִשְׁאַר זוּלַת דַּלַּת עַם־הָאָרֶץ׃ טו וַיֶּגֶל אֶת־יְהוֹיָכִין בָּבֶלָה
וְאֶת־אֵם הַמֶּלֶךְ וְאֶת־נְשֵׁי הַמֶּלֶךְ וְאֶת־סָרִיסָיו וְאֵת אֵילֵי[69] הָאָרֶץ הוֹלִיךְ גּוֹלָה
מִירוּשָׁלַםִ בָּבֶלָה׃ טז וְאֵת כָּל־אַנְשֵׁי הַחַיִל שִׁבְעַת אֲלָפִים וְהֶחָרָשׁ וְהַמַּסְגֵּר
אֶלֶף הַכֹּל גִּבּוֹרִים עֹשֵׂי מִלְחָמָה וַיְבִיאֵם מֶלֶךְ־בָּבֶל גּוֹלָה בָּבֶלָה׃ יז וַיַּמְלֵךְ
מֶלֶךְ־בָּבֶל אֶת־מַתַּנְיָה דֹדוֹ תַּחְתָּיו וַיַּסֵּב אֶת־שְׁמוֹ צִדְקִיָּהוּ׃

יח בֶּן־עֶשְׂרִים וְאַחַת שָׁנָה צִדְקִיָּהוּ בְמָלְכוֹ וְאַחַת עֶשְׂרֵה שָׁנָה מָלַךְ בִּירוּשָׁלָםִ
וְשֵׁם אִמּוֹ חֲמוּטַל[70] בַּת־יִרְמְיָהוּ מִלִּבְנָה׃ יט וַיַּעַשׂ הָרַע בְּעֵינֵי יְהוָה כְּכֹל
אֲשֶׁר־עָשָׂה יְהוֹיָקִים׃ כ כִּי ׀ עַל־אַף יְהוָה הָיְתָה בִירוּשָׁלַםִ וּבִיהוּדָה
עַד־הִשְׁלִכוֹ אֹתָם מֵעַל פָּנָיו וַיִּמְרֹד צִדְקִיָּהוּ בְּמֶלֶךְ בָּבֶל׃

כה א וַיְהִי בִשְׁנַת הַתְּשִׁיעִית לְמָלְכוֹ בַּחֹדֶשׁ הָעֲשִׂירִי בֶּעָשׂוֹר לַחֹדֶשׁ בָּא
נְבֻכַדְנֶאצַּר מֶלֶךְ־בָּבֶל הוּא וְכָל־חֵילוֹ עַל־יְרוּשָׁלַםִ וַיִּחַן עָלֶיהָ וַיִּבְנוּ עָלֶיהָ
דָּיֵק סָבִיב׃ ב וַתָּבֹא הָעִיר בַּמָּצוֹר עַד עַשְׁתֵּי עֶשְׂרֵה שָׁנָה לַמֶּלֶךְ צִדְקִיָּהוּ׃
ג בְּתִשְׁעָה לַחֹדֶשׁ וַיֶּחֱזַק הָרָעָב בָּעִיר וְלֹא־הָיָה לֶחֶם לְעַם הָאָרֶץ׃ ד וַתִּבָּקַע
הָעִיר וְכָל־אַנְשֵׁי הַמִּלְחָמָה ׀ הַלַּיְלָה דֶּרֶךְ שַׁעַר ׀ בֵּין הַחֹמֹתַיִם אֲשֶׁר עַל־גַּן
הַמֶּלֶךְ וְכַשְׂדִּים עַל־הָעִיר סָבִיב וַיֵּלֶךְ דֶּרֶךְ הָעֲרָבָה׃ ה וַיִּרְדְּפוּ חֵיל־כַּשְׂדִּים
אַחַר הַמֶּלֶךְ וַיַּשִּׂגוּ אֹתוֹ בְּעַרְבוֹת יְרֵחוֹ וְכָל־חֵילוֹ נָפֹצוּ מֵעָלָיו׃ ו וַיִּתְפְּשׂוּ
אֶת־הַמֶּלֶךְ וַיַּעֲלוּ אֹתוֹ אֶל־מֶלֶךְ בָּבֶל רִבְלָתָה וַיְדַבְּרוּ אִתּוֹ מִשְׁפָּט׃ ז וְאֶת־בְּנֵי
צִדְקִיָּהוּ שָׁחֲטוּ לְעֵינָיו וְאֶת־עֵינֵי צִדְקִיָּהוּ עִוֵּר וַיַּאַסְרֵהוּ בַנְחֻשְׁתַּיִם וַיְבִאֵהוּ
בָּבֶל׃

---

[67] עלה
[68] עשרה
[69] אולי
[70] חמיטל

8 Jehoiachin was eighteen years old when he began to reign; and he reigned in Yerushalam three months; and his mother's name was Nehushta the daughter of Elnathan of Yerushalam. **9** And he did that which was evil in the sight of Yehovah, according to all that his father had done. **10** At that time the servants of Nebuchadnezzar king of Babylon came up to Yerushalam, and the city was besieged. **11** And Nebuchadnezzar king of Babylon came unto the city, while his servants were besieging it. **12** And Jehoiachin the king of Judah went out to the king of Babylon, he, and his mother, and his servants, and his princes, and his officers; and the king of Babylon took him in the eighth year of his reign. **13** And he carried out thence all the treasures of the house of Yehovah, and the treasures of the king's house, and cut in pieces all the vessels of gold which Solomon king of Israel had made in the temple of Yehovah, as Yehovah had said. **14** And he carried away all Yerushalam, and all the princes, and all the mighty men of valour, even ten thousand captives, and all the craftsmen and the smiths; none remained, save the poorest sort of the people of the land. **15** And he carried away Jehoiachin to Babylon; and the king's mother, and the king's wives, and his officers, and the chief men of the land, carried he into captivity from Yerushalam to Babylon. **16** And all the men of might, even seven thousand, and the craftsmen and the smiths a thousand, all of them strong and apt for war, even them the king of Babylon brought captive to Babylon. **17** And the king of Babylon made Mattaniah his father's brother king in his stead, and changed his name to Zedekiah.{P}

18 Zedekiah was twenty and one years old when he began to reign; and he reigned eleven years in Yerushalam; and his mother's name was Hamutal the daughter of Jeremiah of Libnah. **19** And he did that which was evil in the sight of Yehovah, according to all that Jehoiakim had done. **20** For through the anger of Yehovah did it come to pass in Yerushalam and Judah, until He had cast them out from His presence. And Zedekiah rebelled against the king of Babylon.{S}

25 **1** And it came to pass in the ninth year of his reign, in the tenth month, in the tenth day of the month, that Nebuchadnezzar king of Babylon came, he and all his army, against Yerushalam, and encamped against it; and they built forts against it round about. **2** So the city was besieged unto the eleventh year of king Zedekiah. **3** On the ninth day of the [fourth] month the famine was sore in the city, so that there was no bread for the people of the land. **4** Then a breach was made in the city, and all the men of war [fled] by night by the way of the gate between the two walls, which was by the king's garden–now the Chaldeans were against the city round about–and the king went by the way of the Arabah. **5** But the army of the Chaldeans pursued after the king, and overtook him in the plains of Jericho; and all his army was scattered from him. **6** Then they took the king, and carried him up unto the king of Babylon to Riblah; and they gave judgment upon him. **7** And they slew the sons of Zedekiah before his eyes, and put out the eyes of Zedekiah, and bound him in fetters, and carried him to Babylon.{S}

ח וּבַחֹ֣דֶשׁ הַחֲמִישִׁ֗י בְּשִׁבְעָ֣ה לַחֹ֔דֶשׁ הִ֗יא שְׁנַת֙ תְּשַֽׁע־עֶשְׂרֵ֣ה שָׁנָ֔ה לַמֶּ֖לֶךְ
נְבֻכַדְנֶאצַּ֣ר מֶֽלֶךְ־בָּבֶ֑ל בָּ֞א נְבוּזַרְאֲדָ֣ן רַב־טַבָּחִ֗ים עֶ֛בֶד מֶֽלֶךְ־בָּבֶ֖ל
יְרוּשָׁלִָֽם׃ ט וַיִּשְׂרֹ֥ף אֶת־בֵּית־יְהוָ֖ה וְאֶת־בֵּ֣ית הַמֶּ֑לֶךְ וְאֵ֨ת כָּל־בָּתֵּ֤י יְרוּשָׁלִַ֙ם֙
וְאֶת־כָּל־בֵּ֥ית גָּד֖וֹל שָׂרַ֥ף בָּאֵֽשׁ׃ י וְאֶת־חוֹמֹ֥ת יְרוּשָׁלִַ֖ם סָבִ֑יב נָֽתְצוּ֙ כָּל־חֵ֣יל
כַּשְׂדִּ֔ים אֲשֶׁ֖ר רַב־טַבָּחִֽים׃ יא וְאֵת֩ יֶ֨תֶר הָעָ֜ם הַנִּשְׁאָרִ֣ים בָּעִ֗יר וְאֶת־הַנֹּֽפְלִים֙
אֲשֶׁ֤ר נָֽפְלוּ֙ עַל־הַמֶּ֣לֶךְ בָּבֶ֔ל וְאֵ֖ת יֶ֣תֶר הֶהָמ֑וֹן הֶגְלָ֕ה נְבוּזַרְאֲדָ֖ן רַב־טַבָּחִֽים׃
יב וּמִדַּלַּ֣ת הָאָ֔רֶץ הִשְׁאִ֖יר רַב־טַבָּחִ֑ים לְכֹֽרְמִ֖ים וּלְיֹגְבִֽים׃ יג וְאֶת־עַמּוּדֵ֨י
הַנְּחֹ֜שֶׁת אֲשֶׁ֣ר בֵּית־יְהוָ֗ה וְאֶת־הַמְּכֹנ֞וֹת וְאֶת־יָ֧ם הַנְּחֹ֛שֶׁת אֲשֶׁ֥ר בְּבֵית־יְהוָ֖ה
שִׁבְּר֣וּ כַשְׂדִּ֑ים וַיִּשְׂא֥וּ אֶת־נְחֻשְׁתָּ֖ם בָּבֶֽלָה׃ יד וְאֶת־הַסִּירֹ֨ת וְאֶת־הַיָּעִ֜ים
וְאֶת־הַֽמְזַמְּר֤וֹת וְאֶת־הַכַּפּוֹת֙ וְאֵ֨ת כָּל־כְּלֵ֧י הַנְּחֹ֛שֶׁת אֲשֶׁ֥ר יְשָֽׁרְתוּ־בָ֖ם לָקָֽחוּ׃
טו וְאֶת־הַמַּחְתּוֹת֙ וְאֶת־הַמִּזְרָק֔וֹת אֲשֶׁ֤ר זָהָב֙ זָהָ֔ב וַאֲשֶׁר־כֶּ֖סֶף כָּ֑סֶף לָקַ֖ח
רַב־טַבָּחִֽים׃ טז הָעַמּוּדִ֣ים ׀ שְׁנַ֗יִם הַיָּ֤ם הָֽאֶחָד֙ וְהַמְּכֹנ֔וֹת אֲשֶׁר־עָשָׂ֥ה שְׁלֹמֹ֖ה
לְבֵ֣ית יְהוָ֑ה לֹא־הָיָ֣ה מִשְׁקָ֔ל לִנְחֻ֖שֶׁת כָּל־הַכֵּלִ֥ים הָאֵֽלֶּה׃ יז שְׁמֹנֶ֣ה עֶשְׂרֵ֣ה
אַמָּה֩ קוֹמַ֨ת ׀ הָעַמּ֤וּד הָֽאֶחָד֙ וְכֹתֶ֨רֶת עָלָ֥יו ׀ נְחֹ֖שֶׁת וְקוֹמַ֨ת הַכֹּתֶ֜רֶת שָׁלֹ֣שׁ
אַמּ֔וֹת[71] וּשְׂבָכָ֨ה וְרִמֹּנִ֜ים עַל־הַכֹּתֶ֛רֶת סָבִ֖יב הַכֹּ֣ל נְחֹ֑שֶׁת וְכָאֵ֛לֶּה לָעַמּ֥וּד הַשֵּׁנִ֖י
עַל־הַשְּׂבָכָֽה׃ יח וַיִּקַּ֣ח רַב־טַבָּחִ֗ים אֶת־שְׂרָיָה֙ כֹּהֵ֣ן הָרֹ֔אשׁ וְאֶת־צְפַנְיָ֖הוּ כֹּהֵ֣ן
מִשְׁנֶ֑ה וְאֶת־שְׁלֹ֖שֶׁת שֹׁמְרֵ֥י הַסַּֽף׃ יט וּמִן־הָעִ֡יר לָקַ֞ח סָרִ֣יס אֶחָ֗ד אֲשֶׁר־הֽוּא
פָקִ֣יד ׀ עַל־אַנְשֵׁ֣י הַמִּלְחָמָ֡ה וַחֲמִשָּׁ֣ה אֲנָשִׁים֩ מֵרֹאֵ֨י פְנֵי־הַמֶּ֜לֶךְ אֲשֶׁ֣ר נִמְצְא֣וּ
בָעִ֗יר וְאֵ֗ת הַסֹּפֵר֙ שַׂ֣ר הַצָּבָ֔א הַמַּצְבִּ֖א אֶת־עַ֣ם הָאָ֑רֶץ וְשִׁשִּׁ֥ים אִישׁ֙ מֵעַ֣ם הָאָ֔רֶץ
הַנִּמְצְאִ֖ים בָּעִֽיר׃ כ וַיִּקַּ֣ח אֹתָ֔ם נְבוּזַרְאֲדָ֖ן רַב־טַבָּחִ֑ים וַיֹּ֧לֶךְ אֹתָ֛ם עַל־מֶ֥לֶךְ
בָּבֶ֖ל רִבְלָֽתָה׃ כא וַיַּ֨ךְ אֹתָ֜ם מֶ֧לֶךְ בָּבֶ֛ל וַיְמִיתֵ֥ם בְּרִבְלָ֖ה בְּאֶ֣רֶץ חֲמָ֑ת וַיִּ֥גֶל
יְהוּדָ֖ה מֵעַ֥ל אַדְמָתֽוֹ׃ כב וְהָעָ֗ם הַנִּשְׁאָר֙ בְּאֶ֣רֶץ יְהוּדָ֔ה אֲשֶׁ֣ר הִשְׁאִ֔יר
נְבוּכַדְנֶאצַּ֖ר מֶ֣לֶךְ בָּבֶ֑ל וַיַּפְקֵ֣ד עֲלֵיהֶ֔ם אֶת־גְּדַלְיָ֖הוּ בֶּן־אֲחִיקָ֥ם בֶּן־שָׁפָֽן׃

כג וַיִּשְׁמְע֨וּ כָל־שָׂרֵ֜י הַחֲיָלִ֗ים הֵ֚מָּה וְהָֽאֲנָשִׁ֔ים כִּֽי־הִפְקִ֤יד מֶֽלֶךְ־בָּבֶל֙
אֶת־גְּדַלְיָ֔הוּ וַיָּבֹ֥אוּ אֶל־גְּדַלְיָ֖הוּ הַמִּצְפָּ֑ה וְיִשְׁמָעֵ֣אל בֶּן־נְתַנְיָ֡ה וְיוֹחָנָ֣ן בֶּן־קָ֠רֵחַ
וּשְׂרָיָ֨ה בֶן־תַּנְחֻ֜מֶת הַנְּטֹפָתִ֗י וְיַֽאֲזַנְיָ֙הוּ֙ בֶּן־הַמַּ֣עֲכָתִ֔י הֵ֖מָּה וְאַנְשֵׁיהֶֽם׃ כד וַיִּשָּׁבַ֨ע
לָהֶ֤ם גְּדַלְיָ֙הוּ֙ וּלְאַנְשֵׁיהֶ֔ם וַיֹּ֣אמֶר לָהֶ֔ם אַל־תִּֽירְא֖וּ מֵעַבְדֵ֣י הַכַּשְׂדִּ֑ים שְׁב֣וּ
בָאָ֗רֶץ וְעִבְד֛וּ אֶת־מֶ֥לֶךְ בָּבֶ֖ל וְיִטַ֥ב לָכֶֽם׃ כה וַיְהִ֣י ׀ בַּחֹ֣דֶשׁ הַשְּׁבִיעִ֗י בָּ֣א
יִשְׁמָעֵ֣אל בֶּן־נְ֠תַנְיָה בֶּן־אֱלִֽישָׁמָ֞ע מִזֶּ֣רַע הַמְּלוּכָ֗ה וַעֲשָׂרָ֤ה אֲנָשִׁים֙ אִתּ֔וֹ וַיַּכּ֥וּ
אֶת־גְּדַלְיָ֖הוּ וַיָּמֹ֑ת וְאֶת־הַיְּהוּדִים֙ וְאֶת־הַכַּשְׂדִּ֔ים אֲשֶׁר־הָי֥וּ אִתּ֖וֹ בַּמִּצְפָּֽה׃

[71] אמה

8 Now in the fifth month, on the seventh day of the month, which was the nineteenth year of king Nebuchadnezzar, king of Babylon, came Nebuzaradan the captain of the guard, a servant of the king of Babylon, unto Yerushalam. **9** And he burnt the house of Yehovah, and the king's house; and all the houses of Yerushalam, even every great man's house, burnt he with fire. **10** And all the army of the Chaldeans, that were with the captain of the guard, broke down the walls of Yerushalam round about. **11** And the residue of the people that were left in the city, and those that fell away, that fell to the king of Babylon, and the residue of the multitude, did Nebuzaradan the captain of the guard carry away captive. **12** But the captain of the guard left of the poorest of the land to be vinedressers and husbandmen. **13** And the pillars of brass that were in the house of Yehovah, and the bases and the brazen sea that were in the house of Yehovah, did the Chaldeans break in pieces, and carried the brass of them to Babylon. **14** And the pots, and the shovels, and the snuffers, and the pans, and all the vessels of brass wherewith they ministered, took they away. **15** And the fire-pans, and the basins, that which was of gold, in gold, and that which was of silver, in silver, the captain of the guard took away. **16** The two pillars, the one sea, and the bases, which Solomon had made for the house of Yehovah; the brass of all these vessels was without weight. **17** The height of the one pillar was eighteen cubits, and a capital of brass was upon it; and the height of the capital was three cubits; with network and pomegranates upon the capital round about, all of brass; and like unto these had the second pillar with network. **18** And the captain of the guard took Seraiah the chief priest, and Zephaniah the second priest, and the three keepers of the door; **19** and out of the city he took an officer that was set over the men of war; and five men of them that saw the king's face, who were found in the city; and the scribe of the captain of the host, who mustered the people of the land; and threescore men of the people of the land, that were found in the city. **20** And Nebuzaradan the captain of the guard took them, and brought them to the king of Babylon to Riblah. **21** And the king of Babylon smote them, and put them to death at Riblah in the land of Hamath. So Judah was carried away captive out of his land. **22** And as for the people that were left in the land of Judah, whom Nebuchadnezzar king of Babylon had left, even over them he made Gedaliah the son of Ahikam, the son of Shaphan, governor. **23** Now when all the captains of the forces, they and their men, heard that the king of Babylon had made Gedaliah governor, they came to Gedaliah to Mizpah, even Ishmael the son of Nethaniah, and Johanan the son of Kareah, and Seraiah the son of Tanhumeth the Netophathite and Jaazaniah the son of the Maacathite, they and their men. **24** And Gedaliah swore to them and to their men, and said unto them: 'Fear not because of the servants of the Chaldeans; dwell in the land, and serve the king of Babylon, and it shall be well with you.'{P}

25 But it came to pass in the seventh month, that Ishmael the son of Nethaniah, the son of Elishama, of the seed royal, came, and ten men with him, and smote Gedaliah, that he died, and the Jews and the Chaldeans that were with him at Mizpah.

כו וַיָּקֻ֨מוּ כָל־הָעָ֜ם מִקָּטֹ֣ן וְעַד־גָּד֗וֹל וְשָׂרֵ֣י הַחֲיָלִ֔ים וַיָּבֹ֖אוּ מִצְרָ֑יִם כִּ֥י
יָרְא֖וּ מִפְּנֵ֥י כַשְׂדִּֽים׃

כז וַיְהִ֡י בִשְׁלֹשִׁים֩ וָשֶׁ֨בַע שָׁנָ֜ה לְגָלוּת֙ יְהוֹיָכִ֣ין מֶֽלֶךְ־יְהוּדָ֔ה בִּשְׁנֵ֤ים עָשָׂר֙
חֹ֔דֶשׁ בְּעֶשְׂרִ֥ים וְשִׁבְעָ֖ה לַחֹ֑דֶשׁ נָשָׂ֡א אֱוִ֣יל מְרֹדַךְ֩ מֶ֨לֶךְ בָּבֶ֜ל בִּשְׁנַ֣ת
מָלְכ֗וֹ אֶת־רֹ֛אשׁ יְהוֹיָכִ֥ין מֶֽלֶךְ־יְהוּדָ֖ה מִבֵּ֥ית כֶּֽלֶא׃ כח וַיְדַבֵּ֥ר אִתּ֖וֹ
טֹב֑וֹת וַיִּתֵּן֙ אֶת־כִּסְא֔וֹ מֵעַ֛ל כִּסֵּ֥א הַמְּלָכִ֖ים אֲשֶׁ֥ר אִתּ֖וֹ בְּבָבֶֽל׃ כט וְשִׁנָּ֕א
אֵ֖ת בִּגְדֵ֣י כִלְא֑וֹ וְאָכַ֨ל לֶ֧חֶם תָּמִ֛יד לְפָנָ֖יו כָּל־יְמֵ֥י חַיָּֽו׃ ל וַאֲרֻחָת֗וֹ
אֲרֻחַ֨ת תָּמִ֜יד נִתְּנָה־לּ֛וֹ מֵאֵ֥ת הַמֶּ֖לֶךְ דְּבַר־י֣וֹם בְּיוֹמ֑וֹ כֹּ֖ל יְמֵ֥י חַיָּֽו׃

26 And all the people, both small and great, and the captains of the forces, arose, and came to Egypt; for they were afraid of the Chaldeans.{S} **27** And it came to pass in the seven and thirtieth year of the captivity of Jehoiachin king of Judah, in the twelfth month, on the seven and twentieth day of the month, that Evil-merodach king of Babylon, in the year that he began to reign, did lift up the head of Jehoiachin king of Judah out of prison. **28** And he spoke kindly to him, and set his throne above the throne of the kings that were with him in Babylon. **29** And he changed his prison garments, and did eat bread before him continually all the days of his life. **30** And for his allowance, there was a continual allowance given him of the king, every day a portion, all the days of his life.{P}

ישעיהו

Isaiah

Book of Isaiah in the Leningrad Codex
(right column, upper middle, page 445 in pdf)

א אַ חֲזוֹן יְשַׁעְיָהוּ בֶן־אָמוֹץ אֲשֶׁר חָזָה עַל־יְהוּדָה וִירוּשָׁלָ͏ִם בִּימֵי עֻזִּיָּהוּ
יוֹתָם אָחָז יְחִזְקִיָּהוּ מַלְכֵי יְהוּדָה׃ ב שִׁמְעוּ שָׁמַיִם וְהַאֲזִינִי אֶרֶץ כִּי יְהוָה
דִּבֵּר בָּנִים גִּדַּלְתִּי וְרוֹמַמְתִּי וְהֵם פָּשְׁעוּ בִי׃ ג יָדַע שׁוֹר קֹנֵהוּ וַחֲמוֹר אֵבוּס
בְּעָלָיו יִשְׂרָאֵל לֹא יָדַע עַמִּי לֹא הִתְבּוֹנָן׃ ד הוֹי ׀ גּוֹי חֹטֵא עַם כֶּבֶד עָוֺן
זֶרַע מְרֵעִים בָּנִים מַשְׁחִיתִים עָזְבוּ אֶת־יְהוָה נִאֲצוּ אֶת־קְדוֹשׁ יִשְׂרָאֵל נָזֹרוּ
אָחוֹר׃ ה עַל מֶה תֻכּוּ עוֹד תּוֹסִיפוּ סָרָה כָּל־רֹאשׁ לָחֳלִי וְכָל־לֵבָב דַּוָּי׃
ו מִכַּף־רֶגֶל וְעַד־רֹאשׁ אֵין־בּוֹ מְתֹם פֶּצַע וְחַבּוּרָה וּמַכָּה טְרִיָּה לֹא־זֹרוּ
וְלֹא חֻבָּשׁוּ וְלֹא רֻכְּכָה בַּשָּׁמֶן׃ ז אַרְצְכֶם שְׁמָמָה עָרֵיכֶם שְׂרֻפוֹת אֵשׁ
אַדְמַתְכֶם לְנֶגְדְּכֶם זָרִים אֹכְלִים אֹתָהּ וּשְׁמָמָה כְּמַהְפֵּכַת זָרִים׃ ח וְנוֹתְרָה
בַת־צִיּוֹן כְּסֻכָּה בְכָרֶם כִּמְלוּנָה בְמִקְשָׁה כְּעִיר נְצוּרָה׃ ט לוּלֵי יְהוָה
צְבָאוֹת הוֹתִיר לָנוּ שָׂרִיד כִּמְעָט כִּסְדֹם הָיִינוּ לַעֲמֹרָה דָּמִינוּ׃ י שִׁמְעוּ
דְבַר־יְהוָה קְצִינֵי סְדֹם הַאֲזִינוּ תּוֹרַת אֱלֹהֵינוּ עַם עֲמֹרָה׃ יא לָמָּה־לִּי
רֹב־זִבְחֵיכֶם יֹאמַר יְהוָה שָׂבַעְתִּי עֹלוֹת אֵילִים וְחֵלֶב מְרִיאִים וְדַם פָּרִים
וּכְבָשִׂים וְעַתּוּדִים לֹא חָפָצְתִּי׃ יב כִּי תָבֹאוּ לֵרָאוֹת פָּנָי מִי־בִקֵּשׁ זֹאת
מִיֶּדְכֶם רְמֹס חֲצֵרָי׃ יג לֹא תוֹסִיפוּ הָבִיא מִנְחַת־שָׁוְא קְטֹרֶת תּוֹעֵבָה הִיא
לִי חֹדֶשׁ וְשַׁבָּת קְרֹא מִקְרָא לֹא־אוּכַל אָוֶן וַעֲצָרָה׃ יד חָדְשֵׁיכֶם וּמוֹעֲדֵיכֶם
שָׂנְאָה נַפְשִׁי הָיוּ עָלַי לָטֹרַח נִלְאֵיתִי נְשֹׂא׃ טו וּבְפָרִשְׂכֶם כַּפֵּיכֶם אַעְלִים
עֵינַי מִכֶּם גַּם כִּי־תַרְבּוּ תְפִלָּה אֵינֶנִּי שֹׁמֵעַ יְדֵיכֶם דָּמִים מָלֵאוּ׃ טז רַחֲצוּ
הִזַּכּוּ הָסִירוּ רֹעַ מַעַלְלֵיכֶם מִנֶּגֶד עֵינָי חִדְלוּ הָרֵעַ׃ יז לִמְדוּ הֵיטֵב דִּרְשׁוּ
מִשְׁפָּט אַשְּׁרוּ חָמוֹץ שִׁפְטוּ יָתוֹם רִיבוּ אַלְמָנָה׃ יח לְכוּ־נָא וְנִוָּכְחָה יֹאמַר
יְהוָה אִם־יִהְיוּ חֲטָאֵיכֶם כַּשָּׁנִים כַּשֶּׁלֶג יַלְבִּינוּ אִם־יַאְדִּימוּ כַתּוֹלָע כַּצֶּמֶר
יִהְיוּ׃ יט אִם־תֹּאבוּ וּשְׁמַעְתֶּם טוּב הָאָרֶץ תֹּאכֵלוּ׃ כ וְאִם־תְּמָאֲנוּ וּמְרִיתֶם
חֶרֶב תְּאֻכְּלוּ כִּי פִּי יְהוָה דִּבֵּר׃ כא אֵיכָה הָיְתָה לְזוֹנָה קִרְיָה נֶאֱמָנָה
מְלֵאֲתִי מִשְׁפָּט צֶדֶק יָלִין בָּהּ וְעַתָּה מְרַצְּחִים׃ כב כַּסְפֵּךְ הָיָה לְסִיגִים
סָבְאֵךְ מָהוּל בַּמָּיִם׃ כג שָׂרַיִךְ סוֹרְרִים וְחַבְרֵי גַּנָּבִים כֻּלּוֹ אֹהֵב שֹׁחַד
וְרֹדֵף שַׁלְמֹנִים יָתוֹם לֹא יִשְׁפֹּטוּ וְרִיב אַלְמָנָה לֹא־יָבוֹא אֲלֵיהֶם׃

כד לָכֵן נְאֻם הָאָדוֹן יְהוָה צְבָאוֹת אֲבִיר יִשְׂרָאֵל הוֹי אֶנָּחֵם מִצָּרַי וְאִנָּקְמָה
מֵאוֹיְבָי׃ כה וְאָשִׁיבָה יָדִי עָלַיִךְ וְאֶצְרֹף כַּבֹּר סִיגָיִךְ וְאָסִירָה כָּל־בְּדִילָיִךְ׃
כו וְאָשִׁיבָה שֹׁפְטַיִךְ כְּבָרִאשֹׁנָה וְיֹעֲצַיִךְ כְּבַתְּחִלָּה אַחֲרֵי־כֵן יִקָּרֵא לָךְ עִיר
הַצֶּדֶק קִרְיָה נֶאֱמָנָה׃ כז צִיּוֹן בְּמִשְׁפָּט תִּפָּדֶה וְשָׁבֶיהָ בִּצְדָקָה׃

1 1 The vision of Isaiah the son of Amoz, which he saw concerning Judah and Yerushalam, in the days of Uzziah, Jotham, Ahaz, and Hezekiah, kings of Judah. 2 Hear, O heavens, and give ear, O earth, for Yehovah hath spoken: Children I have reared, and brought up, and they have rebelled against Me. 3 The ox knoweth his owner, and the ass his master's crib; but Israel doth not know, My people doth not consider. 4 Ah sinful nation, a people laden with iniquity, a seed of evil-doers, children that deal corruptly; they have forsaken Yehovah, they have contemned the Holy One of Israel, they are turned away backward. 5 On what part will ye yet be stricken, seeing ye stray away more and more? The whole head is sick, and the whole heart faint; 6 From the sole of the foot even unto the head there is no soundness in it; but wounds, and bruises, and festering sores: they have not been pressed, neither bound up, neither mollified with oil. 7 Your country is desolate; your cities are burned with fire; your land, strangers devour it in your presence, and it is desolate, as overthrown by floods. 8 And the daughter of Zion is left as a booth in a vineyard, as a lodge in a garden of cucumbers, as a besieged city. 9 Except Yehovah of hosts had left unto us a very small remnant, we should have been as Sodom, we should have been like unto Gomorrah.{P}

10 Hear the word of Yehovah, ye rulers of Sodom; give ear unto the Torah of our God, ye people of Gomorrah. 11 To what purpose is the multitude of your sacrifices unto Me? saith Yehovah; I am full of the burnt-offerings of rams, and the fat of fed beasts; and I delight not in the blood of bullocks, or of lambs, or of he-goats. 12 When ye come to appear before Me, who hath required this at your hand, to trample My courts? 13 Bring no more vain oblations; it is an offering of abomination unto Me; new moon and sabbath, the holding of convocations–I cannot endure iniquity along with the solemn assembly. 14 Your new moons and your appointed seasons My soul hateth; they are a burden unto Me; I am weary to bear them. 15 And when ye spread forth your hands, I will hide Mine eyes from you; yea, when ye make many prayers, I will not hear; your hands are full of blood. 16 Wash you, make you clean, put away the evil of your doings from before Mine eyes, cease to do evil; 17 Learn to do well; seek justice, relieve the oppressed, judge the fatherless, plead for the widow.{S} 18 Come now, and let us reason together, saith Yehovah; though your sins be as scarlet, they shall be as white as snow; though they be red like crimson, they shall be as wool. 19 If ye be willing and obedient, ye shall eat the good of the land; 20 But if ye refuse and rebel, ye shall be devoured with the sword; for the mouth of Yehovah hath spoken.{P}

21 How is the faithful city become a harlot! She that was full of justice, righteousness lodged in her, but now murderers. 22 Thy silver is become dross, thy wine mixed with water. 23 Thy princes are rebellious, and companions of thieves; every one loveth bribes, and followeth after rewards; they judge not the fatherless, neither doth the cause of the widow come unto them.{S} 24 Therefore saith the Lord, Yehovah of hosts, the Mighty One of Israel: Ah, I will ease Me of Mine adversaries, and avenge Me of Mine enemies; 25 And I will turn My hand upon thee, and purge away thy dross as with lye, and will take away all thine alloy; 26 And I will restore thy judges as at the first, and thy counsellors as at the beginning; afterward thou shalt be called the city of righteousness, the faithful city. 27 Zion shall be redeemed with justice, and they that return of her with righteousness.

כח וְשֶׁבֶר פֹּשְׁעִים וְחַטָּאִים יַחְדָּו וְעֹזְבֵי יְהוָה יִכְלוּ׃ כט כִּי יֵבֹשׁוּ מֵאֵילִים אֲשֶׁר
חֲמַדְתֶּם וְתַחְפְּרוּ מֵהַגַּנּוֹת אֲשֶׁר בְּחַרְתֶּם׃ ל כִּי תִהְיוּ כְּאֵלָה נֹבֶלֶת עָלֶהָ וּכְגַנָּה
אֲשֶׁר־מַיִם אֵין לָהּ׃ לא וְהָיָה הֶחָסֹן לִנְעֹרֶת וּפֹעֲלוֹ לְנִיצוֹץ וּבָעֲרוּ שְׁנֵיהֶם יַחְדָּו
וְאֵין מְכַבֶּה׃

ב א הַדָּבָר אֲשֶׁר חָזָה יְשַׁעְיָהוּ בֶּן־אָמוֹץ עַל־יְהוּדָה וִירוּשָׁלָםִ׃ ב וְהָיָה ׀
בְּאַחֲרִית הַיָּמִים נָכוֹן יִהְיֶה הַר בֵּית־יְהוָה בְּרֹאשׁ הֶהָרִים וְנִשָּׂא מִגְּבָעוֹת
וְנָהֲרוּ אֵלָיו כָּל־הַגּוֹיִם׃ ג וְהָלְכוּ עַמִּים רַבִּים וְאָמְרוּ לְכוּ ׀ וְנַעֲלֶה
אֶל־הַר־יְהוָה אֶל־בֵּית אֱלֹהֵי יַעֲקֹב וְיֹרֵנוּ מִדְּרָכָיו וְנֵלְכָה בְּאֹרְחֹתָיו כִּי
מִצִּיּוֹן תֵּצֵא תוֹרָה וּדְבַר־יְהוָה מִירוּשָׁלָםִ׃ ד וְשָׁפַט בֵּין הַגּוֹיִם וְהוֹכִיחַ
לְעַמִּים רַבִּים וְכִתְּתוּ חַרְבוֹתָם לְאִתִּים וַחֲנִיתוֹתֵיהֶם לְמַזְמֵרוֹת לֹא־יִשָּׂא גוֹי
אֶל־גּוֹי חֶרֶב וְלֹא־יִלְמְדוּ עוֹד מִלְחָמָה׃

ה בֵּית יַעֲקֹב לְכוּ וְנֵלְכָה בְּאוֹר יְהוָה׃ ו כִּי נָטַשְׁתָּה עַמְּךָ בֵּית יַעֲקֹב כִּי
מָלְאוּ מִקֶּדֶם וְעֹנְנִים כַּפְּלִשְׁתִּים וּבְיַלְדֵי נָכְרִים יַשְׂפִּיקוּ׃ ז וַתִּמָּלֵא אַרְצוֹ
כֶּסֶף וְזָהָב וְאֵין קֵצֶה לְאֹצְרֹתָיו וַתִּמָּלֵא אַרְצוֹ סוּסִים וְאֵין קֵצֶה לְמַרְכְּבֹתָיו׃
ח וַתִּמָּלֵא אַרְצוֹ אֱלִילִים לְמַעֲשֵׂה יָדָיו יִשְׁתַּחֲווּ לַאֲשֶׁר עָשׂוּ אֶצְבְּעֹתָיו׃
ט וַיִּשַּׁח אָדָם וַיִּשְׁפַּל־אִישׁ וְאַל־תִּשָּׂא לָהֶם׃ י בּוֹא בַצּוּר וְהִטָּמֵן בֶּעָפָר מִפְּנֵי
פַּחַד יְהוָה וּמֵהֲדַר גְּאֹנוֹ׃ יא עֵינֵי גַּבְהוּת אָדָם שָׁפֵל וְשַׁח רוּם אֲנָשִׁים וְנִשְׂגַּב
יְהוָה לְבַדּוֹ בַּיּוֹם הַהוּא׃ יב כִּי יוֹם לַיהוָה צְבָאוֹת עַל כָּל־גֵּאֶה וָרָם וְעַל
כָּל־נִשָּׂא וְשָׁפֵל׃ יג וְעַל כָּל־אַרְזֵי הַלְּבָנוֹן הָרָמִים וְהַנִּשָּׂאִים וְעַל כָּל־אַלּוֹנֵי
הַבָּשָׁן׃ יד וְעַל כָּל־הֶהָרִים הָרָמִים וְעַל כָּל־הַגְּבָעוֹת הַנִּשָּׂאוֹת׃ טו וְעַל
כָּל־מִגְדָּל גָּבֹהַּ וְעַל כָּל־חוֹמָה בְצוּרָה׃ טז וְעַל כָּל־אֳנִיּוֹת תַּרְשִׁישׁ וְעַל
כָּל־שְׂכִיּוֹת הַחֶמְדָּה׃ יז וְשַׁח גַּבְהוּת הָאָדָם וְשָׁפֵל רוּם אֲנָשִׁים וְנִשְׂגַּב יְהוָה
לְבַדּוֹ בַּיּוֹם הַהוּא׃ יח וְהָאֱלִילִים כָּלִיל יַחֲלֹף׃ יט וּבָאוּ בִּמְעָרוֹת צֻרִים
וּבִמְחִלּוֹת עָפָר מִפְּנֵי פַּחַד יְהוָה וּמֵהֲדַר גְּאוֹנוֹ בְּקוּמוֹ לַעֲרֹץ הָאָרֶץ׃
כ בַּיּוֹם הַהוּא יַשְׁלִיךְ הָאָדָם אֵת אֱלִילֵי כַסְפּוֹ וְאֵת אֱלִילֵי זְהָבוֹ אֲשֶׁר
עָשׂוּ־לוֹ לְהִשְׁתַּחֲוֺת לַחְפֹּר פֵּרוֹת וְלָעֲטַלֵּפִים׃ כא לָבוֹא בְּנִקְרוֹת הַצֻּרִים
וּבִסְעִפֵי הַסְּלָעִים מִפְּנֵי פַּחַד יְהוָה וּמֵהֲדַר גְּאוֹנוֹ בְּקוּמוֹ לַעֲרֹץ הָאָרֶץ׃
כב חִדְלוּ לָכֶם מִן־הָאָדָם אֲשֶׁר נְשָׁמָה בְּאַפּוֹ כִּי־בַמֶּה נֶחְשָׁב הוּא׃

ג א כִּי הִנֵּה הָאָדוֹן יְהוָה צְבָאוֹת מֵסִיר מִירוּשָׁלַםִ וּמִיהוּדָה מַשְׁעֵן וּמַשְׁעֵנָה
כֹּל מִשְׁעַן־לֶחֶם וְכֹל מִשְׁעַן־מָיִם׃

28 But the destruction of the transgressors and the sinners shall be together, and they that forsake Yehovah shall be consumed. **29** For they shall be ashamed of the terebinths which ye have desired, and ye shall be confounded for the gardens that ye have chosen. **30** For ye shall be as a terebinth whose leaf fadeth, and as a garden that hath no water. **31** And the strong shall be as tow, and his work as a spark; and they shall both burn together, and none shall quench them.{P}

2 1 The word that Isaiah the son of Amoz saw concerning Judah and Yerushalam. **2** And it shall come to pass in the end of days, that the mountain of Yehovah's house shall be established as the top of the mountains, and shall be exalted above the hills; and all nations shall flow unto it. **3** And many peoples shall go and say: 'Come ye, and let us go up to the mountain of Yehovah, to the house of the God of Jacob; and He will teach us of His ways, and we will walk in His paths.' For out of Zion shall go forth the Torah, and the word of Yehovah from Yerushalam. **4** And He shall judge between the nations, and shall decide for many peoples; and they shall beat their swords into plowshares, and their spears into pruninghooks; nation shall not lift up sword against nation, neither shall they learn war any more.{P}

5 O house of Jacob, come ye, and let us walk in the light of Yehovah. **6** For Thou hast forsaken Thy people the house of Jacob; for they are replenished from the east, and with soothsayers like the Philistines, and they please themselves in the brood of aliens. **7** Their land also is full of silver and gold, neither is there any end of their treasures; their land also is full of horses, neither is there any end of their chariots. **8** Their land also is full of idols; every one worshippeth the work of his own hands, that which his own fingers have made. **9** And man boweth down, and man lowereth himself; and Thou canst not bear with them. **10** Enter into the rock, and hide thee in the dust, from before the terror of Yehovah, and from the glory of His majesty. **11** The lofty looks of man shall be brought low, and the haughtiness of men shall be bowed down, and Yehovah alone shall be exalted in that day.{P}

12 For Yehovah of hosts hath a day upon all that is proud and lofty, and upon all that is lifted up, and it shall be brought low; **13** And upon all the cedars of Lebanon that are high and lifted up, and upon all the oaks of Bashan; **14** And upon all the high mountains, and upon all the hills that are lifted up; **15** And upon every lofty tower, and upon every fortified wall; **16** And upon all the ships of Tarshish, and upon all delightful imagery. **17** And the loftiness of man shall be bowed down, and the haughtiness of men shall be brought low; and Yehovah alone shall be exalted in that day. **18** And the idols shall utterly pass away. **19** And men shall go into the caves of the rocks, and into the holes of the earth, from before the terror of Yehovah, and from the glory of His majesty, when He ariseth to shake mightily the earth. **20** In that day a man shall cast away his idols of silver, and his idols of gold, which they made for themselves to worship, to the moles and to the bats; **21** To go into the clefts of the rocks, and into the crevices of the crags, from before the terror of Yehovah, and from the glory of His majesty, when he ariseth to shake mightily the earth. **22** Cease ye from man, in whose nostrils is a breath; for how little is he to be accounted!{P}

3 1 For, behold, the Lord, Yehovah of hosts, doth take away from Yerushalam and from Judah stay and staff, every stay of bread, and every stay of water;

ב גִּבּוֹר וְאִישׁ מִלְחָמָה שׁוֹפֵט וְנָבִיא וְקֹסֵם וְזָקֵן׃ ג שַׂר־חֲמִשִּׁים וּנְשׂוּא פָנִים
וְיוֹעֵץ וַחֲכַם חֲרָשִׁים וּנְבוֹן לָחַשׁ׃ ד וְנָתַתִּי נְעָרִים שָׂרֵיהֶם וְתַעֲלוּלִים
יִמְשְׁלוּ־בָם׃ ה וְנִגַּשׂ הָעָם אִישׁ בְּאִישׁ וְאִישׁ בְּרֵעֵהוּ יִרְהֲבוּ הַנַּעַר בַּזָּקֵן
וְהַנִּקְלֶה בַּנִּכְבָּד׃ ו כִּי־יִתְפֹּשׂ אִישׁ בְּאָחִיו בֵּית אָבִיו שִׂמְלָה לְכָה קָצִין
תִּהְיֶה־לָּנוּ וְהַמַּכְשֵׁלָה הַזֹּאת תַּחַת יָדֶךָ׃ ז יִשָּׂא בַיּוֹם הַהוּא ׀ לֵאמֹר
לֹא־אֶהְיֶה חֹבֵשׁ וּבְבֵיתִי אֵין לֶחֶם וְאֵין שִׂמְלָה לֹא תְשִׂימֻנִי קְצִין עָם׃ ח כִּי
כָשְׁלָה יְרוּשָׁלִַם וִיהוּדָה נָפָל כִּי־לְשׁוֹנָם וּמַעַלְלֵיהֶם אֶל־יְהוָה לַמְרוֹת עֵנֵי
כְבוֹדוֹ׃ ט הַכָּרַת פְּנֵיהֶם עָנְתָה בָּם וְחַטָּאתָם כִּסְדֹם הִגִּידוּ לֹא כִחֵדוּ אוֹי
לְנַפְשָׁם כִּי־גָמְלוּ לָהֶם רָעָה׃ י אִמְרוּ צַדִּיק כִּי־טוֹב כִּי־פְרִי מַעַלְלֵיהֶם
יֹאכֵלוּ׃ יא אוֹי לְרָשָׁע רָע כִּי־גְמוּל יָדָיו יֵעָשֶׂה לּוֹ׃ יב עַמִּי נֹגְשָׂיו מְעוֹלֵל
וְנָשִׁים מָשְׁלוּ בוֹ עַמִּי מְאַשְּׁרֶיךָ מַתְעִים וְדֶרֶךְ אֹרְחֹתֶיךָ בִּלֵּעוּ׃ יג נִצָּב לָרִיב
יְהוָה וְעֹמֵד לָדִין עַמִּים׃ יד יְהוָה בְּמִשְׁפָּט יָבוֹא עִם־זִקְנֵי עַמּוֹ וְשָׂרָיו וְאַתֶּם
בִּעַרְתֶּם הַכֶּרֶם גְּזֵלַת הֶעָנִי בְּבָתֵּיכֶם׃ טו מַה־לָּכֶם[1] תְּדַכְּאוּ עַמִּי וּפְנֵי עֲנִיִּים
תִּטְחָנוּ נְאֻם־אֲדֹנָי יְהוִה צְבָאוֹת׃ טז וַיֹּאמֶר יְהוָה יַעַן כִּי גָבְהוּ בְּנוֹת צִיּוֹן
וַתֵּלַכְנָה נְטוּיוֹת[2] גָּרוֹן וּמְשַׂקְּרוֹת עֵינָיִם הָלוֹךְ וְטָפֹף תֵּלַכְנָה וּבְרַגְלֵיהֶם
תְּעַכַּסְנָה׃ יז וְשִׂפַּח אֲדֹנָי קָדְקֹד בְּנוֹת צִיּוֹן וַיהוָה פָּתְהֵן יְעָרֶה׃ יח בַּיּוֹם
הַהוּא יָסִיר אֲדֹנָי אֵת תִּפְאֶרֶת הָעֲכָסִים וְהַשְּׁבִיסִים וְהַשַּׂהֲרֹנִים׃
יט הַנְּטִפוֹת וְהַשֵּׁירוֹת וְהָרְעָלוֹת׃ כ הַפְּאֵרִים וְהַצְּעָדוֹת וְהַקִּשֻּׁרִים וּבָתֵּי
הַנֶּפֶשׁ וְהַלְּחָשִׁים׃ כא הַטַּבָּעוֹת וְנִזְמֵי הָאָף׃ כב הַמַּחֲלָצוֹת וְהַמַּעֲטָפוֹת
וְהַמִּטְפָּחוֹת וְהָחֲרִיטִים׃ כג וְהַגִּלְיֹנִים וְהַסְּדִינִים וְהַצְּנִיפוֹת וְהָרְדִידִים׃
כד וְהָיָה תַחַת בֹּשֶׂם מַק יִהְיֶה וְתַחַת חֲגוֹרָה נִקְפָּה וְתַחַת מַעֲשֶׂה מִקְשֶׁה
קָרְחָה וְתַחַת פְּתִיגִיל מַחֲגֹרֶת שָׂק כִּי־תַחַת יֹפִי׃ כה מְתַיִךְ בַּחֶרֶב יִפֹּלוּ
וּגְבוּרָתֵךְ בַּמִּלְחָמָה׃ כו וְאָנוּ וְאָבְלוּ פְּתָחֶיהָ וְנִקָּתָה לָאָרֶץ תֵּשֵׁב׃

ד א וְהֶחֱזִיקוּ שֶׁבַע נָשִׁים בְּאִישׁ אֶחָד בַּיּוֹם הַהוּא לֵאמֹר לַחְמֵנוּ נֹאכֵל
וְשִׂמְלָתֵנוּ נִלְבָּשׁ רַק יִקָּרֵא שִׁמְךָ עָלֵינוּ אֱסֹף חֶרְפָּתֵנוּ׃ ב בַּיּוֹם הַהוּא יִהְיֶה
צֶמַח יְהוָה לִצְבִי וּלְכָבוֹד וּפְרִי הָאָרֶץ לְגָאוֹן וּלְתִפְאֶרֶת לִפְלֵיטַת יִשְׂרָאֵל׃
ג וְהָיָה ׀ הַנִּשְׁאָר בְּצִיּוֹן וְהַנּוֹתָר בִּירוּשָׁלִַם קָדוֹשׁ יֵאָמֶר לוֹ כָּל־הַכָּתוּב
לַחַיִּים בִּירוּשָׁלִָם׃ ד אִם ׀ רָחַץ אֲדֹנָי אֵת צֹאַת בְּנוֹת־צִיּוֹן וְאֶת־דְּמֵי
יְרוּשָׁלִַם יָדִיחַ מִקִּרְבָּהּ בְּרוּחַ מִשְׁפָּט וּבְרוּחַ בָּעֵר׃

[1] מלכם
[2] נטוות

<u>2</u> The mighty man, and the man of war; the judge, and the prophet, and the diviner, and the elder; <u>3</u> The captain of fifty, and the man of rank, and the counsellor, and the cunning charmer, and the skilful enchanter. <u>4</u> And I will give children to be their princes, and babes shall rule over them. <u>5</u> And the people shall oppress one another, every man his fellow, and every man his neighbour; the child shall behave insolently against the aged, and the base against the honourable, <u>6</u> For a man shall take hold of his brother of the house of his father: 'Thou hast a mantle, be thou our ruler, and let this ruin be under thy hand.' <u>7</u> In that day shall he swear, saying: 'I will not be a healer; for in my house is neither bread nor a mantle; ye shall not make me ruler of a people.' <u>8</u> For Yerushalam is ruined, and Judah is fallen; because their tongue and their doings are against Yehovah, to provoke the eyes of His glory. <u>9</u> The show of their countenance doth witness against them; and they declare their sin as Sodom, they hide it not. Woe unto their soul! for they have wrought evil unto themselves. <u>10</u> Say ye of the righteous, that it shall be well with him; for they shall eat the fruit of their doings. <u>11</u> Woe unto the wicked! it shall be ill with him; for the work of his hands shall be done to him. <u>12</u> As for My people, a babe is their master, and women rule over them. O My people, they that lead thee cause thee to err, and destroy the way of thy paths.{P}

<u>13</u> Yehovah standeth up to plead, and standeth to judge the peoples. <u>14</u> Yehovah will enter into judgment with the elders of His people, and the princes thereof: 'It is ye that have eaten up the vineyard; the spoil of the poor is in your houses; <u>15</u> What mean ye that ye crush My people, and grind the face of the poor?' saith the Lord, the GOD of hosts.{S}   <u>16</u> Moreover Yehovah said: Because the daughters of Zion are haughty, and walk with stretched-forth necks and wanton eyes, walking and mincing as they go, and making a tinkling with their feet; <u>17</u> Therefore the Lord will smite with a scab the crown of the head of the daughters of Zion, and Yehovah will lay bare their secret parts.{S} <u>18</u> In that day the Lord will take away the bravery of their anklets, and the fillets, and the crescents; <u>19</u> the pendants, and the bracelets, and the veils; <u>20</u> the headtires, and the armlets, and the sashes, and the corselets, and the amulets; <u>21</u> the rings, and the nose-jewels; <u>22</u> the aprons, and the mantelets, and the cloaks, and the girdles; <u>23</u> and the gauze robes, and the fine linen, and the turbans, and the mantles. <u>24</u> And it shall come to pass, that instead of sweet spices there shall be rottenness; and instead of a girdle rags; and instead of curled hair baldness; and instead of a stomacher a girding of sackcloth; branding instead of beauty. <u>25</u> Thy men shall fall by the sword, and thy mighty in the war. <u>26</u> And her gates shall lament and mourn; and utterly bereft she shall sit upon the ground.

4 <u>1</u> And seven women shall take hold of one man in that day, saying: 'We will eat our own bread, and wear our own apparel; only let us be called by thy name; take thou away our reproach.'{S} <u>2</u> In that day shall the growth of Yehovah be beautiful and glorious, and the fruit of the land excellent and comely for them that are escaped of Israel. <u>3</u> And it shall come to pass, that he that is left in Zion, and he that remaineth in Yerushalam, shall be called holy, even every one that is written unto life in Yerushalam; <u>4</u> when the Lord shall have washed away the filth of the daughters of Zion, and shall have purged the blood of Yerushalam from the midst thereof, by the spirit of judgment, and by the spirit of destruction.

ה וּבָרָ֣א יְהֹוָ֡ה עַל֩ כׇּל־מְכ֨וֹן הַר־צִיּ֜וֹן וְעַל־מִקְרָאֶ֗הָ עָנָ֤ן ׀ יוֹמָם֙ וְעָשָׁ֔ן וְנֹ֛גַהּ אֵ֥שׁ לֶהָבָ֖ה לָ֑יְלָה כִּ֥י עַל־כׇּל־כָּב֖וֹד חֻפָּֽה: ו וְסֻכָּ֛ה תִּֽהְיֶ֥ה לְצֵל־יוֹמָ֖ם מֵחֹ֑רֶב וּלְמַחְסֶה֙ וּלְמִסְתּ֔וֹר מִזֶּ֖רֶם וּמִמָּטָֽר:

ה א אָשִׁ֤ירָה נָּא֙ לִֽידִידִ֔י שִׁירַ֥ת דּוֹדִ֖י לְכַרְמ֑וֹ כֶּ֛רֶם הָיָ֥ה לִֽידִידִ֖י בְּקֶ֥רֶן בֶּן־שָֽׁמֶן: ב וַֽיְעַזְּקֵ֣הוּ וַֽיְסַקְּלֵ֗הוּ וַיִּטָּעֵ֙הוּ֙ שֹׂרֵ֔ק וַיִּ֤בֶן מִגְדָּל֙ בְּתוֹכ֔וֹ וְגַם־יֶ֖קֶב חָצֵ֣ב בּ֑וֹ וַיְקַ֛ו לַֽעֲשׂ֥וֹת עֲנָבִ֖ים וַיַּ֥עַשׂ בְּאֻשִֽׁים: ג וְעַתָּ֛ה יוֹשֵׁ֥ב יְרֽוּשָׁלַ֖͏ִם וְאִ֣ישׁ יְהוּדָ֑ה שִׁפְטוּ־נָ֕א בֵּינִ֖י וּבֵ֥ין כַּרְמִֽי: ד מַה־לַּֽעֲשׂ֥וֹת עוֹד֙ לְכַרְמִ֔י וְלֹ֥א עָשִׂ֖יתִי בּ֑וֹ מַדּ֧וּעַ קִוֵּ֛יתִי לַֽעֲשׂ֥וֹת עֲנָבִ֖ים וַיַּ֥עַשׂ בְּאֻשִֽׁים: ה וְעַתָּה֙ אוֹדִֽיעָה־נָּ֣א אֶתְכֶ֔ם אֵ֛ת אֲשֶׁר־אֲנִ֥י עֹשֶׂ֖ה לְכַרְמִ֑י הָסֵ֤ר מְשׂוּכָּתוֹ֙ וְהָיָ֣ה לְבָעֵ֔ר פָּרֹ֥ץ גְּדֵר֖וֹ וְהָיָ֥ה לְמִרְמָֽס: ו וַֽאֲשִׁיתֵ֣הוּ בָתָ֗ה לֹ֤א יִזָּמֵר֙ וְלֹ֣א יֵֽעָדֵ֔ר וְעָלָ֥ה שָׁמִ֖יר וָשָׁ֑יִת וְעַ֤ל הֶֽעָבִים֙ אֲצַוֶּ֔ה מֵֽהַמְטִ֥יר עָלָ֖יו מָטָֽר: ז כִּ֣י כֶ֜רֶם יְהֹוָ֤ה צְבָאוֹת֙ בֵּ֣ית יִשְׂרָאֵ֔ל וְאִ֥ישׁ יְהוּדָ֖ה נְטַ֣ע שַׁעֲשׁוּעָ֑יו וַיְקַ֤ו לְמִשְׁפָּט֙ וְהִנֵּ֣ה מִשְׂפָּ֔ח לִצְדָקָ֖ה וְהִנֵּ֥ה צְעָקָֽה: ח ה֗וֹי מַגִּיעֵ֥י בַ֙יִת֙ בְּבַ֔יִת שָׂדֶ֥ה בְשָׂדֶ֖ה יַקְרִ֑יבוּ עַ֚ד אֶ֣פֶס מָק֔וֹם וְהֽוּשַׁבְתֶּ֥ם לְבַדְּכֶ֖ם בְּקֶ֥רֶב הָאָֽרֶץ: ט בְּאׇזְנָ֖י יְהֹוָ֣ה צְבָא֑וֹת אִם־לֹ֞א בָּתִּ֤ים רַבִּים֙ לְשַׁמָּ֣ה יִֽהְי֔וּ גְּדֹלִ֥ים וְטוֹבִ֖ים מֵאֵ֥ין יוֹשֵֽׁב: י כִּ֗י עֲשֶׂ֙רֶת֙ צִמְדֵּי־כֶ֔רֶם יַֽעֲשׂ֖וּ בַּ֣ת אֶחָ֑ת וְזֶ֥רַע חֹ֖מֶר יַֽעֲשֶׂ֥ה אֵיפָֽה:

יא ה֛וֹי מַשְׁכִּ֥ימֵי בַבֹּ֖קֶר שֵׁכָ֣ר יִרְדֹּ֑פוּ מְאַֽחֲרֵ֣י בַנֶּ֔שֶׁף יַ֖יִן יַדְלִיקֵֽם: יב וְהָיָ֣ה כִ֠נּ֠וֹר וָנֶ֜בֶל תֹּ֤ף וְחָלִיל֙ וָיַ֔יִן מִשְׁתֵּיהֶ֑ם וְאֵ֨ת פֹּ֤עַל יְהֹוָה֙ לֹ֣א יַבִּ֔יטוּ וּמַֽעֲשֵׂ֥ה יָדָ֖יו לֹ֥א רָאֽוּ: יג לָכֵ֛ן גָּלָ֥ה עַמִּ֖י מִבְּלִי־דָ֑עַת וּכְבוֹדוֹ֙ מְתֵ֣י רָעָ֔ב וַֽהֲמוֹנ֖וֹ צִחֵ֥ה צָמָֽא: יד לָכֵ֗ן הִרְחִ֤יבָה שְּׁאוֹל֙ נַפְשָׁ֔הּ וּפָֽעֲרָ֥ה פִ֖יהָ לִבְלִי־חֹ֑ק וְיָרַ֨ד הֲדָרָ֧הּ וַֽהֲמוֹנָ֛הּ וּשְׁאוֹנָ֖הּ וְעָלֵ֥ז בָּֽהּ: יה וַיִּשַּׁ֥ח אָדָ֖ם וַיִּשְׁפַּל־אִ֑ישׁ וְעֵינֵ֥י גְבֹהִ֖ים תִּשְׁפַּֽלְנָה: יו וַיִּגְבַּ֛ה יְהֹוָ֥ה צְבָא֖וֹת בַּמִּשְׁפָּ֑ט וְהָאֵל֙ הַקָּד֔וֹשׁ נִקְדָּ֖שׁ בִּצְדָקָֽה: יז וְרָע֥וּ כְבָשִׂ֖ים כְּדׇבְרָ֑ם וְחׇרְב֥וֹת מֵחִ֖ים גָּרִ֥ים יֹאכֵֽלוּ: יח ה֛וֹי מֹֽשְׁכֵ֥י הֶֽעָוֺ֖ן בְּחַבְלֵ֣י הַשָּׁ֑וְא וְכַֽעֲב֥וֹת הָֽעֲגָלָ֖ה חַטָּאָֽה: יט הָאֹֽמְרִ֞ים יְמַהֵ֣ר ׀ יָחִ֣ישָׁה מַֽעֲשֵׂ֗הוּ לְמַ֖עַן נִרְאֶ֑ה וְתִקְרַ֣ב וְתָב֗וֹאָה עֲצַ֛ת קְד֥וֹשׁ יִשְׂרָאֵ֖ל וְנֵדָֽעָה: כ ה֣וֹי הָֽאֹמְרִ֥ים לָרַ֛ע ט֖וֹב וְלַטּ֣וֹב רָ֑ע שָׂמִ֨ים חֹ֤שֶׁךְ לְאוֹר֙ וְא֣וֹר לְחֹ֔שֶׁךְ שָׂמִ֥ים מַ֛ר לְמָת֖וֹק וּמָת֥וֹק לְמָֽר: כא ה֖וֹי חֲכָמִ֣ים בְּעֵֽינֵיהֶ֑ם וְנֶ֥גֶד פְּנֵיהֶ֖ם נְבֹנִֽים: כב ה֕וֹי גִּבּוֹרִ֖ים לִשְׁתּ֣וֹת יָ֑יִן וְאַנְשֵׁי־חַ֖יִל לִמְסֹ֥ךְ שֵׁכָֽר: כג מַצְדִּיקֵ֤י רָשָׁע֙ עֵ֣קֶב שֹׁ֔חַד וְצִדְקַ֥ת צַדִּיקִ֖ים יָסִ֥ירוּ מִמֶּֽנּוּ:

5 And Yehovah will create over the whole habitation of mount Zion, and over her assemblies, a cloud and smoke by day, and the shining of a flaming fire by night; for over all the glory shall be a canopy. **6** And there shall be a pavilion for a shadow in the day-time from the heat, and for a refuge and for a covert from storm and from rain.{P}

5 **1** Let me sing of my well-beloved, a song of my beloved touching his vineyard. My well-beloved had a vineyard in a very fruitful hill; **2** And he digged it, and cleared it of stones, and planted it with the choicest vine, and built a tower in the midst of it, and also hewed out a vat therein; and he looked that it should bring forth grapes, and it brought forth wild grapes. **3** And now, O inhabitants of Yerushalam and men of Judah, judge, I pray you, betwixt me and my vineyard. **4** What could have been done more to my vineyard, that I have not done in it? Wherefore, when I looked that it should bring forth grapes, brought it forth wild grapes? **5** And now come, I will tell you what I will do to my vineyard: I will take away the hedge thereof, and it shall be eaten up; I will break down the fence thereof, and it shall be trodden down; **6** And I will lay it waste: it shall not be pruned nor hoed, but there shall come up briers and thorns; I will also command the clouds that they rain no rain upon it. **7** For the vineyard of Yehovah of hosts is the house of Israel, and the men of Judah the plant of His delight; and He looked for justice, but behold violence; for righteousness, but behold a cry.{P}

8 Woe unto them that join house to house, that lay field to field, till there be no room, and ye be made to dwell alone in the midst of the land! **9** In mine ears said Yehovah of hosts: of a truth many houses shall be desolate, even great and fair, without inhabitant. **10** For ten acres of vineyard shall yield one bath, and the seed of a homer shall yield an ephah.{S} **11** Woe unto them that rise up early in the morning, that they may follow strong drink; that tarry late into the night, till wine inflame them! **12** And the harp and the psaltery, the tabret and the pipe, and wine, are in their feasts; but they regard not the work of Yehovah, neither have they considered the operation of His hands. **13** Therefore My people are gone into captivity, for want of knowledge; and their honourable men are famished, and their multitude are parched with thirst. **14** Therefore the nether-world hath enlarged her desire, and opened her mouth without measure; and down goeth their glory, and their tumult, and their uproar, and he that rejoiceth among them. **15** And man is bowed down, and man is humbled, and the eyes of the lofty are humbled; **16** But Yehovah of hosts is exalted through justice, and God the Holy One is sanctified through righteousness. **17** Then shall the lambs feed as in their pasture, and the waste places of the fat ones shall wanderers eat.{S} **18** Woe unto them that draw iniquity with cords of vanity, and sin as it were with a cart rope, **19** That say: 'Let Him make speed, let Him hasten His work, that we may see it; and let the counsel of the Holy One of Israel draw nigh and come, that we may know it!'{P}

20 Woe unto them that call evil good, and good evil; that change darkness into light, and light into darkness; that change bitter into sweet, and sweet into bitter!{S} **21** Woe unto them that are wise in their own eyes, and prudent in their own sight!{S} **22** Woe unto them that are mighty to drink wine, and men of strength to mingle strong drink; **23** That justify the wicked for a reward, and take away the righteousness of the righteous from him!{P}

כד לָכֵן כֶּאֱכֹל קַשׁ לְשׁוֹן אֵשׁ וַחֲשַׁשׁ לֶהָבָה יִרְפֶּה שָׁרְשָׁם כַּמָּק יִהְיֶה וּפִרְחָם
כָּאָבָק יַעֲלֶה כִּי מָאֲסוּ אֵת תּוֹרַת יְהוָה צְבָאוֹת וְאֵת אִמְרַת קְדוֹשׁ־יִשְׂרָאֵל
נִאֵצוּ׃ כה עַל־כֵּן חָרָה אַף־יְהוָה בְּעַמּוֹ וַיֵּט יָדוֹ עָלָיו וַיַּכֵּהוּ וַיִּרְגְּזוּ הֶהָרִים
וַתְּהִי נִבְלָתָם כַּסּוּחָה בְּקֶרֶב חוּצוֹת בְּכָל־זֹאת לֹא־שָׁב אַפּוֹ וְעוֹד יָדוֹ נְטוּיָה׃
כו וְנָשָׂא־נֵס לַגּוֹיִם מֵרָחוֹק וְשָׁרַק לוֹ מִקְצֵה הָאָרֶץ וְהִנֵּה מְהֵרָה קַל יָבוֹא׃
כז אֵין־עָיֵף וְאֵין־כּוֹשֵׁל בּוֹ לֹא יָנוּם וְלֹא יִישָׁן וְלֹא נִפְתַּח אֵזוֹר חֲלָצָיו וְלֹא
נִתַּק שְׂרוֹךְ נְעָלָיו׃ כח אֲשֶׁר חִצָּיו שְׁנוּנִים וְכָל־קַשְּׁתֹתָיו דְּרֻכוֹת פַּרְסוֹת סוּסָיו
כַּצַּר נֶחְשָׁבוּ וְגַלְגִּלָּיו כַּסּוּפָה׃ כט שְׁאָגָה לוֹ כַּלָּבִיא יִשְׁאַג[3] כַּכְּפִירִים וְיִנְהֹם
וְיֹאחֵז טֶרֶף וְיַפְלִיט וְאֵין מַצִּיל׃ ל וְיִנְהֹם עָלָיו בַּיּוֹם הַהוּא כְּנַהֲמַת־יָם וְנִבַּט
לָאָרֶץ וְהִנֵּה־חֹשֶׁךְ צַר וָאוֹר חָשַׁךְ בַּעֲרִיפֶיהָ׃

ו א בִּשְׁנַת־מוֹת הַמֶּלֶךְ עֻזִּיָּהוּ וָאֶרְאֶה אֶת־אֲדֹנָי יֹשֵׁב עַל־כִּסֵּא רָם וְנִשָּׂא וְשׁוּלָיו
מְלֵאִים אֶת־הַהֵיכָל׃ ב שְׂרָפִים עֹמְדִים | מִמַּעַל לוֹ שֵׁשׁ כְּנָפַיִם שֵׁשׁ כְּנָפַיִם
לְאֶחָד בִּשְׁתַּיִם | יְכַסֶּה פָנָיו וּבִשְׁתַּיִם יְכַסֶּה רַגְלָיו וּבִשְׁתַּיִם יְעוֹפֵף׃ ג וְקָרָא
זֶה אֶל־זֶה וְאָמַר קָדוֹשׁ | קָדוֹשׁ קָדוֹשׁ יְהוָה צְבָאוֹת מְלֹא כָל־הָאָרֶץ כְּבוֹדוֹ׃
ד וַיָּנֻעוּ אַמּוֹת הַסִּפִּים מִקּוֹל הַקּוֹרֵא וְהַבַּיִת יִמָּלֵא עָשָׁן׃ ה וָאֹמַר אוֹי־לִי
כִי־נִדְמֵיתִי כִּי אִישׁ טְמֵא־שְׂפָתַיִם אָנֹכִי וּבְתוֹךְ עַם־טְמֵא שְׂפָתַיִם אָנֹכִי יוֹשֵׁב
כִּי אֶת־הַמֶּלֶךְ יְהוָה צְבָאוֹת רָאוּ עֵינָי׃ ו וַיָּעָף אֵלַי אֶחָד מִן־הַשְּׂרָפִים וּבְיָדוֹ
רִצְפָּה בְּמֶלְקַחַיִם לָקַח מֵעַל הַמִּזְבֵּחַ׃ ז וַיַּגַּע עַל־פִּי וַיֹּאמֶר הִנֵּה נָגַע זֶה
עַל־שְׂפָתֶיךָ וְסָר עֲוֺנֶךָ וְחַטָּאתְךָ תְּכֻפָּר׃ ח וָאֶשְׁמַע אֶת־קוֹל אֲדֹנָי אֹמֵר אֶת־מִי
אֶשְׁלַח וּמִי יֵלֶךְ־לָנוּ וָאֹמַר הִנְנִי שְׁלָחֵנִי׃ ט וַיֹּאמֶר לֵךְ וְאָמַרְתָּ לָעָם הַזֶּה
שִׁמְעוּ שָׁמוֹעַ וְאַל־תָּבִינוּ וּרְאוּ רָאוֹ וְאַל־תֵּדָעוּ׃ י הַשְׁמֵן לֵב־הָעָם הַזֶּה וְאָזְנָיו
הַכְבֵּד וְעֵינָיו הָשַׁע פֶּן־יִרְאֶה בְעֵינָיו וּבְאָזְנָיו יִשְׁמָע וּלְבָבוֹ יָבִין וָשָׁב וְרָפָא לוֹ׃
יא וָאֹמַר עַד־מָתַי אֲדֹנָי וַיֹּאמֶר עַד אֲשֶׁר אִם־שָׁאוּ עָרִים מֵאֵין יוֹשֵׁב וּבָתִּים
מֵאֵין אָדָם וְהָאֲדָמָה תִּשָּׁאֶה שְׁמָמָה׃ יב וְרִחַק יְהוָה אֶת־הָאָדָם וְרַבָּה הָעֲזוּבָה
בְּקֶרֶב הָאָרֶץ׃ יג וְעוֹד בָּהּ עֲשִׂרִיָּה וְשָׁבָה וְהָיְתָה לְבָעֵר כָּאֵלָה וְכָאַלּוֹן אֲשֶׁר
בְּשַׁלֶּכֶת מַצֶּבֶת בָּם זֶרַע קֹדֶשׁ מַצַּבְתָּהּ׃

ז א וַיְהִי בִּימֵי אָחָז בֶּן־יוֹתָם בֶּן־עֻזִּיָּהוּ מֶלֶךְ יְהוּדָה עָלָה רְצִין מֶלֶךְ־אֲרָם
וּפֶקַח בֶּן־רְמַלְיָהוּ מֶלֶךְ־יִשְׂרָאֵל יְרוּשָׁלַםִ לַמִּלְחָמָה עָלֶיהָ וְלֹא יָכֹל לְהִלָּחֵם
עָלֶיהָ׃

---

[3] וּשׁאג

<u>24</u> Therefore as the tongue of fire devoureth the stubble, and as the chaff is consumed in the flame, so their root shall be as rottenness, and their blossom shall go up as dust; because they have rejected the Torah of Yehovah of hosts, and contemned the word of the Holy One of Israel. <u>25</u> Therefore is the anger of Yehovah kindled against His people, and He hath stretched forth His hand against them, and hath smitten them, and the hills did tremble, and their carcasses were as refuse in the midst of the streets. For all this His anger is not turned away, but His hand is stretched out still. <u>26</u> And He will lift up an ensign to the nations from far, and will hiss unto them from the end of the earth; and, behold, they shall come with speed swiftly; <u>27</u> None shall be weary nor stumble among them; none shall slumber nor sleep; neither shall the girdle of their loins be loosed, nor the latchet of their shoes be broken; <u>28</u> Whose arrows are sharp, and all their bows bent; their horses' hoofs shall be counted like flint, and their wheels like a whirlwind; <u>29</u> Their roaring shall be like a lion, they shall roar like young lions, yea, they shall roar, and lay hold of the prey, and carry it away safe, and there shall be none to deliver. <u>30</u> And they shall roar against them in that day like the roaring of the sea; and if one look unto the land, behold darkness and distress, and the light is darkened in the skies thereof.{P}

6 <u>1</u> In the year that king Uzziah died I saw the Lord sitting upon a throne high and lifted up, and His train filled the temple. <u>2</u> Above Him stood the seraphim; each one had six wings: with twain he covered his face and with twain he covered his feet, and with twain he did fly. <u>3</u> And one called unto another, and said: Holy, holy, holy, is Yehovah of hosts; the whole earth is full of His glory. <u>4</u> And the posts of the door were moved at the voice of them that called, and the house was filled with smoke. <u>5</u> Then said I: Woe is me! for I am undone; because I am a man of unclean lips, and I dwell in the midst of a people of unclean lips; for mine eyes have seen the King, Yehovah of hosts. <u>6</u> Then flew unto me one of the seraphim, with a glowing stone in his hand, which he had taken with the tongs from off the altar; <u>7</u> and he touched my mouth with it, and said: Lo, this hath touched thy lips; and thine iniquity is taken away, and thy sin expiated. <u>8</u> And I heard the voice of the Lord, saying: Whom shall I send, and who will go for us? Then I said: 'Here am I; send me.' <u>9</u> And He said: 'Go, and tell this people: hear ye indeed, but understand not; and see ye indeed, but perceive not. <u>10</u> Make the heart of this people fat, and make their ears heavy, and shut their eyes; lest they, seeing with their eyes, and hearing with their ears, and understanding with their heart, return, and be healed.' <u>11</u> Then said I: 'Lord, how long?' And He answered: 'Until cities be waste without inhabitant, and houses without man, and the land become utterly waste, <u>12</u> And Yehovah have removed men far away, and the forsaken places be many in the midst of the land. <u>13</u> And if there be yet a tenth in it, it shall again be eaten up; as a terebinth, and as an oak, whose stock remaineth, when they cast their leaves, so the holy seed shall be the stock thereof.'{P}

7 <u>1</u> And it came to pass in the days of Ahaz the son of Jotham, the son of Uzziah, king of Judah, that Rezin the king of Aram, and Pekah the son of Remaliah, king of Israel, went up to Yerushalam to war against it; but could not prevail against it.

ב וַיֻּגַּ֣ד לְבֵ֣ית דָּוִד֮ לֵאמֹר֒ נָ֣חָה אֲרָ֖ם עַל־אֶפְרָ֑יִם וַיָּ֤נַע לְבָבוֹ֙ וּלְבַ֣ב עַמּ֔וֹ כְּנ֥וֹעַ עֲצֵי־יַ֖עַר מִפְּנֵי־רֽוּחַ׃ ג וַיֹּ֣אמֶר יְהֹוָה֮ אֶל־יְשַֽׁעְיָהוּ֒ צֵא־נָא֙ לִקְרַ֣את אָחָ֔ז אַתָּ֕ה וּשְׁאָ֖ר יָשׁ֣וּב בְּנֶ֑ךָ אֶל־קְצֵ֗ה תְּעָלַת֙ הַבְּרֵכָ֣ה הָעֶלְיוֹנָ֔ה אֶל־מְסִלַּ֖ת שְׂדֵ֥ה כוֹבֵֽס׃ ד וְאָמַרְתָּ֣ אֵ֠לָיו הִשָּׁמֵ֨ר וְהַשְׁקֵ֜ט אַל־תִּירָ֗א וּלְבָבְךָ֙ אַל־יֵרַ֔ךְ מִשְּׁנֵ֨י זַנְב֧וֹת הָאוּדִ֛ים הָעֲשֵׁנִ֖ים הָאֵ֑לֶּה בׇּחֳרִי־אַ֛ף רְצִ֥ין וַאֲרָ֖ם וּבֶן־רְמַלְיָֽהוּ׃ ה יַ֗עַן כִּֽי־יָעַ֥ץ עָלֶ֛יךָ אֲרָ֖ם רָעָ֑ה אֶפְרַ֥יִם וּבֶן־רְמַלְיָ֖הוּ לֵאמֹֽר׃ ו נַעֲלֶ֤ה בִֽיהוּדָה֙ וּנְקִיצֶ֔נָּה וְנַבְקִעֶ֖נָּה אֵלֵ֑ינוּ וְנַמְלִ֥יךְ מֶ֙לֶךְ֙ בְּתוֹכָ֔הּ אֵ֖ת בֶּן־טָֽבְאַֽל׃ ז כֹּ֥ה אָמַ֖ר אֲדֹנָ֣י יְהֹוִ֑ה לֹ֥א תָק֖וּם וְלֹ֥א תִֽהְיֶֽה׃ ח כִּ֣י רֹ֤אשׁ אֲרָם֙ דַּמֶּ֔שֶׂק וְרֹ֥אשׁ דַּמֶּ֖שֶׂק רְצִ֑ין וּבְע֗וֹד שִׁשִּׁ֤ים וְחָמֵשׁ֙ שָׁנָ֔ה יֵחַ֥ת אֶפְרַ֖יִם מֵעָֽם׃ ט וְרֹ֤אשׁ אֶפְרַ֙יִם֙ שֹׁמְר֔וֹן וְרֹ֥אשׁ שֹׁמְר֖וֹן בֶּן־רְמַלְיָ֑הוּ אִ֚ם לֹ֣א תַאֲמִ֔ינוּ כִּ֖י לֹ֥א תֵאָמֵֽנוּ׃ י וַיּ֣וֹסֶף יְהֹוָ֔ה דַּבֵּ֥ר אֶל־אָחָ֖ז לֵאמֹֽר׃ יא שְׁאַל־לְךָ֣ א֔וֹת מֵעִ֖ם יְהֹוָ֣ה אֱלֹהֶ֑יךָ הַעְמֵ֣ק שְׁאָ֔לָה א֖וֹ הַגְבֵּ֥הַּ לְמָֽעְלָה׃ יב וַיֹּ֖אמֶר אָחָ֑ז לֹא־אֶשְׁאַ֥ל וְלֹֽא־אֲנַסֶּ֖ה אֶת־יְהֹוָֽה׃ יג וַיֹּ֕אמֶר שִׁמְעוּ־נָ֖א בֵּ֣ית דָּוִ֑ד הַמְעַ֤ט מִכֶּם֙ הַלְא֣וֹת אֲנָשִׁ֔ים כִּ֥י תַלְא֖וּ גַּ֥ם אֶת־אֱלֹהָֽי׃ יד לָ֠כֵ֠ן יִתֵּ֨ן אֲדֹנָ֥י ה֛וּא לָכֶ֖ם א֑וֹת הִנֵּ֣ה הָעַלְמָ֗ה הָרָה֙ וְיֹלֶ֣דֶת בֵּ֔ן וְקָרָ֥את שְׁמ֖וֹ עִמָּ֥נוּ אֵֽל׃ טו חֶמְאָ֥ה וּדְבַ֖שׁ יֹאכֵ֑ל לְדַעְתּ֛וֹ מָא֥וֹס בָּרָ֖ע וּבָח֥וֹר בַּטּֽוֹב׃ טז כִּ֠י בְּטֶ֨רֶם יֵדַ֥ע הַנַּ֛עַר מָאֹ֥ס בָּרָ֖ע וּבָחֹ֣ר בַּטּ֑וֹב תֵּעָזֵ֤ב הָאֲדָמָה֙ אֲשֶׁ֣ר אַתָּ֣ה קָ֔ץ מִפְּנֵ֖י שְׁנֵ֥י מְלָכֶֽיהָ׃ יז יָבִ֨יא יְהֹוָ֜ה עָלֶ֗יךָ וְעַֽל־עַמְּךָ֮ וְעַל־בֵּ֣ית אָבִ֒יךָ֒ יָמִים֙ אֲשֶׁ֣ר לֹא־בָ֔אוּ לְמִיּ֥וֹם סוּר־אֶפְרַ֖יִם מֵעַ֣ל יְהוּדָ֑ה אֵ֖ת מֶ֥לֶךְ אַשּֽׁוּר׃

יח וְהָיָ֣ה ׀ בַּיּ֣וֹם הַה֗וּא יִשְׁרֹ֤ק יְהֹוָה֙ לַזְּב֔וּב אֲשֶׁ֥ר בִּקְצֵ֖ה יְאֹרֵ֣י מִצְרָ֑יִם וְלַ֨דְּבוֹרָ֔ה אֲשֶׁ֖ר בְּאֶ֥רֶץ אַשּֽׁוּר׃ יט וּבָ֣אוּ וְנָח֣וּ כֻלָּם�’ בְּנַחֲלֵ֣י הַבַּתּ֔וֹת וּבִנְקִיקֵ֖י הַסְּלָעִ֑ים וּבְכֹל֙ הַנַּ֣עֲצוּצִ֔ים וּבְכֹ֖ל הַנַּהֲלֹלִֽים׃ כ בַּיּ֣וֹם הַה֡וּא יְגַלַּ֣ח אֲדֹנָי֩ בְּתַ֨עַר הַשְּׂכִירָ֜ה בְּעֶבְרֵ֤י נָהָר֙ בְּמֶ֣לֶךְ אַשּׁ֔וּר אֶת־הָרֹ֖אשׁ וְשַׂ֣עַר הָרַגְלָ֑יִם וְגַ֥ם אֶת־הַזָּקָ֖ן תִּסְפֶּֽה׃ כא וְהָיָ֖ה בַּיּ֣וֹם הַה֑וּא יְחַיֶּה־אִ֛ישׁ עֶגְלַ֥ת בָּקָ֖ר וּשְׁתֵּי־צֹֽאן׃ כב וְהָיָ֗ה מֵרֹ֛ב עֲשׂ֥וֹת חָלָ֖ב יֹאכַ֣ל חֶמְאָ֑ה כִּֽי־חֶמְאָ֤ה וּדְבַשׁ֙ יֹאכֵ֔ל כׇּל־הַנּוֹתָ֖ר בְּקֶ֥רֶב הָאָֽרֶץ׃ כג וְהָיָה֙ בַּיּ֣וֹם הַה֔וּא יִֽהְיֶ֣ה כׇל־מָק֗וֹם אֲשֶׁ֨ר יִֽהְיֶה־שָּׁ֜ם אֶ֤לֶף גֶּ֙פֶן֙ בְּאֶ֣לֶף כָּ֔סֶף לַשָּׁמִ֥יר וְלַשַּׁ֖יִת יִֽהְיֶֽה׃ כד בַּחִצִּ֥ים וּבַקֶּ֖שֶׁת יָ֣בוֹא שָׁ֑מָּה כִּי־שָׁמִ֥יר וָשַׁ֖יִת תִּֽהְיֶ֥ה כׇל־הָאָֽרֶץ׃ כה וְכֹ֣ל הֶהָרִ֗ים אֲשֶׁ֤ר בַּמַּעְדֵּר֙ יֵעָ֣דֵר֔וּן לֹא־תָב֣וֹא שָׁ֔מָּה יִרְאַ֖ת שָׁמִ֣יר וָשָׁ֑יִת וְהָיָה֙ לְמִשְׁלַ֣ח שׁ֔וֹר וּלְמִרְמַ֖ס שֶֽׂה׃

2 And it was told the house of David, saying: 'Aram is confederate with Ephraim.' And his heart was moved, and the heart of his people, as the trees of the forest are moved with the wind.{S} **3** Then said Yehovah unto Isaiah: 'Go forth now to meet Ahaz, thou, and Shear-jashub thy son, at the end of the conduit of the upper pool, in the highway of the fullers' field; **4** and say unto him: Keep calm, and be quiet; fear not, neither let thy heart be faint, because of these two tails of smoking firebrands, for the fierce anger of Rezin and Aram, and of the son of Remaliah. **5** Because Aram hath counselled evil against thee, Ephraim also, and the son of Remaliah, saying: **6** Let us go up against Judah, and vex it, and let us make a breach therein for us, and set up a king in the midst of it, even the son of Tabeel;{P}

7 thus saith the Lord GOD [Adonai Yehovi]: It shall not stand, neither shall it come to pass. **8** For the head of Aram is Damascus, and the head of Damascus is Rezin; and within threescore and five years shall Ephraim be broken, that it be not a people; **9** And the head of Ephraim is Samaria, and the head of Samaria is Remaliah's son. If ye will not have faith, surely ye shall not be established.'{P}

10 And Yehovah spoke again unto Ahaz, saying: **11** 'Ask thee a sign of Yehovah thy God: ask it either in the depth, or in the height above.' **12** But Ahaz said: 'I will not ask, neither will I try Yehovah.' **13** And he said: 'Hear ye now, O house of David: Is it a small thing for you to weary men, that ye will weary my God also? **14** Therefore the Lord Himself shall give you a sign: behold, the young woman shall conceive, and bear a son, and shall call his name Immanuel. **15** Curd and honey shall he eat, when he knoweth to refuse the evil, and choose the good. **16** Yea, before the child shall know to refuse the evil, and choose the good, the land whose two kings thou hast a horror of shall be forsaken. **17** Yehovah shall bring upon thee, and upon thy people, and upon thy father's house, days that have not come, from the day that Ephraim departed from Judah; even the king of Assyria.'{P}

18 And it shall come to pass in that day, that Yehovah shall hiss for the fly that is in the uttermost part of the rivers of Egypt, and for the bee that is in the land of Assyria. **19** And they shall come, and shall rest all of them in the rugged valleys, and in the holes of the rocks, and upon all thorns, and upon all brambles. **20** In that day shall the Lord shave with a razor that is hired in the parts beyond the River, even with the king of Assyria, the head and the hair of the feet; and it shall also sweep away the beard.{P}

21 And it shall come to pass in that day, that a man shall rear a young cow, and two sheep; **22** and it shall come to pass, for the abundance of milk that they shall give, he shall eat curd; for curd and honey shall every one eat that is left in the midst of the land.{S} **23** And it shall come to pass in that day, that every place, where there were a thousand vines at a thousand silverlings, shall even be for briers and thorns. **24** With arrows and with bow shall one come thither; because all the land shall become briers and thorns. **25** And all the hills that were digged with the mattock, thou shalt not come thither for fear of briers and thorns, but it shall be for the sending forth of oxen, and for the treading of sheep.{P}

ח א וַיֹּאמֶר יְהוָה אֵלַי קַח־לְךָ גִּלָּיוֹן גָּדוֹל וּכְתֹב עָלָיו בְּחֶרֶט אֱנוֹשׁ לְמַהֵר
שָׁלָל חָשׁ בַּז׃ ב וְאָעִידָה לִּי עֵדִים נֶאֱמָנִים אֵת אוּרִיָּה הַכֹּהֵן וְאֶת־זְכַרְיָהוּ בֶּן
יְבֶרֶכְיָהוּ׃ ג וָאֶקְרַב אֶל־הַנְּבִיאָה וַתַּהַר וַתֵּלֶד בֵּן וַיֹּאמֶר יְהוָה אֵלַי קְרָא
שְׁמוֹ מַהֵר שָׁלָל חָשׁ בַּז׃ ד כִּי בְּטֶרֶם יֵדַע הַנַּעַר קְרֹא אָבִי וְאִמִּי יִשָּׂא ׀
אֶת־חֵיל דַּמֶּשֶׂק וְאֵת שְׁלַל שֹׁמְרוֹן לִפְנֵי מֶלֶךְ אַשּׁוּר׃ ה וַיֹּסֶף יְהוָה דַּבֵּר אֵלַי
עוֹד לֵאמֹר׃ ו יַעַן כִּי מָאַס הָעָם הַזֶּה אֵת מֵי הַשִּׁלֹחַ הַהֹלְכִים לְאַט וּמְשׂוֹשׂ
אֶת־רְצִין וּבֶן־רְמַלְיָהוּ׃ ז וְלָכֵן הִנֵּה אֲדֹנָי מַעֲלֶה עֲלֵיהֶם אֶת־מֵי הַנָּהָר
הָעֲצוּמִים וְהָרַבִּים אֶת־מֶלֶךְ אַשּׁוּר וְאֶת־כָּל־כְּבוֹדוֹ וְעָלָה עַל־כָּל־אֲפִיקָיו
וְהָלַךְ עַל־כָּל־גְּדוֹתָיו׃ ח וְחָלַף בִּיהוּדָה שָׁטַף וְעָבַר עַד־צַוָּאר יַגִּיעַ וְהָיָה
מֻטּוֹת כְּנָפָיו מְלֹא רֹחַב־אַרְצְךָ עִמָּנוּ אֵל׃ ט רֹעוּ עַמִּים וָחֹתּוּ וְהַאֲזִינוּ כֹּל
מֶרְחַקֵּי־אָרֶץ הִתְאַזְּרוּ וָחֹתּוּ הִתְאַזְּרוּ וָחֹתּוּ׃ י עֻצוּ עֵצָה וְתֻפָר דַּבְּרוּ דָבָר
וְלֹא יָקוּם כִּי עִמָּנוּ אֵל׃ יא כִּי כֹה אָמַר יְהוָה אֵלַי כְּחֶזְקַת הַיָּד וְיִסְּרֵנִי
מִלֶּכֶת בְּדֶרֶךְ הָעָם־הַזֶּה לֵאמֹר׃ יב לֹא־תֹאמְרוּן קֶשֶׁר לְכֹל אֲשֶׁר־יֹאמַר
הָעָם הַזֶּה קָשֶׁר וְאֶת־מוֹרָאוֹ לֹא־תִירְאוּ וְלֹא תַעֲרִיצוּ׃ יג אֶת־יְהוָה צְבָאוֹת
אֹתוֹ תַקְדִּישׁוּ וְהוּא מוֹרַאֲכֶם וְהוּא מַעֲרִצְכֶם׃ יד וְהָיָה לְמִקְדָּשׁ וּלְאֶבֶן נֶגֶף
וּלְצוּר מִכְשׁוֹל לִשְׁנֵי בָתֵּי יִשְׂרָאֵל לְפַח וּלְמוֹקֵשׁ לְיוֹשֵׁב יְרוּשָׁלִָם׃ טו וְכָשְׁלוּ
בָם רַבִּים וְנָפְלוּ וְנִשְׁבָּרוּ וְנוֹקְשׁוּ וְנִלְכָּדוּ׃ טז צוֹר תְּעוּדָה חֲתוֹם תּוֹרָה
בְּלִמֻּדָי׃ יז וְחִכִּיתִי לַיהוָה הַמַּסְתִּיר פָּנָיו מִבֵּית יַעֲקֹב וְקִוֵּיתִי־לוֹ׃ יח הִנֵּה
אָנֹכִי וְהַיְלָדִים אֲשֶׁר נָתַן־לִי יְהוָה לְאֹתוֹת וּלְמוֹפְתִים בְּיִשְׂרָאֵל מֵעִם יְהוָה
צְבָאוֹת הַשֹּׁכֵן בְּהַר צִיּוֹן׃ יט וְכִי־יֹאמְרוּ אֲלֵיכֶם דִּרְשׁוּ אֶל־הָאֹבוֹת
וְאֶל־הַיִּדְּעֹנִים הַמְצַפְצְפִים וְהַמַּהְגִּים הֲלוֹא־עַם אֶל־אֱלֹהָיו יִדְרֹשׁ בְּעַד
הַחַיִּים אֶל־הַמֵּתִים׃ כ לְתוֹרָה וְלִתְעוּדָה אִם־לֹא יֹאמְרוּ כַּדָּבָר הַזֶּה אֲשֶׁר
אֵין־לוֹ שָׁחַר׃ כא וְעָבַר בָּהּ נִקְשֶׁה וְרָעֵב וְהָיָה כִי־יִרְעַב וְהִתְקַצַּף וְקִלֵּל
בְּמַלְכּוֹ וּבֵאלֹהָיו וּפָנָה לְמָעְלָה׃ כב וְאֶל־אֶרֶץ יַבִּיט וְהִנֵּה צָרָה וַחֲשֵׁכָה
מְעוּף צוּקָה וַאֲפֵלָה מְנֻדָּח׃ כג כִּי לֹא מוּעָף לַאֲשֶׁר מוּצָק לָהּ כָּעֵת הָרִאשׁוֹן
הֵקַל אַרְצָה זְבֻלוּן וְאַרְצָה נַפְתָּלִי וְהָאַחֲרוֹן הִכְבִּיד דֶּרֶךְ הַיָּם עֵבֶר הַיַּרְדֵּן
גְּלִיל הַגּוֹיִם׃

ט א הָעָם הַהֹלְכִים בַּחֹשֶׁךְ רָאוּ אוֹר גָּדוֹל יֹשְׁבֵי בְּאֶרֶץ צַלְמָוֶת אוֹר נָגַהּ
עֲלֵיהֶם׃ ב הִרְבִּיתָ הַגּוֹי לוֹ[4] הִגְדַּלְתָּ הַשִּׂמְחָה שָׂמְחוּ לְפָנֶיךָ כְּשִׂמְחַת בַּקָּצִיר
כַּאֲשֶׁר יָגִילוּ בְּחַלְּקָם שָׁלָל׃

[4] לא

8 **1** And Yehovah said unto me: 'Take thee a great tablet, and write upon it in common script: The spoil speedeth, the prey hasteth; **2** and I will take unto Me faithful witnesses to record, Uriah the priest, and Zechariah the son of Jeberechiah.' **3** And I went unto the prophetess; and she conceived, and bore a son.{S} Then said Yehovah unto me: 'Call his name Maher-shalal-hashbaz. **4** For before the child shall have knowledge to cry: My father, and: My mother, the riches of Damascus and the spoil of Samaria shall be carried away before the king of Assyria.'{S} **5** And Yehovah spoke unto me yet again, saying: **6** Forasmuch as this people hath refused the waters of Shiloah that go softly, and rejoiceth with Rezin and Remaliah's son; **7** Now therefore, behold, the Lord bringeth up upon them the waters of the River, mighty and many, even the king of Assyria and all his glory; and he shall come up over all his channels, and go over all his banks; **8** And he shall sweep through Judah overflowing as he passeth through he shall reach even to the neck; and the stretching out of his wings shall fill the breadth of thy land, O Immanuel.{S} **9** Make an uproar, O ye peoples, and ye shall be broken in pieces; and give ear, all ye of far countries; gird yourselves, and ye shall be broken in pieces; gird yourselves, and ye shall be broken in pieces. **10** Take counsel together, and it shall be brought to nought; speak the word, and it shall not stand; for God is with us.{S} **11** For Yehovah spoke thus to me with a strong hand, admonishing me that I should not walk in the way of this people, saying: **12** 'Say ye not: A conspiracy, concerning all whereof this people do say: A conspiracy; neither fear ye their fear, nor account it dreadful. **13** Yehovah of hosts, Him shall ye sanctify; and let Him be your fear, and let Him be your dread. **14** And He shall be for a sanctuary; but for a stone of stumbling and for a rock of offence to both the houses of Israel, for a gin and for a snare to the inhabitants of Yerushalam. **15** And many among them shall stumble, and fall, and be broken, and be snared, and be taken.'{P}

16 'Bind up the testimony, seal the instruction among My disciples.' **17** And I will wait for Yehovah, that hideth His face from the house of Jacob, and I will look for Him. **18** Behold, I and the children whom Yehovah hath given me shall be for signs and for wonders in Israel from Yehovah of hosts, who dwelleth in mount Zion.{S} **19** And when they shall say unto you: 'Seek unto the ghosts and the familiar spirits, that chirp and that mutter; should not a people seek unto their God? on behalf of the living unto the dead **20** for instruction and for testimony?'–Surely they will speak according to this word, wherein there is no light.– **21** And they shall pass this way that are sore bestead and hungry; and it shall come to pass that, when they shall be hungry, they shall fret themselves, and curse by their king and by their God, and, whether they turn their faces upward, **22** or look unto the earth, behold distress and darkness, the gloom of anguish, and outspread thick darkness. **23** For is there no gloom to her that was stedfast? Now the former hath lightly afflicted the land of Zebulun and the land of Naphtali, but the latter hath dealt a more grievous blow by the way of the sea, beyond the Jordan, in the district of the nations.

9 **1** The people that walked in darkness have seen a great light; they that dwelt in the land of great darkness, upon them hath the light shined. **2** Thou hast multiplied the nation, Thou hast increased their joy; they joy before Thee according to the joy in harvest, as men rejoice when they divide the spoil.

ג כִּי ׀ אֶת־עֹל סֻבֳּלוֹ וְאֵת מַטֵּה שִׁכְמוֹ שֵׁבֶט הַנֹּגֵשׂ בּוֹ הַחִתֹּתָ כְּיוֹם מִדְיָן׃
ד כִּי כָל־סְאוֹן סֹאֵן בְּרַעַשׁ וְשִׂמְלָה מְגוֹלָלָה בְדָמִים וְהָיְתָה לִשְׂרֵפָה
מַאֲכֹלֶת אֵשׁ׃ ה כִּי־יֶלֶד יֻלַּד־לָנוּ בֵּן נִתַּן־לָנוּ וַתְּהִי הַמִּשְׂרָה עַל־שִׁכְמוֹ
וַיִּקְרָא שְׁמוֹ פֶּלֶא יוֹעֵץ אֵל גִּבּוֹר אֲבִיעַד שַׂר־שָׁלוֹם׃ ו לְמַרְבֵּה[5] הַמִּשְׂרָה
וּלְשָׁלוֹם אֵין־קֵץ עַל־כִּסֵּא דָוִד וְעַל־מַמְלַכְתּוֹ לְהָכִין אֹתָהּ וּלְסַעֲדָהּ
בְּמִשְׁפָּט וּבִצְדָקָה מֵעַתָּה וְעַד־עוֹלָם קִנְאַת יְהוָה צְבָאוֹת תַּעֲשֶׂה־זֹּאת׃
ז דָּבָר שָׁלַח אֲדֹנָי בְּיַעֲקֹב וְנָפַל בְּיִשְׂרָאֵל׃ ח וְיָדְעוּ הָעָם כֻּלּוֹ אֶפְרַיִם
וְיוֹשֵׁב שֹׁמְרוֹן בְּגַאֲוָה וּבְגֹדֶל לֵבָב לֵאמֹר׃ ט לְבֵנִים נָפָלוּ וְגָזִית נִבְנֶה
שִׁקְמִים גֻּדָּעוּ וַאֲרָזִים נַחֲלִיף׃ י וַיְשַׂגֵּב יְהוָה אֶת־צָרֵי רְצִין עָלָיו וְאֶת־אֹיְבָיו
יְסַכְסֵךְ׃ יא אֲרָם מִקֶּדֶם וּפְלִשְׁתִּים מֵאָחוֹר וַיֹּאכְלוּ אֶת־יִשְׂרָאֵל בְּכָל־פֶּה
בְּכָל־זֹאת לֹא־שָׁב אַפּוֹ וְעוֹד יָדוֹ נְטוּיָה׃ יב וְהָעָם לֹא־שָׁב עַד־הַמַּכֵּהוּ
וְאֶת־יְהוָה צְבָאוֹת לֹא דָרָשׁוּ׃ יג וַיַּכְרֵת יְהוָה מִיִּשְׂרָאֵל רֹאשׁ וְזָנָב כִּפָּה
וְאַגְמוֹן יוֹם אֶחָד׃ יד זָקֵן וּנְשׂוּא־פָנִים הוּא הָרֹאשׁ וְנָבִיא מוֹרֶה־שֶּׁקֶר הוּא
הַזָּנָב׃ יה וַיִּהְיוּ מְאַשְּׁרֵי הָעָם־הַזֶּה מַתְעִים וּמְאֻשָּׁרָיו מְבֻלָּעִים׃ יו עַל־כֵּן
עַל־בַּחוּרָיו לֹא־יִשְׂמַח ׀ אֲדֹנָי וְאֶת־יְתֹמָיו וְאֶת־אַלְמְנֹתָיו לֹא יְרַחֵם כִּי כֻלּוֹ
חָנֵף וּמֵרַע וְכָל־פֶּה דֹּבֵר נְבָלָה בְּכָל־זֹאת לֹא־שָׁב אַפּוֹ וְעוֹד יָדוֹ נְטוּיָה׃
יז כִּי־בָעֲרָה כָאֵשׁ רִשְׁעָה שָׁמִיר וָשַׁיִת תֹּאכֵל וַתִּצַּת בְּסִבְכֵי הַיַּעַר וַיִּתְאַבְּכוּ
גֵּאוּת עָשָׁן׃ יח בְּעֶבְרַת יְהוָה צְבָאוֹת נֶעְתַּם אָרֶץ וַיְהִי הָעָם כְּמַאֲכֹלֶת אֵשׁ
אִישׁ אֶל־אָחִיו לֹא יַחְמֹלוּ׃ יט וַיִּגְזֹר עַל־יָמִין וְרָעֵב וַיֹּאכַל עַל־שְׂמֹאול וְלֹא
שָׂבֵעוּ אִישׁ בְּשַׂר־זְרֹעוֹ יֹאכֵלוּ׃ כ מְנַשֶּׁה אֶת־אֶפְרַיִם וְאֶפְרַיִם אֶת־מְנַשֶּׁה
יַחְדָּו הֵמָּה עַל־יְהוּדָה בְּכָל־זֹאת לֹא־שָׁב אַפּוֹ וְעוֹד יָדוֹ נְטוּיָה׃

י א הוֹי הַחֹקְקִים חִקְקֵי־אָוֶן וּמְכַתְּבִים עָמָל כִּתֵּבוּ׃ ב לְהַטּוֹת מִדִּין דַּלִּים
וְלִגְזֹל מִשְׁפַּט עֲנִיֵּי עַמִּי לִהְיוֹת אַלְמָנוֹת שְׁלָלָם וְאֶת־יְתוֹמִים יָבֹזּוּ׃
ג וּמַה־תַּעֲשׂוּ לְיוֹם פְּקֻדָּה וּלְשׁוֹאָה מִמֶּרְחָק תָּבוֹא עַל־מִי תָּנוּסוּ לְעֶזְרָה
וְאָנָה תַעַזְבוּ כְּבוֹדְכֶם׃ ד בִּלְתִּי כָרַע תַּחַת אַסִּיר וְתַחַת הֲרוּגִים יִפֹּלוּ
בְּכָל־זֹאת לֹא־שָׁב אַפּוֹ וְעוֹד יָדוֹ נְטוּיָה׃ ה הוֹי אַשּׁוּר שֵׁבֶט אַפִּי וּמַטֶּה־הוּא
בְיָדָם זַעְמִי׃ ו בְּגוֹי חָנֵף אֲשַׁלְּחֶנּוּ וְעַל־עַם עֶבְרָתִי אֲצַוֶּנּוּ לִשְׁלֹל שָׁלָל וְלָבֹז
בַּז וּלְשׂוּמוֹ[6] מִרְמָס כְּחֹמֶר חוּצוֹת׃

[5]לם רבה
[6]ולשימו

3 For the yoke of his burden, and the staff of his shoulder, the rod of his oppressor, Thou hast broken as in the day of Midian. **4** For every boot stamped with fierceness, and every cloak rolled in blood, shall even be for burning, for fuel of fire. **5** For a child is born unto us, a son is given unto us; and the government is upon his shoulder; and his name is called Pele-joez-el-gibbor-Abi-ad-sar-shalom; **6** That the government may be increased, and of peace there be no end, upon the throne of David, and upon his kingdom, to establish it, and to uphold it through justice and through righteousness from henceforth even for ever. The zeal of Yehovah of hosts doth perform this.{P}

7 The Lord sent a word into Jacob, and it hath lighted upon Israel. **8** And all the people shall know, even Ephraim and the inhabitant of Samaria, that say in pride and in arrogancy of heart: **9** 'The bricks are fallen, but we will build with hewn stones; the sycamores are cut down, but cedars will we put in their place.' **10** Therefore Yehovah doth set upon high the adversaries of Rezin against him, and spur his enemies; **11** The Arameans on the east, and the Philistines on the west; and they devour Israel with open mouth. For all this His anger is not turned away, but His hand is stretched out still. **12** Yet the people turneth not unto Him that smiteth them, neither do they seek Yehovah of hosts.{S} **13** Therefore Yehovah doth cut off from Israel head and tail, palm-branch and rush, in one day. **14** The elder and the man of rank, he is the head; and the prophet that teacheth lies, he is the tail. **15** For they that lead this people cause them to err; and they that are led of them are destroyed. **16** Therefore the Lord shall have no joy in their young men, neither shall He have compassion on their fatherless and widows; for every one is ungodly and an evil-doer, and every mouth speaketh wantonness. For all this His anger is not turned away, but His hand is stretched out still. **17** For wickedness burneth as the fire; it devoureth the briers and thorns; yea, it kindleth in the thickets of the forest, and they roll upward in thick clouds of smoke. **18** Through the wrath of Yehovah of hosts is the land burnt up; the people also are as the fuel of fire; no man spareth his brother. **19** And one snatcheth on the right hand, and is hungry; and he eateth on the left hand, and is not satisfied; they eat every man the flesh of his own arm: **20** Manasseh, Ephraim; and Ephraim, Manasseh; and they together are against Judah. For all this His anger is not turned away, but His hand is stretched out still.{S}

10 **1** Woe unto them that decree unrighteous decrees, and to the writers that write iniquity; **2** To turn aside the needy from judgment, and to take away the right of the poor of My people, that widows may be their spoil, and that they may make the fatherless their prey! **3** And what will ye do in the day of visitation, and in the ruin which shall come from far? To whom will ye flee for help? And where will ye leave your glory? **4** They can do nought except crouch under the captives, and fall under the slain. For all this His anger is not turned away, but His hand is stretched out still.{P}

5 O Asshur, the rod of Mine anger, in whose hand as a staff is Mine indignation! **6** I do send him against an ungodly nation, and against the people of My wrath do I give him a charge, to take the spoil, and to take the prey, and to tread them down like the mire of the streets.

ז וְהוּא לֹא־כֵן יְדַמֶּה וּלְבָבוֹ לֹא־כֵן יַחְשֹׁב כִּי לְהַשְׁמִיד בִּלְבָבוֹ וּלְהַכְרִית
גּוֹיִם לֹא מְעָט: ח כִּי יֹאמַר הֲלֹא שָׂרַי יַחְדָּו מְלָכִים: ט הֲלֹא כְּכַרְכְּמִישׁ כַּלְנוֹ
אִם־לֹא כְאַרְפַּד חֲמָת אִם־לֹא כְדַמֶּשֶׂק שֹׁמְרוֹן: י כַּאֲשֶׁר מָצְאָה יָדִי
לְמַמְלְכֹת הָאֱלִיל וּפְסִילֵיהֶם מִירוּשָׁלִַם וּמִשֹּׁמְרוֹן: יא הֲלֹא כַּאֲשֶׁר עָשִׂיתִי
לְשֹׁמְרוֹן וְלֶאֱלִילֶיהָ כֵּן אֶעֱשֶׂה לִירוּשָׁלִַם וְלַעֲצַבֶּיהָ: יב וְהָיָה כִּי־יְבַצַּע אֲדֹנָי
אֶת־כָּל־מַעֲשֵׂהוּ בְּהַר צִיּוֹן וּבִירוּשָׁלִָם אֶפְקֹד עַל־פְּרִי־גֹדֶל לְבַב
מֶלֶךְ־אַשּׁוּר וְעַל־תִּפְאֶרֶת רוּם עֵינָיו: יג כִּי אָמַר בְּכֹחַ יָדִי עָשִׂיתִי וּבְחָכְמָתִי
כִּי נְבֻנוֹתִי וְאָסִיר ׀ גְּבוּלֹת עַמִּים וַעֲתוּדוֹתֵיהֶם[7] שׁוֹשֵׂתִי וְאוֹרִיד כַּאבִּיר
יוֹשְׁבִים: יד וַתִּמְצָא כַקֵּן ׀ יָדִי לְחֵיל הָעַמִּים וְכֶאֱסֹף בֵּיצִים עֲזֻבוֹת
כָּל־הָאָרֶץ אֲנִי אָסָפְתִּי וְלֹא הָיָה נֹדֵד כָּנָף וּפֹצֶה פֶה וּמְצַפְצֵף: טו הֲיִתְפָּאֵר
הַגַּרְזֶן עַל הַחֹצֵב בּוֹ אִם־יִתְגַּדֵּל הַמַּשּׂוֹר עַל־מְנִיפוֹ כְּהָנִיף שֵׁבֶט
וְאֶת־מְרִימָיו כְּהָרִים מַטֶּה לֹא־עֵץ: טז לָכֵן יְשַׁלַּח הָאָדוֹן יְהוָה צְבָאוֹת
בְּמִשְׁמַנָּיו רָזוֹן וְתַחַת כְּבֹדוֹ יֵקַד יְקֹד כִּיקוֹד אֵשׁ: יז וְהָיָה אוֹר־יִשְׂרָאֵל לְאֵשׁ
וּקְדוֹשׁוֹ לְלֶהָבָה וּבָעֲרָה וְאָכְלָה שִׁיתוֹ וּשְׁמִירוֹ בְּיוֹם אֶחָד: יח וּכְבוֹד יַעְרוֹ
וְכַרְמִלּוֹ מִנֶּפֶשׁ וְעַד־בָּשָׂר יְכַלֶּה וְהָיָה כִּמְסֹס נֹסֵס: יט וּשְׁאָר עֵץ יַעְרוֹ מִסְפָּר
יִהְיוּ וְנַעַר יִכְתְּבֵם:

כ וְהָיָה ׀ בַּיּוֹם הַהוּא לֹא־יוֹסִיף עוֹד שְׁאָר יִשְׂרָאֵל וּפְלֵיטַת בֵּית־יַעֲקֹב
לְהִשָּׁעֵן עַל־מַכֵּהוּ וְנִשְׁעַן עַל־יְהוָה קְדוֹשׁ יִשְׂרָאֵל בֶּאֱמֶת: כא שְׁאָר יָשׁוּב
שְׁאָר יַעֲקֹב אֶל־אֵל גִּבּוֹר: כב כִּי אִם־יִהְיֶה עַמְּךָ יִשְׂרָאֵל כְּחוֹל הַיָּם שְׁאָר
יָשׁוּב בּוֹ כִּלָּיוֹן חָרוּץ שׁוֹטֵף צְדָקָה: כג כִּי כָלָה וְנֶחֱרָצָה אֲדֹנָי יְהוִה צְבָאוֹת
עֹשֶׂה בְּקֶרֶב כָּל־הָאָרֶץ: כד לָכֵן כֹּה־אָמַר אֲדֹנָי יְהוִה צְבָאוֹת אַל־תִּירָא
עַמִּי יֹשֵׁב צִיּוֹן מֵאַשּׁוּר בַּשֵּׁבֶט יַכֶּכָּה וּמַטֵּהוּ יִשָּׂא־עָלֶיךָ בְּדֶרֶךְ מִצְרָיִם:
כה כִּי־עוֹד מְעַט מִזְעָר וְכָלָה זַעַם וְאַפִּי עַל־תַּבְלִיתָם: כו וְעוֹרֵר עָלָיו יְהוָה
צְבָאוֹת שׁוֹט כְּמַכַּת מִדְיָן בְּצוּר עוֹרֵב וּמַטֵּהוּ עַל־הַיָּם וּנְשָׂאוֹ בְּדֶרֶךְ
מִצְרָיִם: כז וְהָיָה ׀ בַּיּוֹם הַהוּא יָסוּר סֻבֳּלוֹ מֵעַל שִׁכְמֶךָ וְעֻלּוֹ מֵעַל צַוָּארֶךָ
וְחֻבַּל עֹל מִפְּנֵי־שָׁמֶן: כח בָּא עַל־עַיַּת עָבַר בְּמִגְרוֹן לְמִכְמָשׂ יַפְקִיד כֵּלָיו:
כט עָבְרוּ מַעְבָּרָה גֶּבַע מָלוֹן לָנוּ חָרְדָה הָרָמָה גִּבְעַת שָׁאוּל נָסָה: ל צַהֲלִי
קוֹלֵךְ בַּת־גַּלִּים הַקְשִׁיבִי לַיְשָׁה עֲנִיָּה עֲנָתוֹת: לא נָדְדָה מַדְמֵנָה יֹשְׁבֵי הַגֵּבִים
הֵעִיזוּ: לב עוֹד הַיּוֹם בְּנֹב לַעֲמֹד יְנֹפֵף יָדוֹ הַר בַּת־צִיּוֹן[8] גִּבְעַת יְרוּשָׁלִָם:

[7] ועתידתיהם
[8] בית

7 Howbeit he meaneth not so, neither doth his heart think so; but it is in his heart to destroy, and to cut off nations not a few. **8** For he saith: 'Are not my princes all of them kings? **9** Is not Calno as Carchemish? Is not Hamath as Arpad? Is not Samaria as Damascus? **10** As my hand hath reached the kingdoms of the idols, whose graven images did exceed them of Yerushalam and of Samaria; **11** Shall I not, as I have done unto Samaria and her idols, so do to Yerushalam and her idols?'{P}

12 Wherefore it shall come to pass, that when the Lord hath performed His whole work upon mount Zion and on Yerushalam, I will punish the fruit of the arrogant heart of the king of Assyria, and the glory of his haughty looks. **13** For he hath said: by the strength of my hand I have done it, and by my wisdom, for I am prudent; in that I have removed the bounds of the peoples, and have robbed their treasures, and have brought down as one mighty the inhabitants; **14** And my hand hath found as a nest the riches of the peoples; and as one gathereth eggs that are forsaken, have I gathered all the earth; and there was none that moved the wing, or that opened the mouth, or chirped. **15** Should the axe boast itself against him that heweth therewith? Should the saw magnify itself against him that moveth it? as if a rod should move them that lift it up, or as if a staff should lift up him that is not wood.{P}

16 Therefore will the Lord, Yehovah of hosts, send among his fat ones leanness; and under his glory there shall be kindled a burning like the burning of fire. **17** And the light of Israel shall be for a fire, and his Holy One for a flame; and it shall burn and devour his thorns and his briers in one day. **18** And the glory of his forest and of his fruitful field, he will consume both soul and body; and it shall be as when a sick man wasteth away. **19** And the remnant of the trees of his forest shall be few, that a child may write them down.{S} **20** And it shall come to pass in that day, that the remnant of Israel, and they that are escaped of the house of Jacob, shall no more again stay upon him that smote them; but shall stay upon Yehovah, the Holy One of Israel, in truth. **21** A remnant shall return, even the remnant of Jacob, unto God the Mighty. **22** For though thy people, O Israel, be as the sand of the sea, only a remnant of them shall return; an extermination is determined, overflowing with righteousness. **23** For an extermination wholly determined shall the Lord, the GOD of hosts, make in the midst of all the earth.{P}

24 Therefore thus saith the Lord, the GOD of hosts: O My people that dwellest in Zion, be not afraid of Asshur, though he smite thee with the rod, and lift up his staff against thee, after the manner of Egypt. **25** For yet a very little while, and the indignation shall be accomplished, and Mine anger shall be to their destruction. **26** And Yehovah of hosts shall stir up against him a scourge, as in the slaughter of Midian at the Rock of Oreb; and as His rod was over the sea, so shall He lift it up after the manner of Egypt. **27** And it shall come to pass in that day, that his burden shall depart from off thy shoulder, and his yoke from off thy neck, and the yoke shall be destroyed by reason of fatness. **28** He is come to Aiath, he is passed through Migron; at Michmas he layeth up his baggage; **29** They are gone over the pass; they have taken up their lodging at Geba; Ramah trembleth; Gibeath-shaul is fled. **30** Cry thou with a shrill voice, O daughter of Gallim! Hearken, O Laish! O thou poor Anathoth! **31** Madmenah is in mad flight; the inhabitants of Gebim flee to cover. **32** This very day shall he halt at Nob, shaking his hand at the mount of the daughter of Zion, the hill of Yerushalam.{P}

לג הִנֵּה הָאָדוֹן יְהוָה צְבָאוֹת מְסָעֵף פֻּארָה בְּמַעֲרָצָה וְרָמֵי הַקּוֹמָה גְּדוּעִים
וְהַגְּבֹהִים יִשְׁפָּלוּ: לד וְנִקַּף סִבְכֵי הַיַּעַר בַּבַּרְזֶל וְהַלְּבָנוֹן בְּאַדִּיר יִפּוֹל:

יא א וְיָצָא חֹטֶר מִגֵּזַע יִשָׁי וְנֵצֶר מִשָּׁרָשָׁיו יִפְרֶה: ב וְנָחָה עָלָיו רוּחַ יְהוָה
רוּחַ חָכְמָה וּבִינָה רוּחַ עֵצָה וּגְבוּרָה רוּחַ דַּעַת וְיִרְאַת יְהוָה: ג וַהֲרִיחוֹ
בְּיִרְאַת יְהוָה וְלֹא־לְמַרְאֵה עֵינָיו יִשְׁפּוֹט וְלֹא־לְמִשְׁמַע אָזְנָיו יוֹכִיחַ: ד וְשָׁפַט
בְּצֶדֶק דַּלִּים וְהוֹכִיחַ בְּמִישׁוֹר לְעַנְוֵי־אָרֶץ וְהִכָּה־אֶרֶץ בְּשֵׁבֶט פִּיו וּבְרוּחַ
שְׂפָתָיו יָמִית רָשָׁע: ה וְהָיָה צֶדֶק אֵזוֹר מָתְנָיו וְהָאֱמוּנָה אֵזוֹר חֲלָצָיו: ו וְגָר
זְאֵב עִם־כֶּבֶשׂ וְנָמֵר עִם־גְּדִי יִרְבָּץ וְעֵגֶל וּכְפִיר וּמְרִיא יַחְדָּו וְנַעַר קָטֹן נֹהֵג
בָּם: ז וּפָרָה וָדֹב תִּרְעֶינָה יַחְדָּו יִרְבְּצוּ יַלְדֵיהֶן וְאַרְיֵה כַּבָּקָר יֹאכַל־תֶּבֶן:
ח וְשִׁעֲשַׁע יוֹנֵק עַל־חֻר פָּתֶן וְעַל מְאוּרַת צִפְעוֹנִי גָּמוּל יָדוֹ הָדָה: ט לֹא־יָרֵעוּ
וְלֹא־יַשְׁחִיתוּ בְּכָל־הַר קָדְשִׁי כִּי־מָלְאָה הָאָרֶץ דֵּעָה אֶת־יְהוָה כַּמַּיִם לַיָּם
מְכַסִּים:

י וְהָיָה בַּיּוֹם הַהוּא שֹׁרֶשׁ יִשַׁי אֲשֶׁר עֹמֵד לְנֵס עַמִּים אֵלָיו גּוֹיִם יִדְרֹשׁוּ וְהָיְתָה
מְנֻחָתוֹ כָּבוֹד:

יא וְהָיָה ׀ בַּיּוֹם הַהוּא יוֹסִיף אֲדֹנָי ׀ שֵׁנִית יָדוֹ לִקְנוֹת אֶת־שְׁאָר עַמּוֹ אֲשֶׁר
יִשָּׁאֵר מֵאַשּׁוּר וּמִמִּצְרַיִם וּמִפַּתְרוֹס וּמִכּוּשׁ וּמֵעֵילָם וּמִשִּׁנְעָר וּמֵחֲמָת וּמֵאִיֵּי
הַיָּם: יב וְנָשָׂא נֵס לַגּוֹיִם וְאָסַף נִדְחֵי יִשְׂרָאֵל וּנְפֻצוֹת יְהוּדָה יְקַבֵּץ מֵאַרְבַּע
כַּנְפוֹת הָאָרֶץ: יג וְסָרָה קִנְאַת אֶפְרַיִם וְצֹרְרֵי יְהוּדָה יִכָּרֵתוּ אֶפְרַיִם לֹא־יְקַנֵּא
אֶת־יְהוּדָה וִיהוּדָה לֹא־יָצֹר אֶת־אֶפְרָיִם: יד וְעָפוּ בְכָתֵף פְּלִשְׁתִּים יָמָּה
יַחְדָּו יָבֹזּוּ אֶת־בְּנֵי־קֶדֶם אֱדוֹם וּמוֹאָב מִשְׁלוֹחַ יָדָם וּבְנֵי עַמּוֹן מִשְׁמַעְתָּם:
טו וְהֶחֱרִים יְהוָה אֵת לְשׁוֹן יָם־מִצְרַיִם וְהֵנִיף יָדוֹ עַל־הַנָּהָר בַּעְיָם רוּחוֹ
וְהִכָּהוּ לְשִׁבְעָה נְחָלִים וְהִדְרִיךְ בַּנְּעָלִים: טז וְהָיְתָה מְסִלָּה לִשְׁאָר עַמּוֹ אֲשֶׁר
יִשָּׁאֵר מֵאַשּׁוּר כַּאֲשֶׁר הָיְתָה לְיִשְׂרָאֵל בְּיוֹם עֲלֹתוֹ מֵאֶרֶץ מִצְרָיִם:

יב א וְאָמַרְתָּ בַּיּוֹם הַהוּא אוֹדְךָ יְהוָה כִּי אָנַפְתָּ בִּי יָשֹׁב אַפְּךָ וּתְנַחֲמֵנִי: ב הִנֵּה
אֵל יְשׁוּעָתִי אֶבְטַח וְלֹא אֶפְחָד כִּי־עָזִּי וְזִמְרָת יָהּ יְהוָה וַיְהִי־לִי לִישׁוּעָה:
ג וּשְׁאַבְתֶּם־מַיִם בְּשָׂשׂוֹן מִמַּעַיְנֵי הַיְשׁוּעָה: ד וַאֲמַרְתֶּם בַּיּוֹם הַהוּא הוֹדוּ לַיהוָה
קִרְאוּ בִשְׁמוֹ הוֹדִיעוּ בָעַמִּים עֲלִילֹתָיו הַזְכִּירוּ כִּי נִשְׂגָּב שְׁמוֹ: ה זַמְּרוּ יְהוָה
כִּי גֵאוּת עָשָׂה מוּדַעַת[9] זֹאת בְּכָל־הָאָרֶץ: ו צַהֲלִי וָרֹנִּי יוֹשֶׁבֶת צִיּוֹן כִּי־גָדוֹל
בְּקִרְבֵּךְ קְדוֹשׁ יִשְׂרָאֵל:

[9] מידעת

<u>33</u> Behold, the Lord, Yehovah of hosts, shall lop the boughs with terror; and the high ones of stature shall be hewn down, and the lofty shall be laid low. <u>34</u> And He shall cut down the thickets of the forest with iron, and Lebanon shall fall by a mighty one.{s}

11 <u>1</u> And there shall come forth a shoot out of the stock of Jesse, and a twig shall grow forth out of his roots. <u>2</u> And the spirit of Yehovah shall rest upon him, the spirit of wisdom and understanding, the spirit of counsel and might, the spirit of knowledge and of the fear of Yehovah. <u>3</u> And his delight shall be in the fear of Yehovah; and he shall not judge after the sight of his eyes, neither decide after the hearing of his ears; <u>4</u> But with righteousness shall he judge the poor, and decide with equity for the meek of the land; and he shall smite the land with the rod of his mouth, and with the breath of his lips shall he slay the wicked. <u>5</u> And righteousness shall be the girdle of his loins, and faithfulness the girdle of his reins. <u>6</u> And the wolf shall dwell with the lamb, and the leopard shall lie down with the kid; and the calf and the young lion and the fatling together; and a little child shall lead them. <u>7</u> And the cow and the bear shall feed; their young ones shall lie down together; and the lion shall eat straw like the ox. <u>8</u> And the sucking child shall play on the hole of the asp, and the weaned child shall put his hand on the basilisk's den. <u>9</u> They shall not hurt nor destroy in all My holy mountain; for the earth shall be full of the knowledge of Yehovah, as the waters cover the sea.{s} <u>10</u> And it shall come to pass in that day, that the root of Jesse, that standeth for an ensign of the peoples, unto him shall the nations seek; and his resting-place shall be glorious.{p}

<u>11</u> And it shall come to pass in that day, that the Lord will set His hand again the second time to recover the remnant of His people, that shall remain from Assyria, and from Egypt, and from Pathros, and from Cush, and from Elam, and from Shinar, and from Hamath, and from the islands of the sea. <u>12</u> And He will set up an ensign for the nations, and will assemble the dispersed of Israel, and gather together the scattered of Judah from the four corners of the earth. <u>13</u> The envy also of Ephraim shall depart, and they that harass Judah shall be cut off; Ephraim shall not envy Judah, and Judah shall not vex Ephraim. <u>14</u> And they shall fly down upon the shoulder of the Philistines on the west; together shall they spoil the children of the east; they shall put forth their hand upon Edom and Moab; and the children of Ammon shall obey them. <u>15</u> And Yehovah will utterly destroy the tongue of the Egyptian sea; and with His scorching wind will He shake His hand over the River, and will smite it into seven streams, and cause men to march over dry-shod. <u>16</u> And there shall be a highway for the remnant of His people, that shall remain from Assyria, like as there was for Israel in the day that he came up out of the land of Egypt.

12 <u>1</u> And in that day thou shalt say: 'I will give thanks unto Thee, Yehovah; for though Thou was angry with me, Thine anger is turned away, and Thou comfortest me. <u>2</u> Behold, God is my salvation; I will trust, and will not be afraid; for GOD Yehovah is my strength and song; and He is become my salvation.' <u>3</u> Therefore with joy shall ye draw water out of the wells of salvation. <u>4</u> And in that day shall ye say: 'Give thanks unto Yehovah, proclaim His name, declare His doings among the peoples, make mention that His name is exalted. <u>5</u> Sing unto Yehovah; for He hath done gloriously; this is made known in all the earth. <u>6</u> Cry aloud and shout, thou inhabitant of Zion, for great is the Holy One of Israel in the midst of thee.'{s}

יג א מַשָּׂ֖א בָּבֶ֑ל אֲשֶׁ֣ר חָזָ֔ה יְשַֽׁעְיָ֖הוּ בֶּן־אָמֽוֹץ׃ ב עַ֤ל הַר־נִשְׁפֶּה֙ שְֽׂאוּ־נֵ֔ס
הָרִ֥ימוּ ק֖וֹל לָהֶ֑ם הָנִ֣יפוּ יָ֔ד וְיָבֹ֖אוּ פִּתְחֵ֥י נְדִיבִֽים׃ ג אֲנִ֥י צִוֵּ֖יתִי לִמְקֻדָּשָׁ֑י גַּ֣ם
קָרָ֤אתִי גִבּוֹרַי֙ לְאַפִּ֔י עַלִּיזֵ֖י גַּאֲוָתִֽי׃ ד ק֥וֹל הָמ֛וֹן בֶּהָרִ֖ים דְּמ֣וּת עַם־רָ֑ב ק֣וֹל
שְׁא֞וֹן מַמְלְכ֤וֹת גּוֹיִם֙ נֶֽאֱסָפִ֔ים יְהוָ֣ה צְבָא֔וֹת מְפַקֵּ֖ד צְבָ֥א מִלְחָמָֽה׃ ה בָּאִ֛ים
מֵאֶ֥רֶץ מֶרְחָ֖ק מִקְצֵ֣ה הַשָּׁמָ֑יִם יְהוָה֙ וּכְלֵ֣י זַעְמ֔וֹ לְחַבֵּ֖ל כָּל־הָאָֽרֶץ׃
ו הֵילִ֕ילוּ כִּ֥י קָר֖וֹב י֣וֹם יְהוָ֑ה כְּשֹׁ֖ד מִשַּׁדַּ֥י יָבֽוֹא׃ ז עַל־כֵּ֖ן כָּל־יָדַ֣יִם
תִּרְפֶּ֑ינָה וְכָל־לְבַ֥ב אֱנ֖וֹשׁ יִמָּֽס׃ ח וְֽנִבְהָ֓לוּ ׀ צִירִ֤ים וַחֲבָלִים֙ יֹֽאחֵז֔וּן כַּיּוֹלֵדָ֖ה
יְחִיל֑וּן אִ֤ישׁ אֶל־רֵעֵ֙הוּ֙ יִתְמָ֔הוּ פְּנֵ֥י לְהָבִ֖ים פְּנֵיהֶֽם׃ ט הִנֵּ֤ה יוֹם־יְהוָה֙ בָּ֔א
אַכְזָ֕רִי וְעֶבְרָ֖ה וַחֲר֣וֹן אָ֑ף לָשׂ֤וּם הָאָ֙רֶץ֙ לְשַׁמָּ֔ה וְחַטָּאֶ֖יהָ יַשְׁמִ֥יד מִמֶּֽנָּה׃
י כִּֽי־כוֹכְבֵ֤י הַשָּׁמַ֙יִם֙ וּכְסִ֣ילֵיהֶ֔ם לֹ֥א יָהֵ֖לּוּ אוֹרָ֑ם חָשַׁ֤ךְ הַשֶּׁ֙מֶשׁ֙ בְּצֵאת֔וֹ וְיָרֵ֖חַ
לֹא־יַגִּ֥יהַּ אוֹרֽוֹ׃ יא וּפָקַדְתִּ֤י עַל־תֵּבֵל֙ רָעָ֔ה וְעַל־רְשָׁעִ֖ים עֲוֺנָ֑ם וְהִשְׁבַּתִּי֙ גְּא֣וֹן
זֵדִ֔ים וְגַאֲוַ֥ת עָרִיצִ֖ים אַשְׁפִּֽיל׃ יב אוֹקִ֥יר אֱנ֖וֹשׁ מִפָּ֑ז וְאָדָ֖ם מִכֶּ֥תֶם אוֹפִֽיר׃
יג עַל־כֵּן֙ שָׁמַ֣יִם אַרְגִּ֔יז וְתִרְעַ֥שׁ הָאָ֖רֶץ מִמְּקוֹמָ֑הּ בְּעֶבְרַת֙ יְהוָ֣ה צְבָא֔וֹת
וּבְי֖וֹם חֲר֥וֹן אַפּֽוֹ׃ יד וְהָיָה֙ כִּצְבִ֣י מֻדָּ֔ח וּכְצֹ֖אן וְאֵ֣ין מְקַבֵּ֑ץ אִ֤ישׁ אֶל־עַמּוֹ֙
יִפְנ֔וּ וְאִ֥ישׁ אֶל־אַרְצ֖וֹ יָנֽוּסוּ׃ יה כָּל־הַנִּמְצָ֖א יִדָּקֵ֑ר וְכָל־הַנִּסְפֶּ֖ה יִפּ֥וֹל
בֶּחָֽרֶב׃ יו וְעֹלְלֵיהֶ֥ם יְרֻטְּשׁ֖וּ לְעֵינֵיהֶ֑ם יִשַּׁ֙סּוּ֙ בָּֽתֵּיהֶ֔ם וּנְשֵׁיהֶ֖ם תִּשָּׁכַֽבְנָה[10]׃
יז הִנְנִ֛י מֵעִ֥יר עֲלֵיהֶ֖ם אֶת־מָדָ֑י אֲשֶׁר־כֶּ֙סֶף֙ לֹ֣א יַחְשֹׁ֔בוּ וְזָהָ֖ב לֹ֥א יַחְפְּצוּ־בֽוֹ׃
יח וּקְשָׁת֖וֹת נְעָרִ֣ים תְּרַטַּ֑שְׁנָה וּפְרִי־בֶ֙טֶן֙ לֹ֣א יְרַחֵ֔מוּ עַל־בָּנִ֖ים לֹא־תָח֥וּס
עֵינָֽם׃ יט וְהָיְתָ֤ה בָבֶל֙ צְבִ֣י מַמְלָכ֔וֹת תִּפְאֶ֖רֶת גְּא֣וֹן כַּשְׂדִּ֑ים כְּמַהְפֵּכַ֣ת
אֱלֹהִ֔ים אֶת־סְדֹ֖ם וְאֶת־עֲמֹרָֽה׃ כ לֹא־תֵשֵׁ֣ב לָנֶ֔צַח וְלֹ֥א תִשְׁכֹּ֖ן עַד־דּ֣וֹר
וָד֑וֹר וְלֹא־יַהֵ֥ל שָׁם֙ עֲרָבִ֔י וְרֹעִ֖ים לֹא־יַרְבִּ֥צוּ שָֽׁם׃ כא וְרָבְצוּ־שָׁ֣ם צִיִּ֔ים
וּמָלְא֥וּ בָתֵּיהֶ֖ם אֹחִ֑ים וְשָׁ֤כְנוּ שָׁם֙ בְּנ֣וֹת יַעֲנָ֔ה וּשְׂעִירִ֖ים יְרַקְּדוּ־שָֽׁם׃ כב וְעָנָ֤ה
אִיִּים֙ בְּאַלְמְנוֹתָ֔יו וְתַנִּ֖ים בְּהֵיכְלֵ֣י עֹ֑נֶג וְקָר֤וֹב לָבוֹא֙ עִתָּ֔הּ וְיָמֶ֖יהָ לֹ֥א יִמָּשֵֽׁכוּ׃

יד א כִּי֩ יְרַחֵ֨ם יְהוָ֜ה אֶֽת־יַעֲקֹ֗ב וּבָחַ֥ר עוֹד֙ בְּיִשְׂרָאֵ֔ל וְהִנִּיחָ֖ם עַל־אַדְמָתָ֑ם
וְנִלְוָ֤ה הַגֵּר֙ עֲלֵיהֶ֔ם וְנִסְפְּח֖וּ עַל־בֵּ֥ית יַעֲקֹֽב׃ ב וּלְקָחוּ֮ עַמִּים֒ וֶהֱבִיא֣וּם
אֶל־מְקוֹמָם֮ וְהִֽתְנַחֲל֣וּם בֵּֽית־יִשְׂרָאֵ֗ל עַ֚ל אַדְמַ֣ת יְהוָ֔ה לַעֲבָדִ֖ים וְלִשְׁפָח֑וֹת
וְהָי֤וּ שֹׁבִים֙ לְשֹׁ֣בֵיהֶ֔ם וְרָד֖וּ בְּנֹגְשֵׂיהֶֽם׃ ג וְהָיָ֗ה בְּיוֹם֙ הָנִ֨יחַ יְהוָ֜ה לְךָ֗ מֵֽעָצְבְּךָ֙
וּמֵֽרָגְזֶ֔ךָ וּמִן־הָעֲבֹדָ֥ה הַקָּשָׁ֖ה אֲשֶׁ֥ר עֻבַּד־בָּֽךְ׃ ד וְנָשָׂ֜אתָ הַמָּשָׁ֥ל הַזֶּ֛ה
עַל־מֶ֥לֶךְ בָּבֶ֖ל וְאָמָ֑רְתָּ אֵ֚יךְ שָׁבַ֣ת נֹגֵ֔שׂ שָׁבְתָ֖ה מַדְהֵבָֽה׃

[10] תשגלנה

13 1 The burden of Babylon, which Isaiah the son of Amoz did see. 2 Set ye up an ensign upon the high mountain, lift up the voice unto them, wave the hand, that they may go into the gates of the nobles. 3 I have commanded My consecrated ones, yea, I have called My mighty ones for mine anger, even My proudly exulting ones. 4 Hark, a tumult in the mountains, like as of a great people! Hark, the uproar of the kingdoms of the nations gathered together! Yehovah of hosts mustereth the host of the battle. 5 They come from a far country, from the end of heaven, even Yehovah, and the weapons of His indignation, to destroy the whole earth.{s} 6 Howl ye; for the day of Yehovah is at hand; as destruction from the Almighty shall it come. 7 Therefore shall all hands be slack, and every heart of man shall melt. 8 And they shall be affrighted; pangs and throes shall take hold of them; they shall be in pain as a woman in travail; they shall look aghast one at another; their faces shall be faces of flame. 9 Behold, the day of Yehovah cometh, cruel, and full of wrath and fierce anger; to make the earth a desolation, and to destroy the sinners thereof out of it, 10 For the stars of heaven and the constellations thereof shall not give their light; the sun shall be darkened in his going forth, and the moon shall not cause her light to shine. 11 And I will visit upon the world their evil, and upon the wicked their iniquity; and I will cause the arrogancy of the proud to cease, and will lay low the haughtiness of the tyrants. 12 I will make man more rare than fine gold, even man than the pure gold of Ophir. 13 Therefore I will make the heavens to tremble, and the earth shall be shaken out of her place, for the wrath of Yehovah of hosts, and for the day of His fierce anger. 14 And it shall come to pass, that as the chased gazelle, and as sheep that no man gathereth, they shall turn every man to his own people, and shall flee every man to his own land. 15 Every one that is found shall be thrust through; and every one that is caught shall fall by the sword. 16 Their babes also shall be dashed in pieces before their eyes; their houses shall be spoiled, and their wives ravished. 17 Behold, I will stir up the Medes against them, who shall not regard silver, and as for gold, they shall not delight in it. 18 And their bows shall dash the young men in pieces; and they shall have no pity on the fruit of the womb; their eye shall not spare children. 19 And Babylon, the glory of kingdoms, the beauty of the Chaldeans' pride, shall be as when God overthrew Sodom and Gomorrah. 20 It shall never be inhabited, neither shall it be dwelt in from generation to generation; neither shall the Arabian pitch tent there; neither shall the shepherds make their fold there. 21 But wild-cats shall lie there; and their houses shall be full of ferrets; and ostriches shall dwell there, and satyrs shall dance there. 22 And jackals shall howl in their castles, and wild-dogs in the pleasant palaces; and her time is near to come, and her days shall not be prolonged.

14 1 For Yehovah will have compassion on Jacob, and will yet choose Israel, and set them in their own land; and the stranger shall join himself with them, and they shall cleave to the house of Jacob. 2 And the peoples shall take them, and bring them to their place; and the house of Israel shall possess them in the land of Yehovah for servants and for handmaids; and they shall take them captive, whose captives they were; and they shall rule over their oppressors.{s} 3 And it shall come to pass in the day that Yehovah shall give thee rest from thy travail, and from thy trouble, and from the hard service wherein thou wast made to serve, 4 that thou shalt take up this parable against the king of Babylon, and say: How hath the oppressor ceased! the exactress of gold ceased!

ה שָׁבַר יְהוָה מַטֵּה רְשָׁעִים שֵׁבֶט מֹשְׁלִים: ו מַכֶּה עַמִּים בְּעֶבְרָה מַכַּת בִּלְתִּי
סָרָה רֹדֶה בָאַף גּוֹיִם מֻרְדָּף בְּלִי חָשָׂךְ: ז נָחָה שָׁקְטָה כָּל־הָאָרֶץ פָּצְחוּ
רִנָּה: ח גַּם־בְּרוֹשִׁים שָׂמְחוּ לְךָ אַרְזֵי לְבָנוֹן מֵאָז שָׁכַבְתָּ לֹא־יַעֲלֶה הַכֹּרֵת
עָלֵינוּ: ט שְׁאוֹל מִתַּחַת רָגְזָה לְךָ לִקְרַאת בּוֹאֶךָ עוֹרֵר לְךָ רְפָאִים
כָּל־עַתּוּדֵי אָרֶץ הֵקִים מִכִּסְאוֹתָם כֹּל מַלְכֵי גוֹיִם: י כֻּלָּם יַעֲנוּ וְיֹאמְרוּ אֵלֶיךָ
גַּם־אַתָּה חֻלֵּיתָ כָמוֹנוּ אֵלֵינוּ נִמְשָׁלְתָּ: יא הוּרַד שְׁאוֹל גְּאוֹנֶךָ הֶמְיַת נְבָלֶיךָ
תַּחְתֶּיךָ יֻצַּע רִמָּה וּמְכַסֶּיךָ תּוֹלֵעָה: יב אֵיךְ נָפַלְתָּ מִשָּׁמַיִם הֵילֵל בֶּן־שָׁחַר
נִגְדַּעְתָּ לָאָרֶץ חוֹלֵשׁ עַל־גּוֹיִם: יג וְאַתָּה אָמַרְתָּ בִלְבָבְךָ הַשָּׁמַיִם אֶעֱלֶה
מִמַּעַל לְכוֹכְבֵי־אֵל אָרִים כִּסְאִי וְאֵשֵׁב בְּהַר־מוֹעֵד בְּיַרְכְּתֵי צָפוֹן: יד אֶעֱלֶה
עַל־בָּמֳתֵי עָב אֶדַּמֶּה לְעֶלְיוֹן: טו אַךְ אֶל־שְׁאוֹל תּוּרָד אֶל־יַרְכְּתֵי־בוֹר:
טז רֹאֶיךָ אֵלֶיךָ יַשְׁגִּיחוּ אֵלֶיךָ יִתְבּוֹנָנוּ הֲזֶה הָאִישׁ מַרְגִּיז הָאָרֶץ מַרְעִישׁ
מַמְלָכוֹת: יז שָׂם תֵּבֵל כַּמִּדְבָּר וְעָרָיו הָרָס אֲסִירָיו לֹא־פָתַח בָּיְתָה:
יח כָּל־מַלְכֵי גוֹיִם כֻּלָּם שָׁכְבוּ בְכָבוֹד אִישׁ בְּבֵיתוֹ: יט וְאַתָּה הָשְׁלַכְתָּ
מִקִּבְרְךָ כְּנֵצֶר נִתְעָב לְבוּשׁ הֲרֻגִים מְטֹעֲנֵי חָרֶב יוֹרְדֵי אֶל־אַבְנֵי־בוֹר
כְּפֶגֶר מוּבָס: כ לֹא־תֵחַד אִתָּם בִּקְבוּרָה כִּי־אַרְצְךָ שִׁחַתָּ עַמְּךָ הָרָגְתָּ
לֹא־יִקָּרֵא לְעוֹלָם זֶרַע מְרֵעִים: כא הָכִינוּ לְבָנָיו מַטְבֵּחַ בַּעֲוֹן אֲבוֹתָם
בַּל־יָקֻמוּ וְיָרְשׁוּ אָרֶץ וּמָלְאוּ פְנֵי־תֵבֵל עָרִים: כב וְקַמְתִּי עֲלֵיהֶם נְאֻם יְהוָה
צְבָאוֹת וְהִכְרַתִּי לְבָבֶל שֵׁם וּשְׁאָר וְנִין וָנֶכֶד נְאֻם־יְהוָה: כג וְשַׂמְתִּיהָ לְמוֹרַשׁ
קִפֹּד וְאַגְמֵי־מָיִם וְטֵאטֵאתִיהָ בְּמַטְאֲטֵא הַשְׁמֵד נְאֻם יְהוָה צְבָאוֹת:

כד נִשְׁבַּע יְהוָה צְבָאוֹת לֵאמֹר אִם־לֹא כַּאֲשֶׁר דִּמִּיתִי כֵּן הָיָתָה וְכַאֲשֶׁר
יָעַצְתִּי הִיא תָקוּם: כה לִשְׁבֹּר אַשּׁוּר בְּאַרְצִי וְעַל־הָרַי אֲבוּסֶנּוּ וְסָר
מֵעֲלֵיהֶם עֻלּוֹ וְסֻבֳּלוֹ מֵעַל שִׁכְמוֹ יָסוּר: כו זֹאת הָעֵצָה הַיְּעוּצָה
עַל־כָּל־הָאָרֶץ וְזֹאת הַיָּד הַנְּטוּיָה עַל־כָּל־הַגּוֹיִם: כז כִּי־יְהוָה צְבָאוֹת יָעָץ
וּמִי יָפֵר וְיָדוֹ הַנְּטוּיָה וּמִי יְשִׁיבֶנָּה:

כח בִּשְׁנַת־מוֹת הַמֶּלֶךְ אָחָז הָיָה הַמַּשָּׂא הַזֶּה: כט אַל־תִּשְׂמְחִי פְלֶשֶׁת כֻּלֵּךְ
כִּי נִשְׁבַּר שֵׁבֶט מַכֵּךְ כִּי־מִשֹּׁרֶשׁ נָחָשׁ יֵצֵא צֶפַע וּפִרְיוֹ שָׂרָף מְעוֹפֵף: ל וְרָעוּ
בְּכוֹרֵי דַלִּים וְאֶבְיוֹנִים לָבֶטַח יִרְבָּצוּ וְהֵמַתִּי בָרָעָב שָׁרְשֵׁךְ וּשְׁאֵרִיתֵךְ
יַהֲרֹג: לא הֵילִילִי שַׁעַר זַעֲקִי־עִיר נָמוֹג פְּלֶשֶׁת כֻּלֵּךְ כִּי מִצָּפוֹן עָשָׁן בָּא וְאֵין
בּוֹדֵד בְּמוֹעָדָיו: לב וּמַה־יַּעֲנֶה מַלְאֲכֵי־גוֹי כִּי יְהוָה יִסַּד צִיּוֹן וּבָהּ יֶחֱסוּ
עֲנִיֵּי עַמּוֹ:

5 Yehovah hath broken the staff of the wicked, the sceptre of the rulers, **6** That smote the peoples in wrath with an incessant stroke, that ruled the nations in anger, with a persecution that none restrained. **7** The whole earth is at rest, and is quiet; they break forth into singing. **8** Yea, the cypresses rejoice at thee, and the cedars of Lebanon: 'Since thou art laid down, no feller is come up against us.' **9** The nether-world from beneath is moved for thee to meet thee at thy coming; the shades are stirred up for thee, even all the chief ones of the earth; all the kings of the nations are raised up from their thrones. **10** All they do answer and say unto thee: 'Art thou also become weak as we? Art thou become like unto us? **11** Thy pomp is brought down to the nether-world, and the noise of thy psalteries; the maggot is spread under thee, and the worms cover thee.' **12** How art thou fallen from heaven, O day-star, son of the morning! How art thou cut down to the ground, that didst cast lots over the nations! **13** And thou saidst in thy heart: 'I will ascend into heaven, above the stars of God will I exalt my throne, and I will sit upon the mount of meeting, in the uttermost parts of the north; **14** I will ascend above the heights of the clouds; I will be like the Most High.' **15** Yet thou shalt be brought down to the nether-world, to the uttermost parts of the pit. **16** They that saw thee do narrowly look upon thee, they gaze earnestly at thee: 'Is this the man that made the earth to tremble, that did shake kingdoms; **17** That made the world as a wilderness, and destroyed the cities thereof; that opened not the house of his prisoners?' **18** All the kings of the nations, all of them, sleep in glory, every one in his own house. **19** But thou art cast forth away from thy grave like an abhorred offshoot, in the raiment of the slain, that are thrust through with the sword, that go down to the pavement of the pit, as a carcass trodden under foot. **20** Thou shalt not be joined with them in burial, because thou hast destroyed thy land, thou hast slain thy people; the seed of evil-doers shall not be named for ever. **21** Prepare ye slaughter for his children for the iniquity of their fathers; that they rise not up, and possess the earth, and fill the face of the world with cities. **22** And I will rise up against them, saith Yehovah of hosts, and cut off from Babylon name and remnant, and offshoot and offspring, saith Yehovah. **23** I will also make it a possession for the bittern, and pools of water; and I will sweep it with the besom of destruction, saith Yehovah of hosts.{S} **24** Yehovah of hosts hath sworn, saying: Surely as I have thought, so shall it come to pass; and as I have purposed, so shall it stand, **25** That I will break Asshur in My land, and upon My mountains tread him under foot; then shall his yoke depart from off them, and his burden depart from off their shoulder. **26** This is the purpose that is purposed upon the whole earth; and this is the hand that is stretched out upon all the nations. **27** For Yehovah of hosts hath purposed, and who shall disannul it? And His hand is stretched out, and who shall turn it back?{P}

28 In the year that king Ahaz died was this burden. **29** Rejoice not, O Philistia, all of thee, because the rod that smote thee is broken: for out of the serpent's root shall come forth a basilisk, and his fruit shall be a flying serpent. **30** And the first-born of the poor shall feed, and the needy shall lie down in safety; and I will kill thy root with famine, and thy remnant shall be slain. **31** Howl, O gate; cry, O city; melt away, O Philistia, all of thee; for there cometh a smoke out of the north, and there is no straggler in his ranks. **32** What then shall one answer the messengers of the nation? That Yehovah hath founded Zion, and in her shall the afflicted of His people take refuge.{P}

יה א מַשָּׂא מוֹאָב כִּי בְּלֵיל שֻׁדַּד עָר מוֹאָב נִדְמָה כִּי בְּלֵיל שֻׁדַּד קִיר־מוֹאָב נִדְמָה: ב עָלָה הַבַּיִת וְדִיבֹן הַבָּמוֹת לְבֶכִי עַל־נְבוֹ וְעַל מֵידְבָא מוֹאָב יְיֵלִיל בְּכָל־רֹאשָׁיו קָרְחָה כָּל־זָקָן גְּרוּעָה: ג בְּחוּצֹתָיו חָגְרוּ שָׂק עַל גַּגּוֹתֶיהָ וּבִרְחֹבֹתֶיהָ כֻּלֹּה יְיֵלִיל יֹרֵד בַּבֶּכִי: ד וַתִּזְעַק חֶשְׁבּוֹן וְאֶלְעָלֵה עַד־יַהַץ נִשְׁמַע קוֹלָם עַל־כֵּן חֲלֻצֵי מוֹאָב יָרִיעוּ נַפְשׁוֹ יָרְעָה לּוֹ: ה לִבִּי לְמוֹאָב יִזְעָק בְּרִיחֶהָ עַד־צֹעַר עֶגְלַת שְׁלִשִׁיָּה כִּי ׀ מַעֲלֵה הַלּוּחִית בִּבְכִי יַעֲלֶה־בּוֹ כִּי דֶּרֶךְ חוֹרֹנַיִם זַעֲקַת־שֶׁבֶר יְעֹעֵרוּ: ו כִּי־מֵי נִמְרִים מְשַׁמּוֹת יִהְיוּ כִּי־יָבֵשׁ חָצִיר כָּלָה דֶשֶׁא יֶרֶק לֹא הָיָה: ז עַל־כֵּן יִתְרָה עָשָׂה וּפְקֻדָּתָם עַל נַחַל הָעֲרָבִים יִשָּׂאוּם: ח כִּי־הִקִּיפָה הַזְּעָקָה אֶת־גְּבוּל מוֹאָב עַד־אֶגְלַיִם יִלְלָתָהּ וּבְאֵר אֵילִים יִלְלָתָהּ: ט כִּי מֵי דִימוֹן מָלְאוּ דָם כִּי־אָשִׁית עַל־דִּימוֹן נוֹסָפוֹת לִפְלֵיטַת מוֹאָב אַרְיֵה וְלִשְׁאֵרִית אֲדָמָה:

יו א שִׁלְחוּ־כַר מֹשֵׁל־אֶרֶץ מִסֶּלַע מִדְבָּרָה אֶל־הַר בַּת־צִיּוֹן: ב וְהָיָה כְעוֹף־נוֹדֵד קֵן מְשֻׁלָּח תִּהְיֶינָה בְּנוֹת מוֹאָב מַעְבָּרֹת לְאַרְנוֹן: ג הָבִיאִי[11] עֵצָה עֲשׂוּ פְלִילָה שִׁיתִי כַלַּיִל צִלֵּךְ בְּתוֹךְ צָהֳרָיִם סַתְּרִי נִדָּחִים נֹדֵד אַל־תְּגַלִּי: ד יָגוּרוּ בָךְ נִדָּחַי מוֹאָב הֱוִי־סֵתֶר לָמוֹ מִפְּנֵי שׁוֹדֵד כִּי־אָפֵס הַמֵּץ כָּלָה שֹׁד תַּמּוּ רֹמֵס מִן־הָאָרֶץ: ה וְהוּכַן בַּחֶסֶד כִּסֵּא וְיָשַׁב עָלָיו בֶּאֱמֶת בְּאֹהֶל דָּוִד שֹׁפֵט וְדֹרֵשׁ מִשְׁפָּט וּמְהִר צֶדֶק: ו שָׁמַעְנוּ גְאוֹן־מוֹאָב גֵּא מְאֹד גַּאֲוָתוֹ וּגְאוֹנוֹ וְעֶבְרָתוֹ לֹא־כֵן בַּדָּיו: ז לָכֵן יְיֵלִיל מוֹאָב לְמוֹאָב כֻּלֹּה יְיֵלִיל לַאֲשִׁישֵׁי קִיר־חֲרֶשֶׂת תֶּהְגּוּ אַךְ־נְכָאִים: ח כִּי שַׁדְמוֹת חֶשְׁבּוֹן אֻמְלָל גֶּפֶן שִׂבְמָה בַּעֲלֵי גוֹיִם הָלְמוּ שְׂרוּקֶּיהָ עַד־יַעְזֵר נָגָעוּ תָּעוּ מִדְבָּר שְׁלֻחוֹתֶיהָ נִטְּשׁוּ עָבְרוּ יָם: ט עַל־כֵּן אֶבְכֶּה בִּבְכִי יַעְזֵר גֶּפֶן שִׂבְמָה אֲרַיָּוֶךְ דִּמְעָתִי חֶשְׁבּוֹן וְאֶלְעָלֵה כִּי עַל־קֵיצֵךְ וְעַל־קְצִירֵךְ הֵידָד נָפָל: י וְנֶאֱסַף שִׂמְחָה וָגִיל מִן־הַכַּרְמֶל וּבַכְּרָמִים לֹא־יְרֻנָּן לֹא יְרֹעָע יַיִן בַּיְקָבִים לֹא־יִדְרֹךְ הַדֹּרֵךְ הֵידָד הִשְׁבַּתִּי: יא עַל־כֵּן מֵעַי לְמוֹאָב כַּכִּנּוֹר יֶהֱמוּ וְקִרְבִּי לְקִיר חָרֶשׂ: יב וְהָיָה כִי־נִרְאָה כִּי־נִלְאָה מוֹאָב עַל־הַבָּמָה וּבָא אֶל־מִקְדָּשׁוֹ לְהִתְפַּלֵּל וְלֹא יוּכָל: יג זֶה הַדָּבָר אֲשֶׁר דִּבֶּר יְהוָה אֶל־מוֹאָב מֵאָז: יד וְעַתָּה דִּבֶּר יְהוָה לֵאמֹר בְּשָׁלֹשׁ שָׁנִים כִּשְׁנֵי שָׂכִיר וְנִקְלָה כְּבוֹד מוֹאָב בְּכֹל הֶהָמוֹן הָרָב וּשְׁאָר מְעַט מִזְעָר לוֹא כַבִּיר:

יז א מַשָּׂא דַּמָּשֶׂק הִנֵּה דַמֶּשֶׂק מוּסָר מֵעִיר וְהָיְתָה מְעִי מַפָּלָה: ב עֲזֻבוֹת עָרֵי עֲרֹעֵר לַעֲדָרִים תִּהְיֶינָה וְרָבְצוּ וְאֵין מַחֲרִיד:

---

[11]הֵבִיאוּ

15 1 The burden of Moab. For in the night that Ar of Moab is laid waste, he is brought to ruin; for in the night that Kir of Moab is laid waste, he is brought to ruin. 2 He is gone up to Baith, and to Dibon, to the high places, to weep; upon Nebo, and upon Medeba, Moab howleth; on all their heads is baldness, every beard is shaven. 3 In their streets they gird themselves with sackcloth; on their housetops, and in their broad places, every one howleth, weeping profusely. 4 And Heshbon crieth out, and Elealeh; their voice is heard even unto Jahaz; therefore the armed men of Moab cry aloud; his soul is faint within him. 5 My heart crieth out for Moab; her fugitives reach unto Zoar, a heifer of three years old; for by the ascent of Luhith with weeping they go up; for in the way of Horonaim they raise up a cry of destruction. 6 For the Waters of Nimrim shall be desolate; for the grass is withered away, the herbage faileth, there is no green thing. 7 Therefore the abundance they have gotten, and that which they have laid up, shall they carry away to the brook of the willows. 8 For the cry is gone round about the borders of Moab; the howling thereof unto Eglaim, and the howling thereof unto Beer-elim. 9 For the waters of Dimon are full of blood; for I will bring yet more upon Dimon, a lion upon him that escapeth of Moab, and upon the remnant of the land.

16 1 Send ye the lambs for the ruler of the land from the crags that are toward the wilderness, unto the mount of the daughter of Zion. 2 For it shall be that, as wandering birds, as a scattered nest, so shall the daughters of Moab be at the fords of Arnon. 3 'Give counsel, execute justice; make thy shadow as the night in the midst of the noonday; hide the outcasts; betray not the fugitive. 4 Let mine outcasts dwell with thee; as for Moab, be thou a covert to him from the face of the spoiler.' For the extortion is at an end, spoiling ceaseth, they that trampled down are consumed out of the land;{S} 5 And a throne is established through mercy, and there sitteth thereon in truth, in the tent of David, one that judgeth, and seeketh justice, and is ready in righteousness. 6 We have heard of the pride of Moab; he is very proud; even of his haughtiness, and his pride, and his arrogancy, his ill-founded boastings. 7 Therefore shall Moab wail for Moab, every one shall wail; for the sweet cakes of Kir-hareseth shall ye mourn, sorely stricken. 8 For the fields of Heshbon languish, and the vine of Sibmah, whose choice plants did overcome the lords of nations; they reached even unto Jazer, they wandered into the wilderness; her branches were spread abroad, they passed over the sea. 9 Therefore I will weep with the weeping of Jazer for the vine of Sibmah; I will water thee with my tears, O Heshbon, and Elealeh; for upon thy summer fruits and upon thy harvest the battle shout is fallen. 10 And gladness and joy are taken away out of the fruitful field; and in the vineyards there shall be no singing, neither shall there be shouting; no treader shall tread out wine in the presses; I have made the vintage shout to cease. 11 Wherefore my heart moaneth like a harp for Moab, and mine inward parts for Kir-heres. 12 And it shall come to pass, when it is seen that Moab hath wearied himself upon the high place, that he shall come to his sanctuary to pray; but he shall not prevail.{S} 13 This is the word that Yehovah spoke concerning Moab in time past. 14 But now Yehovah hath spoken, saying: 'Within three years, as the years of a hireling, and the glory of Moab shall wax contemptible for all his great multitude; and the remnant shall be very small and without strength.'{P}

17 1 The burden of Damascus. Behold, Damascus is taken away from being a city, and it shall be a ruinous heap. 2 The cities of Aroer are forsaken; they shall be for flocks, which shall lie down, and none shall make them afraid.

ג וְנִשְׁבַּת מִבְצָר֙ מֵֽאֶפְרַ֔יִם וּמַמְלָכָ֣ה מִדַּמֶּ֔שֶׂק וּשְׁאָ֖ר אֲרָ֑ם כִּכְב֤וֹד בְּנֵֽי־יִשְׂרָאֵל֙ יִֽהְי֔וּ נְאֻ֖ם יְהֹוָ֥ה צְבָאֽוֹת: ד וְהָיָה֙ בַּיּ֣וֹם הַה֔וּא יִדַּ֖ל כְּב֣וֹד יַעֲקֹ֑ב וּמִשְׁמַ֥ן בְּשָׂר֖וֹ יֵרָזֶֽה: ה וְהָיָ֗ה כֶּֽאֱסֹף֙ קָצִ֣יר קָמָ֔ה וּזְרֹע֖וֹ שִׁבֳּלִ֣ים יִקְצ֑וֹר וְהָיָ֛ה כִּמְלַקֵּ֥ט שִׁבֳּלִ֖ים בְּעֵ֥מֶק רְפָאִֽים: ו וְנִשְׁאַר־בּ֤וֹ עֽוֹלֵלֹת֙ כְּנֹ֣קֶף זַ֔יִת שְׁנַ֧יִם שְׁלֹשָׁ֛ה גַּרְגְּרִ֖ים בְּרֹ֣אשׁ אָמִ֑יר אַרְבָּעָ֣ה חֲמִשָּׁ֗ה בִּסְעִפֶ֨יהָ֙ פֹּֽרִיָּ֔ה נְאֻם־יְהֹוָ֖ה אֱלֹהֵ֥י יִשְׂרָאֵֽל: ז בַּיּ֣וֹם הַה֔וּא יִשְׁעֶ֥ה הָאָדָ֖ם עַל־עֹשֵׂ֑הוּ וְעֵינָ֕יו אֶל־קְד֥וֹשׁ יִשְׂרָאֵ֖ל תִּרְאֶֽינָה: ח וְלֹ֣א יִשְׁעֶ֔ה אֶל־הַֽמִּזְבְּח֖וֹת מַעֲשֵׂ֣ה יָדָ֑יו וַאֲשֶׁ֨ר עָשׂ֤וּ אֶצְבְּעֹתָיו֙ לֹ֣א יִרְאֶ֔ה וְהָאֲשֵׁרִ֖ים וְהָחַמָּנִֽים: ט בַּיּ֣וֹם הַה֗וּא יִֽהְי֣וּ ׀ עָרֵ֣י מָעֻזּ֞וֹ כַּעֲזוּבַ֤ת הַחֹ֨רֶשׁ֙ וְהָ֣אָמִ֔יר אֲשֶׁ֣ר עָזְב֔וּ מִפְּנֵ֖י בְּנֵ֣י יִשְׂרָאֵ֑ל וְהָיְתָ֖ה שְׁמָמָֽה: י כִּ֤י שָׁכַ֨חַתְּ֙ אֱלֹהֵ֣י יִשְׁעֵ֔ךְ וְצ֥וּר מָעֻזֵּ֖ךְ לֹ֣א זָכָ֑רְתְּ עַל־כֵּ֗ן תִּטְּעִי֙ נִטְעֵ֣י נַעֲמָנִ֔ים וּזְמֹ֥רַת זָ֖ר תִּזְרָעֶֽנּוּ: יא בְּי֤וֹם נִטְעֵךְ֙ תְּשַׂגְשֵׂ֔גִי וּבַבֹּ֖קֶר זַרְעֵ֣ךְ תַּפְרִ֑יחִי נֵ֚ד קָצִ֣יר בְּי֣וֹם נַחֲלָ֔ה וּכְאֵ֖ב אָנֽוּשׁ: יב ה֗וֹי הֲמוֹן֙ עַמִּ֣ים רַבִּ֔ים כַּהֲמ֥וֹת יַמִּ֖ים יֶֽהֱמָי֑וּן וּשְׁא֣וֹן לְאֻמִּ֔ים כִּשְׁא֛וֹן מַ֥יִם כַּבִּירִ֖ים יִשָּׁאֽוּן: יג לְאֻמִּ֗ים כִּשְׁא֞וֹן מַ֤יִם רַבִּים֙ יִשָּׁא֔וּן וְגָ֥עַר בּ֖וֹ וְנָ֣ס מִמֶּרְחָ֑ק וְרֻדַּ֗ף כְּמֹ֤ץ הָרִים֙ לִפְנֵי־ר֔וּחַ וּכְגַלְגַּ֖ל לִפְנֵ֥י סוּפָֽה: יד לְעֵ֣ת עֶ֨רֶב֙ וְהִנֵּ֣ה בַלָּהָ֔ה בְּטֶ֥רֶם בֹּ֖קֶר אֵינֶ֑נּוּ זֶ֚ה חֵ֣לֶק שׁוֹסֵ֔ינוּ וְגוֹרָ֖ל לְבֹזְזֵֽינוּ:

יח א ה֥וֹי אֶ֖רֶץ צִלְצַ֣ל כְּנָפָ֑יִם אֲשֶׁ֥ר מֵעֵ֖בֶר לְנַֽהֲרֵי־כֽוּשׁ: ב הַשֹּׁלֵ֨חַ בַּיָּ֜ם צִירִ֗ים וּבִכְלֵי־גֹמֶא֮ עַל־פְּנֵי־מַיִם֒ לְכ֣וּ ׀ מַלְאָכִ֣ים קַלִּ֗ים אֶל־גּוֹי֙ מְמֻשָּׁ֣ךְ וּמוֹרָ֔ט אֶל־עַ֥ם נוֹרָ֖א מִן־ה֣וּא וָהָ֑לְאָה גּ֚וֹי קַו־קָ֣ו וּמְבוּסָ֔ה אֲשֶׁר־בָּזְא֥וּ נְהָרִ֖ים אַרְצֽוֹ: ג כָּל־יֹשְׁבֵ֥י תֵבֵ֖ל וְשֹׁ֣כְנֵי אָ֑רֶץ כִּנְשֹׂא־נֵ֤ס הָרִים֙ תִּרְא֔וּ וְכִתְקֹ֥עַ שׁוֹפָ֖ר תִּשְׁמָֽעוּ: ד כִּי֩ כֹ֨ה אָמַ֤ר יְהֹוָה֙ אֵלַ֔י אֶשְׁקֳטָה֙[12] וְאַבִּ֣יטָה בִמְכוֹנִ֔י כְּחֹ֥ם צַ֖ח עֲלֵי־א֑וֹר כְּעָ֥ב טַ֖ל בְּחֹ֥ם קָצִֽיר: ה כִּֽי־לִפְנֵ֤י קָצִיר֙ כְּתָם־פֶּ֔רַח וּבֹ֥סֶר גֹּמֵ֖ל יִֽהְיֶ֣ה נִצָּ֑ה וְכָרַ֤ת הַזַּלְזַלִּים֙ בַּמַּזְמֵר֔וֹת וְאֶת־הַנְּטִישׁ֖וֹת הֵסִ֥יר הֵתַֽז: ו יֵעָזְב֤וּ יַחְדָּו֙ לְעֵ֣יט הָרִ֔ים וּֽלְבֶהֱמַ֖ת הָאָ֑רֶץ וְקָ֤ץ עָלָיו֙ הָעַ֔יִט וְכָל־בֶּהֱמַ֥ת הָאָ֖רֶץ עָלָ֥יו תֶּחֱרָֽף: ז בָּעֵת֩ הַהִ֨יא יֽוּבַל־שַׁ֜י לַיהֹוָ֣ה צְבָא֗וֹת עַ֚ם מְמֻשָּׁ֣ךְ וּמוֹרָ֔ט וּמֵעַ֥ם נוֹרָ֖א מִן־ה֣וּא וָהָ֑לְאָה גּ֣וֹי ׀ קַו־קָ֣ו וּמְבוּסָ֗ה אֲשֶׁ֨ר בָּזְא֤וּ נְהָרִים֙ אַרְצ֔וֹ אֶל־מְק֛וֹם שֵׁם־יְהֹוָ֥ה צְבָא֖וֹת הַר־צִיּֽוֹן:

יט א מַשָּׂ֖א מִצְרָ֑יִם הִנֵּ֨ה יְהֹוָ֜ה רֹכֵ֤ב עַל־עָ֣ב קַ֔ל וּבָ֣א מִצְרַ֔יִם וְנָע֤וּ אֱלִילֵי֙ מִצְרַ֨יִם֙ מִפָּנָ֔יו וּלְבַ֥ב מִצְרַ֖יִם יִמַּ֥ס בְּקִרְבּֽוֹ: ב וְסִכְסַכְתִּ֤י מִצְרַ֨יִם֙ בְּמִצְרַ֔יִם וְנִלְחֲמ֥וּ אִישׁ־בְּאָחִ֖יו וְאִ֣ישׁ בְּרֵעֵ֑הוּ עִ֣יר בְּעִ֔יר מַמְלָכָ֖ה בְּמַמְלָכָֽה:

<u>3</u> The fortress also shall cease from Ephraim, and the kingdom from Damascus; and the remnant of Aram shall be as the glory of the children of Israel, saith Yehovah of hosts.{P}

<u>4</u> And it shall come to pass in that day, that the glory of Jacob shall be made thin, and the fatness of his flesh shall wax lean. <u>5</u> And it shall be as when the harvestman gathereth the standing corn, and reapeth the ears with his arm; yea, it shall be as when one gleaneth ears in the valley of Rephaim. <u>6</u> Yet there shall be left therein gleanings, as at the beating of an olive-tree, two or three berries in the top of the uppermost bough, four or five in the branches of the fruitful tree, saith Yehovah, the God of Israel. <u>7</u> In that day shall a man regard his Maker, and his eyes shall look to the Holy One of Israel. <u>8</u> And he shall not regard the altars, the work of his hands, neither shall he look to that which his fingers have made, either the Asherim, or the sun-images.{S} <u>9</u> In that day shall his strong cities be as the forsaken places, which were forsaken from before the children of Israel, after the manner of woods and lofty forests; and it shall be a desolation. <u>10</u> For thou hast forgotten the God of thy salvation, and thou hast not been mindful of the Rock of thy stronghold; therefore thou didst plant plants of pleasantness, and didst set it with slips of a stranger; <u>11</u> In the day of thy planting thou didst make it to grow, and in the morning thou didst make thy seed to blossom–a heap of boughs in the day of grief and of desperate pain.{S} <u>12</u> Ah, the uproar of many peoples, that roar like the roaring of the seas; and the rushing of nations, that rush like the rushing of mighty waters! <u>13</u> The nations shall rush like the rushing of many waters; but He shall rebuke them, and they shall flee far off, and shall be chased as the chaff of the mountains before the wind, and like the whirling dust before the storm. <u>14</u> At eventide behold terror; and before the morning they are not. This is the portion of them that spoil us, and the lot of them that rob us.{P}

18 <u>1</u> Ah, land of the buzzing of wings, which is beyond the rivers of Ethiopia; <u>2</u> That sendeth ambassadors by the sea, even in vessels of papyrus upon the waters! Go, ye swift messengers, to a nation tall and of glossy skin, to a people terrible from their beginning onward; a nation that is sturdy and treadeth down, whose land the rivers divide! <u>3</u> All ye inhabitants of the world, and ye dwellers on the earth, when an ensign is lifted up on the mountains, see ye; and when the horn is blown, hear ye.{S} <u>4</u> For thus hath Yehovah said unto me: I will hold Me still, and I will look on in My dwelling-place, like clear heat in sunshine, like a cloud of dew in the heat of harvest. <u>5</u> For before the harvest, when the blossom is over, and the bud becometh a ripening grape, He will cut off the sprigs with pruning-hooks, and the shoots will He take away and lop off. <u>6</u> They shall be left together unto the ravenous birds of the mountains, and to the beasts of the earth; and the ravenous birds shall summer upon them, and all the beasts of the earth shall winter upon them.{S} <u>7</u> In that time shall a present be brought unto Yehovah of hosts of a people tall and of glossy skin, and from a people terrible from their beginning onward; a nation that is sturdy and treadeth down, whose land the rivers divide, to the place of the name of Yehovah of hosts, the mount Zion.{P}

19 <u>1</u> The burden of Egypt. Behold, Yehovah rideth upon a swift cloud, and cometh unto Egypt; and the idols of Egypt shall be moved at His presence, and the heart of Egypt shall melt within it. <u>2</u> And I will spur Egypt against Egypt; and they shall fight every one against his brother, and everyone against his neighbour; city against city, and kingdom against kingdom.

ג וְנָבְקָה רֽוּחַ־מִצְרַ֙יִם֙ בְּקִרְבּ֔וֹ וַעֲצָת֖וֹ אֲבַלֵּ֑עַ וְדָרְשׁ֤וּ אֶל־הָֽאֱלִילִים֙
וְאֶל־הָ֣אִטִּ֔ים וְאֶל־הָאֹב֖וֹת וְאֶל־הַיִּדְּעֹנִֽים: ד וְסִכַּרְתִּי֙ אֶת־מִצְרַ֔יִם בְּיַ֖ד אֲדֹנִ֣ים
קָשֶׁ֑ה וּמֶ֤לֶךְ עַז֙ יִמְשָׁל־בָּ֔ם נְאֻ֥ם הָאָד֖וֹן יְהוָ֥ה צְבָאֽוֹת: ה וְנִשְּׁתוּ־מַ֖יִם מֵהַיָּ֑ם
וְנָהָ֖ר יֶחֱרַ֥ב וְיָבֵֽשׁ: ו וְהֶֽאֶזְנִ֣יחוּ נְהָר֔וֹת דָּלְל֥וּ וְחָרְב֖וּ יְאֹרֵ֣י מָצ֑וֹר קָנֶ֥ה וָס֖וּף
קָמֵֽלוּ: ז עָרֿוֹת עַל־יְא֣וֹר עַל־פִּ֣י יְא֔וֹר וְכֹ֖ל מִזְרַ֣ע יְא֑וֹר יִיבַ֥שׁ נִדַּ֖ף וְאֵינֶֽנּוּ:
ח וְאָנוּ֙ הַדַּיָּגִ֔ים וְאָ֣בְל֔וּ כָּל־מַשְׁלִיכֵ֥י בַיְא֖וֹר חַכָּ֑ה וּפֹרְשֵׂ֥י מִכְמֹ֛רֶת
עַל־פְּנֵי־מַ֖יִם אֻמְלָֽלוּ: ט וּבֹ֙שׁוּ֙ עֹבְדֵ֣י פִשְׁתִּ֔ים שְׂרִיק֖וֹת וְאֹרְגִ֥ים חוֹרָֽי: י וְהָי֥וּ
שָׁתֹתֶ֖יהָ מְדֻכָּאִ֑ים כָּל־עֹ֥שֵׂי שֶׂ֖כֶר אַגְמֵי־נָֽפֶשׁ: יא אַךְ־אֱוִלִים֙ שָׂ֣רֵי צֹ֔עַן חַכְמֵי֙
יֹעֲצֵ֣י פַרְעֹ֔ה עֵצָ֖ה נִבְעָרָ֑ה אֵ֚יךְ תֹּאמְר֣וּ אֶל־פַּרְעֹ֔ה בֶּן־חֲכָמִ֥ים אֲנִ֖י
בֶּן־מַלְכֵי־קֶֽדֶם: יב אַיָּם֙ אֵפ֔וֹא חֲכָמֶ֔יךָ וְיַגִּ֥ידוּ נָ֖א לָ֑ךְ וְיֵ֣דְע֔וּ מַה־יָּעַ֛ץ יְהוָ֥ה
צְבָא֖וֹת עַל־מִצְרָֽיִם: יג נֽוֹאֲלוּ֙ שָׂ֣רֵי צֹ֔עַן נִשְּׁא֖וּ שָׂ֣רֵי נֹ֑ף הִתְע֥וּ אֶת־מִצְרַ֖יִם פִּנַּ֥ת
שְׁבָטֶֽיהָ: יד יְהוָ֛ה מָסַ֥ךְ בְּקִרְבָּ֖הּ ר֣וּחַ עִוְעִ֑ים וְהִתְע֤וּ אֶת־מִצְרַ֙יִם֙ בְּכָֽל־מַעֲשֵׂ֔הוּ
כְּהִתָּע֥וֹת שִׁכּ֖וֹר בְּקִיאֽוֹ: יה וְלֹֽא־יִהְיֶ֥ה לְמִצְרַ֖יִם מַֽעֲשֶׂ֑ה אֲשֶׁ֧ר יַעֲשֶׂ֛ה רֹ֥אשׁ וְזָנָ֖ב
כִּפָּ֥ה וְאַגְמֽוֹן: יו בַּיּ֣וֹם הַה֗וּא יִהְיֶ֤ה מִצְרַ֙יִם֙ כַּנָּשִׁ֔ים וְחָרַ֣ד ׀ וּפָחַ֗ד מִפְּנֵי֙ תְּנוּפַ֣ת
יַד־יְהוָ֣ה צְבָא֔וֹת אֲשֶׁר־ה֖וּא מֵנִ֥יף עָלָֽיו: יז וְֽהָיְתָ֡ה אַדְמַת֩ יְהוּדָ֨ה לְמִצְרַ֜יִם
לְחָגָּ֗א כֹּל֩ אֲשֶׁ֨ר יַזְכִּ֤יר אֹתָהּ֙ אֵלָ֔יו יִפְחָ֑ד מִפְּנֵ֗י עֲצַ֛ת יְהוָ֥ה צְבָא֖וֹת אֲשֶׁר־ה֥וּא
יוֹעֵ֥ץ עָלָֽיו: יח בַּיּ֣וֹם הַה֗וּא יִֽהְי֞וּ חָמֵ֤שׁ עָרִים֙ בְּאֶ֣רֶץ מִצְרַ֔יִם מְדַבְּר֖וֹת שְׂפַ֣ת
כְּנַ֔עַן וְנִשְׁבָּע֖וֹת לַיהוָ֣ה צְבָא֑וֹת עִ֣יר הַהֶ֔רֶס יֵאָמֵ֖ר לְאֶחָֽת: יט בַּיּ֣וֹם הַה֗וּא
יִֽהְיֶ֤ה מִזְבֵּ֙חַ֙ לַֽיהוָ֔ה בְּת֖וֹךְ אֶ֣רֶץ מִצְרָ֑יִם וּמַצֵּבָ֥ה אֵֽצֶל־גְּבוּלָ֖הּ לַיהוָֽה: כ וְהָיָ֨ה
לְא֥וֹת וּלְעֵ֛ד לַיהוָ֥ה צְבָא֖וֹת בְּאֶ֣רֶץ מִצְרָ֑יִם כִּֽי־יִצְעֲק֤וּ אֶל־יְהוָה֙ מִפְּנֵ֣י לֹֽחֲצִ֔ים
וְיִשְׁלַ֥ח לָהֶ֛ם מוֹשִׁ֥יעַ וָרָ֖ב וְהִצִּילָֽם: כא וְנוֹדַ֤ע יְהוָה֙ לְמִצְרַ֔יִם וְיָדְע֥וּ מִצְרַ֖יִם
אֶת־יְהוָ֑ה בַּיּ֣וֹם הַה֔וּא וְעָֽבְדוּ֙ זֶ֣בַח וּמִנְחָ֔ה וְנָדְרוּ־נֵ֥דֶר לַֽיהוָ֖ה וְשִׁלֵּֽמוּ:
כב וְנָגַ֧ף יְהוָ֛ה אֶת־מִצְרַ֖יִם נָגֹ֣ף וְרָפ֑וֹא וְשָׁ֙בוּ֙ עַד־יְהוָ֔ה וְנֶעְתַּ֥ר לָהֶ֖ם וּרְפָאָֽם:
כג בַּיּ֣וֹם הַה֗וּא תִּהְיֶ֨ה מְסִלָּ֤ה מִמִּצְרַ֙יִם֙ אַשּׁ֔וּרָה וּבָֽא־אַשּׁ֥וּר בְּמִצְרַ֖יִם וּמִצְרַ֣יִם
בְּאַשּׁ֑וּר וְעָבְד֥וּ מִצְרַ֖יִם אֶת־אַשּֽׁוּר: כד בַּיּ֣וֹם הַה֗וּא יִהְיֶ֤ה יִשְׂרָאֵל֙ שְׁלִ֣ישִׁיָּ֔ה
לְמִצְרַ֖יִם וּלְאַשּׁ֑וּר בְּרָכָ֖ה בְּקֶ֥רֶב הָאָֽרֶץ: כה אֲשֶׁ֧ר בֵּרֲכ֛וֹ יְהוָ֥ה צְבָא֖וֹת לֵאמֹ֑ר
בָּר֣וּךְ עַמִּ֣י מִצְרַ֗יִם וּמַעֲשֵׂ֤ה יָדַי֙ אַשּׁ֔וּר וְנַחֲלָתִ֖י יִשְׂרָאֵֽל:

כ א בִּשְׁנַ֨ת בֹּ֤א תַרְתָּן֙ אַשְׁדּ֔וֹדָה בִּשְׁלֹ֣חַ אֹת֔וֹ סַֽרְג֖וֹן מֶ֣לֶךְ אַשּׁ֑וּר וַיִּלָּ֥חֶם
בְּאַשְׁדּ֖וֹד וַֽיִּלְכְּדָֽהּ: ב בָּעֵ֣ת הַהִ֗יא דִּבֶּ֣ר יְהוָה֮ בְּיַ֣ד יְשַׁעְיָ֣הוּ בֶן־אָמוֹץ֮ לֵאמֹר֒
לֵ֗ךְ וּפִתַּחְתָּ֤ הַשַּׂק֙ מֵעַ֣ל מָתְנֶ֔יךָ וְנַעַלְךָ֥ תַחֲלֹ֖ץ מֵעַ֣ל רַגְלֶ֑יךָ וַיַּ֣עַשׂ כֵּ֔ן הָלֹ֖ךְ
עָר֥וֹם וְיָחֵֽף:

3 And the spirit of Egypt shall be made empty within it; and I will make void the counsel thereof; and they shall seek unto the idols, and to the whisperers, and to the ghosts, and to the familiar spirits. **4** And I will give over the Egyptians into the hand of a cruel lord; and a fierce king shall rule over them, saith the Lord, Yehovah of hosts. **5** And the waters shall fail from the sea, and the river shall be drained dry, **6** And the rivers shall become foul; the streams of Egypt shall be minished and dried up; the reeds and flags shall wither. **7** The mosses by the Nile, by the brink of the Nile, and all that is sown by the Nile, shall become dry, be driven away, and be no more. **8** The fishers also shall lament, and all they that cast angle into the Nile shall mourn, and they that spread nets upon the waters shall languish. **9** Moreover they that work in combed flax, and they that weave cotton, shall be ashamed. **10** And her foundations shall be crushed, all they that make dams shall be grieved in soul. **11** The princes of Zoan are utter fools; the wisest counsellors of Pharaoh are a senseless counsel; how can ye say unto Pharaoh: 'I am the son of the wise, the son of ancient kings'? **12** Where are they, then, thy wise men? And let them tell thee now; and let them know what Yehovah of hosts hath purposed concerning Egypt. **13** The princes of Zoan are become fools, the princes of Noph are deceived; they have caused Egypt to go astray, that are the corner-stone of her tribes. **14** Yehovah hath mingled within her a spirit of dizziness; and they have caused Egypt to stagger in every work thereof, as a drunken man staggereth in his vomit. **15** Neither shall there be for Egypt any work, which head or tail, palm-branch or rush, may do. **16** In that day shall Egypt be like unto women; and it shall tremble and fear because of the shaking of the hand of Yehovah of hosts, which He shaketh over it. **17** And the land of Judah shall become a terror unto Egypt, whensoever one maketh mention thereof to it; it shall be afraid, because of the purpose of Yehovah of hosts, which He purposeth against it.{S} **18** In that day there shall be five cities in the land of Egypt that speak the language of Canaan, and swear to Yehovah of hosts; one shall be called the city of destruction.{S} **19** In that day shall there be an altar to Yehovah in the midst of the land of Egypt, and a pillar at the border thereof to Yehovah. **20** And it shall be for a sign and for a witness unto Yehovah of hosts in the land of Egypt; for they shall cry unto Yehovah because of the oppressors, and He will send them a saviour, and a defender, who will deliver them. **21** And Yehovah shall make Himself known to Egypt, and the Egyptians shall know Yehovah in that day; yea, they shall worship with sacrifice and offering, and shall vow a vow unto Yehovah, and shall perform it. **22** And Yehovah will smite Egypt, smiting and healing; and they shall return unto Yehovah, and He will be entreated of them, and will heal them.{S} **23** In that day shall there be a highway out of Egypt to Assyria, and the Assyrian shall come into Egypt, and the Egyptian into Assyria; and the Egyptians shall worship with the Assyrians.{S} **24** In that day shall Israel be the third with Egypt and with Assyria, a blessing in the midst of the earth; **25** for that Yehovah of hosts hath blessed him, saying: 'Blessed be Egypt My people and Assyria the work of My hands, and Israel Mine inheritance.'{S}

20 **1** In the year that Tartan came into Ashdod, when Sargon the king of Assyria sent him, and he fought against Ashdod and took it; **2** at that time Yehovah spoke by Isaiah the son of Amoz, saying: 'Go, and loose the sackcloth from off thy loins, and put thy shoe from off thy foot.' And he did so, walking naked and barefoot.{S}

ג וַיֹּאמֶר יְהוָה כַּאֲשֶׁר הָלַךְ עַבְדִּי יְשַׁעְיָהוּ עָרוֹם וְיָחֵף שָׁלֹשׁ שָׁנִים אוֹת וּמוֹפֵת
עַל־מִצְרַיִם וְעַל־כּוּשׁ׃ ד כֵּן יִנְהַג מֶלֶךְ־אַשּׁוּר אֶת־שְׁבִי מִצְרַיִם וְאֶת־גָּלוּת
כּוּשׁ נְעָרִים וּזְקֵנִים עָרוֹם וְיָחֵף וַחֲשׂוּפַי שֵׁת עֶרְוַת מִצְרָיִם׃ ה וְחַתּוּ וָבֹשׁוּ
מִכּוּשׁ מַבָּטָם וּמִן־מִצְרַיִם תִּפְאַרְתָּם׃ ו וְאָמַר יֹשֵׁב הָאִי הַזֶּה בַּיּוֹם הַהוּא
הִנֵּה־כֹה מַבָּטֵנוּ אֲשֶׁר־נַסְנוּ שָׁם לְעֶזְרָה לְהִנָּצֵל מִפְּנֵי מֶלֶךְ אַשּׁוּר וְאֵיךְ נִמָּלֵט
אֲנָחְנוּ׃

כא א מַשָּׂא מִדְבַּר־יָם כְּסוּפוֹת בַּנֶּגֶב לַחֲלֹף מִמִּדְבָּר בָּא מֵאֶרֶץ נוֹרָאָה׃
ב חָזוּת קָשָׁה הֻגַּד־לִי הַבּוֹגֵד ׀ בּוֹגֵד וְהַשּׁוֹדֵד ׀ שׁוֹדֵד עֲלִי עֵילָם צוּרִי מָדַי
כָּל־אַנְחָתָה הִשְׁבַּתִּי׃ ג עַל־כֵּן מָלְאוּ מָתְנַי חַלְחָלָה צִירִים אֲחָזוּנִי כְּצִירֵי
יוֹלֵדָה נַעֲוֵיתִי מִשְּׁמֹעַ נִבְהַלְתִּי מֵרְאוֹת׃ ד תָּעָה לְבָבִי פַּלָּצוּת בִּעֲתָתְנִי אֵת
נֶשֶׁף חִשְׁקִי שָׂם לִי לַחֲרָדָה׃ ה עָרֹךְ הַשֻּׁלְחָן צָפֹה הַצָּפִית אָכוֹל שָׁתֹה קוּמוּ
הַשָּׂרִים מִשְׁחוּ מָגֵן׃

ו כִּי כֹה אָמַר אֵלַי אֲדֹנָי לֵךְ הַעֲמֵד הַמְצַפֶּה אֲשֶׁר יִרְאֶה יַגִּיד׃ ז וְרָאָה רֶכֶב
צֶמֶד פָּרָשִׁים רֶכֶב חֲמוֹר רֶכֶב גָּמָל וְהִקְשִׁיב קֶשֶׁב רַב־קָשֶׁב׃ ח וַיִּקְרָא אַרְיֵה
עַל־מִצְפֶּה ׀ אֲדֹנָי אָנֹכִי עֹמֵד תָּמִיד יוֹמָם וְעַל־מִשְׁמַרְתִּי אָנֹכִי נִצָּב
כָּל־הַלֵּילוֹת׃ ט וְהִנֵּה־זֶה בָא רֶכֶב אִישׁ צֶמֶד פָּרָשִׁים וַיַּעַן וַיֹּאמֶר נָפְלָה נָפְלָה
בָּבֶל וְכָל־פְּסִילֵי אֱלֹהֶיהָ שִׁבַּר לָאָרֶץ׃ י מְדֻשָׁתִי וּבֶן־גָּרְנִי אֲשֶׁר שָׁמַעְתִּי מֵאֵת
יְהוָה צְבָאוֹת אֱלֹהֵי יִשְׂרָאֵל הִגַּדְתִּי לָכֶם׃ יא מַשָּׂא דּוּמָה אֵלַי קֹרֵא מִשֵּׂעִיר
שֹׁמֵר מַה־מִּלַּיְלָה שֹׁמֵר מַה־מִּלֵּיל׃ יב אָמַר שֹׁמֵר אָתָא בֹקֶר וְגַם־לָיְלָה
אִם־תִּבְעָיוּן בְּעָיוּ שֻׁבוּ אֵתָיוּ׃ יג מַשָּׂא בַּעְרָב בַּיַּעַר בַּעְרַב תָּלִינוּ אֹרְחוֹת
דְּדָנִים׃ יד לִקְרַאת צָמֵא הֵתָיוּ מָיִם יֹשְׁבֵי אֶרֶץ תֵּימָא בְּלַחְמוֹ קִדְּמוּ נֹדֵד׃
טו כִּי־מִפְּנֵי חֲרָבוֹת נָדָדוּ מִפְּנֵי ׀ חֶרֶב נְטוּשָׁה וּמִפְּנֵי קֶשֶׁת דְּרוּכָה וּמִפְּנֵי כֹּבֶד
מִלְחָמָה׃ טז כִּי־כֹה אָמַר אֲדֹנָי אֵלָי בְּעוֹד שָׁנָה כִּשְׁנֵי שָׂכִיר וְכָלָה כָּל־כְּבוֹד
קֵדָר׃ יז וּשְׁאָר מִסְפַּר־קֶשֶׁת גִּבּוֹרֵי בְנֵי־קֵדָר יִמְעָטוּ כִּי יְהוָה אֱלֹהֵי־יִשְׂרָאֵל
דִּבֵּר׃

כב א מַשָּׂא גֵּיא חִזָּיוֹן מַה־לָּךְ אֵפוֹא כִּי־עָלִית כֻּלָּךְ לַגַּגּוֹת׃ ב תְּשֻׁאוֹת ׀
מְלֵאָה עִיר הוֹמִיָּה קִרְיָה עַלִּיזָה חֲלָלַיִךְ לֹא חַלְלֵי־חֶרֶב וְלֹא מֵתֵי מִלְחָמָה׃
ג כָּל־קְצִינַיִךְ נָדְדוּ־יַחַד מִקֶּשֶׁת אֻסָּרוּ כָּל־נִמְצָאַיִךְ אֻסְּרוּ יַחְדָּו מֵרָחוֹק
בָּרָחוּ׃ ד עַל־כֵּן אָמַרְתִּי שְׁעוּ מִנִּי אֲמָרֵר בַּבֶּכִי אַל־תָּאִיצוּ לְנַחֲמֵנִי עַל־שֹׁד
בַּת־עַמִּי׃ ה כִּי יוֹם מְהוּמָה וּמְבוּסָה וּמְבוּכָה לַאדֹנָי יְהוִה צְבָאוֹת בְּגֵיא חִזָּיוֹן
מְקַרְקַר קִר וְשׁוֹעַ אֶל־הָהָר׃ ו וְעֵילָם נָשָׂא אַשְׁפָּה בְּרֶכֶב אָדָם פָּרָשִׁים וְקִיר
עֵרָה מָגֵן׃

3 And Yehovah said: 'Like as My servant Isaiah hath walked naked and barefoot to be for three years a sign and a wonder upon Egypt and upon Ethiopia, **4** so shall the king of Assyria lead away the captives of Egypt, and the exiles of Ethiopia, young and old, naked and barefoot, and with buttocks uncovered, to the shame of Egypt. **5** And they shall be dismayed and ashamed, because of Ethiopia their expectation, and of Egypt their glory. **6** And the inhabitant of this coast-land shall say in that day: Behold, such is our expectation, whither we fled for help to be delivered from the king of Assyria; and how shall we escape?'{P}

21 **1** The burden of the wilderness of the sea. As whirlwinds in the South sweeping on, it cometh from the wilderness, from a dreadful land. **2** A grievous vision is declared unto me: 'The treacherous dealer dealeth treacherously, and the spoiler spoileth. Go up, O Elam! besiege, O Media! All the sighing thereof have I made to cease.' **3** Therefore are my loins filled with convulsion; pangs have taken hold upon me, as the pangs of a woman in travail; I am bent so that I cannot hear; I am affrighted so that I cannot see. **4** My heart is bewildered, terror hath overwhelmed me; the twilight that I longed for hath been turned for me into trembling. **5** They prepare the table, they light the lamps, they eat, they drink–'Rise up, ye princes, anoint the shield.'{S} **6** For thus hath the Lord said unto me: Go, set a watchman; let him declare what he seeth! **7** And when he seeth a troop, horsemen by pairs, a troop of asses, a troop of camels, he shall hearken diligently with much heed. **8** And he cried as a lion: 'Upon the watch-tower, O Lord, I stand continually in the daytime, and I am set in my ward all the nights.' **9** And, behold, there came a troop of men, horsemen by pairs. And he spoke and said: 'Fallen, fallen is Babylon; and all the graven images of her gods are broken unto the ground.' **10** O thou my threshing, and the winnowing of my floor, that which I have heard from Yehovah of hosts, the God of Israel, have I declared unto you.{P}

11 The burden of Dumah. One calleth unto me out of Seir: 'Watchman, what of the night? Watchman, what of the night?' **12** The watchman said: 'The morning cometh, and also the night–if ye will inquire, inquire ye; return, come.'{P}

13 The burden upon Arabia. In the thickets in Arabia shall ye lodge, O ye caravans of Dedanites. **14** Unto him that is thirsty bring ye water! The inhabitants of the land of Tema did meet the fugitive with his bread. **15** For they fled away from the swords, from the drawn sword, and from the bent bow, and from the grievousness of war.{S} **16** For thus hath the Lord said unto me: 'Within a year, according to the years of a hireling, and all the glory of Kedar shall fail; **17** and the residue of the number of the archers, the mighty men of the children of Kedar, shall be diminished; for Yehovah, the God of Israel, hath spoken it.'{S}

22 **1** The burden concerning the Valley of Vision. What aileth thee now, that thou art wholly gone up to the housetops, **2** Thou that art full of uproar, a tumultuous city, a joyous town? Thy slain are not slain with the sword, nor dead in battle. **3** All thy rulers are fled together, without the bow they are bound; all that are found of thee are bound together, they are fled afar off. **4** Therefore said I: 'Look away from me, I will weep bitterly; strain not to comfort me, for the destruction of the daughter of my people.' **5** For it is a day of trouble, and of trampling, and of perplexity, from the Lord, the GOD of hosts, in the Valley of Vision; Kir shouting, and Shoa at the mount. **6** And Elam bore the quiver, with troops of men, even horsemen; and Kir uncovered the shield.

ז וַיְהִי מִבְחַר־עֲמָקַיִךְ מָלְאוּ רָכֶב וְהַפָּרָשִׁים שֹׁת שָׁתוּ הַשָּׁעְרָה׃ ח וַיְגַל אֵת
מָסַךְ יְהוּדָה וַתַּבֵּט בַּיּוֹם הַהוּא אֶל־נֶשֶׁק בֵּית הַיָּעַר׃ ט וְאֵת בְּקִיעֵי עִיר־דָּוִד
רְאִיתֶם כִּי־רָבּוּ וַתְּקַבְּצוּ אֶת־מֵי הַבְּרֵכָה הַתַּחְתּוֹנָה׃ י וְאֶת־בָּתֵּי יְרוּשָׁלַםִ
סְפַרְתֶּם וַתִּתְצוּ הַבָּתִּים לְבַצֵּר הַחוֹמָה׃ יא וּמִקְוָה ׀ עֲשִׂיתֶם בֵּין הַחֹמֹתַיִם
לְמֵי הַבְּרֵכָה הַיְשָׁנָה וְלֹא הִבַּטְתֶּם אֶל־עֹשֶׂיהָ וְיֹצְרָהּ מֵרָחוֹק לֹא רְאִיתֶם׃
יב וַיִּקְרָא אֲדֹנָי יְהוִה צְבָאוֹת בַּיּוֹם הַהוּא לִבְכִי וּלְמִסְפֵּד וּלְקָרְחָה וְלַחֲגֹר
שָׂק׃ יג וְהִנֵּה ׀ שָׂשׂוֹן וְשִׂמְחָה הָרֹג ׀ בָּקָר וְשָׁחֹט צֹאן אָכֹל בָּשָׂר וְשָׁתוֹת יָיִן
אָכוֹל וְשָׁתוֹ כִּי מָחָר נָמוּת׃ יד וְנִגְלָה בְאָזְנָי יְהוָה צְבָאוֹת אִם־יְכֻפַּר הֶעָוֹן
הַזֶּה לָכֶם עַד־תְּמֻתוּן אָמַר אֲדֹנָי יְהוִה צְבָאוֹת׃

טו כֹּה אָמַר אֲדֹנָי יְהוִה צְבָאוֹת לֶךְ־בֹּא אֶל־הַסֹּכֵן הַזֶּה עַל־שֶׁבְנָא אֲשֶׁר
עַל־הַבָּיִת׃ טז מַה־לְּךָ פֹה וּמִי לְךָ פֹה כִּי־חָצַבְתָּ לְּךָ פֹּה קָבֶר חֹצְבִי מָרוֹם
קִבְרוֹ חֹקְקִי בַסֶּלַע מִשְׁכָּן לוֹ׃ יז הִנֵּה יְהוָה מְטַלְטֶלְךָ טַלְטֵלָה גָּבֶר וְעֹטְךָ
עָטֹה׃ יח צָנוֹף יִצְנָפְךָ צְנֵפָה כַּדּוּר אֶל־אֶרֶץ רַחֲבַת יָדָיִם שָׁמָּה תָמוּת וְשָׁמָּה
מַרְכְּבוֹת כְּבוֹדֶךָ קְלוֹן בֵּית אֲדֹנֶיךָ׃ יט וַהֲדַפְתִּיךָ מִמַּצָּבֶךָ וּמִמַּעֲמָדְךָ
יֶהֶרְסֶךָ׃ כ וְהָיָה בַּיּוֹם הַהוּא וְקָרָאתִי לְעַבְדִּי לְאֶלְיָקִים בֶּן־חִלְקִיָּהוּ׃
כא וְהִלְבַּשְׁתִּיו כֻּתָּנְתֶּךָ וְאַבְנֵטְךָ אֲחַזְּקֶנּוּ וּמֶמְשַׁלְתְּךָ אֶתֵּן בְּיָדוֹ וְהָיָה לְאָב
לְיוֹשֵׁב יְרוּשָׁלַםִ וּלְבֵית יְהוּדָה׃ כב וְנָתַתִּי מַפְתֵּחַ בֵּית־דָּוִד עַל־שִׁכְמוֹ וּפָתַח
וְאֵין סֹגֵר וְסָגַר וְאֵין פֹּתֵחַ׃ כג וּתְקַעְתִּיו יָתֵד בְּמָקוֹם נֶאֱמָן וְהָיָה לְכִסֵּא כָבוֹד
לְבֵית אָבִיו׃ כד וְתָלוּ עָלָיו כֹּל ׀ כְּבוֹד בֵּית־אָבִיו הַצֶּאֱצָאִים וְהַצְּפִעוֹת כֹּל
כְּלֵי הַקָּטָן מִכְּלֵי הָאַגָּנוֹת וְעַד כָּל־כְּלֵי הַנְּבָלִים׃ כה בַּיּוֹם הַהוּא נְאֻם יְהוָה
צְבָאוֹת תָּמוּשׁ הַיָּתֵד הַתְּקוּעָה בְּמָקוֹם נֶאֱמָן וְנִגְדְּעָה וְנָפְלָה וְנִכְרַת הַמַּשָּׂא
אֲשֶׁר־עָלֶיהָ כִּי יְהוָה דִּבֵּר׃

כג א מַשָּׂא צֹר הֵילִילוּ ׀ אֳנִיּוֹת תַּרְשִׁישׁ כִּי־שֻׁדַּד מִבַּיִת מִבּוֹא מֵאֶרֶץ כִּתִּים
נִגְלָה־לָמוֹ׃ ב דֹּמּוּ יֹשְׁבֵי אִי סֹחֵר צִידוֹן עֹבֵר יָם מִלְאוּךְ׃ ג וּבְמַיִם רַבִּים זֶרַע
שִׁחֹר קְצִיר יְאוֹר תְּבוּאָתָהּ וַתְּהִי סְחַר גּוֹיִם׃ ד בּוֹשִׁי צִידוֹן כִּי־אָמַר יָם מָעוֹז
הַיָּם לֵאמֹר לֹא־חַלְתִּי וְלֹא־יָלַדְתִּי וְלֹא גִדַּלְתִּי בַחוּרִים רוֹמַמְתִּי בְתוּלוֹת׃
ה כַּאֲשֶׁר שֵׁמַע לְמִצְרָיִם יָחִילוּ כְּשֵׁמַע צֹר׃ ו עִבְרוּ תַּרְשִׁישָׁה הֵילִילוּ יֹשְׁבֵי
אִי׃ ז הֲזֹאת לָכֶם עַלִּיזָה מִימֵי־קֶדֶם קַדְמָתָהּ יֹבִלוּהָ רַגְלֶיהָ מֵרָחוֹק לָגוּר׃
ח מִי יָעַץ זֹאת עַל־צֹר הַמַּעֲטִירָה אֲשֶׁר סֹחֲרֶיהָ שָׂרִים כִּנְעָנֶיהָ נִכְבַּדֵּי־אָרֶץ׃
ט יְהוָה צְבָאוֹת יְעָצָהּ לְחַלֵּל גְּאוֹן כָּל־צְבִי לְהָקֵל כָּל־נִכְבַּדֵּי־אָרֶץ׃

7 And it came to pass, when thy choicest valleys were full of chariots, and the horsemen set themselves in array at the gate, **8** And the covering of Judah was laid bare, that thou didst look in that day to the armour in the house of the forest. **9** And ye saw the breaches of the city of David, that they were many; and ye gathered together the waters of the lower pool. **10** And ye numbered the houses of Yerushalam, and ye broke down the houses to fortify the wall; **11** ye made also a basin between the two walls for the water of the old pool–but ye looked not unto Him that had done this, neither had ye respect unto Him that fashioned it long ago. **12** And in that day did the Lord, the GOD of hosts, call to weeping, and to lamentation, and to baldness, and to girding with sackcloth; **13** And behold joy and gladness, slaying oxen and killing sheep, eating flesh and drinking wine–'Let us eat and drink, for tomorrow we shall die!' **14** And Yehovah of hosts revealed Himself in mine ears: Surely this iniquity shall not be expiated by you till ye die, saith the Lord, the GOD of hosts.{P}

15 Thus saith the Lord, the GOD of hosts: Go, get thee unto this steward, even unto Shebna, who is over the house: **16** What hast thou here, and whom hast thou here, that thou hast hewed thee out here a sepulchre, thou that hewest thee out a sepulchre on high, and gravest a habitation for thyself in the rock? **17** Behold, Yehovah will hurl thee up and down with a man's throw; yea, He will wind thee round and round; **18** He will violently roll and toss thee like a ball into a large country; there shalt thou die, and there shall be the chariots of thy glory, thou shame of the lord's house. **19** And I will thrust thee from thy post, and from thy station shalt thou be pulled down. **20** And it shall come to pass in that day, that I will call my servant Eliakim the son of Hilkiah; **21** And I will clothe him with thy robe, and bind him with thy girdle, and I will commit thy government into his hand; and he shall be a father to the inhabitants of Yerushalam, and to the house of Judah. **22** And the key of the house of David will I lay upon his shoulder; and he shall open, and none shall shut; and he shall shut, and none shall open. **23** And I will fasten him as a peg in a sure place; and he shall be for a throne of honour to his father's house. **24** And they shall hang upon him all the glory of his father's house, the offspring and the issue, all vessels of small quantity, from the vessels of cups even to all the vessels of flagons. **25** In that day, saith Yehovah of hosts, shall the peg that was fastened in a sure place give way; and it shall be hewn down, and fall, and the burden that was upon it shall be cut off; for Yehovah hath spoken it.{P}

23 1 The burden of Tyre. Howl, ye ships of Tarshish, for it is laid waste, so that there is no house, no entering in; from the land of Kittim it is revealed to them. **2** Be still, ye inhabitants of the coast-land; thou whom the merchants of Zidon, that pass over the sea, have replenished. **3** And on great waters the seed of Shihor, the harvest of the Nile, was her revenue; and she was the mart of nations. **4** Be thou ashamed, O Zidon; for the sea hath spoken, the stronghold of the sea, saying: 'I have not travailed, nor brought forth, neither have I reared young men, nor brought up virgins.' **5** When the report cometh to Egypt, they shall be sorely pained at the report of Tyre. **6** Pass ye over to Tarshish; howl, ye inhabitants of the coast-land. **7** Is this your joyous city, whose feet in antiquity, in ancient days, carried her afar off to sojourn? **8** Who hath devised this against Tyre, the crowning city, whose merchants are princes, whose traffickers are the honourable of the earth? **9** Yehovah of hosts hath devised it, to pollute the pride of all glory, to bring into contempt all the honourable of the earth.

י עִבְרִ֥י אַרְצֵ֖ךְ כַּיְאֹ֣ר בַּת־תַּרְשִׁ֑ישׁ אֵ֥ין מֵ֖זַח עֽוֹד׃ יא יָדוֹ֙ נָטָ֣ה עַל־הַיָּ֔ם הִרְגִּ֖יז
מַמְלָכ֑וֹת יְהוָה֙ צִוָּ֣ה אֶל־כְּנַ֔עַן לַשְׁמִ֖ד מָעֻזְנֶֽיהָ׃ יב וַיֹּ֕אמֶר לֹֽא־תוֹסִ֥יפִי ע֖וֹד
לַעְל֑וֹז הַֽמְעֻשָּׁקָ֞ה בְּתוּלַ֣ת בַּת־צִיד֗וֹן כִּתִּים֙[13] ק֣וּמִי עֲבֹ֔רִי גַּם־שָׁ֖ם לֹא־יָנ֥וּחַֽ
לָֽךְ׃ יג הֵ֣ן ׀ אֶ֣רֶץ כַּשְׂדִּ֗ים זֶ֤ה הָעָם֙ לֹ֣א הָיָ֔ה אַשּׁ֖וּר יְסָדָ֣הּ לְצִיִּ֑ים הֵקִ֨ימוּ
בַחוּנָ֜יו[14] עֹרְרוּ֙ אַרְמְנוֹתֶ֔יהָ שָׂמָ֖הּ לְמַפֵּלָֽה׃ יד הֵילִ֖ילוּ אֳנִיּ֣וֹת תַּרְשִׁ֑ישׁ כִּ֥י שֻׁדַּ֖ד
מָֽעֻזְּכֶֽן׃ טו וְהָיָה֙ בַּיּ֣וֹם הַה֔וּא וְנִשְׁכַּ֤חַת צֹר֙ שִׁבְעִ֣ים שָׁנָ֔ה כִּימֵ֖י מֶ֣לֶךְ אֶחָ֑ד מִקֵּ֞ץ
שִׁבְעִ֣ים שָׁנָ֗ה יִֽהְיֶ֣ה לְצֹ֔ר כְּשִׁירַ֖ת הַזּוֹנָֽה׃ טז קְחִ֥י כִנּ֛וֹר סֹ֥בִּי עִ֖יר זוֹנָ֣ה נִשְׁכָּחָ֑ה
הֵיטִ֤יבִי נַגֵּן֙ הַרְבִּי־שִׁ֔יר לְמַ֖עַן תִּזָּכֵֽרִי׃ יז וְהָיָ֞ה מִקֵּ֣ץ ׀ שִׁבְעִ֣ים שָׁנָ֗ה יִפְקֹ֤ד
יְהוָה֙ אֶת־צֹ֔ר וְשָׁבָ֖ה לְאֶתְנַנָּ֑ה וְזָנְתָ֛ה אֶת־כָּל־מַמְלְכ֥וֹת הָאָ֖רֶץ עַל־פְּנֵ֥י
הָאֲדָמָֽה׃ יח וְהָיָ֨ה סַחְרָ֜הּ וְאֶתְנַנָּ֗הּ קֹ֚דֶשׁ לַֽיהוָ֔ה לֹ֥א יֵאָצֵ֖ר וְלֹ֣א יֵחָסֵ֑ן כִּ֣י
לַיֹּשְׁבִ֞ים לִפְנֵ֣י יְהוָ֗ה יִהְיֶ֤ה סַחְרָהּ֙ לֶאֱכֹ֣ל לְשָׂבְעָ֔ה וְלִמְכַסֶּ֖ה עָתִֽיק׃

כד א הִנֵּ֧ה יְהוָ֛ה בּוֹקֵ֥ק הָאָ֖רֶץ וּבוֹלְקָ֑הּ וְעִוָּ֣ה פָנֶ֔יהָ וְהֵפִ֖יץ יֹשְׁבֶֽיהָ׃ ב וְהָיָ֨ה
כָעָ֜ם כַּכֹּהֵ֗ן כַּעֶ֙בֶד֙ כַּֽאדֹנָ֔יו כַּשִּׁפְחָ֖ה כַּגְּבִרְתָּ֑הּ כַּקּוֹנֶה֙ כַּמּוֹכֵ֔ר כַּמַּלְוֶה֙ כַּלֹּוֶ֔ה
כַּנֹּשֶׁ֕ה כַּאֲשֶׁ֖ר נֹשֵׁ֥א בֽוֹ׃ ג הִבּ֧וֹק ׀ תִּבּ֛וֹק הָאָ֖רֶץ וְהִבּ֣וֹז ׀ תִּבּ֑וֹז כִּ֣י יְהוָ֔ה דִּבֶּ֖ר
אֶת־הַדָּבָ֥ר הַזֶּֽה׃ ד אָבְלָ֤ה נָֽבְלָה֙ הָאָ֔רֶץ אֻמְלְלָ֖ה נָבְלָ֣ה תֵּבֵ֑ל אֻמְלָ֖לוּ מְר֥וֹם
עַם־הָאָֽרֶץ׃ ה וְהָאָ֥רֶץ חָֽנְפָ֖ה תַּ֣חַת יֹשְׁבֶ֑יהָ כִּֽי־עָבְר֤וּ תוֹרֹת֙ חָ֣לְפוּ חֹ֔ק הֵפֵ֖רוּ
בְּרִ֥ית עוֹלָֽם׃ ו עַל־כֵּ֗ן אָלָה֙ אָ֣כְלָה אֶ֔רֶץ וַיֶּאְשְׁמ֖וּ יֹ֣שְׁבֵי בָ֑הּ עַל־כֵּ֗ן חָרוּ֙ יֹ֣שְׁבֵי
אֶ֔רֶץ וְנִשְׁאַ֥ר אֱנ֖וֹשׁ מִזְעָֽר׃ ז אָבַ֥ל תִּיר֖וֹשׁ אֻמְלְלָה־גָ֑פֶן נֶאֶנְח֖וּ כָּל־שִׂמְחֵי־לֵֽב׃
ח שָׁבַת֙ מְשׂ֣וֹשׂ תֻּפִּ֔ים חָדַ֖ל שְׁא֣וֹן עַלִּיזִ֑ים שָׁבַ֖ת מְשׂ֥וֹשׂ כִּנּֽוֹר׃ ט בַּשִּׁ֖יר לֹ֣א
יִשְׁתּוּ־יָ֑יִן יֵמַ֥ר שֵׁכָ֖ר לְשֹׁתָֽיו׃ י נִשְׁבְּרָ֖ה קִרְיַת־תֹּ֑הוּ סֻגַּ֥ר כָּל־בַּ֖יִת מִבּֽוֹא׃
יא צְוָחָ֥ה עַל־הַיַּ֖יִן בַּחוּצ֑וֹת עָֽרְבָה֙ כָּל־שִׂמְחָ֔ה גָּלָ֖ה מְשׂ֥וֹשׂ הָאָֽרֶץ׃ יב נִשְׁאַ֥ר
בָּעִ֖יר שַׁמָּ֑ה וּשְׁאִיָּ֖ה יֻכַּת־שָֽׁעַר׃ יג כִּ֣י כֹ֥ה יִהְיֶ֛ה בְּקֶ֥רֶב הָאָ֖רֶץ בְּת֣וֹךְ הָעַמִּ֑ים
כְּנֹ֣קֶף זַ֔יִת כְּעוֹלֵלֹ֖ת אִם־כָּלָ֥ה בָצִֽיר׃ יד הֵ֛מָּה יִשְׂא֥וּ קוֹלָ֖ם יָרֹ֑נּוּ בִּגְא֣וֹן יְהוָ֔ה
צָהֲל֖וּ מִיָּֽם׃ טו עַל־כֵּ֥ן בָּאֻרִ֖ים כַּבְּד֣וּ יְהוָ֑ה בְּאִיֵּ֣י הַיָּ֔ם שֵׁ֖ם יְהוָ֥ה אֱלֹהֵ֖י
יִשְׂרָאֵֽל׃ טז מִכְּנַ֨ף הָאָ֜רֶץ זְמִרֹ֤ת שָׁמַ֙עְנוּ֙ צְבִ֣י לַצַּדִּ֔יק וָאֹמַ֤ר רָזִי־לִי֙ רָזִי־לִ֣י א֣וֹי
לִ֑י בֹּגְדִ֣ים בָּגָ֔דוּ וּבֶ֥גֶד בּוֹגְדִ֖ים בָּגָֽדוּ׃ יז פַּ֥חַד וָפַ֖חַת וָפָ֑ח עָלֶ֖יךָ יוֹשֵׁ֥ב הָאָֽרֶץ׃
יח וְהָיָ֞ה הַנָּ֨ס מִקּ֤וֹל הַפַּ֙חַד֙ יִפֹּ֣ל אֶל־הַפַּ֔חַת וְהָֽעוֹלֶה֙ מִתּ֣וֹךְ הַפַּ֔חַת יִלָּכֵ֖ד
בַּפָּ֑ח כִּֽי־אֲרֻבּ֞וֹת מִמָּר֣וֹם נִפְתָּ֔חוּ וַֽיִּרְעֲשׁ֖וּ מ֥וֹסְדֵי אָֽרֶץ׃ יט רֹ֥עָה הִֽתְרֹעֲעָ֖ה
הָאָ֑רֶץ פּ֤וֹר הִֽתְפּוֹרְרָה֙ אֶ֔רֶץ מ֥וֹט הִֽתְמוֹטְטָ֖ה אָֽרֶץ׃

[13] כתיים
[14] בחיניו

10 Overflow thy land as the Nile, O daughter of Tarshish! there is no girdle any more. **11** He hath stretched out His hand over the sea, He hath shaken the kingdoms; Yehovah hath given commandment concerning Canaan, to destroy the strongholds thereof; **12** And He said: 'Thou shalt no more rejoice.' O thou oppressed virgin daughter of Zidon, arise, pass over to Kittim; even there shalt thou have no rest. **13** Behold, the land of the Chaldeans–this is the people that was not, when Asshur founded it for shipmen–they set up their towers, they overthrew the palaces thereof; it is made a ruin. **14** Howl, ye ships of Tarshish, for your stronghold is laid waste.{S} **15** And it shall come to pass in that day, that Tyre shall be forgotten seventy years, according to the days of one king; after the end of seventy years it shall fare with Tyre as in the song of the harlot: **16** Take a harp, go about the city, thou harlot long forgotten; make sweet melody, sing many songs, that thou mayest be remembered. **17** And it shall come to pass after the end of seventy years, that Yehovah will remember Tyre, and she shall return to her hire, and shall have commerce with all the kingdoms of the world upon the face of the earth. **18** And her gain and her hire shall be holiness to Yehovah; it shall not be treasured nor laid up; for her gain shall be for them that dwell before Yehovah, to eat their fill, and for stately clothing.{P}

24 **1** Behold, Yehovah maketh the earth empty and maketh it waste, and turneth it upside down, and scattereth abroad the inhabitants thereof. **2** And it shall be, as with the people, so with the priest; as with the servant, so with his master; as with the maid, so with her mistress; as with the buyer, so with the seller; as with the lender, so with the borrower; as with the creditor, so with the debtor. **3** The earth shall be utterly emptied, and clean despoiled; for Yehovah hath spoken this word. **4** The earth fainteth and fadeth away, the world faileth and fadeth away, the lofty people of the earth do fail. **5** The earth also is defiled under the inhabitants thereof; because they have transgressed the Torahs, violated the statute, broken the everlasting covenant. **6** Therefore hath a curse devoured the earth, and they that dwell therein are found guilty; therefore the inhabitants of the earth waste away, and men are left few. **7** The new wine faileth, the vine fadeth; all the merry-hearted do sigh. **8** The mirth of tabrets ceaseth, the noise of them that rejoice endeth, the joy of the harp ceaseth. **9** They drink not wine with a song; strong drink is bitter to them that drink it. **10** Broken down is the city of wasteness; every house is shut up, that none may come in. **11** There is a crying in the streets amidst the wine; all joy is darkened, the mirth of the land is gone. **12** In the city is left desolation, and the gate is smitten unto ruin. **13** For thus shall it be in the midst of the earth, among the peoples, as at the beating of an olive-tree, as at the gleanings when the vintage is done. **14** Those yonder lift up their voice, they sing for joy; for the majesty of Yehovah they shout from the sea: **15** 'Therefore glorify ye Yehovah in the regions of light, even the name of Yehovah, the God of Israel, in the isles of the sea.'{S} **16** From the uttermost part of the earth have we heard songs: 'Glory to the righteous.' But I say: I waste away, I waste away, woe is me! The treacherous deal treacherously; yea, the treacherous deal very treacherously. **17** Terror, and the pit, and the trap, are upon thee, O inhabitant of the earth. **18** And it shall come to pass, that he who fleeth from the noise of the terror shall fall into the pit; and he that cometh up out of the midst of the pit shall be taken in the trap; for the windows on high are opened, and the foundations of the earth do shake; **19** The earth is broken, broken down, the earth is crumbled in pieces, the earth trembleth and tottereth;

כ נ֣וֹעַ תָּנ֤וּעַ אֶ֙רֶץ֙ כַּשִּׁכּ֔וֹר וְהִֽתְנוֹדְדָ֖ה כַּמְּלוּנָ֑ה וְכָבַ֤ד עָלֶ֙יהָ֙ פִּשְׁעָ֔הּ וְנָפְלָ֖ה
וְֽלֹא־תֹסִ֥יף קֽוּם׃ כא וְהָיָה֙ בַּיּ֣וֹם הַה֔וּא יִפְקֹ֧ד יְהוָ֛ה עַל־צְבָ֥א הַמָּר֖וֹם בַּמָּר֑וֹם
וְעַל־מַלְכֵ֥י הָאֲדָמָ֖ה עַל־הָאֲדָמָֽה׃ כב וְאֻסְּפ֨וּ אֲסֵפָ֤ה אַסִּיר֙ עַל־בּ֔וֹר וְסֻגְּר֖וּ
עַל־מַסְגֵּ֑ר וּמֵרֹ֥ב יָמִ֖ים יִפָּקֵֽדוּ׃ כג וְחָֽפְרָה֙ הַלְּבָנָ֔ה וּבוֹשָׁ֖ה הַחַמָּ֑ה כִּֽי־מָלַ֞ךְ
יְהוָ֣ה צְבָא֗וֹת בְּהַ֤ר צִיּוֹן֙ וּבִיר֣וּשָׁלַ֔͏ִם וְנֶ֥גֶד זְקֵנָ֖יו כָּבֽוֹד׃

כה א יְהוָ֤ה אֱלֹהַי֙ אַתָּ֔ה אֲרוֹמִמְךָ֙ אוֹדֶ֣ה שִׁמְךָ֔ כִּ֥י עָשִׂ֖יתָ פֶּ֑לֶא עֵצ֥וֹת מֵרָח֖וֹק
אֱמ֥וּנָה אֹֽמֶן׃ ב כִּ֣י שַׂ֤מְתָּ מֵעִיר֙ לַגַּ֔ל קִרְיָ֥ה בְצוּרָ֖ה לְמַפֵּלָ֑ה אַרְמ֤וֹן זָרִים֙
מֵעִ֔יר לְעוֹלָ֖ם לֹ֥א יִבָּנֶֽה׃ ג עַל־כֵּ֖ן יְכַבְּד֣וּךָ עַם־עָ֑ז קִרְיַ֛ת גּוֹיִ֥ם עָרִיצִ֖ים
יִירָאֽוּךָ׃ ד כִּֽי־הָיִ֨יתָ מָע֥וֹז לַדָּ֛ל מָע֥וֹז לָאֶבְי֖וֹן בַּצַּר־ל֑וֹ מַחְסֶ֤ה מִזֶּ֙רֶם֙ צֵ֣ל
מֵחֹ֔רֶב כִּ֛י ר֥וּחַ עָרִיצִ֖ים כְּזֶ֥רֶם קִֽיר׃ ה כְּחֹ֣רֶב בְּצָי֗וֹן שְׁא֤וֹן זָרִים֙ תַּכְנִ֔יעַ
חֹ֖רֶב בְּצֵ֣ל עָ֑ב זְמִ֥יר עָרִיצִ֖ים יַעֲנֶֽה׃

ו וְעָשָׂה֩ יְהוָ֨ה צְבָא֜וֹת לְכָל־הָֽעַמִּ֗ים בָּהָ֣ר הַזֶּ֔ה מִשְׁתֵּ֖ה שְׁמָנִ֑ים מִשְׁתֵּ֣ה שְׁמָרִ֔ים
שְׁמָנִים֙ מְמֻ֣חָיִ֔ם שְׁמָרִ֖ים מְזֻקָּקִֽים׃ ז וּבִלַּע֙ בָּהָ֣ר הַזֶּ֔ה פְּנֵֽי־הַלּ֥וֹט ׀ הַלּ֖וֹט
עַל־כָּל־הָֽעַמִּ֑ים וְהַמַּסֵּכָ֥ה הַנְּסוּכָ֖ה עַל־כָּל־הַגּוֹיִֽם׃ ח בִּלַּ֤ע הַמָּ֙וֶת֙ לָנֶ֔צַח
וּמָחָ֨ה אֲדֹנָ֧י יְהוִ֛ה דִּמְעָ֖ה מֵעַ֣ל כָּל־פָּנִ֑ים וְחֶרְפַּ֣ת עַמּ֗וֹ יָסִיר֙ מֵעַ֣ל כָּל־הָאָ֔רֶץ
כִּ֥י יְהוָ֖ה דִּבֵּֽר׃

ט וְאָמַר֙ בַּיּ֣וֹם הַה֔וּא הִנֵּ֨ה אֱלֹהֵ֤ינוּ זֶה֙ קִוִּ֣ינוּ ל֔וֹ וְיוֹשִׁיעֵ֑נוּ זֶ֤ה יְהוָה֙ קִוִּ֣ינוּ
ל֔וֹ נָגִ֥ילָה וְנִשְׂמְחָ֖ה בִּישׁוּעָתֽוֹ׃ י כִּֽי־תָנ֥וּחַ יַד־יְהוָ֖ה בָּהָ֣ר הַזֶּ֑ה וְנָד֤וֹשׁ מוֹאָב֙
תַּחְתָּ֔יו כְּהִדּ֥וּשׁ מַתְבֵּ֖ן בְּמ֥וֹ[15] מַדְמֵנָֽה׃ יא וּפֵרַ֤שׂ יָדָיו֙ בְּקִרְבּ֔וֹ כַּאֲשֶׁ֛ר יְפָרֵ֥שׂ
הַשֹּׂחֶ֖ה לִשְׂח֑וֹת וְהִשְׁפִּיל֙ גַּאֲוָת֔וֹ עִ֖ם אָרְבּ֥וֹת יָדָֽיו׃ יב וּמִבְצַ֞ר מִשְׂגַּ֤ב חוֹמֹתֶ֙יךָ֙
הֵשַׁ֖ח הִשְׁפִּ֑יל הִגִּ֥יעַ לָאָ֖רֶץ עַד־עָפָֽר׃

כו א בַּיּ֣וֹם הַה֔וּא יוּשַׁ֥ר הַשִּׁיר־הַזֶּ֖ה בְּאֶ֣רֶץ יְהוּדָ֑ה עִ֣יר עָז־לָ֔נוּ יְשׁוּעָ֣ה יָשִׁ֔ית
חוֹמ֖וֹת וָחֵֽל׃ ב פִּתְח֖וּ שְׁעָרִ֑ים וְיָבֹ֥א גוֹי־צַדִּ֖יק שֹׁמֵ֥ר אֱמֻנִֽים׃ ג יֵ֣צֶר סָמ֔וּךְ
תִּצֹּ֖ר שָׁל֣וֹם ׀ שָׁל֑וֹם כִּ֥י בְךָ֖ בָּטֽוּחַ׃ ד בִּטְח֥וּ בַיהוָ֖ה עֲדֵי־עַ֑ד כִּ֚י בְּיָ֣הּ יְהוָ֔ה
צ֖וּר עוֹלָמִֽים׃ ה כִּ֤י הֵשַׁח֙ יֹשְׁבֵ֣י מָר֔וֹם קִרְיָ֖ה נִשְׂגָּבָ֑ה יַשְׁפִּילֶ֗נָּה יַשְׁפִּילָהּ֙
עַד־אֶ֔רֶץ יַגִּיעֶ֖נָּה עַד־עָפָֽר׃ ו תִּרְמְסֶ֖נָּה רָ֑גֶל רַגְלֵ֥י עָנִ֖י פַּעֲמֵ֥י דַלִּֽים׃ ז אֹ֥רַח
לַצַּדִּ֖יק מֵישָׁרִ֑ים יָשָׁ֕ר מַעְגַּ֥ל צַדִּ֖יק תְּפַלֵּֽס׃ ח אַ֣ף אֹ֧רַח מִשְׁפָּטֶ֛יךָ יְהוָ֖ה קִוִּינ֑וּךָ
לְשִׁמְךָ֥ וּֽלְזִכְרְךָ֖ תַּאֲוַת־נָֽפֶשׁ׃

[15] במי

20 The earth reeleth to and fro like a drunken man, and swayeth to and fro as a lodge; and the transgression thereof is heavy upon it, and it shall fall, and not rise again.{S} 21 And it shall come to pass in that day, that Yehovah will punish the host of the high heaven on high, and the kings of the earth upon the earth. 22 And they shall be gathered together, as prisoners are gathered in the dungeon, and shall be shut up in the prison, and after many days shall they be punished. 23 Then the moon shall be confounded, and the sun ashamed; for Yehovah of hosts will reign in mount Zion, and in Yerushalam, and before His elders shall be Glory.{P}

25 1 Yehovah, Thou art my God, I will exalt Thee, I will praise Thy name, for Thou hast done wonderful things; even counsels of old, in faithfulness and truth. 2 For Thou hast made of a city a heap, of a fortified city a ruin; a castle of strangers to be no city, it shall never be built. 3 Therefore shall the strong people glorify Thee, the city of the terrible nations shall fear Thee. 4 For Thou hast been a stronghold to the poor, a stronghold to the needy in his distress, a refuge from the storm, a shadow from the heat; for the blast of the terrible ones was as a storm against the wall. 5 As the heat in a dry place, Thou didst subdue the noise of strangers; as the heat by the shadow of a cloud, the song of the terrible ones was brought low.{P}

6 And in this mountain will Yehovah of hosts make unto all peoples a feast of fat things, a feast of wines on the lees, of fat things full of marrow, of wines on the lees well refined. 7 And He will destroy in this mountain the face of the covering that is cast over all peoples, and the veil that is spread over all nations. 8 He will swallow up death for ever; and the Lord GOD [Adonai Yehovi] will wipe away tears from off all faces; and the reproach of His people will He take away from off all the earth; for Yehovah hath spoken it.{P}

9 And it shall be said in that day: 'Lo, this is our God, for whom we waited, that He might save us; this is Yehovah, for whom we waited, we will be glad and rejoice in His salvation.' 10 For in this mountain will the hand of Yehovah rest, and Moab shall be trodden down in his place, even as straw is trodden down in the dunghill. 11 And when he shall spread forth his hands in the midst thereof, as he that swimmeth spreadeth forth his hands to swim, his pride shall be brought down together with the cunning of his hands. 12 And the high fortress of thy walls will He bring down, lay low, and bring to the ground, even to the dust.{S}

26 1 In that day shall this song be sung in the land of Judah: We have a strong city; walls and bulwarks doth He appoint for salvation. 2 Open ye the gates, that the righteous nation that keepeth faithfulness may enter in. 3 The mind stayed on Thee Thou keepest in perfect peace; because it trusteth in Thee. 4 Trust ye in Yehovah for ever, for Yehovah is GOD, an everlasting Rock. 5 For He hath brought down them that dwell on high, the lofty city, laying it low, laying it low even to the ground, bringing it even to the dust. 6 The foot shall tread it down, even the feet of the poor, and the steps of the needy. 7 The way of the just is straight; Thou, Most Upright, makest plain the path of the just. 8 Yea, in the way of Thy judgments, Yehovah, have we waited for Thee; to Thy name and to Thy memorial is the desire of our soul.

ט נַפְשִׁ֤י אִוִּיתִ֙יךָ֙ בַּלַּ֔יְלָה אַף־רוּחִ֥י בְקִרְבִּ֖י אֲשַׁחֲרֶ֑ךָּ כִּ֞י כַּאֲשֶׁ֤ר מִשְׁפָּטֶ֙יךָ֙
לָאָ֔רֶץ צֶ֥דֶק לָמְד֖וּ יֹשְׁבֵ֥י תֵבֵֽל׃ י יֻחַ֤ן רָשָׁע֙ בַּל־לָמַ֣ד צֶ֔דֶק בְּאֶ֥רֶץ
נְכֹח֖וֹת יְעַוֵּ֑ל וּבַל־יִרְאֶ֖ה גֵּא֥וּת יְהוָֽה׃ יא יְהוָ֛ה רָ֥מָה יָדְךָ֖ בַּל־יֶחֱזָי֑וּן
יֶחֱז֤וּ וְיֵבֹ֙שׁוּ֙ קִנְאַת־עָ֔ם אַף־אֵ֥שׁ צָרֶ֖יךָ תֹאכְלֵֽם׃ יב יְהוָ֕ה תִּשְׁפֹּ֥ת שָׁל֖וֹם
לָ֑נוּ כִּ֛י גַּ֥ם כָּל־מַעֲשֵׂ֖ינוּ פָּעַ֥לְתָּ לָּֽנוּ׃ יג יְהוָ֣ה אֱלֹהֵ֔ינוּ בְּעָל֥וּנוּ אֲדֹנִ֖ים
זוּלָתֶ֑ךָ לְבַד־בְּךָ֖ נַזְכִּ֥יר שְׁמֶֽךָ׃ יד מֵתִים֙ בַּל־יִחְי֔וּ רְפָאִ֖ים בַּל־יָקֻ֑מוּ
לָכֵ֤ן פָּקַ֙דְתָּ֙ וַתַּשְׁמִידֵ֔ם וַתְּאַבֵּ֥ד כָּל־זֵ֖כֶר לָֽמוֹ׃ טו יָסַ֤פְתָּ לַגּוֹי֙ יְהוָ֔ה יָסַ֥פְתָּ
לַגּ֖וֹי נִכְבָּ֑דְתָּ רִחַ֖קְתָּ כָּל־קַצְוֵי־אָֽרֶץ׃ טז יְהוָ֖ה בַּצַּ֣ר פְּקָד֑וּךָ צָק֣וּן לַ֔חַשׁ
מוּסָרְךָ֖ לָֽמוֹ׃ יז כְּמ֤וֹ הָרָה֙ תַּקְרִ֣יב לָלֶ֔דֶת תָּחִ֥יל תִּזְעַ֖ק בַּחֲבָלֶ֑יהָ כֵּ֥ן
הָיִ֖ינוּ מִפָּנֶ֥יךָ יְהוָֽה׃ יח הָרִ֥ינוּ חַ֛לְנוּ כְּמ֖וֹ יָלַ֣דְנוּ ר֑וּחַ יְשׁוּעֹת֙ בַּל־נַעֲשֶׂ֣ה
אֶ֔רֶץ וּבַל־יִפְּל֖וּ יֹשְׁבֵ֥י תֵבֵֽל׃ יט יִחְי֣וּ מֵתֶ֔יךָ נְבֵלָתִ֖י יְקוּמ֑וּן הָקִ֨יצוּ וְרַנְּנ֜וּ
שֹׁכְנֵ֣י עָפָ֗ר כִּ֣י טַ֤ל אוֹרֹת֙ טַלֶּ֔ךָ וָאָ֖רֶץ רְפָאִ֥ים תַּפִּֽיל׃ כ לֵ֤ךְ עַמִּי֙ בֹּ֣א
בַחֲדָרֶ֔יךָ וּסְגֹ֥ר דְּלָתְךָ֖[16] בַּעֲדֶ֑ךָ חֲבִ֥י כִמְעַט־רֶ֖גַע עַד־יַעֲבָר־זָֽעַם[17]׃
כא כִּֽי־הִנֵּ֤ה יְהוָה֙ יֹצֵ֣א מִמְּקוֹמ֔וֹ לִפְקֹ֛ד עֲוֺ֥ן יֹשֵֽׁב־הָאָ֖רֶץ עָלָ֑יו וְגִלְּתָ֤ה
הָאָ֙רֶץ֙ אֶת־דָּמֶ֔יהָ וְלֹא־תְכַסֶּ֥ה ע֖וֹד עַל־הֲרוּגֶֽיהָ׃

כז א בַּיּ֣וֹם הַה֡וּא יִפְקֹ֣ד יְהוָה֩ בְּחַרְב֨וֹ הַקָּשָׁ֜ה וְהַגְּדוֹלָ֣ה וְהַחֲזָקָ֗ה עַ֤ל
לִוְיָתָן֙ נָחָ֣שׁ בָּרִ֔חַ וְעַל֙ לִוְיָתָ֔ן נָחָ֖שׁ עֲקַלָּת֑וֹן וְהָרַ֥ג אֶת־הַתַּנִּ֖ין אֲשֶׁ֥ר בַּיָּֽם׃
ב בַּיּ֖וֹם הַה֑וּא כֶּ֥רֶם חֶ֖מֶד עַנּוּ־לָֽהּ׃ ג אֲנִ֤י יְהוָה֙ נֹצְרָ֔הּ לִרְגָעִ֖ים אַשְׁקֶ֑נָּה
פֶּ֚ן יִפְקֹ֣ד עָלֶ֔יהָ לַ֥יְלָה וָי֖וֹם אֶצֳּרֶֽנָּה׃ ד חֵמָ֖ה אֵ֣ין לִ֑י מִֽי־יִתְּנֵ֜נִי שָׁמִ֥יר
שַׁ֙יִת֙ בַּמִּלְחָמָ֔ה אֶפְשְׂעָ֥ה בָ֖הּ אֲצִיתֶ֥נָּה יָּֽחַד׃ ה א֚וֹ יַחֲזֵ֣ק בְּמָֽעֻזִּ֔י יַעֲשֶׂ֥ה
שָׁל֖וֹם לִ֑י שָׁל֖וֹם יַעֲשֶׂה־לִּֽי׃ ו הַבָּאִים֙ יַשְׁרֵ֣שׁ יַעֲקֹ֔ב יָצִ֥יץ וּפָרַ֖ח יִשְׂרָאֵ֑ל
וּמָלְא֥וּ פְנֵי־תֵבֵ֖ל תְּנוּבָֽה׃ ז הַכְּמַכַּ֥ת מַכֵּ֖הוּ הִכָּ֑הוּ אִם־כְּהֶ֥רֶג הֲרֻגָ֖יו
הֹרָֽג׃ ח בְּסַאסְּאָ֖ה בְּשַׁלְחָ֣הּ תְּרִיבֶ֑נָּה הָגָ֛ה בְּרוּח֥וֹ הַקָּשָׁ֖ה בְּי֥וֹם קָדִֽים׃
ט לָכֵ֗ן בְּזֹאת֙ יְכֻפַּ֣ר עֲוֺן־יַעֲקֹ֔ב וְזֶ֕ה כָּל־פְּרִ֖י הָסִ֣ר חַטָּאת֑וֹ בְּשׂוּמ֣וֹ ׀
כָּל־אַבְנֵ֣י מִזְבֵּ֗חַ כְּאַבְנֵי־גִר֙ מְנֻפָּצ֔וֹת לֹא־יָקֻ֥מוּ אֲשֵׁרִ֖ים וְחַמָּנִֽים׃ י כִּ֣י
עִ֤יר בְּצוּרָה֙ בָּדָ֔ד נָוֶ֕ה מְשֻׁלָּ֥ח וְנֶעֱזָ֖ב כַּמִּדְבָּ֑ר שָׁ֣ם יִרְעֶ֥ה עֵ֛גֶל וְשָׁ֥ם יִרְבָּ֖ץ
וְכִלָּ֥ה סְעִפֶֽיהָ׃

[16] דלתיך
[17] יעבור־

9 With my soul have I desired Thee in the night; yea, with my spirit within me have I sought Thee earnestly; for when Thy judgments are in the earth, the inhabitants of the world learn righteousness. **10** Let favour be shown to the wicked, yet will he not learn righteousness; in the land of uprightness will he deal wrongfully, and will not behold the majesty of Yehovah.{P}

11 Yehovah, Thy hand was lifted up, yet they see not; they shall see with shame Thy zeal for the people; yea, fire shall devour Thine adversaries.{S} **12** Yehovah, Thou wilt establish peace for us; for Thou hast indeed wrought all our works for us.{S} **13** Yehovah our God, other lords beside Thee have had dominion over us; but by Thee only do we make mention of Thy name. **14** The dead live not, the shades rise not; to that end hast Thou punished and destroyed them, and made all their memory to perish. **15** Thou hast gotten Thee honour with the nations, Yehovah, yea, exceeding great honour with the nations; Thou art honoured unto the farthest ends of the earth.{P}

16 Yehovah, in trouble have they sought Thee, silently they poured out a prayer when Thy chastening was upon them. **17** Like as a woman with child, that draweth near the time of her delivery, is in pain and crieth out in her pangs; so have we been at Thy presence, Yehovah. **18** We have been with child, we have been in pain, we have as it were brought forth wind; we have not wrought any deliverance in the land; neither are the inhabitants of the world come to life. **19** Thy dead shall live, my dead bodies shall arise–awake and sing, ye that dwell in the dust–for Thy dew is as the dew of light, and the earth shall bring to life the shades.{P}

20 Come, my people, enter thou into thy chambers, and shut thy doors about thee; hide thyself for a little moment, until the indignation be overpast. **21** For, behold, Yehovah cometh forth out of His place to visit upon the inhabitants of the earth their iniquity; the earth also shall disclose her blood, and shall no more cover her slain.{P}

27 **1** In that day Yehovah with His sore and great and strong sword will punish leviathan the slant serpent, and leviathan the tortuous serpent; and He will slay the dragon that is in the sea.{S} **2** In that day sing ye of her: 'A vineyard of foaming wine!' **3** I Yehovah do guard it, I water it every moment; lest Mine anger visit it, I guard it night and day. **4** Fury is not in Me; would that I were as the briers and thorns in flame! I would with one step burn it altogether. **5** Or else let him take hold of My strength, that he may make peace with Me; yea, let him make peace with Me. **6** In days to come shall Jacob take root, Israel shall blossom and bud; and the face of the world shall be filled with fruitage.{P}

7 Hath He smitten him as He smote those that smote him? Or is he slain according to the slaughter of them that were slain by Him? **8** In full measure, when Thou sendest her away, Thou dost contend with her; He hath removed her with His rough blast in the day of the east wind. **9** Therefore by this shall the iniquity of Jacob be expiated, and this is all the fruit of taking away his sin: when he maketh all the stones of the altar as chalkstones that are beaten in pieces, so that the Asherim and the sun-images shall rise no more. **10** For the fortified city is solitary, a habitation abandoned and forsaken, like the wilderness; there shall the calf feed, and there shall he lie down, and consume the branches thereof.

יא בִּיבֹשׁ קְצִירָהּ תִּשָּׁבַרְנָה נָשִׁים בָּאוֹת מְאִירוֹת אוֹתָהּ כִּי לֹא עַם־בִּינוֹת
הוּא עַל־כֵּן לֹא־יְרַחֲמֶנּוּ עֹשֵׂהוּ וְיֹצְרוֹ לֹא יְחֻנֶּנּוּ׃ יב וְהָיָה בַּיּוֹם הַהוּא יַחְבֹּט
יְהוָה מִשִּׁבֹּלֶת הַנָּהָר עַד־נַחַל מִצְרָיִם וְאַתֶּם תְּלֻקְּטוּ לְאַחַד אֶחָד בְּנֵי
יִשְׂרָאֵל׃ יג וְהָיָה ׀ בַּיּוֹם הַהוּא יִתָּקַע בְּשׁוֹפָר גָּדוֹל וּבָאוּ הָאֹבְדִים בְּאֶרֶץ
אַשּׁוּר וְהַנִּדָּחִים בְּאֶרֶץ מִצְרָיִם וְהִשְׁתַּחֲווּ לַיהוָה בְּהַר הַקֹּדֶשׁ בִּירוּשָׁלִָם׃

כח א הוֹי עֲטֶרֶת גֵּאוּת שִׁכֹּרֵי אֶפְרַיִם וְצִיץ נֹבֵל צְבִי תִפְאַרְתּוֹ אֲשֶׁר
עַל־רֹאשׁ גֵּיא־שְׁמָנִים הֲלוּמֵי יָיִן׃ ב הִנֵּה חָזָק וְאַמִּץ לַאדֹנָי כְּזֶרֶם בָּרָד
שַׂעַר קָטֶב כְּזֶרֶם מַיִם כַּבִּירִים שֹׁטְפִים הִנִּיחַ לָאָרֶץ בְּיָד׃ ג בְּרַגְלַיִם
תֵּרָמַסְנָה עֲטֶרֶת גֵּאוּת שִׁכּוֹרֵי אֶפְרָיִם׃ ד וְהָיְתָה צִיצַת נֹבֵל צְבִי תִפְאַרְתּוֹ
אֲשֶׁר עַל־רֹאשׁ גֵּיא שְׁמָנִים כְּבִכּוּרָהּ בְּטֶרֶם קַיִץ אֲשֶׁר יִרְאֶה הָרֹאֶה אוֹתָהּ
בְּעוֹדָהּ בְּכַפּוֹ יִבְלָעֶנָּה׃ ה בַּיּוֹם הַהוּא יִהְיֶה יְהוָה צְבָאוֹת לַעֲטֶרֶת צְבִי
וְלִצְפִירַת תִּפְאָרָה לִשְׁאָר עַמּוֹ׃ ו וּלְרוּחַ מִשְׁפָּט לַיּוֹשֵׁב עַל־הַמִּשְׁפָּט
וְלִגְבוּרָה מְשִׁיבֵי מִלְחָמָה שָׁעְרָה׃ ז וְגַם־אֵלֶּה בַּיַּיִן שָׁגוּ וּבַשֵּׁכָר תָּעוּ כֹּהֵן
וְנָבִיא שָׁגוּ בַשֵּׁכָר נִבְלְעוּ מִן־הַיַּיִן תָּעוּ מִן־הַשֵּׁכָר שָׁגוּ בָּרֹאֶה פָּקוּ פְּלִילִיָּה׃
ח כִּי כָּל־שֻׁלְחָנוֹת מָלְאוּ קִיא צֹאָה בְּלִי מָקוֹם׃ ט אֶת־מִי יוֹרֶה דֵעָה
וְאֶת־מִי יָבִין שְׁמוּעָה גְּמוּלֵי מֵחָלָב עַתִּיקֵי מִשָּׁדָיִם׃ י כִּי צַו לָצָו צַו לָצָו קַו
לָקָו קַו לָקָו זְעֵיר שָׁם זְעֵיר שָׁם׃ יא כִּי בְּלַעֲגֵי שָׂפָה וּבְלָשׁוֹן אַחֶרֶת יְדַבֵּר
אֶל־הָעָם הַזֶּה׃ יב אֲשֶׁר ׀ אָמַר אֲלֵיהֶם זֹאת הַמְּנוּחָה הָנִיחוּ לֶעָיֵף וְזֹאת
הַמַּרְגֵּעָה וְלֹא אָבוּא שְׁמוֹעַ׃ יג וְהָיָה לָהֶם דְּבַר־יְהוָה צַו לָצָו צַו לָצָו קַו
לָקָו קַו לָקָו זְעֵיר שָׁם זְעֵיר שָׁם לְמַעַן יֵלְכוּ וְכָשְׁלוּ אָחוֹר וְנִשְׁבָּרוּ וְנוֹקְשׁוּ
וְנִלְכָּדוּ׃

יד לָכֵן שִׁמְעוּ דְבַר־יְהוָה אַנְשֵׁי לָצוֹן מֹשְׁלֵי הָעָם הַזֶּה אֲשֶׁר בִּירוּשָׁלִָם׃
יה עַד־כִּי אֲמַרְתֶּם כָּרַתְנוּ בְרִית אֶת־מָוֶת וְעִם־שְׁאוֹל עָשִׂינוּ חֹזֶה
שׁוֹט[18] שׁוֹטֵף כִּי־יַעֲבֹר[19] לֹא יְבוֹאֵנוּ כִּי שַׂמְנוּ כָזָב מַחְסֵנוּ וּבַשֶּׁקֶר נִסְתָּרְנוּ׃
יו לָכֵן כֹּה אָמַר אֲדֹנָי יְהוִה הִנְנִי יִסַּד בְּצִיּוֹן אָבֶן אֶבֶן בֹּחַן פִּנַּת יִקְרַת
מוּסָד מוּסָּד הַמַּאֲמִין לֹא יָחִישׁ׃ יז וְשַׂמְתִּי מִשְׁפָּט לְקָו וּצְדָקָה לְמִשְׁקָלֶת
וְיָעָה בָרָד מַחְסֵה כָזָב וְסֵתֶר מַיִם יִשְׁטֹפוּ׃ יח וְכֻפַּר בְּרִיתְכֶם אֶת־מָוֶת
וְחָזוּתְכֶם אֶת־שְׁאוֹל לֹא תָקוּם שׁוֹט שׁוֹטֵף כִּי יַעֲבֹר וִהְיִיתֶם לוֹ לְמִרְמָס׃

---

[18] שיט
[19] עבר

<u>11</u> When the boughs thereof are withered, they shall be broken off; the women shall come, and set them on fire; for it is a people of no understanding; therefore He that made them will not have compassion upon them, and He that formed them will not be gracious unto them.{P}

<u>12</u> And it shall come to pass in that day, that Yehovah will beat off [His fruit] from the flood of the River unto the Brook of Egypt, and ye shall be gathered one by one, O ye children of Israel.{P}

<u>13</u> And it shall come to pass in that day, that a great horn shall be blown; and they shall come that were lost in the land of Assyria, and they that were dispersed in the land of Egypt; and they shall worship Yehovah in the holy mountain at Yerushalam.{P}

28 <u>1</u> Woe to the crown of pride of the drunkards of Ephraim, and to the fading flower of his glorious beauty, which is on the head of the fat valley of them that are smitten down with wine! <u>2</u> Behold, the Lord hath a mighty and strong one, as a storm of hail, a tempest of destruction, as a storm of mighty waters overflowing, that casteth down to the earth with violence. <u>3</u> The crown of pride of the drunkards of Ephraim shall be trodden under foot; <u>4</u> And the fading flower of his glorious beauty, which is on the head of the fat valley, shall be as the first-ripe fig before the summer, which when one looketh upon it, while it is yet in his hand he eateth it up.{S} <u>5</u> In that day shall Yehovah of hosts be for a crown of glory, and for a diadem of beauty, unto the residue of His people; <u>6</u> And for a spirit of judgment to him that sitteth in judgment, and for strength to them that turn back the battle at the gate.{S} <u>7</u> But these also reel through wine, and stagger through strong drink; the priest and the prophet reel through strong drink, they are confused because of wine, they stagger because of strong drink; they reel in vision, they totter in judgment. <u>8</u> For all tables are full of filthy vomit, and no place is clean.{P}

<u>9</u> Whom shall one teach knowledge? And whom shall one make to understand the message? Them that are weaned from the milk, them that are drawn from the breasts? <u>10</u> For it is precept by precept, precept by precept, line by line, line by line; here a little, there a little. <u>11</u> For with stammering lips and with a strange tongue shall it be spoken to this people; <u>12</u> To whom it was said: 'This is the rest, give ye rest to the weary; and this is the refreshing'; yet they would not hear. <u>13</u> And so the word of Yehovah is unto them precept by precept, precept by precept, line by line, line by line; here a little, there a little; that they may go, and fall backward, and be broken, and snared, and taken.{P}

<u>14</u> Wherefore hear the word of Yehovah, ye scoffers, the ballad-mongers of this people which is in Yerushalam: <u>15</u> Because ye have said: 'We have made a covenant with death, and with the nether-world are we at agreement; when the scouring scourge shall pass through, it shall not come unto us; for we have made lies our refuge, and in falsehood have we hid ourselves';{P}

<u>16</u> Therefore thus saith the Lord GOD [Adonai Yehovi]: Behold, I lay in Zion for a foundation a stone, a tried stone, a costly corner-stone of sure foundation; he that believeth shall not make haste. <u>17</u> And I will make justice the line, and righteousness the plummet; and the hail shall sweep away the refuge of lies, and the waters shall overflow the hiding-place.{S} <u>18</u> And your covenant with death shall be disannulled and your agreement with the nether-world shall not stand; when the scouring scourge shall pass through, then ye shall be trodden down by it,

יט מִדֵּי עָבְרוֹ יִקַּח אֶתְכֶם כִּי־בַבֹּקֶר בַּבֹּקֶר יַעֲבֹר בַּיּוֹם וּבַלָּיְלָה וְהָיָה
רַק־זְוָעָה הָבִין שְׁמוּעָה׃ כ כִּי־קָצַר הַמַּצָּע מֵהִשְׂתָּרֵעַ וְהַמַּסֵּכָה צָרָה
כְּהִתְכַּנֵּס׃ כא כִּי כְהַר־פְּרָצִים יָקוּם יְהוָה כְּעֵמֶק בְּגִבְעוֹן יִרְגָּז לַעֲשׂוֹת
מַעֲשֵׂהוּ זָר מַעֲשֵׂהוּ וְלַעֲבֹד עֲבֹדָתוֹ נָכְרִיָּה עֲבֹדָתוֹ׃ כב וְעַתָּה
אַל־תִּתְלוֹצָצוּ פֶּן־יֶחְזְקוּ מוֹסְרֵיכֶם כִּי־כָלָה וְנֶחֱרָצָה שָׁמַעְתִּי מֵאֵת אֲדֹנָי
יְהוִה צְבָאוֹת עַל־כָּל־הָאָרֶץ׃ כג הַאֲזִינוּ וְשִׁמְעוּ קוֹלִי הַקְשִׁיבוּ וְשִׁמְעוּ
אִמְרָתִי׃ כד הֲכֹל הַיּוֹם יַחֲרֹשׁ הַחֹרֵשׁ לִזְרֹעַ יְפַתַּח וִישַׂדֵּד אַדְמָתוֹ׃
כה הֲלוֹא אִם־שִׁוָּה פָנֶיהָ וְהֵפִיץ קֶצַח וְכַמֹּן יִזְרֹק וְשָׂם חִטָּה שׂוֹרָה וּשְׂעֹרָה
נִסְמָן וְכֻסֶּמֶת גְּבֻלָתוֹ׃ כו וְיִסְּרוֹ לַמִּשְׁפָּט אֱלֹהָיו יוֹרֶנּוּ׃ כז כִּי לֹא בֶחָרוּץ
יוּדַשׁ קֶצַח וְאוֹפַן עֲגָלָה עַל־כַּמֹּן יוּסָּב כִּי בַמַּטֶּה יֵחָבֶט קֶצַח וְכַמֹּן
בַּשָּׁבֶט׃ כח לֶחֶם יוּדָק כִּי לֹא לָנֶצַח אָדוֹשׁ יְדוּשֶׁנּוּ וְהָמַם גִּלְגַּל עֶגְלָתוֹ
וּפָרָשָׁיו לֹא־יְדֻקֶּנּוּ׃ כט גַּם־זֹאת מֵעִם יְהוָה צְבָאוֹת יָצָאָה הִפְלִיא עֵצָה
הִגְדִּיל תּוּשִׁיָּה׃

כט א הוֹי אֲרִיאֵל אֲרִיאֵל קִרְיַת חָנָה דָוִד סְפוּ שָׁנָה עַל־שָׁנָה חַגִּים
יִנְקֹפוּ׃ ב וַהֲצִיקוֹתִי לַאֲרִיאֵל וְהָיְתָה תַאֲנִיָּה וַאֲנִיָּה וְהָיְתָה לִּי כַּאֲרִיאֵל׃
ג וְחָנִיתִי כַדּוּר עָלָיִךְ וְצַרְתִּי עָלַיִךְ מֻצָּב וַהֲקִמֹתִי עָלַיִךְ מְצֻרֹת׃
ד וְשָׁפַלְתְּ מֵאֶרֶץ תְּדַבֵּרִי וּמֵעָפָר תִּשַּׁח אִמְרָתֵךְ וְהָיָה כְּאוֹב מֵאֶרֶץ קוֹלֵךְ
וּמֵעָפָר אִמְרָתֵךְ תְּצַפְצֵף׃ ה וְהָיָה כְּאָבָק דַּק הֲמוֹן זָרָיִךְ וּכְמֹץ עֹבֵר הֲמוֹן
עָרִיצִים וְהָיָה לְפֶתַע פִּתְאֹם׃ ו מֵעִם יְהוָה צְבָאוֹת תִּפָּקֵד בְּרַעַם וּבְרַעַשׁ
וְקוֹל גָּדוֹל סוּפָה וּסְעָרָה וְלַהַב אֵשׁ אוֹכֵלָה׃ ז וְהָיָה כַּחֲלוֹם חֲזוֹן לַיְלָה
הֲמוֹן כָּל־הַגּוֹיִם הַצֹּבְאִים עַל־אֲרִיאֵל וְכָל־צֹבֶיהָ וּמְצֹדָתָהּ וְהַמְּצִיקִים
לָהּ׃ ח וְהָיָה כַּאֲשֶׁר יַחֲלֹם הָרָעֵב וְהִנֵּה אוֹכֵל וְהֵקִיץ וְרֵיקָה נַפְשׁוֹ וְכַאֲשֶׁר
יַחֲלֹם הַצָּמֵא וְהִנֵּה שֹׁתֶה וְהֵקִיץ וְהִנֵּה עָיֵף וְנַפְשׁוֹ שׁוֹקֵקָה כֵּן יִהְיֶה הֲמוֹן
כָּל־הַגּוֹיִם הַצֹּבְאִים עַל־הַר צִיּוֹן׃ ט הִתְמַהְמְהוּ וּתְמָהוּ הִשְׁתַּעַשְׁעוּ וָשֹׁעוּ
שָׁכְרוּ וְלֹא־יַיִן נָעוּ וְלֹא שֵׁכָר׃ י כִּי־נָסַךְ עֲלֵיכֶם יְהוָה רוּחַ תַּרְדֵּמָה וַיְעַצֵּם
אֶת־עֵינֵיכֶם אֶת־הַנְּבִיאִים וְאֶת־רָאשֵׁיכֶם הַחֹזִים כִּסָּה׃ יא וַתְּהִי לָכֶם חָזוּת
הַכֹּל כְּדִבְרֵי הַסֵּפֶר הֶחָתוּם אֲשֶׁר־יִתְּנוּ אֹתוֹ אֶל־יוֹדֵעַ סֵפֶר[20] לֵאמֹר קְרָא
נָא־זֶה וְאָמַר לֹא אוּכַל כִּי חָתוּם הוּא׃ יב וְנִתַּן הַסֵּפֶר עַל אֲשֶׁר לֹא־יָדַע
סֵפֶר לֵאמֹר קְרָא נָא־זֶה וְאָמַר לֹא יָדַעְתִּי סֵפֶר׃

[20] הספר

19 As often as it passeth through, it shall take you; for morning by morning shall it pass through, by day and by night; and it shall be sheer terror to understand the message. **20** For the bed is too short for a man to stretch himself; and the covering too narrow when he gathereth himself up. **21** For Yehovah will rise up as in mount Perazim, He will be wroth as in the valley of Gibeon; that He may do His work, strange is His work, and bring to pass His act, strange is His act. **22** Now therefore be ye not scoffers, lest your bands be made strong; for an extermination wholly determined have I heard from the Lord, the GOD of hosts, upon the whole land.{P}

23 Give ye ear, and hear my voice; attend, and hear my speech. **24** Is the plowman never done with plowing to sow, with the opening and harrowing of his ground? **25** When he hath made plain the face thereof, doth he not cast abroad the black cummin, and scatter the cummin, and put in the wheat in rows and the barley in the appointed place and the spelt in the border thereof? **26** For He doth instruct him aright; his God doth teach him. **27** For the black cummin is not threshed with a threshing-sledge, neither is a cart-wheel turned about upon the cummin; but the black cummin is beaten out with a staff, and the cummin with a rod. **28** Is bread corn crushed? Nay, he will not ever be threshing it; and though the roller of his wagon and its sharp edges move noisily, he doth not crush it. **29** This also cometh forth from Yehovah of hosts: Wonderful is His counsel, and great His wisdom.{P}

29 1 Ah, Ariel, Ariel, the city where David encamped! Add ye year to year, let the feasts come round! **2** Then will I distress Ariel, and there shall be mourning and moaning; and she shall be unto Me as a hearth of God. **3** And I will encamp against thee round about, and will lay siege against thee with a mound, and I will raise siege works against thee. **4** And brought down thou shalt speak out of the ground, and thy speech shall be low out of the dust; and thy voice shall be as of a ghost out of the ground, and thy speech shall chirp out of the dust. **5** But the multitude of thy foes shall be like small dust, and the multitude of the terrible ones as chaff that passeth away; yea, it shall be at an instant suddenly– **6** There shall be a visitation from Yehovah of hosts with thunder, and with earthquake, and great noise, with whirlwind and tempest, and the flame of a devouring fire. **7** And the multitude of all the nations that war against Ariel, even all that war against her, and the bulwarks about her, and they that distress her, shall be as a dream, a vision of the night. **8** And it shall be as when a hungry man dreameth, and, behold, he eateth, but he awaketh, and his soul is empty; or as when a thirsty man dreameth, and, behold, he drinketh, but he awaketh, and, behold, he is faint, and his soul hath appetite–so shall the multitude of all the nations be, that fight against mount Zion.{P}

9 Stupefy yourselves, and be stupid! Blind yourselves, and be blind! ye that are drunken, but not with wine, that stagger, but not with strong drink. **10** For Yehovah hath poured out upon you the spirit of deep sleep, and hath closed your eyes; the prophets, and your heads, the seers, hath He covered. **11** And the vision of all this is become unto you as the words of a writing that is sealed, which men deliver to one that is learned, saying: 'Read this, I pray thee'; and he saith: 'I cannot, for it is sealed'; **12** and the writing is delivered to him that is not learned, saying: 'Read this, I pray thee'; and he saith: 'I am not learned.'{S}

יג וַיֹּאמֶר אֲדֹנָי יַעַן כִּי נִגַּשׁ הָעָם הַזֶּה בְּפִיו וּבִשְׂפָתָיו כִּבְּדוּנִי וְלִבּוֹ רִחַק
מִמֶּנִּי וַתְּהִי יִרְאָתָם אֹתִי מִצְוַת אֲנָשִׁים מְלֻמָּדָה׃ יד לָכֵן הִנְנִי יוֹסִף לְהַפְלִיא
אֶת־הָעָם־הַזֶּה הַפְלֵא וָפֶלֶא וְאָבְדָה חָכְמַת חֲכָמָיו וּבִינַת נְבֹנָיו תִּסְתַּתָּר׃
טו הוֹי הַמַּעֲמִיקִים מֵיהוָה לַסְתִּר עֵצָה וְהָיָה בְמַחְשָׁךְ מַעֲשֵׂיהֶם וַיֹּאמְרוּ
מִי רֹאֵנוּ וּמִי יוֹדְעֵנוּ׃ טז הַפְכְּכֶם אִם־כְּחֹמֶר הַיֹּצֵר יֵחָשֵׁב כִּי־יֹאמַר מַעֲשֶׂה
לְעֹשֵׂהוּ לֹא עָשָׂנִי וְיֵצֶר אָמַר לְיוֹצְרוֹ לֹא הֵבִין׃ יז הֲלוֹא־עוֹד מְעַט מִזְעָר
וְשָׁב לְבָנוֹן לַכַּרְמֶל וְהַכַּרְמֶל לַיַּעַר יֵחָשֵׁב׃ יח וְשָׁמְעוּ בַיּוֹם־הַהוּא הַחֵרְשִׁים
דִּבְרֵי־סֵפֶר וּמֵאֹפֶל וּמֵחֹשֶׁךְ עֵינֵי עִוְרִים תִּרְאֶינָה׃ יט וְיָסְפוּ עֲנָוִים בַּיהוָה
שִׂמְחָה וְאֶבְיוֹנֵי אָדָם בִּקְדוֹשׁ יִשְׂרָאֵל יָגִילוּ׃ כ כִּי־אָפֵס עָרִיץ וְכָלָה לֵץ
וְנִכְרְתוּ כָּל־שֹׁקְדֵי אָוֶן׃ כא מַחֲטִיאֵי אָדָם בְּדָבָר וְלַמּוֹכִיחַ בַּשַּׁעַר יְקֹשׁוּן וַיַּטּוּ
בַתֹּהוּ צַדִּיק׃ כב לָכֵן כֹּה־אָמַר יְהוָה אֶל־בֵּית יַעֲקֹב אֲשֶׁר פָּדָה אֶת־אַבְרָהָם
לֹא־עַתָּה יֵבוֹשׁ יַעֲקֹב וְלֹא עַתָּה פָּנָיו יֶחֱוָרוּ׃ כג כִּי בִרְאֹתוֹ יְלָדָיו מַעֲשֵׂה יָדַי
בְּקִרְבּוֹ יַקְדִּישׁוּ שְׁמִי וְהִקְדִּישׁוּ אֶת־קְדוֹשׁ יַעֲקֹב וְאֶת־אֱלֹהֵי יִשְׂרָאֵל יַעֲרִיצוּ׃
כד וְיָדְעוּ תֹעֵי־רוּחַ בִּינָה וְרוֹגְנִים יִלְמְדוּ־לֶקַח׃

ל
א הוֹי בָּנִים סוֹרְרִים נְאֻם־יְהוָה לַעֲשׂוֹת עֵצָה וְלֹא מִנִּי וְלִנְסֹךְ מַסֵּכָה
וְלֹא רוּחִי לְמַעַן סְפוֹת חַטָּאת עַל־חַטָּאת׃ ב הַהֹלְכִים לָרֶדֶת מִצְרַיִם וּפִי
לֹא שָׁאָלוּ לָעוֹז בְּמָעוֹז פַּרְעֹה וְלַחְסוֹת בְּצֵל מִצְרָיִם׃ ג וְהָיָה לָכֶם מָעוֹז
פַּרְעֹה לְבֹשֶׁת וְהֶחָסוּת בְּצֵל־מִצְרַיִם לִכְלִמָּה׃ ד כִּי־הָיוּ בְצֹעַן שָׂרָיו
וּמַלְאָכָיו חָנֵס יַגִּיעוּ׃ ה כֹּל הֹבִישׁ[21] עַל־עַם לֹא־יוֹעִילוּ לָמוֹ לֹא לְעֵזֶר וְלֹא
לְהוֹעִיל כִּי לְבֹשֶׁת וְגַם־לְחֶרְפָּה׃ ו מַשָּׂא בַּהֲמוֹת נֶגֶב בְּאֶרֶץ צָרָה וְצוּקָה
לָבִיא וָלַיִשׁ מֵהֶם אֶפְעֶה וְשָׂרָף מְעוֹפֵף יִשְׂאוּ עַל־כֶּתֶף עֲיָרִים חֵילֵהֶם
וְעַל־דַּבֶּשֶׁת גְּמַלִּים אוֹצְרֹתָם עַל־עַם לֹא יוֹעִילוּ׃ ז וּמִצְרַיִם הֶבֶל וָרִיק
יַעְזֹרוּ לָכֵן קָרָאתִי לָזֹאת רַהַב הֵם שָׁבֶת׃ ח עַתָּה בּוֹא כָתְבָהּ עַל־לוּחַ
אִתָּם וְעַל־סֵפֶר חֻקָּהּ וּתְהִי לְיוֹם אַחֲרוֹן לָעַד עַד־עוֹלָם׃ ט כִּי עַם מְרִי
הוּא בָּנִים כֶּחָשִׁים בָּנִים לֹא־אָבוּ שְׁמוֹעַ תּוֹרַת יְהוָה׃ י אֲשֶׁר אָמְרוּ לָרֹאִים
לֹא תִרְאוּ וְלַחֹזִים לֹא תֶחֱזוּ־לָנוּ נְכֹחוֹת דַּבְּרוּ־לָנוּ חֲלָקוֹת חֲזוּ מַהֲתַלּוֹת׃
יא סוּרוּ מִנֵּי־דֶרֶךְ הַטּוּ מִנֵּי־אֹרַח הַשְׁבִּיתוּ מִפָּנֵינוּ אֶת־קְדוֹשׁ יִשְׂרָאֵל׃
יב לָכֵן כֹּה אָמַר קְדוֹשׁ יִשְׂרָאֵל יַעַן מָאָסְכֶם בַּדָּבָר הַזֶּה וַתִּבְטְחוּ בְּעֹשֶׁק
וְנָלוֹז וַתִּשָּׁעֲנוּ עָלָיו׃

[21] הבאיש

<u>13</u> And the Lord said: Forasmuch as this people draw near, and with their mouth and with their lips do honour Me, but have removed their heart far from Me, and their fear of Me is a commandment of men learned by rote; <u>14</u> Therefore, behold, I will again do a marvellous work among this people, even a marvellous work and a wonder; and the wisdom of their wise men shall perish, and the prudence of their prudent men shall be hid.{S} <u>15</u> Woe unto them that seek deep to hide their counsel from Yehovah, and their works are in the dark, and they say: 'Who seeth us? and who knoweth us?' <u>16</u> O your perversity! Shall the potter be esteemed as clay; that the thing made should say of him that made it: 'He made me not'; or the thing framed say of him that framed it: 'He hath no understanding?' <u>17</u> Is it not yet a very little while, and Lebanon shall be turned into a fruitful field, and the fruitful field shall be esteemed as a forest? <u>18</u> And in that day shall the deaf hear the words of a book, and the eyes of the blind shall see out of obscurity and out of darkness. <u>19</u> The humble also shall increase their joy in Yehovah, and the neediest among men shall exult in the Holy One of Israel. <u>20</u> For the terrible one is brought to nought, and the scorner ceaseth, and all they that watch for iniquity are cut off; <u>21</u> That make a man an offender by words, and lay a snare for him that reproveth in the gate, and turn aside the just with a thing of nought.{P}

<u>22</u> Therefore thus saith Yehovah, who redeemed Abraham, concerning the house of Jacob: Jacob shall not now be ashamed, neither shall his face now wax pale; <u>23</u> When he seeth his children, the work of My hands, in the midst of him, that they sanctify My name; yea, they shall sanctify the Holy One of Jacob, and shall stand in awe of the God of Israel. <u>24</u> They also that err in spirit shall come to understanding, and they that murmur shall learn instruction.{S}

30 <u>1</u> Woe to the rebellious children, saith Yehovah, that take counsel, but not of Me; and that form projects, but not of My spirit, that they may add sin to sin; <u>2</u> That walk to go down into Egypt, and have not asked at My mouth; to take refuge in the stronghold of Pharaoh, and to take shelter in the shadow of Egypt! <u>3</u> Therefore shall the stronghold of Pharaoh turn to your shame, and the shelter in the shadow of Egypt to your confusion. <u>4</u> For his princes are at Zoan, and his ambassadors are come to Hanes. <u>5</u> They shall all be ashamed of a people that cannot profit them, that are not a help nor profit, but a shame, and also a reproach.{S} <u>6</u> The burden of the beasts of the South. Through the land of trouble and anguish, from whence come the lioness and the lion, the viper and flying serpent, they carry their riches upon the shoulders of young asses, and their treasures upon the humps of camels, to a people that shall not profit them. <u>7</u> For Egypt helpeth in vain, and to no purpose; therefore have I called her arrogancy that sitteth still. <u>8</u> Now go, write it before them on a tablet, and inscribe it in a book, that it may be for the time to come for ever and ever. <u>9</u> For it is a rebellious people, lying children, children that refuse to hear the teaching of Yehovah; <u>10</u> That say to the seers: 'See not,' and to the prophets: 'Prophesy not unto us right things, speak unto us smooth things, prophesy delusions; <u>11</u> Get you out of the way, turn aside out of the path, cause the Holy One of Israel to cease from before us.'{S} <u>12</u> Wherefore thus saith the Holy One of Israel: because ye despise this word, and trust in oppression and perverseness, and stay thereon;

יג לָכֵן יִהְיֶה לָכֶם הֶעָוֹן הַזֶּה כְּפֶרֶץ נֹפֵל נִבְעֶה בְּחוֹמָה נִשְׂגָּבָה אֲשֶׁר־פִּתְאֹם
לְפֶתַע יָבוֹא שִׁבְרָהּ׃ יד וּשְׁבָרָהּ כְּשֵׁבֶר נֵבֶל יוֹצְרִים כָּתוּת לֹא יַחְמֹל
וְלֹא־יִמָּצֵא בִמְכִתָּתוֹ חֶרֶשׂ לַחְתּוֹת אֵשׁ מִיָּקוּד וְלַחְשֹׂף מַיִם מִגֶּבֶא׃
יה כִּי כֹה־אָמַר אֲדֹנָי יְהוִה קְדוֹשׁ יִשְׂרָאֵל בְּשׁוּבָה וָנַחַת תִּוָּשֵׁעוּן בְּהַשְׁקֵט
וּבְבִטְחָה תִּהְיֶה גְּבוּרַתְכֶם וְלֹא אֲבִיתֶם׃ יו וַתֹּאמְרוּ לֹא־כִי עַל־סוּס נָנוּס
עַל־כֵּן תְּנוּסוּן וְעַל־קַל נִרְכָּב עַל־כֵּן יִקַּלּוּ רֹדְפֵיכֶם׃ יז אֶלֶף אֶחָד מִפְּנֵי
גַּעֲרַת אֶחָד מִפְּנֵי גַּעֲרַת חֲמִשָּׁה תָּנֻסוּ עַד אִם־נוֹתַרְתֶּם כַּתֹּרֶן עַל־רֹאשׁ הָהָר
וְכַנֵּס עַל־הַגִּבְעָה׃ יח וְלָכֵן יְחַכֶּה יְהוָה לַחֲנַנְכֶם וְלָכֵן יָרוּם לְרַחֶמְכֶם
כִּי־אֱלֹהֵי מִשְׁפָּט יְהוָה אַשְׁרֵי כָּל־חוֹכֵי לוֹ׃ יט כִּי־עַם בְּצִיּוֹן יֵשֵׁב בִּירוּשָׁלִָם
בָּכוֹ לֹא־תִבְכֶּה חָנוֹן יָחְנְךָ לְקוֹל זַעֲקֶךָ כְּשָׁמְעָתוֹ עָנָךְ׃ כ וְנָתַן לָכֶם אֲדֹנָי
לֶחֶם צָר וּמַיִם לָחַץ וְלֹא־יִכָּנֵף עוֹד מוֹרֶיךָ וְהָיוּ עֵינֶיךָ רֹאוֹת אֶת־מוֹרֶיךָ׃
כא וְאָזְנֶיךָ תִּשְׁמַעְנָה דָבָר מֵאַחֲרֶיךָ לֵאמֹר זֶה הַדֶּרֶךְ לְכוּ בוֹ כִּי תַאֲמִינוּ וְכִי
תַשְׂמְאִילוּ׃ כב וְטִמֵּאתֶם אֶת־צִפּוּי פְּסִילֵי כַסְפֶּךָ וְאֶת־אֲפֻדַּת מַסֵּכַת זְהָבֶךָ
תִּזְרֵם כְּמוֹ דָוָה צֵא תֹּאמַר לוֹ׃ כג וְנָתַן מְטַר זַרְעֲךָ אֲשֶׁר־תִּזְרַע אֶת־הָאֲדָמָה
וְלֶחֶם תְּבוּאַת הָאֲדָמָה וְהָיָה דָשֵׁן וְשָׁמֵן יִרְעֶה מִקְנֶיךָ בַּיּוֹם הַהוּא כַּר
נִרְחָב׃ כד וְהָאֲלָפִים וְהָעֲיָרִים עֹבְדֵי הָאֲדָמָה בְּלִיל חָמִיץ יֹאכֵלוּ אֲשֶׁר־זֹרֶה
בָרַחַת וּבַמִּזְרֶה׃ כה וְהָיָה ׀ עַל־כָּל־הַר גָּבֹהַּ וְעַל כָּל־גִּבְעָה נִשָּׂאָה פְּלָגִים
יִבְלֵי־מָיִם בְּיוֹם הֶרֶג רָב בִּנְפֹל מִגְדָּלִים׃ כו וְהָיָה אוֹר־הַלְּבָנָה כְּאוֹר
הַחַמָּה וְאוֹר הַחַמָּה יִהְיֶה שִׁבְעָתַיִם כְּאוֹר שִׁבְעַת הַיָּמִים בְּיוֹם חֲבֹשׁ יְהוָה
אֶת־שֶׁבֶר עַמּוֹ וּמַחַץ מַכָּתוֹ יִרְפָּא׃ כז הִנֵּה שֵׁם־יְהוָה בָּא מִמֶּרְחָק בֹּעֵר אַפּוֹ
וְכֹבֶד מַשָּׂאָה שְׂפָתָיו מָלְאוּ זַעַם וּלְשׁוֹנוֹ כְּאֵשׁ אֹכָלֶת׃ כח וְרוּחוֹ כְּנַחַל שׁוֹטֵף
עַד־צַוָּאר יֶחֱצֶה לַהֲנָפָה גוֹיִם בְּנָפַת שָׁוְא וְרֶסֶן מַתְעֶה עַל לְחָיֵי עַמִּים׃
כט הַשִּׁיר יִהְיֶה לָכֶם כְּלֵיל הִתְקַדֶּשׁ־חָג וְשִׂמְחַת לֵבָב כַּהוֹלֵךְ בֶּחָלִיל לָבוֹא
בְהַר־יְהוָה אֶל־צוּר יִשְׂרָאֵל׃ ל וְהִשְׁמִיעַ יְהוָה אֶת־הוֹד קוֹלוֹ וְנַחַת זְרוֹעוֹ
יַרְאֶה בְּזַעַף אַף וְלַהַב אֵשׁ אוֹכֵלָה נֶפֶץ וָזֶרֶם וְאֶבֶן בָּרָד׃ לא כִּי־מִקּוֹל יְהוָה
יֵחַת אַשּׁוּר בַּשֵּׁבֶט יַכֶּה׃ לב וְהָיָה כֹּל מַעֲבַר מַטֵּה מוּסָדָה אֲשֶׁר יָנִיחַ
יְהוָה עָלָיו בְּתֻפִּים וּבְכִנֹּרוֹת וּבְמִלְחֲמוֹת תְּנוּפָה נִלְחַם־בָּם[22]׃
לג נִלְחַם־כִּי־עָרוּךְ מֵאֶתְמוּל תָּפְתֶּה גַּם־הִיא[23] לַמֶּלֶךְ הוּכָן הֶעְמִיק הִרְחִב
מְדֻרָתָהּ אֵשׁ וְעֵצִים הַרְבֵּה נִשְׁמַת יְהוָה כְּנַחַל גָּפְרִית בֹּעֲרָה בָּהּ׃

[22] בה
[23] הוא

13 Therefore this iniquity shall be to you as a breach ready to fall, swelling out in a high wall, whose breaking cometh suddenly at an instant. **14** And He shall break it as a potter's vessel is broken, breaking it in pieces without sparing; so that there shall not be found among the pieces thereof a sherd to take fire from the hearth, or to take water out of the cistern.{S} **15** For thus said the Lord GOD [Adonai Yehovi], the Holy One of Israel: in sitting still and rest shall ye be saved, in quietness and in confidence shall be your strength; and ye would not. **16** But ye said: 'No, for we will flee upon horses'; therefore shall ye flee; and: 'We will ride upon the swift'; therefore shall they that pursue you be swift. **17** One thousand shall flee at the rebuke of one, at the rebuke of five shall ye flee; till ye be left as a beacon upon the top of a mountain, and as an ensign on a hill. **18** And therefore will Yehovah wait, that He may be gracious unto you, and therefore will He be exalted, that He may have compassion upon you; for Yehovah is a God of justice, happy are all they that wait for Him.{P}

19 For, O people that dwellest in Zion at Yerushalam, thou shalt weep no more; He will surely be gracious unto thee at the voice of thy cry, when He shall hear, He will answer thee. **20** And though the Lord give you sparing bread and scant water, yet shall not thy Teacher hide Himself any more, but thine eyes shall see thy Teacher; **21** And thine ears shall hear a word behind thee, saying: 'This is the way, walk ye in it, when ye turn to the right hand, and when ye turn to the left.' **22** And ye shall defile thy graven images overlaid with silver, and thy molten images covered with gold; thou shalt put them far away as one unclean; thou shalt say unto it: 'Get thee hence.' **23** And He will give the rain for thy seed, wherewith thou sowest the ground, and bread of the increase of the ground, and it shall be fat and plenteous; in that day shall thy cattle feed in large pastures. **24** The oxen likewise and the young asses that till the ground shall eat savoury provender, which hath been winnowed with the shovel and with the fan. **25** And there shall be upon every lofty mountain, and upon every high hill streams and watercourses, in the day of the great slaughter, when the towers fall. **26** Moreover the light of the moon shall be as the light of the sun, and the light of the sun shall be sevenfold, as the light of the seven days, in the day that Yehovah bindeth up the bruise of His people, and healeth the stroke of their wound.{P}

27 Behold, the name of Yehovah cometh from far, with His anger burning, and in thick uplifting of smoke; His lips are full of indignation, and His tongue is as a devouring fire; **28** And His breath is as an overflowing stream, that divideth even unto the neck, to sift the nations with the sieve of destruction; and a bridle that causeth to err shall be in the jaws of the peoples. **29** Ye shall have a song as in the night when a feast is hallowed; and gladness of heart, as when one goeth with the pipe to come into the mountain of Yehovah, to the Rock of Israel. **30** And Yehovah will cause His glorious voice to be heard, and will show the lighting down of His arm, with furious anger, and the flame of a devouring fire, with a bursting of clouds, and a storm of rain, and hailstones. **31** For through the voice of Yehovah shall Asshur be dismayed, the rod with which He smote. **32** And in every place where the appointed staff shall pass, which Yehovah shall lay upon him, it shall be with tabrets and harps; and in battles of wielding will He fight with them. **33** For a hearth is ordered of old; yea, for the king it is prepared, deep and large; the pile thereof is fire and much wood; the breath of Yehovah, like a stream of brimstone, doth kindle it.{P}

לא א הֹ֣וֹי הַיֹּרְדִ֤ים מִצְרַ֙יִם֙ לְעֶזְרָ֔ה עַל־סוּסִ֖ים יִשָּׁעֵ֑נוּ וַיִּבְטְח֨וּ עַל־רֶ֜כֶב כִּ֣י
רָ֗ב וְעַ֤ל פָּֽרָשִׁים֙ כִּֽי־עָצְמ֣וּ מְאֹ֔ד וְלֹ֤א שָׁעוּ֙ עַל־קְד֣וֹשׁ יִשְׂרָאֵ֔ל וְאֶת־יְהֹוָ֖ה לֹ֥א
דָרָֽשׁוּ: ב וְגַם־ה֣וּא חָכָם֮ וַיָּ֣בֵא רָע֒ וְאֶת־דְּבָרָ֖יו לֹ֣א הֵסִ֑יר וְקָם֙ עַל־בֵּ֣ית
מְרֵעִ֔ים וְעַל־עֶזְרַ֖ת פֹּ֥עֲלֵי אָֽוֶן: ג וּמִצְרַ֤יִם אָדָם֙ וְֽלֹא־אֵ֔ל וְסוּסֵיהֶ֖ם בָּשָׂ֣ר
וְלֹא־ר֑וּחַ וַֽיהֹוָ֞ה יַטֶּ֣ה יָד֗וֹ וְכָשַׁ֤ל עוֹזֵר֙ וְנָפַ֣ל עָזֻ֔ר וְיַחְדָּ֖ו כֻּלָּ֥ם יִכְלָיֽוּן: ד כִּ֣י כֹ֣ה
אָֽמַר־יְהֹוָ֣ה ׀ אֵלַ֗י כַּֽאֲשֶׁ֨ר יֶהְגֶּ֤ה הָֽאַרְיֵה֙ וְהַכְּפִ֜יר עַל־טַרְפּ֗וֹ אֲשֶׁ֨ר יִקָּרֵ֤א עָלָיו֙
מְלֹ֣א רֹעִ֔ים מִקּוֹלָם֙ לֹ֣א יֵחָ֔ת וּמֵֽהֲמוֹנָ֖ם לֹ֣א יַֽעֲנֶ֑ה כֵּ֗ן יֵרֵד֙ יְהֹוָ֣ה צְבָא֔וֹת לִצְבֹּ֥א
עַל־הַר־צִיּ֖וֹן וְעַל־גִּבְעָתָֽהּ: ה כְּצִפֳּרִ֣ים עָפ֔וֹת כֵּ֗ן יָגֵ֛ן יְהֹוָ֥ה צְבָא֖וֹת
עַל־יְרֽוּשָׁלָ֑ם גָּנ֥וֹן וְהִצִּ֖יל פָּסֹ֥חַ וְהִמְלִֽיט: ו שׁ֚וּבוּ לַֽאֲשֶׁ֣ר הֶעְמִ֣יקוּ סָרָ֔ה בְּנֵ֖י
יִשְׂרָאֵֽל: ז כִּ֚י בַּיּ֣וֹם הַה֔וּא יִמְאָס֗וּן אִ֚ישׁ אֱלִילֵ֣י כַסְפּ֔וֹ וֶֽאֱלִילֵ֖י זְהָב֑וֹ אֲשֶׁ֨ר עָשׂ֥וּ
לָכֶ֛ם יְדֵיכֶ֖ם חֵֽטְא: ח וְנָפַ֤ל אַשּׁוּר֙ בְּחֶ֣רֶב לֹא־אִ֔ישׁ וְחֶ֥רֶב לֹֽא־אָדָ֖ם תֹּֽאכְלֶ֑נּוּ
וְנָ֥ס לוֹ֙ מִפְּנֵי־חֶ֔רֶב וּבַֽחוּרָ֖יו לָמַ֥ס יִֽהְיֽוּ: ט וְסַלְעוֹ֙ מִמָּג֣וֹר יַֽעֲב֔וֹר וְחַתּ֥וּ מִנֵּ֖ס
שָׂרָ֑יו נְאֻם־יְהֹוָ֗ה אֲשֶׁר־א֤וּר לוֹ֙ בְּצִיּ֔וֹן וְתַנּ֥וּר ל֖וֹ בִּירֽוּשָׁלָֽם:

לב א הֵ֥ן לְצֶ֖דֶק יִמְלׇךְ־מֶ֑לֶךְ וּלְשָׂרִ֖ים לְמִשְׁפָּ֥ט יָשֹֽׂרוּ: ב וְהָֽיָה־אִ֥ישׁ
כְּמַֽחֲבֵא־ר֖וּחַ וְסֵ֣תֶר זָ֑רֶם כְּפַלְגֵי־מַ֣יִם בְּצָיּ֔וֹן כְּצֵ֥ל סֶֽלַע־כָּבֵ֖ד בְּאֶ֥רֶץ עֲיֵפָֽה:
ג וְלֹ֥א תִשְׁעֶ֖ינָה עֵינֵ֣י רֹאִ֑ים וְאׇזְנֵ֥י שֹֽׁמְעִ֖ים תִּקְשַׁבְנָה: ד וּלְבַ֥ב נִמְהָרִ֖ים יָבִ֣ין
לָדָ֑עַת וּלְשׁ֣וֹן עִלְּגִ֔ים תְּמַהֵ֖ר לְדַבֵּ֥ר צָחֽוֹת: ה לֹֽא־יִקָּרֵ֥א ע֖וֹד לְנָבָ֣ל נָדִ֑יב
וּלְכִילַ֕י לֹ֥א יֵֽאָמֵ֖ר שֽׁוֹעַ: ו כִּ֤י נָבָל֙ נְבָלָ֣ה יְדַבֵּ֔ר וְלִבּ֖וֹ יַֽעֲשֶׂה־אָ֑וֶן לַֽעֲשׂ֣וֹת חֹ֗נֶף
וּלְדַבֵּ֤ר אֶל־יְהֹוָה֙ תּוֹעָ֔ה לְהָרִיק֙ נֶ֣פֶשׁ רָעֵ֔ב וּמַשְׁקֶ֥ה צָמֵ֖א יַחְסִֽיר: ז וְכֵלַ֖י כֵּלָ֣יו
רָעִ֑ים ה֚וּא זִמּ֣וֹת יָעָ֔ץ לְחַבֵּ֤ל עֲנָוִים֙[24] בְּאִמְרֵי־שֶׁ֔קֶר וּבְדַבֵּ֥ר אֶבְי֖וֹן מִשְׁפָּֽט:
ח וְנָדִ֖יב נְדִיב֣וֹת יָעָ֑ץ וְה֖וּא עַל־נְדִיב֥וֹת יָקֽוּם:

ט נָשִׁים֙ שַֽׁאֲנַנּ֔וֹת קֹ֖מְנָה שְׁמַ֣עְנָה קוֹלִ֑י בָּנוֹת֙ בֹּֽטְח֔וֹת הַאְזֵ֖נָּה אִמְרָתִֽי: י יָמִים֙
עַל־שָׁנָ֔ה תִּרְגַּ֖זְנָה בֹּֽטְח֑וֹת כִּ֚י כָּלָ֣ה בָצִ֔יר אֹ֖סֶף בְּלִ֥י יָבֽוֹא: יא חִרְדוּ֙ שַֽׁאֲנַנּ֔וֹת
רְגָ֖זָה בֹּֽטְח֑וֹת פְּשֹׁ֣טָה וְעֹ֔רָה וַֽחֲג֖וֹרָה עַל־חֲלָצָֽיִם: יב עַל־שָׁדַ֖יִם סֹֽפְדִ֑ים
עַל־שְׂדֵי־חֶ֔מֶד עַל־גֶּ֖פֶן פֹּֽרִיָּֽה: יג עַ֚ל אַדְמַ֣ת עַמִּ֔י ק֥וֹץ שָׁמִ֖יר תַּֽעֲלֶ֑ה כִּ֚י
עַל־כָּל־בָּתֵּ֣י מָשׂ֔וֹשׂ קִרְיָ֖ה עַלִּיזָֽה: יד כִּֽי־אַרְמ֣וֹן נֻטָּ֔שׁ הֲמ֥וֹן עִ֖יר עֻזָּ֑ב עֹ֣פֶל
וָבַ֜חַן הָיָ֨ה בְעַ֤ד מְעָרוֹת֙ עַד־עוֹלָ֔ם מְשׂ֥וֹשׂ פְּרָאִ֖ים מִרְעֵ֥ה עֲדָרִֽים:
יה עַד־יֵֽעָרֶ֥ה עָלֵ֛ינוּ ר֖וּחַ מִמָּר֑וֹם וְהָיָ֤ה מִדְבָּר֙ לַכַּרְמֶ֔ל[25] וְהַכַּרְמֶ֖ל לַיַּ֥עַר
יֵֽחָשֵֽׁב:

---

[24] עֲנִיִּים
[25] וְכַרְמֶל

31 **1** Woe to them that go down to Egypt for help, and rely on horses, and trust in chariots, because they are many, and in horsemen, because they are exceeding mighty; but they look not unto the Holy One of Israel, neither seek Yehovah! **2** Yet He also is wise, and bringeth evil, and doth not call back His words; but will arise against the house of the evil-doers, and against the help of them that work iniquity. **3** Now the Egyptians are men, and not God, and their horses flesh, and not spirit; so when Yehovah shall stretch out His hand, both he that helpeth shall stumble, and he that is helped shall fall, and they all shall perish together.{S} **4** For thus saith Yehovah unto me: Like as the lion, or the young lion, growling over his prey, though a multitude of shepherds be called forth against him, will not be dismayed at their voice, nor abase himself for the noise of them; so will Yehovah of hosts come down to fight upon mount Zion, and upon the hill thereof. **5** As birds hovering, so will Yehovah of hosts protect Yerushalam; He will deliver it as He protecteth it, He will rescue it as He passeth over. **6** Turn ye unto Him against whom ye have deeply rebelled, O children of Israel. **7** For in that day they shall cast away every man his idols of silver, and his idols of gold, which your own hands have made unto you for a sin. **8** Then shall Asshur fall with the sword, not of man, and the sword, not of men, shall devour him; and he shall flee from the sword, and his young men shall become tributary. **9** And his rock shall pass away by reason of terror, and his princes shall be dismayed at the ensign, saith Yehovah, whose fire is in Zion, and His furnace in Yerushalam.{P}

32 **1** Behold, a king shall reign in righteousness, and as for princes, they shall rule in justice. **2** And a man shall be as in a hiding-place from the wind, and a covert from the tempest; as by the watercourses in a dry place, as in the shadow of a great rock in a weary land. **3** And the eyes of them that see shall not be closed, and the ears of them that hear shall attend. **4** The heart also of the rash shall understand knowledge, and the tongue of the stammerers shall be ready to speak plainly. **5** The vile person shall be no more called liberal, nor the churl said to be noble. **6** For the vile person will speak villainy, and his heart will work iniquity, to practise ungodliness, and to utter wickedness against Yehovah, to make empty the soul of the hungry, and to cause the drink of the thirsty to fail. **7** The instruments also of the churl are evil; he deviseth wicked devices to destroy the poor with lying words, and the needy when he speaketh right. **8** But the liberal deviseth liberal things; and by liberal things shall he stand.{S} **9** Rise up, ye women that are at ease, and hear my voice; ye confident daughters, give ear unto my speech. **10** After a year and days shall ye be troubled, ye confident women; for the vintage shall fail, the ingathering shall not come. **11** Tremble, ye women that are at ease; be troubled, ye confident ones; strip you, and make you bare, and gird sackcloth upon your loins, **12** Smiting upon the breasts for the pleasant fields, for the fruitful vine; **13** For the land of my people whereon thorns and briers come up; yea, for all the houses of joy and the joyous city. **14** For the palace shall be forsaken; the city with its stir shall be deserted; the mound and the tower shall be for dens for ever, a joy of wild asses, a pasture of flocks; **15** Until the spirit be poured upon us from on high, and the wilderness become a fruitful field, and the fruitful field be counted for a forest.

יו וְשָׁכַן בַּמִּדְבָּר מִשְׁפָּט וּצְדָקָה בַּכַּרְמֶל תֵּשֵׁב׃ יז וְהָיָה מַעֲשֵׂה הַצְּדָקָה
שָׁלוֹם וַעֲבֹדַת הַצְּדָקָה הַשְׁקֵט וָבֶטַח עַד־עוֹלָם׃ יח וְיָשַׁב עַמִּי בִּנְוֵה
שָׁלוֹם וּבְמִשְׁכְּנוֹת מִבְטַחִים וּבִמְנוּחֹת שַׁאֲנַנּוֹת׃ יט וּבָרַד בְּרֶדֶת הַיָּעַר
וּבַשִּׁפְלָה תִּשְׁפַּל הָעִיר׃ כ אַשְׁרֵיכֶם זֹרְעֵי עַל־כָּל־מָיִם מְשַׁלְּחֵי
רֶגֶל־הַשּׁוֹר וְהַחֲמוֹר׃

לג א הוֹי שׁוֹדֵד וְאַתָּה לֹא שָׁדוּד וּבוֹגֵד וְלֹא־בָגְדוּ בוֹ כַּהֲתִמְךָ שׁוֹדֵד
תּוּשַּׁד כַּנְּלֹתְךָ לִבְגֹּד יִבְגְּדוּ־בָךְ׃ ב יְהוָה חָנֵּנוּ לְךָ קִוִּינוּ הֱיֵה זְרֹעָם
לַבְּקָרִים אַף־יְשׁוּעָתֵנוּ בְּעֵת צָרָה׃ ג מִקּוֹל הָמוֹן נָדְדוּ עַמִּים מֵרוֹמְמֻתֶךָ
נָפְצוּ גּוֹיִם׃ ד וְאֻסַּף שְׁלַלְכֶם אֹסֶף הֶחָסִיל כְּמַשַּׁק גֵּבִים שֹׁקֵק בּוֹ׃
ה נִשְׂגָּב יְהוָה כִּי שֹׁכֵן מָרוֹם מִלֵּא צִיּוֹן מִשְׁפָּט וּצְדָקָה׃ ו וְהָיָה אֱמוּנַת
עִתֶּיךָ חֹסֶן יְשׁוּעֹת חָכְמַת וָדָעַת יִרְאַת יְהוָה הִיא אוֹצָרוֹ׃ ז הֵן אֶרְאֶלָּם
צָעֲקוּ חֻצָה מַלְאֲכֵי שָׁלוֹם מַר יִבְכָּיוּן׃ ח נָשַׁמּוּ מְסִלּוֹת שָׁבַת עֹבֵר אֹרַח
הֵפֵר בְּרִית מָאַס עָרִים לֹא חָשַׁב אֱנוֹשׁ׃ ט אָבַל אֻמְלְלָה אֶרֶץ הֶחְפִּיר
לְבָנוֹן קָמַל הָיָה הַשָּׁרוֹן כָּעֲרָבָה וְנֹעֵר בָּשָׁן וְכַרְמֶל׃ י עַתָּה אָקוּם יֹאמַר
יְהוָה עַתָּה אֵרוֹמָם עַתָּה אֶנָּשֵׂא׃ יא תַּהֲרוּ חֲשַׁשׁ תֵּלְדוּ קַשׁ רוּחֲכֶם אֵשׁ
תֹּאכַלְכֶם׃ יב וְהָיוּ עַמִּים מִשְׂרְפוֹת שִׂיד קוֹצִים כְּסוּחִים בָּאֵשׁ יִצַּתּוּ׃
יג שִׁמְעוּ רְחוֹקִים אֲשֶׁר עָשִׂיתִי וּדְעוּ קְרוֹבִים גְּבֻרָתִי׃ יד פָּחֲדוּ בְצִיּוֹן
חַטָּאִים אָחֲזָה רְעָדָה חֲנֵפִים מִי ׀ יָגוּר לָנוּ אֵשׁ אוֹכֵלָה מִי־יָגוּר לָנוּ
מוֹקְדֵי עוֹלָם׃ טו הֹלֵךְ צְדָקוֹת וְדֹבֵר מֵישָׁרִים מֹאֵס בְּבֶצַע מַעֲשַׁקּוֹת
נֹעֵר כַּפָּיו מִתְּמֹךְ בַּשֹּׁחַד אֹטֵם אָזְנוֹ מִשְּׁמֹעַ דָּמִים וְעֹצֵם עֵינָיו מֵרְאוֹת
בְּרָע׃ יו הוּא מְרוֹמִים יִשְׁכֹּן מְצָדוֹת סְלָעִים מִשְׂגַּבּוֹ לַחְמוֹ נִתָּן מֵימָיו
נֶאֱמָנִים׃ יז מֶלֶךְ בְּיָפְיוֹ תֶּחֱזֶינָה עֵינֶיךָ תִּרְאֶינָה אֶרֶץ מַרְחַקִּים׃ יח לִבְּךָ
יֶהְגֶּה אֵימָה אַיֵּה סֹפֵר אַיֵּה שֹׁקֵל אַיֵּה סֹפֵר אֶת־הַמִּגְדָּלִים׃ יט אֶת־עַם
נוֹעָז לֹא תִרְאֶה עַם עִמְקֵי שָׂפָה מִשְּׁמוֹעַ נִלְעַג לָשׁוֹן אֵין בִּינָה׃ כ חֲזֵה
צִיּוֹן קִרְיַת מוֹעֲדֵנוּ עֵינֶיךָ תִרְאֶינָה יְרוּשָׁלִַם נָוֶה שַׁאֲנָן אֹהֶל בַּל־יִצְעָן
בַּל־יִסַּע יְתֵדֹתָיו לָנֶצַח וְכָל־חֲבָלָיו בַּל־יִנָּתֵקוּ׃ כא כִּי אִם־שָׁם אַדִּיר
יְהוָה לָנוּ מְקוֹם־נְהָרִים יְאֹרִים רַחֲבֵי יָדָיִם בַּל־תֵּלֶךְ בּוֹ אֳנִי־שַׁיִט וְצִי
אַדִּיר לֹא יַעַבְרֶנּוּ׃ כב כִּי יְהוָה שֹׁפְטֵנוּ יְהוָה מְחֹקְקֵנוּ יְהוָה מַלְכֵּנוּ הוּא
יוֹשִׁיעֵנוּ׃

16 Then justice shall dwell in the wilderness, and righteousness shall abide in the fruitful field. **17** And the work of righteousness shall be peace; and the effect of righteousness quietness and confidence for ever. **18** And my people shall abide in a peaceable habitation, and in secure dwellings, and in quiet resting-places. **19** And it shall hail, in the downfall of the forest; but the city shall descend into the valley. **20** Happy are ye that sow beside all waters, that send forth freely the feet of the ox and the ass.{S}

33 1 Woe to thee that spoilest, and thou wast not spoiled; and dealest treacherously, and they dealt not treacherously with thee! When thou hast ceased to spoil, thou shalt be spoiled; and when thou art weary with dealing treacherously, they shall deal treacherously with thee.{S} **2** Yehovah, be gracious unto us; we have waited for Thee; be Thou their arm every morning, our salvation also in the time of trouble. **3** At the noise of the tumult the peoples are fled; at the lifting up of Thyself the nations are scattered. **4** And your spoil is gathered as the caterpillar gathereth; as locusts leap do they leap upon it. **5** Yehovah is exalted, for He dwelleth on high; He hath filled Zion with justice and righteousness. **6** And the stability of thy times shall be a hoard of salvation–wisdom and knowledge, and the fear of Yehovah which is His treasure.{P}

7 Behold, their valiant ones cry without; the ambassadors of peace weep bitterly. **8** The highways lie waste, the wayfaring man ceaseth; he hath broken the covenant, he hath despised the cities, he regardeth not man. **9** The land mourneth and languisheth; Lebanon is ashamed, it withereth; Sharon is like a wilderness; and Bashan and Carmel are clean bare.{S} **10** Now will I arise, saith Yehovah; now will I be exalted; now will I lift Myself up. **11** Ye conceive chaff, ye shall bring forth stubble; your breath is a fire that shall devour you. **12** And the peoples shall be as the burnings of lime; as thorns cut down, that are burned in the fire.{P}

13 Hear, ye that are far off, what I have done; and, ye that are near, acknowledge My might. **14** The sinners in Zion are afraid; trembling hath seized the ungodly: 'Who among us shall dwell with the devouring fire? Who among us shall dwell with everlasting burnings?' **15** He that walketh righteously, and speaketh uprightly; he that despiseth the gain of oppressions, that shaketh his hands from holding of bribes, that stoppeth his ears from hearing of blood, and shutteth his eyes from looking upon evil; **16** He shall dwell on high; his place of defence shall be the munitions of rocks; his bread shall be given, his waters shall be sure. **17** Thine eyes shall see the king in his beauty; they shall behold a land stretching afar. **18** Thy heart shall muse on the terror: 'Where is he that counted, where is he that weighed? Where is he that counted the towers?' **19** Thou shalt not see the fierce people; a people of a deep speech that thou canst not perceive, of a stammering tongue that thou canst not understand. **20** Look upon Zion, the city of our solemn gatherings; thine eyes shall see Yerushalam a peaceful habitation, a tent that shall not be removed, the stakes whereof shall never be plucked up, neither shall any of the cords thereof be broken. **21** But there Yehovah will be with us in majesty, in a place of broad rivers and streams; wherein shall go no galley with oars, neither shall gallant ship pass thereby. **22** For Yehovah is our Judge, Yehovah is our Lawgiver, Yehovah is our King; He will save us.

כג נִטְּשׁוּ חֲבָלָיִךְ בַּל־יְחַזְּקוּ כֵן־תָּרְנָם בַּל־פָּרְשׂוּ נֵס אָז חֻלַּק עַד־שָׁלָל
מַרְבֶּה פִּסְחִים בָּזְזוּ בַז׃ כד וּבַל־יֹאמַר שָׁכֵן חָלִיתִי הָעָם הַיֹּשֵׁב בָּהּ נְשֻׂא
עָוֺן׃

לד א קִרְבוּ גוֹיִם לִשְׁמֹעַ וּלְאֻמִּים הַקְשִׁיבוּ תִּשְׁמַע הָאָרֶץ וּמְלֹאָהּ תֵּבֵל
וְכָל־צֶאֱצָאֶיהָ׃ ב כִּי קֶצֶף לַיהוָה עַל־כָּל־הַגּוֹיִם וְחֵמָה עַל־כָּל־צְבָאָם
הֶחֱרִימָם נְתָנָם לַטָּבַח׃ ג וְחַלְלֵיהֶם יֻשְׁלָכוּ וּפִגְרֵיהֶם יַעֲלֶה בָאְשָׁם וְנָמַסּוּ
הָרִים מִדָּמָם׃ ד וְנָמַקּוּ כָּל־צְבָא הַשָּׁמַיִם וְנָגֹלּוּ כַסֵּפֶר הַשָּׁמָיִם וְכָל־צְבָאָם
יִבּוֹל כִּנְבֹל עָלֶה מִגֶּפֶן וּכְנֹבֶלֶת מִתְּאֵנָה׃ ה כִּי־רִוְּתָה בַשָּׁמַיִם חַרְבִּי הִנֵּה
עַל־אֱדוֹם תֵּרֵד וְעַל־עַם חֶרְמִי לְמִשְׁפָּט׃ ו חֶרֶב לַיהוָה מָלְאָה דָם הֻדַּשְׁנָה
מֵחֵלֶב מִדַּם כָּרִים וְעַתּוּדִים מֵחֵלֶב כִּלְיוֹת אֵילִים כִּי זֶבַח לַיהוָה בְּבָצְרָה
וְטֶבַח גָּדוֹל בְּאֶרֶץ אֱדוֹם׃ ז וְיָרְדוּ רְאֵמִים עִמָּם וּפָרִים עִם־אַבִּירִים וְרִוְּתָה
אַרְצָם מִדָּם וַעֲפָרָם מֵחֵלֶב יְדֻשָּׁן׃ ח כִּי יוֹם נָקָם לַיהוָה שְׁנַת שִׁלּוּמִים
לְרִיב צִיּוֹן׃ ט וְנֶהֶפְכוּ נְחָלֶיהָ לְזֶפֶת וַעֲפָרָהּ לְגָפְרִית וְהָיְתָה אַרְצָהּ לְזֶפֶת
בֹּעֵרָה׃ י לַיְלָה וְיוֹמָם לֹא תִכְבֶּה לְעוֹלָם יַעֲלֶה עֲשָׁנָהּ מִדּוֹר לָדוֹר תֶּחֱרָב
לְנֵצַח נְצָחִים אֵין עֹבֵר בָּהּ׃ יא וִירֵשׁוּהָ קָאַת וְקִפּוֹד וְיַנְשׁוֹף וְעֹרֵב
יִשְׁכְּנוּ־בָהּ וְנָטָה עָלֶיהָ קַו־תֹהוּ וְאַבְנֵי־בֹהוּ׃ יב חֹרֶיהָ וְאֵין־שָׁם מְלוּכָה
יִקְרָאוּ וְכָל־שָׂרֶיהָ יִהְיוּ אָפֶס׃ יג וְעָלְתָה אַרְמְנֹתֶיהָ סִירִים קִמּוֹשׂ וָחוֹחַ
בְּמִבְצָרֶיהָ וְהָיְתָה נְוֵה תַנִּים חָצִיר לִבְנוֹת יַעֲנָה׃ יד וּפָגְשׁוּ צִיִּים אֶת־אִיִּים
וְשָׂעִיר עַל־רֵעֵהוּ יִקְרָא אַךְ־שָׁם הִרְגִּיעָה לִּילִית וּמָצְאָה לָהּ מָנוֹחַ׃ טו שָׁמָּה
קִנְּנָה קִפּוֹז וַתְּמַלֵּט וּבָקְעָה וְדָגְרָה בְצִלָּהּ אַךְ־שָׁם נִקְבְּצוּ דַיּוֹת אִשָּׁה
רְעוּתָהּ׃ טז דִּרְשׁוּ מֵעַל־סֵפֶר יְהוָה וּקְרָאוּ אַחַת מֵהֵנָּה לֹא נֶעְדָּרָה אִשָּׁה
רְעוּתָהּ לֹא פָקָדוּ כִּי־פִי הוּא צִוָּה וְרוּחוֹ הוּא קִבְּצָן׃ יז וְהוּא־הִפִּיל לָהֶן
גּוֹרָל וְיָדוֹ חִלְּקַתָּה לָהֶם בַּקָּו עַד־עוֹלָם יִירָשׁוּהָ לְדוֹר וָדוֹר יִשְׁכְּנוּ־בָהּ׃

לה א יְשֻׂשׂוּם מִדְבָּר וְצִיָּה וְתָגֵל עֲרָבָה וְתִפְרַח כַּחֲבַצָּלֶת׃ ב פָּרֹחַ תִּפְרַח
וְתָגֵל אַף גִּילַת וְרַנֵּן כְּבוֹד הַלְּבָנוֹן נִתַּן־לָהּ הֲדַר הַכַּרְמֶל וְהַשָּׁרוֹן הֵמָּה
יִרְאוּ כְבוֹד־יְהוָה הֲדַר אֱלֹהֵינוּ׃ ג חַזְּקוּ יָדַיִם רָפוֹת וּבִרְכַּיִם כֹּשְׁלוֹת
אַמֵּצוּ׃ ד אִמְרוּ לְנִמְהֲרֵי־לֵב חִזְקוּ אַל־תִּירָאוּ הִנֵּה אֱלֹהֵיכֶם נָקָם יָבוֹא
גְּמוּל אֱלֹהִים הוּא יָבוֹא וְיֹשַׁעֲכֶם׃ ה אָז תִּפָּקַחְנָה עֵינֵי עִוְרִים וְאָזְנֵי חֵרְשִׁים
תִּפָּתַחְנָה׃

23 Thy tacklings are loosed; they do not hold the stand of their mast, they do not spread the sail; then is the prey of a great spoil divided; the lame take the prey. 24 And the inhabitant shall not say: 'I am sick'; the people that dwell therein shall be forgiven their iniquity.{s}

34 1 Come near, ye nations, to hear, and attend, ye peoples; let the earth hear, and the fulness thereof, the world, and all things that come forth of it. 2 For Yehovah hath indignation against all the nations, and fury against all their host; He hath utterly destroyed them, He hath delivered them to the slaughter. 3 Their slain also shall be cast out, and the stench of their carcasses shall come up, and the mountains shall be melted with their blood. 4 And all the host of heaven shall moulder away, and the heavens shall be rolled together as a scroll; and all their host shall fall down, as the leaf falleth off from the vine, and as a falling fig from the fig-tree. 5 For My sword hath drunk its fill in heaven; behold, it shall come down upon Edom, and upon the people of My ban, to judgment. 6 The sword of Yehovah is filled with blood, it is made fat with fatness, with the blood of lambs and goats, with the fat of the kidneys of rams; for Yehovah hath a sacrifice in Bozrah, and a great slaughter in the land of Edom. 7 And the wild-oxen shall come down with them, and the bullocks with the bulls; and their land shall be drunken with blood, and their dust made fat with fatness. 8 For Yehovah hath a day of vengeance, a year of recompense for the controversy of Zion. 9 And the streams thereof shall be turned into pitch, and the dust thereof into brimstone, and the land thereof shall become burning pitch. 10 It shall not be quenched night nor day, the smoke thereof shall go up for ever; from generation to generation it shall lie waste: none shall pass through it for ever and ever. 11 But the pelican and the bittern shall possess it, and the owl and the raven shall dwell therein; and He shall stretch over it the line of confusion, and the plummet of emptiness. 12 As for her nobles, none shall be there to be called to the kingdom; and all her princes shall be nothing. 13 And thorns shall come up in her palaces, nettles and thistles in the fortresses thereof; and it shall be a habitation of wild-dogs, an enclosure for ostriches. 14 And the wild-cats shall meet with the jackals, and the satyr shall cry to his fellow; yea, the night-monster shall repose there, and shall find her a place of rest. 15 There shall the arrowsnake make her nest, and lay, and hatch, and brood under her shadow; yea, there shall the kites be gathered, every one with her mate. 16 Seek ye out of the book of Yehovah, and read; no one of these shall be missing, none shall want her mate; for My mouth it hath commanded, and the breath thereof it hath gathered them. 17 And He hath cast the lot for them, and His hand hath divided it unto them by line; they shall possess it for ever, from generation to generation shall they dwell therein.{s}

35 1 The wilderness and the parched land shall be glad; and the desert shall rejoice, and blossom as the rose. 2 It shall blossom abundantly, and rejoice, even with joy and singing; the glory of Lebanon shall be given unto it, the excellency of Carmel and Sharon; they shall see the glory of Yehovah, the excellency of our God.{P}

3 Strengthen ye the weak hands, and make firm the tottering knees. 4 Say to them that are of a fearful heart: 'Be strong, fear not'; behold, your God will come with vengeance, with the recompense of God He will come and save you. 5 Then the eyes of the blind shall be opened, and the ears of the deaf shall be unstopped.

ו אָז יְדַלֵּג כָּאַיָּל פִּסֵּחַ וְתָרֹן לְשׁוֹן אִלֵּם כִּי־נִבְקְעוּ בַמִּדְבָּר מַיִם וּנְחָלִים
בָּעֲרָבָה׃ ז וְהָיָה הַשָּׁרָב לַאֲגַם וְצִמָּאוֹן לְמַבּוּעֵי מָיִם בִּנְוֵה תַנִּים רִבְצָהּ חָצִיר
לְקָנֶה וָגֹמֶא׃ ח וְהָיָה־שָׁם מַסְלוּל וָדֶרֶךְ וְדֶרֶךְ הַקֹּדֶשׁ יִקָּרֵא לָהּ לֹא־יַעַבְרֶנּוּ
טָמֵא וְהוּא־לָמוֹ הֹלֵךְ דֶּרֶךְ וֶאֱוִילִים לֹא יִתְעוּ׃ ט לֹא־יִהְיֶה שָׁם אַרְיֵה וּפְרִיץ
חַיּוֹת בַּל־יַעֲלֶנָּה לֹא תִמָּצֵא שָׁם וְהָלְכוּ גְּאוּלִים׃ י וּפְדוּיֵי יְהוָה יְשֻׁבוּן וּבָאוּ
צִיּוֹן בְּרִנָּה וְשִׂמְחַת עוֹלָם עַל־רֹאשָׁם שָׂשׂוֹן וְשִׂמְחָה יַשִּׂיגוּ וְנָסוּ יָגוֹן וַאֲנָחָה׃

לו א וַיְהִי בְּאַרְבַּע עֶשְׂרֵה שָׁנָה לַמֶּלֶךְ חִזְקִיָּהוּ עָלָה סַנְחֵרִיב מֶלֶךְ־אַשּׁוּר
עַל כָּל־עָרֵי יְהוּדָה הַבְּצֻרוֹת וַיִּתְפְּשֵׂם׃ ב וַיִּשְׁלַח מֶלֶךְ־אַשּׁוּר ׀
אֶת־רַב־שָׁקֵה מִלָּכִישׁ יְרוּשָׁלַיְמָה אֶל־הַמֶּלֶךְ חִזְקִיָּהוּ בְּחֵיל כָּבֵד וַיַּעֲמֹד
בִּתְעָלַת הַבְּרֵכָה הָעֶלְיוֹנָה בִּמְסִלַּת שְׂדֵה כוֹבֵס׃ ג וַיֵּצֵא אֵלָיו אֶלְיָקִים
בֶּן־חִלְקִיָּהוּ אֲשֶׁר עַל־הַבָּיִת וְשֶׁבְנָא הַסֹּפֵר וְיוֹאָח בֶּן־אָסָף הַמַּזְכִּיר׃
ד וַיֹּאמֶר אֲלֵיהֶם רַב־שָׁקֵה אִמְרוּ־נָא אֶל־חִזְקִיָּהוּ כֹּה־אָמַר הַמֶּלֶךְ הַגָּדוֹל
מֶלֶךְ אַשּׁוּר מָה הַבִּטָּחוֹן הַזֶּה אֲשֶׁר בָּטָחְתָּ׃ ה אָמַרְתִּי אַךְ־דְּבַר־שְׂפָתַיִם
עֵצָה וּגְבוּרָה לַמִּלְחָמָה עַתָּה עַל־מִי בָטַחְתָּ כִּי מָרַדְתָּ בִּי׃ ו הִנֵּה בָטַחְתָּ
עַל־מִשְׁעֶנֶת הַקָּנֶה הָרָצוּץ הַזֶּה עַל־מִצְרַיִם אֲשֶׁר יִסָּמֵךְ אִישׁ עָלָיו וּבָא
בְכַפּוֹ וּנְקָבָהּ כֵּן פַּרְעֹה מֶלֶךְ־מִצְרַיִם לְכָל־הַבֹּטְחִים עָלָיו׃ ז וְכִי־תֹאמַר
אֵלַי אֶל־יְהוָה אֱלֹהֵינוּ בָּטָחְנוּ הֲלוֹא־הוּא אֲשֶׁר הֵסִיר חִזְקִיָּהוּ אֶת־בָּמֹתָיו
וְאֶת־מִזְבְּחֹתָיו וַיֹּאמֶר לִיהוּדָה וְלִירוּשָׁלַםִ לִפְנֵי הַמִּזְבֵּחַ הַזֶּה תִּשְׁתַּחֲווּ׃
ח וְעַתָּה הִתְעָרֶב נָא אֶת־אֲדֹנִי הַמֶּלֶךְ אַשּׁוּר וְאֶתְּנָה לְךָ אַלְפַּיִם סוּסִים
אִם־תּוּכַל לָתֶת לְךָ רֹכְבִים עֲלֵיהֶם׃ ט וְאֵיךְ תָּשִׁיב אֵת פְּנֵי פַחַת אַחַד עַבְדֵי
אֲדֹנִי הַקְּטַנִּים וַתִּבְטַח לְךָ עַל־מִצְרַיִם לְרֶכֶב וּלְפָרָשִׁים׃ י וְעַתָּה הֲמִבַּלְעֲדֵי
יְהוָה עָלִיתִי עַל־הָאָרֶץ הַזֹּאת לְהַשְׁחִיתָהּ יְהוָה אָמַר אֵלַי עֲלֵה אֶל־הָאָרֶץ
הַזֹּאת וְהַשְׁחִיתָהּ׃ יא וַיֹּאמֶר אֶלְיָקִים וְשֶׁבְנָא וְיוֹאָח אֶל־רַב־שָׁקֵה דַּבֶּר־נָא
אֶל־עֲבָדֶיךָ אֲרָמִית כִּי שֹׁמְעִים אֲנָחְנוּ וְאַל־תְּדַבֵּר אֵלֵינוּ יְהוּדִית בְּאָזְנֵי הָעָם
אֲשֶׁר עַל־הַחוֹמָה׃ יב גַּם־וַיֹּאמֶר רַב־שָׁקֵה הַאֶל אֲדֹנֶיךָ וְאֵלֶיךָ שְׁלָחַנִי אֲדֹנִי
לְדַבֵּר אֶת־הַדְּבָרִים הָאֵלֶּה הֲלֹא עַל־הָאֲנָשִׁים הַיֹּשְׁבִים עַל־הַחוֹמָה לֶאֱכֹל
אֶת־צוֹאָתָם[26] וְלִשְׁתּוֹת אֶת־מֵימֵי רַגְלֵיהֶם[27] עִמָּכֶם׃ יג וַיַּעֲמֹד רַב־שָׁקֵה וַיִּקְרָא
בְקוֹל־גָּדוֹל יְהוּדִית וַיֹּאמֶר שִׁמְעוּ אֶת־דִּבְרֵי הַמֶּלֶךְ הַגָּדוֹל מֶלֶךְ אַשּׁוּר׃
יד כֹּה אָמַר הַמֶּלֶךְ אַל־יַשִּׁא לָכֶם חִזְקִיָּהוּ כִּי לֹא־יוּכַל לְהַצִּיל אֶתְכֶם׃

[26] חראיהם
[27] שיניהם

<u>6</u> Then shall the lame man leap as a hart, and the tongue of the dumb shall sing; for in the wilderness shall waters break out, and streams in the desert. <u>7</u> And the parched land shall become a pool, and the thirsty ground springs of water; in the habitation of jackals herds shall lie down, it shall be an enclosure for reeds and rushes. <u>8</u> And a highway shall be there, and a way, and it shall be called the way of holiness; the unclean shall not pass over it; but it shall be for those; the wayfaring men, yea fools, shall not err therein. <u>9</u> No lion shall be there, nor shall any ravenous beast go up thereon, they shall not be found there; but the redeemed shall walk there; <u>10</u> And the ransomed of Yehovah shall return, and come with singing unto Zion, and everlasting joy shall be upon their heads; they shall obtain gladness and joy, and sorrow and sighing shall flee away.{s}

36 <u>1</u> Now it came to pass in the fourteenth year of king Hezekiah, that Sennacherib king of Assyria came up against all the fortified cities of Judah, and took them. <u>2</u> And the king of Assyria sent Rab-shakeh from Lachish to Yerushalam unto king Hezekiah with a great army. And he stood by the conduit of the upper pool in the highway of the fullers' field. <u>3</u> Then came forth unto him Eliakim the son of Hilkiah, that was over the household, and Shebna the scribe, and Joah the son of Asaph the recorder. <u>4</u> And Rab-shakeh said unto them: 'Say ye now to Hezekiah: Thus saith the great king, the king of Assyria: What confidence is this wherein thou trustest? <u>5</u> I said: It is but vain words; for counsel and strength are for the war. Now on whom dost thou trust, that thou hast rebelled against me? <u>6</u> Behold, thou trustest upon the staff of this bruised reed, even upon Egypt; whereon if a man lean, it will go into his hand, and pierce it; so is Pharaoh king of Egypt to all that trust on him. <u>7</u> But if thou say unto me: We trust in Yehovah our God; is not that He, whose high places and whose altars Hezekiah hath taken away, and hath said to Judah and to Yerushalam: Ye shall worship before this altar? <u>8</u> Now therefore, I pray thee, make a wager with my master, the king of Assyria, and I will give thee two thousand horses, if thou be able on thy part to set riders upon them. <u>9</u> How then canst thou turn away the face of one captain, even of the least of my master's servants? yet thou puttest thy trust on Egypt for chariots and for horsemen! <u>10</u> And am I now come up without Yehovah against this land to destroy it? Yehovah said unto me: Go up against this land, and destroy it.'{s} <u>11</u> Then said Eliakim and Shebna and Joah unto Rab-shakeh: 'Speak, I pray thee, unto thy servants in the Aramean language, for we understand it; and speak not to us in the Jews' language, in the ears of the people that are on the wall.' <u>12</u> But Rab-shakeh said: 'Hath my master sent me to thy master, and to thee, to speak these words? hath he not sent me to the men that sit upon the wall, to eat their own dung, and to drink their own water with you?' <u>13</u> Then Rab-shakeh stood, and cried with a loud voice in the Jews' language, and said: 'Hear ye the words of the great king, the king of Assyria. <u>14</u> Thus saith the king: Let not Hezekiah beguile you, for he will not be able to deliver you;

יה וְאַל־יַבְטַח אֶתְכֶם חִזְקִיָּהוּ אֶל־יְהוָה לֵאמֹר הַצֵּל יַצִּילֵנוּ יְהוָה לֹא תִנָּתֵן
הָעִיר הַזֹּאת בְּיַד מֶלֶךְ אַשּׁוּר׃ יו אַל־תִּשְׁמְעוּ אֶל־חִזְקִיָּהוּ כִּי כֹה אָמַר הַמֶּלֶךְ
אַשּׁוּר עֲשׂוּ־אִתִּי בְרָכָה וּצְאוּ אֵלַי וְאִכְלוּ אִישׁ־גַּפְנוֹ וְאִישׁ תְּאֵנָתוֹ וּשְׁתוּ אִישׁ
מֵי־בוֹרוֹ׃ יז עַד־בֹּאִי וְלָקַחְתִּי אֶתְכֶם אֶל־אֶרֶץ כְּאַרְצְכֶם אֶרֶץ דָּגָן וְתִירוֹשׁ
אֶרֶץ לֶחֶם וּכְרָמִים׃ יח פֶּן־יַסִּית אֶתְכֶם חִזְקִיָּהוּ לֵאמֹר יְהוָה יַצִּילֵנוּ הַהִצִּילוּ
אֱלֹהֵי הַגּוֹיִם אִישׁ אֶת־אַרְצוֹ מִיַּד מֶלֶךְ אַשּׁוּר׃ יט אַיֵּה אֱלֹהֵי חֲמָת וְאַרְפָּד
אַיֵּה אֱלֹהֵי סְפַרְוָיִם וְכִי־הִצִּילוּ אֶת־שֹׁמְרוֹן מִיָּדִי׃ כ מִי בְּכָל־אֱלֹהֵי הָאֲרָצוֹת
הָאֵלֶּה אֲשֶׁר־הִצִּילוּ אֶת־אַרְצָם מִיָּדִי כִּי־יַצִּיל יְהוָה אֶת־יְרוּשָׁלִַם מִיָּדִי׃
כא וַיַּחֲרִישׁוּ וְלֹא־עָנוּ אֹתוֹ דָּבָר כִּי־מִצְוַת הַמֶּלֶךְ הִיא לֵאמֹר לֹא תַעֲנֻהוּ׃
כב וַיָּבֹא אֶלְיָקִים בֶּן־חִלְקִיָּהוּ אֲשֶׁר־עַל־הַבַּיִת וְשֶׁבְנָא הַסּוֹפֵר וְיוֹאָח בֶּן־אָסָף
הַמַּזְכִּיר אֶל־חִזְקִיָּהוּ קְרוּעֵי בְגָדִים וַיַּגִּידוּ לוֹ אֵת דִּבְרֵי רַב־שָׁקֵה׃

לז א וַיְהִי כִּשְׁמֹעַ הַמֶּלֶךְ חִזְקִיָּהוּ וַיִּקְרַע אֶת־בְּגָדָיו וַיִּתְכַּס בַּשָּׂק וַיָּבֹא בֵּית
יְהוָה׃ ב וַיִּשְׁלַח אֶת־אֶלְיָקִים אֲשֶׁר־עַל־הַבַּיִת וְאֵת ׀ שֶׁבְנָא הַסּוֹפֵר וְאֵת זִקְנֵי
הַכֹּהֲנִים מִתְכַּסִּים בַּשַּׂקִּים אֶל־יְשַׁעְיָהוּ בֶן־אָמוֹץ הַנָּבִיא׃ ג וַיֹּאמְרוּ אֵלָיו כֹּה
אָמַר חִזְקִיָּהוּ יוֹם־צָרָה וְתוֹכֵחָה וּנְאָצָה הַיּוֹם הַזֶּה כִּי בָאוּ בָנִים עַד־מַשְׁבֵּר
וְכֹחַ אַיִן לְלֵדָה׃ ד אוּלַי יִשְׁמַע יְהוָה אֱלֹהֶיךָ אֵת ׀ דִּבְרֵי רַב־שָׁקֵה אֲשֶׁר
שְׁלָחוֹ מֶלֶךְ־אַשּׁוּר ׀ אֲדֹנָיו לְחָרֵף אֱלֹהִים חַי וְהוֹכִיחַ בַּדְּבָרִים אֲשֶׁר שָׁמַע
יְהוָה אֱלֹהֶיךָ וְנָשָׂאתָ תְפִלָּה בְּעַד הַשְּׁאֵרִית הַנִּמְצָאָה׃ ה וַיָּבֹאוּ עַבְדֵי הַמֶּלֶךְ
חִזְקִיָּהוּ אֶל־יְשַׁעְיָהוּ׃ ו וַיֹּאמֶר אֲלֵיהֶם יְשַׁעְיָהוּ כֹּה תֹאמְרוּן אֶל־אֲדֹנֵיכֶם כֹּה ׀
אָמַר יְהוָה אַל־תִּירָא מִפְּנֵי הַדְּבָרִים אֲשֶׁר שָׁמַעְתָּ אֲשֶׁר גִּדְּפוּ נַעֲרֵי
מֶלֶךְ־אַשּׁוּר אוֹתִי׃ ז הִנְנִי נוֹתֵן בּוֹ רוּחַ וְשָׁמַע שְׁמוּעָה וְשָׁב אֶל־אַרְצוֹ וְהִפַּלְתִּיו
בַּחֶרֶב בְּאַרְצוֹ׃ ח וַיָּשָׁב רַב־שָׁקֵה וַיִּמְצָא אֶת־מֶלֶךְ אַשּׁוּר נִלְחָם עַל־לִבְנָה כִּי
שָׁמַע כִּי נָסַע מִלָּכִישׁ׃ ט וַיִּשְׁמַע עַל־תִּרְהָקָה מֶלֶךְ־כּוּשׁ לֵאמֹר יָצָא לְהִלָּחֵם
אִתָּךְ וַיִּשְׁמַע וַיִּשְׁלַח מַלְאָכִים אֶל־חִזְקִיָּהוּ לֵאמֹר׃ י כֹּה תֹאמְרוּן אֶל־חִזְקִיָּהוּ
מֶלֶךְ־יְהוּדָה לֵאמֹר אַל־יַשִּׁאֲךָ אֱלֹהֶיךָ אֲשֶׁר אַתָּה בּוֹטֵחַ בּוֹ לֵאמֹר לֹא תִנָּתֵן
יְרוּשָׁלִַם בְּיַד מֶלֶךְ אַשּׁוּר׃ יא הִנֵּה ׀ אַתָּה שָׁמַעְתָּ אֲשֶׁר עָשׂוּ מַלְכֵי אַשּׁוּר
לְכָל־הָאֲרָצוֹת לְהַחֲרִימָם וְאַתָּה תִּנָּצֵל׃ יב הַהִצִּילוּ אוֹתָם אֱלֹהֵי הַגּוֹיִם אֲשֶׁר
הִשְׁחִיתוּ אֲבוֹתַי אֶת־גּוֹזָן וְאֶת־חָרָן וְרֶצֶף וּבְנֵי־עֶדֶן אֲשֶׁר בִּתְלַשָּׂר׃ יג אַיֵּה
מֶלֶךְ־חֲמָת וּמֶלֶךְ אַרְפָּד וּמֶלֶךְ לָעִיר סְפַרְוָיִם הֵנַע וְעִוָּה׃ יד וַיִּקַּח חִזְקִיָּהוּ
אֶת־הַסְּפָרִים מִיַּד הַמַּלְאָכִים וַיִּקְרָאֵהוּ וַיַּעַל בֵּית יְהוָה וַיִּפְרְשֵׂהוּ חִזְקִיָּהוּ
לִפְנֵי יְהוָה׃

15 neither let Hezekiah make you trust in Yehovah, saying: Yehovah will surely deliver us; this city shall not be given into the hand of the king of Assyria. **16** Hearken not to Hezekiah;{P}

for thus saith the king of Assyria: Make your peace with me, and come out to me; and eat ye every one of his vine, and every one of his fig-tree, and drink ye every one the waters of his own cistern; **17** until I come and take you away to a land like your own land, a land of corn and wine, a land of bread and vineyards. **18** Beware lest Hezekiah persuade you, saying: Yehovah will deliver us. Hath any of the gods of the nations delivered his land out of the hand of the king of Assyria? **19** Where are the gods of Hamath and Arpad? where are the gods of Sepharvaim? and have they delivered Samaria out of my hand? **20** Who are they among all the gods of these countries, that have delivered their country out of my hand, that Yehovah should deliver Yerushalam out of my hand?' **21** But they held their peace, and answered him not a word; for the king's commandment was, saying: 'Answer him not.' **22** Then came Eliakim the son of Hilkiah, that was over the household, and Shebna the scribe, and Joah the son of Asaph the recorder, to Hezekiah with their clothes rent, and told him the words of Rab-shakeh.{S}

37 1 And it came to pass, when king Hezekiah heard it, that he rent his clothes, and covered himself with sackcloth, and went into the house of Yehovah. **2** And he sent Eliakim, who was over the household, and Shebna the scribe, and the elders of the priests, covered with sackcloth, unto Isaiah the prophet the son of Amoz. **3** And they said unto him: 'Thus saith Hezekiah: This day is a day of trouble, and of rebuke, and of contumely; for the children are come to the birth, and there is not strength to bring forth. **4** It may be Yehovah thy God will hear the words of Rab-shakeh, whom the king of Assyria his master hath sent to taunt the living God, and will rebuke the words which Yehovah thy God hath heard; wherefore make prayer for the remnant that is left.' **5** So the servants of king Hezekiah came to Isaiah. **6** And Isaiah said unto them: 'Thus shall ye say to your master: Thus saith Yehovah: Be not afraid of the words that thou hast heard, wherewith the servants of the king of Assyria have blasphemed Me. **7** Behold, I will put a spirit in him, and he shall hear a rumour, and shall return unto his own land; and I will cause him to fall by the sword in his own land.' **8** So Rab-shakeh returned, and found the king of Assyria warring against Libnah; for he had heard that he was departed from Lachish. **9** And he heard say concerning Tirhakah king of Ethiopia: 'He is come out to fight against thee.' And when he heard it, he sent messengers to Hezekiah, saying: **10** 'Thus shall ye speak to Hezekiah king of Judah, saying: Let not thy God in whom thou trustest beguile thee, saying: Yerushalam shall not be given into the hand of the king of Assyria. **11** Behold, thou hast heard what the kings of Assyria have done to all lands, by destroying them utterly; and shalt thou be delivered? **12** Have the gods of the nations delivered them, which my fathers have destroyed, Gozan, and Haran, and Rezeph, and the children of Eden that were in Telassar? **13** Where is the king of Hamath, and the king of Arpad, and the king of the city of Sepharvaim, of Hena, and Ivvah?' **14** And Hezekiah received the letter from the hand of the messengers, and read it; and Hezekiah went up unto the house of Yehovah, and spread it before Yehovah.{S}

יה וַיִּתְפַּלֵּל֙ חִזְקִיָּ֔הוּ אֶל־יְהוָ֖ה לֵאמֹֽר׃ יו יְהוָ֨ה צְבָא֜וֹת אֱלֹהֵ֤י יִשְׂרָאֵל֙ יֹשֵׁ֣ב
הַכְּרֻבִ֔ים אַתָּה־ה֤וּא הָֽאֱלֹהִים֙ לְבַדְּךָ֔ לְכֹ֖ל מַמְלְכ֣וֹת הָאָ֑רֶץ אַתָּ֣ה עָשִׂ֔יתָ
אֶת־הַשָּׁמַ֖יִם וְאֶת־הָאָֽרֶץ׃ יז הַטֵּ֨ה יְהוָ֤ה ׀ אָזְנְךָ֙ וּֽשְׁמָ֔ע פְּקַ֧ח יְהוָ֛ה עֵינְךָ֖ וּרְאֵ֑ה
וּשְׁמַ֗ע אֵ֚ת כָּל־דִּבְרֵ֣י סַנְחֵרִ֔יב אֲשֶׁ֣ר שָׁלַ֔ח לְחָרֵ֖ף אֱלֹהִ֥ים חָֽי׃ יח אָמְנָ֖ם יְהוָ֑ה
הֶחֱרִ֜יבוּ מַלְכֵ֥י אַשּׁ֛וּר אֶת־כָּל־הָאֲרָצ֖וֹת וְאֶת־אַרְצָֽם׃ יט וְנָתֹ֥ן אֶת־אֱלֹהֵיהֶ֖ם
בָּאֵ֑שׁ כִּ֠י לֹ֨א אֱלֹהִ֜ים הֵ֗מָּה כִּ֣י אִם־מַעֲשֵׂ֧ה יְדֵי־אָדָ֛ם עֵ֥ץ וָאֶ֖בֶן וַֽיְאַבְּדֽוּם׃
כ וְעַתָּה֙ יְהוָ֣ה אֱלֹהֵ֔ינוּ הוֹשִׁיעֵ֖נוּ מִיָּד֑וֹ וְיֵֽדְעוּ֙ כָּל־מַמְלְכ֣וֹת הָאָ֔רֶץ כִּֽי־אַתָּ֥ה
יְהוָ֖ה לְבַדֶּֽךָ׃ כא וַיִּשְׁלַח֙ יְשַֽׁעְיָ֣הוּ בֶן־אָמ֔וֹץ אֶל־חִזְקִיָּ֖הוּ לֵאמֹ֑ר כֹּֽה־אָמַ֤ר
יְהוָה֙ אֱלֹהֵ֣י יִשְׂרָאֵ֔ל אֲשֶׁר֙ הִתְפַּלַּ֣לְתָּ אֵלַ֔י אֶל־סַנְחֵרִ֖יב מֶ֥לֶךְ אַשּֽׁוּר׃ כב זֶ֣ה
הַדָּבָ֔ר אֲשֶׁר־דִּבֶּ֥ר יְהוָ֖ה עָלָ֑יו בָּזָ֨ה לְךָ֜ לָעֲגָ֣ה לְךָ֗ בְּתוּלַת֙ בַּת־צִיּ֔וֹן אַחֲרֶ֙יךָ֙
רֹ֣אשׁ הֵנִ֔יעָה בַּ֖ת יְרוּשָׁלִָֽם׃ כג אֶת־מִ֤י חֵרַ֙פְתָּ֙ וְגִדַּ֔פְתָּ וְעַל־מִ֖י הֲרִימ֣וֹתָה קּ֑וֹל
וַתִּשָּׂ֥א מָר֛וֹם עֵינֶ֖יךָ אֶל־קְד֥וֹשׁ יִשְׂרָאֵֽל׃ כד בְּיַ֣ד עֲבָדֶ֘יךָ֮ חֵרַ֣פְתָּ ׀ אֲדֹנָ֒י֒
וַתֹּ֗אמֶר בְּרֹ֥ב רִכְבִּ֛י אֲנִ֥י עָלִ֛יתִי מְר֥וֹם הָרִ֖ים יַרְכְּתֵ֣י לְבָנ֑וֹן וְאֶכְרֹ֞ת קוֹמַ֣ת
אֲרָזָ֗יו מִבְחַ֣ר בְּרֹשָׁ֔יו וְאָבוֹא֙ מְר֣וֹם קִצּ֔וֹ יַ֖עַר כַּרְמִלּֽוֹ׃ כה אֲנִ֥י קַ֖רְתִּי וְשָׁתִ֣יתִי
מָ֑יִם וְאַחְרִב֙ בְּכַף־פְּעָמַ֔י כֹּ֖ל יְאֹרֵ֥י מָצֽוֹר׃ כו הֲלֽוֹא־שָׁמַ֤עְתָּ לְמֵֽרָחוֹק֙ אוֹתָ֣הּ
עָשִׂ֔יתִי מִ֥ימֵי קֶ֖דֶם וִיצַרְתִּ֑יהָ עַתָּ֣ה הֲבֵאתִ֔יהָ וּתְהִ֗י לְהַשְׁא֛וֹת גַּלִּ֥ים נִצִּ֖ים
עָרִ֥ים בְּצֻרֽוֹת׃ כז וְיֹשְׁבֵיהֶן֙ קִצְרֵי־יָ֔ד חַ֖תּוּ וָבֹ֑שׁוּ הָי֞וּ עֵ֤שֶׂב שָׂדֶה֙ וִ֣ירַק דֶּ֔שֶׁא
חֲצִ֣יר גַּגּ֔וֹת וּשְׁדֵמָ֖ה לִפְנֵ֥י קָמָֽה׃ כח וְשִׁבְתְּךָ֛ וְצֵאתְךָ֥ וּבוֹאֲךָ֖ יָדָ֑עְתִּי וְאֵ֖ת
הִֽתְרַגֶּזְךָ֥ אֵלָֽי׃ כט יַ֚עַן הִתְרַגֶּזְךָ֣ אֵלַ֔י וְשַׁאֲנַנְךָ֖ עָלָ֣ה בְאָזְנָ֑י וְשַׂמְתִּ֨י חַחִ֜י בְּאַפֶּ֗ךָ
וּמִתְגִּי֙ בִּשְׂפָתֶ֔יךָ וַהֲשִׁיבֹתִ֕יךָ בַּדֶּ֖רֶךְ אֲשֶׁר־בָּ֥אתָ בָּֽהּ׃ ל וְזֶה־לְּךָ֣ הָא֔וֹת אָכ֤וֹל
הַשָּׁנָה֙ סָפִ֔יחַ וּבַשָּׁנָ֥ה הַשֵּׁנִ֖ית שָׁחִ֑יס וּבַשָּׁנָ֣ה הַשְּׁלִישִׁ֗ית זִרְע֛וּ וְקִצְר֥וּ וְנִטְע֥וּ
כְרָמִ֖ים וְאִכְל֥וּ[28] פִרְיָֽם׃ לא וְיָ֨סְפָ֜ה פְּלֵיטַ֧ת בֵּית־יְהוּדָ֛ה הַנִּשְׁאָרָ֖ה שֹׁ֣רֶשׁ
לְמָ֑טָּה וְעָשָׂ֥ה פְרִ֖י לְמָֽעְלָה׃ לב כִּ֤י מִירוּשָׁלִַ֙ם֙ תֵּצֵ֣א שְׁאֵרִ֔ית וּפְלֵיטָ֖ה מֵהַ֣ר
צִיּ֑וֹן קִנְאַ֛ת יְהוָ֥ה צְבָא֖וֹת תַּעֲשֶׂה־זֹּֽאת׃ לג לָכֵ֗ן כֹּֽה־אָמַ֤ר יְהוָה֙ אֶל־מֶ֣לֶךְ
אַשּׁ֔וּר לֹ֤א יָבוֹא֙ אֶל־הָעִ֣יר הַזֹּ֔את וְלֹא־יוֹרֶ֥ה שָׁ֖ם חֵ֑ץ וְלֹֽא־יְקַדְּמֶ֣נָּה מָגֵ֔ן
וְלֹֽא־יִשְׁפֹּ֥ךְ עָלֶ֖יהָ סֹלְלָֽה׃ לד בַּדֶּ֥רֶךְ אֲשֶׁר־בָּ֖א בָּ֣הּ יָשׁ֑וּב וְאֶל־הָעִ֥יר הַזֹּ֛את
לֹ֥א יָב֖וֹא נְאֻם־יְהוָֽה׃ לה וְגַנּוֹתִ֛י עַל־הָעִ֥יר הַזֹּ֖את לְהוֹשִׁיעָ֑הּ לְמַֽעֲנִ֔י וּלְמַ֖עַן
דָּוִ֥ד עַבְדִּֽי׃ לו וַיֵּצֵ֣א ׀ מַלְאַ֣ךְ יְהוָ֗ה וַיַּכֶּה֙ בְּמַחֲנֵ֣ה אַשּׁ֔וּר מֵאָ֛ה וּשְׁמֹנִ֥ים
וַחֲמִשָּׁ֖ה אָ֑לֶף וַיַּשְׁכִּ֣ימוּ בַבֹּ֔קֶר וְהִנֵּ֥ה כֻלָּ֖ם פְּגָרִ֥ים מֵתִֽים׃ לז וַיִּסַּע֙ וַיֵּ֣לֶךְ וַיָּ֔שָׁב
סַנְחֵרִ֖יב מֶֽלֶךְ־אַשּׁ֑וּר וַיֵּ֖שֶׁב בְּנִֽינְוֵֽה׃

[28] ואכול

15 And Hezekiah prayed unto Yehovah, saying: **16** 'Yehovah of hosts, the God of Israel, that sittest upon the cherubim, Thou art the God, even Thou alone, of all the kingdoms of the earth; Thou hast made heaven and earth. **17** Incline Thine ear, Yehovah, and hear; open Thine eyes, Yehovah, and see; and hear all the words of Sennacherib, who hath sent to taunt the living God. **18** Of a truth, Yehovah, the kings of Assyria have laid waste all the countries, and their land, **19** and have cast their gods into the fire; for they were no gods, but the work of men's hands, wood and stone; therefore they have destroyed them. **20** Now therefore, Yehovah our God, save us from his hand, that all the kingdoms of the earth may know that Thou art Yehovah, even Thou only.' **21** Then Isaiah the son of Amoz sent unto Hezekiah, saying: 'Thus saith Yehovah, the God of Israel: Whereas thou hast prayed to Me against Sennacherib king of Assyria, **22** this is the word which Yehovah hath spoken concerning him: The virgin daughter of Zion hath despised thee and laughed thee to scorn; the daughter of Yerushalam hath shaken her head at thee. **23** Whom hast thou taunted and blasphemed? And against whom hast thou exalted thy voice? Yea, thou hast lifted up thine eyes on high, even against the Holy One of Israel! **24** By thy servants hast thou taunted the Lord, and hast said: With the multitude of my chariots am I come up to the height of the mountains, to the innermost parts of Lebanon; and I have cut down the tall cedars thereof, and the choice cypress-trees thereof; and I have entered into his farthest height, the forest of his fruitful field. **25** I have digged and drunk water, and with the sole of my feet have I dried up all the rivers of Egypt. **26** Hast thou not heard? Long ago I made it, in ancient times I fashioned it; now have I brought it to pass, yea, it is done; that fortified cities should be laid waste into ruinous heaps. **27** Therefore their inhabitants were of small power, they were dismayed and confounded; they were as the grass of the field, and as the green herb, as the grass on the housetops, and as a field of corn before it is grown up. **28** But I know thy sitting down, and thy going out, and thy coming in, and thy raging against Me. **29** Because of thy raging against Me, and for that thine uproar is come up into Mine ears, therefore will I put My hook in thy nose, and My bridle in thy lips, and I will turn thee back by the way by which thou camest. **30** And this shall be the sign unto thee: ye shall eat this year that which groweth of itself, and in the second year that which springeth of the same; and in the third year sow ye, and reap, and plant vineyards, and eat the fruit thereof. **31** And the remnant that is escaped of the house of Judah shall again take root downward, and bear fruit upward. **32** For out of Yerushalam shall go forth a remnant, and out of mount Zion they that shall escape; the zeal of Yehovah of hosts shall perform this.{S} **33** Therefore thus saith Yehovah concerning the king of Assyria: He shall not come unto this city, nor shoot an arrow there, neither shall he come before it with shield, nor cast a mound against it. **34** By the way that he came, by the same shall he return, and he shall not come unto this city, saith Yehovah. **35** For I will defend this city to save it, for Mine own sake, and for My servant David's sake.'{S} **36** And the angel of Yehovah went forth, and smote in the camp of the Assyrians a hundred and fourscore and five thousand; and when men arose early in the morning, behold, they were all dead corpses. **37** So Sennacherib king of Assyria departed, and went, and returned, and dwelt at Nineveh.

לח וַיְהִי הוּא מִשְׁתַּחֲוֶה בֵּית ׀ נִסְרֹךְ אֱלֹהָיו וְאַדְרַמֶּלֶךְ וְשַׂרְאֶצֶר בָּנָיו
הִכֻּהוּ בַחֶרֶב וְהֵמָּה נִמְלְטוּ אֶרֶץ אֲרָרָט וַיִּמְלֹךְ אֵסַר־חַדֹּן בְּנוֹ תַּחְתָּיו׃

לח א בַּיָּמִים הָהֵם חָלָה חִזְקִיָּהוּ לָמוּת וַיָּבוֹא אֵלָיו יְשַׁעְיָהוּ בֶן־אָמוֹץ
הַנָּבִיא וַיֹּאמֶר אֵלָיו כֹּה־אָמַר יְהוָה צַו לְבֵיתֶךָ כִּי מֵת אַתָּה וְלֹא תִחְיֶה׃
ב וַיַּסֵּב חִזְקִיָּהוּ פָּנָיו אֶל־הַקִּיר וַיִּתְפַּלֵּל אֶל־יְהוָה׃ ג וַיֹּאמַר אָנָּה יְהוָה
זְכָר־נָא אֵת אֲשֶׁר הִתְהַלַּכְתִּי לְפָנֶיךָ בֶּאֱמֶת וּבְלֵב שָׁלֵם וְהַטּוֹב בְּעֵינֶיךָ
עָשִׂיתִי וַיֵּבְךְּ חִזְקִיָּהוּ בְּכִי גָדוֹל׃ ד וַיְהִי דְּבַר־יְהוָה אֶל־יְשַׁעְיָהוּ לֵאמֹר׃
ה הָלוֹךְ וְאָמַרְתָּ אֶל־חִזְקִיָּהוּ כֹּה־אָמַר יְהוָה אֱלֹהֵי דָּוִד אָבִיךָ שָׁמַעְתִּי
אֶת־תְּפִלָּתֶךָ רָאִיתִי אֶת־דִּמְעָתֶךָ הִנְנִי יוֹסִף עַל־יָמֶיךָ חֲמֵשׁ עֶשְׂרֵה שָׁנָה׃
ו וּמִכַּף מֶלֶךְ־אַשּׁוּר אַצִּילְךָ וְאֵת הָעִיר הַזֹּאת וְגַנּוֹתִי עַל־הָעִיר הַזֹּאת׃
ז וְזֶה־לְּךָ הָאוֹת מֵאֵת יְהוָה אֲשֶׁר יַעֲשֶׂה יְהוָה אֶת־הַדָּבָר הַזֶּה אֲשֶׁר דִּבֵּר׃
ח הִנְנִי מֵשִׁיב אֶת־צֵל הַמַּעֲלוֹת אֲשֶׁר יָרְדָה בְמַעֲלוֹת אָחָז בַּשֶּׁמֶשׁ אֲחֹרַנִּית
עֶשֶׂר מַעֲלוֹת וַתָּשָׁב הַשֶּׁמֶשׁ עֶשֶׂר מַעֲלוֹת בַּמַּעֲלוֹת אֲשֶׁר יָרָדָה׃ ט מִכְתָּב
לְחִזְקִיָּהוּ מֶלֶךְ־יְהוּדָה בַּחֲלֹתוֹ וַיְחִי מֵחָלְיוֹ׃ י אֲנִי אָמַרְתִּי בִּדְמִי יָמַי
אֵלֵכָה בְּשַׁעֲרֵי שְׁאוֹל פֻּקַּדְתִּי יֶתֶר שְׁנוֹתָי׃ יא אָמַרְתִּי לֹא־אֶרְאֶה יָהּ יָהּ
בְּאֶרֶץ הַחַיִּים לֹא־אַבִּיט אָדָם עוֹד עִם־יוֹשְׁבֵי חָדֶל׃ יב דּוֹרִי נִסַּע וְנִגְלָה
מִנִּי כְּאֹהֶל רֹעִי קִפַּדְתִּי כָאֹרֵג חַיַּי מִדַּלָּה יְבַצְּעֵנִי מִיּוֹם עַד־לַיְלָה
תַּשְׁלִימֵנִי׃ יג שִׁוִּיתִי עַד־בֹּקֶר כָּאֲרִי כֵּן יְשַׁבֵּר כָּל־עַצְמוֹתָי מִיּוֹם
עַד־לַיְלָה תַּשְׁלִימֵנִי׃ יד כְּסוּס עָגוּר כֵּן אֲצַפְצֵף אֶהְגֶּה כַּיּוֹנָה דַּלּוּ עֵינַי
לַמָּרוֹם אֲדֹנָי עָשְׁקָה־לִּי עָרְבֵנִי׃ טו מָה־אֲדַבֵּר וְאָמַר־לִי וְהוּא עָשָׂה
אֶדַּדֶּה כָל־שְׁנוֹתַי עַל־מַר נַפְשִׁי׃ טז אֲדֹנָי עֲלֵיהֶם יִחְיוּ וּלְכָל־בָּהֶן חַיֵּי
רוּחִי וְתַחֲלִימֵנִי וְהַחֲיֵנִי׃ יז הִנֵּה לְשָׁלוֹם מַר־לִי מָר וְאַתָּה חָשַׁקְתָּ נַפְשִׁי
מִשַּׁחַת בְּלִי כִּי הִשְׁלַכְתָּ אַחֲרֵי גֵוְךָ כָּל־חֲטָאָי׃ יח כִּי לֹא שְׁאוֹל תּוֹדֶךָּ מָוֶת
יְהַלְלֶךָּ לֹא־יְשַׂבְּרוּ יוֹרְדֵי־בוֹר אֶל־אֲמִתֶּךָ׃ יט חַי חַי הוּא יוֹדֶךָ כָּמוֹנִי
הַיּוֹם אָב לְבָנִים יוֹדִיעַ אֶל־אֲמִתֶּךָ׃ כ יְהוָה לְהוֹשִׁיעֵנִי וּנְגִנוֹתַי נְנַגֵּן כָּל־יְמֵי
חַיֵּינוּ עַל־בֵּית יְהוָה׃ כא וַיֹּאמֶר יְשַׁעְיָהוּ יִשְׂאוּ דְּבֶלֶת תְּאֵנִים וְיִמְרְחוּ
עַל־הַשְּׁחִין וְיֶחִי׃ כב וַיֹּאמֶר חִזְקִיָּהוּ מָה אוֹת כִּי אֶעֱלֶה בֵּית יְהוָה׃

לט א בָּעֵת הַהִוא שָׁלַח מְרֹדַךְ בַּלְאֲדָן בֶּן־בַּלְאֲדָן מֶלֶךְ־בָּבֶל סְפָרִים
וּמִנְחָה אֶל־חִזְקִיָּהוּ וַיִּשְׁמַע כִּי חָלָה וַיֶּחֱזָק׃

38 And it came to pass, as he was worshipping in the house of Nisroch his god, that Adrammelech and Sarezer his sons smote him with the sword; and they escaped into the land of Ararat. And Esarhaddon his son reigned in his stead.{s}

38 1 In those days was Hezekiah sick unto death. And Isaiah the prophet the son of Amoz came to him, and said unto him: 'Thus saith Yehovah: Set thy house in order; for thou shalt die, and not live.' 2 Then Hezekiah turned his face to the wall, and prayed unto Yehovah, 3 and said: 'Remember now, Yehovah, I beseech Thee, how I have walked before Thee in truth and with a whole heart, and have done that which is good in Thy sight.' And Hezekiah wept sore.{s} 4 Then came the word of Yehovah to Isaiah, saying: 5 'Go, and say to Hezekiah: Thus saith Yehovah, the God of David thy father: I have heard thy prayer, I have seen thy tears; behold, I will add unto thy days fifteen years. 6 And I will deliver thee and this city out of the hand of the king of Assyria; and I will defend this city. 7 And this shall be the sign unto thee from Yehovah, that Yehovah will do this thing that He hath spoken: 8 behold, I will cause the shadow of the dial, which is gone down on the sun-dial of Ahaz, to return backward ten degrees.' So the sun returned ten degrees, by which degrees it was gone down.{s} 9 The writing of Hezekiah king of Judah, when he had been sick, and was recovered of his sickness. 10 I said: In the noontide of my days I shall go, even to the gates of the nether-world; I am deprived of the residue of my years. 11 I said: I shall not see Yehovah, even Yehovah in the land of the living; I shall behold man no more with the inhabitants of the world. 12 My habitation is plucked up and carried away from me as a shepherd's tent; I have rolled up like a weaver my life; He will cut me off from the thrum; from day even to night wilt Thou make an end of me. 13 The more I make myself like unto a lion until morning, the more it breaketh all my bones; from day even to night wilt Thou make an end of me. 14 Like a swallow or a crane, so do I chatter, I do moan as a dove; mine eyes fail with looking upward. Yehovah, I am oppressed, be Thou my surety. 15 What shall I say? He hath both spoken unto me, and Himself hath done it; I shall go softly all my years for the bitterness of my soul. 16 O Lord, by these things men live, and altogether therein is the life of my spirit; wherefore recover Thou me, and make me to live. 17 Behold, for my peace I had great bitterness; but Thou hast in love to my soul delivered it from the pit of corruption; for Thou hast cast all my sins behind Thy back. 18 For the nether-world cannot praise Thee, death cannot celebrate Thee; they that go down into the pit cannot hope for Thy truth. 19 The living, the living, he shall praise Thee, as I do this day; the father to the children shall make known Thy truth. 20 Yehovah is ready to save me; therefore we will sing songs to the stringed instruments all the days of our life in the house of Yehovah. 21 And Isaiah said: 'Let them take a cake of figs, and lay it for a plaster upon the boil, and he shall recover.' 22 And Hezekiah said. 'What is the sign that I shall go up to the house of Yehovah?'{s}

39 1 At that time Merodach-baladan the son of Baladan, king of Babylon, sent a letter and a present to Hezekiah; for he heard that he had been sick, and was recovered.

ב וַיִּשְׂמַ֣ח עֲלֵיהֶם֮ חִזְקִיָּהוּ֒ וַיַּרְאֵ֣ם אֶת־בֵּ֣ית נְכֹתֹ֡ה[29] אֶת־הַכֶּ֩סֶף֩ וְאֶת־הַזָּהָ֨ב וְאֶת־הַבְּשָׂמִ֜ים וְאֵ֣ת ׀ הַשֶּׁ֣מֶן הַטּ֗וֹב וְאֵת֙ כָּל־בֵּ֣ית כֵּלָ֔יו וְאֵ֛ת כָּל־אֲשֶׁ֥ר נִמְצָ֖א בְּאֹֽצְרֹתָ֑יו לֹֽא־הָיָ֣ה דָבָ֗ר אֲ֠שֶׁר לֹֽא־הֶרְאָ֧ם חִזְקִיָּ֛הוּ בְּבֵיתֹ֖ו וּבְכָל־מֶמְשַׁלְתֹּֽו׃ ג וַיָּבֹא֙ יְשַֽׁעְיָ֣הוּ הַנָּבִ֔יא אֶל־הַמֶּ֖לֶךְ חִזְקִיָּ֑הוּ וַיֹּ֨אמֶר אֵלָ֜יו מָ֥ה אָמְר֣וּ ׀ הָאֲנָשִׁ֣ים הָאֵ֗לֶּה וּמֵאַ֛יִן יָבֹ֙אוּ֙ אֵלֶ֔יךָ וַיֹּ֙אמֶר֙ חִזְקִיָּ֔הוּ מֵאֶ֧רֶץ רְחוֹקָ֛ה בָּ֥אוּ אֵלַ֖י מִבָּבֶֽל׃ ד וַיֹּ֕אמֶר מָ֥ה רָא֖וּ בְּבֵיתֶ֑ךָ וַיֹּ֣אמֶר חִזְקִיָּ֗הוּ אֵ֣ת כָּל־אֲשֶׁ֤ר בְּבֵיתִי֙ רָא֔וּ לֹֽא־הָיָ֥ה דָבָ֛ר אֲשֶׁ֥ר לֹֽא־הִרְאִיתִ֖ים בְּאוֹצְרֹתָֽי׃ ה וַיֹּ֥אמֶר יְשַֽׁעְיָ֖הוּ אֶל־חִזְקִיָּ֑הוּ שְׁמַ֖ע דְּבַר־יְהֹוָ֥ה צְבָאֽוֹת׃ ו הִנֵּה֮ יָמִ֣ים בָּאִים֒ וְנִשָּׂ֣א ׀ כָּל־אֲשֶׁ֣ר בְּבֵיתֶ֗ךָ וַאֲשֶׁ֨ר אָצְר֧וּ אֲבֹתֶ֛יךָ עַד־הַיּ֥וֹם הַזֶּ֖ה בָּבֶ֑ל לֹֽא־יִוָּתֵ֥ר דָּבָ֖ר אָמַ֥ר יְהֹוָֽה׃ ז וּמִבָּנֶ֜יךָ אֲשֶׁ֨ר יֵצְא֧וּ מִמְּךָ֛ אֲשֶׁ֥ר תּוֹלִ֖יד יִקָּ֑חוּ וְהָיוּ֙ סָרִיסִ֔ים בְּהֵיכַ֖ל מֶ֥לֶךְ בָּבֶֽל׃ ח וַיֹּ֤אמֶר חִזְקִיָּ֙הוּ֙ אֶל־יְשַֽׁעְיָ֔הוּ ט֥וֹב דְּבַר־יְהֹוָ֖ה אֲשֶׁ֣ר דִּבַּ֑רְתָּ וַיֹּ֕אמֶר כִּ֥י יִהְיֶ֛ה שָׁל֥וֹם וֶאֱמֶ֖ת בְּיָמָֽי׃

מ א נַחֲמ֥וּ נַחֲמ֖וּ עַמִּ֑י יֹאמַ֖ר אֱלֹהֵיכֶֽם׃ ב דַּבְּר֞וּ עַל־לֵ֤ב יְרֽוּשָׁלַ֙͏ִם֙ וְקִרְא֣וּ אֵלֶ֔יהָ כִּ֤י מָֽלְאָה֙ צְבָאָ֔הּ כִּ֥י נִרְצָ֖ה עֲוֺנָ֑הּ כִּ֤י לָקְחָה֙ מִיַּ֣ד יְהֹוָ֔ה כִּפְלַ֖יִם בְּכָל־חַטֹּאתֶֽיהָ׃ ג ק֣וֹל קוֹרֵ֔א בַּמִּדְבָּ֕ר פַּנּ֖וּ דֶּ֣רֶךְ יְהֹוָ֑ה יַשְּׁרוּ֙ בָּעֲרָבָ֔ה מְסִלָּ֖ה לֵאלֹהֵֽינוּ׃ ד כָּל־גֶּיא֙ יִנָּשֵׂ֔א וְכָל־הַ֥ר וְגִבְעָ֖ה יִשְׁפָּ֑לוּ וְהָיָ֤ה הֶֽעָקֹב֙ לְמִישׁ֔וֹר וְהָרְכָסִ֖ים לְבִקְעָֽה׃ ה וְנִגְלָ֖ה כְּב֣וֹד יְהֹוָ֑ה וְרָא֤וּ כָל־בָּשָׂר֙ יַחְדָּ֔ו כִּ֛י פִּ֥י יְהֹוָ֖ה דִּבֵּֽר׃ ו ק֚וֹל אֹמֵ֣ר קְרָ֔א וְאָמַ֖ר מָ֣ה אֶקְרָ֑א כָּל־הַבָּשָׂ֣ר חָצִ֔יר וְכָל־חַסְדֹּ֖ו כְּצִ֥יץ הַשָּׂדֶֽה׃ ז יָבֵ֤שׁ חָצִיר֙ נָ֣בֵֽל צִ֔יץ כִּ֛י ר֥וּחַ יְהֹוָ֖ה נָ֣שְׁבָה בֹּ֑ו אָכֵ֥ן חָצִ֖יר הָעָֽם׃ ח יָבֵ֥שׁ חָצִ֖יר נָ֣בֵֽל צִ֑יץ וּדְבַר־אֱלֹהֵ֖ינוּ יָק֥וּם לְעוֹלָֽם׃ ט עַ֣ל הַר־גָּבֹ֤הַ עֲלִי־לָךְ֙ מְבַשֶּׂ֣רֶת צִיּ֔וֹן הָרִ֤ימִי בַכֹּ֙חַ֙ קוֹלֵ֔ךְ מְבַשֶּׂ֖רֶת יְרֽוּשָׁלָ֑͏ִם הָרִ֙ימִי֙ אַל־תִּירָ֔אִי אִמְרִי֙ לְעָרֵ֣י יְהוּדָ֔ה הִנֵּ֖ה אֱלֹהֵיכֶֽם׃ י הִנֵּ֨ה אֲדֹנָ֤י יֱהֹוִה֙ בְּחָזָ֣ק יָב֔וֹא וּזְרֹע֖וֹ מֹ֣שְׁלָה ל֑וֹ הִנֵּ֤ה שְׂכָרֹו֙ אִתֹּ֔ו וּפְעֻלָּתֹ֖ו לְפָנָֽיו׃ יא כְּרֹעֶה֙ עֶדְרֹ֣ו יִרְעֶ֔ה בִּזְרֹעֹו֙ יְקַבֵּ֣ץ טְלָאִ֔ים וּבְחֵיקֹ֖ו יִשָּׂ֑א עָל֖וֹת יְנַהֵֽל׃ יב מִֽי־מָדַ֨ד בְּשָׁעֳלֹ֜ו מַ֗יִם וְשָׁמַ֙יִם֙ בַּזֶּ֣רֶת תִּכֵּ֔ן וְכָ֥ל בַּשָּׁלִ֖שׁ עֲפַ֣ר הָאָ֑רֶץ וְשָׁקַ֤ל בַּפֶּ֙לֶס֙ הָרִ֔ים וּגְבָע֖וֹת בְּמֹאזְנָֽיִם׃ יג מִֽי־תִכֵּ֥ן אֶת־ר֖וּחַ יְהֹוָ֑ה וְאִ֥ישׁ עֲצָתֹ֖ו יוֹדִיעֶֽנּוּ׃ יד אֶת־מִ֤י נוֹעָץ֙ וַיְבִינֵ֔הוּ וַֽיְלַמְּדֵ֖הוּ בְּאֹ֣רַח מִשְׁפָּ֑ט וַיְלַמְּדֵ֣הוּ דַ֔עַת וְדֶ֥רֶךְ תְּבוּנ֖וֹת יוֹדִיעֶֽנּוּ׃ יה הֵ֤ן גּוֹיִם֙ כְּמַ֣ר מִדְּלִ֔י וּכְשַׁ֥חַק מֹאזְנַ֖יִם נֶחְשָׁ֑בוּ הֵ֥ן אִיִּ֖ים כַּדַּ֥ק יִטּֽוֹל׃

---

2 And Hezekiah was glad of them, and showed them his treasure-house, the silver, and the gold, and the spices, and the precious oil, and all the house of his armour, and all that was found in his treasures; there was nothing in his house, nor in all his dominion, that Hezekiah showed them not.{S} 3 Then came Isaiah the prophet unto king Hezekiah, and said unto him: 'What said these men? and from whence came they unto thee?' And Hezekiah said: 'They are come from a far country unto me, even from Babylon.' 4 Then said he: 'What have they seen in thy house?' And Hezekiah answered: 'All that is in my house have they seen; there is nothing among my treasures that I have not shown them.' 5 Then said Isaiah to Hezekiah: 'Hear the word of Yehovah of hosts: 6 Behold, the days come, that all that is in thy house, and that which thy fathers have laid up in store until this day, shall be carried to Babylon; nothing shall be left, saith Yehovah. 7 And of thy sons that shall issue from thee, whom thou shalt beget, shall they take away; and they shall be officers in the palace of the king of Babylon.' 8 Then said Hezekiah unto Isaiah: 'Good is the word of Yehovah which thou hast spoken.' He said moreover: 'If but there shall be peace and truth in my days.'{P}

40 1 Comfort ye, comfort ye My people, saith your God. 2 Bid Yerushalam take heart, and proclaim unto her, that her time of service is accomplished, that her guilt is paid off; that she hath received of Yehovah's hand double for all her sins.{S} 3 Hark! one calleth: 'Clear ye in the wilderness the way of Yehovah, make plain in the desert a highway for our God. 4 Every valley shall be lifted up, and every mountain and hill shall be made low; and the rugged shall be made level, and the rough places a plain; 5 And the glory of Yehovah shall be revealed, and all flesh shall see it together; for the mouth of Yehovah hath spoken it.'{P}

6 Hark! one saith: 'Proclaim!' And he saith: 'What shall I proclaim?' 'All flesh is grass, and all the goodliness thereof is as the flower of the field; 7 The grass withereth, the flower fadeth; because the breath of Yehovah bloweth upon it–surely the people is grass. 8 The grass withereth, the flower fadeth; but the word of our God shall stand for ever.'{S} 9 O thou that tellest good tidings to Zion, get thee up into the high mountain; O thou that tellest good tidings to Yerushalam, lift up thy voice with strength; lift it up, be not afraid; say unto the cities of Judah: 'Behold your God!' 10 Behold, the Lord GOD [Adonai Yehovi] will come as a Mighty One, and His arm will rule for Him; behold, His reward is with Him, and His recompense before Him. 11 Even as a shepherd that feedeth his flock, that gathereth the lambs in his arm, and carrieth them in his bosom, and gently leadeth those that give suck.{S} 12 Who hath measured the waters in the hollow of his hand, and meted out heaven with the span, and comprehended the dust of the earth in a measure, and weighed the mountains in scales, and the hills in a balance? 13 Who hath meted out the spirit of Yehovah? Or who was His counsellor that he might instruct Him? 14 With whom took He counsel, and who instructed Him, and taught Him in the path of right, and taught Him knowledge, and made Him to know the way of discernment? 15 Behold, the nations are as a drop of a bucket, and are counted as the small dust of the balance; behold the isles are as a mote in weight.

טז וּלְבָנוֹן אֵין דֵּי בָּעֵר וְחַיָּתוֹ אֵין דֵּי עוֹלָה׃ יז כָּל־הַגּוֹיִם כְּאַיִן נֶגְדּוֹ
מֵאֶפֶס וָתֹהוּ נֶחְשְׁבוּ־לוֹ׃ יח וְאֶל־מִי תְּדַמְּיוּן אֵל וּמַה־דְּמוּת תַּעַרְכוּ לוֹ׃
יט הַפֶּסֶל נָסַךְ חָרָשׁ וְצֹרֵף בַּזָּהָב יְרַקְּעֶנּוּ וּרְתֻקוֹת כֶּסֶף צוֹרֵף׃ כ הַמְסֻכָּן
תְּרוּמָה עֵץ לֹא־יִרְקַב יִבְחָר חָרָשׁ חָכָם יְבַקֶּשׁ־לוֹ לְהָכִין פֶּסֶל לֹא יִמּוֹט׃
כא הֲלוֹא תֵדְעוּ הֲלוֹא תִשְׁמָעוּ הֲלוֹא הֻגַּד מֵרֹאשׁ לָכֶם הֲלוֹא הֲבִינֹתֶם
מוֹסְדוֹת הָאָרֶץ׃ כב הַיֹּשֵׁב עַל־חוּג הָאָרֶץ וְיֹשְׁבֶיהָ כַּחֲגָבִים הַנּוֹטֶה כַדֹּק
שָׁמַיִם וַיִּמְתָּחֵם כָּאֹהֶל לָשָׁבֶת׃ כג הַנּוֹתֵן רוֹזְנִים לְאָיִן שֹׁפְטֵי אֶרֶץ כַּתֹּהוּ
עָשָׂה׃ כד אַף בַּל־נִטָּעוּ אַף בַּל־זֹרָעוּ אַף בַּל־שֹׁרֵשׁ בָּאָרֶץ גִּזְעָם וְגַם־נָשַׁף
בָּהֶם וַיִּבָשׁוּ וּסְעָרָה כַּקַּשׁ תִּשָּׂאֵם׃ כה וְאֶל־מִי תְדַמְּיוּנִי וְאֶשְׁוֶה יֹאמַר
קָדוֹשׁ׃ כו שְׂאוּ־מָרוֹם עֵינֵיכֶם וּרְאוּ מִי־בָרָא אֵלֶּה הַמּוֹצִיא בְמִסְפָּר צְבָאָם
לְכֻלָּם בְּשֵׁם יִקְרָא מֵרֹב אוֹנִים וְאַמִּיץ כֹּחַ אִישׁ לֹא נֶעְדָּר׃ כז לָמָּה תֹאמַר
יַעֲקֹב וּתְדַבֵּר יִשְׂרָאֵל נִסְתְּרָה דַרְכִּי מֵיְהוָה וּמֵאֱלֹהַי מִשְׁפָּטִי יַעֲבוֹר׃
כח הֲלוֹא יָדַעְתָּ אִם־לֹא שָׁמַעְתָּ אֱלֹהֵי עוֹלָם ׀ יְהוָה בּוֹרֵא קְצוֹת הָאָרֶץ
לֹא יִיעַף וְלֹא יִיגָע אֵין חֵקֶר לִתְבוּנָתוֹ׃ כט נֹתֵן לַיָּעֵף כֹּחַ וּלְאֵין אוֹנִים
עָצְמָה יַרְבֶּה׃ ל וְיִעֲפוּ נְעָרִים וְיִגָעוּ וּבַחוּרִים כָּשׁוֹל יִכָּשֵׁלוּ׃ לא וְקוֹיֵ
יְהוָה יַחֲלִיפוּ כֹחַ יַעֲלוּ אֵבֶר כַּנְּשָׁרִים יָרוּצוּ וְלֹא יִיגָעוּ יֵלְכוּ וְלֹא יִיעָפוּ׃

מא א הַחֲרִישׁוּ אֵלַי אִיִּים וּלְאֻמִּים יַחֲלִיפוּ כֹחַ יִגְּשׁוּ אָז יְדַבֵּרוּ יַחְדָּו
לַמִּשְׁפָּט נִקְרָבָה׃ ב מִי הֵעִיר מִמִּזְרָח צֶדֶק יִקְרָאֵהוּ לְרַגְלוֹ יִתֵּן לְפָנָיו
גּוֹיִם וּמְלָכִים יַרְדְּ יִתֵּן כֶּעָפָר חַרְבּוֹ כְּקַשׁ נִדָּף קַשְׁתּוֹ׃ ג יִרְדְּפֵם יַעֲבוֹר
שָׁלוֹם אֹרַח בְּרַגְלָיו לֹא יָבוֹא׃ ד מִי־פָעַל וְעָשָׂה קֹרֵא הַדֹּרוֹת מֵרֹאשׁ אֲנִי
יְהוָה רִאשׁוֹן וְאֶת־אַחֲרֹנִים אֲנִי־הוּא׃ ה רָאוּ אִיִּים וְיִירָאוּ קְצוֹת הָאָרֶץ
יֶחֱרָדוּ קָרְבוּ וַיֶּאֱתָיוּן׃ ו אִישׁ אֶת־רֵעֵהוּ יַעְזֹרוּ וּלְאָחִיו יֹאמַר חֲזָק׃
ז וַיְחַזֵּק חָרָשׁ אֶת־צֹרֵף מַחֲלִיק פַּטִּישׁ אֶת־הוֹלֶם פָּעַם אֹמֵר לַדֶּבֶק טוֹב
הוּא וַיְחַזְּקֵהוּ בְמַסְמְרִים לֹא יִמּוֹט׃ ח וְאַתָּה יִשְׂרָאֵל עַבְדִּי יַעֲקֹב אֲשֶׁר
בְּחַרְתִּיךָ זֶרַע אַבְרָהָם אֹהֲבִי׃ ט אֲשֶׁר הֶחֱזַקְתִּיךָ מִקְצוֹת הָאָרֶץ
וּמֵאֲצִילֶיהָ קְרָאתִיךָ וָאֹמַר לְךָ עַבְדִּי־אַתָּה בְּחַרְתִּיךָ וְלֹא מְאַסְתִּיךָ׃
י אַל־תִּירָא כִּי עִמְּךָ־אָנִי אַל־תִּשְׁתָּע כִּי־אֲנִי אֱלֹהֶיךָ אִמַּצְתִּיךָ
אַף־עֲזַרְתִּיךָ אַף־תְּמַכְתִּיךָ בִּימִין צִדְקִי׃ יא הֵן יֵבֹשׁוּ וְיִכָּלְמוּ כֹּל הַנֶּחֱרִים
בָּךְ יִהְיוּ כְאַיִן וְיֹאבְדוּ אַנְשֵׁי רִיבֶךָ׃

16 And Lebanon is not sufficient fuel, nor the beasts thereof sufficient for burnt-offerings.{P}

17 All the nations are as nothing before Him; they are accounted by Him as things of nought, and vanity. **18** To whom then will ye liken God? Or what likeness will ye compare unto Him? **19** The image perchance, which the craftsman hath melted, and the goldsmith spread over with gold, the silversmith casting silver chains? **20** A holm-oak is set apart, he chooseth a tree that will not rot; he seeketh unto him a cunning craftsman to set up an image, that shall not be moved.{S} **21** Know ye not? hear ye not? Hath it not been told you from the beginning? Have ye not understood the foundations of the earth? **22** It is He that sitteth above the circle of the earth, and the inhabitants thereof are as grasshoppers; that stretcheth out the heavens as a curtain, and spreadeth them out as a tent to dwell in; **23** That bringeth princes to nothing; He maketh the judges of the earth as a thing of nought. **24** Scarce are they planted, scarce are they sown, scarce hath their stock taken root in the earth; when He bloweth upon them, they wither, and the whirlwind taketh them away as stubble.{S} **25** To whom then will ye liken Me, that I should be equal? saith the Holy One. **26** Lift up your eyes on high, and see: who hath created these? He that bringeth out their host by number, He calleth them all by name; by the greatness of His might, and for that He is strong in power, not one faileth.{S} **27** Why sayest thou, O Jacob, and speakest, O Israel: 'My way is hid from Yehovah, and my right is passed over from my God'? **28** Hast thou not known? hast thou not heard that the everlasting God, Yehovah, the Creator of the ends of the earth, fainteth not, neither is weary? His discernment is past searching out. **29** He giveth power to the faint; and to him that hath no might He increaseth strength. **30** Even the youths shall faint and be weary, and the young men shall utterly fall; **31** But they that wait for Yehovah shall renew their strength; they shall mount up with wings as eagles; they shall run, and not be weary; they shall walk, and not faint.{S}

41 **1** Keep silence before Me, O islands, and let the peoples renew their strength; let them draw near, then let them speak; let us come near together to judgment. **2** Who hath raised up one from the east, at whose steps victory attendeth? He giveth nations before him, and maketh him rule over kings; his sword maketh them as the dust, his bow as the driven stubble. **3** He pursueth them, and passeth on safely; the way with his feet he treadeth not. **4** Who hath wrought and done it? He that called the generations from the beginning. I, Yehovah, who am the first, and with the last am the same. **5** The isles saw, and feared; the ends of the earth trembled; they drew near, and came. **6** They helped every one his neighbour; and every one said to his brother: 'Be of good courage.' **7** So the carpenter encouraged the goldsmith, and he that smootheth with the hammer him that smiteth the anvil, saying of the soldering: 'It is good'; and he fastened it with nails, that it should not be moved.{S} **8** But thou, Israel, My servant, Jacob whom I have chosen, the seed of Abraham My friend; **9** Thou whom I have taken hold of from the ends of the earth, and called thee from the uttermost parts thereof, and said unto thee: 'Thou art My servant, I have chosen thee and not cast thee away'; **10** Fear thou not, for I am with thee, be not dismayed, for I am thy God; I strengthen thee, yea, I help thee; yea, I uphold thee with My victorious right hand. **11** Behold, all they that were incensed against thee shall be ashamed and confounded; they that strove with thee shall be as nothing, and shall perish.

יב תְּבַקְשֵׁם וְלֹא תִמְצָאֵם אַנְשֵׁי מַצֻּתֶךָ יִהְיוּ כְאַיִן וּכְאֶפֶס אַנְשֵׁי מִלְחַמְתֶּךָ׃
יג כִּי אֲנִי יְהוָה אֱלֹהֶיךָ מַחֲזִיק יְמִינֶךָ הָאֹמֵר לְךָ אַל־תִּירָא אֲנִי עֲזַרְתִּיךָ׃
יד אַל־תִּירְאִי תּוֹלַעַת יַעֲקֹב מְתֵי יִשְׂרָאֵל אֲנִי עֲזַרְתִּיךְ נְאֻם־יְהוָה וְגֹאֲלֵךְ
קְדוֹשׁ יִשְׂרָאֵל׃ טו הִנֵּה שַׂמְתִּיךְ לְמוֹרַג חָרוּץ חָדָשׁ בַּעַל פִּיפִיּוֹת תָּדוּשׁ
הָרִים וְתָדֹק וּגְבָעוֹת כַּמֹּץ תָּשִׂים׃ טז תִּזְרֵם וְרוּחַ תִּשָּׂאֵם וּסְעָרָה תָּפִיץ אוֹתָם
וְאַתָּה תָּגִיל בַּיהוָה בִּקְדוֹשׁ יִשְׂרָאֵל תִּתְהַלָּל׃

יז הָעֲנִיִּים וְהָאֶבְיוֹנִים מְבַקְשִׁים מַיִם וָאַיִן לְשׁוֹנָם בַּצָּמָא נָשָׁתָּה אֲנִי יְהוָה
אֶעֱנֵם אֱלֹהֵי יִשְׂרָאֵל לֹא אֶעֶזְבֵם׃ יח אֶפְתַּח עַל־שְׁפָיִים נְהָרוֹת וּבְתוֹךְ בְּקָעוֹת
מַעְיָנוֹת אָשִׂים מִדְבָּר לַאֲגַם־מַיִם וְאֶרֶץ צִיָּה לְמוֹצָאֵי מָיִם׃ יט אֶתֵּן בַּמִּדְבָּר
אֶרֶז שִׁטָּה וַהֲדַס וְעֵץ שָׁמֶן אָשִׂים בָּעֲרָבָה בְּרוֹשׁ תִּדְהָר וּתְאַשּׁוּר יַחְדָּו׃
כ לְמַעַן יִרְאוּ וְיֵדְעוּ וְיָשִׂימוּ וְיַשְׂכִּילוּ יַחְדָּו כִּי יַד־יְהוָה עָשְׂתָה זֹּאת וּקְדוֹשׁ
יִשְׂרָאֵל בְּרָאָהּ׃

כא קָרְבוּ רִיבְכֶם יֹאמַר יְהוָה הַגִּישׁוּ עֲצֻמוֹתֵיכֶם יֹאמַר מֶלֶךְ יַעֲקֹב׃ כב יַגִּישׁוּ
וְיַגִּידוּ לָנוּ אֵת אֲשֶׁר תִּקְרֶינָה הָרִאשֹׁנוֹת ׀ מָה הֵנָּה הַגִּידוּ וְנָשִׂימָה לִבֵּנוּ וְנֵדְעָה
אַחֲרִיתָן אוֹ הַבָּאוֹת הַשְׁמִיעֻנוּ׃ כג הַגִּידוּ הָאֹתִיּוֹת לְאָחוֹר וְנֵדְעָה כִּי אֱלֹהִים
אַתֶּם אַף־תֵּיטִיבוּ וְתָרֵעוּ וְנִשְׁתָּעָה וְנִרְאֶה[30] יַחְדָּו׃ כד הֵן־אַתֶּם מֵאַיִן וּפָעָלְכֶם
מֵאָפַע תּוֹעֵבָה יִבְחַר בָּכֶם׃ כה הַעִירוֹתִי מִצָּפוֹן וַיַּאת מִמִּזְרַח־שֶׁמֶשׁ יִקְרָא
בִשְׁמִי וְיָבֹא סְגָנִים כְּמוֹ־חֹמֶר וּכְמוֹ יוֹצֵר יִרְמָס־טִיט׃ כו מִי־הִגִּיד מֵרֹאשׁ
וְנֵדָעָה וּמִלְּפָנִים וְנֹאמַר צַדִּיק אַף אֵין־מַגִּיד אַף אֵין מַשְׁמִיעַ אַף אֵין־שֹׁמֵעַ
אִמְרֵיכֶם׃ כז רִאשׁוֹן לְצִיּוֹן הִנֵּה הִנָּם וְלִירוּשָׁלִַם מְבַשֵּׂר אֶתֵּן׃ כח וְאֵרֶא וְאֵין
אִישׁ וּמֵאֵלֶּה וְאֵין יוֹעֵץ וְאֶשְׁאָלֵם וְיָשִׁיבוּ דָבָר׃ כט הֵן כֻּלָּם אָוֶן אֶפֶס מַעֲשֵׂיהֶם
רוּחַ וָתֹהוּ נִסְכֵּיהֶם׃

מב א הֵן עַבְדִּי אֶתְמָךְ־בּוֹ בְּחִירִי רָצְתָה נַפְשִׁי נָתַתִּי רוּחִי עָלָיו מִשְׁפָּט
לַגּוֹיִם יוֹצִיא׃ ב לֹא יִצְעַק וְלֹא יִשָּׂא וְלֹא־יַשְׁמִיעַ בַּחוּץ קוֹלוֹ׃ ג קָנֶה רָצוּץ
לֹא יִשְׁבּוֹר וּפִשְׁתָּה כֵהָה לֹא יְכַבֶּנָּה לֶאֱמֶת יוֹצִיא מִשְׁפָּט׃ ד לֹא יִכְהֶה וְלֹא
יָרוּץ עַד־יָשִׂים בָּאָרֶץ מִשְׁפָּט וּלְתוֹרָתוֹ אִיִּים יְיַחֵילוּ׃

ה כֹּה־אָמַר הָאֵל ׀ יְהוָה בּוֹרֵא הַשָּׁמַיִם וְנוֹטֵיהֶם רֹקַע הָאָרֶץ וְצֶאֱצָאֶיהָ נֹתֵן
נְשָׁמָה לָעָם עָלֶיהָ וְרוּחַ לַהֹלְכִים בָּהּ׃ ו אֲנִי יְהוָה קְרָאתִיךָ בְצֶדֶק וְאַחְזֵק
בְּיָדֶךָ וְאֶצָּרְךָ וְאֶתֶּנְךָ לִבְרִית עָם לְאוֹר גּוֹיִם׃

[30] ונרא

12 Thou shalt seek them, and shalt not find them, even them that contended with thee; they that warred against thee shall be as nothing, and as a thing of nought. **13** For I Yehovah thy God hold thy right hand, who say unto thee: 'Fear not, I help thee.'{S} **14** Fear not, thou worm Jacob, and ye men of Israel; I help thee, saith Yehovah, and thy Redeemer, the Holy One of Israel. **15** Behold, I make thee a new threshing-sledge having sharp teeth; thou shalt thresh the mountains, and beat them small, and shalt make the hills as chaff. **16** Thou shalt fan them, and the wind shall carry them away, and the whirlwind shall scatter them; and thou shalt rejoice in Yehovah, thou shalt glory in the Holy One of Israel.{S} **17** The poor and needy seek water and there is none, and their tongue faileth for thirst; I Yehovah will answer them, I the God of Israel will not forsake them. **18** I will open rivers on the high hills, and fountains in the midst of the valleys; I will make the wilderness a pool of water, and the dry land springs of water. **19** I will plant in the wilderness the cedar, the acacia-tree, and the myrtle, and the oil-tree; I will set in the desert the cypress, the plane-tree, and the larch together; **20** That they may see, and know, and consider, and understand together, that the hand of Yehovah hath done this, and the Holy One of Israel hath created it.{P}

21 Produce your cause, saith Yehovah; bring forth your reasons, saith the King of Jacob. **22** Let them bring them forth, and declare unto us the things that shall happen; the former things, what are they? Declare ye, that we may consider, and know the end of them; or announce to us things to come. **23** Declare the things that are to come hereafter, that we may know that ye are gods; yea, do good, or do evil, that we may be dismayed, and behold it together. **24** Behold, ye are nothing, and your work a thing of nought; an abomination is he that chooseth you.{P}

25 I have roused up one from the north, and he is come, from the rising of the sun one that calleth upon My name; and he shall come upon rulers as upon mortar, and as the potter treadeth clay. **26** Who hath declared from the beginning, that we may know? and beforetime, that we may say that he is right? Yea, there is none that declareth, yea, there is none that announceth, yea, there is none that heareth your utterances. **27** A harbinger unto Zion will I give: 'Behold, behold them', and to Yerushalam a messenger of good tidings. **28** And I look, but there is no man; even among them, but there is no counsellor, that, when I ask of them, can give an answer. **29** Behold, all of them, their works are vanity and nought; their molten images are wind and confusion.{P}

42 **1** Behold My servant, whom I uphold; Mine elect, in whom My soul delighteth; I have put My spirit upon him, he shall make the right to go forth to the nations. **2** He shall not cry, nor lift up, nor cause his voice to be heard in the street. **3** A bruised reed shall he not break, and the dimly burning wick shall he not quench; he shall make the right to go forth according to the truth. **4** He shall not fail nor be crushed, till he have set the right in the earth; and the isles shall wait for his teaching.{P}

5 Thus saith God Yehovah, He that created the heavens, and stretched them forth, He that spread forth the earth and that which cometh out of it, He that giveth breath unto the people upon it, and spirit to them that walk therein: **6** I Yehovah have called thee in righteousness, and have taken hold of thy hand, and kept thee, and set thee for a covenant of the people, for a light of the nations;

ז לִפְקֹחַ עֵינַיִם עִוְרוֹת לְהוֹצִיא מִמַּסְגֵּר אַסִּיר מִבֵּית כֶּלֶא יֹשְׁבֵי חֹשֶׁךְ׃ ח אֲנִי
יְהוָה הוּא שְׁמִי וּכְבוֹדִי לְאַחֵר לֹא־אֶתֵּן וּתְהִלָּתִי לַפְּסִילִים׃ ט הָרִאשֹׁנוֹת
הִנֵּה־בָאוּ וַחֲדָשׁוֹת אֲנִי מַגִּיד בְּטֶרֶם תִּצְמַחְנָה אַשְׁמִיעַ אֶתְכֶם׃

י שִׁירוּ לַיהוָה שִׁיר חָדָשׁ תְּהִלָּתוֹ מִקְצֵה הָאָרֶץ יוֹרְדֵי הַיָּם וּמְלֹאוֹ אִיִּים
וְיֹשְׁבֵיהֶם׃ יא יִשְׂאוּ מִדְבָּר וְעָרָיו חֲצֵרִים תֵּשֵׁב קֵדָר יָרֹנּוּ יֹשְׁבֵי סֶלַע מֵרֹאשׁ
הָרִים יִצְוָחוּ׃ יב יָשִׂימוּ לַיהוָה כָּבוֹד וּתְהִלָּתוֹ בָּאִיִּים יַגִּידוּ׃ יג יְהוָה כַּגִּבּוֹר
יֵצֵא כְּאִישׁ מִלְחָמוֹת יָעִיר קִנְאָה יָרִיעַ אַף־יַצְרִיחַ עַל־אֹיְבָיו יִתְגַּבָּר׃
יד הֶחֱשֵׁיתִי מֵעוֹלָם אַחֲרִישׁ אֶתְאַפָּק כַּיּוֹלֵדָה אֶפְעֶה אֶשֹּׁם וְאֶשְׁאַף יָחַד׃
טו אַחֲרִיב הָרִים וּגְבָעוֹת וְכָל־עֶשְׂבָּם אוֹבִישׁ וְשַׂמְתִּי נְהָרוֹת לָאִיִּים וַאֲגַמִּים
אוֹבִישׁ׃ טז וְהוֹלַכְתִּי עִוְרִים בְּדֶרֶךְ לֹא יָדָעוּ בִּנְתִיבוֹת לֹא־יָדְעוּ אַדְרִיכֵם
אָשִׂים מַחְשָׁךְ לִפְנֵיהֶם לָאוֹר וּמַעֲקַשִּׁים לְמִישׁוֹר אֵלֶּה הַדְּבָרִים עֲשִׂיתִם וְלֹא
עֲזַבְתִּים׃ יז נָסֹגוּ אָחוֹר יֵבֹשׁוּ בֹשֶׁת הַבֹּטְחִים בַּפָּסֶל הָאֹמְרִים לְמַסֵּכָה אַתֶּם
אֱלֹהֵינוּ׃ יח הַחֵרְשִׁים שְׁמָעוּ וְהַעִוְרִים הַבִּיטוּ לִרְאוֹת׃ יט מִי עִוֵּר כִּי
אִם־עַבְדִּי וְחֵרֵשׁ כְּמַלְאָכִי אֶשְׁלָח מִי עִוֵּר כִּמְשֻׁלָּם וְעִוֵּר כְּעֶבֶד יְהוָה׃
כ רָאוֹת[31] רַבּוֹת וְלֹא תִשְׁמֹר פָּקוֹחַ אָזְנַיִם וְלֹא יִשְׁמָע׃ כא יְהוָה חָפֵץ לְמַעַן
צִדְקוֹ יַגְדִּיל תּוֹרָה וְיַאְדִּיר׃ כב וְהוּא עַם־בָּזוּז וְשָׁסוּי הָפֵחַ בַּחוּרִים כֻּלָּם
וּבְבָתֵּי כְלָאִים הָחְבָּאוּ הָיוּ לָבַז וְאֵין מַצִּיל מְשִׁסָּה וְאֵין־אֹמֵר הָשַׁב׃ כג מִי
בָכֶם יַאֲזִין זֹאת יַקְשִׁב וְיִשְׁמַע לְאָחוֹר׃ כד מִי־נָתַן לִמְשִׁסָּה[32] יַעֲקֹב וְיִשְׂרָאֵל
לְבֹזְזִים הֲלוֹא יְהוָה זוּ חָטָאנוּ לוֹ וְלֹא־אָבוּ בִדְרָכָיו הָלוֹךְ וְלֹא שָׁמְעוּ
בְּתוֹרָתוֹ׃ כה וַיִּשְׁפֹּךְ עָלָיו חֵמָה אַפּוֹ וֶעֱזוּז מִלְחָמָה וַתְּלַהֲטֵהוּ מִסָּבִיב וְלֹא
יָדָע וַתִּבְעַר־בּוֹ וְלֹא־יָשִׂים עַל־לֵב׃

מג א וְעַתָּה כֹּה־אָמַר יְהוָה בֹּרַאֲךָ יַעֲקֹב וְיֹצֶרְךָ יִשְׂרָאֵל אַל־תִּירָא כִּי
גְאַלְתִּיךָ קָרָאתִי בְשִׁמְךָ לִי־אָתָּה׃ ב כִּי־תַעֲבֹר בַּמַּיִם אִתְּךָ־אָנִי וּבַנְּהָרוֹת
לֹא יִשְׁטְפוּךָ כִּי־תֵלֵךְ בְּמוֹ־אֵשׁ לֹא תִכָּוֶה וְלֶהָבָה לֹא תִבְעַר־בָּךְ׃ ג כִּי אֲנִי
יְהוָה אֱלֹהֶיךָ קְדוֹשׁ יִשְׂרָאֵל מוֹשִׁיעֶךָ נָתַתִּי כָפְרְךָ מִצְרַיִם כּוּשׁ וּסְבָא
תַּחְתֶּיךָ׃ ד מֵאֲשֶׁר יָקַרְתָּ בְעֵינַי נִכְבַּדְתָּ וַאֲנִי אֲהַבְתִּיךָ וְאֶתֵּן אָדָם תַּחְתֶּיךָ
וּלְאֻמִּים תַּחַת נַפְשֶׁךָ׃ ה אַל־תִּירָא כִּי אִתְּךָ־אָנִי מִמִּזְרָח אָבִיא זַרְעֶךָ
וּמִמַּעֲרָב אֲקַבְּצֶךָּ׃ ו אֹמַר לַצָּפוֹן תֵּנִי וּלְתֵימָן אַל־תִּכְלָאִי הָבִיאִי בָנַי
מֵרָחוֹק וּבְנוֹתַי מִקְצֵה הָאָרֶץ׃

[31] ראית
[32] למשוסה

7 To open the blind eyes, to bring out the prisoners from the dungeon, and them that sit in darkness out of the prison-house. **8** I am Yehovah, that is My name; and My glory will I not give to another, neither My praise to graven images. **9** Behold, the former things are come to pass, and new things do I declare; before they spring forth I tell you of them.{P}

10 Sing unto Yehovah a new song, and His praise from the end of the earth; ye that go down to the sea, and all that is therein, the isles, and the inhabitants thereof. **11** Let the wilderness and the cities thereof lift up their voice, the villages that Kedar doth inhabit; let the inhabitants of Sela exult, let them shout from the top of the mountains. **12** Let them give glory unto Yehovah, and declare His praise in the islands. **13** Yehovah will go forth as a mighty man, He will stir up jealousy like a man of war; He will cry, yea, He will shout aloud, He will prove Himself mighty against His enemies.{S} **14** I have long time held My peace, I have been still, and refrained Myself; now will I cry like a travailing woman, gasping and panting at once. **15** I will make waste mountains and hills, and dry up all their herbs; and I will make the rivers islands, and will dry up the pools. **16** And I will bring the blind by a way that they knew not, in paths that they knew not will I lead them; I will make darkness light before them, and rugged places plain. These things will I do, and I will not leave them undone. **17** They shall be turned back, greatly ashamed, that trust in graven images, that say unto molten images: 'Ye are our gods.'{P}

18 Hear, ye deaf, and look, ye blind, that ye may see. **19** Who is blind, but My servant? Or deaf, as My messenger that I send? Who is blind as he that is wholehearted, and blind as Yehovah's servant? **20** Seeing many things, thou observest not; opening the ears, he heareth not. **21** Yehovah was pleased, for His righteousness' sake, to make the teaching great and glorious. **22** But this is a people robbed and spoiled, they are all of them snared in holes, and they are hid in prison-houses; they are for a prey, and none delivereth, for a spoil, and none saith: 'Restore.' **23** Who among you will give ear to this? Who will hearken and hear for the time to come? **24** Who gave Jacob for a spoil, and Israel to the robbers? Did not Yehovah? He against whom we have sinned, and in whose ways they would not walk, neither were they obedient unto His Torah. **25** Therefore He poured upon him the fury of His anger, and the strength of battle; and it set him on fire round about, yet he knew not, and it burned him, yet he laid it not to heart.

43 **1** But now thus saith Yehovah that created thee, O Jacob, and He that formed thee, O Israel: Fear not, for I have redeemed thee, I have called thee by thy name, thou art Mine. **2** When thou passest through the waters, I will be with thee, and through the rivers, they shall not overflow thee; when thou walkest through the fire, thou shalt not be burned, neither shall the flame kindle upon thee. **3** For I am Yehovah thy God, The Holy One of Israel, thy Saviour; I have given Egypt as thy ransom, Ethiopia and Seba for thee. **4** Since thou art precious in My sight, and honourable, and I have loved thee; therefore will I give men for thee, and peoples for thy life. **5** Fear not, for I am with thee; I will bring thy seed from the east, and gather thee from the west; **6** I will say to the north: 'Give up,' and to the south: 'Keep not back, bring My sons from far, and My daughters from the end of the earth;

ז כֹּל הַנִּקְרָא בִשְׁמִי וְלִכְבוֹדִי בְּרָאתִיו יְצַרְתִּיו אַף־עֲשִׂיתִיו: ח הוֹצִיא
עַם־עִוֵּר וְעֵינַיִם יֵשׁ וְחֵרְשִׁים וְאָזְנַיִם לָמוֹ: ט כָּל־הַגּוֹיִם נִקְבְּצוּ יַחְדָּו
וְיֵאָסְפוּ לְאֻמִּים מִי בָהֶם יַגִּיד זֹאת וְרִאשֹׁנוֹת יַשְׁמִיעֻנוּ יִתְּנוּ עֵדֵיהֶם
וְיִצְדָּקוּ וְיִשְׁמְעוּ וְיֹאמְרוּ אֱמֶת: י אַתֶּם עֵדַי נְאֻם־יְהוָה וְעַבְדִּי אֲשֶׁר
בָּחָרְתִּי לְמַעַן תֵּדְעוּ וְתַאֲמִינוּ לִי וְתָבִינוּ כִּי־אֲנִי הוּא לְפָנַי לֹא־נוֹצַר אֵל
וְאַחֲרַי לֹא יִהְיֶה: יא אָנֹכִי אָנֹכִי יְהוָה וְאֵין מִבַּלְעָדַי מוֹשִׁיעַ: יב אָנֹכִי
הִגַּדְתִּי וְהוֹשַׁעְתִּי וְהִשְׁמַעְתִּי וְאֵין בָּכֶם זָר וְאַתֶּם עֵדַי נְאֻם־יְהוָה
וַאֲנִי־אֵל: יג גַּם־מִיּוֹם אֲנִי הוּא וְאֵין מִיָּדִי מַצִּיל אֶפְעַל וּמִי יְשִׁיבֶנָּה:
יד כֹּה־אָמַר יְהוָה גֹּאַלְכֶם קְדוֹשׁ יִשְׂרָאֵל לְמַעַנְכֶם שִׁלַּחְתִּי בָבֶלָה
וְהוֹרַדְתִּי בָרִיחִים כֻּלָּם וְכַשְׂדִּים בָּאֳנִיּוֹת רִנָּתָם: טו אֲנִי יְהוָה קְדוֹשְׁכֶם
בּוֹרֵא יִשְׂרָאֵל מַלְכְּכֶם: טז כֹּה אָמַר יְהוָה הַנּוֹתֵן בַּיָּם דָּרֶךְ וּבְמַיִם עַזִּים
נְתִיבָה: יז הַמּוֹצִיא רֶכֶב־וָסוּס חַיִל וְעִזּוּז יַחְדָּו יִשְׁכְּבוּ בַּל־יָקוּמוּ דָּעֲכוּ
כַּפִּשְׁתָּה כָבוּ: יח אַל־תִּזְכְּרוּ רִאשֹׁנוֹת וְקַדְמֹנִיּוֹת אַל־תִּתְבֹּנָנוּ: יט הִנְנִי
עֹשֶׂה חֲדָשָׁה עַתָּה תִצְמָח הֲלוֹא תֵדָעוּהָ אַף אָשִׂים בַּמִּדְבָּר דֶּרֶךְ בִּישִׁמֹן
נְהָרוֹת: כ תְּכַבְּדֵנִי חַיַּת הַשָּׂדֶה תַּנִּים וּבְנוֹת יַעֲנָה כִּי־נָתַתִּי בַמִּדְבָּר מַיִם
נְהָרוֹת בִּישִׁימֹן לְהַשְׁקוֹת עַמִּי בְחִירִי: כא עַם־זוּ יָצַרְתִּי לִי תְּהִלָּתִי
יְסַפֵּרוּ: כב וְלֹא־אֹתִי קָרָאתָ יַעֲקֹב כִּי־יָגַעְתָּ בִּי יִשְׂרָאֵל: כג לֹא־הֵבֵיאתָ
לִּי שֵׂה עֹלֹתֶיךָ וּזְבָחֶיךָ לֹא כִבַּדְתָּנִי לֹא הֶעֱבַדְתִּיךָ בְּמִנְחָה וְלֹא
הוֹגַעְתִּיךָ בִּלְבוֹנָה: כד לֹא־קָנִיתָ לִּי בַכֶּסֶף קָנֶה וְחֵלֶב זְבָחֶיךָ לֹא
הִרְוִיתָנִי אַךְ הֶעֱבַדְתַּנִי בְּחַטֹּאותֶיךָ הוֹגַעְתַּנִי בַּעֲוֺנֹתֶיךָ: כה אָנֹכִי אָנֹכִי
הוּא מֹחֶה פְשָׁעֶיךָ לְמַעֲנִי וְחַטֹּאתֶיךָ לֹא אֶזְכֹּר: כו הַזְכִּירֵנִי נִשָּׁפְטָה יָחַד
סַפֵּר אַתָּה לְמַעַן תִּצְדָּק: כז אָבִיךָ הָרִאשׁוֹן חָטָא וּמְלִיצֶיךָ פָּשְׁעוּ בִי:
כח וַאֲחַלֵּל שָׂרֵי קֹדֶשׁ וְאֶתְּנָה לַחֵרֶם יַעֲקֹב וְיִשְׂרָאֵל לְגִדּוּפִים:

מד א וְעַתָּה שְׁמַע יַעֲקֹב עַבְדִּי וְיִשְׂרָאֵל בָּחַרְתִּי בוֹ: ב כֹּה־אָמַר יְהוָה
עֹשֶׂךָ וְיֹצֶרְךָ מִבֶּטֶן יַעְזְרֶךָּ אַל־תִּירָא עַבְדִּי יַעֲקֹב וִישֻׁרוּן בָּחַרְתִּי בוֹ:
ג כִּי אֶצָּק־מַיִם עַל־צָמֵא וְנֹזְלִים עַל־יַבָּשָׁה אֶצֹּק רוּחִי עַל־זַרְעֶךָ וּבִרְכָתִי
עַל־צֶאֱצָאֶיךָ: ד וְצָמְחוּ בְּבֵין חָצִיר כַּעֲרָבִים עַל־יִבְלֵי־מָיִם: ה זֶה יֹאמַר
לַיהוָה אָנִי וְזֶה יִקְרָא בְשֵׁם־יַעֲקֹב וְזֶה יִכְתֹּב יָדוֹ לַיהוָה וּבְשֵׁם יִשְׂרָאֵל
יְכַנֶּה:

7 Every one that is called by My name, and whom I have created for My glory, I have formed him, yea, I have made him.' **8** The blind people that have eyes shall be brought forth, and the deaf that have ears. **9** All the nations are gathered together, and the peoples are assembled; who among them can declare this, and announce to us former things?   Let them bring their witnesses, that they may be justified; and let them hear, and say: 'It is truth.' **10** Ye are My witnesses, saith Yehovah, and My servant whom I have chosen; that ye may know and believe Me, and understand that I am He; before Me there was no God formed, neither shall any be after Me.{s} **11** I, even I, am Yehovah; and beside Me there is no saviour. **12** I have declared, and I have saved, and I have announced, and there was no strange god among you; therefore ye are My witnesses, saith Yehovah, and I am God. **13** Yea, since the day was I am He, and there is none that can deliver out of My hand; I will work, and who can reverse it?{s}   **14** Thus saith Yehovah, your Redeemer, The Holy One of Israel: For your sake I have sent to Babylon, and I will bring down all of them as fugitives, even the Chaldeans, in the ships of their shouting. **15** I am Yehovah, your Holy One, the Creator of Israel, your King.{s} **16** Thus saith Yehovah, who maketh a way in the sea, and a path in the mighty waters; **17** Who bringeth forth the chariot and horse, the army and the power–they lie down together, they shall not rise, they are extinct, they are quenched as a wick: **18** Remember ye not the former things, neither consider the things of old. **19** Behold, I will do a new thing; now shall it spring forth; shall ye not know it? I will even make a way in the wilderness, and rivers in the desert.   **20** The beasts of the field shall honour Me, the jackals and the ostriches; because I give waters in the wilderness, and rivers in the desert, to give drink to My people, Mine elect; **21** The people which I formed for Myself, that they might tell of My praise.{s} **22** Yet thou hast not called upon Me, O Jacob, neither hast thou wearied thyself about Me, O Israel. **23** Thou hast not brought Me the small cattle of thy burnt-offerings; neither hast thou honoured Me with thy sacrifices. I have not burdened thee with a meal-offering, nor wearied thee with frankincense.   **24** Thou hast bought Me no sweet cane with money, neither hast thou satisfied Me with the fat of thy sacrifices; but thou hast burdened Me with thy sins, thou hast wearied Me with thine iniquities. **25** I, even I, am He that blotteth out thy transgressions for Mine own sake; and thy sins I will not remember. **26** Put Me in remembrance, let us plead together; declare thou, that thou mayest be justified. **27** Thy first father sinned, and thine intercessors have transgressed against Me. **28** Therefore I have profaned the princes of the sanctuary, and I have given Jacob to condemnation, and Israel to reviling.{P}

44 **1** Yet now hear, O Jacob My servant, and Israel, whom I have chosen; **2** Thus saith Yehovah that made thee, and formed thee from the womb, who will help thee: Fear not, O Jacob My servant, and thou, Jeshurun, whom I have chosen. **3** For I will pour water upon the thirsty land, and streams upon the dry ground; I will pour My spirit upon thy seed, and My blessing upon thine offspring; **4** And they shall spring up among the grass, as willows by the watercourses. **5** One shall say: 'I am Yehovah's'; and another shall call himself by the name of Jacob; and another shall subscribe with his hand unto Yehovah, and surname himself by the name of Israel.{P}

ו כֹּה־אָמַר יְהוָה מֶלֶךְ־יִשְׂרָאֵל וְגֹאֲלוֹ יְהוָה צְבָאוֹת אֲנִי רִאשׁוֹן וַאֲנִי
אַחֲרוֹן וּמִבַּלְעָדַי אֵין אֱלֹהִים׃ ז וּמִי־כָמוֹנִי יִקְרָא וְיַגִּידֶהָ וְיַעְרְכֶהָ לִי
מִשּׂוּמִי עַם־עוֹלָם וְאֹתִיּוֹת וַאֲשֶׁר תָּבֹאנָה יַגִּידוּ לָמוֹ׃ ח אַל־תִּפְחֲדוּ
וְאַל־תִּרְהוּ הֲלֹא מֵאָז הִשְׁמַעְתִּיךָ וְהִגַּדְתִּי וְאַתֶּם עֵדָי הֲיֵשׁ אֱלוֹהַּ מִבַּלְעָדַי
וְאֵין צוּר בַּל־יָדָעְתִּי׃ ט יֹצְרֵי־פֶסֶל כֻּלָּם תֹּהוּ וַחֲמוּדֵיהֶם בַּל־יוֹעִילוּ
וְעֵדֵיהֶם הֵמָּה בַּל־יִרְאוּ וּבַל־יֵדְעוּ לְמַעַן יֵבֹשׁוּ׃ י מִי־יָצַר אֵל וּפֶסֶל נָסָךְ
לְבִלְתִּי הוֹעִיל׃ יא הֵן כָּל־חֲבֵרָיו יֵבֹשׁוּ וְחָרָשִׁים הֵמָּה מֵאָדָם יִתְקַבְּצוּ
כֻלָּם יַעֲמֹדוּ יִפְחֲדוּ יֵבֹשׁוּ יָחַד׃ יב חָרַשׁ בַּרְזֶל מַעֲצָד וּפָעַל בַּפֶּחָם
וּבַמַּקָּבוֹת יִצְּרֵהוּ וַיִּפְעָלֵהוּ בִּזְרוֹעַ כֹּחוֹ גַּם־רָעֵב וְאֵין כֹּחַ לֹא־שָׁתָה מַיִם
וַיִּיעָף׃ יג חָרַשׁ עֵצִים נָטָה קָו יְתָאֲרֵהוּ בַשֶּׂרֶד יַעֲשֵׂהוּ בַּמַּקְצֻעוֹת
וּבַמְּחוּגָה יְתָאֳרֵהוּ וַיַּעֲשֵׂהוּ כְּתַבְנִית אִישׁ כְּתִפְאֶרֶת אָדָם לָשֶׁבֶת בָּיִת׃
יד לִכְרָת־לוֹ אֲרָזִים וַיִּקַּח תִּרְזָה וְאַלּוֹן וַיְאַמֶּץ־לוֹ בַּעֲצֵי־יָעַר נָטַע אֹרֶן
וְגֶשֶׁם יְגַדֵּל׃ טו וְהָיָה לְאָדָם לְבָעֵר וַיִּקַּח מֵהֶם וַיָּחָם אַף־יַשִּׂיק וְאָפָה
לָחֶם אַף־יִפְעַל־אֵל וַיִּשְׁתָּחוּ עָשָׂהוּ פֶסֶל וַיִּסְגָּד־לָמוֹ׃ טז חֶצְיוֹ שָׂרַף
בְּמוֹ־אֵשׁ עַל־חֶצְיוֹ בָּשָׂר יֹאכֵל יִצְלֶה צָלִי וְיִשְׂבָּע אַף־יָחֹם וְיֹאמַר הֶאָח
חַמּוֹתִי רָאִיתִי אוּר׃ יז וּשְׁאֵרִיתוֹ לְאֵל עָשָׂה לְפִסְלוֹ יִסְגָּד־לוֹ [33] וְיִשְׁתַּחוּ
וְיִתְפַּלֵּל אֵלָיו וְיֹאמַר הַצִּילֵנִי כִּי אֵלִי אָתָּה׃ יח לֹא יָדְעוּ וְלֹא יָבִינוּ כִּי
טַח מֵרְאוֹת עֵינֵיהֶם מֵהַשְׂכִּיל לִבֹּתָם׃ יט וְלֹא־יָשִׁיב אֶל־לִבּוֹ וְלֹא דַעַת
וְלֹא־תְבוּנָה לֵאמֹר חֶצְיוֹ שָׂרַפְתִּי בְמוֹ־אֵשׁ וְאַף אָפִיתִי עַל־גֶּחָלָיו לֶחֶם
אֶצְלֶה בָשָׂר וְאֹכֵל וְיִתְרוֹ לְתוֹעֵבָה אֶעֱשֶׂה לְבוּל עֵץ אֶסְגּוֹד׃ כ רֹעֶה אֵפֶר
לֵב הוּתַל הִטָּהוּ וְלֹא־יַצִּיל אֶת־נַפְשׁוֹ וְלֹא יֹאמַר הֲלוֹא שֶׁקֶר בִּימִינִי׃
כא זְכָר־אֵלֶּה יַעֲקֹב וְיִשְׂרָאֵל כִּי עַבְדִּי־אָתָּה יְצַרְתִּיךָ עֶבֶד־לִי אַתָּה
יִשְׂרָאֵל לֹא תִנָּשֵׁנִי׃ כב מָחִיתִי כָעָב פְּשָׁעֶיךָ וְכֶעָנָן חַטֹּאותֶיךָ שׁוּבָה אֵלַי
כִּי גְאַלְתִּיךָ׃ כג רָנּוּ שָׁמַיִם כִּי־עָשָׂה יְהוָה הָרִיעוּ תַּחְתִּיּוֹת אָרֶץ פִּצְחוּ
הָרִים רִנָּה יַעַר וְכָל־עֵץ בּוֹ כִּי־גָאַל יְהוָה יַעֲקֹב וּבְיִשְׂרָאֵל יִתְפָּאָר׃

כד כֹּה־אָמַר יְהוָה גֹּאֲלֶךָ וְיֹצֶרְךָ מִבָּטֶן אָנֹכִי יְהוָה עֹשֶׂה כֹּל נֹטֶה שָׁמַיִם
לְבַדִּי רֹקַע הָאָרֶץ מֵאִתִּי[34]׃ כה מֵפֵר אֹתוֹת בַּדִּים וְקֹסְמִים יְהוֹלֵל מֵשִׁיב
חֲכָמִים אָחוֹר וְדַעְתָּם יְסַכֵּל׃

---

[33] יסגוד
[34] מי אתי

6 Thus saith Yehovah, the King of Israel, and his Redeemer Yehovah of hosts: I am the first, and I am the last, and beside Me there is no God. **7** And who, as I, can proclaim–let him declare it, and set it in order for Me–since I appointed the ancient people? And the things that are coming, and that shall come to pass, let them declare. **8** Fear ye not, neither be afraid; have I not announced unto thee of old, and declared it? And ye are My witnesses. Is there a God beside Me? Yea, there is no Rock; I know not any. **9** They that fashion a graven image are all of them vanity, and their delectable things shall not profit; and their own witnesses see not, nor know; that they may be ashamed. **10** Who hath fashioned a god, or molten an image that is profitable for nothing? **11** Behold, all the fellows thereof shall be ashamed; and the craftsmen skilled above men; let them all be gathered together, let them stand up; they shall fear, they shall be ashamed together. **12** The smith maketh an axe, and worketh in the coals, and fashioneth it with hammers, and worketh it with his strong arm; yea, he is hungry, and his strength faileth; he drinketh no water, and is faint. **13** The carpenter stretcheth out a line; he marketh it out with a pencil; he fitteth it with planes, and he marketh it out with the compasses, and maketh it after the figure of a man, according to the beauty of a man, to dwell in the house. **14** He heweth him down cedars, and taketh the ilex and the oak, and strengtheneth for himself one among the trees of the forest; he planteth a bay-tree, and the rain doth nourish it. **15** Then a man useth it for fuel; and he taketh thereof, and warmeth himself; yea, he kindleth it, and baketh bread; yea, he maketh a god, and worshippeth it; he maketh it a graven image, and falleth down thereto. **16** He burneth the half thereof in the fire; with the half thereof he eateth flesh; he roasteth roast, and is satisfied; yea, he warmeth himself, and saith: 'Aha, I am warm, I have seen the fire'; **17** And the residue thereof he maketh a god, even his graven image; he falleth down unto it and worshippeth, and prayeth unto it, and saith: 'Deliver me, for thou art my god.' **18** They know not, neither do they understand; for their eyes are bedaubed, that they cannot see, and their hearts, that they cannot understand. **19** And none considereth in his heart, neither is there knowledge nor understanding to say: 'I have burned the half of it in the fire; yea, also I have baked bread upon the coals thereof; I have roasted flesh and eaten it; and shall I make the residue thereof an abomination? Shall I fall down to the stock of a tree?' **20** He striveth after ashes, a deceived heart hath turned him aside, that he cannot deliver his soul, nor say: 'Is there not a lie in my right hand?'{s} **21** Remember these things, O Jacob, and Israel, for thou art My servant; I have formed thee, thou art Mine own servant; O Israel, thou shouldest not forget Me. **22** I have blotted out, as a thick cloud, thy transgressions, and, as a cloud, thy sins; return unto Me, for I have redeemed thee. **23** Sing, O ye heavens, for Yehovah hath done it; shout, ye lowest parts of the earth; break forth into singing, ye mountains, O forest, and every tree therein; for Yehovah hath redeemed Jacob, and doth glorify Himself in Israel.{s} **24** Thus saith Yehovah, thy Redeemer, and He that formed thee from the womb: I am Yehovah, that maketh all things; that stretched forth the heavens alone; that spread abroad the earth by Myself; **25** That frustrateth the tokens of the imposters, and maketh diviners mad; that turneth wise men backward, and maketh their knowledge foolish;

כו מֵקִים דְּבַר עַבְדּוֹ וַעֲצַת מַלְאָכָיו יַשְׁלִים הָאֹמֵר לִירוּשָׁלִַם תּוּשָׁב וּלְעָרֵי
יְהוּדָה תִּבָּנֶינָה וְחָרְבוֹתֶיהָ אֲקוֹמֵם׃ כז הָאֹמֵר לַצּוּלָה חֳרָבִי וְנַהֲרֹתַיִךְ אוֹבִישׁ׃
כח הָאֹמֵר לְכוֹרֶשׁ רֹעִי וְכָל־חֶפְצִי יַשְׁלִם וְלֵאמֹר לִירוּשָׁלִַם תִּבָּנֶה וְהֵיכָל
תִּוָּסֵד׃

מה א כֹּה־אָמַר יְהוָה לִמְשִׁיחוֹ לְכוֹרֶשׁ אֲשֶׁר־הֶחֱזַקְתִּי בִימִינוֹ לְרַד־לְפָנָיו
גּוֹיִם וּמָתְנֵי מְלָכִים אֲפַתֵּחַ לִפְתֹּחַ לְפָנָיו דְּלָתַיִם וּשְׁעָרִים לֹא יִסָּגֵרוּ׃ ב אֲנִי
לְפָנֶיךָ אֵלֵךְ וַהֲדוּרִים אֲיַשֵּׁר[35] דַּלְתוֹת נְחוּשָׁה אֲשַׁבֵּר וּבְרִיחֵי בַרְזֶל אֲגַדֵּעַ׃
ג וְנָתַתִּי לְךָ אוֹצְרוֹת חֹשֶׁךְ וּמַטְמֻנֵי מִסְתָּרִים לְמַעַן תֵּדַע כִּי־אֲנִי יְהוָה
הַקּוֹרֵא בְשִׁמְךָ אֱלֹהֵי יִשְׂרָאֵל׃ ד לְמַעַן עַבְדִּי יַעֲקֹב וְיִשְׂרָאֵל בְּחִירִי וָאֶקְרָא
לְךָ בִּשְׁמֶךָ אֲכַנְּךָ וְלֹא יְדַעְתָּנִי׃ ה אֲנִי יְהוָה וְאֵין עוֹד זוּלָתִי אֵין אֱלֹהִים
אֲאַזֶּרְךָ וְלֹא יְדַעְתָּנִי׃ ו לְמַעַן יֵדְעוּ מִמִּזְרַח־שֶׁמֶשׁ וּמִמַּעֲרָבָהּ כִּי־אֶפֶס
בִּלְעָדָי אֲנִי יְהוָה וְאֵין עוֹד׃ ז יוֹצֵר אוֹר וּבוֹרֵא חֹשֶׁךְ עֹשֶׂה שָׁלוֹם וּבוֹרֵא רָע
אֲנִי יְהוָה עֹשֶׂה כָל־אֵלֶּה׃ ח הַרְעִיפוּ שָׁמַיִם מִמַּעַל וּשְׁחָקִים יִזְּלוּ־צֶדֶק
תִּפְתַּח־אֶרֶץ וְיִפְרוּ־יֶשַׁע וּצְדָקָה תַצְמִיחַ יַחַד אֲנִי יְהוָה בְּרָאתִיו׃ ט הוֹי רָב
אֶת־יֹצְרוֹ חֶרֶשׂ אֶת־חַרְשֵׂי אֲדָמָה הֲיֹאמַר חֹמֶר לְיֹצְרוֹ מַה־תַּעֲשֶׂה וּפָעָלְךָ
אֵין־יָדַיִם לוֹ׃ י הוֹי אֹמֵר לְאָב מַה־תּוֹלִיד וּלְאִשָּׁה מַה־תְּחִילִין׃ יא כֹּה־אָמַר
יְהוָה קְדוֹשׁ יִשְׂרָאֵל וְיֹצְרוֹ הָאֹתִיּוֹת שְׁאָלוּנִי עַל־בָּנַי וְעַל־פֹּעַל יָדַי תְּצַוֻּנִי׃
יב אָנֹכִי עָשִׂיתִי אֶרֶץ וְאָדָם עָלֶיהָ בָרָאתִי אֲנִי יָדַי נָטוּ שָׁמַיִם וְכָל־צְבָאָם
צִוֵּיתִי׃ יג אָנֹכִי הַעִירֹתִהוּ בְצֶדֶק וְכָל־דְּרָכָיו אֲיַשֵּׁר הוּא־יִבְנֶה עִירִי וְגָלוּתִי
יְשַׁלֵּחַ לֹא בִמְחִיר וְלֹא בְשֹׁחַד אָמַר יְהוָה צְבָאוֹת׃

יד כֹּה ׀ אָמַר יְהוָה יְגִיעַ מִצְרַיִם וּסְחַר־כּוּשׁ וּסְבָאִים אַנְשֵׁי מִדָּה עָלַיִךְ יַעֲבֹרוּ
וְלָךְ יִהְיוּ אַחֲרַיִךְ יֵלֵכוּ בַּזִּקִּים יַעֲבֹרוּ וְאֵלַיִךְ יִשְׁתַּחֲווּ אֵלַיִךְ יִתְפַּלָּלוּ אַךְ בָּךְ
אֵל וְאֵין עוֹד אֶפֶס אֱלֹהִים׃ טו אָכֵן אַתָּה אֵל מִסְתַּתֵּר אֱלֹהֵי יִשְׂרָאֵל מוֹשִׁיעַ׃
טז בּוֹשׁוּ וְגַם־נִכְלְמוּ כֻּלָּם יַחְדָּו הָלְכוּ בַכְּלִמָּה חָרָשֵׁי צִירִים׃ יז יִשְׂרָאֵל נוֹשַׁע
בַּיהוָה תְּשׁוּעַת עוֹלָמִים לֹא־תֵבֹשׁוּ וְלֹא־תִכָּלְמוּ עַד־עוֹלְמֵי עַד׃

יח כִּי כֹה אָמַר־יְהוָה בּוֹרֵא הַשָּׁמַיִם הוּא הָאֱלֹהִים יֹצֵר הָאָרֶץ וְעֹשָׂהּ הוּא
כוֹנְנָהּ לֹא־תֹהוּ בְרָאָהּ לָשֶׁבֶת יְצָרָהּ אֲנִי יְהוָה וְאֵין עוֹד׃ יט לֹא בַסֵּתֶר
דִּבַּרְתִּי בִּמְקוֹם אֶרֶץ חֹשֶׁךְ לֹא אָמַרְתִּי לְזֶרַע יַעֲקֹב תֹּהוּ בַקְּשׁוּנִי אֲנִי יְהוָה
דֹּבֵר צֶדֶק מַגִּיד מֵישָׁרִים׃

[35] אושר

26 That confirmeth the word of His servant, and performeth the counsel of His messengers; that saith of Yerushalam: 'She shall be inhabited'; and of the cities of Judah: 'They shall be built, and I will raise up the waste places thereof'; **27** That saith to the deep: 'Be dry, and I will dry up thy rivers'; **28** That saith of Cyrus: 'He is My shepherd, and shall perform all My pleasure'; even saying of Yerushalam: 'She shall be built'; and to the temple: 'My foundation shall be laid.'{P}

45 **1** Thus saith Yehovah to His anointed, to Cyrus, whose right hand I have holden, to subdue nations before him, and to loose the loins of kings; to open the doors before him, and that the gates may not be shut: **2** I will go before thee, and make the crooked places straight; I will break in pieces the doors of brass, and cut in sunder the bars of iron; **3** And I will give thee the treasures of darkness, and hidden riches of secret places, that thou mayest know that I am Yehovah, who call thee by thy name, even the God of Israel. **4** For the sake of Jacob My servant, and Israel Mine elect, I have called thee by thy name, I have surnamed thee, though thou hast not known Me. **5** I am Yehovah, and there is none else, beside Me there is no God; I have girded thee, though thou hast not known Me; **6** That they may know from the rising of the sun, and from the west, that there is none beside Me; I am Yehovah; and there is none else; **7** I form the light, and create darkness; I make peace, and create evil; I am Yehovah, that doeth all these things.{P}

8 Drop down, ye heavens, from above, and let the skies pour down righteousness; let the earth open, that they may bring forth salvation, and let her cause righteousness to spring up together; I Yehovah have created it.{S} **9** Woe unto him that striveth with his Maker, as a potsherd with the potsherds of the earth! Shall the clay say to him that fashioned it: 'What makest thou?' Or: 'Thy work, it hath no hands'?{S} **10** Woe unto him that saith unto his father: 'Wherefore begettest thou?' Or to a woman: 'Wherefore travailest thou?'{S} **11** Thus saith Yehovah, the Holy One of Israel, and his Maker: Ask Me of the things that are to come; concerning My sons, and concerning the work of My hands, command ye Me. **12** I, even I, have made the earth, and created man upon it; I, even My hands, have stretched out the heavens, and all their host have I commanded. **13** I have roused him up in victory, and I make level all his ways; he shall build My city, and he shall let Mine exiles go free, not for price nor reward, saith Yehovah of hosts.{S} **14** Thus saith Yehovah: The labour of Egypt, and the merchandise of Ethiopia, and of the Sabeans, men of stature, shall come over unto thee, and they shall be thine; they shall go after thee, in chains they shall come over; and they shall fall down unto thee, they shall make supplication unto thee: Surely God is in thee, and there is none else, there is no other God. **15** Verily Thou art a God that hidest Thyself, O God of Israel, the Saviour. **16** They shall be ashamed, yea, confounded, all of them; they shall go in confusion together that are makers of idols. **17** O Israel, that art saved by Yehovah with an everlasting salvation; ye shall not be ashamed nor confounded world without end.{P}

18 For thus saith Yehovah that created the heavens, He is God; that formed the earth and made it, He established it, He created it not a waste, He formed it to be inhabited: I am Yehovah, and there is none else. **19** I have not spoken in secret, in a place of the land of darkness; I said not unto the seed of Jacob: 'Seek ye Me in vain'; I Yehovah speak righteousness, I declare things that are right.

כ הִקָּבְצוּ וָבֹאוּ הִתְנַגְּשׁוּ יַחְדָּו פְּלִיטֵי הַגּוֹיִם לֹא יָדְעוּ הַנֹּשְׂאִים אֶת־עֵץ פִּסְלָם
וּמִתְפַּלְלִים אֶל־אֵל לֹא יוֹשִׁיעַ׃ כא הַגִּידוּ וְהַגִּישׁוּ אַף יִוָּעֲצוּ יַחְדָּו מִי הִשְׁמִיעַ
זֹאת מִקֶּדֶם מֵאָז הִגִּידָהּ הֲלוֹא אֲנִי יְהוָה וְאֵין־עוֹד אֱלֹהִים מִבַּלְעָדַי אֵל־צַדִּיק
וּמוֹשִׁיעַ אַיִן זוּלָתִי׃ כב פְּנוּ־אֵלַי וְהִוָּשְׁעוּ כָּל־אַפְסֵי־אָרֶץ כִּי אֲנִי־אֵל וְאֵין עוֹד׃
כג בִּי נִשְׁבַּעְתִּי יָצָא מִפִּי צְדָקָה דָּבָר וְלֹא יָשׁוּב כִּי־לִי תִּכְרַע כָּל־בֶּרֶךְ תִּשָּׁבַע
כָּל־לָשׁוֹן׃ כד אַךְ בַּיהוָה לִי אָמַר צְדָקוֹת וָעֹז עָדָיו יָבוֹא וְיֵבֹשׁוּ כֹּל הַנֶּחֱרִים
בּוֹ׃ כה בַּיהוָה יִצְדְּקוּ וְיִתְהַלְלוּ כָּל־זֶרַע יִשְׂרָאֵל׃

מו א כָּרַע בֵּל קֹרֵס נְבוֹ הָיוּ עֲצַבֵּיהֶם לַחַיָּה וְלַבְּהֵמָה נְשֻׂאֹתֵיכֶם עֲמוּסוֹת
מַשָּׂא לַעֲיֵפָה׃ ב קָרְסוּ כָרְעוּ יַחְדָּו לֹא יָכְלוּ מַלֵּט מַשָּׂא וְנַפְשָׁם בַּשְּׁבִי
הָלָכָה׃ ג שִׁמְעוּ אֵלַי בֵּית יַעֲקֹב וְכָל־שְׁאֵרִית בֵּית יִשְׂרָאֵל הָעֲמֻסִים מִנִּי־בֶטֶן
הַנְּשֻׂאִים מִנִּי־רָחַם׃ ד וְעַד־זִקְנָה אֲנִי הוּא וְעַד־שֵׂיבָה אֲנִי אֶסְבֹּל אֲנִי עָשִׂיתִי
וַאֲנִי אֶשָּׂא וַאֲנִי אֶסְבֹּל וַאֲמַלֵּט׃ ה לְמִי תְדַמְּיוּנִי וְתַשְׁווּ וְתַמְשִׁלוּנִי וְנִדְמֶה׃
ו הַזָּלִים זָהָב מִכִּיס וְכֶסֶף בַּקָּנֶה יִשְׁקֹלוּ יִשְׂכְּרוּ צוֹרֵף וְיַעֲשֵׂהוּ אֵל יִסְגְּדוּ
אַף־יִשְׁתַּחֲווּ׃ ז יִשָּׂאֻהוּ עַל־כָּתֵף יִסְבְּלֻהוּ וְיַנִּיחֻהוּ תַחְתָּיו וְיַעֲמֹד מִמְּקוֹמוֹ לֹא
יָמִישׁ אַף־יִצְעַק אֵלָיו וְלֹא יַעֲנֶה מִצָּרָתוֹ לֹא יוֹשִׁיעֶנּוּ׃ ח זִכְרוּ־זֹאת וְהִתְאֹשָׁשׁוּ
הָשִׁיבוּ פוֹשְׁעִים עַל־לֵב׃ ט זִכְרוּ רִאשֹׁנוֹת מֵעוֹלָם כִּי אָנֹכִי אֵל וְאֵין עוֹד
אֱלֹהִים וְאֶפֶס כָּמוֹנִי׃ י מַגִּיד מֵרֵאשִׁית אַחֲרִית וּמִקֶּדֶם אֲשֶׁר לֹא־נַעֲשׂוּ אֹמֵר
עֲצָתִי תָקוּם וְכָל־חֶפְצִי אֶעֱשֶׂה׃ יא קֹרֵא מִמִּזְרָח עַיִט מֵאֶרֶץ מֶרְחָק אִישׁ
עֲצָתִי[36] אַף־דִּבַּרְתִּי אַף־אֲבִיאֶנָּה יָצַרְתִּי אַף־אֶעֱשֶׂנָּה׃ יב שִׁמְעוּ אֵלַי אַבִּירֵי
לֵב הָרְחוֹקִים מִצְּדָקָה׃ יג קֵרַבְתִּי צִדְקָתִי לֹא תִרְחָק וּתְשׁוּעָתִי לֹא תְאַחֵר
וְנָתַתִּי בְצִיּוֹן תְּשׁוּעָה לְיִשְׂרָאֵל תִּפְאַרְתִּי׃

מז א רְדִי ׀ וּשְׁבִי עַל־עָפָר בְּתוּלַת בַּת־בָּבֶל שְׁבִי־לָאָרֶץ אֵין־כִּסֵּא
בַּת־כַּשְׂדִּים כִּי לֹא תוֹסִיפִי יִקְרְאוּ־לָךְ רַכָּה וַעֲנֻגָּה׃ ב קְחִי רֵחַיִם וְטַחֲנִי
קָמַח גַּלִּי צַמָּתֵךְ חֶשְׂפִּי־שֹׁבֶל גַּלִּי־שׁוֹק עִבְרִי נְהָרוֹת׃ ג תִּגָּל עֶרְוָתֵךְ גַּם
תֵּרָאֶה חֶרְפָּתֵךְ נָקָם אֶקָּח וְלֹא אֶפְגַּע אָדָם׃ ד גֹּאֲלֵנוּ יְהוָה צְבָאוֹת שְׁמוֹ
קְדוֹשׁ יִשְׂרָאֵל׃ ה שְׁבִי דוּמָם וּבֹאִי בַחֹשֶׁךְ בַּת־כַּשְׂדִּים כִּי לֹא תוֹסִיפִי
יִקְרְאוּ־לָךְ גְּבֶרֶת מַמְלָכוֹת׃ ו קָצַפְתִּי עַל־עַמִּי חִלַּלְתִּי נַחֲלָתִי וָאֶתְּנֵם בְּיָדֵךְ
לֹא־שַׂמְתְּ לָהֶם רַחֲמִים עַל־זָקֵן הִכְבַּדְתְּ עֻלֵּךְ מְאֹד׃ ז וַתֹּאמְרִי לְעוֹלָם
אֶהְיֶה גְבָרֶת עַד לֹא־שַׂמְתְּ אֵלֶּה עַל־לִבֵּךְ לֹא זָכַרְתְּ אַחֲרִיתָהּ׃

[36] עצתו

20 Assemble yourselves and come, draw near together, ye that are escaped of the nations; they have no knowledge that carry the wood of their graven image, and pray unto a god that cannot save. **21** Declare ye, and bring them near, yea, let them take counsel together: Who hath announced this from ancient time, and declared it of old? Have not I Yehovah? And there is no God else beside Me, a just God and a Saviour; there is none beside Me. **22** Look unto Me, and be ye saved, all the ends of the earth; for I am God, and there is none else. **23** By Myself have I sworn, the word is gone forth from My mouth in righteousness, and shall not come back, that unto Me every knee shall bow, every tongue shall swear. **24** Only in Yehovah, shall one say of Me, is victory and strength; even to Him shall men come in confusion, all they that were incensed against Him. **25** In Yehovah shall all the seed of Israel be justified, and shall glory.

46 **1** Bel boweth down, Nebo stoopeth; their idols are upon the beasts, and upon the cattle; the things that ye carried about are made a load, a burden to the weary beast. **2** They stoop, they bow down together, they could not deliver the burden; and themselves are gone into captivity.{P}

3 Hearken unto Me, O house of Jacob, and all the remnant of the house of Israel, that are borne [by Me] from the birth, that are carried from the womb: **4** Even to old age I am the same, and even to hoar hairs will I carry you; I have made, and I will bear; yea, I will carry, and will deliver.{S} **5** To whom will ye liken Me, and make Me equal, and compare Me, that we may be like? **6** Ye that lavish gold out of the bag, and weigh silver in the balance; ye that hire a goldsmith, that he make it a god, to fall down thereto, yea, to worship. **7** He is borne upon the shoulder, he is carried, and set in his place, and he standeth, from his place he doth not remove; yea, though one cry unto him, he cannot answer, nor save him out of his trouble.{S} **8** Remember this, and stand fast; bring it to mind, O ye transgressors. **9** Remember the former things of old: that I am God, and there is none else; I am God, and there is none like Me; **10** Declaring the end from the beginning, and from ancient times things that are not yet done; saying: 'My counsel shall stand, and all My pleasure will I do'; **11** Calling a bird of prey from the east, the man of My counsel from a far country; yea, I have spoken, I will also bring it to pass, I have purposed, I will also do it.{S} **12** Hearken unto Me, ye stout-hearted, that are far from righteousness: **13** I bring near My righteousness, it shall not be far off, and My salvation shall not tarry; and I will place salvation in Zion for Israel My glory.{S}

47 **1** Come down, and sit in the dust, O virgin daughter of Babylon, sit on the ground without a throne, O daughter of the Chaldeans; for thou shalt no more be called tender and delicate. **2** Take the millstones, and grind meal; remove thy veil, strip off the train, uncover the leg, pass through the rivers. **3** Thy nakedness shall be uncovered, yea, thy shame shall be seen; I will take vengeance, and will let no man intercede.{P}

4 Our Redeemer, Yehovah of hosts is His name, The Holy One of Israel. **5** Sit thou silent, and get thee into darkness, O daughter of the Chaldeans; for thou shalt no more be called the mistress of kingdoms. **6** I was wroth with My people, I profaned Mine inheritance, and gave them into thy hand; thou didst show them no mercy; upon the aged hast thou very heavily laid thy yoke. **7** And thou saidst: 'For ever shall I be mistress'; so that thou didst not lay these things to thy heart, neither didst remember the end thereof.{P}

ח וְעַתָּה שִׁמְעִי־זֹאת עֲדִינָה הַיּוֹשֶׁבֶת לָבֶטַח הָאֹמְרָה בִּלְבָבָהּ אֲנִי וְאַפְסִי
עוֹד לֹא אֵשֵׁב אַלְמָנָה וְלֹא אֵדַע שְׁכוֹל׃ ט וְתָבֹאנָה לָּךְ שְׁתֵּי־אֵלֶּה רֶגַע
בְּיוֹם אֶחָד שְׁכוֹל וְאַלְמֹן כְּתֻמָּם בָּאוּ עָלַיִךְ בְּרֹב כְּשָׁפַיִךְ בְּעָצְמַת
חֲבָרַיִךְ מְאֹד׃ י וַתִּבְטְחִי בְרָעָתֵךְ אָמַרְתְּ אֵין רֹאָנִי חָכְמָתֵךְ וְדַעְתֵּךְ הִיא
שׁוֹבְבָתֶךְ וַתֹּאמְרִי בְלִבֵּךְ אֲנִי וְאַפְסִי עוֹד׃ יא וּבָא עָלַיִךְ רָעָה לֹא תֵדְעִי
שַׁחְרָהּ וְתִפֹּל עָלַיִךְ הֹוָה לֹא תוּכְלִי כַּפְּרָהּ וְתָבֹא עָלַיִךְ פִּתְאֹם שׁוֹאָה
לֹא תֵדָעִי׃ יב עִמְדִי־נָא בַחֲבָרַיִךְ וּבְרֹב כְּשָׁפַיִךְ בַּאֲשֶׁר יָגַעַתְּ מִנְּעוּרָיִךְ
אוּלַי תּוּכְלִי הוֹעִיל אוּלַי תַּעֲרוֹצִי׃ יג נִלְאֵית בְּרֹב עֲצָתָיִךְ יַעַמְדוּ־נָא
וְיוֹשִׁיעֻךְ הֹבְרֵי[37] שָׁמַיִם הַחֹזִים בַּכּוֹכָבִים מוֹדִיעִם לֶחֳדָשִׁים מֵאֲשֶׁר יָבֹאוּ
עָלָיִךְ׃ יד הִנֵּה הָיוּ כְקַשׁ אֵשׁ שְׂרָפָתַם לֹא־יַצִּילוּ אֶת־נַפְשָׁם מִיַּד לֶהָבָה
אֵין־גַּחֶלֶת לַחְמָם אוּר לָשֶׁבֶת נֶגְדּוֹ׃ טו כֵּן הָיוּ־לָךְ אֲשֶׁר יָגָעַתְּ סֹחֲרַיִךְ
מִנְּעוּרַיִךְ אִישׁ לְעֶבְרוֹ תָּעוּ אֵין מוֹשִׁיעֵךְ׃

מח א שִׁמְעוּ־זֹאת בֵּית־יַעֲקֹב הַנִּקְרָאִים בְּשֵׁם יִשְׂרָאֵל וּמִמֵּי יְהוּדָה יָצָאוּ
הַנִּשְׁבָּעִים ׀ בְּשֵׁם יְהוָה וּבֵאלֹהֵי יִשְׂרָאֵל יַזְכִּירוּ לֹא בֶאֱמֶת וְלֹא בִצְדָקָה׃
ב כִּי־מֵעִיר הַקֹּדֶשׁ נִקְרָאוּ וְעַל־אֱלֹהֵי יִשְׂרָאֵל נִסְמָכוּ יְהוָה צְבָאוֹת שְׁמוֹ׃
ג הָרִאשֹׁנוֹת מֵאָז הִגַּדְתִּי וּמִפִּי יָצְאוּ וְאַשְׁמִיעֵם פִּתְאֹם עָשִׂיתִי וַתָּבֹאנָה׃
ד מִדַּעְתִּי כִּי קָשֶׁה אָתָּה וְגִיד בַּרְזֶל עָרְפֶּךָ וּמִצְחֲךָ נְחוּשָׁה׃ ה וָאַגִּיד לְךָ
מֵאָז בְּטֶרֶם תָּבוֹא הִשְׁמַעְתִּיךָ פֶּן־תֹּאמַר עָצְבִּי עָשָׂם וּפִסְלִי וְנִסְכִּי צִוָּם׃
ו שָׁמַעְתָּ חֲזֵה כֻּלָּהּ וְאַתֶּם הֲלוֹא תַגִּידוּ הִשְׁמַעְתִּיךָ חֲדָשׁוֹת מֵעַתָּה וּנְצֻרוֹת
וְלֹא יְדַעְתָּם׃ ז עַתָּה נִבְרְאוּ וְלֹא מֵאָז וְלִפְנֵי־יוֹם וְלֹא שְׁמַעְתָּם פֶּן־תֹּאמַר
הִנֵּה יְדַעְתִּין׃ ח גַּם לֹא־שָׁמַעְתָּ גַּם לֹא יָדַעְתָּ גַּם מֵאָז לֹא־פִתְּחָה אָזְנֶךָ
כִּי יָדַעְתִּי בָּגוֹד תִּבְגּוֹד וּפֹשֵׁעַ מִבֶּטֶן קֹרָא לָךְ׃ ט לְמַעַן שְׁמִי אַאֲרִיךְ
אַפִּי וּתְהִלָּתִי אֶחֱטָם־לָךְ לְבִלְתִּי הַכְרִיתֶךָ׃ י הִנֵּה צְרַפְתִּיךָ וְלֹא בְכָסֶף
בְּחַרְתִּיךָ בְּכוּר עֹנִי׃ יא לְמַעֲנִי לְמַעֲנִי אֶעֱשֶׂה כִּי אֵיךְ יֵחָל וּכְבוֹדִי לְאַחֵר
לֹא־אֶתֵּן׃ יב שְׁמַע אֵלַי יַעֲקֹב וְיִשְׂרָאֵל מְקֹרָאִי אֲנִי־הוּא אֲנִי רִאשׁוֹן אַף
אֲנִי אַחֲרוֹן׃ יג אַף־יָדִי יָסְדָה אֶרֶץ וִימִינִי טִפְּחָה שָׁמָיִם קֹרֵא אֲנִי אֲלֵיהֶם
יַעַמְדוּ יַחְדָּו׃ יד הִקָּבְצוּ כֻלְּכֶם וּשְׁמָעוּ מִי בָהֶם הִגִּיד אֶת־אֵלֶּה יְהוָה
אֲהֵבוֹ יַעֲשֶׂה חֶפְצוֹ בְּבָבֶל וּזְרֹעוֹ כַּשְׂדִּים׃

[37] הברו

8 Now therefore hear this, thou that art given to pleasures, that sittest securely, that sayest in thy heart: 'I am, and there is none else beside me; I shall not sit as a widow, neither shall I know the loss of children'; **9** But these two things shall come to thee in a moment in one day, the loss of children, and widowhood; in their full measure shall they come upon thee, for the multitude of thy sorceries, and the great abundance of thine enchantments. **10** And thou hast been secure in thy wickedness, thou hast said: 'None seeth me'; thy wisdom and thy knowledge, it hath perverted thee; and thou hast said in thy heart. 'I am, and there is none else beside me.' **11** Yet shall evil came upon thee; thou shalt not know how to charm it away; and calamity shall fall upon thee; thou shalt not be able to put it away; and ruin shall come upon thee suddenly, before thou knowest. **12** Stand now with thine enchantments, and with the multitude of thy sorceries, wherein thou hast laboured from thy youth; if so be thou shalt be able to profit, if so be thou mayest prevail. **13** Thou art wearied in the multitude of thy counsels; let now the astrologers, the stargazers, the monthly prognosticators, stand up, and save thee from the things that shall come upon thee. **14** Behold, they shall be as stubble; the fire shall burn them; they shall not deliver themselves from the power of the flame; it shall not be a coal to warm at, nor a fire to sit before. **15** Thus shall they be unto thee with whom thou hast laboured; they that have trafficked with thee from thy youth shall wander every one to his quarter; there shall be none to save thee.{s}

48 **1** Hear ye this, O house of Jacob, who are called by the name of Israel, and are come forth out of the fountain of Judah; who swear by the name of Yehovah, and make mention of the God of Israel, but not in truth, nor in righteousness. **2** For they call themselves of the holy city, and stay themselves upon the God of Israel, Yehovah of hosts is His name.{s} **3** I have declared the former things from of old; yea, they went forth out of My mouth, and I announced them; suddenly I did them, and they came to pass. **4** Because I knew that thou art obstinate, and thy neck is an iron sinew, and thy brow brass; **5** Therefore I have declared it to thee from of old; before it came to pass I announced it to thee; lest thou shouldest say: 'Mine idol hath done them, and my graven image, and my molten image, hath commanded them.' **6** Thou hast heard, see, all this; and ye, will ye not declare it? I have announced unto thee new things from this time, even hidden things, which thou hast not known. **7** They are created now, and not from of old, and before this day thou heardest them not; lest thou shouldest say: 'Behold, I knew them.' **8** Yea, thou heardest not; yea, thou knewest not; yea, from of old thine ear was not opened; for I knew that thou wouldest deal very treacherously, and wast called a transgressor from the womb. **9** For My name's sake will I defer Mine anger, and for My praise will I refrain for thee, that I cut thee not off. **10** Behold, I have refined thee, but not as silver; I have tried thee in the furnace of affliction. **11** For Mine own sake, for Mine own sake, will I do it; for how should it be profaned? And My glory will I not give to another.{P}

12 Hearken unto Me, O Jacob, and Israel My called: I am He; I am the first, I also am the last. **13** Yea, My hand hath laid the foundation of the earth, and My right hand hath spread out the heavens; when I call unto them, they stand up together. **14** Assemble yourselves, all ye, and hear; which among them hath declared these things? He whom Yehovah loveth shall perform His pleasure on Babylon, and show His arm on the Chaldeans.

יה אֲנִ֤י אֲנִי֙ דִּבַּ֣רְתִּי אַף־קְרָאתִ֑יו הֲבִיאֹתִ֖יו וְהִצְלִ֥יחַ דַּרְכּֽוֹ׃ יו קִרְב֧וּ אֵלַ֣י
שִׁמְעוּ־זֹ֗את לֹ֤א מֵרֹאשׁ֙ בַּסֵּ֣תֶר דִּבַּ֔רְתִּי מֵעֵ֥ת הֱיוֹתָ֖הּ שָׁ֣ם אָ֑נִי וְעַתָּ֗ה אֲדֹנָ֧י
יְהוִ֛ה שְׁלָחַ֖נִי וְרוּחֽוֹ׃

יז כֹּה־אָמַ֧ר יְהוָ֛ה גֹּאַלְךָ֖ קְד֣וֹשׁ יִשְׂרָאֵ֑ל אֲנִ֨י יְהוָ֤ה אֱלֹהֶ֙יךָ֙ מְלַמֶּדְךָ֣ לְהוֹעִ֔יל
מַדְרִֽיכֲךָ֖ בְּדֶ֥רֶךְ תֵּלֵֽךְ׃ יח ל֥וּא הִקְשַׁ֖בְתָּ לְמִצְוֺתָ֑י וַיְהִ֤י כַנָּהָר֙ שְׁלוֹמֶ֔ךָ
וְצִדְקָתְךָ֖ כְּגַלֵּ֥י הַיָּֽם׃ יט וַיְהִ֤י כַחוֹל֙ זַרְעֶ֔ךָ וְצֶאֱצָאֵ֥י מֵעֶ֖יךָ כִּמְעֹתָ֑יו
לֹא־יִכָּרֵ֧ת וְלֹֽא־יִשָּׁמֵ֛ד שְׁמ֖וֹ מִלְּפָנָֽי׃ כ צְא֣וּ מִבָּבֶל֮ בִּרְח֣וּ מִכַּשְׂדִּים֒ בְּק֣וֹל
רִנָּ֗ה הַגִּ֤ידוּ הַשְׁמִ֙יעוּ֙ זֹ֔את הוֹצִיא֖וּהָ עַד־קְצֵ֣ה הָאָ֑רֶץ אִמְר֕וּ גָּאַ֥ל יְהוָ֖ה עַבְדּ֥וֹ
יַעֲקֹֽב׃ כא וְלֹ֣א צָמְא֗וּ בָּחֳרָבוֹת֙ הוֹלִיכָ֔ם מַ֥יִם מִצּ֖וּר הִזִּ֣יל לָ֑מוֹ וַיִּבְקַע־צ֔וּר
וַיָּזֻ֖בוּ מָֽיִם׃ כב אֵ֣ין שָׁל֔וֹם אָמַ֥ר יְהוָ֖ה לָרְשָׁעִֽים׃

מט א שִׁמְע֤וּ אִיִּים֙ אֵלַ֔י וְהַקְשִׁ֥יבוּ לְאֻמִּ֖ים מֵֽרָח֑וֹק יְהוָה֙ מִבֶּ֣טֶן קְרָאָ֔נִי מִמְּעֵ֥י
אִמִּ֖י הִזְכִּ֥יר שְׁמִֽי׃ ב וַיָּ֤שֶׂם פִּי֙ כְּחֶ֣רֶב חַדָּ֔ה בְּצֵ֥ל יָד֖וֹ הֶחְבִּיאָ֑נִי וַיְשִׂימֵ֙נִי֙ לְחֵ֣ץ
בָּר֔וּר בְּאַשְׁפָּת֖וֹ הִסְתִּירָֽנִי׃ ג וַיֹּ֥אמֶר לִ֖י עַבְדִּי־אָ֑תָּה יִשְׂרָאֵ֕ל אֲשֶׁר־בְּךָ֖
אֶתְפָּאָֽר׃ ד וַאֲנִ֤י אָמַ֙רְתִּי֙ לְרִ֣יק יָגַ֔עְתִּי לְתֹ֥הוּ וְהֶ֖בֶל כֹּחִ֣י כִלֵּ֑יתִי אָכֵן֙ מִשְׁפָּטִ֣י
אֶת־יְהוָ֔ה וּפְעֻלָּתִ֖י אֶת־אֱלֹהָֽי׃ ה וְעַתָּ֣ה ׀ אָמַ֣ר יְהוָ֗ה יֹצְרִ֤י מִבֶּ֙טֶן֙ לְעֶ֣בֶד ל֔וֹ
לְשׁוֹבֵ֤ב יַעֲקֹב֙ אֵלָ֔יו וְיִשְׂרָאֵ֖ל ל֣וֹ[38] יֵאָסֵ֑ף וְאֶכָּבֵד֙ בְּעֵינֵ֣י יְהוָ֔ה וֵאלֹהַ֖י הָיָ֥ה
עֻזִּֽי׃ ו וַיֹּ֗אמֶר נָקֵ֨ל מִֽהְיוֹתְךָ֥ לִי֙ עֶ֔בֶד לְהָקִים֙ אֶת־שִׁבְטֵ֣י יַעֲקֹ֔ב
וּנְצוּרֵ֥י[39] יִשְׂרָאֵ֖ל לְהָשִׁ֑יב וּנְתַתִּ֙יךָ֙ לְא֣וֹר גּוֹיִ֔ם לִהְי֥וֹת יְשׁוּעָתִ֖י עַד־קְצֵ֥ה
הָאָֽרֶץ׃ ז כֹּ֣ה אָֽמַר־יְ֠הוָה גֹּאֵ֨ל יִשְׂרָאֵ֜ל קְדוֹשׁ֗וֹ לִבְזֹה־נֶ֜פֶשׁ לִמְתָ֤עֵֽב גּוֹי֙
לְעֶ֣בֶד מֹֽשְׁלִ֔ים מְלָכִ֤ים יִרְאוּ֙ וָקָ֔מוּ שָׂרִ֖ים וְיִֽשְׁתַּחֲוּ֑וּ לְמַ֤עַן יְהוָה֙ אֲשֶׁ֣ר נֶאֱמָ֔ן
קְדֹ֥שׁ יִשְׂרָאֵ֖ל וַֽיִּבְחָרֶֽךָּ׃ ח כֹּ֣ה ׀ אָמַ֣ר יְהוָ֗ה בְּעֵ֤ת רָצוֹן֙ עֲנִיתִ֔יךָ וּבְי֥וֹם יְשׁוּעָ֖ה
עֲזַרְתִּ֑יךָ וְאֶצָּרְךָ֗ וְאֶתֶּנְךָ֙ לִבְרִ֣ית עָ֔ם לְהָקִ֣ים אֶ֔רֶץ לְהַנְחִ֖יל נְחָל֥וֹת שֹׁמֵמֽוֹת׃
ט לֵאמֹ֤ר לַאֲסוּרִים֙ צֵ֔אוּ לַאֲשֶׁ֥ר בַּחֹ֖שֶׁךְ הִגָּל֑וּ עַל־דְּרָכִ֣ים יִרְע֔וּ
וּבְכָל־שְׁפָיִ֖ים מַרְעִיתָֽם׃ י לֹ֤א יִרְעָ֙בוּ֙ וְלֹ֣א יִצְמָ֔אוּ וְלֹא־יַכֵּ֥ם שָׁרָ֖ב וָשָׁ֑מֶשׁ
כִּֽי־מְרַחֲמָ֣ם יְנַהֲגֵ֔ם וְעַל־מַבּ֥וּעֵי מַ֖יִם יְנַהֲלֵֽם׃ יא וְשַׂמְתִּ֥י כָל־הָרַ֖י לַדָּ֑רֶךְ
וּמְסִלֹּתַ֖י יְרֻמֽוּן׃ יב הִנֵּה־אֵ֕לֶּה מֵרָח֖וֹק יָבֹ֑אוּ וְהִנֵּה־אֵ֙לֶּה֙ מִצָּפ֣וֹן וּמִיָּ֔ם וְאֵ֖לֶּה
מֵאֶ֥רֶץ סִינִֽים׃ יג רָנּ֤וּ שָׁמַ֙יִם֙ וְגִ֣ילִי אֶ֔רֶץ וּפִצְח֥וּ[40] הָרִ֖ים רִנָּ֑ה כִּֽי־נִחַ֤ם יְהוָה֙
עַמּ֔וֹ וַעֲנִיָּ֖ו יְרַחֵֽם׃

[38] לא
[39] ונצירי
[40] יפצחו

15 I, even I, have spoken, yea, I have called him; I have brought him, and he shall make his way prosperous. **16** Come ye near unto Me, hear ye this: From the beginning I have not spoken in secret; from the time that it was, there am I; and now the Lord GOD [Adonai Yehovi] hath sent me, and His spirit.{P}

17 Thus saith Yehovah, thy Redeemer, the Holy One of Israel: I am Yehovah thy God, who teacheth thee for thy profit, who leadeth thee by the way that thou shouldest go. **18** Oh that thou wouldest hearken to My commandments! then would thy peace be as a river, and thy righteousness as the waves of the sea; **19** Thy seed also would be as the sand, and the offspring of thy body like the grains thereof; his name would not be cut off nor destroyed from before Me.{S} **20** Go ye forth from Babylon, flee ye from the Chaldeans; with a voice of singing declare ye, tell this, utter it even to the end of the earth; say ye: 'Yehovah hath redeemed His servant Jacob. **21** And they thirsted not when He led them through the deserts; He caused the waters to flow out of the rock for them; He cleaved the rock also, and the waters gushed out.' **22** There is no peace, saith Yehovah concerning the wicked.{P}

49 **1** Listen, O isles, unto me, and hearken, ye peoples, from far: Yehovah hath called me from the womb, from the bowels of my mother hath He made mention of my name; **2** And He hath made my mouth like a sharp sword, in the shadow of His hand hath He hid me; and He hath made me a polished shaft, in His quiver hath He concealed me; **3** And He said unto me: 'Thou art My servant, Israel, in whom I will be glorified.' **4** But I said: 'I have laboured in vain, I have spent my strength for nought and vanity; yet surely my right is with Yehovah, and my recompense with my God.'{S} **5** And now saith Yehovah that formed me from the womb to be His servant, to bring Jacob back to Him, and that Israel be gathered unto Him–for I am honourable in the eyes of Yehovah, and my God is become my strength– **6** Yea, He saith: 'It is too light a thing that thou shouldest be My servant to raise up the tribes of Jacob, and to restore the offspring of Israel; I will also give thee for a light of the nations, that My salvation may be unto the end of the earth.'{S} **7** Thus saith Yehovah, the Redeemer of Israel, his Holy One, to him who is despised of men, to him who is abhorred of nations, to a servant of rulers: kings shall see and arise, princes, and they shall prostrate themselves; because of Yehovah that is faithful, even the Holy One of Israel, who hath chosen thee.{S} **8** Thus saith Yehovah: In an acceptable time have I answered thee, and in a day of salvation have I helped thee; and I will preserve thee, and give thee for a covenant of the people, to raise up the land, to cause to inherit the desolate heritages; **9** Saying to the prisoners: 'Go forth'; to them that are in darkness: 'Show yourselves'; they shall feed in the ways, and in all high hills shall be their pasture; **10** They shall not hunger nor thirst, neither shall the heat nor sun smite them; for He that hath compassion on them will lead them, even by the springs of water will He guide them. **11** And I will make all My mountains a way, and My highways shall be raised on high. **12** Behold, these shall come from far; and, lo, these from the north and from the west, and these from the land of Sinim. **13** Sing, O heavens, and be joyful, O earth, and break forth into singing, O mountains; for Yehovah hath comforted His people, and hath compassion upon His afflicted.{S}

יד וַתֹּאמֶר צִיּוֹן עֲזָבַנִי יְהוָה וַאדֹנָי שְׁכֵחָנִי׃ טו הֲתִשְׁכַּח אִשָּׁה עוּלָהּ
מֵרַחֵם בֶּן־בִּטְנָהּ גַּם־אֵלֶּה תִשְׁכַּחְנָה וְאָנֹכִי לֹא אֶשְׁכָּחֵךְ׃ טז הֵן עַל־כַּפַּיִם
חַקֹּתִיךְ חוֹמֹתַיִךְ נֶגְדִּי תָּמִיד׃ יז מִהֲרוּ בָּנָיִךְ מְהָרְסַיִךְ וּמַחֲרִבַיִךְ מִמֵּךְ
יֵצֵאוּ׃ יח שְׂאִי־סָבִיב עֵינַיִךְ וּרְאִי כֻּלָּם נִקְבְּצוּ בָאוּ־לָךְ חַי־אָנִי
נְאֻם־יְהוָה כִּי כֻלָּם כַּעֲדִי תִלְבָּשִׁי וּתְקַשְּׁרִים כַּכַּלָּה׃ יט כִּי חָרְבֹתַיִךְ
וְשֹׁמְמֹתַיִךְ וְאֶרֶץ הֲרִסֻתֵךְ כִּי עַתָּה תֵּצְרִי מִיּוֹשֵׁב וְרָחֲקוּ מְבַלְּעָיִךְ׃
כ עוֹד יֹאמְרוּ בְאָזְנַיִךְ בְּנֵי שִׁכֻּלָיִךְ צַר־לִי הַמָּקוֹם גְּשָׁה־לִּי וְאֵשֵׁבָה׃
כא וְאָמַרְתְּ בִּלְבָבֵךְ מִי יָלַד־לִי אֶת־אֵלֶּה וַאֲנִי שְׁכוּלָה וְגַלְמוּדָה גֹּלָה ׀
וְסוּרָה וְאֵלֶּה מִי גִדֵּל הֵן אֲנִי נִשְׁאַרְתִּי לְבַדִּי אֵלֶּה אֵיפֹה הֵם׃

כב כֹּה־אָמַר אֲדֹנָי יְהוִה הִנֵּה אֶשָּׂא אֶל־גּוֹיִם יָדִי וְאֶל־עַמִּים אָרִים נִסִּי
וְהֵבִיאוּ בָנַיִךְ בְּחֹצֶן וּבְנֹתַיִךְ עַל־כָּתֵף תִּנָּשֶׂאנָה׃ כג וְהָיוּ מְלָכִים אֹמְנַיִךְ
וְשָׂרוֹתֵיהֶם מֵינִיקֹתַיִךְ אַפַּיִם אֶרֶץ יִשְׁתַּחֲווּ לָךְ וַעֲפַר רַגְלַיִךְ יְלַחֵכוּ
וְיָדַעַתְּ כִּי־אֲנִי יְהוָה אֲשֶׁר לֹא־יֵבֹשׁוּ קֹוָי׃ כד הֲיֻקַּח מִגִּבּוֹר מַלְקוֹחַ
וְאִם־שְׁבִי צַדִּיק יִמָּלֵט׃ כה כִּי־כֹה ׀ אָמַר יְהוָה גַּם־שְׁבִי גִבּוֹר יֻקָּח
וּמַלְקוֹחַ עָרִיץ יִמָּלֵט וְאֶת־יְרִיבֵךְ אָנֹכִי אָרִיב וְאֶת־בָּנַיִךְ אָנֹכִי אוֹשִׁיעַ׃
כו וְהַאֲכַלְתִּי אֶת־מוֹנַיִךְ אֶת־בְּשָׂרָם וְכֶעָסִיס דָּמָם יִשְׁכָּרוּן וְיָדְעוּ
כָל־בָּשָׂר כִּי אֲנִי יְהוָה מוֹשִׁיעֵךְ וְגֹאֲלֵךְ אֲבִיר יַעֲקֹב׃

נ א כֹּה ׀ אָמַר יְהוָה אֵי זֶה סֵפֶר כְּרִיתוּת אִמְּכֶם אֲשֶׁר שִׁלַּחְתִּיהָ אוֹ מִי
מִנּוֹשַׁי אֲשֶׁר־מָכַרְתִּי אֶתְכֶם לוֹ הֵן בַּעֲוֺנֹתֵיכֶם נִמְכַּרְתֶּם וּבְפִשְׁעֵיכֶם
שֻׁלְּחָה אִמְּכֶם׃ ב מַדּוּעַ בָּאתִי וְאֵין אִישׁ קָרָאתִי וְאֵין עוֹנֶה הֲקָצוֹר
קָצְרָה יָדִי מִפְּדוּת וְאִם־אֵין־בִּי כֹחַ לְהַצִּיל הֵן בְּגַעֲרָתִי אַחֲרִיב יָם
אָשִׂים נְהָרוֹת מִדְבָּר תִּבְאַשׁ דְּגָתָם מֵאֵין מַיִם וְתָמֹת בַּצָּמָא׃ ג אַלְבִּישׁ
שָׁמַיִם קַדְרוּת וְשַׂק אָשִׂים כְּסוּתָם׃ ד אֲדֹנָי יְהוִה נָתַן לִי לְשׁוֹן לִמּוּדִים
לָדַעַת לָעוּת אֶת־יָעֵף דָּבָר יָעִיר ׀ בַּבֹּקֶר בַּבֹּקֶר יָעִיר לִי אֹזֶן לִשְׁמֹעַ
כַּלִּמּוּדִים׃ ה אֲדֹנָי יְהוִה פָּתַח־לִי אֹזֶן וְאָנֹכִי לֹא מָרִיתִי אָחוֹר לֹא
נְסוּגֹתִי׃ ו גֵּוִי נָתַתִּי לְמַכִּים וּלְחָיַי לְמֹרְטִים פָּנַי לֹא הִסְתַּרְתִּי מִכְּלִמּוֹת
וָרֹק׃ ז וַאדֹנָי יְהוִה יַעֲזָר־לִי עַל־כֵּן לֹא נִכְלָמְתִּי עַל־כֵּן שַׂמְתִּי פָנַי
כַּחַלָּמִישׁ וָאֵדַע כִּי־לֹא אֵבוֹשׁ׃ ח קָרוֹב מַצְדִּיקִי מִי־יָרִיב אִתִּי נַעַמְדָה
יָּחַד מִי־בַעַל מִשְׁפָּטִי יִגַּשׁ אֵלָי׃

14 But Zion said: 'Yehovah hath forsaken me, and the Lord hath forgotten me.' **15** Can a woman forget her sucking child, that she should not have compassion on the son of her womb? Yea, these may forget, yet will not I forget thee. **16** Behold, I have graven thee upon the palms of My hands; thy walls are continually before Me. **17** Thy children make haste; thy destroyers and they that made thee waste shall go forth from thee. **18** Lift up thine eyes round about, and behold: all these gather themselves together, and come to thee. As I live, saith Yehovah, thou shalt surely clothe thee with them all as with an ornament, and gird thyself with them, like a bride. **19** For thy waste and thy desolate places and thy land that hath been destroyed–surely now shalt thou be too strait for the inhabitants, and they that swallowed thee up shall be far away. **20** The children of thy bereavement shall yet say in thine ears: 'The place is too strait for me; give place to me that I may dwell.' **21** Then shalt thou say in thy heart: 'Who hath begotten me these, seeing I have been bereaved of my children, and am solitary, an exile, and wandering to and fro? And who hath brought up these? Behold, I was left alone; these, where were they?'{P}

22 Thus saith the Lord GOD [Adonai Yehovi]: Behold, I will lift up My hand to the nations, and set up Mine ensign to the peoples, and they shall bring thy sons in their bosom, and thy daughters shall be carried upon their shoulders. **23** And kings shall be thy foster-fathers, and their queens thy nursing mothers; they shall bow down to thee with their face to the earth, and lick the dust of thy feet; and thou shalt know that I am Yehovah, for they shall not be ashamed that wait for Me.{S} **24** Shall the prey be taken from the mighty, or the captives of the victorious be delivered?{S} **25** But thus saith Yehovah: Even the captives of the mighty shall be taken away, and the prey of the terrible shall be delivered; and I will contend with him that contendeth with thee, and I will save thy children. **26** And I will feed them that oppress thee with their own flesh; and they shall be drunken with their own blood, as with sweet wine; and all flesh shall know that I Yehovah am thy Saviour, and thy Redeemer, the Mighty One of Jacob.{S}

50 **1** Thus saith Yehovah: Where is the bill of your mother's divorcement, wherewith I have put her away? Or which of My creditors is it to whom I have sold you? Behold, for your iniquities were ye sold, and for your transgressions was your mother put away. **2** Wherefore, when I came, was there no man? when I called, was there none to answer? Is My hand shortened at all, that it cannot redeem? Or have I no power to deliver? Behold, at My rebuke I dry up the sea, I make the rivers a wilderness; their fish become foul, because there is no water, and die for thirst. **3** I clothe the heavens with blackness, and I make sackcloth their covering.{P}

4 The Lord GOD [Adonai Yehovi] hath given me the tongue of them that are taught, that I should know how to sustain with words him that is weary; He wakeneth morning by morning, He wakeneth mine ear to hear as they that are taught. **5** The Lord GOD [Adonai Yehovi] hath opened mine ear, and I was not rebellious, neither turned away backward. **6** I gave my back to the smiters, and my cheeks to them that plucked off the hair; I hid not my face from shame and spitting. **7** For the Lord GOD [Adonai Yehovi] will help me; therefore have I not been confounded; therefore have I set my face like a flint, and I know that I shall not be ashamed. **8** He is near that justifieth me; who will contend with me? let us stand up together; who is mine adversary? let him come near to me.

ט הֵן אֲדֹנָי יְהוִה יַעֲזָר־לִי מִי־הוּא יַרְשִׁיעֵנִי הֵן כֻּלָּם כַּבֶּגֶד יִבְלוּ עָשׁ
יֹאכְלֵם׃ י מִי בָכֶם יְרֵא יְהוָה שֹׁמֵעַ בְּקוֹל עַבְדּוֹ אֲשֶׁר ׀ הָלַךְ חֲשֵׁכִים וְאֵין
נֹגַהּ לוֹ יִבְטַח בְּשֵׁם יְהוָה וְיִשָּׁעֵן בֵּאלֹהָיו׃ יא הֵן כֻּלְּכֶם קֹדְחֵי אֵשׁ מְאַזְּרֵי
זִיקוֹת לְכוּ ׀ בְּאוּר אֶשְׁכֶם וּבְזִיקוֹת בִּעַרְתֶּם מִיָּדִי הָיְתָה־זֹּאת לָכֶם
לְמַעֲצֵבָה תִּשְׁכָּבוּן׃

נא א שִׁמְעוּ אֵלַי רֹדְפֵי צֶדֶק מְבַקְשֵׁי יְהוָה הַבִּיטוּ אֶל־צוּר חֻצַּבְתֶּם
וְאֶל־מַקֶּבֶת בּוֹר נֻקַּרְתֶּם׃ ב הַבִּיטוּ אֶל־אַבְרָהָם אֲבִיכֶם וְאֶל־שָׂרָה
תְּחוֹלֶלְכֶם כִּי־אֶחָד קְרָאתִיו וַאֲבָרְכֵהוּ וְאַרְבֵּהוּ׃ ג כִּי־נִחַם יְהוָה צִיּוֹן נִחַם
כָּל־חָרְבֹתֶיהָ וַיָּשֶׂם מִדְבָּרָהּ כְּעֵדֶן וְעַרְבָתָהּ כְּגַן־יְהוָה שָׂשׂוֹן וְשִׂמְחָה יִמָּצֵא
בָהּ תּוֹדָה וְקוֹל זִמְרָה׃ ד הַקְשִׁיבוּ אֵלַי עַמִּי וּלְאוּמִּי אֵלַי הַאֲזִינוּ כִּי תוֹרָה
מֵאִתִּי תֵצֵא וּמִשְׁפָּטִי לְאוֹר עַמִּים אַרְגִּיעַ׃ ה קָרוֹב צִדְקִי יָצָא יִשְׁעִי וּזְרֹעַי
עַמִּים יִשְׁפֹּטוּ אֵלַי אִיִּים יְקַוּוּ וְאֶל־זְרֹעִי יְיַחֵלוּן׃ ו שְׂאוּ לַשָּׁמַיִם עֵינֵיכֶם
וְהַבִּיטוּ אֶל־הָאָרֶץ מִתַּחַת כִּי־שָׁמַיִם כֶּעָשָׁן נִמְלָחוּ וְהָאָרֶץ כַּבֶּגֶד תִּבְלֶה
וְיֹשְׁבֶיהָ כְּמוֹ־כֵן יְמוּתוּן וִישׁוּעָתִי לְעוֹלָם תִּהְיֶה וְצִדְקָתִי לֹא תֵחָת׃ ז שִׁמְעוּ
אֵלַי יֹדְעֵי צֶדֶק עַם תּוֹרָתִי בְלִבָּם אַל־תִּירְאוּ חֶרְפַּת אֱנוֹשׁ וּמִגִּדֻּפֹתָם
אַל־תֵּחָתּוּ׃ ח כִּי כַבֶּגֶד יֹאכְלֵם עָשׁ וְכַצֶּמֶר יֹאכְלֵם סָס וְצִדְקָתִי לְעוֹלָם
תִּהְיֶה וִישׁוּעָתִי לְדוֹר דּוֹרִים׃ ט עוּרִי עוּרִי לִבְשִׁי־עֹז זְרוֹעַ יְהוָה עוּרִי
כִּימֵי קֶדֶם דֹּרוֹת עוֹלָמִים הֲלוֹא אַתְּ־הִיא הַמַּחְצֶבֶת רַהַב מְחוֹלֶלֶת תַּנִּין׃
י הֲלוֹא אַתְּ־הִיא הַמַּחֲרֶבֶת יָם מֵי תְּהוֹם רַבָּה הַשָּׂמָה מַעֲמַקֵּי־יָם דֶּרֶךְ
לַעֲבֹר גְּאוּלִים׃ יא וּפְדוּיֵי יְהוָה יְשׁוּבוּן וּבָאוּ צִיּוֹן בְּרִנָּה וְשִׂמְחַת עוֹלָם
עַל־רֹאשָׁם שָׂשׂוֹן וְשִׂמְחָה יַשִּׂיגוּן נָסוּ יָגוֹן וַאֲנָחָה׃ יב אָנֹכִי אָנֹכִי הוּא
מְנַחֶמְכֶם מִי־אַתְּ וַתִּירְאִי מֵאֱנוֹשׁ יָמוּת וּמִבֶּן־אָדָם חָצִיר יִנָּתֵן׃ יג וַתִּשְׁכַּח
יְהוָה עֹשֶׂךָ נוֹטֶה שָׁמַיִם וְיֹסֵד אָרֶץ וַתְּפַחֵד תָּמִיד כָּל־הַיּוֹם מִפְּנֵי חֲמַת
הַמֵּצִיק כַּאֲשֶׁר כּוֹנֵן לְהַשְׁחִית וְאַיֵּה חֲמַת הַמֵּצִיק׃ יד מִהַר צֹעֶה לְהִפָּתֵחַ
וְלֹא־יָמוּת לַשַּׁחַת וְלֹא יֶחְסַר לַחְמוֹ׃ טו וְאָנֹכִי יְהוָה אֱלֹהֶיךָ רֹגַע הַיָּם
וַיֶּהֱמוּ גַּלָּיו יְהוָה צְבָאוֹת שְׁמוֹ׃ טז וָאָשִׂם דְּבָרַי בְּפִיךָ וּבְצֵל יָדִי כִּסִּיתִיךָ
לִנְטֹעַ שָׁמַיִם וְלִיסֹד אָרֶץ וְלֵאמֹר לְצִיּוֹן עַמִּי־אָתָּה׃ יז הִתְעוֹרְרִי הִתְעוֹרְרִי
קוּמִי יְרוּשָׁלִַם אֲשֶׁר שָׁתִית מִיַּד יְהוָה אֶת־כּוֹס חֲמָתוֹ אֶת־קֻבַּעַת כּוֹס
הַתַּרְעֵלָה שָׁתִית מָצִית׃ יח אֵין־מְנַהֵל לָהּ מִכָּל־בָּנִים יָלָדָה וְאֵין מַחֲזִיק
בְּיָדָהּ מִכָּל־בָּנִים גִּדֵּלָה׃

9 Behold, the Lord GOD [Adonai Yehovi] will help me; who is he that shall condemn me? Behold, they all shall wax old as a garment, the moth shall eat them up.{S} **10** Who is among you that feareth Yehovah, that obeyeth the voice of His servant? though he walketh in darkness, and hath no light, let him trust in the name of Yehovah, and stay upon his God.{S} **11** Behold, all ye that kindle a fire, that gird yourselves with firebrands, begone in the flame of your fire, and among the brands that ye have kindled. This shall ye have of My hand; ye shall lie down in sorrow.{S}

51 **1** Hearken to Me, ye that follow after righteousness, ye that seek Yehovah; look unto the rock whence ye were hewn, and to the hole of the pit whence ye were digged. **2** Look unto Abraham your father, and unto Sarah that bore you; for when he was but one I called him, and I blessed him, and made him many. **3** For Yehovah hath comforted Zion; He hath comforted all her waste places, and hath made her wilderness like Eden, and her desert like the garden of Yehovah; joy and gladness shall be found therein, thanksgiving, and the voice of melody.{S} **4** Attend unto Me, O My people, and give ear unto Me, O My nation; for instruction shall go forth from Me, and My right on a sudden for a light of the peoples. **5** My favour is near, My salvation is gone forth, and Mine arms shall judge the peoples; the isles shall wait for Me, and on Mine arm shall they trust. **6** Lift up your eyes to the heavens, and look upon the earth beneath; for the heavens shall vanish away like smoke, and the earth shall wax old like a garment, and they that dwell therein shall die in like manner; but My salvation shall be for ever, and My favour shall not be abolished.{P}

7 Hearken unto Me, ye that know righteousness, the people in whose heart is My Torah; fear ye not the taunt of men, neither be ye dismayed at their revilings. **8** For the moth shall eat them up like a garment, and the worm shall eat them like wool; but My favour shall be for ever, and My salvation unto all generations.{S} **9** Awake, awake, put on strength, O arm of Yehovah; awake, as in the days of old, the generations of ancient times. Art thou not it that hewed Rahab in pieces, that pierced the dragon? **10** Art thou not it that dried up the sea, the waters of the great deep; that made the depths of the sea a way for the redeemed to pass over? **11** And the ransomed of Yehovah shall return, and come with singing unto Zion, and everlasting joy shall be upon their heads; they shall obtain gladness and joy, and sorrow and sighing shall flee away.{S} **12** I, even I, am He that comforteth you: who art thou, that thou art afraid of man that shall die, and of the son of man that shall be made as grass; **13** And hast forgotten Yehovah thy Maker, that stretched forth the heavens, and laid the foundations of the earth; and fearest continually all the day because of the fury of the oppressor, as he maketh ready to destroy? And where is the fury of the oppressor? **14** He that is bent down shall speedily be loosed; and he shall not go down dying into the pit, neither shall his bread fail. **15** For I am Yehovah thy God, who stirreth up the sea, that the waves thereof roar; Yehovah of hosts is His name. **16** And I have put My words in thy mouth, and have covered thee in the shadow of My hand, that I may plant the heavens, and lay the foundations of the earth, and say unto Zion: 'Thou art My people.'{S} **17** Awake, awake, stand up, O Yerushalam, that hast drunk at the hand of Yehovah the cup of His fury; thou hast drunken the beaker, even the cup of staggering, and drained it. **18** There is none to guide her among all the sons whom she hath brought forth; neither is there any that taketh her by the hand of all the sons that she hath brought up.

יט שְׁתַּ֤יִם הֵ֙נָּה֙ קֹֽרְאֹתַ֔יִךְ מִ֥י יָנ֖וּד לָ֑ךְ הַשֹּׁ֧ד וְהַשֶּׁ֛בֶר וְהָרָעָ֥ב וְהַחֶ֖רֶב מִ֥י אֲנַחֲמֵֽךְ׃ כ בָּנַ֜יִךְ עֻלְּפ֥וּ שָׁכְב֛וּ בְּרֹ֥אשׁ כָּל־חוּצ֖וֹת כְּת֣וֹא מִכְמָ֑ר הַֽמְלֵאִ֥ים חֲמַת־יְהֹוָ֖ה גַּעֲרַ֥ת אֱלֹהָֽיִךְ׃ כא לָכֵ֛ן שִׁמְעִי־נָ֥א זֹ֖את עֲנִיָּ֑ה וּשְׁכֻרַ֖ת וְלֹ֥א מִיָּֽיִן׃ כב כֹּֽה־אָמַ֞ר אֲדֹנַ֣יִךְ יְהֹוָ֗ה וֵאלֹהַ֙יִךְ֙ יָרִ֣יב עַמּ֔וֹ הִנֵּ֥ה לָקַ֛חְתִּי מִיָּדֵ֖ךְ אֶת־כּ֣וֹס הַתַּרְעֵלָ֑ה אֶת־קֻבַּ֙עַת֙ כּ֣וֹס חֲמָתִ֔י לֹא־תוֹסִ֥יפִי לִשְׁתּוֹתָ֖הּ עֽוֹד׃ כג וְשַׂמְתִּ֙יהָ֙ בְּיַד־מוֹגַ֔יִךְ אֲשֶׁר־אָמְר֥וּ לְנַפְשֵׁ֖ךְ שְׁחִ֣י וְנַעֲבֹ֑רָה וַתָּשִׂ֤ימִי כָאָ֙רֶץ֙ גֵּוֵ֔ךְ וְכַח֖וּץ לַעֹבְרִֽים׃

נב א עוּרִ֥י עוּרִ֛י לִבְשִׁ֥י עֻזֵּ֖ךְ צִיּ֑וֹן לִבְשִׁ֣י ׀ בִּגְדֵ֣י תִפְאַרְתֵּ֗ךְ יְרוּשָׁלִַ֙ם֙ עִ֣יר הַקֹּ֔דֶשׁ כִּ֣י לֹ֥א יוֹסִ֛יף יָבֹא־בָ֥ךְ ע֖וֹד עָרֵ֥ל וְטָמֵֽא׃ ב הִתְנַעֲרִ֧י מֵעָפָ֛ר ק֥וּמִי שְּׁבִ֖י[41] יְרוּשָׁלִָ֑ם הִֽתְפַּתְּחִ֙י֙ מוֹסְרֵ֣י צַוָּארֵ֔ךְ שְׁבִיָּ֖ה בַּת־צִיּֽוֹן׃ ג כִּי־כֹה֙ אָמַ֣ר יְהֹוָ֔ה חִנָּ֖ם נִמְכַּרְתֶּ֑ם וְלֹ֥א בְכֶ֖סֶף תִּגָּאֵֽלוּ׃ ד כִּ֣י כֹ֤ה אָמַר֙ אֲדֹנָ֣י יֱהֹוִ֔ה מִצְרַ֛יִם יָרַד־עַמִּ֥י בָרִֽאשֹׁנָ֖ה לָג֣וּר שָׁ֑ם וְאַשּׁ֖וּר בְּאֶ֥פֶס עֲשָׁקֽוֹ׃ ה וְעַתָּ֤ה מַה־לִּי־פֹה֙[42] נְאֻם־יְהֹוָ֔ה כִּֽי־לֻקַּ֥ח עַמִּ֖י חִנָּ֑ם מֹשְׁלָ֤יו[43] יְהֵילִ֙ילוּ֙ נְאֻם־יְהֹוָ֔ה וְתָמִ֥יד כָּל־הַיּ֖וֹם שְׁמִ֥י מִנֹּאָֽץ׃ ו לָכֵ֛ן יֵדַ֥ע עַמִּ֖י שְׁמִ֑י לָכֵן֙ בַּיּ֣וֹם הַה֔וּא כִּֽי־אֲנִי־ה֥וּא הַֽמְדַבֵּ֖ר הִנֵּֽנִי׃ ז מַה־נָּאו֙וּ עַל־הֶהָרִ֜ים רַגְלֵ֣י מְבַשֵּׂ֗ר מַשְׁמִ֤יעַ שָׁלוֹם֙ מְבַשֵּׂ֣ר ט֔וֹב מַשְׁמִ֖יעַ יְשׁוּעָ֑ה אֹמֵ֥ר לְצִיּ֖וֹן מָלַ֥ךְ אֱלֹהָֽיִךְ׃ ח ק֥וֹל צֹפַ֛יִךְ נָ֥שְׂאוּ ק֖וֹל יַחְדָּ֣ו יְרַנֵּ֑נוּ כִּ֣י עַ֤יִן בְּעַ֙יִן֙ יִרְא֔וּ בְּשׁ֥וּב יְהֹוָ֖ה צִיּֽוֹן׃ ט פִּצְח֤וּ רַנְּנוּ֙ יַחְדָּ֔ו חָרְב֖וֹת יְרוּשָׁלִָ֑ם כִּֽי־נִחַ֤ם יְהֹוָה֙ עַמּ֔וֹ גָּאַ֖ל יְרוּשָׁלִָֽם׃ י חָשַׂ֤ף יְהֹוָה֙ אֶת־זְר֣וֹעַ קָדְשׁ֔וֹ לְעֵינֵ֖י כָּל־הַגּוֹיִ֑ם וְרָאוּ֙ כָּל־אַפְסֵי־אָ֔רֶץ אֵ֖ת יְשׁוּעַ֥ת אֱלֹהֵֽינוּ׃ יא ס֤וּרוּ ס֙וּרוּ֙ צְא֣וּ מִשָּׁ֔ם טָמֵ֖א אַל־תִּגָּ֑עוּ צְא֣וּ מִתּוֹכָ֔הּ הִבָּ֕רוּ נֹשְׂאֵ֖י כְּלֵ֥י יְהֹוָֽה׃ יב כִּ֣י לֹ֤א בְחִפָּזוֹן֙ תֵּצֵ֔אוּ וּבִמְנוּסָ֖ה לֹ֣א תֵלֵכ֑וּן כִּֽי־הֹלֵ֤ךְ לִפְנֵיכֶם֙ יְהֹוָ֔ה וּמְאַסִּפְכֶ֖ם אֱלֹהֵ֥י יִשְׂרָאֵֽל׃ יג הִנֵּ֥ה יַשְׂכִּ֖יל עַבְדִּ֑י יָר֧וּם וְנִשָּׂ֛א וְגָבַ֖הּ מְאֹֽד׃ יד כַּאֲשֶׁ֙ר שָׁמְמ֤וּ עָלֶ֙יךָ֙ רַבִּ֔ים כֵּן־מִשְׁחַ֥ת מֵאִ֖ישׁ מַרְאֵ֑הוּ וְתֹאֲר֖וֹ מִבְּנֵ֥י אָדָֽם׃ יה כֵּ֤ן יַזֶּה֙ גּוֹיִ֣ם רַבִּ֔ים עָלָ֛יו יִקְפְּצ֥וּ מְלָכִ֖ים פִּיהֶ֑ם כִּ֠י אֲשֶׁ֙ר לֹֽא־סֻפַּ֤ר לָהֶם֙ רָא֔וּ וַאֲשֶׁ֥ר לֹֽא־שָׁמְע֖וּ הִתְבּוֹנָֽנוּ׃

נג א מִ֥י הֶאֱמִ֖ין לִשְׁמֻעָתֵ֑נוּ וּזְר֥וֹעַ יְהֹוָ֖ה עַל־מִ֥י נִגְלָֽתָה׃ ב וַיַּ֙עַל֙ כַּיּוֹנֵ֣ק לְפָנָ֔יו וְכַשֹּׁ֖רֶשׁ מֵאֶ֣רֶץ צִיָּ֑ה לֹא־תֹ֤אַר לוֹ֙ וְלֹ֣א הָדָ֔ר וְנִרְאֵ֖הוּ וְלֹֽא־מַרְאֶ֥ה וְנֶחְמְדֵֽהוּ׃ ג נִבְזֶה֙ וַחֲדַ֣ל אִישִׁ֔ים אִ֥ישׁ מַכְאֹב֖וֹת וִיד֣וּעַ חֹ֑לִי וּכְמַסְתֵּ֤ר פָּנִים֙ מִמֶּ֔נּוּ נִבְזֶ֖ה וְלֹ֥א חֲשַׁבְנֻֽהוּ׃ ד אָכֵ֤ן חֳלָיֵ֙נוּ֙ ה֣וּא נָשָׂ֔א וּמַכְאֹבֵ֖ינוּ סְבָלָ֑ם וַאֲנַ֣חְנוּ חֲשַׁבְנֻ֔הוּ נָג֛וּעַ מֻכֵּ֥ה אֱלֹהִ֖ים וּמְעֻנֶּֽה׃

---

[41] התפתחו

[42] מי־לי־

[43] מושלו

<u>19</u> These two things are befallen thee; who shall bemoan thee? desolation and destruction, and the famine and the sword; how shall I comfort thee? <u>20</u> Thy sons have fainted, they lie at the head of all the streets, as an antelope in a net; they are full of the fury of Yehovah, the rebuke of thy God. <u>21</u> Therefore hear now this, thou afflicted, and drunken, but not with wine;{P}

<u>22</u> Thus saith thy Lord Yehovah, and thy God that pleadeth the cause of His people: behold, I have taken out of thy hand the cup of staggering; the beaker, even the cup of My fury, thou shalt no more drink it again; <u>23</u> And I will put it into the hand of them that afflict thee; that have said to thy soul: 'Bow down, that we may go over'; and thou hast laid thy back as the ground, and as the street, to them that go over.{P}

52 <u>1</u> Awake, awake, put on thy strength, O Zion; put on thy beautiful garments, O Yerushalam, the holy city; for henceforth there shall no more come into thee the uncircumcised and the unclean. <u>2</u> Shake thyself from the dust; arise, and sit down, O Yerushalam; loose thyself from the bands of thy neck, O captive daughter of Zion.{S} <u>3</u> For thus saith Yehovah: Ye were sold for nought; and ye shall be redeemed without money.{S} <u>4</u> For thus saith the Lord GOD [Adonai Yehovi]: My people went down aforetime into Egypt to sojourn there; and the Assyrian oppressed them without cause. <u>5</u> Now therefore, what do I here, saith Yehovah, seeing that My people is taken away for nought? They that rule over them do howl, saith Yehovah, and My name continually all the day is blasphemed. <u>6</u> Therefore My people shall know My name; therefore they shall know in that day that I, even He that spoke, behold, here I am.{S} <u>7</u> How beautiful upon the mountains are the feet of the messenger of good tidings, that announceth peace, the harbinger of good tidings, that announceth salvation; that saith unto Zion: 'Thy God reigneth!' <u>8</u> Hark, thy watchmen! they lift up the voice, together do they sing; for they shall see, eye to eye, Yehovah returning to Zion. <u>9</u> Break forth into joy, sing together, ye waste places of Yerushalam; for Yehovah hath comforted His people, He hath redeemed Yerushalam. <u>10</u> Yehovah hath made bare His holy arm in the eyes of all the nations; and all the ends of the earth shall see the salvation of our God.{S} <u>11</u> Depart ye, depart ye, go ye out from thence, touch no unclean thing; go ye out of the midst of her; be ye clean, ye that bear the vessels of Yehovah. <u>12</u> For ye shall not go out in haste, neither shall ye go by flight; for Yehovah will go before you, and the God of Israel will be your rearward.{S} <u>13</u> Behold, My servant shall prosper, he shall be exalted and lifted up, and shall be very high. <u>14</u> According as many were appalled at thee–so marred was his visage unlike that of a man, and his form unlike that of the sons of men– <u>15</u> So shall he startle many nations, kings shall shut their mouths because of him; for that which had not been told them shall they see, and that which they had not heard shall they perceive.{S}

53 <u>1</u> 'Who would have believed our report? And to whom hath the arm of Yehovah been revealed? <u>2</u> For he shot up right forth as a sapling, and as a root out of a dry ground; he had no form nor comeliness, that we should look upon him, nor beauty that we should delight in him. <u>3</u> He was despised, and forsaken of men, a man of pains, and acquainted with disease, and as one from whom men hide their face: he was despised, and we esteemed him not. <u>4</u> Surely our diseases he did bear, and our pains he carried; whereas we did esteem him stricken, smitten of God, and afflicted.

ה וְהוּא מְחֹלָל מִפְּשָׁעֵנוּ מְדֻכָּא מֵעֲוֺנֹתֵינוּ מוּסַר שְׁלוֹמֵנוּ עָלָיו וּבַחֲבֻרָתוֹ
נִרְפָּא־לָנוּ׃ ו כֻּלָּנוּ כַּצֹּאן תָּעִינוּ אִישׁ לְדַרְכּוֹ פָּנִינוּ וַיהוָה הִפְגִּיעַ בּוֹ אֵת
עֲוֺן כֻּלָּנוּ׃ ז נִגַּשׂ וְהוּא נַעֲנֶה וְלֹא יִפְתַּח־פִּיו כַּשֶּׂה לַטֶּבַח יוּבָל וּכְרָחֵל
לִפְנֵי גֹזְזֶיהָ נֶאֱלָמָה וְלֹא יִפְתַּח פִּיו׃ ח מֵעֹצֶר וּמִמִּשְׁפָּט לֻקָּח וְאֶת־דּוֹרוֹ
מִי יְשׂוֹחֵחַ כִּי נִגְזַר מֵאֶרֶץ חַיִּים מִפֶּשַׁע עַמִּי נֶגַע לָמוֹ׃ ט וַיִּתֵּן אֶת־רְשָׁעִים
קִבְרוֹ וְאֶת־עָשִׁיר בְּמֹתָיו עַל לֹא־חָמָס עָשָׂה וְלֹא מִרְמָה בְּפִיו׃ י וַיהוָה
חָפֵץ דַּכְּאוֹ הֶחֱלִי אִם־תָּשִׂים אָשָׁם נַפְשׁוֹ יִרְאֶה זֶרַע יַאֲרִיךְ יָמִים וְחֵפֶץ
יְהוָה בְּיָדוֹ יִצְלָח׃ יא מֵעֲמַל נַפְשׁוֹ יִרְאֶה יִשְׂבָּע בְּדַעְתּוֹ יַצְדִּיק צַדִּיק
עַבְדִּי לָרַבִּים וַעֲוֺנֹתָם הוּא יִסְבֹּל׃ יב לָכֵן אֲחַלֶּק־לוֹ בָרַבִּים
וְאֶת־עֲצוּמִים יְחַלֵּק שָׁלָל תַּחַת אֲשֶׁר הֶעֱרָה לַמָּוֶת נַפְשׁוֹ וְאֶת־פֹּשְׁעִים
נִמְנָה וְהוּא חֵטְא־רַבִּים נָשָׂא וְלַפֹּשְׁעִים יַפְגִּיעַ׃

נד א רָנִּי עֲקָרָה לֹא יָלָדָה פִּצְחִי רִנָּה וְצַהֲלִי לֹא־חָלָה כִּי־רַבִּים
בְּנֵי־שׁוֹמֵמָה מִבְּנֵי בְעוּלָה אָמַר יְהוָה׃ ב הַרְחִיבִי ׀ מְקוֹם אָהֳלֵךְ וִירִיעוֹת
מִשְׁכְּנוֹתַיִךְ יַטּוּ אַל־תַּחְשֹׂכִי הַאֲרִיכִי מֵיתָרַיִךְ וִיתֵדֹתַיִךְ חַזֵּקִי׃ ג כִּי־יָמִין
וּשְׂמֹאול תִּפְרֹצִי וְזַרְעֵךְ גּוֹיִם יִירָשׁ וְעָרִים נְשַׁמּוֹת יוֹשִׁיבוּ׃ ד אַל־תִּירְאִי
כִּי־לֹא תֵבוֹשִׁי וְאַל־תִּכָּלְמִי כִּי לֹא תַחְפִּירִי כִּי בֹשֶׁת עֲלוּמַיִךְ תִּשְׁכָּחִי
וְחֶרְפַּת אַלְמְנוּתַיִךְ לֹא תִזְכְּרִי־עוֹד׃ ה כִּי בֹעֲלַיִךְ עֹשַׂיִךְ יְהוָה צְבָאוֹת
שְׁמוֹ וְגֹאֲלֵךְ קְדוֹשׁ יִשְׂרָאֵל אֱלֹהֵי כָל־הָאָרֶץ יִקָּרֵא׃ ו כִּי־כְאִשָּׁה עֲזוּבָה
וַעֲצוּבַת רוּחַ קְרָאָךְ יְהוָה וְאֵשֶׁת נְעוּרִים כִּי תִמָּאֵס אָמַר אֱלֹהָיִךְ׃
ז בְּרֶגַע קָטֹן עֲזַבְתִּיךְ וּבְרַחֲמִים גְּדֹלִים אֲקַבְּצֵךְ׃ ח בְּשֶׁצֶף קֶצֶף הִסְתַּרְתִּי
פָנַי רֶגַע מִמֵּךְ וּבְחֶסֶד עוֹלָם רִחַמְתִּיךְ אָמַר גֹּאֲלֵךְ יְהוָה׃ ט כִּי־מֵי נֹחַ
זֹאת לִי אֲשֶׁר נִשְׁבַּעְתִּי מֵעֲבֹר מֵי־נֹחַ עוֹד עַל־הָאָרֶץ כֵּן נִשְׁבַּעְתִּי מִקְּצֹף
עָלַיִךְ וּמִגְּעָר־בָּךְ׃ י כִּי הֶהָרִים יָמוּשׁוּ וְהַגְּבָעוֹת תְּמוּטֶנָה וְחַסְדִּי מֵאִתֵּךְ
לֹא־יָמוּשׁ וּבְרִית שְׁלוֹמִי לֹא תָמוּט אָמַר מְרַחֲמֵךְ יְהוָה׃ יא עֲנִיָּה סֹעֲרָה
לֹא נֻחָמָה הִנֵּה אָנֹכִי מַרְבִּיץ בַּפּוּךְ אֲבָנַיִךְ וִיסַדְתִּיךְ בַּסַּפִּירִים׃
יב וְשַׂמְתִּי כַּדְכֹד שִׁמְשֹׁתַיִךְ וּשְׁעָרַיִךְ לְאַבְנֵי אֶקְדָּח וְכָל־גְּבוּלֵךְ
לְאַבְנֵי־חֵפֶץ׃ יג וְכָל־בָּנַיִךְ לִמּוּדֵי יְהוָה וְרַב שְׁלוֹם בָּנָיִךְ׃ יד בִּצְדָקָה
תִּכּוֹנָנִי רַחֲקִי מֵעֹשֶׁק כִּי־לֹא תִירָאִי וּמִמְּחִתָּה כִּי לֹא־תִקְרַב אֵלָיִךְ׃
טו הֵן גּוֹר יָגוּר אֶפֶס מֵאוֹתִי מִי־גָר אִתָּךְ עָלַיִךְ יִפּוֹל׃

5 But he was wounded because of our transgressions, he was crushed because of our iniquities: the chastisement of our welfare was upon him, and with his stripes we were healed. 6 All we like sheep did go astray, we turned every one to his own way; and Yehovah hath made to light on him the iniquity of us all. 7 He was oppressed, though he humbled himself and opened not his mouth; as a lamb that is led to the slaughter, and as a sheep that before her shearers is dumb; yea, he opened not his mouth. 8 By oppression and judgment he was taken away, and with his generation who did reason? for he was cut off out of the land of the living, for the transgression of my people to whom the stroke was due. 9 And they made his grave with the wicked, and with the rich his tomb; although he had done no violence, neither was any deceit in his mouth.' 10 Yet it pleased Yehovah to crush him by disease; to see if his soul would offer itself in restitution, that he might see his seed, prolong his days, and that the purpose of Yehovah might prosper by his hand: 11 Of the travail of his soul he shall see to the full, even My servant, who by his knowledge did justify the Righteous One to the many, and their iniquities he did bear. 12 Therefore will I divide him a portion among the great, and he shall divide the spoil with the mighty; because he bared his soul unto death, and was numbered with the transgressors; yet he bore the sin of many, and made intercession for the transgressors.{P}

54 1 Sing, O barren, thou that didst not bear, break forth into singing, and cry aloud, thou that didst not travail; for more are the children of the desolate than the children of the married wife, saith Yehovah. 2 Enlarge the place of thy tent, and let them stretch forth the curtains of thy habitations, spare not; lengthen thy cords, and strengthen thy stakes. 3 For thou shalt spread abroad on the right hand and on the left; and thy seed shall possess the nations, and make the desolate cities to be inhabited. 4 Fear not, for thou shalt not be ashamed. Neither be thou confounded, for thou shalt not be put to shame; for thou shalt forget the shame of thy youth, and the reproach of thy widowhood shalt thou remember no more. 5 For thy Maker is thy husband, Yehovah of hosts is His name; and the Holy One of Israel is thy Redeemer, the God of the whole earth shall He be called. 6 For Yehovah hath called thee as a wife forsaken and grieved in spirit; and a wife of youth, can she be rejected? saith thy God. 7 For a small moment have I forsaken thee; but with great compassion will I gather thee. 8 In a little wrath I hid My face from thee for a moment; but with everlasting kindness will I have compassion on thee, saith Yehovah thy Redeemer.{S} 9 For this is as the waters of Noah unto Me; for as I have sworn that the waters of Noah should no more go over the earth, so have I sworn that I would not be wroth with thee, nor rebuke thee. 10 For the mountains may depart, and the hills be removed; but My kindness shall not depart from thee, neither shall My covenant of peace be removed, saith Yehovah that hath compassion on thee.{S} 11 O thou afflicted, tossed with tempest, and not comforted, behold, I will set thy stones in fair colours, and lay thy foundations with sapphires. 12 And I will make thy pinnacles of rubies, and thy gates of carbuncles, and all thy border of precious stones. 13 And all thy children shall be taught of Yehovah; and great shall be the peace of thy children. 14 In righteousness shalt thou be established; be thou far from oppression, for thou shalt not fear, and from ruin, for it shall not come near thee. 15 Behold, they may gather together, but not by Me; whosoever shall gather together against thee shall fall because of thee.

יו הִנֵּה[44] אָנֹכִי בָּרָאתִי חָרָשׁ נֹפֵחַ בְּאֵשׁ פֶּחָם וּמוֹצִיא כְלִי לְמַעֲשֵׂהוּ וְאָנֹכִי בָּרָאתִי
מַשְׁחִית לְחַבֵּל׃ יז כָּל־כְּלִי יוּצַר עָלַיִךְ לֹא יִצְלָח וְכָל־לָשׁוֹן תָּקוּם־אִתָּךְ
לַמִּשְׁפָּט תַּרְשִׁיעִי זֹאת נַחֲלַת עַבְדֵי יְהוָה וְצִדְקָתָם מֵאִתִּי נְאֻם־יְהוָה׃

נה א הוֹי כָּל־צָמֵא לְכוּ לַמַּיִם וַאֲשֶׁר אֵין־לוֹ כָּסֶף לְכוּ שִׁבְרוּ וֶאֱכֹלוּ וּלְכוּ
שִׁבְרוּ בְּלוֹא־כֶסֶף וּבְלוֹא מְחִיר יַיִן וְחָלָב׃ ב לָמָּה תִשְׁקְלוּ־כֶסֶף בְּלוֹא־לֶחֶם
וִיגִיעֲכֶם בְּלוֹא לְשָׂבְעָה שִׁמְעוּ שָׁמוֹעַ אֵלַי וְאִכְלוּ־טוֹב וְתִתְעַנַּג בַּדֶּשֶׁן נַפְשְׁכֶם׃
ג הַטּוּ אָזְנְכֶם וּלְכוּ אֵלַי שִׁמְעוּ וּתְחִי נַפְשְׁכֶם וְאֶכְרְתָה לָכֶם בְּרִית עוֹלָם חַסְדֵי
דָוִד הַנֶּאֱמָנִים׃ ד הֵן עֵד לְאוּמִּים נְתַתִּיו נָגִיד וּמְצַוֵּה לְאֻמִּים׃ ה הֵן גּוֹי לֹא־תֵדַע
תִּקְרָא וְגוֹי לֹא־יְדָעוּךָ אֵלֶיךָ יָרוּצוּ לְמַעַן יְהוָה אֱלֹהֶיךָ וְלִקְדוֹשׁ יִשְׂרָאֵל כִּי
פֵאֲרָךְ׃ ו דִּרְשׁוּ יְהוָה בְּהִמָּצְאוֹ קְרָאֻהוּ בִּהְיוֹתוֹ קָרוֹב׃ ז יַעֲזֹב רָשָׁע דַּרְכּוֹ וְאִישׁ
אָוֶן מַחְשְׁבֹתָיו וְיָשֹׁב אֶל־יְהוָה וִירַחֲמֵהוּ וְאֶל־אֱלֹהֵינוּ כִּי־יַרְבֶּה לִסְלוֹחַ׃ ח כִּי
לֹא מַחְשְׁבוֹתַי מַחְשְׁבוֹתֵיכֶם וְלֹא דַרְכֵיכֶם דְּרָכָי נְאֻם יְהוָה׃ ט כִּי־גָבְהוּ שָׁמַיִם
מֵאָרֶץ כֵּן גָּבְהוּ דְרָכַי מִדַּרְכֵיכֶם וּמַחְשְׁבֹתַי מִמַּחְשְׁבֹתֵיכֶם׃ י כִּי כַּאֲשֶׁר יֵרֵד
הַגֶּשֶׁם וְהַשֶּׁלֶג מִן־הַשָּׁמַיִם וְשָׁמָּה לֹא יָשׁוּב כִּי אִם־הִרְוָה אֶת־הָאָרֶץ וְהוֹלִידָהּ
וְהִצְמִיחָהּ וְנָתַן זֶרַע לַזֹּרֵעַ וְלֶחֶם לָאֹכֵל׃ יא כֵּן יִהְיֶה דְבָרִי אֲשֶׁר יֵצֵא מִפִּי
לֹא־יָשׁוּב אֵלַי רֵיקָם כִּי אִם־עָשָׂה אֶת־אֲשֶׁר חָפַצְתִּי וְהִצְלִיחַ אֲשֶׁר שְׁלַחְתִּיו׃
יב כִּי־בְשִׂמְחָה תֵצֵאוּ וּבְשָׁלוֹם תּוּבָלוּן הֶהָרִים וְהַגְּבָעוֹת יִפְצְחוּ לִפְנֵיכֶם רִנָּה
וְכָל־עֲצֵי הַשָּׂדֶה יִמְחֲאוּ־כָף׃ יג תַּחַת הַנַּעֲצוּץ יַעֲלֶה בְרוֹשׁ וְתַחַת[45] הַסִּרְפַּד
יַעֲלֶה הֲדַס וְהָיָה לַיהוָה לְשֵׁם לְאוֹת עוֹלָם לֹא יִכָּרֵת׃

נו א כֹּה אָמַר יְהוָה שִׁמְרוּ מִשְׁפָּט וַעֲשׂוּ צְדָקָה כִּי־קְרוֹבָה יְשׁוּעָתִי לָבוֹא
וְצִדְקָתִי לְהִגָּלוֹת׃ ב אַשְׁרֵי אֱנוֹשׁ יַעֲשֶׂה־זֹּאת וּבֶן־אָדָם יַחֲזִיק בָּהּ שֹׁמֵר שַׁבָּת
מֵחַלְּלוֹ וְשֹׁמֵר יָדוֹ מֵעֲשׂוֹת כָּל־רָע׃ ג וְאַל־יֹאמַר בֶּן־הַנֵּכָר הַנִּלְוָה אֶל־יְהוָה
לֵאמֹר הַבְדֵּל יַבְדִּילַנִי יְהוָה מֵעַל עַמּוֹ וְאַל־יֹאמַר הַסָּרִיס הֵן אֲנִי עֵץ יָבֵשׁ׃
ד כִּי־כֹה ׀ אָמַר יְהוָה לַסָּרִיסִים אֲשֶׁר יִשְׁמְרוּ אֶת־שַׁבְּתוֹתַי וּבָחֲרוּ בַּאֲשֶׁר
חָפָצְתִּי וּמַחֲזִיקִים בִּבְרִיתִי׃ ה וְנָתַתִּי לָהֶם בְּבֵיתִי וּבְחוֹמֹתַי יָד וָשֵׁם טוֹב
מִבָּנִים וּמִבָּנוֹת שֵׁם עוֹלָם אֶתֶּן־לוֹ אֲשֶׁר לֹא יִכָּרֵת׃ ו וּבְנֵי הַנֵּכָר הַנִּלְוִים
עַל־יְהוָה לְשָׁרְתוֹ וּלְאַהֲבָה אֶת־שֵׁם יְהוָה לִהְיוֹת לוֹ לַעֲבָדִים כָּל־שֹׁמֵר שַׁבָּת
מֵחַלְּלוֹ וּמַחֲזִיקִים בִּבְרִיתִי׃

[44] הן
[45] תחת

16 Behold, I have created the smith that bloweth the fire of coals, and bringeth forth a weapon for his work; and I have created the waster to destroy. **17** No weapon that is formed against thee shall prosper; and every tongue that shall rise against thee in judgment thou shalt condemn. This is the heritage of the servants of Yehovah, and their due reward from Me, saith Yehovah.{S}

55 1 Ho, every one that thirsteth, come ye for water, and he that hath no money; come ye, buy, and eat; yea, come, buy wine and milk without money and without price. **2** Wherefore do ye spend money for that which is not bread? and your gain for that which satisfieth not? Hearken diligently unto Me, and eat ye that which is good, and let your soul delight itself in fatness. **3** Incline your ear, and come unto Me; hear, and your soul shall live; and I will make an everlasting covenant with you, even the sure mercies of David. **4** Behold, I have given him for a witness to the peoples, a prince and commander to the peoples. **5** Behold, thou shalt call a nation that thou knowest not, and a nation that knew not thee shall run unto thee; because of Yehovah thy God, and for the Holy One of Israel, for He hath glorified thee.{S} **6** Seek ye Yehovah while He may be found, call ye upon Him while He is near; **7** Let the wicked forsake his way, and the man of iniquity his thoughts; and let him return unto Yehovah, and He will have compassion upon him, and to our God, for He will abundantly pardon. **8** For My thoughts are not your thoughts, neither are your ways My ways, saith Yehovah. **9** For as the heavens are higher than the earth, so are My ways higher than your ways, and My thoughts than your thoughts. **10** For as the rain cometh down and the snow from heaven, and returneth not thither, except it water the earth, and make it bring forth and bud, and give seed to the sower and bread to the eater; **11** So shall My word be that goeth forth out of My mouth: it shall not return unto Me void, except it accomplish that which I please, and make the thing whereto I sent it prosper. **12** For ye shall go out with joy, and be led forth with peace; the mountains and the hills shall break forth before you into singing, and all the trees of the field shall clap their hands. **13** Instead of the thorn shall come up the cypress, and instead of the brier shall come up the myrtle; and it shall be to Yehovah for a memorial, for an everlasting sign that shall not be cut off.{P}

56 1 Thus saith Yehovah: Keep ye justice, and do righteousness; for My salvation is near to come, and My favour to be revealed. **2** Happy is the man that doeth this, and the son of man that holdeth fast by it: that keepeth the sabbath from profaning it, and keepeth his hand from doing any evil.{S} **3** Neither let the alien, that hath joined himself to Yehovah, speak, saying: 'Yehovah will surely separate me from His people'; neither let the eunuch say: 'Behold, I am a dry tree.'{P}

4 For thus saith Yehovah concerning the eunuchs that keep My sabbaths, and choose the things that please Me, and hold fast by My covenant: **5** Even unto them will I give in My house and within My walls a monument and a memorial better than sons and daughters; I will give them an everlasting memorial, that shall not be cut off.{S} **6** Also the aliens, that join themselves to Yehovah, to minister unto Him, and to love the name of Yehovah, to be His servants, every one that keepeth the sabbath from profaning it, and holdeth fast by My covenant:

ז וַהֲבִיאוֹתִים אֶל־הַר קׇדְשִׁי וְשִׂמַּחְתִּים בְּבֵית תְּפִלָּתִי עוֹלֹתֵיהֶם וְזִבְחֵיהֶם
לְרָצוֹן עַל־מִזְבְּחִי כִּי בֵיתִי בֵּית־תְּפִלָּה יִקָּרֵא לְכׇל־הָעַמִּים׃ ח נְאֻם אֲדֹנָי
יְהֹוִה מְקַבֵּץ נִדְחֵי יִשְׂרָאֵל עוֹד אֲקַבֵּץ עָלָיו לְנִקְבָּצָיו׃ ט כֹּל חַיְתוֹ שָׂדָי
אֵתָיוּ לֶאֱכֹל כׇּל־חַיְתוֹ בַּיָּעַר׃ י צֹפָיו[46] עִוְרִים כֻּלָּם לֹא יָדָעוּ כֻּלָּם כְּלָבִים
אִלְּמִים לֹא יוּכְלוּ לִנְבֹּחַ הֹזִים שֹׁכְבִים אֹהֲבֵי לָנוּם׃ יא וְהַכְּלָבִים עַזֵּי־נֶפֶשׁ
לֹא יָדְעוּ שָׂבְעָה וְהֵמָּה רֹעִים לֹא יָדְעוּ הָבִין כֻּלָּם לְדַרְכָּם פָּנוּ אִישׁ לְבִצְעוֹ
מִקָּצֵהוּ׃ יב אֵתָיוּ אֶקְחָה־יַיִן וְנִסְבְּאָה שֵׁכָר וְהָיָה כָזֶה יוֹם מָחָר גָּדוֹל יֶתֶר
מְאֹד׃

נז א הַצַּדִּיק אָבָד וְאֵין אִישׁ שָׂם עַל־לֵב וְאַנְשֵׁי־חֶסֶד נֶאֱסָפִים בְּאֵין מֵבִין
כִּי־מִפְּנֵי הָרָעָה נֶאֱסַף הַצַּדִּיק׃ ב יָבוֹא שָׁלוֹם יָנוּחוּ עַל־מִשְׁכְּבוֹתָם הֹלֵךְ
נְכֹחוֹ׃ ג וְאַתֶּם קִרְבוּ־הֵנָּה בְּנֵי עֹנְנָה זֶרַע מְנָאֵף וַתִּזְנֶה׃ ד עַל־מִי תִּתְעַנָּגוּ
עַל־מִי תַּרְחִיבוּ פֶה תַּאֲרִיכוּ לָשׁוֹן הֲלוֹא־אַתֶּם יִלְדֵי־פֶשַׁע זֶרַע שָׁקֶר׃
ה הַנֵּחָמִים בָּאֵלִים תַּחַת כׇּל־עֵץ רַעֲנָן שֹׁחֲטֵי הַיְלָדִים בַּנְּחָלִים תַּחַת
סְעִפֵי הַסְּלָעִים׃ ו בְּחַלְּקֵי־נַחַל חֶלְקֵךְ הֵם הֵם גּוֹרָלֵךְ גַּם־לָהֶם שָׁפַכְתְּ
נֶסֶךְ הֶעֱלִית מִנְחָה הַעַל אֵלֶּה אֶנָּחֵם׃ ז עַל הַר־גָּבֹהַּ וְנִשָּׂא שַׂמְתְּ מִשְׁכָּבֵךְ
גַּם־שָׁם עָלִית לִזְבֹּחַ זָבַח׃ ח וְאַחַר הַדֶּלֶת וְהַמְּזוּזָה שַׂמְתְּ זִכְרוֹנֵךְ כִּי
מֵאִתִּי גִּלִּית וַתַּעֲלִי הִרְחַבְתְּ מִשְׁכָּבֵךְ וַתִּכְרׇת־לָךְ מֵהֶם אָהַבְתְּ מִשְׁכָּבָם
יָד חָזִית׃ ט וַתָּשֻׁרִי לַמֶּלֶךְ בַּשֶּׁמֶן וַתַּרְבִּי רִקֻּחָיִךְ וַתְּשַׁלְּחִי צִרַיִךְ
עַד־מֵרָחֹק וַתַּשְׁפִּילִי עַד־שְׁאוֹל׃ י בְּרֹב דַּרְכֵּךְ יָגַעַתְּ לֹא אָמַרְתְּ נוֹאָשׁ חַיַּת
יָדֵךְ מָצָאת עַל־כֵּן לֹא חָלִית׃ יא וְאֶת־מִי דָּאַגְתְּ וַתִּירְאִי כִּי תְכַזֵּבִי וְאוֹתִי
לֹא זָכַרְתְּ לֹא־שַׂמְתְּ עַל־לִבֵּךְ הֲלֹא אֲנִי מַחְשֶׁה וּמֵעֹלָם וְאוֹתִי לֹא תִירָאִי׃
יב אֲנִי אַגִּיד צִדְקָתֵךְ וְאֶת־מַעֲשַׂיִךְ וְלֹא יוֹעִילוּךְ׃ יג בְּזַעֲקֵךְ יַצִּילֻךְ
קִבּוּצַיִךְ וְאֶת־כֻּלָּם יִשָּׂא־רוּחַ יִקַּח־הָבֶל וְהַחוֹסֶה בִי יִנְחַל־אֶרֶץ וְיִירַשׁ
הַר־קׇדְשִׁי׃ יד וְאָמַר סֹלּוּ־סֹלּוּ פַּנּוּ־דָרֶךְ הָרִימוּ מִכְשׁוֹל מִדֶּרֶךְ עַמִּי׃
טו כִּי כֹה אָמַר רָם וְנִשָּׂא שֹׁכֵן עַד וְקָדוֹשׁ שְׁמוֹ מָרוֹם וְקָדוֹשׁ אֶשְׁכּוֹן
וְאֶת־דַּכָּא וּשְׁפַל־רוּחַ לְהַחֲיוֹת רוּחַ שְׁפָלִים וּלְהַחֲיוֹת לֵב נִדְכָּאִים׃ טז כִּי
לֹא לְעוֹלָם אָרִיב וְלֹא לָנֶצַח אֶקְּצוֹף כִּי־רוּחַ מִלְּפָנַי יַעֲטוֹף וּנְשָׁמוֹת אֲנִי
עָשִׂיתִי׃ יז בַּעֲוֺן בִּצְעוֹ קָצַפְתִּי וְאַכֵּהוּ הַסְתֵּר וְאֶקְצֹף וַיֵּלֶךְ שׁוֹבָב בְּדֶרֶךְ
לִבּוֹ׃

[46] צפו

7 Even them will I bring to My holy mountain, and make them joyful in My house of prayer; their burnt-offerings and their sacrifices shall be acceptable upon Mine altar; for My house shall be called a house of prayer for all peoples. **8** Saith the Lord GOD [Adonai Yehovi] who gathereth the dispersed of Israel: Yet I will gather others to him, beside those of him that are gathered. **9** All ye beasts of the field, come to devour, yea, all ye beasts in the forest.{P}

10 His watchmen are all blind, without knowledge; they are all dumb dogs, they cannot bark; raving, lying down, loving to slumber. **11** Yea, the dogs are greedy, they know not when they have enough; and these are shepherds that cannot understand; they all turn to their own way, each one to his gain, one and all. **12** 'Come ye, I will fetch wine, and we will fill ourselves with strong drink; and to-morrow shall be as this day, and much more abundant.'

57 1 The righteous perisheth, and no man layeth it to heart, and godly men are taken away, none considering that the righteous is taken away from the evil to come. **2** He entereth into peace, they rest in their beds, each one that walketh in his uprightness.{S} **3** But draw near hither, ye sons of the sorceress, the seed of the adulterer and the harlot. **4** Against whom do ye sport yourselves? Against whom make ye a wide mouth, and draw out the tongue? Are ye not children of transgression, a seed of falsehood, **5** Ye that inflame yourselves among the terebinths, under every leafy tree; that slay the children in the valleys, under the clefts of the rocks? **6** Among the smooth stones of the valley is thy portion; they, they are thy lot; even to them hast thou poured a drink-offering, thou hast offered a meal-offering. Should I pacify Myself for these things? **7** Upon a high and lofty mountain hast thou set thy bed; thither also wentest thou up to offer sacrifice. **8** And behind the doors and the posts hast thou set up thy symbol; for thou hast uncovered, and art gone up from Me, thou hast enlarged thy bed, and chosen thee of them whose bed thou lovedst, whose hand thou sawest. **9** And thou wentest to the king with ointment, and didst increase thy perfumes, and didst send thine ambassadors far off, even down to the nether-world. **10** Thou wast wearied with the length of thy way; yet saidst thou not: 'There is no hope'; thou didst find a renewal of thy strength, therefore thou wast not affected. **11** And of whom hast thou been afraid and in fear, that thou wouldest fail? And as for Me, thou hast not remembered Me, nor laid it to thy heart. Have not I held My peace even of long time? Therefore thou fearest Me not. **12** I will declare thy righteousness; thy works also–they shall not profit thee. **13** When thou criest, let them that thou hast gathered deliver thee; but the wind shall carry them all away, a breath shall bear them off; but he that taketh refuge in Me shall possess the land, and shall inherit My holy mountain. **14** And He will say: cast ye up, cast ye up, clear the way, take up the stumblingblock out of the way of My people.{S} **15** For thus saith the High and Lofty One that inhabiteth eternity, whose name is Holy: I dwell in the high and holy place, with him also that is of a contrite and humble spirit, to revive the spirit of the humble, and to revive the heart of the contrite ones. **16** For I will not contend for ever, neither will I be always wroth; for the spirit that enwrappeth itself is from Me, and the souls which I have made. **17** For the iniquity of his covetousness was I wroth and smote him, I hid Me and was wroth; and he went on frowardly in the way of his heart.

יח דְּרָכָיו רָאִיתִי וְאֶרְפָּאֵהוּ וְאַנְחֵהוּ וַאֲשַׁלֵּם נִחֻמִים לוֹ וְלַאֲבֵלָיו׃ יט בּוֹרֵא
נִיב[47] שְׂפָתָיִם שָׁלוֹם ׀ שָׁלוֹם לָרָחוֹק וְלַקָּרוֹב אָמַר יְהוָה וּרְפָאתִיו׃ כ וְהָרְשָׁעִים
כַּיָּם נִגְרָשׁ כִּי הַשְׁקֵט לֹא יוּכָל וַיִּגְרְשׁוּ מֵימָיו רֶפֶשׁ וָטִיט׃ כא אֵין שָׁלוֹם אָמַר
אֱלֹהַי לָרְשָׁעִים׃

נח א קְרָא בְגָרוֹן אַל־תַּחְשֹׂךְ כַּשּׁוֹפָר הָרֵם קוֹלֶךָ וְהַגֵּד לְעַמִּי פִּשְׁעָם וּלְבֵית
יַעֲקֹב חַטֹּאתָם׃ ב וְאוֹתִי יוֹם יוֹם יִדְרֹשׁוּן וְדַעַת דְּרָכַי יֶחְפָּצוּן כְּגוֹי
אֲשֶׁר־צְדָקָה עָשָׂה וּמִשְׁפַּט אֱלֹהָיו לֹא עָזָב יִשְׁאָלוּנִי מִשְׁפְּטֵי־צֶדֶק קִרְבַת
אֱלֹהִים יֶחְפָּצוּן׃ ג לָמָּה צַּמְנוּ וְלֹא רָאִיתָ עִנִּינוּ נַפְשֵׁנוּ וְלֹא תֵדָע הֵן בְּיוֹם
צֹמְכֶם תִּמְצְאוּ־חֵפֶץ וְכָל־עַצְּבֵיכֶם תִּנְגֹּשׂוּ׃ ד הֵן לְרִיב וּמַצָּה תָּצוּמוּ וּלְהַכּוֹת
בְּאֶגְרֹף רֶשַׁע לֹא־תָצוּמוּ כַיּוֹם לְהַשְׁמִיעַ בַּמָּרוֹם קוֹלְכֶם׃ ה הֲכָזֶה יִהְיֶה צוֹם
אֶבְחָרֵהוּ יוֹם עַנּוֹת אָדָם נַפְשׁוֹ הֲלָכֹף כְּאַגְמֹן רֹאשׁוֹ וְשַׂק וָאֵפֶר יַצִּיעַ הֲלָזֶה
תִּקְרָא־צוֹם וְיוֹם רָצוֹן לַיהוָה׃ ו הֲלוֹא זֶה צוֹם אֶבְחָרֵהוּ פַּתֵּחַ חַרְצֻבּוֹת רֶשַׁע
הַתֵּר אֲגֻדּוֹת מוֹטָה וְשַׁלַּח רְצוּצִים חָפְשִׁים וְכָל־מוֹטָה תְּנַתֵּקוּ׃ ז הֲלוֹא פָרֹס
לָרָעֵב לַחְמֶךָ וַעֲנִיִּים מְרוּדִים תָּבִיא בָיִת כִּי־תִרְאֶה עָרֹם וְכִסִּיתוֹ וּמִבְּשָׂרְךָ
לֹא תִתְעַלָּם׃ ח אָז יִבָּקַע כַּשַּׁחַר אוֹרֶךָ וַאֲרֻכָתְךָ מְהֵרָה תִצְמָח וְהָלַךְ לְפָנֶיךָ
צִדְקֶךָ כְּבוֹד יְהוָה יַאַסְפֶךָ׃ ט אָז תִּקְרָא וַיהוָה יַעֲנֶה תְּשַׁוַּע וְיֹאמַר הִנֵּנִי
אִם־תָּסִיר מִתּוֹכְךָ מוֹטָה שְׁלַח אֶצְבַּע וְדַבֶּר־אָוֶן׃ י וְתָפֵק לָרָעֵב נַפְשֶׁךָ וְנֶפֶשׁ
נַעֲנָה תַּשְׂבִּיעַ וְזָרַח בַּחֹשֶׁךְ אוֹרֶךָ וַאֲפֵלָתְךָ כַּצָּהֳרָיִם׃ יא וְנָחֲךָ יְהוָה תָּמִיד
וְהִשְׂבִּיעַ בְּצַחְצָחוֹת נַפְשֶׁךָ וְעַצְמֹתֶיךָ יַחֲלִיץ וְהָיִיתָ כְּגַן רָוֶה וּכְמוֹצָא מַיִם
אֲשֶׁר לֹא־יְכַזְּבוּ מֵימָיו׃ יב וּבָנוּ מִמְּךָ חָרְבוֹת עוֹלָם מוֹסְדֵי דוֹר־וָדוֹר
תְּקוֹמֵם וְקֹרָא לְךָ גֹּדֵר פֶּרֶץ מְשֹׁבֵב נְתִיבוֹת לָשָׁבֶת׃ יג אִם־תָּשִׁיב מִשַּׁבָּת
רַגְלֶךָ עֲשׂוֹת חֲפָצֶךָ בְּיוֹם קָדְשִׁי וְקָרָאתָ לַשַּׁבָּת עֹנֶג לִקְדוֹשׁ יְהוָה מְכֻבָּד
וְכִבַּדְתּוֹ מֵעֲשׂוֹת דְּרָכֶיךָ מִמְּצוֹא חֶפְצְךָ וְדַבֵּר דָּבָר׃ יד אָז תִּתְעַנַּג עַל־יְהוָה
וְהִרְכַּבְתִּיךָ עַל־בָּמֳתֵי אָרֶץ וְהַאֲכַלְתִּיךָ נַחֲלַת יַעֲקֹב אָבִיךָ כִּי פִּי יְהוָה
דִּבֵּר׃

נט א הֵן לֹא־קָצְרָה יַד־יְהוָה מֵהוֹשִׁיעַ וְלֹא־כָבְדָה אָזְנוֹ מִשְּׁמוֹעַ׃ ב כִּי
אִם־עֲוֺנֹתֵיכֶם הָיוּ מַבְדִּלִים בֵּינֵכֶם לְבֵין אֱלֹהֵיכֶם וְחַטֹּאותֵיכֶם הִסְתִּירוּ פָנִים
מִכֶּם מִשְּׁמוֹעַ׃ ג כִּי כַפֵּיכֶם נְגֹאֲלוּ בַדָּם וְאֶצְבְּעוֹתֵיכֶם בֶּעָוֺן שִׂפְתוֹתֵיכֶם
דִּבְּרוּ־שֶׁקֶר לְשׁוֹנְכֶם עַוְלָה תֶהְגֶּה׃ ד אֵין־קֹרֵא בְצֶדֶק וְאֵין נִשְׁפָּט בֶּאֱמוּנָה
בָּטוֹחַ עַל־תֹּהוּ וְדַבֶּר־שָׁוְא הָרוֹ עָמָל וְהוֹלֵיד אָוֶן׃

[47] נוב

<u>18</u> I have seen his ways, and will heal him; I will lead him also, and requite with comforts him and his mourners. <u>19</u> Peace, peace, to him that is far off and to him that is near, saith Yehovah that createth the fruit of the lips; and I will heal him. <u>20</u> But the wicked are like the troubled sea; for it cannot rest, and its waters cast up mire and dirt. <u>21</u> There is no peace, saith my God concerning the wicked.{P}

58 <u>1</u> Cry aloud, spare not, lift up thy voice like a horn, and declare unto My people their transgression, and to the house of Jacob their sins. <u>2</u> Yet they seek Me daily, and delight to know My ways; as a nation that did righteousness, and forsook not the ordinance of their God, they ask of Me righteous ordinances, they delight to draw near unto God. <u>3</u> 'Wherefore have we fasted, and Thou seest not? Wherefore have we afflicted our soul, and Thou takest no knowledge?'–Behold, in the day of your fast ye pursue your business, and exact all your labours. <u>4</u> Behold, ye fast for strife and contention, and to smite with the fist of wickedness; ye fast not this day so as to make your voice to be heard on high. <u>5</u> Is such the fast that I have chosen? the day for a man to afflict his soul? Is it to bow down his head as a bulrush, and to spread sackcloth and ashes under him? Wilt thou call this a fast, and an acceptable day to Yehovah? <u>6</u> Is not this the fast that I have chosen? to loose the fetters of wickedness, to undo the bands of the yoke, and to let the oppressed go free, and that ye break every yoke? <u>7</u> Is it not to deal thy bread to the hungry, and that thou bring the poor that are cast out to thy house? when thou seest the naked, that thou cover him, and that thou hide not thyself from thine own flesh? <u>8</u> Then shall thy light break forth as the morning, and thy healing shall spring forth speedily; and thy righteousness shall go before thee, the glory of Yehovah shall be thy rearward. <u>9</u> Then shalt thou call, and Yehovah will answer; thou shalt cry, and He will say: 'Here I am.' If thou take away from the midst of thee the yoke, the putting forth of the finger, and speaking wickedness; <u>10</u> And if thou draw out thy soul to the hungry, and satisfy the afflicted soul; then shall thy light rise in darkness, and thy gloom be as the noon-day; <u>11</u> And Yehovah will guide thee continually, and satisfy thy soul in drought, and make strong thy bones; and thou shalt be like a watered garden, and like a spring of water, whose waters fail not. <u>12</u> And they that shall be of thee shall build the old waste places, thou shalt raise up the foundations of many generations; and thou shalt be called the repairer of the breach, the restorer of paths to dwell in. <u>13</u> If thou turn away thy foot because of the sabbath, from pursuing thy business on My holy day; and call the sabbath a delight, and the holy of Yehovah honourable; and shalt honour it, not doing thy wonted ways, nor pursuing thy business, nor speaking thereof; <u>14</u> Then shalt thou delight thyself in Yehovah, and I will make thee to ride upon the high places of the earth, and I will feed thee with the heritage of Jacob thy father; for the mouth of Yehovah hath spoken it.{P}

59 <u>1</u> Behold, Yehovah's hand is not shortened, that it cannot save, neither His ear heavy, that it cannot hear; <u>2</u> But your iniquities have separated between you and your God, and your sins have hid His face from you, that He will not hear. <u>3</u> For your hands are defiled with blood, and your fingers with iniquity; your lips have spoken lies, your tongue muttereth wickedness. <u>4</u> None sueth in righteousness, and none pleadeth in truth; they trust in vanity, and speak lies, they conceive mischief, and bring forth iniquity.

ה בֵּיצֵי צִפְעוֹנִי בִּקֵּעוּ וְקוּרֵי עַכָּבִישׁ יֶאֱרֹגוּ הָאֹכֵל מִבֵּיצֵיהֶם יָמוּת וְהַזּוּרֶה
תִּבָּקַע אֶפְעֶה: ו קוּרֵיהֶם לֹא־יִהְיוּ לְבֶגֶד וְלֹא יִתְכַּסּוּ בְּמַעֲשֵׂיהֶם מַעֲשֵׂיהֶם
מַעֲשֵׂי־אָוֶן וּפֹעַל חָמָס בְּכַפֵּיהֶם: ז רַגְלֵיהֶם לָרַע יָרֻצוּ וִימַהֲרוּ לִשְׁפֹּךְ דָּם
נָקִי מַחְשְׁבוֹתֵיהֶם מַחְשְׁבוֹת אָוֶן שֹׁד וָשֶׁבֶר בִּמְסִלּוֹתָם: ח דֶּרֶךְ שָׁלוֹם לֹא
יָדָעוּ וְאֵין מִשְׁפָּט בְּמַעְגְּלוֹתָם נְתִיבוֹתֵיהֶם עִקְּשׁוּ לָהֶם כֹּל דֹּרֵךְ בָּהּ לֹא יָדַע
שָׁלוֹם: ט עַל־כֵּן רָחַק מִשְׁפָּט מִמֶּנּוּ וְלֹא תַשִּׂיגֵנוּ צְדָקָה נְקַוֶּה לָאוֹר
וְהִנֵּה־חֹשֶׁךְ לִנְגֹהוֹת בָּאֲפֵלוֹת נְהַלֵּךְ: י נְגַשְׁשָׁה כַעִוְרִים קִיר וּכְאֵין עֵינַיִם
נְגַשֵּׁשָׁה כָּשַׁלְנוּ בַצָּהֳרַיִם כַּנֶּשֶׁף בָּאַשְׁמַנִּים כַּמֵּתִים: יא נֶהֱמֶה כַדֻּבִּים כֻּלָּנוּ
וְכַיּוֹנִים הָגֹה נֶהְגֶּה נְקַוֶּה לַמִּשְׁפָּט וָאַיִן לִישׁוּעָה רָחֲקָה מִמֶּנּוּ: יב כִּי־רַבּוּ
פְשָׁעֵינוּ נֶגְדֶּךָ וְחַטֹּאותֵינוּ עָנְתָה בָּנוּ כִּי־פְשָׁעֵינוּ אִתָּנוּ וַעֲוֺנֹתֵינוּ יְדַעֲנוּם:
יג פָּשֹׁעַ וְכַחֵשׁ בַּיהוָה וְנָסוֹג מֵאַחַר אֱלֹהֵינוּ דַּבֶּר־עֹשֶׁק וְסָרָה הֹרוֹ וְהֹגוֹ מִלֵּב
דִּבְרֵי־שָׁקֶר: יד וְהֻסַּג אָחוֹר מִשְׁפָּט וּצְדָקָה מֵרָחוֹק תַּעֲמֹד כִּי־כָשְׁלָה
בָרְחוֹב אֱמֶת וּנְכֹחָה לֹא־תוּכַל לָבוֹא: טו וַתְּהִי הָאֱמֶת נֶעְדֶּרֶת וְסָר מֵרָע
מִשְׁתּוֹלֵל וַיַּרְא יְהוָה וַיֵּרַע בְּעֵינָיו כִּי־אֵין מִשְׁפָּט: טז וַיַּרְא כִּי־אֵין אִישׁ
וַיִּשְׁתּוֹמֵם כִּי אֵין מַפְגִּיעַ וַתּוֹשַׁע לוֹ זְרֹעוֹ וְצִדְקָתוֹ הִיא סְמָכָתְהוּ: יז וַיִּלְבַּשׁ
צְדָקָה כַּשִּׁרְיָן וְכוֹבַע יְשׁוּעָה בְּרֹאשׁוֹ וַיִּלְבַּשׁ בִּגְדֵי נָקָם תִּלְבֹּשֶׁת וַיַּעַט
כַּמְעִיל קִנְאָה: יח כְּעַל גְּמֻלוֹת כְּעַל יְשַׁלֵּם חֵמָה לְצָרָיו גְּמוּל לְאֹיְבָיו
לָאִיִּים גְּמוּל יְשַׁלֵּם: יט וְיִירְאוּ מִמַּעֲרָב אֶת־שֵׁם יְהוָה וּמִמִּזְרַח־שֶׁמֶשׁ
אֶת־כְּבוֹדוֹ כִּי־יָבוֹא כַנָּהָר צָר רוּחַ יְהוָה נֹסְסָה בוֹ: כ וּבָא לְצִיּוֹן גּוֹאֵל
וּלְשָׁבֵי פֶשַׁע בְּיַעֲקֹב נְאֻם יְהוָה: כא וַאֲנִי זֹאת בְּרִיתִי אוֹתָם אָמַר יְהוָה רוּחִי
אֲשֶׁר עָלֶיךָ וּדְבָרַי אֲשֶׁר־שַׂמְתִּי בְּפִיךָ לֹא־יָמוּשׁוּ מִפִּיךָ וּמִפִּי זַרְעֲךָ וּמִפִּי
זֶרַע זַרְעֲךָ אָמַר יְהוָה מֵעַתָּה וְעַד־עוֹלָם:

ס א קוּמִי אוֹרִי כִּי בָא אוֹרֵךְ וּכְבוֹד יְהוָה עָלַיִךְ זָרָח: ב כִּי־הִנֵּה הַחֹשֶׁךְ
יְכַסֶּה־אֶרֶץ וַעֲרָפֶל לְאֻמִּים וְעָלַיִךְ יִזְרַח יְהוָה וּכְבוֹדוֹ עָלַיִךְ יֵרָאֶה:
ג וְהָלְכוּ גוֹיִם לְאוֹרֵךְ וּמְלָכִים לְנֹגַהּ זַרְחֵךְ: ד שְׂאִי־סָבִיב עֵינַיִךְ וּרְאִי כֻּלָּם
נִקְבְּצוּ בָאוּ־לָךְ בָּנַיִךְ מֵרָחוֹק יָבֹאוּ וּבְנֹתַיִךְ עַל־צַד תֵּאָמַנָה: ה אָז תִּרְאִי
וְנָהַרְתְּ וּפָחַד וְרָחַב לְבָבֵךְ כִּי־יֵהָפֵךְ עָלַיִךְ הֲמוֹן יָם חֵיל גּוֹיִם יָבֹאוּ לָךְ:
ו שִׁפְעַת גְּמַלִּים תְּכַסֵּךְ בִּכְרֵי מִדְיָן וְעֵיפָה כֻּלָּם מִשְּׁבָא יָבֹאוּ זָהָב וּלְבוֹנָה
יִשָּׂאוּ וּתְהִלֹּת יְהוָה יְבַשֵּׂרוּ: ז כָּל־צֹאן קֵדָר יִקָּבְצוּ לָךְ אֵילֵי נְבָיוֹת
יְשָׁרְתוּנֶךְ יַעֲלוּ עַל־רָצוֹן מִזְבְּחִי וּבֵית תִּפְאַרְתִּי אֲפָאֵר:

5 They hatch basilisks' eggs, and weave the spider's web; he that eateth of their eggs dieth, and that which is crushed breaketh out into a viper. 6 Their webs shall not become garments, neither shall men cover themselves with their works; their works are works of iniquity, and the act of violence is in their hands. 7 Their feet run to evil, and they make haste to shed innocent blood; their thoughts are thoughts of iniquity, desolation and destruction are in their paths. 8 The way of peace they know not, and there is no right in their goings; they have made them crooked paths, whosoever goeth therein doth not know peace. 9 Therefore is justice far from us, neither doth righteousness overtake us; we look for light, but behold darkness, for brightness, but we walk in gloom. 10 We grope for the wall like the blind, yea, as they that have no eyes do we grope; we stumble at noonday as in the twilight; we are in dark places like the dead. 11 We all growl like bears, and mourn sore like doves; we look for right, but there is none; for salvation, but it is far off from us. 12 For our transgressions are multiplied before Thee, and our sins testify against us; for our transgressions are present to us, and as for our iniquities, we know them: 13 Transgressing and denying Yehovah, and turning away from following our God, speaking oppression and perverseness, conceiving and uttering from the heart words of falsehood. 14 And justice is turned away backward, and righteousness standeth afar off; for truth hath stumbled in the broad place, and uprightness cannot enter.{S} 15 And truth is lacking, and he that departeth from evil maketh himself a prey. And Yehovah saw it, and it displeased Him that there was no justice; 16 And He saw that there was no man, and was astonished that there was no intercessor; therefore His own arm brought salvation unto Him; and His righteousness, it sustained Him; 17 And He put on righteousness as a coat of mail, and a helmet of salvation upon His head, and He put on garments of vengeance for clothing, and was clad with zeal as a cloak. 18 According to their deeds, accordingly He will repay, fury to His adversaries, recompense to His enemies; to the islands He will repay recompense. 19 So shall they fear the name of Yehovah from the west, and His glory from the rising of the sun; for distress will come in like a flood, which the breath of Yehovah driveth. 20 And a redeemer will come to Zion, and unto them that turn from transgression in Jacob, saith Yehovah. 21 And as for Me, this is My covenant with them, saith Yehovah; My spirit that is upon thee, and My words which I have put in thy mouth, shall not depart out of thy mouth, nor out of the mouth of thy seed, nor out of the mouth of thy seed's seed, saith Yehovah, from henceforth and for ever.{S}

60 1 Arise, shine, for thy light is come, and the glory of Yehovah is risen upon thee. 2 For, behold, darkness shall cover the earth, and gross darkness the peoples; but upon thee Yehovah will arise, and His glory shall be seen upon thee. 3 And nations shall walk at thy light, and kings at the brightness of thy rising. 4 Lift up thine eyes round about, and see: they all are gathered together, and come to thee; thy sons come from far, and thy daughters are borne on the side. 5 Then thou shalt see and be radiant, and thy heart shall throb and be enlarged; because the abundance of the sea shall be turned unto thee, the wealth of the nations shall come unto thee. 6 The caravan of camels shall cover thee, and of the young camels of Midian and Ephah, all coming from Sheba; they shall bring gold and incense, and shall proclaim the praises of Yehovah. 7 All the flocks of Kedar shall be gathered together unto thee, the rams of Nebaioth shall minister unto thee; they shall come up with acceptance on Mine altar, and I will glorify My glorious house.

ח מִי־אֵ֙לֶּה֙ כָּעָ֣ב תְּעוּפֶ֔ינָה וְכַיּוֹנִ֖ים אֶל־אֲרֻבֹּתֵיהֶֽם: ט כִּי־לִ֣י ׀ אִיִּ֣ים יְקַוּ֗וּ וׇאֳנִיּ֤וֹת תַּרְשִׁישׁ֙ בָּרִ֣אשֹׁנָ֔ה לְהָבִ֤יא בָנַ֙יִךְ֙ מֵרָח֔וֹק כַּסְפָּ֥ם וּזְהָבָ֖ם אִתָּ֑ם לְשֵׁם֙ יְהֹוָ֣ה אֱלֹהַ֔יִךְ וְלִקְד֥וֹשׁ יִשְׂרָאֵ֖ל כִּ֥י פֵאֲרָֽךְ: י וּבָנ֤וּ בְנֵֽי־נֵכָר֙ חֹמֹתַ֔יִךְ וּמַלְכֵיהֶ֖ם יְשָׁרְת֑וּנֶךְ כִּ֤י בְקִצְפִּי֙ הִכִּיתִ֔יךְ וּבִרְצוֹנִ֖י רִֽחַמְתִּֽיךְ: יא וּפִתְּח֨וּ שְׁעָרַ֤יִךְ תָּמִיד֙ יוֹמָ֣ם וָלַ֔יְלָה לֹ֖א יִסָּגֵ֑רוּ לְהָבִ֤יא אֵלַ֙יִךְ֙ חֵ֣יל גּוֹיִ֔ם וּמַלְכֵיהֶ֖ם נְהוּגִֽים: יב כִּֽי־הַגּ֧וֹי וְהַמַּמְלָכָ֛ה אֲשֶׁ֥ר לֹא־יַעַבְד֖וּךְ יֹאבֵ֑דוּ וְהַגּוֹיִ֖ם חָרֹ֥ב יֶחֱרָֽבוּ: יג כְּב֤וֹד הַלְּבָנוֹן֙ אֵלַ֣יִךְ יָב֔וֹא בְּר֛וֹשׁ תִּדְהָ֥ר וּתְאַשּׁ֖וּר יַחְדָּ֑ו לְפָאֵר֙ מְק֣וֹם מִקְדָּשִׁ֔י וּמְק֥וֹם רַגְלַ֖י אֲכַבֵּֽד: יד וְהָלְכ֨וּ אֵלַ֤יִךְ שְׁח֙וֹחַ֙ בְּנֵ֣י מְעַנַּ֔יִךְ וְהִֽשְׁתַּחֲו֛וּ עַל־כַּפּ֥וֹת רַגְלַ֖יִךְ כׇּל־מְנַֽאֲצָ֑יִךְ וְקָ֤רְאוּ לָךְ֙ עִ֣יר יְהֹוָ֔ה צִיּ֖וֹן קְד֥וֹשׁ יִשְׂרָאֵֽל: טו תַּ֣חַת הֱיוֹתֵ֤ךְ עֲזוּבָה֙ וּשְׂנוּאָ֔ה וְאֵ֖ין עוֹבֵ֑ר וְשַׂמְתִּיךְ֙ לִגְא֣וֹן עוֹלָ֔ם מְשׂ֖וֹשׂ דּ֥וֹר וָדֽוֹר: טז וְיָנַ֣קְתְּ חֲלֵ֣ב גּוֹיִ֔ם וְשֹׁ֥ד מְלָכִ֖ים תִּינָ֑קִי וְיָדַ֗עַתְּ כִּ֣י אֲנִ֤י יְהֹוָה֙ מֽוֹשִׁיעֵ֔ךְ וְגֹאֲלֵ֖ךְ אֲבִ֥יר יַעֲקֹֽב: יז תַּ֣חַת הַנְּחֹ֜שֶׁת אָבִ֣יא זָהָ֗ב וְתַ֤חַת הַבַּרְזֶל֙ אָ֣בִיא כֶ֔סֶף וְתַ֤חַת הָֽעֵצִים֙ נְחֹ֔שֶׁת וְתַ֖חַת הָאֲבָנִ֣ים בַּרְזֶ֑ל וְשַׂמְתִּ֤י פְקֻדָּתֵךְ֙ שָׁל֔וֹם וְנֹגְשַׂ֖יִךְ צְדָקָֽה: יח לֹֽא־יִשָּׁמַ֨ע ע֤וֹד חָמָס֙ בְּאַרְצֵ֔ךְ שֹׁ֥ד וָשֶׁ֖בֶר בִּגְבוּלָ֑יִךְ וְקָרָ֤את יְשׁוּעָה֙ חֽוֹמֹתַ֔יִךְ וּשְׁעָרַ֖יִךְ תְּהִלָּֽה: יט לֹא־יִֽהְיֶה־לָּ֨ךְ ע֤וֹד הַשֶּׁ֙מֶשׁ֙ לְא֣וֹר יוֹמָ֔ם וּלְנֹ֕גַהּ הַיָּרֵ֖חַ לֹא־יָאִ֣יר לָ֑ךְ וְהָֽיָה־לָ֤ךְ יְהֹוָה֙ לְא֣וֹר עוֹלָ֔ם וֵאלֹהַ֖יִךְ לְתִפְאַרְתֵּֽךְ: כ לֹא־יָב֥וֹא עוֹד֙ שִׁמְשֵׁ֔ךְ וִירֵחֵ֖ךְ לֹ֣א יֵאָסֵ֑ף כִּ֣י יְהֹוָ֗ה יִֽהְיֶה־לָּךְ֙ לְא֣וֹר עוֹלָ֔ם וְשָׁלְמ֖וּ יְמֵ֥י אֶבְלֵֽךְ: כא וְעַמֵּךְ֙ כֻּלָּ֣ם צַדִּיקִ֔ים לְעוֹלָ֖ם יִ֣ירְשׁוּ אָ֑רֶץ נֵ֧צֶר מַטָּעַ֛י[48] מַעֲשֵׂ֥ה יָדַ֖י לְהִתְפָּאֵֽר: כב הַקָּטֹן֙ יִֽהְיֶ֣ה לָאֶ֔לֶף וְהַצָּעִ֖יר לְג֣וֹי עָצ֑וּם אֲנִ֥י יְהֹוָ֖ה בְּעִתָּ֥הּ אֲחִישֶֽׁנָּה:

סא א ר֛וּחַ אֲדֹנָ֥י יֱהֹוִ֖ה עָלָ֑י יַ֡עַן מָשַׁח֩ יְהֹוָ֨ה אֹתִ֜י לְבַשֵּׂ֣ר עֲנָוִ֗ים שְׁלָחַ֙נִי֙ לַחֲבֹ֣שׁ לְנִשְׁבְּרֵי־לֵ֔ב לִקְרֹ֤א לִשְׁבוּיִם֙ דְּר֔וֹר וְלַאֲסוּרִ֖ים פְּקַח־קֽוֹחַ: ב לִקְרֹ֤א שְׁנַת־רָצוֹן֙ לַֽיהֹוָ֔ה וְי֥וֹם נָקָ֖ם לֵאלֹהֵ֑ינוּ לְנַחֵ֖ם כׇּל־אֲבֵלִֽים: ג לָשׂ֣וּם ׀ לַאֲבֵלֵ֣י צִיּ֗וֹן לָתֵת֩ לָהֶ֨ם פְּאֵ֜ר תַּ֣חַת אֵ֗פֶר שֶׁ֤מֶן שָׂשׂוֹן֙ תַּ֣חַת אֵ֔בֶל מַעֲטֵ֣ה תְהִלָּ֔ה תַּ֖חַת ר֣וּחַ כֵּהָ֑ה וְקֹרָ֤א לָהֶם֙ אֵילֵ֣י הַצֶּ֔דֶק מַטַּ֥ע יְהֹוָ֖ה לְהִתְפָּאֵֽר: ד וּבָנוּ֙ חׇרְב֣וֹת עוֹלָ֔ם שֹׁמְמ֥וֹת רִֽאשֹׁנִ֖ים יְקוֹמֵ֑מוּ וְחִדְּשׁוּ֙ עָ֣רֵי חֹ֔רֶב שֹׁמְמ֖וֹת דּ֥וֹר וָדֽוֹר: ה וְעָמְד֣וּ זָרִ֔ים וְרָע֖וּ צֹאנְכֶ֑ם וּבְנֵ֣י נֵכָ֔ר אִכָּרֵיכֶ֖ם וְכֹרְמֵיכֶֽם: ו וְאַתֶּ֗ם כֹּהֲנֵ֤י יְהֹוָה֙ תִּקָּרֵ֔אוּ מְשָׁרְתֵ֣י אֱלֹהֵ֔ינוּ יֵאָמֵ֖ר לָכֶ֑ם חֵ֤יל גּוֹיִם֙ תֹּאכֵ֔לוּ וּבִכְבוֹדָ֖ם תִּתְיַמָּֽרוּ: ז תַּ֤חַת בׇּשְׁתְּכֶם֙ מִשְׁנֶ֔ה וּכְלִמָּ֖ה יָרֹ֣נּוּ חֶלְקָ֑ם לָכֵ֤ן בְּאַרְצָם֙ מִשְׁנֶ֣ה יִירָ֔שׁוּ שִׂמְחַ֥ת עוֹלָ֖ם תִּהְיֶ֥ה לָהֶֽם: ח כִּ֣י אֲנִ֤י יְהֹוָה֙ אֹהֵ֣ב מִשְׁפָּ֔ט שֹׂנֵ֥א גָזֵ֖ל בְּעוֹלָ֑ה וְנָתַתִּ֤י פְעֻלָּתָם֙ בֶּאֱמֶ֔ת וּבְרִ֥ית עוֹלָ֖ם אֶכְר֥וֹת לָהֶֽם:

---

8 Who are these that fly as a cloud, and as the doves to their cotes? **9** Surely the isles shall wait for Me, and the ships of Tarshish first, to bring thy sons from far, their silver and their gold with them, for the name of Yehovah thy God, and for the Holy One of Israel, because He hath glorified thee. **10** And aliens shall build up thy walls, and their kings shall minister unto thee; for in My wrath I smote thee, but in My favour have I had compassion on thee. **11** Thy gates also shall be open continually, day and night, they shall not be shut; that men may bring unto thee the wealth of the nations, and their kings in procession. **12** For that nation and kingdom that will not serve thee shall perish; yea, those nations shall be utterly wasted. **13** The glory of Lebanon shall come unto thee, the cypress, the plane-tree and the larch together; to beautify the place of My sanctuary, and I will make the place of My feet glorious. **14** And the sons of them that afflicted thee shall come bending unto thee, and all they that despised thee shall bow down at the soles of thy feet; and they shall call thee the city of Yehovah, the Zion of the Holy One of Israel. **15** Whereas thou hast been forsaken and hated, so that no man passed through thee, I will make thee an eternal excellency, a joy of many generations. **16** Thou shalt also suck the milk of the nations, and shalt suck the breast of kings; and thou shalt know that I Yehovah am thy Saviour, and I, the Mighty One of Jacob, thy Redeemer. **17** For brass I will bring gold, and for iron I will bring silver, and for wood brass, and for stones iron; I will also make thy officers peace, and righteousness thy magistrates. **18** Violence shall no more be heard in thy land, desolation nor destruction within thy borders; but thou shalt call thy walls Salvation, and thy gates Praise. **19** The sun shall be no more thy light by day, neither for brightness shall the moon give light unto thee; but Yehovah shall be unto thee an everlasting light, and thy God thy glory. **20** Thy sun shall no more go down, Neither shall thy moon withdraw itself; for Yehovah shall be thine everlasting light, and the days of thy mourning shall be ended. **21** Thy people also shall be all righteous, they shall inherit the land for ever; the branch of My planting, the work of My hands, wherein I glory. **22** The smallest shall become a thousand, and the least a mighty nation; I Yehovah will hasten it in its time.{S}

61 **1** The spirit of the Lord GOD [Adonai Yehovi] is upon me; because Yehovah hath anointed me to bring good tidings unto the humble; He hath sent me to bind up the broken-hearted, to proclaim liberty to the captives, and the opening of the eyes to them that are bound; **2** To proclaim the year of Yehovah's good pleasure, and the day of vengeance of our God; to comfort all that mourn; **3** To appoint unto them that mourn in Zion, to give unto them a garland for ashes, the oil of joy for mourning, the mantle of praise for the spirit of heaviness; that they might be called terebinths of righteousness, the planting of Yehovah, wherein He might glory. **4** And they shall build the old wastes, they shall raise up the former desolations, and they shall renew the waste cities, the desolations of many generations. **5** And strangers shall stand and feed your flocks, and aliens shall be your plowmen and your vinedressers. **6** But ye shall be named the priests of Yehovah, men shall call you the ministers of our God; ye shall eat the wealth of the nations, and in their splendour shall ye revel. **7** For your shame which was double, and for that they rejoiced: 'Confusion is their portion'; therefore in their land they shall possess double, everlasting joy shall be unto them. **8** For I Yehovah love justice, I hate robbery with iniquity; and I will give them their recompense in truth, and I will make an everlasting covenant with them.

ט וְנוֹדַע בַּגּוֹיִם זַרְעָם וְצֶאֱצָאֵיהֶם בְּתוֹךְ הָעַמִּים כָּל־רֹאֵיהֶם יַכִּירוּם כִּי
הֵם זֶרַע בֵּרַךְ יְהוָה׃ י שׂוֹשׂ אָשִׂישׂ בַּיהוָה תָּגֵל נַפְשִׁי בֵּאלֹהַי כִּי הִלְבִּישַׁנִי
בִּגְדֵי־יֶשַׁע מְעִיל צְדָקָה יְעָטָנִי כֶּחָתָן יְכַהֵן פְּאֵר וְכַכַּלָּה תַּעְדֶּה כֵלֶיהָ׃
יא כִּי כָאָרֶץ תּוֹצִיא צִמְחָהּ וּכְגַנָּה זֵרוּעֶיהָ תַצְמִיחַ כֵּן ׀ אֲדֹנָי יְהוִה יַצְמִיחַ
צְדָקָה וּתְהִלָּה נֶגֶד כָּל־הַגּוֹיִם׃

סב א לְמַעַן צִיּוֹן לֹא אֶחֱשֶׁה וּלְמַעַן יְרוּשָׁלַ͏ִם לֹא אֶשְׁקוֹט עַד־יֵצֵא כַנֹּגַהּ
צִדְקָהּ וִישׁוּעָתָהּ כְּלַפִּיד יִבְעָר׃ ב וְרָאוּ גוֹיִם צִדְקֵךְ וְכָל־מְלָכִים כְּבוֹדֵךְ
וְקֹרָא לָךְ שֵׁם חָדָשׁ אֲשֶׁר פִּי יְהוָה יִקֳּבֶנּוּ׃ ג וְהָיִית עֲטֶרֶת תִּפְאֶרֶת
בְּיַד־יְהוָה וּצְנִיף[49] מְלוּכָה בְּכַף־אֱלֹהָיִךְ׃ ד לֹא־יֵאָמֵר לָךְ עוֹד עֲזוּבָה
וּלְאַרְצֵךְ לֹא־יֵאָמֵר עוֹד שְׁמָמָה כִּי לָךְ יִקָּרֵא חֶפְצִי־בָהּ וּלְאַרְצֵךְ בְּעוּלָה
כִּי־חָפֵץ יְהוָה בָּךְ וְאַרְצֵךְ תִּבָּעֵל׃ ה כִּי־יִבְעַל בָּחוּר בְּתוּלָה יִבְעָלוּךְ
בָּנָיִךְ וּמְשׂוֹשׂ חָתָן עַל־כַּלָּה יָשִׂישׂ עָלַיִךְ אֱלֹהָיִךְ׃ ו עַל־חוֹמֹתַיִךְ יְרוּשָׁלַ͏ִם
הִפְקַדְתִּי שֹׁמְרִים כָּל־הַיּוֹם וְכָל־הַלַּיְלָה תָּמִיד לֹא יֶחֱשׁוּ הַמַּזְכִּרִים
אֶת־יְהוָה אַל־דֳּמִי לָכֶם׃ ז וְאַל־תִּתְּנוּ דֳמִי לוֹ עַד־יְכוֹנֵן וְעַד־יָשִׂים
אֶת־יְרוּשָׁלַ͏ִם תְּהִלָּה בָּאָרֶץ׃ ח נִשְׁבַּע יְהוָה בִּימִינוֹ וּבִזְרוֹעַ עֻזּוֹ אִם־אֶתֵּן
אֶת־דְּגָנֵךְ עוֹד מַאֲכָל לְאֹיְבַיִךְ וְאִם־יִשְׁתּוּ בְנֵי־נֵכָר תִּירוֹשֵׁךְ אֲשֶׁר יָגַעַתְּ
בּוֹ׃ ט כִּי מְאַסְפָיו יֹאכְלֻהוּ וְהִלְלוּ אֶת־יְהוָה וּמְקַבְּצָיו יִשְׁתֻּהוּ בְּחַצְרוֹת
קָדְשִׁי׃ י עִבְרוּ עִבְרוּ בַּשְּׁעָרִים פַּנּוּ דֶּרֶךְ הָעָם סֹלּוּ סֹלּוּ הַמְסִלָּה סַקְּלוּ
מֵאֶבֶן הָרִימוּ נֵס עַל־הָעַמִּים׃ יא הִנֵּה יְהוָה הִשְׁמִיעַ אֶל־קְצֵה הָאָרֶץ אִמְרוּ
לְבַת־צִיּוֹן הִנֵּה יִשְׁעֵךְ בָּא הִנֵּה שְׂכָרוֹ אִתּוֹ וּפְעֻלָּתוֹ לְפָנָיו׃ יב וְקָרְאוּ לָהֶם
עַם־הַקֹּדֶשׁ גְּאוּלֵי יְהוָה וְלָךְ יִקָּרֵא דְרוּשָׁה עִיר לֹא נֶעֱזָבָה׃

סג א מִי־זֶה ׀ בָּא מֵאֱדוֹם חֲמוּץ בְּגָדִים מִבָּצְרָה זֶה הָדוּר בִּלְבוּשׁוֹ צֹעֶה
בְּרֹב כֹּחוֹ אֲנִי מְדַבֵּר בִּצְדָקָה רַב לְהוֹשִׁיעַ׃ ב מַדּוּעַ אָדֹם לִלְבוּשֶׁךָ וּבְגָדֶיךָ
כְּדֹרֵךְ בְּגַת׃ ג פּוּרָה ׀ דָּרַכְתִּי לְבַדִּי וּמֵעַמִּים אֵין־אִישׁ אִתִּי וְאֶדְרְכֵם בְּאַפִּי
וְאֶרְמְסֵם בַּחֲמָתִי וְיֵז נִצְחָם עַל־בְּגָדַי וְכָל־מַלְבּוּשַׁי אֶגְאָלְתִּי׃ ד כִּי יוֹם נָקָם
בְּלִבִּי וּשְׁנַת גְּאוּלַי בָּאָה׃ ה וְאַבִּיט וְאֵין עֹזֵר וְאֶשְׁתּוֹמֵם וְאֵין סוֹמֵךְ וַתּוֹשַׁע לִי
זְרֹעִי וַחֲמָתִי הִיא סְמָכָתְנִי׃ ו וְאָבוּס עַמִּים בְּאַפִּי וַאֲשַׁכְּרֵם בַּחֲמָתִי וְאוֹרִיד
לָאָרֶץ נִצְחָם׃

[49] וצנוף

9 And their seed shall be known among the nations, and their offspring among the peoples; all that see them shall acknowledge them, that they are the seed which Yehovah hath blessed.{P}

10 I will greatly rejoice in Yehovah, my soul shall be joyful in my God; for He hath clothed me with the garments of salvation, He hath covered me with the robe of victory, as a bridegroom putteth on a priestly diadem, and as a bride adorneth herself with her jewels. **11** For as the earth bringeth forth her growth, and as the garden causeth the things that are sown in it to spring forth; so the Lord GOD [Adonai Yehovi] will cause victory and glory to spring forth before all the nations.

62 1 For Zion's sake will I not hold My peace, and for Yerushalam's sake I will not rest, until her triumph go forth as brightness, and her salvation as a torch that burneth. **2** And the nations shall see thy triumph, and all kings thy glory; and thou shalt be called by a new name, which the mouth of Yehovah shall mark out. **3** Thou shalt also be a crown of beauty in the hand of Yehovah, and a royal diadem in the open hand of thy God. **4** Thou shalt no more be termed Forsaken, neither shall thy land any more be termed Desolate; but thou shalt be called, My delight is in her, and thy land, Espoused; for Yehovah delighteth in thee, and thy land shall be espoused. **5** For as a young man espouseth a virgin, so shall thy sons espouse thee; and as the bridegroom rejoiceth over the bride, so shall thy God rejoice over thee. **6** I have set watchmen upon thy walls, O Yerushalam, they shall never hold their peace day nor night: 'Ye that are Yehovah's remembrancers, take ye no rest, **7** And give Him no rest, till He establish, and till He make Yerushalam a praise in the earth.' **8** Yehovah hath sworn by His right hand, and by the arm of His strength: Surely I will no more give thy corn to be food for thine enemies; and strangers shall not drink thy wine, for which thou hast laboured; **9** But they that have garnered it shall eat it, and praise Yehovah, and they that have gathered it shall drink it in the courts of My sanctuary.{S} **10** Go through, go through the gates, clear ye the way of the people; cast up, cast up the highway, gather out the stones; lift up an ensign over the peoples. **11** Behold, Yehovah hath proclaimed unto the end of the earth: say ye to the daughter of Zion: 'Behold, thy salvation cometh; behold, His reward is with Him, and His recompense before Him.' **12** And they shall call them the holy people, The redeemed of Yehovah; and thou shalt be called Sought out, a city not forsaken.{S}

63 1 'Who is this that cometh from Edom, with crimsoned garments from Bozrah? This that is glorious in his apparel, stately in the greatness of his strength?'–'I that speak in victory, mighty to save.'– **2** 'Wherefore is Thine apparel red, and Thy garments like his that treadeth in the winevat?'– **3** 'I have trodden the winepress alone, and of the peoples there was no man with Me; yea, I trod them in Mine anger, and trampled them in My fury; and their lifeblood is dashed against My garments, and I have stained all My raiment. **4** For the day of vengeance that was in My heart, and My year of redemption are come. **5** And I looked, and there was none to help, and I beheld in astonishment, and there was none to uphold; therefore Mine own arm brought salvation unto Me, and My fury, it upheld Me. **6** And I trod down the peoples in Mine anger, and made them drunk with My fury, and I poured out their lifeblood on the earth.'{S}

ז חַסְדֵי יְהוָה ׀ אַזְכִּיר תְּהִלֹּת יְהוָה כְּעַל כֹּל אֲשֶׁר־גְּמָלָנוּ יְהוָה וְרַב־טוּב
לְבֵית יִשְׂרָאֵל אֲשֶׁר־גְּמָלָם כְּרַחֲמָיו וּכְרֹב חֲסָדָיו׃ ח וַיֹּאמֶר אַךְ־עַמִּי
הֵמָּה בָּנִים לֹא יְשַׁקֵּרוּ וַיְהִי לָהֶם לְמוֹשִׁיעַ׃ ט בְּכָל־צָרָתָם ׀ לוֹ[50] צָר
וּמַלְאַךְ פָּנָיו הוֹשִׁיעָם בְּאַהֲבָתוֹ וּבְחֶמְלָתוֹ הוּא גְאָלָם וַיְנַטְּלֵם וַיְנַשְּׂאֵם
כָּל־יְמֵי עוֹלָם׃ י וְהֵמָּה מָרוּ וְעִצְּבוּ אֶת־רוּחַ קָדְשׁוֹ וַיֵּהָפֵךְ לָהֶם לְאוֹיֵב
הוּא נִלְחַם־בָּם׃ יא וַיִּזְכֹּר יְמֵי־עוֹלָם מֹשֶׁה עַמּוֹ אַיֵּה ׀ הַמַּעֲלֵם מִיָּם אֵת
רֹעֵי צֹאנוֹ אַיֵּה הַשָּׂם בְּקִרְבּוֹ אֶת־רוּחַ קָדְשׁוֹ׃ יב מוֹלִיךְ לִימִין מֹשֶׁה זְרוֹעַ
תִּפְאַרְתּוֹ בּוֹקֵעַ מַיִם מִפְּנֵיהֶם לַעֲשׂוֹת לוֹ שֵׁם עוֹלָם׃ יג מוֹלִיכָם בַּתְּהֹמוֹת
כַּסּוּס בַּמִּדְבָּר לֹא יִכָּשֵׁלוּ׃ יד כַּבְּהֵמָה בַּבִּקְעָה תֵרֵד רוּחַ יְהוָה תְּנִיחֶנּוּ
כֵּן נִהַגְתָּ עַמְּךָ לַעֲשׂוֹת לְךָ שֵׁם תִּפְאָרֶת׃ טו הַבֵּט מִשָּׁמַיִם וּרְאֵה מִזְּבֻל
קָדְשְׁךָ וְתִפְאַרְתֶּךָ אַיֵּה קִנְאָתְךָ וּגְבוּרֹתֶךָ הֲמוֹן מֵעֶיךָ וְרַחֲמֶיךָ אֵלַי
הִתְאַפָּקוּ׃ טז כִּי־אַתָּה אָבִינוּ כִּי אַבְרָהָם לֹא יְדָעָנוּ וְיִשְׂרָאֵל לֹא יַכִּירָנוּ
אַתָּה יְהוָה אָבִינוּ גֹּאֲלֵנוּ מֵעוֹלָם שְׁמֶךָ׃ יז לָמָּה תַתְעֵנוּ יְהוָה מִדְּרָכֶיךָ
תַּקְשִׁיחַ לִבֵּנוּ מִיִּרְאָתֶךָ שׁוּב לְמַעַן עֲבָדֶיךָ שִׁבְטֵי נַחֲלָתֶךָ׃ יח לַמִּצְעָר
יָרְשׁוּ עַם־קָדְשֶׁךָ צָרֵינוּ בּוֹסְסוּ מִקְדָּשֶׁךָ׃ יט הָיִינוּ מֵעוֹלָם לֹא־מָשַׁלְתָּ בָּם
לֹא־נִקְרָא שִׁמְךָ עֲלֵיהֶם לוּא־קָרַעְתָּ שָׁמַיִם יָרַדְתָּ מִפָּנֶיךָ הָרִים נָזֹלּוּ׃

סד

א כִּקְדֹחַ אֵשׁ הֲמָסִים מַיִם תִּבְעֶה־אֵשׁ לְהוֹדִיעַ שִׁמְךָ לְצָרֶיךָ מִפָּנֶיךָ
גּוֹיִם יִרְגָּזוּ׃ ב בַּעֲשׂוֹתְךָ נוֹרָאוֹת לֹא נְקַוֶּה יָרַדְתָּ מִפָּנֶיךָ הָרִים נָזֹלּוּ׃
ג וּמֵעוֹלָם לֹא־שָׁמְעוּ לֹא הֶאֱזִינוּ עַיִן לֹא־רָאָתָה אֱלֹהִים זוּלָתְךָ יַעֲשֶׂה
לִמְחַכֵּה־לוֹ׃ ד פָּגַעְתָּ אֶת־שָׂשׂ וְעֹשֵׂה צֶדֶק בִּדְרָכֶיךָ יִזְכְּרוּךָ הֵן־אַתָּה
קָצַפְתָּ וַנֶּחֱטָא בָּהֶם עוֹלָם וְנִוָּשֵׁעַ׃ ה וַנְּהִי כַטָּמֵא כֻּלָּנוּ וּכְבֶגֶד עִדִּים
כָּל־צִדְקֹתֵינוּ וַנָּבֶל כֶּעָלֶה כֻּלָּנוּ וַעֲוֹנֵנוּ כָּרוּחַ יִשָּׂאֻנוּ׃ ו וְאֵין־קוֹרֵא בְשִׁמְךָ
מִתְעוֹרֵר לְהַחֲזִיק בָּךְ כִּי־הִסְתַּרְתָּ פָנֶיךָ מִמֶּנּוּ וַתְּמוּגֵנוּ בְּיַד־עֲוֹנֵנוּ׃
ז וְעַתָּה יְהוָה אָבִינוּ אָתָּה אֲנַחְנוּ הַחֹמֶר וְאַתָּה יֹצְרֵנוּ וּמַעֲשֵׂה יָדְךָ כֻּלָּנוּ׃
ח אַל־תִּקְצֹף יְהוָה עַד־מְאֹד וְאַל־לָעַד תִּזְכֹּר עָוֺן הֵן הַבֶּט־נָא עַמְּךָ
כֻלָּנוּ׃ ט עָרֵי קָדְשְׁךָ הָיוּ מִדְבָּר צִיּוֹן מִדְבָּר הָיָתָה יְרוּשָׁלִַם שְׁמָמָה׃
י בֵּית קָדְשֵׁנוּ וְתִפְאַרְתֵּנוּ אֲשֶׁר הִלְלוּךָ אֲבֹתֵינוּ הָיָה לִשְׂרֵפַת אֵשׁ
וְכָל־מַחֲמַדֵּינוּ הָיָה לְחָרְבָּה׃

[50] לא

7 I will make mention of the mercies of Yehovah, and the praises of Yehovah, according to all that Yehovah hath bestowed on us; and the great goodness toward the house of Israel, which He hath bestowed on them according to His compassions, and according to the multitude of His mercies. 8 For He said: 'Surely, they are My people, children that will not deal falsely'; so He was their Saviour. 9 In all their affliction He was afflicted, and the angel of His presence saved them; in His love and in His pity He redeemed them; and He bore them, and carried them all the days of old. 10 But they rebelled, and grieved His holy spirit; therefore He was turned to be their enemy, Himself fought against them. 11 Then His people remembered the days of old, the days of Moses: 'Where is He that brought them up out of the sea with the shepherds of His flock? Where is He that put His holy spirit in the midst of them? 12 That caused His glorious arm to go at the right hand of Moses? That divided the water before them, to make Himself an everlasting name? 13 That led them through the deep, as a horse in the wilderness, without stumbling? 14 As the cattle that go down into the valley, the spirit of Yehovah caused them to rest; so didst Thou lead Thy people, to make Thyself a glorious name.' 15 Look down from heaven, and see, even from Thy holy and glorious habitation; Where is Thy zeal and Thy mighty acts, the yearning of Thy heart and Thy compassions, now restrained toward me? 16 For Thou art our Father; for Abraham knoweth us not, and Israel doth not acknowledge us; Thou, Yehovah, art our Father, our Redeemer from everlasting is Thy name. 17 Yehovah, why dost Thou make us to err from Thy ways, and hardenest our heart from Thy fear? Return for Thy servants' sake, the tribes of Thine inheritance. 18 Thy holy people they have well nigh driven out, our adversaries have trodden down Thy sanctuary. 19 We are become as they over whom Thou never borest rule, as they that were not called by Thy name. Oh, that Thou wouldest rend the heavens, that Thou wouldest come down, that the mountains might quake at Thy presence,

64 1 As when fire kindleth the brush-wood, and the fire causeth the waters to boil; to make Thy name known to Thine adversaries, that the nations might tremble at Thy presence, 2 When Thou didst tremendous things which we looked not for–Oh that Thou wouldest come down, that the mountains might quake at Thy presence!–{S} 3 And whereof from of old men have not heard, nor perceived by the ear, neither hath the eye seen a God beside Thee, who worketh for him that waiteth for Him. 4 Thou didst take away him that joyfully worked righteousness, those that remembered Thee in Thy ways–behold, Thou wast wroth, and we sinned–upon them have we stayed of old, that we might be saved. 5 And we are all become as one that is unclean, and all our righteousnesses are as a polluted garment; and we all do fade as a leaf, and our iniquities, like the wind, take us away. 6 And there is none that calleth upon Thy name, that stirreth up himself to take hold of Thee; for Thou hast hid Thy face from us, and hast consumed us by means of our iniquities. 7 But now, Yehovah, Thou art our Father; we are the clay, and Thou our potter, and we all are the work of Thy hand. 8 Be not wroth very sore, Yehovah, neither remember iniquity for ever; behold, look, we beseech Thee, we are all Thy people. 9 Thy holy cities are become a wilderness, Zion is become a wilderness, Yerushalam a desolation. 10 Our holy and our beautiful house, where our fathers praised Thee, is burned with fire; and all our pleasant things are laid waste.

יא הַעַל־אֵלֶּה תִתְאַפַּק יְהוָה תֶּחֱשֶׁה וּתְעַנֵּנוּ עַד־מְאֹד׃

סה א נִדְרַשְׁתִּי לְלוֹא שָׁאָלוּ נִמְצֵאתִי לְלֹא בִקְשֻׁנִי אָמַרְתִּי הִנֵּנִי הִנֵּנִי אֶל־גּוֹי
לֹא־קֹרָא בִשְׁמִי׃ ב פֵּרַשְׂתִּי יָדַי כָּל־הַיּוֹם אֶל־עַם סוֹרֵר הַהֹלְכִים הַדֶּרֶךְ
לֹא־טוֹב אַחַר מַחְשְׁבֹתֵיהֶם׃ ג הָעָם הַמַּכְעִיסִים אוֹתִי עַל־פָּנַי תָּמִיד זֹבְחִים
בַּגַּנּוֹת וּמְקַטְּרִים עַל־הַלְּבֵנִים׃ ד הַיֹּשְׁבִים בַּקְּבָרִים וּבַנְּצוּרִים יָלִינוּ
הָאֹכְלִים בְּשַׂר הַחֲזִיר וּמְרַק[51] פִּגֻּלִים כְּלֵיהֶם׃ ה הָאֹמְרִים קְרַב אֵלֶיךָ
אַל־תִּגַּשׁ־בִּי כִּי קְדַשְׁתִּיךָ אֵלֶּה עָשָׁן בְּאַפִּי אֵשׁ יֹקֶדֶת כָּל־הַיּוֹם׃ ו הִנֵּה
כְתוּבָה לְפָנָי לֹא אֶחֱשֶׁה כִּי אִם־שִׁלַּמְתִּי וְשִׁלַּמְתִּי עַל־חֵיקָם׃ ז עֲוֺנֹתֵיכֶם
וַעֲוֺנֹת אֲבוֹתֵיכֶם יַחְדָּו אָמַר יְהוָה אֲשֶׁר קִטְּרוּ עַל־הֶהָרִים וְעַל־הַגְּבָעוֹת
חֵרְפוּנִי וּמַדֹּתִי פְעֻלָּתָם רִאשֹׁנָה אֶל־חֵיקָם[52]׃ ח כֹּה ׀ אָמַר יְהוָה כַּאֲשֶׁר
יִמָּצֵא הַתִּירוֹשׁ בָּאֶשְׁכּוֹל וְאָמַר אַל־תַּשְׁחִיתֵהוּ כִּי בְרָכָה בּוֹ כֵּן אֶעֱשֶׂה לְמַעַן
עֲבָדַי לְבִלְתִּי הַשְׁחִית הַכֹּל׃ ט וְהוֹצֵאתִי מִיַּעֲקֹב זֶרַע וּמִיהוּדָה יוֹרֵשׁ הָרָי
וִירֵשׁוּהָ בְחִירַי וַעֲבָדַי יִשְׁכְּנוּ־שָׁמָּה׃ י וְהָיָה הַשָּׁרוֹן לִנְוֵה־צֹאן וְעֵמֶק עָכוֹר
לְרֵבֶץ בָּקָר לְעַמִּי אֲשֶׁר דְּרָשׁוּנִי׃ יא וְאַתֶּם עֹזְבֵי יְהוָה הַשְּׁכֵחִים אֶת־הַר
קָדְשִׁי הַעֹרְכִים לַגַּד שֻׁלְחָן וְהַמְמַלְאִים לַמְנִי מִמְסָךְ׃ יב וּמָנִיתִי אֶתְכֶם
לַחֶרֶב וְכֻלְּכֶם לַטֶּבַח תִּכְרָעוּ יַעַן קָרָאתִי וְלֹא עֲנִיתֶם דִּבַּרְתִּי וְלֹא שְׁמַעְתֶּם
וַתַּעֲשׂוּ הָרַע בְּעֵינַי וּבַאֲשֶׁר לֹא־חָפַצְתִּי בְּחַרְתֶּם׃

יג לָכֵן כֹּה־אָמַר ׀ אֲדֹנָי יְהוִה הִנֵּה עֲבָדַי ׀ יֹאכֵלוּ וְאַתֶּם תִּרְעָבוּ הִנֵּה עֲבָדַי
יִשְׁתּוּ וְאַתֶּם תִּצְמָאוּ הִנֵּה עֲבָדַי יִשְׂמָחוּ וְאַתֶּם תֵּבֹשׁוּ׃ יד הִנֵּה עֲבָדַי יָרֹנּוּ
מִטּוּב לֵב וְאַתֶּם תִּצְעֲקוּ מִכְּאֵב לֵב וּמִשֵּׁבֶר רוּחַ תְּיֵלִילוּ׃ טו וְהִנַּחְתֶּם שִׁמְכֶם
לִשְׁבוּעָה לִבְחִירַי וֶהֱמִיתְךָ אֲדֹנָי יְהוִה וְלַעֲבָדָיו יִקְרָא שֵׁם אַחֵר׃ טז אֲשֶׁר
הַמִּתְבָּרֵךְ בָּאָרֶץ יִתְבָּרֵךְ בֵּאלֹהֵי אָמֵן וְהַנִּשְׁבָּע בָּאָרֶץ יִשָּׁבַע בֵּאלֹהֵי אָמֵן כִּי
נִשְׁכְּחוּ הַצָּרוֹת הָרִאשֹׁנוֹת וְכִי נִסְתְּרוּ מֵעֵינָי׃ יז כִּי־הִנְנִי בוֹרֵא שָׁמַיִם חֲדָשִׁים
וָאָרֶץ חֲדָשָׁה וְלֹא תִזָּכַרְנָה הָרִאשֹׁנוֹת וְלֹא תַעֲלֶינָה עַל־לֵב׃ יח כִּי־אִם־שִׂישׂוּ
וְגִילוּ עֲדֵי־עַד אֲשֶׁר אֲנִי בוֹרֵא כִּי הִנְנִי בוֹרֵא אֶת־יְרוּשָׁלִַם גִּילָה וְעַמָּהּ
מָשׂוֹשׂ׃ יט וְגַלְתִּי בִירוּשָׁלִַם וְשַׂשְׂתִּי בְעַמִּי וְלֹא־יִשָּׁמַע בָּהּ עוֹד קוֹל בְּכִי וְקוֹל
זְעָקָה׃ כ לֹא־יִהְיֶה מִשָּׁם עוֹד עוּל יָמִים וְזָקֵן אֲשֶׁר לֹא־יְמַלֵּא אֶת־יָמָיו כִּי
הַנַּעַר בֶּן־מֵאָה שָׁנָה יָמוּת וְהַחוֹטֶא בֶּן־מֵאָה שָׁנָה יְקֻלָּל׃ כא וּבָנוּ בָתִּים
וְיָשָׁבוּ וְנָטְעוּ כְרָמִים וְאָכְלוּ פִּרְיָם׃

[51] ופרק
[52] על

11 Wilt Thou refrain Thyself for these things, Yehovah? Wilt Thou hold Thy peace, and afflict us very sore?{P}

65 **1** I gave access to them that asked not for Me, I was at hand to them that sought Me not; I said: 'Behold Me, behold Me', unto a nation that was not called by My name. **2** I have spread out My hands all the day unto a rebellious people, that walk in a way that is not good, after their own thoughts; **3** A people that provoke Me to My face continually, that sacrifice in gardens, and burn incense upon bricks; **4** That sit among the graves, and lodge in the vaults; that eat swine's flesh, and broth of abominable things is in their vessels; **5** That say: 'Stand by thyself, come not near to me, for I am holier than thou'; these are a smoke in My nose, a fire that burneth all the day. **6** Behold, it is written before Me; I will not keep silence, except I have requited, yea, I will requite into their bosom, **7** Your own iniquities, and the iniquities of your fathers together, saith Yehovah, that have offered upon the mountains, and blasphemed Me upon the hills; therefore will I first measure their wage into their bosom.{S} **8** Thus saith Yehovah: As, when wine is found in the cluster, one saith: 'Destroy it not, for a blessing is in it'; so will I do for My servants' sakes, that I may not destroy all. **9** And I will bring forth a seed out of Jacob, and out of Judah an inheritor of My mountains; and Mine elect shall inherit it, and My servants shall dwell there. **10** And Sharon shall be a fold of flocks, and the valley of Achor a place for herds to lie down in, for My people that have sought Me; **11** But ye that forsake Yehovah, that forget My holy mountain, that prepare a table for Fortune, and that offer mingled wine in full measure unto Destiny, **12** I will destine you to the sword, and ye shall all bow down to the slaughter; because when I called, ye did not answer, when I spoke, ye did not hear; but ye did that which was evil in Mine eyes, and chose that wherein I delighted not.{P}

13 Therefore thus saith the Lord GOD [Adonai Yehovi]: Behold, My servants shall eat, but ye shall be hungry; Behold, My servants shall drink, but ye shall be thirsty; Behold, My servants shall rejoice, but ye shall be ashamed; **14** Behold, My servants shall sing for joy of heart, but ye shall cry for sorrow of heart, and shall wail for vexation of spirit. **15** And ye shall leave your name for a curse unto Mine elect: 'So may the Lord GOD [Adonai Yehovi] slay thee'; but He shall call His servants by another name; **16** So that he who blesseth himself in the earth shall bless himself by the God of truth; and he that sweareth in the earth shall swear by the God of truth; because the former troubles are forgotten, and because they are hid from Mine eyes. **17** For, behold, I create new heavens and a new earth; and the former things shall not be remembered, nor come into mind. **18** But be ye glad and rejoice for ever in that which I create; for, behold, I create Yerushalam a rejoicing, and her people a joy. **19** And I will rejoice in Yerushalam, and joy in My people; and the voice of weeping shall be no more heard in her, nor the voice of crying. **20** There shall be no more thence an infant of days, nor an old man, that hath not filled his days; for the youngest shall die a hundred years old, and the sinner being a hundred years old shall be accursed. **21** And they shall build houses, and inhabit them; and they shall plant vineyards, and eat the fruit of them.

כב לֹא יִבְנוּ֙ וְאַחֵ֣ר יֵשֵׁ֔ב לֹ֥א יִטְּע֖וּ וְאַחֵ֣ר יֹאכֵ֑ל כִּֽי־כִימֵ֤י הָעֵץ֙ יְמֵ֣י עַמִּ֔י וּמַעֲשֵׂ֥ה יְדֵיהֶ֖ם יְבַלּ֥וּ בְחִירָֽי: כג לֹ֤א יִֽיגְעוּ֙ לָרִ֔יק וְלֹ֥א יֵלְד֖וּ לַבֶּהָלָ֑ה כִּ֣י זֶ֜רַע בְּרוּכֵ֤י יְהֹוָה֙ הֵ֔מָּה וְצֶאֱצָאֵיהֶ֖ם אִתָּֽם: כד וְהָיָ֥ה טֶֽרֶם־יִקְרָ֖אוּ וַֽאֲנִ֣י אֶֽעֱנֶ֑ה ע֛וֹד הֵ֥ם מְדַבְּרִ֖ים וַֽאֲנִ֥י אֶשְׁמָֽע: כה זְאֵ֤ב וְטָלֶה֙ יִרְע֣וּ כְאֶחָ֔ד וְאַרְיֵ֖ה כַּבָּקָ֣ר יֹֽאכַל־תֶּ֑בֶן וְנָחָ֖שׁ עָפָ֣ר לַחְמ֑וֹ לֹֽא־יָרֵ֧עוּ וְלֹֽא־יַשְׁחִ֛יתוּ בְּכָל־הַ֥ר קָדְשִׁ֖י אָמַ֥ר יְהֹוָֽה:

סו א כֹּ֚ה אָמַ֣ר יְהֹוָ֔ה הַשָּׁמַ֣יִם כִּסְאִ֔י וְהָאָ֖רֶץ הֲדֹ֣ם רַגְלָ֑י אֵי־זֶ֥ה בַ֨יִת֙ אֲשֶׁ֣ר תִּבְנוּ־לִ֔י וְאֵי־זֶ֥ה מָק֖וֹם מְנֽוּחָתִֽי: ב וְאֶת־כָּל־אֵ֨לֶּה֙ יָדִ֣י עָשָׂ֔תָה וַיִּֽהְי֥וּ כָל־אֵ֖לֶּה נְאֻם־יְהֹוָ֑ה וְאֶל־זֶ֣ה אַבִּ֔יט אֶל־עָנִי֙ וּנְכֵה־ר֔וּחַ וְחָרֵ֖ד עַל־דְּבָרִֽי: ג שׁוֹחֵ֨ט הַשּׁ֜וֹר מַכֵּה־אִ֗ישׁ זוֹבֵ֤חַ הַשֶּׂה֙ עֹ֣רֵֽף כֶּ֔לֶב מַֽעֲלֵ֤ה מִנְחָה֙ דַּם־חֲזִ֔יר מַזְכִּ֥יר לְבֹנָ֖ה מְבָ֣רֵֽךְ אָ֑וֶן גַּם־הֵ֗מָּה בָּֽחֲרוּ֙ בְּדַרְכֵיהֶ֔ם וּבְשִׁקּֽוּצֵיהֶ֖ם נַפְשָׁ֥ם חָפֵֽצָה: ד גַּם־אֲנִ֞י אֶבְחַ֣ר בְּתַֽעֲלֻֽלֵיהֶ֗ם וּמְגֽוּרֹתָם֙ אָבִ֣יא לָהֶ֔ם יַ֤עַן קָרָ֨אתִי֙ וְאֵ֣ין עוֹנֶ֔ה דִּבַּ֖רְתִּי וְלֹ֣א שָׁמֵ֑עוּ וַיַּֽעֲשׂ֤וּ הָרַע֙ בְּעֵינַ֔י וּבַֽאֲשֶׁ֥ר לֹֽא־חָפַ֖צְתִּי בָּחָֽרוּ: ה שִׁמְעוּ֙ דְּבַר־יְהֹוָ֔ה הַֽחֲרֵדִ֖ים אֶל־דְּבָר֑וֹ אָֽמְרוּ֩ אֲחֵיכֶ֨ם שֹֽׂנְאֵיכֶ֜ם מְנַדֵּיכֶ֗ם לְמַ֤עַן שְׁמִי֙ יִכְבַּ֣ד יְהֹוָ֔ה וְנִרְאֶ֥ה בְשִׂמְחַתְכֶ֖ם וְהֵ֥ם יֵבֹֽשׁוּ: ו ק֤וֹל שָׁאוֹן֙ מֵעִ֔יר ק֖וֹל מֵֽהֵיכָ֑ל ק֣וֹל יְהֹוָ֔ה מְשַׁלֵּ֥ם גְּמ֖וּל לְאֹֽיְבָֽיו: ז בְּטֶ֥רֶם תָּחִ֖יל יָלָ֑דָה בְּטֶ֨רֶם יָב֥וֹא חֵ֛בֶל לָ֖הּ וְהִמְלִ֥יטָה זָכָֽר: ח מִֽי־שָׁמַ֣ע כָּזֹ֗את מִ֤י רָאָה֙ כָּאֵ֔לֶּה הֲי֤וּחַל אֶ֨רֶץ֙ בְּי֣וֹם אֶחָ֔ד אִם־יִוָּ֥לֵֽד גּ֖וֹי פַּ֣עַם אֶחָ֑ת כִּֽי־חָ֛לָה גַּם־יָֽלְדָ֥ה צִיּ֖וֹן אֶת־בָּנֶֽיהָ: ט הַֽאֲנִ֥י אַשְׁבִּ֛יר וְלֹ֥א אוֹלִ֖יד יֹאמַ֣ר יְהֹוָ֑ה אִם־אֲנִ֧י הַמּוֹלִ֛יד וְעָצַ֖רְתִּי אָמַ֥ר אֱלֹהָֽיִךְ: י שִׂמְח֤וּ אֶת־יְרֽוּשָׁלַ֨͏ִם֙ וְגִ֣ילוּ בָ֔הּ כָּל־אֹֽהֲבֶ֑יהָ שִׂ֤ישׂוּ אִתָּהּ֙ מָשׂ֔וֹשׂ כָּל־הַמִּֽתְאַבְּלִ֖ים עָלֶֽיהָ: יא לְמַ֤עַן תִּֽינְקוּ֙ וּשְׂבַעְתֶּ֔ם מִשֹּׁ֖ד תַּנְחֻמֶ֑יהָ לְמַ֧עַן תָּמֹ֛צּוּ וְהִתְעַנַּגְתֶּ֖ם מִזִּ֥יז כְּבוֹדָֽהּ: יב כִּֽי־כֹ֣ה ׀ אָמַ֣ר יְהֹוָ֗ה הִנְנִ֣י נֹֽטֶה־אֵ֠לֶ֠יהָ כְּנָהָ֨ר שָׁל֜וֹם וּכְנַ֧חַל שׁוֹטֵ֛ף כְּב֥וֹד גּוֹיִ֖ם וִֽינַקְתֶּ֑ם עַל־צַד֙ תִּנָּשֵׂ֔אוּ וְעַל־בִּרְכַּ֖יִם תְּשָֽׁעֳשָֽׁעוּ: יג כְּאִ֕ישׁ אֲשֶׁ֥ר אִמּ֖וֹ תְּנַֽחֲמֶ֑נּוּ כֵּ֤ן אָֽנֹכִי֙ אֲנַ֣חֶמְכֶ֔ם וּבִירֽוּשָׁלַ֖͏ִם תְּנֻחָֽמוּ: יד וּרְאִיתֶם֙ וְשָׂ֣שׂ לִבְּכֶ֔ם וְעַצְמֽוֹתֵיכֶ֖ם כַּדֶּ֣שֶׁא תִפְרַ֑חְנָה וְנֽוֹדְעָ֤ה יַד־יְהֹוָה֙ אֶת־עֲבָדָ֔יו וְזָעַ֖ם אֶת־אֹֽיְבָֽיו: יה כִּֽי־הִנֵּ֤ה יְהֹוָה֙ בָּאֵ֣שׁ יָב֔וֹא וְכַסּוּפָ֖ה מַרְכְּבֹתָ֑יו לְהָשִׁ֤יב בְּחֵמָה֙ אַפּ֔וֹ וְגַֽעֲרָת֖וֹ בְּלַֽהֲבֵי־אֵֽשׁ:

<u>22</u> They shall not build, and another inhabit, they shall not plant, and another eat; for as the days of a tree shall be the days of My people, and Mine elect shall long enjoy the work of their hands. <u>23</u> They shall not labour in vain, nor bring forth for terror; for they are the seed blessed of Yehovah, and their offspring with them. <u>24</u> And it shall come to pass that, before they call, I will answer, and while they are yet speaking, I will hear. <u>25</u> The wolf and the lamb shall feed together, and the lion shall eat straw like the ox; and dust shall be the serpent's food. They shall not hurt nor destroy in all My holy mountain, saith Yehovah.{s}

66 <u>1</u> Thus saith Yehovah: The heaven is My throne, and the earth is My footstool; where is the house that ye may build unto Me? And where is the place that may be My resting-place? <u>2</u> For all these things hath My hand made, and so all these things came to be, saith Yehovah; but on this man will I look, even on him that is poor and of a contrite spirit, and trembleth at My word. <u>3</u> He that killeth an ox is as if he slew a man; he that sacrificeth a lamb, as if he broke a dog's neck; he that offereth a meal-offering, as if he offered swine's blood; he that maketh a memorial-offering of frankincense, as if he blessed an idol; according as they have chosen their own ways, and their soul delighteth in their abominations; <u>4</u> Even so I will choose their mockings, and will bring their fears upon them; because when I called, none did answer; when I spoke, they did not hear, but they did that which was evil in Mine eyes, and chose that in which I delighted not.{s} <u>5</u> Hear the word of Yehovah, ye that tremble at His word: Your brethren that hate you, that cast you out for My name's sake, have said: 'Let Yehovah be glorified, that we may gaze upon your joy', but they shall be ashamed. <u>6</u> Hark! an uproar from the city, Hark! it cometh from the temple, Hark! Yehovah rendereth recompense to His enemies. <u>7</u> Before she travailed, she brought forth; before her pain came, she was delivered of a man-child. <u>8</u> Who hath heard such a thing? Who hath seen such things? Is a land born in one day? Is a nation brought forth at once? For as soon as Zion travailed, she brought forth her children. <u>9</u> Shall I bring to the birth, and not cause to bring forth? saith Yehovah; Shall I that cause to bring forth shut the womb? saith thy God.{s} <u>10</u> Rejoice ye with Yerushalam, and be glad with her, all ye that love her; rejoice for joy with her, all ye that mourn for her; <u>11</u> That ye may suck, and be satisfied with the breast of her consolations; that ye may drink deeply with delight of the abundance of her glory.{s} <u>12</u> For thus saith Yehovah: Behold, I will extend peace to her like a river, and the wealth of the nations like an overflowing stream, and ye shall suck thereof: Ye shall be borne upon the side, and shall be dandled upon the knees. <u>13</u> As one whom his mother comforteth, so will I comfort you; and ye shall be comforted in Yerushalam. <u>14</u> And when ye see this, your heart shall rejoice, and your bones shall flourish like young grass; and the hand of Yehovah shall be known toward His servants, and He will have indignation against His enemies.{s} <u>15</u> For, behold, Yehovah will come in fire, and His chariots shall be like the whirlwind; to render His anger with fury, and His rebuke with flames of fire.

יו כִּי בָאֵשׁ יְהוָה נִשְׁפָּט וּבְחַרְבּוֹ אֶת־כָּל־בָּשָׂר וְרַבּוּ חַלְלֵי יְהוָה׃
יז הַמִּתְקַדְּשִׁים וְהַמִּטַּהֲרִים אֶל־הַגַּנּוֹת אַחַר אַחַת[53] בַּתָּוֶךְ אֹכְלֵי בְּשַׂר
הַחֲזִיר וְהַשֶּׁקֶץ וְהָעַכְבָּר יַחְדָּו יָסֻפוּ נְאֻם־יְהוָה׃ יח וְאָנֹכִי מַעֲשֵׂיהֶם
וּמַחְשְׁבֹתֵיהֶם בָּאָה לְקַבֵּץ אֶת־כָּל־הַגּוֹיִם וְהַלְּשֹׁנוֹת וּבָאוּ וְרָאוּ
אֶת־כְּבוֹדִי׃ יט וְשַׂמְתִּי בָהֶם אוֹת וְשִׁלַּחְתִּי מֵהֶם ׀ פְּלֵיטִים אֶל־הַגּוֹיִם
תַּרְשִׁישׁ פּוּל וְלוּד מֹשְׁכֵי קֶשֶׁת תֻּבַל וְיָוָן הָאִיִּים הָרְחֹקִים אֲשֶׁר
לֹא־שָׁמְעוּ אֶת־שִׁמְעִי וְלֹא־רָאוּ אֶת־כְּבוֹדִי וְהִגִּידוּ אֶת־כְּבוֹדִי בַּגּוֹיִם׃
כ וְהֵבִיאוּ אֶת־כָּל־אֲחֵיכֶם מִכָּל־הַגּוֹיִם ׀ מִנְחָה ׀ לַיהוָה בַּסּוּסִים
וּבָרֶכֶב וּבַצַּבִּים וּבַפְּרָדִים וּבַכִּרְכָּרוֹת עַל הַר קָדְשִׁי יְרוּשָׁלִַם אָמַר
יְהוָה כַּאֲשֶׁר יָבִיאוּ בְנֵי יִשְׂרָאֵל אֶת־הַמִּנְחָה בִּכְלִי טָהוֹר בֵּית יְהוָה׃
כא וְגַם־מֵהֶם אֶקַּח לַכֹּהֲנִים לַלְוִיִּם אָמַר יְהוָה׃ כב כִּי כַאֲשֶׁר הַשָּׁמַיִם
הַחֲדָשִׁים וְהָאָרֶץ הַחֲדָשָׁה אֲשֶׁר אֲנִי עֹשֶׂה עֹמְדִים לְפָנַי נְאֻם־יְהוָה כֵּן
יַעֲמֹד זַרְעֲכֶם וְשִׁמְכֶם׃ כג וְהָיָה מִדֵּי־חֹדֶשׁ בְּחָדְשׁוֹ וּמִדֵּי שַׁבָּת בְּשַׁבַּתּוֹ
יָבוֹא כָל־בָּשָׂר לְהִשְׁתַּחֲוֺת לְפָנַי אָמַר יְהוָה׃ כד וְיָצְאוּ וְרָאוּ בְּפִגְרֵי
הָאֲנָשִׁים הַפֹּשְׁעִים בִּי כִּי תוֹלַעְתָּם לֹא תָמוּת וְאִשָּׁם לֹא תִכְבֶּה וְהָיוּ
דֵרָאוֹן לְכָל־בָּשָׂר׃

[53]אחד

16 For by fire will Yehovah contend, and by His sword with all flesh; and the slain of Yehovah shall be many.   **17** They that sanctify themselves and purify themselves to go unto the gardens, behind one in the midst, eating swine's flesh, and the detestable thing, and the mouse, shall be consumed together, saith Yehovah. **18** For I [know] their works and their thoughts; [the time] cometh, that I will gather all nations and tongues; and they shall come, and shall see My glory. **19** And I will work a sign among them, and I will send such as escape of them unto the nations, to Tarshish, Pul and Lud, that draw the bow, to Tubal and Javan, to the isles afar off, that have not heard My fame, neither have seen My glory; and they shall declare My glory among the nations. **20** And they shall bring all your brethren out of all the nations for an offering unto Yehovah, upon horses, and in chariots, and in litters, and upon mules, and upon swift beasts, to My holy mountain Yerushalam, saith Yehovah, as the children of Israel bring their offering in a clean vessel into the house of Yehovah. **21** And of them also will I take for the priests and for the Levites, saith Yehovah. **22** For as the new heavens and the new earth, which I will make, shall remain before Me, saith Yehovah, so shall your seed and your name remain. **23** And it shall come to pass, that from one new moon to another, and from one sabbath to another, shall all flesh come to worship before Me, saith Yehovah. **24** And they shall go forth, and look upon the carcasses of the men that have rebelled against Me; for their worm shall not die, neither shall their fire be quenched; and they shall be an abhorring unto all flesh.{P}

ירמיהו

Jeremiah

Book of Jeremiah in the Leningrad Codex
(left column, upper, page 495 in pdf)

א אַ דִּבְרֵי יִרְמְיָהוּ בֶּן־חִלְקִיָּהוּ מִן־הַכֹּהֲנִים אֲשֶׁר בַּעֲנָתוֹת בְּאֶרֶץ בִּנְיָמִן׃
ב אֲשֶׁר הָיָה דְבַר־יְהוָה אֵלָיו בִּימֵי יֹאשִׁיָּהוּ בֶן־אָמוֹן מֶלֶךְ יְהוּדָה
בִּשְׁלֹשׁ־עֶשְׂרֵה שָׁנָה לְמָלְכוֹ׃ ג וַיְהִי בִּימֵי יְהוֹיָקִים בֶּן־יֹאשִׁיָּהוּ מֶלֶךְ יְהוּדָה
עַד־תֹּם עַשְׁתֵּי עֶשְׂרֵה שָׁנָה לְצִדְקִיָּהוּ בֶן־יֹאשִׁיָּהוּ מֶלֶךְ יְהוּדָה עַד־גְּלוֹת
יְרוּשָׁלַםִ בַּחֹדֶשׁ הַחֲמִישִׁי׃ ד וַיְהִי דְבַר־יְהוָה אֵלַי לֵאמֹר׃ ה בְּטֶרֶם
אֶצָּרְךָ[1] בַבֶּטֶן יְדַעְתִּיךָ וּבְטֶרֶם תֵּצֵא מֵרֶחֶם הִקְדַּשְׁתִּיךָ נָבִיא לַגּוֹיִם נְתַתִּיךָ׃
ו וָאֹמַר אֲהָהּ אֲדֹנָי יְהוִה הִנֵּה לֹא־יָדַעְתִּי דַּבֵּר כִּי־נַעַר אָנֹכִי׃

ז וַיֹּאמֶר יְהוָה אֵלַי אַל־תֹּאמַר נַעַר אָנֹכִי כִּי עַל־כָּל־אֲשֶׁר אֶשְׁלָחֲךָ תֵּלֵךְ
וְאֵת כָּל־אֲשֶׁר אֲצַוְּךָ תְּדַבֵּר׃ ח אַל־תִּירָא מִפְּנֵיהֶם כִּי־אִתְּךָ אֲנִי לְהַצִּלֶךָ
נְאֻם־יְהוָה׃ ט וַיִּשְׁלַח יְהוָה אֶת־יָדוֹ וַיַּגַּע עַל־פִּי וַיֹּאמֶר יְהוָה אֵלַי הִנֵּה נָתַתִּי
דְבָרַי בְּפִיךָ׃ י רְאֵה הִפְקַדְתִּיךָ ׀ הַיּוֹם הַזֶּה עַל־הַגּוֹיִם וְעַל־הַמַּמְלָכוֹת
לִנְתוֹשׁ וְלִנְתוֹץ וּלְהַאֲבִיד וְלַהֲרוֹס לִבְנוֹת וְלִנְטוֹעַ׃

יא וַיְהִי דְבַר־יְהוָה אֵלַי לֵאמֹר מָה־אַתָּה רֹאֶה יִרְמְיָהוּ וָאֹמַר מַקֵּל שָׁקֵד אֲנִי
רֹאֶה׃ יב וַיֹּאמֶר יְהוָה אֵלַי הֵיטַבְתָּ לִרְאוֹת כִּי־שֹׁקֵד אֲנִי עַל־דְּבָרִי לַעֲשֹׂתוֹ׃

יג וַיְהִי דְבַר־יְהוָה ׀ אֵלַי שֵׁנִית לֵאמֹר מָה אַתָּה רֹאֶה וָאֹמַר סִיר נָפוּחַ אֲנִי
רֹאֶה וּפָנָיו מִפְּנֵי צָפוֹנָה׃ יד וַיֹּאמֶר יְהוָה אֵלָי מִצָּפוֹן תִּפָּתַח הָרָעָה עַל
כָּל־יֹשְׁבֵי הָאָרֶץ׃ טו כִּי ׀ הִנְנִי קֹרֵא לְכָל־מִשְׁפְּחוֹת מַמְלְכוֹת צָפוֹנָה
נְאֻם־יְהוָה וּבָאוּ וְנָתְנוּ אִישׁ כִּסְאוֹ פֶּתַח ׀ שַׁעֲרֵי יְרוּשָׁלַםִ וְעַל כָּל־חוֹמֹתֶיהָ
סָבִיב וְעַל כָּל־עָרֵי יְהוּדָה׃ טז וְדִבַּרְתִּי מִשְׁפָּטַי אוֹתָם עַל כָּל־רָעָתָם אֲשֶׁר
עֲזָבוּנִי וַיְקַטְּרוּ לֵאלֹהִים אֲחֵרִים וַיִּשְׁתַּחֲווּ לְמַעֲשֵׂי יְדֵיהֶם׃ יז וְאַתָּה תֶּאְזֹר
מָתְנֶיךָ וְקַמְתָּ וְדִבַּרְתָּ אֲלֵיהֶם אֵת כָּל־אֲשֶׁר אָנֹכִי אֲצַוֶּךָּ אַל־תֵּחַת מִפְּנֵיהֶם
פֶּן־אֲחִתְּךָ לִפְנֵיהֶם׃ יח וַאֲנִי הִנֵּה נְתַתִּיךָ הַיּוֹם לְעִיר מִבְצָר וּלְעַמּוּד בַּרְזֶל
וּלְחֹמוֹת נְחֹשֶׁת עַל־כָּל־הָאָרֶץ לְמַלְכֵי יְהוּדָה לְשָׂרֶיהָ לְכֹהֲנֶיהָ וּלְעַם
הָאָרֶץ׃ יט וְנִלְחֲמוּ אֵלֶיךָ וְלֹא־יוּכְלוּ לָךְ כִּי־אִתְּךָ אֲנִי נְאֻם־יְהוָה לְהַצִּילֶךָ׃

ב א וַיְהִי דְבַר־יְהוָה אֵלַי לֵאמֹר׃ ב הָלֹךְ וְקָרָאתָ בְאָזְנֵי יְרוּשָׁלַםִ לֵאמֹר
כֹּה אָמַר יְהוָה זָכַרְתִּי לָךְ חֶסֶד נְעוּרַיִךְ אַהֲבַת כְּלוּלֹתָיִךְ לֶכְתֵּךְ אַחֲרַי
בַּמִּדְבָּר בְּאֶרֶץ לֹא זְרוּעָה׃ ג קֹדֶשׁ יִשְׂרָאֵל לַיהוָה רֵאשִׁית תְּבוּאָתֹה
כָּל־אֹכְלָיו יֶאְשָׁמוּ רָעָה תָּבֹא אֲלֵיהֶם נְאֻם־יְהוָה׃

[1]אצורך

1 1 The words of Jeremiah the son of Hilkiah, of the priests that were in Anathoth in the land of Benjamin, **2** to whom the word of Yehovah came in the days of Josiah the son of Amon, king of Judah, in the thirteenth year of his reign. **3** It came also in the days of Jehoiakim the son of Josiah, king of Judah, unto the end of the eleventh year of Zedekiah the son of Josiah, king of Judah, unto the carrying away of Yerushalam captive in the fifth month.{P}

4 And the word of Yehovah came unto me, saying: **5** Before I formed thee in the belly I knew thee, and before thou camest forth out of the womb I sanctified thee; I have appointed thee a prophet unto the nations. **6** Then said I: 'Ah, Lord GOD [Adonai Yehovi]! behold, I cannot speak; for I am a child.'{S} **7** But Yehovah said unto me: say not: I am a child; for to whomsoever I shall send thee thou shalt go, and whatsoever I shall command thee thou shalt speak. **8** Be not afraid of them; for I am with thee to deliver thee, saith Yehovah. **9** Then Yehovah put forth His hand, and touched my mouth; and Yehovah said unto me: Behold, I have put My words in thy mouth; **10** See, I have this day set thee over the nations and over the kingdoms, to root out and to pull down, and to destroy and to overthrow; to build, and to plant.{P}

11 Moreover the word of Yehovah came unto me, saying: 'Jeremiah, what seest thou?' And I said: 'I see a rod of an almond-tree.' **12** Then said Yehovah unto me: 'Thou hast well seen; for I watch over My word to perform it.'{S} **13** And the word of Yehovah came unto me the second time, saying: 'What seest thou?' And I said: 'I see a seething pot; and the face thereof is from the north.' **14** Then Yehovah said unto me: 'Out of the north the evil shall break forth upon all the inhabitants of the land. **15** For, lo, I will call all the families of the kingdoms of the north, saith Yehovah; and they shall come, and they shall set every one his throne at the entrance of the gates of Yerushalam, and against all the walls thereof round about, and against all the cities of Judah. **16** And I will utter My judgments against them touching all their wickedness; in that they have forsaken me, and have offered unto other gods, and worshipped the work of their own hands. **17** Thou therefore gird up thy loins, and arise, and speak unto them all that I command thee; be not dismayed at them, lest I dismay thee before them. **18** For, behold, I have made thee this day a fortified city, and an iron pillar, and brazen walls, against the whole land, against the kings of Judah, against the princes thereof, against the priests thereof, and against the people of the land. **19** And they shall fight against thee; but they shall not prevail against thee; For I am with thee, saith Yehovah, to deliver thee.'{P}

2 1 And the word of Yehovah came to me, saying: **2** Go, and cry in the ears of Yerushalam, saying: Thus saith Yehovah: I remember for thee the affection of thy youth, the love of thine espousals; how thou wentest after Me in the wilderness, in a land that was not sown. **3** Israel is Yehovah's hallowed portion, His first-fruits of the increase; all that devour him shall be held guilty, evil shall come upon them, saith Yehovah.{P}

ד שִׁמְעוּ דְבַר־יְהוָה בֵּית יַעֲקֹב וְכָל־מִשְׁפְּחוֹת בֵּית יִשְׂרָאֵל: ה כֹּה ׀ אָמַר יְהוָה
מַה־מָּצְאוּ אֲבוֹתֵיכֶם בִּי עָוֶל כִּי רָחֲקוּ מֵעָלָי וַיֵּלְכוּ אַחֲרֵי הַהֶבֶל וַיֶּהְבָּלוּ:
ו וְלֹא אָמְרוּ אַיֵּה יְהוָה הַמַּעֲלֶה אֹתָנוּ מֵאֶרֶץ מִצְרָיִם הַמּוֹלִיךְ אֹתָנוּ בַּמִּדְבָּר
בְּאֶרֶץ עֲרָבָה וְשׁוּחָה בְּאֶרֶץ צִיָּה וְצַלְמָוֶת בְּאֶרֶץ לֹא־עָבַר בָּהּ אִישׁ וְלֹא־יָשַׁב
אָדָם שָׁם: ז וָאָבִיא אֶתְכֶם אֶל־אֶרֶץ הַכַּרְמֶל לֶאֱכֹל פִּרְיָהּ וְטוּבָהּ וַתָּבֹאוּ
וַתְּטַמְּאוּ אֶת־אַרְצִי וְנַחֲלָתִי שַׂמְתֶּם לְתוֹעֵבָה: ח הַכֹּהֲנִים לֹא אָמְרוּ אַיֵּה יְהוָה
וְתֹפְשֵׂי הַתּוֹרָה לֹא יְדָעוּנִי וְהָרֹעִים פָּשְׁעוּ בִי וְהַנְּבִאִים נִבְּאוּ בַבַּעַל וְאַחֲרֵי
לֹא־יוֹעִלוּ הָלָכוּ: ט לָכֵן עֹד אָרִיב אִתְּכֶם נְאֻם־יְהוָה וְאֶת־בְּנֵי בְנֵיכֶם אָרִיב:
י כִּי עִבְרוּ אִיֵּי כִתִּיִּים וּרְאוּ וְקֵדָר שִׁלְחוּ וְהִתְבּוֹנְנוּ מְאֹד וּרְאוּ הֵן הָיְתָה כָּזֹאת:
יא הַהֵימִיר גּוֹי אֱלֹהִים וְהֵמָּה לֹא אֱלֹהִים וְעַמִּי הֵמִיר כְּבוֹדוֹ בְּלוֹא יוֹעִיל:
יב שֹׁמּוּ שָׁמַיִם עַל־זֹאת וְשַׂעֲרוּ חָרְבוּ מְאֹד נְאֻם־יְהוָה: יג כִּי־שְׁתַּיִם רָעוֹת
עָשָׂה עַמִּי אֹתִי עָזְבוּ מְקוֹר ׀ מַיִם חַיִּים לַחְצֹב לָהֶם בֹּארוֹת בֹּארֹת נִשְׁבָּרִים
אֲשֶׁר לֹא־יָכִלוּ הַמָּיִם: יד הַעֶבֶד יִשְׂרָאֵל אִם־יְלִיד בַּיִת הוּא מַדּוּעַ הָיָה לָבַז:
טו עָלָיו יִשְׁאֲגוּ כְפִרִים נָתְנוּ קוֹלָם וַיָּשִׁיתוּ אַרְצוֹ לְשַׁמָּה עָרָיו נִצְּתוּ[2] מִבְּלִי
יֹשֵׁב: טז גַּם־בְּנֵי־נֹף וְתַחְפַּנְחֵס[3] יִרְעוּךְ קָדְקֹד: יז הֲלוֹא־זֹאת תַּעֲשֶׂה־לָּךְ עָזְבֵךְ
אֶת־יְהוָה אֱלֹהַיִךְ בְּעֵת מוֹלִיכֵךְ בַּדָּרֶךְ: יח וְעַתָּה מַה־לָּךְ לְדֶרֶךְ מִצְרַיִם
לִשְׁתּוֹת מֵי שִׁחוֹר וּמַה־לָּךְ לְדֶרֶךְ אַשּׁוּר לִשְׁתּוֹת מֵי נָהָר: יט תְּיַסְּרֵךְ רָעָתֵךְ
וּמְשֻׁבוֹתַיִךְ תּוֹכִחֻךְ וּדְעִי וּרְאִי כִּי־רַע וָמָר עָזְבֵךְ אֶת־יְהוָה אֱלֹהָיִךְ וְלֹא
פַחְדָּתִי אֵלַיִךְ נְאֻם־אֲדֹנָי יְהוִה צְבָאוֹת: כ כִּי מֵעוֹלָם שָׁבַרְתִּי עֻלֵּךְ נִתַּקְתִּי
מוֹסְרֹתַיִךְ וַתֹּאמְרִי לֹא אֶעֱבוֹר[4] כִּי עַל־כָּל־גִּבְעָה גְּבֹהָה וְתַחַת כָּל־עֵץ רַעֲנָן
אַתְּ צֹעָה זֹנָה: כא וְאָנֹכִי נְטַעְתִּיךְ שֹׂרֵק כֻּלֹּה זֶרַע אֱמֶת וְאֵיךְ נֶהְפַּכְתְּ לִי סוּרֵי
הַגֶּפֶן נָכְרִיָּה: כב כִּי אִם־תְּכַבְּסִי בַּנֶּתֶר וְתַרְבִּי־לָךְ בֹּרִית נִכְתָּם עֲוֹנֵךְ לְפָנַי
נְאֻם אֲדֹנָי יְהוִה: כג אֵיךְ תֹּאמְרִי לֹא נִטְמֵאתִי אַחֲרֵי הַבְּעָלִים לֹא הָלַכְתִּי רְאִי
דַרְכֵּךְ בַּגַּיְא דְּעִי מֶה עָשִׂית בִּכְרָה קַלָּה מְשָׂרֶכֶת דְּרָכֶיהָ: כד פֶּרֶה ׀ לִמֻּד
מִדְבָּר בְּאַוַּת נַפְשָׁהּ[5] שָׁאֲפָה רוּחַ תַּאֲנָתָהּ מִי יְשִׁיבֶנָּה כָּל־מְבַקְשֶׁיהָ לֹא יִיעָפוּ
בְּחָדְשָׁהּ יִמְצָאוּנְהָ: כה מִנְעִי רַגְלֵךְ מִיָּחֵף וּגְרוֹנֵךְ[6] מִצִּמְאָה וַתֹּאמְרִי נוֹאָשׁ לוֹא
כִּי־אָהַבְתִּי זָרִים וְאַחֲרֵיהֶם אֵלֵךְ: כו כְּבֹשֶׁת גַּנָּב כִּי יִמָּצֵא כֵּן הֹבִישׁוּ בֵּית
יִשְׂרָאֵל הֵמָּה מַלְכֵיהֶם שָׂרֵיהֶם וְכֹהֲנֵיהֶם וּנְבִיאֵיהֶם:

[2] נצתה
[3] ותחפנס
[4] אעבד
[5] נפשו
[6] וגורנך

4 Hear ye the word of Yehovah, O house of Jacob, and all the families of the house of Israel; **5** Thus saith Yehovah: what unrighteousness have your fathers found in Me, that they are gone far from Me, and have walked after things of nought, and are become nought? **6** Neither said they: 'Where is Yehovah that brought us up out of the land of Egypt; that led us through the wilderness, through a land of deserts and of pits, through a land of drought and of great darkness, through a land that no man passed through, and where no man dwelt?' **7** And I brought you into a land of fruitful fields, to eat the fruit thereof and the good thereof; but when ye entered, ye defiled My land, and made My heritage an abomination. **8** The priests said not: 'Where is Yehovah?' And they that handle the Torah knew Me not, and the rulers transgressed against Me; the prophets also prophesied by Baal, and walked after things that do not profit. **9** Wherefore I will yet plead with you, saith Yehovah, and with your children's children will I plead. **10** For pass over to the isles of the Kittites, and see, and send unto Kedar, and consider diligently, and see if there hath been such a thing. **11** Hath a nation changed its gods, which yet are no gods? But My people hath changed its glory for that which doth not profit. **12** Be astonished, O ye heavens, at this, and be horribly afraid, be ye exceeding amazed, saith Yehovah. **13** For My people have committed two evils: they have forsaken Me, the fountain of living waters, and hewed them out cisterns, broken cisterns, that can hold no water. **14** Is Israel a servant? Is he a home-born slave? Why is he become a prey? **15** The young lions have roared upon him, and let their voice resound; and they have made his land desolate, his cities are laid waste, without inhabitant. **16** The children also of Noph and Tahpanhes feed upon the crown of thy head. **17** Is it not this that doth cause it unto thee, that thou hast forsaken Yehovah thy God, when He led thee by the way? **18** And now what hast thou to do in the way to Egypt, to drink the waters of Shihor? Or what hast thou to do in the way to Assyria, to drink the waters of the River? **19** Thine own wickedness shall correct thee, and thy backslidings shall reprove thee: know therefore and see that it is an evil and a bitter thing, that thou hast forsaken Yehovah thy God, neither is My fear in thee, saith the Lord GOD [Adonai Yehovi] of hosts. **20** For of old time I have broken thy yoke, and burst thy bands, and thou saidst: 'I will not transgress'; upon every high hill and under every leafy tree thou didst recline, playing the harlot. **21** Yet I had planted thee a noble vine, wholly a right seed; how then art thou turned into the degenerate plant of a strange vine unto Me? **22** For though thou wash thee with nitre, and take thee much soap, yet thine iniquity is marked before Me, saith the Lord GOD [Adonai Yehovi]. **23** How canst thou say: 'I am not defiled, I have not gone after the Baalim'? See thy way in the Valley, know what thou hast done; thou art a swift young camel traversing her ways; **24** A wild ass used to the wilderness, that snuffeth up the wind in her desire; her lust, who can hinder it? All they that seek her will not weary themselves; in her month they shall find her. **25** Withhold thy foot from being unshod, and thy throat from thirst; but thou saidst: 'There is no hope; no, for I have loved strangers, and after them will I go.' **26** As the thief is ashamed when he is found, so is the house of Israel ashamed; they, their kings, their princes, and their priests, and their prophets;

כז אֹמְרִ֨ים לָעֵ֜ץ אָ֣בִי אַ֗תָּה וְלָאֶ֙בֶן֙ אַ֣תְּ יְלִדְתָּ֒נוּ[7] כִּֽי־פָנ֤וּ אֵלַי֙ עֹ֣רֶף וְלֹ֣א פָנִ֔ים וּבְעֵ֤ת רָֽעָתָם֙ יֹֽאמְר֔וּ ק֖וּמָה וְהוֹשִׁיעֵֽנוּ: כח וְאַיֵּ֤ה אֱלֹהֶ֙יךָ֙ אֲשֶׁ֣ר עָשִׂ֣יתָ לָּ֔ךְ יָק֕וּמוּ אִם־יוֹשִׁיע֖וּךָ בְּעֵ֣ת רָֽעָתֶ֑ךָ כִּ֚י מִסְפַּ֣ר עָרֶ֔יךָ הָי֥וּ אֱלֹהֶ֖יךָ יְהוּדָֽה: כט לָ֥מָּה תָרִ֖יבוּ אֵלָ֑י כֻּלְּכֶ֛ם פְּשַׁעְתֶּ֥ם בִּ֖י נְאֻם־יְהוָֽה: ל לַשָּׁוְא֙ הִכֵּ֣יתִי אֶת־בְּנֵיכֶ֔ם מוּסָ֖ר לֹ֣א לָקָ֑חוּ אָכְלָ֧ה חַרְבְּכֶ֛ם נְבִֽיאֵיכֶ֖ם כְּאַרְיֵ֥ה מַשְׁחִֽית: לא הַדּ֗וֹר אַתֶּם֙ רְא֣וּ דְבַר־יְהוָ֔ה הֲמִדְבָּ֤ר הָיִ֙יתִי֙ לְיִשְׂרָאֵ֔ל אִ֛ם אֶ֥רֶץ מַאְפֵּ֖לְיָ֑ה מַדּ֜וּעַ אָֽמְר֤וּ עַמִּי֙ רַ֔דְנוּ לֽוֹא־נָב֥וֹא ע֖וֹד אֵלֶֽיךָ: לב הֲתִשְׁכַּ֤ח בְּתוּלָה֙ עֶדְיָ֔הּ כַּלָּ֖ה קִשֻּׁרֶ֑יהָ וְעַמִּ֣י שְׁכֵח֔וּנִי יָמִ֖ים אֵ֥ין מִסְפָּֽר: לג מַה־תֵּיטִ֥בִי דַּרְכֵּ֖ךְ לְבַקֵּ֣שׁ אַהֲבָ֑ה לָכֵן֙ גַּ֣ם אֶת־הָרָע֔וֹת לִמַּ֖דְתִּ[8] אֶת־דְּרָכָֽיִךְ: לד גַּ֤ם בִּכְנָפַ֙יִךְ֙ נִמְצְא֔וּ דַּ֛ם נַפְשׁ֥וֹת אֶבְיוֹנִ֖ים נְקִיִּ֑ים לֹֽא־בַמַּחְתֶּ֥רֶת מְצָאתִ֖ים כִּ֥י עַל־כָּל־אֵֽלֶּה: לה וַתֹּ֣אמְרִ֔י כִּ֣י נִקֵּ֔יתִי אַ֛ךְ שָׁ֥ב אַפּ֖וֹ מִמֶּ֑נִּי הִנְנִי֙ נִשְׁפָּ֣ט אוֹתָ֔ךְ עַל־אָמְרֵ֖ךְ לֹ֥א חָטָֽאתִי: לו מַה־תֵּזְלִ֥י מְאֹ֖ד לְשַׁנּ֣וֹת אֶת־דַּרְכֵּ֑ךְ גַּ֤ם מִמִּצְרַ֙יִם֙ תֵּב֔וֹשִׁי כַּאֲשֶׁר־בֹּ֖שְׁתְּ מֵאַשּֽׁוּר: לז גַּ֣ם מֵאֵ֥ת זֶ֛ה תֵּצְאִ֖י וְיָדַ֣יִךְ עַל־רֹאשֵׁ֑ךְ כִּֽי־מָאַ֤ס יְהוָה֙ בְּמִבְטַחַ֔יִךְ וְלֹ֥א תַצְלִ֖יחִי לָהֶֽם:

ג א לֵאמֹ֡ר הֵ֣ן יְשַׁלַּ֣ח אִ֣ישׁ אֶת־אִשְׁתּ֡וֹ וְהָלְכָ֣ה מֵאִתּוֹ֩ וְהָיְתָ֨ה לְאִישׁ־אַחֵ֜ר הֲיָשׁ֤וּב אֵלֶ֙יהָ֙ ע֔וֹד הֲל֛וֹא חָנ֥וֹף תֶּחֱנַ֖ף הָאָ֣רֶץ הַהִ֑יא וְאַ֗תְּ זָנִית֙ רֵעִ֣ים רַבִּ֔ים וְשׁ֥וֹב אֵלַ֖י נְאֻם־יְהוָֽה: ב שְׂאִֽי־עֵינַ֨יִךְ עַל־שְׁפָיִ֜ם וּרְאִ֗י אֵיפֹה֙ לֹ֣א שֻׁכַּ֔בְתְּ[9] עַל־דְּרָכִים֙ יָשַׁ֣בְתְּ לָהֶ֔ם כַּעֲרָבִ֖י בַּמִּדְבָּ֑ר וַתַּחֲנִ֤יפִי אֶ֙רֶץ֙ בִּזְנוּתַ֔יִךְ וּבְרָעָתֵֽךְ: ג וַיִּמָּנְע֣וּ רְבִבִ֔ים וּמַלְק֖וֹשׁ ל֣וֹא הָיָ֑ה וּמֵ֨צַח אִשָּׁ֤ה זוֹנָה֙ הָ֣יָה לָ֔ךְ מֵאַ֖נְתְּ הִכָּלֵֽם: ד הֲל֣וֹא מֵעַ֔תָּה קָרָ֥אתי[10] לִ֖י אָבִ֑י אַלּ֥וּף נְעֻרַ֖י אָֽתָּה: ה הֲיִנְטֹ֣ר לְעוֹלָ֔ם אִם־יִשְׁמֹ֖ר לָנֶ֑צַח הִנֵּ֥ה דברתי[11] וַתַּעֲשִׂ֥י הָרָע֖וֹת וַתּוּכָֽל:

ו וַיֹּ֨אמֶר יְהוָ֜ה אֵלַ֗י בִּימֵי֙ יֹאשִׁיָּ֣הוּ הַמֶּ֔לֶךְ הֲֽרָאִ֔יתָ אֲשֶׁ֥ר עָשְׂתָ֖ה מְשֻׁבָ֣ה יִשְׂרָאֵ֑ל הֹלְכָ֨ה הִ֜יא עַל־כָּל־הַ֣ר גָּבֹ֗הַּ וְאֶל־תַּ֛חַת כָּל־עֵ֥ץ רַעֲנָ֖ן וַתִּזְנִי־שָֽׁם: ז וָאֹמַ֗ר אַחֲרֵ֨י עֲשׂוֹתָ֧הּ אֶת־כָּל־אֵ֛לֶּה אֵלַ֥י תָּשׁ֖וּב וְלֹא־שָׁ֑בָה וַתֵּרֶא[12] בָּגוֹדָ֖ה אֲחוֹתָ֥הּ יְהוּדָֽה: ח וָאֵ֗רֶא כִּ֤י עַל־כָּל־אֹדוֹת֙ אֲשֶׁ֤ר נִֽאֲפָה֙ מְשֻׁבָ֣ה יִשְׂרָאֵ֔ל שִׁלַּחְתִּ֕יהָ וָאֶתֵּ֛ן אֶת־סֵ֥פֶר כְּרִֽיתֻתֶ֖יהָ אֵלֶ֑יהָ וְלֹ֨א יָֽרְאָ֜ה בֹּגֵדָ֤ה יְהוּדָה֙ אֲחוֹתָ֔הּ וַתֵּ֖לֶךְ וַתִּ֥זֶן גַּם־הִֽיא: ט וְהָיָה֙ מִקֹּ֣ל זְנוּתָ֔הּ וַתֶּחֱנַ֖ף אֶת־הָאָ֑רֶץ וַתִּנְאַ֥ף אֶת־הָאֶ֖בֶן וְאֶת־הָעֵֽץ:

---

[7] ילדתני
[8] למדתי
[9] שכלת
[10] קראתי
[11] דברתי
[12] ותראה

27 Who say to a stock: 'Thou art my father', and to a stone: 'Thou hast brought us forth', for they have turned their back unto Me, and not their face; but in the time of their trouble they will say: 'Arise, and save us.' **28** But where are thy gods that thou hast made thee? Let them arise, if they can save thee in the time of thy trouble; for according to the number of thy cities are thy gods, O Judah.{s} **29** Wherefore will ye contend with Me? Ye all have transgressed against Me, saith Yehovah. **30** In vain have I smitten your children–they received no correction; your sword hath devoured your prophets, like a destroying lion. **31** O generation, see ye the word of Yehovah: have I been a wilderness unto Israel? or a land of thick darkness? Wherefore say My people: 'We roam at large; we will come no more unto Thee'? **32** Can a maid forget her ornaments, or a bride her attire? Yet My people have forgotten Me days without number. **33** How trimmest thou thy way to seek love! Therefore–even the wicked women hast thou taught thy ways; **34** Also in thy skirts is found the blood of the souls of the innocent poor; thou didst not find them breaking in; yet for all these things **35** Thou saidst: 'I am innocent; surely His anger is turned away from me'–behold, I will enter into judgment with thee, because thou sayest: 'I have not sinned.' **36** How greatly dost thou cheapen thyself to change thy way? Thou shalt be ashamed of Egypt also, as thou wast ashamed of Asshur. **37** From him also shalt thou go forth, with thy hands upon thy head; for Yehovah hath rejected them in whom thou didst trust, and thou shalt not prosper in them.

3 **1** ... saying: If a man put away his wife, and she go from him, and become another man's, may he return unto her again? Will not that land be greatly polluted? But thou hast played the harlot with many lovers; and wouldest thou yet return to Me? saith Yehovah. **2** Lift up thine eyes unto the high hills, and see: where hast thou not been lain with? By the ways hast thou sat for them, as an Arabian in the wilderness; and thou hast polluted the land with thy harlotries and with thy wickedness. **3** Therefore the showers have been withheld, and there hath been no latter rain; yet thou hadst a harlot's forehead, thou refusedst to be ashamed. **4** Didst thou not just now cry unto Me: 'My father, Thou art the friend of my youth. **5** Will He bear grudge for ever? Will He keep it to the end?' Behold, thou hast spoken, but hast done evil things, and hast had thy way.{P}

6 And Yehovah said unto me in the days of Josiah the king: 'Hast thou seen that which backsliding Israel did? she went up upon every high mountain and under every leafy tree, and there played the harlot. **7** And I said: After she hath done all these things, she will return unto me; but she returned not. And her treacherous sister Judah saw it. **8** And I saw, when, forasmuch as backsliding Israel had committed adultery, I had put her away and given her a bill of divorcement, that yet treacherous Judah her sister feared not; but she also went and played the harlot; **9** and it came to pass through the lightness of her harlotry, that the land was polluted, and she committed adultery with stones and with stocks;

י וְגַם־בְּכָל־זֹאת לֹא־שָׁבָה אֵלַי בָּגוֹדָה אֲחוֹתָהּ יְהוּדָה בְּכָל־לִבָּהּ כִּי
אִם־בְּשֶׁקֶר נְאֻם־יְהוָה׃

יא וַיֹּאמֶר יְהוָה אֵלַי צִדְּקָה נַפְשָׁהּ מְשֻׁבָה יִשְׂרָאֵל מִבֹּגֵדָה יְהוּדָה׃ יב הָלֹךְ
וְקָרָאתָ אֶת־הַדְּבָרִים הָאֵלֶּה צָפוֹנָה וְאָמַרְתָּ שׁוּבָה מְשֻׁבָה יִשְׂרָאֵל נְאֻם־יְהוָה
לוֹא־אַפִּיל פָּנַי בָּכֶם כִּי־חָסִיד אֲנִי נְאֻם־יְהוָה לֹא אֶטּוֹר לְעוֹלָם׃ יג אַךְ דְּעִי
עֲוֺנֵךְ כִּי בַּיהוָה אֱלֹהַיִךְ פָּשָׁעַתְּ וַתְּפַזְּרִי אֶת־דְּרָכַיִךְ לַזָּרִים תַּחַת כָּל־עֵץ רַעֲנָן
וּבְקוֹלִי לֹא־שְׁמַעְתֶּם נְאֻם־יְהוָה׃ יד שׁוּבוּ בָנִים שׁוֹבָבִים נְאֻם־יְהוָה כִּי אָנֹכִי
בָּעַלְתִּי בָכֶם וְלָקַחְתִּי אֶתְכֶם אֶחָד מֵעִיר וּשְׁנַיִם מִמִּשְׁפָּחָה וְהֵבֵאתִי אֶתְכֶם
צִיּוֹן׃ יה וְנָתַתִּי לָכֶם רֹעִים כְּלִבִּי וְרָעוּ אֶתְכֶם דֵּעָה וְהַשְׂכֵּיל׃ יו וְהָיָה כִּי
תִרְבּוּ וּפְרִיתֶם בָּאָרֶץ בַּיָּמִים הָהֵמָּה נְאֻם־יְהוָה לֹא־יֹאמְרוּ עוֹד אֲרוֹן
בְּרִית־יְהוָה וְלֹא יַעֲלֶה עַל־לֵב וְלֹא יִזְכְּרוּ־בוֹ וְלֹא יִפְקֹדוּ וְלֹא יֵעָשֶׂה עוֹד׃
יז בָּעֵת הַהִיא יִקְרְאוּ לִירוּשָׁלִַם כִּסֵּא יְהוָה וְנִקְווּ אֵלֶיהָ כָל־הַגּוֹיִם לְשֵׁם יְהוָה
לִירוּשָׁלִָם וְלֹא־יֵלְכוּ עוֹד אַחֲרֵי שְׁרִרוּת לִבָּם הָרָע׃ יח בַּיָּמִים הָהֵמָּה יֵלְכוּ
בֵית־יְהוּדָה עַל־בֵּית יִשְׂרָאֵל וְיָבֹאוּ יַחְדָּו מֵאֶרֶץ צָפוֹן עַל־הָאָרֶץ אֲשֶׁר
הִנְחַלְתִּי אֶת־אֲבוֹתֵיכֶם׃ יט וְאָנֹכִי אָמַרְתִּי אֵיךְ אֲשִׁיתֵךְ בַּבָּנִים וְאֶתֶּן־לָךְ אֶרֶץ
חֶמְדָּה נַחֲלַת צְבִי צִבְאוֹת גּוֹיִם וָאֹמַר אָבִי תִּקְרְאִי־לִי[13] וּמֵאַחֲרַי לֹא תָשׁוּבִי[14]׃
כ אָכֵן בָּגְדָה אִשָּׁה מֵרֵעָהּ כֵּן בְּגַדְתֶּם בִּי בֵּית יִשְׂרָאֵל נְאֻם־יְהוָה׃ כא קוֹל
עַל־שְׁפָיִים נִשְׁמָע בְּכִי תַחֲנוּנֵי בְּנֵי יִשְׂרָאֵל כִּי הֶעֱווּ אֶת־דַּרְכָּם שָׁכְחוּ
אֶת־יְהוָה אֱלֹהֵיהֶם׃ כב שׁוּבוּ בָּנִים שׁוֹבָבִים אֶרְפָּה מְשׁוּבֹתֵיכֶם הִנְנוּ אָתָנוּ לָךְ
כִּי אַתָּה יְהוָה אֱלֹהֵינוּ׃ כג אָכֵן לַשֶּׁקֶר מִגְּבָעוֹת הָמוֹן הָרִים אָכֵן בַּיהוָה
אֱלֹהֵינוּ תְּשׁוּעַת יִשְׂרָאֵל׃ כד וְהַבֹּשֶׁת אָכְלָה אֶת־יְגִיעַ אֲבוֹתֵינוּ מִנְּעוּרֵינוּ
אֶת־צֹאנָם וְאֶת־בְּקָרָם אֶת־בְּנֵיהֶם וְאֶת־בְּנוֹתֵיהֶם׃ כה נִשְׁכְּבָה בְּבָשְׁתֵּנוּ וּתְכַסֵּנוּ
כְּלִמָּתֵנוּ כִּי לַיהוָה אֱלֹהֵינוּ חָטָאנוּ אֲנַחְנוּ וַאֲבוֹתֵינוּ מִנְּעוּרֵינוּ וְעַד־הַיּוֹם הַזֶּה
וְלֹא שָׁמַעְנוּ בְּקוֹל יְהוָה אֱלֹהֵינוּ׃

ד א אִם־תָּשׁוּב יִשְׂרָאֵל ׀ נְאֻם־יְהוָה אֵלַי תָּשׁוּב וְאִם־תָּסִיר שִׁקּוּצֶיךָ מִפָּנַי וְלֹא
תָנוּד׃ ב וְנִשְׁבַּעְתָּ חַי־יְהוָה בֶּאֱמֶת בְּמִשְׁפָּט וּבִצְדָקָה וְהִתְבָּרְכוּ בוֹ גּוֹיִם וּבוֹ
יִתְהַלָּלוּ׃ ג כִּי־כֹה ׀ אָמַר יְהוָה לְאִישׁ יְהוּדָה וְלִירוּשָׁלִַם נִירוּ לָכֶם נִיר
וְאַל־תִּזְרְעוּ אֶל־קוֹצִים׃ ד הִמֹּלוּ לַיהוָה וְהָסִרוּ עָרְלוֹת לְבַבְכֶם אִישׁ יְהוּדָה
וְיֹשְׁבֵי יְרוּשָׁלִָם פֶּן־תֵּצֵא כָאֵשׁ חֲמָתִי וּבָעֲרָה וְאֵין מְכַבֶּה מִפְּנֵי רֹעַ מַעַלְלֵיכֶם׃

[13] תקראו־
[14] תשובו

10 and yet for all this her treacherous sister Judah hath not returned unto Me with her whole heart, but feignedly, saith Yehovah–{s} **11** even Yehovah said unto me–backsliding Israel hath proved herself more righteous than treacherous Judah. **12** Go, and proclaim these words toward the north, and say: return, thou backsliding Israel, saith Yehovah; I will not frown upon you; for I am merciful, saith Yehovah, I will not bear grudge for ever. **13** Only acknowledge thine iniquity, that thou hast transgressed against Yehovah thy God, and hast scattered thy ways to the strangers under every leafy tree, and ye have not hearkened to My voice, saith Yehovah. **14** Return, O backsliding children, saith Yehovah; for I am a lord unto you, and I will take you one of a city, and two of a family, and I will bring you to Zion; **15** and I will give you shepherds according to My heart, who shall feed you with knowledge and understanding. **16** And it shall come to pass, when ye are multiplied and increased in the land, in those days, saith Yehovah, they shall say no more: The ark of the covenant of Yehovah; neither shall it come to mind; neither shall they make mention of it; neither shall they miss it; neither shall it be made any more. **17** At that time they shall call Yerushalam the throne of Yehovah; and all the nations shall be gathered unto it, to the name of Yehovah, to Yerushalam; neither shall they walk any more after the stubbornness of their evil heart.{s} **18** In those days the house of Judah shall walk with the house of Israel, and they shall come together out of the land of the north to the land that I have given for an inheritance unto your fathers.' **19** But I said: 'How would I put thee among the sons, and give thee a pleasant land, the goodliest heritage of the nations!' And I said: 'Thou shalt call Me, My father; and shalt not turn away from following Me.' **20** Surely as a wife treacherously departeth from her husband, so have ye dealt treacherously with Me, O house of Israel, saith Yehovah. **21** Hark! upon the high hills is heard the suppliant weeping of the children of Israel; for that they have perverted their way, they have forgotten Yehovah their God. **22** Return, ye backsliding children, I will heal your backslidings.–'Here we are, we are come unto Thee; for Thou art Yehovah our God. **23** Truly vain have proved the hills, the uproar on the mountains; truly in Yehovah our God is the salvation of Israel. **24** But the shameful thing hath devoured the labour of our fathers from our youth; their flocks and their herds, their sons and their daughters. **25** Let us lie down in our shame, and let our confusion cover us; for we have sinned against Yehovah our God, we and our fathers, from our youth even unto this day; and we have not hearkened to the voice of Yehovah our God.'{s}

4 **1** If thou wilt return, O Israel, saith Yehovah, yea, return unto Me; and if thou wilt put away thy detestable things out of My sight, and wilt not waver; **2** And wilt swear: 'As Yehovah liveth' in truth, in justice, and in righteousness; then shall the nations bless themselves by Him, and in Him shall they glory.{s} **3** For thus saith Yehovah to the men of Judah and to Yerushalam: break up for you a fallow ground, and sow not among thorns. **4** Circumcise yourselves to Yehovah, and take away the foreskins of your heart, ye men of Judah and inhabitants of Yerushalam; lest My fury go forth like fire, and burn that none can quench it, because of the evil of your doings.

ה הַגִּידוּ בִיהוּדָה וּבִירוּשָׁלַםִ הַשְׁמִיעוּ וְאִמְרוּ תִּקְעוּ[15] שׁוֹפָר בָּאָרֶץ קִרְאוּ
מַלְאוּ וְאִמְרוּ הֵאָסְפוּ וְנָבוֹאָה אֶל־עָרֵי הַמִּבְצָר׃ ו שְׂאוּ־נֵס צִיּוֹנָה הָעִיזוּ
אַל־תַּעֲמֹדוּ כִּי רָעָה אָנֹכִי מֵבִיא מִצָּפוֹן וְשֶׁבֶר גָּדוֹל׃ ז עָלָה אַרְיֵה מִסֻּבְּכוֹ
וּמַשְׁחִית גּוֹיִם נָסַע יָצָא מִמְּקֹמוֹ לָשׂוּם אַרְצֵךְ לְשַׁמָּה עָרַיִךְ תִּצֶּינָה מֵאֵין יוֹשֵׁב׃
ח עַל־זֹאת חִגְרוּ שַׂקִּים סִפְדוּ וְהֵילִילוּ כִּי לֹא־שָׁב חֲרוֹן אַף־יְהוָה מִמֶּנּוּ׃

ט וְהָיָה בַיּוֹם־הַהוּא נְאֻם־יְהוָה יֹאבַד לֵב־הַמֶּלֶךְ וְלֵב הַשָּׂרִים וְנָשַׁמּוּ הַכֹּהֲנִים
וְהַנְּבִאִים יִתְמָהוּ׃ י וָאֹמַר אֲהָהּ ׀ אֲדֹנָי יְהוִה אָכֵן הַשֵּׁא הִשֵּׁאתָ לָעָם הַזֶּה
וְלִירוּשָׁלַםִ לֵאמֹר שָׁלוֹם יִהְיֶה לָכֶם וְנָגְעָה חֶרֶב עַד־הַנָּפֶשׁ׃ יא בָּעֵת הַהִיא
יֵאָמֵר לָעָם־הַזֶּה וְלִירוּשָׁלַםִ רוּחַ צַח שְׁפָיִים בַּמִּדְבָּר דֶּרֶךְ בַּת־עַמִּי לוֹא
לִזְרוֹת וְלוֹא לְהָבַר׃ יב רוּחַ מָלֵא מֵאֵלֶּה יָבוֹא לִי עַתָּה גַּם־אֲנִי אֲדַבֵּר
מִשְׁפָּטִים אוֹתָם׃ יג הִנֵּה ׀ כַּעֲנָנִים יַעֲלֶה וְכַסּוּפָה מַרְכְּבוֹתָיו קַלּוּ מִנְּשָׁרִים
סוּסָיו אוֹי לָנוּ כִּי שֻׁדָּדְנוּ׃ יד כַּבְּסִי מֵרָעָה לִבֵּךְ יְרוּשָׁלַםִ לְמַעַן תִּוָּשֵׁעִי
עַד־מָתַי תָּלִין בְּקִרְבֵּךְ מַחְשְׁבוֹת אוֹנֵךְ׃ טו כִּי קוֹל מַגִּיד מִדָּן וּמַשְׁמִיעַ אָוֶן
מֵהַר אֶפְרָיִם׃ טז הַזְכִּירוּ לַגּוֹיִם הִנֵּה הַשְׁמִיעוּ עַל־יְרוּשָׁלַםִ נֹצְרִים בָּאִים
מֵאֶרֶץ הַמֶּרְחָק וַיִּתְּנוּ עַל־עָרֵי יְהוּדָה קוֹלָם׃ יז כְּשֹׁמְרֵי שָׂדַי הָיוּ עָלֶיהָ
מִסָּבִיב כִּי־אֹתִי מָרָתָה נְאֻם־יְהוָה׃ יח דַּרְכֵּךְ וּמַעֲלָלַיִךְ עָשׂוֹ אֵלֶּה לָךְ זֹאת
רָעָתֵךְ כִּי מָר כִּי נָגַע עַד־לִבֵּךְ׃ יט מֵעַי ׀ מֵעַי ׀ אוֹחִילָה[16] קִירוֹת לִבִּי
הֹמֶה־לִּי לִבִּי לֹא אַחֲרִישׁ כִּי קוֹל שׁוֹפָר שָׁמַעַתְּ[17] נַפְשִׁי תְּרוּעַת מִלְחָמָה׃
כ שֶׁבֶר עַל־שֶׁבֶר נִקְרָא כִּי שֻׁדְּדָה כָּל־הָאָרֶץ פִּתְאֹם שֻׁדְּדוּ אֹהָלַי רֶגַע
יְרִיעֹתָי׃ כא עַד־מָתַי אֶרְאֶה־נֵּס אֶשְׁמְעָה קוֹל שׁוֹפָר׃ כב כִּי ׀ אֱוִיל עַמִּי אוֹתִי
לֹא יָדָעוּ בָּנִים סְכָלִים הֵמָּה וְלֹא נְבוֹנִים הֵמָּה חֲכָמִים הֵמָּה לְהָרַע וּלְהֵיטִיב
לֹא יָדָעוּ׃ כג רָאִיתִי אֶת־הָאָרֶץ וְהִנֵּה־תֹהוּ וָבֹהוּ וְאֶל־הַשָּׁמַיִם וְאֵין אוֹרָם׃
כד רָאִיתִי הֶהָרִים וְהִנֵּה רֹעֲשִׁים וְכָל־הַגְּבָעוֹת הִתְקַלְקָלוּ׃ כה רָאִיתִי וְהִנֵּה
אֵין הָאָדָם וְכָל־עוֹף הַשָּׁמַיִם נָדָדוּ׃ כו רָאִיתִי וְהִנֵּה הַכַּרְמֶל הַמִּדְבָּר
וְכָל־עָרָיו נִתְּצוּ מִפְּנֵי יְהוָה מִפְּנֵי חֲרוֹן אַפּוֹ׃ כז כִּי־כֹה אָמַר יְהוָה שְׁמָמָה
תִהְיֶה כָּל־הָאָרֶץ וְכָלָה לֹא אֶעֱשֶׂה׃ כח עַל־זֹאת תֶּאֱבַל הָאָרֶץ וְקָדְרוּ הַשָּׁמַיִם
מִמָּעַל עַל כִּי־דִבַּרְתִּי זַמֹּתִי וְלֹא נִחַמְתִּי וְלֹא־אָשׁוּב מִמֶּנָּה׃ כט מִקּוֹל פָּרָשׁ
וְרֹמֵה קֶשֶׁת בֹּרַחַת כָּל־הָעִיר בָּאוּ בֶּעָבִים וּבַכֵּפִים עָלוּ כָּל־הָעִיר עֲזוּבָה
וְאֵין־יוֹשֵׁב בָּהֵן אִישׁ׃

[15] ותקעו
[16] אחולה
[17] שמעתי

5 Declare ye in Judah, and publish in Yerushalam, and say: 'Blow ye the horn in the land'; cry aloud and say: 'Assemble yourselves, and let us go into the fortified cities.' **6** Set up a standard toward Zion; put yourselves under covert, stay not; for I will bring evil from the north, and a great destruction. **7** A lion is gone up from his thicket, and a destroyer of nations is set out, gone forth from his place; to make thy land desolate, that thy cities be laid waste, without inhabitant. **8** For this gird you with sackcloth, lament and wail; for the fierce anger of Yehovah is not turned back from us.{P}

9 And it shall come to pass at that day, saith Yehovah, that the heart of the king shall fail, and the heart of the princes; and the priests shall be astonished, and the prophets shall wonder.{S} **10** Then said I: 'Ah, Lord GOD [Adonai Yehovi]! surely Thou hast greatly deceived this people and Yerushalam, saying: Ye shall have peace; whereas the sword reacheth unto the soul.' **11** At that time shall it be said of this people and of Yerushalam; a hot wind of the high hills in the wilderness toward the daughter of My people, not to fan, nor to cleanse; **12** A wind too strong for this shall come for Me; now will I also utter judgments against them. **13** Behold, he cometh up as clouds, and his chariots are as the whirlwind; his horses are swifter than eagles.–'Woe unto us! for we are undone.'– **14** O Yerushalam, wash thy heart from wickedness, that thou mayest be saved. How long shall thy baleful thoughts lodge within thee? **15** For hark! one declareth from Dan, and announceth calamity from the hills of Ephraim: **16** 'Make ye mention to the nations: behold–publish concerning Yerushalam–watchers come from a far country, and give out their voice against the cities of Judah.' **17** As keepers of a field are they against her round about; because she hath been rebellious against Me, saith Yehovah. **18** Thy way and thy doings have procured these things unto thee; this is thy wickedness; yea, it is bitter, yea, it reacheth unto thy heart.{P}

19 My bowels, my bowels! I writhe in pain! The chambers of my heart! My heart moaneth within me! I cannot hold my peace! because thou hast heard, O my soul, the sound of the horn, the alarm of war. **20** Destruction followeth upon destruction, for the whole land is spoiled; suddenly are my tents spoiled, my curtains in a moment. **21** How long shall I see the standard, shall I hear the sound of the horn?{P}

22 For My people is foolish, they know Me not; they are sottish children, and they have no understanding; they are wise to do evil, but to do good they have no knowledge. **23** I beheld the earth, and, lo, it was waste and void; and the heavens, and they had no light. **24** I beheld the mountains, and, lo, they trembled, and all the hills moved to and fro. **25** I beheld, and, lo, there was no man, and all the birds of the heavens were fled. **26** I beheld, and, lo, the fruitful field was a wilderness, and all the cities thereof were broken down at the presence of Yehovah, and before His fierce anger.{S} **27** For thus saith Yehovah: The whole land shall be desolate; yet will I not make a full end. **28** For this shall the earth mourn, and the heavens above be black; because I have spoken it, I have purposed it, and I have not repented, neither will I turn back from it. **29** For the noise of the horsemen and bowmen the whole city fleeth; they go into the thickets, and climb up upon the rocks; every city is forsaken, and not a man dwelleth therein.

ל וְאַ֨תְּ[18] שָׁד֜וּד מַֽה־תַּעֲשִׂ֗י כִּֽי־תִלְבְּשִׁ֨י שָׁנִ֜י כִּֽי־תַעְדִּ֣י עֲדִי־זָהָ֗ב כִּֽי־תִקְרְעִ֤י
בַפּוּךְ֙ עֵינַ֔יִךְ לַשָּׁ֖וְא תִּתְיַפִּ֑י מָאֲסוּ־בָ֥ךְ עֹגְבִ֖ים נַפְשֵׁ֥ךְ יְבַקֵּֽשׁוּ׃ לא כִּי֩ ק֨וֹל
כְּחוֹלָ֜ה שָׁמַ֗עְתִּי צָרָה֙ כְּמַבְכִּירָ֔ה ק֧וֹל בַּת־צִיּ֛וֹן תִּתְיַפֵּ֖חַ תְּפָרֵ֣שׂ כַּפֶּ֑יהָ אֽוֹי־נָ֣א
לִ֔י כִּֽי־עָיְפָ֥ה נַפְשִׁ֖י לְהֹרְגִֽים׃

ה א שׁוֹטְט֞וּ בְּחוּצ֣וֹת יְרוּשָׁלִַ֗ם וּרְאוּ־נָ֤א וּדְעוּ֙ וּבַקְשׁ֣וּ בִרְחוֹבוֹתֶ֔יהָ אִם־תִּמְצְא֣וּ
אִ֔ישׁ אִם־יֵ֛שׁ עֹשֶׂ֥ה מִשְׁפָּ֖ט מְבַקֵּ֣שׁ אֱמוּנָ֑ה וְאֶסְלַ֖ח לָֽהּ׃ ב וְאִ֥ם חַי־יְהוָ֖ה יֹאמֵ֑רוּ
לָכֵ֖ן לַשֶּׁ֥קֶר יִשָּׁבֵֽעוּ׃ ג יְהוָ֗ה עֵינֶיךָ֙ הֲל֣וֹא לֶאֱמוּנָ֔ה הִכִּ֤יתָה אֹתָם֙ וְֽלֹא־חָ֔לוּ
כִּלִּיתָ֕ם מֵאֲנ֖וּ קַ֣חַת מוּסָ֑ר חִזְּק֤וּ פְנֵיהֶם֙ מִסֶּ֔לַע מֵאֲנ֖וּ לָשֽׁוּב׃ ד וַאֲנִ֣י אָמַ֔רְתִּי
אַךְ־דַּלִּ֖ים הֵ֑ם נוֹאֲל֕וּ כִּ֣י לֹ֤א יָֽדְעוּ֙ דֶּ֣רֶךְ יְהוָ֔ה מִשְׁפַּ֖ט אֱלֹהֵיהֶֽם׃ ה אֵֽלְכָה־לִּ֤י
אֶל־הַגְּדֹלִים֙ וַאֲדַבְּרָ֣ה אוֹתָ֔ם כִּ֣י הֵ֗מָּה יָֽדְעוּ֙ דֶּ֣רֶךְ יְהוָ֔ה מִשְׁפַּ֖ט אֱלֹהֵיהֶ֑ם אַ֣ךְ
הֵ֤מָּה יַחְדָּו֙ שָׁ֣בְרוּ עֹ֔ל נִתְּק֖וּ מוֹסֵרֽוֹת׃ ו עַל־כֵּ֡ן הִכָּם֩ אַרְיֵ֨ה מִיַּ֜עַר זְאֵ֤ב עֲרָבוֹת֙
יְשָׁדְדֵ֔ם נָמֵ֤ר שֹׁקֵד֙ עַל־עָ֣רֵיהֶ֔ם כָּל־הַיּוֹצֵ֥א מֵהֵ֖נָּה יִטָּרֵ֑ף כִּ֤י רַבּוּ֙ פִּשְׁעֵיהֶ֔ם
עָצְמ֖וּ מְשׁוּבוֹתֵיהֶֽם׃[19] ז אֵ֤י לָזֹאת֙ אֶֽסְלַֽח־לָ֔ךְ[20] בָּנַ֣יִךְ עֲזָב֔וּנִי וַיִּשָּׁבְע֖וּ בְּלֹ֣א
אֱלֹהִ֑ים וָאַשְׂבִּ֤עַ אוֹתָם֙ וַיִּנְאָ֔פוּ וּבֵ֥ית זוֹנָ֖ה יִתְגֹּדָֽדוּ׃ ח סוּסִ֥ים מְיֻזָּנִ֖ים מַשְׁכִּ֣ים
הָי֑וּ אִ֛ישׁ אֶל־אֵ֥שֶׁת רֵעֵ֖הוּ יִצְהָֽלוּ׃ ט הַֽעַל־אֵ֥לֶּה לֽוֹא־אֶפְקֹ֖ד נְאֻם־יְהוָ֑ה וְאִם֙
בְּג֣וֹי אֲשֶׁר־כָּזֶ֔ה לֹ֥א תִתְנַקֵּ֖ם נַפְשִֽׁי׃ י עֲל֤וּ בְשָׁרוֹתֶ֙יהָ֙ וְשַׁ֔חֵתוּ וְכָלָ֖ה אַל־תַּעֲשׂ֑וּ
הָסִ֙ירוּ֙ נְטִ֣ישׁוֹתֶ֔יהָ כִּ֛י ל֥וֹא לַיהוָ֖ה הֵֽמָּה׃ יא כִּי֩ בָ֨גוֹד בָּגְד֜וּ בִּ֗י בֵּ֚ית יִשְׂרָאֵ֔ל
וּבֵ֥ית יְהוּדָ֖ה נְאֻם־יְהוָֽה׃ יב כִּֽחֲשׁוּ֙ בַּֽיהוָ֔ה וַיֹּאמְר֖וּ לוֹא־ה֑וּא וְלֹא־תָב֤וֹא עָלֵ֙ינוּ֙
רָעָ֔ה וְחֶ֥רֶב וְרָעָ֖ב ל֥וֹא נִרְאֶֽה׃ יג וְהַנְּבִיאִים֙ יִהְי֣וּ לְר֔וּחַ וְהַדִּבֵּ֖ר אֵ֣ין בָּהֶ֑ם כֹּ֥ה
יֵעָשֶׂ֖ה לָהֶֽם׃ יד לָכֵ֗ן כֹּֽה־אָמַ֤ר יְהוָה֙ אֱלֹהֵ֣י צְבָא֔וֹת יַ֚עַן דַּבֶּרְכֶ֔ם אֶת־הַדָּבָ֖ר
הַזֶּ֑ה הִנְנִ֣י נֹתֵן֩ דְּבָרַ֨י בְּפִ֜יךָ לְאֵ֗שׁ וְהָעָ֥ם הַזֶּ֛ה עֵצִ֖ים וַאֲכָלָֽתַם׃ טו הִנְנִ֣י מֵבִיא֩
עֲלֵיכֶ֨ם גּ֧וֹי מִמֶּרְחָ֛ק בֵּ֥ית יִשְׂרָאֵ֖ל נְאֻם־יְהוָ֑ה גּ֣וֹי ׀ אֵיתָ֣ן ה֗וּא גּ֤וֹי מֵֽעוֹלָם֙ ה֔וּא גּ֚וֹי
לֹא־תֵדַ֣ע לְשֹׁנ֔וֹ וְלֹ֥א תִשְׁמַ֖ע מַה־יְדַבֵּֽר׃ טז אַשְׁפָּת֖וֹ כְּקֶ֣בֶר פָּת֑וּחַ כֻּלָּ֖ם גִּבּוֹרִֽים׃
יז וְאָכַ֨ל קְצִֽירְךָ֜ וְלַחְמֶ֗ךָ יֹאכְלוּ֙ בָּנֶ֣יךָ וּבְנוֹתֶ֔יךָ יֹאכַ֤ל צֹאנְךָ֙ וּבְקָרֶ֔ךָ יֹאכַ֥ל
גַּפְנְךָ֖ וּתְאֵנָתֶ֑ךָ יְרֹשֵׁ֞שׁ עָרֵ֣י מִבְצָרֶ֗יךָ אֲשֶׁ֥ר אַתָּ֛ה בּוֹטֵ֥חַ בָּהֵ֖נָּה בֶּחָֽרֶב׃ יח וְגַ֛ם
בַּיָּמִ֥ים הָהֵ֖מָּה נְאֻם־יְהוָ֑ה לֹֽא־אֶעֱשֶׂ֥ה אִתְּכֶ֖ם כָּלָֽה׃ יט וְהָיָה֙ כִּ֣י תֹֽאמְר֔וּ תַּ֗חַת
מֶ֣ה עָשָׂ֧ה יְהוָ֛ה אֱלֹהֵ֥ינוּ לָ֖נוּ אֶת־כָּל־אֵ֑לֶּה וְאָמַרְתָּ֣ אֲלֵיהֶ֗ם כַּאֲשֶׁ֨ר עֲזַבְתֶּ֤ם
אוֹתִי֙ וַתַּעַבְד֞וּ אֱלֹהֵ֤י נֵכָר֙ בְּאַרְצְכֶ֔ם כֵּ֚ן תַּעַבְד֣וּ זָרִ֔ים בְּאֶ֖רֶץ לֹ֥א לָכֶֽם׃
כ הַגִּ֥ידוּ זֹ֖את בְּבֵ֣ית יַעֲקֹ֑ב וְהַשְׁמִיע֥וּהָ בִיהוּדָ֖ה לֵאמֹֽר׃

---

[18] ואתי
[19] משבותיהם
[20] אסלוח

<u>30</u> And thou, that art spoiled, what doest thou, that thou clothest thyself with scarlet, that thou deckest thee with ornaments of gold, that thou enlargest thine eyes with paint? In vain dost thou make thyself fair; thy lovers despise thee, they seek thy life. <u>31</u> For I have heard a voice as of a woman in travail, the anguish as of her that bringeth forth her first child, the voice of the daughter of Zion, that gaspeth for breath, that spreadeth her hands: 'Woe is me, now! for my soul fainteth before the murderers.'{P}

5 <u>1</u> Run ye to and fro through the streets of Yerushalam, and see now, and know, and seek in the broad places thereof, if ye can find a man, if there be any that doeth justly, that seeketh truth; and I will pardon her. <u>2</u> And though they say: 'As Yehovah liveth', surely they swear falsely. <u>3</u> Yehovah, are not Thine eyes upon truth? Thou hast stricken them, but they were not affected; Thou hast consumed them, but they have refused to receive correction; they have made their faces harder than a rock; they have refused to return. <u>4</u> And I said: 'Surely these are poor, they are foolish, for they know not the way of Yehovah, nor the ordinance of their God; <u>5</u> I will get me unto the great men, and will speak unto them; for they know the way of Yehovah, and the ordinance of their God.' But these had altogether broken the yoke, and burst the bands. <u>6</u> Wherefore a lion out of the forest doth slay them, a wolf of the deserts doth spoil them, a leopard watcheth over their cities, every one that goeth out thence is torn in pieces; because their transgressions are many, their backslidings are increased. <u>7</u> Wherefore should I pardon thee? The children have forsaken Me, and sworn by no-gods; and when I had fed them to the full, they committed adultery, and assembled themselves in troops at the harlots' houses. <u>8</u> They are become as well-fed horses, lusty stallions; every one neigheth after his neighbour's wife. <u>9</u> Shall I not punish for these things? saith Yehovah; and shall not My soul be avenged on such a nation as this?{S} <u>10</u> Go ye up into her rows, and destroy, but make not a full end; take away her shoots; for they are not Yehovah's. <u>11</u> For the house of Israel and the house of Judah have dealt very treacherously against Me, saith Yehovah. <u>12</u> They have belied Yehovah, and said: 'It is not He, neither shall evil come upon us; neither shall we see sword nor famine; <u>13</u> And the prophets shall become wind, and the word is not in them; thus be it done unto them.'{S} <u>14</u> Wherefore thus saith Yehovah, the God of hosts: Because ye speak this word, behold, I will make My words in thy mouth fire, and this people wood, and it shall devour them. <u>15</u> Lo, I will bring a nation upon you from far, O house of Israel, saith Yehovah; it is an enduring nation, it is an ancient nation, a nation whose language thou knowest not, neither understandest what they say. <u>16</u> Their quiver is an open sepulchre, they are all mighty men. <u>17</u> And they shall eat up thy harvest, and thy bread, they shall eat up thy sons and thy daughters, they shall eat up thy flocks and thy herds, they shall eat up thy vines and thy fig-trees; they shall batter thy fortified cities, wherein thou trusteth, with the sword. <u>18</u> But even in those days, saith Yehovah, I will not make a full end with you. <u>19</u> And it shall come to pass, when ye shall say: 'Wherefore hath Yehovah our God done all these things unto us?' then shalt Thou say unto them: 'Like as ye have forsaken Me, and served strange gods in your land, so shall ye serve strangers in a land that is not yours.'{P}

<u>20</u> Declare ye this in the house of Jacob, and announce it in Judah, saying:

כא שִׁמְעוּ־נָ֣א זֹ֔את עַ֥ם סָכָ֖ל וְאֵ֣ין לֵ֑ב עֵינַ֤יִם לָהֶם֙ וְלֹ֣א יִרְא֔וּ אָזְנַ֥יִם לָהֶ֖ם וְלֹ֥א
יִשְׁמָֽעוּ׃ כב הַאוֹתִ֨י לֹא־תִירָ֜אוּ נְאֻם־יְהֹוָ֗ה אִ֤ם מִפָּנַי֙ לֹ֣א תָחִ֔ילוּ אֲשֶׁר־שַׂ֤מְתִּי
ח֙וֹל גְּב֣וּל לַיָּ֔ם חָק־עוֹלָ֖ם וְלֹ֣א יַעַבְרֶ֑נְהוּ וַיִּֽתְגָּעֲשׁוּ֙ וְלֹ֣א יוּכָ֔לוּ וְהָמ֥וּ גַלָּ֖יו וְלֹ֥א
יַעַבְרֻֽנְהוּ׃ כג וְלָעָ֤ם הַזֶּה֙ הָיָ֔ה לֵ֖ב סוֹרֵ֣ר וּמוֹרֶ֑ה סָ֖רוּ וַיֵּלֵֽכוּ׃ כד וְלֹֽא־אָמְר֣וּ
בִלְבָבָ֗ם נִ֤ירָא נָא֙ אֶת־יְהֹוָ֣ה אֱלֹהֵ֔ינוּ הַנֹּתֵ֗ן גֶּ֛שֶׁם יוֹרֶ֥ה[21] וּמַלְק֖וֹשׁ בְּעִתּ֑וֹ שְׁבֻעֹ֛ת
חֻקּ֥וֹת קָצִ֖יר יִשְׁמָר־לָֽנוּ׃ כה עֲוֺנוֹתֵיכֶ֖ם הִטּוּ־אֵ֑לֶּה וְחַטֹּ֣אותֵיכֶ֔ם מָנְע֥וּ הַטּ֖וֹב
מִכֶּֽם׃ כו כִּֽי־נִמְצְא֥וּ בְעַמִּ֖י רְשָׁעִ֑ים יָשׁוּר֙ כְּשַׁ֣ךְ יְקוּשִׁ֔ים הִצִּ֥יבוּ מַשְׁחִ֖ית אֲנָשִׁ֥ים
יִלְכֹּֽדוּ׃ כז כִּכְלוּב֙ מָ֣לֵא ע֔וֹף כֵּ֥ן בָּתֵּיהֶ֖ם מְלֵאִ֣ים מִרְמָ֑ה עַל־כֵּ֥ן גָּדְל֖וּ
וַֽיַּעֲשִֽׁירוּ׃ כח שָׁמְנ֣וּ עָשְׁת֗וּ גַּ֚ם עָבְר֣וּ דִבְרֵי־רָ֔ע דִּ֣ין לֹא־דָ֔נוּ דִּ֥ין יָת֖וֹם
וְיַצְלִ֑יחוּ וּמִשְׁפַּ֥ט אֶבְיוֹנִ֖ים לֹ֥א שָׁפָֽטוּ׃ כט הַעַל־אֵ֥לֶּה לֹא־אֶפְקֹ֖ד נְאֻם־יְהֹוָ֑ה
אִ֚ם בְּג֣וֹי אֲשֶׁר־כָּזֶ֔ה לֹ֥א תִתְנַקֵּ֖ם נַפְשִֽׁי׃ ל שַׁמָּה֙ וְשַׁ֣עֲרוּרָ֔ה נִהְיְתָ֖ה בָּאָֽרֶץ׃
לא הַנְּבִיאִ֞ים נִבְּא֣וּ בַשֶּׁ֗קֶר וְהַכֹּהֲנִים֙ יִרְדּ֣וּ עַל־יְדֵיהֶ֔ם וְעַמִּ֖י אָ֣הֲבוּ כֵ֑ן
וּמַֽה־תַּעֲשׂ֖וּ לְאַחֲרִיתָֽהּ׃

ו א הָעִ֣זוּ ׀ בְּנֵ֣י בִנְיָמִ֗ן מִקֶּ֙רֶב֙ יְר֣וּשָׁלִַ֔ם וּבִתְק֙וֹעַ֙ תִּקְע֣וּ שׁוֹפָ֔ר וְעַל־בֵּ֥ית הַכֶּ֖רֶם
שְׂא֣וּ מַשְׂאֵ֑ת כִּ֥י רָעָ֛ה נִשְׁקְפָ֥ה מִצָּפ֖וֹן וְשֶׁ֥בֶר גָּדֽוֹל׃ ב הַנָּוָה֙ וְהַמְּעֻנָּגָ֔ה דָּמִ֖יתִי
בַּת־צִיּֽוֹן׃ ג אֵלֶ֛יהָ יָבֹ֥אוּ רֹעִ֖ים וְעֶדְרֵיהֶ֑ם תָּקְע֨וּ עָלֶ֤יהָ אֹהָלִים֙ סָבִ֔יב רָע֖וּ אִ֥ישׁ
אֶת־יָדֽוֹ׃ ד קַדְּשׁ֤וּ עָלֶ֙יהָ֙ מִלְחָמָ֔ה ק֖וּמוּ וְנַעֲלֶ֣ה בַֽצָּהֳרָ֑יִם א֥וֹי לָ֙נוּ֙ כִּי־פָנָ֣ה
הַיּ֔וֹם כִּ֥י יִנָּט֖וּ צִלְלֵי־עָֽרֶב׃ ה ק֚וּמוּ וְנַעֲלֶ֣ה בַלָּ֔יְלָה וְנַשְׁחִ֖יתָה אַרְמְנוֹתֶֽיהָ׃ ו כִּ֣י
כֹ֤ה אָמַר֙ יְהֹוָ֣ה צְבָא֔וֹת כִּרְת֣וּ עֵצָ֔ה וְשִׁפְכ֥וּ עַל־יְרוּשָׁלִַ֖ם סֹלְלָ֑ה הִ֚יא הָעִ֣יר
הָפְקַ֔ד כֻּלָּ֖הּ עֹ֥שֶׁק בְּקִרְבָּֽהּ׃ ז כְּהָקִ֥יר בַּיִר[22] מֵימֶ֔יהָ כֵּ֖ן הֵקֵ֣רָה רָעָתָ֑הּ חָמָ֣ס
וָ֠שֹׁד יִשָּׁ֨מַע בָּ֧הּ עַל־פָּנַ֛י תָּמִ֖יד חֳלִ֥י וּמַכָּֽה׃ ח הִוָּסְרִי֙ יְר֣וּשָׁלִַ֔ם פֶּן־תֵּקַ֥ע נַפְשִׁ֖י
מִמֵּ֑ךְ פֶּן־אֲשִׂימֵ֥ךְ שְׁמָמָ֖ה אֶ֥רֶץ ל֥וֹא נוֹשָֽׁבָה׃

ט כֹּ֤ה אָמַר֙ יְהֹוָ֣ה צְבָא֔וֹת עוֹלֵ֛ל יְעוֹלְל֥וּ כַגֶּ֖פֶן שְׁאֵרִ֣ית יִשְׂרָאֵ֑ל הָשֵׁב֙ יָֽדְךָ֔
כְּבוֹצֵ֖ר עַל־סַלְסִלּֽוֹת׃ י עַל־מִ֨י אֲדַבְּרָ֤ה וְאָעִ֙ידָה֙ וְיִשְׁמָ֔עוּ הִנֵּה֙ עֲרֵלָ֣ה אָזְנָ֔ם
וְלֹ֥א יוּכְל֖וּ לְהַקְשִׁ֑יב הִנֵּ֣ה דְבַר־יְהֹוָ֗ה הָיָ֥ה לָהֶ֛ם לְחֶרְפָּ֖ה לֹ֥א יַחְפְּצוּ־בֽוֹ׃
יא וְאֵת֩ חֲמַ֨ת יְהֹוָ֤ה ׀ מָלֵ֙אתִי֙ נִלְאֵ֣יתִי הָכִ֔יל שְׁפֹ֤ךְ עַל־עוֹלָל֙ בַּח֔וּץ וְעַ֛ל ס֥וֹד
בַּחוּרִ֖ים יַחְדָּ֑ו כִּֽי־גַם־אִ֤ישׁ עִם־אִשָּׁה֙ יִלָּכֵ֔דוּ זָקֵ֖ן עִם־מְלֵ֥א יָמִֽים׃ יב וְנָסַ֤בּוּ
בָֽתֵּיהֶם֙ לַאֲחֵרִ֔ים שָׂד֥וֹת וְנָשִׁ֖ים יַחְדָּ֑ו כִּֽי־אַטֶּ֧ה אֶת־יָדִ֛י עַל־יֹשְׁבֵ֥י הָאָ֖רֶץ
נְאֻם־יְהֹוָֽה׃

[21] ויורה
[22] בור

21 Hear now this, O foolish people, and without understanding, that have eyes, and see not, that have ears, and hear not: **22** Fear ye not Me? saith Yehovah; will ye not tremble at My presence? who have placed the sand for the bound of the sea, an everlasting ordinance, which it cannot pass; and though the waves thereof toss themselves, yet can they not prevail; though they roar, yet can they not pass over it. **23** But this people hath a revolting and a rebellious heart; they are revolted, and gone. **24** Neither say they in their heart: 'Let us now fear Yehovah our God, that giveth the former rain, and the latter in due season; that keepeth for us the appointed weeks of the harvest.' **25** Your iniquities have turned away these things, and your sins have withholden good from you. **26** For among My people are found wicked men; they pry, as fowlers lie in wait; they set a trap, they catch men. **27** As a cage is full of birds, so are their houses full of deceit; therefore they are become great, and waxen rich; **28** They are waxen fat, they are become sleek; yea, they overpass in deeds of wickedness; they plead not the cause, the cause of the fatherless, that they might make it to prosper; and the right of the needy do they not judge. **29** Shall I not punish for these things? saith Yehovah; shall not My soul be avenged on such a nation as this?{s} **30** An appalling and horrible thing is come to pass in the land: **31** The prophets prophesy in the service of falsehood, and the priests bear rule at their beck; and My people love to have it so; what then will ye do in the end thereof?

6 1 Put yourselves under covert, ye children of Benjamin, away from the midst of Yerushalam, and blow the horn in Tekoa, and set up a signal on Beth-cherem; for evil looketh forth from the north, and a great destruction. **2** The comely and delicate one, the daughter of Zion, will I cut off. **3** Shepherds with their flocks come unto her; they pitch their tents against her round about; they feed bare every one what is nigh at hand. **4** 'Prepare ye war against her; arise, and let us go up at noon!' 'Woe unto us! for the day declineth, for the shadows of the evening are stretched out!' **5** 'Arise, and let us go up by night, and let us destroy her palaces.'{P}

6 For thus hath Yehovah of hosts said: hew ye down her trees, and cast up a mound against Yerushalam; this is the city to be punished; everywhere there is oppression in the midst of her. **7** As a cistern welleth with her waters, so she welleth with her wickedness; violence and spoil is heard in her; before Me continually is sickness and wounds. **8** Be thou corrected, O Yerushalam, lest My soul be alienated from thee, lest I make thee desolate, a land not inhabited.{P}

9 Thus saith Yehovah of hosts: They shall thoroughly glean as a vine the remnant of Israel; turn again thy hand as a grape-gatherer upon the shoots. **10** To whom shall I speak and give warning, that they may hear? Behold, their ear is dull, and they cannot attend; behold, the word of Yehovah is become unto them a reproach, they have no delight in it. **11** Therefore I am full of the fury of Yehovah, I am weary with holding in: pour it out upon the babes in the street, and upon the assembly of young men together; for even the husband with the wife shall be taken, the aged with him that is full of days. **12** And their houses shall be turned unto others, their fields and their wives together; for I will stretch out My hand upon the inhabitants of the land, saith Yehovah.

יג כִּ֤י מִקְּטַנָּם֙ וְעַד־גְּדוֹלָ֔ם כֻּלּ֖וֹ בּוֹצֵ֣עַ בָּ֑צַע וּמִנָּבִיא֙ וְעַד־כֹּהֵ֔ן כֻּלּ֖וֹ עֹ֥שֶׂה שָּֽׁקֶר׃
יד וַֽיְרַפְּא֞וּ אֶת־שֶׁ֤בֶר עַמִּי֙ עַל־נְקַלָּ֔ה לֵאמֹ֖ר שָׁל֣וֹם ׀ שָׁל֑וֹם וְאֵ֖ין שָׁלֽוֹם׃ טו הֹבִ֕ישׁוּ
כִּ֥י תוֹעֵבָ֖ה עָשׂ֑וּ גַּם־בּ֣וֹשׁ לֹא־יֵב֗וֹשׁוּ גַּם־הַכְלִים֙ לֹ֣א יָדָ֔עוּ לָכֵ֞ן יִפְּל֤וּ בַנֹּֽפְלִים֙
בְּעֵת־פְּקַדְתִּ֥ים יִכָּשְׁל֖וּ אָמַ֥ר יְהוָֽה׃ טז כֹּ֣ה אָמַ֣ר יְהוָ֡ה עִמְדוּ֩ עַל־דְּרָכִ֨ים וּרְא֜וּ
וְשַׁאֲל֣וּ ׀ לִנְתִב֣וֹת עוֹלָ֗ם אֵי־זֶ֨ה דֶ֤רֶךְ הַטּוֹב֙ וּלְכוּ־בָ֔הּ וּמִצְא֥וּ מַרְגּ֖וֹעַ לְנַפְשְׁכֶ֑ם
וַיֹּאמְר֖וּ לֹ֥א נֵלֵֽךְ׃ יז וַהֲקִמֹתִ֤י עֲלֵיכֶם֙ צֹפִ֔ים הַקְשִׁ֖יבוּ לְק֣וֹל שׁוֹפָ֑ר וַיֹּאמְר֖וּ לֹ֥א
נַקְשִֽׁיב׃ יח לָכֵ֖ן שִׁמְע֣וּ הַגּוֹיִ֑ם וּדְעִ֥י עֵדָ֖ה אֶת־אֲשֶׁר־בָּֽם׃ יט שִׁמְעִ֣י הָאָ֗רֶץ הִנֵּ֨ה
אָנֹכִ֜י מֵבִ֥יא רָעָ֛ה אֶל־הָעָ֥ם הַזֶּ֖ה פְּרִ֣י מַחְשְׁבוֹתָ֑ם כִּ֤י עַל־דְּבָרַי֙ לֹ֣א הִקְשִׁ֔יבוּ
וְתוֹרָתִ֖י וַיִּמְאֲסוּ־בָֽהּ׃ כ לָמָּה־זֶּ֨ה לִ֤י לְבוֹנָה֙ מִשְּׁבָ֣א תָב֔וֹא וְקָנֶ֥ה הַטּ֖וֹב מֵאֶ֣רֶץ
מֶרְחָ֑ק עֹלֽוֹתֵיכֶם֙ לֹ֣א לְרָצ֔וֹן וְזִבְחֵיכֶ֖ם לֹא־עָ֥רְבוּ לִֽי׃ כא לָכֵ֗ן כֹּ֚ה אָמַ֣ר יְהוָ֔ה
הִנְנִ֥י נֹתֵ֛ן אֶל־הָעָ֥ם הַזֶּ֖ה מִכְשֹׁלִ֑ים וְכָ֣שְׁלוּ בָ֠ם אָב֨וֹת וּבָנִ֥ים יַחְדָּ֛ו שָׁכֵ֥ן וְרֵע֖וֹ
וְאָבָֽדוּ[23]׃

כב כֹּ֚ה אָמַ֣ר יְהוָ֔ה הִנֵּ֛ה עַ֥ם בָּ֖א מֵאֶ֣רֶץ צָפ֑וֹן וְג֣וֹי גָּד֔וֹל יֵע֖וֹר מִיַּרְכְּתֵי־אָֽרֶץ׃
כג קֶ֣שֶׁת וְכִיד֞וֹן יַחֲזִ֗יקוּ אַכְזָרִ֥י הוּא֙ וְלֹ֣א יְרַחֵ֔מוּ קוֹלָם֙ כַּיָּ֣ם יֶהֱמֶ֔ה וְעַל־סוּסִ֖ים
יִרְכָּ֑בוּ עָר֗וּךְ כְּאִישׁ֙ לַמִּלְחָמָ֔ה עָלַ֖יִךְ בַּת־צִיּֽוֹן׃ כד שָׁמַ֥עְנוּ אֶת־שָׁמְע֖וֹ רָפ֣וּ יָדֵ֑ינוּ
צָרָה֙ הֶחֱזִקַ֔תְנוּ חִ֖יל כַּיּוֹלֵדָֽה׃ כה אַל־תֵּֽצְאוּ[24] הַשָּׂדֶ֔ה וּבַדֶּ֖רֶךְ אַל־תֵּלֵ֑כוּ[25] כִּ֚י
חֶ֣רֶב לְאֹיֵ֔ב מָג֖וֹר מִסָּבִֽיב׃ כו בַּת־עַמִּ֤י חִגְרִי־שָׂק֙ וְהִתְפַּלְּשִׁ֣י בָאֵ֔פֶר אֵ֤בֶל יָחִיד֙
עֲשִׂ֣י לָ֔ךְ מִסְפַּ֖ד תַּמְרוּרִ֑ים כִּ֣י פִתְאֹ֔ם יָבֹ֥א הַשֹּׁדֵ֖ד עָלֵֽינוּ׃ כז בָּח֛וֹן נְתַתִּ֥יךָ בְעַמִּ֖י
מִבְצָ֑ר וְתֵדַ֕ע וּבָחַנְתָּ֖ אֶת־דַּרְכָּֽם׃ כח כֻּלָּם֙ סָרֵ֣י סֽוֹרְרִ֔ים הֹלְכֵ֥י רָכִ֖יל נְחֹ֣שֶׁת
וּבַרְזֶ֑ל כֻּלָּ֥ם מַשְׁחִיתִ֖ים הֵֽמָּה׃ כט נָחַ֣ר מַפֻּ֔חַ מֵאֵ֖שׁ תַּ֣ם[26] עֹפָ֑רֶת לַשָּׁוְא֙ צָרַ֣ף
צָר֔וֹף וְרָעִ֖ים לֹ֥א נִתָּֽקוּ׃ ל כֶּ֣סֶף נִמְאָ֔ס קָרְא֖וּ לָהֶ֑ם כִּֽי־מָאַ֥ס יְהוָ֖ה בָּהֶֽם׃

ז א הַדָּבָר֙ אֲשֶׁ֣ר הָיָ֣ה אֶֽל־יִרְמְיָ֔הוּ מֵאֵ֥ת יְהוָ֖ה לֵאמֹֽר׃ ב עֲמֹ֗ד בְּשַׁ֙עַר֙ בֵּ֣ית יְהוָ֔ה
וְקָרָ֣אתָ שָּׁ֔ם אֶת־הַדָּבָ֖ר הַזֶּ֑ה וְאָמַרְתָּ֞ שִׁמְע֣וּ דְבַר־יְהוָ֗ה כָּל־יְהוּדָה֙ הַבָּאִ֗ים
בַּשְּׁעָרִ֣ים הָאֵ֔לֶּה לְהִֽשְׁתַּחֲוֺ֖ת לַיהוָֽה׃ ג כֹּה־אָמַ֞ר יְהוָ֤ה צְבָאוֹת֙ אֱלֹהֵ֣י יִשְׂרָאֵ֔ל
הֵיטִ֥יבוּ דַרְכֵיכֶ֖ם וּמַֽעַלְלֵיכֶ֑ם וַאֲשַׁכְּנָ֣ה אֶתְכֶ֔ם בַּמָּק֖וֹם הַזֶּֽה׃ ד אַל־תִּבְטְח֣וּ
לָכֶ֔ם אֶל־דִּבְרֵ֥י הַשֶּׁ֖קֶר לֵאמֹ֑ר הֵיכַ֤ל יְהוָה֙ הֵיכַ֣ל יְהוָ֔ה הֵיכַ֥ל יְהוָ֖ה הֵֽמָּה׃
ה כִּ֤י אִם־הֵיטֵיב֙ תֵּיטִ֣יבוּ אֶת־דַּרְכֵיכֶ֔ם וְאֶת־מַעַלְלֵיכֶ֑ם אִם־עָשׂ֤וֹ תַעֲשׂוּ֙ מִשְׁפָּ֔ט
בֵּ֥ין אִ֖ישׁ וּבֵ֥ין רֵעֵֽהוּ׃

[23] יאבדו
[24] תצאי
[25] תלכי
[26] מאשתם

13 For from the least of them even unto the greatest of them every one is greedy for gain; and from the prophet even unto the priest every one dealeth falsely. **14** They have healed also the hurt of My people lightly, saying: 'Peace, peace', when there is no peace. **15** They shall be put to shame because they have committed abomination; yea, they are not at all ashamed, neither know they how to blush; therefore they shall fall among them that fall, at the time that I punish them they shall stumble, saith Yehovah.{S} **16** Thus saith Yehovah: stand ye in the ways and see, and ask for the old paths, where is the good way, and walk therein, and ye shall find rest for your souls. But they said: 'We will not walk therein.' **17** And I set watchmen over you: 'Attend to the sound of the horn', but they said: 'We will not attend.' **18** Therefore hear, ye nations, and know, O congregation, what is against them. **19** Hear, O earth: behold, I will bring evil upon this people, even the fruit of their thoughts, because they have not attended unto My words, and as for My teaching, they have rejected it. **20** To what purpose is to Me the frankincense that cometh from Sheba, and the sweet cane, from a far country? Your burnt-offerings are not acceptable, nor your sacrifices pleasing unto Me. **21** Therefore thus saith Yehovah: Behold, I will lay stumblingblocks before this people, and the fathers and the sons together shall stumble against them, the neighbour and his friend, and they shall perish.{P}

22 Thus saith Yehovah: Behold, a people cometh from the north country, and a great nation shall be roused from the uttermost parts of the earth. **23** They lay hold on bow and spear, they are cruel, and have no compassion; their voice is like the roaring sea, and they ride upon horses; set in array, as a man for war, against thee, O daughter of Zion. **24** 'We have heard the fame thereof, our hands wax feeble, anguish hath taken hold of us, and pain, as of a woman in travail.' **25** Go not forth into the field, nor walk by the way; for there is the sword of the enemy, and terror on every side. **26** O daughter of my people, gird thee with sackcloth, and wallow thyself in ashes; make thee mourning, as for an only son, most bitter lamentation; for the spoiler shall suddenly come upon us. **27** I have made thee a tower and a fortress among My people; that thou mayest know and try their way. **28** They are all grievous revolters, going about with slanders; they are brass and iron; they all of them deal corruptly. **29** The bellows blow fiercely, the lead is consumed of the fire; in vain doth the founder refine, for the wicked are not separated. **30** Refuse silver shall men call them, because Yehovah hath rejected them.{P}

7 **1** The word that came to Jeremiah from Yehovah, saying: **2** Stand in the gate of Yehovah's house, and proclaim there this word, and say: Hear the word of Yehovah, all ye of Judah, that enter in at these gates to worship Yehovah.{S} **3** Thus saith Yehovah of hosts, the God of Israel: Amend your ways and your doings, and I will cause you to dwell in this place. **4** Trust ye not in lying words, saying: 'The temple of Yehovah, the temple of Yehovah, the temple of Yehovah, are these.' **5** Nay, but if ye thoroughly amend your ways and your doings; if ye thoroughly execute justice between a man and his neighbour;

ו גֵּר יָתוֹם וְאַלְמָנָה לֹא תַעֲשֹׁקוּ וְדָם נָקִי אַל־תִּשְׁפְּכוּ בַּמָּקוֹם הַזֶּה וְאַחֲרֵי
אֱלֹהִים אֲחֵרִים לֹא תֵלְכוּ לְרַע לָכֶם׃ ז וְשִׁכַּנְתִּי אֶתְכֶם בַּמָּקוֹם הַזֶּה בָּאָרֶץ
אֲשֶׁר נָתַתִּי לַאֲבוֹתֵיכֶם לְמִן־עוֹלָם וְעַד־עוֹלָם׃ ח הִנֵּה אַתֶּם בֹּטְחִים לָכֶם
עַל־דִּבְרֵי הַשָּׁקֶר לְבִלְתִּי הוֹעִיל׃ ט הֲגָנֹב ׀ רָצֹחַ וְנָאֹף וְהִשָּׁבֵעַ לַשֶּׁקֶר וְקַטֵּר
לַבָּעַל וְהָלֹךְ אַחֲרֵי אֱלֹהִים אֲחֵרִים אֲשֶׁר לֹא־יְדַעְתֶּם׃ י וּבָאתֶם וַעֲמַדְתֶּם
לְפָנַי בַּבַּיִת הַזֶּה אֲשֶׁר נִקְרָא־שְׁמִי עָלָיו וַאֲמַרְתֶּם נִצַּלְנוּ לְמַעַן עֲשׂוֹת אֵת
כָּל־הַתּוֹעֵבוֹת הָאֵלֶּה׃ יא הַמְעָרַת פָּרִצִים הָיָה הַבַּיִת הַזֶּה אֲשֶׁר־נִקְרָא־שְׁמִי
עָלָיו בְּעֵינֵיכֶם גַּם אָנֹכִי הִנֵּה רָאִיתִי נְאֻם־יְהוָה׃ יב כִּי לְכוּ־נָא אֶל־מְקוֹמִי אֲשֶׁר
בְּשִׁילוֹ אֲשֶׁר שִׁכַּנְתִּי שְׁמִי שָׁם בָּרִאשׁוֹנָה וּרְאוּ אֵת אֲשֶׁר־עָשִׂיתִי לוֹ מִפְּנֵי רָעַת
עַמִּי יִשְׂרָאֵל׃ יג וְעַתָּה יַעַן עֲשׂוֹתְכֶם אֶת־כָּל־הַמַּעֲשִׂים הָאֵלֶּה נְאֻם־יְהוָה
וָאֲדַבֵּר אֲלֵיכֶם הַשְׁכֵּם וְדַבֵּר וְלֹא שְׁמַעְתֶּם וָאֶקְרָא אֶתְכֶם וְלֹא עֲנִיתֶם׃
יד וְעָשִׂיתִי לַבַּיִת ׀ אֲשֶׁר נִקְרָא־שְׁמִי עָלָיו אֲשֶׁר אַתֶּם בֹּטְחִים בּוֹ וְלַמָּקוֹם
אֲשֶׁר־נָתַתִּי לָכֶם וְלַאֲבוֹתֵיכֶם כַּאֲשֶׁר עָשִׂיתִי לְשִׁלוֹ׃ טו וְהִשְׁלַכְתִּי אֶתְכֶם מֵעַל
פָּנָי כַּאֲשֶׁר הִשְׁלַכְתִּי אֶת־כָּל־אֲחֵיכֶם אֵת כָּל־זֶרַע אֶפְרָיִם׃ טז וְאַתָּה
אַל־תִּתְפַּלֵּל ׀ בְּעַד־הָעָם הַזֶּה וְאַל־תִּשָּׂא בַעֲדָם רִנָּה וּתְפִלָּה וְאַל־תִּפְגַּע־בִּי
כִּי־אֵינֶנִּי שֹׁמֵעַ אֹתָךְ׃ יז הַאֵינְךָ רֹאֶה מָה הֵמָּה עֹשִׂים בְּעָרֵי יְהוּדָה וּבְחֻצוֹת
יְרוּשָׁלִָם׃ יח הַבָּנִים מְלַקְּטִים עֵצִים וְהָאָבוֹת מְבַעֲרִים אֶת־הָאֵשׁ וְהַנָּשִׁים
לָשׁוֹת בָּצֵק לַעֲשׂוֹת כַּוָּנִים לִמְלֶכֶת הַשָּׁמַיִם וְהַסֵּךְ נְסָכִים לֵאלֹהִים אֲחֵרִים
לְמַעַן הַכְעִסֵנִי׃ יט הַאֹתִי הֵם מַכְעִסִים נְאֻם־יְהוָה הֲלוֹא אֹתָם לְמַעַן בֹּשֶׁת
פְּנֵיהֶם׃ כ לָכֵן כֹּה־אָמַר ׀ אֲדֹנָי יֱהוִה הִנֵּה אַפִּי וַחֲמָתִי נִתֶּכֶת אֶל־הַמָּקוֹם הַזֶּה
עַל־הָאָדָם וְעַל־הַבְּהֵמָה וְעַל־עֵץ הַשָּׂדֶה וְעַל־פְּרִי הָאֲדָמָה וּבָעֲרָה וְלֹא
תִכְבֶּה׃ כא כֹּה אָמַר יְהוָה צְבָאוֹת אֱלֹהֵי יִשְׂרָאֵל עֹלוֹתֵיכֶם סְפוּ עַל־זִבְחֵיכֶם
וְאִכְלוּ בָשָׂר׃ כב כִּי לֹא־דִבַּרְתִּי אֶת־אֲבוֹתֵיכֶם וְלֹא צִוִּיתִים בְּיוֹם
הוֹצִיאִי[27] אוֹתָם מֵאֶרֶץ מִצְרָיִם עַל־דִּבְרֵי עוֹלָה וָזָבַח׃ כג כִּי אִם־אֶת־הַדָּבָר
הַזֶּה צִוִּיתִי אוֹתָם לֵאמֹר שִׁמְעוּ בְקוֹלִי וְהָיִיתִי לָכֶם לֵאלֹהִים וְאַתֶּם תִּהְיוּ־לִי
לְעָם וַהֲלַכְתֶּם בְּכָל־הַדֶּרֶךְ אֲשֶׁר אֲצַוֶּה אֶתְכֶם לְמַעַן יִיטַב לָכֶם׃ כד וְלֹא
שָׁמְעוּ וְלֹא־הִטּוּ אֶת־אָזְנָם וַיֵּלְכוּ בְּמֹעֵצוֹת בִּשְׁרִרוּת לִבָּם הָרָע וַיִּהְיוּ לְאָחוֹר
וְלֹא לְפָנִים׃ כה לְמִן־הַיּוֹם אֲשֶׁר יָצְאוּ אֲבוֹתֵיכֶם מֵאֶרֶץ מִצְרַיִם עַד הַיּוֹם הַזֶּה
וָאֶשְׁלַח אֲלֵיכֶם אֶת־כָּל־עֲבָדַי הַנְּבִיאִים יוֹם הַשְׁכֵּם וְשָׁלֹחַ׃ כו וְלוֹא שָׁמְעוּ אֵלַי
וְלֹא הִטּוּ אֶת־אָזְנָם וַיַּקְשׁוּ אֶת־עָרְפָּם הֵרֵעוּ מֵאֲבוֹתָם׃ כז וְדִבַּרְתָּ אֲלֵיהֶם
אֶת־כָּל־הַדְּבָרִים הָאֵלֶּה וְלֹא יִשְׁמְעוּ אֵלֶיךָ וְקָרָאתָ אֲלֵיהֶם וְלֹא יַעֲנוּכָה׃

[27] הוציא

6 if ye oppress not the stranger, the fatherless, and the widow, and shed not innocent blood in this place, neither walk after other gods to your hurt; **7** then will I cause you to dwell in this place, in the land that I gave to your fathers, for ever and ever. **8** Behold, ye trust in lying words, that cannot profit. **9** Will ye steal, murder, and commit adultery, and swear falsely, and offer unto Baal, and walk after other gods whom ye have not known, **10** and come and stand before Me in this house, whereupon My name is called, and say: 'We are delivered', that ye may do all these abominations? **11** Is this house, whereupon My name is called, become a den of robbers in your eyes? Behold, I, even I, have seen it, saith Yehovah. **12** For go ye now unto My place which was in Shiloh, where I caused My name to dwell at the first, and see what I did to it for the wickedness of My people Israel. **13** And now, because ye have done all these works, saith Yehovah, and I spoke unto you, speaking betimes and often, but ye heard not, and I called you, but ye answered not; **14** therefore will I do unto the house, whereupon My name is called, wherein ye trust, and unto the place which I gave to you and to your fathers, as I have done to Shiloh. **15** And I will cast you out of My sight, as I have cast out all your brethren, even the whole seed of Ephraim.{P}

16 Therefore pray not thou for this people, neither lift up cry nor prayer for them, neither make intercession to Me; for I will not hear thee. **17** Seest thou not what they do in the cities of Judah and in the streets of Yerushalam? **18** The children gather wood, and the fathers kindle the fire, and the women knead the dough, to make cakes to the queen of heaven, and to pour out drink-offerings unto other gods, that they may provoke Me. **19** Do they provoke Me? saith Yehovah; do they not provoke themselves, to the confusion of their own faces? **20** Therefore thus saith the Lord GOD [Adonai Yehovi]: Behold, Mine anger and My fury shall be poured out upon this place, upon man, and upon beast, and upon the trees of the field, and upon the fruit of the land; and it shall burn, and shall not be quenched.{P}

21 Thus saith Yehovah of hosts, the God of Israel: Add your burnt-offerings unto your sacrifices, and eat ye flesh. **22** For I spoke not unto your fathers, nor commanded them in the day that I brought them out of the land of Egypt, concerning burnt-offerings or sacrifices; **23** but this thing I commanded them, saying: 'Hearken unto My voice, and I will be your God, and ye shall be My people; and walk ye in all the way that I command you, that it may be well with you.' **24** But they hearkened not, nor inclined their ear, but walked in their own counsels, even in the stubbornness of their evil heart, and went backward and not forward, **25** even since the day that your fathers came forth out of the land of Egypt unto this day; and though I have sent unto you all My servants the prophets, sending them daily betimes and often, **26** yet they hearkened not unto Me, nor inclined their ear, but made their neck stiff; they did worse than their fathers. **27** And thou shalt speak all these words unto them, but they will not hearken to thee; thou shalt also call unto them, but they will not answer thee.

כח וְאָמַרְתָּ אֲלֵיהֶם זֶה הַגּוֹי אֲשֶׁר לוֹא־שָׁמְעוּ בְּקוֹל יְהוָה אֱלֹהָיו וְלֹא לָקְחוּ
מוּסָר אָבְדָה הָאֱמוּנָה וְנִכְרְתָה מִפִּיהֶם׃ כט גָּזִּי נִזְרֵךְ וְהַשְׁלִיכִי וּשְׂאִי
עַל־שְׁפָיִם קִינָה כִּי מָאַס יְהוָה וַיִּטֹּשׁ אֶת־דּוֹר עֶבְרָתוֹ׃ ל כִּי־עָשׂוּ בְנֵי־יְהוּדָה
הָרַע בְּעֵינַי נְאֻם־יְהוָה שָׂמוּ שִׁקּוּצֵיהֶם בַּבַּיִת אֲשֶׁר־נִקְרָא־שְׁמִי עָלָיו לְטַמְּאוֹ׃
לא וּבָנוּ בָּמוֹת הַתֹּפֶת אֲשֶׁר בְּגֵיא בֶן־הִנֹּם לִשְׂרֹף אֶת־בְּנֵיהֶם וְאֶת־בְּנֹתֵיהֶם
בָּאֵשׁ אֲשֶׁר לֹא צִוִּיתִי וְלֹא עָלְתָה עַל־לִבִּי׃ לב לָכֵן הִנֵּה־יָמִים בָּאִים
נְאֻם־יְהוָה וְלֹא־יֵאָמֵר עוֹד הַתֹּפֶת וְגֵיא בֶן־הִנֹּם כִּי אִם־גֵּיא הַהֲרֵגָה וְקָבְרוּ
בְתֹפֶת מֵאֵין מָקוֹם׃ לג וְהָיְתָה נִבְלַת הָעָם הַזֶּה לְמַאֲכָל לְעוֹף הַשָּׁמַיִם
וּלְבֶהֱמַת הָאָרֶץ וְאֵין מַחֲרִיד׃ לד וְהִשְׁבַּתִּי | מֵעָרֵי יְהוּדָה וּמֵחֻצוֹת יְרוּשָׁלִַם
קוֹל שָׂשׂוֹן וְקוֹל שִׂמְחָה קוֹל חָתָן וְקוֹל כַּלָּה כִּי לְחָרְבָּה תִּהְיֶה הָאָרֶץ׃

ח א בָּעֵת הַהִיא נְאֻם־יְהוָה יוֹצִיאוּ[28] אֶת־עַצְמוֹת מַלְכֵי־יְהוּדָה
וְאֶת־עַצְמוֹת־שָׂרָיו וְאֶת־עַצְמוֹת הַכֹּהֲנִים וְאֵת | עַצְמוֹת הַנְּבִיאִים וְאֵת עַצְמוֹת
יוֹשְׁבֵי־יְרוּשָׁלִָם מִקִּבְרֵיהֶם׃ ב וּשְׁטָחוּם לַשֶּׁמֶשׁ וְלַיָּרֵחַ וּלְכֹל | צְבָא הַשָּׁמַיִם
אֲשֶׁר אֲהֵבוּם וַאֲשֶׁר עֲבָדוּם וַאֲשֶׁר הָלְכוּ אַחֲרֵיהֶם וַאֲשֶׁר דְּרָשׁוּם וַאֲשֶׁר
הִשְׁתַּחֲווּ לָהֶם לֹא יֵאָסְפוּ וְלֹא יִקָּבֵרוּ לְדֹמֶן עַל־פְּנֵי הָאֲדָמָה יִהְיוּ׃ ג וְנִבְחַר
מָוֶת מֵחַיִּים לְכֹל הַשְּׁאֵרִית הַנִּשְׁאָרִים מִן־הַמִּשְׁפָּחָה הָרָעָה הַזֹּאת
בְּכָל־הַמְּקֹמוֹת הַנִּשְׁאָרִים אֲשֶׁר הִדַּחְתִּים שָׁם נְאֻם יְהוָה צְבָאוֹת׃ ד וְאָמַרְתָּ
אֲלֵיהֶם כֹּה אָמַר יְהוָה הֲיִפְּלוּ וְלֹא יָקוּמוּ אִם־יָשׁוּב וְלֹא יָשׁוּב׃ ה מַדּוּעַ
שׁוֹבְבָה הָעָם הַזֶּה יְרוּשָׁלִַם מְשֻׁבָה נִצַּחַת הֶחֱזִיקוּ בַּתַּרְמִית מֵאֲנוּ לָשׁוּב׃
ו הִקְשַׁבְתִּי וָאֶשְׁמָע לוֹא־כֵן יְדַבֵּרוּ אֵין אִישׁ נִחָם עַל־רָעָתוֹ לֵאמֹר מֶה עָשִׂיתִי
כֻּלֹּה שָׁב בִּמְרוּצָתָם[29] כְּסוּס שׁוֹטֵף בַּמִּלְחָמָה׃ ז גַּם־חֲסִידָה בַשָּׁמַיִם יָדְעָה
מוֹעֲדֶיהָ וְתֹר וְסִיס[30] וְעָגוּר שָׁמְרוּ אֶת־עֵת בֹּאָנָה וְעַמִּי לֹא יָדְעוּ אֵת מִשְׁפַּט
יְהוָה׃ ח אֵיכָה תֹאמְרוּ חֲכָמִים אֲנַחְנוּ וְתוֹרַת יְהוָה אִתָּנוּ אָכֵן הִנֵּה לַשֶּׁקֶר
עָשָׂה עֵט שֶׁקֶר סֹפְרִים׃ ט הֹבִשׁוּ חֲכָמִים חַתּוּ וַיִּלָּכֵדוּ הִנֵּה בִדְבַר־יְהוָה
מָאָסוּ וְחָכְמַת־מֶה לָהֶם׃ י לָכֵן אֶתֵּן אֶת־נְשֵׁיהֶם לַאֲחֵרִים שְׂדוֹתֵיהֶם
לְיוֹרְשִׁים כִּי מִקָּטֹן וְעַד־גָּדוֹל כֻּלֹּה בֹּצֵעַ בָּצַע מִנָּבִיא וְעַד־כֹּהֵן כֻּלֹּה עֹשֶׂה
שָּׁקֶר׃ יא וַיְרַפּוּ אֶת־שֶׁבֶר בַּת־עַמִּי עַל־נְקַלָּה לֵאמֹר שָׁלוֹם | שָׁלוֹם וְאֵין
שָׁלוֹם׃ יב הֹבִשׁוּ כִּי תוֹעֵבָה עָשׂוּ גַּם־בּוֹשׁ לֹא־יֵבֹשׁוּ וְהִכָּלֵם לֹא יָדָעוּ לָכֵן
יִפְּלוּ בַנֹּפְלִים בְּעֵת פְּקֻדָּתָם יִכָּשְׁלוּ אָמַר יְהוָה׃

[28] ויציאו
[29] במרצותם
[30] וסוס

28 Therefore thou shalt say unto them: This is the nation that hath not hearkened to the voice of Yehovah their God, nor received correction; faithfulness is perished, and is cut off from their mouth.{S} **29** Cut off thy hair, and cast it away, and take up a lamentation on the high hills; for Yehovah hath rejected and forsaken the generation of His wrath. **30** For the children of Judah have done that which is evil in My sight, saith Yehovah; they have set their detestable things in the house whereon My name is called, to defile it. **31** And they have built the high places of Topheth, which is in the valley of the son of Hinnom, to burn their sons and their daughters in the fire; which I commanded not, neither came it into My mind.{P}

32 Therefore, behold, the days come, saith Yehovah, that it shall no more be called Topheth, nor the valley of the son of Hinnom, but the valley of slaughter; for they shall bury in Topheth, for lack of room. **33** And the carcasses of this people shall be food for the fowls of the heaven, and for the beasts of the earth; and none shall frighten them away. **34** Then will I cause to cease from the cities of Judah, and from the streets of Yerushalam, the voice of mirth and the voice of gladness, the voice of the bridegroom and the voice of the bride; for the land shall be desolate.

8 **1** At that time, saith Yehovah, they shall bring out the bones of the kings of Judah, and the bones of his princes, and the bones of the priests, and the bones of the prophets, and the bones of the inhabitants of Yerushalam, out of their graves; **2** and they shall spread them before the sun, and the moon, and all the host of heaven, whom they have loved, and whom they have served, and after whom they have walked, and whom they have sought, and whom they have worshipped; they shall not be gathered, nor be buried, they shall be for dung upon the face of the earth. **3** And death shall be chosen rather than life by all the residue that remain of this evil family, that remain in all the places whither I have driven them, saith Yehovah of hosts.{S} **4** Moreover thou shalt say unto them: Thus saith Yehovah: do men fall, and not rise up again? Doth one turn away, and not return? **5** Why then is this people of Yerushalam slidden back by a perpetual backsliding? They hold fast deceit, they refuse to return. **6** I attended and listened, but they spoke not aright; no man repenteth him of his wickedness, saying: 'What have I done?' Every one turneth away in his course, as a horse that rusheth headlong in the battle. **7** Yea, the stork in the heaven knoweth her appointed times; and the turtle and the swallow and the crane observe the time of their coming; but My people know not the ordinance of Yehovah. **8** How do ye say: 'We are wise, and the Torah of Yehovah is with us'? Lo, certainly in vain hath wrought the vain pen of the scribes. **9** The wise men are ashamed, they are dismayed and taken; lo, they have rejected the word of Yehovah; and what wisdom is in them? **10** Therefore will I give their wives unto others, and their fields to them that shall possess them; for from the least even unto the greatest every one is greedy for gain, from the prophet even unto the priest every one dealeth falsely. **11** And they have healed the hurt of the daughter of My people lightly, saying: 'Peace, peace', when there is no peace. **12** They shall be put to shame because they have committed abomination; yea, they are not at all ashamed, neither know they how to blush; therefore shall they fall among them that fall, in the time of their visitation they shall stumble, saith Yehovah.{P}

יג אָסֹף אֲסִיפֵם נְאֻם־יְהוָה אֵין עֲנָבִים בַּגֶּפֶן וְאֵין תְּאֵנִים בַּתְּאֵנָה וְהֶעָלֶה נָבֵל
וָאֶתֵּן לָהֶם יַעַבְרוּם׃ יד עַל־מָה אֲנַחְנוּ יֹשְׁבִים הֵאָסְפוּ וְנָבוֹא אֶל־עָרֵי
הַמִּבְצָר וְנִדְּמָה־שָּׁם כִּי יְהוָה אֱלֹהֵינוּ הֲדִמָּנוּ וַיַּשְׁקֵנוּ מֵי־רֹאשׁ כִּי חָטָאנוּ
לַיהוָה׃ טו קַוֵּה לְשָׁלוֹם וְאֵין טוֹב לְעֵת מַרְפֵּה וְהִנֵּה בְעָתָה׃ טז מִדָּן נִשְׁמַע
נַחְרַת סוּסָיו מִקּוֹל מִצְהֲלוֹת אַבִּירָיו רָעֲשָׁה כָּל־הָאָרֶץ וַיָּבוֹאוּ וַיֹּאכְלוּ אֶרֶץ
וּמְלוֹאָהּ עִיר וְיֹשְׁבֵי בָהּ׃ יז כִּי הִנְנִי מְשַׁלֵּחַ בָּכֶם נְחָשִׁים צִפְעֹנִים אֲשֶׁר
אֵין־לָהֶם לָחַשׁ וְנִשְּׁכוּ אֶתְכֶם נְאֻם־יְהוָה׃ יח מַבְלִיגִיתִי עֲלֵי יָגוֹן עָלַי לִבִּי
דַוָּי׃ יט הִנֵּה־קוֹל שַׁוְעַת בַּת־עַמִּי מֵאֶרֶץ מַרְחַקִּים הַיהוָה אֵין בְּצִיּוֹן
אִם־מַלְכָּהּ אֵין בָּהּ מַדּוּעַ הִכְעִסוּנִי בִּפְסִלֵיהֶם בְּהַבְלֵי נֵכָר׃ כ עָבַר קָצִיר
כָּלָה קָיִץ וַאֲנַחְנוּ לוֹא נוֹשָׁעְנוּ׃ כא עַל־שֶׁבֶר בַּת־עַמִּי הָשְׁבָּרְתִּי קָדַרְתִּי שַׁמָּה
הֶחֱזִקָתְנִי׃ כב הַצֳרִי אֵין בְּגִלְעָד אִם־רֹפֵא אֵין שָׁם כִּי מַדּוּעַ לֹא עָלְתָה
אֲרֻכַת בַּת־עַמִּי׃ כג מִי־יִתֵּן רֹאשִׁי מַיִם וְעֵינִי מְקוֹר דִּמְעָה וְאֶבְכֶּה יוֹמָם
וָלַיְלָה אֵת חַלְלֵי בַת־עַמִּי׃

ט א מִי־יִתְּנֵנִי בַמִּדְבָּר מְלוֹן אֹרְחִים וְאֶעֶזְבָה אֶת־עַמִּי וְאֵלְכָה מֵאִתָּם כִּי
כֻלָּם מְנָאֲפִים עֲצֶרֶת בֹּגְדִים׃ ב וַיַּדְרְכוּ אֶת־לְשׁוֹנָם קַשְׁתָּם שֶׁקֶר וְלֹא
לֶאֱמוּנָה גָּבְרוּ בָאָרֶץ כִּי מֵרָעָה אֶל־רָעָה ׀ יָצָאוּ וְאֹתִי לֹא־יָדָעוּ נְאֻם־יְהוָה׃
ג אִישׁ מֵרֵעֵהוּ הִשָּׁמֵרוּ וְעַל־כָּל־אָח אַל־תִּבְטָחוּ כִּי כָל־אָח עָקוֹב יַעְקֹב
וְכָל־רֵעַ רָכִיל יַהֲלֹךְ׃ ד וְאִישׁ בְּרֵעֵהוּ יְהָתֵלּוּ וֶאֱמֶת לֹא יְדַבֵּרוּ לִמְּדוּ לְשׁוֹנָם
דַּבֶּר־שֶׁקֶר הַעֲוֵה נִלְאוּ׃ ה שִׁבְתְּךָ בְּתוֹךְ מִרְמָה בְּמִרְמָה מֵאֲנוּ דַעַת־אוֹתִי
נְאֻם־יְהוָה׃ ו לָכֵן כֹּה אָמַר יְהוָה צְבָאוֹת הִנְנִי צוֹרְפָם וּבְחַנְתִּים כִּי־אֵיךְ
אֶעֱשֶׂה מִפְּנֵי בַּת־עַמִּי׃ ז חֵץ שָׁחוּט[31] לְשׁוֹנָם מִרְמָה דִבֵּר בְּפִיו שָׁלוֹם
אֶת־רֵעֵהוּ יְדַבֵּר וּבְקִרְבּוֹ יָשִׂים אָרְבּוֹ׃ ח הַעַל־אֵלֶּה לֹא־אֶפְקָד־בָּם
נְאֻם־יְהוָה אִם בְּגוֹי אֲשֶׁר־כָּזֶה לֹא תִתְנַקֵּם נַפְשִׁי׃ ט עַל־הֶהָרִים אֶשָּׂא בְכִי
וָנֶהִי וְעַל־נְאוֹת מִדְבָּר קִינָה כִּי נִצְּתוּ מִבְּלִי־אִישׁ עֹבֵר וְלֹא שָׁמְעוּ קוֹל מִקְנֶה
מֵעוֹף הַשָּׁמַיִם וְעַד־בְּהֵמָה נָדְדוּ הָלָכוּ׃ י וְנָתַתִּי אֶת־יְרוּשָׁלִַם לְגַלִּים מְעוֹן
תַּנִּים וְאֶת־עָרֵי יְהוּדָה אֶתֵּן שְׁמָמָה מִבְּלִי יוֹשֵׁב׃ יא מִי־הָאִישׁ הֶחָכָם וְיָבֵן
אֶת־זֹאת וַאֲשֶׁר דִּבֶּר פִּי־יְהוָה אֵלָיו וְיַגִּדָהּ עַל־מָה אָבְדָה הָאָרֶץ נִצְּתָה
כַמִּדְבָּר מִבְּלִי עֹבֵר׃ יב וַיֹּאמֶר יְהוָה עַל־עָזְבָם אֶת־תּוֹרָתִי אֲשֶׁר נָתַתִּי
לִפְנֵיהֶם וְלֹא־שָׁמְעוּ בְקוֹלִי וְלֹא־הָלְכוּ בָהּ׃ יג וַיֵּלְכוּ אַחֲרֵי שְׁרִרוּת לִבָּם
וְאַחֲרֵי הַבְּעָלִים אֲשֶׁר לִמְּדוּם אֲבוֹתָם׃

[31]שוחט

13 I will utterly consume them, saith Yehovah; there are no grapes on the vine, nor figs on the fig-tree, and the leaf is faded; and I gave them that which they transgress. **14** 'Why do we sit still? Assemble yourselves, and let us enter into the fortified cities, and let us be cut off there; for Yehovah our God hath cut us off, and given us water of gall to drink, because we have sinned against Yehovah. **15** We looked for peace, but no good came; and for a time of healing, and behold terror!' **16** The snorting of his horses is heard from Dan; at the sound of the neighing of his strong ones the whole land trembleth; for they are come, and have devoured the land and all that is in it, the city and those that dwell therein.{P}

17 For, behold, I will send serpents, basilisks, among you, which will not be charmed; and they shall bite you, saith Yehovah.{S} **18** Though I would take comfort against sorrow, my heart is faint within me. **19** Behold the voice of the cry of the daughter of my people from a land far off: 'Is not Yehovah in Zion? Is not her King in her?'–'Why have they provoked Me with their graven images, and with strange vanities?'– **20** 'The harvest is past, the summer is ended, and we are not saved.' **21** For the hurt of the daughter of my people am I seized with anguish; I am black, appalment hath taken hold on me. **22** Is there no balm in Gilead? Is there no physician there? Why then is not the health of the daughter of my people recovered?{S} **23** Oh that my head were waters, and mine eyes a fountain of tears, that I might weep day and night for the slain of the daughter of my people!{S}

9 **1** Oh that I were in the wilderness, in a lodging-place of wayfaring men, that I might leave my people, and go from them! For they are all adulterers, an assembly of treacherous men. **2** And they bend their tongue, their bow of falsehood; and they are grown mighty in the land, but not for truth; for they proceed from evil to evil, and Me they know not, saith Yehovah. **3** Take ye heed every one of his neighbour, and trust ye not in any brother; for every brother acteth subtly, and every neighbour goeth about with slanders. **4** And they deceive every one his neighbour, and truth they speak not; they have taught their tongue to speak lies, they weary themselves to commit iniquity. **5** Thy habitation is in the midst of deceit; through deceit they refuse to know Me, saith Yehovah.{S} **6** Therefore thus saith Yehovah of hosts: behold, I will smelt them, and try them; for how else should I do, because of the daughter of My people? **7** Their tongue is a sharpened arrow, it speaketh deceit; one speaketh peaceably to his neighbour with his mouth, but in his heart he layeth wait for him. **8** Shall I not punish them for these things? saith Yehovah; shall not My soul be avenged on such a nation as this?{S} **9** For the mountains will I take up a weeping and wailing, and for the pastures of the wilderness a lamentation, because they are burned up, so that none passeth through. And they hear not the voice of the cattle; both the fowl of the heavens and the beast are fled, and gone. **10** And I will make Yerushalam heaps, a lair of jackals; and I will make the cities of Judah a desolation, without an inhabitant.{S} **11** Who is the wise man, that he may understand this? And who is he to whom the mouth of Yehovah hath spoken, that he may declare it? Wherefore is the land perished and laid waste like a wilderness, so that none passeth through?{S} **12** And Yehovah saith: Because they have forsaken My Torah which I set before them, and have not hearkened to My voice, neither walked therein; **13** But have walked after the stubbornness of their own heart, and after the Baalim, which their fathers taught them.{P}

יד לָכֵן כֹּה־אָמַר יְהֹוָה צְבָאוֹת אֱלֹהֵי יִשְׂרָאֵל הִנְנִי מַאֲכִילָם אֶת־הָעָם הַזֶּה לַעֲנָה וְהִשְׁקִיתִים מֵי־רֹאשׁ: טו וַהֲפִצוֹתִים בַּגּוֹיִם אֲשֶׁר לֹא יָדְעוּ הֵמָּה וַאֲבוֹתָם וְשִׁלַּחְתִּי אַחֲרֵיהֶם אֶת־הַחֶרֶב עַד כַּלּוֹתִי אוֹתָם:

טז כֹּה אָמַר יְהֹוָה צְבָאוֹת הִתְבּוֹנְנוּ וְקִרְאוּ לַמְקוֹנְנוֹת וּתְבוֹאֶינָה וְאֶל־הַחֲכָמוֹת שִׁלְחוּ וְתָבוֹאנָה: יז וּתְמַהֵרְנָה וְתִשֶּׂנָה עָלֵינוּ נֶהִי וְתֵרַדְנָה עֵינֵינוּ דִּמְעָה וְעַפְעַפֵּינוּ יִזְּלוּ־מָיִם: יח כִּי קוֹל נְהִי נִשְׁמַע מִצִּיּוֹן אֵיךְ שֻׁדָּדְנוּ בֹּשְׁנוּ מְאֹד כִּי־עָזַבְנוּ אָרֶץ כִּי הִשְׁלִיכוּ מִשְׁכְּנוֹתֵינוּ: יט כִּי־שְׁמַעְנָה נָשִׁים דְּבַר־יְהֹוָה וְתִקַּח אָזְנְכֶם דְּבַר־פִּיו וְלַמֵּדְנָה בְנוֹתֵיכֶם נֶהִי וְאִשָּׁה רְעוּתָהּ קִינָה: כ כִּי־עָלָה מָוֶת בְּחַלּוֹנֵינוּ בָּא בְּאַרְמְנוֹתֵינוּ לְהַכְרִית עוֹלָל מִחוּץ בַּחוּרִים מֵרְחֹבוֹת: כא דַּבֵּר כֹּה נְאֻם־יְהֹוָה וְנָפְלָה נִבְלַת הָאָדָם כְּדֹמֶן עַל־פְּנֵי הַשָּׂדֶה וּכְעָמִיר מֵאַחֲרֵי הַקֹּצֵר וְאֵין מְאַסֵּף: כב כֹּה ׀ אָמַר יְהֹוָה אַל־יִתְהַלֵּל חָכָם בְּחָכְמָתוֹ וְאַל־יִתְהַלֵּל הַגִּבּוֹר בִּגְבוּרָתוֹ אַל־יִתְהַלֵּל עָשִׁיר בְּעָשְׁרוֹ: כג כִּי אִם־בְּזֹאת יִתְהַלֵּל הַמִּתְהַלֵּל הַשְׂכֵּל וְיָדֹעַ אוֹתִי כִּי אֲנִי יְהֹוָה עֹשֶׂה חֶסֶד מִשְׁפָּט וּצְדָקָה בָּאָרֶץ כִּי־בְאֵלֶּה חָפַצְתִּי נְאֻם־יְהֹוָה: כד הִנֵּה יָמִים בָּאִים נְאֻם־יְהֹוָה וּפָקַדְתִּי עַל־כָּל־מוּל בְּעָרְלָה: כה עַל־מִצְרַיִם וְעַל־יְהוּדָה וְעַל־אֱדוֹם וְעַל־בְּנֵי עַמּוֹן וְעַל־מוֹאָב וְעַל כָּל־קְצוּצֵי פֵאָה הַיֹּשְׁבִים בַּמִּדְבָּר כִּי כָל־הַגּוֹיִם עֲרֵלִים וְכָל־בֵּית יִשְׂרָאֵל עַרְלֵי־לֵב:

י א שִׁמְעוּ אֶת־הַדָּבָר אֲשֶׁר דִּבֶּר יְהֹוָה עֲלֵיכֶם בֵּית יִשְׂרָאֵל: ב כֹּה ׀ אָמַר יְהֹוָה אֶל־דֶּרֶךְ הַגּוֹיִם אַל־תִּלְמָדוּ וּמֵאֹתוֹת הַשָּׁמַיִם אַל־תֵּחָתּוּ כִּי־יֵחַתּוּ הַגּוֹיִם מֵהֵמָּה: ג כִּי־חֻקּוֹת הָעַמִּים הֶבֶל הוּא כִּי־עֵץ מִיַּעַר כְּרָתוֹ מַעֲשֵׂה יְדֵי־חָרָשׁ בַּמַּעֲצָד: ד בְּכֶסֶף וּבְזָהָב יְיַפֵּהוּ בְּמַסְמְרוֹת וּבְמַקָּבוֹת יְחַזְּקוּם וְלוֹא יָפִיק: ה כְּתֹמֶר מִקְשָׁה הֵמָּה וְלֹא יְדַבֵּרוּ נָשׂוֹא יִנָּשׂוּא כִּי לֹא יִצְעָדוּ אַל־תִּירְאוּ מֵהֶם כִּי־לֹא יָרֵעוּ וְגַם־הֵיטֵיב אֵין אוֹתָם: ו מֵאֵין כָּמוֹךָ יְהֹוָה גָּדוֹל אַתָּה וְגָדוֹל שִׁמְךָ בִּגְבוּרָה: ז מִי לֹא יִרָאֲךָ מֶלֶךְ הַגּוֹיִם כִּי לְךָ יָאָתָה כִּי בְכָל־חַכְמֵי הַגּוֹיִם וּבְכָל־מַלְכוּתָם מֵאֵין כָּמוֹךָ: ח וּבְאַחַת יִבְעֲרוּ וְיִכְסָלוּ מוּסַר הֲבָלִים עֵץ הוּא: ט כֶּסֶף מְרֻקָּע מִתַּרְשִׁישׁ יוּבָא וְזָהָב מֵאוּפָז מַעֲשֵׂה חָרָשׁ וִידֵי צוֹרֵף תְּכֵלֶת וְאַרְגָּמָן לְבוּשָׁם מַעֲשֵׂה חֲכָמִים כֻּלָּם: י וַיהֹוָה אֱלֹהִים אֱמֶת הוּא־אֱלֹהִים חַיִּים וּמֶלֶךְ עוֹלָם מִקִּצְפּוֹ תִּרְעַשׁ הָאָרֶץ וְלֹא־יָכִלוּ גוֹיִם זַעְמוֹ:

14 Therefore thus saith Yehovah of hosts, the God of Israel: Behold, I will feed them, even this people, with wormwood, and give them water of gall to drink. **15** I will scatter them also among the nations, whom neither they nor their fathers have known; and I will send the sword after them, till I have consumed them.{P}

16 Thus saith Yehovah of hosts: Consider ye, and call for the mourning women, that they may come; and send for the wise women, that they may come; **17** And let them make haste, and take up a wailing for us, that our eyes may run down with tears, and our eyelids gush out with waters. **18** For a voice of wailing is heard out of Zion: 'How are we undone! We are greatly confounded, because we have forsaken the land, because our dwellings have cast us out.'{S} **19** Yea, hear the word of Yehovah, O ye women, and let your ear receive the word of His mouth, and teach your daughters wailing, and every one her neighbour lamentation: **20** 'For death is come up into our windows, it is entered into our palaces, to cut off the children from the street, and the young men from the broad places.– **21** Speak: Thus saith Yehovah–And the carcasses of men fall as dung upon the open field, and as the handful after the harvestman, which none gathereth.'{S} **22** Thus saith Yehovah: Let not the wise man glory in his wisdom, neither let the mighty man glory in his might, let not the rich man glory in his riches; **23** But let him that glorieth glory in this, that he understandeth, and knoweth Me, that I am Yehovah who exercise mercy, justice, and righteousness, in the earth; for in these things I delight, saith Yehovah.{S} **24** Behold, the days come, saith Yehovah, that I will punish all them that are circumcised in their uncircumcision: **25** Egypt, and Judah, and Edom, and the children of Ammon, and Moab, and all that have the corners of their hair polled, that dwell in the wilderness; for all the nations are uncircumcised, but all the house of Israel are uncircumcised in the heart.{P}

10 **1** Hear ye the word which Yehovah speaketh unto you, O house of Israel; **2** thus saith Yehovah: Learn not the way of the nations, and be not dismayed at the signs of heaven; for the nations are dismayed at them. **3** For the customs of the peoples are vanity; for it is but a tree which one cutteth out of the forest, the work of the hands of the workman with the axe. **4** They deck it with silver and with gold, they fasten it with nails and with hammers, that it move not. **5** They are like a pillar in a garden of cucumbers, and speak not; they must needs be borne, because they cannot go. Be not afraid of them, for they cannot do evil, neither is it in them to do good.{P}

6 There is none like unto Thee, Yehovah; Thou art great, and Thy name is great in might. **7** Who would not fear Thee, O king of the nations? For it befitteth Thee; forasmuch as among all the wise men of the nations, and in all their royalty, there is none like unto Thee. **8** But they are altogether brutish and foolish: the vanities by which they are instructed are but a stock; **9** Silver beaten into plates which is brought from Tarshish, and gold from Uphaz, the work of the craftsman and of the hands of the goldsmith; blue and purple is their clothing; they are all the work of skilful men. **10** But Yehovah God is the true God, He is the living God, and the everlasting King; at His wrath the earth trembleth, and the nations are not able to abide His indignation.{P}

יא כִּדְנָה תֵּאמְרוּן לְהוֹם אֱלָהַיָּא דִּי־שְׁמַיָּא וְאַרְקָא לָא עֲבַדוּ יֵאבַדוּ מֵאַרְעָא
וּמִן־תְּחוֹת שְׁמַיָּא אֵלֶּה׃ יב עֹשֵׂה אֶרֶץ בְּכֹחוֹ מֵכִין תֵּבֵל בְּחָכְמָתוֹ וּבִתְבוּנָתוֹ
נָטָה שָׁמָיִם׃ יג לְקוֹל תִּתּוֹ הֲמוֹן מַיִם בַּשָּׁמַיִם וַיַּעֲלֶה נְשִׂאִים מִקְצֵה
הָאָרֶץ[32] בְּרָקִים לַמָּטָר עָשָׂה וַיּוֹצֵא רוּחַ מֵאֹצְרֹתָיו׃ יד נִבְעַר כָּל־אָדָם מִדַּעַת
הֹבִישׁ כָּל־צוֹרֵף מִפָּסֶל כִּי שֶׁקֶר נִסְכּוֹ וְלֹא־רוּחַ בָּם׃ טו הֶבֶל הֵמָּה מַעֲשֵׂה
תַּעְתֻּעִים בְּעֵת פְּקֻדָּתָם יֹאבֵדוּ׃ טז לֹא־כְאֵלֶּה חֵלֶק יַעֲקוֹב כִּי־יוֹצֵר הַכֹּל הוּא
וְיִשְׂרָאֵל שֵׁבֶט נַחֲלָתוֹ יְהוָה צְבָאוֹת שְׁמוֹ׃ יז אִסְפִּי מֵאֶרֶץ כִּנְעָתֵךְ
יֹשֶׁבֶת[33] בַּמָּצוֹר׃ יח כִּי־כֹה אָמַר יְהוָה הִנְנִי קוֹלֵעַ אֶת־יוֹשְׁבֵי הָאָרֶץ בַּפַּעַם
הַזֹּאת וַהֲצֵרוֹתִי לָהֶם לְמַעַן יִמְצָאוּ׃ יט אוֹי לִי עַל־שִׁבְרִי נַחְלָה מַכָּתִי וַאֲנִי
אָמַרְתִּי אַךְ זֶה חֳלִי וְאֶשָּׂאֶנּוּ׃ כ אָהֳלִי שֻׁדָּד וְכָל־מֵיתָרַי נִתָּקוּ בָּנַי יְצָאֻנִי וְאֵינָם
אֵין־נֹטֶה עוֹד אָהֳלִי וּמֵקִים יְרִיעוֹתָי׃ כא כִּי נִבְעֲרוּ הָרֹעִים וְאֶת־יְהוָה לֹא
דָרָשׁוּ עַל־כֵּן לֹא הִשְׂכִּילוּ וְכָל־מַרְעִיתָם נְפוֹצָה׃ כב קוֹל שְׁמוּעָה הִנֵּה בָאָה
וְרַעַשׁ גָּדוֹל מֵאֶרֶץ צָפוֹן לָשׂוּם אֶת־עָרֵי יְהוּדָה שְׁמָמָה מְעוֹן תַּנִּים׃ כג יָדַעְתִּי
יְהוָה כִּי לֹא לָאָדָם דַּרְכּוֹ לֹא־לְאִישׁ הֹלֵךְ וְהָכִין אֶת־צַעֲדוֹ׃ כד יַסְּרֵנִי יְהוָה
אַךְ־בְּמִשְׁפָּט אַל־בְּאַפְּךָ פֶּן־תַּמְעִטֵנִי׃ כה שְׁפֹךְ חֲמָתְךָ עַל־הַגּוֹיִם אֲשֶׁר
לֹא־יְדָעוּךָ וְעַל מִשְׁפָּחוֹת אֲשֶׁר בְּשִׁמְךָ לֹא קָרָאוּ כִּי־אָכְלוּ אֶת־יַעֲקֹב וַאֲכָלֻהוּ
וַיְכַלֻּהוּ וְאֶת־נָוֵהוּ הֵשַׁמּוּ׃

יא א הַדָּבָר אֲשֶׁר הָיָה אֶל־יִרְמְיָהוּ מֵאֵת יְהוָה לֵאמֹר׃ ב שִׁמְעוּ אֶת־דִּבְרֵי
הַבְּרִית הַזֹּאת וְדִבַּרְתָּם אֶל־אִישׁ יְהוּדָה וְעַל־יֹשְׁבֵי יְרוּשָׁלִָם׃ ג וְאָמַרְתָּ
אֲלֵיהֶם כֹּה־אָמַר יְהוָה אֱלֹהֵי יִשְׂרָאֵל אָרוּר הָאִישׁ אֲשֶׁר לֹא יִשְׁמַע אֶת־דִּבְרֵי
הַבְּרִית הַזֹּאת׃ ד אֲשֶׁר צִוִּיתִי אֶת־אֲבוֹתֵיכֶם בְּיוֹם הוֹצִיאִי־אוֹתָם
מֵאֶרֶץ־מִצְרַיִם מִכּוּר הַבַּרְזֶל לֵאמֹר שִׁמְעוּ בְקוֹלִי וַעֲשִׂיתֶם אוֹתָם כְּכֹל
אֲשֶׁר־אֲצַוֶּה אֶתְכֶם וִהְיִיתֶם לִי לְעָם וְאָנֹכִי אֶהְיֶה לָכֶם לֵאלֹהִים׃ ה לְמַעַן
הָקִים אֶת־הַשְּׁבוּעָה אֲשֶׁר־נִשְׁבַּעְתִּי לַאֲבוֹתֵיכֶם לָתֵת לָהֶם אֶרֶץ זָבַת חָלָב
וּדְבַשׁ כַּיּוֹם הַזֶּה וָאַעַן וָאֹמַר אָמֵן ׀ יְהוָה׃ ו וַיֹּאמֶר יְהוָה אֵלַי קְרָא
אֶת־כָּל־הַדְּבָרִים הָאֵלֶּה בְּעָרֵי יְהוּדָה וּבְחֻצוֹת יְרוּשָׁלִַם לֵאמֹר שִׁמְעוּ
אֶת־דִּבְרֵי הַבְּרִית הַזֹּאת וַעֲשִׂיתֶם אוֹתָם׃ ז כִּי הָעֵד הַעִדֹתִי בַּאֲבוֹתֵיכֶם בְּיוֹם
הַעֲלוֹתִי אוֹתָם מֵאֶרֶץ מִצְרַיִם וְעַד־הַיּוֹם הַזֶּה הַשְׁכֵּם וְהָעֵד לֵאמֹר שִׁמְעוּ
בְּקוֹלִי׃ ח וְלֹא שָׁמְעוּ וְלֹא־הִטּוּ אֶת־אָזְנָם וַיֵּלְכוּ אִישׁ בִּשְׁרִירוּת לִבָּם הָרָע
וָאָבִיא עֲלֵיהֶם אֶת־כָּל־דִּבְרֵי הַבְּרִית־הַזֹּאת אֲשֶׁר־צִוִּיתִי לַעֲשׂוֹת וְלֹא עָשׂוּ׃

[32] ארץ
[33] ישבתי

11 Thus shall ye say unto them: 'The gods that have not made the heavens and the earth, these shall perish from the earth, and from under the heavens.'{S} **12** He that hath made the earth by His power, that hath established the world by His wisdom, and hath stretched out the heavens by His understanding; **13** At the sound of His giving a multitude of waters in the heavens, when He causeth the vapours to ascend from the ends of the earth; when He maketh lightnings with the rain, and bringeth forth the wind out of His treasuries; **14** Every man is proved to be brutish, without knowledge, every goldsmith is put to shame by the graven image, his molten image is falsehood, and there is no breath in them. **15** They are vanity, a work of delusion; in the time of their visitation they shall perish. **16** Not like these is the portion of Jacob; for He is the former of all things, and Israel is the tribe of His inheritance; Yehovah of hosts is His name.{S} **17** Gather up thy wares from the ground, O thou that abidest in the siege.{S} **18** For thus saith Yehovah: Behold, I will sling out the inhabitants of the land at this time, and will distress them, that they may feel it.{S} **19** Woe is me for my hurt! My wound is grievous; but I said: 'This is but a sickness, and I must bear it.' **20** My tent is spoiled, and all my cords are broken; my children are gone forth of me, and they are not; there is none to stretch forth my tent any more, and to set up my curtains. **21** For the shepherds are become brutish, and have not inquired of Yehovah; therefore they have not prospered, and all their flocks are scattered.{P}

22 Hark! a report, behold, it cometh, and a great commotion out of the north country, to make the cities of Judah desolate, a dwelling-place of jackals.{S} **23** Yehovah, I know that man's way is not his own; it is not in man to direct his steps as he walketh. **24** Yehovah, correct me, but in measure; not in Thine anger, lest Thou diminish me. **25** Pour out Thy wrath upon the nations that know Thee not, and upon the families that call not on Thy name; for they have devoured Jacob, yea, they have devoured him and consumed him, and have laid waste his habitation.{P}

11 **1** The word that came to Jeremiah from Yehovah, saying: **2** 'Hear ye the words of this covenant, and speak unto the men of Judah, and to the inhabitants of Yerushalam; **3** and say thou unto them: Thus saith Yehovah, the God of Israel: Cursed be the man that heareth not the words of this covenant, **4** which I commanded your fathers in the day that I brought them forth out of the land of Egypt, out of the iron furnace, saying: Hearken to My voice, and do them, according to all which I command you; so shall ye be My people, and I will be your God; **5** that I may establish the oath which I swore unto your fathers, to give them a land flowing with milk and honey, as at this day.' Then answered I, and said: 'Amen, Yehovah.'{P}

6 And Yehovah said unto me: 'Proclaim all these words in the cities of Judah, and in the streets of Yerushalam, saying: Hear ye the words of this covenant, and do them. **7** For I earnestly forewarned your fathers in the day that I brought them up out of the land of Egypt, even unto this day, forewarning betimes and often, saying: Hearken to My voice. **8** Yet they hearkened not, nor inclined their ear, but walked every one in the stubbornness of their evil heart; therefore I brought upon them all the words of this covenant, which I commanded them to do, but they did them not.'{S}

ט וַיֹּאמֶר יְהֹוָה אֵלָי נִמְצָא־קֶשֶׁר בְּאִישׁ יְהוּדָה וּבְיֹשְׁבֵי יְרוּשָׁלָ͏ִם: י שָׁבוּ
עַל־עֲוֺנֹת אֲבוֹתָם הָרִאשֹׁנִים אֲשֶׁר מֵאֲנוּ לִשְׁמוֹעַ אֶת־דְּבָרַי וְהֵמָּה הָלְכוּ
אַחֲרֵי אֱלֹהִים אֲחֵרִים לְעָבְדָם הֵפֵרוּ בֵית־יִשְׂרָאֵל וּבֵית יְהוּדָה אֶת־בְּרִיתִי
אֲשֶׁר כָּרַתִּי אֶת־אֲבוֹתָם: יא לָכֵן כֹּה אָמַר יְהֹוָה הִנְנִי מֵבִיא אֲלֵיהֶם רָעָה
אֲשֶׁר לֹא־יוּכְלוּ לָצֵאת מִמֶּנָּה וְזָעֲקוּ אֵלַי וְלֹא אֶשְׁמַע אֲלֵיהֶם: יב וְהָלְכוּ עָרֵי
יְהוּדָה וְיֹשְׁבֵי יְרוּשָׁלַ͏ִם וְזָעֲקוּ אֶל־הָאֱלֹהִים אֲשֶׁר הֵם מְקַטְּרִים לָהֶם וְהוֹשֵׁעַ
לֹא־יוֹשִׁיעוּ לָהֶם בְּעֵת רָעָתָם: יג כִּי מִסְפַּר עָרֶיךָ הָיוּ אֱלֹהֶיךָ יְהוּדָה
וּמִסְפַּר חֻצוֹת יְרוּשָׁלַ͏ִם שַׂמְתֶּם מִזְבְּחוֹת לַבֹּשֶׁת מִזְבְּחוֹת לְקַטֵּר לַבָּעַל:
יד וְאַתָּה אַל־תִּתְפַּלֵּל בְּעַד־הָעָם הַזֶּה וְאַל־תִּשָּׂא בַעֲדָם רִנָּה וּתְפִלָּה כִּי
אֵינֶנִּי שֹׁמֵעַ בְּעֵת קָרְאָם אֵלַי בְּעַד רָעָתָם: טו מֶה לִידִידִי בְּבֵיתִי עֲשׂוֹתָהּ
הַמְזִמָּתָה הָרַבִּים וּבְשַׂר־קֹדֶשׁ יַעַבְרוּ מֵעָלָיִךְ כִּי רָעָתֵכִי אָז תַּעֲלֹזִי: טז זַיִת
רַעֲנָן יְפֵה פְרִי־תֹאַר קָרָא יְהֹוָה שְׁמֵךְ לְקוֹל ׀ הֲמוּלָּה גְדֹלָה הִצִּית אֵשׁ
עָלֶיהָ וְרָעוּ דָּלִיּוֹתָיו: יז וַיהֹוָה צְבָאוֹת הַנּוֹטֵעַ אוֹתָךְ דִּבֶּר עָלַיִךְ רָעָה בִּגְלַל
רָעַת בֵּית־יִשְׂרָאֵל וּבֵית יְהוּדָה אֲשֶׁר עָשׂוּ לָהֶם לְהַכְעִסֵנִי לְקַטֵּר לַבָּעַל:
יח וַיהֹוָה הוֹדִיעַנִי וָאֵדָעָה אָז הִרְאִיתַנִי מַעַלְלֵיהֶם: יט וַאֲנִי כְּכֶבֶשׂ אַלּוּף
יוּבַל לִטְבוֹחַ וְלֹא־יָדַעְתִּי כִּי־עָלַי ׀ חָשְׁבוּ מַחֲשָׁבוֹת נַשְׁחִיתָה עֵץ בְּלַחְמוֹ
וְנִכְרְתֶנּוּ מֵאֶרֶץ חַיִּים וּשְׁמוֹ לֹא־יִזָּכֵר עוֹד: כ וַיהֹוָה צְבָאוֹת שֹׁפֵט צֶדֶק בֹּחֵן
כְּלָיוֹת וָלֵב אֶרְאֶה נִקְמָתְךָ מֵהֶם כִּי אֵלֶיךָ גִּלִּיתִי אֶת־רִיבִי: כא לָכֵן
כֹּה־אָמַר יְהֹוָה עַל־אַנְשֵׁי עֲנָתוֹת הַמְבַקְשִׁים אֶת־נַפְשְׁךָ לֵאמֹר לֹא תִנָּבֵא
בְּשֵׁם יְהֹוָה וְלֹא תָמוּת בְּיָדֵנוּ: כב לָכֵן כֹּה אָמַר יְהֹוָה צְבָאוֹת הִנְנִי פֹּקֵד
עֲלֵיהֶם הַבַּחוּרִים יָמֻתוּ בַחֶרֶב בְּנֵיהֶם וּבְנוֹתֵיהֶם יָמֻתוּ בָּרָעָב: כג וּשְׁאֵרִית
לֹא תִהְיֶה לָהֶם כִּי־אָבִיא רָעָה אֶל־אַנְשֵׁי עֲנָתוֹת שְׁנַת פְּקֻדָּתָם:

יב א צַדִּיק אַתָּה יְהֹוָה כִּי אָרִיב אֵלֶיךָ אַךְ מִשְׁפָּטִים אֲדַבֵּר אוֹתָךְ מַדּוּעַ
דֶּרֶךְ רְשָׁעִים צָלֵחָה שָׁלוּ כָּל־בֹּגְדֵי בָגֶד: ב נְטַעְתָּם גַּם־שֹׁרָשׁוּ יֵלְכוּ
גַּם־עָשׂוּ פֶרִי קָרוֹב אַתָּה בְּפִיהֶם וְרָחוֹק מִכִּלְיוֹתֵיהֶם: ג וְאַתָּה יְהֹוָה
יְדַעְתָּנִי תִרְאֵנִי וּבָחַנְתָּ לִבִּי אִתָּךְ הַתִּקֵם כְּצֹאן לְטִבְחָה וְהַקְדִּשֵׁם לְיוֹם
הֲרֵגָה: ד עַד־מָתַי תֶּאֱבַל הָאָרֶץ וְעֵשֶׂב כָּל־הַשָּׂדֶה יִיבָשׁ מֵרָעַת יֹשְׁבֵי־בָהּ
סָפְתָה בְהֵמוֹת וָעוֹף כִּי אָמְרוּ לֹא יִרְאֶה אֶת־אַחֲרִיתֵנוּ: ה כִּי אֶת־רַגְלִים ׀
רַצְתָּה וַיַּלְאוּךָ וְאֵיךְ תְּתַחֲרֶה אֶת־הַסּוּסִים וּבְאֶרֶץ שָׁלוֹם אַתָּה בוֹטֵחַ וְאֵיךְ
תַּעֲשֶׂה בִּגְאוֹן הַיַּרְדֵּן:

9 And Yehovah said unto me: 'A conspiracy is found among the men of Judah, and among the inhabitants of Yerushalam. **10** They are turned back to the iniquities of their forefathers, who refused to hear My words; and they are gone after other gods to serve them; the house of Israel and the house of Judah have broken My covenant which I made with their fathers.{S} **11** Therefore thus saith Yehovah: Behold, I will bring evil upon them, which they shall not be able to escape; and though they shall cry unto Me, I will not hearken unto them. **12** Then shall the cities of Judah and the inhabitants of Yerushalam go and cry unto the gods unto whom they offer; but they shall not save them at all in the time of their trouble. **13** For according to the number of thy cities are thy gods, O Judah; and according to the number of the streets of Yerushalam have ye set up altars to the shameful thing, even altars to offer unto Baal.{S} **14** Therefore pray not thou for this people, neither lift up cry nor prayer for them; for I will not hear them in the time that they cry unto Me for their trouble.'{S} **15** What hath My beloved to do in My house, seeing she hath wrought lewdness with many, and the hallowed flesh is passed from thee? When thou doest evil, then thou rejoicest. **16** Yehovah called thy name a leafy olive-tree, fair with goodly fruit; with the noise of a great tumult He hath kindled fire upon it, and the branches of it are broken. **17** For Yehovah of hosts, that planted thee, hath pronounced evil against thee, because of the evil of the house of Israel and of the house of Judah, which they have wrought for themselves in provoking Me by offering unto Baal.{P}

18 And Yehovah gave me knowledge of it, and I knew it; then Thou showedst me their doings. **19** But I was like a docile lamb that is led to the slaughter; and I knew not that they had devised devices against me: 'Let us destroy the tree with the fruit thereof, and let us cut him off from the land of the living, that his name may be no more remembered.' **20** But, Yehovah of hosts, that judgest righteously, that triest the reins and the heart, let me see Thy vengeance on them; for unto Thee have I revealed my cause.{S} **21** Therefore thus saith Yehovah concerning the men of Anathoth, that seek thy life, saying: 'Thou shalt not prophesy in the name of Yehovah, that thou die not by our hand';{P}

22 therefore thus saith Yehovah of hosts: Behold, I will punish them; the young men shall die by the sword, their sons and their daughters shall die by famine; **23** And there shall be no remnant unto them; for I will bring evil upon the men of Anathoth, even the year of their visitation.{S}

12 **1** Right wouldest Thou be, Yehovah, were I to contend with Thee, yet will I reason with Thee: Wherefore doth the way of the wicked prosper? Wherefore are all they secure that deal very treacherously? **2** Thou hast planted them, yea, they have taken root; they grow, yea, they bring forth fruit; Thou art near in their mouth, and far from their reins. **3** But Thou, Yehovah, knowest me, Thou seest me, and triest my heart toward Thee; pull them out like sheep for the slaughter, and prepare them for the day of slaughter.{P}

4 How long shall the land mourn, and the herbs of the whole field wither? For the wickedness of them that dwell therein, the beasts are consumed, and the birds; because they said: 'He seeth not our end.' **5** 'If thou hast run with the footmen, and they have wearied thee, then how canst thou contend with horses? And though in a land of peace thou art secure, yet how wilt thou do in the thickets of the Jordan?

ו כִּי גַם־אַחֶיךָ וּבֵית־אָבִיךָ גַּם־הֵמָּה בָּגְדוּ בָךְ גַּם־הֵמָּה קָרְאוּ אַחֲרֶיךָ מָלֵא
אַל־תַּאֲמֵן בָּם כִּי־יְדַבְּרוּ אֵלֶיךָ טוֹבוֹת: ז עָזַבְתִּי אֶת־בֵּיתִי נָטַשְׁתִּי
אֶת־נַחֲלָתִי נָתַתִּי אֶת־יְדִדוּת נַפְשִׁי בְּכַף אֹיְבֶיהָ: ח הָיְתָה־לִּי נַחֲלָתִי כְּאַרְיֵה
בַיָּעַר נָתְנָה עָלַי בְּקוֹלָהּ עַל־כֵּן שְׂנֵאתִיהָ: ט הַעַיִט צָבוּעַ נַחֲלָתִי לִי הַעַיִט
סָבִיב עָלֶיהָ לְכוּ אִסְפוּ כָּל־חַיַּת הַשָּׂדֶה הֵתָיוּ לְאָכְלָה: י רֹעִים רַבִּים שִׁחֲתוּ
כַרְמִי בֹּסְסוּ אֶת־חֶלְקָתִי נָתְנוּ אֶת־חֶלְקַת חֶמְדָּתִי לְמִדְבַּר שְׁמָמָה: יא שָׂמָהּ
לִשְׁמָמָה אָבְלָה עָלַי שְׁמֵמָה נָשַׁמָּה כָּל־הָאָרֶץ כִּי אֵין אִישׁ שָׂם עַל־לֵב:
יב עַל־כָּל־שְׁפָיִם בַּמִּדְבָּר בָּאוּ שֹׁדְדִים כִּי חֶרֶב לַיהֹוָה אֹכְלָה מִקְצֵה־אֶרֶץ
וְעַד־קְצֵה הָאָרֶץ אֵין שָׁלוֹם לְכָל־בָּשָׂר: יג זָרְעוּ חִטִּים וְקֹצִים קָצָרוּ נֶחְלוּ
לֹא יוֹעִלוּ וּבֹשׁוּ מִתְּבוּאֹתֵיכֶם מֵחֲרוֹן אַף־יְהֹוָה: יד כֹּה ׀ אָמַר יְהֹוָה
עַל־כָּל־שְׁכֵנַי הָרָעִים הַנֹּגְעִים בַּנַּחֲלָה אֲשֶׁר־הִנְחַלְתִּי אֶת־עַמִּי אֶת־יִשְׂרָאֵל
הִנְנִי נֹתְשָׁם מֵעַל אַדְמָתָם וְאֶת־בֵּית יְהוּדָה אֶתּוֹשׁ מִתּוֹכָם: טו וְהָיָה אַחֲרֵי
נָתְשִׁי אוֹתָם אָשׁוּב וְרִחַמְתִּים וַהֲשִׁבֹתִים אִישׁ לְנַחֲלָתוֹ וְאִישׁ לְאַרְצוֹ: טז וְהָיָה
אִם־לָמֹד יִלְמְדוּ אֶת־דַּרְכֵי עַמִּי לְהִשָּׁבֵעַ בִּשְׁמִי חַי־יְהֹוָה כַּאֲשֶׁר לִמְּדוּ
אֶת־עַמִּי לְהִשָּׁבֵעַ בַּבָּעַל וְנִבְנוּ בְּתוֹךְ עַמִּי: יז וְאִם לֹא יִשְׁמָעוּ וְנָתַשְׁתִּי
אֶת־הַגּוֹי הַהוּא נָתוֹשׁ וְאַבֵּד נְאֻם־יְהֹוָה:

יג א כֹּה־אָמַר יְהֹוָה אֵלַי הָלוֹךְ וְקָנִיתָ לְּךָ אֵזוֹר פִּשְׁתִּים וְשַׂמְתּוֹ עַל־מָתְנֶיךָ
וּבַמַּיִם לֹא תְבִאֵהוּ: ב וָאֶקְנֶה אֶת־הָאֵזוֹר כִּדְבַר יְהֹוָה וָאָשִׂם עַל־מָתְנָי:
ג וַיְהִי דְבַר־יְהֹוָה אֵלַי שֵׁנִית לֵאמֹר: ד קַח אֶת־הָאֵזוֹר אֲשֶׁר קָנִיתָ אֲשֶׁר
עַל־מָתְנֶיךָ וְקוּם לֵךְ פְּרָתָה וְטָמְנֵהוּ שָׁם בִּנְקִיק הַסָּלַע: ה וָאֵלֵךְ וָאֶטְמְנֵהוּ
בִּפְרָת כַּאֲשֶׁר צִוָּה יְהֹוָה אוֹתִי: ו וַיְהִי מִקֵּץ יָמִים רַבִּים וַיֹּאמֶר יְהֹוָה אֵלַי
קוּם לֵךְ פְּרָתָה וְקַח מִשָּׁם אֶת־הָאֵזוֹר אֲשֶׁר צִוִּיתִיךָ לְטָמְנוֹ־שָׁם: ז וָאֵלֵךְ
פְּרָתָה וָאֶחְפֹּר וָאֶקַּח אֶת־הָאֵזוֹר מִן־הַמָּקוֹם אֲשֶׁר־טְמַנְתִּיו שָׁמָּה וְהִנֵּה נִשְׁחַת
הָאֵזוֹר לֹא יִצְלַח לַכֹּל:

ח וַיְהִי דְבַר־יְהֹוָה אֵלַי לֵאמֹר: ט כֹּה אָמַר יְהֹוָה כָּכָה אַשְׁחִית אֶת־גְּאוֹן
יְהוּדָה וְאֶת־גְּאוֹן יְרוּשָׁלִַם הָרָב: י הָעָם הַזֶּה הָרָע הַמֵּאֲנִים ׀ לִשְׁמוֹעַ
אֶת־דְּבָרַי הַהֹלְכִים בִּשְׁרִרוּת לִבָּם וַיֵּלְכוּ אַחֲרֵי אֱלֹהִים אֲחֵרִים לְעָבְדָם
וּלְהִשְׁתַּחֲוֹת לָהֶם וִיהִי כָּאֵזוֹר הַזֶּה אֲשֶׁר לֹא־יִצְלַח לַכֹּל: יא כִּי כַּאֲשֶׁר
יִדְבַּק הָאֵזוֹר אֶל־מָתְנֵי־אִישׁ כֵּן הִדְבַּקְתִּי אֵלַי אֶת־כָּל־בֵּית יִשְׂרָאֵל
וְאֶת־כָּל־בֵּית יְהוּדָה נְאֻם־יְהֹוָה לִהְיוֹת לִי לְעָם וּלְשֵׁם וְלִתְהִלָּה וּלְתִפְאָרֶת
וְלֹא שָׁמֵעוּ:

6 For even thy brethren, and the house of thy father, even they have dealt treacherously with thee, even they have cried aloud after thee; believe them not, though they speak fair words unto thee.'{S} **7** I have forsaken My house, I have cast off My heritage; I have given the dearly beloved of My soul into the hand of her enemies. **8** My heritage is become unto Me as a lion in the forest; she hath uttered her voice against Me; therefore have I hated her. **9** Is My heritage unto Me as a speckled bird of prey? Are the birds of prey against her round about? Come ye, assemble all the beasts of the field, bring them to devour. **10** Many shepherds have destroyed My vineyard, they have trodden My portion under foot, they have made My pleasant portion a desolate wilderness. **11** They have made it a desolation, it mourneth unto Me, being desolate; the whole land is made desolate, because no man layeth it to heart. **12** Upon all the high hills in the wilderness spoilers are come; for the sword of Yehovah devoureth from the one end of the land even to the other end of the land, no flesh hath peace.{S} **13** They have sown wheat, and have reaped thorns; they have put themselves to pain, they profit not; be ye then ashamed of your increase, because of the fierce anger of Yehovah.{P}

14 Thus saith Yehovah: As for all Mine evil neighbours, that touch the inheritance which I have caused My people Israel to inherit, behold, I will pluck them up from off their land, and will pluck up the house of Judah from among them. **15** And it shall come to pass, after that I have plucked them up, I will again have compassion on them; and I will bring them back, every man to his heritage, and every man to his land. **16** And it shall come to pass, if they will diligently learn the ways of My people to swear by My name: 'As Yehovah liveth,' even as they taught My people to swear by Baal; then shall they be built up in the midst of My people. **17** But if they will not hearken, then will I pluck up that nation, plucking up and destroying it, saith Yehovah.{S}

13 **1** Thus said Yehovah unto me: 'Go, and get thee a linen girdle, and put it upon thy loins, and put it not in water.' **2** So I got a girdle according to the word of Yehovah, and put it upon my loins.{P}

3 And the word of Yehovah came unto me the second time, saying: **4** 'Take the girdle that thou hast gotten, which is upon thy loins, and arise, go to Perath, and hide it there in a cleft of the rock.' **5** So I went, and hid it in Perath, as Yehovah commanded me. **6** And it came to pass after many days, that Yehovah said unto me: 'Arise, go to Perath, and take the girdle from thence, which I commanded thee to hide there.' **7** Then I went to Perath, and digged, and took the girdle from the place where I had hid it; and, behold, the girdle was marred, it was profitable for nothing.{P}

8 Then the word of Yehovah came unto me, saying: **9** Thus saith Yehovah: After this manner will I mar the pride of Judah, and the great pride of Yerushalam, **10** even this evil people, that refuse to hear My words, that walk in the stubbornness of their heart, and are gone after other gods to serve them, and to worship them, that it be as this girdle, which is profitable for nothing.{S} **11** For as the girdle cleaveth to the loins of a man, so have I caused to cleave unto Me the whole house of Israel and the whole house of Judah, saith Yehovah, that they might be unto Me for a people, and for a name, and for a praise, and for a glory; but they would not hearken.

יב וְאָמַרְתָּ֨ אֲלֵיהֶ֜ם אֶת־הַדָּבָ֣ר הַזֶּ֗ה כֹּֽה־אָמַ֤ר יְהוָה֙ אֱלֹהֵ֣י יִשְׂרָאֵ֔ל כָּל־נֵ֖בֶל
יִמָּ֣לֵא יָ֑יִן וְאָמְר֣וּ אֵלֶ֔יךָ הֲיָדֹ֙עַ֙ לֹ֣א נֵדַ֔ע כִּ֥י כָל־נֵ֖בֶל יִמָּ֥לֵא יָֽיִן׃ יג וְאָמַרְתָּ֨
אֲלֵיהֶ֜ם כֹּֽה־אָמַ֣ר יְהוָ֗ה הִנְנִ֣י מְמַלֵּ֣א אֶת־כָּל־יֹשְׁבֵ֣י הָאָ֣רֶץ הַזֹּ֡את וְאֶת־הַ֠מְּלָכִים
הַיֹּשְׁבִ֨ים לְדָוִ֜ד עַל־כִּסְא֗וֹ וְאֶת־הַכֹּהֲנִים֙ וְאֶת־הַנְּבִיאִ֔ים וְאֵ֖ת כָּל־יֹשְׁבֵ֣י
יְרוּשָׁלָ֑͏ִם שִׁכָּרֽוֹן׃ יד וְנִפַּצְתִּים֩ אִ֨ישׁ אֶל־אָחִ֜יו וְהָאָב֧וֹת וְהַבָּנִ֛ים יַחְדָּ֖ו נְאֻם־יְהוָ֑ה
לֹֽא־אֶחְמ֧וֹל וְלֹֽא־אָח֛וּס וְלֹ֥א אֲרַחֵ֖ם מֵהַשְׁחִיתָֽם׃ טו שִׁמְע֥וּ וְהַאֲזִ֖ינוּ אַל־תִּגְבָּ֑הוּ
כִּ֥י יְהוָ֖ה דִּבֵּֽר׃ טז תְּנוּ֩ לַיהוָ֨ה אֱלֹהֵיכֶ֤ם כָּבוֹד֙ בְּטֶ֣רֶם יַחְשִׁ֔ךְ וּבְטֶ֛רֶם יִֽתְנַגְּפ֥וּ
רַגְלֵיכֶ֖ם עַל־הָ֣רֵי נָ֑שֶׁף וְקִוִּיתֶ֤ם לְאוֹר֙ וְשָׂמָ֣הּ לְצַלְמָ֔וֶת וְשִׁ֖ית[34] לַעֲרָפֶֽל׃ יז וְאִם֙
לֹ֣א תִשְׁמָע֔וּהָ בְּמִסְתָּרִ֖ים תִּבְכֶּה־נַפְשִׁ֑י מִפְּנֵ֖י גֵוָ֑ה וְדָמֹ֨עַ תִּדְמַ֜ע וְתֵרַ֤ד עֵינִי֙
דִּמְעָ֔ה כִּ֥י נִשְׁבָּ֖ה עֵ֥דֶר יְהוָֽה׃ יח אֱמֹ֥ר לַמֶּ֛לֶךְ וְלַגְּבִירָ֖ה הַשְׁפִּ֣ילוּ שֵׁ֑בוּ כִּ֣י יָרַד֙
מַרְאֲשֽׁוֹתֵיכֶ֔ם עֲטֶ֖רֶת תִּפְאַרְתְּכֶֽם׃ יט עָרֵ֥י הַנֶּ֛גֶב סֻגְּר֖וּ וְאֵ֣ין פֹּתֵ֑חַ הָגְלָ֧ת יְהוּדָ֛ה
כֻּלָּ֖הּ הָגְלָ֥ת שְׁלוֹמִֽים׃ כ שְׂא֤וּ[35] עֵֽינֵיכֶם֙ וּרְא֔וּ[36] הַבָּאִ֖ים מִצָּפ֑וֹן אַיֵּה֙ הָעֵ֙דֶר֙
נִתַּן־לָ֔ךְ צֹ֖אן תִּפְאַרְתֵּֽךְ׃ כא מַה־תֹּֽאמְרִי֙ כִּֽי־יִפְקֹ֣ד עָלַ֔יִךְ וְאַ֨תְּ לִמַּ֧דְתְּ אֹתָ֛ם
עָלַ֥יִךְ אַלֻּפִ֖ים לְרֹ֑אשׁ הֲל֤וֹא חֲבָלִים֙ יֹֽאחֱז֔וּךְ כְּמ֖וֹ אֵ֥שֶׁת לֵדָֽה׃ כב וְכִ֤י תֹֽאמְרִי֙
בִּלְבָבֵ֔ךְ מַדּ֖וּעַ קְרָאֻ֣נִי אֵ֑לֶּה בְּרֹ֧ב עֲוֺנֵ֛ךְ נִגְל֥וּ שׁוּלַ֖יִךְ נֶחְמְס֥וּ עֲקֵבָֽיִךְ׃ כג הֲיַהֲפֹ֤ךְ
כּוּשִׁי֙ עוֹר֔וֹ וְנָמֵ֖ר חֲבַרְבֻּרֹתָ֑יו גַּם־אַתֶּם֙ תּוּכְל֣וּ לְהֵיטִ֔יב לִמֻּדֵ֖י הָרֵֽעַ׃
כד וַאֲפִיצֵ֖ם כְּקַשׁ־עוֹבֵ֑ר לְר֖וּחַ מִדְבָּֽר׃ כה זֶ֣ה גוֹרָלֵ֞ךְ מְנָת־מִדַּ֛יִךְ מֵאִתִּ֖י
נְאֻם־יְהוָ֑ה אֲשֶׁר֙ שָׁכַ֣חַתְּ אוֹתִ֔י וַֽתִּבְטְחִ֖י בַּשָּֽׁקֶר׃ כו וְגַם־אֲנִ֛י חָשַׂ֥פְתִּי שׁוּלַ֖יִךְ
עַל־פָּנָ֑יִךְ וְנִרְאָ֖ה קְלוֹנֵֽךְ׃ כז נִאֻפַ֨יִךְ וּמִצְהֲלוֹתַ֜יִךְ זִמַּ֣ת זְנוּתֵ֗ךְ עַל־גְּבָעוֹת֙ בַּשָּׂדֶ֔ה
רָאִ֖יתִי שִׁקּוּצָ֑יִךְ א֥וֹי לָךְ֙ יְר֣וּשָׁלַ֔͏ִם לֹ֤א תִטְהֲרִי֙ אַחֲרֵ֖י מָתַ֥י עֹֽד׃

יד א אֲשֶׁ֨ר הָיָ֤ה דְבַר־יְהוָה֙ אֶֽל־יִרְמְיָ֔הוּ עַל־דִּבְרֵ֖י הַבַּצָּרֽוֹת׃ ב אָבְלָ֣ה
יְהוּדָ֔ה וּשְׁעָרֶ֥יהָ אֻמְלְל֖וּ קָדְר֣וּ לָאָ֑רֶץ וְצִוְחַ֥ת יְרוּשָׁלַ֖͏ִם עָלָֽתָה׃ ג וְאַדִּרֵיהֶ֗ם
שָׁלְח֤וּ צְעִירֵיהֶם֙[37] לַמָּ֔יִם בָּ֨אוּ עַל־גֵּבִ֜ים לֹא־מָ֣צְאוּ מַ֗יִם שָׁ֚בוּ כְלֵיהֶ֣ם רֵיקָ֔ם
בֹּ֥שׁוּ וְהָכְלְמ֖וּ וְחָפ֥וּ רֹאשָֽׁם׃ ד בַּעֲב֤וּר הָאֲדָמָה֙ חַ֔תָּה כִּ֛י לֹא־הָיָ֥ה גֶ֖שֶׁם בָּאָ֑רֶץ
בֹּ֥שׁוּ אִכָּרִ֖ים חָפ֥וּ רֹאשָֽׁם׃ ה כִּ֤י גַם־אַיֶּ֙לֶת֙ בַּשָּׂדֶ֔ה יָלְדָ֖ה וְעָז֑וֹב כִּ֥י לֹא־הָיָ֖ה
דֶּֽשֶׁא׃ ו וּפְרָאִים֙ עָמְד֣וּ עַל־שְׁפָיִ֔ם שָׁאֲפ֥וּ ר֖וּחַ כַּתַּנִּ֑ים כָּל֥וּ עֵינֵיהֶ֖ם כִּי־אֵ֥ין
עֵֽשֶׂב׃ ז אִם־עֲוֺנֵ֙ינוּ֙ עָ֣נוּ בָ֔נוּ יְהוָ֕ה עֲשֵׂ֖ה לְמַ֣עַן שְׁמֶ֑ךָ כִּֽי־רַבּ֧וּ מְשׁוּבֹתֵ֛ינוּ לְךָ֖
חָטָֽאנוּ׃ ח מִקְוֵה֙ יִשְׂרָאֵ֔ל מוֹשִׁיע֖וֹ בְּעֵ֣ת צָרָ֑ה לָ֤מָּה תִֽהְיֶה֙ כְּגֵ֣ר בָּאָ֔רֶץ וּכְאֹרֵ֖חַ
נָטָ֥ה לָלֽוּן׃

[34] ישית
[35] שאי
[36] וראי
[37] צעוריהם

12 Moreover thou shalt speak unto them this word:{s} Thus saith Yehovah, the God of Israel: 'Every bottle is filled with wine'; and when they shall say unto thee: 'Do we not know that every bottle is filled with wine?' **13** Then shalt thou say unto them: Thus saith Yehovah: Behold, I will fill all the inhabitants of this land, even the kings that sit upon David's throne, and the priests, and the prophets, and all the inhabitants of Yerushalam, with drunkenness. **14** And I will dash them one against another, even the fathers and the sons together, saith Yehovah; I will not pity, nor spare, nor have compassion, that I should not destroy them. **15** Hear ye, and give ear, be not proud; for Yehovah hath spoken. **16** Give glory to Yehovah your God, before it grow dark, and before your feet stumble upon the mountains of twilight, and, while ye look for light, He turn it into great darkness, and make it gross darkness. **17** But if ye will not hear it, my soul shall weep in secret for your pride; and mine eyes shall weep sore, and run down with tears, because Yehovah's flock is carried away captive.{s} **18** Say thou unto the king and to the queen-mother: 'Sit ye down low; for your headtires are come down, even your beautiful crown.' **19** The cities of the South are shut up, and there is none to open them; Judah is carried away captive all of it; it is wholly carried away captive.{s} **20** Lift up your eyes, and behold them that come from the north; where is the flock that was given thee, thy beautiful flock? **21** What wilt thou say, when He shall set the friends over thee as head, whom thou thyself hast trained against thee? Shall not pangs take hold of thee, as of a woman in travail? **22** And if thou say in thy heart: 'Wherefore are these things befallen me?'–for the greatness of thine iniquity are thy skirts uncovered, and thy heels suffer violence. **23** Can the Ethiopian change his skin, or the leopard his spots? Then may ye also do good, that are accustomed to do evil. **24** Therefore will I scatter them, as the stubble that passeth away by the wind of the wilderness. **25** This is thy lot, the portion measured unto thee from Me, saith Yehovah; because thou hast forgotten Me, and trusted in falsehood. **26** Therefore will I also uncover thy skirts upon thy face, and thy shame shall appear. **27** Thine adulteries, and thy neighings, the lewdness of thy harlotry, on the hills in the field have I seen thy detestable acts. Woe unto thee, O Yerushalam! thou wilt not be made clean! When shall it ever be?{s}

14 **1** The word of Yehovah that came to Jeremiah concerning the droughts. **2** Judah mourneth, and the gates thereof languish, they bow down in black unto the ground; and the cry of Yerushalam is gone up. **3** And their nobles send their lads for water: they come to the pits, and find no water; their vessels return empty; they are ashamed and confounded, and cover their heads. **4** Because of the ground which is cracked, for there hath been no rain in the land, the plowmen are ashamed, they cover their heads. **5** Yea, the hind also in the field calveth, and forsaketh her young, because there is no grass, **6** And the wild asses stand on the high hills, they gasp for air like jackals; their eyes fail, because there is no herbage. **7** Though our iniquities testify against us, Yehovah, work Thou for Thy name's sake; for our backslidings are many, we have sinned against Thee. **8** O Thou hope of Israel, the Saviour thereof in time of trouble, why shouldest Thou be as a stranger in the land, and as a wayfaring man that turneth aside to tarry for a night?

ט לָ֣מָּה תִֽהְיֶה֙ כְּאִ֣ישׁ נִדְהָ֔ם כְּגִבּ֖וֹר לֹא־יוּכַ֣ל לְהוֹשִׁ֑יעַ וְאַתָּ֨ה בְקִרְבֵּ֤נוּ יְהוָה֙ וְשִׁמְךָ֛
עָלֵ֥ינוּ נִקְרָ֖א אַל־תַּנִּחֵֽנוּ׃ י כֹּֽה־אָמַ֨ר יְהוָ֜ה לָעָ֣ם הַזֶּ֗ה כֵּ֤ן אָֽהֲבוּ֙ לָנ֔וּעַ רַגְלֵיהֶ֖ם לֹ֣א
חָשָׂ֑כוּ וַֽיהוָה֙ לֹ֣א רָצָ֔ם עַתָּ֞ה יִזְכֹּ֤ר עֲוֺנָם֙ וְיִפְקֹ֖ד חַטֹּאתָֽם׃ יא וַיֹּ֥אמֶר יְהוָ֖ה אֵלָ֑י
אַל־תִּתְפַּלֵּ֛ל בְּעַד־הָעָ֥ם הַזֶּ֖ה לְטוֹבָֽה׃ יב כִּ֣י יָצֻ֗מוּ אֵינֶ֤נִּי שֹׁמֵ֙עַ֙ אֶל־רִנָּתָ֔ם וְכִ֧י
יַעֲל֛וּ עֹלָ֥ה וּמִנְחָ֖ה אֵינֶ֣נִּי רֹצָ֑ם כִּ֗י בַּחֶ֙רֶב֙ וּבָֽרָעָ֣ב וּבַדֶּ֔בֶר אָנֹכִ֖י מְכַלֶּ֥ה אוֹתָֽם׃
יג וָאֹמַ֞ר אֲהָ֣הּ ׀ אֲדֹנָ֣י יְהוִ֗ה הִנֵּ֨ה הַנְּבִאִ֜ים אֹמְרִ֣ים לָהֶ֗ם לֹא־תִרְא֥וּ חֶ֙רֶב֙ וְרָעָ֖ב
לֹא־יִהְיֶ֣ה לָכֶ֑ם כִּֽי־שְׁל֤וֹם אֱמֶת֙ אֶתֵּ֣ן לָכֶ֔ם בַּמָּק֖וֹם הַזֶּֽה׃ יד וַיֹּ֨אמֶר יְהוָ֜ה אֵלַ֗י שֶׁ֚קֶר
הַנְּבִאִים֙ נִבְּאִ֣ים בִּשְׁמִ֔י לֹ֤א שְׁלַחְתִּים֙ וְלֹ֣א צִוִּיתִ֔ים וְלֹ֥א דִבַּ֖רְתִּי אֲלֵיהֶ֑ם חֲז֨וֹן שֶׁ֜קֶר
וְקֶ֤סֶם וֶֽאֱלִיל֙[38] וְתַרְמִ֣ית[39] לִבָּ֔ם הֵ֖מָּה מִֽתְנַבְּאִ֥ים לָכֶֽם׃ טו לָכֵ֞ן כֹּֽה־אָמַ֣ר יְהוָ֗ה
עַל־הַנְּבִאִ֞ים הַנִּבְּאִ֣ים בִּשְׁמִ֗י וַאֲנִ֤י לֹֽא־שְׁלַחְתִּים֙ וְהֵ֙מָּה֙ אֹֽמְרִ֔ים חֶ֣רֶב וְרָעָ֔ב לֹ֥א
יִהְיֶ֖ה בָּאָ֣רֶץ הַזֹּ֑את בַּחֶ֤רֶב וּבָֽרָעָב֙ יִתַּ֔מּוּ הַנְּבִאִ֖ים הָהֵֽמָּה׃ טז וְהָעָ֣ם אֲשֶׁר־הֵ֣מָּה
נִבְּאִ֣ים לָהֶ֡ם יִהְי֣וּ מֻשְׁלָכִים֩ בְּחֻצ֨וֹת יְרוּשָׁלִַ֜ם מִפְּנֵ֣י ׀ הָרָעָ֣ב וְהַחֶ֗רֶב וְאֵ֤ין מְקַבֵּר֙
לָהֵ֔מָּה הֵ֥מָּה נְשֵׁיהֶ֖ם וּבְנֵיהֶ֣ם וּבְנֹתֵיהֶ֑ם וְשָׁפַכְתִּ֥י עֲלֵיהֶ֖ם אֶת־רָעָתָֽם׃ יז וְאָמַרְתָּ֤
אֲלֵיהֶם֙ אֶת־הַדָּבָ֣ר הַזֶּ֔ה תֵּרַ֨דְנָה עֵינַ֥י דִּמְעָ֛ה לַ֥יְלָה וְיוֹמָ֖ם וְאַל־תִּדְמֶ֑ינָה כִּ֡י
שֶׁ֣בֶר גָּד֗וֹל נִשְׁבְּרָה֙ בְּתוּלַת֙ בַּת־עַמִּ֔י מַכָּ֖ה נַחְלָ֥ה מְאֹֽד׃ יח אִם־יָצָ֣אתִי הַשָּׂדֶ֗ה
וְהִנֵּה֙ חַלְלֵי־חֶ֔רֶב וְאִם֙ בָּ֣אתִי הָעִ֔יר וְהִנֵּ֖ה תַּחֲלוּאֵ֣י רָעָ֑ב כִּֽי־גַם־נָבִ֧יא גַם־כֹּהֵ֛ן
סָחֲר֥וּ אֶל־אֶ֖רֶץ וְלֹ֥א יָדָֽעוּ׃ יט הֲמָאֹ֨ס מָאַ֜סְתָּ אֶת־יְהוּדָ֗ה אִם־בְּצִיּוֹן֙ גָּעֲלָ֣ה נַפְשֶׁ֔ךָ
מַדּ֙וּעַ֙ הִכִּיתָ֔נוּ וְאֵ֥ין לָ֖נוּ מַרְפֵּ֑א קַוֵּ֤ה לְשָׁלוֹם֙ וְאֵ֣ין ט֔וֹב וּלְעֵ֥ת מַרְפֵּ֖א וְהִנֵּ֥ה בְעָתָֽה׃
כ יָדַ֧עְנוּ יְהוָ֛ה רִשְׁעֵ֖נוּ עֲוֺ֣ן אֲבוֹתֵ֑ינוּ כִּ֥י חָטָ֖אנוּ לָֽךְ׃ כא אַל־תִּנְאַץ֙ לְמַ֣עַן שִׁמְךָ֔
אַל־תְּנַבֵּ֖ל כִּסֵּ֣א כְבוֹדֶ֑ךָ זְכֹ֕ר אַל־תָּפֵ֥ר בְּרִיתְךָ֖ אִתָּֽנוּ׃ כב הֲיֵ֨שׁ בְּהַבְלֵ֤י הַגּוֹיִם֙
מַגְשִׁמִ֔ים וְאִם־הַשָּׁמַ֖יִם יִתְּנ֣וּ רְבִבִ֑ים הֲלֹ֨א אַתָּה־ה֜וּא יְהוָ֣ה אֱלֹהֵ֗ינוּ וּֽנְקַוֶּה־לָּ֔ךְ
כִּֽי־אַתָּ֥ה עָשִׂ֖יתָ אֶת־כָּל־אֵֽלֶּה׃

יה א וַיֹּ֤אמֶר יְהוָה֙ אֵלַ֔י אִם־יַעֲמֹ֨ד מֹשֶׁ֤ה וּשְׁמוּאֵל֙ לְפָנַ֔י אֵ֥ין נַפְשִׁ֖י אֶל־הָעָ֣ם
הַזֶּ֑ה שַׁלַּ֥ח מֵֽעַל־פָּנַ֖י וְיֵצֵֽאוּ׃ ב וְהָיָ֥ה כִּֽי־יֹאמְר֖וּ אֵלֶ֣יךָ אָ֣נָה נֵצֵ֑א וְאָמַרְתָּ֨ אֲלֵיהֶ֜ם
כֹּה־אָמַ֣ר יְהוָ֗ה אֲשֶׁ֨ר לַמָּ֜וֶת לַמָּ֗וֶת וַאֲשֶׁ֨ר לַחֶ֜רֶב לַחֶ֗רֶב וַאֲשֶׁ֤ר לָֽרָעָב֙ לָֽרָעָ֔ב
וַאֲשֶׁ֥ר לַשְּׁבִ֖י לַשֶּֽׁבִי׃ ג וּפָקַדְתִּ֨י עֲלֵיהֶ֜ם אַרְבַּ֤ע מִשְׁפָּחוֹת֙ נְאֻם־יְהוָ֔ה אֶת־הַחֶ֣רֶב
לַהֲרֹ֔ג וְאֶת־הַכְּלָבִ֖ים לִסְחֹ֑ב וְאֶת־ע֧וֹף הַשָּׁמַ֛יִם וְאֶת־בֶּהֱמַ֥ת הָאָ֖רֶץ לֶאֱכֹ֥ל
וּלְהַשְׁחִֽית׃ ד וּנְתַתִּ֣ים לְזַעֲוָ֔ה[40] לְכֹ֖ל מַמְלְכ֣וֹת הָאָ֑רֶץ בִּ֠גְלַל מְנַשֶּׁ֤ה בֶן־יְחִזְקִיָּ֙הוּ֙
מֶ֣לֶךְ יְהוּדָ֔ה עַ֥ל אֲשֶׁר־עָשָׂ֖ה בִּירוּשָׁלִָֽם׃

---

[38] ואלול
[39] ותרמות
[40] לזועה

9 Why shouldest thou be as a man overcome, as a mighty man that cannot save? Yet Thou, Yehovah, art in the midst of us, and Thy name is called upon us; leave us not.{s} 10 Thus saith Yehovah unto this people: Even so have they loved to wander, they have not refrained their feet; therefore Yehovah doth not accept them, now will He remember their iniquity, and punish their sins.{P}

11 And Yehovah said unto me: 'Pray not for this people for their good. 12 When they fast, I will not hear their cry; and when they offer burnt-offering and meal-offering, I will not accept them; but I will consume them by the sword, and by the famine, and by the pestilence.'{s} 13 Then said I: 'Ah, Lord GOD [Adonai Yehovi]! behold, the prophets say unto them: Ye shall not see the sword, neither shall ye have famine; but I will give you assured peace in this place.'{s} 14 Then Yehovah said unto me: 'The prophets prophesy lies in My name; I sent them not, neither have I commanded them, neither spoke I unto them; they prophesy unto you a lying vision, and divination, and a thing of nought, and the deceit of their own heart.{s} 15 Therefore thus saith Yehovah: As for the prophets that prophesy in My name, and I sent them not, yet they say: Sword and famine shall not be in this land, by sword and famine shall those prophets be consumed; 16 and the people to whom they prophesy shall be cast out in the streets of Yerushalam because of the famine and the sword; and they shall have none to bury them, them, their wives, nor their sons, nor their daughters; for I will pour their evil upon them.' 17 And thou shalt say this word unto them: Let mine eyes run down with tears night and day, and let them not cease; for the virgin daughter of my people is broken with a great breach, with a very grievous blow. 18 If I go forth into the field, then behold the slain with the sword! And if I enter into the city, then behold them that are sick with famine! For both the prophet and the priest are gone about to a land, and knew it not.{s} 19 Hast Thou utterly rejected Judah? Hath Thy soul loathed Zion? Why hast Thou smitten us, and there is no healing for us? We looked for peace, but no good came; and for a time of healing, and behold terror! 20 We acknowledge, Yehovah, our wickedness, even the iniquity of our fathers; for we have sinned against Thee. 21 Do not contemn us, for Thy name's sake, do not dishonour the throne of Thy glory; remember, break not Thy covenant with us. 22 Are there any among the vanities of the nations that can cause rain? or can the heavens give showers? Art not Thou He, Yehovah our God, and do we not wait for Thee? For Thou hast made all these things.{P}

15 1 Then said Yehovah unto me: 'Though Moses and Samuel stood before Me, yet My mind could not be toward this people; cast them out of My sight, and let them go forth. 2 And it shall come to pass, when they say unto thee: Whither shall we go forth? then thou shall tell them: Thus saith Yehovah: Such as are for death, to death; and such as are for the sword, to the sword; and such as are for the famine, to the famine; and such as are for captivity, to captivity. 3 And I will appoint over them four kinds, saith Yehovah: the sword to slay, and the dogs to drag, and the fowls of the heaven, and the beasts of the earth, to devour and to destroy. 4 And I will cause them to be a horror among all the kingdoms of the earth, because of Manasseh the son of Hezekiah king of Judah, for that which he did in Yerushalam.

ה כִּי מִי־יַחְמֹל עָלַיִךְ יְרוּשָׁלַ͏ִם וּמִי יָנוּד לָךְ וּמִי יָסוּר לִשְׁאֹל לְשָׁלֹם לָךְ׃
ו אַתְּ נָטַשְׁתְּ אֹתִי נְאֻם־יְהֹוָה אָחוֹר תֵּלֵכִי וָאַט אֶת־יָדִי עָלַיִךְ וָאַשְׁחִיתֵךְ
נִלְאֵיתִי הִנָּחֵם׃ ז וָאֶזְרֵם בְּמִזְרֶה בְּשַׁעֲרֵי הָאָרֶץ שִׁכַּלְתִּי אִבַּדְתִּי אֶת־עַמִּי
מִדַּרְכֵיהֶם לוֹא־שָׁבוּ׃ ח עָצְמוּ־לִי אַלְמְנֹתָו מֵחוֹל יַמִּים הֵבֵאתִי לָהֶם עַל־אֵם
בָּחוּר שֹׁדֵד בַּצָּהֳרָיִם הִפַּלְתִּי עָלֶיהָ פִּתְאֹם עִיר וּבֶהָלוֹת׃ ט אֻמְלְלָה יֹלֶדֶת
הַשִּׁבְעָה נָפְחָה נַפְשָׁהּ בָּא[41] שִׁמְשָׁהּ בְּעֹד יוֹמָם בּוֹשָׁה וְחָפֵרָה וּשְׁאֵרִיתָם
לַחֶרֶב אֶתֵּן לִפְנֵי אֹיְבֵיהֶם נְאֻם־יְהֹוָה׃ י אוֹי־לִי אִמִּי כִּי יְלִדְתִּנִי אִישׁ רִיב
וְאִישׁ מָדוֹן לְכָל־הָאָרֶץ לֹא־נָשִׁיתִי וְלֹא־נָשׁוּ־בִי כֻּלֹּה מְקַלְלַונִי׃ יא אָמַר
יְהֹוָה אִם־לֹא שֵׁרִיתִךָ[42] לְטוֹב אִם־לוֹא ׀ הִפְגַּעְתִּי בְךָ בְּעֵת־רָעָה וּבְעֵת צָרָה
אֶת־הָאֹיֵב׃ יב הֲיָרֹעַ בַּרְזֶל ׀ בַּרְזֶל מִצָּפוֹן וּנְחֹשֶׁת׃ יג חֵילְךָ וְאוֹצְרוֹתֶיךָ לָבַז
אֶתֵּן לֹא בִמְחִיר וּבְכָל־חַטֹּאותֶיךָ וּבְכָל־גְּבוּלֶיךָ׃ יד וְהַעֲבַרְתִּי אֶת־אֹיְבֶיךָ
בְּאֶרֶץ לֹא יָדָעְתָּ כִּי־אֵשׁ קָדְחָה בְאַפִּי עֲלֵיכֶם תּוּקָד׃ טו אַתָּה יָדַעְתָּ יְהֹוָה
זָכְרֵנִי וּפָקְדֵנִי וְהִנָּקֶם לִי מֵרֹדְפַי אַל־לְאֶרֶךְ אַפְּךָ תִּקָּחֵנִי דַּע שְׂאֵתִי עָלֶיךָ
חֶרְפָּה׃ טז נִמְצְאוּ דְבָרֶיךָ וָאֹכְלֵם וַיְהִי דְבָרְךָ[43] לִי לְשָׂשׂוֹן וּלְשִׂמְחַת לְבָבִי
כִּי־נִקְרָא שִׁמְךָ עָלַי יְהֹוָה אֱלֹהֵי צְבָאוֹת׃ יז לֹא־יָשַׁבְתִּי בְסוֹד־מְשַׂחֲקִים
וָאֶעְלֹז מִפְּנֵי יָדְךָ בָּדָד יָשַׁבְתִּי כִּי־זַעַם מִלֵּאתָנִי׃ יח לָמָּה הָיָה כְאֵבִי נֶצַח
וּמַכָּתִי אֲנוּשָׁה מֵאֲנָה הֵרָפֵא הָיוֹ תִהְיֶה לִי כְּמוֹ אַכְזָב מַיִם לֹא נֶאֱמָנוּ׃ יט לָכֵן
כֹּה־אָמַר יְהֹוָה אִם־תָּשׁוּב וַאֲשִׁיבְךָ לְפָנַי תַּעֲמֹד וְאִם־תּוֹצִיא יָקָר מִזּוֹלֵל כְּפִי
תִהְיֶה יָשֻׁבוּ הֵמָּה אֵלֶיךָ וְאַתָּה לֹא־תָשׁוּב אֲלֵיהֶם׃ כ וּנְתַתִּיךָ לָעָם הַזֶּה
לְחוֹמַת נְחֹשֶׁת בְּצוּרָה וְנִלְחֲמוּ אֵלֶיךָ וְלֹא־יוּכְלוּ לָךְ כִּי־אִתְּךָ אֲנִי לְהוֹשִׁיעֲךָ
וּלְהַצִּילֶךָ נְאֻם־יְהֹוָה׃ כא וְהִצַּלְתִּיךָ מִיַּד רָעִים וּפְדִתִךָ מִכַּף עָרִצִים׃

טז א וַיְהִי דְבַר־יְהֹוָה אֵלַי לֵאמֹר׃ ב לֹא־תִקַּח לְךָ אִשָּׁה וְלֹא־יִהְיוּ לְךָ בָּנִים
וּבָנוֹת בַּמָּקוֹם הַזֶּה׃ ג כִּי־כֹה ׀ אָמַר יְהֹוָה עַל־הַבָּנִים וְעַל־הַבָּנוֹת הַיִּלּוֹדִים
בַּמָּקוֹם הַזֶּה וְעַל־אִמֹּתָם הַיֹּלְדוֹת אוֹתָם וְעַל־אֲבוֹתָם הַמּוֹלִדִים אוֹתָם בָּאָרֶץ
הַזֹּאת׃ ד מְמוֹתֵי תַחֲלֻאִים יָמֻתוּ לֹא יִסָּפְדוּ וְלֹא יִקָּבֵרוּ לְדֹמֶן עַל־פְּנֵי
הָאֲדָמָה יִהְיוּ וּבַחֶרֶב וּבָרָעָב יִכְלוּ וְהָיְתָה נִבְלָתָם לְמַאֲכָל לְעוֹף הַשָּׁמַיִם
וּלְבֶהֱמַת הָאָרֶץ׃ ה כִּי־כֹה ׀ אָמַר יְהֹוָה אַל־תָּבוֹא בֵּית מַרְזֵחַ וְאַל־תֵּלֵךְ
לִסְפּוֹד וְאַל־תָּנֹד לָהֶם כִּי־אָסַפְתִּי אֶת־שְׁלוֹמִי מֵאֵת הָעָם־הַזֶּה נְאֻם־יְהֹוָה
אֶת־הַחֶסֶד וְאֶת־הָרַחֲמִים׃

[41] באה
[42] שרותך
[43] דבריך

5 For who shall have pity upon thee, O Yerushalam? Or who shall bemoan thee? Or who shall turn aside to ask of thy welfare? **6** Thou hast cast Me off, saith Yehovah, thou art gone backward; therefore do I stretch out My hand against thee, and destroy thee; I am weary with repenting. **7** And I fan them with a fan in the gates of the land; I bereave them of children, I destroy My people, since they return not from their ways. **8** Their widows are increased to Me above the sand of the seas; I bring upon them, against the mother, a chosen one, even a spoiler at noonday; I cause anguish and terrors to fall upon her suddenly. **9** She that hath borne seven languisheth; her spirit droopeth; her sun is gone down while it was yet day, she is ashamed and confounded; and the residue of them will I deliver to the sword before their enemies, saith Yehovah.'{S} **10** Woe is me, my mother, that thou hast borne me a man of strife and a man of contention to the whole earth! I have not lent, neither have men lent to me; yet every one of them doth curse me.{S} **11** Yehovah said: 'Verily I will release thee for good; verily I will cause the enemy to make supplication unto thee in the time of evil and in the time of affliction. **12** Can iron break iron from the north and brass? **13** Thy substance and thy treasures will I give for a spoil without price, and that for all thy sins, even in all thy borders. **14** And I will make thee to pass with thine enemies into a land which thou knowest not; for a fire is kindled in My nostril, which shall burn upon you.'{S} **15** Thou, Yehovah, knowest; remember me, and think of me, and avenge me of my persecutors; take me not away because of Thy long-suffering; know that for Thy sake I have suffered taunts. **16** Thy words were found, and I did eat them; and Thy words were unto me a joy and the rejoicing of my heart; because Thy name was called on me, Yehovah God of hosts.{S} **17** I sat not in the assembly of them that make merry, nor rejoiced; I sat alone because of Thy hand; for Thou hast filled me with indignation. **18** Why is my pain perpetual, and my wound incurable, so that it refuseth to be healed? Wilt Thou indeed be unto me as a deceitful brook, as waters that fail?{S} **19** Therefore thus saith Yehovah: if thou return, and I bring thee back, thou shalt stand before Me; and if thou bring forth the precious out of the vile, thou shalt be as My mouth; let them return unto thee, but thou shalt not return unto them. **20** And I will make thee unto this people a fortified brazen wall; and they shall fight against thee, but they shall not prevail against thee; for I am with thee to save thee and to deliver thee, saith Yehovah. **21** And I will deliver thee out of the hand of the wicked, and I will redeem thee out of the hand of the terrible.{S}

16 **1** The word of Yehovah came also unto me, saying: **2** Thou shalt not take thee a wife, neither shalt thou have sons or daughters in this place.{S} **3** For thus saith Yehovah concerning the sons and concerning the daughters that are born in this place, and concerning their mothers that bore them, and concerning their fathers that begot them in this land: **4** They shall die of grievous deaths; they shall not be lamented, neither shall they be buried, they shall be as dung upon the face of the ground; and they shall be consumed by the sword, and by famine; and their carcasses shall be meat for the fowls of heaven, and for the beasts of the earth.{S} **5** For thus saith Yehovah: Enter not into the house of mourning, neither go to lament, neither bemoan them; for I have taken away My peace from this people, saith Yehovah, even mercy and compassion.

ו וּמֵתוּ גְדֹלִים וּקְטַנִּים בָּאָרֶץ הַזֹּאת לֹא יִקָּבֵרוּ וְלֹא־יִסְפְּדוּ לָהֶם וְלֹא
יִתְגֹּדַד וְלֹא יִקָּרֵחַ לָהֶם׃ ז וְלֹא־יִפְרְסוּ לָהֶם עַל־אֵבֶל לְנַחֲמוֹ עַל־מֵת
וְלֹא־יַשְׁקוּ אוֹתָם כּוֹס תַּנְחוּמִים עַל־אָבִיו וְעַל־אִמּוֹ׃ ח וּבֵית־מִשְׁתֶּה
לֹא־תָבוֹא לָשֶׁבֶת אוֹתָם לֶאֱכֹל וְלִשְׁתּוֹת׃ ט כִּי כֹה אָמַר יְהוָה צְבָאוֹת אֱלֹהֵי
יִשְׂרָאֵל הִנְנִי מַשְׁבִּית מִן־הַמָּקוֹם הַזֶּה לְעֵינֵיכֶם וּבִימֵיכֶם קוֹל שָׂשׂוֹן וְקוֹל
שִׂמְחָה קוֹל חָתָן וְקוֹל כַּלָּה׃ י וְהָיָה כִּי תַגִּיד לָעָם הַזֶּה אֵת כָּל־הַדְּבָרִים
הָאֵלֶּה וְאָמְרוּ אֵלֶיךָ עַל־מֶה דִבֶּר יְהוָה עָלֵינוּ אֵת כָּל־הָרָעָה הַגְּדוֹלָה
הַזֹּאת וּמֶה עֲוֺנֵנוּ וּמֶה חַטָּאתֵנוּ אֲשֶׁר חָטָאנוּ לַיהוָה אֱלֹהֵינוּ׃ יא וְאָמַרְתָּ
אֲלֵיהֶם עַל אֲשֶׁר־עָזְבוּ אֲבוֹתֵיכֶם אוֹתִי נְאֻם־יְהוָה וַיֵּלְכוּ אַחֲרֵי אֱלֹהִים
אֲחֵרִים וַיַּעַבְדוּם וַיִּשְׁתַּחֲווּ לָהֶם וְאֹתִי עָזָבוּ וְאֶת־תּוֹרָתִי לֹא שָׁמָרוּ׃ יב וְאַתֶּם
הֲרֵעֹתֶם לַעֲשׂוֹת מֵאֲבוֹתֵיכֶם וְהִנְּכֶם הֹלְכִים אִישׁ אַחֲרֵי שְׁרִרוּת לִבּוֹ־הָרָע
לְבִלְתִּי שְׁמֹעַ אֵלָי׃ יג וְהֵטַלְתִּי אֶתְכֶם מֵעַל הָאָרֶץ הַזֹּאת עַל־הָאָרֶץ אֲשֶׁר
לֹא יְדַעְתֶּם אַתֶּם וַאֲבוֹתֵיכֶם וַעֲבַדְתֶּם־שָׁם אֶת־אֱלֹהִים אֲחֵרִים יוֹמָם וָלַיְלָה
אֲשֶׁר לֹא־אֶתֵּן לָכֶם חֲנִינָה׃ יד לָכֵן הִנֵּה־יָמִים בָּאִים נְאֻם־יְהוָה וְלֹא־יֵאָמֵר
עוֹד חַי־יְהוָה אֲשֶׁר הֶעֱלָה אֶת־בְּנֵי יִשְׂרָאֵל מֵאֶרֶץ מִצְרָיִם׃ טו כִּי
אִם־חַי־יְהוָה אֲשֶׁר הֶעֱלָה אֶת־בְּנֵי יִשְׂרָאֵל מֵאֶרֶץ צָפוֹן וּמִכֹּל הָאֲרָצוֹת
אֲשֶׁר הִדִּיחָם שָׁמָּה וַהֲשִׁבֹתִים עַל־אַדְמָתָם אֲשֶׁר נָתַתִּי לַאֲבוֹתָם׃ טז הִנְנִי
שֹׁלֵחַ לְדַיָּגִים[44] רַבִּים נְאֻם־יְהוָה וְדִיגוּם וְאַחֲרֵי־כֵן אֶשְׁלַח לְרַבִּים צַיָּדִים
וְצָדוּם מֵעַל כָּל־הַר וּמֵעַל כָּל־גִּבְעָה וּמִנְּקִיקֵי הַסְּלָעִים׃ יז כִּי עֵינַי
עַל־כָּל־דַּרְכֵיהֶם לֹא נִסְתְּרוּ מִלְּפָנָי וְלֹא־נִצְפַּן עֲוֺנָם מִנֶּגֶד עֵינָי׃ יח וְשִׁלַּמְתִּי
רִאשׁוֹנָה מִשְׁנֵה עֲוֺנָם וְחַטָּאתָם עַל חַלְּלָם אֶת־אַרְצִי בְּנִבְלַת שִׁקּוּצֵיהֶם
וְתוֹעֲבוֹתֵיהֶם מָלְאוּ אֶת־נַחֲלָתִי׃ יט יְהוָה עֻזִּי וּמָעֻזִּי וּמְנוּסִי בְּיוֹם צָרָה אֵלֶיךָ
גּוֹיִם יָבֹאוּ מֵאַפְסֵי־אָרֶץ וְיֹאמְרוּ אַךְ־שֶׁקֶר נָחֲלוּ אֲבוֹתֵינוּ הֶבֶל וְאֵין־בָּם
מוֹעִיל׃ כ הֲיַעֲשֶׂה־לּוֹ אָדָם אֱלֹהִים וְהֵמָּה לֹא אֱלֹהִים׃ כא לָכֵן הִנְנִי
מוֹדִיעָם בַּפַּעַם הַזֹּאת אוֹדִיעֵם אֶת־יָדִי וְאֶת־גְּבוּרָתִי וְיָדְעוּ כִּי־שְׁמִי יְהוָה׃

יז א חַטַּאת יְהוּדָה כְּתוּבָה בְּעֵט בַּרְזֶל בְּצִפֹּרֶן שָׁמִיר חֲרוּשָׁה עַל־לוּחַ לִבָּם
וּלְקַרְנוֹת מִזְבְּחוֹתֵיכֶם׃ ב כִּזְכֹּר בְּנֵיהֶם מִזְבְּחוֹתָם וַאֲשֵׁרֵיהֶם עַל־עֵץ רַעֲנָן
עַל גְּבָעוֹת הַגְּבֹהוֹת׃ ג הֲרָרִי בַּשָּׂדֶה חֵילְךָ כָל־אוֹצְרוֹתֶיךָ לָבַז אֶתֵּן בָּמֹתֶיךָ
בְּחַטָּאת בְּכָל־גְּבוּלֶיךָ׃

[44] לדוגים

6 Both the great and the small shall die in this land; they shall not be buried; neither shall men lament for them, nor cut themselves, nor make themselves bald for them; **7** neither shall men break bread for them in mourning, to comfort them for the dead; neither shall men give them the cup of consolation to drink for their father or for their mother. **8** And thou shalt not go into the house of feasting to sit with them, to eat and to drink.{P}

9 For thus saith Yehovah of hosts, the God of Israel: Behold, I will cause to cease out of this place, before your eyes and in your days, the voice of mirth and the voice of gladness, the voice of the bridegroom and the voice of the bride. **10** And it shall come to pass, when thou shalt tell this people all these words, and they shall say unto thee: 'Wherefore hath Yehovah pronounced all this great evil against us? or what is our iniquity? or what is our sin that we have committed against Yehovah our God?' **11** then shalt thou say unto them: 'Because your fathers have forsaken Me, saith Yehovah, and have walked after other gods, and have served them, and have worshipped them, and have forsaken Me, and have not kept My Torah; **12** and ye have done worse than your fathers; for, behold, ye walk every one after the stubbornness of his evil heart, so that ye hearken not unto Me; **13** therefore will I cast you out of this land into a land that ye have not known, neither ye nor your fathers; and there shall ye serve other gods day and night; forasmuch as I will show you no favour.'{P}

14 Therefore, behold, the days come, saith Yehovah, that it shall no more be said: 'As Yehovah liveth, that brought up the children of Israel out of the land of Egypt,' **15** but: 'As Yehovah liveth, that brought up the children of Israel from the land of the north, and from all the countries whither He had driven them'; and I will bring them back into their land that I gave unto their fathers.{P}

16 Behold, I will send for many fishers, saith Yehovah, and they shall fish them; and afterward I will send for many hunters, and they shall hunt them from every mountain, and from every hill, and out of the clefts of the rocks. **17** For Mine eyes are upon all their ways, they are not hid from My face; neither is their iniquity concealed from Mine eyes. **18** And first I will recompense their iniquity and their sin double; because they have profaned My land; they have filled Mine inheritance with the carcasses of their detestable things and their abominations.{P}

19 Yehovah, my strength, and my stronghold, and my refuge, in the day of affliction, unto Thee shall the nations come from the ends of the earth, and shall say: 'Our fathers have inherited nought but lies, vanity and things wherein there is no profit.' **20** Shall a man make unto himself gods, and they are no gods? **21** Therefore, behold, I will cause them to know, this once will I cause them to know My hand and My might; and they shall know that My name is Yehovah.{S}

17 **1** The sin of Judah is written with a pen of iron, and with the point of a diamond; it is graven upon the tablet of their heart, and upon the horns of your altars. **2** Like the symbols of their sons are their altars, and their Asherim are by the leafy trees, upon the high hills. **3** O thou that sittest upon the mountain in the field, I will give thy substance and all thy treasures for a spoil, and thy high places, because of sin, throughout all thy borders.

ד וְשָׁמַטְתָּה וּבְךָ מִנַּחֲלָתְךָ אֲשֶׁר נָתַתִּי לָךְ וְהַעֲבַדְתִּיךָ אֶת־אֹיְבֶיךָ בָּאָרֶץ אֲשֶׁר
לֹא־יָדָעְתָּ כִּי־אֵשׁ קְדַחְתֶּם בְּאַפִּי עַד־עוֹלָם תּוּקָד׃ ה כֹּה ׀ אָמַר יְהוָה אָרוּר
הַגֶּבֶר אֲשֶׁר יִבְטַח בָּאָדָם וְשָׂם בָּשָׂר זְרֹעוֹ וּמִן־יְהוָה יָסוּר לִבּוֹ׃ ו וְהָיָה
כְּעַרְעָר בָּעֲרָבָה וְלֹא יִרְאֶה כִּי־יָבוֹא טוֹב וְשָׁכַן חֲרֵרִים בַּמִּדְבָּר אֶרֶץ מְלֵחָה
וְלֹא תֵשֵׁב׃ ז בָּרוּךְ הַגֶּבֶר אֲשֶׁר יִבְטַח בַּיהוָה וְהָיָה יְהוָה מִבְטַחוֹ׃ ח וְהָיָה
כְּעֵץ ׀ שָׁתוּל עַל־מַיִם וְעַל־יוּבַל יְשַׁלַּח שָׁרָשָׁיו וְלֹא יִרְאֶה[45] כִּי־יָבֹא חֹם וְהָיָה
עָלֵהוּ רַעֲנָן וּבִשְׁנַת בַּצֹּרֶת לֹא יִדְאָג וְלֹא יָמִישׁ מֵעֲשׂוֹת פֶּרִי׃ ט עָקֹב הַלֵּב
מִכֹּל וְאָנֻשׁ הוּא מִי יֵדָעֶנּוּ׃ י אֲנִי יְהוָה חֹקֵר לֵב בֹּחֵן כְּלָיוֹת וְלָתֵת לְאִישׁ
כִּדְרָכָיו[46] כִּפְרִי מַעֲלָלָיו׃ יא קֹרֵא דָגַר וְלֹא יָלָד עֹשֶׂה עֹשֶׁר וְלֹא בְמִשְׁפָּט
בַּחֲצִי יָמָיו[47] יַעַזְבֶנּוּ וּבְאַחֲרִיתוֹ יִהְיֶה נָבָל׃ יב כִּסֵּא כָבוֹד מָרוֹם מֵרִאשׁוֹן
מְקוֹם מִקְדָּשֵׁנוּ׃ יג מִקְוֵה יִשְׂרָאֵל יְהוָה כָּל־עֹזְבֶיךָ יֵבֹשׁוּ וְסוּרַי[48] בָּאָרֶץ יִכָּתֵבוּ
כִּי עָזְבוּ מְקוֹר מַיִם־חַיִּים אֶת־יְהוָה׃ יד רְפָאֵנִי יְהוָה וְאֵרָפֵא הוֹשִׁיעֵנִי וְאִוָּשֵׁעָה
כִּי תְהִלָּתִי אָתָּה׃ טו הִנֵּה־הֵמָּה אֹמְרִים אֵלָי אַיֵּה דְבַר־יְהוָה יָבוֹא נָא׃ טז וַאֲנִי
לֹא־אַצְתִּי ׀ מֵרֹעֶה אַחֲרֶיךָ וְיוֹם אָנוּשׁ לֹא הִתְאַוֵּיתִי אַתָּה יָדָעְתָּ מוֹצָא שְׂפָתַי
נֹכַח פָּנֶיךָ הָיָה׃ יז אַל־תִּהְיֵה־לִי לִמְחִתָּה מַחֲסִי־אַתָּה בְּיוֹם רָעָה׃ יח יֵבֹשׁוּ
רֹדְפַי וְאַל־אֵבֹשָׁה אָנִי יֵחַתּוּ הֵמָּה וְאַל־אֵחַתָּה אָנִי הָבִיא עֲלֵיהֶם יוֹם רָעָה
וּמִשְׁנֶה שִׁבָּרוֹן שָׁבְרֵם׃ יט כֹּה־אָמַר יְהוָה אֵלַי הָלֹךְ וְעָמַדְתָּ בְּשַׁעַר
בְּנֵי־הָעָם[49] אֲשֶׁר יָבֹאוּ בוֹ מַלְכֵי יְהוּדָה וַאֲשֶׁר יֵצְאוּ בוֹ וּבְכֹל שַׁעֲרֵי יְרוּשָׁלִָם׃
כ וְאָמַרְתָּ אֲלֵיהֶם שִׁמְעוּ דְבַר־יְהוָה מַלְכֵי יְהוּדָה וְכָל־יְהוּדָה וְכֹל יֹשְׁבֵי
יְרוּשָׁלִָם הַבָּאִים בַּשְּׁעָרִים הָאֵלֶּה׃ כא כֹּה אָמַר יְהוָה הִשָּׁמְרוּ בְּנַפְשׁוֹתֵיכֶם
וְאַל־תִּשְׂאוּ מַשָּׂא בְּיוֹם הַשַּׁבָּת וַהֲבֵאתֶם בְּשַׁעֲרֵי יְרוּשָׁלִָם׃ כב וְלֹא־תוֹצִיאוּ
מַשָּׂא מִבָּתֵּיכֶם בְּיוֹם הַשַּׁבָּת וְכָל־מְלָאכָה לֹא תַעֲשׂוּ וְקִדַּשְׁתֶּם אֶת־יוֹם הַשַּׁבָּת
כַּאֲשֶׁר צִוִּיתִי אֶת־אֲבוֹתֵיכֶם׃ כג וְלֹא שָׁמְעוּ וְלֹא הִטּוּ אֶת־אָזְנָם וַיַּקְשׁוּ
אֶת־עָרְפָּם לְבִלְתִּי שְׁמוֹעַ[50] וּלְבִלְתִּי קַחַת מוּסָר׃ כד וְהָיָה אִם־שָׁמֹעַ תִּשְׁמְעוּן
אֵלַי נְאֻם־יְהוָה לְבִלְתִּי ׀ הָבִיא מַשָּׂא בְּשַׁעֲרֵי הָעִיר הַזֹּאת בְּיוֹם הַשַּׁבָּת וּלְקַדֵּשׁ
אֶת־יוֹם הַשַּׁבָּת לְבִלְתִּי עֲשׂוֹת־בּוֹ[51] כָּל־מְלָאכָה׃ כה וּבָאוּ בְשַׁעֲרֵי הָעִיר הַזֹּאת
מְלָכִים ׀ וְשָׂרִים יֹשְׁבִים עַל־כִּסֵּא דָוִד רֹכְבִים ׀ בָּרֶכֶב וּבַסּוּסִים הֵמָּה
וְשָׂרֵיהֶם אִישׁ יְהוּדָה וְיֹשְׁבֵי יְרוּשָׁלִָם וְיָשְׁבָה הָעִיר־הַזֹּאת לְעוֹלָם׃

---

[45] ירא
[46] כדרכו
[47] ימו
[48] יסורי
[49] עם
[50] שומע
[51] בה

4 And thou, even of thyself, shalt discontinue from thy heritage that I gave thee; and I will cause thee to serve thine enemies in the land which thou knowest not; for ye have kindled a fire in My nostril, which shall burn for ever.{S} **5** Thus saith Yehovah: Cursed is the man that trusteth in man, and maketh flesh his arm, and whose heart departeth from Yehovah. **6** For he shall be like a tamarisk in the desert, and shall not see when good cometh; but shall inhabit the parched places in the wilderness, a salt land and not inhabited.{S} **7** Blessed is the man that trusteth in Yehovah, and whose trust Yehovah is. **8** For he shall be as a tree planted by the waters, and that spreadeth out its roots by the river, and shall not see when heat cometh, but its foliage shall be luxuriant; and shall not be anxious in the year of drought, neither shall cease from yielding fruit. **9** The heart is deceitful above all things, and it is exceeding weak–who can know it? **10** I Yehovah search the heart, I try the reins, even to give every man according to his ways, according to the fruit of his doings.{S} **11** As the partridge that broodeth over young which she hath not brought forth, so is he that getteth riches, and not by right; in the midst of his days he shall leave them, and at his end he shall be a fool. **12** Thou throne of glory, on high from the beginning, thou place of our sanctuary, **13** Thou hope of Israel, Yehovah! All that forsake Thee shall be ashamed; they that depart from Thee shall be written in the earth, because they have forsaken Yehovah, the fountain of living waters.{P}

14 Heal me, Yehovah, and I shall be healed; save me, and I shall be saved; for Thou art my praise. **15** Behold, they say unto me: 'Where is the word of Yehovah? let it come now.' **16** As for me, I have not hastened from being a shepherd after Thee; neither have I desired the woeful day; Thou knowest it; that which came out of my lips was manifest before Thee. **17** Be not a ruin unto me; thou art my refuge in the day of evil. **18** Let them be ashamed that persecute me, but let not me be ashamed; let them be dismayed, but let not me be dismayed; bring upon them the day of evil, and destroy them with double destruction.{S} **19** Thus said Yehovah unto me: Go, and stand in the gate of the children of the people, whereby the kings of Judah come in, and by which they go out, and in all the gates of Yerushalam; **20** and say unto them: Hear ye the word of Yehovah, ye kings of Judah, and all Judah, and all the inhabitants of Yerushalam, that enter in by these gates; **21** thus saith Yehovah: Take heed for the sake of your souls, and bear no burden on the sabbath day, nor bring it in by the gates of Yerushalam; **22** neither carry forth a burden out of your houses on the sabbath day, neither do ye any work; but hallow ye the sabbath day, as I commanded your fathers; **23** but they hearkened not, neither inclined their ear, but made their neck stiff, that they might not hear, nor receive instruction. **24** And it shall come to pass, if ye diligently hearken unto Me, saith Yehovah, to bring in no burden through the gates of this city on the sabbath day, but to hallow the sabbath day, to do no work therein; **25** then shall there enter in by the gates of this city kings and princes sitting upon the throne of David, riding in chariots and on horses, they, and their princes, the men of Judah, and the inhabitants of Yerushalam; and this city shall be inhabited for ever.

כו וּבָ֣אוּ מֵעָרֵֽי־יְ֠הוּדָה וּמִסְּבִיב֨וֹת יְרוּשָׁלִַ֜ם וּמֵאֶ֣רֶץ בִּנְיָמִ֗ן וּמִן־הַשְּׁפֵלָ֨ה
וּמִן־הָהָ֜ר וּמִן־הַנֶּ֗גֶב מְבִאִ֛ים עוֹלָ֥ה וְזֶ֖בַח וּמִנְחָ֣ה וּלְבוֹנָ֑ה וּמְבִאֵ֥י תוֹדָ֖ה בֵּ֥ית
יְהוָֽה׃ כז וְאִם־לֹ֨א תִשְׁמְע֜וּ אֵלַ֗י לְקַדֵּשׁ֙ אֶת־י֣וֹם הַשַּׁבָּ֔ת וּלְבִלְתִּ֣י ׀ שְׂאֵ֣ת מַשָּׂ֗א
וּבֹ֛א בְּשַׁעֲרֵ֥י יְרוּשָׁלִַ֖ם בְּי֣וֹם הַשַּׁבָּ֑ת וְהִצַּ֧תִּי אֵ֣שׁ בִּשְׁעָרֶ֗יהָ וְאָֽכְלָ֛ה אַרְמְנ֥וֹת
יְרוּשָׁלִַ֖ם וְלֹ֥א תִכְבֶּֽה׃

יח א הַדָּבָר֙ אֲשֶׁ֣ר הָיָ֣ה אֶֽל־יִרְמְיָ֔הוּ מֵאֵ֥ת יְהוָ֖ה לֵאמֹֽר׃ ב ק֥וּם וְיָרַדְתָּ֖ בֵּ֣ית
הַיּוֹצֵ֑ר וְשָׁ֖מָּה אַשְׁמִיעֲךָ֥ אֶת־דְּבָרָֽי׃ ג וָאֵרֵ֖ד בֵּ֣ית הַיּוֹצֵ֑ר וְהִנֵּה־ה֛וּא[52] עֹשֶׂ֥ה
מְלָאכָ֖ה עַל־הָאָבְנָֽיִם׃ ד וְנִשְׁחַ֣ת הַכְּלִ֗י אֲשֶׁ֨ר ה֥וּא עֹשֶׂ֛ה בַּחֹ֖מֶר בְּיַ֣ד הַיּוֹצֵ֑ר
וְשָׁ֗ב וַֽיַּעֲשֵׂ֙הוּ֙ כְּלִ֣י אַחֵ֔ר כַּאֲשֶׁ֥ר יָשַׁ֛ר בְּעֵינֵ֥י הַיּוֹצֵ֖ר לַעֲשֽׂוֹת׃

ה וַיְהִ֥י דְבַר־יְהוָ֖ה אֵלַ֥י לֵאמֽוֹר׃ ו הֲכַיּוֹצֵ֨ר הַזֶּ֜ה לֹא־אוּכַ֨ל לַעֲשׂ֥וֹת לָכֶ֛ם בֵּ֥ית
יִשְׂרָאֵ֖ל נְאֻם־יְהוָ֑ה הִנֵּ֤ה כַחֹ֙מֶר֙ בְּיַ֣ד הַיּוֹצֵ֔ר כֵּן־אַתֶּ֥ם בְּיָדִ֖י בֵּ֥ית יִשְׂרָאֵֽל׃
ז רֶ֣גַע אֲדַבֵּ֔ר עַל־גּ֖וֹי וְעַל־מַמְלָכָ֑ה לִנְת֥וֹשׁ וְלִנְת֖וֹץ וּֽלְהַאֲבִֽיד׃ ח וְשָׁב֙ הַגּ֣וֹי
הַה֔וּא מֵרָ֣עָת֔וֹ אֲשֶׁ֥ר דִּבַּ֖רְתִּי עָלָ֑יו וְנִֽחַמְתִּי֙ עַל־הָ֣רָעָ֔ה אֲשֶׁ֥ר חָשַׁ֖בְתִּי לַעֲשׂ֥וֹת
לֽוֹ׃ ט וְרֶ֣גַע אֲדַבֵּ֔ר עַל־גּ֖וֹי וְעַל־מַמְלָכָ֑ה לִבְנֹ֖ת וְלִנְטֹֽעַ׃ י וְעָשָׂ֤ה הָרַע֙[53] בְּעֵינַ֔י
לְבִלְתִּ֖י שְׁמֹ֣עַ בְּקוֹלִ֑י וְנִֽחַמְתִּי֙ עַל־הַטּוֹבָ֔ה אֲשֶׁ֥ר אָמַ֖רְתִּי לְהֵיטִ֥יב אוֹתֽוֹ׃
יא וְעַתָּ֡ה אֱמָר־נָ֣א אֶל־אִישׁ־יְהוּדָה֩ וְעַל־יוֹשְׁבֵ֨י יְרוּשָׁלִַ֜ם לֵאמֹ֗ר כֹּ֚ה אָמַ֣ר
יְהוָ֔ה הִנֵּ֨ה אָנֹכִ֜י יוֹצֵ֤ר עֲלֵיכֶם֙ רָעָ֔ה וְחֹשֵׁ֥ב עֲלֵיכֶ֖ם מַחֲשָׁבָ֑ה שׁ֣וּבוּ נָ֗א אִ֚ישׁ
מִדַּרְכּ֣וֹ הָֽרָעָ֔ה וְהֵיטִ֥יבוּ דַרְכֵיכֶ֖ם וּמַעַלְלֵיכֶֽם׃ יב וְאָמְר֖וּ נוֹאָ֑שׁ כִּֽי־אַחֲרֵ֤י
מַחְשְׁבוֹתֵ֙ינוּ֙ נֵלֵ֔ךְ וְאִ֛ישׁ שְׁרִר֥וּת לִבּֽוֹ־הָרָ֖ע נַעֲשֶֽׂה׃ יג לָכֵ֗ן כֹּ֚ה אָמַ֣ר יְהוָ֔ה
שַֽׁאֲלוּ־נָא֙ בַּגּוֹיִ֔ם מִ֥י שָׁמַ֖ע כָּאֵ֑לֶּה שַׁעֲרֻרִת֙ עָשְׂתָ֣ה מְאֹ֔ד בְּתוּלַ֖ת יִשְׂרָאֵֽל׃
יד הֲיַעֲזֹ֛ב מִצּ֥וּר שָׂדַ֖י שֶׁ֣לֶג לְבָנ֑וֹן אִם־יִנָּתְשׁ֗וּ מַ֛יִם זָרִ֥ים קָרִ֖ים נוֹזְלִֽים׃
טו כִּֽי־שְׁכֵחֻ֥נִי עַמִּ֖י לַשָּׁ֣וְא יְקַטֵּ֑רוּ וַיַּכְשִׁל֤וּם בְּדַרְכֵיהֶם֙ שְׁבִילֵ֣י עוֹלָ֔ם לָלֶ֣כֶת
נְתִיב֔וֹת דֶּ֖רֶךְ לֹ֥א סְלוּלָֽה׃ טז לָשׂ֥וּם אַרְצָ֛ם לְשַׁמָּ֖ה שְׁרִיק֣וֹת[54] עוֹלָ֑ם כֹּ֚ל עוֹבֵ֣ר
עָלֶ֔יהָ יִשֹּׁ֖ם וְיָנִ֥יד בְּרֹאשֽׁוֹ׃ יז כְּרֽוּחַ־קָדִ֛ים אֲפִיצֵ֖ם לִפְנֵ֣י אוֹיֵ֑ב עֹ֧רֶף וְלֹא־פָנִ֛ים
אַרְאֵ֖ם בְּי֥וֹם אֵידָֽם׃ יח וַיֹּאמְר֗וּ לְכ֨וּ וְנַחְשְׁבָ֣ה עַֽל־יִרְמְיָהוּ֮ מַחֲשָׁבוֹת֒ כִּ֠י
לֹא־תֹאבַ֨ד תּוֹרָ֜ה מִכֹּהֵ֗ן וְעֵצָה֙ מֵֽחָכָ֔ם וְדָבָ֖ר מִנָּבִ֑יא לְכוּ֙ וְנַכֵּ֣הוּ בַלָּשׁ֔וֹן
וְאַל־נַקְשִׁ֖יבָה אֶל־כָּל־דְּבָרָֽיו׃ יט הַקְשִׁ֥יבָה יְהוָ֖ה אֵלָ֑י וּשְׁמַ֖ע לְק֥וֹל יְרִיבָֽי׃
כ הַיְשֻׁלַּ֤ם תַּֽחַת־טוֹבָה֙ רָעָ֔ה כִּֽי־כָר֥וּ שׁוּחָ֖ה לְנַפְשִׁ֑י זְכֹ֣ר ׀ עָמְדִ֣י לְפָנֶ֗יךָ
לְדַבֵּ֤ר עֲלֵיהֶם֙ טוֹבָ֔ה לְהָשִׁ֥יב אֶת־חֲמָתְךָ֖ מֵהֶֽם׃

[52] והנהו
[53] הרעה
[54] שרוקת

26 And they shall come from the cities of Judah, and from the places round about Yerushalam, and from the land of Benjamin, and from the Lowland, and from the mountains, and from the South, bringing burnt-offerings, and sacrifices, and meal-offerings, and frankincense, and bringing sacrifices of thanksgiving, unto the house of Yehovah. **27** But if ye will not hearken unto Me to hallow the sabbath day, and not to bear a burden and enter in at the gates of Yerushalam on the sabbath day; then will I kindle a fire in the gates thereof, and it shall devour the palaces of Yerushalam, and it shall not be quenched.{P}

18 **1** The word which came to Jeremiah from Yehovah, saying: **2** 'Arise, and go down to the potter's house, and there I will cause thee to hear My words.' **3** Then I went down to the potter's house, and, behold, he was at his work on the wheels. **4** And whensoever the vessel that he made of the clay was marred in the hand of the potter, he made it again another vessel, as seemed good to the potter to make it.{S} **5** Then the word of Yehovah came to me, saying: **6** 'O house of Israel, cannot I do with you as this potter? saith Yehovah. Behold, as the clay in the potter's hand, so are ye in My hand, O house of Israel.{S} **7** At one instant I may speak concerning a nation, and concerning a kingdom, to pluck up and to break down and to destroy it; **8** but if that nation turn from their evil, because of which I have spoken against it, I repent of the evil that I thought to do unto it.{S} **9** And at one instant I may speak concerning a nation, and concerning a kingdom, to build and to plant it; **10** but if it do evil in My sight, that it hearken not to My voice, then I repent of the good, wherewith I said I would benefit it.{S} **11** Now therefore do thou speak to the men of Judah, and to the inhabitants of Yerushalam, saying: Thus saith Yehovah: Behold, I frame evil against you, and devise a device against you; return ye now every one from his evil way, and amend your ways and your doings. **12** But they say: There is no hope; but we will walk after our own devices, and we will do every one after the stubbornness of his evil heart.'{P}

13 Therefore thus saith Yehovah: Ask ye now among the nations, who hath heard such things; the virgin of Israel hath done a very horrible thing. **14** Doth the snow of Lebanon fail from the rock of the field? or are the strange cold flowing waters plucked up? **15** For My people hath forgotten Me, they offer unto vanity; and they have been made to stumble in their ways, in the ancient paths, to walk in bypaths, in a way not cast up; **16** To make their land an astonishment, and a perpetual hissing; every one that passeth thereby shall be astonished, and shake his head. **17** I will scatter them as with an east wind before the enemy; I will look upon their back, and not their face, in the day of their calamity.{S} **18** Then said they: 'Come, and let us devise devices against Jeremiah; for instruction shall not perish from the priest, nor counsel from the wise, nor the word from the prophet. Come, and let us smite him with the tongue, and let us not give heed to any of his words.' **19** Give heed to me, Yehovah, and hearken to the voice of them that contend with me. **20** Shall evil be recompensed for good? for they have digged a pit for my soul. Remember how I stood before Thee to speak good for them, to turn away Thy wrath from them.

כא לָכֵ֡ן תֵּן֩ אֶת־בְּנֵיהֶ֨ם לָרָעָ֜ב וְהַגִּרֵ֣ם עַל־יְדֵי־חֶ֗רֶב וְתִהְיֶ֨נָה נְשֵׁיהֶ֤ם שַׁכֻּלוֹת֙
וְאַלְמָנ֔וֹת וְאַ֨נְשֵׁיהֶ֔ם יִהְי֖וּ הֲרֻ֣גֵי מָ֑וֶת בַּח֣וּרֵיהֶ֔ם מֻכֵּי־חֶ֖רֶב בַּמִּלְחָמָֽה׃
כב תִּשָּׁמַ֤ע זְעָקָה֙ מִבָּ֣תֵּיהֶ֔ם כִּֽי־תָבִ֧יא עֲלֵיהֶ֛ם גְּד֖וּד פִּתְאֹ֑ם כִּֽי־כָר֤וּ
שׁוחה[55] לְלָכְדֵ֔נִי וּפַחִ֖ים טָמְנ֥וּ לְרַגְלָֽי׃ כג וְאַתָּ֣ה יְ֠הוָה יָדַ֜עְתָּ אֶֽת־כָּל־עֲצָתָ֤ם
עָלַי֙ לַמָּ֔וֶת אַל־תְּכַפֵּר֙ עַל־עֲוֺנָ֔ם וְחַטָּאתָ֖ם מִלְּפָנֶ֣יךָ אַל־תֶּ֑מְחִי
ויהיו[56] מֻכְשָׁלִים֙ לְפָנֶ֔יךָ בְּעֵ֥ת אַפְּךָ֖ עֲשֵׂ֥ה בָהֶֽם׃

יט א כֹּ֚ה אָמַ֣ר יְהוָ֔ה הָלֹ֛ךְ וְקָנִ֥יתָ בַקְבֻּ֖ק יוֹצֵ֣ר חָ֑רֶשׂ וּמִזִּקְנֵ֣י הָעָ֔ם וּמִזִּקְנֵ֖י
הַכֹּהֲנִֽים׃ ב וְיָצָאתָ֙ אֶל־גֵּ֣יא בֶן־הִנֹּ֔ם אֲשֶׁ֕ר פֶּ֖תַח שַׁ֣עַר החרסית[57] וְקָרָ֣אתָ שָּׁ֔ם
אֶת־הַדְּבָרִ֖ים אֲשֶׁר־אֲדַבֵּ֥ר אֵלֶֽיךָ׃ ג וְאָמַרְתָּ֙ שִׁמְע֣וּ דְבַר־יְהוָ֔ה מַלְכֵ֣י יְהוּדָ֔ה
וְיֹשְׁבֵ֖י יְרוּשָׁלִָ֑ם כֹּֽה־אָמַ֞ר יְהוָ֨ה צְבָא֜וֹת אֱלֹהֵ֣י יִשְׂרָאֵ֗ל הִנְנִ֨י מֵבִ֤יא רָעָה֙
עַל־הַמָּק֣וֹם הַזֶּ֔ה אֲשֶׁ֥ר כָּל־שֹׁמְעָ֖הּ תִּצַּ֥לְנָה אָזְנָֽיו׃ ד יַ֣עַן ׀ אֲשֶׁ֣ר עֲזָבֻ֗נִי וַיְנַכְּר֞וּ
אֶת־הַמָּק֣וֹם הַזֶּה֒ וַיְקַטְּרוּ־בוֹ֙ לֵאלֹהִ֣ים אֲחֵרִ֔ים אֲשֶׁ֧ר לֹא־יְדָע֛וּם הֵ֥מָּה
וַאֲבוֹתֵיהֶ֖ם וּמַלְכֵ֣י יְהוּדָ֑ה וּמָלְא֛וּ אֶת־הַמָּק֥וֹם הַזֶּ֖ה דַּ֥ם נְקִיִּֽם׃ ה וּבָנ֞וּ
אֶת־בָּמ֣וֹת הַבַּ֗עַל לִשְׂרֹ֧ף אֶת־בְּנֵיהֶ֛ם בָּאֵ֖שׁ עֹל֣וֹת לַבָּ֑עַל אֲשֶׁ֤ר לֹֽא־צִוִּ֙יתִי֙ וְלֹ֣א
דִבַּ֔רְתִּי וְלֹ֥א עָלְתָ֖ה עַל־לִבִּֽי׃

ו לָכֵ֞ן הִנֵּֽה־יָמִ֤ים בָּאִים֙ נְאֻם־יְהוָ֔ה וְלֹא־יִקָּרֵא֩ לַמָּק֨וֹם הַזֶּ֥ה ע֛וֹד הַתֹּ֖פֶת וְגֵ֣יא
בֶן־הִנֹּ֑ם כִּ֥י אִם־גֵּ֖יא הַהֲרֵגָֽה׃ ז וּ֠בַקֹּתִי אֶת־עֲצַ֨ת יְהוּדָ֤ה וִירוּשָׁלִַ֙ם֙ בַּמָּק֣וֹם
הַזֶּ֔ה וְהִפַּלְתִּ֤ים בַּחֶ֙רֶב֙ לִפְנֵ֣י אֹֽיְבֵיהֶ֔ם וּבְיַ֖ד מְבַקְשֵׁ֣י נַפְשָׁ֑ם וְנָתַתִּ֤י אֶת־נִבְלָתָם֙
לְמַֽאֲכָ֔ל לְע֥וֹף הַשָּׁמַ֖יִם וּלְבֶהֱמַ֥ת הָאָֽרֶץ׃ ח וְשַׂמְתִּי֙ אֶת־הָעִ֣יר הַזֹּ֔את לְשַׁמָּ֖ה
וְלִשְׁרֵקָ֑ה כֹּ֚ל עֹבֵ֣ר עָלֶ֔יהָ יִשֹּׁ֥ם וְיִשְׁרֹ֖ק עַל־כָּל־מַכֹּתֶֽהָ׃ ט וְהַֽאֲכַלְתִּ֞ים
אֶת־בְּשַׂ֣ר בְּנֵיהֶ֗ם וְאֵת֙ בְּשַׂ֣ר בְּנֹתֵיהֶ֔ם וְאִ֥ישׁ בְּשַׂר־רֵעֵ֖הוּ יֹאכֵ֑לוּ בְּמָצוֹר֙
וּבְמָצ֔וֹק אֲשֶׁ֨ר יָצִ֧יקוּ לָהֶ֛ם אֹיְבֵיהֶ֖ם וּמְבַקְשֵׁ֥י נַפְשָֽׁם׃ י וְשָׁבַרְתָּ֖ הַבַּקְבֻּ֑ק לְעֵינֵי֙
הָאֲנָשִׁ֔ים הַהֹלְכִ֖ים אוֹתָֽךְ׃ יא וְאָמַרְתָּ֨ אֲלֵיהֶ֜ם כֹּה־אָמַ֣ר ׀ יְהוָ֣ה צְבָא֗וֹת כָּ֣כָה
אֶשְׁבֹּ֞ר אֶת־הָעָ֤ם הַזֶּה֙ וְאֶת־הָעִ֣יר הַזֹּ֔את כַּאֲשֶׁ֤ר יִשְׁבֹּר֙ אֶת־כְּלִ֣י הַיּוֹצֵ֔ר אֲשֶׁ֛ר
לֹא־יוּכַ֥ל לְהֵרָפֵ֖ה ע֑וֹד וּבְתֹ֣פֶת יִקְבְּר֔וּ מֵאֵ֥ין מָק֖וֹם לִקְבּֽוֹר׃ יב כֵּֽן־אֶעֱשֶׂ֛ה
לַמָּק֥וֹם הַזֶּ֖ה נְאֻם־יְהוָ֑ה וּלְיֽוֹשְׁבָ֑יו וְלָתֵ֛ת אֶת־הָעִ֥יר הַזֹּ֖את כְּתֹֽפֶת׃ יג וְהָי֞וּ
בָּתֵּ֣י יְרוּשָׁלִַ֗ם וּבָתֵּי֙ מַלְכֵ֣י יְהוּדָ֔ה כִּמְק֥וֹם הַתֹּ֖פֶת הַטְּמֵאִ֑ים לְכֹ֣ל הַבָּתִּ֡ים
אֲשֶׁ֣ר קִטְּר֣וּ עַל־גַּגֹּתֵיהֶ֡ם לְכֹל֙ צְבָ֣א הַשָּׁמַ֔יִם וְהַסֵּ֥ךְ נְסָכִ֖ים לֵאלֹהִ֥ים אֲחֵרִֽים׃

[55] שיחה
[56] והיו
[57] החרסות

21 Therefore deliver up their children to the famine, and hurl them to the power of the sword; and let their wives be bereaved of their children, and widows; and let their men be slain of death, and their young men smitten of the sword in battle. **22** Let a cry be heard from their houses, when thou shalt bring a troop suddenly upon them; for they have digged a pit to take me, and hid snares for my feet. **23** Yet, Yehovah, Thou knowest all their counsel against me to slay me; forgive not their iniquity, neither blot out their sin from Thy sight; but let them be made to stumble before Thee; deal Thou with them in the time of Thine anger.{S}

19 **1** Thus said Yehovah: Go, and get a potter's earthen bottle, and take of the elders of the people, and of the elders of the priests; **2** and go forth unto the valley of the son of Hinnom, which is by the entry of the gate Harsith, and proclaim there the words that I shall tell thee; **3** and say: Hear ye the word of Yehovah, O kings of Judah, and inhabitants of Yerushalam; thus saith Yehovah of hosts, the God of Israel: Behold, I will bring evil upon this place, which whosoever heareth, his ears shall tingle; **4** because they have forsaken Me, and have estranged this place, and have offered in it unto other gods, whom neither they nor their fathers have known, nor the kings of Judah; and have filled this place with the blood of innocents; **5** and have built the high places of Baal, to burn their sons in the fire for burnt-offerings unto Baal; which I commanded not, nor spoke it, neither came it into My mind.{P}

6 Therefore, behold, the days come, saith Yehovah, that this place shall no more be called Topheth, nor the valley of the son of Hinnom, but the valley of slaughter; **7** and I will make void the counsel of Judah and Yerushalam in this place; and I will cause them to fall by the sword before their enemies, and by the hand of them that seek their life; and their carcasses will I give to be food for the fowls of the heaven, and for the beasts of the earth; **8** and I will make this city an astonishment, and a hissing; every one that passeth thereby shall be astonished and hiss because of all the plagues thereof; **9** and I will cause them to eat the flesh of their sons and the flesh of their daughters, and they shall eat every one the flesh of his friend, in the siege and in the straitness, wherewith their enemies, and they that seek their life, shall straiten them. **10** Then shalt thou break the bottle in the sight of the men that go with thee, **11** and shalt say unto them: Thus saith Yehovah of hosts: Even so will I break this people and this city, as one breaketh a potter's vessel, that cannot be made whole again; and they shall bury in Topheth, for want of room to bury. **12** Thus will I do unto this place, saith Yehovah, and to the inhabitants thereof, even making this city as Topheth; **13** and the houses of Yerushalam, and the houses of the kings of Judah, which are defiled, shall be as the place of Topheth, even all the houses upon whose roofs they have offered unto all the host of heaven, and have poured out drink-offerings unto other gods.{P}

יד וַיָּבֹא יִרְמְיָהוּ מֵהַתֹּפֶת אֲשֶׁר שְׁלָחוֹ יְהוָה שָׁם לְהִנָּבֵא וַיַּעֲמֹד בַּחֲצַר
בֵּית־יְהוָה וַיֹּאמֶר אֶל־כָּל־הָעָם׃ יה כֹּה־אָמַר יְהוָה צְבָאוֹת אֱלֹהֵי יִשְׂרָאֵל
הִנְנִי מֵבִיא[58] אֶל־הָעִיר הַזֹּאת וְעַל־כָּל־עָרֶיהָ אֵת כָּל־הָרָעָה אֲשֶׁר דִּבַּרְתִּי
עָלֶיהָ כִּי הִקְשׁוּ אֶת־עָרְפָּם לְבִלְתִּי שְׁמוֹעַ אֶת־דְּבָרָי׃

כ א וַיִּשְׁמַע פַּשְׁחוּר בֶּן־אִמֵּר הַכֹּהֵן וְהוּא־פָקִיד נָגִיד בְּבֵית יְהוָה
אֶת־יִרְמְיָהוּ נִבָּא אֶת־הַדְּבָרִים הָאֵלֶּה׃ ב וַיַּכֶּה פַשְׁחוּר אֵת יִרְמְיָהוּ הַנָּבִיא
וַיִּתֵּן אֹתוֹ עַל־הַמַּהְפֶּכֶת אֲשֶׁר בְּשַׁעַר בִּנְיָמִן הָעֶלְיוֹן אֲשֶׁר בְּבֵית יְהוָה׃ ג וַיְהִי
מִמָּחֳרָת וַיֹּצֵא פַשְׁחוּר אֶת־יִרְמְיָהוּ מִן־הַמַּהְפָּכֶת וַיֹּאמֶר אֵלָיו יִרְמְיָהוּ לֹא
פַשְׁחוּר קָרָא יְהוָה שְׁמֶךָ כִּי אִם־מָגוֹר מִסָּבִיב׃

ד כִּי כֹה אָמַר יְהוָה הִנְנִי נֹתֶנְךָ לְמָגוֹר לְךָ וּלְכָל־אֹהֲבֶיךָ וְנָפְלוּ בְּחֶרֶב
אֹיְבֵיהֶם וְעֵינֶיךָ רֹאוֹת וְאֶת־כָּל־יְהוּדָה אֶתֵּן בְּיַד מֶלֶךְ־בָּבֶל וְהִגְלָם בָּבֶלָה
וְהִכָּם בֶּחָרֶב׃ ה וְנָתַתִּי אֶת־כָּל־חֹסֶן הָעִיר הַזֹּאת וְאֶת־כָּל־יְגִיעָהּ
וְאֶת־כָּל־יְקָרָהּ וְאֵת כָּל־אוֹצְרוֹת מַלְכֵי יְהוּדָה אֶתֵּן בְּיַד אֹיְבֵיהֶם וּבְזָזוּם
וּלְקָחוּם וֶהֱבִיאוּם בָּבֶלָה׃ ו וְאַתָּה פַשְׁחוּר וְכֹל יֹשְׁבֵי בֵיתֶךָ תֵּלְכוּ בַּשֶּׁבִי
וּבָבֶל תָּבוֹא וְשָׁם תָּמוּת וְשָׁם תִּקָּבֵר אַתָּה וְכָל־אֹהֲבֶיךָ אֲשֶׁר־נִבֵּאתָ לָהֶם
בַּשָּׁקֶר׃ ז פִּתִּיתַנִי יְהוָה וָאֶפָּת חֲזַקְתַּנִי וַתּוּכָל הָיִיתִי לִשְׂחוֹק כָּל־הַיּוֹם כֻּלֹּה
לֹעֵג לִי׃ ח כִּי־מִדֵּי אֲדַבֵּר אֶזְעָק חָמָס וָשֹׁד אֶקְרָא כִּי־הָיָה דְבַר־יְהוָה לִי
לְחֶרְפָּה וּלְקֶלֶס כָּל־הַיּוֹם׃ ט וְאָמַרְתִּי לֹא־אֶזְכְּרֶנּוּ וְלֹא־אֲדַבֵּר עוֹד בִּשְׁמוֹ
וְהָיָה בְלִבִּי כְּאֵשׁ בֹּעֶרֶת עָצֻר בְּעַצְמֹתָי וְנִלְאֵיתִי כַּלְכֵל וְלֹא אוּכָל׃ י כִּי
שָׁמַעְתִּי דִּבַּת רַבִּים מָגוֹר מִסָּבִיב הַגִּידוּ וְנַגִּידֶנּוּ כֹּל אֱנוֹשׁ שְׁלוֹמִי שֹׁמְרֵי
צַלְעִי אוּלַי יְפֻתֶּה וְנוּכְלָה לוֹ וְנִקְחָה נִקְמָתֵנוּ מִמֶּנּוּ׃ יא וַיהוָה אוֹתִי כְּגִבּוֹר
עָרִיץ עַל־כֵּן רֹדְפַי יִכָּשְׁלוּ וְלֹא יֻכָלוּ בֹּשׁוּ מְאֹד כִּי־לֹא הִשְׂכִּילוּ כְּלִמַּת
עוֹלָם לֹא תִשָּׁכֵחַ׃ יב וַיהוָה צְבָאוֹת בֹּחֵן צַדִּיק רֹאֶה כְלָיוֹת וָלֵב אֶרְאֶה
נִקְמָתְךָ מֵהֶם כִּי אֵלֶיךָ גִּלִּיתִי אֶת־רִיבִי׃ יג שִׁירוּ לַיהוָה הַלְלוּ אֶת־יְהוָה כִּי
הִצִּיל אֶת־נֶפֶשׁ אֶבְיוֹן מִיַּד מְרֵעִים׃ יד אָרוּר הַיּוֹם אֲשֶׁר יֻלַּדְתִּי בּוֹ יוֹם
אֲשֶׁר־יְלָדַתְנִי אִמִּי אַל־יְהִי בָרוּךְ׃ יה אָרוּר הָאִישׁ אֲשֶׁר בִּשַּׂר אֶת־אָבִי לֵאמֹר
יֻלַּד־לְךָ בֵּן זָכָר שַׂמֵּחַ שִׂמְּחָהוּ׃ יו וְהָיָה הָאִישׁ הַהוּא כֶּעָרִים אֲשֶׁר־הָפַךְ
יְהוָה וְלֹא נִחָם וְשָׁמַע זְעָקָה בַּבֹּקֶר וּתְרוּעָה בְּעֵת צָהֳרָיִם׃ יז אֲשֶׁר
לֹא־מוֹתְתַנִי מֵרָחֶם וַתְּהִי־לִי אִמִּי קִבְרִי וְרַחְמָה הֲרַת עוֹלָם׃ יח לָמָּה זֶּה
מֵרֶחֶם יָצָאתִי לִרְאוֹת עָמָל וְיָגוֹן וַיִּכְלוּ בְּבֹשֶׁת יָמָי׃

[58] מבי

14 Then came Jeremiah from Topheth, whither Yehovah had sent him to prophesy; and he stood in the court of Yehovah's house, and said to all the people:{S} **15** 'Thus saith Yehovah of hosts, the God of Israel: Behold, I will bring upon this city and upon all her towns all the evil that I have pronounced against it; because they have made their neck stiff, that they might not hear My words.'

20 **1** Now Pashhur the son of Immer the priest, who was chief officer in the house of Yehovah, heard Jeremiah prophesying these things. **2** Then Pashhur smote Jeremiah the prophet, and put him in the stocks that were in the upper gate of Benjamin, which was in the house of Yehovah. **3** And it came to pass on the morrow, that Pashhur brought forth Jeremiah out of the stocks. Then said Jeremiah unto him: 'Yehovah hath not called thy name Pashhur, but Magormissabib.{S} **4** For thus saith Yehovah: Behold, I will make thee a terror to thyself, and to all thy friends; and they shall fall by the sword of their enemies, and thine eyes shall behold it; and I will give all Judah into the hand of the king of Babylon, and he shall carry them captive to Babylon, and shall slay them with the sword. **5** Moreover I will give all the store of this city, and all the gains thereof, and all the wealth thereof, yea, all the treasures of the kings of Judah will I give into the hand of their enemies, who shall spoil them, and take them, and carry them to Babylon. **6** And thou, Pashhur, and all that dwell in thy house shall go into captivity; and thou shalt come to Babylon, and there thou shalt die, and there shalt thou be buried, thou, and all thy friends, to whom thou hast prophesied falsely.'{P}

7 Yehovah, Thou hast enticed me, and I was enticed, Thou hast overcome me, and hast prevailed; I am become a laughing-stock all the day, every one mocketh me. **8** For as often as I speak, I cry out, I cry: 'Violence and spoil'; because the word of Yehovah is made a reproach unto me, and a derision, all the day. **9** And if I say: 'I will not make mention of Him, nor speak any more in His name', then there is in my heart as it were a burning fire shut up in my bones, and I weary myself to hold it in, but cannot. **10** For I have heard the whispering of many, terror on every side: 'Denounce, and we will denounce him'; even of all my familiar friends, them that watch for my halting: 'Peradventure he will be enticed, and we shall prevail against him, and we shall take our revenge on him.' **11** But Yehovah is with me as a mighty warrior; therefore my persecutors shall stumble, and they shall not prevail; they shall be greatly ashamed, because they have not prospered, even with an everlasting confusion which shall never be forgotten. **12** But, Yehovah of hosts, that triest the righteous, that seest the reins and the heart, let me see Thy vengeance on them; for unto Thee have I revealed my cause.{S} **13** Sing unto Yehovah, praise ye Yehovah; for He hath delivered the soul of the needy from the hand of evil-doers.{S} **14** Cursed be the day wherein I was born; the day wherein my mother bore me, let it not be blessed. **15** Cursed be the man who brought tidings to my father, saying: 'A man-child is born unto thee'; making him very glad. **16** And let that man be as the cities which Yehovah overthrew, and repented not; and let him hear a cry in the morning, and an alarm at noontide; **17** Because He slew me not from the womb; and so my mother would have been my grave, and her womb always great. **18** Wherefore came I forth out of the womb to see labour and sorrow, that my days should be consumed in shame?{P}

כא א הַדָּבָר אֲשֶׁר־הָיָה אֶל־יִרְמְיָהוּ מֵאֵת יְהוָה בִּשְׁלֹחַ אֵלָיו הַמֶּלֶךְ
צִדְקִיָּהוּ אֶת־פַּשְׁחוּר בֶּן־מַלְכִּיָּה וְאֶת־צְפַנְיָה בֶן־מַעֲשֵׂיָה הַכֹּהֵן לֵאמֹר׃
ב דְּרָשׁ־נָא בַעֲדֵנוּ אֶת־יְהוָה כִּי נְבוּכַדְרֶאצַּר מֶלֶךְ־בָּבֶל נִלְחָם עָלֵינוּ אוּלַי
יַעֲשֶׂה יְהוָה אוֹתָנוּ כְּכָל־נִפְלְאֹתָיו וְיַעֲלֶה מֵעָלֵינוּ׃ ג וַיֹּאמֶר יִרְמְיָהוּ אֲלֵיהֶם
כֹּה תֹאמְרֻן אֶל־צִדְקִיָּהוּ׃ ד כֹּה־אָמַר יְהוָה אֱלֹהֵי יִשְׂרָאֵל הִנְנִי מֵסֵב
אֶת־כְּלֵי הַמִּלְחָמָה אֲשֶׁר בְּיֶדְכֶם אֲשֶׁר אַתֶּם נִלְחָמִים בָּם אֶת־מֶלֶךְ בָּבֶל
וְאֶת־הַכַּשְׂדִּים הַצָּרִים עֲלֵיכֶם מִחוּץ לַחוֹמָה וְאָסַפְתִּי אוֹתָם אֶל־תּוֹךְ הָעִיר
הַזֹּאת׃ ה וְנִלְחַמְתִּי אֲנִי אִתְּכֶם בְּיָד נְטוּיָה וּבִזְרוֹעַ חֲזָקָה וּבְאַף וּבְחֵמָה
וּבְקֶצֶף גָּדוֹל׃ ו וְהִכֵּיתִי אֶת־יוֹשְׁבֵי הָעִיר הַזֹּאת וְאֶת־הָאָדָם וְאֶת־הַבְּהֵמָה
בְּדֶבֶר גָּדוֹל יָמֻתוּ׃ ז וְאַחֲרֵי־כֵן נְאֻם־יְהוָה אֶתֵּן אֶת־צִדְקִיָּהוּ מֶלֶךְ־יְהוּדָה
וְאֶת־עֲבָדָיו ׀ וְאֶת־הָעָם וְאֶת־הַנִּשְׁאָרִים בָּעִיר הַזֹּאת מִן־הַדֶּבֶר ׀ מִן־הַחֶרֶב
וּמִן־הָרָעָב בְּיַד נְבוּכַדְרֶאצַּר מֶלֶךְ־בָּבֶל וּבְיַד אֹיְבֵיהֶם וּבְיַד מְבַקְשֵׁי נַפְשָׁם
וְהִכָּם לְפִי־חֶרֶב לֹא־יָחוּס עֲלֵיהֶם וְלֹא יַחְמֹל וְלֹא יְרַחֵם׃ ח וְאֶל־הָעָם הַזֶּה
תֹּאמַר כֹּה אָמַר יְהוָה הִנְנִי נֹתֵן לִפְנֵיכֶם אֶת־דֶּרֶךְ הַחַיִּים וְאֶת־דֶּרֶךְ הַמָּוֶת׃
ט הַיֹּשֵׁב בָּעִיר הַזֹּאת יָמוּת בַּחֶרֶב וּבָרָעָב וּבַדָּבֶר וְהַיּוֹצֵא וְנָפַל
עַל־הַכַּשְׂדִּים הַצָּרִים עֲלֵיכֶם וְחָיָה[59] וְהָיְתָה־לּוֹ נַפְשׁוֹ לְשָׁלָל׃ י כִּי שַׂמְתִּי פָנַי
בָּעִיר הַזֹּאת לְרָעָה וְלֹא לְטוֹבָה נְאֻם־יְהוָה בְּיַד־מֶלֶךְ בָּבֶל תִּנָּתֵן וּשְׂרָפָהּ
בָּאֵשׁ׃ יא וּלְבֵית מֶלֶךְ יְהוּדָה שִׁמְעוּ דְּבַר־יְהוָה׃ יב בֵּית דָּוִד כֹּה אָמַר יְהוָה
דִּינוּ לַבֹּקֶר מִשְׁפָּט וְהַצִּילוּ גָזוּל מִיַּד עוֹשֵׁק פֶּן־תֵּצֵא כָאֵשׁ חֲמָתִי וּבָעֲרָה
וְאֵין מְכַבֶּה מִפְּנֵי רֹעַ מַעַלְלֵיכֶם[60]׃ יג הִנְנִי אֵלַיִךְ יֹשֶׁבֶת הָעֵמֶק צוּר הַמִּישֹׁר
נְאֻם־יְהוָה הָאֹמְרִים מִי־יֵחַת עָלֵינוּ וּמִי יָבוֹא בִּמְעוֹנוֹתֵינוּ׃ יד וּפָקַדְתִּי עֲלֵיכֶם
כִּפְרִי מַעַלְלֵיכֶם נְאֻם־יְהוָה וְהִצַּתִּי אֵשׁ בְּיַעְרָהּ וְאָכְלָה כָּל־סְבִיבֶיהָ׃

כב א כֹּה אָמַר יְהוָה רֵד בֵּית־מֶלֶךְ יְהוּדָה וְדִבַּרְתָּ שָּׁם אֶת־הַדָּבָר הַזֶּה׃
ב וְאָמַרְתָּ שְׁמַע דְּבַר־יְהוָה מֶלֶךְ יְהוּדָה הַיֹּשֵׁב עַל־כִּסֵּא דָוִד אַתָּה וַעֲבָדֶיךָ
וְעַמְּךָ הַבָּאִים בַּשְּׁעָרִים הָאֵלֶּה׃ ג כֹּה ׀ אָמַר יְהוָה עֲשׂוּ מִשְׁפָּט וּצְדָקָה
וְהַצִּילוּ גָזוּל מִיַּד עָשׁוֹק וְגֵר יָתוֹם וְאַלְמָנָה אַל־תֹּנוּ אַל־תַּחְמֹסוּ וְדָם נָקִי
אַל־תִּשְׁפְּכוּ בַּמָּקוֹם הַזֶּה׃ ד כִּי אִם־עָשׂוֹ תַּעֲשׂוּ אֶת־הַדָּבָר הַזֶּה וּבָאוּ בְשַׁעֲרֵי
הַבַּיִת הַזֶּה מְלָכִים יֹשְׁבִים לְדָוִד עַל־כִּסְאוֹ רֹכְבִים בָּרֶכֶב וּבַסּוּסִים הוּא
וַעֲבָדָיו[61] וְעַמּוֹ׃

---

[59] יחיה
[60] מעלליהם
[61] ועבדו

21 1 The word which came unto Jeremiah from Yehovah, when king Zedekiah sent unto him Pashhur the son of Malchiah, and Zephaniah the son of Maaseiah the priest, saying: 2 'Inquire, I pray thee, of Yehovah for us; for Nebuchadrezzar king of Babylon maketh war against us; peradventure Yehovah will deal with us according to all His wondrous works, that he may go up from us.' 3 Then said Jeremiah unto them: Thus shall ye say to Zedekiah:{s} 4 Thus saith Yehovah, the God of Israel: Behold, I will turn back the weapons of war that are in your hands, wherewith ye fight against the king of Babylon, and against the Chaldeans, that besiege you without the walls, and I will gather them into the midst of this city. 5 And I myself will fight against you with an outstretched hand and with a strong arm, even in anger, and in fury, and in great wrath. 6 And I will smite the inhabitants of this city, both man and beast; they shall die of a great pestilence. 7 And afterward, saith Yehovah, I will deliver Zedekiah king of Judah, and his servants, and the people, and such as are left in this city from the pestilence, from the sword, and from the famine, into the hand of Nebuchadrezzar king of Babylon, and into the hand of their enemies, and into the hand of those that seek their life; and he shall smite them with the edge of the sword; he shall not spare them, neither have pity, nor have compassion. 8 And unto this people thou shalt say: Thus saith Yehovah: Behold, I set before you the way of life and the way of death. 9 He that abideth in this city shall die by the sword, and by the famine, and by the pestilence; but he that goeth out, and falleth away to the Chaldeans that besiege you, he shall live, and his life shall be unto him for a prey. 10 For I have set My face against this city for evil, and not for good, saith Yehovah; it shall be given into the hand of the king of Babylon, and he shall burn it with fire.{s} 11 And unto the house of the king of Judah: Hear ye the word of Yehovah; 12 O house of David, thus saith Yehovah: Execute justice in the morning, and deliver the spoiled out of the hand of the oppressor, lest My fury go forth like fire, and burn that none can quench it, because of the evil of your doings. 13 Behold, I am against thee, O inhabitant of the valley, and rock of the plain, saith Yehovah; ye that say: 'Who shall come down against us? or who shall enter into our habitations?' 14 And I will punish you according to the fruit of your doings, saith Yehovah; and I will kindle a fire in her forest, and it shall devour all that is round about her.

22 1 Thus said Yehovah: Go down to the house of the king of Judah, and speak there this word, 2 and say: Hear the word of Yehovah, O king of Judah, that sittest upon the throne of David, thou, and thy servants, and thy people that enter in by these gates. 3 Thus saith Yehovah: Execute ye justice and righteousness, and deliver the spoiled out of the hand of the oppressor; and do no wrong, do no violence, to the stranger, the fatherless, nor the widow, neither shed innocent blood in this place. 4 For if ye do this thing indeed, then shall there enter in by the gates of this house kings sitting upon the throne of David, riding in chariots and on horses, he, and his servants, and his people.

ה וְאִם לֹא תִשְׁמְעוּ אֶת־הַדְּבָרִים הָאֵלֶּה בִּי נִשְׁבַּעְתִּי נְאֻם־יְהֹוָה כִּי־לְחׇרְבָּה יִהְיֶה הַבַּיִת הַזֶּה: ו כִּי־כֹה ׀ אָמַר יְהֹוָה עַל־בֵּית מֶלֶךְ יְהוּדָה גִּלְעָד אַתָּה לִי רֹאשׁ הַלְּבָנוֹן אִם־לֹא אֲשִׁיתְךָ מִדְבָּר עָרִים לֹא נוֹשָׁבוּ⁶²׃ ז וְקִדַּשְׁתִּי עָלֶיךָ מַשְׁחִתִים אִישׁ וְכֵלָיו וְכָרְתוּ מִבְחַר אֲרָזֶיךָ וְהִפִּילוּ עַל־הָאֵשׁ: ח וְעָבְרוּ גּוֹיִם רַבִּים עַל הָעִיר הַזֹּאת וְאָמְרוּ אִישׁ אֶל־רֵעֵהוּ עַל־מֶה עָשָׂה יְהֹוָה כָּכָה לָעִיר הַגְּדוֹלָה הַזֹּאת: ט וְאָמְרוּ עַל אֲשֶׁר עָזְבוּ אֶת־בְּרִית יְהֹוָה אֱלֹהֵיהֶם וַיִּשְׁתַּחֲווּ לֵאלֹהִים אֲחֵרִים וַיַּעַבְדוּם: י אַל־תִּבְכּוּ לְמֵת וְאַל־תָּנֻדוּ לוֹ בְּכוּ בָכוֹ לַהֹלֵךְ כִּי לֹא יָשׁוּב עוֹד וְרָאָה אֶת־אֶרֶץ מוֹלַדְתּוֹ: יא כִּי כֹה אָמַר־יְהֹוָה אֶל־שַׁלֻּם בֶּן־יֹאשִׁיָּהוּ מֶלֶךְ יְהוּדָה הַמֹּלֵךְ תַּחַת יֹאשִׁיָּהוּ אָבִיו אֲשֶׁר יָצָא מִן־הַמָּקוֹם הַזֶּה לֹא־יָשׁוּב שָׁם עוֹד: יב כִּי בִּמְקוֹם אֲשֶׁר־הִגְלוּ אֹתוֹ שָׁם יָמוּת וְאֶת־הָאָרֶץ הַזֹּאת לֹא־יִרְאֶה עוֹד: יג הוֹי בֹּנֶה בֵיתוֹ בְּלֹא־צֶדֶק וַעֲלִיּוֹתָיו בְּלֹא מִשְׁפָּט בְּרֵעֵהוּ יַעֲבֹד חִנָּם וּפֹעֲלוֹ לֹא יִתֶּן־לוֹ: יד הָאֹמֵר אֶבְנֶה־לִּי בֵּית מִדּוֹת וַעֲלִיּוֹת מְרֻוָּחִים וְקָרַע לוֹ חַלּוֹנָי וְסָפוּן בָּאָרֶז וּמָשׁוֹחַ בַּשָּׁשַׁר: טו הֲתִמְלֹךְ כִּי אַתָּה מְתַחֲרֶה בָאָרֶז אָבִיךָ הֲלוֹא אָכַל וְשָׁתָה וְעָשָׂה מִשְׁפָּט וּצְדָקָה אָז טוֹב לוֹ: טז דָּן דִּין־עָנִי וְאֶבְיוֹן אָז טוֹב הֲלוֹא־הִיא הַדַּעַת אֹתִי נְאֻם־יְהֹוָה: יז כִּי אֵין עֵינֶיךָ וְלִבְּךָ כִּי אִם־עַל־בִּצְעֶךָ וְעַל דַּם־הַנָּקִי לִשְׁפּוֹךְ וְעַל־הָעֹשֶׁק וְעַל־הַמְּרוּצָה לַעֲשׂוֹת: יח לָכֵן כֹּה־אָמַר יְהֹוָה אֶל־יְהוֹיָקִים בֶּן־יֹאשִׁיָּהוּ מֶלֶךְ יְהוּדָה לֹא־יִסְפְּדוּ לוֹ הוֹי אָחִי וְהוֹי אָחוֹת לֹא־יִסְפְּדוּ לוֹ הוֹי אָדוֹן וְהוֹי הֹדֹה: יט קְבוּרַת חֲמוֹר יִקָּבֵר סָחוֹב וְהַשְׁלֵךְ מֵהָלְאָה לְשַׁעֲרֵי יְרוּשָׁלָ͏ִם: כ עֲלִי הַלְּבָנוֹן וּצְעָקִי וּבַבָּשָׁן תְּנִי קוֹלֵךְ וְצַעֲקִי מֵעֲבָרִים כִּי נִשְׁבְּרוּ כׇּל־מְאַהֲבָיִךְ: כא דִּבַּרְתִּי אֵלַיִךְ בְּשַׁלְוֺתַיִךְ אָמַרְתְּ לֹא אֶשְׁמָע זֶה דַרְכֵּךְ מִנְּעוּרַיִךְ כִּי לֹא־שָׁמַעַתְּ בְּקוֹלִי: כב כׇּל־רֹעַיִךְ תִּרְעֶה־רוּחַ וּמְאַהֲבַיִךְ בַּשְּׁבִי יֵלֵכוּ כִּי אָז תֵּבֹשִׁי וְנִכְלַמְתְּ מִכֹּל רָעָתֵךְ: כג יֹשַׁבְתִּ⁶³ בַּלְּבָנוֹן מְקֻנַּנְתְּ⁶⁴ בָּאֲרָזִים מַה־נֵּחַנְתְּ בְּבֹא־לָךְ חֲבָלִים חִיל כַּיֹּלֵדָה: כד חַי־אָנִי נְאֻם־יְהֹוָה כִּי אִם־יִהְיֶה כׇּנְיָהוּ בֶן־יְהוֹיָקִים מֶלֶךְ יְהוּדָה חוֹתָם עַל־יַד יְמִינִי כִּי מִשָּׁם אֶתְּקֶנְךָּ: כה וּנְתַתִּיךָ בְּיַד מְבַקְשֵׁי נַפְשֶׁךָ וּבְיַד אֲשֶׁר־אַתָּה יָגוֹר מִפְּנֵיהֶם וּבְיַד נְבוּכַדְרֶאצַּר מֶלֶךְ־בָּבֶל וּבְיַד הַכַּשְׂדִּים: כו וְהֵטַלְתִּי אֹתְךָ וְאֶת־אִמְּךָ אֲשֶׁר יְלָדַתְךָ עַל הָאָרֶץ אַחֶרֶת אֲשֶׁר לֹא־יֻלַּדְתֶּם שָׁם וְשָׁם תָּמוּתוּ: כז וְעַל־הָאָרֶץ אֲשֶׁר־הֵם מְנַשְּׂאִים אֶת־נַפְשָׁם לָשׁוּב שָׁם שָׁמָּה לֹא יָשׁוּבוּ:

⁶²נושבה
⁶³ישבתי
⁶⁴מקננתי

5 But if ye will not hear these words, I swear by Myself, saith Yehovah, that this house shall become a desolation.{P}

6 For thus saith Yehovah concerning the house of the king of Judah: Thou art Gilead unto Me, the head of Lebanon; yet surely I will make thee a wilderness, cities which are not inhabited. **7** And I will prepare destroyers against thee, every one with his weapons; and they shall cut down thy choice cedars, and cast them into the fire. **8** And many nations shall pass by this city, and they shall say every man to his neighbour: 'Wherefore hath Yehovah done thus unto this great city?' **9** Then they shall answer: 'Because they forsook the covenant of Yehovah their God, and worshipped other gods, and served them.'{S} **10** Weep ye not for the dead, neither bemoan him; but weep sore for him that goeth away, for he shall return no more, nor see his native country. **11** For thus saith Yehovah touching Shallum the son of Josiah, king of Judah, who reigned instead of Josiah his father, and who went forth out of this place: He shall not return thither any more; **12** but in the place whither they have led him captive, there shall he die, and he shall see this land no more.{S} **13** Woe unto him that buildeth his house by unrighteousness, and his chambers by injustice; that useth his neighbour's service without wages, and giveth him not his hire; **14** That saith: 'I will build me a wide house and spacious chambers', and cutteth him out windows, and it is ceiled with cedar, and painted with vermilion. **15** Shalt thou reign, because thou strivest to excel in cedar? Did not thy father eat and drink, and do justice and righteousness? Then it was well with him. **16** He judged the cause of the poor and needy; then it was well. Is not this to know Me? saith Yehovah. **17** But thine eyes and thy heart are not but for thy covetousness, and for shedding innocent blood, and for oppression, and for violence, to do it.{S} **18** Therefore thus saith Yehovah concerning Jehoiakim the son of Josiah, king of Judah: They shall not lament for him: 'Ah my brother!' or: 'Ah sister!' They shall not lament for him: 'Ah lord!' or: 'Ah his glory!' **19** He shall be buried with the burial of an ass, drawn and cast forth beyond the gates of Yerushalam.{S} **20** Go up to Lebanon, and cry, and lift up thy voice in Bashan; and cry from Abarim, for all thy lovers are destroyed. **21** I spoke unto thee in thy prosperity, but thou saidst: 'I will not hear.' This hath been thy manner from thy youth, that thou hearkenedst not to My voice. **22** The wind shall feed upon all thy shepherds, and thy lovers shall go into captivity; surely then shalt thou be ashamed and confounded for all thy wickedness. **23** O inhabitant of Lebanon, that art nestled in the cedars, how gracious shalt thou be when pangs come upon thee, the pain as of a woman in travail! **24** As I live, saith Yehovah, though Coniah the son of Jehoiakim king of Judah were the signet upon My right hand, yet would I pluck thee thence; **25** and I will give thee into the hand of them that seek thy life, and into the hand of them of whom thou art afraid, even into the hand of Nebuchadrezzar king of Babylon, and into the hand of the Chaldeans. **26** And I will cast thee out, and thy mother that bore thee, into another country, where ye were not born; and there shall ye die. **27** But to the land whereunto they long to return, thither shall they not return.{P}

כח הַעֶ֗צֶב נִבְזֶה֙ נָפ֔וּץ הָאִ֥ישׁ הַזֶּ֖ה כָּנְיָ֑הוּ אִם־כְּלִ֕י אֵ֥ין חֵ֖פֶץ בּ֑וֹ מַדּ֜וּעַ הֽוּטֲל֗וּ ה֤וּא וְזַרְעוֹ֙ וְהֻ֣שְׁלְכ֔וּ עַל־הָאָ֖רֶץ אֲשֶׁ֥ר לֹא־יָדָֽעוּ: כט אֶ֥רֶץ אֶ֖רֶץ אָ֑רֶץ שִׁמְעִ֖י דְּבַר־יְהֹוָֽה: ל כֹּ֣ה ׀ אָמַ֣ר יְהֹוָ֗ה כִּתְב֞וּ אֶת־הָאִ֤ישׁ הַזֶּה֙ עֲרִירִ֔י גֶּ֖בֶר לֹא־יִצְלַ֣ח בְּיָמָ֑יו כִּי֩ לֹ֨א יִצְלַ֜ח מִזַּרְע֗וֹ אִ֚ישׁ יֹשֵׁב֙ עַל־כִּסֵּ֣א דָוִ֔ד וּמֹשֵׁ֥ל ע֖וֹד בִּיהוּדָֽה:

כג א ה֣וֹי רֹעִ֗ים מְאַבְּדִ֧ים וּמְפִצִ֛ים אֶת־צֹ֥אן מַרְעִיתִ֖י נְאֻם־יְהֹוָֽה: ב לָכֵ֞ן כֹּֽה־אָמַ֣ר יְהֹוָ֗ה אֱלֹהֵ֣י יִשְׂרָאֵל֮ עַל־הָֽרֹעִים֮ הָרֹעִ֣ים אֶת־עַמִּי֒ אַתֶּ֞ם הֲפִצֹתֶ֤ם אֶת־צֹאנִי֙ וַתַּדִּח֔וּם וְלֹ֥א פְקַדְתֶּ֖ם אֹתָ֑ם הִנְנִ֨י פֹקֵ֧ד עֲלֵיכֶ֛ם אֶת־רֹ֥עַ מַעַלְלֵיכֶ֖ם נְאֻם־יְהֹוָֽה: ג וַאֲנִ֗י אֲקַבֵּץ֙ אֶת־שְׁאֵרִ֣ית צֹאנִ֔י מִכֹּל֙ הָאֲרָצ֔וֹת אֲשֶׁר־הִדַּ֥חְתִּי אֹתָ֖ם שָׁ֑ם וַהֲשִׁבֹתִ֥י אֶתְהֶ֖ן עַל־נְוֵהֶ֑ן וּפָר֖וּ וְרָבֽוּ: ד וַהֲקִמֹתִ֧י עֲלֵיהֶ֛ם רֹעִ֖ים וְרָע֑וּם וְלֹא־יִֽירְא֨וּ ע֤וֹד וְלֹא־יֵחַ֙תּוּ֙ וְלֹ֣א יִפָּקֵ֔דוּ נְאֻם־יְהֹוָֽה: ה הִנֵּ֨ה יָמִ֤ים בָּאִים֙ נְאֻם־יְהֹוָ֔ה וַהֲקִמֹתִ֥י לְדָוִ֖ד צֶ֣מַח צַדִּ֑יק וּמָ֤לַךְ מֶ֙לֶךְ֙ וְהִשְׂכִּ֔יל וְעָשָׂ֛ה מִשְׁפָּ֥ט וּצְדָקָ֖ה בָּאָֽרֶץ: ו בְּיָמָיו֙ תִּוָּשַׁ֣ע יְהוּדָ֔ה וְיִשְׂרָאֵ֖ל יִשְׁכֹּ֣ן לָבֶ֑טַח וְזֶה־שְּׁמ֥וֹ אֲֽשֶׁר־יִקְרְא֖וֹ יְהֹוָ֥ה ׀ צִדְקֵֽנוּ: ז לָכֵ֛ן הִנֵּֽה־יָמִ֥ים בָּאִ֖ים נְאֻם־יְהֹוָ֑ה וְלֹא־יֹ֤אמְרוּ עוֹד֙ חַי־יְהֹוָ֔ה אֲשֶׁ֧ר הֶעֱלָ֛ה אֶת־בְּנֵ֥י יִשְׂרָאֵ֖ל מֵאֶ֥רֶץ מִצְרָֽיִם: ח כִּ֣י אִם־חַי־יְהֹוָ֗ה אֲשֶׁ֣ר הֶעֱלָה֩ וַאֲשֶׁ֨ר הֵבִ֜יא אֶת־זֶ֣רַע בֵּ֣ית יִשְׂרָאֵ֗ל מֵאֶ֤רֶץ צָפ֙וֹנָה֙ וּמִכֹּל֙ הָֽאֲרָצ֔וֹת אֲשֶׁ֥ר הִדַּחְתִּ֖ים שָׁ֑ם וְיָשְׁב֖וּ עַל־אַדְמָתָֽם: ט לַנְּבִאִ֞ים נִשְׁבַּ֧ר לִבִּ֣י בְקִרְבִּ֗י רָֽחֲפוּ֙ כָּל־עַצְמוֹתַ֔י הָיִ֙יתִי֙ כְּאִ֣ישׁ שִׁכּ֔וֹר וּכְגֶ֖בֶר עֲבָ֣רוֹ יָ֑יִן מִפְּנֵ֣י יְהֹוָ֔ה וּמִפְּנֵ֖י דִּבְרֵ֥י קָדְשֽׁוֹ: י כִּ֤י מְנָֽאֲפִים֙ מָלְאָ֣ה הָאָ֔רֶץ כִּֽי־מִפְּנֵ֤י אָלָה֙ אָבְלָ֣ה הָאָ֔רֶץ יָבְשׁ֖וּ נְא֣וֹת מִדְבָּ֑ר וַתְּהִ֤י מְרֽוּצָתָם֙ רָעָ֔ה וּגְבוּרָתָ֖ם לֹא־כֵֽן: יא כִּֽי־גַם־נָבִ֥יא גַם־כֹּהֵ֖ן חָנֵ֑פוּ גַּם־בְּבֵיתִ֛י מָצָ֥אתִי רָעָתָ֖ם נְאֻם־יְהֹוָֽה: יב לָכֵן֩ יִֽהְיֶ֨ה דַרְכָּ֜ם לָהֶ֗ם כַּחֲלַקְלַקּוֹת֙ בָּֽאֲפֵלָ֔ה יִדַּ֖חוּ וְנָ֣פְלוּ בָ֑הּ כִּֽי־אָבִ֨יא עֲלֵיהֶ֥ם רָעָ֛ה שְׁנַ֥ת פְּקֻדָּתָ֖ם נְאֻם־יְהֹוָֽה: יג וּבִנְבִיאֵ֥י שֹׁמְר֖וֹן רָאִ֣יתִי תִפְלָ֑ה הִנַּבְּא֣וּ בַבַּ֔עַל וַיַּתְע֥וּ אֶת־עַמִּ֖י אֶת־יִשְׂרָאֵֽל: יד וּבִנְבִאֵ֨י יְרוּשָׁלַ֜͏ִם רָאִ֣יתִי שַֽׁעֲרוּרָ֗ה נָאוֹף֙ וְהָלֹ֣ךְ בַּשֶּׁ֔קֶר וְחִזְּקוּ֙ יְדֵ֣י מְרֵעִ֔ים לְבִלְתִּי־שָׁ֖בוּ אִ֣ישׁ מֵרָֽעָת֑וֹ הָיוּ־לִ֤י כֻלָּם֙ כִּסְדֹ֔ם וְיֹשְׁבֶ֖יהָ כַּעֲמֹרָֽה: יה לָכֵ֞ן כֹּֽה־אָמַ֨ר יְהֹוָ֤ה צְבָאוֹת֙ עַל־הַנְּבִאִ֔ים הִנְנִ֨י מַאֲכִ֤יל אוֹתָם֙ לַֽעֲנָ֔ה וְהִשְׁקִתִ֖ים מֵי־רֹ֑אשׁ כִּ֗י מֵאֵת֙ נְבִיאֵ֣י יְרוּשָׁלַ֔͏ִם יָצְאָ֥ה חֲנֻפָּ֖ה לְכָל־הָאָֽרֶץ:

יו כֹּֽה־אָמַ֞ר יְהֹוָ֣ה צְבָא֗וֹת אַֽל־תִּשְׁמְע֞וּ עַל־דִּבְרֵ֤י הַנְּבִאִים֙ הַנִּבְּאִ֣ים לָכֶ֔ם מַהְבִּלִ֥ים הֵ֖מָּה אֶתְכֶ֑ם חֲז֤וֹן לִבָּם֙ יְדַבֵּ֔רוּ לֹ֖א מִפִּ֥י יְהֹוָֽה: יז אֹמְרִ֤ים אָמוֹר֙ לִֽמְנַאֲצַ֔י דִּבֶּ֣ר יְהֹוָ֔ה שָׁל֖וֹם יִֽהְיֶ֣ה לָכֶ֑ם וְ֠כֹ֠ל הֹלֵ֞ךְ בִּשְׁרִר֤וּת לִבּוֹ֙ אָֽמְר֔וּ לֹא־תָב֥וֹא עֲלֵיכֶ֖ם רָעָֽה:

28 Is this man Coniah a despised, broken image? Is he a vessel wherein is no pleasure? Wherefore are they cast out, he and his seed, and are cast into the land which they know not? **29** O land, land, land, hear the word of Yehovah. **30** Thus saith Yehovah: Write ye this man childless, a man that shall not prosper in his days; for no man of his seed shall prosper, sitting upon the throne of David, and ruling any more in Judah.{P}

23 1 Woe unto the shepherds that destroy and scatter the sheep of My pasture! saith Yehovah.{S} **2** Therefore thus saith Yehovah, the God of Israel, against the shepherds that feed My people: Ye have scattered My flock, and driven them away, and have not taken care of them; behold, I will visit upon you the evil of your doings, saith Yehovah. **3** And I will gather the remnant of My flock out of all the countries whither I have driven them, and will bring them back to their folds; and they shall be fruitful and multiply. **4** And I will set up shepherds over them, who shall feed them; and they shall fear no more, nor be dismayed, neither shall any be lacking, saith Yehovah.{S} **5** Behold, the days come, saith Yehovah, that I will raise unto David a righteous shoot, and he shall reign as king and prosper, and shall execute justice and righteousness in the land. **6** In his days Judah shall be saved, and Israel shall dwell safely; and this is his name whereby he shall be called, Yehovah is our righteousness.{P}

7 Therefore, behold, the days come, saith Yehovah, that they shall no more say: 'As Yehovah liveth, that brought up the children of Israel out of the land of Egypt'; **8** but: 'As Yehovah liveth, that brought up and that led the seed of the house of Israel out of the north country, and from all the countries whither I had driven them'; and they shall dwell in their own land.{P}

9 Concerning the prophets. My heart within me is broken, all my bones shake; I am like a drunken man, and like a man whom wine hath overcome; because of Yehovah, and because of His holy words. **10** For the land is full of adulterers; for because of swearing the land mourneth, the pastures of the wilderness are dried up; and their course is evil, and their force is not right. **11** For both prophet and priest are ungodly; yea, in My house have I found their wickedness, saith Yehovah. **12** Wherefore their way shall be unto them as slippery places in the darkness, they shall be thrust, and fall therein; for I will bring evil upon them, even the year of their visitation, saith Yehovah. **13** And I have seen unseemliness in the prophets of Samaria: they prophesied by Baal, and caused My people Israel to err. **14** But in the prophets of Yerushalam I have seen a horrible thing: they commit adultery, and walk in lies, and they strengthen the hands of evil-doers, that none doth return from his wickedness; they are all of them become unto Me as Sodom, and the inhabitants thereof as Gomorrah.{P}

15 Therefore thus saith Yehovah of hosts concerning the prophets: Behold, I will feed them with wormwood, and make them drink the water of gall; for from the prophets of Yerushalam is ungodliness gone forth into all the land.{P}

16 Thus saith Yehovah of hosts: Hearken not unto the words of the prophets that prophesy unto you, they lead you unto vanity; they speak a vision of their own heart, and not out of the mouth of Yehovah. **17** They say continually unto them that despise Me: 'Yehovah hath said: Ye shall have peace'; and unto every one that walketh in the stubbornness of his own heart they say: 'No evil shall come upon you';

יח כִּ֣י מִ֤י עָמַד֙ בְּס֣וֹד יְהוָ֔ה וְיֵ֖רֶא וְיִשְׁמַ֣ע אֶת־דְּבָר֑וֹ מִי־הִקְשִׁ֥יב דְּבָרִ֖י ⁶⁵וַיִּשְׁמָֽע׃

יט הִנֵּ֣ה ׀ סַעֲרַ֣ת יְהוָ֗ה חֵמָה֙ יָֽצְאָ֔ה וְסַ֖עַר מִתְחוֹלֵ֑ל עַ֛ל רֹ֥אשׁ רְשָׁעִ֖ים יָחֽוּל׃

כ לֹ֤א יָשׁוּב֙ אַף־יְהוָ֔ה עַד־עֲשֹׂת֖וֹ וְעַד־הֲקִימ֣וֹ מְזִמּ֣וֹת לִבּ֑וֹ בְּאַחֲרִית֙ הַיָּמִ֔ים תִּתְבּֽוֹנְנוּ בָ֖הּ בִּינָֽה׃

כא לֹא־שָׁלַ֥חְתִּי אֶת־הַנְּבִאִ֖ים וְהֵ֣ם רָ֑צוּ לֹא־דִבַּ֥רְתִּי אֲלֵיהֶ֖ם וְהֵ֥ם נִבָּֽאוּ׃

כב וְאִֽם־עָמְד֖וּ בְּסוֹדִ֑י וְיַשְׁמִ֤עוּ דְבָרַי֙ אֶת־עַמִּ֔י וִֽישִׁבוּם֙ מִדַּרְכָּ֣ם הָרָ֔ע וּמֵרֹ֖עַ מַֽעַלְלֵיהֶֽם׃

כג הַאֱלֹהֵ֧י מִקָּרֹ֛ב אָ֖נִי נְאֻם־יְהוָ֑ה וְלֹ֥א אֱלֹהֵ֖י מֵרָחֹֽק׃

כד אִם־יִסָּתֵ֨ר אִ֧ישׁ בַּמִּסְתָּרִ֛ים וַאֲנִ֥י לֹֽא־אֶרְאֶ֖נּוּ נְאֻם־יְהוָ֑ה הֲל֨וֹא אֶת־הַשָּׁמַ֧יִם וְאֶת־הָאָ֛רֶץ אֲנִ֥י מָלֵ֖א נְאֻם־יְהוָֽה׃

כה שָׁמַ֗עְתִּי אֵ֤ת אֲשֶׁר־אָֽמְרוּ֙ הַנְּבִאִ֔ים הַֽנִּבְּאִ֥ים בִּשְׁמִ֛י שֶׁ֖קֶר לֵאמֹ֑ר חָלַ֖מְתִּי חָלָֽמְתִּי׃

כו עַד־מָתַ֗י הֲיֵ֛שׁ בְּלֵ֥ב הַנְּבִאִ֖ים נִבְּאֵ֣י הַשָּׁ֑קֶר וּנְבִיאֵ֖י תַּרְמִ֥ת לִבָּֽם׃

כז הַחֹֽשְׁבִ֗ים לְהַשְׁכִּ֤יחַ אֶת־עַמִּי֙ שְׁמִ֔י בַּחֲל֣וֹמֹתָ֔ם אֲשֶׁ֛ר יְסַפְּר֖וּ אִ֣ישׁ לְרֵעֵ֑הוּ כַּאֲשֶׁ֨ר שָׁכְח֧וּ אֲבוֹתָ֛ם אֶת־שְׁמִ֖י בַּבָּֽעַל׃

כח הַנָּבִ֞יא אֲשֶׁר־אִתּ֤וֹ חֲלוֹם֙ יְסַפֵּ֣ר חֲל֔וֹם וַאֲשֶׁ֤ר דְּבָרִי֙ אִתּ֔וֹ יְדַבֵּ֥ר דְּבָרִ֖י אֱמֶ֑ת מַה־לַתֶּ֥בֶן אֶת־הַבָּ֖ר נְאֻם־יְהוָֽה׃

כט הֲל֨וֹא כֹ֧ה דְבָרִ֛י כָּאֵ֖שׁ נְאֻם־יְהוָ֑ה וּכְפַטִּ֖ישׁ יְפֹ֥צֵֽץ סָֽלַע׃

ל לָכֵ֛ן הִנְנִ֥י עַל־הַנְּבִאִ֖ים נְאֻם־יְהוָ֑ה מְגַנְּבֵ֣י דְבָרַ֔י אִ֖ישׁ מֵאֵ֥ת רֵעֵֽהוּ׃

לא הִנְנִ֥י עַל־הַנְּבִיאִ֖ם נְאֻם־יְהוָ֑ה הַלֹּקְחִ֣ים לְשׁוֹנָ֔ם וַֽיִּנְאֲמ֖וּ נְאֻֽם׃

לב הִנְנִ֡י עַֽל־נִבְּאֵי֩ חֲלֹמ֨וֹת שֶׁ֜קֶר נְאֻם־יְהוָ֗ה וַֽיְסַפְּרוּם֙ וַיַּתְע֣וּ אֶת־עַמִּ֔י בְּשִׁקְרֵיהֶ֖ם וּבְפַחֲזוּתָ֑ם וְאָנֹכִ֞י לֹֽא־שְׁלַחְתִּ֤ים וְלֹ֣א צִוִּיתִ֔ים וְהוֹעֵ֛יל לֹֽא־יוֹעִ֥ילוּ לָֽעָם־הַזֶּ֖ה נְאֻם־יְהוָֽה׃

לג וְכִֽי־יִשְׁאָלְךָ֩ הָעָ֨ם הַזֶּ֜ה אֽוֹ־הַנָּבִ֤יא אוֹ־כֹהֵן֙ לֵאמֹ֔ר מַה־מַשָּׂ֖א יְהוָ֑ה וְאָמַרְתָּ֤ אֲלֵיהֶם֙ אֶת־מַה־מַשָּׂ֔א וְנָטַשְׁתִּ֥י אֶתְכֶ֖ם נְאֻם־יְהוָֽה׃

לד וְהַנָּבִ֤יא וְהַכֹּהֵן֙ וְהָעָ֔ם אֲשֶׁ֥ר יֹאמַ֖ר מַשָּׂ֣א יְהוָ֑ה וּפָקַדְתִּ֛י עַל־הָאִ֥ישׁ הַה֖וּא וְעַל־בֵּיתֽוֹ׃

לה כֹּ֥ה תֹאמְר֛וּ אִ֥ישׁ עַל־רֵעֵ֖הוּ וְאִ֣ישׁ אֶל־אָחִ֑יו מֶה־עָנָ֣ה יְהוָ֔ה וּמַה־דִּבֶּ֖ר יְהוָֽה׃

לו וּמַשָּׂ֥א יְהוָ֖ה לֹ֣א תִזְכְּרוּ־ע֑וֹד כִּ֣י הַמַּשָּׂ֗א יִֽהְיֶה֙ לְאִ֣ישׁ דְּבָר֔וֹ וַהֲפַכְתֶּ֗ם אֶת־דִּבְרֵי֙ אֱלֹהִ֣ים חַיִּ֔ים יְהוָ֥ה צְבָא֖וֹת אֱלֹהֵֽינוּ׃

לז כֹּ֥ה תֹאמַ֖ר אֶל־הַנָּבִ֑יא מֶה־עָנָ֣ךְ יְהוָ֔ה וּמַה־דִּבֶּ֖ר יְהוָֽה׃

לח וְאִם־מַשָּׂ֣א יְהוָה֮ תֹּאמֵרוּ֒ לָכֵ֗ן כֹּ֚ה אָמַ֣ר יְהוָ֔ה יַ֚עַן אֲמָרְכֶ֣ם אֶת־הַדָּבָ֣ר הַזֶּ֔ה מַשָּׂ֖א יְהוָ֑ה וָאֶשְׁלַ֤ח אֲלֵיכֶם֙ לֵאמֹ֔ר לֹ֥א תֹאמְר֖וּ מַשָּׂ֥א יְהוָֽה׃

לט לָכֵ֣ן הִנְנִ֔י וְנָשִׁ֥יתִי אֶתְכֶ֖ם נָשֹׁ֑א וְנָטַשְׁתִּ֣י אֶתְכֶ֗ם וְאֶת־הָעִיר֙ אֲשֶׁ֨ר נָתַ֧תִּי לָכֶ֛ם וְלַאֲבוֹתֵיכֶ֖ם מֵעַ֥ל פָּנָֽי׃

מ וְנָתַתִּ֥י עֲלֵיכֶ֖ם חֶרְפַּ֣ת עוֹלָ֑ם וּכְלִמּ֣וּת עוֹלָ֔ם אֲשֶׁ֖ר לֹ֥א תִשָּׁכֵֽחַ׃

כד א הִרְאַ֣נִי יְהוָה֒ וְהִנֵּ֗ה שְׁנֵי֙ דּוּדָאֵ֣י תְאֵנִ֔ים מוּעָדִ֕ים לִפְנֵ֖י הֵיכַ֣ל יְהוָ֑ה אַחֲרֵ֣י הַגְל֣וֹת נְבֽוּכַדְרֶאצַּ֣ר מֶֽלֶךְ־בָּבֶ֡ל אֶת־יְכָנְיָ֣הוּ בֶן־יְהוֹיָקִ֣ים מֶֽלֶךְ־יְהוּדָ֡ה וְאֶת־שָׂרֵי֩ יְהוּדָ֨ה וְאֶת־הֶחָרָ֤שׁ וְאֶת־הַמַּסְגֵּר֙ מִירֽוּשָׁלִַ֔ם וַיְבִאֵ֖ם בָּבֶֽל׃

18 For who hath stood in the council of Yehovah, that he should perceive and hear His word? Who hath attended to His word, and heard it?{S} **19** Behold, a storm of Yehovah is gone forth in fury, yea, a whirling storm; it shall whirl upon the head of the wicked. **20** The anger of Yehovah shall not return, until He have executed, and till He have performed the purposes of His heart; in the end of days ye shall consider it perfectly. **21** I have not sent these prophets, yet they ran; I have not spoken to them, yet they prophesied. **22** But if they have stood in My council, then let them cause My people to hear My words, and turn them from their evil way, and from the evil of their doings.{S} **23** Am I a God near at hand, saith Yehovah, and not a God afar off? **24** Can any hide himself in secret places that I shall not see him? saith Yehovah. Do not I fill heaven and earth? saith Yehovah. **25** I have heard what the prophets have said, that prophesy lies in My name, saying: 'I have dreamed, I have dreamed.' **26** How long shall this be? Is it in the heart of the prophets that prophesy lies, and the prophets of the deceit of their own heart? **27** That think to cause My people to forget My name by their dreams which they tell every man to his neighbour, as their fathers forgot My name for Baal. **28** The prophet that hath a dream, let him tell a dream; and he that hath My word; let him speak My word faithfully. What hath the straw to do with the wheat? saith Yehovah. **29** Is not My word like as fire? saith Yehovah; and like a hammer that breaketh the rock in pieces?{S} **30** Therefore, behold, I am against the prophets, saith Yehovah, that steal My words every one from his neighbour. **31** Behold, I am against the prophets, saith Yehovah, that use their tongues and say: 'He saith.' **32** Behold, I am against them that prophesy lying dreams, saith Yehovah, and do tell them, and cause My people to err by their lies, and by their wantonness; yet I sent them not, nor commanded them; neither can they profit this people at all, saith Yehovah. **33** And when this people, or the prophet, or a priest, shall ask thee, saying: 'What is the burden of Yehovah?' then shalt thou say unto them: 'What burden! I will cast you off, saith Yehovah.' **34** And as for the prophet, and the priest, and the people, that shall say: 'The burden of Yehovah', I will even punish that man and his house. **35** Thus shall ye say every one to his neighbour, and every one to his brother: 'What hath Yehovah answered?' and: 'What hath Yehovah spoken?' **36** And the burden of Yehovah shall ye mention no more; for every man's own word shall be his burden; and would ye pervert the words of the living God, of Yehovah of hosts our God? **37** Thus shalt thou say to the prophet: 'What hath Yehovah answered thee?' and: 'What hath Yehovah spoken?' **38** But if ye say: 'The burden of Yehovah'; therefore thus saith Yehovah: Because ye say this word: 'The burden of Yehovah', and I have sent unto you, saying: 'Ye shall not say: The burden of Yehovah'; **39** therefore, behold, I will utterly tear you out, and I will cast you off, and the city that I gave unto you and to your fathers, away from My presence; **40** and I will bring an everlasting reproach upon you, and a perpetual shame, which shall not be forgotten.{P}

24 **1** Yehovah showed me, and behold two baskets of figs set before the temple of Yehovah; after that Nebuchadrezzar king of Babylon had carried away captive Jeconiah the son of Jehoiakim, king of Judah, and the princes of Judah, with the craftsmen and smiths, from Yerushalam, and had brought them to Babylon.

ב הַדּוּד אֶחָד תְּאֵנִים טֹבוֹת מְאֹד כִּתְאֵנֵי הַבַּכֻּרוֹת וְהַדּוּד אֶחָד תְּאֵנִים רָעוֹת
מְאֹד אֲשֶׁר לֹא־תֵאָכַלְנָה מֵרֹעַ׃ ג וַיֹּאמֶר יְהוָה אֵלַי מָה־אַתָּה רֹאֶה יִרְמְיָהוּ
וָאֹמַר תְּאֵנִים הַתְּאֵנִים הַטֹּבוֹת טֹבוֹת מְאֹד וְהָרָעוֹת רָעוֹת מְאֹד אֲשֶׁר
לֹא־תֵאָכַלְנָה מֵרֹעַ׃

ד וַיְהִי דְבַר־יְהוָה אֵלַי לֵאמֹר׃ ה כֹּה־אָמַר יְהוָה אֱלֹהֵי יִשְׂרָאֵל כַּתְּאֵנִים
הַטֹּבוֹת הָאֵלֶּה כֵּן־אַכִּיר אֶת־גָּלוּת יְהוּדָה אֲשֶׁר שִׁלַּחְתִּי מִן־הַמָּקוֹם הַזֶּה אֶרֶץ
כַּשְׂדִּים לְטוֹבָה׃ ו וְשַׂמְתִּי עֵינִי עֲלֵיהֶם לְטוֹבָה וַהֲשִׁבֹתִים עַל־הָאָרֶץ הַזֹּאת
וּבְנִיתִים וְלֹא אֶהֱרֹס וּנְטַעְתִּים וְלֹא אֶתּוֹשׁ׃ ז וְנָתַתִּי לָהֶם לֵב לָדַעַת אֹתִי כִּי
אֲנִי יְהוָה וְהָיוּ־לִי לְעָם וְאָנֹכִי אֶהְיֶה לָהֶם לֵאלֹהִים כִּי־יָשֻׁבוּ אֵלַי בְּכָל־לִבָּם׃
ח וְכַתְּאֵנִים הָרָעוֹת אֲשֶׁר לֹא־תֵאָכַלְנָה מֵרֹעַ כִּי־כֹה ׀ אָמַר יְהוָה כֵּן אֶתֵּן
אֶת־צִדְקִיָּהוּ מֶלֶךְ־יְהוּדָה וְאֶת־שָׂרָיו וְאֵת ׀ שְׁאֵרִית יְרוּשָׁלִַם הַנִּשְׁאָרִים בָּאָרֶץ
הַזֹּאת וְהַיֹּשְׁבִים בְּאֶרֶץ מִצְרָיִם׃ ט וּנְתַתִּים לְזַעֲוָה[66] לְרָעָה לְכֹל מַמְלְכוֹת
הָאָרֶץ לְחֶרְפָּה וּלְמָשָׁל לִשְׁנִינָה וְלִקְלָלָה בְּכָל־הַמְּקֹמוֹת אֲשֶׁר־אַדִּיחֵם שָׁם׃
י וְשִׁלַּחְתִּי בָם אֶת־הַחֶרֶב אֶת־הָרָעָב וְאֶת־הַדָּבֶר עַד־תֻּמָּם מֵעַל הָאֲדָמָה
אֲשֶׁר־נָתַתִּי לָהֶם וְלַאֲבוֹתֵיהֶם׃

כה א הַדָּבָר אֲשֶׁר־הָיָה עַל־יִרְמְיָהוּ עַל־כָּל־עַם יְהוּדָה בַּשָּׁנָה הָרְבִעִית
לִיהוֹיָקִים בֶּן־יֹאשִׁיָּהוּ מֶלֶךְ יְהוּדָה הִיא הַשָּׁנָה הָרִאשֹׁנִית לִנְבוּכַדְרֶאצַּר מֶלֶךְ
בָּבֶל׃ ב אֲשֶׁר דִּבֶּר יִרְמְיָהוּ הַנָּבִיא עַל־כָּל־עַם יְהוּדָה וְאֶל כָּל־יֹשְׁבֵי
יְרוּשָׁלִַם לֵאמֹר׃ ג מִן־שְׁלֹשׁ עֶשְׂרֵה שָׁנָה לְיֹאשִׁיָּהוּ בֶן־אָמוֹן מֶלֶךְ יְהוּדָה וְעַד ׀
הַיּוֹם הַזֶּה זֶה שָׁלֹשׁ וְעֶשְׂרִים שָׁנָה הָיָה דְבַר־יְהוָה אֵלָי וָאֲדַבֵּר אֲלֵיכֶם
אַשְׁכֵּים וְדַבֵּר וְלֹא שְׁמַעְתֶּם׃ ד וְשָׁלַח יְהוָה אֲלֵיכֶם אֶת־כָּל־עֲבָדָיו הַנְּבִאִים
הַשְׁכֵּם וְשָׁלֹחַ וְלֹא שְׁמַעְתֶּם וְלֹא־הִטִּיתֶם אֶת־אָזְנְכֶם לִשְׁמֹעַ׃ ה לֵאמֹר שׁוּבוּ־נָא
אִישׁ מִדַּרְכּוֹ הָרָעָה וּמֵרֹעַ מַעַלְלֵיכֶם וּשְׁבוּ עַל־הָאֲדָמָה אֲשֶׁר נָתַן יְהוָה לָכֶם
וְלַאֲבוֹתֵיכֶם לְמִן־עוֹלָם וְעַד־עוֹלָם׃ ו וְאַל־תֵּלְכוּ אַחֲרֵי אֱלֹהִים אֲחֵרִים
לְעָבְדָם וּלְהִשְׁתַּחֲוֹת לָהֶם וְלֹא־תַכְעִיסוּ אוֹתִי בְּמַעֲשֵׂה יְדֵיכֶם וְלֹא אָרַע לָכֶם׃
ז וְלֹא־שְׁמַעְתֶּם אֵלַי נְאֻם־יְהוָה לְמַעַן הַכְעִיסֵנִי[67] בְּמַעֲשֵׂה יְדֵיכֶם לְרַע לָכֶם׃
ח לָכֵן כֹּה אָמַר יְהוָה צְבָאוֹת יַעַן אֲשֶׁר לֹא־שְׁמַעְתֶּם אֶת־דְּבָרָי׃ ט הִנְנִי שֹׁלֵחַ
וְלָקַחְתִּי אֶת־כָּל־מִשְׁפְּחוֹת צָפוֹן נְאֻם־יְהוָה וְאֶל־נְבוּכַדְרֶאצַּר מֶלֶךְ־בָּבֶל
עַבְדִּי וַהֲבִאֹתִים עַל־הָאָרֶץ הַזֹּאת וְעַל־יֹשְׁבֶיהָ וְעַל כָּל־הַגּוֹיִם הָאֵלֶּה סָבִיב
וְהַחֲרַמְתִּים וְשַׂמְתִּים לְשַׁמָּה וְלִשְׁרֵקָה וּלְחָרְבוֹת עוֹלָם׃

[66] לזועה
[67] הכעסוני

2 One basket had very good figs, like the figs that are first-ripe; and the other basket had very bad figs, which could not be eaten, they were so bad.{P}

3 Then said Yehovah unto me: 'What seest thou, Jeremiah?' And I said: 'Figs; the good figs, very good; and the bad, very bad, that cannot be eaten, they are so bad.'{P}

4 And the word of Yehovah came unto me, saying: **5** 'Thus saith Yehovah, the God of Israel: Like these good figs, so will I regard the captives of Judah, whom I have sent out of this place into the land of the Chaldeans, for good. **6** And I will set Mine eyes upon them for good, and I will bring them back to this land; and I will build them, and not pull them down; and I will plant them, and not pluck them up. **7** And I will give them a heart to know Me, that I am Yehovah; and they shall be My people, and I will be their God; for they shall return unto Me with their whole heart.{S} **8** And as the bad figs, which cannot be eaten, they are so bad; surely thus saith Yehovah: So will I make Zedekiah the king of Judah, and his princes, and the residue of Yerushalam, that remain in this land, and them that dwell in the land of Egypt; **9** I will even make them a horror among all the kingdoms of the earth for evil; a reproach and a proverb, a taunt and a curse, in all places whither I shall drive them. **10** And I will send the sword, the famine, and the pestilence, among them, till they be consumed from off the land that I gave unto them and to their fathers.'{P}

25 **1** The word that came to Jeremiah concerning all the people of Judah in the fourth year of Jehoiakim the son of Josiah, king of Judah, that was the first year of Nebuchadrezzar king of Babylon; **2** which Jeremiah the prophet spoke unto all the people of Judah, and to all the inhabitants of Yerushalam, saying: **3** From the thirteenth year of Josiah the son of Amon, king of Judah, even unto this day, these three and twenty years, the word of Yehovah hath come unto me, and I have spoken unto you, speaking betimes and often; but ye have not hearkened. **4** And Yehovah hath sent unto you all His servants the prophets, sending them betimes and often–but ye have not hearkened, nor inclined your ear to hear– **5** saying: 'Return ye now every one from his evil way, and from the evil of your doings, and dwell in the land that Yehovah hath given unto you and to your fathers, for ever and ever; **6** and go not after other gods to serve them, and to worship them, and provoke Me not with the work of your hands, and I will do you no hurt.' **7** Yet ye have not hearkened unto Me, saith Yehovah; that ye might provoke Me with the work of your hands to your own hurt.{P}

8 Therefore thus saith Yehovah of hosts: Because ye have not heard My words, **9** behold, I will send and take all the families of the north, saith Yehovah, and I will send unto Nebuchadrezzar the king of Babylon, My servant, and will bring them against this land, and against the inhabitants thereof, and against all these nations round about; and I will utterly destroy them, and make them an astonishment, and a hissing, and perpetual desolations.

י וְהַאֲבַדְתִּי מֵהֶם קוֹל שָׂשׂוֹן וְקוֹל שִׂמְחָה קוֹל חָתָן וְקוֹל כַּלָּה קוֹל רֵחַיִם
וְאוֹר נֵר׃ יא וְהָיְתָה כָּל־הָאָרֶץ הַזֹּאת לְחָרְבָּה לְשַׁמָּה וְעָבְדוּ הַגּוֹיִם הָאֵלֶּה
אֶת־מֶלֶךְ בָּבֶל שִׁבְעִים שָׁנָה׃ יב וְהָיָה כִמְלֹאות שִׁבְעִים שָׁנָה אֶפְקֹד
עַל־מֶלֶךְ־בָּבֶל וְעַל־הַגּוֹי הַהוּא נְאֻם־יְהוָה אֶת־עֲוֺנָם וְעַל־אֶרֶץ כַּשְׂדִּים
וְשַׂמְתִּי אֹתוֹ לְשִׁמְמוֹת עוֹלָם׃ יג וְהֵבֵאתִי[68] עַל־הָאָרֶץ הַהִיא אֶת־כָּל־דְּבָרַי
אֲשֶׁר־דִּבַּרְתִּי עָלֶיהָ אֵת כָּל־הַכָּתוּב בַּסֵּפֶר הַזֶּה אֲשֶׁר־נִבָּא יִרְמְיָהוּ
עַל־כָּל־הַגּוֹיִם׃ יד כִּי עָבְדוּ־בָם גַּם־הֵמָּה גּוֹיִם רַבִּים וּמְלָכִים גְּדוֹלִים
וְשִׁלַּמְתִּי לָהֶם כְּפָעֳלָם וּכְמַעֲשֵׂה יְדֵיהֶם׃ טו כִּי כֹה אָמַר יְהוָה אֱלֹהֵי
יִשְׂרָאֵל אֵלַי קַח אֶת־כּוֹס הַיַּיִן הַחֵמָה הַזֹּאת מִיָּדִי וְהִשְׁקִיתָה אֹתוֹ
אֶת־כָּל־הַגּוֹיִם אֲשֶׁר אָנֹכִי שֹׁלֵחַ אוֹתְךָ אֲלֵיהֶם׃ טז וְשָׁתוּ וְהִתְגֹּעֲשׁוּ וְהִתְהֹלָלוּ
מִפְּנֵי הַחֶרֶב אֲשֶׁר אָנֹכִי שֹׁלֵחַ בֵּינֹתָם׃ יז וָאֶקַּח אֶת־הַכּוֹס מִיַּד יְהוָה וָאַשְׁקֶה
אֶת־כָּל־הַגּוֹיִם אֲשֶׁר־שְׁלָחַנִי יְהוָה אֲלֵיהֶם׃ יח אֶת־יְרוּשָׁלִַם וְאֶת־עָרֵי יְהוּדָה
וְאֶת־מְלָכֶיהָ אֶת־שָׂרֶיהָ לָתֵת אֹתָם לְחָרְבָּה לְשַׁמָּה לִשְׁרֵקָה וְלִקְלָלָה כַּיּוֹם
הַזֶּה׃ יט אֶת־פַּרְעֹה מֶלֶךְ־מִצְרַיִם וְאֶת־עֲבָדָיו וְאֶת־שָׂרָיו וְאֶת־כָּל־עַמּוֹ׃
כ וְאֵת כָּל־הָעֶרֶב וְאֵת כָּל־מַלְכֵי אֶרֶץ הָעוּץ וְאֵת כָּל־מַלְכֵי אֶרֶץ פְּלִשְׁתִּים
וְאֶת־אַשְׁקְלוֹן וְאֶת־עַזָּה וְאֶת־עֶקְרוֹן וְאֵת שְׁאֵרִית אַשְׁדּוֹד׃ כא אֶת־אֱדוֹם
וְאֶת־מוֹאָב וְאֶת־בְּנֵי עַמּוֹן׃ כב וְאֵת כָּל־מַלְכֵי־צֹר וְאֵת כָּל־מַלְכֵי צִידוֹן וְאֵת
מַלְכֵי הָאִי אֲשֶׁר בְּעֵבֶר הַיָּם׃ כג וְאֶת־דְּדָן וְאֶת־תֵּימָא וְאֶת־בּוּז וְאֵת
כָּל־קְצוּצֵי פֵאָה׃ כד וְאֵת כָּל־מַלְכֵי עֲרָב וְאֵת כָּל־מַלְכֵי הָעֶרֶב הַשֹּׁכְנִים
בַּמִּדְבָּר׃ כה וְאֵת ׀ כָּל־מַלְכֵי זִמְרִי וְאֵת כָּל־מַלְכֵי עֵילָם וְאֵת כָּל־מַלְכֵי
מָדָי׃ כו וְאֵת ׀ כָּל־מַלְכֵי הַצָּפוֹן הַקְּרֹבִים וְהָרְחֹקִים אִישׁ אֶל־אָחִיו וְאֵת
כָּל־הַמַּמְלְכוֹת הָאָרֶץ אֲשֶׁר עַל־פְּנֵי הָאֲדָמָה וּמֶלֶךְ שֵׁשַׁךְ יִשְׁתֶּה אַחֲרֵיהֶם׃
כז וְאָמַרְתָּ אֲלֵיהֶם כֹּה־אָמַר יְהוָה צְבָאוֹת אֱלֹהֵי יִשְׂרָאֵל שְׁתוּ וְשִׁכְרוּ וּקְיוּ
וְנִפְלוּ וְלֹא תָקוּמוּ מִפְּנֵי הַחֶרֶב אֲשֶׁר אָנֹכִי שֹׁלֵחַ בֵּינֵיכֶם׃ כח וְהָיָה כִּי יְמָאֲנוּ
לָקַחַת־הַכּוֹס מִיָּדְךָ לִשְׁתּוֹת וְאָמַרְתָּ אֲלֵיהֶם כֹּה אָמַר יְהוָה צְבָאוֹת שָׁתוֹ
תִשְׁתּוּ׃ כט כִּי הִנֵּה בָעִיר אֲשֶׁר נִקְרָא־שְׁמִי עָלֶיהָ אָנֹכִי מֵחֵל לְהָרַע וְאַתֶּם
הִנָּקֵה תִנָּקוּ לֹא תִנָּקוּ כִּי חֶרֶב אֲנִי קֹרֵא עַל־כָּל־יֹשְׁבֵי הָאָרֶץ נְאֻם יְהוָה
צְבָאוֹת׃ ל וְאַתָּה תִּנָּבֵא אֲלֵיהֶם אֵת כָּל־הַדְּבָרִים הָאֵלֶּה וְאָמַרְתָּ אֲלֵיהֶם
יְהוָה מִמָּרוֹם יִשְׁאָג וּמִמְּעוֹן קָדְשׁוֹ יִתֵּן קוֹלוֹ שָׁאֹג יִשְׁאַג עַל־נָוֵהוּ הֵידָד
כְּדֹרְכִים יַעֲנֶה אֶל כָּל־יֹשְׁבֵי הָאָרֶץ׃

[68] והבאיתי

10 Moreover I will cause to cease from among them the voice of mirth and the voice of gladness, the voice of the bridegroom and the voice of the bride, the sound of the millstones, and the light of the lamp. **11** And this whole land shall be a desolation, and a waste; and these nations shall serve the king of Babylon seventy years. **12** And it shall come to pass, when seventy years are accomplished, that I will punish the king of Babylon, and that nation, saith Yehovah, for their iniquity, and the land of the Chaldeans; and I will make it perpetual desolations. **13** And I will bring upon that land all My words which I have pronounced against it, even all that is written in this book, which Jeremiah hath prophesied against all the nations. **14** For many nations and great kings shall make bondmen of them also; and I will recompense them according to their deeds, and according to the work of their own hands.{P}

15 For thus saith Yehovah, the God of Israel, unto me: Take this cup of the wine of fury at My hand, and cause all the nations, to whom I send thee, to drink it. **16** And they shall drink, and reel to and fro, and be like madmen, because of the sword that I will send among them.– **17** Then took I the cup of Yehovah's hand, and made all the nations to drink, unto whom Yehovah had sent me: **18** Yerushalam, and the cities of Judah, and the kings thereof, and the princes thereof, to make them an appalment, an astonishment, a hissing, and a curse; as it is this day; **19** Pharaoh king of Egypt, and his servants, and his princes, and all his people; **20** and all the mingled people; and all the kings of the land of Uz, and all the kings of the land of the Philistines, and Ashkelon, and Gaza, and Ekron, and the remnant of Ashdod; **21** Edom, and Moab, and the children of Ammon; **22** and all the kings of Tyre, and all the kings of Zidon, and the kings of the isle which is beyond the sea; **23** Dedan, and Tema, and Buz, and all that have the corners of their hair polled; **24** and all the kings of Arabia, and all the kings of the mingled people that dwell in the wilderness; **25** and all the kings of Zimri, and all the kings of Elam, and all the kings of the Medes; **26** and all the kings of the north, far and near, one with another; and all the kingdoms of the world, which are upon the face of the earth.–And the king of Sheshach shall drink after them. **27** And thou shalt say unto them:{P}

Thus saith Yehovah of hosts, the God of Israel: Drink ye, and be drunken, and spew, and fall, and rise no more, because of the sword which I will send among you. **28** And it shall be, if they refuse to take the cup at thy hand to drink, then shalt thou say unto them: Thus saith Yehovah of hosts: Ye shall surely drink. **29** For, lo, I begin to bring evil on the city whereupon My name is called, and should ye be utterly unpunished? Ye shall not be unpunished; for I will call for a sword upon all the inhabitants of the earth, saith Yehovah of hosts. **30** Therefore prophesy thou against them all these words, and say unto them: Yehovah doth roar from on high, and utter His voice from His holy habitation; He doth mightily roar because of His fold; He giveth a shout, as they that tread the grapes, against all the inhabitants of the earth.

לא בָּא שָׁאוֹן עַד־קְצֵה הָאָרֶץ כִּי רִיב לַיהוָה בַּגּוֹיִם נִשְׁפָּט הוּא לְכָל־בָּשָׂר
הָרְשָׁעִים נְתָנָם לַחֶרֶב נְאֻם־יְהוָה׃ לב כֹּה אָמַר יְהוָה צְבָאוֹת הִנֵּה רָעָה יֹצֵאת
מִגּוֹי אֶל־גּוֹי וְסַעַר גָּדוֹל יֵעוֹר מִיַּרְכְּתֵי־אָרֶץ׃ לג וְהָיוּ חַלְלֵי יְהוָה בַּיּוֹם הַהוּא
מִקְצֵה הָאָרֶץ וְעַד־קְצֵה הָאָרֶץ לֹא יִסָּפְדוּ וְלֹא יֵאָסְפוּ וְלֹא יִקָּבֵרוּ לְדֹמֶן עַל־פְּנֵי
הָאֲדָמָה יִהְיוּ׃ לד הֵילִילוּ הָרֹעִים וְזַעֲקוּ וְהִתְפַּלְּשׁוּ אַדִּירֵי הַצֹּאן כִּי־מָלְאוּ
יְמֵיכֶם לִטְבוֹחַ וּתְפוֹצוֹתִיכֶם וּנְפַלְתֶּם כִּכְלִי חֶמְדָּה׃ לה וְאָבַד מָנוֹס מִן־הָרֹעִים
וּפְלֵיטָה מֵאַדִּירֵי הַצֹּאן׃ לו קוֹל צַעֲקַת הָרֹעִים וִילְלַת אַדִּירֵי הַצֹּאן כִּי־שֹׁדֵד
יְהוָה אֶת־מַרְעִיתָם׃ לז וְנָדַמּוּ נְאוֹת הַשָּׁלוֹם מִפְּנֵי חֲרוֹן אַף־יְהוָה׃ לח עָזַב
כַּכְּפִיר סֻכּוֹ כִּי־הָיְתָה אַרְצָם לְשַׁמָּה מִפְּנֵי חֲרוֹן הַיּוֹנָה וּמִפְּנֵי חֲרוֹן אַפּוֹ׃

כו א בְּרֵאשִׁית מַמְלְכוּת יְהוֹיָקִים בֶּן־יֹאשִׁיָּהוּ מֶלֶךְ יְהוּדָה הָיָה הַדָּבָר הַזֶּה
מֵאֵת יְהוָה לֵאמֹר׃ ב כֹּה ׀ אָמַר יְהוָה עֲמֹד בַּחֲצַר בֵּית־יְהוָה וְדִבַּרְתָּ
עַל־כָּל־עָרֵי יְהוּדָה הַבָּאִים לְהִשְׁתַּחֲוֺת בֵּית־יְהוָה אֵת כָּל־הַדְּבָרִים אֲשֶׁר
צִוִּיתִיךָ לְדַבֵּר אֲלֵיהֶם אַל־תִּגְרַע דָּבָר׃ ג אוּלַי יִשְׁמְעוּ וְיָשֻׁבוּ אִישׁ מִדַּרְכּוֹ
הָרָעָה וְנִחַמְתִּי אֶל־הָרָעָה אֲשֶׁר אָנֹכִי חֹשֵׁב לַעֲשׂוֹת לָהֶם מִפְּנֵי רֹעַ מַעַלְלֵיהֶם׃
ד וְאָמַרְתָּ אֲלֵיהֶם כֹּה אָמַר יְהוָה אִם־לֹא תִשְׁמְעוּ אֵלַי לָלֶכֶת בְּתוֹרָתִי אֲשֶׁר
נָתַתִּי לִפְנֵיכֶם׃ ה לִשְׁמֹעַ עַל־דִּבְרֵי עֲבָדַי הַנְּבִאִים אֲשֶׁר אָנֹכִי שֹׁלֵחַ אֲלֵיכֶם
וְהַשְׁכֵּם וְשָׁלֹחַ וְלֹא שְׁמַעְתֶּם׃ ו וְנָתַתִּי אֶת־הַבַּיִת הַזֶּה כְּשִׁלֹה וְאֶת־הָעִיר
הַזֹּאת[69] אֶתֵּן לִקְלָלָה לְכֹל גּוֹיֵי הָאָרֶץ׃ ז וַיִּשְׁמְעוּ הַכֹּהֲנִים וְהַנְּבִאִים וְכָל־הָעָם
אֶת־יִרְמְיָהוּ מְדַבֵּר אֶת־הַדְּבָרִים הָאֵלֶּה בְּבֵית יְהוָה׃ ח וַיְהִי ׀ כְּכַלּוֹת יִרְמְיָהוּ
לְדַבֵּר אֵת כָּל־אֲשֶׁר־צִוָּה יְהוָה לְדַבֵּר אֶל־כָּל־הָעָם וַיִּתְפְּשׂוּ אֹתוֹ הַכֹּהֲנִים
וְהַנְּבִאִים וְכָל־הָעָם לֵאמֹר מוֹת תָּמוּת׃ ט מַדּוּעַ נִבֵּיתָ בְשֵׁם־יְהוָה לֵאמֹר
כְּשִׁלוֹ יִהְיֶה הַבַּיִת הַזֶּה וְהָעִיר הַזֹּאת תֶּחֱרַב מֵאֵין יוֹשֵׁב וַיִּקָּהֵל כָּל־הָעָם
אֶל־יִרְמְיָהוּ בְּבֵית יְהוָה׃ י וַיִּשְׁמְעוּ ׀ שָׂרֵי יְהוּדָה אֵת הַדְּבָרִים הָאֵלֶּה וַיַּעֲלוּ
מִבֵּית־הַמֶּלֶךְ בֵּית יְהוָה וַיֵּשְׁבוּ בְּפֶתַח שַׁעַר־יְהוָה הֶחָדָשׁ׃ יא וַיֹּאמְרוּ הַכֹּהֲנִים
וְהַנְּבִאִים אֶל־הַשָּׂרִים וְאֶל־כָּל־הָעָם לֵאמֹר מִשְׁפַּט־מָוֶת לָאִישׁ הַזֶּה כִּי נִבָּא
אֶל־הָעִיר הַזֹּאת כַּאֲשֶׁר שְׁמַעְתֶּם בְּאָזְנֵיכֶם׃ יב וַיֹּאמֶר יִרְמְיָהוּ אֶל־כָּל־הַשָּׂרִים
וְאֶל־כָּל־הָעָם לֵאמֹר יְהוָה שְׁלָחַנִי לְהִנָּבֵא אֶל־הַבַּיִת הַזֶּה וְאֶל־הָעִיר הַזֹּאת
אֵת כָּל־הַדְּבָרִים אֲשֶׁר שְׁמַעְתֶּם׃ יג וְעַתָּה הֵיטִיבוּ דַרְכֵיכֶם וּמַעַלְלֵיכֶם
וְשִׁמְעוּ בְּקוֹל יְהוָה אֱלֹהֵיכֶם וְיִנָּחֵם יְהוָה אֶל־הָרָעָה אֲשֶׁר דִּבֶּר עֲלֵיכֶם׃

[69] הזאתה

31 A noise is come even to the end of the earth; for Yehovah hath a controversy with the nations, He doth plead with all flesh; as for the wicked, He hath given them to the sword, saith Yehovah.{S} **32** Thus saith Yehovah of hosts: Behold, evil shall go forth from nation to nation, and a great storm shall be raised up from the uttermost parts of the earth. **33** And the slain of Yehovah shall be at that day from one end of the earth even unto the other end of the earth; they shall not be lamented, neither gathered, nor buried; they shall be dung upon the face of the ground.   **34** Wail, ye shepherds, and cry; and wallow yourselves in the dust, ye leaders of the flock; for the days of your slaughter are fully come, and I will break you in pieces, and ye shall fall like a precious vessel. **35** And the shepherds shall have no way to flee, nor the leaders of the flock to escape. **36** Hark! the cry of the shepherds, and the wailing of the leaders of the flock! For Yehovah despoileth their pasture. **37** And the peaceable folds are brought to silence because of the fierce anger of Yehovah. **38** He hath forsaken His covert, as the lion; for their land is become a waste because of the fierceness of the oppressing sword, and because of His fierce anger.{P}

26 **1** In the beginning of the reign of Jehoiakim the son of Josiah, king of Judah, came this word from Yehovah, saying: **2** 'Thus saith Yehovah: Stand in the court of Yehovah's house, and speak unto all the cities of Judah, which come to worship in Yehovah's house, all the words that I command thee to speak unto them; diminish not a word.   **3** It may be they will hearken, and turn every man from his evil way; that I may repent Me of the evil, which I purpose to do unto them because of the evil of their doings. **4** And thou shalt say unto them: Thus saith Yehovah: If ye will not hearken to Me, to walk in My Torah, which I have set before you, **5** to hearken to the words of My servants the prophets, whom I send unto you, even sending them betimes and often, but ye have not hearkened; **6** then will I make this house like Shiloh, and will make this city a curse to all the nations of the earth.'{P}

7 So the priests and the prophets and all the people heard Jeremiah speaking these words in the house of Yehovah. **8** Now it came to pass, when Jeremiah had made an end of speaking all that Yehovah had commanded him to speak unto all the people, that the priests and the prophets and all the people laid hold on him, saying: 'Thou shalt surely die.   **9** Why hast thou prophesied in the name of Yehovah, saying: This house shall be like Shiloh, and this city shall be desolate, without an inhabitant?' And all the people were gathered against Jeremiah in the house of Yehovah. **10** When the princes of Judah heard these things, they came up from the king's house unto the house of Yehovah; and they sat in the entry of the new gate of Yehovah's house.{S} **11** Then spoke the priests and the prophets unto the princes and to all the people, saying: 'This man is worthy of death; for he hath prophesied against this city, as ye have heard with your ears.' **12** Then spoke Jeremiah unto all the princes and to all the people, saying: 'Yehovah sent me to prophesy against this house and against this city all the words that ye have heard. **13** Therefore now amend your ways and your doings, and hearken to the voice of Yehovah your God; and Yehovah will repent Him of the evil that He hath pronounced against you.

יד וַאֲנִי הִנְנִי בְיֶדְכֶם עֲשׂוּ־לִי כַּטּוֹב וְכַיָּשָׁר בְּעֵינֵיכֶם׃ טו אַךְ ׀ יָדֹעַ תֵּדְעוּ כִּי
אִם־מְמִתִים אַתֶּם אֹתִי כִּי־דָם נָקִי אַתֶּם נֹתְנִים עֲלֵיכֶם וְאֶל־הָעִיר הַזֹּאת
וְאֶל־יֹשְׁבֶיהָ כִּי בֶאֱמֶת שְׁלָחַנִי יְהוָה עֲלֵיכֶם לְדַבֵּר בְּאָזְנֵיכֶם אֵת
כָּל־הַדְּבָרִים הָאֵלֶּה׃ טז וַיֹּאמְרוּ הַשָּׂרִים וְכָל־הָעָם אֶל־הַכֹּהֲנִים
וְאֶל־הַנְּבִיאִים אֵין־לָאִישׁ הַזֶּה מִשְׁפַּט־מָוֶת כִּי בְּשֵׁם יְהוָה אֱלֹהֵינוּ דִּבֶּר
אֵלֵינוּ׃ יז וַיָּקֻמוּ אֲנָשִׁים מִזִּקְנֵי הָאָרֶץ וַיֹּאמְרוּ אֶל־כָּל־קְהַל הָעָם לֵאמֹר׃
יח מִיכָה[70] הַמּוֹרַשְׁתִּי הָיָה נִבָּא בִּימֵי חִזְקִיָּהוּ מֶלֶךְ־יְהוּדָה וַיֹּאמֶר
אֶל־כָּל־עַם יְהוּדָה לֵאמֹר כֹּה־אָמַר ׀ יְהוָה צְבָאוֹת צִיּוֹן שָׂדֶה תֵחָרֵשׁ
וִירוּשָׁלַיִם עִיִּים תִּהְיֶה וְהַר הַבַּיִת לְבָמוֹת יָעַר׃ יט הֶהָמֵת הֱמִתֻהוּ חִזְקִיָּהוּ
מֶלֶךְ־יְהוּדָה וְכָל־יְהוּדָה הֲלֹא יָרֵא אֶת־יְהוָה וַיְחַל אֶת־פְּנֵי יְהוָה וַיִּנָּחֶם
יְהוָה אֶל־הָרָעָה אֲשֶׁר־דִּבֶּר עֲלֵיהֶם וַאֲנַחְנוּ עֹשִׂים רָעָה גְדוֹלָה
עַל־נַפְשׁוֹתֵינוּ׃ כ וְגַם־אִישׁ הָיָה מִתְנַבֵּא בְּשֵׁם יְהוָה אוּרִיָּהוּ בֶּן־שְׁמַעְיָהוּ
מִקִּרְיַת הַיְּעָרִים וַיִּנָּבֵא עַל־הָעִיר הַזֹּאת וְעַל־הָאָרֶץ הַזֹּאת כְּכֹל דִּבְרֵי
יִרְמְיָהוּ׃ כא וַיִּשְׁמַע הַמֶּלֶךְ־יְהוֹיָקִים וְכָל־גִּבּוֹרָיו וְכָל־הַשָּׂרִים אֶת־דְּבָרָיו
וַיְבַקֵּשׁ הַמֶּלֶךְ הֲמִיתוֹ וַיִּשְׁמַע אוּרִיָּהוּ וַיִּרָא וַיִּבְרַח וַיָּבֹא מִצְרָיִם׃ כב וַיִּשְׁלַח
הַמֶּלֶךְ יְהוֹיָקִים אֲנָשִׁים מִצְרָיִם אֵת אֶלְנָתָן בֶּן־עַכְבּוֹר וַאֲנָשִׁים אִתּוֹ
אֶל־מִצְרָיִם׃ כג וַיּוֹצִיאוּ אֶת־אוּרִיָּהוּ מִמִּצְרַיִם וַיְבִאֻהוּ אֶל־הַמֶּלֶךְ יְהוֹיָקִים
וַיַּכֵּהוּ בֶּחָרֶב וַיַּשְׁלֵךְ אֶת־נִבְלָתוֹ אֶל־קִבְרֵי בְּנֵי הָעָם׃ כד אַךְ יַד אֲחִיקָם
בֶּן־שָׁפָן הָיְתָה אֶת־יִרְמְיָהוּ לְבִלְתִּי תֵּת־אֹתוֹ בְיַד־הָעָם לַהֲמִיתוֹ׃

כז א בְּרֵאשִׁית מַמְלֶכֶת יְהוֹיָקִם בֶּן־יֹאושִׁיָּהוּ מֶלֶךְ יְהוּדָה הָיָה הַדָּבָר הַזֶּה
אֶל־יִרְמְיָה מֵאֵת יְהוָה לֵאמֹר׃ ב כֹּה־אָמַר יְהוָה אֵלַי עֲשֵׂה לְךָ מוֹסֵרוֹת
וּמֹטוֹת וּנְתַתָּם עַל־צַוָּארֶךָ׃ ג וְשִׁלַּחְתָּם אֶל־מֶלֶךְ אֱדוֹם וְאֶל־מֶלֶךְ מוֹאָב
וְאֶל־מֶלֶךְ בְּנֵי עַמּוֹן וְאֶל־מֶלֶךְ צֹר וְאֶל־מֶלֶךְ צִידוֹן בְּיַד מַלְאָכִים הַבָּאִים
יְרוּשָׁלַם אֶל־צִדְקִיָּהוּ מֶלֶךְ יְהוּדָה׃ ד וְצִוִּיתָ אֹתָם אֶל־אֲדֹנֵיהֶם לֵאמֹר
כֹּה־אָמַר יְהוָה צְבָאוֹת אֱלֹהֵי יִשְׂרָאֵל כֹּה תֹאמְרוּ אֶל־אֲדֹנֵיכֶם׃ ה אָנֹכִי
עָשִׂיתִי אֶת־הָאָרֶץ אֶת־הָאָדָם וְאֶת־הַבְּהֵמָה אֲשֶׁר עַל־פְּנֵי הָאָרֶץ בְּכֹחִי
הַגָּדוֹל וּבִזְרוֹעִי הַנְּטוּיָה וּנְתַתִּיהָ לַאֲשֶׁר יָשַׁר בְּעֵינָי׃ ו וְעַתָּה אָנֹכִי נָתַתִּי
אֶת־כָּל־הָאֲרָצוֹת הָאֵלֶּה בְּיַד נְבוּכַדְנֶאצַּר מֶלֶךְ־בָּבֶל עַבְדִּי וְגַם אֶת־חַיַּת
הַשָּׂדֶה נָתַתִּי לוֹ לְעָבְדוֹ׃ ז וְעָבְדוּ אֹתוֹ כָּל־הַגּוֹיִם וְאֶת־בְּנוֹ וְאֶת־בֶּן־בְּנוֹ עַד
בֹּא־עֵת אַרְצוֹ גַּם־הוּא וְעָבְדוּ בוֹ גּוֹיִם רַבִּים וּמְלָכִים גְּדֹלִים׃

---
[70] מיכיה

__14__ But as for me, behold, I am in your hand; do with me as is good and right in your eyes. __15__ Only know ye for certain that, if ye put me to death, ye will bring innocent blood upon yourselves, and upon this city, and upon the inhabitants thereof; for of a truth Yehovah hath sent me unto you to speak all these words in your ears.'{S} __16__ Then said the princes and all the people unto the priests and to the prophets: 'This man is not worthy of death; for he hath spoken to us in the name of Yehovah our God.' __17__ Then rose up certain of the elders of the land, and spoke to all the assembly of the people, saying: __18__ 'Micah the Morashtite prophesied in the days of Hezekiah king of Judah; and he spoke to all the people of Judah, saying: Thus saith Yehovah of hosts: Zion shall be plowed as a field, and Yerushalayim shall become heaps, and the mountain of the house as the high places of a forest. __19__ Did Hezekiah king of Judah and all Judah put him at all to death? did he not fear Yehovah, and entreat the favour of Yehovah, and Yehovah repented Him of the evil which He had pronounced against them? Thus might we procure great evil against our own souls.' __20__ And there was also a man that prophesied in the name of Yehovah, Uriah the son of Shemaiah of Kiriath-jearim; and he prophesied against this city and against this land according to all the words of Jeremiah; __21__ and when Jehoiakim the king, with all his mighty men, and all the princes, heard his words, the king sought to put him to death; but when Uriah heard it, he was afraid, and fled, and went into Egypt; __22__ and Jehoiakim the king sent men into Egypt, Elnathan the son of Achbor, and certain men with him, into Egypt; __23__ and they fetched forth Uriah out of Egypt, and brought him unto Jehoiakim the king; who slew him with the sword, and cast his dead body into the graves of the children of the people. __24__ Nevertheless the hand of Ahikam the son of Shaphan was with Jeremiah, that they should not give him into the hand of the people to put him to death.{P}

27 __1__ In the beginning of the reign of Jehoiakim the son of Josiah, king of Judah, came this word unto Jeremiah from Yehovah, saying: __2__ 'Thus saith Yehovah to me: Make thee bands and bars, and put them upon thy neck; __3__ and send them to the king of Edom, and to the king of Moab, and to the king of the children of Ammon, and to the king of Tyre, and to the king of Zidon, by the hand of the messengers that come to Yerushalam unto Zedekiah king of Judah; __4__ and give them a charge unto their masters, saying: Thus saith Yehovah of hosts, the God of Israel: Thus shall ye say unto your masters: __5__ I have made the earth, the man and the beast that are upon the face of the earth, by My great power and by My outstretched arm; and I give it unto whom it seemeth right unto Me. __6__ And now have I given all these lands into the hand of Nebuchadnezzar the king of Babylon, My servant; and the beasts of the field also have I given him to serve him. __7__ And all the nations shall serve him, and his son, and his son's son, until the time of his own land come; and then many nations and great kings shall make him their bondman.

ח וְהָיָה הַגּוֹי וְהַמַּמְלָכָה אֲשֶׁר לֹא־יַעַבְדוּ אֹתוֹ אֶת־נְבוּכַדְנֶאצַּר מֶלֶךְ־בָּבֶל
וְאֵת אֲשֶׁר לֹא־יִתֵּן אֶת־צַוָּארוֹ בְּעֹל מֶלֶךְ בָּבֶל בַּחֶרֶב וּבָרָעָב וּבַדֶּבֶר אֶפְקֹד
עַל־הַגּוֹי הַהוּא נְאֻם־יְהוָה עַד־תֻּמִּי אֹתָם בְּיָדוֹ׃ ט וְאַתֶּם אַל־תִּשְׁמְעוּ
אֶל־נְבִיאֵיכֶם וְאֶל־קֹסְמֵיכֶם וְאֶל חֲלֹמֹתֵיכֶם וְאֶל־עֹנְנֵיכֶם וְאֶל־כַּשָּׁפֵיכֶם
אֲשֶׁר־הֵם אֹמְרִים אֲלֵיכֶם לֵאמֹר לֹא תַעַבְדוּ אֶת־מֶלֶךְ בָּבֶל׃ י כִּי שֶׁקֶר הֵם
נִבְּאִים לָכֶם לְמַעַן הַרְחִיק אֶתְכֶם מֵעַל אַדְמַתְכֶם וְהִדַּחְתִּי אֶתְכֶם וַאֲבַדְתֶּם׃
יא וְהַגּוֹי אֲשֶׁר יָבִיא אֶת־צַוָּארוֹ בְּעֹל מֶלֶךְ־בָּבֶל וַעֲבָדוֹ וְהִנַּחְתִּיו עַל־אַדְמָתוֹ
נְאֻם־יְהוָה וַעֲבָדָהּ וְיָשַׁב בָּהּ׃ יב וְאֶל־צִדְקִיָּה מֶלֶךְ־יְהוּדָה דִּבַּרְתִּי
כְּכָל־הַדְּבָרִים הָאֵלֶּה לֵאמֹר הָבִיאוּ אֶת־צַוְּארֵיכֶם בְּעֹל מֶלֶךְ־בָּבֶל וְעִבְדוּ
אֹתוֹ וְעַמּוֹ וִחְיוּ׃ יג לָמָּה תָמוּתוּ אַתָּה וְעַמֶּךָ בַּחֶרֶב בָּרָעָב וּבַדָּבֶר כַּאֲשֶׁר דִּבֶּר
יְהוָה אֶל־הַגּוֹי אֲשֶׁר לֹא־יַעֲבֹד אֶת־מֶלֶךְ בָּבֶל׃ יד וְאַל־תִּשְׁמְעוּ אֶל־דִּבְרֵי
הַנְּבִאִים הָאֹמְרִים אֲלֵיכֶם לֵאמֹר לֹא תַעַבְדוּ אֶת־מֶלֶךְ בָּבֶל כִּי שֶׁקֶר הֵם
נִבְּאִים לָכֶם׃ טו כִּי לֹא שְׁלַחְתִּים נְאֻם־יְהוָה וְהֵם נִבְּאִים בִּשְׁמִי לַשָּׁקֶר לְמַעַן
הַדִּיחִי אֶתְכֶם וַאֲבַדְתֶּם אַתֶּם וְהַנְּבִאִים הַנִּבְּאִים לָכֶם׃ טז וְאֶל־הַכֹּהֲנִים
וְאֶל־כָּל־הָעָם הַזֶּה דִּבַּרְתִּי לֵאמֹר כֹּה אָמַר יְהוָה אַל־תִּשְׁמְעוּ אֶל־דִּבְרֵי
נְבִיאֵיכֶם הַנִּבְּאִים לָכֶם לֵאמֹר הִנֵּה כְלֵי בֵית־יְהוָה מוּשָׁבִים מִבָּבֶלָה עַתָּה
מְהֵרָה כִּי שֶׁקֶר הֵמָּה נִבְּאִים לָכֶם׃ יז אַל־תִּשְׁמְעוּ אֲלֵיהֶם עִבְדוּ
אֶת־מֶלֶךְ־בָּבֶל וִחְיוּ לָמָּה תִהְיֶה הָעִיר הַזֹּאת חָרְבָּה׃ יח וְאִם־נְבִאִים הֵם
וְאִם־יֵשׁ דְּבַר־יְהוָה אִתָּם יִפְגְּעוּ־נָא בַּיהוָה צְבָאוֹת לְבִלְתִּי־בֹאוּ הַכֵּלִים ׀
הַנּוֹתָרִים בְּבֵית־יְהוָה וּבֵית מֶלֶךְ יְהוּדָה וּבִירוּשָׁלִַם בָּבֶלָה׃

יט כִּי כֹה אָמַר יְהוָה צְבָאוֹת אֶל־הָעַמֻּדִים וְעַל־הַיָּם וְעַל־הַמְּכֹנוֹת וְעַל יֶתֶר
הַכֵּלִים הַנּוֹתָרִים בָּעִיר הַזֹּאת׃ כ אֲשֶׁר לֹא־לְקָחָם נְבוּכַדְנֶאצַּר מֶלֶךְ בָּבֶל
בַּגְלוֹתוֹ אֶת־יְכוֹנְיָה בֶן־יְהוֹיָקִים מֶלֶךְ־יְהוּדָה מִירוּשָׁלִַם בָּבֶלָה וְאֵת כָּל־חֹרֵי
יְהוּדָה וִירוּשָׁלִָם׃ כא כִּי כֹה אָמַר יְהוָה צְבָאוֹת אֱלֹהֵי יִשְׂרָאֵל עַל־הַכֵּלִים
הַנּוֹתָרִים בֵּית יְהוָה וּבֵית מֶלֶךְ־יְהוּדָה וִירוּשָׁלִָם׃ כב בָּבֶלָה יוּבָאוּ וְשָׁמָּה
יִהְיוּ עַד יוֹם פָּקְדִי אֹתָם נְאֻם־יְהוָה וְהַעֲלִיתִים וַהֲשִׁבֹתִים אֶל־הַמָּקוֹם הַזֶּה׃

כח א וַיְהִי ׀ בַּשָּׁנָה הַהִיא בְּרֵאשִׁית מַמְלֶכֶת צִדְקִיָּה מֶלֶךְ־יְהוּדָה
בַּשָּׁנָה[71] הָרְבִעִית בַּחֹדֶשׁ הַחֲמִישִׁי אָמַר אֵלַי חֲנַנְיָה בֶן־עַזּוּר הַנָּבִיא אֲשֶׁר
מִגִּבְעוֹן בְּבֵית יְהוָה לְעֵינֵי הַכֹּהֲנִים וְכָל־הָעָם לֵאמֹר׃ ב כֹּה־אָמַר יְהוָה
צְבָאוֹת אֱלֹהֵי יִשְׂרָאֵל לֵאמֹר שָׁבַרְתִּי אֶת־עֹל מֶלֶךְ בָּבֶל׃

---

[71] בשנת

8 And it shall come to pass, that the nation and the kingdom which will not serve the same Nebuchadnezzar king of Babylon, and that will not put their neck under the yoke of the king of Babylon, that nation will I visit, saith Yehovah, with the sword, and with the famine, and with the pestilence, until I have consumed them by his hand. **9** But as for you, hearken ye not to your prophets, nor to your diviners, nor to your dreams, nor to your soothsayers, nor to your sorcerers, that speak unto you, saying: Ye shall not serve the king of Babylon; **10** for they prophesy a lie unto you, to remove you far from your land; and that I should drive you out and ye should perish. **11** But the nation that shall bring their neck under the yoke of the king of Babylon, and serve him, that nation will I let remain in their own land, saith Yehovah; and they shall till it, and dwell therein.' **12** And I spoke to Zedekiah king of Judah according to all these words, saying: 'Bring your necks under the yoke of the king of Babylon, and serve him and his people, and live. **13** Why will ye die, thou and thy people, by the sword, by the famine, and by the pestilence, as Yehovah hath spoken concerning the nation that will not serve the king of Babylon? **14** And hearken not unto the words of the prophets that speak unto you, saying: Ye shall not serve the king of Babylon, for they prophesy a lie unto you. **15** For I have not sent them, saith Yehovah, and they prophesy falsely in My name; that I might drive you out, and that ye might perish, ye, and the prophets that prophesy unto you.' **16** Also I spoke to the priests and to all this people, saying: 'Thus saith Yehovah: Hearken not to the words of your prophets that prophesy unto you, saying: Behold, the vessels of Yehovah's house shall now shortly be brought back from Babylon; for they prophesy a lie unto you. **17** Hearken not unto them; serve the king of Babylon, and live; wherefore should this city become desolate? **18** But if they be prophets, and if the word of Yehovah be with them, let them now make intercession to Yehovah of hosts, that the vessels which are left in the house of Yehovah, and in the house of the king of Judah, and at Yerushalam, go not to Babylon. **19** For thus saith Yehovah of hosts concerning the pillars, and concerning the sea, and concerning the bases, and concerning the residue of the vessels that remain in this city, **20** which Nebuchadnezzar king of Babylon took not, when he carried away captive Jeconiah the son of Jehoiakim, king of Judah, from Yerushalam to Babylon, and all the nobles of Judah and Yerushalam; **21** yea, thus saith Yehovah of hosts, the God of Israel, concerning the vessels that remain in the house of Yehovah, and in the house of the king of Judah, and at Yerushalam: **22** They shall be carried to Babylon, and there shall they be, until the day that I remember them, saith Yehovah, and bring them up, and restore them to this place.'{P}

28 **1** And it came to pass the same year, in the beginning of the reign of Zedekiah king of Judah, in the fourth year, in the fifth month, that Hananiah the son of Azzur the prophet, who was of Gibeon, spoke unto me in the house of Yehovah, in the presence of the priests and of all the people, saying: **2** 'Thus speaketh Yehovah of hosts, the God of Israel, saying: I have broken the yoke of the king of Babylon.

ג בְּע֣וֹד ׀ שְׁנָתַ֣יִם יָמִ֗ים אֲנִ֤י מֵשִׁיב֙ אֶל־הַמָּק֣וֹם הַזֶּ֔ה אֶֽת־כָּל־כְּלֵ֖י בֵּ֣ית יְהוָ֑ה
אֲשֶׁ֨ר לָקַ֜ח נְבוּכַדְנֶאצַּ֣ר מֶֽלֶךְ־בָּבֶל֙ מִן־הַמָּק֣וֹם הַזֶּ֔ה וַיְבִיאֵ֖ם בָּבֶֽל׃
ד וְאֶת־יְכָנְיָ֣ה בֶן־יְהוֹיָקִ֣ים מֶֽלֶךְ־יְ֠הוּדָה וְאֶת־כָּל־גָּל֨וּת יְהוּדָ֜ה הַבָּאִ֣ים
בָּבֶ֗לָה אֲנִ֛י מֵשִׁ֛יב אֶל־הַמָּק֥וֹם הַזֶּ֖ה נְאֻם־יְהוָ֑ה כִּ֣י אֶשְׁבֹּ֔ר אֶת־עֹ֖ל מֶ֥לֶךְ בָּבֶֽל׃
ה וַיֹּ֙אמֶר֙ יִרְמְיָ֣ה הַנָּבִ֔יא אֶל־חֲנַנְיָ֖ה הַנָּבִ֑יא לְעֵינֵ֤י הַכֹּֽהֲנִים֙ וּלְעֵינֵ֣י כָל־הָעָ֔ם
הָעֹמְדִ֖ים בְּבֵ֥ית יְהוָֽה׃ ו וַיֹּ֙אמֶר֙ יִרְמְיָ֣ה הַנָּבִ֔יא אָמֵ֕ן כֵּ֖ן יַעֲשֶׂ֣ה יְהוָ֑ה יָקֵ֤ם יְהוָה֙
אֶת־דְּבָרֶ֙יךָ֙ אֲשֶׁ֣ר נִבֵּ֔אתָ לְהָשִׁ֞יב כְּלֵ֣י בֵית־יְהוָה֙ וְכָל־הַגּוֹלָ֔ה מִבָּבֶ֖ל
אֶל־הַמָּק֥וֹם הַזֶּֽה׃ ז אַךְ־שְׁמַֽע־נָא֙ הַדָּבָ֣ר הַזֶּ֔ה אֲשֶׁ֧ר אָנֹכִ֛י דֹּבֵ֥ר בְּאָזְנֶ֖יךָ
וּבְאָזְנֵ֥י כָל־הָעָֽם׃ ח הַנְּבִיאִ֗ים אֲשֶׁ֨ר הָי֧וּ לְפָנַ֛י וּלְפָנֶ֖יךָ מִן־הָעוֹלָ֑ם וַיִּנָּבְא֞וּ
אֶל־אֲרָצ֤וֹת רַבּוֹת֙ וְעַל־מַמְלָכ֣וֹת גְּדֹל֔וֹת לְמִלְחָמָ֖ה וּלְרָעָ֥ה וּלְדָֽבֶר׃
ט הַנָּבִ֕יא אֲשֶׁ֥ר יִנָּבֵ֖א לְשָׁל֑וֹם בְּבֹא֙ דְּבַ֣ר הַנָּבִ֔יא יִוָּדַע֙ הַנָּבִ֔יא אֲשֶׁר־שְׁלָח֥וֹ
יְהוָ֖ה בֶּאֱמֶֽת׃ י וַיִּקַּ֞ח חֲנַנְיָ֤ה הַנָּבִיא֙ אֶת־הַמּוֹטָ֔ה מֵעַ֕ל צַוַּ֖אר יִרְמְיָ֣ה הַנָּבִ֑יא
וַֽיִּשְׁבְּרֵֽהוּ׃ יא וַיֹּ֣אמֶר חֲנַנְיָ֣ה לְעֵינֵ֣י כָל־הָעָם֮ לֵאמֹר֒ כֹּ֞ה אָמַ֣ר יְהוָ֗ה כָּ֣כָה
אֶשְׁבֹּ֞ר אֶת־עֹ֣ל ׀ נְבֻכַדְנֶאצַּ֣ר מֶֽלֶךְ־בָּבֶ֗ל בְּעוֹד֙ שְׁנָתַ֣יִם יָמִ֔ים מֵעַ֕ל צַוַּ֖אר
כָּל־הַגּוֹיִ֑ם וַיֵּ֛לֶךְ יִרְמְיָ֥ה הַנָּבִ֖יא לְדַרְכּֽוֹ׃

יב וַיְהִ֥י דְבַר־יְהוָ֖ה אֶל־יִרְמְיָ֑ה אַחֲרֵ֡י שְׁב֡וֹר חֲנַנְיָ֣ה הַנָּבִיא֩ אֶת־הַמּוֹטָ֨ה מֵעַ֜ל
צַוַּ֛אר יִרְמְיָ֥ה הַנָּבִ֖יא לֵאמֹֽר׃ יג הָל֨וֹךְ וְאָמַרְתָּ֤ אֶל־חֲנַנְיָה֙ לֵאמֹ֔ר כֹּ֚ה אָמַ֣ר
יְהוָ֔ה מוֹטֹ֥ת עֵ֖ץ שָׁבָ֑רְתָּ וְעָשִׂ֥יתָ תַחְתֵּיהֶ֖ן מֹט֥וֹת בַּרְזֶֽל׃ יד כִּ֣י כֹה־אָמַר֩ יְהוָ֨ה
צְבָא֜וֹת אֱלֹהֵ֣י יִשְׂרָאֵ֗ל עֹ֣ל בַּרְזֶ֡ל נָתַ֜תִּי עַל־צַוַּ֣אר ׀ כָּל־הַגּוֹיִ֣ם הָאֵ֗לֶּה לַעֲבֹ֛ד
אֶת־נְבֻכַדְנֶאצַּ֥ר מֶלֶךְ־בָּבֶ֖ל וַעֲבָדֻ֑הוּ וְגַ֛ם אֶת־חַיַּ֥ת הַשָּׂדֶ֖ה נָתַ֥תִּי לֽוֹ׃
טו וַיֹּ֜אמֶר יִרְמְיָ֧ה הַנָּבִ֛יא אֶל־חֲנַנְיָ֥ה הַנָּבִ֖יא שְֽׁמַֽע־נָ֣א חֲנַנְיָ֑ה לֹֽא־שְׁלָחֲךָ֣ יְהוָ֔ה
וְאַתָּ֗ה הִבְטַ֛חְתָּ אֶת־הָעָ֥ם הַזֶּ֖ה עַל־שָֽׁקֶר׃ טז לָכֵ֗ן כֹּ֚ה אָמַ֣ר יְהוָ֔ה הִנְנִי֙
מְשַׁלֵּ֣חֲךָ֔ מֵעַ֖ל פְּנֵ֣י הָאֲדָמָ֑ה הַשָּׁנָה֙ אַתָּ֣ה מֵ֔ת כִּֽי־סָרָ֥ה דִבַּ֖רְתָּ אֶל־יְהוָֽה׃
יז וַיָּ֛מָת חֲנַנְיָ֥ה הַנָּבִ֖יא בַּשָּׁנָ֣ה הַהִ֑יא בַּחֹ֖דֶשׁ הַשְּׁבִיעִֽי׃

כט א וְאֵ֙לֶּה֙ דִּבְרֵ֣י הַסֵּ֔פֶר אֲשֶׁ֥ר שָׁלַ֛ח יִרְמְיָ֥ה הַנָּבִ֖יא מִירוּשָׁלִָ֑ם אֶל־יֶ֜תֶר
זִקְנֵ֣י הַגּוֹלָ֗ה וְאֶל־הַכֹּהֲנִ֤ים וְאֶל־הַנְּבִיאִים֙ וְאֶל־כָּל־הָעָ֔ם אֲשֶׁ֨ר הֶגְלָ֧ה
נְבוּכַדְנֶאצַּ֛ר מִירוּשָׁלִַ֖ם בָּבֶֽלָה׃ ב אַחֲרֵ֣י צֵ֣את יְכָנְיָה־הַ֠מֶּלֶךְ וְהַגְּבִירָ֨ה
וְהַסָּרִ֜יסִים שָׂרֵ֧י יְהוּדָ֛ה וִירוּשָׁלִַ֖ם וְהֶחָרָ֥שׁ וְהַמַּסְגֵּ֖ר מִירוּשָׁלִָֽם׃ ג בְּיַד֙
אֶלְעָשָׂ֣ה בֶן־שָׁפָ֔ן וּגְמַרְיָ֖ה בֶּן־חִלְקִיָּ֑ה אֲשֶׁ֨ר שָׁלַ֜ח צִדְקִיָּ֣ה מֶֽלֶךְ־יְהוּדָ֗ה
אֶל־נְבוּכַדְנֶאצַּ֛ר מֶ֥לֶךְ בָּבֶ֖ל בָּבֶ֥לָה לֵאמֹֽר׃ ד כֹּ֤ה אָמַר֙ יְהוָ֣ה צְבָא֔וֹת אֱלֹהֵ֖י
יִשְׂרָאֵ֑ל לְכָל־הַגּוֹלָ֔ה אֲשֶׁר־הִגְלֵ֥יתִי מִירוּשָׁלִַ֖ם בָּבֶֽלָה׃

3 Within two full years will I bring back into this place all the vessels of Yehovah's house, that Nebuchadnezzar king of Babylon took away from this place, and carried them to Babylon; 4 and I will bring back to this place Jeconiah the son of Jehoiakim, king of Judah, with all the captives of Judah, that went to Babylon, saith Yehovah; for I will break the yoke of the king of Babylon.' 5 Then the prophet Jeremiah said unto the prophet Hananiah in the presence of the priests, and in the presence of all the people that stood in the house of Yehovah, 6 even the prophet Jeremiah said: 'Amen! Yehovah do so! Yehovah perform thy words which thou hast prophesied, to bring back the vessels of Yehovah's house, and all them that are carried away captive, from Babylon unto this place! 7 Nevertheless hear thou now this word that I speak in thine ears, and in the ears of all the people: 8 The prophets that have been before me and before thee of old prophesied against many countries, and against great kingdoms, of war, and of evil, and of pestilence. 9 The prophet that prophesieth of peace, when the word of the prophet shall come to pass, then shall the prophet be known, that Yehovah hath truly sent him.' 10 Then Hananiah the prophet took the bar from off the prophet Jeremiah's neck, and broke it. 11 And Hananiah spoke in the presence of all the people, saying: 'Thus saith Yehovah: Even so will I break the yoke of Nebuchadnezzar king of Babylon from off the neck of all the nations within two full years.' And the prophet Jeremiah went his way.{P}

12 Then the word of Yehovah came unto Jeremiah, after that Hananiah the prophet had broken the bar from off the neck of the prophet Jeremiah, saying: 13 'Go, and tell Hananiah, saying: Thus saith Yehovah: Thou hast broken the bars of wood; but thou shalt make in their stead bars of iron. 14 For thus saith Yehovah of hosts, the God of Israel: I have put a yoke of iron upon the neck of all these nations, that they may serve Nebuchadnezzar king of Babylon; and they shall serve him; and I have given him the beasts of the field also.' 15 Then said the prophet Jeremiah unto Hananiah the prophet: 'Hear now, Hananiah; Yehovah hath not sent thee; but thou makest this people to trust in a lie. 16 'Therefore thus saith Yehovah: Behold, I will send thee away from off the face of the earth; this year thou shalt die, because thou hast spoken perversion against Yehovah.' 17 So Hananiah the prophet died the same year in the seventh month.{P}

29 1 Now these are the words of the letter that Jeremiah the prophet sent from Yerushalam unto the residue of the elders of the captivity, and to the priests, and to the prophets, and to all the people, whom Nebuchadnezzar had carried away captive from Yerushalam to Babylon, 2 after that Jeconiah the king, and the queen-mother, and the officers, and the princes of Judah and Yerushalam, and the craftsmen, and the smiths, were departed from Yerushalam; 3 by the hand of Elasah the son of Shaphan, and Gemariah the son of Hilkiah, whom Zedekiah king of Judah sent unto Babylon to Nebuchadnezzar king of Babylon, saying: 4 Thus saith Yehovah of hosts, the God of Israel, unto all the captivity, whom I have caused to be carried away captive from Yerushalam unto Babylon:

ה בְּנ֥וּ בָתִּ֖ים וְשֵׁ֑בוּ וְנִטְע֣וּ גַנּ֔וֹת וְאִכְל֖וּ אֶת־פִּרְיָֽן׃ ו קְח֣וּ נָשִׁ֗ים וְהוֹלִ֙ידוּ֙ בָּנִ֣ים
וּבָנ֔וֹת וּקְח֨וּ לִבְנֵיכֶ֜ם נָשִׁ֗ים וְאֶת־בְּנוֹתֵיכֶם֙ תְּנ֣וּ לַאֲנָשִׁ֔ים וְתֵלַ֖דְנָה בָּנִ֣ים וּבָנ֑וֹת
וּרְבוּ־שָׁ֖ם וְאַל־תִּמְעָֽטוּ׃ ז וְדִרְשׁ֞וּ אֶת־שְׁל֣וֹם הָעִ֗יר אֲשֶׁ֨ר הִגְלֵ֤יתִי אֶתְכֶם֙ שָׁ֔מָּה
וְהִתְפַּֽלְל֥וּ בַעֲדָ֖הּ אֶל־יְהוָ֑ה כִּ֣י בִשְׁלוֹמָ֔הּ יִהְיֶ֥ה לָכֶ֖ם שָׁלֽוֹם׃

ח כִּי֩ כֹ֨ה אָמַ֜ר יְהוָ֤ה צְבָאוֹת֙ אֱלֹהֵ֣י יִשְׂרָאֵ֔ל אַל־יַשִּׁ֧יאוּ לָכֶ֛ם נְבִיאֵיכֶ֥ם
אֲשֶׁר־בְּקִרְבְּכֶ֖ם וְקֹסְמֵיכֶ֑ם וְאַֽל־תִּשְׁמְעוּ֙ אֶל־חֲלֹ֣מֹתֵיכֶ֔ם אֲשֶׁ֥ר אַתֶּ֖ם מַחְלְמִֽים׃
ט כִּ֣י בְשֶׁ֔קֶר הֵ֛ם נִבְּאִ֥ים לָכֶ֖ם בִּשְׁמִ֑י לֹ֥א שְׁלַחְתִּ֖ים נְאֻם־יְהוָֽה׃ י כִּי־כֹה֙ אָמַ֣ר
יְהוָ֔ה כִּ֗י לְפִ֨י מְלֹ֧את לְבָבֶ֛ל שִׁבְעִ֥ים שָׁנָ֖ה אֶפְקֹ֣ד אֶתְכֶ֑ם וַהֲקִמֹתִ֨י עֲלֵיכֶ֜ם
אֶת־דְּבָרִ֣י הַטּ֗וֹב לְהָשִׁ֣יב אֶתְכֶ֔ם אֶל־הַמָּק֖וֹם הַזֶּֽה׃ יא כִּ֣י אָנֹכִ֗י יָדַ֙עְתִּי֙
אֶת־הַמַּחֲשָׁבֹ֔ת אֲשֶׁ֧ר אָנֹכִ֛י חֹשֵׁ֥ב עֲלֵיכֶ֖ם נְאֻם־יְהוָ֑ה מַחְשְׁב֤וֹת שָׁלוֹם֙ וְלֹ֣א
לְרָעָ֔ה לָתֵ֥ת לָכֶ֖ם אַחֲרִ֥ית וְתִקְוָֽה׃ יב וּקְרָאתֶ֤ם אֹתִי֙ וַהֲלַכְתֶּ֔ם וְהִתְפַּלַּלְתֶּ֖ם
אֵלָ֑י וְשָׁמַעְתִּ֖י אֲלֵיכֶֽם׃ יג וּבִקַּשְׁתֶּ֥ם אֹתִ֖י וּמְצָאתֶ֑ם כִּ֥י תִדְרְשֻׁ֖נִי בְּכָל־לְבַבְכֶֽם׃
יד וְנִמְצֵ֣אתִי לָכֶם֮ נְאֻם־יְהוָה֒ וְשַׁבְתִּ֣י אֶת־שְׁבוּתְכֶ֗ם[72] וְקִבַּצְתִּ֨י אֶתְכֶ֜ם
מִֽכָּל־הַגּוֹיִ֗ם וּמִכָּל־הַמְּקוֹמוֹת֙ אֲשֶׁ֨ר הִדַּ֧חְתִּי אֶתְכֶ֛ם שָׁ֖ם נְאֻם־יְהוָ֑ה וַהֲשִׁבֹתִ֣י
אֶתְכֶ֔ם אֶל־הַ֨מָּק֔וֹם אֲשֶׁר־הִגְלֵ֥יתִי אֶתְכֶ֖ם מִשָּֽׁם׃ טו כִּ֣י אֲמַרְתֶּ֔ם הֵקִ֥ים לָ֛נוּ יְהוָ֖ה
נְבִאִ֑ים בָּבֶֽלָה׃ טז כִּי־כֹ֣ה ׀ אָמַ֣ר יְהוָ֗ה אֶל־הַמֶּ֙לֶךְ֙ הַיּוֹשֵׁב֙ אֶל־כִּסֵּ֣א דָוִ֔ד
וְאֶל־כָּל־הָעָ֔ם הַיּוֹשֵׁ֖ב בָּעִ֣יר הַזֹּ֑את אֲחֵיכֶ֕ם אֲשֶׁ֛ר לֹא־יָצְא֥וּ אִתְּכֶ֖ם בַּגּוֹלָֽה׃
יז כֹּ֤ה אָמַר֙ יְהוָ֣ה צְבָא֔וֹת הִנְנִי֙ מְשַׁלֵּ֣חַ בָּ֔ם אֶת־הַחֶ֖רֶב אֶת־הָרָעָ֣ב וְאֶת־הַדָּ֑בֶר
וְנָתַתִּ֣י אוֹתָ֗ם כַּתְּאֵנִים֙ הַשֹּׁ֣עָרִ֔ים אֲשֶׁ֥ר לֹא־תֵאָכַ֖לְנָה מֵרֹֽעַ׃ יח וְרָֽדַפְתִּי֙ אַחֲרֵיהֶ֔ם
בַּחֶ֖רֶב בָּרָעָ֣ב וּבַדָּ֑בֶר וּנְתַתִּ֣ים לְזַעֲוָה[73] לְכֹ֣ל ׀ מַמְלְכ֣וֹת הָאָ֗רֶץ לְאָלָ֤ה וּלְשַׁמָּה֙
וְלִשְׁרֵקָ֣ה וּלְחֶרְפָּ֔ה בְּכָל־הַגּוֹיִ֖ם אֲשֶׁר־הִדַּחְתִּ֥ים שָֽׁם׃ יט תַּ֥חַת אֲשֶׁר־לֹא־שָׁמְע֥וּ
אֶל־דְּבָרַ֖י נְאֻם־יְהוָ֑ה אֲשֶׁ֣ר שָׁלַ֣חְתִּי אֲלֵיהֶ֡ם אֶת־עֲבָדַ֣י הַנְּבִאִים֩ הַשְׁכֵּ֨ם וְשָׁלֹ֜חַ
וְלֹ֥א שְׁמַעְתֶּ֖ם נְאֻם־יְהוָֽה׃ כ וְאַתֶּ֖ם שִׁמְע֣וּ דְבַר־יְהוָ֑ה כָּל־הַ֨גּוֹלָ֔ה אֲשֶׁר־שִׁלַּ֥חְתִּי
מִירוּשָׁלַ֖͏ִם בָּבֶֽלָה׃ כא כֹּה־אָמַ֞ר יְהוָ֣ה צְבָא֗וֹת אֱלֹהֵ֣י יִשְׂרָאֵ֔ל אֶל־אַחְאָ֣ב
בֶּן־קֽוֹלָיָה֙ וְאֶל־צִדְקִיָּ֣הוּ בֶן־מַֽעֲשֵׂיָ֔ה הַנִּבְּאִ֥ים לָכֶ֛ם בִּשְׁמִ֖י שָׁ֑קֶר הִנְנִי ׀ נֹתֵ֣ן אֹתָ֗ם
בְּיַד֙ נְבוּכַדְרֶאצַּ֣ר מֶֽלֶךְ־בָּבֶ֔ל וְהִכָּ֖ם לְעֵינֵיכֶֽם׃ כב וְלֻקַּ֤ח מֵהֶם֙ קְלָלָ֔ה לְכֹל֙
גָּל֣וּת יְהוּדָ֔ה אֲשֶׁ֖ר בְּבָבֶ֑ל לֵאמֹ֗ר יְשִֽׂמְךָ֤ יְהוָה֙ כְּצִדְקִיָּ֣הוּ וּֽכְאֶחָ֔ב אֲשֶׁר־קָלָ֥ם
מֶֽלֶךְ־בָּבֶ֖ל בָּאֵֽשׁ׃ כג יַ֡עַן אֲשֶׁ֣ר עָשׂוּ֩ נְבָלָ֨ה בְּיִשְׂרָאֵ֜ל וַיְנַֽאֲפוּ֙ אֶת־נְשֵׁ֣י רֵעֵיהֶ֔ם
וַיְדַבְּר֨וּ דָבָ֤ר בִּשְׁמִי֙ שֶׁ֔קֶר אֲשֶׁ֖ר ל֣וֹא צִוִּיתִ֑ם וְאָנֹכִ֛י הַיּוֹדֵ֥עַ[74] וָעֵ֖ד נְאֻם־יְהוָֽה׃

[72] שביתכם
[73] לזועה
[74] הוידע

5 Build ye houses, and dwell in them, and plant gardens, and eat the fruit of them; **6** take ye wives, and beget sons and daughters; and take wives for your sons, and give your daughters to husbands, that they may bear sons and daughters; and multiply ye there, and be not diminished. **7** And seek the peace of the city whither I have caused you to be carried away captive, and pray unto Yehovah for it; for in the peace thereof shall ye have peace. **8** For thus saith Yehovah of hosts, the God of Israel: Let not your prophets that are in the midst of you, and your diviners, beguile you, neither hearken ye to your dreams which ye cause to be dreamed. **9** For they prophesy falsely unto you in My name; I have not sent them, saith Yehovah.{S}   **10** For thus saith Yehovah: After seventy years are accomplished for Babylon, I will remember you, and perform My good word toward you, in causing you to return to this place. **11** For I know the thoughts that I think toward you, saith Yehovah, thoughts of peace, and not of evil, to give you a future and a hope. **12** And ye shall call upon Me, and go, and pray unto Me, and I will hearken unto you. **13** And ye shall seek Me, and find Me, when ye shall search for Me with all your heart. **14** And I will be found of you, saith Yehovah, and I will turn your captivity, and gather you from all the nations, and from all the places whither I have driven you, saith Yehovah; and I will bring you back unto the place whence I caused you to be carried away captive. **15** For ye have said: 'Yehovah hath raised us up prophets in Babylon.'{S} **16** For thus saith Yehovah concerning the king that sitteth upon the throne of David, and concerning all the people that dwell in this city, your brethren that are not gone forth with you into captivity; **17** thus saith Yehovah of hosts: Behold, I will send upon them the sword, the famine, and the pestilence, and will make them like vile figs, that cannot be eaten, they are so bad. **18** And I will pursue after them with the sword, with the famine, and with the pestilence, and will make them a horror unto all the kingdoms of the earth, a curse, and an astonishment, and a hissing, and a reproach, among all the nations whither I have driven them; **19** because they have not hearkened to My words, saith Yehovah, wherewith I sent unto them My servants the prophets, sending them betimes and often; but ye would not hear, saith Yehovah. **20** Hear ye therefore the word of Yehovah, all ye of the captivity, whom I have sent away from Yerushalam to Babylon:{S}   **21** Thus saith Yehovah of hosts, the God of Israel, concerning Ahab the son of Kolaiah, and concerning Zedekiah the son of Maaseiah, who prophesy a lie unto you in My name: Behold, I will deliver them into the hand of Nebuchadrezzar king of Babylon; and he shall slay them before your eyes; **22** and of them shall be taken up a curse by all the captivity of Judah that are in Babylon, saying: 'Yehovah make thee like Zedekiah and like Ahab, whom the king of Babylon roasted in the fire'; **23** because they have wrought vile deeds in Israel, and have committed adultery with their neighbours' wives, and have spoken words in My name falsely, which I commanded them not; but I am He that knoweth, and am witness, saith Yehovah.{S}

כד וְאֶל־שְׁמַעְיָהוּ הַנֶּחֱלָמִי תֹּאמַר לֵאמֹר׃ כה כֹּה־אָמַר יְהוָה צְבָאוֹת אֱלֹהֵי
יִשְׂרָאֵל לֵאמֹר יַעַן אֲשֶׁר אַתָּה שָׁלַחְתָּ בְשִׁמְכָה סְפָרִים אֶל־כָּל־הָעָם אֲשֶׁר
בִּירוּשָׁלַ͏ִם וְאֶל־צְפַנְיָה בֶן־מַעֲשֵׂיָה הַכֹּהֵן וְאֶל כָּל־הַכֹּהֲנִים לֵאמֹר׃ כו יְהוָה
נְתָנְךָ כֹהֵן תַּחַת יְהוֹיָדָע הַכֹּהֵן לִהְיוֹת פְּקִדִים בֵּית יְהוָה לְכָל־אִישׁ מְשֻׁגָּע
וּמִתְנַבֵּא וְנָתַתָּה אֹתוֹ אֶל־הַמַּהְפֶּכֶת וְאֶל־הַצִּינֹק׃ כז וְעַתָּה לָמָּה לֹא גָעַרְתָּ
בְּיִרְמְיָהוּ הָעֲנְּתֹתִי הַמִּתְנַבֵּא לָכֶם׃ כח כִּי עַל־כֵּן שָׁלַח אֵלֵינוּ בָּבֶל לֵאמֹר
אֲרֻכָּה הִיא בְּנוּ בָתִּים וְשֵׁבוּ וְנִטְעוּ גַנּוֹת וְאִכְלוּ אֶת־פְּרִיהֶן׃ כט וַיִּקְרָא צְפַנְיָה
הַכֹּהֵן אֶת־הַסֵּפֶר הַזֶּה בְּאָזְנֵי יִרְמְיָהוּ הַנָּבִיא׃

ל וַיְהִי דְּבַר־יְהוָה אֶל־יִרְמְיָהוּ לֵאמֹר׃ לא שְׁלַח עַל־כָּל־הַגּוֹלָה לֵאמֹר כֹּה
אָמַר יְהוָה אֶל־שְׁמַעְיָה הַנֶּחֱלָמִי יַעַן אֲשֶׁר נִבָּא לָכֶם שְׁמַעְיָה וַאֲנִי לֹא שְׁלַחְתִּיו
וַיַּבְטַח אֶתְכֶם עַל־שָׁקֶר׃ לב לָכֵן כֹּה־אָמַר יְהוָה הִנְנִי פֹקֵד עַל־שְׁמַעְיָה
הַנֶּחֱלָמִי וְעַל־זַרְעוֹ לֹא־יִהְיֶה לוֹ אִישׁ ׀ יוֹשֵׁב ׀ בְּתוֹךְ־הָעָם הַזֶּה וְלֹא־יִרְאֶה
בַטּוֹב אֲשֶׁר־אֲנִי עֹשֶׂה־לְעַמִּי נְאֻם־יְהוָה כִּי־סָרָה דִבֶּר עַל־יְהוָה׃

ל א הַדָּבָר אֲשֶׁר הָיָה אֶל־יִרְמְיָהוּ מֵאֵת יְהוָה לֵאמֹר׃ ב כֹּה־אָמַר יְהוָה
אֱלֹהֵי יִשְׂרָאֵל לֵאמֹר כְּתָב־לְךָ אֵת כָּל־הַדְּבָרִים אֲשֶׁר־דִּבַּרְתִּי אֵלֶיךָ
אֶל־סֵפֶר׃ ג כִּי הִנֵּה יָמִים בָּאִים נְאֻם־יְהוָה וְשַׁבְתִּי אֶת־שְׁבוּת עַמִּי יִשְׂרָאֵל
וִיהוּדָה אָמַר יְהוָה וַהֲשִׁבֹתִים אֶל־הָאָרֶץ אֲשֶׁר־נָתַתִּי לַאֲבוֹתָם וִירֵשׁוּהָ׃

ד וְאֵלֶּה הַדְּבָרִים אֲשֶׁר דִּבֶּר יְהוָה אֶל־יִשְׂרָאֵל וְאֶל־יְהוּדָה׃ ה כִּי־כֹה אָמַר
יְהוָה קוֹל חֲרָדָה שָׁמָעְנוּ פַּחַד וְאֵין שָׁלוֹם׃ ו שַׁאֲלוּ־נָא וּרְאוּ אִם־יֹלֵד זָכָר
מַדּוּעַ רָאִיתִי כָל־גֶּבֶר יָדָיו עַל־חֲלָצָיו כַּיּוֹלֵדָה וְנֶהֶפְכוּ כָל־פָּנִים לְיֵרָקוֹן׃
ז הוֹי כִּי גָדוֹל הַיּוֹם הַהוּא מֵאַיִן כָּמֹהוּ וְעֵת־צָרָה הִיא לְיַעֲקֹב וּמִמֶּנָּה יִוָּשֵׁעַ׃
ח וְהָיָה בַיּוֹם הַהוּא נְאֻם ׀ יְהוָה צְבָאוֹת אֶשְׁבֹּר עֻלּוֹ מֵעַל צַוָּארֶךָ וּמוֹסְרוֹתֶיךָ
אֲנַתֵּק וְלֹא־יַעַבְדוּ־בוֹ עוֹד זָרִים׃ ט וְעָבְדוּ אֵת יְהוָה אֱלֹהֵיהֶם וְאֵת דָּוִד
מַלְכָּם אֲשֶׁר אָקִים לָהֶם׃ י וְאַתָּה אַל־תִּירָא עַבְדִּי יַעֲקֹב נְאֻם־יְהוָה
וְאַל־תֵּחַת יִשְׂרָאֵל כִּי הִנְנִי מוֹשִׁיעֲךָ מֵרָחוֹק וְאֶת־זַרְעֲךָ מֵאֶרֶץ שִׁבְיָם וְשָׁב
יַעֲקֹב וְשָׁקַט וְשַׁאֲנַן וְאֵין מַחֲרִיד׃ יא כִּי־אִתְּךָ אֲנִי נְאֻם־יְהוָה לְהוֹשִׁיעֶךָ כִּי
אֶעֱשֶׂה כָלָה בְּכָל־הַגּוֹיִם ׀ אֲשֶׁר הֲפִצוֹתִיךָ שָּׁם אַךְ אֹתְךָ לֹא־אֶעֱשֶׂה כָלָה
וְיִסַּרְתִּיךָ לַמִּשְׁפָּט וְנַקֵּה לֹא אֲנַקֶּךָּ׃

יב כִּי כֹה אָמַר יְהוָה אָנוּשׁ לְשִׁבְרֵךְ נַחְלָה מַכָּתֵךְ׃ יג אֵין־דָּן דִּינֵךְ לְמָזוֹר
רְפֻאוֹת תְּעָלָה אֵין לָךְ׃

<u>24</u> And concerning Shemaiah the Nehelamite thou shalt speak, saying: <u>25</u> Thus speaketh Yehovah of hosts, the God of Israel, saying: Because thou hast sent letters in thine own name unto all the people that are at Yerushalam, and to Zephaniah the son of Maaseiah the priest, and to all the priests, saying: <u>26</u> 'Yehovah hath made thee priest in the stead of Jehoiada the priest, that there should be officers in the house of Yehovah for every man that is mad, and maketh himself a prophet, that thou shouldest put him in the stocks and in the collar. <u>27</u> Now therefore, why hast thou not rebuked Jeremiah of Anathoth, who maketh himself a prophet to you, <u>28</u> forasmuch as he hath sent unto us in Babylon, saying: The captivity is long; build ye houses, and dwell in them; and plant gardens, and eat the fruit of them?' <u>29</u> And Zephaniah the priest read this letter in the ears of Jeremiah the prophet.{P}

<u>30</u> Then came the word of Yehovah unto Jeremiah, saying: <u>31</u> Send to all them of the captivity, saying: Thus saith Yehovah concerning Shemaiah the Nehelamite: Because that Shemaiah hath prophesied unto you, and I sent him not, and he hath caused you to trust in a lie; <u>32</u> therefore thus saith Yehovah: Behold, I will punish Shemaiah the Nehelamite, and his seed; he shall not have a man to dwell among this people, neither shall he behold the good that I will do unto My people, saith Yehovah; because he hath spoken perversion against Yehovah.{S}

30 <u>1</u> The word that came to Jeremiah from Yehovah, saying: <u>2</u> 'Thus speaketh Yehovah, the God of Israel, saying: Write thee all the words that I have spoken unto thee in a book. <u>3</u> For, lo, the days come, saith Yehovah, that I will turn the captivity of My people Israel and Judah, saith Yehovah; and I will cause them to return to the land that I gave to their fathers, and they shall possess it.'{P}

<u>4</u> And these are the words that Yehovah spoke concerning Israel and concerning Judah. <u>5</u> For thus saith Yehovah: We have heard a voice of trembling, of fear, and not of peace. <u>6</u> Ask ye now, and see whether a man doth travail with child; wherefore do I see every man with his hands on his loins, as a woman in travail, and all faces are turned into paleness? <u>7</u> Alas! for that day is great, so that none is like it; and it is a time of trouble unto Jacob, but out of it shall he be saved. <u>8</u> And it shall come to pass in that day, saith Yehovah of hosts, that I will break his yoke from off thy neck, and will burst thy bands; and strangers shall no more make him their bondman; <u>9</u> But they shall serve Yehovah their God, and David their king, whom I will raise up unto them.{S} <u>10</u> Therefore fear thou not, O Jacob My servant, saith Yehovah; neither be dismayed, O Israel; for, lo, I will save thee from afar, and thy seed from the land of their captivity; and Jacob shall again be quiet and at ease, and none shall make him afraid. <u>11</u> For I am with thee, saith Yehovah, to save thee; for I will make a full end of all the nations whither I have scattered thee, but I will not make a full end of thee; for I will correct thee in measure, and will not utterly destroy thee.{P}

<u>12</u> For thus saith Yehovah: Thy hurt is incurable, and thy wound is grievous. <u>13</u> None deemeth of thy wound that it may be bound up; thou hast no healing medicines.

יד כָּל־מְאַהֲבַיִךְ שְׁכֵחוּךְ אוֹתָךְ לֹא יִדְרֹשׁוּ כִּי מַכַּת אוֹיֵב הִכִּיתִיךְ מוּסַר אַכְזָרִי עַל רֹב עֲוֹנֵךְ עָצְמוּ חַטֹּאתָיִךְ: טו מַה־תִּזְעַק עַל־שִׁבְרֵךְ אָנוּשׁ מַכְאֹבֵךְ עַל רֹב עֲוֹנֵךְ עָצְמוּ חַטֹּאתַיִךְ עָשִׂיתִי אֵלֶּה לָךְ: טז לָכֵן כָּל־אֹכְלַיִךְ יֵאָכֵלוּ וְכָל־צָרַיִךְ כֻּלָּם בַּשְּׁבִי יֵלֵכוּ וְהָיוּ שֹׁאסַיִךְ לִמְשִׁסָּה וְכָל־בֹּזְזַיִךְ אֶתֵּן לָבַז: יז כִּי אַעֲלֶה אֲרֻכָה לָךְ וּמִמַּכּוֹתַיִךְ אֶרְפָּאֵךְ נְאֻם־יְהוָה כִּי נִדָּחָה קָרְאוּ לָךְ צִיּוֹן הִיא דֹּרֵשׁ אֵין לָהּ: יח כֹּה ׀ אָמַר יְהוָה הִנְנִי־שָׁב שְׁבוּת אָהֳלֵי יַעֲקוֹב וּמִשְׁכְּנֹתָיו אֲרַחֵם וְנִבְנְתָה עִיר עַל־תִּלָּהּ וְאַרְמוֹן עַל־מִשְׁפָּטוֹ יֵשֵׁב: יט וְיָצָא מֵהֶם תּוֹדָה וְקוֹל מְשַׂחֲקִים וְהִרְבִּתִים וְלֹא יִמְעָטוּ וְהִכְבַּדְתִּים וְלֹא יִצְעָרוּ: כ וְהָיוּ בָנָיו כְּקֶדֶם וַעֲדָתוֹ לְפָנַי תִּכּוֹן וּפָקַדְתִּי עַל כָּל־לֹחֲצָיו: כא וְהָיָה אַדִּירוֹ מִמֶּנּוּ וּמֹשְׁלוֹ מִקִּרְבּוֹ יֵצֵא וְהִקְרַבְתִּיו וְנִגַּשׁ אֵלָי כִּי מִי הוּא־זֶה עָרַב אֶת־לִבּוֹ לָגֶשֶׁת אֵלַי נְאֻם־יְהוָה: כב וִהְיִיתֶם לִי לְעָם וְאָנֹכִי אֶהְיֶה לָכֶם לֵאלֹהִים: כג הִנֵּה ׀ סַעֲרַת יְהוָה חֵמָה יָצְאָה סַעַר מִתְגּוֹרֵר עַל רֹאשׁ רְשָׁעִים יָחוּל: כד לֹא יָשׁוּב חֲרוֹן אַף־יְהוָה עַד־עֲשֹׂתוֹ וְעַד־הֲקִימוֹ מְזִמּוֹת לִבּוֹ בְּאַחֲרִית הַיָּמִים תִּתְבּוֹנְנוּ בָהּ: כה בָּעֵת הַהִיא נְאֻם־יְהוָה אֶהְיֶה לֵאלֹהִים לְכֹל מִשְׁפְּחוֹת יִשְׂרָאֵל וְהֵמָּה יִהְיוּ־לִי לְעָם:

לא א כֹּה אָמַר יְהוָה מָצָא חֵן בַּמִּדְבָּר עַם שְׂרִידֵי חָרֶב הָלוֹךְ לְהַרְגִּיעוֹ יִשְׂרָאֵל: ב מֵרָחוֹק יְהוָה נִרְאָה לִי וְאַהֲבַת עוֹלָם אֲהַבְתִּיךְ עַל־כֵּן מְשַׁכְתִּיךְ חָסֶד: ג עוֹד אֶבְנֵךְ וְנִבְנֵית בְּתוּלַת יִשְׂרָאֵל עוֹד תַּעְדִּי תֻפַּיִךְ וְיָצָאת בִּמְחוֹל מְשַׂחֲקִים: ד עוֹד תִּטְּעִי כְרָמִים בְּהָרֵי שֹׁמְרוֹן נָטְעוּ נֹטְעִים וְחִלֵּלוּ: ה כִּי יֶשׁ־יוֹם קָרְאוּ נֹצְרִים בְּהַר אֶפְרָיִם קוּמוּ וְנַעֲלֶה צִיּוֹן אֶל־יְהוָה אֱלֹהֵינוּ:

ו כִּי־כֹה ׀ אָמַר יְהוָה רָנּוּ לְיַעֲקֹב שִׂמְחָה וְצַהֲלוּ בְּרֹאשׁ הַגּוֹיִם הַשְׁמִיעוּ הַלְלוּ וְאִמְרוּ הוֹשַׁע יְהוָה אֶת־עַמְּךָ אֵת שְׁאֵרִית יִשְׂרָאֵל: ז הִנְנִי מֵבִיא אוֹתָם מֵאֶרֶץ צָפוֹן וְקִבַּצְתִּים מִיַּרְכְּתֵי־אָרֶץ בָּם עִוֵּר וּפִסֵּחַ הָרָה וְיֹלֶדֶת יַחְדָּו קָהָל גָּדוֹל יָשׁוּבוּ הֵנָּה: ח בִּבְכִי יָבֹאוּ וּבְתַחֲנוּנִים אוֹבִילֵם אוֹלִיכֵם אֶל־נַחֲלֵי מַיִם בְּדֶרֶךְ יָשָׁר לֹא יִכָּשְׁלוּ בָּהּ כִּי־הָיִיתִי לְיִשְׂרָאֵל לְאָב וְאֶפְרַיִם בְּכֹרִי הוּא: ט שִׁמְעוּ דְבַר־יְהוָה גּוֹיִם וְהַגִּידוּ בָאִיִּים מִמֶּרְחָק וְאִמְרוּ מְזָרֵה יִשְׂרָאֵל יְקַבְּצֶנּוּ וּשְׁמָרוֹ כְּרֹעֶה עֶדְרוֹ: י כִּי־פָדָה יְהוָה אֶת־יַעֲקֹב וּגְאָלוֹ מִיַּד חָזָק מִמֶּנּוּ:

14 All thy lovers have forgotten thee, they seek thee not; for I have wounded thee with the wound of an enemy, with the chastisement of a cruel one; for the greatness of thine iniquity, because thy sins were increased. **15** Why criest thou for thy hurt, that thy pain is incurable? For the greatness of thine iniquity, because thy sins were increased, I have done these things unto thee. **16** Therefore all they that devour thee shall be devoured, and all thine adversaries, every one of them, shall go into captivity; and they that spoil thee shall be a spoil, and all that prey upon thee will I give for a prey. **17** For I will restore health unto thee, and I will heal thee of thy wounds, saith Yehovah; because they have called thee an outcast: 'She is Zion, there is none that careth for her.'{s} **18** Thus saith Yehovah: Behold, I will turn the captivity of Jacob's tents, and have compassion on his dwelling-places; and the city shall be builded upon her own mound, and the palace shall be inhabited upon its wonted place. **19** And out of them shall proceed thanksgiving and the voice of them that make merry; and I will multiply them, and they shall not be diminished, I will also increase them, and they shall not dwindle away. **20** Their children also shall be as aforetime, and their congregation shall be established before Me, and I will punish all that oppress them. **21** And their prince shall be of themselves, and their ruler shall proceed from the midst of them; and I will cause him to draw near, and he shall approach unto Me; for who is he that hath pledged his heart to approach unto Me? saith Yehovah. **22** And ye shall be My people, and I will be your God.{s} **23** Behold, a storm of Yehovah is gone forth in fury, a sweeping storm; it shall whirl upon the head of the wicked. **24** The fierce anger of Yehovah shall not return, until He have executed, and till He have performed the purposes of His heart; in the end of days ye shall consider it. **25** At that time, saith Yehovah, will I be the God of all the families of Israel, and they shall be My people.{s}

31 **1** Thus saith Yehovah: the people that were left of the sword have found grace in the wilderness, even Israel, when I go to cause him to rest. **2** 'From afar Yehovah appeared unto me.' 'Yea, I have loved thee with an everlasting love; therefore with affection have I drawn thee. **3** Again will I build thee, and thou shalt be built, O virgin of Israel; again shalt thou be adorned with thy tabrets, and shalt go forth in the dances of them that make merry. **4** Again shalt thou plant vineyards upon the mountains of Samaria; the planters shall plant, and shall have the use thereof. **5** For there shall be a day, that the watchmen shall call upon the mount Ephraim: arise ye, and let us go up to Zion, unto Yehovah our God.'{p}

6 For thus saith Yehovah: sing with gladness for Jacob, and shout at the head of the nations; announce ye, praise ye, and say: 'Yehovah, save Thy people, The remnant of Israel.' **7** Behold, I will bring them from the north country, and gather them from the uttermost parts of the earth, and with them the blind and the lame, the woman with child and her that travaileth with child together; a great company shall they return hither. **8** They shall come with weeping, and with supplications will I lead them; I will cause them to walk by rivers of waters, in a straight way wherein they shall not stumble; for I am become a father to Israel, and Ephraim is My first-born.{s} **9** Hear the word of Yehovah, O ye nations, and declare it in the isles afar off, and say: 'He that scattered Israel doth gather him, and keep him, as a shepherd doth his flock.' **10** For Yehovah hath ransomed Jacob, and He redeemeth him from the hand of him that is stronger than he.

יא וּבָ֗אוּ וְרִנְּנ֣וּ בִמְרוֹם־צִיּ֔וֹן וְנָהֲר֞וּ אֶל־ט֣וּב יְהֹוָ֗ה עַל־דָּגָן֙ וְעַל־תִּירֹ֣שׁ וְעַל־יִצְהָ֔ר וְעַל־בְּנֵי־צֹ֖אן וּבָקָ֑ר וְהָיְתָ֤ה נַפְשָׁם֙ כְּגַ֣ן רָוֶ֔ה וְלֹא־יוֹסִ֥יפוּ לְדַאֲבָ֖ה עֽוֹד: יב אָ֣ז תִּשְׂמַ֤ח בְּתוּלָה֙ בְּמָח֔וֹל וּבַחֻרִ֥ים וּזְקֵנִ֖ים יַחְדָּ֑ו וְהָפַכְתִּ֨י אֶבְלָ֤ם לְשָׂשׂוֹן֙ וְנִ֣חַמְתִּ֔ים וְשִׂמַּחְתִּ֖ים מִיגוֹנָֽם: יג וְרִוֵּיתִ֛י נֶ֥פֶשׁ הַכֹּהֲנִ֖ים דָּ֑שֶׁן וְעַמִּ֥י אֶת־טוּבִ֖י יִשְׂבָּ֑עוּ נְאֻם־יְהֹוָֽה: יד כֹּ֣ה ׀ אָמַ֣ר יְהֹוָ֗ה ק֣וֹל בְּרָמָ֤ה נִשְׁמָע֙ נְהִי֙ בְּכִ֣י תַמְרוּרִ֔ים רָחֵ֖ל מְבַכָּ֣ה עַל־בָּנֶ֑יהָ מֵאֲנָ֛ה לְהִנָּחֵ֥ם עַל־בָּנֶ֖יהָ כִּ֥י אֵינֶֽנּוּ: טו כֹּ֣ה ׀ אָמַ֣ר יְהֹוָ֗ה מִנְעִ֤י קוֹלֵךְ֙ מִבֶּ֔כִי וְעֵינַ֖יִךְ מִדִּמְעָ֑ה כִּי֩ יֵ֨שׁ שָׂכָ֤ר לִפְעֻלָּתֵךְ֙ נְאֻם־יְהֹוָ֔ה וְשָׁ֖בוּ מֵאֶ֥רֶץ אוֹיֵֽב: טז וְיֵשׁ־תִּקְוָ֥ה לְאַחֲרִיתֵ֖ךְ נְאֻם־יְהֹוָ֑ה וְשָׁ֥בוּ בָנִ֖ים לִגְבוּלָֽם: יז שָׁמ֣וֹעַ שָׁמַ֗עְתִּי אֶפְרַ֙יִם֙ מִתְנוֹדֵ֔ד יִסַּרְתַּ֙נִי֙ וָֽאִוָּסֵ֔ר כְּעֵ֖גֶל לֹ֣א לֻמָּ֑ד הֲשִׁבֵ֤נִי וְאָשׁ֙וּבָה֙ כִּ֥י אַתָּ֖ה יְהֹוָ֥ה אֱלֹהָֽי: יח כִּֽי־אַחֲרֵ֤י שׁוּבִי֙ נִחַ֔מְתִּי וְאַֽחֲרֵי֙ הִוָּ֣דְעִ֔י סָפַ֖קְתִּי עַל־יָרֵ֑ךְ בֹּ֚שְׁתִּי וְגַם־נִכְלַ֔מְתִּי כִּ֥י נָשָׂ֖אתִי חֶרְפַּ֥ת נְעוּרָֽי: יט הֲבֵן֩ יַקִּ֨יר לִ֜י אֶפְרַ֗יִם אִ֚ם יֶ֣לֶד שַׁעֲשֻׁעִ֔ים כִּֽי־מִדֵּ֤י דַבְּרִי֙ בּ֔וֹ זָכֹ֥ר אֶזְכְּרֶ֖נּוּ ע֑וֹד עַל־כֵּ֗ן הָמ֤וּ מֵעַי֙ ל֔וֹ רַחֵ֥ם אֲרַחֲמֶ֖נּוּ נְאֻם־יְהֹוָֽה: כ הַצִּ֧יבִי לָ֣ךְ צִיֻּנִ֗ים שִׂ֤מִי לָךְ֙ תַּמְרוּרִ֔ים שִׁ֣תִי לִבֵּ֔ךְ לַֽמְסִלָּ֖ה דֶּ֣רֶךְ הָלָ֑כְתְּ ⁷⁵שׁ֚וּבִי בְּתוּלַ֣ת יִשְׂרָאֵ֔ל שֻׁ֖בִי אֶל־עָרַ֥יִךְ אֵֽלֶּה: כא עַד־מָתַי֙ תִּתְחַמָּקִ֔ין הַבַּ֖ת הַשּֽׁוֹבֵבָ֑ה כִּֽי־בָרָ֨א יְהֹוָ֤ה חֲדָשָׁה֙ בָּאָ֔רֶץ נְקֵבָ֖ה תְּסוֹבֵ֥ב גָּֽבֶר: כב כֹּֽה־אָמַ֞ר יְהֹוָ֤ה צְבָאוֹת֙ אֱלֹהֵ֣י יִשְׂרָאֵ֔ל ע֣וֹד יֹֽאמְר֞וּ אֶת־הַדָּבָ֣ר הַזֶּ֗ה בְּאֶ֤רֶץ יְהוּדָה֙ וּבְעָרָ֔יו בְּשׁוּבִ֖י אֶת־שְׁבוּתָ֑ם יְבָרֶכְךָ֧ יְהֹוָ֛ה נְוֵה־צֶ֖דֶק הַ֥ר הַקֹּֽדֶשׁ: כג וְיָ֥שְׁבוּ בָ֛הּ יְהוּדָ֥ה וְכָל־עָרָ֖יו יַחְדָּ֑ו אִכָּרִ֖ים וְנָסְע֥וּ בַעֵֽדֶר: כד כִּ֥י הִרְוֵ֖יתִי נֶ֣פֶשׁ עֲיֵפָ֑ה וְכָל־נֶ֥פֶשׁ דָּאֲבָ֖ה מִלֵּֽאתִי: כה עַל־זֹ֖את הֱקִיצֹ֣תִי וָאֶרְאֶ֑ה וּשְׁנָתִ֖י עָ֥רְבָה לִּֽי: כו הִנֵּ֛ה יָמִ֥ים בָּאִ֖ים נְאֻם־יְהֹוָ֑ה וְזָ֣רַעְתִּ֗י אֶת־בֵּ֤ית יִשְׂרָאֵל֙ וְאֶת־בֵּ֣ית יְהוּדָ֔ה זֶ֥רַע אָדָ֖ם וְזֶ֥רַע בְּהֵמָֽה: כז וְהָיָ֞ה כַּאֲשֶׁ֧ר שָׁקַ֣דְתִּי עֲלֵיהֶ֗ם לִנְת֤וֹשׁ וְלִנְתוֹץ֙ וְלַהֲרֹ֣ס וּלְהַאֲבִ֖יד וּלְהָרֵ֑עַ כֵּ֣ן אֶשְׁקֹ֧ד עֲלֵיהֶ֛ם לִבְנ֥וֹת וְלִנְט֖וֹעַ נְאֻם־יְהֹוָֽה: כח בַּיָּמִ֣ים הָהֵ֔ם לֹא־יֹאמְר֣וּ ע֔וֹד אָב֖וֹת אָ֣כְלוּ בֹ֑סֶר וְשִׁנֵּ֥י בָנִ֖ים תִּקְהֶֽינָה: כט כִּ֛י אִם־אִ֥ישׁ בַּעֲוֹנ֖וֹ יָמ֑וּת כָּל־הָֽאָדָ֛ם הָאֹכֵ֥ל הַבֹּ֖סֶר תִּקְהֶ֥ינָה שִׁנָּֽיו: ל הִנֵּ֛ה יָמִ֥ים בָּאִ֖ים נְאֻם־יְהֹוָ֑ה וְכָרַתִּ֗י אֶת־בֵּ֤ית יִשְׂרָאֵל֙ וְאֶת־בֵּ֣ית יְהוּדָ֔ה בְּרִ֖ית חֲדָשָֽׁה: לא לֹ֣א כַבְּרִ֗ית אֲשֶׁ֤ר כָּרַ֙תִּי֙ אֶת־אֲבוֹתָ֔ם בְּיוֹם֙ הֶחֱזִיקִ֣י בְיָדָ֔ם לְהוֹצִיאָ֖ם מֵאֶ֣רֶץ מִצְרָ֑יִם אֲשֶׁר־הֵ֜מָּה הֵפֵ֣רוּ אֶת־בְּרִיתִ֗י וְאָנֹכִ֛י בָּעַ֥לְתִּי בָ֖ם נְאֻם־יְהֹוָֽה: לב כִּ֣י זֹ֣את הַבְּרִ֡ית אֲשֶׁ֣ר אֶכְרֹת֩ אֶת־בֵּ֨ית יִשְׂרָאֵ֜ל אַחֲרֵ֨י הַיָּמִ֤ים הָהֵם֙ נְאֻם־יְהֹוָ֔ה נָתַ֤תִּי אֶת־תּֽוֹרָתִי֙ בְּקִרְבָּ֔ם וְעַל־לִבָּ֖ם אֶכְתֳּבֶ֑נָּה וְהָיִ֤יתִי לָהֶם֙ לֵֽאלֹהִ֔ים וְהֵ֖מָּה יִהְיוּ־לִ֥י לְעָֽם:

11 And they shall come and sing in the height of Zion, and shall flow unto the goodness of Yehovah, to the corn, and to the wine, and to the oil, and to the young of the flock and of the herd; and their soul shall be as a watered garden, and they shall not pine any more at all. **12** Then shall the virgin rejoice in the dance, and the young men and the old together; for I will turn their mourning into joy, and will comfort them, and make them rejoice from their sorrow. **13** And I will satiate the soul of the priests with fatness, and My people shall be satisfied with My goodness, saith Yehovah.{S} **14** Thus saith Yehovah: A voice is heard in Ramah, lamentation, and bitter weeping, Rachel weeping for her children; she refuseth to be comforted for her children, because they are not.{S} **15** Thus saith Yehovah: Refrain thy voice from weeping, and thine eyes from tears; for thy work shall be rewarded, saith Yehovah; and they shall come back from the land of the enemy. **16** And there is hope for thy future, saith Yehovah; and thy children shall return to their own border.{S} **17** I have surely heard Ephraim bemoaning himself: 'Thou hast chastised me, and I was chastised, as a calf untrained; turn thou me, and I shall be turned, for Thou art Yehovah my God. **18** Surely after that I was turned, I repented, and after that I was instructed, I smote upon my thigh; I was ashamed, yea, even confounded, because I did bear the reproach of my youth.' **19** Is Ephraim a darling son unto Me? Is he a child that is dandled? For as often as I speak of him, I do earnestly remember him still; therefore My heart yearneth for him, I will surely have compassion upon him, saith Yehovah.{S} **20** Set thee up waymarks, make thee guide-posts; set thy heart toward the high-way, even the way by which thou wentest; return, O virgin of Israel, return to these thy cities. **21** How long wilt thou turn away coyly, O thou backsliding daughter? For Yehovah hath created a new thing in the earth: a woman shall court a man.{S} **22** Thus saith Yehovah of hosts, the God of Israel: yet again shall they use this speech in the land of Judah and in the cities thereof, when I shall turn their captivity: 'Yehovah bless thee, O habitation of righteousness, O mountain of holiness.' **23** And Judah and all the cities thereof shall dwell therein together: the husbandmen, and they that go forth with flocks. **24** For I have satiated the weary soul, and every pining soul have I replenished. **25** Upon this I awaked, and beheld; and my sleep was sweet unto me.{S} **26** Behold, the days come, saith Yehovah, that I will sow the house of Israel and the house of Judah with the seed of man, and with the seed of beast. **27** And it shall come to pass, that like as I have watched over them to pluck up and to break down, and to overthrow and to destroy, and to afflict; so will I watch over them to build and to plant, saith Yehovah. **28** In those days they shall say no more: 'The fathers have eaten sour grapes, and the children's teeth are set on edge.' **29** But every one shall die for his own iniquity; every man that eateth the sour grapes, his teeth shall be set on edge.{S} **30** Behold, the days come, saith Yehovah, that I will make a new covenant with the house of Israel, and with the house of Judah; **31** not according to the covenant that I made with their fathers in the day that I took them by the hand to bring them out of the land of Egypt; forasmuch as they broke My covenant, although I was a lord over them, saith Yehovah. **32** But this is the covenant that I will make with the house of Israel after those days, saith Yehovah, I will put My Torah in their inward parts, and in their heart will I write it; and I will be their God, and they shall be My people;

לג וְלֹא יְלַמְּדוּ עוֹד אִישׁ אֶת־רֵעֵהוּ וְאִישׁ אֶת־אָחִיו לֵאמֹר דְּעוּ אֶת־יְהוָה כִּי־כוּלָּם יֵדְעוּ אוֹתִי לְמִקְטַנָּם וְעַד־גְּדוֹלָם נְאֻם־יְהוָה כִּי אֶסְלַח לַעֲוֺנָם וּלְחַטָּאתָם לֹא אֶזְכָּר־עוֹד: לד כֹּה ׀ אָמַר יְהוָה נֹתֵן שֶׁמֶשׁ לְאוֹר יוֹמָם חֻקֹּת יָרֵחַ וְכוֹכָבִים לְאוֹר לָיְלָה רֹגַע הַיָּם וַיֶּהֱמוּ גַלָּיו יְהוָה צְבָאוֹת שְׁמוֹ: לה אִם־יָמֻשׁוּ הַחֻקִּים הָאֵלֶּה מִלְּפָנַי נְאֻם־יְהוָה גַּם זֶרַע יִשְׂרָאֵל יִשְׁבְּתוּ מִהְיוֹת גּוֹי לְפָנַי כָּל־הַיָּמִים: לו כֹּה ׀ אָמַר יְהוָה אִם־יִמַּדּוּ שָׁמַיִם מִלְמַעְלָה וְיֵחָקְרוּ מוֹסְדֵי־אֶרֶץ לְמָטָּה גַּם־אֲנִי אֶמְאַס בְּכָל־זֶרַע יִשְׂרָאֵל עַל־כָּל־אֲשֶׁר עָשׂוּ נְאֻם־יְהוָה: לז הִנֵּה יָמִים בָּאִים נְאֻם־יְהוָה וְנִבְנְתָה הָעִיר לַיהוָה מִמִּגְדַּל חֲנַנְאֵל שַׁעַר הַפִּנָּה: לח וְיָצָא עוֹד קָו[76] הַמִּדָּה נֶגְדּוֹ עַל גִּבְעַת גָּרֵב וְנָסַב גֹּעָתָה: לט וְכָל־הָעֵמֶק הַפְּגָרִים ׀ וְהַדֶּשֶׁן וְכָל־הַשְּׁדֵמוֹת[77] עַד־נַחַל קִדְרוֹן עַד־פִּנַּת שַׁעַר הַסּוּסִים מִזְרָחָה קֹדֶשׁ לַיהוָה לֹא־יִנָּתֵשׁ וְלֹא־יֵהָרֵס עוֹד לְעוֹלָם:

לב א הַדָּבָר אֲשֶׁר־הָיָה אֶל־יִרְמְיָהוּ מֵאֵת יְהוָה בַּשָּׁנָה[78] הָעֲשִׂרִית לְצִדְקִיָּהוּ מֶלֶךְ יְהוּדָה הִיא הַשָּׁנָה שְׁמֹנֶה־עֶשְׂרֵה שָׁנָה לִנְבוּכַדְרֶאצַּר: ב וְאָז חֵיל מֶלֶךְ בָּבֶל צָרִים עַל־יְרוּשָׁלָ͏ִם וְיִרְמְיָהוּ הַנָּבִיא הָיָה כָלוּא בַּחֲצַר הַמַּטָּרָה אֲשֶׁר בֵּית־מֶלֶךְ יְהוּדָה: ג אֲשֶׁר כְּלָאוֹ צִדְקִיָּהוּ מֶלֶךְ־יְהוּדָה לֵאמֹר מַדּוּעַ אַתָּה נִבָּא לֵאמֹר כֹּה אָמַר יְהוָה הִנְנִי נֹתֵן אֶת־הָעִיר הַזֹּאת בְּיַד מֶלֶךְ־בָּבֶל וּלְכָדָהּ: ד וְצִדְקִיָּהוּ מֶלֶךְ יְהוּדָה לֹא יִמָּלֵט מִיַּד הַכַּשְׂדִּים כִּי הִנָּתֹן יִנָּתֵן בְּיַד מֶלֶךְ־בָּבֶל וְדִבֶּר־פִּיו עִם־פִּיו וְעֵינָיו אֶת־עֵינָיו[79] תִּרְאֶינָה: ה וּבָבֶל יוֹלִךְ אֶת־צִדְקִיָּהוּ וְשָׁם יִהְיֶה עַד־פָּקְדִי אֹתוֹ נְאֻם־יְהוָה כִּי תִלָּחֲמוּ אֶת־הַכַּשְׂדִּים לֹא תַצְלִיחוּ:

ו וַיֹּאמֶר יִרְמְיָהוּ הָיָה דְּבַר־יְהוָה אֵלַי לֵאמֹר: ז הִנֵּה חֲנַמְאֵל בֶּן־שַׁלֻּם דֹּדְךָ בָּא אֵלֶיךָ לֵאמֹר קְנֵה לְךָ אֶת־שָׂדִי אֲשֶׁר בַּעֲנָתוֹת כִּי לְךָ מִשְׁפַּט הַגְּאֻלָּה לִקְנוֹת: ח וַיָּבֹא אֵלַי חֲנַמְאֵל בֶּן־דֹּדִי כִּדְבַר יְהוָה אֶל־חֲצַר הַמַּטָּרָה וַיֹּאמֶר אֵלַי קְנֵה נָא אֶת־שָׂדִי אֲשֶׁר־בַּעֲנָתוֹת אֲשֶׁר ׀ בְּאֶרֶץ בִּנְיָמִין כִּי־לְךָ מִשְׁפַּט הַיְרֻשָּׁה וּלְךָ הַגְּאֻלָּה קְנֵה־לָךְ וָאֵדַע כִּי דְבַר־יְהוָה הוּא: ט וָאֶקְנֶה אֶת־הַשָּׂדֶה מֵאֵת חֲנַמְאֵל בֶּן־דֹּדִי אֲשֶׁר בַּעֲנָתוֹת וָאֶשְׁקֲלָה־לּוֹ אֶת־הַכֶּסֶף שִׁבְעָה שְׁקָלִים וַעֲשָׂרָה הַכָּסֶף: י וָאֶכְתֹּב בַּסֵּפֶר וָאֶחְתֹּם וָאָעֵד עֵדִים וָאֶשְׁקֹל הַכֶּסֶף בְּמֹאזְנָיִם:

---

[76] קוה
[77] השרמות
[78] בשנת
[79] עינו

33 and they shall teach no more every man his neighbour, and every man his brother, saying: 'Know Yehovah'; for they shall all know Me, from the least of them unto the greatest of them, saith Yehovah; for I will forgive their iniquity, and their sin will I remember no more.{s} **34** Thus saith Yehovah, Who giveth the sun for a light by day, and the ordinances of the moon and of the stars for a light by night, who stirreth up the sea, that the waves thereof roar, Yehovah of hosts is His name: **35** If these ordinances depart from before Me, saith Yehovah, then the seed of Israel also shall cease from being a nation before Me for ever.{s} **36** Thus saith Yehovah: If heaven above can be measured, and the foundations of the earth searched out beneath, then will I also cast off all the seed of Israel for all that they have done, saith Yehovah.{s} **37** Behold, the days come, saith Yehovah, that the city shall be built to Yehovah from the tower of Hananel unto the gate of the corner. **38** And the measuring line shall yet go out straight forward unto the hill Gareb, and shall turn about unto Goah. **39** And the whole valley of the dead bodies, and of the ashes, and all the fields unto the brook Kidron, unto the corner of the horse gate toward the east, shall be holy unto Yehovah; it shall not be plucked up, nor thrown down any more for ever.{P}

32 1 The word that came to Jeremiah from Yehovah in the tenth year of Zedekiah king of Judah, which was the eighteenth year of Nebuchadrezzar. **2** Now at that time the king of Babylon's army was besieging Yerushalam; and Jeremiah the prophet was shut up in the court of the guard, which was in the king of Judah's house. **3** For Zedekiah king of Judah had shut him up, saying: 'Wherefore dost thou prophesy, and say: Thus saith Yehovah: Behold, I will give this city into the hand of the king of Babylon, and he shall take it; **4** and Zedekiah king of Judah shall not escape out of the hand of the Chaldeans, but shall surely be delivered into the hand of the king of Babylon, and shall speak with him mouth to mouth, and his eyes shall behold his eyes; **5** and he shall lead Zedekiah to Babylon, and there shall he be until I remember him, saith Yehovah; though ye fight with the Chaldeans, ye shall not prosper?'{P}

6 And Jeremiah said: 'The word of Yehovah came unto me, saying: **7** Behold, Hanamel, the son of Shallum thine uncle, shall come unto thee, saying: Buy thee my field that is in Anathoth; for the right of redemption is thine to buy it.' **8** So Hanamel mine uncle's son came to me in the court of the guard according to the word of Yehovah, and said unto me: 'Buy my field, I pray thee, that is in Anathoth, which is in the land of Benjamin; for the right of inheritance is thine, and the redemption is thine; buy it for thyself.' Then I knew that this was the word of Yehovah. **9** And I bought the field that was in Anathoth of Hanamel mine uncle's son, and weighed him the money, even seventeen shekels of silver. **10** And I subscribed the deed, and sealed it, and called witnesses, and weighed him the money in the balances.

יא וָאֶקַּח אֶת־סֵפֶר הַמִּקְנָה אֶת־הֶחָתוּם הַמִּצְוָה וְהַחֻקִּים וְאֶת־הַגָּלוּי׃ יב וָאֶתֵּן
אֶת־הַסֵּפֶר הַמִּקְנָה אֶל־בָּרוּךְ בֶּן־נֵרִיָּה בֶּן־מַחְסֵיָה לְעֵינֵי חֲנַמְאֵל דֹּדִי וּלְעֵינֵי
הָעֵדִים הַכֹּתְבִים בְּסֵפֶר הַמִּקְנָה לְעֵינֵי כָּל־הַיְּהוּדִים הַיֹּשְׁבִים בַּחֲצַר
הַמַּטָּרָה׃ יג וָאֲצַוֶּה אֶת בָּרוּךְ לְעֵינֵיהֶם לֵאמֹר׃ יד כֹּה־אָמַר יְהוָה צְבָאוֹת
אֱלֹהֵי יִשְׂרָאֵל לָקוֹחַ אֶת־הַסְּפָרִים הָאֵלֶּה אֵת סֵפֶר הַמִּקְנָה הַזֶּה וְאֵת הֶחָתוּם
וְאֵת סֵפֶר הַגָּלוּי הַזֶּה וּנְתַתָּם בִּכְלִי־חָרֶשׂ לְמַעַן יַעַמְדוּ יָמִים רַבִּים׃ טו כִּי
כֹה אָמַר יְהוָה צְבָאוֹת אֱלֹהֵי יִשְׂרָאֵל עוֹד יִקָּנוּ בָתִּים וְשָׂדוֹת וּכְרָמִים בָּאָרֶץ
הַזֹּאת׃

טז וָאֶתְפַּלֵּל אֶל־יְהוָה אַחֲרֵי תִתִּי אֶת־סֵפֶר הַמִּקְנָה אֶל־בָּרוּךְ בֶּן־נֵרִיָּה
לֵאמֹר׃ יז אֲהָהּ אֲדֹנָי יְהוִה הִנֵּה ׀ אַתָּה עָשִׂיתָ אֶת־הַשָּׁמַיִם וְאֶת־הָאָרֶץ בְּכֹחֲךָ
הַגָּדוֹל וּבִזְרֹעֲךָ הַנְּטוּיָה לֹא־יִפָּלֵא מִמְּךָ כָּל־דָּבָר׃ יח עֹשֶׂה חֶסֶד לַאֲלָפִים
וּמְשַׁלֵּם עֲוֺן אָבוֹת אֶל־חֵיק בְּנֵיהֶם אַחֲרֵיהֶם הָאֵל הַגָּדוֹל הַגִּבּוֹר יְהוָה
צְבָאוֹת שְׁמוֹ׃ יט גְּדֹל הָעֵצָה וְרַב הָעֲלִילִיָּה אֲשֶׁר־עֵינֶיךָ פְקֻחוֹת
עַל־כָּל־דַּרְכֵי בְּנֵי אָדָם לָתֵת לְאִישׁ כִּדְרָכָיו וְכִפְרִי מַעֲלָלָיו׃ כ אֲשֶׁר־שַׂמְתָּ
אֹתוֹת וּמֹפְתִים בְּאֶרֶץ־מִצְרַיִם עַד־הַיּוֹם הַזֶּה וּבְיִשְׂרָאֵל וּבָאָדָם וַתַּעֲשֶׂה־לְּךָ
שֵׁם כַּיּוֹם הַזֶּה׃ כא וַתֹּצֵא אֶת־עַמְּךָ אֶת־יִשְׂרָאֵל מֵאֶרֶץ מִצְרָיִם בְּאֹתוֹת
וּבְמוֹפְתִים וּבְיָד חֲזָקָה וּבְאֶזְרוֹעַ נְטוּיָה וּבְמוֹרָא גָּדוֹל׃ כב וַתִּתֵּן לָהֶם
אֶת־הָאָרֶץ הַזֹּאת אֲשֶׁר־נִשְׁבַּעְתָּ לַאֲבוֹתָם לָתֵת לָהֶם אֶרֶץ זָבַת חָלָב וּדְבָשׁ׃
כג וַיָּבֹאוּ וַיִּרְשׁוּ אֹתָהּ וְלֹא־שָׁמְעוּ בְקוֹלֶךָ וּבְתוֹרָתְךָ[80] לֹא־הָלָכוּ אֵת כָּל־אֲשֶׁר
צִוִּיתָה לָהֶם לַעֲשׂוֹת לֹא עָשׂוּ וַתַּקְרֵא אֹתָם אֵת כָּל־הָרָעָה הַזֹּאת׃ כד הִנֵּה
הַסֹּלְלוֹת בָּאוּ הָעִיר לְלָכְדָהּ וְהָעִיר נִתְּנָה בְּיַד הַכַּשְׂדִּים הַנִּלְחָמִים עָלֶיהָ
מִפְּנֵי הַחֶרֶב וְהָרָעָב וְהַדָּבֶר וַאֲשֶׁר דִּבַּרְתָּ הָיָה וְהִנְּךָ רֹאֶה׃ כה וְאַתָּה אָמַרְתָּ
אֵלַי אֲדֹנָי יְהוִה קְנֵה־לְךָ הַשָּׂדֶה בַּכֶּסֶף וְהָעֵד עֵדִים וְהָעִיר נִתְּנָה בְּיַד
הַכַּשְׂדִּים׃ כו וַיְהִי דְּבַר־יְהוָה אֶל־יִרְמְיָהוּ לֵאמֹר׃ כז הִנֵּה אֲנִי יְהוָה אֱלֹהֵי
כָּל־בָּשָׂר הֲמִמֶּנִּי יִפָּלֵא כָּל־דָּבָר׃ כח לָכֵן כֹּה אָמַר יְהוָה הִנְנִי נֹתֵן אֶת־הָעִיר
הַזֹּאת בְּיַד הַכַּשְׂדִּים וּבְיַד נְבוּכַדְרֶאצַּר מֶלֶךְ־בָּבֶל וּלְכָדָהּ׃ כט וּבָאוּ
הַכַּשְׂדִּים הַנִּלְחָמִים עַל־הָעִיר הַזֹּאת וְהִצִּיתוּ אֶת־הָעִיר הַזֹּאת בָּאֵשׁ וּשְׂרָפוּהָ
וְאֵת הַבָּתִּים אֲשֶׁר קִטְּרוּ עַל־גַּגּוֹתֵיהֶם לַבַּעַל וְהִסִּכוּ נְסָכִים לֵאלֹהִים אֲחֵרִים
לְמַעַן הַכְעִסֵנִי׃ ל כִּי־הָיוּ בְנֵי־יִשְׂרָאֵל וּבְנֵי יְהוּדָה אַךְ עֹשִׂים הָרַע בְּעֵינַי
מִנְּעֻרֹתֵיהֶם כִּי בְנֵי־יִשְׂרָאֵל אַךְ מַכְעִסִים אֹתִי בְּמַעֲשֵׂה יְדֵיהֶם נְאֻם־יְהוָה׃

[80] ובתרותך

11 So I took the deed of the purchase, both that which was sealed, containing the terms and conditions, and that which was open; **12** and I delivered the deed of the purchase unto Baruch the son of Neriah, the son of Mahseiah, in the presence of Hanamel mine uncle['s son], and in the presence of the witnesses that subscribed the deed of the purchase, before all the Jews that sat in the court of the guard. **13** And I charged Baruch before them, saying: **14** 'Thus saith Yehovah of hosts, the God of Israel: Take these deeds, this deed of the purchase, both that which is sealed, and this deed which is open, and put them in an earthen vessel; that they may continue many days.{S} **15** For thus saith Yehovah of hosts, the God of Israel: Houses and fields and vineyards shall yet again be bought in this land.'{P}

16 Now after I had delivered the deed of the purchase unto Baruch the son of Neriah, I prayed unto Yehovah, saying: **17** 'Ah Lord GOD [Adonai Yehovi]! behold, Thou hast made the heaven and the earth by Thy great power and by Thy outstretched arm; there is nothing too hard for Thee; **18** who showest mercy unto thousands, and recompensest the iniquity of the fathers into the bosom of their children after them; the great, the mighty God, Yehovah of hosts is His name; **19** great in counsel, and mighty in work; whose eyes are open upon all the ways of the sons of men, to give every one according to his ways, and according to the fruit of his doings; **20** who didst set signs and wonders in the land of Egypt, even unto this day, and in Israel and among other men; and madest Thee a name, as at this day; **21** and didst bring forth Thy people Israel out of the land of Egypt with signs, and with wonders, and with a strong hand, and with an outstretched arm, and with great terror; **22** and gavest them this land, which Thou didst swear to their fathers to give them, a land flowing with milk and honey; **23** and they came in, and possessed it; but they hearkened not to Thy voice, neither walked in Thy Torah; they have done nothing of all that Thou commandedst them to do; therefore Thou hast caused all this evil to befall them; **24** behold the mounds, they are come unto the city to take it; and the city is given into the hand of the Chaldeans that fight against it, because of the sword, and of the famine, and of the pestilence; and what Thou hast spoken is come to pass; and, behold, Thou seest it. **25** Yet Thou hast said unto me, O Lord GOD [Adonai Yehovi]: Buy thee the field for money, and call witnesses; whereas the city is given into the hand of the Chaldeans.'{S} **26** Then came the word of Yehovah unto Jeremiah, saying: **27** 'Behold, I am Yehovah, the God of all flesh; is there any thing too hard for Me? **28** Therefore thus saith Yehovah: Behold, I will give this city into the hand of the Chaldeans, and into the hand of Nebuchadrezzar king of Babylon, and he shall take it; **29** and the Chaldeans, that fight against this city, shall come and set this city on fire, and burn it, with the houses, upon whose roofs they have offered unto Baal, and poured out drink-offerings unto other gods, to provoke Me. **30** For the children of Israel and the children of Judah have only done that which was evil in My sight from their youth; for the children of Israel have only provoked Me with the work of their hands, saith Yehovah.

לא כִּי עַל־אַפִּי וְעַל־חֲמָתִי הָיְתָה לִּי הָעִיר הַזֹּאת לְמִן־הַיּוֹם אֲשֶׁר בָּנוּ אוֹתָהּ
וְעַד הַיּוֹם הַזֶּה לַהֲסִירָהּ מֵעַל פָּנָי׃ לב עַל כָּל־רָעַת בְּנֵי־יִשְׂרָאֵל וּבְנֵי יְהוּדָה
אֲשֶׁר עָשׂוּ לְהַכְעִסֵנִי הֵמָּה מַלְכֵיהֶם שָׂרֵיהֶם כֹּהֲנֵיהֶם וּנְבִיאֵיהֶם וְאִישׁ יְהוּדָה
וְיֹשְׁבֵי יְרוּשָׁלִָם׃ לג וַיִּפְנוּ אֵלַי עֹרֶף וְלֹא פָנִים וְלַמֵּד אֹתָם הַשְׁכֵּם וְלַמֵּד
וְאֵינָם שֹׁמְעִים לָקַחַת מוּסָר׃ לד וַיָּשִׂימוּ שִׁקּוּצֵיהֶם בַּבַּיִת אֲשֶׁר־נִקְרָא־שְׁמִי
עָלָיו לְטַמְּאוֹ׃ לה וַיִּבְנוּ אֶת־בָּמוֹת הַבַּעַל אֲשֶׁר ׀ בְּגֵיא בֶן־הִנֹּם לְהַעֲבִיר
אֶת־בְּנֵיהֶם וְאֶת־בְּנוֹתֵיהֶם לַמֹּלֶךְ אֲשֶׁר לֹא־צִוִּיתִים וְלֹא עָלְתָה עַל־לִבִּי
לַעֲשׂוֹת הַתּוֹעֵבָה הַזֹּאת לְמַעַן הַחֲטִיא[81] אֶת־יְהוּדָה׃ לו וְעַתָּה לָכֵן כֹּה־אָמַר
יְהוָה אֱלֹהֵי יִשְׂרָאֵל אֶל־הָעִיר הַזֹּאת אֲשֶׁר ׀ אַתֶּם אֹמְרִים נִתְּנָה בְּיַד
מֶלֶךְ־בָּבֶל בַּחֶרֶב וּבָרָעָב וּבַדָּבֶר׃ לז הִנְנִי מְקַבְּצָם מִכָּל־הָאֲרָצוֹת אֲשֶׁר
הִדַּחְתִּים שָׁם בְּאַפִּי וּבַחֲמָתִי וּבְקֶצֶף גָּדוֹל וַהֲשִׁבֹתִים אֶל־הַמָּקוֹם הַזֶּה
וְהֹשַׁבְתִּים לָבֶטַח׃ לח וְהָיוּ לִי לְעָם וַאֲנִי אֶהְיֶה לָהֶם לֵאלֹהִים׃ לט וְנָתַתִּי
לָהֶם לֵב אֶחָד וְדֶרֶךְ אֶחָד לְיִרְאָה אוֹתִי כָּל־הַיָּמִים לְטוֹב לָהֶם וְלִבְנֵיהֶם
אַחֲרֵיהֶם׃ מ וְכָרַתִּי לָהֶם בְּרִית עוֹלָם אֲשֶׁר לֹא־אָשׁוּב מֵאַחֲרֵיהֶם לְהֵיטִיבִי
אוֹתָם וְאֶת־יִרְאָתִי אֶתֵּן בִּלְבָבָם לְבִלְתִּי סוּר מֵעָלָי׃ מא וְשַׂשְׂתִּי עֲלֵיהֶם
לְהֵטִיב אוֹתָם וּנְטַעְתִּים בָּאָרֶץ הַזֹּאת בֶּאֱמֶת בְּכָל־לִבִּי וּבְכָל־נַפְשִׁי׃
מב כִּי־כֹה אָמַר יְהוָה כַּאֲשֶׁר הֵבֵאתִי אֶל־הָעָם הַזֶּה אֵת כָּל־הָרָעָה הַגְּדוֹלָה
הַזֹּאת כֵּן אָנֹכִי מֵבִיא עֲלֵיהֶם אֶת־כָּל־הַטּוֹבָה אֲשֶׁר אָנֹכִי דֹּבֵר עֲלֵיהֶם׃
מג וְנִקְנָה הַשָּׂדֶה בָּאָרֶץ הַזֹּאת אֲשֶׁר ׀ אַתֶּם אֹמְרִים שְׁמָמָה הִיא מֵאֵין אָדָם
וּבְהֵמָה נִתְּנָה בְּיַד הַכַּשְׂדִּים׃ מד שָׂדוֹת בַּכֶּסֶף יִקְנוּ וְכָתוֹב בַּסֵּפֶר ׀ וְחָתוֹם
וְהָעֵד עֵדִים בְּאֶרֶץ בִּנְיָמִן וּבִסְבִיבֵי יְרוּשָׁלִַם וּבְעָרֵי יְהוּדָה וּבְעָרֵי הָהָר
וּבְעָרֵי הַשְּׁפֵלָה וּבְעָרֵי הַנֶּגֶב כִּי־אָשִׁיב אֶת־שְׁבוּתָם נְאֻם־יְהוָה׃

לג א וַיְהִי דְבַר־יְהוָה אֶל־יִרְמְיָהוּ שֵׁנִית וְהוּא עוֹדֶנּוּ עָצוּר בַּחֲצַר הַמַּטָּרָה
לֵאמֹר׃ ב כֹּה־אָמַר יְהוָה עֹשָׂהּ יְהוָה יוֹצֵר אוֹתָהּ לַהֲכִינָהּ יְהוָה שְׁמוֹ׃ ג קְרָא
אֵלַי וְאֶעֱנֶךָּ וְאַגִּידָה לְּךָ גְּדֹלוֹת וּבְצֻרוֹת לֹא יְדַעְתָּם׃ ד כִּי כֹה אָמַר יְהוָה
אֱלֹהֵי יִשְׂרָאֵל עַל־בָּתֵּי הָעִיר הַזֹּאת וְעַל־בָּתֵּי מַלְכֵי יְהוּדָה הַנְּתֻצִים
אֶל־הַסֹּלְלוֹת וְאֶל־הֶחָרֶב׃ ה בָּאִים לְהִלָּחֵם אֶת־הַכַּשְׂדִּים וּלְמַלְאָם
אֶת־פִּגְרֵי הָאָדָם אֲשֶׁר־הִכֵּיתִי בְאַפִּי וּבַחֲמָתִי וַאֲשֶׁר הִסְתַּרְתִּי פָנַי מֵהָעִיר
הַזֹּאת עַל כָּל־רָעָתָם׃ ו הִנְנִי מַעֲלֶה־לָּהּ אֲרֻכָה וּמַרְפֵּא וּרְפָאתִים וְגִלֵּיתִי
לָהֶם עֲתֶרֶת שָׁלוֹם וֶאֱמֶת׃

[81] החטי

31 For this city hath been to Me a provocation of Mine anger and of My fury from the day that they built it even unto this day, that I should remove it from before My face; **32** because of all the evil of the children of Israel and of the children of Judah, which they have done to provoke Me, they, their kings, their princes, their priests, and their prophets, and the men of Judah, and the inhabitants of Yerushalam. **33** And they have turned unto Me the back, and not the face; and though I taught them, teaching them betimes and often, yet they have not hearkened to receive instruction. **34** But they set their abominations in the house whereupon My name is called, to defile it. **35** And they built the high places of Baal, which are in the valley of the son of Hinnom, to set apart their sons and their daughters unto Molech; which I commanded them not, neither came it into My mind, that they should do this abomination; to cause Judah to sin.{S} **36** And now therefore thus saith Yehovah, the God of Israel, concerning this city, whereof ye say: It is given into the hand of the king of Babylon by the sword, and by the famine, and by the pestilence: **37** Behold, I will gather them out of all the countries, whither I have driven them in Mine anger, and in My fury, and in great wrath; and I will bring them back unto this place, and I will cause them to dwell safely; **38** and they shall be My people, and I will be their God; **39** and I will give them one heart and one way, that they may fear Me for ever; for the good of them, and of their children after them; **40** and I will make an everlasting covenant with them, that I will not turn away from them, to do them good; and I will put My fear in their hearts, that they shall not depart from Me. **41** Yea, I will rejoice over them to do them good, and I will plant them in this land in truth with My whole heart and with My whole soul.{S} **42** For thus saith Yehovah: Like as I have brought all this great evil upon this people, so will I bring upon them all the good that I have promised them. **43** And fields shall be bought in this land, whereof ye say: It is desolate, without man or beast; it is given into the hand of the Chaldeans. **44** Men shall buy fields for money, and subscribe the deeds, and seal them, and call witnesses, in the land of Benjamin, and in the places about Yerushalam, and in the cities of Judah, and in the cities of the hill-country, and in the cities of the Lowland, and in the cities of the South; for I will cause their captivity to return, saith Yehovah.'{P}

33 **1** Moreover the word of Yehovah came unto Jeremiah the second time, while he was yet shut up in the court of the guard, saying: **2** Thus saith Yehovah the Maker thereof, Yehovah that formed it to establish it, Yehovah is His name: **3** Call unto Me, and I will answer thee, and will tell thee great things, and hidden, which thou knowest not.{P}

4 For thus saith Yehovah, the God of Israel, concerning the houses of this city, and concerning the houses of the kings of Judah, which are broken down for mounds, and for ramparts; **5** whereon they come to fight with the Chaldeans, even to fill them with the dead bodies of men, whom I have slain in Mine anger and in My fury, and for all whose wickedness I have hid My face from this city: **6** Behold, I will bring it healing and cure, and I will cure them; and I will reveal unto them the abundance of peace and truth.

ז וַהֲשִׁבֹתִי֙ אֶת־שְׁב֣וּת יְהוּדָ֔ה וְאֵ֖ת שְׁב֣וּת יִשְׂרָאֵ֑ל וּבְנִתִ֖ים כְּבָרִאשֹׁנָֽה׃
ח וְטִ֣הַרְתִּ֔ים מִכָּל־עֲוֺנָ֖ם אֲשֶׁ֣ר חָֽטְאוּ־לִ֑י וְסָלַחְתִּ֞י לְכָל־עֲוֺנֽוֹתֵיהֶ֗ם[82] אֲשֶׁ֤ר
חָֽטְאוּ־לִי֙ וַאֲשֶׁ֖ר פָּ֥שְׁעוּ בִֽי׃ ט וְהָ֣יְתָה לִּ֡י לְשֵׁ֣ם שָׂשׂוֹן֩ לִתְהִלָּ֨ה וּלְתִפְאֶ֜רֶת
לְכֹ֨ל גּוֹיֵ֣ הָאָ֔רֶץ אֲשֶׁ֤ר יִשְׁמְעוּ֙ אֶת־כָּל־הַטּוֹבָ֔ה אֲשֶׁ֥ר אָנֹכִ֖י עֹשֶׂ֣ה אֹתָ֑ם וּפָחֲד֣וּ
וְרָֽגְז֗וּ עַ֤ל כָּל־הַטּוֹבָה֙ וְעַל֙ כָּל־הַשָּׁל֔וֹם אֲשֶׁ֥ר אָנֹכִ֖י עֹ֥שֶׂה לָּֽהּ׃ י כֹּ֣ה ׀ אָמַ֣ר
יְהוָ֗ה ע֚וֹד יִשָּׁמַ֣ע בַּמָּקוֹם־הַזֶּ֔ה אֲשֶׁ֤ר אַתֶּם֙ אֹֽמְרִ֔ים חָרֵ֣ב ה֔וּא מֵאֵ֥ין אָדָ֖ם
וּמֵאֵ֣ין בְּהֵמָ֑ה בְּעָרֵ֤י יְהוּדָה֙ וּבְחֻצ֣וֹת יְרוּשָׁלִַ֔ם הַֽנְשַׁמּ֗וֹת מֵאֵ֥ין אָדָ֛ם וּמֵאֵ֥ין
יוֹשֵׁ֖ב וּמֵאֵ֥ין בְּהֵמָֽה׃ יא ק֣וֹל שָׂשׂ֞וֹן וְק֣וֹל שִׂמְחָ֗ה ק֣וֹל חָתָן֮ וְק֣וֹל כַּלָּה֒ ק֣וֹל
אֹמְרִ֡ים הוֹדוּ֩ אֶת־יְהוָ֨ה צְבָא֜וֹת כִּֽי־ט֤וֹב יְהוָה֙ כִּֽי־לְעוֹלָ֣ם חַסְדּ֔וֹ מְבִאִ֥ים
תּוֹדָ֖ה בֵּ֣ית יְהוָ֑ה כִּֽי־אָשִׁ֧יב אֶת־שְׁבוּת־הָאָ֛רֶץ כְּבָרִאשֹׁנָ֖ה אָמַ֥ר יְהוָֽה׃
יב כֹּֽה־אָמַר֮ יְהוָ֣ה צְבָאוֹת֒ ע֣וֹד יִהְיֶ֣ה ׀ בַּמָּק֣וֹם הַזֶּ֗ה הֶֽחָרֵ֛ב מֵאֵין־אָדָ֥ם
וְעַד־בְּהֵמָ֖ה וּבְכָל־עָרָ֑יו נְוֵ֣ה רֹעִ֔ים מַרְבִּצִ֖ים צֹֽאן׃ יג בְּעָרֵ֨י הָהָ֜ר בְּעָרֵ֤י
הַשְּׁפֵלָה֙ וּבְעָרֵ֣י הַנֶּ֔גֶב וּבְאֶ֧רֶץ בִּנְיָמִ֛ן וּבִסְבִיבֵ֥י יְרוּשָׁלִַ֖ם וּבְעָרֵ֣י יְהוּדָ֑ה עֹ֣ד
תַּעֲבֹ֧רְנָה הַצֹּ֛אן עַל־יְדֵ֥י מוֹנֶ֖ה אָמַ֥ר יְהוָֽה׃ יד הִנֵּ֛ה יָמִ֥ים בָּאִ֖ים נְאֻם־יְהוָ֑ה
וַהֲקִֽמֹתִי֙ אֶת־הַדָּבָ֣ר הַטּ֔וֹב אֲשֶׁ֥ר דִּבַּ֛רְתִּי אֶל־בֵּ֥ית יִשְׂרָאֵ֖ל וְעַל־בֵּ֥ית יְהוּדָֽה׃
טו בַּיָּמִ֤ים הָהֵם֙ וּבָעֵ֣ת הַהִ֔יא אַצְמִ֥יחַ לְדָוִ֖ד צֶ֣מַח צְדָקָ֑ה וְעָשָׂ֥ה מִשְׁפָּ֛ט
וּצְדָקָ֖ה בָּאָֽרֶץ׃ טז בַּיָּמִ֤ים הָהֵם֙ תִּוָּשַׁ֣ע יְהוּדָ֔ה וִירוּשָׁלִַ֖ם תִּשְׁכּ֣וֹן לָבֶ֑טַח וְזֶ֥ה
אֲשֶׁר־יִקְרָא־לָ֖הּ יְהוָ֥ה ׀ צִדְקֵֽנוּ׃ יז כִּי־כֹ֖ה אָמַ֣ר יְהוָ֑ה לֹֽא־יִכָּרֵ֣ת לְדָוִ֔ד אִ֕ישׁ
יֹשֵׁ֖ב עַל־כִּסֵּ֥א בֵית־יִשְׂרָאֵֽל׃ יח וְלַכֹּהֲנִים֙ הַלְוִיִּ֔ם לֹֽא־יִכָּרֵ֥ת אִ֖ישׁ מִלְּפָנָ֑י
מַעֲלֶ֨ה עוֹלָ֜ה וּמַקְטִ֥יר מִנְחָ֛ה וְעֹ֥שֶׂה־זֶּ֖בַח כָּל־הַיָּמִֽים׃ יט וַֽיְהִי֙ דְּבַר־יְהוָ֔ה
אֶֽל־יִרְמְיָ֖הוּ לֵאמֽוֹר׃ כ כֹּ֚ה אָמַ֣ר יְהוָ֔ה אִם־תָּפֵ֙רוּ֙ אֶת־בְּרִיתִ֣י הַיּ֔וֹם
וְאֶת־בְּרִיתִ֖י הַלָּ֑יְלָה וּלְבִלְתִּ֛י הֱי֥וֹת יוֹמָֽם־וָלַ֖יְלָה בְּעִתָּֽם׃ כא גַּם־בְּרִיתִ֤י תֻפַר֙
אֶת־דָּוִ֣ד עַבְדִּ֔י מִֽהְיֽוֹת־ל֥וֹ בֵ֖ן מֹלֵ֣ךְ עַל־כִּסְא֑וֹ וְאֶת־הַלְוִיִּ֥ם הַכֹּהֲנִ֖ים מְשָׁרְתָֽי׃
כב אֲשֶׁ֤ר לֹֽא־יִסָּפֵר֙ צְבָ֣א הַשָּׁמַ֔יִם וְלֹ֥א יִמַּ֖ד ח֣וֹל הַיָּ֑ם כֵּ֣ן אַרְבֶּ֗ה אֶת־זֶ֙רַע֙
דָּוִ֣ד עַבְדִּ֔י וְאֶת־הַלְוִיִּ֖ם מְשָׁרְתֵ֥י אֹתִֽי׃ כג וַֽיְהִי֙ דְּבַר־יְהוָ֔ה אֶֽל־יִרְמְיָ֖הוּ
לֵאמֹֽר׃ כד הֲל֣וֹא רָאִ֗יתָ מָֽה־הָעָ֤ם הַזֶּה֙ דִּבְּר֣וּ לֵאמֹ֔ר שְׁתֵּ֣י הַמִּשְׁפָּח֗וֹת אֲשֶׁ֨ר
בָּחַ֧ר יְהוָ֛ה בָּהֶ֖ם וַיִּמְאָסֵ֑ם וְאֶת־עַמִּי֙ יִנְאָצ֔וּן מִהְי֥וֹת ע֖וֹד גּ֥וֹי לִפְנֵיהֶֽם׃ כה כֹּ֚ה
אָמַ֣ר יְהוָ֔ה אִם־לֹ֥א בְרִיתִ֖י יוֹמָ֣ם וָלָ֑יְלָה חֻקּ֛וֹת שָׁמַ֥יִם וָאָ֖רֶץ לֹא־שָֽׂמְתִּי׃
כו גַּם־זֶ֣רַע יַעֲק֡וֹב וְדָוִד֩ עַבְדִּ֨י אֶמְאַ֜ס מִקַּ֤חַת מִזַּרְעוֹ֙ מֹֽשְׁלִ֔ים אֶל־זֶ֥רַע
אַבְרָהָ֖ם יִשְׂחָ֣ק וְיַעֲקֹ֑ב כִּֽי־אָשִׁ֥יב[83] אֶת־שְׁבוּתָ֖ם וְרִחַמְתִּֽים׃

[82] לכול
[83] אשוב

7 And I will cause the captivity of Judah and the captivity of Israel to return, and will build them, as at the first. **8** And I will cleanse them from all their iniquity, whereby they have sinned against Me; and I will pardon all their iniquities, whereby they have sinned against Me, and whereby they have transgressed against Me. **9** And this city shall be to Me for a name of joy, for a praise and for a glory, before all the nations of the earth, which shall hear all the good that I do unto them, and shall fear and tremble for all the good and for all the peace that I procure unto it.{S} **10** Thus saith Yehovah: Yet again there shall be heard in this place, whereof ye say: It is waste, without man and without beast, even in the cities of Judah, and in the streets of Yerushalam, that are desolate, without man and without inhabitant and without beast, **11** the voice of joy and the voice of gladness, the voice of the bridegroom and the voice of the bride, the voice of them that say: 'Give thanks to Yehovah of hosts, for Yehovah is good, for His mercy endureth for ever', even of them that bring offerings of thanksgiving into the house of Yehovah. For I will cause the captivity of the land to return as at the first, saith Yehovah.{S} **12** Thus saith Yehovah of hosts: Yet again shall there be in this place, which is waste, without man and without beast, and in all the cities thereof, a habitation of shepherds causing their flocks to lie down. **13** In the cities of the hill-country, in the cities of the Lowland, and in the cities of the South, and in the land of Benjamin, and in the places about Yerushalam, and in the cities of Judah, shall the flocks again pass under the hands of him that counteth them, saith Yehovah.{S} **14** Behold, the days come, saith Yehovah, that I will perform that good word which I have spoken concerning the house of Israel and concerning the house of Judah. **15** In those days, and at that time, will I cause a shoot of righteousness to grow up unto David; and he shall execute justice and righteousness in the land. **16** In those days shall Judah be saved, and Yerushalam shall dwell safely; and this is the name whereby she shall be called, Yehovah is our righteousness.{S} **17** For thus saith Yehovah: There shall not be cut off unto David a man to sit upon the throne of the house of Israel; **18** neither shall there be cut off unto the priests the Levites a man before Me to offer burnt-offerings, and to burn meal-offerings, and to do sacrifice continually.{P}

19 And the word of Yehovah came unto Jeremiah, saying: **20** Thus saith Yehovah: If ye can break My covenant with the day, and My covenant with the night, so that there should not be day and night in their season; **21** Then may also My covenant be broken with David My servant, that he should not have a son to reign upon his throne; and with the Levites the priests, My ministers. **22** As the host of heaven cannot be numbered, neither the sand of the sea measured; so will I multiply the seed of David My servant, and the Levites that minister unto Me.{S} **23** And the word of Yehovah came to Jeremiah, saying: **24** 'Considerest thou not what this people have spoken, saying: The two families which Yehovah did choose, He hath cast them off? and they contemn My people, that they should be no more a nation before them.{S} **25** Thus saith Yehovah: If My covenant be not with day and night, if I have not appointed the ordinances of heaven and earth; **26** then will I also cast away the seed of Jacob, and of David My servant, so that I will not take of his seed to be rulers over the seed of Abraham, Isaac, and Jacob; for I will cause their captivity to return, and will have compassion on them.'{P}

לד א הַדָּבָר אֲשֶׁר־הָיָה אֶל־יִרְמְיָהוּ מֵאֵת יְהוָה וּנְבוּכַדְרֶאצַּר מֶלֶךְ־בָּבֶל
וְכָל־חֵילוֹ וְכָל־מַמְלְכוֹת אֶרֶץ מֶמְשֶׁלֶת יָדוֹ וְכָל־הָעַמִּים נִלְחָמִים ׀
עַל־יְרוּשָׁלִַם וְעַל־כָּל־עָרֶיהָ לֵאמֹר: ב כֹּה־אָמַר יְהוָה אֱלֹהֵי יִשְׂרָאֵל
הָלֹךְ וְאָמַרְתָּ אֶל־צִדְקִיָּהוּ מֶלֶךְ יְהוּדָה וְאָמַרְתָּ אֵלָיו כֹּה אָמַר יְהוָה הִנְנִי
נֹתֵן אֶת־הָעִיר הַזֹּאת בְּיַד מֶלֶךְ־בָּבֶל וּשְׂרָפָהּ בָּאֵשׁ: ג וְאַתָּה לֹא תִמָּלֵט
מִיָּדוֹ כִּי תָּפֹשׂ תִּתָּפֵשׂ וּבְיָדוֹ תִּנָּתֵן וְעֵינֶיךָ אֶת־עֵינֵי מֶלֶךְ־בָּבֶל תִּרְאֶינָה
וּפִיהוּ אֶת־פִּיךָ יְדַבֵּר וּבָבֶל תָּבוֹא: ד אַךְ שְׁמַע דְּבַר־יְהוָה צִדְקִיָּהוּ מֶלֶךְ
יְהוּדָה כֹּה־אָמַר יְהוָה עָלֶיךָ לֹא תָמוּת בֶּחָרֶב: ה בְּשָׁלוֹם תָּמוּת
וּכְמִשְׂרְפוֹת אֲבוֹתֶיךָ הַמְּלָכִים הָרִאשֹׁנִים אֲשֶׁר־הָיוּ לְפָנֶיךָ כֵּן יִשְׂרְפוּ־לָךְ
וְהוֹי אָדוֹן יִסְפְּדוּ־לָךְ כִּי־דָבָר אֲנִי־דִבַּרְתִּי נְאֻם־יְהוָה: ו וַיְדַבֵּר יִרְמְיָהוּ
הַנָּבִיא אֶל־צִדְקִיָּהוּ מֶלֶךְ יְהוּדָה אֵת כָּל־הַדְּבָרִים הָאֵלֶּה בִּירוּשָׁלִָם:
ז וְחֵיל מֶלֶךְ־בָּבֶל נִלְחָמִים עַל־יְרוּשָׁלִַם וְעַל כָּל־עָרֵי יְהוּדָה הַנּוֹתָרוֹת
אֶל־לָכִישׁ וְאֶל־עֲזֵקָה כִּי הֵנָּה נִשְׁאֲרוּ בְּעָרֵי יְהוּדָה עָרֵי מִבְצָר:

ח הַדָּבָר אֲשֶׁר־הָיָה אֶל־יִרְמְיָהוּ מֵאֵת יְהוָה אַחֲרֵי כְּרֹת הַמֶּלֶךְ צִדְקִיָּהוּ
בְּרִית אֶת־כָּל־הָעָם אֲשֶׁר בִּירוּשָׁלִַם לִקְרֹא לָהֶם דְּרוֹר: ט לְשַׁלַּח אִישׁ
אֶת־עַבְדּוֹ וְאִישׁ אֶת־שִׁפְחָתוֹ הָעִבְרִי וְהָעִבְרִיָּה חָפְשִׁים לְבִלְתִּי עֲבָד־בָּם
בִּיהוּדִי אָחִיהוּ אִישׁ: י וַיִּשְׁמְעוּ כָל־הַשָּׂרִים וְכָל־הָעָם אֲשֶׁר־בָּאוּ בַבְּרִית
לְשַׁלַּח אִישׁ אֶת־עַבְדּוֹ וְאִישׁ אֶת־שִׁפְחָתוֹ חָפְשִׁים לְבִלְתִּי עֲבָד־בָּם עוֹד
וַיִּשְׁמְעוּ וַיְשַׁלֵּחוּ: יא וַיָּשׁוּבוּ אַחֲרֵי־כֵן וַיָּשִׁבוּ אֶת־הָעֲבָדִים וְאֶת־הַשְּׁפָחוֹת
אֲשֶׁר שִׁלְּחוּ חָפְשִׁים וַיִּכְבְּשׁוּם[84] לַעֲבָדִים וְלִשְׁפָחוֹת: יב וַיְהִי דְבַר־יְהוָה
אֶל־יִרְמְיָהוּ מֵאֵת יְהוָה לֵאמֹר: יג כֹּה־אָמַר יְהוָה אֱלֹהֵי יִשְׂרָאֵל אָנֹכִי
כָּרַתִּי בְרִית אֶת־אֲבוֹתֵיכֶם בְּיוֹם הוֹצִאִי אוֹתָם מֵאֶרֶץ מִצְרַיִם מִבֵּית
עֲבָדִים לֵאמֹר: יד מִקֵּץ שֶׁבַע שָׁנִים תְּשַׁלְּחוּ אִישׁ אֶת־אָחִיו הָעִבְרִי
אֲשֶׁר־יִמָּכֵר לְךָ וַעֲבָדְךָ שֵׁשׁ שָׁנִים וְשִׁלַּחְתּוֹ חָפְשִׁי מֵעִמָּךְ וְלֹא־שָׁמְעוּ
אֲבוֹתֵיכֶם אֵלַי וְלֹא הִטּוּ אֶת־אָזְנָם: יה וַתָּשֻׁבוּ אַתֶּם הַיּוֹם וַתַּעֲשׂוּ אֶת־הַיָּשָׁר
בְּעֵינַי לִקְרֹא דְרוֹר אִישׁ לְרֵעֵהוּ וַתִּכְרְתוּ בְרִית לְפָנַי בַּבַּיִת אֲשֶׁר־נִקְרָא
שְׁמִי עָלָיו: יו וַתָּשֻׁבוּ וַתְּחַלְּלוּ אֶת־שְׁמִי וַתָּשִׁבוּ אִישׁ אֶת־עַבְדּוֹ וְאִישׁ
אֶת־שִׁפְחָתוֹ אֲשֶׁר־שִׁלַּחְתֶּם חָפְשִׁים לְנַפְשָׁם וַתִּכְבְּשׁוּ אֹתָם לִהְיוֹת לָכֶם
לַעֲבָדִים וְלִשְׁפָחוֹת:

[84]ויכבישום

34 <u>1</u> The word which came unto Jeremiah from Yehovah, when Nebuchadrezzar king of Babylon, and all his army, and all the kingdoms of the land of his dominion, and all the peoples, fought against Yerushalam, and against all the cities thereof, saying: <u>2</u> Thus saith Yehovah, the God of Israel: Go, and speak to Zedekiah king of Judah, and tell him: Thus saith Yehovah: Behold, I will give this city into the hand of the king of Babylon, and he shall burn it with fire; <u>3</u> and thou shalt not escape out of his hand, but shalt surely be taken, and delivered into his hand; and thine eyes shall behold the eyes of the king of Babylon, and he shall speak with thee mouth to mouth, and thou shalt go to Babylon. <u>4</u> Yet hear the word of Yehovah, O Zedekiah king of Judah: Thus saith Yehovah concerning thee: Thou shalt not die by the sword; <u>5</u> thou shalt die in peace; and with the burnings of thy fathers, the former kings that were before thee, so shall they make a burning for thee; and they shall lament thee: 'Ah lord!' for I have spoken the word, saith Yehovah.{S} <u>6</u> Then Jeremiah the prophet spoke all these words unto Zedekiah king of Judah in Yerushalam, <u>7</u> when the king of Babylon's army fought against Yerushalam, and against all the cities of Judah that were left, against Lachish and against Azekah; for these alone remained of the cities of Judah as fortified cities.{P}

<u>8</u> The word that came unto Jeremiah from Yehovah, after that the king Zedekiah had made a covenant with all the people that were at Yerushalam, to proclaim liberty unto them; <u>9</u> that every man should let his manservant, and every man his maidservant, being a Hebrew man or a Hebrew woman, go free; that none should make bondmen of them, even of a Jew his brother; <u>10</u> and all the princes and all the people hearkened, that had entered into the covenant to let every one his man-servant, and every one his maid-servant, go free, and not to make bondmen of them any more; they hearkened, and let them go; <u>11</u> but afterwards they turned, and caused the servants and the handmaids, whom they had let go free, to return, and brought them into subjection for servants and for handmaids;{P}

<u>12</u> therefore the word of Yehovah came to Jeremiah from Yehovah, saying: <u>13</u> Thus saith Yehovah, the God of Israel: I made a covenant with your fathers in the day that I brought them forth out of the land of Egypt, out of the house of bondage, saying: <u>14</u> 'At the end of seven years ye shall let go every man his brother that is a Hebrew, that hath been sold unto thee, and hath served thee six years, thou shalt let him go free from thee'; but your fathers hearkened not unto Me, neither inclined their ear. <u>15</u> And ye were now turned, and had done that which is right in Mine eyes, in proclaiming liberty every man to his neighbour; and ye had made a covenant before Me in the house whereon My name is called; <u>16</u> but ye turned and profaned My name, and caused every man his servant, and every man his handmaid, whom ye had let go free at their pleasure, to return; and ye brought them into subjection, to be unto you for servants and for handmaids.{S}

יז לָכֵן כֹּה־אָמַר יְהֹוָה אַתֶּם לֹא־שְׁמַעְתֶּם אֵלַי לִקְרֹא דְרוֹר אִישׁ לְאָחִיו וְאִישׁ לְרֵעֵהוּ הִנְנִי קֹרֵא לָכֶם דְּרוֹר נְאֻם־יְהֹוָה אֶל־הַחֶרֶב אֶל־הַדֶּבֶר וְאֶל־הָרָעָב וְנָתַתִּי אֶתְכֶם לְזַעֲוָה לְכֹל מַמְלְכוֹת הָאָרֶץ: יח וְנָתַתִּי אֶת־הָאֲנָשִׁים הָעֹבְרִים אֶת־בְּרִתִי אֲשֶׁר לֹא־הֵקִימוּ אֶת־דִּבְרֵי הַבְּרִית אֲשֶׁר כָּרְתוּ לְפָנָי הָעֵגֶל אֲשֶׁר כָּרְתוּ לִשְׁנַיִם וַיַּעַבְרוּ בֵּין בְּתָרָיו: יט שָׂרֵי יְהוּדָה וְשָׂרֵי יְרוּשָׁלַ͏ִם הַסָּרִסִים וְהַכֹּהֲנִים וְכֹל עַם הָאָרֶץ הָעֹבְרִים בֵּין בִּתְרֵי הָעֵגֶל: כ וְנָתַתִּי אוֹתָם בְּיַד אֹיְבֵיהֶם וּבְיַד מְבַקְשֵׁי נַפְשָׁם וְהָיְתָה נִבְלָתָם לְמַאֲכָל לְעוֹף הַשָּׁמַיִם וּלְבֶהֱמַת הָאָרֶץ: כא וְאֶת־צִדְקִיָּהוּ מֶלֶךְ־יְהוּדָה וְאֶת־שָׂרָיו אֶתֵּן בְּיַד אֹיְבֵיהֶם וּבְיַד מְבַקְשֵׁי נַפְשָׁם וּבְיַד חֵיל מֶלֶךְ בָּבֶל הָעֹלִים מֵעֲלֵיכֶם: כב הִנְנִי מְצַוֶּה נְאֻם־יְהֹוָה וַהֲשִׁבֹתִים אֶל־הָעִיר הַזֹּאת וְנִלְחֲמוּ עָלֶיהָ וּלְכָדוּהָ וּשְׂרָפֻהָ בָאֵשׁ וְאֶת־עָרֵי יְהוּדָה אֶתֵּן שְׁמָמָה מֵאֵין יֹשֵׁב:

לה א הַדָּבָר אֲשֶׁר־הָיָה אֶל־יִרְמְיָהוּ מֵאֵת יְהֹוָה בִּימֵי יְהוֹיָקִים בֶּן־יֹאשִׁיָּהוּ מֶלֶךְ יְהוּדָה לֵאמֹר: ב הָלוֹךְ אֶל־בֵּית הָרֵכָבִים וְדִבַּרְתָּ אוֹתָם וַהֲבִאוֹתָם בֵּית יְהֹוָה אֶל־אַחַת הַלְּשָׁכוֹת וְהִשְׁקִיתָ אוֹתָם יָיִן: ג וָאֶקַּח אֶת־יַאֲזַנְיָה בֶן־יִרְמְיָהוּ בֶּן־חֲבַצִּנְיָה וְאֶת־אֶחָיו וְאֶת־כָּל־בָּנָיו וְאֵת כָּל־בֵּית הָרֵכָבִים: ד וָאָבִא אֹתָם בֵּית יְהֹוָה אֶל־לִשְׁכַּת בְּנֵי חָנָן בֶּן־יִגְדַּלְיָהוּ אִישׁ הָאֱלֹהִים אֲשֶׁר־אֵצֶל לִשְׁכַּת הַשָּׂרִים אֲשֶׁר מִמַּעַל לְלִשְׁכַּת מַעֲשֵׂיָהוּ בֶן־שַׁלֻּם שֹׁמֵר הַסַּף: ה וָאֶתֵּן לִפְנֵי ׀ בְּנֵי בֵית־הָרֵכָבִים גְּבִעִים מְלֵאִים יַיִן וְכֹסוֹת וָאֹמַר אֲלֵיהֶם שְׁתוּ־יָיִן: ו וַיֹּאמְרוּ לֹא נִשְׁתֶּה־יָּיִן כִּי יוֹנָדָב בֶּן־רֵכָב אָבִינוּ צִוָּה עָלֵינוּ לֵאמֹר לֹא תִשְׁתּוּ־יַיִן אַתֶּם וּבְנֵיכֶם עַד־עוֹלָם: ז וּבַיִת לֹא־תִבְנוּ וְזֶרַע לֹא־תִזְרָעוּ וְכֶרֶם לֹא־תִטָּעוּ וְלֹא יִהְיֶה לָכֶם כִּי בָּאֹהָלִים תֵּשְׁבוּ כָּל־יְמֵיכֶם לְמַעַן תִּחְיוּ יָמִים רַבִּים עַל־פְּנֵי הָאֲדָמָה אֲשֶׁר אַתֶּם גָּרִים שָׁם: ח וַנִּשְׁמַע בְּקוֹל יְהוֹנָדָב בֶּן־רֵכָב אָבִינוּ לְכֹל אֲשֶׁר צִוָּנוּ לְבִלְתִּי שְׁתוֹת־יַיִן כָּל־יָמֵינוּ אֲנַחְנוּ נָשֵׁינוּ בָּנֵינוּ וּבְנֹתֵינוּ: ט וּלְבִלְתִּי בְּנוֹת בָּתִּים לְשִׁבְתֵּנוּ וְכֶרֶם וְשָׂדֶה וָזֶרַע לֹא יִהְיֶה־לָּנוּ: י וַנֵּשֶׁב בָּאֹהָלִים וַנִּשְׁמַע וַנַּעַשׂ כְּכֹל אֲשֶׁר־צִוָּנוּ יוֹנָדָב אָבִינוּ: יא וַיְהִי בַּעֲלוֹת נְבוּכַדְרֶאצַּר מֶלֶךְ־בָּבֶל אֶל־הָאָרֶץ וַנֹּאמֶר בֹּאוּ וְנָבוֹא יְרוּשָׁלַ͏ִם מִפְּנֵי חֵיל הַכַּשְׂדִּים וּמִפְּנֵי חֵיל אֲרָם וַנֵּשֶׁב בִּירוּשָׁלָ͏ִם:

יב וַיְהִי דְּבַר־יְהֹוָה אֶל־יִרְמְיָהוּ לֵאמֹר: יג כֹּה־אָמַר יְהֹוָה צְבָאוֹת אֱלֹהֵי יִשְׂרָאֵל הָלֹךְ וְאָמַרְתָּ לְאִישׁ יְהוּדָה וּלְיוֹשְׁבֵי יְרוּשָׁלָ͏ִם הֲלוֹא תִקְחוּ מוּסָר לִשְׁמֹעַ אֶל־דְּבָרַי נְאֻם־יְהֹוָה:

---

17 Therefore thus saith Yehovah: Ye have not hearkened unto Me, to proclaim liberty, every man to his brother, and every man to his neighbour; behold, I proclaim for you a liberty, saith Yehovah, unto the sword, unto the pestilence, and unto the famine; and I will make you a horror unto all the kingdoms of the earth. **18** And I will give the men that have transgressed My covenant, that have not performed the words of the covenant which they made before Me, when they cut the calf in twain and passed between the parts thereof; **19** the princes of Judah, and the princes of Yerushalam, the officers, and the priests, and all the people of the land, that passed between the parts of the calf; **20** I will even give them into the hand of their enemies, and into the hand of them that seek their life; and their dead bodies shall be for food unto the fowls of the heaven, and to the beasts of the earth. **21** And Zedekiah king of Judah and his princes will I give into the hand of their enemies, and into the hand of them that seek their life, and into the hand of the king of Babylon's army, that are gone up from you. **22** Behold, I will command, saith Yehovah, and cause them to return to this city; and they shall fight against it, and take it, and burn it with fire; and I will make the cities of Judah a desolation, without inhabitant.{P}

35 **1** The word which came unto Jeremiah from Yehovah in the days of Jehoiakim the son of Josiah, king of Judah, saying: **2** 'Go unto the house of the Rechabites, and speak unto them, and bring them into the house of Yehovah, into one of the chambers, and give them wine to drink.' **3** Then I took Jaazaniah the son of Jeremiah, the son of Habazziniah, and his brethren, and all his sons, and the whole house of the Rechabites; **4** and I brought them into the house of Yehovah, into the chamber of the sons of Hanan the son of Igdaliah, the man of God, which was by the chamber of the princes, which was above the chamber of Maaseiah the son of Shallum, the keeper of the door; **5** and I set before the sons of the house of the Rechabites goblets full of wine, and cups, and I said unto them: 'Drink ye wine.' **6** But they said: 'We will drink no wine; for Jonadab the son of Rechab our father commanded us, saying: Ye shall drink no wine, neither ye, nor your sons, for ever; **7** neither shall ye build house, nor sow seed, nor plant vineyard, nor have any; but all your days ye shall dwell in tents, that ye may live many days in the land wherein ye sojourn. **8** And we have hearkened to the voice of Jonadab the son of Rechab our father in all that he charged us, to drink no wine all our days, we, our wives, our sons, nor our daughters; **9** nor to build houses for us to dwell in, neither to have vineyard, or field, or seed; **10** but we have dwelt in tents, and have hearkened, and done according to all that Jonadab our father commanded us. **11** But it came to pass, when Nebuchadrezzar king of Babylon came up against the land, that we said: Come, and let us go to Yerushalam for fear of the army of the Chaldeans, and for fear of the army of the Arameans; so we dwell at Yerushalam.'{P}

12 Then came the word of Yehovah unto Jeremiah, saying: **13** 'Thus saith Yehovah of hosts, the God of Israel: Go, and say to the men of Judah and the inhabitants of Yerushalam: Will ye not receive instruction to hearken to My words? saith Yehovah.

יד הוּקַם אֶת־דִּבְרֵי יְהוֹנָדָב בֶּן־רֵכָב אֲשֶׁר־צִוָּה אֶת־בָּנָיו לְבִלְתִּי שְׁתוֹת־יַיִן
וְלֹא שָׁתוּ עַד־הַיּוֹם הַזֶּה כִּי שָׁמְעוּ אֵת מִצְוַת אֲבִיהֶם וְאָנֹכִי דִּבַּרְתִּי אֲלֵיכֶם
הַשְׁכֵּם וְדַבֵּר וְלֹא שְׁמַעְתֶּם אֵלָי׃ טו וָאֶשְׁלַח אֲלֵיכֶם אֶת־כָּל־עֲבָדַי הַנְּבִאִים ׀
הַשְׁכֵּים וְשָׁלֹחַ ׀ לֵאמֹר שֻׁבוּ־נָא אִישׁ מִדַּרְכּוֹ הָרָעָה וְהֵיטִיבוּ מַעַלְלֵיכֶם
וְאַל־תֵּלְכוּ אַחֲרֵי אֱלֹהִים אֲחֵרִים לְעָבְדָם וּשְׁבוּ אֶל־הָאֲדָמָה אֲשֶׁר־נָתַתִּי לָכֶם
וְלַאֲבֹתֵיכֶם וְלֹא הִטִּיתֶם אֶת־אָזְנְכֶם וְלֹא שְׁמַעְתֶּם אֵלָי׃ טז כִּי הֵקִימוּ בְּנֵי
יְהוֹנָדָב בֶּן־רֵכָב אֶת־מִצְוַת אֲבִיהֶם אֲשֶׁר צִוָּם וְהָעָם הַזֶּה לֹא שָׁמְעוּ אֵלָי׃
יז לָכֵן כֹּה־אָמַר יְהוָה אֱלֹהֵי צְבָאוֹת אֱלֹהֵי יִשְׂרָאֵל הִנְנִי מֵבִיא אֶל־יְהוּדָה
וְאֶל כָּל־יוֹשְׁבֵי יְרוּשָׁלִַם אֵת כָּל־הָרָעָה אֲשֶׁר דִּבַּרְתִּי עֲלֵיהֶם יַעַן דִּבַּרְתִּי
אֲלֵיהֶם וְלֹא שָׁמֵעוּ וָאֶקְרָא לָהֶם וְלֹא עָנוּ׃ יח וּלְבֵית הָרֵכָבִים אָמַר יִרְמְיָהוּ
כֹּה־אָמַר יְהוָה צְבָאוֹת אֱלֹהֵי יִשְׂרָאֵל יַעַן אֲשֶׁר שְׁמַעְתֶּם עַל־מִצְוַת יְהוֹנָדָב
אֲבִיכֶם וַתִּשְׁמְרוּ אֶת־כָּל־מִצְוֹתָיו וַתַּעֲשׂוּ כְּכֹל אֲשֶׁר־צִוָּה אֶתְכֶם׃ יט לָכֵן כֹּה
אָמַר יְהוָה צְבָאוֹת אֱלֹהֵי יִשְׂרָאֵל לֹא־יִכָּרֵת אִישׁ לְיוֹנָדָב בֶּן־רֵכָב עֹמֵד לְפָנַי
כָּל־הַיָּמִים׃

לו א וַיְהִי בַּשָּׁנָה הָרְבִיעִת לִיהוֹיָקִים בֶּן־יֹאשִׁיָּהוּ מֶלֶךְ יְהוּדָה הָיָה הַדָּבָר
הַזֶּה אֶל־יִרְמְיָהוּ מֵאֵת יְהוָה לֵאמֹר׃ ב קַח־לְךָ מְגִלַּת־סֵפֶר וְכָתַבְתָּ אֵלֶיהָ אֵת
כָּל־הַדְּבָרִים אֲשֶׁר־דִּבַּרְתִּי אֵלֶיךָ עַל־יִשְׂרָאֵל וְעַל־יְהוּדָה וְעַל־כָּל־הַגּוֹיִם
מִיּוֹם דִּבַּרְתִּי אֵלֶיךָ מִימֵי יֹאשִׁיָּהוּ וְעַד הַיּוֹם הַזֶּה׃ ג אוּלַי יִשְׁמְעוּ בֵּית יְהוּדָה
אֵת כָּל־הָרָעָה אֲשֶׁר אָנֹכִי חֹשֵׁב לַעֲשׂוֹת לָהֶם לְמַעַן יָשׁוּבוּ אִישׁ מִדַּרְכּוֹ
הָרָעָה וְסָלַחְתִּי לַעֲוֹנָם וּלְחַטָּאתָם׃ ד וַיִּקְרָא יִרְמְיָהוּ אֶת־בָּרוּךְ בֶּן־נֵרִיָּה
וַיִּכְתֹּב בָּרוּךְ מִפִּי יִרְמְיָהוּ אֵת כָּל־דִּבְרֵי יְהוָה אֲשֶׁר־דִּבֶּר אֵלָיו
עַל־מְגִלַּת־סֵפֶר׃ ה וַיְצַוֶּה יִרְמְיָהוּ אֶת־בָּרוּךְ לֵאמֹר אֲנִי עָצוּר לֹא אוּכַל לָבוֹא
בֵּית יְהוָה׃ ו וּבָאתָ אַתָּה וְקָרָאתָ בַמְּגִלָּה אֲשֶׁר־כָּתַבְתָּ־מִפִּי אֶת־דִּבְרֵי יְהוָה
בְּאָזְנֵי הָעָם בֵּית יְהוָה בְּיוֹם צוֹם וְגַם בְּאָזְנֵי כָל־יְהוּדָה הַבָּאִים מֵעָרֵיהֶם
תִּקְרָאֵם׃ ז אוּלַי תִּפֹּל תְּחִנָּתָם לִפְנֵי יְהוָה וְיָשֻׁבוּ אִישׁ מִדַּרְכּוֹ הָרָעָה כִּי־גָדוֹל
הָאַף וְהַחֵמָה אֲשֶׁר־דִּבֶּר יְהוָה אֶל־הָעָם הַזֶּה׃ ח וַיַּעַשׂ בָּרוּךְ בֶּן־נֵרִיָּה כְּכֹל
אֲשֶׁר־צִוָּהוּ יִרְמְיָהוּ הַנָּבִיא לִקְרֹא בַסֵּפֶר דִּבְרֵי יְהוָה בֵּית יְהוָה׃ ט וַיְהִי
בַשָּׁנָה הַחֲמִשִׁית לִיהוֹיָקִים בֶּן־יֹאשִׁיָּהוּ מֶלֶךְ־יְהוּדָה בַּחֹדֶשׁ הַתְּשִׁעִי קָרְאוּ צוֹם
לִפְנֵי יְהוָה כָּל־הָעָם בִּירוּשָׁלִָם וְכָל־הָעָם הַבָּאִים מֵעָרֵי יְהוּדָה בִּירוּשָׁלִָם׃
י וַיִּקְרָא בָרוּךְ בַּסֵּפֶר אֶת־דִּבְרֵי יִרְמְיָהוּ בֵּית יְהוָה בְּלִשְׁכַּת גְּמַרְיָהוּ בֶן־שָׁפָן
הַסֹּפֵר בֶּחָצֵר הָעֶלְיוֹן פֶּתַח שַׁעַר בֵּית־יְהוָה הֶחָדָשׁ בְּאָזְנֵי כָּל־הָעָם׃

14 The words of Jonadab the son of Rechab, that he commanded his sons, not to drink wine, are performed, and unto this day they drink none, for they hearken to their father's commandment; but I have spoken unto you, speaking betimes and often, and ye have not hearkened unto Me. **15** I have sent also unto you all My servants the prophets, sending them betimes and often, saying: Return ye now every man from his evil way, and amend your doings, and go not after other gods to serve them, and ye shall dwell in the land which I have given to you and to your fathers; but ye have not inclined your ear, nor hearkened unto Me. **16** Because the sons of Jonadab the son of Rechab have performed the commandment of their father which he commanded them, but this people hath not hearkened unto Me; **17** therefore thus saith Yehovah, the God of hosts, the God of Israel: Behold, I will bring upon Judah and upon all the inhabitants of Yerushalam all the evil that I have pronounced against them; because I have spoken unto them, but they have not heard, and I have called unto them, but they have not answered.' **18** And unto the house of the Rechabites Jeremiah said: Thus saith Yehovah of hosts, the God of Israel: Because ye have hearkened to the commandment of Jonadab your father, and kept all his precepts, and done according unto all that he commanded you; **19** therefore thus saith Yehovah of hosts, the God of Israel: There shall not be cut off unto Jonadab the son of Rechab a man to stand before Me for ever.'{P}

36 1 And it came to pass in the fourth year of Jehoiakim the son of Josiah, king of Judah, that this word came unto Jeremiah from Yehovah, saying: **2** 'Take thee a roll of a book, and write therein all the words that I have spoken unto thee against Israel, and against Judah, and against all the nations, from the day I spoke unto thee, from the days of Josiah, even unto this day. **3** It may be that the house of Judah will hear all the evil which I purpose to do unto them; that they may return every man from his evil way, and I may forgive their iniquity and their sin.'{S} **4** Then Jeremiah called Baruch the son of Neriah; and Baruch wrote from the mouth of Jeremiah all the words of Yehovah, which He had spoken unto him, upon a roll of a book. **5** And Jeremiah commanded Baruch, saying: 'I am detained, I cannot go into the house of Yehovah; **6** therefore go thou, and read in the roll, which thou hast written from my mouth, the words of Yehovah in the ears of the people in Yehovah's house upon a fast-day; and also thou shalt read them in the ears of all Judah that come out of their cities. **7** It may be they will present their supplication before Yehovah, and will return every one from his evil way; for great is the anger and the fury that Yehovah hath pronounced against this people.' **8** And Baruch the son of Neriah did according to all that Jeremiah the prophet commanded him, reading in the book the words of Yehovah in Yehovah's house.{P}

9 Now it came to pass in the fifth year of Jehoiakim the son of Josiah, king of Judah, in the ninth month, that they proclaimed a fast before Yehovah, all the people in Yerushalam, and all the people that came from the cities of Judah unto Yerushalam. **10** Then did Baruch read in the book the words of Jeremiah in the house of Yehovah, in the chamber of Gemariah the son of Shaphan the scribe, in the upper court, at the entry of the new gate of Yehovah's house, in the ears of all the people.

יא וַיִּשְׁמַ֞ע מִכָ֣יְהוּ בֶן־גְּמַרְיָ֧הוּ בֶן־שָׁפָ֛ן אֶת־כָּל־דִּבְרֵ֥י יְהוָ֖ה מֵעַ֥ל הַסֵּֽפֶר: יב וַיֵּ֤רֶד בֵּית־הַמֶּ֙לֶךְ֙ עַל־לִשְׁכַּ֣ת הַסֹּפֵ֔ר וְהִ֨נֵּה־שָׁ֔ם כָּל־הַשָּׂרִ֖ים יֽוֹשְׁבִ֑ים אֱלִישָׁמָ֣ע הַסֹּפֵ֡ר וּדְלָיָ֣הוּ בֶן־שְׁמַעְיָ֡הוּ וְאֶלְנָתָ֣ן בֶּן־עַכְבּ֣וֹר וּגְמַרְיָ֧הוּ בֶן־שָׁפָ֛ן וְצִדְקִיָּ֥הוּ בֶן־חֲנַנְיָ֖הוּ וְכָל־הַשָּׂרִֽים: יג וַיַּגֵּ֤ד לָהֶם֙ מִכָ֔יְהוּ אֵ֖ת כָּל־הַדְּבָרִ֑ים אֲשֶׁ֥ר שָׁמַ֛ע בִּקְרֹ֥א בָר֖וּךְ בַּסֵּ֑פֶר בְּאָזְנֵ֥י הָעָֽם: יד וַיִּשְׁלְח֨וּ כָל־הַשָּׂרִ֜ים אֶל־בָּר֗וּךְ אֶת־יְהוּדִ֡י בֶּן־נְתַנְיָ֠הוּ בֶּן־שֶׁלֶמְיָ֨הוּ בֶן־כּוּשִׁ֜י לֵאמֹ֗ר הַמְּגִלָּ֞ה אֲשֶׁ֨ר קָרָ֤אתָ בָּהּ֙ בְּאָזְנֵ֣י הָעָ֔ם קָחֶ֥נָּה בְיָדְךָ֖ וָלֵ֑ךְ וַ֠יִּקַּח בָּר֨וּךְ בֶּן־נֵרִיָּ֤הוּ אֶת־הַמְּגִלָּה֙ בְּיָד֔וֹ וַיָּבֹ֖א אֲלֵיהֶֽם: טו וַיֹּאמְר֣וּ אֵלָ֗יו שֵׁ֤ב נָא֙ וּקְרָאֶ֣נָּה בְאָזְנֵ֔ינוּ וַיִּקְרָ֥א בָר֖וּךְ בְּאָזְנֵיהֶֽם: טז וַיְהִ֗י כְּשָׁמְעָם֙ אֶת־כָּל־הַדְּבָרִ֔ים פָּחֲד֖וּ אִ֣ישׁ אֶל־רֵעֵ֑הוּ וַיֹּֽאמְרוּ֙ אֶל־בָּר֔וּךְ הַגֵּ֤יד נַגִּיד֙ לַמֶּ֔לֶךְ אֵ֥ת כָּל־הַדְּבָרִ֖ים הָאֵֽלֶּה: יז וְאֶ֨ת־בָּר֔וּךְ שָׁאֲל֖וּ לֵאמֹ֑ר הַגֶּד־נָ֣א לָ֔נוּ אֵ֗יךְ כָּתַ֛בְתָּ אֶת־כָּל־הַדְּבָרִ֥ים הָאֵ֖לֶּה מִפִּֽיו: יח וַיֹּ֤אמֶר לָהֶם֙ בָּר֔וּךְ מִפִּיו֙ יִקְרָ֣א אֵלַ֔י אֵ֥ת כָּל־הַדְּבָרִ֖ים הָאֵ֑לֶּה וַאֲנִ֛י כֹּתֵ֥ב עַל־הַסֵּ֖פֶר בַּדְּיֽוֹ:

יט וַיֹּאמְר֤וּ הַשָּׂרִים֙ אֶל־בָּר֔וּךְ לֵ֥ךְ הִסָּתֵ֖ר אַתָּ֣ה וְיִרְמְיָ֑הוּ וְאִ֥ישׁ אַל־יֵדַ֖ע אֵיפֹ֥ה אַתֶּֽם: כ וַיָּבֹ֣אוּ אֶל־הַמֶּלֶךְ֮ חָצֵרָה֒ וְאֶת־הַמְּגִלָּ֣ה הִפְקִ֔דוּ בְּלִשְׁכַּ֖ת אֱלִישָׁמָ֣ע הַסֹּפֵ֑ר וַיַּגִּ֙ידוּ֙ בְּאָזְנֵ֣י הַמֶּ֔לֶךְ אֵ֖ת כָּל־הַדְּבָרִֽים: כא וַיִּשְׁלַ֨ח הַמֶּ֜לֶךְ אֶת־יְהוּדִ֗י לָקַ֙חַת֙ אֶת־הַמְּגִלָּ֔ה וַיִּ֨קָּחֶ֔הָ מִלִּשְׁכַּ֖ת אֱלִישָׁמָ֣ע הַסֹּפֵ֑ר וַיִּקְרָאֶ֤הָ יְהוּדִי֙ בְּאָזְנֵ֣י הַמֶּ֔לֶךְ וּבְאָזְנֵי֙ כָּל־הַשָּׂרִ֔ים הָעֹמְדִ֖ים מֵעַ֥ל הַמֶּֽלֶךְ: כב וְהַמֶּ֗לֶךְ יוֹשֵׁב֙ בֵּ֣ית הַחֹ֔רֶף בַּחֹ֖דֶשׁ הַתְּשִׁיעִ֑י וְאֶת־הָאָ֖ח לְפָנָ֥יו מְבֹעָֽרֶת: כג וַיְהִ֣י ׀ כִּקְר֣וֹא יְהוּדִ֗י שָׁלֹ֣שׁ דְּלָתוֹת֮ וְאַרְבָּעָה֒ יִֽקְרָעֶ֙הָ֙ בְּתַ֣עַר הַסֹּפֵ֔ר וְהַשְׁלֵ֕ךְ אֶל־הָאֵ֖שׁ אֲשֶׁ֣ר אֶל־הָאָ֑ח עַד־תֹּם֙ כָּל־הַמְּגִלָּ֔ה עַל־הָאֵ֖שׁ אֲשֶׁ֥ר עַל־הָאָֽח: כד וְלֹ֣א פָחֲד֔וּ וְלֹ֥א קָרְע֖וּ אֶת־בִּגְדֵיהֶ֑ם הַמֶּ֙לֶךְ֙ וְכָל־עֲבָדָ֔יו הַשֹּׁמְעִ֕ים אֵ֥ת כָּל־הַדְּבָרִ֖ים הָאֵֽלֶּה: כה וְגַם֩ אֶלְנָתָ֨ן וּדְלָיָ֤הוּ וּגְמַרְיָ֙הוּ֙ הִפְגִּ֣עוּ בַמֶּ֔לֶךְ לְבִלְתִּ֖י שְׂרֹ֣ף אֶת־הַמְּגִלָּ֑ה וְלֹ֥א שָׁמַ֖ע אֲלֵיהֶֽם: כו וַיְצַוֶּ֣ה הַמֶּ֡לֶךְ אֶת־יְרַחְמְאֵ֣ל בֶּן־הַמֶּ֣לֶךְ וְאֶת־שְׂרָיָ֣הוּ בֶן־עַזְרִיאֵ֗ל וְאֶת־שֶׁלֶמְיָ֙הוּ֙ בֶּן־עַבְדְּאֵ֔ל לָקַ֙חַת֙ אֶת־בָּר֣וּךְ הַסֹּפֵ֔ר וְאֵ֖ת יִרְמְיָ֣הוּ הַנָּבִ֑יא וַיַּסְתִּרֵ֖ם יְהוָֽה: כז וַיְהִ֥י דְבַר־יְהוָ֖ה אֶל־יִרְמְיָ֑הוּ אַחֲרֵ֣י ׀ שְׂרֹ֣ף הַמֶּ֗לֶךְ אֶת־הַמְּגִלָּה֙ וְאֶת־הַדְּבָרִ֔ים אֲשֶׁ֥ר כָּתַ֛ב בָּר֖וּךְ מִפִּ֣י יִרְמְיָ֑הוּ לֵאמֹֽר: כח שׁ֥וּב קַח־לְךָ֖ מְגִלָּ֣ה אַחֶ֑רֶת וּכְתֹ֣ב עָלֶ֗יהָ אֵ֤ת כָּל־הַדְּבָרִים֙ הָרִ֣אשֹׁנִ֔ים אֲשֶׁ֣ר הָי֗וּ עַל־הַמְּגִלָּ֤ה הָרִֽאשֹׁנָה֙ אֲשֶׁ֣ר שָׂרַ֔ף יְהוֹיָקִ֖ים מֶֽלֶךְ־יְהוּדָֽה: כט וְעַל־יְהוֹיָקִ֤ים מֶֽלֶךְ־יְהוּדָה֙ תֹּאמַ֔ר כֹּ֖ה אָמַ֣ר יְהוָ֑ה אַ֠תָּה שָׂרַ֜פְתָּ אֶת־הַמְּגִלָּ֤ה הַזֹּאת֙ לֵאמֹ֔ר מַדּוּעַ֩ כָּתַ֨בְתָּ עָלֶ֜יהָ לֵאמֹ֗ר בֹּֽא־יָב֤וֹא מֶֽלֶךְ־בָּבֶל֙ וְהִ֨שְׁחִ֔ית אֶת־הָאָ֣רֶץ הַזֹּ֔את וְהִשְׁבִּ֥ית מִמֶּ֖נָּה אָדָ֥ם וּבְהֵמָֽה:

<u>11</u> And when Micaiah the son of Gemariah, the son of Shaphan, had heard out of the book all the words of Yehovah, <u>12</u> he went down into the king's house, into the scribe's chamber; and, lo, all the princes sat there, even Elishama the scribe, and Delaiah the son of Shemaiah, and Elnathan the son of Achbor, and Gemariah the son of Shaphan, and Zedekiah the son of Hananiah, and all the princes. <u>13</u> Then Micaiah declared unto them all the words that he had heard, when Baruch read the book in the ears of the people. <u>14</u> Therefore all the princes sent Jehudi the son of Nethaniah, the son of Shelemiah, the son of Cushi, unto Baruch, saying: 'Take in thy hand the roll wherein thou hast read in the ears of the people, and come.' So Baruch the son of Neriah took the roll in his hand, and came unto them. <u>15</u> And they said unto him: 'Sit down now, and read it in our ears.' So Baruch read it in their ears. <u>16</u> Now it came to pass, when they had heard all the words, they turned in fear one toward another, and said unto Baruch: 'We will surely tell the king of all these words.' <u>17</u> And they asked Baruch, saying: 'Tell us now: How didst thou write all these words at his mouth?' <u>18</u> Then Baruch answered them: 'He pronounced all these words unto me with his mouth, and I wrote them with ink in the book.'{s} <u>19</u> Then said the princes unto Baruch: 'Go, hide thee, thou and Jeremiah, and let no man know where ye are.' <u>20</u> And they went in to the king into the court; but they had deposited the roll in the chamber of Elishama the scribe; and they told all the words in the ears of the king. <u>21</u> So the king sent Jehudi to fetch the roll; and he took it out of the chamber of Elishama the scribe. And Jehudi read it in the ears of the king, and in the ears of all the princes that stood beside the king. <u>22</u> Now the king was sitting in the winter-house in the ninth month; and the brazier was burning before him. <u>23</u> And it came to pass, when Jehudi had read three or four columns, that he cut it with the penknife, and cast it into the fire that was in the brazier, until all the roll was consumed in the fire that was in the brazier. <u>24</u> Yet they were not afraid, nor rent their garments, neither the king, nor any of his servants that heard all these words. <u>25</u> Moreover Elnathan and Delaiah and Gemariah had entreated the king not to burn the roll; but he would not hear them. <u>26</u> And the king commanded Jerahmeel the king's son, and Seraiah the son of Azriel, and Shelemiah the son of Abdeel, to take Baruch the scribe and Jeremiah the prophet; but Yehovah hid them.{s} <u>27</u> Then the word of Yehovah came to Jeremiah, after that the king had burned the roll, and the words which Baruch wrote at the mouth of Jeremiah, saying: <u>28</u> 'Take thee again another roll, and write in it all the former words that were in the first roll, which Jehoiakim the king of Judah hath burned. <u>29</u> And concerning Jehoiakim king of Judah thou shalt say: Thus saith Yehovah: Thou hast burned this roll, saying: Why hast thou written therein, saying: The king of Babylon shall certainly come and destroy this land, and shall cause to cease from thence man and beast?{s}

ל לָכֵן כֹּה־אָמַר יְהוָה עַל־יְהוֹיָקִים מֶלֶךְ יְהוּדָה לֹא־יִהְיֶה־לּוֹ יוֹשֵׁב עַל־כִּסֵּא דָוִד וְנִבְלָתוֹ תִּהְיֶה מֻשְׁלֶכֶת לַחֹרֶב בַּיּוֹם וְלַקֶּרַח בַּלָּיְלָה: לא וּפָקַדְתִּי עָלָיו וְעַל־זַרְעוֹ וְעַל־עֲבָדָיו אֶת־עֲוֹנָם וְהֵבֵאתִי עֲלֵיהֶם וְעַל־יֹשְׁבֵי יְרוּשָׁלִַם וְאֶל־אִישׁ יְהוּדָה אֵת כָּל־הָרָעָה אֲשֶׁר־דִּבַּרְתִּי אֲלֵיהֶם וְלֹא שָׁמֵעוּ: לב וְיִרְמְיָהוּ לָקַח ׀ מְגִלָּה אַחֶרֶת וַיִּתְּנָהּ אֶל־בָּרוּךְ בֶּן־נֵרִיָּהוּ הַסֹּפֵר וַיִּכְתֹּב עָלֶיהָ מִפִּי יִרְמְיָהוּ אֵת כָּל־דִּבְרֵי הַסֵּפֶר אֲשֶׁר שָׂרַף יְהוֹיָקִים מֶלֶךְ־יְהוּדָה בָּאֵשׁ וְעוֹד נוֹסַף עֲלֵיהֶם דְּבָרִים רַבִּים כָּהֵמָּה:

לז א וַיִּמְלָךְ־מֶלֶךְ צִדְקִיָּהוּ בֶּן־יֹאשִׁיָּהוּ תַּחַת כָּנְיָהוּ בֶּן־יְהוֹיָקִים אֲשֶׁר הִמְלִיךְ נְבוּכַדְרֶאצַּר מֶלֶךְ־בָּבֶל בְּאֶרֶץ יְהוּדָה: ב וְלֹא שָׁמַע הוּא וַעֲבָדָיו וְעַם הָאָרֶץ אֶל־דִּבְרֵי יְהוָה אֲשֶׁר דִּבֶּר בְּיַד יִרְמְיָהוּ הַנָּבִיא: ג וַיִּשְׁלַח הַמֶּלֶךְ צִדְקִיָּהוּ אֶת־יְהוּכַל בֶּן־שֶׁלֶמְיָה וְאֶת־צְפַנְיָהוּ בֶן־מַעֲשֵׂיָה הַכֹּהֵן אֶל־יִרְמְיָהוּ הַנָּבִיא לֵאמֹר הִתְפַּלֶּל־נָא בַעֲדֵנוּ אֶל־יְהוָה אֱלֹהֵינוּ: ד וְיִרְמְיָהוּ בָּא וְיֹצֵא בְּתוֹךְ הָעָם וְלֹא־נָתְנוּ אֹתוֹ בֵּית הַכְּלוּא[86]: ה וְחֵיל פַּרְעֹה יָצָא מִמִּצְרָיִם וַיִּשְׁמְעוּ הַכַּשְׂדִּים הַצָּרִים עַל־יְרוּשָׁלִַם אֶת־שִׁמְעָם וַיֵּעָלוּ מֵעַל יְרוּשָׁלָ͏ִם:

ו וַיְהִי֙ דְּבַר־יְהֹוָה אֶל־יִרְמְיָהוּ הַנָּבִיא לֵאמֹר: ז כֹּה־אָמַר יְהוָה אֱלֹהֵי יִשְׂרָאֵל כֹּה תֹאמְרוּ אֶל־מֶלֶךְ יְהוּדָה הַשֹּׁלֵחַ אֶתְכֶם אֵלַי לְדָרְשֵׁנִי הִנֵּה ׀ חֵיל פַּרְעֹה הַיֹּצֵא לָכֶם לְעֶזְרָה שָׁב לְאַרְצוֹ מִצְרָיִם: ח וְשָׁבוּ הַכַּשְׂדִּים וְנִלְחֲמוּ עַל־הָעִיר הַזֹּאת וּלְכָדֻהָ וּשְׂרָפֻהָ בָאֵשׁ: ט כֹּה ׀ אָמַר יְהוָה אַל־תַּשִּׁאוּ נַפְשֹׁתֵיכֶם לֵאמֹר הָלֹךְ יֵלְכוּ מֵעָלֵינוּ הַכַּשְׂדִּים כִּי־לֹא יֵלֵכוּ: י כִּי אִם־הִכִּיתֶם כָּל־חֵיל כַּשְׂדִּים הַנִּלְחָמִים אִתְּכֶם וְנִשְׁאֲרוּ בָם אֲנָשִׁים מְדֻקָּרִים אִישׁ בְּאָהֳלוֹ יָקוּמוּ וְשָׂרְפוּ אֶת־הָעִיר הַזֹּאת בָּאֵשׁ: יא וְהָיָה בְּהֵעָלוֹת חֵיל הַכַּשְׂדִּים מֵעַל יְרוּשָׁלִָם מִפְּנֵי חֵיל פַּרְעֹה: יב וַיֵּצֵא יִרְמְיָהוּ מִירוּשָׁלִַם לָלֶכֶת אֶרֶץ בִּנְיָמִן לַחֲלִק מִשָּׁם בְּתוֹךְ הָעָם: יג וַיְהִי־הוּא בְּשַׁעַר בִּנְיָמִן וְשָׁם בַּעַל פְּקִדֻת וּשְׁמוֹ יִרְאִיָּיה בֶּן־שֶׁלֶמְיָה בֶּן־חֲנַנְיָה וַיִּתְפֹּשׂ אֶת־יִרְמְיָהוּ הַנָּבִיא לֵאמֹר אֶל־הַכַּשְׂדִּים אַתָּה נֹפֵל: יד וַיֹּאמֶר יִרְמְיָהוּ שֶׁקֶר אֵינֶנִּי נֹפֵל עַל־הַכַּשְׂדִּים וְלֹא שָׁמַע אֵלָיו וַיִּתְפֹּשׂ יִרְאִיָּיה בְּיִרְמְיָהוּ וַיְבִאֵהוּ אֶל־הַשָּׂרִים: יה וַיִּקְצְפוּ הַשָּׂרִים עַל־יִרְמְיָהוּ וְהִכּוּ אֹתוֹ וְנָתְנוּ אוֹתוֹ בֵּית הָאֵסוּר בֵּית יְהוֹנָתָן הַסֹּפֵר כִּי־אֹתוֹ עָשׂוּ לְבֵית הַכֶּלֶא: יו כִּי בָא יִרְמְיָהוּ אֶל־בֵּית הַבּוֹר וְאֶל־הַחֲנֻיוֹת וַיֵּשֶׁב־שָׁם יִרְמְיָהוּ יָמִים רַבִּים:

<u>30</u> Therefore thus saith Yehovah concerning Jehoiakim king of Judah: He shall have none to sit upon the throne of David; and his dead body shall be cast out in the day to the heat, and in the night to the frost. <u>31</u> And I will visit upon him and his seed and his servants their iniquity; and I will bring upon them, and upon the inhabitants of Yerushalam, and upon the men of Judah, all the evil that I have pronounced against them, but they hearkened not.' <u>32</u> Then took Jeremiah another roll, and gave it to Baruch the scribe, the son of Neriah; who wrote therein from the mouth of Jeremiah all the words of the book which Jehoiakim king of Judah had burned in the fire; and there were added besides unto them many like words.{P}

37 <u>1</u> And Zedekiah the son of Josiah reigned as king, instead of Coniah the son of Jehoiakim, whom Nebuchadrezzar king of Babylon made king in the land of Judah. <u>2</u> But neither he, nor his servants, nor the people of the land, did hearken unto the words of Yehovah, which He spoke by the prophet Jeremiah. <u>3</u> And Zedekiah the king sent Jehucal the son of Shelemiah, and Zephaniah the son of Maaseiah the priest, to the prophet Jeremiah, saying: 'Pray now unto Yehovah our God for us.' <u>4</u> Now Jeremiah came in and went out among the people; for they had not put him into prison. <u>5</u> And Pharaoh's army was come forth out of Egypt; and when the Chaldeans that besieged Yerushalam heard tidings of them, they broke up from Yerushalam.{P}

<u>6</u> Then came the word of Yehovah unto the prophet Jeremiah, saying: <u>7</u> 'Thus saith Yehovah, the God of Israel: Thus shall ye say to the king of Judah, that sent you unto Me to inquire of Me: Behold, Pharaoh's army, which is come forth to help you, shall return to Egypt into their own land. <u>8</u> And the Chaldeans shall return, and fight against this city; and they shall take it, and burn it with fire.{P}

<u>9</u> Thus saith Yehovah: Deceive not yourselves, saying: The Chaldeans shall surely depart from us; for they shall not depart. <u>10</u> For though ye had smitten the whole army of the Chaldeans that fight against you, and there remained but wounded men among them, yet would they rise up every man in his tent, and burn this city with fire.' <u>11</u> And it came to pass, that when the army of the Chaldeans was broken up from Yerushalam for fear of Pharaoh's army,{S} <u>12</u> then Jeremiah went forth out of Yerushalam to go into the land of Benjamin, to receive his portion there, in the midst of the people. <u>13</u> And when he was in the gate of Benjamin, a captain of the ward was there, whose name was Irijah, the son of Shelemiah, the son of Hananiah; and he laid hold on Jeremiah the prophet, saying: 'Thou fallest away to the Chaldeans.' <u>14</u> Then said Jeremiah: 'It is false; I fall not away to the Chaldeans'; but he hearkened not to him; so Irijah laid hold on Jeremiah, and brought him to the princes. <u>15</u> And the princes were wroth with Jeremiah, and smote him, and put him in prison in the house of Jonathan the scribe; for they had made that the prison. <u>16</u> When Jeremiah was come into the dungeon-house, and into the cells, and Jeremiah had remained there many days;

יז וַיִּשְׁלַח הַמֶּלֶךְ צִדְקִיָּהוּ וַיִּקָּחֵהוּ וַיִּשְׁאָלֵהוּ הַמֶּלֶךְ בְּבֵיתוֹ בַּסֵּתֶר וַיֹּאמֶר הֲיֵשׁ
דָּבָר מֵאֵת יְהוָה וַיֹּאמֶר יִרְמְיָהוּ יֵשׁ וַיֹּאמֶר בְּיַד מֶלֶךְ־בָּבֶל תִּנָּתֵן׃ יח וַיֹּאמֶר
יִרְמְיָהוּ אֶל־הַמֶּלֶךְ צִדְקִיָּהוּ מֶה חָטָאתִי לְךָ וְלַעֲבָדֶיךָ וְלָעָם הַזֶּה כִּי־נְתַתֶּם
אוֹתִי אֶל־בֵּית הַכֶּלֶא׃ יט וְאַיֵּה[87] נְבִיאֵיכֶם אֲשֶׁר־נִבְּאוּ לָכֶם לֵאמֹר לֹא־יָבֹא
מֶלֶךְ־בָּבֶל עֲלֵיכֶם וְעַל הָאָרֶץ הַזֹּאת׃ כ וְעַתָּה שְׁמַע־נָא אֲדֹנִי הַמֶּלֶךְ תִּפָּל־נָא
תְחִנָּתִי לְפָנֶיךָ וְאַל־תְּשִׁבֵנִי בֵּית יְהוֹנָתָן הַסֹּפֵר וְלֹא אָמוּת שָׁם׃ כא וַיְצַוֶּה הַמֶּלֶךְ
צִדְקִיָּהוּ וַיַּפְקִדוּ אֶת־יִרְמְיָהוּ בַּחֲצַר הַמַּטָּרָה וְנָתֹן לוֹ כִכַּר־לֶחֶם לַיּוֹם מִחוּץ
הָאֹפִים עַד־תֹּם כָּל־הַלֶּחֶם מִן־הָעִיר וַיֵּשֶׁב יִרְמְיָהוּ בַּחֲצַר הַמַּטָּרָה׃

לח א וַיִּשְׁמַע שְׁפַטְיָה בֶן־מַתָּן וּגְדַלְיָהוּ בֶּן־פַּשְׁחוּר וְיוּכַל בֶּן־שֶׁלֶמְיָהוּ
וּפַשְׁחוּר בֶּן־מַלְכִּיָּה אֶת־הַדְּבָרִים אֲשֶׁר יִרְמְיָהוּ מְדַבֵּר אֶל־כָּל־הָעָם לֵאמֹר׃
ב כֹּה אָמַר יְהוָה הַיֹּשֵׁב בָּעִיר הַזֹּאת יָמוּת בַּחֶרֶב בָּרָעָב וּבַדָּבֶר וְהַיֹּצֵא
אֶל־הַכַּשְׂדִּים וְחָיָה[88] וְהָיְתָה־לּוֹ נַפְשׁוֹ לְשָׁלָל וָחָי׃ ג כֹּה אָמַר יְהוָה הִנָּתֹן תִּנָּתֵן
הָעִיר הַזֹּאת בְּיַד חֵיל מֶלֶךְ־בָּבֶל וּלְכָדָהּ׃ ד וַיֹּאמְרוּ הַשָּׂרִים אֶל־הַמֶּלֶךְ יוּמַת
נָא אֶת־הָאִישׁ הַזֶּה כִּי־עַל־כֵּן הוּא־מְרַפֵּא אֶת־יְדֵי אַנְשֵׁי הַמִּלְחָמָה הַנִּשְׁאָרִים ׀
בָּעִיר הַזֹּאת וְאֵת יְדֵי כָל־הָעָם לְדַבֵּר אֲלֵיהֶם כַּדְּבָרִים הָאֵלֶּה כִּי ׀ הָאִישׁ
הַזֶּה אֵינֶנּוּ דֹרֵשׁ לְשָׁלוֹם לָעָם הַזֶּה כִּי אִם־לְרָעָה׃ ה וַיֹּאמֶר הַמֶּלֶךְ צִדְקִיָּהוּ
הִנֵּה־הוּא בְּיֶדְכֶם כִּי־אֵין הַמֶּלֶךְ יוּכַל אֶתְכֶם דָּבָר׃ ו וַיִּקְחוּ אֶת־יִרְמְיָהוּ
וַיַּשְׁלִכוּ אֹתוֹ אֶל־הַבּוֹר ׀ מַלְכִּיָּהוּ בֶן־הַמֶּלֶךְ אֲשֶׁר בַּחֲצַר הַמַּטָּרָה וַיְשַׁלְּחוּ
אֶת־יִרְמְיָהוּ בַּחֲבָלִים וּבַבּוֹר אֵין־מַיִם כִּי אִם־טִיט וַיִּטְבַּע יִרְמְיָהוּ בַּטִּיט׃
ז וַיִּשְׁמַע עֶבֶד־מֶלֶךְ הַכּוּשִׁי אִישׁ סָרִיס וְהוּא בְּבֵית הַמֶּלֶךְ כִּי־נָתְנוּ אֶת־יִרְמְיָהוּ
אֶל־הַבּוֹר וְהַמֶּלֶךְ יוֹשֵׁב בְּשַׁעַר בִּנְיָמִן׃ ח וַיֵּצֵא עֶבֶד־מֶלֶךְ מִבֵּית הַמֶּלֶךְ
וַיְדַבֵּר אֶל־הַמֶּלֶךְ לֵאמֹר׃ ט אֲדֹנִי הַמֶּלֶךְ הֵרֵעוּ הָאֲנָשִׁים הָאֵלֶּה אֵת כָּל־אֲשֶׁר
עָשׂוּ לְיִרְמְיָהוּ הַנָּבִיא אֵת אֲשֶׁר־הִשְׁלִיכוּ אֶל־הַבּוֹר וַיָּמָת תַּחְתָּיו מִפְּנֵי הָרָעָב
כִּי אֵין הַלֶּחֶם עוֹד בָּעִיר׃ י וַיְצַוֶּה הַמֶּלֶךְ אֵת עֶבֶד־מֶלֶךְ הַכּוּשִׁי לֵאמֹר קַח
בְּיָדְךָ מִזֶּה שְׁלֹשִׁים אֲנָשִׁים וְהַעֲלִיתָ אֶת־יִרְמְיָהוּ הַנָּבִיא מִן־הַבּוֹר בְּטֶרֶם
יָמוּת׃ יא וַיִּקַּח ׀ עֶבֶד־מֶלֶךְ אֶת־הָאֲנָשִׁים בְּיָדוֹ וַיָּבֹא בֵית־הַמֶּלֶךְ אֶל־תַּחַת
הָאוֹצָר וַיִּקַּח מִשָּׁם בְּלוֹיֵ סְחָבוֹת[89] וּבְלוֹיֵ מְלָחִים וַיְשַׁלְּחֵם אֶל־יִרְמְיָהוּ
אֶל־הַבּוֹר בַּחֲבָלִים׃ יב וַיֹּאמֶר עֶבֶד־מֶלֶךְ הַכּוּשִׁי אֶל־יִרְמְיָהוּ שִׂים נָא בְּלוֹאֵי
הַסְּחָבוֹת וְהַמְּלָחִים תַּחַת אַצִּלוֹת יָדֶיךָ מִתַּחַת לַחֲבָלִים וַיַּעַשׂ יִרְמְיָהוּ כֵּן׃

[87] ואיו
[88] יחיה
[89] הסחבות

17 then Zedekiah the king sent, and fetched him; and the king asked him secretly in his house, and said: 'Is there any word from Yehovah?' And Jeremiah said: 'There is.' He said also: 'Thou shalt be delivered into the hand of the king of Babylon.' **18** Moreover Jeremiah said unto king Zedekiah: 'Wherein have I sinned against thee, or against thy servants, or against this people, that ye have put me in prison? **19** Where now are your prophets that prophesied unto you, saying: The king of Babylon shall not come against you, nor against this land? **20** And now hear, I pray thee, O my lord the king: let my supplication, I pray thee, be presented before thee; that thou cause me not to return to the house of Jonathan the scribe, lest I die there.' **21** Then Zedekiah the king commanded, and they committed Jeremiah into the court of the guard, and they gave him daily a loaf of bread out of the bakers' street, until all the bread in the city was spent. Thus Jeremiah remained in the court of the guard.

38 1 And Shephatiah the son of Mattan, and Gedaliah the son of Pashhur, and Jucal the son of Shelemiah, and Pashhur the son of Malchiah, heard the words that Jeremiah spoke unto all the people, saying: **2** 'Thus saith Yehovah: He that remaineth in this city shall die by the sword, by the famine, and by the pestilence; but he that goeth forth to the Chaldeans shall live, and his life shall be unto him for a prey, and he shall live.{s} **3** Thus saith Yehovah: This city shall surely be given into the hand of the army of the king of Babylon, and he shall take it.' **4** Then the princes said unto the king: 'Let this man, we pray thee, be put to death; forasmuch as he weakeneth the hands of the men of war that remain in this city, and the hands of all the people, in speaking such words unto them; for this man seeketh not the welfare of this people, but the hurt.' **5** Then Zedekiah the king said: 'Behold, he is in your hand; for the king is not he that can do any thing against you.' **6** Then took they Jeremiah, and cast him into the pit of Malchiah the king's son, that was in the court of the guard; and they let down Jeremiah with cords. And in the pit there was no water, but mire; and Jeremiah sank in the mire.{s} **7** Now when Ebed-melech the Ethiopian, an officer, who was in the king's house, heard that they had put Jeremiah in the pit; the king then sitting in the gate of Benjamin; **8** Ebed-melech went forth out of the king's house, and spoke to the king, saying: **9** 'My lord the king, these men have done evil in all that they have done to Jeremiah the prophet, whom they have cast into the pit; and he is like to die in the place where he is because of the famine; for there is no more bread in the city.' **10** Then the king commanded Ebed-melech the Ethiopian, saying: 'Take from hence thirty men with thee, and take up Jeremiah the prophet out of the pit, before he die.' **11** So Ebed-melech took the men with him, and went into the house of the king under the treasury, and took thence worn clouts and worn rags, and let them down by cords into the pit to Jeremiah. **12** And Ebed-melech the Ethiopian said unto Jeremiah: 'Put now these worn clouts and rags under thine armholes under the cords.' And Jeremiah did so.

יג וַיִּמְשְׁכוּ אֶת־יִרְמְיָהוּ בַּחֲבָלִים וַיַּעֲלוּ אֹתוֹ מִן־הַבּוֹר וַיֵּשֶׁב יִרְמְיָהוּ בַּחֲצַר
הַמַּטָּרָה׃ יד וַיִּשְׁלַח הַמֶּלֶךְ צִדְקִיָּהוּ וַיִּקַּח אֶת־יִרְמְיָהוּ הַנָּבִיא אֵלָיו אֶל־מָבוֹא
הַשְּׁלִישִׁי אֲשֶׁר בְּבֵית יְהוָה וַיֹּאמֶר הַמֶּלֶךְ אֶל־יִרְמְיָהוּ שֹׁאֵל אֲנִי אֹתְךָ דָּבָר
אַל־תְּכַחֵד מִמֶּנִּי דָּבָר׃ טו וַיֹּאמֶר יִרְמְיָהוּ אֶל־צִדְקִיָּהוּ כִּי אַגִּיד לְךָ הֲלוֹא
הָמֵת תְּמִיתֵנִי וְכִי אִיעָצְךָ לֹא תִשְׁמַע אֵלָי׃ טז וַיִּשָּׁבַע הַמֶּלֶךְ צִדְקִיָּהוּ
אֶל־יִרְמְיָהוּ בַּסֵּתֶר לֵאמֹר חַי־יְהוָה [90] אֲשֶׁר עָשָׂה־לָנוּ אֶת־הַנֶּפֶשׁ הַזֹּאת
אִם־אֲמִיתֶךָ וְאִם־אֶתֶּנְךָ בְּיַד הָאֲנָשִׁים הָאֵלֶּה אֲשֶׁר מְבַקְשִׁים אֶת־נַפְשֶׁךָ׃
יז וַיֹּאמֶר יִרְמְיָהוּ אֶל־צִדְקִיָּהוּ כֹּה־אָמַר יְהוָה אֱלֹהֵי צְבָאוֹת אֱלֹהֵי יִשְׂרָאֵל
אִם־יָצֹא תֵצֵא אֶל־שָׂרֵי מֶלֶךְ־בָּבֶל וְחָיְתָה נַפְשֶׁךָ וְהָעִיר הַזֹּאת לֹא תִשָּׂרֵף בָּאֵשׁ
וְחָיִתָה אַתָּה וּבֵיתֶךָ׃ יח וְאִם לֹא־תֵצֵא אֶל־שָׂרֵי מֶלֶךְ בָּבֶל וְנִתְּנָה הָעִיר הַזֹּאת
בְּיַד הַכַּשְׂדִּים וּשְׂרָפוּהָ בָּאֵשׁ וְאַתָּה לֹא־תִמָּלֵט מִיָּדָם׃ יט וַיֹּאמֶר הַמֶּלֶךְ
צִדְקִיָּהוּ אֶל־יִרְמְיָהוּ אֲנִי דֹאֵג אֶת־הַיְּהוּדִים אֲשֶׁר נָפְלוּ אֶל־הַכַּשְׂדִּים פֶּן־יִתְּנוּ
אֹתִי בְּיָדָם וְהִתְעַלְּלוּ־בִי׃

כ וַיֹּאמֶר יִרְמְיָהוּ לֹא יִתֵּנוּ שְׁמַע־נָא ׀ בְּקוֹל יְהוָה לַאֲשֶׁר אֲנִי דֹּבֵר אֵלֶיךָ וְיִיטַב
לְךָ וּתְחִי נַפְשֶׁךָ׃ כא וְאִם־מָאֵן אַתָּה לָצֵאת זֶה הַדָּבָר אֲשֶׁר הִרְאַנִי יְהוָה׃
כב וְהִנֵּה כָל־הַנָּשִׁים אֲשֶׁר נִשְׁאֲרוּ בְּבֵית מֶלֶךְ־יְהוּדָה מוּצָאוֹת אֶל־שָׂרֵי מֶלֶךְ
בָּבֶל וְהֵנָּה אֹמְרוֹת הִסִּיתוּךָ וְיָכְלוּ לְךָ אַנְשֵׁי שְׁלֹמֶךָ הָטְבְּעוּ בַבֹּץ רַגְלֶךָ נָסֹגוּ
אָחוֹר׃ כג וְאֶת־כָּל־נָשֶׁיךָ וְאֶת־בָּנֶיךָ מוֹצִאִים אֶל־הַכַּשְׂדִּים וְאַתָּה לֹא־תִמָּלֵט
מִיָּדָם כִּי בְיַד מֶלֶךְ־בָּבֶל תִּתָּפֵשׂ וְאֶת־הָעִיר הַזֹּאת תִּשְׂרֹף בָּאֵשׁ׃

כד וַיֹּאמֶר צִדְקִיָּהוּ אֶל־יִרְמְיָהוּ אִישׁ אַל־יֵדַע בַּדְּבָרִים־הָאֵלֶּה וְלֹא תָמוּת׃
כה וְכִי־יִשְׁמְעוּ הַשָּׂרִים כִּי־דִבַּרְתִּי אִתָּךְ וּבָאוּ אֵלֶיךָ וְאָמְרוּ אֵלֶיךָ הַגִּידָה־נָּא
לָנוּ מַה־דִּבַּרְתָּ אֶל־הַמֶּלֶךְ אַל־תְּכַחֵד מִמֶּנּוּ וְלֹא נְמִיתֶךָ וּמַה־דִּבֶּר אֵלֶיךָ
הַמֶּלֶךְ׃ כו וְאָמַרְתָּ אֲלֵיהֶם מַפִּיל־אֲנִי תְחִנָּתִי לִפְנֵי הַמֶּלֶךְ לְבִלְתִּי הֲשִׁיבֵנִי בֵּית
יְהוֹנָתָן לָמוּת שָׁם׃

כז וַיָּבֹאוּ כָל־הַשָּׂרִים אֶל־יִרְמְיָהוּ וַיִּשְׁאֲלוּ אֹתוֹ וַיַּגֵּד לָהֶם כְּכָל־הַדְּבָרִים
הָאֵלֶּה אֲשֶׁר צִוָּה הַמֶּלֶךְ וַיַּחֲרִשׁוּ מִמֶּנּוּ כִּי לֹא־נִשְׁמַע הַדָּבָר׃

כח וַיֵּשֶׁב יִרְמְיָהוּ בַּחֲצַר הַמַּטָּרָה עַד־יוֹם אֲשֶׁר־נִלְכְּדָה יְרוּשָׁלָם וְהָיָה כַּאֲשֶׁר
נִלְכְּדָה יְרוּשָׁלָם׃

לט א בַּשָּׁנָה הַתְּשִׁעִית לְצִדְקִיָּהוּ מֶלֶךְ־יְהוּדָה בַּחֹדֶשׁ הָעֲשִׂרִי בָּא
נְבוּכַדְרֶאצַּר מֶלֶךְ־בָּבֶל וְכָל־חֵילוֹ אֶל־יְרוּשָׁלַם וַיָּצֻרוּ עָלֶיהָ׃

---

[90]את

<u>13</u> So they drew up Jeremiah with the cords, and took him up out of the pit; and Jeremiah remained in the court of the guard.{S} <u>14</u> Then Zedekiah the king sent, and took Jeremiah the prophet unto him into the third entry that was in the house of Yehovah; and the king said unto Jeremiah: 'I will ask thee a thing; hide nothing from me.' <u>15</u> Then Jeremiah said unto Zedekiah: 'If I declare it unto thee, wilt thou not surely put me to death? and if I give thee counsel, thou wilt not hearken unto me.' <u>16</u> So Zedekiah the king swore secretly unto Jeremiah, saying: 'As Yehovah liveth, that made us this soul, I will not put thee to death, neither will I give thee into the hand of these men that seek thy life.'{S} <u>17</u> Then said Jeremiah unto Zedekiah:{S} 'Thus saith Yehovah, the God of hosts, the God of Israel: If thou wilt go forth unto the king of Babylon's princes, then thy soul shall live, and this city shall not be burned with fire; and thou shalt live, thou, and thy house; <u>18</u> but if thou wilt not go forth to the king of Babylon's princes, then shall this city be given into the hand of the Chaldeans, and they shall burn it with fire, and thou shalt not escape out of their hand.'{S} <u>19</u> And Zedekiah the king said unto Jeremiah: 'I am afraid of the Jews that are fallen away to the Chaldeans, lest they deliver me into their hand, and they mock me.' <u>20</u> But Jeremiah said: 'They shall not deliver thee. Hearken, I beseech thee, to the voice of Yehovah, in that which I speak unto thee; so it shall be well with thee, and thy soul shall live. <u>21</u> But if thou refuse to go forth, this is the word that Yehovah hath shown me: <u>22</u> Behold, all the women that are left in the king of Judah's house shall be brought forth to the king of Babylon's princes, and those women shall say: Thy familiar friends have set thee on, and have prevailed over thee; thy feet are sunk in the mire, and they are turned away back. <u>23</u> And they shall bring out all thy wives and thy children to the Chaldeans; and thou shalt not escape out of their hand, but shalt be taken by the hand of the king of Babylon; and thou shalt cause this city to be burned with fire.'{S} <u>24</u> Then said Zedekiah unto Jeremiah: 'Let no man know of these words, and thou shalt not die. <u>25</u> But if the princes hear that I have talked with thee, and they come unto thee, and say unto thee: Declare unto us now what thou hast said unto the king; hide it not from us, and we will not put thee to death; also what the king said unto thee; <u>26</u> then thou shalt say unto them: I presented my supplication before the king, that he would not cause me to return to Jonathan's house, to die there.'{P}

<u>27</u> Then came all the princes unto Jeremiah, and asked him; and he told them according to all these words that the king had commanded. So they left off speaking with him; for the matter was not reported. <u>28</u> So Jeremiah abode in the court of the guard until the day that Yerushalam was taken.{S} And it came to pass, when Yerushalam was taken–

39 <u>1</u> in the ninth year of Zedekiah king of Judah, in the tenth month, came Nebuchadrezzar king of Babylon and all his army against Yerushalam, and besieged it;

ב בְּעַשְׁתֵּי־עֶשְׂרֵה שָׁנָה לְצִדְקִיָּהוּ בַּחֹדֶשׁ הָרְבִיעִי בְּתִשְׁעָה לַחֹדֶשׁ הָבְקְעָה
הָעִיר׃ ג וַיָּבֹאוּ כֹּל שָׂרֵי מֶלֶךְ־בָּבֶל וַיֵּשְׁבוּ בְּשַׁעַר הַתָּוֶךְ נֵרְגַל שַׂר־אֶצֶר
סַמְגַּר־נְבוּ שַׂר־סְכִים רַב־סָרִיס נֵרְגַל שַׂר־אֶצֶר רַב־מָג וְכָל־שְׁאֵרִית שָׂרֵי
מֶלֶךְ בָּבֶל׃ ד וַיְהִי כַּאֲשֶׁר רָאָם צִדְקִיָּהוּ מֶלֶךְ־יְהוּדָה וְכֹל ׀ אַנְשֵׁי הַמִּלְחָמָה
וַיִּבְרְחוּ וַיֵּצְאוּ לַיְלָה מִן־הָעִיר דֶּרֶךְ גַּן הַמֶּלֶךְ בְּשַׁעַר בֵּין הַחֹמֹתָיִם וַיֵּצֵא
דֶּרֶךְ הָעֲרָבָה׃ ה וַיִּרְדְּפוּ חֵיל־כַּשְׂדִּים אַחֲרֵיהֶם וַיַּשִּׂגוּ אֶת־צִדְקִיָּהוּ בְּעַרְבוֹת
יְרֵחוֹ וַיִּקְחוּ אֹתוֹ וַיַּעֲלֻהוּ אֶל־נְבוּכַדְרֶאצַּר מֶלֶךְ־בָּבֶל רִבְלָתָה בְּאֶרֶץ חֲמָת
וַיְדַבֵּר אִתּוֹ מִשְׁפָּטִים׃ ו וַיִּשְׁחַט מֶלֶךְ בָּבֶל אֶת־בְּנֵי צִדְקִיָּהוּ בְּרִבְלָה לְעֵינָיו
וְאֵת כָּל־חֹרֵי יְהוּדָה שָׁחַט מֶלֶךְ בָּבֶל׃ ז וְאֶת־עֵינֵי צִדְקִיָּהוּ עִוֵּר וַיַּאַסְרֵהוּ
בַּנְחֻשְׁתַּיִם לָבִיא אֹתוֹ בָּבֶלָה׃ ח וְאֶת־בֵּית הַמֶּלֶךְ וְאֶת־בֵּית הָעָם שָׂרְפוּ
הַכַּשְׂדִּים בָּאֵשׁ וְאֶת־חֹמוֹת יְרוּשָׁלִַם נָתָצוּ׃ ט וְאֵת יֶתֶר הָעָם הַנִּשְׁאָרִים בָּעִיר
וְאֶת־הַנֹּפְלִים אֲשֶׁר נָפְלוּ עָלָיו וְאֵת יֶתֶר הָעָם הַנִּשְׁאָרִים הֶגְלָה נְבוּזַר־אֲדָן
רַב־טַבָּחִים בָּבֶל׃ י וּמִן־הָעָם הַדַּלִּים אֲשֶׁר אֵין־לָהֶם מְאוּמָה הִשְׁאִיר
נְבוּזַרְאֲדָן רַב־טַבָּחִים בְּאֶרֶץ יְהוּדָה וַיִּתֵּן לָהֶם כְּרָמִים וִיגֵבִים בַּיּוֹם הַהוּא׃
יא וַיְצַו נְבוּכַדְרֶאצַּר מֶלֶךְ־בָּבֶל עַל־יִרְמְיָהוּ בְּיַד נְבוּזַרְאֲדָן רַב־טַבָּחִים
לֵאמֹר׃ יב קָחֶנּוּ וְעֵינֶיךָ שִׂים עָלָיו וְאַל־תַּעַשׂ לוֹ מְאוּמָה רָע כִּי [91] כַּאֲשֶׁר
יְדַבֵּר אֵלֶיךָ כֵּן עֲשֵׂה עִמּוֹ׃ יג וַיִּשְׁלַח נְבוּזַרְאֲדָן רַב־טַבָּחִים וּנְבוּשַׁזְבָּן
רַב־סָרִיס וְנֵרְגַל שַׂר־אֶצֶר רַב־מָג וְכֹל רַבֵּי מֶלֶךְ־בָּבֶל׃ יד וַיִּשְׁלְחוּ וַיִּקְחוּ
אֶת־יִרְמְיָהוּ מֵחֲצַר הַמַּטָּרָה וַיִּתְּנוּ אֹתוֹ אֶל־גְּדַלְיָהוּ בֶּן־אֲחִיקָם בֶּן־שָׁפָן
לְהוֹצִאֵהוּ אֶל־הַבָּיִת וַיֵּשֶׁב בְּתוֹךְ הָעָם׃ טו וְאֶל־יִרְמְיָהוּ הָיָה דְבַר־יְהוָה
בִּהְיֹתוֹ עָצוּר בַּחֲצַר הַמַּטָּרָה לֵאמֹר׃ טז הָלוֹךְ וְאָמַרְתָּ לְעֶבֶד־מֶלֶךְ הַכּוּשִׁי
לֵאמֹר כֹּה־אָמַר יְהוָה צְבָאוֹת אֱלֹהֵי יִשְׂרָאֵל הִנְנִי מֵבִיא [92] אֶת־דְּבָרַי
אֶל־הָעִיר הַזֹּאת לְרָעָה וְלֹא לְטוֹבָה וְהָיוּ לְפָנֶיךָ בַּיּוֹם הַהוּא׃ יז וְהִצַּלְתִּיךָ
בַיּוֹם־הַהוּא נְאֻם־יְהוָה וְלֹא תִנָּתֵן בְּיַד הָאֲנָשִׁים אֲשֶׁר־אַתָּה יָגוֹר מִפְּנֵיהֶם׃
יח כִּי מַלֵּט אֲמַלֶּטְךָ וּבַחֶרֶב לֹא תִפֹּל וְהָיְתָה לְךָ נַפְשְׁךָ לְשָׁלָל כִּי־בָטַחְתָּ בִּי
נְאֻם־יְהוָה׃

מ א הַדָּבָר אֲשֶׁר־הָיָה אֶל־יִרְמְיָהוּ מֵאֵת יְהוָה אַחַר ׀ שַׁלַּח אֹתוֹ נְבוּזַרְאֲדָן
רַב־טַבָּחִים מִן־הָרָמָה בְּקַחְתּוֹ אֹתוֹ וְהוּא־אָסוּר בָּאזִקִּים בְּתוֹךְ כָּל־גָּלוּת
יְרוּשָׁלִַם וִיהוּדָה הַמֻּגְלִים בָּבֶלָה׃ ב וַיִּקַּח רַב־טַבָּחִים לְיִרְמְיָהוּ וַיֹּאמֶר אֵלָיו
יְהוָה אֱלֹהֶיךָ דִּבֶּר אֶת־הָרָעָה הַזֹּאת אֶל־הַמָּקוֹם הַזֶּה׃

[91] אם
[92] מבי

<u>2</u> in the eleventh year of Zedekiah, in the fourth month, the ninth day of the month, a breach was made in the city– <u>3</u> that all the princes of the king of Babylon came in, and sat in the middle gate, even Nergal-sarezer, Samgar-nebo, Sarsechim Rab-saris, Nergal-sarezer Rab-mag, with all the residue of the princes of the king of Babylon. <u>4</u> And it came to pass, that when Zedekiah the king of Judah and all the men of war saw them, then they fled, and went forth out of the city by night, by the way of the king's garden, by the gate betwixt the two walls; and he went out the way of the Arabah. <u>5</u> But the army of the Chaldeans pursued after them, and overtook Zedekiah in the plains of Jericho; and when they had taken him, they brought him up to Nebuchadrezzar king of Babylon to Riblah in the land of Hamath, and he gave judgment upon him. <u>6</u> Then the king of Babylon slew the sons of Zedekiah in Riblah before his eyes; also the king of Babylon slew all the nobles of Judah. <u>7</u> Moreover he put out Zedekiah's eyes, and bound him in fetters, to carry him to Babylon. <u>8</u> And the Chaldeans burned the king's house, and the house of the people, with fire, and broke down the walls of Yerushalam. <u>9</u> Then Nebuzaradan the captain of the guard carried away captive into Babylon the remnant of the people that remained in the city, the deserters also, that fell away to him, with the rest of the people that remained. <u>10</u> But Nebuzaradan the captain of the guard left of the poor of the people, that had nothing, in the land of Judah, and gave them vineyards and fields in that day. <u>11</u> Now Nebuchadrezzar king of Babylon gave charge concerning Jeremiah to Nebuzaradan the captain of the guard, saying: <u>12</u> 'Take him, and look well to him, and do him no harm; but do unto him even as he shall say unto thee.' <u>13</u> So Nebuzaradan the captain of the guard sent, and Nebushazban Rab-saris, and Nergal-sarezer Rab-mag, and all the chief officers of the king of Babylon; <u>14</u> they sent, and took Jeremiah out of the court of the guard, and committed him unto Gedaliah the son of Ahikam, the son of Shaphan, that he should carry him home; so he dwelt among the people.{S} <u>15</u> Now the word of Yehovah came unto Jeremiah, while he was shut up in the court of the guard, saying: <u>16</u> 'Go, and speak to Ebed-melech the Ethiopian, saying: Thus saith Yehovah of hosts, the God of Israel: Behold, I will bring My words upon this city for evil, and not for good; and they shall be accomplished before thee in that day. <u>17</u> But I will deliver thee in that day, saith Yehovah; and thou shalt not be given into the hand of the men of whom thou art afraid. <u>18</u> For I will surely deliver thee, and thou shalt not fall by the sword, but thy life shall be for a prey unto thee; because thou hast put thy trust in Me, saith Yehovah.'{P}

40 <u>1</u> The word which came to Jeremiah from Yehovah, after that Nebuzaradan the captain of the guard had let him go from Ramah, when he had taken him being bound in chains among all the captives of Yerushalam and Judah, that were carried away captive unto Babylon. <u>2</u> And the captain of the guard took Jeremiah, and said unto him: 'Yehovah thy God pronounced this evil upon this place;

ג וַיָּ֥בֵא וַיַּ֛עַשׂ יְהוָ֖ה כַּאֲשֶׁ֣ר דִּבֶּ֑ר כִּֽי־חֲטָאתֶ֤ם לַֽיהוָה֙ וְלֹֽא־שְׁמַעְתֶּ֣ם בְּקוֹל֔וֹ וְהָיָ֥ה
לָכֶ֖ם הַדָּבָ֥ר[93] הַזֶּֽה׃ ד וְעַתָּ֞ה הִנֵּ֧ה פִתַּחְתִּ֣יךָ הַיּ֗וֹם מִן־הָאזִקִּים֮ אֲשֶׁ֣ר עַל־יָדֶךָ֒
אִם־ט֨וֹב בְּעֵינֶ֜יךָ לָב֧וֹא אִתִּ֣י בָבֶ֗ל בֹּ֚א וְאָשִׂ֤ים אֶת־עֵינִי֙ עָלֶ֔יךָ וְאִם־רַ֧ע בְּעֵינֶ֛יךָ
לָבֽוֹא־אִתִּ֥י בָבֶ֖ל חֲדָ֑ל רְאֵה֙ כָּל־הָאָ֣רֶץ לְפָנֶ֔יךָ אֶל־ט֨וֹב וְאֶל־הַיָּשָׁ֧ר בְּעֵינֶ֛יךָ
לָלֶ֥כֶת שָׁ֖מָּה לֵֽךְ׃ ה וְעוֹדֶ֣נּוּ לֹֽא־יָשׁ֗וּב וְשֻׁ֡בָה אֶל־גְּדַלְיָ֣ה בֶן־אֲחִיקָ֣ם בֶּן־שָׁפָ֡ן
אֲשֶׁר֩ הִפְקִ֨יד מֶֽלֶךְ־בָּבֶ֜ל בְּעָרֵ֣י יְהוּדָ֗ה וְשֵׁ֤ב אִתּוֹ֙ בְּת֣וֹךְ הָעָ֔ם א֠וֹ
אֶל־כָּל־הַיָּשָׁ֧ר בְּעֵינֶ֛יךָ לָלֶ֖כֶת לֵ֑ךְ וַיִּתֶּן־ל֧וֹ רַב־טַבָּחִ֛ים אֲרֻחָ֥ה וּמַשְׂאֵ֖ת
וַֽיְשַׁלְּחֵֽהוּ׃ ו וַיָּבֹ֧א יִרְמְיָ֛הוּ אֶל־גְּדַלְיָ֥ה בֶן־אֲחִיקָ֖ם הַמִּצְפָּ֑תָה וַיֵּ֤שֶׁב אִתּוֹ֙ בְּת֣וֹךְ
הָעָ֔ם הַנִּשְׁאָרִ֖ים בָּאָֽרֶץ׃ ז וַיִּשְׁמְע֨וּ כָל־שָׂרֵ֜י הַחֲיָלִ֗ים אֲשֶׁ֤ר בַּשָּׂדֶה֙ הֵ֣מָּה
וְאַנְשֵׁיהֶ֔ם כִּֽי־הִפְקִ֧יד מֶֽלֶךְ־בָּבֶ֛ל אֶת־גְּדַלְיָ֥הוּ בֶן־אֲחִיקָ֖ם בָּאָ֑רֶץ וְכִ֣י ׀ הִפְקִ֣יד
אִתּ֗וֹ אֲנָשִׁ֤ים וְנָשִׁים֙ וָטָ֔ף וּמִדַּלַּ֣ת הָאָ֔רֶץ מֵאֲשֶׁ֥ר לֹֽא־הָגְל֖וּ בָּבֶֽלָה׃ ח וַיָּבֹ֥אוּ
אֶל־גְּדַלְיָ֖ה הַמִּצְפָּ֑תָה וְיִשְׁמָעֵ֣אל בֶּן־נְתַנְיָ֡הוּ וְיוֹחָנָ֣ן וְיוֹנָתָ֣ן בְּֽנֵי־קָ֠רֵחַ וּשְׂרָיָ֨ה
בֶן־תַּנְחֻ֜מֶת וּבְנֵ֣י ׀ עֵיפַ֣י[94] הַנְּטֹפָתִ֗י וִֽיזַנְיָ֙הוּ֙ בֶּן־הַמַּ֣עֲכָתִ֔י הֵ֖מָּה וְאַנְשֵׁיהֶֽם׃
ט וַיִּשָּׁבַ֨ע לָהֶ֜ם גְּדַלְיָ֨הוּ בֶן־אֲחִיקָ֤ם בֶּן־שָׁפָן֙ וּלְאַנְשֵׁיהֶ֣ם לֵאמֹ֔ר אַל־תִּֽירְא֖וּ
מֵעֲב֣וֹד הַכַּשְׂדִּ֑ים שְׁב֣וּ בָאָ֗רֶץ וְעִבְד֛וּ אֶת־מֶ֥לֶךְ בָּבֶ֖ל וְיִיטַ֥ב לָכֶֽם׃ י וַאֲנִ֗י הִנְנִי֙
יֹשֵׁ֣ב בַּמִּצְפָּ֔ה לַעֲמֹד֙ לִפְנֵ֣י הַכַּשְׂדִּ֔ים אֲשֶׁ֥ר יָבֹ֖אוּ אֵלֵ֑ינוּ וְאַתֶּ֡ם אִסְפוּ֩ יַ֨יִן וְקַ֜יִץ
וְשֶׁ֗מֶן וְשִׂ֙מוּ֙ בִּכְלֵיכֶ֔ם וּשְׁב֖וּ בְּעָרֵיכֶ֥ם אֲשֶׁר־תְּפַשְׂתֶּֽם׃ יא וְגַ֣ם כָּל־הַיְּהוּדִ֡ים
אֲשֶׁר־בְּמוֹאָ֣ב ׀ וּבִבְנֵֽי־עַמּ֨וֹן וּבֶאֱד֜וֹם וַאֲשֶׁ֣ר בְּכָל־הָאֲרָצוֹת֮ שָׁמְעוּ֒ כִּֽי־נָתַ֧ן
מֶֽלֶךְ־בָּבֶ֛ל שְׁאֵרִ֖ית לִֽיהוּדָ֑ה וְכִי֙ הִפְקִ֣יד עֲלֵיהֶ֔ם אֶת־גְּדַלְיָ֖הוּ בֶּן־אֲחִיקָ֥ם
בֶּן־שָׁפָֽן׃ יב וַיָּשֻׁ֣בוּ כָל־הַיְּהוּדִ֗ים מִֽכָּל־הַמְּקֹמוֹת֙ אֲשֶׁ֣ר נִדְּחוּ־שָׁ֔ם וַיָּבֹ֧אוּ
אֶֽרֶץ־יְהוּדָ֛ה אֶל־גְּדַלְיָ֖הוּ הַמִּצְפָּ֑תָה וַיַּאַסְפ֛וּ יַ֥יִן וָקַ֖יִץ הַרְבֵּ֥ה מְאֹֽד׃

יג וְיוֹחָנָן֙ בֶּן־קָרֵ֔חַ וְכָל־שָׂרֵ֥י הַחֲיָלִ֖ים אֲשֶׁ֣ר בַּשָּׂדֶ֑ה בָּ֥אוּ אֶל־גְּדַלְיָ֖הוּ
הַמִּצְפָּֽתָה׃ יד וַיֹּאמְר֨וּ אֵלָ֜יו הֲיָדֹ֤עַ תֵּדַע֙ כִּ֚י בַּעֲלִ֣יס ׀ מֶ֣לֶךְ בְּנֵֽי־עַמּ֗וֹן שָׁלַח֙
אֶת־יִשְׁמָעֵ֣אל בֶּן־נְתַנְיָ֔ה לְהַכֹּתְךָ֖ נָ֑פֶשׁ וְלֹֽא־הֶאֱמִ֣ין לָהֶ֔ם גְּדַלְיָ֖הוּ בֶּן־אֲחִיקָֽם׃
יה וְיוֹחָנָ֣ן בֶּן־קָ֠רֵחַ אָמַ֨ר אֶל־גְּדַלְיָ֜הוּ בַסֵּ֣תֶר בַּמִּצְפָּ֗ה לֵאמֹר֙ אֵ֣לְכָה נָּ֔א וְאַכֶּה֙
אֶת־יִשְׁמָעֵ֣אל בֶּן־נְתַנְיָ֔ה וְאִ֖ישׁ לֹ֣א יֵדָ֑ע לָ֣מָּה יַכֶּ֣כָּה נֶּ֗פֶשׁ וְנָפֹ֙צוּ֙ כָּל־יְהוּדָה֙
הַנִּקְבָּצִ֣ים אֵלֶ֔יךָ וְאָבְדָ֖ה שְׁאֵרִ֥ית יְהוּדָֽה׃ יו וַיֹּ֨אמֶר גְּדַלְיָ֤הוּ בֶן־אֲחִיקָם֙
אֶל־יוֹחָנָ֣ן בֶּן־קָרֵ֔חַ אַֽל־תַּעֲשֵׂ֖ה[95] אֶת־הַדָּבָ֣ר הַזֶּ֑ה כִּֽי־שֶׁ֛קֶר אַתָּ֥ה דֹבֵ֖ר
אֶל־יִשְׁמָעֵֽאל׃

[93] דבר
[94] עופי
[95] תעש

<u>3</u> and Yehovah hath brought it, and done according as He spoke; because ye have sinned against Yehovah, and have not hearkened to His voice, therefore this thing is come upon you. <u>4</u> And now, behold, I loose thee this day from the chains which are upon thy hand. If it seem good unto thee to come with me into Babylon, come, and I will look well unto thee; but if it seem ill unto thee to come with me into Babylon, forbear; behold, all the land is before thee; whither it seemeth good and right unto thee to go, thither go.– <u>5</u> Yet he would not go back.–Go back then to Gedaliah the son of Ahikam, the son of Shaphan, whom the king of Babylon hath made governor over the cities of Judah, and dwell with him among the people; or go wheresoever it seemeth right unto thee to go.' So the captain of the guard gave him an allowance and a present, and let him go. <u>6</u> Then went Jeremiah unto Gedaliah the son of Ahikam to Mizpah, and dwelt with him among the people that were left in the land.{P}

<u>7</u> Now when all the captains of the forces that were in the fields, even they and their men, heard that the king of Babylon had made Gedaliah the son of Ahikam governor in the land, and had committed unto him men, and women, and children, and of the poorest of the land, of them that were not carried away captive to Babylon; <u>8</u> then they came to Gedaliah to Mizpah, even Ishmael the son of Nethaniah, and Johanan and Jonathan the sons of Kareah, and Seraiah the son of Tanhumeth, and the sons of Ephai the Netophathite, and Jezaniah the son of the Maacathite, they and their men. <u>9</u> And Gedaliah the son of Ahikam the son of Shaphan swore unto them and to their men, saying: 'Fear not to serve the Chaldeans; dwell in the land, and serve the king of Babylon, and it shall be well with you. <u>10</u> As for me, behold, I will dwell at Mizpah, to stand before the Chaldeans that may come unto us; but ye, gather ye wine and summer fruits and oil, and put them in your vessels, and dwell in your cities that ye have taken.' <u>11</u> Likewise when all the Jews that were in Moab, and among the children of Ammon, and in Edom, and that were in all the countries, heard that the king of Babylon had left a remnant of Judah, and that he had set over them Gedaliah the son of Ahikam, the son of Shaphan; <u>12</u> then all the Jews returned out of all places whither they were driven, and came to the land of Judah, to Gedaliah, unto Mizpah, and gathered wine and summer fruits in great abundance.{S} <u>13</u> Moreover Johanan the son of Kareah, and all the captains of the forces that were in the fields, came to Gedaliah to Mizpah, <u>14</u> and said unto him: 'Dost thou know that Baalis the king of the children of Ammon hath sent Ishmael the son of Nethaniah to take thy life?' But Gedaliah the son of Ahikam believed them not. <u>15</u> Then Johanan the son of Kareah spoke to Gedaliah in Mizpah secretly, saying: 'Let me go, I pray thee, and I will slay Ishmael the son of Nethaniah, and no man shall know it; wherefore should he take thy life, that all the Jews that are gathered unto thee should be scattered, and the remnant of Judah perish?' <u>16</u> But Gedaliah the son of Ahikam said unto Johanan the son of Kareah: 'Thou shalt not do this thing; for thou speakest falsely of Ishmael.'{P}

מ**א** **א** וַיְהִ֣י ׀ בַּחֹ֣דֶשׁ הַשְּׁבִיעִ֗י בָּ֣א יִשְׁמָעֵ֣אל בֶּן־נְתַנְיָ֣ה בֶן־אֱלִישָׁמָ֣ע מִזֶּ֣רַע הַמְּלוּכָ֡ה וְרַבֵּ֣י הַמֶּ֩לֶךְ֩ וַעֲשָׂרָ֨ה אֲנָשִׁ֤ים אִתּוֹ֙ אֶל־גְּדַלְיָ֣הוּ בֶן־אֲחִיקָ֖ם הַמִּצְפָּ֑תָה וַיֹּ֨אכְלוּ שָׁ֥ם לֶ֛חֶם יַחְדָּ֖ו בַּמִּצְפָּֽה: **ב** וַיָּ֩קׇם֩ יִשְׁמָעֵ֨אל בֶּן־נְתַנְיָ֜ה וַעֲשֶׂ֥רֶת הָאֲנָשִׁ֣ים ׀ אֲשֶׁר־הָי֣וּ אִתּ֗וֹ וַיַּכּ֛וּ אֶת־גְּדַלְיָ֧הוּ בֶן־אֲחִיקָ֛ם בֶּן־שָׁפָ֖ן בַּחֶ֑רֶב וַיָּ֣מֶת אֹת֔וֹ אֲשֶׁר־הִפְקִ֥יד מֶלֶךְ־בָּבֶ֖ל בָּאָֽרֶץ: **ג** וְאֵ֣ת כׇּל־הַיְּהוּדִ֗ים אֲשֶׁר־הָי֤וּ אִתּוֹ֙ אֶת־גְּדַלְיָ֙הוּ֙ בַּמִּצְפָּ֔ה וְאֶת־הַכַּשְׂדִּ֖ים אֲשֶׁ֣ר נִמְצְאוּ־שָׁ֑ם אֵ֚ת אַנְשֵׁ֣י הַמִּלְחָמָ֔ה הִכָּ֖ה יִשְׁמָעֵֽאל: **ד** וַיְהִ֛י בַּיּ֥וֹם הַשֵּׁנִ֖י לְהָמִ֣ית אֶת־גְּדַלְיָ֑הוּ וְאִ֖ישׁ לֹ֥א יָדָֽע: **ה** וַיָּבֹ֣אוּ אֲ֠נָשִׁ֠ים מִשְּׁכֶ֞ם מִשִּׁל֤וֹ וּמִשֹּֽׁמְרוֹן֙ שְׁמֹנִ֣ים אִ֔ישׁ מְגֻלְּחֵ֥י זָקָ֖ן וּקְרֻעֵ֣י בְגָדִ֗ים וּמִֽתְגֹּֽדְדִ֑ים וּמִנְחָ֤ה וּלְבוֹנָה֙ בְּיָדָ֔ם לְהָבִ֖יא בֵּ֥ית יְהֹוָֽה: **ו** וַ֠יֵּצֵ֠א יִשְׁמָעֵ֨אל בֶּן־נְתַנְיָ֤ה לִקְרָאתָם֙ מִן־הַמִּצְפָּ֔ה הֹלֵ֥ךְ הָלֹ֖ךְ וּבֹכֶ֑ה וַיְהִי֙ כִּפְגֹ֣שׁ אֹתָ֔ם וַיֹּ֣אמֶר אֲלֵיהֶ֔ם בֹּ֖אוּ אֶל־גְּדַלְיָ֥הוּ בֶן־אֲחִיקָֽם: **ז** וַיְהִ֕י כְּבוֹאָ֖ם אֶל־תּ֣וֹךְ הָעִ֑יר וַיִּשְׁחָטֵ֞ם יִשְׁמָעֵ֤אל בֶּן־נְתַנְיָה֙ אֶל־תּ֣וֹךְ הַבּ֔וֹר ה֖וּא וְהָאֲנָשִׁ֥ים אֲשֶׁר־אִתּֽוֹ: **ח** וַעֲשָׂרָ֨ה אֲנָשִׁ֜ים נִמְצְאוּ־בָ֗ם וַיֹּאמְר֤וּ אֶל־יִשְׁמָעֵאל֙ אַל־תְּמִתֵ֔נוּ כִּי־יֶשׁ־לָ֤נוּ מַטְמֹנִים֙ בַּשָּׂדֶ֔ה חִטִּ֣ים וּשְׂעֹרִ֔ים וְשֶׁ֖מֶן וּדְבָ֑שׁ וַיֶּחְדַּ֕ל וְלֹ֥א הֱמִיתָ֖ם בְּת֥וֹךְ אֲחֵיהֶֽם: **ט** וְהַבּ֗וֹר אֲשֶׁר֩ הִשְׁלִ֨יךְ שָׁ֤ם יִשְׁמָעֵאל֙ אֵ֣ת ׀ כׇּל־פִּגְרֵ֣י הָאֲנָשִׁ֗ים אֲשֶׁ֤ר הִכָּה֙ בְּיַד־גְּדַלְיָ֔הוּ ה֗וּא אֲשֶׁ֤ר עָשָׂה֙ הַמֶּ֣לֶךְ אָסָ֔א מִפְּנֵ֖י בַּעְשָׁ֣א מֶֽלֶךְ־יִשְׂרָאֵ֑ל אֹת֗וֹ מִלֵּ֛א יִשְׁמָעֵ֥אל בֶּן־נְתַנְיָ֖הוּ חֲלָלִֽים: **י** וַיִּ֣שְׁבְּ ׀ יִ֠שְׁמָעֵ֠אל אֶת־כׇּל־שְׁאֵרִ֨ית הָעָ֜ם אֲשֶׁ֣ר בַּמִּצְפָּ֗ה אֶת־בְּנ֤וֹת הַמֶּ֙לֶךְ֙ וְאֶת־כׇּל־הָעָם֙ הַנִּשְׁאָרִ֣ים בַּמִּצְפָּ֔ה אֲשֶׁ֣ר הִפְקִ֗יד נְבֽוּזַרְאֲדָן֙ רַב־טַבָּחִ֔ים אֶת־גְּדַלְיָ֖הוּ בֶּן־אֲחִיקָ֑ם וַיִּשְׁבֵּם֙ יִשְׁמָעֵ֣אל בֶּן־נְתַנְיָ֔ה וַיֵּ֕לֶךְ לַעֲבֹ֖ר אֶל־בְּנֵ֥י עַמּֽוֹן: **יא** וַיִּשְׁמַ֤ע יֽוֹחָנָן֙ בֶּן־קָרֵ֔חַ וְכׇל־שָׂרֵ֥י הַחֲיָלִ֖ים אֲשֶׁ֣ר אִתּ֑וֹ אֵ֤ת כׇּל־הָרָעָה֙ אֲשֶׁ֣ר עָשָׂ֔ה יִשְׁמָעֵ֖אל בֶּן־נְתַנְיָֽה: **יב** וַיִּקְחוּ֙ אֶת־כׇּל־הָ֣אֲנָשִׁ֔ים וַיֵּ֣לְכ֔וּ לְהִלָּחֵ֖ם עִם־יִשְׁמָעֵ֣אל בֶּן־נְתַנְיָ֑ה וַיִּמְצְא֣וּ אֹת֔וֹ אֶל־מַ֥יִם רַבִּ֖ים אֲשֶׁ֥ר בְּגִבְעֽוֹן: **יג** וַיְהִ֗י כִּרְא֤וֹת כׇּל־הָעָם֙ אֲשֶׁ֣ר אֶת־יִשְׁמָעֵ֔אל אֶת־יֽוֹחָנָן֙ בֶּן־קָרֵ֔חַ וְאֵ֛ת כׇּל־שָׂרֵ֥י הַחֲיָלִ֖ים אֲשֶׁ֣ר אִתּ֑וֹ וַיִּשְׂמָֽחוּ: **יד** וַיָּסֹ֙בּוּ֙ כׇּל־הָעָ֔ם אֲשֶׁר־שָׁבָ֥ה יִשְׁמָעֵ֖אל מִן־הַמִּצְפָּ֑ה וַיָּשֻׁ֙בוּ֙ וַיֵּ֣לְכ֔וּ אֶל־יֽוֹחָנָ֖ן בֶּן־קָרֵֽחַ: **טו** וְיִשְׁמָעֵ֣אל בֶּן־נְתַנְיָ֗ה נִמְלַט֙ בִּשְׁמֹנָ֣ה אֲנָשִׁ֔ים מִפְּנֵ֖י יֽוֹחָנָ֑ן וַיֵּ֖לֶךְ אֶל־בְּנֵ֥י עַמּֽוֹן: **טז** וַיִּקַּח֩ יֽוֹחָנָ֨ן בֶּן־קָרֵ֜חַ וְכׇל־שָׂרֵ֧י הַחֲיָלִ֣ים אֲשֶׁר־אִתּ֗וֹ אֵ֣ת כׇּל־שְׁאֵרִ֤ית הָעָם֙ אֲשֶׁ֣ר הֵ֠שִׁ֠יב מֵאֵ֨ת יִשְׁמָעֵ֤אל בֶּן־נְתַנְיָה֙ מִן־הַמִּצְפָּ֔ה אַחַ֣ר הִכָּ֔ה אֶת־גְּדַלְיָ֖ה בֶּן־אֲחִיקָ֑ם גְּבָרִ֞ים אַנְשֵׁ֣י הַמִּלְחָמָ֗ה וְנָשִׁ֤ים וְטַף֙ וְסָ֣רִסִ֔ים אֲשֶׁ֥ר הֵשִׁ֖יב מִגִּבְעֽוֹן: **יז** וַיֵּלְכ֗וּ וַיֵּֽשְׁבוּ֙ בְּגֵר֣וּת כמהם**[96]** אֲשֶׁר־אֵ֣צֶל בֵּ֣ית לָ֑חֶם לָלֶ֖כֶת לָב֥וֹא מִצְרָֽיִם:

---

41 1 Now it came to pass in the seventh month, that Ishmael the son of Nethaniah, the son of Elishama, of the seed royal, and one of the chief officers of the king, and ten men with him, came unto Gedaliah the son of Ahikam to Mizpah; and there they did eat bread together in Mizpah. 2 Then arose Ishmael the son of Nethaniah, and the ten men that were with him, and smote Gedaliah the son of Ahikam the son of Shaphan with the sword, and slew him, whom the king of Babylon had made governor over the land. 3 Ishmael also slew all the Jews that were with him, even with Gedaliah, at Mizpah, and the Chaldeans that were found there, even the men of war. 4 And it came to pass the second day after he had slain Gedaliah, and no man knew it, 5 that there came certain men from Shechem, from Shiloh, and from Samaria, even fourscore men, having their beards shaven and their clothes rent, and having cut themselves, with meal-offerings and frankincense in their hand to bring them to the house of Yehovah. 6 And Ishmael the son of Nethaniah went forth from Mizpah to meet them, weeping all along as he went; and it came to pass, as he met them, he said unto them: 'Come to Gedaliah the son of Ahikam.' 7 And it was so, when they came into the midst of the city, that Ishmael the son of Nethaniah slew them, and cast them into the midst of the pit, he, and the men that were with him. 8 But ten men were found among them that said unto Ishmael: 'Slay us not; for we have stores hidden in the field, of wheat, and of barley, and of oil, and of honey.' So he forbore, and slew them not among their brethren. 9 Now the pit wherein Ishmael cast all the dead bodies of the men whom he had slain by the side of Gedaliah was that which Asa the king had made for fear of Baasa king of Israel; the same Ishmael the son of Nethaniah filled with them that were slain. 10 Then Ishmael carried away captive all the residue of the people that were in Mizpah, even the king's daughters, and all the people that remained in Mizpah, whom Nebuzaradan the captain of the guard had committed to Gedaliah the son of Ahikam; Ishmael the son of Nethaniah carried them away captive, and departed to go over to the children of Ammon.{S} 11 But when Johanan the son of Kareah, and all the captains of the forces that were with him, heard of all the evil that Ishmael the son of Nethaniah had done, 12 then they took all the men, and went to fight with Ishmael the son of Nethaniah, and found him by the great waters that are in Gibeon. 13 Now it came to pass, that when all the people that were with Ishmael saw Johanan the son of Kareah, and all the captains of the forces that were with him, then they were glad. 14 So all the people that Ishmael had carried away captive from Mizpah cast about and returned, and went unto Johanan the son of Kareah. 15 But Ishmael the son of Nethaniah escaped from Johanan with eight men, and went to the children of Ammon.{S} 16 Then took Johanan the son of Kareah, and all the captains of the forces that were with him, all the remnant of the people whom he had recovered from Ishmael the son of Nethaniah, from Mizpah, after that he had slain Gedaliah the son of Ahikam, the men, even the men of war, and the women, and the children, and the officers, whom he had brought back from Gibeon; 17 and they departed, and dwelt in Geruth Chimham, which is by Beth-lehem, to go to enter into Egypt,

יח מִפְּנֵי֙ הַכַּשְׂדִּ֔ים כִּ֥י יָרְא֖וּ מִפְּנֵיהֶ֑ם כִּֽי־הִכָּ֞ה יִשְׁמָעֵ֣אל בֶּן־נְתַנְיָ֗ה
אֶת־גְּדַלְיָ֙הוּ֙ בֶּן־אֲחִיקָ֔ם אֲשֶׁר־הִפְקִ֥יד מֶֽלֶךְ־בָּבֶ֖ל בָּאָֽרֶץ׃

מב א וַֽיִּגְּשׁוּ֙ כָּל־שָׂרֵ֣י הַחֲיָלִ֔ים וְיוֹחָנָן֙ בֶּן־קָרֵ֔חַ וִֽיזַנְיָ֖ה בֶּן־הוֹשַׁעְיָ֑ה
וְכָל־הָעָ֖ם מִקָּטֹ֥ן וְעַד־גָּדֽוֹל׃ ב וַיֹּאמְר֞וּ אֶל־יִרְמְיָ֣הוּ הַנָּבִ֗יא תִּפָּל־נָ֤א תְחִנָּתֵ֙נוּ֙
לְפָנֶ֔יךָ וְהִתְפַּלֵּ֣ל בַּעֲדֵ֔נוּ אֶל־יְהוָ֥ה אֱלֹהֶ֖יךָ בְּעַ֖ד כָּל־הַשְּׁאֵרִ֣ית הַזֹּ֑את
כִּֽי־נִשְׁאַ֤רְנוּ מְעַט֙ מֵֽהַרְבֵּ֔ה כַּאֲשֶׁ֥ר עֵינֶ֖יךָ רֹא֥וֹת אֹתָֽנוּ׃ ג וְיַגֶּד־לָ֙נוּ֙ יְהוָ֣ה
אֱלֹהֶ֔יךָ אֶת־הַדֶּ֖רֶךְ אֲשֶׁ֣ר נֵֽלֶךְ־בָּ֑הּ וְאֶת־הַדָּבָ֖ר אֲשֶׁ֥ר נַעֲשֶֽׂה׃ ד וַיֹּ֨אמֶר
אֲלֵיהֶ֜ם יִרְמְיָ֣הוּ הַנָּבִ֗יא שָׁמַ֙עְתִּי֙ הִנְנִ֣י מִתְפַּלֵּ֔ל אֶל־יְהוָ֥ה אֱלֹהֵיכֶ֖ם כְּדִבְרֵיכֶ֑ם
וְהָיָ֡ה כָּל־הַדָּבָ֣ר אֲשֶׁר־יַעֲנֶ֩ה יְהוָ֨ה אֶתְכֶ֜ם אַגִּ֣יד לָכֶ֗ם לֹֽא־אֶמְנַ֥ע מִכֶּ֖ם דָּבָֽר׃
ה וְהֵ֙מָּה֙ אָמְר֣וּ אֶֽל־יִרְמְיָ֔הוּ יְהִ֤י יְהוָה֙ בָּ֔נוּ לְעֵ֖ד אֱמֶ֣ת וְנֶאֱמָ֑ן אִם־לֹ֡א
כְּֽכָל־הַדָּבָר֩ אֲשֶׁ֨ר יִֽשְׁלָחֲךָ֜ יְהוָ֧ה אֱלֹהֶ֛יךָ אֵלֵ֖ינוּ כֵּ֥ן נַעֲשֶֽׂה׃ ו אִם־ט֣וֹב
וְאִם־רָ֔ע בְּק֣וֹל ׀ יְהוָ֣ה אֱלֹהֵ֗ינוּ אֲשֶׁ֨ר אֲנַ֜חְנוּ[97] שֹׁלְחִ֥ים אֹתְךָ֛ אֵלָ֖יו נִשְׁמָ֑ע לְמַ֙עַן֙
אֲשֶׁ֣ר יִֽיטַב־לָ֔נוּ כִּ֣י נִשְׁמַ֔ע בְּק֖וֹל יְהוָ֥ה אֱלֹהֵֽינוּ׃ ז וַיְהִ֕י מִקֵּ֖ץ עֲשֶׂ֣רֶת יָמִ֑ים וַֽיְהִ֥י
דְבַר־יְהוָ֖ה אֶֽל־יִרְמְיָֽהוּ׃ ח וַיִּקְרָ֗א אֶל־יֽוֹחָנָן֙ בֶּן־קָרֵ֔חַ וְאֶ֖ל כָּל־שָׂרֵ֣י
הַחֲיָלִ֑ים אֲשֶׁ֣ר אִתּ֔וֹ וּלְכָל־הָעָ֖ם לְמִקָּטֹ֥ן וְעַד־גָּדֽוֹל׃ ט וַיֹּ֣אמֶר אֲלֵיהֶ֔ם
כֹּֽה־אָמַ֥ר יְהוָ֖ה אֱלֹהֵ֣י יִשְׂרָאֵ֑ל אֲשֶׁ֨ר שְׁלַחְתֶּ֤ם אֹתִי֙ אֵלָ֔יו לְהַפִּ֥יל תְּחִנַּתְכֶ֖ם
לְפָנָֽיו׃ י אִם־שׁ֤וֹב תֵּֽשְׁבוּ֙ בָּאָ֣רֶץ הַזֹּ֔את וּבָנִ֤יתִי אֶתְכֶם֙ וְלֹ֣א אֶהֱרֹ֔ס וְנָטַעְתִּ֥י
אֶתְכֶ֖ם וְלֹ֣א אֶתּ֑וֹשׁ כִּ֤י נִחַ֙מְתִּי֙ אֶל־הָ֣רָעָ֔ה אֲשֶׁ֥ר עָשִׂ֖יתִי לָכֶֽם׃ יא אַל־תִּֽירְא֗וּ
מִפְּנֵי֙ מֶ֣לֶךְ בָּבֶ֔ל אֲשֶׁר־אַתֶּ֖ם יְרֵאִ֣ים מִפָּנָ֑יו אַל־תִּֽירְא֤וּ מִמֶּ֙נּוּ֙ נְאֻם־יְהוָ֔ה
כִּֽי־אִתְּכֶ֣ם אָ֔נִי לְהוֹשִׁ֥יעַ אֶתְכֶ֛ם וּלְהַצִּ֥יל אֶתְכֶ֖ם מִיָּדֽוֹ׃ יב וְאֶתֵּ֥ן לָכֶ֛ם רַחֲמִ֖ים
וְרִחַ֣ם אֶתְכֶ֑ם וְהֵשִׁ֥יב אֶתְכֶ֖ם אֶל־אַדְמַתְכֶֽם׃ יג וְאִם־אֹמְרִ֣ים אַתֶּ֔ם לֹ֥א נֵשֵׁ֖ב
בָּאָ֣רֶץ הַזֹּ֑את לְבִלְתִּ֣י שְׁמֹ֔עַ בְּק֖וֹל יְהוָ֥ה אֱלֹהֵיכֶֽם׃ יד לֵאמֹ֗ר לֹ֚א כִּ֚י אֶ֣רֶץ
מִצְרַ֙יִם֙ נָב֔וֹא אֲשֶׁ֨ר לֹֽא־נִרְאֶ֤ה מִלְחָמָה֙ וְק֣וֹל שׁוֹפָ֔ר לֹ֣א נִשְׁמָ֔ע וְלַלֶּ֖חֶם
לֹֽא־נִרְעָ֑ב וְשָׁ֖ם נֵשֵֽׁב׃ טו וְעַתָּ֕ה לָכֵ֛ן שִׁמְע֥וּ דְבַר־יְהוָ֖ה שְׁאֵרִ֣ית יְהוּדָ֑ה
כֹּֽה־אָמַ֞ר יְהוָ֤ה צְבָאוֹת֙ אֱלֹהֵ֣י יִשְׂרָאֵ֔ל אִם־אַ֠תֶּם שׂ֣וֹם תְּשִׂמ֤וּן פְּנֵיכֶם֙ לָבֹ֣א
מִצְרַ֔יִם וּבָאתֶ֖ם לָג֥וּר שָֽׁם׃ טז וְהָיְתָ֣ה הַחֶ֗רֶב אֲשֶׁ֤ר אַתֶּם֙ יְרֵאִ֣ים מִמֶּ֔נָּה שָׁ֣ם
תַּשִּׂ֥יג אֶתְכֶ֖ם בְּאֶ֣רֶץ מִצְרָ֑יִם וְהָרָעָ֞ב אֲשֶׁר־אַתֶּ֣ם ׀ דֹּאֲגִ֣ים מִמֶּ֗נּוּ שָׁ֣ם יִדְבַּ֥ק
אַחֲרֵיכֶ֛ם מִצְרַ֖יִם וְשָׁ֥ם תָּמֻֽתוּ׃ יז וְיִֽהְי֣וּ כָל־הָאֲנָשִׁ֗ים אֲשֶׁר־שָׂ֨מוּ אֶת־פְּנֵיהֶ֜ם
לָב֤וֹא מִצְרַ֙יִם֙ לָג֣וּר שָׁ֔ם יָמ֕וּתוּ בַּחֶ֖רֶב בָּרָעָ֣ב וּבַדָּ֑בֶר וְלֹא־יִהְיֶ֤ה לָהֶם֙ שָׂרִ֣יד
וּפָלִ֔יט מִפְּנֵי֙ הָֽרָעָ֔ה אֲשֶׁ֥ר אֲנִ֖י מֵבִ֥יא עֲלֵיהֶֽם׃

[97] אנו

18 because of the Chaldeans; for they were afraid of them, because Ishmael the son of Nethaniah had slain Gedaliah the son of Ahikam, whom the king of Babylon made governor over the land.{P}

42 1 Then all the captains of the forces, and Johanan the son of Kareah, and Jezaniah the son of Hoshaiah, and all the people from the least even unto the greatest, came near, **2** and said unto Jeremiah the prophet: 'Let, we pray thee, our supplication be accepted before thee, and pray for us unto Yehovah thy God, even for all this remnant; for we are left but a few of many, as thine eyes do behold us; **3** that Yehovah thy God may tell us the way wherein we should walk, and the thing that we should do.' **4** Then Jeremiah the prophet said unto them: 'I have heard you; behold, I will pray unto Yehovah your God according to your words; and it shall come to pass, that whatsoever thing Yehovah shall answer you, I will declare it unto you; I will keep nothing back from you.' **5** Then they said to Jeremiah: 'Yehovah be a true and faithful witness against us, if we do not even according to all the word wherewith Yehovah thy God shall send thee to us. **6** Whether it be good, or whether it be evil, we will hearken to the voice of Yehovah our God, to whom we send thee; that it may be well with us, when we hearken to the voice of Yehovah our God.'{P}

7 And it came to pass after ten days, that the word of Yehovah came unto Jeremiah. **8** Then called he Johanan the son of Kareah, and all the captains of the forces that were with him, and all the people from the least even to the greatest, **9** and said unto them: 'Thus saith Yehovah, the God of Israel, unto whom ye sent me to present your supplication before Him: **10** If ye will still abide in this land, then will I build you, and not pull you down, and I will plant you, and not pluck you up; for I repent Me of the evil that I have done unto you. **11** Be not afraid of the king of Babylon, of whom ye are afraid; be not afraid of him, saith Yehovah; for I am with you to save you, and to deliver you from his hand. **12** And I will grant you compassion, that he may have compassion upon you, and cause you to return to your own land. **13** But if ye say: We will not abide in this land; so that ye hearken not to the voice of Yehovah your God; **14** saying: No; but we will go into the land of Egypt, where we shall see no war, nor hear the sound of the horn, nor have hunger of bread; and there will we abide; **15** now therefore hear ye the word of Yehovah, O remnant of Judah: Thus saith Yehovah of hosts, the God of Israel: If ye wholly set your faces to enter into Egypt, and go to sojourn there; **16** then it shall come to pass, that the sword, which ye fear, shall overtake you there in the land of Egypt, and the famine, whereof ye are afraid, shall follow hard after you there in Egypt; and there ye shall die. **17** So shall it be with all the men that set their faces to go into Egypt to sojourn there; they shall die by the sword, by the famine, and by the pestilence; and none of them shall remain or escape from the evil that I will bring upon them.

יח כִּי֩ כֹ֨ה אָמַ֜ר יְהוָ֣ה צְבָא֮וֹת אֱלֹהֵ֣י יִשְׂרָאֵל֒ כַּאֲשֶׁ֨ר נִתַּ֜ךְ אַפִּ֣י וַחֲמָתִ֗י
עַל־יֹֽשְׁבֵי֙ יְר֣וּשָׁלִַ֔ם כֵּ֣ן תִּתַּ֤ךְ חֲמָתִי֙ עֲלֵיכֶ֔ם בְּבֹאֲכֶ֖ם מִצְרָ֑יִם וִהְיִיתֶ֡ם לְאָלָ֣ה
וּלְשַׁמָּה֩ וְלִקְלָלָ֨ה וּלְחֶרְפָּ֜ה וְלֹֽא־תִרְא֥וּ ע֛וֹד אֶת־הַמָּק֖וֹם הַזֶּֽה׃ יט דִּבֶּ֨ר יְהוָ֤ה
עֲלֵיכֶם֙ שְׁאֵרִ֣ית יְהוּדָ֔ה אַל־תָּבֹ֖אוּ מִצְרָ֑יִם יָדֹ֙עַ֙ תֵּֽדְע֔וּ כִּֽי־הַעִידֹ֥תִי בָכֶ֖ם
הַיּֽוֹם׃ כ כִּ֣י הִתְעֵיתֶם֮[98] בְּנַפְשֽׁוֹתֵיכֶם֒ כִּֽי־אַתֶּ֞ם שְׁלַחְתֶּ֣ם אֹתִ֗י אֶל־יְהוָ֤ה
אֱלֹֽהֵיכֶם֙ לֵאמֹ֔ר הִתְפַּלֵּ֣ל בַּעֲדֵ֔נוּ אֶל־יְהוָ֖ה אֱלֹהֵ֑ינוּ וּכְכֹל֩ אֲשֶׁ֨ר יֹאמַ֜ר יְהוָ֧ה
אֱלֹהֵ֛ינוּ כֵּ֥ן הַגֶּד־לָ֖נוּ וְעָשִֽׂינוּ׃ כא וָאַגִּ֥ד לָכֶ֖ם הַיּ֑וֹם וְלֹ֣א שְׁמַעְתֶּ֗ם בְּקוֹל֙ יְהוָ֣ה
אֱלֹֽהֵיכֶ֔ם וּלְכֹ֖ל אֲשֶׁר־שְׁלָחַ֥נִי אֲלֵיכֶֽם׃ כב וְעַתָּה֙ יָדֹ֣עַ תֵּֽדְע֔וּ כִּ֗י בַּחֶ֛רֶב בָּרָעָ֥ב
וּבַדֶּ֖בֶר תָּמ֑וּתוּ בַּמָּקוֹם֙ אֲשֶׁ֣ר חֲפַצְתֶּ֔ם לָב֖וֹא לָג֥וּר שָֽׁם׃

מג א וַיְהִ֞י כְּכַלּ֣וֹת יִרְמְיָ֗הוּ לְדַבֵּ֤ר אֶל־כָּל־הָעָם֙ אֶת־כָּל־דִּבְרֵי֙ יְהוָ֣ה
אֱלֹהֵיהֶ֔ם אֲשֶׁ֧ר שְׁלָח֛וֹ יְהוָ֥ה אֱלֹהֵיהֶ֖ם אֲלֵיהֶ֑ם אֵ֥ת כָּל־הַדְּבָרִ֖ים הָאֵֽלֶּה׃
ב וַיֹּ֨אמֶר עֲזַרְיָ֤ה בֶן־הוֹשַֽׁעְיָה֙ וְיוֹחָנָ֣ן בֶּן־קָרֵ֔חַ וְכָל־הָאֲנָשִׁ֖ים הַזֵּדִ֑ים אֹמְרִ֣ים
אֶל־יִרְמְיָ֔הוּ שֶׁ֚קֶר אַתָּ֣ה מְדַבֵּ֔ר לֹ֣א שְׁלָחֲךָ֞ יְהוָ֤ה אֱלֹהֵ֙ינוּ֙ לֵאמֹ֔ר לֹֽא־תָבֹ֥אוּ
מִצְרַ֖יִם לָג֥וּר שָֽׁם׃ ג כִּ֗י בָּר֤וּךְ בֶּן־נֵֽרִיָּה֙ מַסִּ֣ית אֹתְךָ֔ בָּ֑נוּ לְמַ֡עַן תֵּת֩ אֹתָ֨נוּ
בְיַֽד־הַכַּשְׂדִּ֜ים לְהָמִ֥ית אֹתָ֛נוּ וּלְהַגְל֥וֹת אֹתָ֖נוּ בָּבֶֽל׃ ד וְלֹֽא־שָׁמַ֞ע יוֹחָנָ֣ן
בֶּן־קָרֵ֗חַ וְכָל־שָׂרֵ֧י הַחֲיָלִ֛ים וְכָל־הָעָ֖ם בְּק֣וֹל יְהוָ֑ה לָשֶׁ֖בֶת בְּאֶ֥רֶץ יְהוּדָֽה׃
ה וַיִּקַּ֞ח יוֹחָנָ֤ן בֶּן־קָרֵ֙חַ֙ וְכָל־שָׂרֵ֣י הַחֲיָלִ֔ים אֵ֖ת כָּל־שְׁאֵרִ֣ית יְהוּדָ֑ה אֲשֶׁר־שָׁ֗בוּ
מִכָּל־הַגּוֹיִם֙ אֲשֶׁ֣ר נִדְּחוּ־שָׁ֔ם לָג֖וּר בְּאֶ֥רֶץ יְהוּדָֽה׃ ו אֶת־הַ֠גְּבָרִים וְאֶת־הַנָּשִׁ֨ים
וְאֶת־הַטַּ֜ף וְאֶת־בְּנ֣וֹת הַמֶּ֗לֶךְ וְאֵ֨ת כָּל־הַנֶּ֜פֶשׁ אֲשֶׁ֣ר הִנִּ֗יחַ נְבֽוּזַרְאֲדָן֙
רַב־טַבָּחִ֔ים אֶת־גְּדַלְיָ֖הוּ בֶּן־אֲחִיקָ֣ם בֶּן־שָׁפָ֑ן וְאֵת֙ יִרְמְיָ֣הוּ הַנָּבִ֔יא וְאֶת־בָּר֖וּךְ
בֶּן־נֵרִיָּֽהוּ׃ ז וַיָּבֹ֙אוּ֙ אֶ֣רֶץ מִצְרַ֔יִם כִּ֛י לֹ֥א שָׁמְע֖וּ בְּק֣וֹל יְהוָ֑ה וַיָּבֹ֖אוּ
עַד־תַּחְפַּנְחֵֽס׃ ח וַיְהִ֤י דְבַר־יְהוָה֙ אֶֽל־יִרְמְיָ֔הוּ בְּתַחְפַּנְחֵ֖ס לֵאמֹֽר׃ ט קַ֣ח
בְּיָדְךָ֞ אֲבָנִ֣ים גְּדֹל֗וֹת וּטְמַנְתָּ֤ם בַּמֶּ֙לֶט֙ בַּמַּלְבֵּ֔ן אֲשֶׁ֛ר בְּפֶ֥תַח בֵּית־פַּרְעֹ֖ה
בְּתַחְפַּנְחֵ֑ס לְעֵינֵ֖י אֲנָשִׁ֥ים יְהוּדִֽים׃ י וְאָמַרְתָּ֣ אֲלֵיהֶ֡ם כֹּֽה־אָמַ֞ר יְהוָ֤ה צְבָאוֹת֙
אֱלֹהֵ֣י יִשְׂרָאֵ֔ל הִנְנִ֤י שֹׁלֵ֙חַ֙ וְלָ֣קַחְתִּ֔י אֶת־נְבוּכַדְרֶאצַּ֥ר מֶֽלֶךְ־בָּבֶל֙ עַבְדִּ֔י וְשַׂמְתִּ֣י
כִסְא֔וֹ מִמַּ֛עַל לָאֲבָנִ֥ים הָאֵ֖לֶּה אֲשֶׁ֣ר טָמָ֑נְתִּי וְנָטָ֥ה אֶת־שַׁפְרִירֹ֖ו[99] עֲלֵיהֶֽם׃
יא וּבָ֕א[100] וְהִכָּ֖ה אֶת־אֶ֣רֶץ מִצְרָ֑יִם אֲשֶׁ֤ר לַמָּ֙וֶת֙ לַמָּ֔וֶת וַאֲשֶׁ֤ר לַשְּׁבִי֙ לַשֶּׁ֔בִי
וַאֲשֶׁ֥ר לַחֶ֖רֶב לֶחָֽרֶב׃ יב וְהִצַּ֣תִּי אֵ֗שׁ בְּבָתֵּי֙ אֱלֹהֵ֣י מִצְרַ֔יִם וּשְׂרָפָ֖ם וְשָׁבָ֑ם
וְעָטָ֞ה אֶת־אֶ֣רֶץ מִצְרַ֗יִם כַּאֲשֶׁר־יַעְטֶ֤ה הָֽרֹעֶה֙ אֶת־בִּגְד֔וֹ וְיָצָ֥א מִשָּׁ֖ם בְּשָׁלֽוֹם׃

[98] התעתים
[99] שפרורו
[100] ובאה

18 For thus saith Yehovah of hosts, the God of Israel: As Mine anger and My fury hath been poured forth upon the inhabitants of Yerushalam, so shall My fury be poured forth upon you, when ye shall enter into Egypt; and ye shall be an execration, and an astonishment, and a curse, and a reproach; and ye shall see this place no more. **19** Yehovah hath spoken concerning you, O remnant of Judah: Go ye not into Egypt; know certainly that I have forewarned you this day. **20** For ye have dealt deceitfully against your own souls; for ye sent me unto Yehovah your God, saying: Pray for us unto Yehovah our God; and according unto all that Yehovah our God shall say, so declare unto us, and we will do it; **21** and I have this day declared it to you; but ye have not hearkened to the voice of Yehovah your God in any thing for which He hath sent me unto you. **22** Now therefore know certainly that ye shall die by the sword, by the famine, and by the pestilence, in the place whither ye desire to go to sojourn there.'{S}

43 **1** And it came to pass, that when Jeremiah had made an end of speaking unto all the people all the words of Yehovah their God, wherewith Yehovah their God had sent him to them, even all these words,{S} **2** then spoke Azariah the son of Hoshaiah, and Johanan the son of Kareah, and all the proud men, saying unto Jeremiah: 'Thou speakest falsely; Yehovah our God hath not sent thee to say: Ye shall not go into Egypt to sojourn there; **3** but Baruch the son of Neriah setteth thee on against us, to deliver us into the hand of the Chaldeans, that they may put us to death, and carry us away captives to Babylon.' **4** So Johanan the son of Kareah, and all the captains of the forces, and all the people, hearkened not to the voice of Yehovah, to dwell in the land of Judah. **5** But Johanan the son of Kareah, and all the captains of the forces, took all the remnant of Judah, that were returned from all the nations whither they had been driven to sojourn in the land of Judah: **6** the men, and the women, and the children, and the king's daughters, and every person that Nebuzaradan the captain of the guard had left with Gedaliah the son of Ahikam, the son of Shaphan, and Jeremiah the prophet, and Baruch the son of Neriah; **7** and they came into the land of Egypt; for they hearkened not to the voice of Yehovah; and they came even to Tahpanhes.{S} **8** Then came the word of Yehovah unto Jeremiah in Tahpanhes, saying: **9** 'Take great stones in thy hand, and hide them in the mortar in the framework, which is at the entry of Pharaoh's house in Tahpanhes, in the sight of the men of Judah; **10** and say unto them: Thus saith Yehovah of hosts, the God of Israel: Behold, I will send and take Nebuchadrezzar the king of Babylon, My servant, and will set his throne upon these stones that I have hid; and he shall spread his royal pavilion over them. **11** And he shall come, and shall smite the land of Egypt; such as are for death to death, and such as are for captivity to captivity, and such as are for the sword to the sword. **12** And I will kindle a fire in the houses of the gods of Egypt; and he shall burn them, and carry them away captives; and he shall fold up the land of Egypt, as a shepherd foldeth up his garment; and he shall go forth from thence in peace.

יג וְשִׁבַּ֗ר אֶת־מַצְּבוֹת֙ בֵּ֣ית שֶׁ֔מֶשׁ אֲשֶׁ֖ר בְּאֶ֣רֶץ מִצְרָ֑יִם וְאֶת־בָּתֵּ֥י אֱלֹהֵֽי־מִצְרַ֖יִם
יִשְׂרֹ֥ף בָּאֵֽשׁ׃

מד א הַדָּבָר֙ אֲשֶׁ֣ר הָיָ֣ה אֶֽל־יִרְמְיָ֔הוּ אֶ֚ל כָּל־הַיְּהוּדִ֔ים הַיֹּשְׁבִ֖ים בְּאֶ֣רֶץ
מִצְרָ֑יִם הַיֹּשְׁבִ֤ים בְּמִגְדֹּל֙ וּבְתַחְפַּנְחֵ֣ס וּבְנֹ֔ף וּבְאֶ֥רֶץ פַּתְר֖וֹס לֵאמֹֽר׃
ב כֹּֽה־אָמַ֞ר יְהוָ֤ה צְבָאוֹת֙ אֱלֹהֵ֣י יִשְׂרָאֵ֔ל אַתֶּ֣ם רְאִיתֶ֗ם אֵ֤ת כָּל־הָֽרָעָה֙ אֲשֶׁ֣ר
הֵבֵ֙אתִי֙ עַל־יְר֣וּשָׁלִַ֔ם וְעַ֖ל כָּל־עָרֵ֣י יְהוּדָ֑ה וְהִנָּ֞ם חָרְבָּה֙ הַיּ֣וֹם הַזֶּ֔ה וְאֵ֥ין בָּהֶ֖ם
יוֹשֵֽׁב׃ ג מִפְּנֵ֣י רָעָתָ֗ם אֲשֶׁ֤ר עָשׂוּ֙ לְהַכְעִסֵ֔נִי לָלֶ֣כֶת לְקַטֵּ֔ר לַעֲבֹ֖ד לֵאלֹהִ֣ים
אֲחֵרִ֑ים אֲשֶׁר֙ לֹ֣א יְדָע֔וּם הֵ֖מָּה אַתֶּ֥ם וַאֲבֹתֵיכֶֽם׃ ד וָאֶשְׁלַ֨ח אֲלֵיכֶ֜ם
אֶת־כָּל־עֲבָדַ֣י הַנְּבִיאִ֗ים הַשְׁכֵּ֣ים וְשָׁלֹ֔חַ לֵאמֹ֑ר אַל־נָ֣א תַעֲשׂ֗וּ אֵ֛ת
דְּבַר־הַתֹּעֵבָ֥ה הַזֹּ֖את אֲשֶׁ֥ר שָׂנֵֽאתִי׃ ה וְלֹ֤א שָֽׁמְעוּ֙ וְלֹא־הִטּ֣וּ אֶת־אָזְנָ֔ם לָשׁ֖וּב
מֵרָעָתָ֑ם לְבִלְתִּ֥י קַטֵּ֖ר לֵאלֹהִ֥ים אֲחֵרִֽים׃ ו וַתִּתַּ֤ךְ חֲמָתִי֙ וְאַפִּ֔י וַתִּבְעַר֙ בְּעָרֵ֣י
יְהוּדָ֔ה וּבְחֻצ֖וֹת יְרֽוּשָׁלִָ֑ם וַתִּהְיֶ֛ינָה לְחָרְבָּ֥ה לִשְׁמָמָ֖ה כַּיּ֥וֹם הַזֶּֽה׃ ז וְעַתָּ֞ה
כֹּה־אָמַ֣ר יְהוָ֩ה אֱלֹהֵ֨י צְבָא֜וֹת אֱלֹהֵ֣י יִשְׂרָאֵ֗ל לָמָה֩ אַתֶּ֨ם עֹשִׂ֜ים רָעָ֤ה גְדוֹלָה֙
אֶל־נַפְשֹׁ֣תֵכֶ֔ם לְהַכְרִ֨ית לָכֶ֤ם אִֽישׁ־וְאִשָּׁה֙ עוֹלֵ֣ל וְיוֹנֵ֔ק מִתּ֖וֹךְ יְהוּדָ֑ה לְבִלְתִּ֛י
הוֹתִ֥יר לָכֶ֖ם שְׁאֵרִֽית׃ ח לְהַכְעִסֵ֙נִי֙ בְּמַעֲשֵׂ֣י יְדֵיכֶ֔ם לְקַטֵּ֞ר לֵאלֹהִ֤ים אֲחֵרִים֙
בְּאֶ֣רֶץ מִצְרַ֔יִם אֲשֶׁר־אַתֶּ֥ם בָּאִ֖ים לָג֣וּר שָׁ֑ם לְמַ֙עַן֙ הַכְרִ֣ית לָכֶ֔ם וּלְמַ֨עַן
הֱיֽוֹתְכֶ֤ם לִקְלָלָה֙ וּלְחֶרְפָּ֔ה בְּכֹ֖ל גּוֹיֵ֥י הָאָֽרֶץ׃ ט הַֽשְׁכַחְתֶּם֩ אֶת־רָע֨וֹת
אֲבוֹתֵיכֶ֜ם וְאֶת־רָע֣וֹת ׀ מַלְכֵ֣י יְהוּדָ֗ה וְאֵת֙ רָע֣וֹת נָשָׁ֔יו וְאֵת֙ רָעֹתֵכֶ֔ם וְאֵ֖ת רָעֹ֣ת
נְשֵׁיכֶ֑ם אֲשֶׁ֤ר עָשׂוּ֙ בְּאֶ֣רֶץ יְהוּדָ֔ה וּבְחֻצ֖וֹת יְרוּשָׁלִָֽם׃ י לֹ֣א דֻכְּא֔וּ עַ֖ד הַיּ֣וֹם
הַזֶּ֑ה וְלֹ֣א יָרְא֗וּ וְלֹֽא־הָלְכ֤וּ בְתֽוֹרָתִי֙ וּבְחֻקֹּתַ֔י אֲשֶׁר־נָתַ֥תִּי לִפְנֵיכֶ֖ם וְלִפְנֵ֥י
אֲבוֹתֵיכֶֽם׃ יא לָכֵ֞ן כֹּה־אָמַ֨ר יְהוָ֤ה צְבָאוֹת֙ אֱלֹהֵ֣י יִשְׂרָאֵ֔ל הִנְנִ֨י שָׂ֥ם פָּנַ֛י בָּכֶ֖ם
לְרָעָ֑ה וּלְהַכְרִ֖ית אֶת־כָּל־יְהוּדָֽה׃ יב וְלָקַחְתִּ֞י אֶת־שְׁאֵרִ֣ית יְהוּדָ֗ה אֲשֶׁר־שָׂ֨מוּ
פְנֵיהֶ֜ם לָב֣וֹא אֶֽרֶץ־מִצְרַיִם֮ לָג֣וּר שָׁם֒ וְתַ֨מּוּ כֹ֜ל בְּאֶ֤רֶץ מִצְרַ֙יִם֙ יִפֹּ֔לוּ בַּחֶ֥רֶב
בָּרָעָב֙ יִתַּ֔מּוּ מִקָּטֹן֙ וְעַד־גָּד֔וֹל בַּחֶ֥רֶב וּבָרָעָ֖ב יָמֻ֑תוּ וְהָי֗וּ לְאָלָה֙ לְשַׁמָּ֔ה
וְלִקְלָלָ֖ה וּלְחֶרְפָּֽה׃ יג וּפָקַדְתִּ֗י עַ֤ל הַיּֽוֹשְׁבִים֙ בְּאֶ֣רֶץ מִצְרַ֔יִם כַּאֲשֶׁ֥ר פָּקַ֖דְתִּי
עַל־יְרֽוּשָׁלִָ֑ם בַּחֶ֥רֶב בָּרָעָ֖ב וּבַדָּֽבֶר׃ יד וְלֹ֨א יִהְיֶ֜ה פָּלִ֤יט וְשָׂרִיד֙ לִשְׁאֵרִ֣ית
יְהוּדָ֔ה הַבָּאִ֥ים לָגֽוּר־שָׁ֖ם בְּאֶ֣רֶץ מִצְרָ֑יִם וְלָשׁ֣וּב ׀ אֶ֣רֶץ יְהוּדָ֗ה אֲשֶׁר־הֵ֠מָּה
מְנַשְּׂאִ֤ים אֶת־נַפְשָׁם֙ לָשׁוּב֙ לָשֶׁ֣בֶת שָׁ֔ם כִּ֥י לֹא־יָשׁ֖וּבוּ כִּ֥י אִם־פְּלֵטִֽים׃ טו וַיַּעֲנ֣וּ
אֶת־יִרְמְיָ֗הוּ כָּל־הָאֲנָשִׁ֤ים הַיֹּֽדְעִים֙ כִּֽי־מְקַטְּר֤וֹת נְשֵׁיהֶם֙ לֵאלֹהִ֣ים אֲחֵרִ֔ים
וְכָל־הַנָּשִׁ֥ים הָעֹמְד֖וֹת קָהָ֣ל גָּד֑וֹל וְכָל־הָעָ֛ם הַיֹּשְׁבִ֥ים בְּאֶֽרֶץ־מִצְרַ֛יִם
בְּפַתְר֖וֹס לֵאמֹֽר׃

<u>13</u> He shall also break the pillars of Beth-shemesh, that is in the land of Egypt; and the houses of the gods of Egypt shall he burn with fire.'{P}

44 <u>1</u> The word that came to Jeremiah concerning all the Jews that dwelt in the land of Egypt, that dwelt at Migdol, and at Tahpanhes, and at Noph, and in the country of Pathros, saying: <u>2</u> 'Thus saith Yehovah of hosts, the God of Israel: Ye have seen all the evil that I have brought upon Yerushalam, and upon all the cities of Judah; and, behold, this day they are a desolation, and no man dwelleth therein; <u>3</u> because of their wickedness which they have committed to provoke Me, in that they went to offer, and to serve other gods, whom they knew not, neither they, nor ye, nor your fathers. <u>4</u> Howbeit I sent unto you all My servants the prophets, sending them betimes and often, saying: Oh, do not this abominable thing that I hate. <u>5</u> But they hearkened not, nor inclined their ear to turn from their wickedness, to forbear offering unto other gods. <u>6</u> Wherefore My fury and Mine anger was poured forth, and was kindled in the cities of Judah and in the streets of Yerushalam; and they are wasted and desolate, as at this day.{S} <u>7</u> Therefore now thus saith Yehovah, the God of hosts, the God of Israel: Wherefore commit ye this great evil against your own souls, to cut off from you man and woman, infant and suckling, out of the midst of Judah, to leave you none remaining; <u>8</u> in that ye provoke Me with the works of your hands, offering unto other gods in the land of Egypt, whither ye are gone to sojourn; that ye may be cut off, and that ye may be a curse and a reproach among all the nations of the earth? <u>9</u> Have ye forgotten the wicked deeds of your fathers, and the wicked deeds of the kings of Judah, and the wicked deeds of their wives, and your own wicked deeds, and the wicked deeds of your wives, which they committed in the land of Judah, and in the streets of Yerushalam? <u>10</u> They are not humbled even unto this day, neither have they feared, nor walked in My Torah, nor in My statutes, that I set before you and before your fathers.{S} <u>11</u> Therefore thus saith Yehovah of hosts, the God of Israel: Behold, I will set My face against you for evil, even to cut off all Judah. <u>12</u> And I will take the remnant of Judah, that have set their faces to go into the land of Egypt to sojourn there, and they shall all be consumed; in the land of Egypt shall they fall; they shall be consumed by the sword and by the famine; they shall die, from the least even unto the greatest, by the sword and by the famine; and they shall be an execration, and an astonishment, and a curse, and a reproach. <u>13</u> For I will punish them that dwell in the land of Egypt, as I have punished Yerushalam, by the sword, by the famine, and by the pestilence; <u>14</u> so that none of the remnant of Judah, that are gone into the land of Egypt to sojourn there, shall escape or remain, that they should return into the land of Judah, to which they have a desire to return to dwell there; for none shall return save such as shall escape.'{P}

<u>15</u> Then all the men who knew that their wives offered unto other gods, and all the women that stood by, a great assembly, even all the people that dwelt in the land of Egypt, in Pathros, answered Jeremiah, saying:

יז הַדָּבָ֞ר אֲשֶׁר־דִּבַּ֧רְתָּ אֵלֵ֛ינוּ בְּשֵׁ֥ם יְהֹוָ֖ה אֵינֶ֥נּוּ שֹׁמְעִ֖ים אֵלֶֽיךָ: יז כִּ֣י עָשֹׂ֣ה נַעֲשֶׂ֗ה אֶֽת־כָּל־הַדָּבָ֣ר ׀ אֲשֶׁר־יָצָ֣א מִפִּ֡ינוּ לְקַטֵּ֣ר לִמְלֶ֣כֶת הַשָּׁמַ֡יִם וְהַסֵּֽיךְ־לָ֣הּ נְסָכִים֩ כַּאֲשֶׁ֨ר עָשִׂ֜ינוּ אֲנַ֤חְנוּ וַאֲבֹתֵ֙ינוּ֙ מְלָכֵ֣ינוּ וְשָׂרֵ֔ינוּ בְּעָרֵ֣י יְהוּדָ֔ה וּבְחֻצ֖וֹת יְרוּשָׁלָ֑͏ִם וַנִּֽשְׂבַּֽע־לֶ֙חֶם֙ וַנִּֽהְיֶ֣ה טוֹבִ֔ים וְרָעָ֖ה לֹ֥א רָאִֽינוּ: יח וּמִן־אָ֡ז חָדַ֜לְנוּ לְקַטֵּ֣ר לִמְלֶ֣כֶת הַשָּׁמַ֗יִם וְהַסֵּֽךְ־לָ֥הּ נְסָכִ֖ים חָסַ֣רְנוּ כֹ֑ל וּבַחֶ֥רֶב וּבָרָעָ֖ב תָּֽמְנוּ: יט וְכִֽי־אֲנַ֣חְנוּ מְקַטְּרִ֗ים לִמְלֶ֙כֶת֙ הַשָּׁמַ֔יִם וּלְהַסֵּ֥ךְ לָ֖הּ נְסָכִ֑ים הֲמִֽבַּלְעֲדֵ֣י אֲנָשֵׁ֗ינוּ עָשִׂ֨ינוּ לָ֤הּ כַּוָּנִים֙ לְהַ֣עֲצִבָ֔ה וְהַסֵּ֥ךְ לָ֖הּ נְסָכִֽים:

כ וַיֹּ֣אמֶר יִרְמְיָ֡הוּ אֶל־כָּל־הָעָ֡ם עַל־הַגְּבָרִ֣ים וְעַל־הַנָּשִׁ֣ים וְעַֽל־כָּל־הָעָ֡ם הָעֹנִ֣ים אֹת֛וֹ דָּבָ֖ר לֵאמֹֽר: כא הֲל֣וֹא אֶת־הַקִּטֵּ֗ר אֲשֶׁ֨ר קִטַּרְתֶּ֜ם בְּעָרֵ֣י יְהוּדָ֗ה וּבְחֻצ֤וֹת יְרוּשָׁלַ֙͏ִם֙ אַתֶּ֣ם וַאֲבֽוֹתֵיכֶ֔ם מַלְכֵיכֶ֣ם וְשָׂרֵיכֶ֔ם וְעַ֖ם הָאָ֑רֶץ אֹתָם֙ זָכַ֣ר יְהֹוָ֔ה וַֽתַּעֲלֶ֖ה עַל־לִבּֽוֹ: כב וְלֹא־יוּכַל֩ יְהֹוָ֨ה ע֜וֹד לָשֵׂ֗את מִפְּנֵי֙ רֹ֣עַ מַֽעַלְלֵיכֶ֔ם מִפְּנֵ֥י הַתּוֹעֵבֹ֖ת אֲשֶׁ֣ר עֲשִׂיתֶ֑ם וַתְּהִ֣י אַרְצְכֶ֠ם לְחָרְבָּ֨ה וּלְשַׁמָּ֧ה וְלִקְלָלָ֛ה מֵאֵ֥ין יוֹשֵׁ֖ב כְּהַיּ֥וֹם הַזֶּֽה: כג מִפְּנֵי֩ אֲשֶׁ֨ר קִטַּרְתֶּ֜ם וַאֲשֶׁ֧ר חֲטָאתֶ֣ם לַיהֹוָ֗ה וְלֹ֤א שְׁמַעְתֶּם֙ בְּק֣וֹל יְהֹוָ֔ה וּבְתֹרָת֧וֹ וּבְחֻקֹּתָ֛יו וּבְעֵדְוֺתָ֖יו לֹ֣א הֲלַכְתֶּ֑ם עַל־כֵּ֞ן קָרָ֥את אֶתְכֶ֛ם הָרָעָ֥ה הַזֹּ֖את כַּיּ֥וֹם הַזֶּֽה: כד וַיֹּ֤אמֶר יִרְמְיָ֙הוּ֙ אֶל־כָּל־הָעָ֔ם וְאֶ֖ל כָּל־הַנָּשִׁ֑ים שִׁמְעוּ֙ דְּבַר־יְהֹוָ֔ה כָּל־יְהוּדָ֕ה אֲשֶׁ֖ר בְּאֶ֥רֶץ מִצְרָֽיִם: כה כֹּֽה־אָמַ֣ר יְהֹוָֽה־צְבָא֞וֹת אֱלֹהֵ֣י יִשְׂרָאֵ֣ל לֵאמֹ֗ר אַתֶּ֤ם וּנְשֵׁיכֶם֙ וַתְּדַבֵּ֣רְנָה בְּפִיכֶ֔ם וּבִֽידֵיכֶ֖ם מִלֵּאתֶ֑ם ׀ לֵאמֹר֩ עָשֹׂ֨ה נַעֲשֶׂ֜ה אֶת־נְדָרֵ֗ינוּ אֲשֶׁ֤ר נָדַ֙רְנוּ֙ לְקַטֵּר֙ לִמְלֶ֣כֶת הַשָּׁמַ֔יִם וּלְהַסֵּ֥ךְ לָ֖הּ נְסָכִ֑ים הָקֵ֤ים תָּקִ֙ימְנָה֙ אֶת־נִדְרֵיכֶ֔ם וְעָשֹׂ֥ה תַעֲשֶׂ֖ינָה אֶת־נִדְרֵיכֶֽם:

כו לָכֵן֙ שִׁמְע֣וּ דְבַר־יְהֹוָ֔ה כָּל־יְהוּדָ֕ה הַיֹּשְׁבִ֖ים בְּאֶ֣רֶץ מִצְרָ֑יִם הִנְנִ֨י נִשְׁבַּ֜עְתִּי בִּשְׁמִ֤י הַגָּדוֹל֙ אָמַ֣ר יְהֹוָ֔ה אִם־יִהְיֶה֩ ע֨וֹד שְׁמִ֜י נִקְרָ֣א ׀ בְּפִ֣י ׀ כָּל־אִ֣ישׁ יְהוּדָ֗ה אֹמֵ֛ר חַי־אֲדֹנָ֥י יְהֹוִ֖ה בְּכָל־אֶ֥רֶץ מִצְרָֽיִם: כז הִנְנִ֨י שֹׁקֵ֧ד עֲלֵיהֶ֛ם לְרָעָ֖ה וְלֹ֣א לְטוֹבָ֑ה וְתַ֩מּוּ֩ כָל־אִ֨ישׁ יְהוּדָ֜ה אֲשֶׁ֧ר בְּאֶֽרֶץ־מִצְרַ֛יִם בַּחֶ֥רֶב וּבָרָעָ֖ב עַד־כְּלוֹתָֽם: כח וּפְלִיטֵ֨י חֶ֜רֶב יְשֻׁב֨וּן מִן־אֶ֧רֶץ מִצְרַ֛יִם אֶ֥רֶץ יְהוּדָ֖ה מְתֵ֣י מִסְפָּ֑ר וְֽיָדְע֞וּ כָּל־שְׁאֵרִ֣ית יְהוּדָ֗ה הַבָּאִ֤ים לְאֶֽרֶץ־מִצְרַ֙יִם֙ לָג֣וּר שָׁ֔ם דְּבַר־מִ֥י יָק֛וּם מִמֶּ֖נִּי וּמֵהֶֽם: כט וְזֹאת־לָכֶ֤ם הָאוֹת֙ נְאֻם־יְהֹוָ֔ה כִּֽי־פֹקֵ֥ד אֲנִ֛י עֲלֵיכֶ֖ם בַּמָּק֣וֹם הַזֶּ֑ה לְמַ֙עַן֙ תֵּֽדְע֔וּ כִּי֩ ק֨וֹם יָק֧וּמוּ דְבָרַ֛י עֲלֵיכֶ֖ם לְרָעָֽה: ל כֹּ֣ה ׀ אָמַ֣ר יְהֹוָ֗ה הִנְנִ֣י נֹ֠תֵן אֶת־פַּרְעֹ֨ה חָפְרַ֤ע מֶֽלֶךְ־מִצְרַ֙יִם֙ בְּיַ֣ד אֹֽיְבָ֔יו וּבְיַ֖ד מְבַקְשֵׁ֣י נַפְשׁ֑וֹ כַּאֲשֶׁ֨ר נָתַ֜תִּי אֶת־צִדְקִיָּ֣הוּ מֶֽלֶךְ־יְהוּדָ֗ה בְּיַ֛ד נְבֽוּכַדְרֶאצַּ֥ר מֶֽלֶךְ־בָּבֶ֖ל אֹיְב֑וֹ וּמְבַקֵּ֖שׁ נַפְשֽׁוֹ:

16 'As for the word that thou hast spoken unto us in the name of Yehovah, we will not hearken unto thee. **17** But we will certainly perform every word that is gone forth out of our mouth, to offer unto the queen of heaven, and to pour out drink-offerings unto her, as we have done, we and our fathers, our kings and our princes, in the cities of Judah, and in the streets of Yerushalam; for then had we plenty of food, and were well, and saw no evil. **18** But since we let off to offer to the queen of heaven, and to pour out drink-offerings unto her, we have wanted all things, and have been consumed by the sword and by the famine. **19** And is it we that offer to the queen of heaven, and pour out drink-offerings unto her? did we make her cakes in her image, and pour out drink-offerings unto her, without our husbands?'{S} **20** Then Jeremiah said unto all the people, to the men, and to the women, even to all the people that had given him that answer, saying: **21** 'The offering that ye offered in the cities of Judah, and in the streets of Yerushalam, ye and your fathers, your kings and your princes, and the people of the land, did not Yehovah remember them, and came it not into His mind? **22** So that Yehovah could no longer bear, because of the evil of your doings, and because of the abominations which ye have committed; therefore is your land become a desolation, and an astonishment, and a curse, without an inhabitant, as at this day. **23** Because ye have offered, and because ye have sinned against Yehovah, and have not hearkened to the voice of Yehovah, nor walked in His Torah, nor in His statutes, nor in His testimonies; therefore this evil is happened unto you, as at this day.'{S} **24** Moreover Jeremiah said unto all the people, and to all the women: 'Hear the word of Yehovah, all Judah that are in the land of Egypt: **25** Thus saith Yehovah of hosts, the God of Israel, saying: Ye and your wives have both spoken with your mouths, and with your hands have fulfilled it, saying: We will surely perform our vows that we have vowed, to offer to the queen of heaven, and to pour out drink-offerings unto her; ye shall surely establish your vows, and surely perform your vows.{S} **26** Therefore hear ye the word of Yehovah, all Judah that dwell in the land of Egypt: Behold, I have sworn by My great name, saith Yehovah, that My name shall no more be named in the mouth of any man of Judah in all the land of Egypt saying: As the Lord GOD [Adonai Yehovi] liveth. **27** Behold, I watch over them for evil, and not for good; and all the men of Judah that are in the land of Egypt shall be consumed by the sword and by the famine, until there be an end of them. **28** And they that escape the sword shall return out of the land of Egypt into the land of Judah, few in number; and all the remnant of Judah, that are gone into the land of Egypt to sojourn there, shall know whose word shall stand, Mine, or theirs. **29** And this shall be the sign unto you, saith Yehovah, that I will punish you in this place, that ye may know that My words shall surely stand against you for evil;{P}

30 thus saith Yehovah: Behold, I will give Pharaoh Hophra king of Egypt into the hand of his enemies, and into the hand of them that seek his life; as I gave Zedekiah king of Judah into the hand of Nebuchadrezzar king of Babylon, his enemy, and that sought his life.'{S}

מה א הַדָּבָר אֲשֶׁר דִּבֶּר יִרְמְיָהוּ הַנָּבִיא אֶל־בָּרוּךְ בֶּן־נֵרִיָּה בְּכָתְבוֹ
אֶת־הַדְּבָרִים הָאֵלֶּה עַל־סֵפֶר מִפִּי יִרְמְיָהוּ בַּשָּׁנָה הָרְבִעִית לִיהוֹיָקִים
בֶּן־יֹאשִׁיָּהוּ מֶלֶךְ יְהוּדָה לֵאמֹר: ב כֹּה־אָמַר יְהוָה אֱלֹהֵי יִשְׂרָאֵל עָלֶיךָ
בָּרוּךְ: ג אָמַרְתָּ אוֹי־נָא לִי כִּי־יָסַף יְהוָה יָגוֹן עַל־מַכְאֹבִי יָגַעְתִּי בְּאַנְחָתִי
וּמְנוּחָה לֹא מָצָאתִי: ד כֹּה ׀ תֹּאמַר אֵלָיו כֹּה אָמַר יְהוָה הִנֵּה אֲשֶׁר־בָּנִיתִי
אֲנִי הֹרֵס וְאֵת אֲשֶׁר־נָטַעְתִּי אֲנִי נֹתֵשׁ וְאֶת־כָּל־הָאָרֶץ הִיא: ה וְאַתָּה
תְּבַקֶּשׁ־לְךָ גְדֹלוֹת אַל־תְּבַקֵּשׁ כִּי הִנְנִי מֵבִיא רָעָה עַל־כָּל־בָּשָׂר נְאֻם־יְהוָה
וְנָתַתִּי לְךָ אֶת־נַפְשְׁךָ לְשָׁלָל עַל כָּל־הַמְּקֹמוֹת אֲשֶׁר תֵּלֶךְ־שָׁם:

מו א אֲשֶׁר הָיָה דְבַר־יְהוָה אֶל־יִרְמְיָהוּ הַנָּבִיא עַל־הַגּוֹיִם: ב לְמִצְרַיִם
עַל־חֵיל פַּרְעֹה נְכוֹ מֶלֶךְ מִצְרַיִם אֲשֶׁר־הָיָה עַל־נְהַר־פְּרָת בְּכַרְכְּמִשׁ אֲשֶׁר
הִכָּה נְבוּכַדְרֶאצַּר מֶלֶךְ בָּבֶל בִּשְׁנַת הָרְבִיעִית לִיהוֹיָקִים בֶּן־יֹאשִׁיָּהוּ מֶלֶךְ
יְהוּדָה: ג עִרְכוּ מָגֵן וְצִנָּה וּגְשׁוּ לַמִּלְחָמָה: ד אִסְרוּ הַסּוּסִים וַעֲלוּ הַפָּרָשִׁים
וְהִתְיַצְּבוּ בְּכוֹבָעִים מִרְקוּ הָרְמָחִים לִבְשׁוּ הַסִּרְיֹנֹת: ה מַדּוּעַ רָאִיתִי הֵמָּה
חַתִּים נְסֹגִים אָחוֹר וְגִבּוֹרֵיהֶם יֻכַּתּוּ וּמָנוֹס נָסוּ וְלֹא הִפְנוּ מָגוֹר מִסָּבִיב
נְאֻם־יְהוָה: ו אַל־יָנוּס הַקַּל וְאַל־יִמָּלֵט הַגִּבּוֹר צָפוֹנָה עַל־יַד נְהַר־פְּרָת
כָּשְׁלוּ וְנָפָלוּ: ז מִי־זֶה כַּיְאֹר יַעֲלֶה כַּנְּהָרוֹת יִתְגָּעֲשׁוּ מֵימָיו: ח מִצְרַיִם כַּיְאֹר
יַעֲלֶה וְכַנְּהָרוֹת יִתְגֹּעֲשׁוּ מָיִם וַיֹּאמֶר אַעֲלֶה אֲכַסֶּה־אֶרֶץ אֹבִידָה עִיר וְיֹשְׁבֵי
בָהּ: ט עֲלוּ הַסּוּסִים וְהִתְהֹלְלוּ הָרֶכֶב וְיֵצְאוּ הַגִּבּוֹרִים כּוּשׁ וּפוּט תֹּפְשֵׂי מָגֵן
וְלוּדִים תֹּפְשֵׂי דֹּרְכֵי קָשֶׁת: י וְהַיּוֹם הַהוּא לַאדֹנָי יְהוִה צְבָאוֹת יוֹם נְקָמָה
לְהִנָּקֵם מִצָּרָיו וְאָכְלָה חֶרֶב וְשָׂבְעָה וְרָוְתָה מִדָּמָם כִּי זֶבַח לַאדֹנָי יְהוִה
צְבָאוֹת בְּאֶרֶץ צָפוֹן אֶל־נְהַר־פְּרָת: יא עֲלִי גִלְעָד וּקְחִי צֳרִי בְּתוּלַת
בַּת־מִצְרָיִם לַשָּׁוְא הִרְבֵּית[101] רְפֻאוֹת תְּעָלָה אֵין לָךְ: יב שָׁמְעוּ גוֹיִם קְלוֹנֵךְ
וְצִוְחָתֵךְ מָלְאָה הָאָרֶץ כִּי־גִבּוֹר בְּגִבּוֹר כָּשָׁלוּ יַחְדָּיו נָפְלוּ שְׁנֵיהֶם:

יג הַדָּבָר אֲשֶׁר דִּבֶּר יְהוָה אֶל־יִרְמְיָהוּ הַנָּבִיא לָבוֹא נְבוּכַדְרֶאצַּר מֶלֶךְ
בָּבֶל לְהַכּוֹת אֶת־אֶרֶץ מִצְרָיִם: יד הַגִּידוּ בְמִצְרַיִם וְהַשְׁמִיעוּ בְמִגְדּוֹל
וְהַשְׁמִיעוּ בְנֹף וּבְתַחְפַּנְחֵס אִמְרוּ הִתְיַצֵּב וְהָכֵן לָךְ כִּי־אָכְלָה חֶרֶב סְבִיבֶיךָ:
טו מַדּוּעַ נִסְחַף אַבִּירֶיךָ לֹא עָמַד כִּי יְהוָה הֲדָפוֹ: טז הִרְבָּה כּוֹשֵׁל גַּם־נָפַל
אִישׁ אֶל־רֵעֵהוּ וַיֹּאמְרוּ קוּמָה ׀ וְנָשֻׁבָה אֶל־עַמֵּנוּ וְאֶל־אֶרֶץ מוֹלַדְתֵּנוּ מִפְּנֵי
חֶרֶב הַיּוֹנָה: יז קָרְאוּ שָׁם פַּרְעֹה מֶלֶךְ־מִצְרַיִם שָׁאוֹן הֶעֱבִיר הַמּוֹעֵד:

[101] הרביתי

45 1 The word that Jeremiah the prophet spoke unto Baruch the son of Neriah, when he wrote these words in a book at the mouth of Jeremiah, in the fourth year of Jehoiakim the son of Josiah, king of Judah, saying: 2 'Thus saith Yehovah, the God of Israel, concerning thee, O Baruch: Thou didst say: 3 Woe is me now! for Yehovah hath added sorrow to my pain; I am weary with my groaning, and I find no rest. 4 Thus shalt thou say unto him: Thus saith Yehovah: Behold, that which I have built will I break down, and that which I have planted I will pluck up; and this in the whole land. 5 And seekest thou great things for thyself? seek them not; for, behold, I will bring evil upon all flesh, saith Yehovah; but thy life will I give unto thee for a prey in all places whither thou goest.'{P}

46 1 The word of Yehovah which came to Jeremiah the prophet concerning the nations. 2 Of Egypt: concerning the army of Pharaoh-neco king of Egypt, which was by the river Euphrates in Carchemish, which Nebuchadrezzar king of Babylon smote in the fourth year of Jehoiakim the son of Josiah, king of Judah. 3 Make ready buckler and shield, and draw near to battle. 4 Harness the horses, and mount, ye horsemen, and stand forth with your helmets; furbish the spears, put on the coats of mail. 5 Wherefore do I see them dismayed and turned backward? and their mighty ones are beaten down, and they are fled apace, and look not back; terror is on every side, saith Yehovah. 6 The swift cannot flee away, nor the mighty man escape; in the north by the river Euphrates have they stumbled and fallen. 7 Who is this like the Nile that riseth up, like the rivers whose waters toss themselves? 8 Egypt is like the Nile that riseth up, and like the rivers whose waters toss themselves; and he saith: 'I will rise up, I will cover the earth, I will destroy the city and the inhabitants thereof.' 9 Prance, ye horses, and rush madly, ye chariots; and let the mighty men go forth: Cush and Put, that handle the shield, and the Ludim, that handle and bend the bow. 10 For the Lord GOD [Adonai Yehovi] of hosts shall have on that day a day of vengeance, that He may avenge Him of His adversaries; and the sword shall devour and be satiate, and shall be made drunk with their blood; for the Lord GOD [Adonai Yehovi] of hosts hath a sacrifice in the north country by the river Euphrates. 11 Go up into Gilead, and take balm, O virgin daughter of Egypt; in vain dost thou use many medicines; there is no cure for thee. 12 The nations have heard of thy shame, and the earth is full of thy cry; for the mighty man hath stumbled against the mighty, they are fallen both of them together.{P}

13 The word that Yehovah spoke to Jeremiah the prophet, how that Nebuchadrezzar king of Babylon should come and smite the land of Egypt. 14 Declare ye in Egypt, and announce in Migdol, and announce in Noph and in Tahpanhes; say ye: 'Stand forth, and prepare thee, for the sword hath devoured round about thee.' 15 Why is thy strong one overthrown? He stood not, because Yehovah did thrust him down. 16 He made many to stumble; yea, they fell one upon another, and said: 'Arise, and let us return to our own people, and to the land of our birth, from the oppressing sword.' 17 They cried there: 'Pharaoh king of Egypt is but a noise; he hath let the appointed time pass by.'

יח חַי־אָ֗נִי נְאֻם־הַמֶּ֙לֶךְ֙ יְהוָ֥ה צְבָא֖וֹת שְׁמ֑וֹ כִּ֚י כְּתָב֣וֹר בֶּֽהָרִ֔ים וּכְכַרְמֶ֖ל בַּיָּ֥ם
יָבֽוֹא׃ יט כְּלֵ֤י גוֹלָה֙ עֲשִׂ֣י לָ֔ךְ יוֹשֶׁ֖בֶת בַּת־מִצְרָ֑יִם כִּי־נֹף֙ לְשַׁמָּ֣ה תִֽהְיֶ֔ה וְנִצְּתָ֖ה
מֵאֵ֥ין יוֹשֵֽׁב׃ כ עֶגְלָ֥ה יְפֵה־פִיָּ֖ה מִצְרָ֑יִם קֶ֥רֶץ מִצָּפ֖וֹן בָּ֥א בָֽא׃ כא גַּם־שְׂכִרֶ֤יהָ
בְקִרְבָּהּ֙ כְּעֶגְלֵ֣י מַרְבֵּ֔ק כִּֽי־גַם־הֵ֙מָּה֙ הִפְנ֔וּ נָ֥סוּ יַחְדָּ֖יו לֹ֣א עָמָ֑דוּ כִּ֣י י֧וֹם אֵידָ֛ם
בָּ֥א עֲלֵיהֶ֖ם עֵ֥ת פְּקֻדָּתָֽם׃ כב קוֹלָ֖הּ כַּנָּחָ֣שׁ יֵלֵ֑ךְ כִּֽי־בְחַ֣יִל יֵלֵ֔כוּ וּבְקַרְדֻּמּוֹת֙ בָּ֣אוּ
לָ֔הּ כְּחֹטְבֵ֖י עֵצִֽים׃ כג כָּרְת֤וּ יַעְרָהּ֙ נְאֻם־יְהוָ֔ה כִּ֖י לֹ֣א יֵחָקֵ֑ר כִּ֤י רַבּוּ֙ מֵֽאַרְבֶּ֔ה
וְאֵ֥ין לָהֶ֖ם מִסְפָּֽר׃ כד הֹבִ֖ישָׁה בַּת־מִצְרָ֑יִם נִתְּנָ֖ה בְּיַ֥ד עַם־צָפֽוֹן׃ כה אָמַ֞ר יְהוָ֤ה
צְבָאוֹת֙ אֱלֹהֵ֣י יִשְׂרָאֵ֔ל הִנְנִ֣י פוֹקֵ֗ד אֶל־אָמ֣וֹן מִנֹּ֔א וְעַל־פַּרְעֹה֙ וְעַֽל־מִצְרַ֔יִם
וְעַל־אֱלֹהֶ֖יהָ וְעַל־מְלָכֶ֑יהָ וְעַל־פַּרְעֹ֕ה וְעַ֖ל הַבֹּטְחִ֥ים בּֽוֹ׃ כו וּנְתַתִּ֗ים בְּיַד֙
מְבַקְשֵׁ֣י נַפְשָׁ֔ם וּבְיַ֛ד נְבוּכַדְרֶאצַּ֥ר מֶֽלֶךְ־בָּבֶ֖ל וּבְיַד־עֲבָדָ֑יו וְאַחֲרֵי־כֵ֛ן תִּשְׁכֹּ֥ן
כִּֽימֵי־קֶ֖דֶם נְאֻם־יְהוָֽה׃ כז וְ֠אַתָּה אַל־תִּירָ֞א עַבְדִּ֤י יַעֲקֹב֙ וְאַל־תֵּחַ֣ת יִשְׂרָאֵ֔ל כִּ֠י
הִנְנִ֤י מוֹשִֽׁעֲךָ֙ מֵֽרָח֔וֹק וְאֶֽת־זַרְעֲךָ֖ מֵאֶ֣רֶץ שִׁבְיָ֑ם וְשָׁ֧ב יַעֲק֛וֹב וְשָׁקַ֥ט וְשַׁאֲנַ֖ן וְאֵ֥ין
מַחֲרִֽיד׃ כח אַ֠תָּה אַל־תִּירָ֞א עַבְדִּ֤י יַעֲקֹב֙ נְאֻם־יְהוָ֔ה כִּ֥י אִתְּךָ֖ אָ֑נִי כִּ֣י אֶ֠עֱשֶׂה
כָלָ֨ה בְּכָֽל־הַגּוֹיִ֥ם ׀ אֲשֶׁ֧ר הִדַּחְתִּ֣יךָ שָׁ֗מָּה וְאֹֽתְךָ֙ לֹא־אֶעֱשֶׂ֣ה כָלָ֔ה וְיִסַּרְתִּ֙יךָ֙
לַמִּשְׁפָּ֔ט וְנַקֵּ֖ה לֹ֥א אֲנַקֶּֽךָּ׃

מז א אֲשֶׁ֨ר הָיָ֧ה דְבַר־יְהוָ֛ה אֶל־יִרְמְיָ֥הוּ הַנָּבִ֖יא אֶל־פְּלִשְׁתִּ֑ים בְּטֶ֛רֶם יַכֶּ֥ה
פַרְעֹ֖ה אֶת־עַזָּֽה׃ ב כֹּ֣ה ׀ אָמַ֣ר יְהוָ֗ה הִנֵּה־מַ֜יִם עֹלִ֣ים מִצָּפ֗וֹן וְהָיוּ֙ לְנַ֣חַל שׁוֹטֵ֔ף
וְיִשְׁטְפוּ֙ אֶ֣רֶץ וּמְלוֹאָ֔הּ עִ֖יר וְיֹ֣שְׁבֵי בָ֑הּ וְזָעֲקוּ֙ הָֽאָדָ֔ם וְהֵילִ֕ל כֹּ֖ל יוֹשֵׁ֥ב הָאָֽרֶץ׃
ג מִקּ֗וֹל שַֽׁעֲטַת֙ פַּרְס֣וֹת אַבִּירָ֔יו מֵרַ֣עַשׁ לְרִכְבּ֔וֹ הֲמ֖וֹן גַּלְגִּלָּ֑יו לֹֽא־הִפְנ֤וּ אָבוֹת֙
אֶל־בָּנִ֔ים מֵרִפְי֖וֹן יָדָֽיִם׃ ד עַל־הַיּ֗וֹם הַבָּא֙ לִשְׁד֣וֹד אֶת־כָּל־פְּלִשְׁתִּ֔ים לְהַכְרִ֤ית
לְצֹר֙ וּלְצִיד֔וֹן כֹּ֖ל שָׂרִ֣יד עֹזֵ֑ר כִּֽי־שֹׁדֵ֤ד יְהוָה֙ אֶת־פְּלִשְׁתִּ֔ים שְׁאֵרִ֖ית אִ֥י כַפְתּֽוֹר׃
ה בָּ֤אָה קָרְחָה֙ אֶל־עַזָּ֔ה נִדְמְתָ֥ה אַשְׁקְל֖וֹן שְׁאֵרִ֣ית עִמְקָ֑ם עַד־מָתַ֖י תִּתְגּוֹדָֽדִי׃
ו ה֗וֹי חֶ֚רֶב לַֽיהוָה֙ עַד־אָ֣נָה לֹ֣א תִשְׁקֹ֔טִי הֵאָֽסְפִי֙ אֶל־תַּעְרֵ֔ךְ הֵרָגְעִ֖י וָדֹֽמִּי׃ ז אֵ֣יךְ
תִּשְׁקֹ֔טִי וַֽיהוָ֖ה צִוָּה־לָ֑הּ אֶל־אַשְׁקְל֛וֹן וְאֶל־ח֥וֹף הַיָּ֖ם שָׁ֥ם יְעָדָֽהּ׃

מח א לְמוֹאָ֡ב כֹּֽה־אָמַר֩ יְהוָ֨ה צְבָא֜וֹת אֱלֹהֵ֣י יִשְׂרָאֵ֗ל ה֤וֹי אֶל־נְבוֹ֙ כִּ֣י שֻׁדָּ֔דָה
הֹבִ֥ישָׁה נִלְכְּדָ֖ה קִרְיָתָ֑יִם הֹבִ֥ישָׁה הַמִּשְׂגָּ֖ב וָחָֽתָּה׃ ב אֵ֣ין ע֞וֹד תְּהִלַּ֣ת מוֹאָ֗ב
בְּחֶשְׁבּוֹן֙ חָשְׁב֤וּ עָלֶ֙יהָ֙ רָעָ֔ה לְכ֖וּ וְנַכְרִיתֶ֣נָּה מִגּ֑וֹי גַּם־מַדְמֵ֣ן תִּדֹּ֔מִּי אַחֲרַ֖יִךְ תֵּ֥לֶךְ
חָֽרֶב׃ ג ק֥וֹל צְעָקָ֖ה מֵחֹרוֹנָ֑יִם שֹׁ֖ד וָשֶׁ֥בֶר גָּדֽוֹל׃ ד נִשְׁבְּרָ֖ה מוֹאָ֑ב הִשְׁמִ֥יעוּ זְּעָקָ֖ה
צְעִירֶֽיהָ[102]׃ ה כִּ֚י מַעֲלֵ֣ה הַלֻּחִ֔ית[103] בִּבְכִ֖י יַֽעֲלֶה־בֶּ֑כִי כִּ֚י בְּמוֹרַ֣ד חוֹרֹנַ֔יִם צָרֵ֥י
צַעֲקַת־שֶׁ֖בֶר שָׁמֵֽעוּ׃

[102] צעוריה
[103] הלחות

18 As I live, saith the King, whose name is Yehovah of hosts, surely like Tabor among the mountains, and like Carmel by the sea, so shall he come. **19** O thou daughter that dwellest in Egypt, furnish thyself to go into captivity; for Noph shall become a desolation, and shall be laid waste, without inhabitant.{S} **20** Egypt is a very fair heifer; but the gadfly out of the north is come, it is come. **21** Also her mercenaries in the midst of her are like calves of the stall, for they also are turned back, they are fled away together, they did not stand; for the day of their calamity is come upon them, the time of their visitation. **22** The sound thereof shall go like the serpent's; for they march with an army, and come against her with axes, as hewers of wood. **23** They cut down her forest, saith Yehovah, though it cannot be searched; because they are more than the locusts, and are innumerable. **24** The daughter of Egypt is put to shame; she is delivered into the hand of the people of the north. **25** Yehovah of hosts, the God of Israel, saith: Behold, I will punish Amon of No, and Pharaoh, and Egypt, with her gods, and her kings; even Pharaoh, and them that trust in him; **26** and I will deliver them into the hand of those that seek their lives, and into the hand of Nebuchadrezzar king of Babylon, and into the hand of his servants; and afterwards it shall be inhabited, as in the days of old, saith Yehovah.{P}

27 But fear not thou, O Jacob My servant, neither be dismayed, O Israel; for, lo, I will save thee from afar, and thy seed from the land of their captivity; and Jacob shall again be quiet and at ease, and none shall make him afraid. **28** Fear not thou, O Jacob My servant, saith Yehovah, for I am with thee; for I will make a full end of all the nations whither I have driven thee, but I will not make a full end of thee; and I will correct thee in measure, but will not utterly destroy thee.{P}

47 **1** The word of Yehovah that came to Jeremiah the prophet concerning the Philistines, before that Pharaoh smote Gaza. **2** Thus saith Yehovah: behold, waters rise up out of the north, and shall become an overflowing stream, and they shall overflow the land and all that is therein, the city and them that dwell therein; and the men shall cry, and all the inhabitants of the land shall wail. **3** At the noise of the stamping of the hoofs of his strong ones, at the rushing of his chariots, at the rumbling of his wheels, the fathers look not back to their children for feebleness of hands; **4** Because of the day that cometh to spoil all the Philistines, to cut off from Tyre and Zidon every helper that remaineth; for Yehovah will spoil the Philistines, the remnant of the isle of Caphtor. **5** Baldness is come upon Gaza, Ashkelon is brought to nought, the remnant of their valley; how long wilt thou cut thyself? **6** O thou sword of Yehovah, how long will it be ere thou be quiet? Put up thyself into thy scabbard, rest, and be still. **7** How canst thou be quiet? for Yehovah hath given it a charge; against Ashkelon, and against the sea-shore, there hath He appointed it.{P}

48 **1** Of Moab. Thus saith Yehovah of hosts, the God of Israel: Woe unto Nebo! for it is spoiled; Kiriathaim is put to shame, it is taken; Misgab is put to shame and dismayed. **2** The praise of Moab is no more; in Heshbon they have devised evil against her: 'Come, and let us cut her off from being a nation.' Thou also, O Madmen, shalt be brought to silence; the sword shall pursue thee. **3** Hark! a cry from Horonaim, spoiling and great destruction! **4** Moab is destroyed; her little ones have caused a cry to be heard. **5** For by the ascent of Luhith with continual weeping shall they go up; for in the going down of Horonaim they have heard the distressing cry of destruction.

ו נֻסוּ מַלְּטוּ נַפְשְׁכֶם וְתִהְיֶ֫ינָה כַּעֲרוֹעֵ֖ר בַּמִּדְבָּ֑ר: ז כִּ֣י יַ֗עַן בִּטְחֵךְ֙ בְּמַעֲשַׂ֙יִךְ֙ וּבְאוֹצְרוֹתַ֔יִךְ גַּם־אַ֖תְּ תִּלָּכֵ֑דִי וְיָצָ֤א כְמוֹשׁ֙ 104 בַּגּוֹלָ֔ה כֹּהֲנָ֥יו וְשָׂרָ֖יו יַחְדָּֽיו: 105

ח וְיָבֹ֤א שֹׁדֵד֙ אֶל־כָּל־עִ֔יר וְעִ֖יר לֹ֣א תִמָּלֵ֑ט וְאָבַ֤ד הָעֵ֙מֶק֙ וְנִשְׁמַ֣ד הַמִּישֹׁ֔ר אֲשֶׁ֖ר אָמַ֥ר יְהֹוָֽה: ט תְּנוּ־צִ֣יץ לְמוֹאָ֔ב כִּ֥י נָצֹ֖א תֵּצֵ֑א וְעָרֶ֙יהָ֙ לְשַׁמָּ֣ה תִֽהְיֶ֔ינָה מֵאֵ֥ין יוֹשֵׁ֖ב בָּהֵֽן: י אָר֗וּר עֹשֶׂ֛ה מְלֶ֥אכֶת יְהֹוָ֖ה רְמִיָּ֑ה וְאָר֕וּר מֹנֵ֥עַ חַרְבּ֖וֹ מִדָּֽם: יא שַׁאֲנַ֨ן מוֹאָ֜ב מִנְּעוּרָ֗יו וְשֹׁקֵ֥ט הוּא֙ אֶל־שְׁמָרָ֔יו וְלֹא־הוּרַ֤ק מִכְּלִי֙ אֶל־כֶּ֔לִי וּבַגּוֹלָ֖ה לֹ֣א הָלָ֑ךְ עַל־כֵּ֗ן עָמַ֤ד טַעְמוֹ֙ בּ֔וֹ וְרֵיח֖וֹ לֹ֥א נָמָֽר: יב לָכֵ֞ן הִנֵּֽה־יָמִ֤ים בָּאִים֙ נְאֻם־יְהֹוָ֔ה וְשִׁלַּחְתִּי־ל֥וֹ צֹעִ֖ים וְצֵעֻ֑הוּ וְכֵלָ֣יו יָרִ֔יקוּ וְנִבְלֵיהֶ֖ם יְנַפֵּֽצוּ: יג וּבֹ֥שׁ מוֹאָ֖ב מִכְּמ֑וֹשׁ כַּאֲשֶׁר־בֹּ֙שׁוּ֙ בֵּ֣ית יִשְׂרָאֵ֔ל מִבֵּ֖ית אֵ֥ל מִבְטֶחָֽם: יד אֵ֚יךְ תֹּֽאמְר֔וּ גִּבּוֹרִ֖ים אֲנָ֑חְנוּ וְאַנְשֵׁי־חַ֖יִל לַמִּלְחָמָֽה: טו שֻׁדַּ֤ד מוֹאָב֙ וְעָרֶ֣יהָ עָלָ֔ה וּמִבְחַ֥ר בַּחוּרָ֖יו יָרְד֣וּ לַטָּ֑בַח נְאֻם־הַמֶּ֔לֶךְ יְהֹוָ֥ה צְבָא֖וֹת שְׁמֽוֹ: טז קָר֥וֹב אֵיד־מוֹאָ֖ב לָב֑וֹא וְרָ֣עָת֔וֹ מִהֲרָ֖ה מְאֹֽד: יז נֻ֤דוּ לוֹ֙ כָּל־סְבִיבָ֔יו וְכֹ֖ל יֹדְעֵ֣י שְׁמ֑וֹ אִמְר֗וּ אֵיכָ֤ה נִשְׁבַּר֙ מַטֵּה־עֹ֔ז מַקֵּ֖ל תִּפְאָרָֽה: יח רְדִ֤י מִכָּבוֹד֙ וּשְׁבִ֣י 106 בַצָּמָ֔א יֹשֶׁ֖בֶת בַּת־דִּיב֑וֹן כִּֽי־שֹׁדֵ֤ד מוֹאָב֙ עָ֣לָה בָ֔ךְ שִׁחֵ֖ת מִבְצָרָֽיִךְ: יט אֶל־דֶּ֣רֶךְ עִמְדִ֤י וְצַפִּי֙ יוֹשֶׁ֣בֶת עֲרוֹעֵ֔ר שַׁאֲלִי־נָ֖ס וְנִמְלָ֑טָה אִמְרִ֖י מַה־נִּהְיָֽתָה: כ הֹבִ֥ישׁ מוֹאָ֛ב כִּי־חַ֖תָּה הֵילִ֣ילוּ 107 | וּֽזְעָ֑קוּ 108 הַגִּ֣ידוּ בְאַרְנ֔וֹן כִּ֥י שֻׁדַּ֖ד מוֹאָֽב: כא וּמִשְׁפָּ֥ט בָּ֖א אֶל־אֶ֣רֶץ הַמִּישֹׁ֑ר אֶל־חֹל֥וֹן וְאֶל־יַ֖הְצָה וְעַל־מיֹפָֽעַת 109: כב וְעַל־דִּיב֣וֹן וְעַל־נְב֔וֹ וְעַל־בֵּ֖ית דִּבְלָתָֽיִם: כג וְעַ֧ל קִרְיָתַ֛יִם וְעַל־בֵּ֥ית גָּמ֖וּל וְעַל־בֵּ֥ית מְעֽוֹן: כד וְעַל־קְרִיּ֥וֹת וְעַל־בָּצְרָ֑ה וְעַ֗ל כָּל־עָרֵי֙ אֶ֣רֶץ מוֹאָ֔ב הָרְחֹק֖וֹת וְהַקְּרֹבֽוֹת: כה נִגְדְּעָה֙ קֶ֣רֶן מוֹאָ֔ב וּזְרֹע֖וֹ נִשְׁבָּ֑רָה נְאֻ֖ם יְהֹוָֽה: כו הַשְׁכִּירֻ֕הוּ כִּ֥י עַל־יְהֹוָ֖ה הִגְדִּ֑יל וְסָפַ֤ק מוֹאָב֙ בְּקִיא֔וֹ וְהָיָ֥ה לִשְׂחֹ֖ק גַּם־הֽוּא: כז וְאִ֣ם | ל֤וֹא הַשְּׂחֹק֙ הָיָ֣ה לְךָ֔ יִשְׂרָאֵ֔ל אִם־בְּגַנָּבִ֖ים נִמְצָ֑א 110 כִּֽי־מִדֵּ֤י דְבָרֶ֙יךָ֙ בּ֔וֹ תִּתְנוֹדָֽד: כח עִזְב֤וּ עָרִים֙ וְשִׁכְנ֣וּ בַּסֶּ֔לַע יֹשְׁבֵ֖י מוֹאָ֑ב וִהְי֣וּ כְיוֹנָ֔ה תְּקַנֵּ֖ן בְּעֶבְרֵ֥י פִי־פָֽחַת: כט שָׁמַ֥עְנוּ גְאוֹן־מוֹאָ֖ב גֵּאֶ֣ה מְאֹ֑ד גָּבְה֧וֹ וּגְאוֹנ֛וֹ וְגַאֲוָת֖וֹ וְרֻ֥ם לִבּֽוֹ: ל אֲנִ֤י יָדַ֙עְתִּי֙ נְאֻם־יְהֹוָ֔ה עֶבְרָת֖וֹ וְלֹא־כֵ֑ן בַּדָּ֖יו לֹא־כֵ֥ן עָשֽׂוּ: לא עַל־כֵּן֙ עַל־מוֹאָ֣ב אֲיֵלִ֔יל וּלְמוֹאָ֥ב כֻּלֹּ֖ה אֶזְעָ֑ק אֶל־אַנְשֵׁ֥י קִֽיר־חֶ֖רֶשׂ יֶהְגֶּֽה: לב מִבְּכִ֨י יַעְזֵ֤ר אֶבְכֶּה־לָּךְ֙ הַגֶּ֣פֶן שִׂבְמָ֔ה נְטִֽישֹׁתַ֙יִךְ֙ עָ֣בְרוּ יָ֔ם עַ֛ד יָ֥ם יַעְזֵ֖ר נָגָ֑עוּ עַל־קֵיצֵ֥ךְ וְעַל־בְּצִירֵ֖ךְ שֹׁדֵ֥ד נָפָֽל:

---

104 כמיש
105 יחד
106 ישבי
107 הילילי
108 וזעקי
109 מופעת
110 נמצאה

6 Flee, save your lives, and be like a tamarisk in the wilderness. **7** For, because thou hast trusted in thy works and in thy treasures, thou also shalt be taken; and Chemosh shall go forth into captivity, his priests and his princes together. **8** And the spoiler shall come upon every city, and no city shall escape; the valley also shall perish, and the plain shall be destroyed; as Yehovah hath spoken. **9** Give wings unto Moab, for she must fly and get away; and her cities shall become a desolation, without any to dwell therein. **10** Cursed be he that doeth the work of Yehovah with a slack hand, and cursed be he that keepeth back his sword from blood. **11** Moab hath been at ease from his youth, and he hath settled on his lees, and hath not been emptied from vessel to vessel, neither hath he gone into captivity; therefore his taste remaineth in him, and his scent is not changed.{s} **12** Therefore, behold, the days come, saith Yehovah, that I will send unto him them that tilt up, and they shall tilt him up; and they shall empty his vessels, and break their bottles in pieces. **13** And Moab shall be ashamed of Chemosh, as the house of Israel was ashamed of Beth-el their confidence. **14** How say ye: 'We are mighty men, and valiant men for the war'? **15** Moab is spoiled, and they are gone up into her cities, and his chosen young men are gone down to the slaughter, saith the King, whose name is Yehovah of hosts. **16** The calamity of Moab is near to come, and his affliction hasteth fast. **17** Bemoan him, all ye that are round about him, and all ye that know his name; say: 'How is the strong staff broken, the beautiful rod!' **18** O thou daughter that dwellest in Dibon, come down from thy glory, and sit in thirst; for the spoiler of Moab is come up against thee, he hath destroyed thy strongholds. **19** O inhabitant of Aroer, stand by the way, and watch; ask him that fleeth, and her that escapeth; say: 'What hath been done?' **20** Moab is put to shame, for it is dismayed; wail and cry; tell ye it in Arnon, that Moab is spoiled. **21** And judgment is come upon the country of the Plain; upon Holon, and upon Jahzah, and upon Mephaath; **22** and upon Dibon, and upon Nebo, and upon Beth-diblathaim; **23** and upon Kiriathaim, and upon Beth-gamul, and upon Beth-meon; **24** and upon Kerioth, and upon Bozrah, and upon all the cities of the land of Moab, far or near. **25** The horn of Moab is cut off, and his arm is broken, saith Yehovah. **26** Make ye him drunken, for he magnified himself against Yehovah; and Moab shall wallow in his vomit, and he also shall be in derision. **27** For was not Israel a derision unto thee? Was he found among thieves? For as often as thou speakest of him, thou waggest the head. **28** O ye that dwell in Moab, leave the cities, and dwell in the rock; and be like the dove that maketh her nest in the sides of the pit's mouth. **29** We have heard of the pride of Moab; he is very proud; his loftiness, and his pride, and his haughtiness, and the assumption of his heart. **30** I know his arrogancy, saith Yehovah, that it is ill-founded; his boastings have wrought nothing well-founded. **31** Therefore will I wail for Moab; yea, I will cry out for all Moab; for the men of Kir-heres shall my heart moan. **32** With more than the weeping of Jazer will I weep for thee, O vine of Sibmah; thy branches passed over the sea, they reached even to the sea of Jazer; upon thy summer fruits and upon thy vintage the spoiler is fallen.

לג וְנֶאֶסְפָה שִׂמְחָה וָגִיל מִכַּרְמֶל וּמֵאֶרֶץ מוֹאָב וְיַיִן מִיקָבִים הִשְׁבַּתִּי
לֹא־יִדְרֹךְ הֵידָד הֵידָד לֹא הֵידָד׃ לד מִזַּעֲקַת חֶשְׁבּוֹן עַד־אֶלְעָלֵה עַד־יַהַץ
נָתְנוּ קוֹלָם מִצֹּעַר עַד־חֹרֹנַיִם עֶגְלַת שְׁלִשִׁיָּה כִּי גַּם־מֵי נִמְרִים לִמְשַׁמּוֹת
יִהְיוּ׃ לה וְהִשְׁבַּתִּי לְמוֹאָב נְאֻם־יְהוָה מַעֲלֶה בָמָה וּמַקְטִיר לֵאלֹהָיו׃
לו עַל־כֵּן לִבִּי לְמוֹאָב כַּחֲלִלִים יֶהֱמֶה וְלִבִּי אֶל־אַנְשֵׁי קִיר־חֶרֶשׂ כַּחֲלִילִים
יֶהֱמֶה עַל־כֵּן יִתְרַת עָשָׂה אָבָדוּ׃ לז כִּי כָל־רֹאשׁ קָרְחָה וְכָל־זָקָן גְּרֻעָה עַל
כָּל־יָדַיִם גְּדֻדֹת וְעַל־מָתְנַיִם שָׂק׃ לח עַל כָּל־גַּגּוֹת מוֹאָב וּבִרְחֹבֹתֶיהָ כֻּלֹּה
מִסְפֵּד כִּי־שָׁבַרְתִּי אֶת־מוֹאָב כִּכְלִי אֵין־חֵפֶץ בּוֹ נְאֻם־יְהוָה׃ לט אֵיךְ חַתָּה
הֵילִילוּ אֵיךְ הִפְנָה־עֹרֶף מוֹאָב בּוֹשׁ וְהָיָה מוֹאָב לִשְׂחֹק וְלִמְחִתָּה
לְכָל־סְבִיבָיו׃ מ כִּי־כֹה אָמַר יְהוָה הִנֵּה כַנֶּשֶׁר יִדְאֶה וּפָרַשׂ כְּנָפָיו
אֶל־מוֹאָב׃ מא נִלְכְּדָה הַקְּרִיּוֹת וְהַמְּצָדוֹת נִתְפָּשָׂה וְהָיָה לֵב גִּבּוֹרֵי מוֹאָב
בַּיּוֹם הַהוּא כְּלֵב אִשָּׁה מְצֵרָה׃ מב וְנִשְׁמַד מוֹאָב מֵעָם כִּי עַל־יְהוָה הִגְדִּיל׃
מג פַּחַד וָפַחַת וָפָח עָלֶיךָ יוֹשֵׁב מוֹאָב נְאֻם־יְהוָה׃ מד הַנָּס[111] מִפְּנֵי הַפַּחַד
יִפֹּל אֶל־הַפַּחַת וְהָעֹלֶה מִן־הַפַּחַת יִלָּכֵד בַּפָּח כִּי־אָבִיא אֵלֶיהָ אֶל־מוֹאָב
שְׁנַת פְּקֻדָּתָם נְאֻם־יְהוָה׃ מה בְּצֵל חֶשְׁבּוֹן עָמְדוּ מִכֹּחַ נָסִים כִּי־אֵשׁ יָצָא
מֵחֶשְׁבּוֹן וְלֶהָבָה מִבֵּין סִיחוֹן וַתֹּאכַל פְּאַת מוֹאָב וְקָדְקֹד בְּנֵי שָׁאוֹן׃
מו אוֹי־לְךָ מוֹאָב אָבַד עַם־כְּמוֹשׁ כִּי־לֻקְּחוּ בָנֶיךָ בַּשֶּׁבִי וּבְנֹתֶיךָ בַּשִּׁבְיָה׃
מז וְשַׁבְתִּי שְׁבוּת־מוֹאָב בְּאַחֲרִית הַיָּמִים נְאֻם־יְהוָה עַד־הֵנָּה מִשְׁפַּט מוֹאָב׃

מט א לִבְנֵי עַמּוֹן כֹּה אָמַר יְהוָה הֲבָנִים אֵין לְיִשְׂרָאֵל אִם־יוֹרֵשׁ אֵין לוֹ
מַדּוּעַ יָרַשׁ מַלְכָּם אֶת־גָּד וְעַמּוֹ בְּעָרָיו יָשָׁב׃ ב לָכֵן הִנֵּה יָמִים בָּאִים
נְאֻם־יְהוָה וְהִשְׁמַעְתִּי אֶל־רַבַּת בְּנֵי־עַמּוֹן תְּרוּעַת מִלְחָמָה וְהָיְתָה לְתֵל
שְׁמָמָה וּבְנֹתֶיהָ בָּאֵשׁ תִּצַּתְנָה וְיָרַשׁ יִשְׂרָאֵל אֶת־יֹרְשָׁיו אָמַר יְהוָה׃ ג הֵילִילִי
חֶשְׁבּוֹן כִּי שֻׁדְּדָה־עַי צְעַקְנָה בְּנוֹת רַבָּה חֲגֹרְנָה שַׂקִּים סְפֹדְנָה וְהִתְשׁוֹטַטְנָה
בַּגְּדֵרוֹת כִּי מַלְכָּם בַּגּוֹלָה יֵלֵךְ כֹּהֲנָיו וְשָׂרָיו יַחְדָּיו׃ ד מַה־תִּתְהַלְלִי
בָּעֲמָקִים זָב עִמְקֵךְ הַבַּת הַשּׁוֹבֵבָה הַבֹּטְחָה בְּאֹצְרֹתֶיהָ מִי יָבוֹא אֵלָי׃
ה הִנְנִי מֵבִיא עָלַיִךְ פַּחַד נְאֻם־אֲדֹנָי יְהוִה צְבָאוֹת מִכָּל־סְבִיבָיִךְ וְנִדַּחְתֶּם
אִישׁ לְפָנָיו וְאֵין מְקַבֵּץ לַנֹּדֵד׃ ו וְאַחֲרֵי־כֵן אָשִׁיב אֶת־שְׁבוּת בְּנֵי־עַמּוֹן
נְאֻם־יְהוָה׃ ז לֶאֱדוֹם כֹּה אָמַר יְהוָה צְבָאוֹת הַאֵין עוֹד חָכְמָה בְּתֵימָן
אָבְדָה עֵצָה מִבָּנִים נִסְרְחָה חָכְמָתָם׃

[111] הניס

<u>33</u> And gladness and joy is taken away from the fruitful field, and from the land of Moab; and I have caused wine to cease from the winepresses; none shall tread with shouting; the shouting shall be no shouting. <u>34</u> From the cry of Heshbon even unto Elealeh, even unto Jahaz have they uttered their voice, from Zoar even unto Horonaim, a heifer of three years old; for the Waters of Nimrim also shall be desolate. <u>35</u> Moreover I will cause to cease in Moab, saith Yehovah, him that offereth in the high place, and him that offereth to his gods. <u>36</u> Therefore my heart moaneth for Moab like pipes, and my heart moaneth like pipes for the men of Kir-heres; therefore the abundance that he hath gotten is perished. <u>37</u> For every head is bald, and every beard clipped; upon all the hands are cuttings, and upon the loins sackcloth. <u>38</u> On all the housetops of Moab and in the broad places thereof there is lamentation every where; for I have broken Moab like a vessel wherein is no pleasure, saith Yehovah. <u>39</u> 'How is it broken down!' wail ye! 'How hath Moab turned the back with shame!' so shall Moab become a derision and a dismay to all that are round about him.{s} <u>40</u> For thus saith Yehovah: Behold, he shall swoop as a vulture, and shall spread out his wings against Moab. <u>41</u> The cities are taken, and the strongholds are seized, and the heart of the mighty men of Moab at that day shall be as the heart of a woman in her pangs. <u>42</u> And Moab shall be destroyed from being a people, because he hath magnified himself against Yehovah. <u>43</u> Terror, and the pit, and the trap, are upon thee, O inhabitant of Moab, saith Yehovah. <u>44</u> He that fleeth from the terror shall fall into the pit; and he that getteth up out of the pit shall be taken in the trap; for I will bring upon her, even upon Moab, the year of their visitation, saith Yehovah. <u>45</u> In the shadow of Heshbon the fugitives stand without strength; for a fire is gone forth out of Heshbon, and a flame from the midst of Sihon, and it devoureth the corner of Moab, and the crown of the head of the tumultuous ones. <u>46</u> Woe unto thee, O Moab! The people of Chemosh is undone; for thy sons are taken away captive, and thy daughters into captivity. <u>47</u> Yet will I turn the captivity of Moab in the end of days, saith Yehovah. Thus far is the judgment of Moab.{s}

49 <u>1</u> Of the children of Ammon. Thus saith Yehovah: Hath Israel no sons? Hath he no heir? Why then doth Malcam take possession of Gad, and his people dwell in the cities thereof? <u>2</u> Therefore, behold, the days come, saith Yehovah, that I will cause an alarm of war to be heard against Rabbah of the children of Ammon; and it shall become a desolate mound, and her daughters shall be burned with fire; then shall Israel dispossess them that did dispossess him, saith Yehovah. <u>3</u> Wail, O Heshbon, for Ai is undone; cry, ye daughters of Rabbah, gird you with sackcloth; lament, and run to and fro among the folds; for Malcam shall go into captivity, his priests and his princes together. <u>4</u> Wherefore gloriest thou in the valleys, thy flowing valley, O backsliding daughter? that didst trust in thy treasures: 'Who shall come unto me?' <u>5</u> Behold, I will bring a terror upon thee, saith the Lord GOD [Adonai Yehovi] of hosts, from all that are round about thee; and ye shall be driven out every man right forth, and there shall be none to gather up him that wandereth. <u>6</u> But afterward I will bring back the captivity of the children of Ammon, saith Yehovah.{P}

<u>7</u> Of Edom. Thus saith Yehovah of hosts: Is wisdom no more in Teman? Is counsel perished from the prudent? Is their wisdom vanished?

ח נֻ֣סוּ הָפְנוּ֩ הֶעְמִ֨יקוּ לָשֶׁ֜בֶת יֹשְׁבֵ֣י דְדָ֗ן כִּ֣י אֵ֥יד עֵשָׂ֛ו הֵבֵ֥אתִי עָלָ֖יו עֵ֥ת פְּקַדְתִּֽיו: ט אִם־בֹּֽצְרִים֙ בָּ֣אוּ לָ֔ךְ לֹ֥א יַשְׁאִ֖רוּ עֽוֹלֵל֑וֹת אִם־גַּנָּבִ֥ים בַּלַּ֖יְלָה הִשְׁחִ֥יתוּ דַיָּֽם: י כִּֽי־אֲנִ֞י חָשַׂ֣פְתִּי אֶת־עֵשָׂ֗ו גִּלֵּ֙יתִי֙ אֶת־מִסְתָּרָ֔יו וְנֶחְבָּ֖ה לֹ֣א יוּכָ֑ל שֻׁדַּ֥ד זַרְע֛וֹ וְאֶחָ֥יו וּשְׁכֵנָ֖יו וְאֵינֶֽנּוּ: יא עָזְבָ֥ה יְתֹמֶ֛יךָ אֲנִ֥י אֲחַיֶּ֖ה וְאַלְמְנֹתֶ֖יךָ עָלַ֥י תִּבְטָֽחוּ: יב כִּי־כֹ֣ה ׀ אָמַ֣ר יְהֹוָ֗ה הִ֠נֵּה אֲשֶׁר־אֵ֨ין מִשְׁפָּטָ֜ם לִשְׁתּ֤וֹת הַכּוֹס֙ שָׁת֣וֹ יִשְׁתּ֔וּ וְאַתָּ֣ה ה֔וּא נָקֹ֖ה תִּנָּקֶ֑ה לֹ֤א תִנָּקֶה֙ כִּ֥י שָׁתֹ֖ה תִּשְׁתֶּֽה: יג כִּ֣י בִ֤י נִשְׁבַּ֙עְתִּי֙ נְאֻם־יְהֹוָ֔ה כִּֽי־לְשַׁמָּ֧ה לְחֶרְפָּ֛ה לְחֹ֥רֶב וְלִקְלָלָ֖ה תִּֽהְיֶ֣ה בָצְרָ֑ה וְכׇל־עָרֶ֥יהָ תִהְיֶ֖ינָה לְחׇרְב֥וֹת עוֹלָֽם: יד שְׁמוּעָ֤ה שָׁמַ֙עְתִּי֙ מֵאֵ֣ת יְהֹוָ֔ה וְצִ֖יר בַּגּוֹיִ֣ם שָׁל֑וּחַ הִֽתְקַבְּצוּ֙ וּבֹ֣אוּ עָלֶ֔יהָ וְק֖וּמוּ לַמִּלְחָמָֽה: טו כִּֽי־הִנֵּ֥ה קָטֹ֛ן נְתַתִּ֖יךָ בַּגּוֹיִ֑ם בָּז֖וּי בָּאָדָֽם: טז תִּֽפְלַצְתְּךָ֞ הִשִּׁ֤יא אֹתָךְ֙ זְד֣וֹן לִבֶּ֔ךָ שֹֽׁכְנִי֙ בְּחַגְוֵ֣י הַסֶּ֔לַע תֹּֽפְשִׂ֖י מְר֣וֹם גִּבְעָ֑ה כִּֽי־תַגְבִּ֤יהַ כַּנֶּ֙שֶׁר֙ קִנֶּ֔ךָ מִשָּׁ֥ם אֽוֹרִידְךָ֖ נְאֻם־יְהֹוָֽה: יז וְהָיְתָ֥ה אֱד֖וֹם לְשַׁמָּ֑ה כֹּ֚ל עֹבֵ֣ר עָלֶ֔יהָ יִשֹּׁ֥ם וְיִשְׁרֹ֖ק עַל־כׇּל־מַכּוֹתֶֽהָ: יח כְּֽמַהְפֵּכַ֞ת סְדֹ֧ם וַעֲמֹרָ֛ה וּשְׁכֵנֶ֖יהָ אָמַ֣ר יְהֹוָ֑ה לֹֽא־יֵשֵׁ֥ב שָׁם֙ אִ֔ישׁ וְלֹֽא־יָג֥וּר בָּ֖הּ בֶּן־אָדָֽם: יט הִ֠נֵּה כְּאַרְיֵ֞ה יַעֲלֶ֨ה מִגְּא֣וֹן הַיַּרְדֵּן֮ אֶל־נְוֵ֣ה אֵיתָן֒ כִּֽי־אַרְגִּ֤יעָה אֲרִיצֶ֙נּוּ֙ מֵֽעָלֶ֔יהָ וּמִ֥י בָח֖וּר אֵלֶ֣יהָ אֶפְקֹ֑ד כִּ֣י מִ֤י כָמ֙וֹנִי֙ וּמִ֣י יֹעִידֶ֔נִּי וּמִי־זֶ֣ה רֹעֶ֔ה אֲשֶׁ֥ר יַעֲמֹ֖ד לְפָנָֽי: כ לָכֵ֞ן שִׁמְע֣וּ עֲצַת־יְהֹוָ֗ה אֲשֶׁ֤ר יָעַץ֙ אֶל־אֱד֔וֹם וּמַ֨חְשְׁבוֹתָ֔יו אֲשֶׁ֥ר חָשַׁ֖ב אֶל־יֹשְׁבֵ֣י תֵימָ֑ן אִם־לֹ֤א יִסְחָבוּם֙ צְעִירֵ֣י הַצֹּ֔אן אִם־לֹ֥א יַשִּׁ֥ים עֲלֵיהֶ֖ם נְוֵהֶֽם: כא מִקּ֣וֹל נִפְלָ֔ם רָעֲשָׁ֖ה הָאָ֑רֶץ צְעָקָ֕ה בְּיַם־ס֖וּף נִשְׁמַ֥ע קוֹלָֽהּ: כב הִנֵּ֤ה כַנֶּ֙שֶׁר֙ יַעֲלֶ֣ה וְיִדְאֶ֔ה וְיִפְרֹ֥שׂ כְּנָפָ֖יו עַל־בׇּצְרָ֑ה וְֽהָיָ֞ה לֵ֧ב גִּבּוֹרֵ֣י אֱד֗וֹם בַּיּ֣וֹם הַה֔וּא כְּלֵ֖ב אִשָּׁ֥ה מְצֵרָֽה: כג לְדַמֶּ֗שֶׂק בּ֤וֹשָׁה חֲמָת֙ וְאַרְפָּ֔ד כִּֽי־שְׁמֻעָ֥ה רָעָ֛ה שָׁמְע֖וּ נָמֹ֑גוּ בַּיָּ֣ם דְּאָגָ֔ה הַשְׁקֵ֖ט לֹ֥א יוּכָֽל: כד רָפְתָ֥ה דַמֶּ֛שֶׂק הִפְנְתָ֥ה לָנ֖וּס וְרֶ֣טֶט ׀ הֶחֱזִ֑יקָה צָרָ֧ה וַחֲבָלִ֛ים אֲחָזַ֖תָּה כַּיּוֹלֵדָֽה: כה אֵ֥יךְ לֹֽא־עֻזְּבָ֖ה עִ֣יר תְּהִלָּ֑ת[112] קִרְיַ֖ת מְשׂוֹשִֽׂי: כו לָכֵ֛ן יִפְּל֥וּ בַחוּרֶ֖יהָ בִּרְחֹבֹתֶ֑יהָ וְכׇל־אַנְשֵׁ֧י הַמִּלְחָמָ֛ה יִדַּ֖מּוּ בַּיּ֣וֹם הַה֔וּא נְאֻ֖ם יְהֹוָ֥ה צְבָאֽוֹת: כז וְהִצַּ֥תִּי אֵ֖שׁ בְּחוֹמַ֣ת דַּמָּ֑שֶׂק וְאָכְלָ֖ה אַרְמְנ֥וֹת בֶּן־הֲדָֽד: כח לְקֵדָ֣ר ׀ וּֽלְמַמְלְכ֣וֹת חָצ֗וֹר אֲשֶׁ֤ר הִכָּה֙ נְבֽוּכַדְרֶאצַּ֣ר[113] מֶֽלֶךְ־בָּבֶ֔ל כֹּ֖ה אָמַ֣ר יְהֹוָ֑ה ק֚וּמוּ עֲל֣וּ אֶל־קֵדָ֔ר וְשׇׁדְד֖וּ אֶת־בְּנֵי־קֶֽדֶם:

---

[112] תהלה
[113] נבוכדראצור

8 Flee ye, turn back, dwell deep, O inhabitants of Dedan; for I do bring the calamity of Esau upon him, the time that I shall punish him.   **9** If grape-gatherers came to thee, would they not leave some gleaning grapes? if thieves by night, would they not destroy till they had enough? **10** But I have made Esau bare, I have uncovered his secret places, and he shall not be able to hide himself; his seed is spoiled, and his brethren, and his neighbours, and he is not. **11** Leave thy fatherless children, I will rear them, and let thy widows trust in Me.{s} **12** For thus saith Yehovah: Behold, they to whom it pertained not to drink of the cup shall assuredly drink; and art thou he that shall altogether go unpunished?   thou shalt not go unpunished, but thou shalt surely drink. **13** For I have sworn by Myself, saith Yehovah, that Bozrah shall become an astonishment, a reproach, a waste, and a curse; and all the cities thereof shall be perpetual wastes. **14** I have heard a message from Yehovah, and an ambassador is sent among the nations: 'Gather yourselves together, and come against her, and rise up to the battle.'   **15** For, behold, I make thee small among the nations, and despised among men.   **16** Thy terribleness hath deceived thee, even the pride of thy heart, O thou that dwellest in the clefts of the rock, that holdest the height of the hill; though thou shouldest make thy nest as high as the eagle, I will bring thee down from thence, saith Yehovah. **17** And Edom shall become an astonishment; every one that passeth by it shall be astonished and shall hiss at all the plagues thereof. **18** As in the overthrow of Sodom and Gomorrah and the neighbour cities thereof, saith Yehovah, no man shall abide there, neither shall any son of man dwell therein. **19** Behold, he shall come up like a lion from the thickets of the Jordan against the strong habitation; for I will suddenly make him run away from it, and whoso is chosen, him will I appoint over it; for who is like Me? and who will appoint Me a time? and who is that shepherd that will stand before Me?{s} **20** Therefore hear ye the counsel of Yehovah, that He hath taken against Edom; and His purposes, that He hath purposed against the inhabitants of Teman: surely the least of the flock shall drag them away, surely their habitation shall be appalled at them. **21** The earth quaketh at the noise of their fall; there is a cry, the noise whereof is heard in the Red Sea. **22** Behold, he shall come up and swoop down as the vulture, and spread out his wings against Bozrah; and the heart of the mighty men of Edom at that day shall be as the heart of a woman in her pangs.{P}

23 Of Damascus. Hamath is ashamed, and Arpad; for they have heard evil tidings, they are melted away; there is trouble in the sea; it cannot be quiet. **24** Damascus is waxed feeble, she turneth herself to flee, and trembling hath seized on her; anguish and pangs have taken hold of her, as of a woman in travail. **25** 'How is the city of praise left unrepaired, the city of my joy?' **26** Therefore her young men shall fall in her broad places, and all the men of war shall be brought to silence in that day, saith Yehovah of hosts. **27** And I will kindle a fire in the wall of Damascus, and it shall devour the palaces of Ben-hadad.{P}

28 Of Kedar, and of the kingdoms of Hazor, which Nebuchadrezzar king of Babylon smote. Thus saith Yehovah: Arise ye, go up against Kedar, and spoil the children of the east.

כט אָהֳלֵיהֶם וְצֹאנָם יִקָּחוּ יְרִיעוֹתֵיהֶם וְכָל־כְּלֵיהֶם וּגְמַלֵּיהֶם יִשְׂאוּ לָהֶם
וְקָרְאוּ עֲלֵיהֶם מָגוֹר מִסָּבִיב׃ ל נֻסוּ נֻּדוּ מְאֹד הֶעְמִיקוּ לָשֶׁבֶת יֹשְׁבֵי חָצוֹר
נְאֻם־יְהוָה כִּי־יָעַץ עֲלֵיכֶם נְבוּכַדְרֶאצַּר מֶלֶךְ־בָּבֶל עֵצָה וְחָשַׁב
עֲלֵיכֶם[114] מַחֲשָׁבָה׃ לא קוּמוּ עֲלוּ אֶל־גּוֹי שְׁלֵיו יוֹשֵׁב לָבֶטַח נְאֻם־יְהוָה
לֹא־דְלָתַיִם וְלֹא־בְרִיחַ לוֹ בָּדָד יִשְׁכֹּנוּ׃ לב וְהָיוּ גְמַלֵּיהֶם לָבַז וַהֲמוֹן מִקְנֵיהֶם
לְשָׁלָל וְזֵרִתִים לְכָל־רוּחַ קְצוּצֵי פֵאָה וּמִכָּל־עֲבָרָיו אָבִיא אֶת־אֵידָם
נְאֻם־יְהוָה׃ לג וְהָיְתָה חָצוֹר לִמְעוֹן תַּנִּים שְׁמָמָה עַד־עוֹלָם לֹא־יֵשֵׁב שָׁם אִישׁ
וְלֹא־יָגוּר בָּהּ בֶּן־אָדָם׃ לד אֲשֶׁר הָיָה דְבַר־יְהוָה אֶל־יִרְמְיָהוּ הַנָּבִיא
אֶל־עֵילָם בְּרֵאשִׁית מַלְכוּת צִדְקִיָּה מֶלֶךְ־יְהוּדָה לֵאמֹר׃ לה כֹּה אָמַר יְהוָה
צְבָאוֹת הִנְנִי שֹׁבֵר אֶת־קֶשֶׁת עֵילָם רֵאשִׁית גְּבוּרָתָם׃ לו וְהֵבֵאתִי אֶל־עֵילָם
אַרְבַּע רוּחוֹת מֵאַרְבַּע קְצוֹת הַשָּׁמַיִם וְזֵרִתִים לְכֹל הָרֻחוֹת הָאֵלֶּה וְלֹא־יִהְיֶה
הַגּוֹי אֲשֶׁר לֹא־יָבוֹא שָׁם נִדְּחֵי עֵילָם[115]׃ לז וְהַחְתַּתִּי אֶת־עֵילָם לִפְנֵי אֹיְבֵיהֶם
וְלִפְנֵי ׀ מְבַקְשֵׁי נַפְשָׁם וְהֵבֵאתִי עֲלֵיהֶם ׀ רָעָה אֶת־חֲרוֹן אַפִּי נְאֻם־יְהוָה
וְשִׁלַּחְתִּי אַחֲרֵיהֶם אֶת־הַחֶרֶב עַד כַּלּוֹתִי אוֹתָם׃ לח וְשַׂמְתִּי כִסְאִי בְּעֵילָם
וְהַאֲבַדְתִּי מִשָּׁם מֶלֶךְ וְשָׂרִים נְאֻם־יְהוָה׃ לט וְהָיָה ׀ בְּאַחֲרִית הַיָּמִים
אָשִׁיב[116] אֶת־שְׁבוּת[117] עֵילָם נְאֻם־יְהוָה׃

נ א הַדָּבָר אֲשֶׁר דִּבֶּר יְהוָה אֶל־בָּבֶל אֶל־אֶרֶץ כַּשְׂדִּים בְּיַד יִרְמְיָהוּ הַנָּבִיא׃
ב הַגִּידוּ בַגּוֹיִם וְהַשְׁמִיעוּ וּשְׂאוּ־נֵס הַשְׁמִיעוּ אַל־תְּכַחֵדוּ אִמְרוּ נִלְכְּדָה בָבֶל
הֹבִישׁ בֵּל חַת מְרֹדָךְ הֹבִישׁוּ עֲצַבֶּיהָ חַתּוּ גִּלּוּלֶיהָ׃ ג כִּי עָלָה עָלֶיהָ גּוֹי
מִצָּפוֹן הוּא־יָשִׁית אֶת־אַרְצָהּ לְשַׁמָּה וְלֹא־יִהְיֶה יוֹשֵׁב בָּהּ מֵאָדָם וְעַד־בְּהֵמָה
נָדוּ הָלָכוּ׃ ד בַּיָּמִים הָהֵמָּה וּבָעֵת הַהִיא נְאֻם־יְהוָה יָבֹאוּ בְנֵי־יִשְׂרָאֵל הֵמָּה
וּבְנֵי־יְהוּדָה יַחְדָּו הָלוֹךְ וּבָכוֹ יֵלֵכוּ וְאֶת־יְהוָה אֱלֹהֵיהֶם יְבַקֵּשׁוּ׃ ה צִיּוֹן
יִשְׁאָלוּ דֶּרֶךְ הֵנָּה פְנֵיהֶם בֹּאוּ וְנִלְווּ אֶל־יְהוָה בְּרִית עוֹלָם לֹא תִשָּׁכֵחַ׃ ו צֹאן
אֹבְדוֹת הָיוּ[118] עַמִּי רֹעֵיהֶם הִתְעוּם הָרִים שׁוֹבְבוּם[119] מֵהַר אֶל־גִּבְעָה הָלָכוּ
שָׁכְחוּ רִבְצָם׃ ז כָּל־מוֹצְאֵיהֶם אֲכָלוּם וְצָרֵיהֶם אָמְרוּ לֹא נֶאְשָׁם תַּחַת אֲשֶׁר
חָטְאוּ לַיהוָה נְוֵה־צֶדֶק וּמִקְוֵה אֲבוֹתֵיהֶם יְהוָה׃ ח נֻדוּ מִתּוֹךְ בָּבֶל וּמֵאֶרֶץ
כַּשְׂדִּים צֵאוּ[120] וִהְיוּ כְּעַתּוּדִים לִפְנֵי־צֹאן׃

[114] עליהם
[115] עולם
[116] אשוב
[117] שבית
[118] היה
[119] שובבים
[120] יצאו

29 Their tents and their flocks shall they take, they shall carry away for themselves their curtains, and all their vessels, and their camels; and they shall proclaim against them a terror on every side. **30** Flee ye, flit far off, dwell deep, O ye inhabitants of Hazor, saith Yehovah; for Nebuchadrezzar king of Babylon hath taken counsel against you, and hath conceived a purpose against you. **31** Arise, get you up against a nation that is at ease, that dwelleth without care, saith Yehovah; that have neither gates nor bars, that dwell alone. **32** And their camels shall be a booty, and the multitude of their cattle a spoil; and I will scatter unto all winds them that have the corners polled; and I will bring their calamity from every side of them, saith Yehovah. **33** And Hazor shall be a dwelling-place of jackals, a desolation for ever; no man shall abide there, neither shall any son of man dwell therein.{S} **34** The word of Yehovah that came to Jeremiah the prophet concerning Elam in the beginning of the reign of Zedekiah king of Judah, saying: **35** Thus saith Yehovah of hosts: behold, I will break the bow of Elam, the chief of their might. **36** And I will bring against Elam the four winds from the four quarters of heaven, and will scatter them toward all those winds; and there shall be no nation whither the dispersed of Elam shall not come. **37** And I will cause Elam to be dismayed before their enemies, and before them that seek their life; and I will bring evil upon them, even My fierce anger, saith Yehovah; and I will send the sword after them, till I have consumed them; **38** And I will set My throne in Elam, and will destroy from thence king and princes, saith Yehovah. **39** But it shall come to pass in the end of days, that I will bring back the captivity of Elam, saith Yehovah.{P}

50 **1** The word that Yehovah spoke concerning Babylon, concerning the land of the Chaldeans, by Jeremiah the prophet. **2** Declare ye among the nations and announce, and set up a standard; announce, and conceal not; say: 'Babylon is taken, Bel is put to shame, Merodach is dismayed; her images are put to shame, her idols are dismayed.' **3** For out of the north there cometh up a nation against her, which shall make her land desolate, and none shall dwell therein; they are fled, they are gone, both man and beast. **4** In those days, and in that time, saith Yehovah, the children of Israel shall come, they and the children of Judah together; they shall go on their way weeping, and shall seek Yehovah their God. **5** They shall inquire concerning Zion with their faces hitherward: 'Come ye, and join yourselves to Yehovah in an everlasting covenant that shall not be forgotten.' **6** My people hath been lost sheep; their shepherds have caused them to go astray, they have turned them away on the mountains; they have gone from mountain to hill, they have forgotten their resting-place. **7** All that found them have devoured them; and their adversaries said: 'We are not guilty'; because they have sinned against Yehovah, the habitation of justice, even Yehovah, the hope of their fathers.{S} **8** Flee out of the midst of Babylon, and go forth out of the land of the Chaldeans, and be as the he-goats before the flocks.

ט כִּי הִנֵּה אָנֹכִי מֵעִיר וּמַעֲלֶה עַל־בָּבֶל קְהַל־גּוֹיִם גְּדֹלִים מֵאֶרֶץ צָפוֹן
וְעָרְכוּ לָהּ מִשָּׁם תִּלָּכֵד חִצָּיו כְּגִבּוֹר מַשְׁכִּיל לֹא יָשׁוּב רֵיקָם׃ י וְהָיְתָה
כַשְׂדִּים לְשָׁלָל כָּל־שֹׁלְלֶיהָ יִשְׂבָּעוּ נְאֻם־יְהוָה׃ יא כִּי תִשְׂמְחוּ[121] כִּי
תַעַלְזוּ[122] שֹׁסֵי נַחֲלָתִי כִּי תָפוּשׁוּ[123] כְּעֶגְלָה דָשָׁה וְתִצְהֲלוּ[124] כָּאַבִּרִים׃
יב בּוֹשָׁה אִמְּכֶם מְאֹד חָפְרָה יוֹלַדְתְּכֶם הִנֵּה אַחֲרִית גּוֹיִם מִדְבָּר צִיָּה
וַעֲרָבָה׃ יג מִקֶּצֶף יְהוָה לֹא תֵשֵׁב וְהָיְתָה שְׁמָמָה כֻּלָּהּ כֹּל עֹבֵר עַל־בָּבֶל
יִשֹּׁם וְיִשְׁרֹק עַל־כָּל־מַכּוֹתֶיהָ׃ יד עִרְכוּ עַל־בָּבֶל ׀ סָבִיב כָּל־דֹּרְכֵי קֶשֶׁת
יְדוּ אֵלֶיהָ אַל־תַּחְמְלוּ אֶל־חֵץ כִּי לַיהוָה חָטָאָה׃ טו הָרִיעוּ עָלֶיהָ סָבִיב
נָתְנָה יָדָהּ נָפְלוּ אָשְׁיוֹתֶיהָ[125] נֶהֶרְסוּ חוֹמוֹתֶיהָ כִּי נִקְמַת יְהוָה הִיא הִנָּקְמוּ בָהּ
כַּאֲשֶׁר עָשְׂתָה עֲשׂוּ־לָהּ׃ טז כִּרְתוּ זוֹרֵעַ מִבָּבֶל וְתֹפֵשׂ מַגָּל בְּעֵת קָצִיר מִפְּנֵי
חֶרֶב הַיּוֹנָה אִישׁ אֶל־עַמּוֹ יִפְנוּ וְאִישׁ לְאַרְצוֹ יָנֻסוּ׃ יז שֶׂה פְזוּרָה יִשְׂרָאֵל
אֲרָיוֹת הִדִּיחוּ הָרִאשׁוֹן אֲכָלוֹ מֶלֶךְ אַשּׁוּר וְזֶה הָאַחֲרוֹן עִצְּמוֹ נְבוּכַדְרֶאצַּר
מֶלֶךְ בָּבֶל׃ יח לָכֵן כֹּה־אָמַר יְהוָה צְבָאוֹת אֱלֹהֵי יִשְׂרָאֵל הִנְנִי פֹקֵד
אֶל־מֶלֶךְ בָּבֶל וְאֶל־אַרְצוֹ כַּאֲשֶׁר פָּקַדְתִּי אֶל־מֶלֶךְ אַשּׁוּר׃ יט וְשֹׁבַבְתִּי
אֶת־יִשְׂרָאֵל אֶל־נָוֵהוּ וְרָעָה הַכַּרְמֶל וְהַבָּשָׁן וּבְהַר אֶפְרַיִם וְהַגִּלְעָד תִּשְׂבַּע
נַפְשׁוֹ׃ כ בַּיָּמִים הָהֵם וּבָעֵת הַהִיא נְאֻם־יְהוָה יְבֻקַּשׁ אֶת־עֲוֺן יִשְׂרָאֵל וְאֵינֶנּוּ
וְאֶת־חַטֹּאת יְהוּדָה וְלֹא תִמָּצֶאינָה כִּי אֶסְלַח לַאֲשֶׁר אַשְׁאִיר׃ כא עַל־הָאָרֶץ
מְרָתַיִם עֲלֵה עָלֶיהָ וְאֶל־יוֹשְׁבֵי פְּקוֹד חֲרֹב וְהַחֲרֵם אַחֲרֵיהֶם נְאֻם־יְהוָה
וַעֲשֵׂה כְּכֹל אֲשֶׁר צִוִּיתִיךָ׃ כב קוֹל מִלְחָמָה בָּאָרֶץ וְשֶׁבֶר גָּדוֹל׃ כג אֵיךְ נִגְדַּע
וַיִּשָּׁבֵר פַּטִּישׁ כָּל־הָאָרֶץ אֵיךְ הָיְתָה לְשַׁמָּה בָּבֶל בַּגּוֹיִם׃ כד יָקֹשְׁתִּי לָךְ
וְגַם־נִלְכַּדְתְּ בָּבֶל וְאַתְּ לֹא יָדָעַתְּ נִמְצֵאת וְגַם־נִתְפַּשְׂתְּ כִּי בַיהוָה הִתְגָּרִית׃
כה פָּתַח יְהוָה אֶת־אוֹצָרוֹ וַיּוֹצֵא אֶת־כְּלֵי זַעְמוֹ כִּי־מְלָאכָה הִיא לַאדֹנָי יְהוִה
צְבָאוֹת בְּאֶרֶץ כַּשְׂדִּים׃ כו בֹּאוּ־לָהּ מִקֵּץ פִּתְחוּ מַאֲבֻסֶיהָ סָלּוּהָ כְמוֹ־עֲרֵמִים
וְהַחֲרִימוּהָ אַל־תְּהִי־לָהּ שְׁאֵרִית׃ כז חִרְבוּ כָּל־פָּרֶיהָ יֵרְדוּ לַטָּבַח הוֹי
עֲלֵיהֶם כִּי־בָא יוֹמָם עֵת פְּקֻדָּתָם׃ כח קוֹל נָסִים וּפְלֵטִים מֵאֶרֶץ בָּבֶל לְהַגִּיד
בְּצִיּוֹן אֶת־נִקְמַת יְהוָה אֱלֹהֵינוּ נִקְמַת הֵיכָלוֹ׃ כט הַשְׁמִיעוּ אֶל־בָּבֶל ׀ רַבִּים
כָּל־דֹּרְכֵי קֶשֶׁת חֲנוּ עָלֶיהָ סָבִיב אַל־יְהִי־לָהּ פְּלֵטָה שַׁלְּמוּ־לָהּ כְּפָעֳלָהּ
כְּכֹל אֲשֶׁר עָשְׂתָה עֲשׂוּ־לָהּ כִּי אֶל־יְהוָה זָדָה אֶל־קְדוֹשׁ יִשְׂרָאֵל׃

[121] תשמחי
[122] תעלזי
[123] תפושי
[124] ותצהלי
[125] אשויתיה

9 For, lo, I will stir up and cause to come up against Babylon an assembly of great nations from the north country; and they shall set themselves in array against her, from thence she shall be taken; their arrows shall be as of a mighty man that maketh childless; none shall return in vain. **10** And Chaldea shall be a spoil; all that spoil her shall be satisfied, saith Yehovah. **11** Because ye are glad, because ye rejoice, O ye that plunder My heritage, because ye gambol as a heifer at grass, and neigh as strong horses; **12** Your mother shall be sore ashamed, she that bore you shall be confounded; behold, the hindermost of the nations shall be a wilderness, a dry land, and a desert. **13** Because of the wrath of Yehovah it shall not be inhabited, but it shall be wholly desolate; every one that goeth by Babylon shall be appalled and hiss at all her plagues. **14** Set yourselves in array against Babylon round about, all ye that bend the bow, shoot at her, spare no arrows; for she hath sinned against Yehovah. **15** Shout against her round about, she hath submitted herself; her buttresses are fallen, her walls are thrown down; for it is the vengeance of Yehovah, take vengeance upon her; as she hath done, do unto her. **16** Cut off the sower from Babylon, and him that handleth the sickle in the time of harvest; for fear of the oppressing sword they shall turn every one to his people, and they shall flee every one to his own land.{S} **17** Israel is a scattered sheep, the lions have driven him away; first the king of Assyria hath devoured him, and last this Nebuchadrezzar king of Babylon hath broken his bones.{P}

18 Therefore thus saith Yehovah of hosts, the God of Israel: behold, I will punish the king of Babylon and his land, as I have punished the king of Assyria. **19** And I will bring Israel back to his pasture, and he shall feed on Carmel and Bashan, and his soul shall be satisfied upon the hills of Ephraim and in Gilead. **20** In those days, and in that time, saith Yehovah, the iniquity of Israel shall be sought for, and there shall be none, and the sins of Judah, and they shall not be found; for I will pardon them whom I leave as a remnant.{P}

21 Go up against the land of Merathaim, even against it, and against the inhabitants of Pekod; waste and utterly destroy after them, saith Yehovah, and do according to all that I have commanded thee.{S} **22** Hark! battle is in the land, and great destruction. **23** How is the hammer of the whole earth cut asunder and broken! How is Babylon become a desolation among the nations! **24** I have laid a snare for thee, and thou art also taken, O Babylon, and thou wast not aware; thou art found, and also caught, because thou hast striven against Yehovah. **25** Yehovah hath opened His armoury, and hath brought forth the weapons of His indignation; for it is a work that the Lord GOD [Adonai Yehovi] of hosts hath to do in the land of the Chaldeans. **26** Come against her from every quarter, open her granaries, cast her up as heaps, and destroy her utterly; let nothing of her be left. **27** Slay all her bullocks, let them go down to the slaughter; woe unto them! for their day is come, the time of their visitation.{S} **28** Hark! they flee and escape out of the land of Babylon, to declare in Zion the vengeance of Yehovah our God, the vengeance of His temple. **29** Call together the archers against Babylon, all them that bend the bow; encamp against her round about, let none thereof escape; recompense her according to her work, according to all that she hath done, do unto her: for she hath been arrogant against Yehovah, against the Holy One of Israel.

ל לָכֵן יִפְּלוּ בַחוּרֶיהָ בִּרְחֹבֹתֶיהָ וְכָל־אַנְשֵׁי מִלְחַמְתָּהּ יִדַּמּוּ בַּיּוֹם הַהוּא
נְאֻם־יְהוָה׃ לא הִנְנִי אֵלֶיךָ זָדוֹן נְאֻם־אֲדֹנָי יְהוִה צְבָאוֹת כִּי בָּא יוֹמְךָ עֵת
פְּקַדְתִּיךָ׃ לב וְכָשַׁל זָדוֹן וְנָפַל וְאֵין לוֹ מֵקִים וְהִצַּתִּי אֵשׁ בְּעָרָיו וְאָכְלָה
כָּל־סְבִיבֹתָיו׃ לג כֹּה אָמַר יְהוָה צְבָאוֹת עֲשׁוּקִים בְּנֵי־יִשְׂרָאֵל וּבְנֵי־יְהוּדָה
יַחְדָּו וְכָל־שֹׁבֵיהֶם הֶחֱזִיקוּ בָם מֵאֲנוּ שַׁלְּחָם׃ לד גֹּאֲלָם ׀ חָזָק יְהוָה צְבָאוֹת
שְׁמוֹ רִיב יָרִיב אֶת־רִיבָם לְמַעַן הִרְגִּיעַ אֶת־הָאָרֶץ וְהִרְגִּיז לְיֹשְׁבֵי בָבֶל׃
לה חֶרֶב עַל־כַּשְׂדִּים נְאֻם־יְהוָה וְאֶל־יֹשְׁבֵי בָבֶל וְאֶל־שָׂרֶיהָ וְאֶל־חֲכָמֶיהָ׃
לו חֶרֶב אֶל־הַבַּדִּים וְנֹאָלוּ חֶרֶב אֶל־גִּבּוֹרֶיהָ וָחָתּוּ׃ לז חֶרֶב אֶל־סוּסָיו
וְאֶל־רִכְבּוֹ וְאֶל־כָּל־הָעֶרֶב אֲשֶׁר בְּתוֹכָהּ וְהָיוּ לְנָשִׁים חֶרֶב אֶל־אוֹצְרֹתֶיהָ
וּבֻזָּזוּ׃ לח חֹרֶב אֶל־מֵימֶיהָ וְיָבֵשׁוּ כִּי אֶרֶץ פְּסִלִים הִיא וּבָאֵימִים יִתְהֹלָלוּ׃
לט לָכֵן יֵשְׁבוּ צִיִּים אֶת־אִיִּים וְיָשְׁבוּ בָהּ בְּנוֹת יַעֲנָה וְלֹא־תֵשֵׁב עוֹד לָנֶצַח
וְלֹא תִשְׁכּוֹן עַד־דּוֹר וָדוֹר׃ מ כְּמַהְפֵּכַת אֱלֹהִים אֶת־סְדֹם וְאֶת־עֲמֹרָה
וְאֶת־שְׁכֵנֶיהָ נְאֻם־יְהוָה לֹא־יֵשֵׁב שָׁם אִישׁ וְלֹא־יָגוּר בָּהּ בֶּן־אָדָם׃ מא הִנֵּה
עַם בָּא מִצָּפוֹן וְגוֹי גָּדוֹל וּמְלָכִים רַבִּים יֵעֹרוּ מִיַּרְכְּתֵי־אָרֶץ׃ מב קֶשֶׁת
וְכִידֹן יַחֲזִיקוּ אַכְזָרִי הֵמָּה וְלֹא יְרַחֵמוּ קוֹלָם כַּיָּם יֶהֱמֶה וְעַל־סוּסִים יִרְכָּבוּ
עָרוּךְ כְּאִישׁ לַמִּלְחָמָה עָלַיִךְ בַּת־בָּבֶל׃ מג שָׁמַע מֶלֶךְ־בָּבֶל אֶת־שִׁמְעָם
וְרָפוּ יָדָיו צָרָה הֶחֱזִיקַתְהוּ חִיל כַּיּוֹלֵדָה׃ מד הִנֵּה כְּאַרְיֵה יַעֲלֶה מִגְּאוֹן
הַיַּרְדֵּן אֶל־נְוֵה אֵיתָן כִּי־אַרְגִּעָה אֲרִיצֵם[126] מֵעָלֶיהָ וּמִי בָחוּר אֵלֶיהָ אֶפְקֹד
כִּי מִי כָמוֹנִי וּמִי יוֹעִדֶנִּי וּמִי־זֶה רֹעֶה אֲשֶׁר יַעֲמֹד לְפָנָי׃ מה לָכֵן שִׁמְעוּ
עֲצַת־יְהוָה אֲשֶׁר יָעַץ אֶל־בָּבֶל וּמַחְשְׁבוֹתָיו אֲשֶׁר חָשַׁב אֶל־אֶרֶץ כַּשְׂדִּים
אִם־לֹא יִסְחָבוּם צְעִירֵי הַצֹּאן אִם־לֹא יַשִּׁים עֲלֵיהֶם נָוֶה׃ מו מִקּוֹל נִתְפְּשָׂה
בָבֶל נִרְעֲשָׁה הָאָרֶץ וּזְעָקָה בַּגּוֹיִם נִשְׁמָע׃

נא א כֹּה אָמַר יְהוָה הִנְנִי מֵעִיר עַל־בָּבֶל וְאֶל־יֹשְׁבֵי לֵב קָמָי רוּחַ מַשְׁחִית׃
ב וְשִׁלַּחְתִּי לְבָבֶל ׀ זָרִים וְזֵרוּהָ וִיבֹקְקוּ אֶת־אַרְצָהּ כִּי־הָיוּ עָלֶיהָ מִסָּבִיב
בְּיוֹם רָעָה׃ ג אֶל־יִדְרֹךְ [127] הַדֹּרֵךְ קַשְׁתּוֹ וְאֶל־יִתְעַל בְּסִרְיֹנוֹ וְאַל־תַּחְמְלוּ
אֶל־בַּחֻרֶיהָ הַחֲרִימוּ כָּל־צְבָאָהּ׃ ד וְנָפְלוּ חֲלָלִים בְּאֶרֶץ כַּשְׂדִּים וּמְדֻקָּרִים
בְּחוּצוֹתֶיהָ׃ ה כִּי לֹא־אַלְמָן יִשְׂרָאֵל וִיהוּדָה מֵאֱלֹהָיו מֵיְהוָה צְבָאוֹת כִּי
אַרְצָם מָלְאָה אָשָׁם מִקְּדוֹשׁ יִשְׂרָאֵל׃ ו נֻסוּ ׀ מִתּוֹךְ בָּבֶל וּמַלְּטוּ אִישׁ נַפְשׁוֹ
אַל־תִּדַּמּוּ בַּעֲוֺנָהּ כִּי עֵת נְקָמָה הִיא לַיהוָה גְּמוּל הוּא מְשַׁלֵּם לָהּ׃

[126] ארוצם
[127] ידרך

30 Therefore shall her young men fall in her broad places, and all her men of war shall be brought to silence in that day, saith Yehovah.{P}

31 Behold, I am against thee, O thou most arrogant, saith the Lord GOD [Adonai Yehovi] of hosts; for thy day is come, the time that I will punish thee. **32** And the most arrogant shall stumble and fall, and none shall raise him up; and I will kindle a fire in his cities, and it shall devour all that are round about him.{S} **33** Thus saith Yehovah of hosts: The children of Israel and the children of Judah are oppressed together; and all that took them captives hold them fast; they refuse to let them go. **34** Their Redeemer is strong, Yehovah of hosts is His name; He will thoroughly plead their cause, that He may give rest to the earth, and disquiet the inhabitants of Babylon. **35** A sword is upon the Chaldeans, saith Yehovah, and upon the inhabitants of Babylon, and upon her princes, and upon her wise men. **36** A sword is upon the boasters, and they shall become fools; a sword is upon her mighty men, and they shall be dismayed. **37** A sword is upon their horses, and upon their chariots, and upon all the mingled people that are in the midst of her, and they shall become as women; a sword is upon her treasures, and they shall be robbed. **38** A drought is upon her waters, and they shall be dried up; for it is a land of graven images, and they are mad upon things of horror. **39** Therefore the wild-cats with the jackals shall dwell there, and the ostriches shall dwell therein; and it shall be no more inhabited for ever, neither shall it be dwelt in from generation to generation. **40** As when God overthrew Sodom and Gomorrah and the neighbour cities thereof, saith Yehovah; so shall no man abide there, neither shall any son of man dwell therein. **41** Behold, a people cometh from the north, and a great nation, and many kings shall be roused from the uttermost parts of the earth. **42** They lay hold on bow and spear, they are cruel, and have no compassion; their voice is like the roaring sea, and they ride upon horses; set in array, as a man for war, against thee, O daughter of Babylon. **43** The king of Babylon hath heard the fame of them, and his hands wax feeble; anguish hath taken hold of him, and pain, as of a woman in travail. **44** Behold, he shall come up like a lion from the thickets of the Jordan against the strong habitation; for I will suddenly make them run away from it, and whoso is chosen, him will I appoint over it; for who is like Me? and who will appoint Me a time? and who is that shepherd that will stand before Me? **45** Therefore hear ye the counsel of Yehovah, that He hath taken against Babylon, and His purposes, that He hath purposed against the land of the Chaldeans: surely the least of the flock shall drag them away, surely their habitation shall be appalled at them. **46** At the noise of the taking of Babylon the earth quaketh, and the cry is heard among the nations.{S}

51 **1** Thus saith Yehovah: Behold, I will raise up against Babylon, and against them that dwell in Leb-kamai, a destroying wind. **2** And I will send unto Babylon strangers, that shall fan her, and they shall empty her land; for in the day of trouble they shall be against her round about. **3** Let the archer bend his bow against her, and let him lift himself up against her in his coat of mail; and spare ye not her young men, destroy ye utterly all her host. **4** And they shall fall down slain in the land of the Chaldeans, and thrust through in her streets. **5** For Israel is not widowed, nor Judah, of his God, of Yehovah of hosts; for their land is full of guilt against the Holy One of Israel. **6** Flee out of the midst of Babylon, and save every man his life, be not cut off in her iniquity; for it is the time of Yehovah's vengeance; He will render unto her a recompense.

ז כּוֹס־זָהָב בָּבֶל בְּיַד־יְהוָה מְשַׁכֶּרֶת כָּל־הָאָרֶץ מִיֵּינָהּ שָׁתוּ גוֹיִם עַל־כֵּן
יִתְהֹלְלוּ גוֹיִם׃ ח פִּתְאֹם נָפְלָה בָבֶל וַתִּשָּׁבֵר הֵילִילוּ עָלֶיהָ קְחוּ צֳרִי
לְמַכְאוֹבָהּ אוּלַי תֵּרָפֵא׃ ט רִפִּינוּ[128] אֶת־בָּבֶל וְלֹא נִרְפָּתָה עִזְבוּהָ וְנֵלֵךְ
אִישׁ לְאַרְצוֹ כִּי־נָגַע אֶל־הַשָּׁמַיִם מִשְׁפָּטָהּ וְנִשָּׂא עַד־שְׁחָקִים׃ י הוֹצִיא
יְהוָה אֶת־צִדְקֹתֵינוּ בֹּאוּ וּנְסַפְּרָה בְצִיּוֹן אֶת־מַעֲשֵׂה יְהוָה אֱלֹהֵינוּ׃
יא הָבֵרוּ הַחִצִּים מִלְאוּ הַשְּׁלָטִים הֵעִיר יְהוָה אֶת־רוּחַ מַלְכֵי מָדַי
כִּי־עַל־בָּבֶל מְזִמָּתוֹ לְהַשְׁחִיתָהּ כִּי־נִקְמַת יְהוָה הִיא נִקְמַת הֵיכָלוֹ׃
יב אֶל־חוֹמֹת בָּבֶל שְׂאוּ־נֵס הַחֲזִיקוּ הַמִּשְׁמָר הָקִימוּ שֹׁמְרִים הָכִינוּ
הָאֹרְבִים כִּי גַּם־זָמַם יְהוָה גַּם־עָשָׂה אֵת אֲשֶׁר־דִּבֶּר אֶל־יֹשְׁבֵי בָבֶל׃
יג שֹׁכַנְתְּ[129] עַל־מַיִם רַבִּים רַבַּת אוֹצָרֹת בָּא קִצֵּךְ אַמַּת בִּצְעֵךְ׃ יד נִשְׁבַּע
יְהוָה צְבָאוֹת בְּנַפְשׁוֹ כִּי אִם־מִלֵּאתִיךְ אָדָם כַּיֶּלֶק וְעָנוּ עָלַיִךְ הֵידָד׃
טו עֹשֵׂה אֶרֶץ בְּכֹחוֹ מֵכִין תֵּבֵל בְּחָכְמָתוֹ וּבִתְבוּנָתוֹ נָטָה שָׁמָיִם׃ טז לְקוֹל
תִּתּוֹ הֲמוֹן מַיִם בַּשָּׁמַיִם וַיַּעַל נְשִׂאִים מִקְצֵה־אָרֶץ בְּרָקִים לַמָּטָר עָשָׂה
וַיֹּצֵא רוּחַ מֵאֹצְרֹתָיו׃ יז נִבְעַר כָּל־אָדָם מִדַּעַת הֹבִישׁ כָּל־צֹרֵף מִפָּסֶל כִּי
שֶׁקֶר נִסְכּוֹ וְלֹא־רוּחַ בָּם׃ יח הֶבֶל הֵמָּה מַעֲשֵׂה תַּעְתֻּעִים בְּעֵת פְּקֻדָּתָם
יֹאבֵדוּ׃ יט לֹא־כְאֵלֶּה חֵלֶק יַעֲקוֹב כִּי־יוֹצֵר הַכֹּל הוּא וְשֵׁבֶט נַחֲלָתוֹ יְהוָה
צְבָאוֹת שְׁמוֹ׃ כ מַפֵּץ־אַתָּה לִי כְּלֵי מִלְחָמָה וְנִפַּצְתִּי בְךָ גּוֹיִם וְהִשְׁחַתִּי בְךָ
מַמְלָכוֹת׃ כא וְנִפַּצְתִּי בְךָ סוּס וְרֹכְבוֹ וְנִפַּצְתִּי בְךָ רֶכֶב וְרֹכְבוֹ׃
כב וְנִפַּצְתִּי בְךָ אִישׁ וְאִשָּׁה וְנִפַּצְתִּי בְךָ זָקֵן וָנָעַר וְנִפַּצְתִּי בְךָ בָּחוּר
וּבְתוּלָה׃ כג וְנִפַּצְתִּי בְךָ רֹעֶה וְעֶדְרוֹ וְנִפַּצְתִּי בְךָ אִכָּר וְצִמְדּוֹ וְנִפַּצְתִּי בְךָ
פַּחוֹת וּסְגָנִים׃ כד וְשִׁלַּמְתִּי לְבָבֶל וּלְכֹל ׀ יוֹשְׁבֵי כַשְׂדִּים אֵת כָּל־רָעָתָם
אֲשֶׁר־עָשׂוּ בְצִיּוֹן לְעֵינֵיכֶם נְאֻם יְהוָה׃ כה הִנְנִי אֵלֶיךָ הַר הַמַּשְׁחִית
נְאֻם־יְהוָה הַמַּשְׁחִית אֶת־כָּל־הָאָרֶץ וְנָטִיתִי אֶת־יָדִי עָלֶיךָ וְגִלְגַּלְתִּיךָ
מִן־הַסְּלָעִים וּנְתַתִּיךָ לְהַר שְׂרֵפָה׃ כו וְלֹא־יִקְחוּ מִמְּךָ אֶבֶן לְפִנָּה וְאֶבֶן
לְמוֹסָדוֹת כִּי־שִׁמְמוֹת עוֹלָם תִּהְיֶה נְאֻם־יְהוָה׃ כז שְׂאוּ־נֵס בָּאָרֶץ תִּקְעוּ
שׁוֹפָר בַּגּוֹיִם קַדְּשׁוּ עָלֶיהָ גּוֹיִם הַשְׁמִיעוּ עָלֶיהָ מַמְלְכוֹת אֲרָרַט מִנִּי
וְאַשְׁכְּנָז פִּקְדוּ עָלֶיהָ טִפְסָר הַעֲלוּ־סוּס כְּיֶלֶק סָמָר׃ כח קַדְּשׁוּ עָלֶיהָ גוֹיִם
אֶת־מַלְכֵי מָדַי אֶת־פַּחוֹתֶיהָ וְאֶת־כָּל־סְגָנֶיהָ וְאֵת כָּל־אֶרֶץ מֶמְשַׁלְתּוֹ׃

[128] רפאנו
[129] שכנתי

7 Babylon hath been a golden cup in Yehovah's hand, that made all the earth drunken; the nations have drunk of her wine, therefore the nations are mad. 8 Babylon is suddenly fallen and destroyed, wail for her; take balm for her pain, if so be she may be healed. 9 We would have healed Babylon, but she is not healed; forsake her, and let us go every one into his own country; for her judgment reacheth unto heaven, and is lifted up even to the skies. 10 Yehovah hath brought forth our victory; come, and let us declare in Zion the work of Yehovah our God.{S} 11 Make bright the arrows, fill the quivers, Yehovah hath roused the spirit of the kings of the Medes; because His device is against Babylon, to destroy it; for it is the vengeance of Yehovah, the vengeance of His temple. 12 Set up a standard against the walls of Babylon, make the watch strong, set the watchmen, prepare the ambushes; for Yehovah hath both devised and done that which He spoke concerning the inhabitants of Babylon. 13 O thou that dwellest upon many waters, abundant in treasures, thine end is come, the measure of thy covetousness. 14 Yehovah of hosts hath sworn by Himself: Surely I will fill thee with men, as with the canker-worm, and they shall lift up a shout against thee.{S} 15 He that hath made the earth by His power, that hath established the world by His wisdom, and hath stretched out the heavens by His discernment; 16 At the sound of His giving a multitude of waters in the heavens, He causeth the vapours to ascend from the ends of the earth; He maketh lightnings at the time of the rain, and bringeth forth the wind out of His treasuries; 17 Every man is proved to be brutish, for the knowledge–every goldsmith is put to shame by the graven image–that his molten image is falsehood, and there is no breath in them. 18 They are vanity, a work of delusion; in the time of their visitation they shall perish, 19 The portion of Jacob is not like these; for He is the former of all things, and [Israel] is the tribe of His inheritance; Yehovah of hosts is His name.{P}

20 Thou art My maul and weapons of war, and with thee will I shatter the nations, and with thee will I destroy kingdoms; 21 And with thee will I shatter the horse and his rider, and with thee will I shatter the chariot and him that rideth therein; 22 And with thee will I shatter man and woman, and with thee will I shatter the old man and the youth, and with thee will I shatter the young man and the maid; 23 And with thee will I shatter the shepherd and his flock, and with thee will I shatter the husbandman and his yoke of oxen, and with thee will I shatter governors and deputies. 24 And I will render unto Babylon and to all the inhabitants of Chaldea all their evil that they have done in Zion, in your sight; saith Yehovah. 25 Behold, I am against thee, O destroying mountain, saith Yehovah, which destroyest all the earth; and I will stretch out My hand upon thee, and roll thee down from the rocks, and will make thee a burnt mountain.{S} 26 And they shall not take of thee a stone for a corner, nor a stone for foundations; but thou shalt be desolate for ever, saith Yehovah. 27 Set ye up a standard in the land, blow the horn among the nations, prepare the nations against her, call together against her the kingdoms of Ararat, Minni, and Ashkenaz; appoint a marshal against her; cause the horses to come up as the rough canker-worm. 28 Prepare against her the nations, the kings of the Medes, the governors thereof, and all the deputies thereof, and all the land of his dominion.

כט וַתִּרְעַשׁ הָאָרֶץ וַתָּחֹל כִּי קָמָה עַל־בָּבֶל מַחְשְׁבוֹת יְהוָה לָשׂוּם אֶת־אֶרֶץ
בָּבֶל לְשַׁמָּה מֵאֵין יוֹשֵׁב׃ ל חָדְלוּ גִבּוֹרֵי בָבֶל לְהִלָּחֵם יָשְׁבוּ בַּמְּצָדוֹת
נָשְׁתָה גְבוּרָתָם הָיוּ לְנָשִׁים הִצִּיתוּ מִשְׁכְּנֹתֶיהָ נִשְׁבְּרוּ בְרִיחֶיהָ׃ לא רָץ
לִקְרַאת־רָץ יָרוּץ וּמַגִּיד לִקְרַאת מַגִּיד לְהַגִּיד לְמֶלֶךְ בָּבֶל כִּי־נִלְכְּדָה
עִירוֹ מִקָּצֶה׃ לב וְהַמַּעְבָּרוֹת נִתְפָּשׂוּ וְאֶת־הָאֲגַמִּים שָׂרְפוּ בָאֵשׁ וְאַנְשֵׁי
הַמִּלְחָמָה נִבְהָלוּ׃ לג כִּי כֹה אָמַר יְהוָה צְבָאוֹת אֱלֹהֵי יִשְׂרָאֵל בַּת־בָּבֶל
כְּגֹרֶן עֵת הִדְרִיכָהּ עוֹד מְעַט וּבָאָה עֵת־הַקָּצִיר לָהּ׃
לד אֲכָלַנִי[130] הֲמָמַנִי[131] נְבוּכַדְרֶאצַּר מֶלֶךְ בָּבֶל הִצִּיגַנִי[132] כְּלִי רִיק
בְּלָעַנִי[133] כַּתַּנִּין מִלָּא כְרֵשׂוֹ מֵעֲדָנָי הֱדִיחָנִי[134]׃ לה חֲמָסִי וּשְׁאֵרִי עַל־בָּבֶל
תֹּאמַר יֹשֶׁבֶת צִיּוֹן וְדָמִי אֶל־יֹשְׁבֵי כַשְׂדִּים תֹּאמַר יְרוּשָׁלָםִ׃ לו לָכֵן כֹּה
אָמַר יְהוָה הִנְנִי־רָב אֶת־רִיבֵךְ וְנִקַּמְתִּי אֶת־נִקְמָתֵךְ וְהַחֲרַבְתִּי אֶת־יַמָּהּ
וְהֹבַשְׁתִּי אֶת־מְקוֹרָהּ׃ לז וְהָיְתָה בָבֶל ׀ לְגַלִּים ׀ מְעוֹן־תַּנִּים שַׁמָּה וּשְׁרֵקָה
מֵאֵין יוֹשֵׁב׃ לח יַחְדָּו כַּכְּפִרִים יִשְׁאָגוּ נָעֲרוּ כְּגוֹרֵי אֲרָיוֹת׃ לט בְּחֻמָּם אָשִׁית
אֶת־מִשְׁתֵּיהֶם וְהִשְׁכַּרְתִּים לְמַעַן יַעֲלֹזוּ וְיָשְׁנוּ שְׁנַת־עוֹלָם וְלֹא יָקִיצוּ נְאֻם
יְהוָה׃ מ אוֹרִידֵם כְּכָרִים לִטְבוֹחַ כְּאֵילִים עִם־עַתּוּדִים׃ מא אֵיךְ נִלְכְּדָה
שֵׁשַׁךְ וַתִּתָּפֵשׂ תְּהִלַּת כָּל־הָאָרֶץ אֵיךְ הָיְתָה לְשַׁמָּה בָּבֶל בַּגּוֹיִם׃ מב עָלָה
עַל־בָּבֶל הַיָּם בַּהֲמוֹן גַּלָּיו נִכְסָתָה׃ מג הָיוּ עָרֶיהָ לְשַׁמָּה אֶרֶץ צִיָּה וַעֲרָבָה
אֶרֶץ לֹא־יֵשֵׁב בָּהֵן כָּל־אִישׁ וְלֹא־יַעֲבֹר בָּהֵן בֶּן־אָדָם׃ מד וּפָקַדְתִּי עַל־בֵּל
בְּבָבֶל וְהֹצֵאתִי אֶת־בִּלְעוֹ מִפִּיו וְלֹא־יִנְהֲרוּ אֵלָיו עוֹד גּוֹיִם גַּם־חוֹמַת בָּבֶל
נָפָלָה׃ מה צְאוּ מִתּוֹכָהּ עַמִּי וּמַלְּטוּ אִישׁ אֶת־נַפְשׁוֹ מֵחֲרוֹן אַף־יְהוָה׃
מו וּפֶן־יֵרַךְ לְבַבְכֶם וְתִירְאוּ בַּשְּׁמוּעָה הַנִּשְׁמַעַת בָּאָרֶץ וּבָא בַשָּׁנָה הַשְּׁמוּעָה
וְאַחֲרָיו בַּשָּׁנָה הַשְּׁמוּעָה וְחָמָס בָּאָרֶץ וּמֹשֵׁל עַל־מֹשֵׁל׃ מז לָכֵן הִנֵּה יָמִים
בָּאִים וּפָקַדְתִּי עַל־פְּסִילֵי בָבֶל וְכָל־אַרְצָהּ תֵּבוֹשׁ וְכָל־חֲלָלֶיהָ יִפְּלוּ
בְתוֹכָהּ׃ מח וְרִנְּנוּ עַל־בָּבֶל שָׁמַיִם וָאָרֶץ וְכֹל אֲשֶׁר בָּהֶם כִּי מִצָּפוֹן
יָבוֹא־לָהּ הַשּׁוֹדְדִים נְאֻם־יְהוָה׃ מט גַּם־בָּבֶל לִנְפֹּל חַלְלֵי יִשְׂרָאֵל
גַּם־לְבָבֶל נָפְלוּ חַלְלֵי כָל־הָאָרֶץ׃ נ פְּלֵטִים מֵחֶרֶב הִלְכוּ אַל־תַּעֲמֹדוּ זִכְרוּ
מֵרָחוֹק אֶת־יְהוָה וִירוּשָׁלַםִ תַּעֲלֶה עַל־לְבַבְכֶם׃ נא בֹּשְׁנוּ כִּי־שָׁמַעְנוּ חֶרְפָּה
כִּסְּתָה כְלִמָּה פָּנֵינוּ כִּי בָּאוּ זָרִים עַל־מִקְדְּשֵׁי בֵּית יְהוָה׃

[130] אכלנו
[131] הממנו
[132] הציגנו
[133] בלענו
[134] הדיחנו

29 And the land quaketh and is in pain; for the purposes of Yehovah are performed against Babylon, to make the land of Babylon a desolation, without inhabitant. **30** The mighty men of Babylon have forborne to fight, they remain in their strongholds; their might hath failed, they are become as women; her dwelling-places are set on fire; her bars are broken. **31** One post runneth to meet another, and one messenger to meet an other, to tell the king of Babylon that his city is taken on every quarter; **32** And the fords are seized, and the castles they have burned with fire, and the men of war are affrighted.{S} **33** For thus saith Yehovah of hosts, the God of Israel: The daughter of Babylon is like a threshing-floor at the time when it is trodden; yet a little while, and the time of harvest shall come for her. **34** Nebuchadrezzar the king of Babylon hath devoured me, he hath crushed me, he hath set me down as an empty vessel, he hath swallowed me up like a dragon, he hath filled his maw with my delicacies; he hath washed me clean. **35** 'The violence done to me and to my flesh be upon Babylon', shall the inhabitant of Zion say; and: 'My blood be upon the inhabitants of Chaldea', shall Yerushalam say.{S} **36** Therefore thus saith Yehovah: Behold, I will plead thy cause, and take vengeance for thee; and I will dry up her sea, and make her fountain dry. **37** And Babylon shall become heaps, a dwelling-place for jackals, an astonishment, and a hissing, without inhabitant. **38** They shall roar together like young lions; they shall growl as lions' whelps. **39** With their poison I will prepare their feast, and I will make them drunken, that they may be convulsed, and sleep a perpetual sleep, and not wake, saith Yehovah. **40** I will bring them down like lambs to the slaughter, like rams with he-goats. **41** How is Sheshach taken! and the praise of the whole earth seized! How is Babylon become an astonishment among the nations! **42** The sea is come up upon Babylon; she is covered with the multitude of the waves thereof. **43** Her cities are become a desolation, a dry land, and a desert, a land wherein no man dwelleth, neither doth any son of man pass thereby. **44** And I will punish Bel in Babylon, and I will bring forth out of his mouth that which he hath swallowed up, and the nations shall not flow any more unto him; yea, the wall of Babylon shall fall. **45** My people, go ye out of the midst of her, and save yourselves every man from the fierce anger of Yehovah. **46** And let not your heart faint, neither fear ye, for the rumour that shall be heard in the land; for a rumour shall come one year, and after that in another year a rumour, and violence in the land, ruler against ruler. **47** Therefore behold, the days come, that I will do judgment upon the graven images of Babylon, and her whole land shall be ashamed; and all her slain shall fall in the midst of her. **48** Then the heaven and the earth, and all that is therein, shall sing for joy over Babylon; for the spoilers shall come unto her from the north, saith Yehovah. **49** As Babylon hath caused the slain of Israel to fall, so at Babylon shall fall the slain of all the land. **50** Ye that have escaped the sword, go ye, stand not still; remember Yehovah from afar, and let Yerushalam come into your mind. **51** 'We are ashamed, because we have heard reproach, confusion hath covered our faces; for strangers are come into the sanctuaries of Yehovah's house.'{P}

נב לָכֵ֞ן הִנֵּֽה־יָמִ֣ים בָּאִ֔ים נְאֻם־יְהוָ֔ה וּפָקַדְתִּ֖י עַל־פְּסִילֶ֑יהָ וּבְכָל־אַרְצָ֖הּ יֶאֱנֹ֥ק
חָלָֽל׃ נג כִּֽי־תַעֲלֶ֤ה בָבֶל֙ הַשָּׁמַ֔יִם וְכִ֥י תְבַצֵּ֖ר מְר֣וֹם עֻזָּ֑הּ מֵאִתִּ֗י יָבֹ֧אוּ שֹׁדְדִ֛ים
לָ֖הּ נְאֻם־יְהוָֽה׃ נד ק֥וֹל זְעָקָ֖ה מִבָּבֶ֑ל וְשֶׁ֥בֶר גָּד֖וֹל מֵאֶ֥רֶץ כַּשְׂדִּֽים׃ נה כִּֽי־שֹׁדֵ֤ד
יְהוָה֙ אֶת־בָּבֶ֔ל וְאִבַּ֥ד מִמֶּ֖נָּה ק֣וֹל גָּד֑וֹל וְהָמ֤וּ גַלֵּיהֶם֙ כְּמַ֣יִם רַבִּ֔ים נִתַּ֥ן שְׁא֖וֹן
קוֹלָֽם׃ נו כִּי֩ בָ֨א עָלֶ֤יהָ עַל־בָּבֶל֙ שׁוֹדֵ֔ד וְנִלְכְּדוּ֙ גִּבּוֹרֶ֔יהָ חִתְּתָ֖ה קַשְּׁתוֹתָ֑ם כִּ֣י
אֵ֧ל גְּמֻל֛וֹת יְהוָ֖ה שַׁלֵּ֥ם יְשַׁלֵּֽם׃ נז וְ֠הִשְׁכַּרְתִּי שָׂרֶ֨יהָ וַחֲכָמֶ֜יהָ פַּחוֹתֶ֤יהָ וּסְגָנֶ֙יהָ֙
וְגִבּוֹרֶ֔יהָ וְיָשְׁנ֥וּ שְׁנַת־עוֹלָ֖ם וְלֹ֣א יָקִ֑יצוּ נְאֻ֨ם־הַמֶּ֔לֶךְ יְהוָ֥ה צְבָא֖וֹת שְׁמֽוֹ׃
נח כֹּֽה־אָמַ֞ר יְהוָ֣ה צְבָא֗וֹת חֹמ֨וֹת בָּבֶ֤ל הָרְחָבָה֙ עַרְעֵ֣ר תִּתְעַרְעָ֔ר וּשְׁעָרֶ֥יהָ
הַגְּבֹהִ֖ים בָּאֵ֣שׁ יִצַּ֑תּוּ וְיִגְע֨וּ עַמִּ֧ים בְּדֵי־רִ֛יק וּלְאֻמִּ֥ים בְּדֵי־אֵ֖שׁ וְיָעֵֽפוּ׃ נט הַדָּבָ֞ר
אֲשֶׁר־צִוָּ֣ה ׀ יִרְמְיָ֣הוּ הַנָּבִ֗יא אֶת־שְׂרָיָ֤ה בֶן־נֵרִיָּה֙ בֶּן־מַחְסֵיָ֔ה בְּלֶכְתּ֞וֹ
אֶת־צִדְקִיָּ֤הוּ מֶֽלֶךְ־יְהוּדָה֙ בָּבֶ֔ל בִּשְׁנַ֥ת הָרְבִעִ֖ית לְמָלְכ֑וֹ וּשְׂרָיָ֖ה שַׂ֥ר מְנוּחָֽה׃
ס וַיִּכְתֹּ֤ב יִרְמְיָ֙הוּ֙ אֵ֣ת כָּל־הָרָעָ֔ה אֲשֶׁר־תָּב֥וֹא אֶל־בָּבֶ֖ל אֶל־סֵ֣פֶר אֶחָ֑ד אֵ֚ת
כָּל־הַדְּבָרִ֣ים הָאֵ֔לֶּה הַכְּתֻבִ֖ים אֶל־בָּבֶֽל׃ סא וַיֹּ֥אמֶר יִרְמְיָ֖הוּ אֶל־שְׂרָיָ֑ה כְּבֹאֲךָ֣
בָבֶ֔ל וְֽרָאִ֔יתָ וְקָ֣רָאתָ֔ אֵ֥ת כָּל־הַדְּבָרִ֖ים הָאֵֽלֶּה׃ סב וְאָמַרְתָּ֗ יְהוָה֙ אַתָּ֤ה דִבַּ֙רְתָּ֙
אֶל־הַמָּק֣וֹם הַזֶּה֮ לְהַכְרִיתוֹ֒ לְבִלְתִּ֤י הֱיֽוֹת־בּוֹ֙ יוֹשֵׁ֔ב לְמֵאָדָ֖ם וְעַד־בְּהֵמָ֑ה
כִּֽי־שִׁמְמ֥וֹת עוֹלָ֖ם תִּהְיֶֽה׃ סג וְהָיָה֙ כְּכַלֹּ֣תְךָ֔ לִקְרֹ֖א אֶת־הַסֵּ֣פֶר הַזֶּ֑ה תִּקְשֹׁ֤ר
עָלָיו֙ אֶ֔בֶן וְהִשְׁלַכְתּ֖וֹ אֶל־תּ֥וֹךְ פְּרָֽת׃ סד וְאָמַרְתָּ֗ כָּ֠כָה תִּשְׁקַ֨ע בָּבֶ֤ל וְלֹא־תָקוּם֙
מִפְּנֵ֣י הָרָעָ֗ה אֲשֶׁ֧ר אָנֹכִ֛י מֵבִ֥יא עָלֶ֖יהָ וְיָעֵ֑פוּ עַד־הֵ֖נָּה דִּבְרֵ֥י יִרְמְיָֽהוּ׃

נב

א בֶּן־עֶשְׂרִ֨ים וְאַחַ֥ת שָׁנָ֛ה צִדְקִיָּ֖הוּ בְּמָלְכ֑וֹ וְאַחַ֤ת עֶשְׂרֵה֙ שָׁנָ֔ה מָלַ֖ךְ
בִּירֽוּשָׁלִָ֑ם וְשֵׁ֣ם אִמּ֔וֹ חֲמוּטַ֖ל[135] בַּת־יִרְמְיָ֥הוּ מִלִּבְנָֽה׃ ב וַיַּ֥עַשׂ הָרַ֖ע בְּעֵינֵ֣י יְהוָ֑ה
כְּכֹ֥ל אֲשֶׁר־עָשָׂ֖ה יְהוֹיָקִֽים׃ ג כִּ֣י ׀ עַל־אַ֣ף יְהוָ֗ה הָֽיְתָה֙ בִּירוּשָׁלִַ֣ם וִֽיהוּדָ֔ה
עַד־הִשְׁלִיכ֥וֹ אוֹתָ֖ם מֵעַ֣ל פָּנָ֑יו וַיִּמְרֹ֥ד צִדְקִיָּ֖הוּ בְּמֶ֥לֶךְ בָּבֶֽל׃ ד וַיְהִי֩ בַשָּׁנָ֨ה
הַתְּשִׁעִ֜ית לְמָלְכ֗וֹ בַּחֹ֣דֶשׁ הָעֲשִׂירִי֮ בֶּעָשׂ֣וֹר לַחֹדֶשׁ֒ בָּ֞א נְבוּכַדְרֶאצַּ֧ר מֶֽלֶךְ־בָּבֶ֛ל
ה֥וּא וְכָל־חֵיל֖וֹ עַל־יְר֣וּשָׁלִַ֑ם וַֽיַּחֲנ֣וּ עָלֶ֔יהָ וַיִּבְנ֥וּ עָלֶ֖יהָ דָּיֵ֥ק סָבִֽיב׃ ה וַתָּבֹ֥א
הָעִ֖יר בַּמָּצ֑וֹר עַ֚ד עַשְׁתֵּ֣י עֶשְׂרֵ֣ה שָׁנָ֔ה לַמֶּ֖לֶךְ צִדְקִיָּֽהוּ׃ ו בַּחֹ֤דֶשׁ הָֽרְבִיעִי֙
בְּתִשְׁעָ֣ה לַחֹ֔דֶשׁ וַיֶּחֱזַ֥ק הָרָעָ֖ב בָּעִ֑יר וְלֹא־הָ֥יָה לֶ֖חֶם לְעַ֥ם הָאָֽרֶץ׃ ז וַתִּבָּקַ֣ע
הָעִ֡יר וְכָל־אַנְשֵׁ֣י הַמִּלְחָמָ֡ה יִבְרְח֡וּ וַיֵּצְא֨וּ מֵהָעִ֜יר לַ֗יְלָה דֶּ֜רֶךְ שַׁ֤עַר
בֵּין־הַחֹמֹתַ֙יִם֙ אֲשֶׁר֙ עַל־גַּ֣ן הַמֶּ֔לֶךְ וְכַשְׂדִּ֥ים עַל־הָעִ֖יר סָבִ֑יב וַיֵּלְכ֖וּ דֶּ֥רֶךְ
הָעֲרָבָֽה׃ ח וַיִּרְדְּפ֤וּ חֵיל־כַּשְׂדִּים֙ אַחֲרֵ֣י הַמֶּ֔לֶךְ וַיַּשִּׂ֥גוּ אֶת־צִדְקִיָּ֖הוּ בְּעַרְבֹ֣ת
יְרֵח֑וֹ וְכָל־חֵיל֔וֹ נָפֹ֖צוּ מֵעָלָֽיו׃

[135] חמיטל

52 Wherefore, behold, the days come, saith Yehovah, that I will do judgment upon her graven images; and through all her land the wounded shall groan. **53** Though Babylon should mount up to heaven, and though she should fortify the height of her strength, yet from Me shall spoilers come unto her, saith Yehovah.{S} **54** Hark! a cry from Babylon, and great destruction from the land of the Chaldeans! **55** For Yehovah spoileth Babylon, and destroyeth out of her the great voice; and their waves roar like many waters, the noise of their voice is uttered; **56** For the spoiler is come upon her, even upon Babylon, and her mighty men are taken, their bows are shattered; for Yehovah is a God of recompenses, He will surely requite. **57** And I will make drunk her princes and her wise men, her governors and her deputies, and her mighty men; and they shall sleep a perpetual sleep, and not wake, saith the King, whose name is Yehovah of hosts.{S} **58** Thus saith Yehovah of hosts: the broad walls of Babylon shall be utterly overthrown, and her high gates shall be burned with fire; and the peoples shall labour for vanity, and the nations for the fire; and they shall be weary.{S} **59** The word which Jeremiah the prophet commanded Seraiah the son of Neriah, the son of Mahseiah, when he went with Zedekiah the king of Judah to Babylon in the fourth year of his reign. Now Seraiah was quartermaster. **60** And Jeremiah wrote in one book all the evil that should come upon Babylon, even all these words that are written concerning Babylon. **61** And Jeremiah said to Seraiah: 'When thou comest to Babylon, then see that thou read all these words, **62** and say: Yehovah, Thou hast spoken concerning this place, to cut it off, that none shall dwell therein, neither man nor beast, but that it shall be desolate for ever. **63** And it shall be, when thou hast made an end of reading this book, that thou shalt bind a stone to it, and cast it into the midst of the Euphrates; **64** and thou shalt say: Thus shall Babylon sink, and shall not rise again because of the evil that I will bring upon her; and they shall be weary.' Thus far are the words of Jeremiah.{P}

52 **1** Zedekiah was one and twenty years old when he began to reign; and he reigned eleven years in Yerushalam; and his mother's name was Hamutal the daughter of Jeremiah of Libnah. **2** And he did that which was evil in the sight of Yehovah, according to all that Jehoiakim had done. **3** For through the anger of Yehovah did it come to pass in Yerushalam and Judah, until He had cast them out from His presence. And Zedekiah rebelled against the king of Babylon. **4** And it came to pass in the ninth year of his reign, in the tenth month, in the tenth day of the month, that Nebuchadrezzar king of Babylon came, he and all his army, against Yerushalam, and encamped against it; and they built forts against it round about. **5** So the city was besieged unto the eleventh year of king Zedekiah. **6** In the fourth month, in the ninth day of the month, the famine was sore in the city, so that there was no bread for the people of the land. **7** Then a breach was made in the city, and all the men of war fled, and went forth out of the city by night by the way of the gate between the two walls, which was by the king's garden–now the Chaldeans were against the city round about–and they went by the way of the Arabah. **8** But the army of the Chaldeans pursued after the king, and overtook Zedekiah in the plains of Jericho; and all his army was scattered from him.

ט וַיִּתְפְּשׂוּ אֶת־הַמֶּלֶךְ וַיַּעֲלוּ אֹתוֹ אֶל־מֶלֶךְ בָּבֶל רִבְלָתָה בְּאֶרֶץ חֲמָת וַיְדַבֵּר
אִתּוֹ מִשְׁפָּטִים׃ י וַיִּשְׁחַט מֶלֶךְ־בָּבֶל אֶת־בְּנֵי צִדְקִיָּהוּ לְעֵינָיו וְגַם אֶת־כָּל־שָׂרֵי
יְהוּדָה שָׁחַט בְּרִבְלָתָה׃ יא וְאֶת־עֵינֵי צִדְקִיָּהוּ עִוֵּר וַיַּאַסְרֵהוּ בַנְחֻשְׁתַּיִם וַיְבִאֵהוּ
מֶלֶךְ־בָּבֶל בָּבֶלָה וַיִּתְּנֵהוּ בֵית־הַפְּקֻדֹּת [136] עַד־יוֹם מוֹתוֹ׃ יב וּבַחֹדֶשׁ הַחֲמִישִׁי
בֶּעָשׂוֹר לַחֹדֶשׁ הִיא שְׁנַת תְּשַׁע־עֶשְׂרֵה שָׁנָה לַמֶּלֶךְ נְבוּכַדְרֶאצַּר מֶלֶךְ־בָּבֶל
בָּא נְבוּזַרְאֲדָן רַב־טַבָּחִים עָמַד לִפְנֵי מֶלֶךְ־בָּבֶל בִּירוּשָׁלָםִ׃ יג וַיִּשְׂרֹף
אֶת־בֵּית־יְהוָה וְאֶת־בֵּית הַמֶּלֶךְ וְאֵת כָּל־בָּתֵּי יְרוּשָׁלַםִ וְאֶת־כָּל־בֵּית הַגָּדוֹל
שָׂרַף בָּאֵשׁ׃ יד וְאֶת־כָּל־חֹמוֹת יְרוּשָׁלַםִ סָבִיב נָתְצוּ כָּל־חֵיל כַּשְׂדִּים אֲשֶׁר
אֶת־רַב־טַבָּחִים׃ טו וּמִדַּלּוֹת הָעָם וְאֶת־יֶתֶר הָעָם | הַנִּשְׁאָרִים בָּעִיר
וְאֶת־הַנֹּפְלִים אֲשֶׁר נָפְלוּ אֶל־מֶלֶךְ בָּבֶל וְאֵת יֶתֶר הָאָמוֹן הֶגְלָה נְבוּזַרְאֲדָן
רַב־טַבָּחִים׃ טז וּמִדַּלּוֹת הָאָרֶץ הִשְׁאִיר נְבוּזַרְאֲדָן רַב־טַבָּחִים לְכֹרְמִים
וּלְיֹגְבִים׃ יז וְאֶת־עַמּוּדֵי הַנְּחֹשֶׁת אֲשֶׁר לְבֵית־יְהוָה וְאֶת־הַמְּכֹנוֹת וְאֶת־יָם
הַנְּחֹשֶׁת אֲשֶׁר בְּבֵית־יְהוָה שִׁבְּרוּ כַשְׂדִּים וַיִּשְׂאוּ אֶת־כָּל־נְחֻשְׁתָּם בָּבֶלָה׃
יח וְאֶת־הַסִּרוֹת וְאֶת־הַיָּעִים וְאֶת־הַמְזַמְּרוֹת וְאֶת־הַמִּזְרָקֹת וְאֶת־הַכַּפּוֹת וְאֵת
כָּל־כְּלֵי הַנְּחֹשֶׁת אֲשֶׁר־יְשָׁרְתוּ בָהֶם לָקָחוּ׃ יט וְאֶת־הַסִּפִּים וְאֶת־הַמַּחְתּוֹת
וְאֶת־הַמִּזְרָקוֹת וְאֶת־הַסִּירוֹת וְאֶת־הַמְּנֹרוֹת וְאֶת־הַכַּפּוֹת וְאֶת־הַמְּנַקִּיּוֹת אֲשֶׁר
זָהָב זָהָב וַאֲשֶׁר־כֶּסֶף כָּסֶף לָקַח רַב־טַבָּחִים׃ כ הָעַמּוּדִים | שְׁנַיִם הַיָּם אֶחָד
וְהַבָּקָר שְׁנֵים־עָשָׂר נְחֹשֶׁת אֲשֶׁר־תַּחַת הַמְּכֹנוֹת אֲשֶׁר עָשָׂה הַמֶּלֶךְ שְׁלֹמֹה
לְבֵית יְהוָה לֹא־הָיָה מִשְׁקָל לִנְחֻשְׁתָּם כָּל־הַכֵּלִים הָאֵלֶּה׃ כא וְהָעַמּוּדִים
שְׁמֹנֶה עֶשְׂרֵה אַמָּה קוֹמַת[137] הָעַמֻּד הָאֶחָד וְחוּט שְׁתֵּים־עֶשְׂרֵה אַמָּה יְסֻבֶּנּוּ
וְעָבְיוֹ אַרְבַּע אֶצְבָּעוֹת נָבוּב׃ כב וְכֹתֶרֶת עָלָיו נְחֹשֶׁת וְקוֹמַת הַכֹּתֶרֶת הָאַחַת
חָמֵשׁ אַמּוֹת וּשְׂבָכָה וְרִמּוֹנִים עַל־הַכּוֹתֶרֶת סָבִיב הַכֹּל נְחֹשֶׁת וְכָאֵלֶּה לַעַמּוּד
הַשֵּׁנִי וְרִמּוֹנִים׃ כג וַיִּהְיוּ הָרִמֹּנִים תִּשְׁעִים וְשִׁשָּׁה רוּחָה כָּל־הָרִמּוֹנִים מֵאָה
עַל־הַשְּׂבָכָה סָבִיב׃ כד וַיִּקַּח רַב־טַבָּחִים אֶת־שְׂרָיָה כֹּהֵן הָרֹאשׁ וְאֶת־צְפַנְיָה
כֹּהֵן הַמִּשְׁנֶה וְאֶת־שְׁלֹשֶׁת שֹׁמְרֵי הַסַּף׃ כה וּמִן־הָעִיר לָקַח סָרִיס אֶחָד
אֲשֶׁר־הָיָה פָקִיד | עַל־אַנְשֵׁי הַמִּלְחָמָה וְשִׁבְעָה אֲנָשִׁים מֵרֹאֵי פְנֵי־הַמֶּלֶךְ אֲשֶׁר
נִמְצְאוּ בָעִיר וְאֵת סֹפֵר שַׂר הַצָּבָא הַמַּצְבִּא אֶת־עַם הָאָרֶץ וְשִׁשִּׁים אִישׁ מֵעַם
הָאָרֶץ הַנִּמְצְאִים בְּתוֹךְ הָעִיר׃ כו וַיִּקַּח אוֹתָם נְבוּזַרְאֲדָן רַב־טַבָּחִים וַיֹּלֶךְ
אוֹתָם אֶל־מֶלֶךְ בָּבֶל רִבְלָתָה׃ כז וַיַּכֶּה אוֹתָם מֶלֶךְ בָּבֶל וַיְמִתֵם בְּרִבְלָה
בְּאֶרֶץ חֲמָת וַיִּגֶל יְהוּדָה מֵעַל אַדְמָתוֹ׃

[136] בבית־
[137] קומה

9 Then they took the king, and carried him up unto the king of Babylon to Riblah in the land of Hamath; and he gave judgment upon him. **10** And the king of Babylon slew the sons of Zedekiah before his eyes; he slew also all the princes of Judah in Riblah. **11** And he put out the eyes of Zedekiah; and the king of Babylon bound him in fetters, and carried him to Babylon, and put him in prison till the day of his death. **12** Now in the fifth month, in the tenth day of the month, which was the nineteenth year of king Nebuchadrezzar, king of Babylon, came Nebuzaradan the captain of the guard, who stood before the king of Babylon, into Yerushalam; **13** and he burned the house of Yehovah, and the king's house; and all the houses of Yerushalam, even every great man's house, burned he with fire. **14** And all the army of the Chaldeans, that were with the captain of the guard, broke down all the walls of Yerushalam round about. **15** Then Nebuzaradan the captain of the guard carried away captive of the poorest sort of the people, and the residue of the people that remained in the city, and those that fell away, that fell to the king of Babylon, and the residue of the multitude. **16** But Nebuzaradan the captain of the guard left of the poorest of the land to be vinedressers and husbandmen. **17** And the pillars of brass that were in the house of Yehovah, and the bases and the brazen sea that were in the house of Yehovah, did the Chaldeans break in pieces, and carried all the brass of them to Babylon. **18** The pots also, and the shovels, and the snuffers, and the basins, and the pans, and all the vessels of brass wherewith they ministered, took they away. **19** And the cups, and the fire-pans, and the basins, and the pots, and the candlesticks, and the pans, and the bowls–that which was of gold, in gold, and that which was of silver, in silver–the captain of the guard took away. **20** The two pillars, the one sea, and the twelve brazen bulls that were under the bases, which king Solomon had made for the house of Yehovah–the brass of all these vessels was without weight. **21** And as for the pillars, the height of the one pillar was eighteen cubits; and a line of twelve cubits did compass it; and the thickness thereof was four fingers; it was hollow. **22** And a capital of brass was upon it; and the height of the one capital was five cubits, with network and pomegranates upon the capital round about, all of brass; and the second pillar also had like unto these, and pomegranates. **23** And there were ninety and six pomegranates on the outside; all the pomegranates were a hundred upon the network round about.{s} **24** And the captain of the guard took Seraiah the chief priest, and Zephaniah the second priest, and the three keepers of the door; **25** and out of the city he took an officer that was set over the men of war; and seven men of them that saw the king's face, who were found in the city; and the scribe of the captain of the host, who mustered the people of the land; and threescore men of the people of the land, that were found in the midst of the city. **26** And Nebuzaradan the captain of the guard took them, and brought them to the king of Babylon to Riblah. **27** And the king of Babylon smote them, and put them to death at Riblah in the land of Hamath. So Judah was carried away captive out of his land.{s}

כח זֶה הָעָם אֲשֶׁר הֶגְלָה נְבוּכַדְרֶאצַּר בִּשְׁנַת־שֶׁבַע יְהוּדִים שְׁלֹשֶׁת אֲלָפִים
וְעֶשְׂרִים וּשְׁלֹשָׁה׃ כט בִּשְׁנַת שְׁמוֹנֶה עֶשְׂרֵה לִנְבוּכַדְרֶאצַּר מִירוּשָׁלִַם נֶפֶשׁ
שְׁמֹנֶה מֵאוֹת שְׁלֹשִׁים וּשְׁנָיִם׃ ל בִּשְׁנַת שָׁלֹשׁ וְעֶשְׂרִים לִנְבוּכַדְרֶאצַּר הֶגְלָה
נְבוּזַרְאֲדָן רַב־טַבָּחִים יְהוּדִים נֶפֶשׁ שְׁבַע מֵאוֹת אַרְבָּעִים וַחֲמִשָּׁה כָּל־נֶפֶשׁ
אַרְבַּעַת אֲלָפִים וְשֵׁשׁ מֵאוֹת׃

לא וַיְהִי בִשְׁלֹשִׁים וָשֶׁבַע שָׁנָה לְגָלוּת יְהֹויָכִן מֶלֶךְ־יְהוּדָה בִּשְׁנֵים עָשָׂר חֹדֶשׁ
בְּעֶשְׂרִים וַחֲמִשָּׁה לַחֹדֶשׁ נָשָׂא אֱוִיל מְרֹדַךְ מֶלֶךְ בָּבֶל בִּשְׁנַת מַלְכֻתוֹ
אֶת־רֹאשׁ יְהוֹיָכִין מֶלֶךְ־יְהוּדָה וַיֹּצֵא אוֹתוֹ מִבֵּית הַכְּלוּא[138]׃ לב וַיְדַבֵּר אִתּוֹ
טֹבוֹת וַיִּתֵּן אֶת־כִּסְאוֹ מִמַּעַל לְכִסֵּא הַמְּלָכִים[139] אֲשֶׁר אִתּוֹ בְּבָבֶל׃ לג וְשִׁנָּה
אֵת בִּגְדֵי כִלְאוֹ וְאָכַל לֶחֶם לְפָנָיו תָּמִיד כָּל־יְמֵי חַיָּו׃ לד וַאֲרֻחָתוֹ אֲרֻחַת
תָּמִיד נִתְּנָה־לּוֹ מֵאֵת מֶלֶךְ־בָּבֶל דְּבַר־יוֹם בְּיוֹמוֹ עַד־יוֹם מוֹתוֹ כֹּל יְמֵי
חַיָּיו׃

[138] הכליא
[139] מלכים

<u>28</u> This is the people whom Nebuchadrezzar carried away captive: in the seventh year three thousand Jews and three and twenty; <u>29</u> in the eighteenth year of Nebuchadrezzar, from Yerushalam, eight hundred thirty and two persons; <u>30</u> in the three and twentieth year of Nebuchadrezzar Nebuzaradan the captain of the guard carried away captive of the Jews seven hundred forty and five persons; all the persons were four thousand and six hundred.{S}

<u>31</u> And it came to pass in the seven and thirtieth year of the captivity of Jehoiachin king of Judah, in the twelfth month, in the five and twentieth day of the month, that Evil-merodach king of Babylon, in the first year of his reign, lifted up the head of Jehoiachin king of Judah, and brought him forth out of prison. <u>32</u> And he spoke kindly to him, and set his throne above the throne of the kings that were with him in Babylon. <u>33</u> And he changed his prison garments, and did eat bread before him continually all the days of his life. <u>34</u> And for his allowance, there was a continual allowance given him of the king of Babylon, every day a portion until the day of his death, all the days of his life.{P}

יחזקאל

Ezekiel

Book of Ezekiel in the Leningrad Codex
(middle column, upper, page 557 in pdf)

א **א** וַיְהִ֣י ׀ בִּשְׁלֹשִׁ֣ים שָׁנָ֗ה בָּֽרְבִיעִי֙ בַּחֲמִשָּׁ֣ה לַחֹ֔דֶשׁ וַֽאֲנִ֖י בְתֽוֹךְ־הַגּוֹלָ֑ה עַל־נְהַר־כְּבָ֔ר נִפְתְּחוּ֙ הַשָּׁמַ֔יִם וָֽאֶרְאֶ֖ה מַרְא֥וֹת אֱלֹהִֽים: ב בַּחֲמִשָּׁ֖ה לַחֹ֑דֶשׁ הִ֚יא הַשָּׁנָ֣ה הַֽחֲמִישִׁ֔ית לְגָל֖וּת הַמֶּ֥לֶךְ יֽוֹיָכִֽין: ג הָיֹ֣ה הָיָ֣ה דְבַר־יְהֹוָ֡ה אֶל־יְחֶזְקֵ֣אל בֶּן־בּוּזִ֣י הַכֹּהֵ֗ן בְּאֶ֤רֶץ כַּשְׂדִּים֙ עַל־נְהַר־כְּבָ֔ר וַתְּהִ֥י עָלָ֛יו שָׁ֖ם יַד־יְהֹוָֽה: ד וָאֵ֡רֶא וְהִנֵּה֩ ר֨וּחַ סְעָרָ֜ה בָּאָ֣ה מִן־הַצָּפ֗וֹן עָנָ֤ן גָּדוֹל֙ וְאֵ֣שׁ מִתְלַקַּ֔חַת וְנֹ֥גַהּ ל֖וֹ סָבִ֑יב וּמִ֨תּוֹכָ֔הּ כְּעֵ֥ין הַחַשְׁמַ֖ל מִתּ֥וֹךְ הָאֵֽשׁ: ה וּמִ֨תּוֹכָ֔הּ דְּמ֖וּת אַרְבַּ֣ע חַיּ֑וֹת וְזֶה֙ מַרְאֵֽיהֶ֔ן דְּמ֥וּת אָדָ֖ם לָהֵֽנָּה: ו וְאַרְבָּעָ֥ה פָנִ֖ים לְאֶחָ֑ת וְאַרְבַּ֥ע כְּנָפַ֖יִם לְאַחַ֥ת לָהֶֽם: ז וְרַגְלֵיהֶ֖ם רֶ֣גֶל יְשָׁרָ֑ה וְכַ֣ף רַגְלֵיהֶ֗ם כְּכַף֙ רֶ֣גֶל עֵ֔גֶל וְנֹ֣צְצִ֔ים כְּעֵ֖ין נְחֹ֥שֶׁת קָלָֽל: ח וְיָדֵ֣י אָדָ֗ם מִתַּ֨חַת֙ כַּנְפֵיהֶ֔ם עַ֖ל אַרְבַּ֣עַת רִבְעֵיהֶ֑ם וּפְנֵיהֶ֥ם וְכַנְפֵיהֶ֖ם לְאַרְבַּעְתָּֽם: ט חֹֽבְרֹ֛ת אִשָּׁ֥ה אֶל־אֲחוֹתָ֖הּ כַּנְפֵיהֶ֑ם לֹֽא־יִסַּ֣בּוּ בְלֶכְתָּ֔ן אִ֛ישׁ אֶל־עֵ֥בֶר פָּנָ֖יו יֵלֵֽכוּ: י וּדְמ֣וּת פְּנֵיהֶם֮ פְּנֵ֣י אָדָם֒ וּפְנֵ֨י אַרְיֵ֤ה אֶל־הַיָּמִין֙ לְאַרְבַּעְתָּ֔ם וּפְנֵי־שׁ֥וֹר מֵֽהַשְּׂמֹ֖אול לְאַרְבַּעְתָּ֑ן וּפְנֵי־נֶ֖שֶׁר לְאַרְבַּעְתָּֽן: יא וּפְנֵיהֶ֖ם וְכַנְפֵיהֶ֣ם פְּרֻד֣וֹת מִלְמָ֑עְלָה לְאִ֗ישׁ שְׁתַּ֨יִם֙ חֹֽבְר֣וֹת אִ֔ישׁ וּשְׁתַּ֣יִם מְכַסּ֔וֹת אֵ֖ת גְּוִיּֽתֵיהֶֽנָה: יב וְאִ֛ישׁ אֶל־עֵ֥בֶר פָּנָ֖יו יֵלֵ֑כוּ אֶ֣ל אֲשֶׁר֩ יִהְיֶה־שָּׁ֨מָּה הָר֤וּחַ לָלֶ֨כֶת֙ יֵלֵ֔כוּ לֹ֥א יִסַּ֖בּוּ בְּלֶכְתָּֽן: יג וּדְמ֨וּת הַֽחַיּ֜וֹת מַרְאֵיהֶ֣ם כְּגַֽחֲלֵי־אֵ֗שׁ בֹּֽעֲרוֹת֙ כְּמַרְאֵ֣ה הַלַּפִּדִ֔ים הִ֕יא מִתְהַלֶּ֖כֶת בֵּ֣ין הַֽחַיּ֑וֹת וְנֹ֣גַהּ לָאֵ֔שׁ וּמִן־הָאֵ֖שׁ יוֹצֵ֥א בָרָֽק: יד וְהַֽחַיּ֖וֹת רָצ֣וֹא וָשׁ֑וֹב כְּמַרְאֵ֖ה הַבָּזָֽק: טו וָאֵ֖רֶא הַֽחַיּ֑וֹת וְהִנֵּה֩ אוֹפַ֨ן אֶחָ֥ד בָּאָ֛רֶץ אֵ֥צֶל הַֽחַיּ֖וֹת לְאַרְבַּ֥עַת פָּנָֽיו: טז מַרְאֵ֨ה הָאֽוֹפַנִּ֤ים וּמַֽעֲשֵׂיהֶם֙ כְּעֵ֣ין תַּרְשִׁ֔ישׁ וּדְמ֥וּת אֶחָ֖ד לְאַרְבַּעְתָּ֑ן וּמַ֨רְאֵיהֶ֜ם וּמַ֣עֲשֵׂיהֶ֗ם כַּֽאֲשֶׁ֛ר יִהְיֶ֥ה הָֽאוֹפַ֖ן בְּת֥וֹךְ הָֽאוֹפָֽן: יז עַל־אַרְבַּ֥עַת רִבְעֵיהֶ֖ן בְּלֶכְתָּ֣ם יֵלֵ֑כוּ לֹ֥א יִסַּ֖בּוּ בְּלֶכְתָּֽן: יח וְגַ֨בֵּיהֶ֔ן וְגֹ֥בַהּ לָהֶ֖ם וְיִרְאָ֣ה לָהֶ֑ם וְגַבֹּתָ֗ם מְלֵאֹ֥ת עֵינַ֛יִם סָבִ֖יב לְאַרְבַּעְתָּֽן: יט וּבְלֶ֨כֶת֙ הַֽחַיּ֔וֹת יֵֽלְכ֥וּ הָאֽוֹפַנִּ֖ים אֶצְלָ֑ם וּבְהִנָּשֵׂ֤א הַֽחַיּוֹת֙ מֵעַ֣ל הָאָ֔רֶץ יִנָּֽשְׂא֖וּ הָאֽוֹפַנִּֽים: כ עַ֣ל אֲשֶׁר֩ יִֽהְיֶה־שָּׁ֨ם הָר֤וּחַ לָלֶ֨כֶת֙ יֵלֵ֔כוּ שָׁ֥מָּה הָר֖וּחַ לָלָ֑כֶת וְהָאֽוֹפַנִּ֗ים יִנָּֽשְׂאוּ֙ לְעֻמָּתָ֔ם כִּ֛י ר֥וּחַ הַֽחַיָּ֖ה בָּאֽוֹפַנִּֽים: כא בְּלֶכְתָּ֣ם יֵלֵ֔כוּ וּבְעָמְדָ֖ם יַֽעֲמֹ֑דוּ וּֽבְהִנָּֽשְׂאָ֞ם מֵעַ֣ל הָאָ֗רֶץ יִנָּֽשְׂא֤וּ הָאֽוֹפַנִּים֙ לְעֻמָּתָ֔ם כִּ֛י ר֥וּחַ הַֽחַיָּ֖ה בָּאֽוֹפַנִּֽים: כב וּדְמ֞וּת עַל־רָאשֵׁ֤י הַֽחַיָּה֙ רָקִ֔יעַ כְּעֵ֖ין הַקֶּ֣רַח הַנּוֹרָ֑א נָט֥וּי עַל־רָֽאשֵׁיהֶ֖ם מִלְמָֽעְלָה: כג וְתַ֨חַת֙ הָֽרָקִ֔יעַ כַּנְפֵיהֶ֣ם יְשָׁר֔וֹת אִשָּׁ֖ה אֶל־אֲחוֹתָ֑הּ לְאִ֗ישׁ שְׁתַּ֤יִם מְכַסּוֹת֙ לָהֵ֔נָּה וּלְאִ֗ישׁ שְׁתַּ֤יִם מְכַסּוֹת֙ לָהֵ֔נָּה אֵ֖ת גְּוִֽיֹּתֵיהֶֽם: כד וָֽאֶשְׁמַ֣ע אֶת־ק֣וֹל כַּנְפֵיהֶ֡ם כְּקוֹל֩ מַ֨יִם רַבִּ֤ים כְּקֽוֹל־שַׁדַּי֙ בְּלֶכְתָּ֔ם ק֥וֹל הֲמֻלָּ֖ה כְּק֣וֹל מַֽחֲנֶ֑ה בְּעָמְדָ֖ם תְּרַפֶּ֥ינָה כַנְפֵיהֶֽן:

---

1 1 Now it came to pass in the thirtieth year, in the fourth month, in the fifth day of the month, as I was among the captives by the river Chebar that the heavens were opened, and I saw visions of God. 2 In the fifth day of the month, which was the fifth year of king Jehoiachin's captivity, 3 the word of Yehovah came expressly unto Ezekiel the priest, the son of Buzi, in the land of the Chaldeans by the river Chebar; and the hand of Yehovah was there upon him. 4 And I looked, and, behold, a stormy wind came out of the north, a great cloud, with a fire flashing up, so that a brightness was round about it; and out of the midst thereof as the colour of electrum, out of the midst of the fire. 5 And out of the midst thereof came the likeness of four living creatures. And this was their appearance: they had the likeness of a man. 6 And every one had four faces, and every one of them had four wings. 7 And their feet were straight feet; and the sole of their feet was like the sole of a calf's foot; and they sparkled like the colour of burnished brass. 8 And they had the hands of a man under their wings on their four sides; and as for the faces and wings of them four, 9 their wings were joined one to another; they turned not when they went; they went every one straight forward. 10 As for the likeness of their faces, they had the face of a man; and they four had the face of a lion on the right side; and they four had the face of an ox on the left side; they four had also the face of an eagle. 11 Thus were their faces; and their wings were stretched upward; two wings of every one were joined one to another, and two covered their bodies. 12 And they went every one straight forward; whither the spirit was to go, they went; they turned not when they went. 13 As for the likeness of the living creatures, their appearance was like coals of fire, burning like the appearance of torches; it flashed up and down among the living creatures; and there was brightness to the fire, and out of the fire went forth lightning. 14 And the living creatures ran and returned as the appearance of a flash of lightning. 15 Now as I beheld the living creatures, behold one wheel at the bottom hard by the living creatures, at the four faces thereof. 16 The appearance of the wheels and their work was like unto the colour of a beryl; and they four had one likeness; and their appearance and their work was as it were a wheel within a wheel. 17 When they went, they went toward their four sides; they turned not when they went. 18 As for their rings, they were high and they were dreadful; and they four had their rings full of eyes round about. 19 And when the living creatures went, the wheels went hard by them; and when the living creatures were lifted up from the bottom, the wheels were lifted up. 20 Whithersoever the spirit was to go, as the spirit was to go thither, so they went; and the wheels were lifted up beside them; for the spirit of the living creature was in the wheels. 21 When those went, these went, and when those stood, these stood; and when those were lifted up from the earth, the wheels were lifted up beside them; for the spirit of the living creature was in the wheels. 22 And over the heads of the living creatures there was the likeness of a firmament, like the colour of the terrible ice, stretched forth over their heads above. 23 And under the firmament were their wings conformable the one to the other; this one of them had two which covered, and that one of them had two which covered, their bodies. 24 And when they went, I heard the noise of their wings like the noise of great waters, like the voice of the Almighty, a noise of tumult like the noise of a host; when they stood, they let down their wings.

כה וַיְהִי־ק֗וֹל מֵעַ֕ל לָרָקִ֖יעַ אֲשֶׁ֣ר עַל־רֹאשָׁ֑ם בְּעׇמְדָ֖ם תְּרַפֶּ֥ינָה כַנְפֵיהֶֽן׃
כו וּמִמַּ֗עַל לָרָקִ֙יעַ֙ אֲשֶׁ֣ר עַל־רֹאשָׁ֔ם כְּמַרְאֵ֥ה אֶבֶן־סַפִּ֖יר דְּמ֣וּת כִּסֵּ֑א וְעַל֙ דְּמ֣וּת הַכִּסֵּ֔א דְּמ֞וּת כְּמַרְאֵ֥ה אָדָ֛ם עָלָ֖יו מִלְמָֽעְלָה׃ כז וָאֵ֣רֶא ׀ כְּעֵ֣ין חַשְׁמַ֗ל כְּמַרְאֵה־אֵ֤שׁ בֵּֽית־לָהּ֙ סָבִ֔יב מִמַּרְאֵ֥ה מׇתְנָ֖יו וּלְמָ֑עְלָה וּמִמַּרְאֵ֤ה מׇתְנָיו֙ וּלְמַ֔טָּה רָאִ֙יתִי֙ כְּמַרְאֵה־אֵ֔שׁ וְנֹ֥גַֽהּ ל֖וֹ סָבִֽיב׃ כח כְּמַרְאֵ֣ה הַקֶּ֗שֶׁת אֲשֶׁ֨ר יִֽהְיֶ֤ה בֶֽעָנָן֙ בְּי֣וֹם הַגֶּ֔שֶׁם כֵּ֥ן מַרְאֵ֥ה הַנֹּ֖גַהּ סָבִ֑יב ה֣וּא מַרְאֵ֔ה דְּמ֖וּת כְּב֣וֹד־יְהֹוָ֑ה וָֽאֶרְאֶה֙ וָאֶפֹּ֣ל עַל־פָּנַ֔י וָֽאֶשְׁמַ֖ע ק֥וֹל מְדַבֵּֽר׃

ב א וַיֹּ֖אמֶר אֵלָ֑י בֶּן־אָדָם֙ עֲמֹ֣ד עַל־רַגְלֶ֔יךָ וַאֲדַבֵּ֖ר אֹתָֽךְ׃ ב וַתָּ֧בֹא בִ֣י ר֗וּחַ כַּֽאֲשֶׁר֙ דִּבֶּ֣ר אֵלַ֔י וַתַּֽעֲמִדֵ֖נִי עַל־רַגְלָ֑י וָֽאֶשְׁמַ֕ע אֵ֖ת מִדַּבֵּ֥ר אֵלָֽי׃

ג וַיֹּ֣אמֶר אֵלַ֗י בֶּן־אָדָם֙ שׁוֹלֵ֨חַ אֲנִ֤י אֽוֹתְךָ֙ אֶל־בְּנֵ֣י יִשְׂרָאֵ֔ל אֶל־גּוֹיִ֥ם הַמּוֹרְדִ֖ים אֲשֶׁ֣ר מָרְדוּ־בִ֑י הֵ֤מָּה וַֽאֲבוֹתָם֙ פָּ֣שְׁעוּ בִ֔י עַד־עֶ֖צֶם הַיּ֥וֹם הַזֶּֽה׃ ד וְהַבָּנִ֗ים קְשֵׁ֤י פָנִים֙ וְחִזְקֵי־לֵ֔ב אֲנִ֛י שׁוֹלֵ֥חַ אֽוֹתְךָ֖ אֲלֵיהֶ֑ם וְאָמַרְתָּ֣ אֲלֵיהֶ֔ם כֹּ֥ה אָמַ֖ר אֲדֹנָ֥י יֱהֹוִֽה׃ ה וְהֵ֙מָּה֙ אִם־יִשְׁמְע֣וּ וְאִם־יֶחְדָּ֔לוּ כִּ֛י בֵּ֥ית מְרִ֖י הֵ֑מָּה וְיָ֣דְע֔וּ כִּ֥י נָבִ֖יא הָיָ֥ה בְתוֹכָֽם׃

ו וְאַתָּ֣ה בֶן־אָ֠דָ֠ם אַל־תִּירָ֨א מֵהֶ֜ם וּמִדִּבְרֵיהֶ֣ם אַל־תִּירָ֗א כִּ֣י סָרָבִ֤ים וְסַלּוֹנִים֙ אוֹתָ֔ךְ וְאֶל־עַקְרַבִּ֖ים אַתָּ֣ה יוֹשֵׁ֑ב מִדִּבְרֵיהֶ֤ם אַל־תִּירָא֙ וּמִפְּנֵיהֶ֣ם אַל־תֵּחָ֔ת כִּ֛י בֵּ֥ית מְרִ֖י הֵֽמָּה׃ ז וְדִבַּרְתָּ֤ אֶת־דְּבָרַי֙ אֲלֵיהֶ֔ם אִֽם־יִשְׁמְע֖וּ וְאִם־יֶחְדָּ֑לוּ כִּ֥י מְרִ֖י הֵֽמָּה׃

ח וְאַתָּ֣ה בֶן־אָדָ֗ם שְׁמַע֙ אֵ֤ת אֲשֶׁר־אֲנִי֙ מְדַבֵּ֣ר אֵלֶ֔יךָ אַל־תְּהִי־מֶ֖רִי כְּבֵ֣ית הַמֶּ֑רִי פְּצֵ֣ה פִ֔יךָ וֶֽאֱכֹ֕ל אֵ֥ת אֲשֶׁר־אֲנִ֖י נֹתֵ֥ן אֵלֶֽיךָ׃ ט וָֽאֶרְאֶ֕ה וְהִנֵּה־יָ֖ד שְׁלוּחָ֣ה אֵלָ֑י וְהִנֵּה־ב֖וֹ מְגִלַּת־סֵֽפֶר׃ י וַיִּפְרֹ֤שׂ אוֹתָהּ֙ לְפָנַ֔י וְהִ֥יא כְתוּבָ֖ה פָּנִ֣ים וְאָח֑וֹר וְכָת֣וּב אֵלֶ֔יהָ קִנִ֥ים וָהֶ֖גֶה וָהִֽי׃

ג א וַיֹּ֣אמֶר אֵלַ֗י בֶּן־אָדָם֙ אֵ֤ת אֲשֶׁר־תִּמְצָא֙ אֱכ֔וֹל אֱכֹל֙ אֶת־הַמְּגִלָּ֣ה הַזֹּ֔את וְלֵ֥ךְ דַּבֵּ֖ר אֶל־בֵּ֥ית יִשְׂרָאֵֽל׃ ב וָאֶפְתַּ֖ח אֶת־פִּ֑י וַיַּ֣אֲכִלֵ֔נִי אֵ֖ת הַמְּגִלָּ֥ה הַזֹּֽאת׃ ג וַיֹּ֣אמֶר אֵלַ֗י בֶּן־אָדָם֙ בִּטְנְךָ֣ תַֽאֲכֵ֔ל וּמֵעֶ֣יךָ תְמַלֵּ֔א אֵ֚ת הַמְּגִלָּ֣ה הַזֹּ֔את אֲשֶׁ֥ר אֲנִ֖י נֹתֵ֣ן אֵלֶ֑יךָ וָאֹ֣כְלָ֔ה וַתְּהִ֥י בְּפִ֖י כִּדְבַ֥שׁ לְמָתֽוֹק׃

ד וַיֹּ֖אמֶר אֵלָ֑י בֶּן־אָדָ֗ם לֶךְ־בֹּא֙ אֶל־בֵּ֣ית יִשְׂרָאֵ֔ל וְדִבַּרְתָּ֥ בִדְבָרַ֖י אֲלֵיהֶֽם׃ ה כִּ֡י לֹא֩ אֶל־עַ֨ם עִמְקֵ֥י שָׂפָ֛ה וְכִבְדֵ֥י לָשׁ֖וֹן אַתָּ֣ה שָׁל֑וּחַ אֶל־בֵּ֖ית יִשְׂרָאֵֽל׃

<u>25</u> For, when there was a voice above the firmament that was over their heads, as they stood, they let down their wings. <u>26</u> And above the firmament that was over their heads was the likeness of a throne, as the appearance of a sapphire stone; and upon the likeness of the throne was a likeness as the appearance of a man upon it above. <u>27</u> And I saw as the colour of electrum, as the appearance of fire round about enclosing it, from the appearance of his loins and upward; and from the appearance of his loins and downward I saw as it were the appearance of fire, and there was brightness round about him. <u>28</u> As the appearance of the bow that is in the cloud in the day of rain, so was the appearance of the brightness round about. This was the appearance of the likeness of the glory of Yehovah. And when I saw it, I fell upon my face, and I heard a voice of one that spoke.{P}

2 <u>1</u> And He said unto me: 'Son of man, stand upon thy feet, and I will speak with thee.' <u>2</u> And spirit entered into me when He spoke unto me, and set me upon my feet; and I heard Him that spoke unto me.{P}

<u>3</u> And He said unto me: 'Son of man, I send thee to the children of Israel, to rebellious nations, that have rebelled against Me; they and their fathers have transgressed against Me, even unto this very day; <u>4</u> and the children are brazen-faced and stiff-hearted, I do send thee unto them; and thou shalt say unto them: Thus saith the Lord GOD [Adonai Yehovi]. <u>5</u> And they, whether they will hear, or whether they will forbear–for they are a rebellious house–yet shall know that there hath been a prophet among them.{P}

<u>6</u> And thou, son of man, be not afraid of them, neither be afraid of their words, though defiers and despisers be with thee, and thou dost dwell among scorpions; be not afraid of their words, nor be dismayed at their looks, for they are a rebellious house. <u>7</u> And thou shalt speak My words unto them, whether they will hear, or whether they will forbear; for they are most rebellious.{P}

<u>8</u> And thou, son of man, hear what I say unto thee: be not thou rebellious like that rebellious house; open thy mouth, and eat that which I give thee.' <u>9</u> And when I looked, behold, a hand was put forth unto me; and, lo, a roll of a book was therein; <u>10</u> and He spread it before me, and it was written within and without; and there was written therein lamentations, and moaning, and woe.{S}

3 <u>1</u> And He said unto me: 'Son of man, eat that which thou findest; eat this roll, and go, speak unto the house of Israel.' <u>2</u> So I opened my mouth, and He caused me to eat that roll. <u>3</u> And He said unto me: 'Son of man, cause thy belly to eat, and fill thy bowels with this roll that I give thee.' Then did I eat it; and it was in my mouth as honey for sweetness.{P}

<u>4</u> And He said unto me: 'Son of man, go, get thee unto the house of Israel, and speak with My words unto them. <u>5</u> For thou art not sent to a people of an unintelligible speech and of a slow tongue, but to the house of Israel;

ו לֹא ׀ אֶל־עַמִּים רַבִּים עִמְקֵי שָׂפָה וְכִבְדֵי לָשׁוֹן אֲשֶׁר לֹא־תִשְׁמַע דִּבְרֵיהֶם
אִם־לֹא אֲלֵיהֶם שְׁלַחְתִּיךָ הֵמָּה יִשְׁמְעוּ אֵלֶיךָ׃ ז וּבֵית יִשְׂרָאֵל לֹא יֹאבוּ לִשְׁמֹעַ
אֵלֶיךָ כִּי־אֵינָם אֹבִים לִשְׁמֹעַ אֵלָי כִּי כָּל־בֵּית יִשְׂרָאֵל חִזְקֵי־מֵצַח וּקְשֵׁי־לֵב
הֵמָּה׃ ח הִנֵּה נָתַתִּי אֶת־פָּנֶיךָ חֲזָקִים לְעֻמַּת פְּנֵיהֶם וְאֶת־מִצְחֲךָ חָזָק לְעֻמַּת
מִצְחָם׃ ט כְּשָׁמִיר חָזָק מִצֹּר נָתַתִּי מִצְחֶךָ לֹא־תִירָא אוֹתָם וְלֹא־תֵחַת מִפְּנֵיהֶם
כִּי בֵּית־מְרִי הֵמָּה׃

י וַיֹּאמֶר אֵלָי בֶּן־אָדָם אֶת־כָּל־דְּבָרַי אֲשֶׁר אֲדַבֵּר אֵלֶיךָ קַח בִּלְבָבְךָ וּבְאָזְנֶיךָ
שְׁמָע׃ יא וְלֵךְ בֹּא אֶל־הַגּוֹלָה אֶל־בְּנֵי עַמֶּךָ וְדִבַּרְתָּ אֲלֵיהֶם וְאָמַרְתָּ אֲלֵיהֶם
כֹּה אָמַר אֲדֹנָי יְהוִה אִם־יִשְׁמְעוּ וְאִם־יֶחְדָּלוּ׃ יב וַתִּשָּׂאֵנִי רוּחַ וָאֶשְׁמַע אַחֲרַי
קוֹל רַעַשׁ גָּדוֹל בָּרוּךְ כְּבוֹד־יְהוָה מִמְּקוֹמוֹ׃ יג וְקוֹל ׀ כַּנְפֵי הַחַיּוֹת מַשִּׁיקוֹת
אִשָּׁה אֶל־אֲחוֹתָהּ וְקוֹל הָאוֹפַנִּים לְעֻמָּתָם וְקוֹל רַעַשׁ גָּדוֹל׃ יד וְרוּחַ נְשָׂאַתְנִי
וַתִּקָּחֵנִי וָאֵלֵךְ מַר בַּחֲמַת רוּחִי וְיַד־יְהוָה עָלַי חָזָקָה׃ טו וָאָבוֹא אֶל־הַגּוֹלָה
תֵּל אָבִיב הַיֹּשְׁבִים אֶל־נְהַר־כְּבָר וָאֵשֵׁב[2] הֵמָּה יוֹשְׁבִים שָׁם וָאֵשֵׁב שָׁם שִׁבְעַת
יָמִים מַשְׁמִים בְּתוֹכָם׃ טז וַיְהִי מִקְצֵה שִׁבְעַת יָמִים

וַיְהִי דְבַר־יְהוָה אֵלַי לֵאמֹר׃ יז בֶּן־אָדָם צֹפֶה נְתַתִּיךָ לְבֵית יִשְׂרָאֵל וְשָׁמַעְתָּ
מִפִּי דָּבָר וְהִזְהַרְתָּ אוֹתָם מִמֶּנִּי׃ יח בְּאָמְרִי לָרָשָׁע מוֹת תָּמוּת וְלֹא הִזְהַרְתּוֹ
וְלֹא דִבַּרְתָּ לְהַזְהִיר רָשָׁע מִדַּרְכּוֹ הָרְשָׁעָה לְחַיֹּתוֹ הוּא רָשָׁע בַּעֲוֺנוֹ יָמוּת
וְדָמוֹ מִיָּדְךָ אֲבַקֵּשׁ׃ יט וְאַתָּה כִּי־הִזְהַרְתָּ רָשָׁע וְלֹא־שָׁב מֵרִשְׁעוֹ וּמִדַּרְכּוֹ
הָרְשָׁעָה הוּא בַּעֲוֺנוֹ יָמוּת וְאַתָּה אֶת־נַפְשְׁךָ הִצַּלְתָּ׃ כ וּבְשׁוּב צַדִּיק מִצִּדְקוֹ
וְעָשָׂה עָוֶל וְנָתַתִּי מִכְשׁוֹל לְפָנָיו הוּא יָמוּת כִּי לֹא הִזְהַרְתּוֹ בְּחַטָּאתוֹ יָמוּת וְלֹא
תִזָּכַרְןָ צִדְקָתוֹ אֲשֶׁר עָשָׂה וְדָמוֹ מִיָּדְךָ אֲבַקֵּשׁ׃ כא וְאַתָּה כִּי הִזְהַרְתּוֹ צַדִּיק
לְבִלְתִּי חֲטֹא צַדִּיק וְהוּא לֹא־חָטָא חָיוֹ יִחְיֶה כִּי נִזְהָר וְאַתָּה אֶת־נַפְשְׁךָ הִצַּלְתָּ׃
כב וַתְּהִי עָלַי שָׁם יַד־יְהוָה וַיֹּאמֶר אֵלַי קוּם צֵא אֶל־הַבִּקְעָה וְשָׁם אֲדַבֵּר
אוֹתָךְ׃ כג וָאָקוּם וָאֵצֵא אֶל־הַבִּקְעָה וְהִנֵּה־שָׁם כְּבוֹד־יְהוָה עֹמֵד כַּכָּבוֹד אֲשֶׁר
רָאִיתִי עַל־נְהַר־כְּבָר וָאֶפֹּל עַל־פָּנָי׃ כד וַתָּבֹא־בִי רוּחַ וַתַּעֲמִדֵנִי עַל־רַגְלָי
וַיְדַבֵּר אֹתִי וַיֹּאמֶר אֵלַי בֹּא הִסָּגֵר בְּתוֹךְ בֵּיתֶךָ׃ כה וְאַתָּה בֶן־אָדָם הִנֵּה נָתְנוּ
עָלֶיךָ עֲבוֹתִים וַאֲסָרוּךָ בָּהֶם וְלֹא תֵצֵא בְּתוֹכָם׃ כו וּלְשׁוֹנְךָ אַדְבִּיק אֶל־חִכֶּךָ
וְנֶאֱלַמְתָּ וְלֹא־תִהְיֶה לָהֶם לְאִישׁ מוֹכִיחַ כִּי בֵּית מְרִי הֵמָּה׃ כז וּבְדַבְּרִי אוֹתְךָ
אֶפְתַּח אֶת־פִּיךָ וְאָמַרְתָּ אֲלֵיהֶם כֹּה אָמַר אֲדֹנָי יְהוִה הַשֹּׁמֵעַ ׀ יִשְׁמָע וְהֶחָדֵל ׀
יֶחְדָּל כִּי בֵּית מְרִי הֵמָּה׃

[2] ואשר

6 not to many peoples of an unintelligible speech and of a slow tongue, whose words thou canst not understand. Surely, if I sent thee to them, they would hearken unto thee. **7** But the house of Israel will not consent to hearken unto thee; for they consent not to hearken unto Me; for all the house of Israel are of a hard forehead and of a stiff heart. **8** Behold, I have made thy face hard against their faces, and thy forehead hard against their foreheads. **9** As an adamant harder than flint have I made thy forehead; fear them not, neither be dismayed at their looks, for they are a rebellious house.'{P}

10 Moreover He said unto me: 'Son of man, all My words that I shall speak unto thee receive in thy heart, and hear with thine ears. **11** And go, get thee to them of the captivity, unto the children of thy people, and speak unto them, and tell them: Thus saith the Lord GOD [Adonai Yehovi]; whether they will hear, or whether they will forbear.' **12** Then a spirit lifted me up, and I heard behind me the voice of a great rushing: 'Blessed be the glory of Yehovah from His place'; **13** also the noise of the wings of the living creatures as they touched one another, and the noise of the wheels beside them, even the noise of a great rushing. **14** So a spirit lifted me up, and took me away; and I went in bitterness, in the heat of my spirit, and the hand of Yehovah was strong upon me. **15** Then I came to them of the captivity at Tel-abib, that dwelt by the river Chebar, and I sat where they sat; and I remained there appalled among them seven days. **16** And it came to pass at the end of seven days,{P}

that the word of Yehovah came unto me, saying: **17** 'Son of man, I have appointed thee a watchman unto the house of Israel; and when thou shalt hear a word at My mouth, thou shalt give them warning from Me. **18** When I say unto the wicked: Thou shalt surely die; and thou givest him not warning, nor speakest to warn the wicked from his wicked way, to save his life; the same wicked man shall die in his iniquity, but his blood will I require at thy hand. **19** Yet if thou warn the wicked, and he turn not from his wickedness, nor from his wicked way, he shall die in his iniquity; but thou hast delivered thy soul. **20** Again, when a righteous man doth turn from his righteousness, and commit iniquity, I will lay a stumblingblock before him, he shall die; because thou hast not given him warning, he shall die in his sin, and his righteous deeds which he hath done shall not be remembered; but his blood will I require at thy hand. **21** Nevertheless if thou warn the righteous man, that the righteous sin not, and he doth not sin, he shall surely live, because he took warning; and thou hast delivered thy soul.'{P}

22 And the hand of Yehovah came there upon me; and He said unto me: 'Arise, go forth into the plain, and I will there speak with thee.' **23** Then I arose, and went forth into the plain; and, behold, the glory of Yehovah stood there, as the glory which I saw by the river Chebar; and I fell on my face. **24** Then spirit entered into me, and set me upon my feet; and He spoke with me, and said unto me: 'Go, shut thyself within thy house. **25** But thou, son of man, behold, bands shall be put upon thee, and thou shalt be bound with them, and thou shalt not go out among them; **26** and I will make thy tongue cleave to the roof of thy mouth, that thou shalt be dumb, and shalt not be to them a reprover; for they are a rebellious house. **27** But when I speak with thee, I will open thy mouth, and thou shalt say unto them: Thus saith the Lord GOD [Adonai Yehovi]; he that heareth, let him hear, and he that forbeareth, let him forbear; for they are a rebellious house.{P}

ד א וְאַתָּה בֶן־אָדָם קַח־לְךָ לְבֵנָה וְנָתַתָּה אוֹתָהּ לְפָנֶיךָ וְחַקּוֹתָ עָלֶיהָ עִיר
אֶת־יְרוּשָׁלִָם׃ ב וְנָתַתָּה עָלֶיהָ מָצוֹר וּבָנִיתָ עָלֶיהָ דָּיֵק וְשָׁפַכְתָּ עָלֶיהָ סֹלְלָה
וְנָתַתָּה עָלֶיהָ מַחֲנוֹת וְשִׂים־עָלֶיהָ כָּרִים סָבִיב׃ ג וְאַתָּה קַח־לְךָ מַחֲבַת בַּרְזֶל
וְנָתַתָּה אוֹתָהּ קִיר בַּרְזֶל בֵּינְךָ וּבֵין הָעִיר וַהֲכִינֹתָה אֶת־פָּנֶיךָ אֵלֶיהָ וְהָיְתָה
בַמָּצוֹר וְצַרְתָּ עָלֶיהָ אוֹת הִיא לְבֵית יִשְׂרָאֵל׃ ד וְאַתָּה שְׁכַב עַל־צִדְּךָ
הַשְּׂמָאלִי וְשַׂמְתָּ אֶת־עֲוֺן בֵּית־יִשְׂרָאֵל עָלָיו מִסְפַּר הַיָּמִים אֲשֶׁר תִּשְׁכַּב עָלָיו
תִּשָּׂא אֶת־עֲוֺנָם׃ ה וַאֲנִי נָתַתִּי לְךָ אֶת־שְׁנֵי עֲוֺנָם לְמִסְפַּר יָמִים שְׁלֹשׁ־מֵאוֹת
וְתִשְׁעִים יוֹם וְנָשָׂאתָ עֲוֺן בֵּית־יִשְׂרָאֵל׃ ו וְכִלִּיתָ אֶת־אֵלֶּה וְשָׁכַבְתָּ עַל־צִדְּךָ
הַיְמָנִי[3] שֵׁנִית וְנָשָׂאתָ אֶת־עֲוֺן בֵּית־יְהוּדָה אַרְבָּעִים יוֹם יוֹם לַשָּׁנָה יוֹם לַשָּׁנָה
נְתַתִּיו לָךְ׃ ז וְאֶל־מְצוֹר יְרוּשָׁלִַם תָּכִין פָּנֶיךָ וּזְרֹעֲךָ חֲשׂוּפָה וְנִבֵּאתָ עָלֶיהָ׃
ח וְהִנֵּה נָתַתִּי עָלֶיךָ עֲבוֹתִים וְלֹא־תֵהָפֵךְ מִצִּדְּךָ אֶל־צִדֶּךָ עַד־כַּלּוֹתְךָ יְמֵי
מְצוּרֶךָ׃ ט וְאַתָּה קַח־לְךָ חִטִּין וּשְׂעֹרִים וּפוֹל וַעֲדָשִׁים וְדֹחַן וְכֻסְּמִים וְנָתַתָּה
אוֹתָם בִּכְלִי אֶחָד וְעָשִׂיתָ אוֹתָם לְךָ לְלָחֶם מִסְפַּר הַיָּמִים אֲשֶׁר־אַתָּה ׀ שׁוֹכֵב
עַל־צִדְּךָ שְׁלֹשׁ־מֵאוֹת וְתִשְׁעִים יוֹם תֹּאכְלֶנּוּ׃ י וּמַאֲכָלְךָ אֲשֶׁר תֹּאכְלֶנּוּ
בְּמִשְׁקוֹל עֶשְׂרִים שֶׁקֶל לַיּוֹם מֵעֵת עַד־עֵת תֹּאכְלֶנּוּ׃ יא וּמַיִם בִּמְשׂוּרָה תִשְׁתֶּה
שִׁשִּׁית הַהִין מֵעֵת עַד־עֵת תִּשְׁתֶּה׃ יב וְעֻגַת שְׂעֹרִים תֹּאכְלֶנָּה וְהִיא בְּגֶלְלֵי
צֵאַת הָאָדָם תְּעֻגֶנָה לְעֵינֵיהֶם׃ יג וַיֹּאמֶר יְהוָה כָּכָה יֹאכְלוּ בְנֵי־יִשְׂרָאֵל
אֶת־לַחְמָם טָמֵא בַּגּוֹיִם אֲשֶׁר אַדִּיחֵם שָׁם׃ יד וָאֹמַר אֲהָהּ אֲדֹנָי יְהוִה הִנֵּה
נַפְשִׁי לֹא מְטֻמָּאָה וּנְבֵלָה וּטְרֵפָה לֹא־אָכַלְתִּי מִנְּעוּרַי וְעַד־עַתָּה וְלֹא־בָא בְּפִי
בְּשַׂר פִּגּוּל׃ טו וַיֹּאמֶר אֵלַי רְאֵה נָתַתִּי לְךָ אֶת־צְפִיעֵי[4] הַבָּקָר תַּחַת גֶּלְלֵי
הָאָדָם וְעָשִׂיתָ אֶת־לַחְמְךָ עֲלֵיהֶם׃ טז וַיֹּאמֶר אֵלַי בֶּן־אָדָם הִנְנִי שֹׁבֵר
מַטֵּה־לֶחֶם בִּירוּשָׁלִַם וְאָכְלוּ־לֶחֶם בְּמִשְׁקָל וּבִדְאָגָה וּמַיִם בִּמְשׂוּרָה
וּבְשִׁמָּמוֹן יִשְׁתּוּ׃ יז לְמַעַן יַחְסְרוּ לֶחֶם וָמָיִם וְנָשַׁמּוּ אִישׁ וְאָחִיו וְנָמַקּוּ בַּעֲוֺנָם׃

ה א וְאַתָּה בֶן־אָדָם קַח־לְךָ ׀ חֶרֶב חַדָּה תַּעַר הַגַּלָּבִים תִּקָּחֶנָּה לָּךְ וְהַעֲבַרְתָּ
עַל־רֹאשְׁךָ וְעַל־זְקָנֶךָ וְלָקַחְתָּ לְךָ מֹאזְנֵי מִשְׁקָל וְחִלַּקְתָּם׃ ב שְׁלִשִׁית בָּאוּר
תַּבְעִיר בְּתוֹךְ הָעִיר כִּמְלֹאת יְמֵי הַמָּצוֹר וְלָקַחְתָּ אֶת־הַשְּׁלִשִׁית תַּכֶּה בַחֶרֶב
סְבִיבוֹתֶיהָ וְהַשְּׁלִשִׁית תִּזְרֶה לָרוּחַ וְחֶרֶב אָרִיק אַחֲרֵיהֶם׃ ג וְלָקַחְתָּ מִשָּׁם מְעַט
בְּמִסְפָּר וְצַרְתָּ אוֹתָם בִּכְנָפֶיךָ׃ ד וּמֵהֶם עוֹד תִּקָּח וְהִשְׁלַכְתָּ אוֹתָם אֶל־תּוֹךְ
הָאֵשׁ וְשָׂרַפְתָּ אֹתָם בָּאֵשׁ מִמֶּנּוּ תֵצֵא־אֵשׁ אֶל־כָּל־בֵּית יִשְׂרָאֵל׃

---

[3] הימיני

[4] צפועי

4 **1** Thou also, son of man, take thee a tile, and lay it before thee, and trace upon it a city, even Yerushalam; **2** and lay siege against it, and build forts against it, and cast up a mound against it; set camps also against it, and set battering rams against it round about. **3** And take thou unto thee an iron griddle, and set it for a wall of iron between thee and the city; and set thy face toward it, and it shall be besieged, and thou shalt lay siege against it. This shall be a sign to the house of Israel.{P}

4 Moreover lie thou upon thy left side, and lay the iniquity of the house of Israel upon it; according to the number of the days that thou shalt lie upon it, thou shalt bear their iniquity. **5** For I have appointed the years of their iniquity to be unto thee a number of days, even three hundred and ninety days; so shalt thou bear the iniquity of the house of Israel. **6** And again, when thou hast accomplished these, thou shalt lie on thy right side, and shalt bear the iniquity of the house of Judah; forty days, each day for a year, have I appointed it unto thee. **7** And thou shalt set thy face toward the siege of Yerushalam, with thine arm uncovered; and thou shalt prophesy against it. **8** And, behold, I lay bands upon thee, and thou shalt not turn thee from one side to another, till thou hast accomplished the days of thy siege. **9** Take thou also unto thee wheat, and barley, and beans, and lentils, and millet, and spelt, and put them in one vessel, and make thee bread thereof; according to the number of the days that thou shalt lie upon thy side, even three hundred and ninety days, shalt thou eat thereof. **10** And thy food which thou shalt eat shall be by weight, twenty shekels a day; from time to time shalt thou eat it. **11** Thou shalt drink also water by measure, the sixth part of a hin; from time to time shalt thou drink. **12** And thou shalt eat it as barley cakes, and thou shalt bake it in their sight with dung that cometh out of man.'{S} **13** And Yehovah said: 'Even thus shall the children of Israel eat their bread unclean, among the nations whither I will drive them.' **14** Then said I: 'Ah Lord GOD [Adonai Yehovi]! behold, my soul hath not been polluted; for from my youth up even till now have I not eaten of that which dieth of itself, or is torn of beasts; neither came there abhorred flesh into my mouth.'{S} **15** Then He said unto me: 'See, I have given thee cow's dung for man's dung, and thou shalt prepare thy bread thereon.'{S} **16** Moreover He said unto me: 'Son of man, behold, I will break the staff of bread in Yerushalam, and they shall eat bread by weight, and with anxiety; and they shall drink water by measure, and in appalment; **17** that they may want bread and water, and be appalled one with another, and pine away in their iniquity.{P}

5 **1** And thou, son of man, take thee a sharp sword, as a barber's razor shalt thou take it unto thee, and cause it to pass upon thy head and upon thy beard; then take thee balances to weigh, and divide the hair. **2** A third part shalt thou burn in the fire in the midst of the city, when the days of the siege are fulfilled; and thou shalt take a third part, and smite it with the sword round about her; and a third part thou shalt scatter to the wind, and I will draw out a sword after them. **3** Thou shalt also take thereof a few by number, and bind them in thy skirts. **4** And of them again shalt thou take, and cast them into the midst of the fire, and burn them in the fire; therefrom shall a fire come forth into all the house of Israel.{P}

ה כֹּה אָמַר אֲדֹנָי יְהוִה זֹאת יְרוּשָׁלַםִ בְּתוֹךְ הַגּוֹיִם שַׂמְתִּיהָ וּסְבִיבוֹתֶיהָ
אֲרָצוֹת: ו וַתֶּמֶר אֶת־מִשְׁפָּטַי לְרִשְׁעָה מִן־הַגּוֹיִם וְאֶת־חֻקּוֹתַי מִן־הָאֲרָצוֹת
אֲשֶׁר סְבִיבוֹתֶיהָ כִּי בְמִשְׁפָּטַי מָאָסוּ וְחֻקּוֹתַי לֹא־הָלְכוּ בָהֶם: ז לָכֵן
כֹּה־אָמַר | אֲדֹנָי יְהוִה יַעַן הֲמָנְכֶם מִן־הַגּוֹיִם אֲשֶׁר סְבִיבוֹתֵיכֶם בְּחֻקּוֹתַי לֹא
הֲלַכְתֶּם וְאֶת־מִשְׁפָּטַי לֹא עֲשִׂיתֶם וּכְמִשְׁפְּטֵי הַגּוֹיִם אֲשֶׁר סְבִיבוֹתֵיכֶם לֹא
עֲשִׂיתֶם: ח לָכֵן כֹּה אָמַר אֲדֹנָי יְהוִה הִנְנִי עָלַיִךְ גַּם־אָנִי וְעָשִׂיתִי בְתוֹכֵךְ
מִשְׁפָּטִים לְעֵינֵי הַגּוֹיִם: ט וְעָשִׂיתִי בָךְ אֵת אֲשֶׁר לֹא־עָשִׂיתִי וְאֵת
אֲשֶׁר־לֹא־אֶעֱשֶׂה כָמֹהוּ עוֹד יַעַן כָּל־תּוֹעֲבֹתָיִךְ: י לָכֵן אָבוֹת יֹאכְלוּ בָנִים
בְּתוֹכֵךְ וּבָנִים יֹאכְלוּ אֲבוֹתָם וְעָשִׂיתִי בָךְ שְׁפָטִים וְזֵרִיתִי אֶת־כָּל־שְׁאֵרִיתֵךְ
לְכָל־רוּחַ:

יא לָכֵן חַי־אָנִי נְאֻם אֲדֹנָי יְהוִה אִם־לֹא יַעַן אֶת־מִקְדָּשִׁי טִמֵּאת בְּכָל־שִׁקּוּצַיִךְ
וּבְכָל־תּוֹעֲבֹתָיִךְ וְגַם־אֲנִי אֶגְרַע וְלֹא־תָחוֹס עֵינִי וְגַם־אֲנִי לֹא אֶחְמוֹל:
יב שְׁלִשִׁתַיִךְ בַּדֶּבֶר יָמוּתוּ וּבָרָעָב יִכְלוּ בְתוֹכֵךְ וְהַשְּׁלִשִׁית בַּחֶרֶב יִפְּלוּ
סְבִיבוֹתָיִךְ וְהַשְּׁלִישִׁית לְכָל־רוּחַ אֱזָרֶה וְחֶרֶב אָרִיק אַחֲרֵיהֶם: יג וְכָלָה אַפִּי
וַהֲנִחוֹתִי חֲמָתִי בָּם וְהִנֶּחָמְתִּי וְיָדְעוּ כִּי־אֲנִי יְהוָה דִּבַּרְתִּי בְּקִנְאָתִי בְּכַלּוֹתִי
חֲמָתִי בָּם: יד וְאֶתְּנֵךְ לְחָרְבָּה וּלְחֶרְפָּה בַּגּוֹיִם אֲשֶׁר סְבִיבוֹתָיִךְ לְעֵינֵי
כָּל־עוֹבֵר: טו וְהָיְתָה חֶרְפָּה וּגְדוּפָה מוּסָר וּמְשַׁמָּה לַגּוֹיִם אֲשֶׁר סְבִיבוֹתָיִךְ
בַּעֲשׂוֹתִי בָךְ שְׁפָטִים בְּאַף וּבְחֵמָה וּבְתֹכְחוֹת חֵמָה אֲנִי יְהוָה דִּבַּרְתִּי:
טז בְּשַׁלְּחִי אֶת־חִצֵּי הָרָעָב הָרָעִים בָּהֶם אֲשֶׁר הָיוּ לְמַשְׁחִית אֲשֶׁר־אֲשַׁלַּח
אוֹתָם לְשַׁחֶתְכֶם וְרָעָב אֹסֵף עֲלֵיכֶם וְשָׁבַרְתִּי לָכֶם מַטֵּה־לָחֶם: יז וְשִׁלַּחְתִּי
עֲלֵיכֶם רָעָב וְחַיָּה רָעָה וְשִׁכְּלֻךְ וְדֶבֶר וָדָם יַעֲבָר־בָּךְ וְחֶרֶב אָבִיא עָלַיִךְ
אֲנִי יְהוָה דִּבַּרְתִּי:

ו א וַיְהִי דְבַר־יְהוָה אֵלַי לֵאמֹר: ב בֶּן־אָדָם שִׂים פָּנֶיךָ אֶל־הָרֵי יִשְׂרָאֵל
וְהִנָּבֵא אֲלֵיהֶם: ג וְאָמַרְתָּ הָרֵי יִשְׂרָאֵל שִׁמְעוּ דְּבַר־אֲדֹנָי יְהוִה כֹּה־אָמַר
אֲדֹנָי יְהוִה לֶהָרִים וְלַגְּבָעוֹת לָאֲפִיקִים וְלַגֵּאָיוֹת[5] הִנְנִי אֲנִי מֵבִיא עֲלֵיכֶם
חֶרֶב וְאִבַּדְתִּי בָּמוֹתֵיכֶם: ד וְנָשַׁמּוּ מִזְבְּחוֹתֵיכֶם וְנִשְׁבְּרוּ חַמָּנֵיכֶם וְהִפַּלְתִּי
חַלְלֵיכֶם לִפְנֵי גִּלּוּלֵיכֶם: ה וְנָתַתִּי אֶת־פִּגְרֵי בְּנֵי יִשְׂרָאֵל לִפְנֵי גִּלּוּלֵיהֶם
וְזֵרִיתִי אֶת־עַצְמוֹתֵיכֶם סְבִיבוֹת מִזְבְּחוֹתֵיכֶם: ו בְּכֹל מוֹשְׁבוֹתֵיכֶם הֶעָרִים
תֶּחֱרַבְנָה וְהַבָּמוֹת תִּישָׁמְנָה לְמַעַן יֶחֶרְבוּ וְיֶאְשְׁמוּ מִזְבְּחוֹתֵיכֶם וְנִשְׁבְּרוּ
וְנִשְׁבְּתוּ גִּלּוּלֵיכֶם וְנִגְדְּעוּ חַמָּנֵיכֶם וְנִמְחוּ מַעֲשֵׂיכֶם:

[5] ולגאית

5 Thus saith the Lord GOD [Adonai Yehovi]: This is Yerushalam! I have set her in the midst of the nations, and countries are round about her. 6 And she hath rebelled against Mine ordinances in doing wickedness more than the nations, and against My statutes more than the countries that are round about her; for they have rejected Mine ordinances, and as for My statutes, they have not walked in them.{S} 7 Therefore thus saith the Lord GOD [Adonai Yehovi]: Because ye have outdone the nations that are round about you, in that ye have not walked in My statutes, neither have kept Mine ordinances, neither have done after the ordinances of the nations that are round about you; 8 therefore thus saith the Lord GOD [Adonai Yehovi]: Behold, I, even I, am against thee, and I will execute judgments in the midst of thee in the sight of the nations. 9 And I will do in thee that which I have not done, and whereunto I will not do any more the like, because of all thine abominations.{P}

10 Therefore the fathers shall eat the sons in the midst of thee, and the sons shall eat their fathers; and I will execute judgments in thee, and the whole remnant of thee will I scatter unto all the winds.{S} 11 Wherefore, as I live, saith the Lord GOD [Adonai Yehovi], surely, because thou hast defiled My sanctuary with all thy detestable things, and with all thine abominations, therefore will I also diminish thee; neither shall Mine eye spare, and I also will have no pity. 12 A third part of thee shall die with the pestilence, and with famine shall they be consumed in the midst of thee; and a third part shall fall by the sword round about thee; and a third part I will scatter unto all the winds, and will draw out a sword after them. 13 Thus shall Mine anger spend itself, and I will satisfy My fury upon them, and I will be eased; and they shall know that I Yehovah have spoken in My zeal, when I have spent My fury upon them. 14 Moreover I will make thee an amazement and a reproach, among the nations that are round about thee, in the sight of all that pass by. 15 So it shall be a reproach and a taunt, an instruction and an astonishment, unto the nations that are round about thee, when I shall execute judgments in thee in anger and in fury, and in furious rebukes; I Yehovah have spoken it; 16 when I shall send upon them the evil arrows of famine, that are for destruction, which I will send to destroy you; and I will increase the famine upon you, and will break your staff of bread; 17 and I will send upon you famine and evil beasts, and they shall bereave thee; and pestilence and blood shall pass through thee; and I will bring the sword upon thee. I Yehovah have spoken it.'{P}

6 1 And the word of Yehovah came unto me, saying: 2 'Son of man, set thy face toward the mountains of Israel, and prophesy against them, 3 and say: Ye mountains of Israel, hear the word of the Lord GOD [Adonai Yehovi]: Thus saith the Lord GOD [Adonai Yehovi] concerning the mountains and concerning the hills, concerning the ravines and concerning the valleys: Behold, I, even I, will bring a sword upon you, and I will destroy your high places. 4 And your altars shall become desolate, and your sun-images shall be broken; and I will cast down your slain men before your idols. 5 And I will lay the carcasses of the children of Israel before their idols; and I will scatter your bones round about your altars. 6 In all your dwelling-places the cities shall be laid waste, and the high places shall be desolate; that your altars may be laid waste and made desolate, and your idols may be broken and cease, and your sun-images may be hewn down, and your works may be blotted out.

ז וְנָפַל חָלָל בְּתוֹכְכֶם וִידַעְתֶּם כִּי־אֲנִי יְהוָה׃ ח וְהוֹתַרְתִּי בִּהְיוֹת לָכֶם
פְּלִיטֵי חֶרֶב בַּגּוֹיִם בְּהִזָּרוֹתֵיכֶם בָּאֲרָצוֹת׃ ט וְזָכְרוּ פְלִיטֵיכֶם אוֹתִי בַּגּוֹיִם
אֲשֶׁר נִשְׁבּוּ־שָׁם אֲשֶׁר נִשְׁבַּרְתִּי אֶת־לִבָּם הַזּוֹנֶה אֲשֶׁר־סָר מֵעָלַי וְאֵת
עֵינֵיהֶם הַזֹּנוֹת אַחֲרֵי גִּלּוּלֵיהֶם וְנָקֹטּוּ בִּפְנֵיהֶם אֶל־הָרָעוֹת אֲשֶׁר עָשׂוּ לְכֹל
תּוֹעֲבֹתֵיהֶם׃ י וְיָדְעוּ כִּי־אֲנִי יְהוָה לֹא אֶל־חִנָּם דִּבַּרְתִּי לַעֲשׂוֹת לָהֶם
הָרָעָה הַזֹּאת׃

יא כֹּה־אָמַר אֲדֹנָי יְהוִה הַכֵּה בְכַפְּךָ וּרְקַע בְּרַגְלְךָ וֶאֱמָר־אָח אֶל
כָּל־תּוֹעֲבוֹת רָעוֹת בֵּית יִשְׂרָאֵל אֲשֶׁר בַּחֶרֶב בָּרָעָב וּבַדֶּבֶר יִפֹּלוּ׃
יב הָרָחוֹק בַּדֶּבֶר יָמוּת וְהַקָּרוֹב בַּחֶרֶב יִפּוֹל וְהַנִּשְׁאָר וְהַנָּצוּר בָּרָעָב יָמוּת
וְכִלֵּיתִי חֲמָתִי בָּם׃ יג וִידַעְתֶּם כִּי־אֲנִי יְהוָה בִּהְיוֹת חַלְלֵיהֶם בְּתוֹךְ
גִּלּוּלֵיהֶם סְבִיבוֹת מִזְבְּחוֹתֵיהֶם אֶל כָּל־גִּבְעָה רָמָה בְּכֹל ׀ רָאשֵׁי הֶהָרִים
וְתַחַת כָּל־עֵץ רַעֲנָן וְתַחַת כָּל־אֵלָה עֲבֻתָּה מְקוֹם אֲשֶׁר נָתְנוּ־שָׁם רֵיחַ נִיחֹחַ
לְכֹל גִּלּוּלֵיהֶם׃ יד וְנָטִיתִי אֶת־יָדִי עֲלֵיהֶם וְנָתַתִּי אֶת־הָאָרֶץ שְׁמָמָה
וּמְשַׁמָּה מִמִּדְבַּר דִּבְלָתָה בְּכֹל מוֹשְׁבוֹתֵיהֶם וְיָדְעוּ כִּי־אֲנִי יְהוָה׃

ז א וַיְהִי דְבַר־יְהוָה אֵלַי לֵאמֹר׃ ב וְאַתָּה בֶן־אָדָם כֹּה־אָמַר אֲדֹנָי יְהוִה
לְאַדְמַת יִשְׂרָאֵל קֵץ בָּא הַקֵּץ עַל־אַרְבַּע[6] כַּנְפוֹת הָאָרֶץ׃ ג עַתָּה הַקֵּץ עָלַיִךְ
וְשִׁלַּחְתִּי אַפִּי בָּךְ וּשְׁפַטְתִּיךְ כִּדְרָכָיִךְ וְנָתַתִּי עָלַיִךְ אֵת כָּל־תּוֹעֲבוֹתָיִךְ׃
ד וְלֹא־תָחוֹס עֵינִי עָלַיִךְ וְלֹא אֶחְמוֹל כִּי דְרָכַיִךְ עָלַיִךְ אֶתֵּן וְתוֹעֲבוֹתַיִךְ
בְּתוֹכֵךְ תִּהְיֶיןָ וִידַעְתֶּם כִּי־אֲנִי יְהוָה׃

ה כֹּה אָמַר אֲדֹנָי יְהוִה רָעָה אַחַת רָעָה הִנֵּה בָאָה׃ ו קֵץ בָּא בָּא הַקֵּץ הֵקִיץ
אֵלָיִךְ הִנֵּה בָּאָה׃ ז בָּאָה הַצְּפִירָה אֵלֶיךָ יוֹשֵׁב הָאָרֶץ בָּא הָעֵת קָרוֹב הַיּוֹם
מְהוּמָה וְלֹא־הֵד הָרִים׃ ח עַתָּה מִקָּרוֹב אֶשְׁפּוֹךְ חֲמָתִי עָלַיִךְ וְכִלֵּיתִי אַפִּי
בָּךְ וּשְׁפַטְתִּיךְ כִּדְרָכָיִךְ וְנָתַתִּי עָלַיִךְ אֵת כָּל־תּוֹעֲבוֹתָיִךְ׃ ט וְלֹא־תָחוֹס עֵינִי
וְלֹא אֶחְמוֹל כִּדְרָכַיִךְ עָלַיִךְ אֶתֵּן וְתוֹעֲבוֹתַיִךְ בְּתוֹכֵךְ תִּהְיֶיןָ וִידַעְתֶּם כִּי אֲנִי
יְהוָה מַכֶּה׃ י הִנֵּה הַיּוֹם הִנֵּה בָאָה יָצְאָה הַצְּפִרָה צָץ הַמַּטֶּה פָּרַח הַזָּדוֹן׃
יא הֶחָמָס ׀ קָם לְמַטֵּה־רֶשַׁע לֹא־מֵהֶם וְלֹא מֵהֲמוֹנָם וְלֹא מֶהֱמֵהֶם וְלֹא־נֹהַּ
בָּהֶם׃ יב בָּא הָעֵת הִגִּיעַ הַיּוֹם הַקּוֹנֶה אַל־יִשְׂמָח וְהַמּוֹכֵר אַל־יִתְאַבָּל כִּי
חָרוֹן אֶל־כָּל־הֲמוֹנָהּ׃ יג כִּי הַמּוֹכֵר אֶל־הַמִּמְכָּר לֹא יָשׁוּב וְעוֹד בַּחַיִּים
חַיָּתָם כִּי־חָזוֹן אֶל־כָּל־הֲמוֹנָהּ לֹא יָשׁוּב וְאִישׁ בַּעֲוֺנוֹ חַיָּתוֹ לֹא יִתְחַזָּקוּ׃

[6] ארבעת

7 And the slain shall fall in the midst of you, and ye shall know that I am Yehovah. 8 Yet will I leave a remnant, in that ye shall have some that escape the sword among the nations, when ye shall be scattered through the countries. 9 And they that escape of you shall remember Me among the nations whither they shall be carried captives, how that I have been anguished with their straying heart, which hath departed from Me, and with their eyes, which are gone astray after their idols; and they shall loathe themselves in their own sight for the evils which they have committed in all their abominations. 10 And they shall know that I am Yehovah; I have not said in vain that I would do this evil unto them.{P}

11 Thus saith the Lord GOD [Adonai Yehovi]: Smite with thy hand, and stamp with thy foot, and say: Alas! because of all the evil abominations of the house of Israel; for they shall fall by the sword, by the famine, and by the pestilence. 12 He that is far off shall die of the pestilence; and he that is near shall fall by the sword; and he that remaineth and is besieged shall die by the famine; thus will I spend My fury upon them. 13 And ye shall know that I am Yehovah, when their slain men shall be among their idols round about their altars, upon every high hill, in all the tops of the mountains, and under every leafy tree, and under every thick terebinth, the place where they did offer sweet savour to all their idols. 14 And I will stretch out My hand upon them, and make the land desolate and waste, more than the wilderness of Diblah, throughout all their habitations; and they shall know that I am Yehovah.'{P}

7 1 Moreover the word of Yehovah came unto me, saying: 2 'And thou, son of man, thus saith the Lord GOD [Adonai Yehovi] concerning the land of Israel: An end! the end is come upon the four corners of the land. 3 Now is the end upon thee, and I will send Mine anger upon thee, and will judge thee according to thy ways; and I will bring upon thee all thine abominations. 4 And Mine eye shall not spare thee, neither will I have pity; but I will bring thy ways upon thee, and thine abominations shall be in the midst of thee; and ye shall know that I am Yehovah.{P}

5 Thus saith the Lord GOD [Adonai Yehovi]: An evil, a singular evil, behold, it cometh. 6 An end is come, the end is come, it awaketh against thee; behold, it cometh. 7 The turn is come unto thee, O inhabitant of the land; the time is come, the day of tumult is near, and not of joyful shouting upon the mountains. 8 Now will I shortly pour out My fury upon thee, and spend Mine anger upon thee, and will judge thee according to thy ways; and I will bring upon thee all thine abominations. 9 And Mine eye shall not spare, neither will I have pity; I will bring upon thee according to thy ways, and thine abominations shall be in the midst of thee; and ye shall know that I Yehovah do smite. 10 Behold the day; behold, it cometh; the turn is come forth; the rod hath blossomed, arrogancy hath budded. 11 Violence is risen up into a rod of wickedness; nought cometh from them, nor from their tumult, nor from their turmoil, neither is there eminency among them. 12 The time is come, the day draweth near; let not the buyer rejoice, nor the seller mourn; for wrath is upon all the multitude thereof. 13 For the seller shall not return to that which is sold, although they be yet alive; for the vision is touching the whole multitude thereof, which shall not return; neither shall any stand possessed of the iniquity of his life.

יד תָּקְעוּ בַתָּקוֹעַ וְהָכִין הַכֹּל וְאֵין הֹלֵךְ לַמִּלְחָמָה כִּי חֲרוֹנִי
אֶל־כָּל־הֲמוֹנָהּ׃ טו הַחֶרֶב בַּחוּץ וְהַדֶּבֶר וְהָרָעָב מִבָּיִת אֲשֶׁר בַּשָּׂדֶה
בַּחֶרֶב יָמוּת וַאֲשֶׁר בָּעִיר רָעָב וָדֶבֶר יֹאכְלֶנּוּ׃ טז וּפָלְטוּ פְּלִיטֵיהֶם וְהָיוּ
אֶל־הֶהָרִים כְּיוֹנֵי הַגֵּאָיוֹת כֻּלָּם הֹמוֹת אִישׁ בַּעֲוֺנוֹ׃ יז כָּל־הַיָּדַיִם תִּרְפֶּינָה
וְכָל־בִּרְכַּיִם תֵּלַכְנָה מָּיִם׃ יח וְחָגְרוּ שַׂקִּים וְכִסְּתָה אוֹתָם פַּלָּצוּת וְאֶל
כָּל־פָּנִים בּוּשָׁה וּבְכָל־רָאשֵׁיהֶם קָרְחָה׃ יט כַּסְפָּם בַּחוּצוֹת יַשְׁלִיכוּ
וּזְהָבָם לְנִדָּה יִהְיֶה כַּסְפָּם וּזְהָבָם לֹא־יוּכַל לְהַצִּילָם בְּיוֹם עֶבְרַת יְהוָה
נַפְשָׁם לֹא יְשַׂבֵּעוּ וּמֵעֵיהֶם לֹא יְמַלֵּאוּ כִּי־מִכְשׁוֹל עֲוֺנָם הָיָה׃ כ וּצְבִי עֶדְיוֹ
לְגָאוֹן שָׂמָהוּ וְצַלְמֵי תוֹעֲבֹתָם שִׁקּוּצֵיהֶם עָשׂוּ בוֹ עַל־כֵּן נְתַתִּיו לָהֶם
לְנִדָּה׃ כא וּנְתַתִּיו בְּיַד־הַזָּרִים לָבַז וּלְרִשְׁעֵי הָאָרֶץ לְשָׁלָל וְחִלְּלוּהוּ[7]׃
כב וַהֲסִבּוֹתִי פָנַי מֵהֶם וְחִלְּלוּ אֶת־צְפוּנִי וּבָאוּ־בָהּ פָּרִיצִים וְחִלְּלוּהָ׃

כג עֲשֵׂה הָרַתּוֹק כִּי הָאָרֶץ מָלְאָה מִשְׁפַּט דָּמִים וְהָעִיר מָלְאָה חָמָס׃
כד וְהֵבֵאתִי רָעֵי גוֹיִם וְיָרְשׁוּ אֶת־בָּתֵּיהֶם וְהִשְׁבַּתִּי גְּאוֹן עַזִּים וְנִחֲלוּ
מְקַדְשֵׁיהֶם׃ כה קְפָדָה־בָא וּבִקְשׁוּ שָׁלוֹם וָאָיִן׃ כו הֹוָה עַל־הֹוָה תָּבוֹא
וּשְׁמֻעָה אֶל־שְׁמוּעָה תִּהְיֶה וּבִקְשׁוּ חָזוֹן מִנָּבִיא וְתוֹרָה תֹּאבַד מִכֹּהֵן וְעֵצָה
מִזְּקֵנִים׃ כז הַמֶּלֶךְ יִתְאַבָּל וְנָשִׂיא יִלְבַּשׁ שְׁמָמָה וִידֵי עַם־הָאָרֶץ תִּבָּהַלְנָה
מִדַּרְכָּם אֶעֱשֶׂה אוֹתָם וּבְמִשְׁפְּטֵיהֶם אֶשְׁפְּטֵם וְיָדְעוּ כִּי־אֲנִי יְהוָה׃

ח א וַיְהִי ׀ בַּשָּׁנָה הַשִּׁשִּׁית בַּשִּׁשִּׁי בַּחֲמִשָּׁה לַחֹדֶשׁ אֲנִי יוֹשֵׁב בְּבֵיתִי וְזִקְנֵי
יְהוּדָה יוֹשְׁבִים לְפָנָי וַתִּפֹּל עָלַי שָׁם יַד אֲדֹנָי יְהוִה׃ ב וָאֶרְאֶה וְהִנֵּה דְמוּת
כְּמַרְאֵה־אֵשׁ מִמַּרְאֵה מָתְנָיו וּלְמַטָּה אֵשׁ וּמִמָּתְנָיו וּלְמַעְלָה כְּמַרְאֵה־זֹהַר
כְּעֵין הַחַשְׁמַלָה׃ ג וַיִּשְׁלַח תַּבְנִית יָד וַיִּקָּחֵנִי בְּצִיצִת רֹאשִׁי וַתִּשָּׂא אֹתִי רוּחַ
׀ בֵּין־הָאָרֶץ וּבֵין הַשָּׁמַיִם וַתָּבֵא אֹתִי יְרוּשָׁלְַמָה בְּמַרְאוֹת אֱלֹהִים אֶל־פֶּתַח
שַׁעַר הַפְּנִימִית הַפּוֹנֶה צָפוֹנָה אֲשֶׁר־שָׁם מוֹשַׁב סֵמֶל הַקִּנְאָה הַמַּקְנֶה׃
ד וְהִנֵּה־שָׁם כְּבוֹד אֱלֹהֵי יִשְׂרָאֵל כַּמַּרְאֶה אֲשֶׁר רָאִיתִי בַּבִּקְעָה׃ ה וַיֹּאמֶר
אֵלַי בֶּן־אָדָם שָׂא־נָא עֵינֶיךָ דֶּרֶךְ צָפוֹנָה וָאֶשָּׂא עֵינַי דֶּרֶךְ צָפוֹנָה וְהִנֵּה
מִצָּפוֹן לְשַׁעַר הַמִּזְבֵּחַ סֵמֶל הַקִּנְאָה הַזֶּה בַּבִּאָה׃ ו וַיֹּאמֶר אֵלַי בֶּן־אָדָם
הֲרֹאֶה אַתָּה מָה הֵם[8] עֹשִׂים תּוֹעֵבוֹת גְּדֹלוֹת אֲשֶׁר בֵּית־יִשְׂרָאֵל ׀ עֹשִׂים פֹּה
לְרָחֳקָה מֵעַל מִקְדָּשִׁי וְעוֹד תָּשׁוּב תִּרְאֶה תּוֹעֵבוֹת גְּדֹלוֹת׃

[7] וחללה
[8] מהם

14 They have blown the horn, and have made all ready, but none goeth to the battle; for My wrath is upon all the multitude thereof. **15** The sword is without, and the pestilence and the famine within; he that is in the field shall die with the sword, and he that is in the city, famine and pestilence shall devour him. **16** But they that shall at all escape of them, shall be on the mountains like doves of the valleys, all of them moaning, every one in his iniquity. **17** All hands shall be slack, and all knees shall drip with water. **18** They shall also gird themselves with sackcloth, and horror shall cover them; and shame shall be upon all faces, and baldness upon all their heads. **19** They shall cast their silver in the streets, and their gold shall be as an unclean thing; their silver and their gold shall not be able to deliver them in the day of the wrath of Yehovah; they shall not satisfy their souls, neither fill their bowels; because it hath been the stumblingblock of their iniquity. **20** And as for the beauty of their ornament, which was set for a pride, they made the images of their abominations and their detestable things thereof; therefore have I made it unto them as an unclean thing. **21** And I will give it into the hands of the strangers for a prey, and to the wicked of the earth for a spoil; and they shall profane it. **22** I will also turn My face from them, and they shall profane My secret place; and robbers shall enter into it, and profane it.{P}

23 Make the chain; for the land is full of bloody crimes, and the city is full of violence. **24** Wherefore I will bring the worst of the nations, and they shall possess their houses; I will also make the pride of the strong to cease; and their holy places shall be profaned. **25** Horror cometh; and they shall seek peace, and there shall be none. **26** Calamity shall come upon calamity, and rumour shall be upon rumour; and they shall seek a vision of the prophet, and instruction shall perish from the priest, and counsel from the elders. **27** The king shall mourn, and the prince shall be clothed with appalment, and the hands of the people of the land shall be enfeebled; I will do unto them after their way, and according to their deserts will I judge them; and they shall know that I am Yehovah.'{P}

8 **1** And it came to pass in the sixth year, in the sixth month, in the fifth day of the month, as I sat in my house, and the elders of Judah sat before me, that the hand of the Lord GOD [Adonai Yehovi] fell there upon me. **2** Then I beheld, and lo a likeness as the appearance of fire: from the appearance of his loins and downward, fire; and from his loins and upward, as the appearance of brightness, as the colour of electrum. **3** And the form of a hand was put forth, and I was taken by a lock of my head; and a spirit lifted me up between the earth and the heaven, and brought me in the visions of God to Yerushalam, to the door of the gate of the inner court that looketh toward the north; where was the seat of the image of jealousy, which provoketh to jealousy. **4** And, behold, the glory of the God of Israel was there, according to the vision that I saw in the plain. **5** Then said He unto me: 'Son of man, lift up thine eyes now the way toward the north.' So I lifted up mine eyes the way toward the north, and behold northward of the gate of the altar this image of jealousy in the entry. **6** And He said unto me: 'Son of man, seest thou what they do? even the great abominations that the house of Israel do commit here, that I should go far off from My sanctuary? but thou shalt again see yet greater abominations.'{P}

ז וַיָּבֵא אֹתִי אֶל־פֶּתַח הֶחָצֵר וָאֶרְאֶה וְהִנֵּה חֹר־אֶחָד בַּקִּיר׃ ח וַיֹּאמֶר אֵלַי
בֶּן־אָדָם חֲתָר־נָא בַקִּיר וָאֶחְתֹּר בַּקִּיר וְהִנֵּה פֶּתַח אֶחָד׃ ט וַיֹּאמֶר אֵלָי בֹּא
וּרְאֵה אֶת־הַתּוֹעֵבוֹת הָרָעוֹת אֲשֶׁר הֵם עֹשִׂים פֹּה׃ י וָאָבוֹא וָאֶרְאֶה וְהִנֵּה
כָל־תַּבְנִית רֶמֶשׂ וּבְהֵמָה שֶׁקֶץ וְכָל־גִּלּוּלֵי בֵּית יִשְׂרָאֵל מְחֻקֶּה עַל־הַקִּיר
סָבִיב ׀ סָבִיב׃ יא וְשִׁבְעִים אִישׁ מִזִּקְנֵי בֵית־יִשְׂרָאֵל וְיַאֲזַנְיָהוּ בֶן־שָׁפָן עֹמֵד
בְּתוֹכָם עֹמְדִים לִפְנֵיהֶם וְאִישׁ מִקְטַרְתּוֹ בְּיָדוֹ וַעֲתַר עֲנַן־הַקְּטֹרֶת עֹלֶה׃
יב וַיֹּאמֶר אֵלַי הֲרָאִיתָ בֶן־אָדָם אֲשֶׁר זִקְנֵי בֵית־יִשְׂרָאֵל עֹשִׂים בַּחֹשֶׁךְ אִישׁ
בְּחַדְרֵי מַשְׂכִּיתוֹ כִּי אֹמְרִים אֵין יְהוָה רֹאֶה אֹתָנוּ עָזַב יְהוָה אֶת־הָאָרֶץ׃
יג וַיֹּאמֶר אֵלָי עוֹד תָּשׁוּב תִּרְאֶה תּוֹעֵבוֹת גְּדֹלוֹת אֲשֶׁר־הֵמָּה עֹשִׂים׃ יד וַיָּבֵא
אֹתִי אֶל־פֶּתַח שַׁעַר בֵּית־יְהוָה אֲשֶׁר אֶל־הַצָּפוֹנָה וְהִנֵּה־שָׁם הַנָּשִׁים יֹשְׁבוֹת
מְבַכּוֹת אֶת־הַתַּמּוּז׃ טו וַיֹּאמֶר אֵלַי הֲרָאִיתָ בֶן־אָדָם עוֹד תָּשׁוּב תִּרְאֶה
תּוֹעֵבוֹת גְּדֹלוֹת מֵאֵלֶּה׃ טז וַיָּבֵא אֹתִי אֶל־חֲצַר בֵּית־יְהוָה הַפְּנִימִית
וְהִנֵּה־פֶתַח הֵיכַל יְהוָה בֵּין הָאוּלָם וּבֵין הַמִּזְבֵּחַ כְּעֶשְׂרִים וַחֲמִשָּׁה אִישׁ
אֲחֹרֵיהֶם אֶל־הֵיכַל יְהוָה וּפְנֵיהֶם קֵדְמָה וְהֵמָּה מִשְׁתַּחֲוִיתֶם קֵדְמָה לַשָּׁמֶשׁ׃
יז וַיֹּאמֶר אֵלַי הֲרָאִיתָ בֶן־אָדָם הֲנָקֵל לְבֵית יְהוּדָה מֵעֲשׂוֹת אֶת־הַתּוֹעֵבוֹת
אֲשֶׁר עָשׂוּ־פֹה כִּי־מָלְאוּ אֶת־הָאָרֶץ חָמָס וַיָּשֻׁבוּ לְהַכְעִיסֵנִי וְהִנָּם שֹׁלְחִים
אֶת־הַזְּמוֹרָה אֶל־אַפָּם׃ יח וְגַם־אֲנִי אֶעֱשֶׂה בְחֵמָה לֹא־תָחוֹס עֵינִי וְלֹא אֶחְמֹל
וְקָרְאוּ בְאָזְנַי קוֹל גָּדוֹל וְלֹא אֶשְׁמַע אוֹתָם׃

ט א וַיִּקְרָא בְאָזְנַי קוֹל גָּדוֹל לֵאמֹר קָרְבוּ פְּקֻדּוֹת הָעִיר וְאִישׁ כְּלִי מַשְׁחֵתוֹ
בְּיָדוֹ׃ ב וְהִנֵּה שִׁשָּׁה אֲנָשִׁים בָּאִים ׀ מִדֶּרֶךְ־שַׁעַר הָעֶלְיוֹן אֲשֶׁר ׀ מָפְנֶה צָפוֹנָה
וְאִישׁ כְּלִי מַפָּצוֹ בְּיָדוֹ וְאִישׁ־אֶחָד בְּתוֹכָם לָבֻשׁ בַּדִּים וְקֶסֶת הַסֹּפֵר בְּמָתְנָיו
וַיָּבֹאוּ וַיַּעַמְדוּ אֵצֶל מִזְבַּח הַנְּחֹשֶׁת׃ ג וּכְבוֹד ׀ אֱלֹהֵי יִשְׂרָאֵל נַעֲלָה מֵעַל
הַכְּרוּב אֲשֶׁר הָיָה עָלָיו אֶל מִפְתַּן הַבָּיִת וַיִּקְרָא אֶל־הָאִישׁ הַלָּבֻשׁ הַבַּדִּים
אֲשֶׁר קֶסֶת הַסֹּפֵר בְּמָתְנָיו׃ ד וַיֹּאמֶר יְהוָה אֵלָיו[9] עֲבֹר בְּתוֹךְ הָעִיר בְּתוֹךְ
יְרוּשָׁלִָם וְהִתְוִיתָ תָּו עַל־מִצְחוֹת הָאֲנָשִׁים הַנֶּאֱנָחִים וְהַנֶּאֱנָקִים עַל
כָּל־הַתּוֹעֵבוֹת הַנַּעֲשׂוֹת בְּתוֹכָהּ׃ ה וּלְאֵלֶּה אָמַר בְּאָזְנַי עִבְרוּ בָעִיר אַחֲרָיו
וְהַכּוּ אַל־תָּחֹס [10] עֵינְכֶם[11] וְאַל־תַּחְמֹלוּ׃ ו זָקֵן בָּחוּר וּבְתוּלָה וְטַף וְנָשִׁים
תַּהַרְגוּ לְמַשְׁחִית וְעַל־כָּל־אִישׁ אֲשֶׁר־עָלָיו הַתָּו אַל־תִּגַּשׁוּ וּמִמִּקְדָּשִׁי תָּחֵלּוּ
וַיָּחֵלּוּ בָּאֲנָשִׁים הַזְּקֵנִים אֲשֶׁר לִפְנֵי הַבָּיִת׃

9 אלו
10 על
11 עיניכם

7 And He brought me to the door of the court; and when I looked, behold a hole in the wall. **8** Then said He unto me: 'Son of man, dig now in the wall'; and when I had digged in the wall, behold a door.{S} **9** And He said unto me: 'Go in, and see the wicked abominations that they do here.' **10** So I went in and saw; and behold every detestable form of creeping things and beasts, and all the idols of the house of Israel, portrayed upon the wall round about. **11** And there stood before them seventy men of the elders of the house of Israel, and in the midst of them stood Jaazaniah the son of Shaphan, every man with his censer in his hand; and a thick cloud of incense went up. **12** Then said He unto me: 'Son of man, hast thou seen what the elders of the house of Israel do in the dark, every man in his chambers of imagery? for they say: Yehovah seeth us not, Yehovah hath forsaken the land.' **13** He said also unto me: 'Thou shalt again see yet greater abominations which they do.' **14** Then He brought me to the door of the gate of Yehovah's house which was toward the north; and, behold, there sat the women weeping for Tammuz.{S} **15** Then said He unto me: 'Hast thou seen this, O son of man? thou shalt again see yet greater abominations than these.' **16** And He brought me into the inner court of Yehovah's house, and, behold, at the door of the temple of Yehovah, between the porch and the altar, were about five and twenty men, with their backs toward the temple of Yehovah, and their faces toward the east; and they worshipped the sun toward the east. **17** Then He said unto me: 'Hast thou seen this, O son of man? Is it a light thing to the house of Judah that they commit the abominations which they commit here in that they fill the land with violence, and provoke Me still more, and, lo, they put the branch to their nose? **18** Therefore will I also deal in fury; Mine eye shall not spare, neither will I have pity; and though they cry in Mine ears with a loud voice, yet will I not hear them.'

9 **1** Then he called in mine ears with a loud voice, saying: 'Cause ye them that have charge over the city to draw near, every man with his destroying weapon in his hand.' **2** And, behold, six men came from the way of the upper gate, which lieth toward the north, every man with his weapon of destruction in his hand; and one man in the midst of them clothed in linen, with a writer's inkhorn on his side. And they went in, and stood beside the brazen altar. **3** And the glory of the God of Israel was gone up from the cherub, whereupon it was, to the threshold of the house; and He called to the man clothed in linen, who had the writer's inkhorn on his side.{P}

4 And Yehovah said unto him: 'Go through the midst of the city, through the midst of Yerushalam, and set a mark upon the foreheads of the men that sigh and that cry for all the abominations that are done in the midst thereof.' **5** And to the others He said in my hearing: 'Go ye through the city after him, and smite; let not your eye spare, neither have ye pity; **6** slay utterly the old man, the young man and the maiden, and little children and women; but come not near any man upon whom is the mark; and begin at My sanctuary.' Then they began at the elders that were before the house.

ז וַיֹּ֣אמֶר אֲלֵיהֶ֗ם טַמְּא֤וּ אֶת־הַבַּ֙יִת֙ וּמַלְא֤וּ אֶת־הַחֲצֵר֣וֹת חֲלָלִ֔ים צֵ֖אוּ וְיָצְא֑וּ
וְהִכּ֖וּ בָעִֽיר: ח וַיְהִ֣י כְּהַכּוֹתָ֗ם וְנֵֽאשֲׁאַ֣ר אָ֔נִי וָֽאֶפְּלָ֤ה עַל־פָּנַי֙ וָֽאֶזְעַ֣ק וָֽאֹמַ֔ר אֲהָהּ֙
אֲדֹנָ֣י יֱהֹוִ֔ה הֲמַשְׁחִ֣ית אַתָּ֗ה אֵ֚ת כָּל־שְׁאֵרִ֣ית יִשְׂרָאֵ֔ל בְּשָׁפְכְּךָ֥ אֶת־חֲמָֽתְךָ֖
עַל־יְרֽוּשָׁלָֽ͏ִם: ט וַיֹּ֣אמֶר אֵלַ֗י עֲוֺ֣ן בֵּֽית־יִשְׂרָאֵ֤ל וִֽיהוּדָה֙ גָּד֣וֹל בִּמְאֹ֣ד מְאֹ֔ד
וַתִּמָּלֵ֤א הָאָ֙רֶץ֙ דָּמִ֔ים וְהָעִ֖יר מָֽלְאָ֣ה מֻטֶּ֑ה כִּ֣י אָֽמְר֗וּ עָזַ֤ב יְהֹוָה֙ אֶת־הָאָ֔רֶץ וְאֵ֥ין
יְהֹוָ֖ה רֹאֶֽה: י וְגַם־אֲנִ֗י לֹֽא־תָח֥וֹס עֵינִ֖י וְלֹ֣א אֶחְמֹ֑ל דַּרְכָּ֖ם בְּרֹאשָׁ֥ם נָתָֽתִּי:
יא וְהִנֵּ֞ה הָאִ֣ישׁ ׀ לְבֻ֣שׁ הַבַּדִּ֗ים אֲשֶׁ֨ר הַקֶּ֜סֶת בְּמָתְנָ֗יו מֵשִׁ֤יב דָּבָר֙ לֵאמֹ֔ר עָשִׂ֕יתִי
כְּכֹ֥ל אֲשֶׁ֖ר[12] צִוִּיתָֽנִי:

י א וָאֶרְאֶ֗ה וְהִנֵּ֤ה אֶל־הָֽרָקִ֙יעַ֙ אֲשֶׁר֙ עַל־רֹ֣אשׁ הַכְּרֻבִ֔ים כְּאֶ֣בֶן סַפִּ֗יר כְּמַרְאֵ֛ה
דְּמ֥וּת כִּסֵּ֖א נִרְאָ֥ה עֲלֵיהֶֽם: ב וַיֹּ֜אמֶר אֶל־הָאִ֣ישׁ ׀ לְבֻ֣שׁ הַבַּדִּ֗ים וַיֹּ֡אמֶר בֹּא֩
אֶל־בֵּינ֙וֹת לַגַּלְגַּ֜ל אֶל־תַּ֣חַת לַכְּר֗וּב וּמַלֵּ֨א חׇפְנֶ֤יךָ גַֽחֲלֵי־אֵשׁ֙ מִבֵּינ֣וֹת לַכְּרֻבִ֔ים
וּזְרֹ֖ק עַל־הָעִ֑יר וַיָּבֹ֖א לְעֵינָֽי: ג וְהַכְּרֻבִ֗ים עֹֽמְדִ֛ים מִימִ֥ין לַבַּ֖יִת בְּבֹא֣וֹ הָאִ֑ישׁ
וְהֶעָנָ֣ן מָלֵ֔א אֶת־הֶֽחָצֵ֖ר הַפְּנִימִֽית: ד וַיָּ֤רׇם כְּבֽוֹד־יְהֹוָה֙ מֵעַ֣ל הַכְּר֔וּב עַ֖ל
מִפְתַּ֣ן הַבָּ֑יִת וַיִּמָּלֵ֤א הַבַּ֙יִת֙ אֶת־הֶ֣עָנָ֔ן וְהֶֽחָצֵר֙ מָֽלְאָ֔ה אֶת־נֹ֖גַהּ כְּב֥וֹד יְהֹוָֽה:
ה וְק֙וֹל֙ כַּנְפֵ֣י הַכְּרוּבִ֔ים נִשְׁמַ֕ע עַד־הֶֽחָצֵ֖ר הַחִֽיצֹנָ֑ה כְּק֥וֹל אֵל־שַׁדַּ֖י בְּדַבְּרֽוֹ:
ו וַיְהִ֗י בְּצַוֺּתוֹ֙ אֶת־הָאִ֤ישׁ לְבֻֽשׁ־הַבַּדִּים֙ לֵאמֹ֔ר קַ֣ח אֵ֗שׁ מִבֵּינ֤וֹת לַגַּלְגַּל֙ מִבֵּינ֣וֹת
לַכְּרוּבִ֔ים וַיָּבֹא֙ וַֽיַּעֲמֹ֔ד אֵ֖צֶל הָאוֹפָֽן: ז וַיִּשְׁלַח֩ הַכְּר֨וּב אֶת־יָד֜וֹ מִבֵּינ֣וֹת
לַכְּרוּבִ֗ים אֶל־הָאֵשׁ֙ אֲשֶׁר֙ בֵּינ֣וֹת הַכְּרֻבִ֔ים וַיִּשָּׂא֙ וַיִּתֵּ֔ן אֶל־חׇפְנֵ֖י לְבֻ֣שׁ הַבַּדִּ֑ים
וַיִּקַּ֖ח וַיֵּצֵֽא: ח וַיֵּרָ֖א לַכְּרֻבִ֑ים תַּבְנִ֥ית יַד־אָדָ֖ם תַּ֥חַת כַּנְפֵיהֶֽם: ט וָֽאֶרְאֶ֗ה וְהִנֵּ֨ה
אַרְבָּעָ֣ה אֽוֹפַנִּ֗ים אֵ֚צֶל הַכְּרוּבִ֔ים אוֹפַ֣ן אֶחָ֗ד אֵ֚צֶל הַכְּר֣וּב אֶחָ֔ד וְאוֹפַ֥ן אֶחָ֖ד
אֵ֣צֶל הַכְּר֣וּב אֶחָ֑ד וּמַרְאֵה֙ הָא֣וֹפַנִּ֔ים כְּעֵ֖ין אֶ֥בֶן תַּרְשִֽׁישׁ: י וּמַ֨רְאֵיהֶ֔ם דְּמ֥וּת
אֶחָ֖ד לְאַרְבַּעְתָּ֑ם כַּֽאֲשֶׁ֛ר יִֽהְיֶ֥ה הָאוֹפַ֖ן בְּת֥וֹךְ הָאוֹפָֽן: יא בְּלֶכְתָּ֗ם אֶל־אַרְבַּ֤עַת
רִבְעֵיהֶם֙ יֵלֵ֔כוּ לֹ֥א יִסַּ֖בּוּ בְּלֶכְתָּ֑ם כִּ֣י הַמָּק֞וֹם אֲשֶׁר־יִפְנֶ֤ה הָרֹאשׁ֙ אַֽחֲרָ֣יו יֵלֵ֔כוּ
לֹ֥א יִסַּ֖בּוּ בְּלֶכְתָּֽם: יב וְכׇל־בְּשָׂרָם֙ וְגַבֵּהֶ֣ם וִֽידֵיהֶ֔ם וְכַנְפֵיהֶ֖ם וְהָ֣אוֹפַנִּ֑ים
מְלֵאִ֣ים עֵינַ֙יִם֙ סָבִ֔יב לְאַרְבַּעְתָּ֖ם אוֹפַנֵּיהֶֽם: יג לָא֖וֹפַנִּ֑ים לָהֶ֣ם קוֹרָ֥א הַגַּלְגַּ֖ל
בְּאׇזְנָֽי: יד וְאַרְבָּעָ֥ה פָנִ֖ים לְאֶחָ֑ד פְּנֵ֨י הָאֶחָ֜ד פְּנֵ֣י הַכְּר֗וּב וּפְנֵ֤י הַשֵּׁנִי֙ פְּנֵ֣י אָדָ֔ם
וְהַשְּׁלִישִׁי֙ פְּנֵ֣י אַרְיֵ֔ה וְהָֽרְבִיעִ֖י פְּנֵי־נָֽשֶׁר: טו וַיֵּרֹ֖מּוּ הַכְּרוּבִ֑ים הִ֣יא הַֽחַיָּ֔ה אֲשֶׁ֥ר
רָאִ֖יתִי בִּנְהַר־כְּבָֽר: טז וּבְלֶ֙כֶת֙ הַכְּרוּבִ֔ים יֵלְכ֥וּ הָאוֹפַנִּ֖ים אֶצְלָ֑ם וּבִשְׂאֵ֤ת
הַכְּרוּבִים֙ אֶת־כַּנְפֵיהֶ֗ם לָר֙וּם֙ מֵעַ֣ל הָאָ֔רֶץ לֹֽא־יִסַּ֧בּוּ הָאוֹפַנִּ֛ים גַּם־הֵ֖ם
מֵאֶצְלָֽם: יז בְּעׇמְדָ֣ם יַֽעֲמֹ֔דוּ וּבְרוֹמָ֖ם יֵרֹ֑מּוּ אוֹתָ֕ם כִּ֛י ר֥וּחַ הַחַיָּ֖ה בָּהֶֽם:

7 And He said unto them: 'Defile the house, and fill the courts with the slain; go ye forth.' And they went forth, and smote in the city. **8** And it came to pass, while they were smiting, and I was left, that I fell upon my face, and cried, and said: 'Ah Lord GOD [Adonai Yehovi]! wilt Thou destroy all the residue of Israel in Thy pouring out of Thy fury upon Yerushalam?' **9** Then said He unto me: 'The iniquity of the house of Israel and Judah is exceeding great, and the land is full of blood, and the city full of wresting of judgment; for they say: Yehovah hath forsaken the land, and Yehovah seeth not. **10** And as for Me also, Mine eye shall not spare, neither will I have pity, but I will bring their way upon their head.' **11** And, behold, the man clothed in linen, who had the inkhorn on his side, reported, saying: 'I have done according to all that Thou hast commanded me.'{P}

10 1 Then I looked, and, behold, upon the firmament that was over the head of the cherubim, there appeared above them as it were a sapphire stone, as the appearance of the likeness of a throne. **2** And He spoke unto the man clothed in linen, and said: 'Go in between the wheelwork, even under the cherub, and fill both thy hands with coals of fire from between the cherubim, and dash them against the city.' And he went in in my sight. **3** Now the cherubim stood on the right side of the house, when the man went in; and the cloud filled the inner court. **4** And the glory of Yehovah mounted up from the cherub to the threshold of the house; and the house was filled with the cloud, and the court was full of the brightness of Yehovah's glory. **5** And the sound of the wings of the cherubim was heard even to the outer court, as the voice of God Almighty when He speaketh. **6** And it came to pass, when He commanded the man clothed in linen, saying: 'Take fire from between the wheelwork, from between the cherubim', that he went in, and stood beside a wheel. **7** And the cherub stretched forth his hand from between the cherubim unto the fire that was between the cherubim, and took thereof, and put it into the hands of him that was clothed in linen, who took it and went out. **8** And there appeared in the cherubim the form of a man's hand under their wings. **9** And I looked, and behold four wheels beside the cherubim, one wheel beside one cherub, and another wheel beside another cherub; and the appearance of the wheels was as the colour of a beryl stone. **10** And as for their appearance, they four had one likeness, as if a wheel had been within a wheel. **11** When they went, they went toward their four sides; they turned not as they went, but to the place whither the head looked they followed it; they turned not as they went. **12** And their whole body, and their backs, and their hands, and their wings, and the wheels were full of eyes round about, even the wheels that they four had. **13** As for the wheels, they were called in my hearing the wheelwork. **14** And every one had four faces: the first face was the face of the cherub, and the second face was the face of a man, and the third the face of a lion, and the fourth the face of an eagle. **15** And the cherubim mounted up—this is the living creature that I saw by the river Chebar. **16** And when the cherubim went, the wheels went beside them; and when the cherubim lifted up their wings to mount up from the earth, the same wheels also turned not from beside them. **17** When they stood, these stood, and when they mounted up, these mounted up with them; for the spirit of the living creature was in them.

יח וַיֵּצֵא֙ כְּב֣וֹד יְהֹוָ֔ה מֵעַ֖ל מִפְתַּ֣ן הַבָּ֑יִת וַֽיַּעֲמֹ֖ד עַל־הַכְּרוּבִֽים: יט וַיִּשְׂא֣וּ הַכְּרוּבִ֣ים אֶת־כַּנְפֵיהֶ֗ם וַיֵּר֙וֹמּוּ֙ מִן־הָאָ֙רֶץ֙ לְעֵינַ֔י בְּצֵאתָ֕ם וְהָאֽוֹפַנִּ֖ים לְעֻמָּתָ֑ם וַֽיַּעֲמֹ֗ד פֶּ֣תַח שַׁ֤עַר בֵּית־יְהֹוָה֙ הַקַּדְמוֹנִ֔י וּכְב֧וֹד אֱלֹהֵֽי־יִשְׂרָאֵ֛ל עֲלֵיהֶ֖ם מִלְמָֽעְלָה: כ הִ֣יא הַחַיָּ֗ה אֲשֶׁ֥ר רָאִ֛יתִי תַּ֥חַת אֱלֹהֵֽי־יִשְׂרָאֵ֖ל בִּֽנְהַר־כְּבָ֑ר וָאֵדַ֕ע כִּ֥י כְרוּבִ֖ים הֵֽמָּה: כא אַרְבָּעָ֨ה אַרְבָּעָ֤ה פָנִים֙ לְאֶחָ֔ד וְאַרְבַּ֥ע כְּנָפַ֖יִם לְאֶחָ֑ד וּדְמוּת֙ יְדֵ֣י אָדָ֔ם תַּ֖חַת כַּנְפֵיהֶֽם: כב וּדְמ֤וּת פְּנֵיהֶם֙ הֵ֣מָּה הַפָּנִ֔ים אֲשֶׁ֣ר רָאִ֔יתִי עַל־נְהַר־כְּבָ֖ר מַרְאֵיהֶ֣ם וְאוֹתָ֑ם וְאוֹתָ֕ם אִ֛ישׁ אֶל־עֵ֥בֶר פָּנָ֖יו יֵלֵֽכוּ:

יא א וַתִּשָּׂ֨א אֹתִ֜י ר֗וּחַ וַתָּבֵ֣א אֹתִ֡י אֶל־שַׁ֩עַר֩ בֵּית־יְהֹוָ֨ה הַקַּדְמוֹנִ֜י הַפּוֹנֶ֣ה קָדִ֗ימָה וְהִנֵּה֙ בְּפֶ֣תַח הַשַּׁ֔עַר עֶשְׂרִ֥ים וַחֲמִשָּׁ֖ה אִ֑ישׁ וָאֶרְאֶ֣ה בְתוֹכָ֗ם אֶת־יַֽאֲזַנְיָ֤ה בֶן־עַזֻּר֙ וְאֶת־פְּלַטְיָ֣הוּ בֶן־בְּנָיָ֔הוּ שָׂרֵ֖י הָעָֽם:

ב וַיֹּ֖אמֶר אֵלָ֑י בֶּן־אָדָ֕ם אֵ֣לֶּה הָאֲנָשִׁ֞ים הַחֹשְׁבִ֥ים אָ֛וֶן וְהַיֹּעֲצִ֥ים עֲצַת־רָ֖ע בָּעִ֥יר הַזֹּֽאת: ג הָאֹ֣מְרִ֔ים לֹ֥א בְקָר֖וֹב בְּנ֣וֹת בָּתִּ֑ים הִ֣יא הַסִּ֔יר וַאֲנַ֖חְנוּ הַבָּשָֽׂר: ד לָכֵ֖ן הִנָּבֵ֣א עֲלֵיהֶ֑ם הִנָּבֵ֖א בֶּן־אָדָֽם: ה וַתִּפֹּ֤ל עָלַי֙ ר֣וּחַ יְהֹוָ֔ה וַיֹּ֣אמֶר אֵלַ֗י אֱמֹר֙ כֹּה־אָמַ֣ר יְהֹוָ֔ה כֵּ֥ן אֲמַרְתֶּ֖ם בֵּ֣ית יִשְׂרָאֵ֑ל וּמַעֲל֥וֹת רֽוּחֲכֶ֖ם אֲנִ֥י יְדַעְתִּֽיהָ: ו הִרְבֵּיתֶ֥ם חַלְלֵיכֶ֖ם בָּעִ֣יר הַזֹּ֑את וּמִלֵּאתֶ֥ם חוּצֹתֶ֖יהָ חָלָֽל:

ז לָכֵ֗ן כֹּֽה־אָמַר֮ אֲדֹנָ֣י יֱהֹוִה֒ חַלְלֵיכֶם֙ אֲשֶׁ֣ר שַׂמְתֶּ֣ם בְּתוֹכָ֔הּ הֵ֥מָּה הַבָּשָׂ֖ר וְהִ֣יא הַסִּ֑יר וְאֶתְכֶ֖ם הוֹצִ֥יא מִתּוֹכָֽהּ: ח חֶ֖רֶב יְרֵאתֶ֑ם וְחֶ֙רֶב֙ אָבִ֣יא עֲלֵיכֶ֔ם נְאֻ֖ם אֲדֹנָ֥י יֱהֹוִֽה: ט וְהוֹצֵאתִ֤י אֶתְכֶם֙ מִתּוֹכָ֔הּ וְנָתַתִּ֥י אֶתְכֶ֖ם בְּיַד־זָרִ֑ים וְעָשִׂ֥יתִי בָכֶ֖ם שְׁפָטִֽים: י בַּחֶ֣רֶב תִּפֹּ֔לוּ עַל־גְּב֥וּל יִשְׂרָאֵ֖ל אֶשְׁפּ֣וֹט אֶתְכֶ֑ם וִידַעְתֶּ֖ם כִּֽי־אֲנִ֥י יְהֹוָֽה: יא הִ֗יא לֹֽא־תִהְיֶ֤ה לָכֶם֙ לְסִ֔יר וְאַתֶּ֛ם תִּהְי֥וּ בְתוֹכָ֖הּ לְבָשָׂ֑ר אֶל־גְּב֥וּל יִשְׂרָאֵ֖ל אֶשְׁפֹּ֥ט אֶתְכֶֽם: יב וִֽידַעְתֶּם֙ כִּֽי־אֲנִ֣י יְהֹוָ֔ה אֲשֶׁ֤ר בְּחֻקַּי֙ לֹ֣א הֲלַכְתֶּ֔ם וּמִשְׁפָּטַ֖י לֹ֣א עֲשִׂיתֶ֑ם וּֽכְמִשְׁפְּטֵ֧י הַגּוֹיִ֛ם אֲשֶׁ֥ר סְבִיבֽוֹתֵיכֶ֖ם עֲשִׂיתֶֽם: יג וַֽיְהִי֙ כְּהִנָּ֣בְאִ֔י וּפְלַטְיָ֥הוּ בֶן־בְּנָיָ֖ה מֵ֑ת וָאֶפֹּ֨ל עַל־פָּנַ֜י וָאֶזְעַ֣ק קֽוֹל־גָּד֗וֹל וָאֹמַר֙ אֲהָהּ֙ אֲדֹנָ֣י יֱהֹוִ֔ה כָּלָה֙ אַתָּ֣ה עֹשֶׂ֔ה אֵ֖ת שְׁאֵרִ֥ית יִשְׂרָאֵֽל:

יד וַיְהִ֥י דְבַר־יְהֹוָ֖ה אֵלַ֥י לֵאמֹֽר: טו בֶּן־אָדָ֗ם אַחֶ֤יךָ אַחֶ֙יךָ֙ אַנְשֵׁ֣י גְאֻלָּתֶ֔ךָ וְכָל־בֵּ֥ית יִשְׂרָאֵ֖ל כֻּלֹּ֑ה אֲשֶׁר֩ אָמְר֨וּ לָהֶ֜ם יֹשְׁבֵ֣י יְרוּשָׁלַ֗͏ִם רַֽחֲקוּ֙ מֵעַ֣ל יְהֹוָ֔ה לָ֥נוּ הִ֛יא נִתְּנָ֥ה הָאָ֖רֶץ לְמוֹרָשָֽׁה: טז לָכֵ֣ן אֱמֹ֗ר כֹּֽה־אָמַר֮ אֲדֹנָ֣י יֱהֹוִה֒ כִּ֤י הִרְחַקְתִּים֙ בַּגּוֹיִ֔ם וְכִ֥י הֲפִיצוֹתִ֖ים בָּאֲרָצ֑וֹת וָאֱהִ֤י לָהֶם֙ לְמִקְדָּ֣שׁ מְעַ֔ט בָּאֲרָצ֖וֹת אֲשֶׁר־בָּ֥אוּ שָֽׁם: יז לָכֵ֣ן אֱמֹ֗ר כֹּֽה־אָמַר֮ אֲדֹנָ֣י יֱהֹוִה֒ וְקִבַּצְתִּ֤י אֶתְכֶם֙ מִן־הָ֣עַמִּ֔ים וְאָסַפְתִּ֣י אֶתְכֶ֔ם מִן־הָ֣אֲרָצ֔וֹת אֲשֶׁ֥ר נְפֹצוֹתֶ֖ם בָּהֶ֑ם וְנָתַתִּ֥י לָכֶ֖ם אֶת־אַדְמַ֥ת יִשְׂרָאֵֽל:

18 And the glory of Yehovah went forth from off the threshold of the house, and stood over the cherubim. **19** And the cherubim lifted up their wings, and mounted up from the earth in my sight when they went forth, and the wheels beside them; and they stood at the door of the east gate of Yehovah's house; and the glory of the God of Israel was over them above. **20** This is the living creature that I saw under the God of Israel by the river Chebar; and I knew that they were cherubim. **21** Every one had four faces apiece, and every one four wings; and the likeness of the hands of a man was under their wings. **22** And as for the likeness of their faces, they were the faces which I saw by the river Chebar, their appearances and themselves; they went every one straight forward.

11 **1** Then a spirit lifted me up, and brought me unto the east gate of Yehovah's house, which looketh eastward; and behold at the door of the gate five and twenty men; and I saw in the midst of them Jaazaniah the son of Azzur, and Pelatiah the son of Benaiah, princes of the people.{P}

2 And He said unto me: 'Son of man, these are the men that devise iniquity, and that give wicked counsel in this city; **3** that say: The time is not near to build houses! this city is the caldron, and we are the flesh.{S} **4** Therefore prophesy against them, prophesy, O son of man.' **5** And the spirit of Yehovah fell upon me, and He said unto me: 'Speak: Thus saith Yehovah: Thus have ye said, O house of Israel; for I know the things that come into your mind. **6** Ye have multiplied your slain in this city, and ye have filled the streets thereof with the slain.{P}

7 Therefore thus saith the Lord GOD [Adonai Yehovi]: Your slain whom ye have laid in the midst of it, they are the flesh, and this city is the caldron; but ye shall be brought forth out of the midst of it. **8** Ye have feared the sword; and the sword will I bring upon you, saith the Lord GOD [Adonai Yehovi]. **9** And I will bring you forth out of the midst thereof, and deliver you into the hands of strangers, and will execute judgments among you. **10** Ye shall fall by the sword: I will judge you upon the border of Israel; and ye shall know that I am Yehovah. **11** Though this city shall not be your caldron, ye shall be the flesh in the midst thereof; I will judge you upon the border of Israel; **12** and ye shall know that I am Yehovah; for ye have not walked in My statutes, neither have ye executed Mine ordinances, but have done after the ordinances of the nations that are round about you.' **13** And it came to pass, when I prophesied, that Pelatiah the son of Benaiah died. Then fell I down upon my face, and cried with a loud voice, and said: 'Ah Lord GOD [Adonai Yehovi]! wilt Thou make a full end of the remnant of Israel?'{P}

14 And the word of Yehovah came unto me, saying: **15** 'Son of man, as for thy brethren, even thy brethren, the men of thy kindred, and all the house of Israel, all of them, concerning whom the inhabitants of Yerushalam have said: Get you far from Yehovah! unto us is this land given for a possession;{S} **16** therefore say: Thus saith the Lord GOD [Adonai Yehovi]: Although I have removed them far off among the nations, and although I have scattered them among the countries, yet have I been to them as a little sanctuary in the countries where they are come;{S} **17** therefore say: Thus saith the Lord GOD [Adonai Yehovi]: I will even gather you from the peoples, and assemble you out of the countries where ye have been scattered, and I will give you the land of Israel.

יח וּבָאוּ־שָׁ֑מָּה וְהֵסִירוּ אֶת־כָּל־שִׁקּוּצֶיהָ וְאֶת־כָּל־תּוֹעֲבוֹתֶיהָ מִמֶּנָּה׃
יט וְנָתַתִּי לָהֶם לֵב אֶחָד וְרוּחַ חֲדָשָׁה אֶתֵּן בְּקִרְבְּכֶם וַהֲסִרֹתִי לֵב הָאֶבֶן
מִבְּשָׂרָם וְנָתַתִּי לָהֶם לֵב בָּשָׂר׃ כ לְמַעַן בְּחֻקֹּתַי יֵלֵכוּ וְאֶת־מִשְׁפָּטַי יִשְׁמְרוּ
וְעָשׂוּ אֹתָם וְהָיוּ־לִי לְעָם וַאֲנִי אֶהְיֶה לָהֶם לֵאלֹהִים׃ כא וְאֶל־לֵב שִׁקּוּצֵיהֶם
וְתוֹעֲבוֹתֵיהֶם לִבָּם הֹלֵךְ דַּרְכָּם בְּרֹאשָׁם נָתַתִּי נְאֻם אֲדֹנָי יְהוִה׃ כב וַיִּשְׂאוּ
הַכְּרוּבִים אֶת־כַּנְפֵיהֶם וְהָאוֹפַנִּים לְעֻמָּתָם וּכְבוֹד אֱלֹהֵי־יִשְׂרָאֵל עֲלֵיהֶם
מִלְמָעְלָה׃ כג וַיַּעַל כְּבוֹד יְהוָה מֵעַל תּוֹךְ הָעִיר וַיַּעֲמֹד עַל־הָהָר אֲשֶׁר
מִקֶּדֶם לָעִיר׃ כד וְרוּחַ נְשָׂאַתְנִי וַתְּבִיאֵנִי כַשְׂדִּימָה אֶל־הַגּוֹלָה בַּמַּרְאֶה בְּרוּחַ
אֱלֹהִים וַיַּעַל מֵעָלַי הַמַּרְאֶה אֲשֶׁר רָאִיתִי׃ כה וָאֲדַבֵּר אֶל־הַגּוֹלָה אֵת
כָּל־דִּבְרֵי יְהוָה אֲשֶׁר הֶרְאָנִי׃

יב א וַיְהִי דְבַר־יְהוָה אֵלַי לֵאמֹר׃ ב בֶּן־אָדָם בְּתוֹךְ בֵּית־הַמֶּרִי אַתָּה יֹשֵׁב
אֲשֶׁר עֵינַיִם לָהֶם לִרְאוֹת וְלֹא רָאוּ אָזְנַיִם לָהֶם לִשְׁמֹעַ וְלֹא שָׁמֵעוּ כִּי בֵּית
מְרִי הֵם׃ ג וְאַתָּה בֶן־אָדָם עֲשֵׂה לְךָ כְּלֵי גוֹלָה וּגְלֵה יוֹמָם לְעֵינֵיהֶם וְגָלִיתָ
מִמְּקוֹמְךָ אֶל־מָקוֹם אַחֵר לְעֵינֵיהֶם אוּלַי יִרְאוּ כִּי בֵּית מְרִי הֵמָּה׃ ד וְהוֹצֵאתָ
כֵלֶיךָ כִּכְלֵי גוֹלָה יוֹמָם לְעֵינֵיהֶם וְאַתָּה תֵּצֵא בָעֶרֶב לְעֵינֵיהֶם כְּמוֹצָאֵי
גּוֹלָה׃ ה לְעֵינֵיהֶם חֲתָר־לְךָ בַקִּיר וְהוֹצֵאתָ בּוֹ׃ ו לְעֵינֵיהֶם עַל־כָּתֵף תִּשָּׂא
בָּעֲלָטָה תוֹצִיא פָּנֶיךָ תְכַסֶּה וְלֹא תִרְאֶה אֶת־הָאָרֶץ כִּי־מוֹפֵת נְתַתִּיךָ לְבֵית
יִשְׂרָאֵל׃ ז וָאַעַשׂ כֵּן כַּאֲשֶׁר צֻוֵּיתִי כֵּלַי הוֹצֵאתִי כִּכְלֵי גוֹלָה יוֹמָם וּבָעֶרֶב
חָתַרְתִּי־לִי בַקִּיר בְּיָד בָּעֲלָטָה הוֹצֵאתִי עַל־כָּתֵף נָשָׂאתִי לְעֵינֵיהֶם׃

ח וַיְהִי דְבַר־יְהוָה אֵלַי בַּבֹּקֶר לֵאמֹר׃ ט בֶּן־אָדָם הֲלֹא אָמְרוּ אֵלֶיךָ בֵּית
יִשְׂרָאֵל בֵּית הַמֶּרִי מָה אַתָּה עֹשֶׂה׃ י אֱמֹר אֲלֵיהֶם כֹּה אָמַר אֲדֹנָי יְהוִה
הַנָּשִׂיא הַמַּשָּׂא הַזֶּה בִּירוּשָׁלַםִ וְכָל־בֵּית יִשְׂרָאֵל אֲשֶׁר־הֵמָּה בְתוֹכָם׃ יא אֱמֹר
אֲנִי מוֹפֶתְכֶם כַּאֲשֶׁר עָשִׂיתִי כֵּן יֵעָשֶׂה לָהֶם בַּגּוֹלָה בַשְּׁבִי יֵלֵכוּ׃ יב וְהַנָּשִׂיא
אֲשֶׁר־בְּתוֹכָם אֶל־כָּתֵף יִשָּׂא בָּעֲלָטָה וְיֵצֵא בַּקִּיר יַחְתְּרוּ לְהוֹצִיא בוֹ פָּנָיו
יְכַסֶּה יַעַן אֲשֶׁר לֹא־יִרְאֶה לַעַיִן הוּא אֶת־הָאָרֶץ׃ יג וּפָרַשְׂתִּי אֶת־רִשְׁתִּי עָלָיו
וְנִתְפַּשׂ בִּמְצוּדָתִי וְהֵבֵאתִי אֹתוֹ בָבֶלָה אֶרֶץ כַּשְׂדִּים וְאוֹתָהּ לֹא־יִרְאֶה וְשָׁם
יָמוּת׃ יד וְכֹל אֲשֶׁר סְבִיבֹתָיו עֶזְרֹה[13] וְכָל־אֲגַפָּיו אֱזָרֶה לְכָל־רוּחַ וְחֶרֶב
אָרִיק אַחֲרֵיהֶם׃ טו וְיָדְעוּ כִּי־אֲנִי יְהוָה בַּהֲפִיצִי אוֹתָם בַּגּוֹיִם וְזֵרִיתִי אוֹתָם
בָּאֲרָצוֹת׃ טז וְהוֹתַרְתִּי מֵהֶם אַנְשֵׁי מִסְפָּר מֵחֶרֶב מֵרָעָב וּמִדָּבֶר לְמַעַן יְסַפְּרוּ
אֶת־כָּל־תּוֹעֲבוֹתֵיהֶם בַּגּוֹיִם אֲשֶׁר־בָּאוּ שָׁם וְיָדְעוּ כִּי־אֲנִי יְהוָה׃

[13] עזרה

18 And they shall come thither, and they shall take away all the detestable things thereof and all the abominations thereof from thence. 19 And I will give them one heart, and I will put a new spirit within you; and I will remove the stony heart out of their flesh, and will give them a heart of flesh; 20 that they may walk in My statutes, and keep Mine ordinances, and do them; and they shall be My people, and I will be their God. 21 But as for them whose heart walketh after the heart of their detestable things and their abominations, I will bring their way upon their own heads, saith the Lord GOD [Adonai Yehovi].' 22 Then did the cherubim lift up their wings, and the wheels were beside them; and the glory of the God of Israel was over them above. 23 And the glory of Yehovah went up from the midst of the city, and stood upon the mountain which is on the east side of the city. 24 And a spirit lifted me up, and brought me in the vision by the spirit of God into Chaldea, to them of the captivity. So the vision that I had seen went up from Me. 25 Then I spoke unto them of the captivity all the things that Yehovah had shown me.{P}

12 1 The word of Yehovah also came unto me, saying: 2 'Son of man, thou dwellest in the midst of the rebellious house, that have eyes to see, and see not, that have ears to hear, and hear not; for they are a rebellious house. 3 Therefore, thou son of man, prepare thee stuff for exile, and remove as though for exile by day in their sight; and thou shalt remove from thy place to another place in their sight; it may be they will perceive, for they are a rebellious house. 4 And thou shalt bring forth thy stuff by day in their sight, as stuff for exile; and thou shalt go forth thyself at even in their sight, as when men go forth into exile. 5 Dig thou through the wall in their sight, and carry out thereby. 6 In their sight shalt thou bear it upon thy shoulder, and carry it forth in the darkness; thou shalt cover thy face, that thou see not the ground; for I have set thee for a sign unto the house of Israel.' 7 And I did so as I was commanded: I brought forth my stuff by day, as stuff for exile, and in the even I digged through the wall with my hand; I carried out in the darkness, and bore it upon my shoulder in their sight.{P}

8 And in the morning came the word of Yehovah unto me, saying: 9 'Son of man, hath not the house of Israel, the rebellious house, said unto thee: What doest thou? 10 Say thou unto them: Thus saith the Lord GOD [Adonai Yehovi]: Concerning the prince, even this burden, in Yerushalam, and all the house of Israel among whom they are, 11 say: I am your sign: like as I have done, so shall it be done unto them–they shall go into exile, into captivity. 12 And the prince that is among them shall bear upon his shoulder, and go forth in the darkness; they shall dig through the wall to carry out thereby; he shall cover his face, that he see not the ground with his eyes. 13 My net also will I spread upon him, and he shall be taken in My snare; and I will bring him to Babylon to the land of the Chaldeans; yet shall he not see it, though he shall die there. 14 And I will disperse toward every wind all that are round about him to help him, and all his troops; and I will draw out the sword after them. 15 And they shall know that I am Yehovah, when I shall scatter them among the nations, and disperse them in the countries. 16 But I will leave a few men of them from the sword, from the famine, and from the pestilence; that they may declare all their abominations among the nations whither they come; and they shall know that I am Yehovah.'{P}

יז וַיְהִ֥י דְבַר־יְהֹוָ֖ה אֵלַ֥י לֵאמֹֽר: יח בֶּן־אָדָ֗ם לַחְמְךָ֙ בְּרַ֣עַשׁ תֹּאכֵ֔ל וּמֵימֶ֕יךָ בְּרׇגְזָ֥ה וּבִדְאָגָ֖ה תִּשְׁתֶּֽה: יט וְאָמַרְתָּ֣ אֶל־עַ֣ם הָאָ֗רֶץ כֹּֽה־אָמַ֩ר אֲדֹנָ֨י יְהֹוִ֜ה לְיוֹשְׁבֵ֤י יְרוּשָׁלַ֙͏ִם֙ אֶל־אַדְמַ֣ת יִשְׂרָאֵ֔ל לַחְמָם֙ בִּדְאָגָ֣ה יֹאכֵ֔לוּ וּמֵֽימֵיהֶ֖ם בְּשִׁמָּמ֣וֹן יִשְׁתּ֑וּ לְמַ֜עַן תֵּשַׁ֤ם אַרְצָהּ֙ מִמְּלֹאָ֔הּ מֵחֲמַ֖ס כׇּל־הַיֹּשְׁבִ֥ים בָּֽהּ: כ וְהֶעָרִ֤ים הַנּֽוֹשָׁבוֹת֙ תֶּחֱרַ֔בְנָה וְהָאָ֖רֶץ שְׁמָמָ֣ה תִֽהְיֶ֑ה וִידַעְתֶּ֖ם כִּֽי־אֲנִ֥י יְהֹוָֽה:

כא וַיְהִ֥י דְבַר־יְהֹוָ֖ה אֵלַ֥י לֵאמֹֽר: כב בֶּן־אָדָ֗ם מָֽה־הַמָּשָׁ֤ל הַזֶּה֙ לָכֶ֔ם עַל־אַדְמַ֥ת יִשְׂרָאֵ֖ל לֵאמֹ֑ר יַֽאַרְכוּ֙ הַיָּמִ֔ים וְאָבַ֖ד כׇּל־חָזֽוֹן: כג לָכֵ֞ן אֱמֹ֣ר אֲלֵיהֶ֗ם כֹּֽה־אָמַר֮ אֲדֹנָ֣י יְהֹוִה֒ הִשְׁבַּ֙תִּי֙ אֶת־הַמָּשָׁ֣ל הַזֶּ֔ה וְלֹא־יִמְשְׁל֥וּ אֹת֛וֹ ע֖וֹד בְּיִשְׂרָאֵ֑ל כִּ֚י אִם־דַּבֵּ֣ר אֲלֵיהֶ֔ם קָֽרְבוּ֙ הַיָּמִ֔ים וּדְבַ֖ר כׇּל־חָזֽוֹן: כד כִּ֣י לֹ֥א יִֽהְיֶ֛ה ע֖וֹד כׇּל־חֲז֣וֹן שָׁ֑וְא וּמִקְסַ֥ם חָלָ֖ק בְּת֥וֹךְ בֵּ֥ית יִשְׂרָאֵֽל: כה כִּ֣י ׀ אֲנִ֣י יְהֹוָ֗ה אֲדַבֵּר֙ אֵת֩ אֲשֶׁ֨ר אֲדַבֵּ֤ר דָּבָר֙ וְיֵ֣עָשֶׂ֔ה לֹ֥א תִמָּשֵׁ֖ךְ ע֑וֹד כִּ֣י בִֽימֵיכֶ֞ם בֵּ֣ית הַמֶּ֗רִי אֲדַבֵּ֤ר דָּבָר֙ וַעֲשִׂיתִ֔יו נְאֻ֖ם אֲדֹנָ֥י יְהֹוִֽה:

כו וַיְהִ֥י דְבַר־יְהֹוָ֖ה אֵלַ֥י לֵאמֹֽר: כז בֶּן־אָדָ֗ם הִנֵּ֤ה בֵּֽית־יִשְׂרָאֵל֙ אֹ֣מְרִ֔ים הֶחָז֛וֹן אֲשֶׁר־ה֥וּא חֹזֶ֖ה לְיָמִ֣ים רַבִּ֑ים וּלְעִתִּ֥ים רְחוֹק֖וֹת ה֥וּא נִבָּֽא: כח לָכֵ֞ן אֱמֹ֣ר אֲלֵיהֶ֗ם כֹּ֤ה אָמַר֙ אֲדֹנָ֣י יְהֹוִ֔ה לֹא־תִמָּשֵׁ֥ךְ ע֖וֹד כׇּל־דְּבָרָ֑י אֲשֶׁ֨ר אֲדַבֵּ֤ר דָּבָר֙ וְיֵ֣עָשֶׂ֔ה נְאֻ֖ם אֲדֹנָ֥י יְהֹוִֽה:

יג א וַיְהִ֥י דְבַר־יְהֹוָ֖ה אֵלַ֥י לֵאמֹֽר: ב בֶּן־אָדָ֕ם הִנָּבֵ֛א אֶל־נְבִיאֵ֥י יִשְׂרָאֵ֖ל הַנִּבָּאִ֑ים וְאָמַרְתָּ֞ לִנְבִיאֵ֣י מִלִּבָּ֗ם שִׁמְע֖וּ דְּבַר־יְהֹוָֽה: ג כֹּ֤ה אָמַר֙ אֲדֹנָ֣י יְהֹוִ֔ה ה֖וֹי עַל־הַנְּבִיאִ֣ים הַנְּבָלִ֑ים אֲשֶׁ֥ר הֹלְכִ֛ים אַחַ֥ר רוּחָ֖ם וּלְבִלְתִּ֥י רָאֽוּ: ד כְּשֻֽׁעָלִ֖ים בׇּחֳרָב֑וֹת נְבִיאֶ֖יךָ יִשְׂרָאֵ֥ל הָיֽוּ: ה לֹ֤א עֲלִיתֶם֙ בַּפְּרָצ֔וֹת וַתִּגְדְּר֥וּ גָדֵ֖ר עַל־בֵּ֣ית יִשְׂרָאֵ֑ל לַעֲמֹ֥ד בַּמִּלְחָמָ֖ה בְּי֥וֹם יְהֹוָֽה: ו חָ֤זוּ שָׁוְא֙ וְקֶ֣סֶם כָּזָ֔ב הָאֹֽמְרִים֙ נְאֻם־יְהֹוָ֔ה וַֽיהֹוָ֖ה לֹ֣א שְׁלָחָ֑ם וְיִֽחֲל֖וּ לְקַיֵּ֥ם דָּבָֽר: ז הֲל֤וֹא מַֽחֲזֵה־שָׁוְא֙ חֲזִיתֶ֔ם וּמִקְסַ֥ם כָּזָ֖ב אֲמַרְתֶּ֑ם וְאֹֽמְרִים֙ נְאֻם־יְהֹוָ֔ה וַאֲנִ֖י לֹ֥א דִבַּֽרְתִּי: ח לָכֵ֗ן כֹּ֤ה אָמַר֙ אֲדֹנָ֣י יְהֹוִ֔ה יַ֚עַן דַּבֶּרְכֶ֣ם שָׁ֔וְא וַחֲזִיתֶ֖ם כָּזָ֑ב לָכֵן֙ הִנְנִ֣י אֲלֵיכֶ֔ם נְאֻ֖ם אֲדֹנָ֥י יְהֹוִֽה: ט וְהָיְתָ֣ה יָדִ֗י אֶֽל־הַנְּבִיאִים֮ הַחֹזִ֣ים שָׁוְא֮ וְהַקֹּסְמִ֣ים כָּזָב֒ בְּס֧וֹד עַמִּ֣י לֹא־יִהְי֗וּ וּבִכְתָ֤ב בֵּֽית־יִשְׂרָאֵל֙ לֹ֣א יִכָּתֵ֔בוּ וְאֶל־אַדְמַ֥ת יִשְׂרָאֵ֖ל לֹ֣א יָבֹ֑אוּ וִידַעְתֶּ֕ם כִּ֥י אֲנִ֖י אֲדֹנָ֥י יְהֹוִֽה: י יַ֣עַן וּבְיַ֜עַן הִטְע֧וּ אֶת־עַמִּ֛י לֵאמֹ֥ר שָׁל֖וֹם וְאֵ֣ין שָׁל֑וֹם וְהוּא֙ בֹּ֣נֶה חַ֔יִץ וְהִנָּ֛ם טָחִ֥ים אֹת֖וֹ תָּפֵֽל: יא אֱמֹ֛ר אֶל־טָחֵ֥י תָפֵ֖ל וְיִפֹּ֑ל הָיָ֣ה ׀ גֶּ֣שֶׁם שׁוֹטֵ֗ף וְאַתֵּ֜נָה אַבְנֵ֤י אֶלְגָּבִישׁ֙ תִּפֹּ֔לְנָה וְר֥וּחַ סְעָר֖וֹת תְּבַקֵּֽעַ: יב וְהִנֵּ֖ה נָפַ֣ל הַקִּ֑יר הֲל֤וֹא יֵאָמֵר֙ אֲלֵיכֶ֔ם אַיֵּ֥ה הַטִּ֖יחַ אֲשֶׁ֥ר טַחְתֶּֽם:

17 Moreover the word of Yehovah came to me, saying: **18** 'Son of man, eat thy bread with quaking, and drink thy water with trembling and with anxiety; **19** and say unto the people of the land: Thus saith the Lord GOD [Adonai Yehovi] concerning the inhabitants of Yerushalam in the land of Israel. They shall eat their bread with anxiety, and drink their water with appalment, that her land may be desolate from all that is therein, because of the violence of all them that dwell therein. **20** And the cities that are inhabited shall be laid waste, and the land shall be desolate; and ye shall know that I am Yehovah.'{P}

21 And the word of Yehovah came unto me, saying: **22** 'Son of man, what is that proverb that ye have in the land of Israel, saying: The days are prolonged, and every vision faileth? **23** Tell them therefore: Thus saith the Lord GOD [Adonai Yehovi]: I will make this proverb to cease, and they shall no more use it as a proverb in Israel; but say unto them: The days are at hand, and the word of every vision. **24** For there shall be no more any vain vision nor smooth divination within the house of Israel. **25** For I am Yehovah; I will speak, what word soever it be that I shall speak, and it shall be performed; it shall be no more delayed; for in your days, O rebellious house, will I speak the word, and will perform it, saith the Lord GOD [Adonai Yehovi].'{P}

26 Again the word of Yehovah came to me, saying: **27** 'Son of man, behold, they of the house of Israel say: The vision that he seeth is for many days to come, and he prophesieth of times that are far off. **28** Therefore say unto them: Thus saith the Lord GOD [Adonai Yehovi]: There shall none of My words be delayed any more, but the word which I shall speak shall be performed, saith the Lord GOD [Adonai Yehovi].'{P}

13 **1** And the word of Yehovah came unto me, saying: **2** 'Son of man, prophesy against the prophets of Israel that prophesy, and say thou unto them that prophesy out of their own heart: Hear ye the word of Yehovah: **3** Thus saith the Lord GOD [Adonai Yehovi]: Woe unto the vile prophets, that follow their own spirit, and things which they have not seen! **4** O Israel, thy prophets have been like foxes in ruins. **5** Ye have not gone up into the breaches, neither made up the hedge for the house of Israel, to stand in the battle in the day of Yehovah. **6** They have seen vanity and lying divination, that say: Yehovah saith; and Yehovah hath not sent them, yet they hope that the word would be confirmed! **7** Have ye not seen a vain vision, and have ye not spoken a lying divination, whereas ye say: Yehovah saith; albeit I have not spoken?{S} **8** Therefore thus saith the Lord GOD [Adonai Yehovi]: Because ye have spoken vanity, and seen lies, therefore, behold, I am against you, saith the Lord GOD [Adonai Yehovi]. **9** And My hand shall be against the prophets that see vanity, and that divine lies; they shall not be in the council of My people, neither shall they be written in the register of the house of Israel, neither shall they enter into the land of Israel; and ye shall know that I am the Lord GOD [Adonai Yehovi]. **10** Because, even because they have led My people astray, saying: Peace, and there is no peace; and when it buildeth up a slight wall, behold, they daub it with whited plaster; **11** say unto them that daub it with whited plaster, that it shall fall; there shall be an overflowing shower, and ye, O great hailstones, shall fall, and a stormy wind shall break forth, **12** and, lo, when the wall is fallen, shall it not be said unto you: Where is the daubing wherewith ye have daubed it?{S}

יג לָכֵ֞ן כֹּ֤ה אָמַר֙ אֲדֹנָ֣י יְהוִ֔ה וּבִקַּעְתִּ֥י רֽוּחַ־סְעָר֖וֹת בַּחֲמָתִ֑י וְגֶ֤שֶׁם שֹׁטֵף֙ בְּאַפִּ֣י
יִהְיֶ֔ה וְאַבְנֵ֥י אֶלְגָּבִ֖ישׁ בְּחֵמָ֥ה לְכָלָֽה׃ יד וְהָרַסְתִּ֨י אֶת־הַקִּ֜יר אֲשֶׁר־טַחְתֶּ֣ם תָּפֵ֗ל
וְהִגַּעְתִּ֙יהוּ֙ אֶל־הָאָ֔רֶץ וְנִגְלָ֖ה יְסֹד֑וֹ וְנָֽפְלָה֙ וּכְלִיתֶ֣ם בְּתוֹכָ֔הּ וִֽידַעְתֶּ֖ם כִּֽי־אֲנִ֥י
יְהוָֽה׃ טו וְכִלֵּיתִ֤י אֶת־חֲמָתִי֙ בַּקִּ֔יר וּבַטָּחִ֥ים אֹת֖וֹ תָּפֵ֑ל וְאֹמַ֤ר לָכֶם֙ אֵ֣ין הַקִּ֔יר
וְאֵ֖ין הַטָּחִ֥ים אֹתֽוֹ׃ טז נְבִיאֵי֙ יִשְׂרָאֵ֔ל הַֽנִּבְּאִים֙ אֶל־יְר֣וּשָׁלַ֔ם וְהַחֹזִ֥ים לָ֖הּ חֲז֣וֹן
שָׁלֹ֑ם וְאֵ֣ין שָׁלֹ֔ם נְאֻ֖ם אֲדֹנָ֥י יְהוִֽה׃

יז וְאַתָּ֣ה בֶן־אָדָ֗ם שִׂ֤ים פָּנֶ֙יךָ֙ אֶל־בְּנ֣וֹת עַמְּךָ֔ הַמִּֽתְנַבְּא֖וֹת מִלִּבְּהֶ֑ן וְהִנָּבֵ֖א
עֲלֵיהֶֽן׃ יח וְאָמַרְתָּ֞ כֹּה־אָמַ֣ר ׀ אֲדֹנָ֣י יְהוִ֗ה ה֣וֹי לִֽמְתַפְּר֣וֹת כְּסָת֞וֹת עַ֣ל ׀
כָּל־אַצִּילֵ֣י יָדַ֗י וְעֹשׂ֧וֹת הַמִּסְפָּח֛וֹת עַל־רֹ֥אשׁ כָּל־קוֹמָ֖ה לְצוֹדֵ֣ד נְפָשׁ֑וֹת
הַנְּפָשׁ֗וֹת תְּצוֹדֵ֣דְנָה לְעַמִּ֔י וּנְפָשׁ֖וֹת לָכֶ֥נָה תְחַיֶּֽינָה׃ יט וַתְּחַלֶּ֨לְנָה אֹתִ֜י אֶל־עַמִּ֗י
בְּשַֽׁעֲלֵ֨י שְׂעֹרִ֜ים וּבִפְת֣וֹתֵי לֶ֗חֶם לְהָמִ֤ית נְפָשׁוֹת֙ אֲשֶׁ֣ר לֹא־תְמוּתֶ֔נָה וּלְחַיּ֥וֹת
נְפָשׁ֖וֹת אֲשֶׁ֣ר לֹא־תִחְיֶ֑ינָה בְּכַזֶּבְכֶ֥ם לְעַמִּ֖י שֹׁמְעֵ֥י כָזָֽב׃ כ לָכֵ֞ן כֹּה־אָמַ֣ר ׀ אֲדֹנָ֣י
יְהוִ֗ה הִנְנִ֤י אֶל־כִּסְּתֽוֹתֵיכֶ֙נָה֙ אֲשֶׁ֨ר אַתֵּ֜נָה מְצֹדְד֨וֹת שָׁ֤ם אֶת־הַנְּפָשׁוֹת֙ לְפֹ֣רְח֔וֹת
וְקָרַעְתִּ֣י אֹתָ֔ם מֵעַ֖ל זְרוֹעֹֽתֵיכֶ֑ם וְשִׁלַּחְתִּי֙ אֶת־הַנְּפָשׁ֔וֹת אֲשֶׁ֤ר אַתֶּם֙ מְצֹדְד֣וֹת
אֶת־נְפָשִׁ֔ים לְפֹרְחֹֽת׃ כא וְקָרַעְתִּ֞י אֶת־מִסְפְּחֹתֵיכֶ֗ם וְהִצַּלְתִּ֤י אֶת־עַמִּי֙ מִיֶּדְכֶ֔ן
וְלֹא־יִהְי֥וּ ע֛וֹד בְּיֶדְכֶ֖ן לִמְצוּדָ֑ה וִֽידַעְתֶּ֖ן כִּֽי־אֲנִ֥י יְהוָֽה׃ כב יַ֠עַן הַכְא֨וֹת
לֵב־צַדִּ֥יק שֶׁ֙קֶר֙ וַאֲנִ֖י לֹ֣א הִכְאַבְתִּ֑יו וּלְחַזֵּק֙ יְדֵ֣י רָשָׁ֔ע לְבִלְתִּי־שׁ֛וּב מִדַּרְכּ֥וֹ
הָרָ֖ע לְהַחֲיֹתֽוֹ׃ כג לָכֵ֗ן שָׁ֚וְא לֹ֣א תֶחֱזֶ֔ינָה וְקֶ֖סֶם לֹא־תִקְסַ֣מְנָה ע֑וֹד וְהִצַּלְתִּ֤י
אֶת־עַמִּי֙ מִיֶּדְכֶ֔ן וִֽידַעְתֶּ֖ן כִּֽי־אֲנִ֥י יְהוָֽה׃

יד א וַיָּב֥וֹא אֵלַ֛י אֲנָשִׁ֖ים מִזִּקְנֵ֣י יִשְׂרָאֵ֑ל וַיֵּשְׁב֖וּ לְפָנָֽי׃

ב וַיְהִ֥י דְבַר־יְהוָ֖ה אֵלַ֥י לֵאמֹֽר׃ ג בֶּן־אָדָ֗ם הָאֲנָשִׁ֤ים הָאֵ֙לֶּה֙ הֶעֱל֤וּ גִלּֽוּלֵיהֶם֙
עַל־לִבָּ֔ם וּמִכְשׁ֣וֹל עֲוֺנָ֔ם נָתְנ֖וּ נֹ֣כַח פְּנֵיהֶ֑ם הַאִדָּרֹ֥שׁ אִדָּרֵ֖שׁ לָהֶֽם׃ ד לָכֵ֣ן
דַּבֵּר־א֠וֹתָם וְאָמַרְתָּ֨ אֲלֵיהֶ֜ם כֹּה־אָמַ֣ר ׀ אֲדֹנָ֣י יְהוִ֗ה אִ֣ישׁ אִ֣ישׁ מִבֵּ֣ית יִשְׂרָ֠אֵל
אֲשֶׁ֨ר יַעֲלֶ֜ה אֶת־גִּלּוּלָ֗יו אֶל־לִבּ֗וֹ וּמִכְשׁ֤וֹל עֲוֺנוֹ֙ יָשִׂים֙ נֹ֣כַח פָּנָ֔יו וּבָ֖א אֶל־הַנָּבִ֑יא
אֲנִ֣י יְהוָ֗ה נַעֲנֵ֧יתִי ל֛וֹ בָ֖א[14] בְּרֹ֥ב גִּלּוּלָֽיו׃ ה לְמַ֛עַן תְּפֹ֥שׂ אֶת־בֵּֽית־יִשְׂרָאֵ֖ל
בְּלִבָּ֑ם אֲשֶׁ֨ר נָזֹ֜רוּ מֵעָלַ֗י בְּגִלּוּלֵיהֶ֛ם כֻּלָּֽם׃ ו לָכֵ֞ן אֱמֹ֣ר ׀ אֶל־בֵּ֣ית יִשְׂרָאֵ֗ל כֹּ֤ה
אָמַר֙ אֲדֹנָ֣י יְהוִ֔ה שׁ֣וּבוּ וְהָשִׁ֔יבוּ מֵעַ֖ל גִּלּוּלֵיכֶ֑ם וּמֵעַ֥ל כָּל־תּוֹעֲבֹתֵיכֶ֖ם הָשִׁ֥יבוּ
פְנֵיכֶֽם׃ ז כִּי֩ אִ֨ישׁ אִ֜ישׁ מִבֵּ֣ית יִשְׂרָאֵ֗ל וּמֵהַגֵּ֞ר אֲשֶׁר־יָג֣וּר בְּיִשְׂרָאֵ֗ל וְיִנָּזֵ֤ר
מֵאַחֲרַ֙י וְיַ֤עַל גִּלּוּלָיו֙ אֶל־לִבּ֔וֹ וּמִכְשׁ֣וֹל עֲוֺנ֔וֹ יָשִׂ֖ים נֹ֣כַח פָּנָ֑יו וּבָא֙ אֶל־הַנָּבִ֔יא
לִדְרָשׁ־ל֣וֹ בִ֔י אֲנִ֣י יְהוָ֔ה נַעֲנֶה־לּ֖וֹ בִּֽי׃

---

[14] בה

<u>13</u> Therefore thus saith the Lord GOD [Adonai Yehovi]: I will even cause a stormy wind to break forth in My fury; and there shall be an overflowing shower in Mine anger, and great hailstones in fury to consume it. <u>14</u> So will I break down the wall that ye have daubed with whited plaster, and bring it down to the ground, so that the foundation thereof shall be uncovered; and it shall fall, and ye shall be consumed in the midst thereof; and ye shall know that I am Yehovah. <u>15</u> Thus will I spend My fury upon the wall, and upon them that have daubed it with whited plaster; and I will say unto you: The wall is no more, neither they that daubed it; <u>16</u> to wit, the prophets of Israel that prophesy concerning Yerushalam, and that see visions of peace for her, and there is no peace, saith the Lord GOD [Adonai Yehovi].{P}

<u>17</u> And thou, son of man, set thy face against the daughters of thy people, that prophesy out of their own heart; and prophesy thou against them, <u>18</u> and say: Thus saith the Lord GOD [Adonai Yehovi]: Woe to the women that sew cushions upon all elbows, and make pads for the head of persons of every stature to hunt souls! Will ye hunt the souls of My people, and save souls alive for yourselves? <u>19</u> And ye have profaned Me among My people for handfuls of barley and for crumbs of bread, to slay the souls that should not die, and to save the souls alive that should not live, by your lying to My people that hearken unto lies.{S}   <u>20</u> Wherefore thus saith the Lord GOD [Adonai Yehovi]: Behold, I am against your cushions, wherewith ye hunt the souls as birds, and I will tear them from your arms; and I will let the souls go, even the souls that ye hunt as birds. <u>21</u> Your pads also will I tear, and deliver My people out of your hand, and they shall be no more in your hand to be hunted; and ye shall know that I am Yehovah. <u>22</u> Because with lies ye have cowed the heart of the righteous, when I have not grieved him; and strengthened the hands of the wicked, that he should not return from his wicked way, that he be saved alive; <u>23</u> therefore ye shall no more see vanity, nor divine divinations; and I will deliver My people out of your hand; and ye shall know that I am Yehovah.'

14 <u>1</u> Then came certain of the elders of Israel unto me, and sat before me.{P}

<u>2</u> And the word of Yehovah came unto me, saying: <u>3</u> 'Son of man, these men have set up their idols in their mind, and put the stumblingblock of their iniquity before their face; should I be inquired of at all by them?{S} <u>4</u> Therefore speak unto them, and say unto them: Thus saith the Lord GOD [Adonai Yehovi]: Every man of the house of Israel that setteth up his idols in his mind, and putteth the stumblingblock of his iniquity before his face, and cometh to the prophet–I Yehovah will answer him that cometh according to the multitude of his idols; <u>5</u> that I may take the house of Israel in their own heart, because they are all turned away from Me through their idols.{S} <u>6</u> Therefore say unto the house of Israel: Thus saith the Lord GOD [Adonai Yehovi]: Return ye, and turn yourselves from your idols; and turn away your faces from all your abominations. <u>7</u> For every one of the house of Israel, or of the strangers that sojourn in Israel, that separateth himself from Me, and taketh his idols into his heart, and putteth the stumblingblock of his iniquity before his face, and cometh to the prophet, that he inquire for him of Me–I Yehovah will answer him by Myself,

ח וְנָתַתִּי פָנַי בָּאִישׁ הַהוּא וַהֲשִׁמֹתִיהוּ לְאוֹת וְלִמְשָׁלִים וְהִכְרַתִּיו מִתּוֹךְ עַמִּי
וִֽידַעְתֶּם כִּֽי־אֲנִי יְהוָֽה׃ ט וְהַנָּבִיא כִֽי־יְפֻתֶּה וְדִבֶּר דָּבָר אֲנִי יְהוָה פִּתֵּיתִי אֵת
הַנָּבִיא הַהוּא וְנָטִיתִי אֶת־יָדִי עָלָיו וְהִשְׁמַדְתִּיו מִתּוֹךְ עַמִּי יִשְׂרָאֵֽל׃ י וְנָשְׂאוּ
עֲוֺנָם כַּעֲוֺן הַדֹּרֵשׁ כַּעֲוֺן הַנָּבִיא יִהְיֶֽה׃ יא לְמַעַן לֹֽא־יִתְעוּ עוֹד בֵּֽית־יִשְׂרָאֵל
מֵֽאַחֲרַי וְלֹֽא־יִטַּמְּאוּ עוֹד בְּכָל־פִּשְׁעֵיהֶם וְהָיוּ לִי לְעָם וַאֲנִי אֶהְיֶה לָהֶם
לֵֽאלֹהִים נְאֻם אֲדֹנָי יְהוִֽה׃

יב וַיְהִי דְבַר־יְהוָה אֵלַי לֵאמֹֽר׃ יג בֶּן־אָדָם אֶרֶץ כִּי תֶֽחֱטָא־לִי לִמְעָל־מַעַל
וְנָטִיתִי יָדִי עָלֶיהָ וְשָׁבַרְתִּי לָהּ מַטֵּה־לָחֶם וְהִשְׁלַחְתִּי־בָהּ רָעָב וְהִכְרַתִּי
מִמֶּנָּה אָדָם וּבְהֵמָֽה׃ יד וְהָיוּ שְׁלֹשֶׁת הָאֲנָשִׁים הָאֵלֶּה בְּתוֹכָהּ נֹחַ
דָּנִאֵל[15] וְאִיּוֹב הֵמָּה בְצִדְקָתָם יְנַצְּלוּ נַפְשָׁם נְאֻם אֲדֹנָי יְהוִֽה׃ טו לֽוּ־חַיָּה רָעָה
אַעֲבִיר בָּאָרֶץ וְשִׁכְּלַתָּה וְהָיְתָה שְׁמָמָה מִבְּלִי עוֹבֵר מִפְּנֵי הַחַיָּֽה׃ טז שְׁלֹשֶׁת
הָאֲנָשִׁים הָאֵלֶּה בְּתוֹכָהּ חַי־אָנִי נְאֻם אֲדֹנָי יְהוִה אִם־בָּנִים וְאִם־בָּנוֹת יַצִּילוּ
הֵמָּה לְבַדָּם יִנָּצֵלוּ וְהָאָרֶץ תִּהְיֶה שְׁמָמָֽה׃ יז אוֹ חֶרֶב אָבִיא עַל־הָאָרֶץ הַהִיא
וְאָמַרְתִּי חֶרֶב תַּעֲבֹר בָּאָרֶץ וְהִכְרַתִּי מִמֶּנָּה אָדָם וּבְהֵמָֽה׃ יח וּשְׁלֹשֶׁת
הָאֲנָשִׁים הָאֵלֶּה בְּתוֹכָהּ חַי־אָנִי נְאֻם אֲדֹנָי יְהוִה לֹא יַצִּילוּ בָּנִים וּבָנוֹת כִּי הֵם
לְבַדָּם יִנָּצֵֽלוּ׃ יט אוֹ דֶּבֶר אֲשַׁלַּח אֶל־הָאָרֶץ הַהִיא וְשָׁפַכְתִּי חֲמָתִי עָלֶיהָ
בְּדָם לְהַכְרִית מִמֶּנָּה אָדָם וּבְהֵמָֽה׃ כ וְנֹחַ דָּנִאֵל[16] וְאִיּוֹב בְּתוֹכָהּ חַי־אָנִי נְאֻם
אֲדֹנָי יְהוִה אִם־בֵּן אִם־בַּת יַצִּילוּ הֵמָּה בְצִדְקָתָם יַצִּילוּ נַפְשָֽׁם׃

כא כִּי כֹה אָמַר אֲדֹנָי יְהוִה אַף כִּֽי־אַרְבַּעַת שְׁפָטַי ׀ הָרָעִים חֶרֶב וְרָעָב וְחַיָּה
רָעָה וָדֶבֶר שִׁלַּחְתִּי אֶל־יְרוּשָׁלִָם לְהַכְרִית מִמֶּנָּה אָדָם וּבְהֵמָֽה׃ כב וְהִנֵּה
נֽוֹתְרָה־בָּהּ פְּלֵטָה הַמּֽוּצָאִים בָּנִים וּבָנוֹת הִנָּם יוֹצְאִים אֲלֵיכֶם וּרְאִיתֶם
אֶת־דַּרְכָּם וְאֶת־עֲלִילוֹתָם וְנִחַמְתֶּם עַל־הָֽרָעָה אֲשֶׁר הֵבֵאתִי עַל־יְרוּשָׁלִַם אֵת
כָּל־אֲשֶׁר הֵבֵאתִי עָלֶֽיהָ׃ כג וְנִחֲמוּ אֶתְכֶם כִּֽי־תִרְאוּ אֶת־דַּרְכָּם
וְאֶת־עֲלִילוֹתָם וִֽידַעְתֶּם כִּי לֹא חִנָּם עָשִׂיתִי אֵת כָּל־אֲשֶׁר־עָשִׂיתִי בָהּ נְאֻם
אֲדֹנָי יְהוִֽה׃

טו א וַיְהִי דְבַר־יְהוָה אֵלַי לֵאמֹֽר׃ ב בֶּן־אָדָם מַה־יִּהְיֶה עֵֽץ־הַגֶּפֶן מִכָּל־עֵץ
הַזְּמוֹרָה אֲשֶׁר הָיָה בַּעֲצֵי הַיָּֽעַר׃ ג הֲיֻקַּח מִמֶּנּוּ עֵץ לַעֲשׂוֹת לִמְלָאכָה
אִם־יִקְחוּ מִמֶּנּוּ יָתֵד לִתְלוֹת עָלָיו כָּל־כֶּֽלִי׃ ד הִנֵּה לָאֵשׁ נִתַּן לְאָכְלָה אֵת שְׁנֵי
קְצוֹתָיו אָכְלָה הָאֵשׁ וְתוֹכוֹ נָחָר הֲיִצְלַח לִמְלָאכָֽה׃

---

[15] דנאל
[16] דנאל

<u>8</u> and I will set My face against that man, and will make him a sign and a proverb, and I will cut him off from the midst of My people; and ye shall know that I am Yehovah.{S}   <u>9</u> And when the prophet is enticed and speaketh a word, I Yehovah have enticed that prophet, and I will stretch out My hand upon him, and will destroy him from the midst of My people Israel.   <u>10</u> And they shall bear their iniquity; the iniquity of the prophet shall be even as the iniquity of him that inquireth; <u>11</u> that the house of Israel may go no more astray from Me, neither defile themselves any more with all their transgressions; but that they may be My people, and I may be their God, saith the Lord GOD [Adonai Yehovi].'{P}

<u>12</u> And the word of Yehovah came unto me, saying: <u>13</u> 'Son of man, when a land sinneth against Me by trespassing grievously, and I stretch out My hand upon it, and break the staff of the bread thereof, and send famine upon it, and cut off from it man and beast; <u>14</u> though these three men, Noah, Daniel, and Job, were in it, they should deliver but their own souls by their righteousness, saith the Lord GOD [Adonai Yehovi]. <u>15</u> If I cause evil beasts to pass through the land, and they bereave it, and it be desolate, so that no man may pass through because of the beasts; <u>16</u> though these three men were in it, as I live, saith the Lord GOD [Adonai Yehovi], they shall deliver neither sons nor daughters; they only shall be delivered, but the land shall be desolate. <u>17</u> Or if I bring a sword upon that land, and say: Let the sword go through the land, so that I cut off from it man and beast; <u>18</u> though these three men were in it, as I live, saith the Lord GOD [Adonai Yehovi], they shall deliver neither sons nor daughters, but they only shall be delivered themselves.   <u>19</u> Or if I send a pestilence into that land, and pour out My fury upon it in blood, to cut off from it man and beast; <u>20</u> though Noah, Daniel, and Job, were in it, as I live, saith the Lord GOD [Adonai Yehovi], they shall deliver neither son nor daughter; they shall but deliver their own souls by their righteousness.{P}

<u>21</u> For thus saith the Lord GOD [Adonai Yehovi]: How much more when I send My four sore judgments against Yerushalam, the sword, and the famine, and the evil beasts, and the pestilence, to cut off from it man and beast. <u>22</u> And, behold, though there be left a remnant therein that shall be brought forth, both sons and daughters; behold, when they come forth unto you, and ye see their way and their doings, then ye shall be comforted concerning the evil that I have brought upon Yerushalam, even concerning all that I have brought upon it; <u>23</u> and they shall comfort you, when ye see their way and their doings, and ye shall know that I have not done without cause all that I have done in it, saith the Lord GOD [Adonai Yehovi].'{P}

15 <u>1</u> And the word of Yehovah came unto me, saying: <u>2</u> 'Son of man, what is the vine-tree more than any tree, the vine branch which grew up among the trees of the forest? <u>3</u> Shall wood be taken thereof to make any work? or will men take a pin of it to hang any vessel thereon? <u>4</u> Behold, it is cast into the fire for fuel; the fire hath devoured both the ends of it, and the midst of it is singed; is it profitable for any work?

ה הִנֵּה בִּהְיוֹתוֹ תָמִים לֹא יֵעָשֶׂה לִמְלָאכָה אַף כִּי־אֵשׁ אֲכָלַתְהוּ וַיֵּחָר וְנַעֲשָׂה
עוֹד לִמְלָאכָה׃ ו לָכֵן כֹּה אָמַר אֲדֹנָי יְהוִה כַּאֲשֶׁר עֵץ־הַגֶּפֶן בְּעֵץ הַיַּעַר
אֲשֶׁר־נְתַתִּיו לָאֵשׁ לְאָכְלָה כֵּן נָתַתִּי אֶת־יֹשְׁבֵי יְרוּשָׁלִָם׃ ז וְנָתַתִּי אֶת־פָּנַי
בָּהֶם מֵהָאֵשׁ יָצָאוּ וְהָאֵשׁ תֹּאכְלֵם וִידַעְתֶּם כִּי־אֲנִי יְהוָה בְּשׂוּמִי אֶת־פָּנַי בָּהֶם׃
ח וְנָתַתִּי אֶת־הָאָרֶץ שְׁמָמָה יַעַן מָעֲלוּ מַעַל נְאֻם אֲדֹנָי יְהוִה׃

יו א וַיְהִי דְבַר־יְהוָה אֵלַי לֵאמֹר׃ ב בֶּן־אָדָם הוֹדַע אֶת־יְרוּשָׁלִַם
אֶת־תּוֹעֲבֹתֶיהָ׃ ג וְאָמַרְתָּ כֹּה־אָמַר אֲדֹנָי יְהוִה לִירוּשָׁלִַם מְכֹרֹתַיִךְ
וּמֹלְדֹתַיִךְ מֵאֶרֶץ הַכְּנַעֲנִי אָבִיךְ הָאֱמֹרִי וְאִמֵּךְ חִתִּית׃ ד וּמוֹלְדוֹתַיִךְ בְּיוֹם
הוּלֶּדֶת אֹתָךְ לֹא־כָרַּת שָׁרֵּךְ וּבְמַיִם לֹא־רֻחַצְתְּ לְמִשְׁעִי וְהָמְלֵחַ לֹא
הֻמְלַחַתְּ וְהָחְתֵּל לֹא חֻתָּלְתְּ׃ ה לֹא־חָסָה עָלַיִךְ עַיִן לַעֲשׂוֹת לָךְ אַחַת מֵאֵלֶּה
לְחֻמְלָה עָלָיִךְ וַתֻּשְׁלְכִי אֶל־פְּנֵי הַשָּׂדֶה בְּגֹעַל נַפְשֵׁךְ בְּיוֹם הֻלֶּדֶת אֹתָךְ׃
ו וָאֶעֱבֹר עָלַיִךְ וָאֶרְאֵךְ מִתְבּוֹסֶסֶת בְּדָמָיִךְ וָאֹמַר לָךְ בְּדָמַיִךְ חֲיִי וָאֹמַר לָךְ
בְּדָמַיִךְ חֲיִי׃ ז רְבָבָה כְּצֶמַח הַשָּׂדֶה נְתַתִּיךְ וַתִּרְבִּי וַתִּגְדְּלִי וַתָּבֹאִי בַּעֲדִי
עֲדָיִים שָׁדַיִם נָכֹנוּ וּשְׂעָרֵךְ צִמֵּחַ וְאַתְּ עֵרֹם וְעֶרְיָה׃ ח וָאֶעֱבֹר עָלַיִךְ וָאֶרְאֵךְ
וְהִנֵּה עִתֵּךְ עֵת דֹּדִים וָאֶפְרֹשׂ כְּנָפִי עָלַיִךְ וָאֲכַסֶּה עֶרְוָתֵךְ וָאֶשָּׁבַע לָךְ
וָאָבוֹא בִבְרִית אֹתָךְ נְאֻם אֲדֹנָי יְהוִה וַתִּהְיִי לִי׃ ט וָאֶרְחָצֵךְ בַּמַּיִם וָאֶשְׁטֹף
דָּמַיִךְ מֵעָלָיִךְ וָאֲסֻכֵךְ בַּשָּׁמֶן׃ י וָאַלְבִּישֵׁךְ רִקְמָה וָאֶנְעֲלֵךְ תָּחַשׁ וָאֶחְבְּשֵׁךְ
בַּשֵּׁשׁ וַאֲכַסֵּךְ מֶשִׁי׃ יא וָאֶעְדֵּךְ עֶדִי וָאֶתְּנָה צְמִידִים עַל־יָדַיִךְ וְרָבִיד
עַל־גְּרוֹנֵךְ׃ יב וָאֶתֵּן נֶזֶם עַל־אַפֵּךְ וַעֲגִילִים עַל־אָזְנָיִךְ וַעֲטֶרֶת תִּפְאֶרֶת
בְּרֹאשֵׁךְ׃ יג וַתַּעְדִּי זָהָב וָכֶסֶף וּמַלְבּוּשֵׁךְ שֵׁשׁ[17] וָמֶשִׁי וְרִקְמָה סֹלֶת וּדְבַשׁ
וָשֶׁמֶן אָכָלְתְּ[18] וַתִּיפִי בִּמְאֹד מְאֹד וַתִּצְלְחִי לִמְלוּכָה׃ יד וַיֵּצֵא לָךְ שֵׁם בַּגּוֹיִם
בְּיָפְיֵךְ כִּי ׀ כָּלִיל הוּא בַּהֲדָרִי אֲשֶׁר־שַׂמְתִּי עָלַיִךְ נְאֻם אֲדֹנָי יְהוִה׃
יה וַתִּבְטְחִי בְיָפְיֵךְ וַתִּזְנִי עַל־שְׁמֵךְ וַתִּשְׁפְּכִי אֶת־תַּזְנוּתַיִךְ עַל־כָּל־עוֹבֵר
לוֹ־יֶהִי׃ יו וַתִּקְחִי מִבְּגָדַיִךְ וַתַּעֲשִׂי־לָךְ בָּמוֹת טְלֻאוֹת וַתִּזְנִי עֲלֵיהֶם לֹא
בָאוֹת וְלֹא יִהְיֶה׃ יז וַתִּקְחִי כְּלֵי תִפְאַרְתֵּךְ מִזְּהָבִי וּמִכַּסְפִּי אֲשֶׁר נָתַתִּי לָךְ
וַתַּעֲשִׂי־לָךְ צַלְמֵי זָכָר וַתִּזְנִי־בָם׃ יח וַתִּקְחִי אֶת־בִּגְדֵי רִקְמָתֵךְ וַתְּכַסִּים
וְשַׁמְנִי וּקְטָרְתִּי נָתַתְּ[19] לִפְנֵיהֶם׃ יט וְלַחְמִי אֲשֶׁר־נָתַתִּי לָךְ סֹלֶת וָשֶׁמֶן וּדְבַשׁ
הֶאֱכַלְתִּיךְ וּנְתַתִּיהוּ לִפְנֵיהֶם לְרֵיחַ נִיחֹחַ וַיֶּהִי נְאֻם אֲדֹנָי יְהוִה׃

[17] ששי
[18] אכלתי
[19] נתתי

5 Behold, when it was whole, it was meet for no work; how much less, when the fire hath devoured it, and it is singed, shall it yet be meet for any work?{s}
6 Therefore thus saith the Lord GOD [Adonai Yehovi]: As the vine-tree among the trees of the forest, which I have given to the fire for fuel, so do I give the inhabitants of Yerushalam. 7 And I will set My face against them; out of the fire are they come forth, and the fire shall devour them; and ye shall know that I am Yehovah, when I set My face against them. 8 And I will make the land desolate, because they have acted treacherously, saith the Lord GOD [Adonai Yehovi].'{P}

16 1 Again the word of Yehovah came unto me, saying: 2 'Son of man, cause Yerushalam to know her abominations, 3 and say: Thus saith the Lord GOD [Adonai Yehovi] unto Yerushalam: Thine origin and thy nativity is of the land of the Canaanite; the Amorite was thy father, and thy mother was a Hittite. 4 And as for thy nativity, in the day thou wast born thy navel was not cut, neither wast thou washed in water for cleansing; thou was not salted at all, nor swaddled at all. 5 No eye pitied thee, to do any of these unto thee, to have compassion upon thee; but thou wast cast out in the open field in the loathsomeness of thy person, in the day that thou wast born. 6 And when I passed by thee, and saw thee wallowing in thy blood, I said unto thee: In thy blood, live; yea, I said unto thee: In thy blood, live; 7 I cause thee to increase, even as the growth of the field. And thou didst increase and grow up, and thou camest to excellent beauty: thy breasts were fashioned, and thy hair was grown; yet thou wast naked and bare. 8 Now when I passed by thee, and looked upon thee, and, behold, thy time was the time of love, I spread my skirt over thee, and covered thy nakedness; yea, I swore unto thee, and entered into a covenant with thee, saith the Lord GOD [Adonai Yehovi], and thou becamest Mine. 9 Then washed I thee with water; yea, I cleansed away thy blood from thee, and I anointed thee with oil. 10 I clothed thee also with richly woven work, and shod thee with sealskin, and I wound fine linen about thy head, and covered thee with silk. 11 I decked thee also with ornaments, and I put bracelets upon thy hands, and a chain on thy neck. 12 And I put a ring upon thy nose, and earrings in thine ears, and a beautiful crown upon thy head. 13 Thus wast thou decked with gold and silver; and thy raiment was of fine linen, and silk, and richly woven work; thou didst eat fine flour, and honey, and oil; and thou didst wax exceeding beautiful, and thou wast meet for royal estate. 14 And thy renown went forth among the nations for thy beauty; for it was perfect, through My splendour which I had put upon thee, saith the Lord GOD [Adonai Yehovi]. 15 But thou didst trust in thy beauty and play the harlot because of thy renown, and didst pour out thy harlotries on every one that passed by; his it was. 16 And thou didst take of thy garments, and didst make for thee high places decked with divers colours, and didst play the harlot upon them; the like things shall not come, neither shall it be so. 17 Thou didst also take thy fair jewels of My gold and of My silver, which I had given thee, and madest for thee images of men, and didst play the harlot with them; 18 and thou didst take thy richly woven garments and cover them, and didst set Mine oil and Mine incense before them. 19 My bread also which I gave thee, fine flour, and oil, and honey, wherewith I fed thee, thou didst even set it before them for a sweet savour, and thus it was; saith the Lord GOD [Adonai Yehovi].

כ וַתִּקְחִי אֶת־בָּנַיִךְ וְאֶת־בְּנוֹתַיִךְ אֲשֶׁר יָלַדְתְּ לִי וַתִּזְבָּחִים לָהֶם לֶאֱכוֹל
הַמְעַט מִתַּזְנוּתָיִךְ[20]׃ כא וַתִּשְׁחֲטִי אֶת־בָּנָי וַתִּתְּנִים בְּהַעֲבִיר אוֹתָם לָהֶם׃
כב וְאֵת כָּל־תּוֹעֲבֹתַיִךְ וְתַזְנֻתַיִךְ לֹא זָכַרְתְּ[21] אֶת־יְמֵי נְעוּרָיִךְ בִּהְיוֹתֵךְ עֵרֹם
וְעֶרְיָה מִתְבּוֹסֶסֶת בְּדָמֵךְ הָיִית׃ כג וַיְהִי אַחֲרֵי כָּל־רָעָתֵךְ אוֹי אוֹי לָךְ נְאֻם
אֲדֹנָי יְהוִה׃ כד וַתִּבְנִי־לָךְ גֶּב וַתַּעֲשִׂי־לָךְ רָמָה בְּכָל־רְחוֹב׃
כה אֶל־כָּל־רֹאשׁ דֶּרֶךְ בָּנִית רָמָתֵךְ וַתְּתַעֲבִי אֶת־יָפְיֵךְ וַתְּפַשְּׂקִי אֶת־רַגְלַיִךְ
לְכָל־עוֹבֵר וַתַּרְבִּי אֶת־תַּזְנוּתָיִךְ[22]׃ כו וַתִּזְנִי אֶל־בְּנֵי־מִצְרַיִם שְׁכֵנַיִךְ גִּדְלֵי
בָשָׂר וַתַּרְבִּי אֶת־תַּזְנֻתֵךְ לְהַכְעִיסֵנִי׃ כז וְהִנֵּה נָטִיתִי יָדִי עָלַיִךְ וָאֶגְרַע חֻקֵּךְ
וָאֶתְּנֵךְ בְּנֶפֶשׁ שֹׂנְאוֹתַיִךְ בְּנוֹת פְּלִשְׁתִּים הַנִּכְלָמוֹת מִדַּרְכֵּךְ זִמָּה׃ כח וַתִּזְנִי
אֶל־בְּנֵי אַשּׁוּר מִבִּלְתִּי שָׂבְעָתֵךְ וַתִּזְנִים וְגַם לֹא שָׂבָעַתְּ׃ כט וַתַּרְבִּי
אֶת־תַּזְנוּתֵךְ אֶל־אֶרֶץ כְּנַעַן כַּשְׂדִּימָה וְגַם־בְּזֹאת לֹא שָׂבָעַתְּ׃ ל מָה אֲמֻלָה
לִבָּתֵךְ נְאֻם אֲדֹנָי יְהוִה בַּעֲשׂוֹתֵךְ אֶת־כָּל־אֵלֶּה מַעֲשֵׂה אִשָּׁה־זוֹנָה שַׁלָּטֶת׃
לא בִּבְנוֹתַיִךְ גַּבֵּךְ בְּרֹאשׁ כָּל־דֶּרֶךְ וְרָמָתֵךְ עָשִׂית[23] בְּכָל־רְחוֹב
וְלֹא־הָיִית[24] כַּזּוֹנָה לְקַלֵּס אֶתְנָן׃ לב הָאִשָּׁה הַמְּנָאָפֶת תַּחַת אִישָׁהּ תִּקַּח
אֶת־זָרִים׃ לג לְכָל־זֹנוֹת יִתְּנוּ־נֵדֶה וְאַתְּ נָתַתְּ אֶת־נְדָנַיִךְ לְכָל־מְאַהֲבַיִךְ
וַתִּשְׁחֳדִי אוֹתָם לָבוֹא אֵלַיִךְ מִסָּבִיב בְּתַזְנוּתָיִךְ׃ לד וַיְהִי־בָךְ הֵפֶךְ
מִן־הַנָּשִׁים בְּתַזְנוּתַיִךְ וְאַחֲרַיִךְ לֹא זוּנָּה וּבְתִתֵּךְ אֶתְנָן וְאֶתְנַן לֹא נִתַּן־לָךְ
וַתְּהִי לְהֶפֶךְ׃ לה לָכֵן זוֹנָה שִׁמְעִי דְּבַר־יְהוָה׃
לו כֹּה־אָמַר אֲדֹנָי יְהוִה יַעַן הִשָּׁפֵךְ נְחֻשְׁתֵּךְ וַתִּגָּלֶה עֶרְוָתֵךְ בְּתַזְנוּתַיִךְ
עַל־מְאַהֲבָיִךְ וְעַל כָּל־גִּלּוּלֵי תוֹעֲבוֹתַיִךְ וְכִדְמֵי בָנַיִךְ אֲשֶׁר נָתַתְּ לָהֶם׃
לז לָכֵן הִנְנִי מְקַבֵּץ אֶת־כָּל־מְאַהֲבַיִךְ אֲשֶׁר עָרַבְתְּ עֲלֵיהֶם וְאֵת כָּל־אֲשֶׁר
אָהַבְתְּ עַל כָּל־אֲשֶׁר שָׂנֵאת וְקִבַּצְתִּי אֹתָם עָלַיִךְ מִסָּבִיב וְגִלֵּיתִי עֶרְוָתֵךְ
אֲלֵהֶם וְרָאוּ אֶת־כָּל־עֶרְוָתֵךְ׃ לח וּשְׁפַטְתִּיךְ מִשְׁפְּטֵי נֹאֲפוֹת וְשֹׁפְכֹת דָּם
וּנְתַתִּיךְ דַּם חֵמָה וְקִנְאָה׃ לט וְנָתַתִּי אוֹתָךְ בְּיָדָם וְהָרְסוּ גַבֵּךְ וְנִתְּצוּ רָמֹתַיִךְ
וְהִפְשִׁיטוּ אוֹתָךְ בְּגָדַיִךְ וְלָקְחוּ כְּלֵי תִפְאַרְתֵּךְ וְהִנִּיחוּךְ עֵירֹם וְעֶרְיָה׃
מ וְהֶעֱלוּ עָלַיִךְ קָהָל וְרָגְמוּ אוֹתָךְ בָּאָבֶן וּבִתְּקוּךְ בְּחַרְבוֹתָם׃ מא וְשָׂרְפוּ
בָתַּיִךְ בָּאֵשׁ וְעָשׂוּ־בָךְ שְׁפָטִים לְעֵינֵי נָשִׁים רַבּוֹת וְהִשְׁבַּתִּיךְ מִזּוֹנָה
וְגַם־אֶתְנַן לֹא תִתְּנִי־עוֹד׃

[20] מתזנתך
[21] זכרתי
[22] תזנתך
[23] עשיתי
[24] הייתי

20 Moreover thou hast taken thy sons and thy daughters, whom thou hast borne unto Me, and these hast thou sacrificed unto them to be devoured. Were thy harlotries a small matter, **21** that thou hast slain My children, and delivered them up, in setting them apart unto them? **22** And in all thine abominations and thy harlotries thou hast not remembered the days of thy youth, when thou wast naked and bare, and wast wallowing in thy blood. **23** And it came to pass after all thy wickedness–woe, woe unto thee! saith the Lord GOD [Adonai Yehovi]– **24** that thou hast built unto thee an eminent place, and hast made thee a lofty place in every street. **25** Thou hast built thy lofty place at every head of the way, and hast made thy beauty an abomination, and hast opened thy feet to every one that passed by, and multiplied thy harlotries. **26** Thou hast also played the harlot with the Egyptians, thy neighbours, great of flesh; and hast multiplied thy harlotry, to provoke Me. **27** Behold, therefore I have stretched out My hand over thee, and have diminished thine allowance, and delivered thee unto the will of them that hate thee, the daughters of the Philistines, that are ashamed of thy lewd way. **28** Thou hast played the harlot also with the Assyrians, without having enough; yea, thou hast played the harlot with them, and yet thou wast not satisfied. **29** Thou hast moreover multiplied thy harlotry with the land of traffic, even with Chaldea; and yet thou didst not have enough herewith. **30** How weak is thy heart, saith the Lord GOD [Adonai Yehovi], seeing thou doest all these things, the work of a wanton harlot; **31** in that thou buildest thine eminent place in the head of every way, and makest thy lofty place in every street; and hast not been as a harlot that enhanceth her hire. **32** Thou wife that committest adultery, that takest strangers instead of thy husband– **33** to all harlots gifts are given; but thou hast given thy gifts to all thy lovers, and hast bribed them to come unto thee from every side in thy harlotries. **34** And the contrary is in thee from other women, in that thou didst solicit to harlotry, and wast not solicited; and in that thou givest hire, and no hire is given unto thee, thus thou art contrary. **35** Wherefore, O harlot, hear the word of Yehovah!{P}

36 Thus saith the Lord GOD [Adonai Yehovi]: Because thy filthiness was poured out, and thy nakedness uncovered through thy harlotries with thy lovers; and because of all the idols of thy abominations, and for the blood of thy children, that thou didst give unto them; **37** therefore behold, I will gather all thy lovers, unto whom thou hast been pleasant, and all them that thou hast loved, with all them that thou hast hated; I will even gather them against thee from every side, and will uncover thy nakedness unto them, that they may see all thy nakedness. **38** And I will judge thee, as women that break wedlock and shed blood are judged; and I will bring upon thee the blood of fury and jealousy. **39** I will also give thee into their hand, and they shall throw down thine eminent place, and break down thy lofty places; and they shall strip thee of thy clothes, and take thy fair jewels; and they shall leave thee naked and bare. **40** They shall also bring up an assembly against thee, and they shall stone thee with stones, and thrust thee through with their swords. **41** And they shall burn thy houses with fire, and execute judgments upon thee in the sight of many women; and I will cause thee to cease from playing the harlot, and thou shalt also give no hire any more.

מב וַהֲנִחֹתִי חֲמָתִי בָּךְ וְסָרָה קִנְאָתִי מִמֵּךְ וְשָׁקַטְתִּי וְלֹא אֶכְעַס עוֹד׃ מג יַעַן
אֲשֶׁר לֹא־זָכַרְתְּ[25] אֶת־יְמֵי נְעוּרַיִךְ וַתִּרְגְּזִי־לִי בְּכָל־אֵלֶּה וְגַם־אֲנִי הֵא דַּרְכֵּךְ ׀
בְּרֹאשׁ נָתַתִּי נְאֻם אֲדֹנָי יְהוִה וְלֹא עָשִׂית[26] אֶת־הַזִּמָּה עַל כָּל־תּוֹעֲבֹתָיִךְ׃
מד הִנֵּה כָּל־הַמֹּשֵׁל עָלַיִךְ יִמְשֹׁל לֵאמֹר כְּאִמָּה בִּתָּהּ׃ מה בַּת־אִמֵּךְ אַתְּ גֹּעֶלֶת
אִישָׁהּ וּבָנֶיהָ וַאֲחוֹת אֲחוֹתֵךְ אַתְּ אֲשֶׁר גָּעֲלוּ אַנְשֵׁיהֶן וּבְנֵיהֶן אִמְּכֶן חִתִּית
וַאֲבִיכֶן אֱמֹרִי׃ מו וַאֲחוֹתֵךְ הַגְּדוֹלָה שֹׁמְרוֹן הִיא וּבְנוֹתֶיהָ הַיּוֹשֶׁבֶת
עַל־שְׂמֹאולֵךְ וַאֲחוֹתֵךְ הַקְּטַנָּה מִמֵּךְ הַיּוֹשֶׁבֶת מִימִינֵךְ סְדֹם וּבְנוֹתֶיהָ׃ מז וְלֹא
בְדַרְכֵיהֶן הָלַכְתְּ וּבְתוֹעֲבוֹתֵיהֶן עָשִׂיתְ[27] כִּמְעַט קָט וַתַּשְׁחִתִי מֵהֵן
בְּכָל־דְּרָכָיִךְ׃ מח חַי־אָנִי נְאֻם אֲדֹנָי יְהוִה אִם־עָשְׂתָה סְדֹם אֲחוֹתֵךְ הִיא
וּבְנוֹתֶיהָ כַּאֲשֶׁר עָשִׂית אַתְּ וּבְנוֹתָיִךְ׃ מט הִנֵּה־זֶה הָיָה עֲוֺן סְדֹם אֲחוֹתֵךְ גָּאוֹן
שִׂבְעַת־לֶחֶם וְשַׁלְוַת הַשְׁקֵט הָיָה לָהּ וְלִבְנוֹתֶיהָ וְיַד־עָנִי וְאֶבְיוֹן לֹא הֶחֱזִיקָה׃
נ וַתִּגְבְּהֶינָה וַתַּעֲשֶׂינָה תוֹעֵבָה לְפָנָי וָאָסִיר אֶתְהֶן כַּאֲשֶׁר רָאִיתִי׃ נא וְשֹׁמְרוֹן
כַּחֲצִי חַטֹּאתַיִךְ לֹא חָטָאָה וַתַּרְבִּי אֶת־תּוֹעֲבוֹתַיִךְ מֵהֵנָּה וַתְּצַדְּקִי
אֶת־אֲחוֹתַיִךְ[28] בְּכָל־תּוֹעֲבוֹתַיִךְ אֲשֶׁר עָשִׂית[29]׃ נב גַּם־אַתְּ ׀ שְׂאִי כְלִמָּתֵךְ אֲשֶׁר
פִּלַּלְתְּ לַאֲחוֹתֵךְ בְּחַטֹּאתַיִךְ אֲשֶׁר־הִתְעַבְתְּ מֵהֵן תִּצְדַּקְנָה מִמֵּךְ וְגַם־אַתְּ בּוֹשִׁי
וּשְׂאִי כְלִמָּתֵךְ בְּצַדֶּקְתֵּךְ אַחְיוֹתֵךְ׃ נג וְשַׁבְתִּי אֶת־שְׁבִיתְהֶן אֶת־שְׁבוּת[30] סְדֹם
וּבְנוֹתֶיהָ וְאֶת־שְׁבוּת[31] שֹׁמְרוֹן וּבְנוֹתֶיהָ וּשְׁבוּת[32] שְׁבִיתַיִךְ בְּתוֹכָהְנָה׃ נד לְמַעַן
תִּשְׂאִי כְלִמָּתֵךְ וְנִכְלַמְתְּ מִכֹּל אֲשֶׁר עָשִׂית בְּנַחֲמֵךְ אֹתָן׃ נה וַאֲחוֹתַיִךְ סְדֹם
וּבְנוֹתֶיהָ תָּשֹׁבְןָ לְקַדְמָתָן וְשֹׁמְרוֹן וּבְנוֹתֶיהָ תָּשֹׁבְןָ לְקַדְמָתָן וְאַתְּ וּבְנוֹתַיִךְ
תְּשֻׁבֶינָה לְקַדְמַתְכֶן׃ נו וְלוֹא הָיְתָה סְדֹם אֲחוֹתֵךְ לִשְׁמוּעָה בְּפִיךְ בְּיוֹם
גְּאוֹנָיִךְ׃ נז בְּטֶרֶם תִּגָּלֶה רָעָתֵךְ כְּמוֹ עֵת חֶרְפַּת בְּנוֹת־אֲרָם וְכָל־סְבִיבוֹתֶיהָ
בְּנוֹת פְּלִשְׁתִּים הַשָּׁאטוֹת אוֹתָךְ מִסָּבִיב׃ נח אֶת־זִמָּתֵךְ וְאֶת־תּוֹעֲבוֹתַיִךְ אַתְּ
נְשָׂאתִים נְאֻם יְהוָה׃ נט כִּי כֹה אָמַר אֲדֹנָי יְהוִה וְעָשִׂיתִי[33] אוֹתָךְ כַּאֲשֶׁר עָשִׂית
אֲשֶׁר־בָּזִית אָלָה לְהָפֵר בְּרִית׃ ס וְזָכַרְתִּי אֲנִי אֶת־בְּרִיתִי אוֹתָךְ בִּימֵי נְעוּרָיִךְ
וַהֲקִמוֹתִי לָךְ בְּרִית עוֹלָם׃ סא וְזָכַרְתְּ אֶת־דְּרָכַיִךְ וְנִכְלַמְתְּ בְּקַחְתֵּךְ
אֶת־אֲחוֹתַיִךְ הַגְּדֹלוֹת מִמֵּךְ אֶל־הַקְּטַנּוֹת מִמֵּךְ וְנָתַתִּי אֶתְהֶן לָךְ לְבָנוֹת וְלֹא
מִבְּרִיתֵךְ׃

[25]זכרתי
[26]עשיתי
[27]עשיתי
[28]אחותך
[29]עשיתי
[30]שבית
[31]שבית
[32]ושבית
[33]ועשית

42 So will I satisfy My fury upon thee, and My jealousy shall depart from thee, and I will be quiet, and will be no more angry. **43** Because thou hast not remembered the days of thy youth, but hast fretted Me in all these things; lo, therefore I also will bring thy way upon thy head, saith the Lord GOD [Adonai Yehovi]; or hast thou not committed this lewdness above all thine abominations? **44** Behold, every one that useth proverbs shall use this proverb against thee, saying: As the mother, so her daughter. **45** Thou art thy mother's daughter, that loatheth her husband and her children; and thou art the sister of thy sisters, who loathed their husbands and their children; your mother was a Hittite, and your father an Amorite. **46** And thine elder sister is Samaria, that dwelleth at thy left hand, she and her daughters; and thy younger sister, that dwelleth at thy right hand, is Sodom and her daughters. **47** Yet hast thou not walked in their ways, nor done after their abominations; but in a very little while thou didst deal more corruptly than they in all thy ways. **48** As I live, saith the Lord GOD [Adonai Yehovi], Sodom thy sister hath not done, she nor her daughters, as thou hast done, thou and thy daughters. **49** Behold, this was the iniquity of thy sister Sodom: pride, fulness of bread, and careless ease was in her and in her daughters; neither did she strengthen the hand of the poor and needy. **50** And they were haughty, and committed abomination before Me; therefore I removed them when I saw it.{s} **51** Neither hath Samaria committed even half of thy sins; but thou hast multiplied thine abominations more than they, and hast justified thy sisters by all thine abominations which thou hast done. **52** Thou also, bear thine own shame, in that thou hast given judgment for thy sisters; through thy sins that thou hast committed more abominable than they, they are more righteous than thou; yea, be thou also confounded, and bear thy shame, in that thou hast justified thy sisters. **53** And I will turn their captivity, the captivity of Sodom and her daughters, and the captivity of Samaria and her daughters, and the captivity of thy captives in the midst of them; **54** that thou mayest bear thine own shame, and mayest be ashamed because of all that thou hast done, in that thou art a comfort unto them. **55** And thy sisters, Sodom and her daughters, shall return to their former estate, and Samaria and her daughters shall return to their former estate, and thou and thy daughters shall return to your former estate. **56** For thy sister Sodom was not mentioned by thy mouth in the day of thy pride; **57** before thy wickedness was uncovered, as at the time of the taunt of the daughters of Aram, and of all that are round about her, the daughters of the Philistines, that have thee in disdain round about. **58** Thou hast borne thy lewdness and thine abominations, saith Yehovah.{s} **59** For thus saith the Lord GOD [Adonai Yehovi]: I will even deal with thee as thou hast done, who hast despised the oath in breaking the covenant. **60** Nevertheless I will remember My covenant with thee in the days of thy youth, and I will establish unto thee an everlasting covenant. **61** Then shalt thou remember thy ways, and be ashamed, when thou shalt receive thy sisters, thine elder sisters and thy younger; and I will give them unto thee for daughters, but not because of thy covenant.

סב וַהֲקִימוֹתִ֥י אֲנִ֛י אֶת־בְּרִיתִ֖י אִתָּ֑ךְ וְיָדַ֖עַתְּ כִּֽי־אֲנִ֥י יְהוָֽה׃ סג לְמַ֤עַן תִּזְכְּרִי֙
וָבֹ֔שְׁתְּ וְלֹ֨א יִֽהְיֶה־לָּ֥ךְ עוֹד֙ פִּתְח֣וֹן פֶּ֔ה מִפְּנֵ֖י כְּלִמָּתֵ֑ךְ בְּכַפְּרִי־לָךְ֙ לְכָל־אֲשֶׁ֣ר
עָשִׂ֔ית נְאֻ֖ם אֲדֹנָ֥י יְהוִֽה׃

יז א וַיְהִ֥י דְבַר־יְהוָ֖ה אֵלַ֥י לֵאמֹֽר׃ ב בֶּן־אָדָ֕ם ח֥וּד חִידָ֖ה וּמְשֹׁ֣ל מָשָׁ֑ל אֶל־בֵּ֖ית
יִשְׂרָאֵֽל׃ ג וְאָמַרְתָּ֞ כֹּה־אָמַ֣ר ׀ אֲדֹנָ֣י יְהוִ֗ה הַנֶּ֤שֶׁר הַגָּדוֹל֙ גְּד֣וֹל הַכְּנָפַ֔יִם אֶ֥רֶךְ
הָאֵ֖בֶר מָלֵא֙ הַנּוֹצָ֔ה אֲשֶׁר־ל֖וֹ הָֽרִקְמָ֑ה בָּ֚א אֶל־הַלְּבָנ֔וֹן וַיִּקַּ֖ח אֶת־צַ֥מֶּרֶת
הָאָֽרֶז׃ ד אֵ֛ת רֹ֥אשׁ יְנִֽיקוֹתָ֖יו קָטָ֑ף וַיְבִיאֵ֙הוּ֙ אֶל־אֶ֣רֶץ כְּנַ֔עַן בְּעִ֥יר רֹכְלִ֖ים שָׂמֽוֹ׃
ה וַיִּקַּח֙ מִזֶּ֣רַע הָאָ֔רֶץ וַֽיִּתְּנֵ֖הוּ בִּשְׂדֵה־זָ֑רַע קָ֚ח עַל־מַ֣יִם רַבִּ֔ים צַפְצָפָ֖ה שָׂמֽוֹ׃
ו וַיִּצְמַ֞ח וַיְהִ֣י לְגֶ֗פֶן סֹרַ֙חַת֙ שִׁפְלַ֣ת קוֹמָ֔ה לִפְנ֤וֹת דָּלִיּוֹתָיו֙ אֵלָ֔יו וְשָׁרָשָׁ֖יו תַּחְתָּ֣יו
יִֽהְי֑וּ וַתְּהִ֣י לְגֶ֗פֶן וַתַּ֣עַשׂ בַּדִּ֔ים וַתְּשַׁלַּ֖ח פֹּארֽוֹת׃ ז וַיְהִ֤י נֶֽשֶׁר־אֶחָד֙ גָּד֔וֹל גְּד֥וֹל
כְּנָפַ֖יִם וְרַב־נוֹצָ֑ה וְהִנֵּה֩ הַגֶּ֨פֶן הַזֹּ֜את כָּֽפְנָ֧ה שָׁרָשֶׁ֣יהָ עָלָ֗יו וְדָלִיּוֹתָיו֙ שִֽׁלְחָה־ל֔וֹ
לְהַשְׁק֣וֹת אוֹתָ֔הּ מֵעֲרֻג֖וֹת מַטָּעָֽהּ׃ ח אֶל־שָׂ֥דֶה טּ֛וֹב אֶל־מַ֥יִם רַבִּ֖ים הִ֣יא שְׁתוּלָ֑ה
לַעֲשׂ֤וֹת עָנָף֙ וְלָשֵׂ֣את פֶּ֔רִי לִהְי֖וֹת לְגֶ֥פֶן אַדָּֽרֶת׃ ט אֱמֹ֗ר כֹּ֤ה אָמַר֙ אֲדֹנָ֣י יְהוִ֔ה
תִּצְלָ֑ח הֲלוֹא֩ אֶת־שָׁרָשֶׁ֨יהָ יְנַתֵּ֜ק וְאֶת־פִּרְיָ֣הּ ׀ יְקוֹסֵ֣ס וְיָבֵ֗שׁ כָּל־טַרְפֵּ֤י צִמְחָהּ֙
תִּיבָ֔שׁ וְלֹֽא־בִזְרֹ֤עַ גְּדוֹלָה֙ וּבְעַם־רָ֔ב לְמַשְׂא֥וֹת אוֹתָ֖הּ מִשָּׁרָשֶֽׁיהָ׃ י וְהִנֵּ֥ה שְׁתוּלָ֖ה
הֲתִצְלָ֑ח הֲלוֹא֩ כְגַ֨עַת בָּ֜הּ ר֣וּחַ הַקָּדִ֗ים תִּיבַ֣שׁ יָבֹ֔שׁ עַל־עֲרֻגֹ֥ת צִמְחָ֖הּ תִּיבָֽשׁ׃

יא וַיְהִ֥י דְבַר־יְהוָ֖ה אֵלַ֥י לֵאמֹֽר׃ יב אֱמָר־נָא֙ לְבֵ֣ית הַמֶּ֔רִי הֲלֹ֥א יְדַעְתֶּ֖ם
מָה־אֵ֑לֶּה אֱמֹ֗ר הִנֵּה־בָא֩ מֶֽלֶךְ־בָּבֶ֨ל יְרוּשָׁלִַ֜ם וַיִּקַּ֤ח אֶת־מַלְכָּהּ֙ וְאֶת־שָׂרֶ֔יהָ
וַיָּבֵ֥א אוֹתָ֛ם אֵלָ֖יו בָּבֶֽלָה׃ יג וַיִּקַּח֙ מִזֶּ֣רַע הַמְּלוּכָ֔ה וַיִּכְרֹ֥ת אִתּ֖וֹ בְּרִ֑ית וַיָּבֵ֤א אֹתוֹ֙
בְּאָלָ֔ה וְאֶת־אֵילֵ֥י הָאָ֖רֶץ לָקָֽח׃ יד לִֽהְיוֹת֙ מַמְלָכָ֣ה שְׁפָלָ֔ה לְבִלְתִּ֖י הִתְנַשֵּׂ֑א
לִשְׁמֹ֥ר אֶת־בְּרִית֖וֹ לְעָמְדָֽהּ׃ טו וַיִּמְרָד־בּ֗וֹ לִשְׁלֹ֤חַ מַלְאָכָיו֙ מִצְרַ֔יִם לָֽתֶת־ל֥וֹ
סוּסִ֖ים וְעַם־רָ֑ב הֲיִצְלָ֞ח הֲיִמָּלֵ֤ט הָעֹשֵׂה֙ אֵ֔לֶּה וְהֵפֵ֥ר בְּרִ֖ית וְנִמְלָֽט׃ טז חַי־אָ֗נִי
נְאֻם֮ אֲדֹנָ֣י יְהוִה֒ אִם־לֹ֡א בִּמְק֞וֹם הַמֶּ֣לֶךְ הַמַּמְלִ֣יךְ אֹת֗וֹ אֲשֶׁ֤ר בָּזָה֙ אֶת־אָ֣לָת֔וֹ
וַאֲשֶׁ֥ר הֵפֵ֖ר אֶת־בְּרִית֑וֹ אִתּ֥וֹ בְתוֹךְ־בָּבֶ֖ל יָמֽוּת׃ יז וְלֹא֩ בְחַ֨יִל גָּד֜וֹל וּבְקָהָ֣ל רָ֗ב
יַעֲשֶׂ֨ה אוֹת֤וֹ פַרְעֹה֙ בַּמִּלְחָמָ֔ה בִּשְׁפֹּ֣ךְ סֹלְלָ֔ה וּבִבְנ֖וֹת דָּיֵ֑ק לְהַכְרִ֖ית נְפָשׁ֥וֹת
רַבּֽוֹת׃ יח וּבָזָ֥ה אָלָ֖ה לְהָפֵ֣ר בְּרִ֑ית וְהִנֵּ֨ה נָתַ֥ן יָד֛וֹ וְכָל־אֵ֥לֶּה עָשָׂ֖ה לֹ֥א יִמָּלֵֽט׃
יט לָכֵ֞ן כֹּֽה־אָמַ֨ר אֲדֹנָ֣י יְהוִה֮ חַי־אָנִי֒ אִם־לֹ֗א אָלָתִי֙ אֲשֶׁ֣ר בָּזָ֔ה וּבְרִיתִ֖י אֲשֶׁ֣ר
הֵפִ֑יר וּנְתַתִּ֖יו בְּרֹאשֽׁוֹ׃ כ וּפָרַשְׂתִּ֤י עָלָיו֙ רִשְׁתִּ֔י וְנִתְפַּ֖שׂ בִּמְצוּדָתִ֑י וַהֲבִיאוֹתִ֨יהוּ
בָבֶ֜לָה וְנִשְׁפַּטְתִּ֤י אִתּוֹ֙ שָׁ֔ם מַעֲל֖וֹ אֲשֶׁ֥ר מָֽעַל־בִּֽי׃ כא וְאֵ֨ת
כָּל־מִבְרָחָ֤יו[34] בְּכָל־אֲגַפָּיו֙ בַּחֶ֣רֶב יִפֹּ֔לוּ וְהַנִּשְׁאָרִ֖ים לְכָל־ר֣וּחַ יִפָּרֵ֑שׂוּ וִידַעְתֶּ֕ם
כִּ֛י אֲנִ֥י יְהוָ֖ה דִּבַּֽרְתִּי׃

[34]מברחו

62 And I will establish My covenant with thee, and thou shalt know that I am Yehovah; **63** that thou mayest remember, and be confounded, and never open thy mouth any more, because of thy shame; when I have forgiven thee all that thou hast done, saith the Lord GOD [Adonai Yehovi].'{P}

17 1 And the word of Yehovah came unto me, saying: **2** 'Son of man, put forth a riddle, and speak a parable unto the house of Israel, **3** and say: Thus saith the Lord GOD [Adonai Yehovi]: A great eagle with great wings and long pinions, full of feathers, which had divers colours, came unto Lebanon, and took the top of the cedar; **4** He cropped off the topmost of the young twigs thereof, and carried it into a land of traffic; he set it in a city of merchants. **5** He took also of the seed of the land, and planted it in a fruitful soil; he placed it beside many waters, he set it as a slip. **6** And it grew, and became a spreading vine of low stature, whose tendrils might turn toward him, and the roots thereof be under him; so it became a vine, and brought forth branches, and shot forth sprigs. **7** There was also another great eagle with great wings and many feathers; and, behold, this vine did bend its roots toward him, and shot forth its branches toward him, from the beds of its plantation, that he might water it. **8** It was planted in a good soil by many waters, that it might bring forth branches, and that it might bear fruit, that it might be a stately vine. **9** Say thou: Thus saith the Lord GOD [Adonai Yehovi]: Shall it prosper? shall he not pull up the roots thereof, and cut off the fruit thereof, that it wither, yea, wither in all its sprouting leaves? neither shall great power or much people be at hand when it is plucked up by the roots thereof. **10** Yea, behold, being planted, shall it prosper? Shall it not utterly wither, when the east wind toucheth it? In the beds where it grew it shall wither.'{P}

11 Moreover the word of Yehovah came unto me, saying: **12** 'Say now to the rebellious house: Know ye not what these things mean? tell them: Behold, the king of Babylon came to Yerushalam, and took the king thereof, and the princes thereof, and brought them to him to Babylon; **13** and he took of the seed royal, and made a covenant with him, and brought him under an oath, and the mighty of the land he took away; **14** that his might be a lowly kingdom, that it might not lift itself up, but that by keeping his covenant it might stand. **15** But he rebelled against him in sending his ambassadors into Egypt, that they might give him horses and much people. Shall he prosper? shall he escape that doeth such things? shall he break the covenant, and yet escape? **16** As I live, saith the Lord GOD [Adonai Yehovi], surely in the place where the king dwelleth that made him king, whose oath he despised, and whose covenant he broke, even with him in the midst of Babylon he shall die. **17** Neither shall Pharaoh with his mighty army and great company succour him in the war, when they cast up mounds and build forts, to cut off many souls; **18** seeing he hath despised the oath by breaking the covenant, when, lo, he had given his hand, and hath done all these things, he shall not escape.{S} **19** Therefore thus saith the Lord GOD [Adonai Yehovi]: As I live, surely Mine oath that he hath despised, and My covenant that he hath broken, I will even bring it upon his own head. **20** And I will spread My net upon him, and he shall be taken in My snare, and I will bring him to Babylon, and will plead with him there for his treachery that he hath committed against Me. **21** And all his mighty men in all his bands shall fall by the sword, and they that remain shall be scattered toward every wind; and ye shall know that I Yehovah have spoken it.{P}

כב כֹּה אָמַר אֲדֹנָי יְהוִה וְלָקַחְתִּי אָנִי מִצַּמֶּרֶת הָאֶרֶז הָרָמָה וְנָתָתִּי מֵרֹאשׁ
יֹנְקוֹתָיו רַךְ אֶקְטֹף וְשָׁתַלְתִּי אָנִי עַל הַר־גָּבֹהַּ וְתָלוּל׃ כג בְּהַר מְרוֹם
יִשְׂרָאֵל אֶשְׁתֳּלֶנּוּ וְנָשָׂא עָנָף וְעָשָׂה פֶרִי וְהָיָה לְאֶרֶז אַדִּיר וְשָׁכְנוּ תַחְתָּיו
כֹּל צִפּוֹר כָּל־כָּנָף בְּצֵל דָּלִיּוֹתָיו תִּשְׁכֹּנָּה׃ כד וְיָדְעוּ כָּל־עֲצֵי הַשָּׂדֶה כִּי
אֲנִי יְהוָה הִשְׁפַּלְתִּי ׀ עֵץ גָּבֹהַּ הִגְבַּהְתִּי עֵץ שָׁפָל הוֹבַשְׁתִּי עֵץ לָח
וְהִפְרַחְתִּי עֵץ יָבֵשׁ אֲנִי יְהוָה דִּבַּרְתִּי וְעָשִׂיתִי׃

יח א וַיְהִי דְבַר־יְהוָה אֵלַי לֵאמֹר׃ ב מַה־לָּכֶם אַתֶּם מֹשְׁלִים אֶת־הַמָּשָׁל
הַזֶּה עַל־אַדְמַת יִשְׂרָאֵל לֵאמֹר אָבוֹת יֹאכְלוּ בֹסֶר וְשִׁנֵּי הַבָּנִים תִּקְהֶינָה׃
ג חַי־אָנִי נְאֻם אֲדֹנָי יְהוִה אִם־יִהְיֶה לָכֶם עוֹד מְשֹׁל הַמָּשָׁל הַזֶּה
בְּיִשְׂרָאֵל׃ ד הֵן כָּל־הַנְּפָשׁוֹת לִי הֵנָּה כְּנֶפֶשׁ הָאָב וּכְנֶפֶשׁ הַבֵּן לִי־הֵנָּה
הַנֶּפֶשׁ הַחֹטֵאת הִיא תָמוּת׃ ה וְאִישׁ כִּי־יִהְיֶה צַדִּיק וְעָשָׂה מִשְׁפָּט
וּצְדָקָה׃ ו אֶל־הֶהָרִים לֹא אָכָל וְעֵינָיו לֹא נָשָׂא אֶל־גִּלּוּלֵי בֵּית יִשְׂרָאֵל
וְאֶת־אֵשֶׁת רֵעֵהוּ לֹא טִמֵּא וְאֶל־אִשָּׁה נִדָּה לֹא יִקְרָב׃ ז וְאִישׁ לֹא יוֹנֶה
חֲבֹלָתוֹ חוֹב יָשִׁיב גְּזֵלָה לֹא יִגְזֹל לַחְמוֹ לְרָעֵב יִתֵּן וְעֵירֹם יְכַסֶּה־בָּגֶד׃
ח בַּנֶּשֶׁךְ לֹא־יִתֵּן וְתַרְבִּית לֹא יִקָּח מֵעָוֶל יָשִׁיב יָדוֹ מִשְׁפַּט אֱמֶת יַעֲשֶׂה
בֵּין אִישׁ לְאִישׁ׃ ט בְּחֻקּוֹתַי יְהַלֵּךְ וּמִשְׁפָּטַי שָׁמַר לַעֲשׂוֹת אֱמֶת צַדִּיק הוּא
חָיֹה יִחְיֶה נְאֻם אֲדֹנָי יְהוִה׃ י וְהוֹלִיד בֵּן־פָּרִיץ שֹׁפֵךְ דָּם וְעָשָׂה אָח
מֵאַחַד מֵאֵלֶּה׃ יא וְהוּא אֶת־כָּל־אֵלֶּה לֹא עָשָׂה כִּי גַם אֶל־הֶהָרִים אָכַל
וְאֶת־אֵשֶׁת רֵעֵהוּ טִמֵּא׃ יב עָנִי וְאֶבְיוֹן הוֹנָה גְּזֵלוֹת גָּזָל חֲבֹל לֹא יָשִׁיב
וְאֶל־הַגִּלּוּלִים נָשָׂא עֵינָיו תּוֹעֵבָה עָשָׂה׃ יג בַּנֶּשֶׁךְ נָתַן וְתַרְבִּית לָקַח וָחָי
לֹא יִחְיֶה אֵת כָּל־הַתּוֹעֵבוֹת הָאֵלֶּה עָשָׂה מוֹת יוּמָת דָּמָיו בּוֹ יִהְיֶה׃
יד וְהִנֵּה הוֹלִיד בֵּן וַיַּרְא אֶת־כָּל־חַטֹּאת אָבִיו אֲשֶׁר עָשָׂה וַיִּרְאֶה וְלֹא
יַעֲשֶׂה כָּהֵן׃ טו עַל־הֶהָרִים לֹא אָכָל וְעֵינָיו לֹא נָשָׂא אֶל־גִּלּוּלֵי בֵּית
יִשְׂרָאֵל אֶת־אֵשֶׁת רֵעֵהוּ לֹא טִמֵּא׃ טז וְאִישׁ לֹא הוֹנָה חֲבֹל לֹא חָבָל
וּגְזֵלָה לֹא גָזָל לַחְמוֹ לְרָעֵב נָתָן וְעֵרוֹם כִּסָּה־בָגֶד׃ יז מֵעָנִי הֵשִׁיב יָדוֹ
נֶשֶׁךְ וְתַרְבִּית לֹא לָקָח מִשְׁפָּטַי עָשָׂה בְּחֻקּוֹתַי הָלָךְ הוּא לֹא יָמוּת בַּעֲוֺן
אָבִיו חָיֹה יִחְיֶה׃ יח אָבִיו כִּי־עָשַׁק עֹשֶׁק גָּזַל גֵּזֶל אָח וַאֲשֶׁר לֹא־טוֹב
עָשָׂה בְּתוֹךְ עַמָּיו וְהִנֵּה־מֵת בַּעֲוֺנוֹ׃ יט וַאֲמַרְתֶּם מַדֻּעַ לֹא־נָשָׂא הַבֵּן בַּעֲוֺן
הָאָב וְהַבֵּן מִשְׁפָּט וּצְדָקָה עָשָׂה אֵת כָּל־חֻקּוֹתַי שָׁמַר וַיַּעֲשֶׂה אֹתָם חָיֹה
יִחְיֶה׃

<u>22</u> Thus saith the Lord GOD [Adonai Yehovi]: Moreover I will take, even I, of the lofty top of the cedar, and will set it; I will crop off from the topmost of its young twigs a tender one, and I will plant it upon a high mountain and eminent; <u>23</u> in the mountain of the height of Israel will I plant it; and it shall bring forth boughs, and bear fruit, and be a stately cedar; and under it shall dwell all fowl of every wing, in the shadow of the branches thereof shall they dwell. <u>24</u> And all the trees of the field shall know that I Yehovah have brought down the high tree, have exalted the low tree, have dried up the green tree, and have made the dry tree to flourish; I Yehovah have spoken and have done it.'{P}

18 <u>1</u> And the word of Yehovah came unto me, saying: <u>2</u> 'What mean ye, that ye use this proverb in the land of Israel, saying: The fathers have eaten sour grapes, and the children's teeth are set on edge? <u>3</u> As I live, saith the Lord GOD [Adonai Yehovi], ye shall not have occasion any more to use this proverb in Israel. <u>4</u> Behold, all souls are Mine; as the soul of the father, so also the soul of the son is Mine; the soul that sinneth, it shall die. <u>5</u> But if a man be just, and do that which is lawful and right, <u>6</u> and hath not eaten upon the mountains, neither hath lifted up his eyes to the idols of the house of Israel, neither hath defiled his neighbour's wife, neither hath come near to a woman in her impurity; <u>7</u> and hath not wronged any, but hath restored his pledge for a debt, hath taken nought by robbery, hath given his bread to the hungry, and hath covered the naked with a garment; <u>8</u> he that hath not given forth upon interest, neither hath taken any increase, that hath withdrawn his hand from iniquity, hath executed true justice between man and man, <u>9</u> hath walked in My statutes, and hath kept Mine ordinances, to deal truly; he is just, he shall surely live, saith the Lord GOD [Adonai Yehovi]. <u>10</u> If he beget a son that is a robber, a shedder of blood, and that doeth to a brother any of these things, <u>11</u> whereas he himself had not done any of these things, for he hath even eaten upon the mountains, and defiled his neighbour's wife, <u>12</u> hath wronged the poor and needy, hath taken by robbery, hath not restored the pledge, and hath lifted up his eyes to the idols, hath committed abomination, <u>13</u> hath given forth upon interest, and hath taken increase; shall he then live? he shall not live–he hath done all these abominations; he shall surely be put to death, his blood shall be upon him. <u>14</u> Now, lo, if he beget a son, that seeth all his father's sins, which he hath done, and considereth, and doeth not such like, <u>15</u> that hath not eaten upon the mountains, neither hath lifted up his eyes to the idols of the house of Israel, hath not defiled his neighbour's wife, <u>16</u> neither hath wronged any, hath not taken aught to pledge, neither hath taken by robbery, but hath given his bread to the hungry, and hath covered the naked with a garment, <u>17</u> that hath withdrawn his hand from the poor, that hath not received interest nor increase, hath executed Mine ordinances, hath walked in My statutes; he shall not die for the iniquity of his father, he shall surely live. <u>18</u> As for his father, because he cruelly oppressed, committed robbery on his brother, and did that which is not good among his people, behold, he dieth for his iniquity. <u>19</u> Yet say ye: Why doth not the son bear the iniquity of the father with him? When the son hath done that which is lawful and right, and hath kept all My statutes, and hath done them, he shall surely live.

כ הַנֶּ֥פֶשׁ הַחֹטֵ֖את הִ֣יא תָמ֑וּת בֵּ֞ן לֹא־יִשָּׂ֣א ׀ בַּעֲוֺ֣ן הָאָ֗ב וְאָב֙ לֹ֤א יִשָּׂא֙ בַּעֲוֺ֣ן הַבֵּ֔ן
צִדְקַ֤ת הַצַּדִּיק֙ עָלָ֣יו תִּֽהְיֶ֔ה וְרִשְׁעַ֥ת הָרָשָׁ֖ע[35] עָלָ֥יו תִּֽהְיֶֽה׃ כא וְהָרָשָׁ֗ע כִּ֤י יָשׁוּב֙
מִכָּל־חַטֹּאתָיו֙[36] אֲשֶׁ֣ר עָשָׂ֔ה וְשָׁמַר֙ אֶת־כָּל־חֻקּוֹתַ֔י וְעָשָׂ֥ה מִשְׁפָּ֖ט וּצְדָקָ֑ה חָיֹ֥ה
יִחְיֶ֖ה לֹ֥א יָמֽוּת׃ כב כָּל־פְּשָׁעָיו֙ אֲשֶׁ֣ר עָשָׂ֔ה לֹ֥א יִזָּכְר֖וּ ל֑וֹ בְּצִדְקָת֥וֹ אֲשֶׁר־עָשָׂ֖ה
יִחְיֶֽה׃ כג הֶחָפֹ֤ץ אֶחְפֹּץ֙ מ֣וֹת רָשָׁ֔ע נְאֻ֖ם אֲדֹנָ֣י יְהוִ֑ה הֲל֛וֹא בְּשׁוּב֥וֹ מִדְּרָכָ֖יו
וְחָיָֽה׃ כד וּבְשׁ֨וּב צַדִּ֤יק מִצִּדְקָתוֹ֙ וְעָ֣שָׂה עָ֔וֶל כְּכֹ֨ל הַתּוֹעֵב֜וֹת אֲשֶׁר־עָשָׂ֧ה
הָרָשָׁ֛ע יַעֲשֶׂ֖ה וָחָ֑י כָּל־צִדְקֹתָ֤יו[37] אֲשֶׁר־עָשָׂה֙ לֹ֣א תִזָּכַ֔רְנָה בְּמַעֲל֧וֹ אֲשֶׁר־מָ֛עַל
וּבְחַטָּאת֥וֹ אֲשֶׁר־חָטָ֖א בָּ֥ם יָמֽוּת׃ כה וַאֲמַרְתֶּ֕ם לֹ֥א יִתָּכֵ֖ן דֶּ֣רֶךְ אֲדֹנָ֑י שִׁמְעוּ־נָא֙
בֵּ֣ית יִשְׂרָאֵ֔ל הֲדַרְכִּי֙ לֹ֣א יִתָּכֵ֔ן הֲלֹ֥א דַרְכֵיכֶ֖ם לֹ֥א יִתָּכֵֽנוּ׃ כו בְּשׁוּב־צַדִּ֧יק
מִצִּדְקָת֛וֹ וְעָ֥שָׂה עָ֖וֶל וּמֵ֣ת עֲלֵיהֶ֑ם בְּעַוְל֥וֹ אֲשֶׁר־עָשָׂ֖ה יָמֽוּת׃ כז וּבְשׁ֣וּב רָשָׁ֔ע
מֵֽרִשְׁעָתוֹ֙ אֲשֶׁ֣ר עָשָׂ֔ה וַיַּ֥עַשׂ מִשְׁפָּ֖ט וּצְדָקָ֑ה ה֖וּא אֶת־נַפְשׁ֥וֹ יְחַיֶּֽה׃ כח וַיִּרְאֶ֣ה
וַיָּ֔שָׁב[38] מִכָּל־פְּשָׁעָ֖יו אֲשֶׁ֣ר עָשָׂ֑ה חָי֥וֹ יִחְיֶ֖ה לֹ֥א יָמֽוּת׃ כט וְאָֽמְרוּ֙ בֵּ֣ית יִשְׂרָאֵ֔ל
לֹ֥א יִתָּכֵ֖ן דֶּ֣רֶךְ אֲדֹנָ֑י הַדְּרָכַ֞י לֹ֤א יִתָּכְנוּ֙ בֵּ֣ית יִשְׂרָאֵ֔ל הֲלֹ֥א דַרְכֵיכֶ֖ם לֹ֥א
יִתָּכֵֽן׃ ל לָכֵן֩ אִ֨ישׁ כִּדְרָכָ֜יו אֶשְׁפֹּ֤ט אֶתְכֶם֙ בֵּ֣ית יִשְׂרָאֵ֔ל נְאֻ֖ם אֲדֹנָ֣י יְהוִ֑ה
שׁ֤וּבוּ וְהָשִׁ֙יבוּ֙ מִכָּל־פִּשְׁעֵיכֶ֔ם וְלֹא־יִהְיֶ֥ה לָכֶ֛ם לְמִכְשׁ֖וֹל עָוֺֽן׃ לא הַשְׁלִ֣יכוּ
מֵעֲלֵיכֶ֗ם אֶֽת־כָּל־פִּשְׁעֵיכֶם֙ אֲשֶׁ֣ר פְּשַׁעְתֶּ֣ם בָּ֔ם וַעֲשׂ֥וּ לָכֶ֛ם לֵ֥ב חָדָ֖שׁ וְר֣וּחַ
חֲדָשָׁ֑ה וְלָ֥מָּה תָמֻ֖תוּ בֵּ֥ית יִשְׂרָאֵֽל׃ לב כִּ֣י לֹ֤א אֶחְפֹּץ֙ בְּמ֣וֹת הַמֵּ֔ת נְאֻ֖ם אֲדֹנָ֣י
יְהוִ֑ה וְהָשִׁ֖יבוּ וִֽחְיֽוּ׃

יט א וְאַתָּה֙ שָׂ֣א קִינָ֔ה אֶל־נְשִׂיאֵ֖י יִשְׂרָאֵֽל׃ ב וְאָמַרְתָּ֗ מָ֤ה אִמְּךָ֙ לְבִיָּ֔א בֵּ֥ין
אֲרָי֖וֹת רָבָ֑צָה בְּת֥וֹךְ כְּפִרִ֖ים רִבְּתָ֥ה גוּרֶֽיהָ׃ ג וַתַּ֛עַל אֶחָ֥ד מִגֻּרֶ֖יהָ כְּפִ֣יר
הָיָ֑ה וַיִּלְמַ֥ד לִטְרָף־טֶ֖רֶף אָדָ֥ם אָכָֽל׃ ד וַיִּשְׁמְע֥וּ אֵלָ֛יו גּוֹיִ֖ם בְּשַׁחְתָּ֣ם נִתְפָּ֑שׂ
וַיְבִאֻ֥הוּ בַחַחִ֖ים אֶל־אֶ֥רֶץ מִצְרָֽיִם׃ ה וַתֵּ֗רֶא כִּ֚י נֽוֹחֲלָ֔ה אָבְדָ֖ה תִּקְוָתָ֑הּ וַתִּקַּ֛ח
אֶחָ֥ד מִגֻּרֶ֖יהָ כְּפִ֥יר שָׂמָֽתְהוּ׃ ו וַיִּתְהַלֵּ֥ךְ בְּתוֹךְ־אֲרָי֖וֹת כְּפִ֣יר הָיָ֑ה וַיִּלְמַ֥ד
לִטְרָף־טֶ֖רֶף אָדָ֥ם אָכָֽל׃ ז וַיֵּ֙דַע֙ אַלְמְנוֹתָ֔יו וְעָרֵיהֶ֖ם הֶחֱרִ֑יב וַתֵּ֤שַׁם אֶ֙רֶץ֙
וּמְלֹאָ֔הּ מִקּ֖וֹל שַׁאֲגָתֽוֹ׃ ח וַיִּתְּנ֨וּ עָלָ֥יו גּוֹיִ֛ם סָבִ֖יב מִמְּדִינ֑וֹת וַיִּפְרְשׂ֥וּ עָלָ֛יו
רִשְׁתָּ֖ם בְּשַׁחְתָּ֥ם נִתְפָּֽשׂ׃ ט וַיִּתְּנֻ֤הוּ בַסּוּגַר֙ בַּֽחַחִ֔ים וַיְבִאֻ֖הוּ אֶל־מֶ֣לֶךְ בָּבֶ֑ל
יְבִאֻ֙הוּ֙ בַּמְּצֹד֔וֹת לְמַ֗עַן לֹֽא־יִשָּׁמַ֥ע קוֹל֛וֹ ע֖וֹד אֶל־הָרֵ֥י יִשְׂרָאֵֽל׃

[35] רשע
[36] חטאתו
[37] צדקתו
[38] וישוב

20 The soul that sinneth, it shall die; the son shall not bear the iniquity of the father with him, neither shall the father bear the iniquity of the son with him; the righteousness of the righteous shall be upon him, and the wickedness of the wicked shall be upon him.{S} **21** But if the wicked turn from all his sins that he hath committed, and keep all My statutes, and do that which is lawful and right, he shall surely live, he shall not die. **22** None of his transgressions that he hath committed shall be remembered against him; for his righteousness that he hath done he shall live. **23** Have I any pleasure at all that the wicked should die? saith the Lord GOD [Adonai Yehovi]; and not rather that he should return from his ways, and live?{S} **24** But when the righteous turneth away from his righteousness, and committeth iniquity, and doeth according to all the abominations that the wicked man doeth, shall he live? None of his righteous deeds that he hath done shall be remembered; for his trespass that he trespassed, and for his sin that he hath sinned, for them shall he die. **25** Yet ye say: The way of the Lord is not equal. Hear now, O house of Israel: Is it My way that is not equal? is it not your ways that are unequal? **26** When the righteous man turneth away from his righteousness, and committeth iniquity, he shall die therefor; for his iniquity that he hath done shall he die.{S} **27** Again, when the wicked man turneth away from his wickedness that he hath committed, and doeth that which is lawful and right, he shall save his soul alive. **28** Because he considereth, and turneth away from all his transgressions that he hath committed, he shall surely live, he shall not die. **29** Yet saith the house of Israel: The way of the Lord is not equal. O house of Israel, is it My ways that are not equal? is it not your ways that are unequal? **30** Therefore I will judge you, O house of Israel, every one according to his ways, saith the Lord GOD [Adonai Yehovi]. Return ye, and turn yourselves from all your transgressions; so shall they not be a stumblingblock of iniquity unto you. **31** Cast away from you all your transgressions, wherein ye have transgressed; and make you a new heart and a new spirit; for why will ye die, O house of Israel? **32** For I have no pleasure in the death of him that dieth, saith the Lord GOD [Adonai Yehovi]; wherefore turn yourselves, and live.{P}

19 **1** Moreover, take thou up a lamentation for the princes of Israel, **2** and say: How was thy mother a lioness; among lions she couched, in the midst of the young lions she reared her whelps! **3** And she brought up one of her whelps, he became a young lion; and he learned to catch the prey, he devoured men. **4** Then the nations assembled against him, he was taken in their pit; and they brought him with hooks unto the land of Egypt. **5** Now when she saw that she was disappointed, and her hope was lost, then she took another of her whelps, and made him a young lion. **6** And he went up and down among the lions, he became a young lion; and he learned to catch the prey, he devoured men. **7** And he knew their castles, and laid waste their cities; and the land was desolate, and the fulness thereof, because of the noise of his roaring. **8** Then the nations cried out against him on every side from the provinces; and they spread their net over him, he was taken in their pit. **9** And they put him in a cage with hooks, and brought him to the king of Babylon; that they might bring him into strongholds, so that his voice should no more be heard upon the mountains of Israel.{P}

י אִמְּךָ כַגֶּפֶן בְּדָמְךָ עַל־מַיִם שְׁתוּלָה פֹּרִיָּה וַעֲנֵפָה הָיְתָה מִמַּיִם רַבִּים:
יא וַיִּהְיוּ־לָהּ מַטּוֹת עֹז אֶל־שִׁבְטֵי מֹשְׁלִים וַתִּגְבַּהּ קוֹמָתוֹ עַל־בֵּין עֲבֹתִים
וַיֵּרָא בְגָבְהוֹ בְּרֹב דָּלִיֹּתָיו: יב וַתֻּתַּשׁ בְּחֵמָה לָאָרֶץ הֻשְׁלָכָה וְרוּחַ הַקָּדִים
הוֹבִישׁ פִּרְיָהּ הִתְפָּרְקוּ וְיָבֵשׁוּ מַטֵּה עֻזָּהּ אֵשׁ אֲכָלָתְהוּ: יג וְעַתָּה שְׁתוּלָה
בַמִּדְבָּר בְּאֶרֶץ צִיָּה וְצָמָא: יד וַתֵּצֵא אֵשׁ מִמַּטֵּה בַדֶּיהָ פִּרְיָהּ אָכָלָה
וְלֹא־הָיָה בָהּ מַטֵּה־עֹז שֵׁבֶט לִמְשׁוֹל קִינָה הִיא וַתְּהִי לְקִינָה:

כ א וַיְהִי ׀ בַּשָּׁנָה הַשְּׁבִיעִית בַּחֲמִשִׁי בֶּעָשׂוֹר לַחֹדֶשׁ בָּאוּ אֲנָשִׁים מִזִּקְנֵי
יִשְׂרָאֵל לִדְרֹשׁ אֶת־יְהֹוָה וַיֵּשְׁבוּ לְפָנָי: ב וַיְהִי דְבַר־יְהֹוָה אֵלַי לֵאמֹר:
ג בֶּן־אָדָם דַּבֵּר אֶת־זִקְנֵי יִשְׂרָאֵל וְאָמַרְתָּ אֲלֵהֶם כֹּה אָמַר אֲדֹנָי יְהֹוִה
הֲלִדְרֹשׁ אֹתִי אַתֶּם בָּאִים חַי־אָנִי אִם־אִדָּרֵשׁ לָכֶם נְאֻם אֲדֹנָי יְהֹוִה:
ד הֲתִשְׁפֹּט אֹתָם הֲתִשְׁפּוֹט בֶּן־אָדָם אֶת־תּוֹעֲבֹת אֲבוֹתָם הוֹדִיעֵם: ה וְאָמַרְתָּ
אֲלֵיהֶם כֹּה־אָמַר אֲדֹנָי יְהֹוִה בְּיוֹם בָּחֳרִי בְיִשְׂרָאֵל וָאֶשָּׂא יָדִי לְזֶרַע בֵּית
יַעֲקֹב וָאִוָּדַע לָהֶם בְּאֶרֶץ מִצְרָיִם וָאֶשָּׂא יָדִי לָהֶם לֵאמֹר אֲנִי יְהֹוָה
אֱלֹהֵיכֶם: ו בַּיּוֹם הַהוּא נָשָׂאתִי יָדִי לָהֶם לְהוֹצִיאָם מֵאֶרֶץ מִצְרָיִם
אֶל־אֶרֶץ אֲשֶׁר־תַּרְתִּי לָהֶם זָבַת חָלָב וּדְבַשׁ צְבִי הִיא לְכָל־הָאֲרָצוֹת:
ז וָאֹמַר אֲלֵהֶם אִישׁ שִׁקּוּצֵי עֵינָיו הַשְׁלִיכוּ וּבְגִלּוּלֵי מִצְרַיִם אַל־תִּטַּמָּאוּ אֲנִי
יְהֹוָה אֱלֹהֵיכֶם: ח וַיַּמְרוּ־בִי וְלֹא אָבוּ לִשְׁמֹעַ אֵלַי אִישׁ אֶת־שִׁקּוּצֵי עֵינֵיהֶם
לֹא הִשְׁלִיכוּ וְאֶת־גִּלּוּלֵי מִצְרַיִם לֹא עָזָבוּ וָאֹמַר לִשְׁפֹּךְ חֲמָתִי עֲלֵיהֶם
לְכַלּוֹת אַפִּי בָּהֶם בְּתוֹךְ אֶרֶץ מִצְרָיִם: ט וָאַעַשׂ לְמַעַן שְׁמִי לְבִלְתִּי הֵחֵל
לְעֵינֵי הַגּוֹיִם אֲשֶׁר־הֵמָּה בְתוֹכָם אֲשֶׁר נוֹדַעְתִּי אֲלֵיהֶם לְעֵינֵיהֶם לְהוֹצִיאָם
מֵאֶרֶץ מִצְרָיִם: י וָאוֹצִיאֵם מֵאֶרֶץ מִצְרָיִם וָאֲבִאֵם אֶל־הַמִּדְבָּר: יא וָאֶתֵּן
לָהֶם אֶת־חֻקּוֹתַי וְאֶת־מִשְׁפָּטַי הוֹדַעְתִּי אוֹתָם אֲשֶׁר יַעֲשֶׂה אוֹתָם הָאָדָם וָחַי
בָּהֶם: יב וְגַם אֶת־שַׁבְּתוֹתַי נָתַתִּי לָהֶם לִהְיוֹת לְאוֹת בֵּינִי וּבֵינֵיהֶם לָדַעַת כִּי
אֲנִי יְהֹוָה מְקַדְּשָׁם: יג וַיַּמְרוּ־בִי בֵית־יִשְׂרָאֵל בַּמִּדְבָּר בְּחֻקּוֹתַי לֹא־הָלָכוּ
וְאֶת־מִשְׁפָּטַי מָאָסוּ אֲשֶׁר יַעֲשֶׂה אֹתָם הָאָדָם וָחַי בָּהֶם וְאֶת־שַׁבְּתֹתַי חִלְּלוּ
מְאֹד וָאֹמַר לִשְׁפֹּךְ חֲמָתִי עֲלֵיהֶם בַּמִּדְבָּר לְכַלּוֹתָם: יד וָאֶעֱשֶׂה לְמַעַן שְׁמִי
לְבִלְתִּי הֵחֵל לְעֵינֵי הַגּוֹיִם אֲשֶׁר הוֹצֵאתִים לְעֵינֵיהֶם: יה וְגַם־אֲנִי נָשָׂאתִי
יָדִי לָהֶם בַּמִּדְבָּר לְבִלְתִּי הָבִיא אוֹתָם אֶל־הָאָרֶץ אֲשֶׁר־נָתַתִּי זָבַת חָלָב
וּדְבַשׁ צְבִי הִיא לְכָל־הָאֲרָצוֹת: יו יַעַן בְּמִשְׁפָּטַי מָאָסוּ וְאֶת־חֻקּוֹתַי
לֹא־הָלְכוּ בָהֶם וְאֶת־שַׁבְּתוֹתַי חִלֵּלוּ כִּי אַחֲרֵי גִלּוּלֵיהֶם לִבָּם הֹלֵךְ:

10 Thy mother was like a vine, in thy likeness, planted by the waters; she was fruitful and full of branches by reason of many waters. 11 And she had strong rods to be sceptres for them that bore rule; and her stature was exalted among the thick branches, and she was seen in her height with the multitude of her tendrils. 12 But she was plucked up in fury, she was cast down to the ground, and the east wind dried up her fruit; her strong rods were broken off and withered, the fire consumed her. 13 And now she is planted in the wilderness, in a dry and thirsty ground. 14 And fire is gone out of the rod of her branches, it hath devoured her fruit, so that there is in her no strong rod to be a sceptre to rule.' This is a lamentation, and it was for a lamentation.{P}

20 1 And it came to pass in the seventh year, in the fifth month, the tenth day of the month, that certain of the elders of Israel came to inquire of Yehovah, and sat before me.{S} 2 And the word of Yehovah came unto me, saying: 3 'Son of man, speak unto the elders of Israel, and say unto them: Thus saith the Lord GOD [Adonai Yehovi]: Are ye come to inquire of Me? As I live, saith the Lord GOD [Adonai Yehovi], I will not be inquired of by you. 4 Wilt thou judge them, son of man, wilt thou judge them? cause them to know the abominations of their fathers; 5 and say unto them: Thus saith the Lord GOD [Adonai Yehovi]: In the day when I chose Israel, and lifted up My hand unto the seed of the house of Jacob, and made Myself known unto them in the land of Egypt, when I lifted up My hand unto them, saying: I am Yehovah your God; 6 in that day I lifted up My hand unto them, to bring them forth out of the land of Egypt into a land that I had sought out for them, flowing with milk and honey, which is the beauty of all lands; 7 and I said unto them: Cast ye away every man the detestable things of his eyes, and defile not yourselves with the idols of Egypt; I am Yehovah your God. 8 But they rebelled against Me, and would not hearken unto Me; they did not every man cast away the detestable things of their eyes, neither did they forsake the idols of Egypt; then I said I would pour out My fury upon them, to spend My anger upon them in the midst of the land of Egypt. 9 But I wrought for My name's sake, that it should not be profaned in the sight of the nations, among whom they were, in whose sight I made Myself known unto them, so as to bring them forth out of the land of Egypt. 10 So I caused them to go forth out of the land of Egypt, and brought them into the wilderness. 11 And I gave them My statutes, and taught them Mine ordinances, which if a man do, he shall live by them. 12 Moreover also I gave them My sabbaths, to be a sign between Me and them, that they might know that I am Yehovah that sanctify them. 13 But the house of Israel rebelled against Me in the wilderness; they walked not in My statutes, and they rejected Mine ordinances, which if a man do, he shall live by them, and My sabbaths they greatly profaned; then I said I would pour out My fury upon them in the wilderness, to consume them. 14 But I wrought for My name's sake, that it should not be profaned in the sight of the nations, in whose sight I brought them out. 15 Yet also I lifted up My hand unto them in the wilderness, that I would not bring them into the land which I had given them, flowing with milk and honey, which is the beauty of all lands; 16 because they rejected Mine ordinances, and walked not in My statutes, and profaned My sabbaths–for their heart went after their idols.

יז וַתָּ֣חָס עֵינִ֥י עֲלֵיהֶ֖ם מִֽשַּׁחֲתָ֑ם וְלֹֽא־עָשִׂ֧יתִי אוֹתָ֛ם כָּלָ֖ה בַּמִּדְבָּֽר: יח וָאֹמַ֣ר אֶל־בְּנֵיהֶ֘ם בַּמִּדְבָּ֒ר בְּחוּקֵּ֣י אֲבֽוֹתֵיכֶם֙ אַל־תֵּלֵ֔כוּ וְאֶת־מִשְׁפְּטֵיהֶ֖ם אַל־תִּשְׁמֹ֑רוּ וּבְגִלּֽוּלֵיהֶ֖ם אַל־תִּטַּמָּֽאוּ: יט אֲנִי֙ יְהֹוָ֣ה אֱלֹֽהֵיכֶ֔ם בְּחֻקּוֹתַ֖י לֵ֑כוּ וְאֶת־מִשְׁפָּטַ֥י שִׁמְר֖וּ וַעֲשׂ֥וּ אוֹתָֽם: כ וְאֶת־שַׁבְּתוֹתַ֖י קַדֵּ֑שׁוּ וְהָי֤וּ לְאוֹת֙ בֵּינִ֣י וּבֵֽינֵיכֶ֔ם לָדַ֕עַת כִּ֛י אֲנִ֥י יְהֹוָ֖ה אֱלֹהֵיכֶֽם: כא וַיַּמְרוּ־בִ֣י הַבָּנִ֗ים בְּחֻקּוֹתַ֣י לֹֽא־הָלָ֡כוּ וְאֶת־מִשְׁפָּטַ֣י לֹֽא־שָׁמְר֩וּ לַעֲשׂ֨וֹת אוֹתָ֜ם אֲשֶׁ֩ר יַעֲשֶׂ֨ה אוֹתָ֤ם הָֽאָדָם֙ וָחַ֣י בָּהֶ֔ם אֶת־שַׁבְּתוֹתַ֖י חִלֵּ֑לוּ וָאֹמַ֞ר לִשְׁפֹּ֧ךְ חֲמָתִ֣י עֲלֵיהֶ֗ם לְכַלּ֥וֹת אַפִּ֛י בָּ֖ם בַּמִּדְבָּֽר: כב וַהֲשִׁבֹ֙תִי֙ אֶת־יָדִ֔י וָאַ֖עַשׂ לְמַ֣עַן שְׁמִ֑י לְבִלְתִּ֤י הֵחֵל֙ לְעֵינֵ֣י הַגּוֹיִ֔ם אֲשֶׁר־הוֹצֵ֥אתִי אוֹתָ֖ם לְעֵינֵיהֶֽם: כג גַּם־אֲנִ֗י נָשָׂ֧אתִי אֶת־יָדִ֛י לָהֶ֖ם בַּמִּדְבָּ֑ר לְהָפִ֤יץ אֹתָם֙ בַּגּוֹיִ֔ם וּלְזָר֥וֹת אוֹתָ֖ם בָּאֲרָצֽוֹת: כד יַ֛עַן מִשְׁפָּטַ֥י לֹֽא־עָשׂ֖וּ וְחֻקּוֹתַ֣י מָאָ֑סוּ וְאֶת־שַׁבְּתוֹתַ֖י חִלֵּ֑לוּ וְאַחֲרֵי֙ גִּלּוּלֵ֣י אֲבוֹתָ֔ם הָי֖וּ עֵינֵיהֶֽם: כה וְגַם־אֲנִי֙ נָתַ֣תִּי לָהֶ֔ם חֻקִּ֖ים לֹ֣א טוֹבִ֑ים וּמִ֨שְׁפָּטִ֔ים לֹ֥א יִֽחְי֖וּ בָּהֶֽם: כו וָאֲטַמֵּ֤א אוֹתָם֙ בְּמַתְּנוֹתָ֔ם בְּהַעֲבִ֖יר כָּל־פֶּ֣טֶר רָ֑חַם לְמַ֣עַן אֲשִׁמֵּ֔ם לְמַ֙עַן֙ אֲשֶׁ֣ר יֵֽדְע֔וּ אֲשֶׁ֖ר אֲנִ֥י יְהֹוָֽה: כז לָכֵ֣ן דַּבֵּ֣ר אֶל־בֵּ֣ית יִשְׂרָאֵל֮ בֶּן־אָדָם֒ וְאָמַרְתָּ֣ אֲלֵיהֶ֔ם כֹּ֥ה אָמַ֖ר אֲדֹנָ֣י יְהֹוִ֑ה ע֗וֹד זֹ֚את גִּדְּפ֤וּ אוֹתִי֙ אֲב֣וֹתֵיכֶ֔ם בְּמַעֲלָ֥ם בִּ֖י מָֽעַל: כח וָאֲבִיאֵם֙ אֶל־הָאָ֔רֶץ אֲשֶׁ֤ר נָשָׂ֙אתִי֙ אֶת־יָדִ֔י לָתֵ֥ת אוֹתָ֖הּ לָהֶ֑ם וַיִּרְא֣וּ כָל־גִּבְעָ֣ה רָמָ֗ה וְכָל־עֵ֣ץ עָבֹ֔ת וַיִּזְבְּחוּ־שָׁ֣ם אֶת־זִבְחֵיהֶ֗ם וַיִּתְּנוּ־שָׁם֙ כַּ֣עַס קָרְבָּנָ֔ם וַיָּשִׂ֣ימוּ שָׁ֗ם רֵ֚יחַ נִיחֽוֹחֵיהֶ֔ם וַיַּסִּ֥יכוּ שָׁ֖ם אֶת־נִסְכֵּיהֶֽם: כט וָאֹמַ֣ר אֲלֵהֶ֔ם מָ֣ה הַבָּמָ֔ה אֲשֶׁר־אַתֶּ֥ם הַבָּאִ֖ים שָׁ֑ם וַיִּקָּרֵ֤א שְׁמָהּ֙ בָּמָ֔ה עַ֖ד הַיּ֥וֹם הַזֶּֽה: ל לָכֵ֞ן אֱמֹ֣ר ׀ אֶל־בֵּ֣ית יִשְׂרָאֵ֗ל כֹּ֤ה אָמַר֙ אֲדֹנָ֣י יְהֹוִ֔ה הַבְּדֶ֖רֶךְ אֲבֽוֹתֵיכֶ֛ם אַתֶּ֣ם נִטְמְאִ֑ים וְאַחֲרֵ֥י שִׁקּוּצֵיהֶ֖ם אַתֶּ֥ם זֹנִֽים: לא וּבִשְׂאֵ֣ת מַתְּנֹֽתֵיכֶ֡ם בְּהַעֲבִ֣יר בְּנֵיכֶם֩ בָּאֵ֨שׁ אַתֶּ֜ם נִטְמְאִ֤ים לְכָל־גִּלּֽוּלֵיכֶם֙ עַד־הַיּ֔וֹם וַאֲנִ֛י אִדָּרֵ֥שׁ לָכֶ֖ם בֵּ֣ית יִשְׂרָאֵ֑ל חַי־אָ֗נִי נְאֻם֙ אֲדֹנָ֣י יְהֹוִ֔ה אִם־אִדָּרֵ֖שׁ לָכֶֽם: לב וְהָֽעֹלָה֙ עַל־ר֣וּחֲכֶ֔ם הָי֖וֹ לֹ֣א תִֽהְיֶ֑ה אֲשֶׁ֣ר ׀ אַתֶּ֣ם אֹמְרִ֗ים נִֽהְיֶ֤ה כַגּוֹיִם֙ כְּמִשְׁפְּח֣וֹת הָאֲרָצ֔וֹת לְשָׁרֵ֖ת עֵ֥ץ וָאָֽבֶן: לג חַי־אָ֕נִי נְאֻ֖ם אֲדֹנָ֣י יְהֹוִ֑ה אִם־לֹ֠א בְּיָ֨ד חֲזָקָ֜ה וּבִזְר֧וֹעַ נְטוּיָ֛ה וּבְחֵמָ֥ה שְׁפוּכָ֖ה אֶמְל֥וֹךְ עֲלֵיכֶֽם: לד וְהוֹצֵאתִ֣י אֶתְכֶ֣ם מִן־הָעַמִּ֗ים וְקִבַּצְתִּ֤י אֶתְכֶם֙ מִן־הָ֣אֲרָצ֔וֹת אֲשֶׁ֥ר נְפוֹצֹתֶ֖ם בָּ֑ם בְּיָ֤ד חֲזָקָה֙ וּבִזְר֣וֹעַ נְטוּיָ֔ה וּבְחֵמָ֖ה שְׁפוּכָֽה: לה וְהֵבֵאתִ֣י אֶתְכֶ֔ם אֶל־מִדְבַּ֖ר הָעַמִּ֑ים וְנִשְׁפַּטְתִּ֤י אִתְּכֶם֙ שָׁ֔ם פָּנִ֖ים אֶל־פָּנִֽים: לו כַּאֲשֶׁ֤ר נִשְׁפַּטְתִּי֙ אֶת־אֲב֣וֹתֵיכֶ֔ם בְּמִדְבַּ֖ר אֶ֣רֶץ מִצְרָ֑יִם כֵּ֚ן אִשָּׁפֵ֣ט אִתְּכֶ֔ם נְאֻ֖ם אֲדֹנָ֥י יְהֹוִֽה: לז וְהַעֲבַרְתִּ֥י אֶתְכֶ֖ם תַּ֣חַת הַשָּׁ֑בֶט וְהֵבֵאתִ֥י אֶתְכֶ֖ם בְּמָסֹ֥רֶת הַבְּרִֽית: לח וּבָרוֹתִ֣י מִכֶּ֗ם הַמֹּרְדִ֤ים וְהַפּֽוֹשְׁעִים֙ בִּ֔י מֵאֶ֤רֶץ מְגֽוּרֵיהֶם֙ אוֹצִ֣יא אוֹתָ֔ם וְאֶל־אַדְמַ֥ת יִשְׂרָאֵ֖ל לֹ֣א יָב֑וֹא וִֽידַעְתֶּ֖ם כִּֽי־אֲנִ֥י יְהֹוָֽה:

17 Nevertheless Mine eye spared them from destroying them, neither did I make a full end of them in the wilderness. **18** And I said unto their children in the wilderness: Walk ye not in the statutes of your fathers, neither observe their ordinances, nor defile yourselves with their idols; **19** I am Yehovah your God; walk in My statutes, and keep Mine ordinances, and do them; **20** and hallow My sabbaths, and they shall be a sign between Me and you, that ye may know that I am Yehovah your God. **21** But the children rebelled against Me; they walked not in My statutes, neither kept Mine ordinances to do them, which if a man do, he shall live by them; they profaned My sabbaths; then I said I would pour out My fury upon them, to spend My anger upon them in the wilderness. **22** Nevertheless I withdrew My hand, and wrought for My name's sake, that it should not be profaned in the sight of the nations, in whose sight I brought them forth. **23** I lifted up My hand unto them also in the wilderness, that I would scatter them among the nations, and disperse them through the countries; **24** because they had not executed Mine ordinances, but had rejected My statutes, and had profaned My sabbaths, and their eyes were after their fathers' idols. **25** Wherefore I gave them also statutes that were not good, and ordinances whereby they should not live; **26** and I polluted them in their own gifts, in that they set apart all that openeth the womb, that I might destroy them, to the end that they might know that I am Yehovah.{s} **27** Therefore, son of man, speak unto the house of Israel, and say unto them: Thus saith the Lord GOD [Adonai Yehovi]: In this moreover have your fathers blasphemed Me, in that they dealt treacherously with Me. **28** For when I had brought them into the land, which I lifted up My hand to give unto them, then they saw every high hill, and every thick tree, and they offered there their sacrifices, and there they presented the provocation of their offering, there also they made their sweet savour, and there they poured out their drink-offerings. **29** Then I said unto them: What meaneth the high place whereunto ye go? So the name thereof is called Bamah unto this day.{s} **30** Wherefore say unto the house of Israel: Thus saith the Lord GOD [Adonai Yehovi]: When ye pollute yourselves after the manner of your fathers, and go after their abominations, **31** and when, in offering your gifts, in making your sons to pass through the fire, ye pollute yourselves with all your idols, unto this day;{s} shall I then be inquired of by you, O house of Israel? As I live, saith the Lord GOD [Adonai Yehovi], I will not be inquired of by you; **32** and that which cometh into your mind shall not be at all; in that ye say: We will be as the nations, as the families of the countries, to serve wood and stone. **33** As I live, saith the Lord GOD [Adonai Yehovi], surely with a mighty hand, and with an outstretched arm, and with fury poured out, will I be king over you; **34** and I will bring you out from the peoples, and will gather you out of the countries wherein ye are scattered, with a mighty hand, and with an outstretched arm, and with fury poured out; **35** and I will bring you into the wilderness of the peoples, and there will I plead with you face to face. **36** Like as I pleaded with your fathers in the wilderness of the land of Egypt, so will I plead with you, saith the Lord GOD [Adonai Yehovi]. **37** And I will cause you to pass under the rod, and I will bring you into the bond of the covenant; **38** and I will purge out from among you the rebels, and them that transgress against Me; I will bring them forth out of the land where they sojourn, but they shall not enter into the land of Israel; and ye shall know that I am Yehovah.

לט וְאַתֶּ֣ם בֵּֽית־יִשְׂרָאֵ֗ל כֹּֽה־אָמַ֣ר ׀ אֲדֹנָ֣י יְהֹוִ֔ה אִ֤ישׁ גִּלּוּלָיו֙ לְכ֣וּ עֲבֹ֔דוּ וְאַחַ֕ר אִֽם־אֵינְכֶ֖ם שֹׁמְעִ֣ים אֵלָ֑י וְאֶת־שֵׁ֤ם קׇדְשִׁי֙ לֹ֣א תְחַלְּלוּ־ע֔וֹד בְּמַתְּנֽוֹתֵיכֶ֖ם וּבְגִלּוּלֵיכֶֽם: מ כִּ֣י בְהַר־קׇדְשִׁ֞י בְּהַ֣ר ׀ מְר֣וֹם יִשְׂרָאֵ֗ל נְאֻם֙ אֲדֹנָ֣י יְהֹוִ֔ה שָׁ֣ם יַעַבְדֻ֜נִי כׇּל־בֵּ֤ית יִשְׂרָאֵל֙ כֻּלֹּ֣ה בָּאָ֔רֶץ שָׁ֖ם אֶרְצֵ֑ם וְשָׁ֤ם אֶדְר֨וֹשׁ אֶת־תְּרוּמֹֽתֵיכֶ֗ם וְאֶת־רֵאשִׁ֛ית מַשְׂאֽוֹתֵיכֶ֖ם בְּכׇל־קׇדְשֵׁיכֶֽם: מא בְּרֵ֣יחַ נִיחֹחַ֮ אֶרְצֶ֣ה אֶתְכֶם֒ בְּהוֹצִיאִ֤י אֶתְכֶם֙ מִן־הָ֣עַמִּ֔ים וְקִבַּצְתִּ֣י אֶתְכֶ֔ם מִן־הָ֣אֲרָצ֔וֹת אֲשֶׁ֥ר נְפֹצֹתֶ֖ם בָּ֑ם וְנִקְדַּשְׁתִּ֥י בָכֶ֖ם לְעֵינֵ֥י הַגּוֹיִֽם: מב וִֽידַעְתֶּם֙ כִּֽי־אֲנִ֣י יְהֹוָ֔ה בַּהֲבִיאִ֤י אֶתְכֶם֙ אֶל־אַדְמַ֣ת יִשְׂרָאֵ֔ל אֶל־הָאָ֕רֶץ אֲשֶׁ֤ר נָשָׂ֙אתִי֙ אֶת־יָדִ֔י לָתֵ֥ת אוֹתָ֖הּ לַאֲבֽוֹתֵיכֶֽם: מג וּזְכַרְתֶּם־שָׁ֗ם אֶת־דַּרְכֵיכֶם֙ וְאֵת֙ כׇּל־עֲלִילֽוֹתֵיכֶ֔ם אֲשֶׁ֥ר נִטְמֵאתֶ֖ם בָּ֑ם וּנְקֹֽטֹתֶם֙ בִּפְנֵיכֶ֔ם בְּכׇל־רָעֽוֹתֵיכֶ֖ם אֲשֶׁ֥ר עֲשִׂיתֶֽם: מד וִֽידַעְתֶּם֙ כִּֽי־אֲנִ֣י יְהֹוָ֔ה בַּעֲשׂוֹתִ֥י אִתְּכֶ֖ם לְמַ֣עַן שְׁמִ֑י לֹא֩ כְדַרְכֵיכֶ֨ם הָרָעִ֜ים וְכַעֲלִילֽוֹתֵיכֶ֤ם הַנִּשְׁחָתוֹת֙ בֵּ֣ית יִשְׂרָאֵ֔ל נְאֻ֖ם אֲדֹנָ֥י יְהֹוִֽה:

כא א וַיְהִ֥י דְבַר־יְהֹוָ֖ה אֵלַ֥י לֵאמֹֽר: ב בֶּן־אָדָ֗ם שִׂ֤ים פָּנֶ֙יךָ֙ דֶּ֣רֶךְ תֵּימָ֔נָה וְהַטֵּ֖ף אֶל־דָּר֑וֹם וְהִנָּבֵ֛א אֶל־יַ֥עַר הַשָּׂדֶ֖ה נֶֽגֶב: ג וְאָֽמַרְתָּ֙ לְיַ֣עַר הַנֶּ֔גֶב שְׁמַ֖ע דְּבַר־יְהֹוָ֑ה כֹּֽה־אָמַ֣ר אֲדֹנָ֣י יְהֹוִ֗ה הִנְנִ֤י מַצִּֽית־בְּךָ֙ ׀ אֵ֔שׁ וְאָכְלָ֤ה בְךָ֙ כׇל־עֵֽץ־לַ֔ח וְכׇל־עֵ֖ץ יָבֵ֑שׁ לֹֽא־תִכְבֶּה֙ לַהֶ֣בֶת שַׁלְהֶ֔בֶת וְנִצְרְבוּ־בָ֥הּ כׇּל־פָּנִ֖ים מִנֶּ֥גֶב צָפֹֽנָה: ד וְרָאוּ֙ כׇּל־בָּשָׂ֔ר כִּ֛י אֲנִ֥י יְהֹוָ֖ה בִּֽעַרְתִּ֑יהָ לֹ֖א תִּכְבֶּֽה: ה וָאֹמַ֕ר אֲהָ֖הּ אֲדֹנָ֣י יְהֹוִ֑ה הֵ֚מָּה אֹמְרִ֣ים לִ֔י הֲלֹ֛א מְמַשֵּׁ֥ל מְשָׁלִ֖ים הֽוּא:

ו וַיְהִ֥י דְבַר־יְהֹוָ֖ה אֵלַ֥י לֵאמֹֽר: ז בֶּן־אָדָ֗ם שִׂ֤ים פָּנֶ֙יךָ֙ אֶל־יְר֣וּשָׁלַ֔͏ִם וְהַטֵּ֖ף אֶל־מִקְדָּשִׁ֑ים וְהִנָּבֵ֖א אֶל־אַדְמַ֥ת יִשְׂרָאֵֽל: ח וְאָמַרְתָּ֞ לְאַדְמַ֣ת יִשְׂרָאֵ֗ל כֹּ֚ה אָמַ֣ר יְהֹוָ֔ה הִנְנִ֣י אֵלַ֔יִךְ וְהוֹצֵאתִ֥י חַרְבִּ֖י מִתַּעְרָ֑הּ וְהִכְרַתִּ֥י מִמֵּ֖ךְ צַדִּ֥יק וְרָשָֽׁע: ט יַ֛עַן אֲשֶׁר־הִכְרַ֥תִּי מִמֵּ֖ךְ צַדִּ֣יק וְרָשָׁ֑ע לָ֠כֵ֠ן תֵּצֵ֨א חַרְבִּ֧י מִתַּעְרָ֛הּ אֶל־כׇּל־בָּשָׂ֖ר מִנֶּ֥גֶב צָפֽוֹן: י וְיָֽדְעוּ֙ כׇּל־בָּשָׂ֔ר כִּ֚י אֲנִ֣י יְהֹוָ֔ה הוֹצֵ֥אתִי חַרְבִּ֖י מִתַּעְרָ֑הּ לֹ֥א תָשׁ֖וּב עֽוֹד: יא וְאַתָּ֥ה בֶן־אָדָ֖ם הֵֽאָנַ֑ח בְּשִׁבְר֤וֹן מׇתְנַ֙יִם֙ וּבִמְרִיר֔וּת תֵּֽאָנַ֖ח לְעֵֽינֵיהֶֽם: יב וְהָיָה֙ כִּֽי־יֹאמְר֣וּ אֵלֶ֔יךָ עַל־מָ֖ה אַתָּ֣ה נֶאֱנָ֑ח וְאָמַרְתָּ֡ אֶל־שְׁמוּעָ֣ה כִֽי־בָאָ֡ה וְנָמֵ֣ס כׇּל־לֵב֩ וְרָפ֨וּ כׇל־יָדַ֜יִם וְכִהֲתָ֣ה כׇל־ר֗וּחַ וְכׇל־בִּרְכַּ֙יִם֙ תֵּלַ֣כְנָה מַּ֔יִם הִנֵּ֤ה בָאָה֙ וְנִֽהְיָ֔תָה נְאֻ֖ם אֲדֹנָ֥י יְהֹוִֽה:

יג וַיְהִ֥י דְבַר־יְהֹוָ֖ה אֵלַ֥י לֵאמֹֽר: יד בֶּן־אָדָ֕ם הִנָּבֵא֙ וְאָ֣מַרְתָּ֔ כֹּ֖ה אָמַ֣ר אֲדֹנָ֑י אֱמֹ֕ר חֶ֥רֶב חֶ֛רֶב הוּחַ֖דָּה וְגַם־מְרוּטָֽה: יה לְמַ֨עַן טְבֹ֤חַ טֶ֙בַח֙ הוּחַ֔דָּה לְמַעַן־הֱיֵה־לָ֥הּ בָּרָ֖ק מֹרָ֑טָּה א֣וֹ נָשִׂ֔ישׂ שֵׁ֥בֶט בְּנִ֖י מֹאֶ֥סֶת כׇּל־עֵֽץ:

39 As for you, O house of Israel, thus saith the Lord GOD [Adonai Yehovi]: Go ye, serve every one his idols, even because ye will not hearken unto Me; but My holy name shall ye no more profane with your gifts, and with your idols. **40** For in My holy mountain, in the mountain of the height of Israel, saith the Lord GOD [Adonai Yehovi], there shall all the house of Israel, all of them, serve Me in the land; there will I accept them, and there will I require your heave-offerings, and the first of your gifts, with all your holy things. **41** With your sweet savour will I accept you, when I bring you out from the peoples, and gather you out of the countries wherein ye have been scattered; and I will be sanctified in you in the sight of the nations. **42** And ye shall know that I am Yehovah, when I shall bring you into the land of Israel, into the country which I lifted up My hand to give unto your fathers. **43** And there shall ye remember your ways, and all your doings, wherein ye have polluted yourselves; and ye shall loathe yourselves in your own sight for all your evils that ye have committed. **44** And ye shall know that I am Yehovah, when I have wrought with you for My name's sake, not according to your evil ways, nor according to your corrupt doings, O ye house of Israel, saith the Lord GOD [Adonai Yehovi].'{P}

21 **1** And the word of Yehovah came unto me, saying: **2** 'Son of man, set thy face toward the South, and preach toward the South, and prophesy against the forest of the field in the South; **3** and say to the forest of the South: Hear the word of Yehovah: Thus saith the Lord GOD [Adonai Yehovi]: Behold, I will kindle a fire in thee, and it shall devour every green tree in thee, and every dry tree, it shall not be quenched, even a flaming flame; and all faces from the south to the north shall be seared thereby. **4** And all flesh shall see that I Yehovah have kindled it; it shall not be quenched.' **5** Then said I: 'Ah Lord GOD [Adonai Yehovi]! they say of me: Is he not a maker of parables?'{P}

6 Then the word of Yehovah came unto me, saying: **7** 'Son of man, set thy face toward Yerushalam, and preach toward the sanctuaries, and prophesy against the land of Israel; **8** and say to the land of Israel: Thus saith Yehovah: Behold, I am against thee, and will draw forth My sword out of its sheath, and will cut off from thee the righteous and the wicked. **9** Seeing then that I will cut off from thee the righteous and the wicked, therefore shall My sword go forth out of its sheath against all flesh from the south to the north; **10** and all flesh shall know that I Yehovah have drawn forth My sword out of its sheath; it shall not return any more.{S} **11** Sigh therefore, thou son of man; with the breaking of thy loins and with bitterness shalt thou sigh before their eyes. **12** And it shall be, when they say unto thee: Wherefore sighest thou? that thou shalt say: Because of the tidings, for it cometh; and every heart shall melt, and all hands shall be slack, and every spirit shall be faint, and all knees shall drip with water; behold, it cometh, and it shall be done, saith the Lord GOD [Adonai Yehovi].'{P}

13 And the word of Yehovah came unto me, saying: **14** 'Son of man, prophesy, and say: Thus saith Yehovah: Say: A sword, a sword, it is sharpened, and also furbished: **15** It is sharpened that it may make a sore slaughter, it is furbished that it may glitter–or shall we make mirth?–against the rod of My son, contemning every tree.

יו וַיִּתֵּן אֹתָהּ לְמָרְטָה לִתְפֹּשׂ בַּכָּף הִיא־הוּחַדָּה חֶרֶב וְהִיא מֹרָטָּה לָתֵת
אוֹתָהּ בְּיַד־הוֹרֵג׃ יז זְעַק וְהֵילֵל בֶּן־אָדָם כִּי־הִיא הָיְתָה בְעַמִּי הִיא
בְּכָל־נְשִׂיאֵי יִשְׂרָאֵל מְגוּרֵי אֶל־חֶרֶב הָיוּ אֶת־עַמִּי לָכֵן סְפֹק אֶל־יָרֵךְ׃ יח כִּי
בֹחַן וּמָה אִם־גַּם־שֵׁבֶט מֹאֶסֶת לֹא יִהְיֶה נְאֻם אֲדֹנָי יְהוִה׃

יט וְאַתָּה בֶן־אָדָם הִנָּבֵא וְהַךְ כַּף אֶל־כָּף וְתִכָּפֵל חֶרֶב שְׁלִישִׁתָה חֶרֶב
חֲלָלִים הִיא חֶרֶב חָלָל הַגָּדוֹל הַחֹדֶרֶת לָהֶם׃ כ לְמַעַן ׀ לָמוּג לֵב וְהַרְבֵּה
הַמִּכְשֹׁלִים עַל כָּל־שַׁעֲרֵיהֶם נָתַתִּי אִבְחַת־חָרֶב אָח עֲשׂוּיָה לְבָרָק מְעֻטָּה
לְטָבַח׃ כא הִתְאַחֲדִי הֵימִנִי הָשִׂימִי הַשְׂמִילִי אָנָה פָּנַיִךְ מֻעָדוֹת׃ כב וְגַם־אֲנִי
אַכֶּה כַפִּי אֶל־כַּפִּי וַהֲנִחֹתִי חֲמָתִי אֲנִי יְהוָה דִּבַּרְתִּי׃

כג וַיְהִי דְבַר־יְהוָה אֵלַי לֵאמֹר׃ כד וְאַתָּה בֶן־אָדָם שִׂים־לְךָ ׀ שְׁנַיִם דְּרָכִים
לָבוֹא חֶרֶב מֶלֶךְ־בָּבֶל מֵאֶרֶץ אֶחָד יֵצְאוּ שְׁנֵיהֶם וְיָד בָּרֵא בְּרֹאשׁ דֶּרֶךְ־עִיר
בָּרֵא׃ כה דֶּרֶךְ תָּשִׂים לָבוֹא חֶרֶב אֵת רַבַּת בְּנֵי־עַמּוֹן וְאֶת־יְהוּדָה
בִירוּשָׁלַםִ בְּצוּרָה׃ כו כִּי־עָמַד מֶלֶךְ־בָּבֶל אֶל־אֵם הַדֶּרֶךְ בְּרֹאשׁ שְׁנֵי
הַדְּרָכִים לִקְסָם־קָסֶם קִלְקַל בַּחִצִּים שָׁאַל בַּתְּרָפִים רָאָה בַּכָּבֵד׃ כז בִּימִינוֹ
הָיָה ׀ הַקֶּסֶם יְרוּשָׁלַםִ לָשׂוּם כָּרִים לִפְתֹּחַ פֶּה בְּרֶצַח לְהָרִים קוֹל בִּתְרוּעָה
לָשׂוּם כָּרִים עַל־שְׁעָרִים לִשְׁפֹּךְ סֹלְלָה לִבְנוֹת דָּיֵק׃ כח וְהָיָה לָהֶם
כִּקְסָם־שָׁוְא [39] בְּעֵינֵיהֶם שְׁבֻעֵי שְׁבֻעוֹת לָהֶם וְהוּא־מַזְכִּיר עָוֺן לְהִתָּפֵשׂ׃

כט לָכֵן כֹּה־אָמַר אֲדֹנָי יְהוִה יַעַן הַזְכַּרְכֶם עֲוֺנְכֶם בְּהִגָּלוֹת פִּשְׁעֵיכֶם
לְהֵרָאוֹת חַטֹּאותֵיכֶם בְּכֹל עֲלִילוֹתֵיכֶם יַעַן הִזָּכֶרְכֶם בַּכַּף תִּתָּפֵשׂוּ׃

ל וְאַתָּה חָלָל רָשָׁע נְשִׂיא יִשְׂרָאֵל אֲשֶׁר־בָּא יוֹמוֹ בְּעֵת עֲוֺן קֵץ׃ לא כֹּה אָמַר
אֲדֹנָי יְהוִה הָסִיר הַמִּצְנֶפֶת וְהָרִים הָעֲטָרָה זֹאת לֹא־זֹאת הַשָּׁפָלָה הַגְבֵּהַ
וְהַגָּבֹהַ הַשְׁפִּיל׃ לב עַוָּה עַוָּה עַוָּה אֲשִׂימֶנָּה גַּם־זֹאת לֹא הָיָה עַד־בֹּא
אֲשֶׁר־לוֹ הַמִּשְׁפָּט וּנְתַתִּיו׃

לג וְאַתָּה בֶן־אָדָם הִנָּבֵא וְאָמַרְתָּ כֹּה אָמַר אֲדֹנָי יְהוִה אֶל־בְּנֵי עַמּוֹן
וְאֶל־חֶרְפָּתָם וְאָמַרְתָּ חֶרֶב חֶרֶב פְּתוּחָה לְטֶבַח מְרוּטָה לְהָכִיל לְמַעַן
בָּרָק׃ לד בַּחֲזוֹת לָךְ שָׁוְא בִּקְסָם־לָךְ כָּזָב לָתֵת אוֹתָךְ אֶל־צַוְּארֵי חַלְלֵי
רְשָׁעִים אֲשֶׁר־בָּא יוֹמָם בְּעֵת עֲוֺן קֵץ׃ לה הָשַׁב אֶל־תַּעְרָהּ בִּמְקוֹם
אֲשֶׁר־נִבְרֵאת בְּאֶרֶץ מְכֻרוֹתַיִךְ אֶשְׁפֹּט אֹתָךְ׃ לו וְשָׁפַכְתִּי עָלַיִךְ זַעְמִי בְּאֵשׁ
עֶבְרָתִי אָפִיחַ עָלָיִךְ וּנְתַתִּיךְ בְּיַד אֲנָשִׁים בֹּעֲרִים חָרָשֵׁי מַשְׁחִית׃

[39] כקסום

16 And it is given to be furbished, that it may be handled; the sword, it is sharpened, yea, it is furbished, to give it into the hand of the slayer. **17** Cry and wail, son of man; for it is upon My people, it is upon all the princes of Israel; they are thrust down to the sword with My people; smite therefore upon thy thigh. **18** For there is a trial; and what if it contemn even the rod? It shall be no more, saith the Lord GOD [Adonai Yehovi].{P}

19 Thou therefore, son of man, prophesy, and smite thy hands together; and let the sword be doubled the third time, the sword of those to be slain; it is the sword of the great one that is to be slain, which compasseth them about. **20** I have set the point of the sword against all their gates, that their heart may melt, and their stumblings be multiplied; ah! it is made glittering, it is sharpened for slaughter. **21** Go thee one way to the right, or direct thyself to the left; whither is thy face set? **22** I will also smite My hands together, and I will satisfy My fury; I Yehovah have spoken it.'{P}

23 And the word of Yehovah came unto me, saying: **24** 'Now, thou son of man, make thee two ways, that the sword of the king of Babylon may come; they twain shall come forth out of one land; and mark a signpost, mark it clear at the head of the way to the city. **25** Thou shalt make a way, that the sword may come to Rabbah of the children of Ammon, and to Judah in Yerushalam the fortified. **26** For the king of Babylon standeth at the parting of the way, at the head of the two ways, to use divination; he shaketh the arrows to and fro, he inquireth of the teraphim, he looketh in the liver. **27** In his right hand is the lot Yerushalam, to set battering rams, to open the mouth for the slaughter, to lift up the voice with shouting, to set battering rams against the gates, to cast up mounds, to build forts. **28** And it shall be unto them as a false divination in their sight, who have weeks upon weeks! but it bringeth iniquity to remembrance, that they may be taken.{S} **29** Therefore thus saith the Lord GOD [Adonai Yehovi]: Because ye have made your iniquity to be remembered, in that your transgressions are uncovered, so that your sins do appear in all your doings; because that ye are come to remembrance, ye shall be taken with the hand.{P}

30 And thou, O wicked one, that art to be slain, the prince of Israel, whose day is come, in the time of the iniquity of the end;{S} **31** thus saith the Lord GOD [Adonai Yehovi]: The mitre shall be removed, and the crown taken off; this shall be no more the same: that which is low shall be exalted, and that which is high abased. **32** A ruin, a ruin, a ruin, will I make it; this also shall be no more, until he come whose right it is, and I will give it him.{P}

33 And thou, son of man, prophesy, and say: Thus saith the Lord GOD [Adonai Yehovi] concerning the children of Ammon, and concerning their taunt; and say thou: O sword, O sword keen-edged, furbished for the slaughter, to the uttermost, because of the glitterings; **34** While they see falsehood unto thee, while they divine lies unto thee, to lay thee upon the necks of the wicked that are to be slain, whose day is come, in the time of the iniquity of the end! **35** Cause it to return into its sheath!–In the place where thou wast created, in the land of thine origin, will I judge thee. **36** And I will pour out My indignation upon thee, I will blow upon thee with the fire of My wrath; and I will deliver thee into the hand of brutish men, skilful to destroy.

לז לָאֵשׁ תִּהְיֶה לְאָכְלָה דָּמֵךְ יִהְיֶה בְּתוֹךְ הָאָרֶץ לֹא תִזָּכֵרִי כִּי אֲנִי יְהֹוָה
דִּבַּרְתִּי׃

כב

א וַיְהִי דְבַר־יְהֹוָה אֵלַי לֵאמֹר׃ ב וְאַתָּה בֶן־אָדָם הֲתִשְׁפֹּט הֲתִשְׁפֹּט
אֶת־עִיר הַדָּמִים וְהוֹדַעְתָּהּ אֵת כָּל־תּוֹעֲבוֹתֶיהָ׃ ג וְאָמַרְתָּ כֹּה אָמַר אֲדֹנָי
יֱהֹוִה עִיר שֹׁפֶכֶת דָּם בְּתוֹכָהּ לָבוֹא עִתָּהּ וְעָשְׂתָה גִלּוּלִים עָלֶיהָ לְטָמְאָה׃
ד בְּדָמֵךְ אֲשֶׁר־שָׁפַכְתְּ אָשַׁמְתְּ וּבְגִלּוּלַיִךְ אֲשֶׁר־עָשִׂית טָמֵאת וַתַּקְרִיבִי יָמַיִךְ
וַתָּבוֹא עַד־שְׁנוֹתָיִךְ עַל־כֵּן נְתַתִּיךְ חֶרְפָּה לַגּוֹיִם וְקַלָּסָה לְכָל־הָאֲרָצוֹת׃
ה הַקְּרֹבוֹת וְהָרְחֹקוֹת מִמֵּךְ יִתְקַלְּסוּ־בָךְ טְמֵאַת הַשֵּׁם רַבַּת הַמְּהוּמָה׃ ו הִנֵּה
נְשִׂיאֵי יִשְׂרָאֵל אִישׁ לִזְרֹעוֹ הָיוּ בָךְ לְמַעַן שְׁפָךְ־דָּם׃ ז אָב וָאֵם הֵקַלּוּ בָךְ
לַגֵּר עָשׂוּ בַעֹשֶׁק בְּתוֹכֵךְ יָתוֹם וְאַלְמָנָה הוֹנוּ בָךְ׃ ח קָדָשַׁי בָּזִית וְאֶת־שַׁבְּתֹתַי
חִלָּלְתְּ׃ ט אַנְשֵׁי רָכִיל הָיוּ בָךְ לְמַעַן שְׁפָךְ־דָּם וְאֶל־הֶהָרִים אָכְלוּ בָךְ זִמָּה
עָשׂוּ בְתוֹכֵךְ׃ י עֶרְוַת־אָב גִּלָּה־בָךְ טְמֵאַת הַנִּדָּה עִנּוּ־בָךְ׃ יא וְאִישׁ ׀
אֶת־אֵשֶׁת רֵעֵהוּ עָשָׂה תּוֹעֵבָה וְאִישׁ אֶת־כַּלָּתוֹ טִמֵּא בְזִמָּה וְאִישׁ אֶת־אֲחֹתוֹ
בַת־אָבִיו עִנָּה־בָךְ׃ יב שֹׁחַד לָקְחוּ־בָךְ לְמַעַן שְׁפָךְ־דָּם נֶשֶׁךְ וְתַרְבִּית
לָקַחַתְּ וַתְּבַצְּעִי רֵעַיִךְ בַּעֹשֶׁק וְאֹתִי שָׁכַחַתְּ נְאֻם אֲדֹנָי יֱהֹוִה׃ יג וְהִנֵּה הִכֵּיתִי
כַפִּי אֶל־בִּצְעֵךְ אֲשֶׁר עָשִׂית וְעַל־דָּמֵךְ אֲשֶׁר הָיוּ בְּתוֹכֵךְ׃ יד הֲיַעֲמֹד לִבֵּךְ
אִם־תֶּחֱזַקְנָה יָדַיִךְ לַיָּמִים אֲשֶׁר אֲנִי עֹשֶׂה אוֹתָךְ אֲנִי יְהֹוָה דִּבַּרְתִּי וְעָשִׂיתִי׃
טו וַהֲפִיצוֹתִי אוֹתָךְ בַּגּוֹיִם וְזֵרִיתִיךְ בָּאֲרָצוֹת וַהֲתִמֹּתִי טֻמְאָתֵךְ מִמֵּךְ׃
טז וְנִחַלְתְּ בָּךְ לְעֵינֵי גוֹיִם וְיָדַעַתְּ כִּי־אֲנִי יְהֹוָה׃

יז וַיְהִי דְבַר־יְהֹוָה אֵלַי לֵאמֹר׃ יח בֶּן־אָדָם הָיוּ־לִי בֵית־יִשְׂרָאֵל לְסִיג[40] כֻּלָּם
נְחֹשֶׁת וּבְדִיל וּבַרְזֶל וְעוֹפֶרֶת בְּתוֹךְ כּוּר סִגִים כֶּסֶף הָיוּ׃ יט לָכֵן כֹּה אָמַר
אֲדֹנָי יֱהֹוִה יַעַן הֱיוֹת כֻּלְּכֶם לְסִגִים לָכֵן הִנְנִי קֹבֵץ אֶתְכֶם אֶל־תּוֹךְ יְרוּשָׁלָםִ׃
כ קְבֻצַת כֶּסֶף וּנְחֹשֶׁת וּבַרְזֶל וְעוֹפֶרֶת וּבְדִיל אֶל־תּוֹךְ כּוּר לָפַחַת־עָלָיו אֵשׁ
לְהַנְתִּיךְ כֵּן אֶקְבֹּץ בְּאַפִּי וּבַחֲמָתִי וְהִנַּחְתִּי וְהִתַּכְתִּי אֶתְכֶם׃ כא וְכִנַּסְתִּי
אֶתְכֶם וְנָפַחְתִּי עֲלֵיכֶם בְּאֵשׁ עֶבְרָתִי וְנִתַּכְתֶּם בְּתוֹכָהּ׃ כב כְּהִתּוּךְ כֶּסֶף
בְּתוֹךְ כּוּר כֵּן תֻּתְּכוּ בְתוֹכָהּ וִידַעְתֶּם כִּי־אֲנִי יְהֹוָה שָׁפַכְתִּי חֲמָתִי עֲלֵיכֶם׃

כג וַיְהִי דְבַר־יְהֹוָה אֵלַי לֵאמֹר׃ כד בֶּן־אָדָם אֱמָר־לָהּ אַתְּ אֶרֶץ לֹא מְטֹהָרָה
הִיא לֹא גֻשְׁמָהּ בְּיוֹם זָעַם׃ כה קֶשֶׁר נְבִיאֶיהָ בְּתוֹכָהּ כַּאֲרִי שׁוֹאֵג טֹרֵף טָרֶף
נֶפֶשׁ אָכָלוּ חֹסֶן וִיקָר יִקָּחוּ אַלְמְנוֹתֶיהָ הִרְבּוּ בְתוֹכָהּ׃

[40] לסוג

37 Thou shalt be for fuel to the fire; thy blood shall be in the midst of the land, thou shalt be no more remembered; for I Yehovah have spoken it.'{P}

22 **1** Moreover the word of Yehovah came unto me, saying: **2** 'Now, thou, son of man, wilt thou judge, wilt thou judge the bloody city? then cause her to know all her abominations. **3** And thou shalt say: Thus saith the Lord GOD [Adonai Yehovi]: O city that sheddest blood in the midst of thee, that thy time may come, and that makest idols unto thyself to defile thee; **4** thou art become guilty in thy blood that thou hast shed, and art defiled in thine idols which thou hast made; and thou hast caused thy days to draw near, and art come even unto thy years; therefore have I made thee a reproach unto the nations, and a mocking to all the countries! **5** Those that are near, and those that are far from thee, shall mock thee, thou defiled of name and full of tumult. **6** Behold, the princes of Israel, every one according to his might, have been in thee to shed blood. **7** In thee have they made light of father and mother; in the midst of thee have they dealt by oppression with the stranger; in thee have they wronged the fatherless and the widow. **8** Thou hast despised My holy things, and hast profaned My sabbaths. **9** In thee have been talebearers to shed blood; and in thee they have eaten upon the mountains; in the midst of thee they have committed lewdness. **10** In thee have they uncovered their fathers' nakedness; in thee have they humbled her that was unclean in her impurity. **11** And each hath committed abomination with his neighbour's wife; and each hath lewdly defiled his daughter-in-law; and each in thee hath humbled his sister, his father's daughter. **12** In thee have they taken gifts to shed blood; thou hast taken interest and increase, and thou hast greedily gained of thy neighbours by oppression, and hast forgotten Me, saith the Lord GOD [Adonai Yehovi]. **13** Behold, therefore, I have smitten My hand at thy dishonest gain which thou hast made, and at thy blood which hath been in the midst of thee. **14** Can thy heart endure, or can thy hands be strong, in the days that I shall deal with thee? I Yehovah have spoken it, and will do it. **15** And I will scatter thee among the nations, and disperse thee through the countries; and I will consume thy filthiness out of thee. **16** And thou shalt be profaned in thyself, in the sight of the nations; and thou shalt know that I am Yehovah.'{P}

17 And the word of Yehovah came unto me, saying: **18** 'Son of man, the house of Israel is become dross unto Me; all of them are brass and tin and iron and lead, in the midst of the furnace; they are the dross of silver.{S} **19** Therefore thus saith the Lord GOD [Adonai Yehovi]: Because ye are all become dross, therefore, behold, I will gather you into the midst of Yerushalam. **20** As they gather silver and brass and iron and lead and tin into the midst of the furnace, to blow the fire upon it, to melt it; so will I gather you in Mine anger and in My fury, and I will cast you in, and melt you. **21** Yea, I will gather you, and blow upon you with the fire of My wrath, and ye shall be melted in the midst thereof. **22** As silver is melted in the midst of the furnace, so shall ye be melted in the midst thereof; and ye shall know that I Yehovah have poured out My fury upon you.'{P}

23 And the word of Yehovah came unto me, saying: **24** 'Son of man, say unto her: Thou art a land that is not cleansed, nor rained upon in the day of indignation. **25** There is a conspiracy of her prophets in the midst thereof, like a roaring lion ravening the prey; they have devoured souls, they take treasure and precious things, they have made her widows many in the midst thereof.

כו כֹּהֲנֶ֙יהָ֙ חָמְס֣וּ תוֹרָתִ֔י וַיְחַלְּל֣וּ קָדָשַׁ֔י בֵּֽין־קֹ֤דֶשׁ לְחֹל֙ לֹ֣א הִבְדִּ֔ילוּ וּבֵין־הַטָּמֵ֥א לְטָה֖וֹר לֹ֣א הוֹדִ֑יעוּ וּמִשַּׁבְּתוֹתַי֙ הֶעְלִ֣ימוּ עֵֽינֵיהֶ֔ם וָאֵחַ֖ל בְּתוֹכָֽם: כז שָׂרֶ֣יהָ בְקִרְבָּ֗הּ כִּזְאֵבִים֙ טֹ֣רְפֵי טָ֔רֶף לִשְׁפׇּךְ־דָּ֖ם לְאַבֵּ֣ד נְפָשׁ֑וֹת לְמַ֖עַן בְּצֹ֥עַ בָּֽצַע: כח וּנְבִיאֶ֗יהָ טָח֤וּ לָהֶם֙ תָּפֵ֔ל חֹזִ֣ים שָׁ֔וְא וְקֹסְמִ֥ים לָהֶ֖ם כָּזָ֑ב אֹמְרִ֗ים כֹּ֤ה אָמַר֙ אֲדֹנָ֣י יְהֹוִ֔ה וַֽיהֹוָ֖ה לֹ֥א דִבֵּֽר: כט עַ֤ם הָאָ֨רֶץ֙ עָ֣שְׁקוּ עֹ֔שֶׁק וְגָזְל֖וּ גָּזֵ֑ל וְעָנִ֤י וְאֶבְיוֹן֙ הוֹנ֔וּ וְאֶת־הַגֵּ֥ר עָשְׁק֖וּ בְּלֹ֥א מִשְׁפָּֽט: ל וָאֲבַקֵּ֣שׁ מֵהֶ֡ם אִ֣ישׁ גֹּֽדֵר־גָּדֵר֩ וְעֹמֵ֨ד בַּפֶּ֧רֶץ לְפָנַ֛י בְּעַ֥ד הָאָ֖רֶץ לְבִלְתִּ֣י שַׁחֲתָ֑הּ וְלֹ֖א מָצָֽאתִי: לא וָאֶשְׁפֹּ֤ךְ עֲלֵיהֶם֙ זַעְמִ֔י בְּאֵ֥שׁ עֶבְרָתִ֖י כִּלִּיתִ֑ים דַּרְכָּם֙ בְּרֹאשָׁ֣ם נָתַ֔תִּי נְאֻ֖ם אֲדֹנָ֥י יְהֹוִֽה:

כג א וַיְהִ֥י דְבַר־יְהֹוָ֖ה אֵלַ֥י לֵאמֹֽר: ב בֶּן־אָדָ֑ם שְׁתַּ֣יִם נָשִׁ֔ים בְּנ֥וֹת אֵם־אַחַ֖ת הָיֽוּ: ג וַתִּזְנֶ֣ינָה בְמִצְרַ֔יִם בִּנְעוּרֵיהֶ֖ן זָנ֑וּ שָׁ֚מָּה מֹעֲכ֣וּ שְׁדֵיהֶ֔ן וְשָׁ֣ם עִשּׂ֔וּ דַּדֵּ֖י בְּתוּלֵיהֶֽן: ד וּשְׁמוֹתָ֗ן אׇהֳלָ֤ה הַגְּדוֹלָה֙ וְאׇהֳלִיבָ֣ה אֲחוֹתָ֔הּ וַתִּֽהְיֶ֣ינָה לִ֔י וַתֵּלַ֖דְנָה בָּנִ֣ים וּבָנ֑וֹת וּשְׁמוֹתָ֗ן שֹׁמְרוֹן֙ אׇהֳלָ֔ה וִירֽוּשָׁלַ֖͏ִם אׇהֳלִיבָֽה: ה וַתִּ֥זֶן אׇהֳלָ֖ה תַּחְתָּ֑י וַתַּעְגַּ֣ב עַל־מְאַהֲבֶ֔יהָ אֶל־אַשּׁ֖וּר קְרוֹבִֽים: ו לְבֻשֵׁ֤י תְכֵ֨לֶת֙ פַּחוֹת֣ וּסְגָנִ֔ים בַּחוּרֵ֥י חֶ֖מֶד כֻּלָּ֑ם פָּרָשִׁ֕ים רֹכְבֵ֖י סוּסִֽים: ז וַתִּתֵּ֤ן תַּזְנוּתֶ֨יהָ֙ עֲלֵיהֶ֔ם מִבְחַ֥ר בְּנֵֽי־אַשּׁ֖וּר כֻּלָּ֑ם וּבְכֹ֧ל אֲשֶׁר־עָגְבָ֛ה בְּכׇל־גִּלּוּלֵיהֶ֖ם נִטְמָֽאָה: ח וְאֶת־תַּזְנוּתֶ֤יהָ מִמִּצְרַ֨יִם֙ לֹ֣א עָזָ֔בָה כִּ֤י אוֹתָהּ֙ שָׁכְב֣וּ בִנְעוּרֶ֔יהָ וְהֵ֣מָּה עִשּׂ֔וּ דַּדֵּ֖י בְתוּלֶ֑יהָ וַיִּשְׁפְּכ֥וּ תַזְנוּתָ֖ם עָלֶֽיהָ: ט לָכֵ֥ן נְתַתִּ֖יהָ בְּיַד־מְאַֽהֲבֶ֑יהָ בְּיַד֙ בְּנֵ֣י אַשּׁ֔וּר אֲשֶׁ֥ר עָגְבָ֖ה עֲלֵיהֶֽם: י הֵ֣מָּה גִלּ֣וּ עֶרְוָתָ֗הּ בָּנֶ֤יהָ וּבְנוֹתֶ֨יהָ֙ לָקָ֔חוּ וְאוֹתָ֖הּ בַּחֶ֣רֶב הָרָ֑גוּ וַתְּהִי־שֵׁם֙ לַנָּשִׁ֔ים וּשְׁפוּטִ֖ים עָ֥שׂוּ בָֽהּ: יא וַתֵּ֙רֶא֙ אֲחוֹתָ֣הּ אׇהֳלִיבָ֔ה וַתַּשְׁחֵ֥ת עַגְבָתָ֖הּ מִמֶּ֑נָּה וְאֶ֨ת־תַּזְנוּתֶ֔יהָ מִזְּנוּנֵ֖י אֲחוֹתָֽהּ: יב אֶל־בְּנֵ֨י אַשּׁ֤וּר עָגָ֙בָה֙ פַּחוֹת֙ וּסְגָנִ֣ים קְרֹבִ֔ים לְבֻשֵׁ֣י מִכְל֔וֹל פָּרָשִׁ֖ים רֹכְבֵ֣י סוּסִ֑ים בַּחוּרֵ֥י חֶ֖מֶד כֻּלָּֽם: יג וָאֵ֖רֶא כִּ֣י נִטְמָ֑אָה דֶּ֥רֶךְ אֶחָ֖ד לִשְׁתֵּיהֶֽן: יד וַתּ֖וֹסֶף אֶל־תַּזְנוּתֶ֑יהָ וַתֵּ֗רֶא אַנְשֵׁי֙ מְחֻקֶּ֣ה עַל־הַקִּ֔יר צַלְמֵ֣י כשדיים⁴¹ חֲקֻקִ֖ים בַּשָּׁשַֽׁר: טו חֲגוֹרֵ֤י אֵזוֹר֙ בְּמׇתְנֵיהֶ֔ם סְרוּחֵ֥י טְבוּלִ֖ים בְּרָֽאשֵׁיהֶ֑ם מַרְאֵ֤ה שָֽׁלִשִׁים֙ כֻּלָּ֔ם דְּמ֥וּת בְּנֵֽי־בָבֶ֖ל כַּשְׂדִּ֔ים אֶ֖רֶץ מוֹלַדְתָּֽם: טז וַתַּעְגְּבָ֥ה⁴² עֲלֵיהֶ֖ם לְמַרְאֵ֣ה עֵינֶ֑יהָ וַתִּשְׁלַ֧ח מַלְאָכִ֛ים אֲלֵיהֶ֖ם כַּשְׂדִּֽימָה: יז וַיָּבֹ֨אוּ אֵלֶ֤יהָ בְנֵֽי־בָבֶל֙ לְמִשְׁכַּ֣ב דֹּדִ֔ים וַיְטַמְּא֥וּ אוֹתָ֖הּ בְּתַזְנוּתָ֑ם וַתִּטְמָא־בָ֔ם וַתֵּ֥קַע נַפְשָׁ֖הּ מֵהֶֽם: יח וַתְּגַ֣ל תַּזְנוּתֶ֔יהָ וַתְּגַ֖ל אֶת־עֶרְוָתָ֑הּ וַתֵּ֤קַע נַפְשִׁי֙ מֵֽעָלֶ֔יהָ כַּאֲשֶׁ֛ר נָקְעָ֥ה נַפְשִׁ֖י מֵעַ֥ל אֲחוֹתָֽהּ: יט וַתַּרְבֶּ֖ה אֶת־תַּזְנוּתֶ֑יהָ לִזְכֹּר֙ אֶת־יְמֵ֣י נְעוּרֶ֔יהָ אֲשֶׁ֥ר זָֽנְתָ֖ה בְּאֶ֥רֶץ מִצְרָֽיִם:

⁴¹ כשדיים
⁴² ותעגב

26 Her priests have done violence to My Torah, and have profaned My holy things; they have put no difference between the holy and the common, neither have they taught difference between the unclean and the clean, and have hid their eyes from My sabbaths, and I am profaned among them. **27** Her princes in the midst thereof are like wolves ravening the prey: to shed blood, and to destroy souls, so as to get dishonest gain. **28** And her prophets have daubed for them with whited plaster, seeing falsehood, and divining lies unto them, saying: Thus saith the Lord GOD [Adonai Yehovi], when Yehovah hath not spoken. **29** The people of the land have used oppression, and exercised robbery, and have wronged the poor and needy, and have oppressed the stranger unlawfully. **30** And I sought for a man among them, that should make up the hedge, and stand in the breach before Me for the land, that I should not destroy it; but I found none. **31** Therefore have I poured out Mine indignation upon them; I have consumed them with the fire of My wrath; their own way have I brought upon their heads, saith the Lord GOD [Adonai Yehovi].'{P}

23 **1** And the word of Yehovah came unto me, saying: **2** 'Son of man, there were two women, the daughters of one mother; **3** and they committed harlotries in Egypt; they committed harlotries in their youth; there were their bosoms pressed, and there their virgin breasts were bruised. **4** And the names of them were Oholah the elder, and Oholibah her sister; and they became Mine, and they bore sons and daughters. And as for their names, Samaria is Oholah, and Yerushalam Oholibah. **5** And Oholah played the harlot when she was Mine; and she doted on her lovers, on the Assyrians, warriors, **6** clothed with blue, governors and rulers, handsome young men all of them, horsemen riding upon horses. **7** And she bestowed her harlotries upon them, the choicest men of Assyria all of them; and on whomsoever she doted, with all their idols she defiled herself. **8** Neither hath she left her harlotries brought from Egypt; for in her youth they lay with her, and they bruised her virgin breasts; and they poured out their lust upon her. **9** Wherefore I delivered her into the hand of her lovers, into the hand of the Assyrians, upon whom she doted. **10** These uncovered her nakedness; they took her sons and her daughters, and her they slew with the sword; and she became a byword among women, for judgments were executed upon her.{S} **11** And her sister Oholibah saw this, yet was she more corrupt in her doting than she, and in her harlotries more than her sister in her harlotries. **12** She doted upon the Assyrians, governors and rulers, warriors, clothed most gorgeously, horsemen riding upon horses, all of them handsome young men. **13** And I saw that she was defiled; they both took one way. **14** And she increased her harlotries; for she saw men portrayed upon the wall, the images of the Chaldeans portrayed with vermilion, **15** girded with girdles upon their loins, with pendant turbans upon their heads, all of them captains to look upon, the likeness of the sons of Babylon, even of Chaldea, the land of their nativity. **16** And as soon as she saw them she doted upon them, and sent messengers unto them into Chaldea. **17** And the Babylonians came to her into the bed of love, and they defiled her with their lust; and she was polluted with them, and her soul was alienated from them. **18** So she uncovered her harlotries, and uncovered her nakedness; then My soul was alienated from her, like as My soul was alienated from her sister. **19** Yet she multiplied her harlotries, remembering the days of her youth, wherein she had played the harlot in the land of Egypt.

כ וַֽתַּעְגְּבָ֔ה עַ֖ל פִּֽלַגְשֵׁיהֶ֑ם אֲשֶׁ֤ר בְּשַׂר־חֲמוֹרִים֙ בְּשָׂרָ֔ם וְזִרְמַ֥ת סוּסִ֖ים
זִרְמָתָֽם׃ כא וַֽתִּפְקְדִ֔י אֵ֖ת זִמַּ֣ת נְעוּרָ֑יִךְ בַּעְשׂ֨וֹת מִמִּצְרַ֜יִם דַּדַּ֔יִךְ לְמַ֖עַן שְׁדֵ֥י
נְעוּרָֽיִךְ׃ כב לָכֵ֣ן אָֽהֳלִיבָ֗ה כֹּֽה־אָמַר֮ אֲדֹנָ֣י יְהוִה֒ הִנְנִ֨י מֵעִ֤יר אֶת־מְאַהֲבַ֙יִךְ֙
עָלַ֔יִךְ אֵ֥ת אֲשֶׁר־נָקְעָ֖ה נַפְשֵׁ֣ךְ מֵהֶ֑ם וַהֲבֵאתִ֥ים עָלַ֖יִךְ מִסָּבִֽיב׃ כג בְּנֵ֨י בָבֶ֜ל
וְכָל־כַּשְׂדִּ֗ים פְּק֤וֹד וְשׁ֙וֹעַ֙ וְק֔וֹעַ כָּל־בְּנֵ֥י אַשּׁ֖וּר אוֹתָ֑ם בַּח֨וּרֵי חֶ֜מֶד פַּח֤וֹת
וּסְגָנִים֙ כֻּלָּ֔ם שָֽׁלִשִׁים֙ וּקְרוּאִ֔ים רֹכְבֵ֥י סוּסִ֖ים כֻּלָּֽם׃ כד וּבָ֣אוּ עָלַ֡יִךְ הֹ֠צֶן
רֶ֣כֶב וְגַלְגַּ֞ל וּבִקְהַ֣ל עַמִּ֗ים צִנָּ֛ה וּמָגֵ֥ן וְקוֹבַ֖ע יָשִׂ֣ימוּ עָלַ֑יִךְ סָבִ֔יב וְנָתַתִּ֤י
לִפְנֵיהֶם֙ מִשְׁפָּ֔ט וּשְׁפָט֖וּךְ בְּמִשְׁפְּטֵיהֶֽם׃ כה וְנָתַתִּ֨י קִנְאָתִ֜י בָּ֗ךְ וְעָשׂ֨וּ אוֹתָ֤ךְ
בְּחֵמָה֙ אַפֵּ֤ךְ וְאָזְנַ֙יִךְ֙ יָסִ֔ירוּ וְאַחֲרִיתֵ֖ךְ בַּחֶ֣רֶב תִּפּ֑וֹל הֵ֗מָּה בָּנַ֤יִךְ וּבְנוֹתַ֙יִךְ֙
יִקָּ֔חוּ וְאַחֲרִיתֵ֖ךְ תֵּאָכֵ֥ל בָּאֵֽשׁ׃ כו וְהִפְשִׁיט֖וּךְ אֶת־בְּגָדָ֑יִךְ וְלָקְח֖וּ כְּלֵ֥י
תִפְאַרְתֵּֽךְ׃ כז וְהִשְׁבַּתִּ֤י זִמָּתֵךְ֙ מִמֵּ֔ךְ וְאֶת־זְנוּתֵ֖ךְ מֵאֶ֣רֶץ מִצְרָ֑יִם וְלֹֽא־תִשְׂאִ֤י
עֵינַ֙יִךְ֙ אֲלֵיהֶ֔ם וּמִצְרַ֖יִם לֹ֥א תִזְכְּרִי־עֽוֹד׃ כח כִּ֣י כֹ֤ה אָמַר֙ אֲדֹנָ֣י יְהוִ֔ה הִנְנִי֙
נֹֽתְנָ֔ךְ בְּיַ֖ד אֲשֶׁ֣ר שָׂנֵ֑את בְּיַ֕ד אֲשֶׁר־נָקְעָ֥ה נַפְשֵׁ֖ךְ מֵהֶֽם׃ כט וְעָשׂ֨וּ אוֹתָ֜ךְ
בְּשִׂנְאָ֗ה וְלָֽקְחוּ֙ כָּל־יְגִיעֵ֔ךְ וַעֲזָב֖וּךְ עֵירֹ֣ם וְעֶרְיָ֑ה וְנִגְלָה֙ עֶרְוַ֣ת זְנוּנַ֔יִךְ
וְזִמָּתֵ֖ךְ וְתַזְנוּתָֽיִךְ׃ ל עָשֹׂ֥ה אֵ֖לֶּה לָ֑ךְ בִּזְנוֹתֵךְ֙ אַחֲרֵ֣י גוֹיִ֔ם עַ֥ל אֲשֶׁר־נִטְמֵ֖את
בְּגִלּוּלֵיהֶֽם׃ לא בְּדֶ֥רֶךְ אֲחוֹתֵ֖ךְ הָלָ֑כְתְּ וְנָתַתִּ֥י כוֹסָ֖הּ בְּיָדֵֽךְ׃ לב כֹּ֤ה אָמַר֙
אֲדֹנָ֣י יְהוִ֔ה כּ֤וֹס אֲחוֹתֵךְ֙ תִּשְׁתִּ֔י הָעֲמֻקָּ֖ה וְהָרְחָבָ֑ה תִּהְיֶ֧ה לִצְחֹ֛ק וּלְלַ֖עַג
מִרְבָּ֥ה לְהָכִֽיל׃ לג שִׁכָּר֥וֹן וְיָג֖וֹן תִּמָּלֵ֑אִי כּ֚וֹס שַׁמָּ֣ה וּשְׁמָמָ֔ה כּ֖וֹס אֲחוֹתֵ֥ךְ
שֹׁמְרֽוֹן׃ לד וְשָׁתִ֨ית אוֹתָ֜הּ וּמָצִ֗ית וְאֶת־חֲרָשֶׂ֛יהָ תְּגָרֵ֖מִי וְשָׁדַ֣יִךְ תְּנַתֵּ֑קִי כִּ֚י
אֲנִ֣י דִבַּ֔רְתִּי נְאֻ֖ם אֲדֹנָ֥י יְהוִֽה׃ לה לָכֵ֗ן כֹּ֤ה אָמַר֙ אֲדֹנָ֣י יְהוִ֔ה יַ֚עַן שָׁכַ֣חַתְּ
אוֹתִ֔י וַתַּשְׁלִ֥יכִי אוֹתִ֖י אַחֲרֵ֣י גַוֵּ֑ךְ וְגַם־אַ֛תְּ שְׂאִ֥י זִמָּתֵ֖ךְ וְאֶת־תַּזְנוּתָֽיִךְ׃
לו וַיֹּ֤אמֶר יְהוָה֙ אֵלַ֔י בֶּן־אָדָ֕ם הֲתִשְׁפּ֥וֹט אֶת־אָהֳלָ֖ה וְאֶת־אָהֳלִיבָ֑ה וְהַגֵּ֣ד
לָהֶ֔ן אֵ֖ת תּוֹעֲבוֹתֵיהֶֽן׃ לז כִּ֣י נִאֵ֗פוּ וְדָם֙ בִּֽידֵיהֶ֔ן וְאֶת־גִּלּוּלֵיהֶ֖ן נִאֵ֑פוּ וְגַ֤ם
אֶת־בְּנֵיהֶן֙ אֲשֶׁ֣ר יָֽלְדוּ־לִ֔י הֶעֱבִ֥ירוּ לָהֶ֖ם לְאָכְלָֽה׃ לח ע֖וֹד זֹ֣את עָ֣שׂוּ לִ֑י
טִמְּא֤וּ אֶת־מִקְדָּשִׁי֙ בַּיּ֣וֹם הַה֔וּא וְאֶת־שַׁבְּתוֹתַ֖י חִלֵּֽלוּ׃ לט וּבְשַׁחֲטָ֤ם
אֶת־בְּנֵיהֶם֙ לְגִלּ֣וּלֵיהֶ֔ם וַיָּבֹ֧אוּ אֶל־מִקְדָּשִׁ֛י בַּיּ֥וֹם הַה֖וּא לְחַלְּל֑וֹ וְהִנֵּה־כֹ֥ה
עָשׂ֖וּ בְּת֥וֹךְ בֵּיתִֽי׃ מ וְאַף֙ כִּ֣י תִשְׁלַ֔חְנָה לַאֲנָשִׁ֖ים בָּאִ֣ים מִמֶּרְחָ֑ק אֲשֶׁ֨ר מַלְאָ֜ךְ
שָׁל֤וּחַ אֲלֵיהֶם֙ וְהִנֵּה־בָ֔אוּ לַאֲשֶׁ֣ר רָחַ֔צְתְּ כָּחַ֥לְתְּ עֵינַ֖יִךְ וְעָדִ֥ית עֶֽדִי׃
מא וְיָשַׁבְתְּ֙ עַל־מִטָּ֣ה כְבוּדָּ֔ה וְשֻׁלְחָ֥ן עָר֖וּךְ לְפָנֶ֑יהָ וּקְטָרְתִּ֥י וְשַׁמְנִ֖י שַׂ֥מְתְּ
עָלֶֽיהָ׃

20 And she doted upon concubinage with them, whose flesh is as the flesh of asses, and whose issue is like the issue of horses. **21** Thus thou didst call to remembrance the lewdness of thy youth, when they from Egypt bruised thy breasts for the bosom of thy youth.{S} **22** Therefore, O Oholibah, thus saith the Lord GOD [Adonai Yehovi]: Behold, I will raise up thy lovers against thee, from whom thy soul is alienated, and I will bring them against thee on every side: **23** the Babylonians and all the Chaldeans, Pekod and Shoa and Koa, and all the Assyrians with them, handsome young men, governors and rulers all of them, captains and councillors, all of them riding upon horses. **24** And they shall come against thee with hosts, chariots, and wheels, and with an assembly of peoples; they shall set themselves in array against thee with buckler and shield and helmet round about; and I will commit the judgment unto them, and they shall judge thee according to their judgments. **25** And I will set My jealousy against thee, and they shall deal with thee in fury; they shall take away thy nose and thine ears, and thy residue shall fall by the sword; they shall take thy sons and thy daughters, and thy residue shall be devoured by the fire. **26** They shall also strip thee of thy clothes, and take away thy fair jewels. **27** Thus will I make thy lewdness to cease from thee, and thy harlotry brought from the land of Egypt, so that thou shalt not lift up thine eyes unto them, nor remember Egypt any more.{P}

28 For thus saith the Lord GOD [Adonai Yehovi]: Behold, I will deliver thee into the hand of them whom thou hatest, into the hand of them from whom thy soul is alienated; **29** and they shall deal with thee in hatred, and shall take away all thy labour, and shall leave thee naked and bare; and the nakedness of thy harlotries shall be uncovered, both thy lewdness and thy harlotries. **30** These things shall be done unto thee, for that thou hast gone astray after the nations, and because thou art polluted with their idols. **31** In the way of thy sister hast thou walked; therefore will I give her cup into thy hand.{S} **32** Thus saith the Lord GOD [Adonai Yehovi]: Thou shalt drink of thy sister's cup, which is deep and large; thou shalt be for a scorn and a derision; it is full to the uttermost. **33** Thou shalt be filled with drunkenness and sorrow, with the cup of astonishment and appalment, with the cup of thy sister Samaria. **34** Thou shalt even drink it and drain it, and thou shalt craunch the sherds thereof, and shalt tear thy breasts; for I have spoken it, saith the Lord GOD [Adonai Yehovi].{S} **35** Therefore thus saith the Lord GOD [Adonai Yehovi]: Because thou hast forgotten Me, and cast Me behind thy back, therefore bear thou also thy lewdness and thy harlotries.'{S} **36** Yehovah said moreover unto me: 'Son of man, wilt thou judge Oholah and Oholibah? then declare unto them their abominations. **37** For they have committed adultery, and blood is in their hands, and with their idols have they committed adultery; and their sons, whom they bore unto Me, they have also set apart unto them to be devoured. **38** Moreover this they have done unto Me: they have defiled My sanctuary in the same day, and have profaned My sabbaths. **39** For when they had slain their children to their idols, then they came the same day into My sanctuary to profane it; and, lo, thus have they done in the midst of My house. **40** And furthermore ye have sent for men that come from far; unto whom a messenger was sent, and, lo, they came; for whom thou didst wash thyself, paint thine eyes, and deck thyself with ornaments; **41** and sattest upon a stately bed, with a table prepared before it, whereupon thou didst set Mine incense and Mine oil.

מב וְקוֹל הָמוֹן שָׁלֵו בָהּ וְאֶל־אֲנָשִׁים מֵרֹב אָדָם מוּבָאִים סְבָאִים[43] מִמִּדְבָּר
וַיִּתְּנוּ צְמִידִים אֶל־יְדֵיהֶן וַעֲטֶרֶת תִּפְאֶרֶת עַל־רָאשֵׁיהֶן׃ מג וָאֹמַר לַבָּלָה
נִאוּפִים עַתָּה[44] יִזְנוּ[45] תַזְנוּתֶהָ וָהִיא׃ מד וַיָּבוֹא אֵלֶיהָ כְּבוֹא אֶל־אִשָּׁה זוֹנָה כֵּן
בָּאוּ אֶל־אָהֳלָה וְאֶל־אָהֳלִיבָה אִשֹּׁת הַזִּמָּה׃ מה וַאֲנָשִׁים צַדִּיקִם הֵמָּה יִשְׁפְּטוּ
אוֹתְהֶם מִשְׁפַּט נֹאֲפוֹת וּמִשְׁפַּט שֹׁפְכוֹת דָּם כִּי נֹאֲפֹת הֵנָּה וְדָם בִּידֵיהֶן׃ מו כִּי
כֹּה אָמַר אֲדֹנָי יְהוִה הַעֲלֵה עֲלֵיהֶם קָהָל וְנָתֹן אֶתְהֶן לְזַעֲוָה וָלָבַז׃ מז וְרָגְמוּ
עֲלֵיהֶן אֶבֶן קָהָל וּבָרֵא אוֹתְהֶן בְּחַרְבוֹתָם בְּנֵיהֶם וּבְנוֹתֵיהֶם יַהֲרֹגוּ וּבָתֵּיהֶן
בָּאֵשׁ יִשְׂרֹפוּ׃ מח וְהִשְׁבַּתִּי זִמָּה מִן־הָאָרֶץ וְנִוַּסְּרוּ כָּל־הַנָּשִׁים וְלֹא תַעֲשֶׂינָה
כְּזִמַּתְכֶנָה׃ מט וְנָתְנוּ זִמַּתְכֶנָה עֲלֵיכֶן וַחֲטָאֵי גִלּוּלֵיכֶן תִּשֶּׂאינָה וִידַעְתֶּם כִּי אֲנִי
אֲדֹנָי יְהוִה׃

כד א וַיְהִי דְבַר־יְהוָה אֵלַי בַּשָּׁנָה הַתְּשִׁיעִית בַּחֹדֶשׁ הָעֲשִׂירִי בֶּעָשׂוֹר
לַחֹדֶשׁ לֵאמֹר׃ ב בֶּן־אָדָם כְּתָב־לְךָ[46] אֶת־שֵׁם הַיּוֹם אֶת־עֶצֶם הַיּוֹם הַזֶּה
סָמַךְ מֶלֶךְ־בָּבֶל אֶל־יְרוּשָׁלַםִ בְּעֶצֶם הַיּוֹם הַזֶּה׃ ג וּמְשֹׁל אֶל־בֵּית־הַמֶּרִי
מָשָׁל וְאָמַרְתָּ אֲלֵיהֶם כֹּה אָמַר אֲדֹנָי יְהוִה שְׁפֹת הַסִּיר שְׁפֹת וְגַם־יְצֹק בּוֹ
מָיִם׃ ד אֱסֹף נְתָחֶיהָ אֵלֶיהָ כָּל־נֵתַח טוֹב יָרֵךְ וְכָתֵף מִבְחַר עֲצָמִים מַלֵּא׃
ה מִבְחַר הַצֹּאן לָקוֹחַ וְגַם דּוּר הָעֲצָמִים תַּחְתֶּיהָ רַתַּח רְתָחֶיהָ גַּם־בָּשְׁלוּ
עֲצָמֶיהָ בְּתוֹכָהּ׃ ו לָכֵן כֹּה־אָמַר ׀ אֲדֹנָי יְהוִה אוֹי עִיר הַדָּמִים סִיר אֲשֶׁר
חֶלְאָתָה בָהּ וְחֶלְאָתָהּ לֹא יָצְאָה מִמֶּנָּה לִנְתָחֶיהָ לִנְתָחֶיהָ הוֹצִיאָהּ לֹא־נָפַל
עָלֶיהָ גּוֹרָל׃ ז כִּי דָמָהּ בְּתוֹכָהּ הָיָה עַל־צְחִיחַ סֶלַע שָׂמָתְהוּ לֹא שְׁפָכַתְהוּ
עַל־הָאָרֶץ לְכַסּוֹת עָלָיו עָפָר׃ ח לְהַעֲלוֹת חֵמָה לִנְקֹם נָקָם נָתַתִּי אֶת־דָּמָהּ
עַל־צְחִיחַ סָלַע לְבִלְתִּי הִכָּסוֹת׃

ט לָכֵן כֹּה אָמַר אֲדֹנָי יְהוִה אוֹי עִיר הַדָּמִים גַּם־אֲנִי אַגְדִּיל הַמְּדוּרָה׃
י הַרְבֵּה הָעֵצִים הַדְלֵק הָאֵשׁ הָתֵם הַבָּשָׂר וְהַרְקַח הַמֶּרְקָחָה וְהָעֲצָמוֹת
יֵחָרוּ׃ יא וְהַעֲמִידֶהָ עַל־גֶּחָלֶיהָ רֵקָה לְמַעַן תֵּחַם וְחָרָה נְחֻשְׁתָּהּ וְנִתְּכָה
בְתוֹכָהּ טֻמְאָתָהּ תִּתֹּם חֶלְאָתָהּ׃ יב תְּאֻנִים הֶלְאָת וְלֹא־תֵצֵא מִמֶּנָּה רַבַּת
חֶלְאָתָהּ בְּאֵשׁ חֶלְאָתָהּ׃ יג בְּטֻמְאָתֵךְ זִמָּה יַעַן טִהַרְתִּיךְ וְלֹא טָהַרְתְּ
מִטֻּמְאָתֵךְ לֹא תִטְהֲרִי־עוֹד עַד־הֲנִיחִי אֶת־חֲמָתִי בָּךְ׃ יד אֲנִי יְהוָה דִּבַּרְתִּי
בָּאָה וְעָשִׂיתִי לֹא־אֶפְרַע וְלֹא־אָחוּס וְלֹא אֶנָּחֵם כִּדְרָכַיִךְ וְכַעֲלִילוֹתַיִךְ
שְׁפָטוּךְ נְאֻם אֲדֹנָי יְהוִה׃

[43] סובאים
[44] עת
[45] יזנה
[46] כתוב

42 And the voice of a multitude being at ease was therein; and for the sake of men, they were so many, brought drunken from the wilderness, they put bracelets upon their hands, and beautiful crowns upon their heads. **43** Then said I of her that was worn out by adulteries: Still they commit harlotries with her, even her. **44** For every one went in unto her, as men go in unto a harlot; so went they in unto Oholah and unto Oholibah, the lewd women. **45** But righteous men, they shall judge them as adulteresses are judged, and as women that shed blood are judged; because they are adulteresses, and blood is in their hands.{S}   **46** For thus saith the Lord GOD [Adonai Yehovi]: An assembly shall be brought up against them, and they shall be made a horror and a spoil. **47** And the assembly shall stone them with stones, and despatch them with their swords; they shall slay their sons and their daughters, and burn up their houses with fire. **48** Thus will I cause lewdness to cease out of the land, that all women may be taught not to do after your lewdness. **49** And your lewdness shall be recompensed upon you, and ye shall bear the sins of your idols; and ye shall know that I am the Lord GOD [Adonai Yehovi].'{P}

24 **1** And the word of Yehovah came unto me in the ninth year, in the tenth month, in the tenth day of the month, saying: **2** 'Son of man, write thee the name of the day, even of this selfsame day; this selfsame day the king of Babylon hath invested Yerushalam. **3** And utter a parable concerning the rebellious house, and say unto them: Thus saith the Lord GOD [Adonai Yehovi]: Set on the pot, set it on, and also pour water into it; **4** Gather into it the pieces belonging to it, even every good piece, the thigh, and the shoulder; fill it with the choice bones. **5** Take the choice of the flock, and pile also the bones under it; make it boil well, that the bones thereof may also be seethed in the midst of it.{S} **6** Wherefore thus saith the Lord GOD [Adonai Yehovi]: Woe to the bloody city, to the pot whose filth is therein, and whose filth is not gone out of it! bring it out piece by piece; no lot is fallen upon it. **7** For her blood is in the midst of her; she set it upon the bare rock; she poured it not upon the ground, to cover it with dust; **8** that it might cause fury to come up, that vengeance might be taken, I have set her blood upon the bare rock, that it should not be covered.{P}

9 Therefore thus saith the Lord GOD [Adonai Yehovi]: Woe to the bloody city! I also will make the pile great, **10** heaping on the wood, kindling the fire, that the flesh may be consumed; and preparing the mixture, that the bones also may be burned; **11** then will I set it empty upon the coals thereof, that it may be hot, and the bottom thereof may burn, and that the impurity of it may be molten in it, that the filth of it may be consumed. **12** It hath wearied itself with toil; yet its great filth goeth not forth out of it, yea, its noisome filth. **13** Because of thy filthy lewdness, because I have purged thee and thou wast not purged, thou shalt not be purged from thy filthiness any more, till I have satisfied My fury upon thee. **14** I Yehovah have spoken it; it shall come to pass, and I will do it; I will not go back, neither will I spare, neither will I repent; according to thy ways, and according to thy doings, shall they judge thee, saith the Lord GOD [Adonai Yehovi].'{P}

יה וַיְהִ֥י דְבַר־יְהֹוָ֖ה אֵלַ֥י לֵאמֹֽר: יו בֶּן־אָדָ֕ם הִנְנִ֨י לֹקֵ֤חַ מִמְּךָ֙ אֶת־מַחְמַ֣ד עֵינֶ֔יךָ בְּמַגֵּפָ֑ה וְלֹ֤א תִסְפֹּד֙ וְלֹ֣א תִבְכֶּ֔ה וְל֥וֹא תָב֖וֹא דִּמְעָתֶֽךָ: יז הֵאָנֵ֣ק ׀ דֹּ֗ם מֵתִים֙ אֵ֣בֶל לֹא־תַעֲשֶׂ֔ה פְאֵֽרְךָ֙ חֲב֣וֹשׁ עָלֶ֔יךָ וּנְעָלֶ֖יךָ תָּשִׂ֣ים בְּרַגְלֶ֑יךָ וְלֹ֤א תַעְטֶה֙ עַל־שָׂפָ֔ם וְלֶ֥חֶם אֲנָשִׁ֖ים לֹ֥א תֹאכֵֽל: יח וָאֲדַבֵּ֤ר אֶל־הָעָם֙ בַּבֹּ֔קֶר וַתָּ֥מׇת אִשְׁתִּ֖י בָּעָ֑רֶב וָאַ֥עַשׂ בַּבֹּ֖קֶר כַּאֲשֶׁ֥ר צֻוֵּֽיתִי: יט וַיֹּאמְר֥וּ אֵלַ֖י הָעָ֑ם הֲלֹא־תַגִּ֥יד לָ֙נוּ֙ מָה־אֵ֣לֶּה לָּ֔נוּ כִּ֥י אַתָּ֖ה עֹשֶֽׂה: כ וָאֹמַ֖ר אֲלֵיהֶ֑ם דְּבַר־יְהֹוָ֖ה הָיָ֥ה אֵלַ֥י לֵאמֹֽר: כא אֱמֹ֣ר ׀ לְבֵ֣ית יִשְׂרָאֵ֗ל כֹּֽה־אָמַר֮ אֲדֹנָ֣י יְהֹוִה֒ הִנְנִ֨י מְחַלֵּ֜ל אֶת־מִקְדָּשִׁ֨י גְּא֤וֹן עֻזְּכֶם֙ מַחְמַ֣ד עֵֽינֵיכֶ֔ם וּמַחְמַ֖ל נַפְשְׁכֶ֑ם וּבְנֵיכֶ֧ם וּבְנ֣וֹתֵיכֶ֛ם אֲשֶׁ֥ר עֲזַבְתֶּ֖ם בַּחֶ֥רֶב יִפֹּֽלוּ: כב וַעֲשִׂיתֶ֖ם כַּאֲשֶׁ֣ר עָשִׂ֑יתִי עַל־שָׂפָם֙ לֹ֣א תַעְט֔וּ וְלֶ֥חֶם אֲנָשִׁ֖ים לֹ֥א תֹאכֵֽלוּ: כג וּפְאֵרֵכֶ֣ם עַל־רָאשֵׁיכֶ֗ם וְנַֽעֲלֵיכֶם֙ בְּרַגְלֵיכֶ֔ם לֹ֥א תִסְפְּד֖וּ וְלֹ֣א תִבְכּ֑וּ וּנְמַקֹּתֶם֙ בַּֽעֲוֺנֹ֣תֵיכֶ֔ם וּנְהַמְתֶּ֖ם אִ֥ישׁ אֶל־אָחִֽיו: כד וְהָיָ֨ה יְחֶזְקֵ֤אל לָכֶם֙ לְמוֹפֵ֔ת כְּכֹ֥ל אֲשֶׁר־עָשָׂ֖ה תַּעֲשׂ֑וּ בְּבֹאָ֕הּ וִידַעְתֶּ֕ם כִּ֥י אֲנִ֖י אֲדֹנָ֥י יְהֹוִֽה: כה וְאַתָּ֣ה בֶן־אָדָ֔ם הֲל֗וֹא בְּי֨וֹם קַחְתִּ֤י מֵהֶם֙ אֶת־מָ֣עוּזָּ֔ם מְשׂ֖וֹשׂ תִּפְאַרְתָּ֑ם אֶת־מַחְמַ֤ד עֵֽינֵיהֶם֙ וְאֶת־מַשָּׂ֣א נַפְשָׁ֔ם בְּנֵיהֶ֖ם וּבְנוֹתֵיהֶֽם: כו בַּיּ֣וֹם הַה֔וּא יָב֥וֹא הַפָּלִ֖יט אֵלֶ֑יךָ לְהַשְׁמָע֖וּת אׇזְנָֽיִם: כז בַּיּ֣וֹם הַה֗וּא יִפָּ֤תַח פִּ֙יךָ֙ אֶת־הַפָּלִ֔יט וּתְדַבֵּ֕ר וְלֹ֥א תֵֽאָלֵ֖ם ע֑וֹד וְהָיִ֤יתָ לָהֶם֙ לְמוֹפֵ֔ת וְיָדְע֖וּ כִּ֥י אֲנִ֥י יְהֹוָֽה:

כה א וַיְהִ֥י דְבַר־יְהֹוָ֖ה אֵלַ֥י לֵאמֹֽר: ב בֶּן־אָדָ֕ם שִׂ֥ים פָּנֶ֖יךָ אֶל־בְּנֵ֣י עַמּ֑וֹן וְהִנָּבֵ֖א עֲלֵיהֶֽם: ג וְאָֽמַרְתָּ֙ לִבְנֵ֣י עַמּ֔וֹן שִׁמְע֖וּ דְּבַר־אֲדֹנָ֣י יְהֹוִ֑ה כֹּה־אָמַ֣ר אֲדֹנָ֣י יְהֹוִ֗ה יַ֠עַן אׇמְרֵ֨ךְ הֶאָ֜ח אֶל־מִקְדָּשִׁ֣י כִֽי־נִחָ֗ל וְאֶל־אַדְמַ֤ת יִשְׂרָאֵל֙ כִּ֣י נָשַׁ֔מָּה וְאֶל־בֵּ֣ית יְהוּדָ֔ה כִּ֥י הָלְכ֖וּ בַּגּוֹלָֽה: ד לָכֵ֡ן הִנְנִי֩ נֹתְנָ֨ךְ לִבְנֵי־קֶ֜דֶם לְמ֣וֹרָשָׁ֗ה וְיִשְּׁב֤וּ טִירֽוֹתֵיהֶם֙ בָּ֔ךְ וְנָ֥תְנוּ בָ֖ךְ מִשְׁכְּנֵיהֶ֑ם הֵ֚מָּה יֹאכְל֣וּ פִרְיֵ֔ךְ וְהֵ֖מָּה יִשְׁתּ֥וּ חֲלָבֵֽךְ: ה וְנָתַתִּ֧י אֶת־רַבָּ֛ה לִנְוֵ֥ה גְמַלִּ֖ים וְאֶת־בְּנֵ֣י עַמּ֑וֹן לְמִרְבַּץ־צֹ֔אן וִֽידַעְתֶּ֖ם כִּֽי־אֲנִ֥י יְהֹוָֽה: ו כִּ֣י כֹ֤ה אָמַר֙ אֲדֹנָ֣י יְהֹוִ֔ה יַ֚עַן מַחְאֲךָ֣ יָ֔ד וְרַקְעֲךָ֖ בְּרָ֑גֶל וַתִּשְׂמַ֤ח בְּכׇל־שָֽׁאטְךָ֙ בְּנֶ֔פֶשׁ אֶל־אַדְמַ֖ת יִשְׂרָאֵֽל: ז לָכֵ֡ן הִנְנִי֩ נָטִ֨יתִי אֶת־יָדִ֜י עָלֶ֗יךָ וּנְתַתִּ֤יךָ־לְבַז֙[47] לַגּוֹיִ֔ם וְהִכְרַתִּ֙יךָ֙ מִן־הָ֣עַמִּ֔ים וְהַאֲבַדְתִּ֖יךָ מִן־הָאֲרָצ֑וֹת אַשְׁמִ֣ידְךָ֔ וְיָדַעְתָּ֖ כִּֽי־אֲנִ֥י יְהֹוָֽה: ח כֹּ֤ה אָמַר֙ אֲדֹנָ֣י יְהֹוִ֔ה יַ֗עַן אֲמֹ֤ר מוֹאָב֙ וְשֵׂעִ֔יר הִנֵּ֥ה כְּכׇֽל־הַגּוֹיִ֖ם בֵּ֥ית יְהוּדָֽה: ט לָכֵן֩ הִנְנִ֨י פֹתֵ֜חַ אֶת־כֶּ֤תֶף מוֹאָב֙ מֵֽהֶ֣עָרִ֔ים מֵֽעָרָ֖יו מִקָּצֵ֑הוּ צְבִ֗י אֶ֚רֶץ בֵּ֣ית הַיְשִׁימֹ֔ת בַּ֥עַל מְע֖וֹן וְקִרְיָתָֽיְמָה[48]:

---

15 Also the word of Yehovah came unto me, saying: 16 'Son of man, behold, I take away from thee the desire of thine eyes with a stroke; yet neither shalt thou make lamentation nor weep, neither shall thy tears run down. 17 Sigh in silence; make no mourning for the dead, bind thy headtire upon thee, and put thy shoes upon thy feet, and cover not thine upper lip, and eat not the bread of men.' 18 So I spoke unto the people in the morning, and at even my wife died; and I did in the morning as I was commanded. 19 And the people said unto me: 'Wilt thou not tell us what these things are to us, that thou doest so?' 20 Then I said unto them: 'The word of Yehovah came unto me, saying: 21 Speak unto the house of Israel: Thus saith the Lord GOD [Adonai Yehovi]: Behold, I will profane My sanctuary, the pride of your power, the desire of your eyes, and the longing of your soul; and your sons and your daughters whom ye have left behind shall fall by the sword. 22 And ye shall do as I have done: ye shall not cover your upper lips, nor eat the bread of men; 23 and your tires shall be upon your heads, and your shoes upon your feet; ye shall not make lamentation nor weep; but ye shall pine away in your iniquities, and moan one toward another. 24 Thus shall Ezekiel be unto you a sign; according to all that he hath done shall ye do; when this cometh, then shall ye know that I am the Lord GOD [Adonai Yehovi].{s} 25 And thou, son of man, shall it not be in the day when I take from them their stronghold, the joy of their glory, the desire of their eyes, and the yearning of their soul, their sons and their daughters, 26 that in that day he that escapeth shall come unto thee, to cause thee to hear it with thine ears? 27 In that day shall thy mouth be opened together with him that is escaped, and thou shalt speak, and be no more dumb; so shalt thou be a sign unto them; and they shall know that I am Yehovah.'{P}

25 1 And the word of Yehovah came unto me, saying: 2 'Son of man, set thy face toward the children of Ammon, and prophesy against them; 3 and say unto the children of Ammon: Hear the word of the Lord GOD [Adonai Yehovi]: Thus saith the Lord GOD [Adonai Yehovi]: Because thou saidst: Aha! against My sanctuary, when it was profaned, and against the land of Israel, when it was made desolate, and against the house of Judah, when they went into captivity; 4 therefore, behold, I will deliver thee to the children of the east for a possession, and they shall set their encampments in thee, and make their dwellings in thee; they shall eat thy fruit, and they shall drink thy milk. 5 And I will make Rabbah a pasture for camels, and the children of Ammon a couching-place for flocks; and ye shall know that I am Yehovah.{P}

6 For thus saith the Lord GOD [Adonai Yehovi]: Because thou hast clapped thy hands, and stamped with the feet, and rejoiced with all the disdain of thy soul against the land of Israel; 7 therefore, behold, I stretch out My hand upon thee, and will deliver thee for a spoil to the nations; and I will cut thee off from the peoples, and I will cause thee to perish out of the countries; I will destroy thee, and thou shalt know that I am Yehovah.{P}

8 Thus saith the Lord GOD [Adonai Yehovi]: Because that Moab and Seir do say: Behold, the house of Judah is like unto all the nations, 9 therefore, behold, I will open the flank of Moab on the side of the cities, on the side of his cities which are on his frontiers, the beauteous country of Beth-jeshimoth, Baal-meon, and Kiriathaim,

י לִבְנֵי־קֶ֙דֶם֙ עַל־בְּנֵ֣י עַמּ֔וֹן וּנְתַתִּ֖יהָ לְמֽוֹרָשָׁ֑ה לְמַ֙עַן֙ לֹֽא־תִזָּכֵ֣ר בְּנֵֽי־עַמּ֔וֹן בַּגּוֹיִֽם: יא וּבְמוֹאָ֖ב אֶעֱשֶׂ֣ה שְׁפָטִ֑ים וְיָדְע֖וּ כִּֽי־אֲנִ֥י יְהֹוָֽה: יב כֹּ֤ה אָמַר֙ אֲדֹנָ֣י יְהֹוִ֔ה יַ֣עַן עֲשׂ֥וֹת אֱד֛וֹם בִּנְקֹ֥ם נָקָ֖ם לְבֵ֣ית יְהוּדָ֑ה וַיֶּאְשְׁמ֥וּ אָשׁ֖וֹם וְנִקְמ֥וּ בָהֶֽם: יג לָכֵ֗ן כֹּ֤ה אָמַר֙ אֲדֹנָ֣י יְהֹוִ֔ה וְנָטִ֤תִי יָדִי֙ עַל־אֱד֔וֹם וְהִכְרַתִּ֥י מִמֶּ֖נָּה אָדָ֣ם וּבְהֵמָ֑ה וּנְתַתִּ֤יהָ חׇרְבָּה֙ מִתֵּימָ֔ן וּדְדָ֖נֶה בַּחֶ֥רֶב יִפֹּֽלוּ: יד וְנָתַתִּ֨י אֶת־נִקְמָתִ֜י בֶּאֱד֗וֹם בְּיַד֙ עַמִּ֣י יִשְׂרָאֵ֔ל וְעָשׂ֣וּ בֶאֱד֔וֹם כְּאַפִּ֖י וְכַחֲמָתִ֑י וְיָֽדְעוּ֙ אֶת־נִקְמָתִ֔י נְאֻ֖ם אֲדֹנָ֥י יְהֹוִֽה:

טו כֹּ֤ה אָמַר֙ אֲדֹנָ֣י יְהֹוִ֔ה יַ֛עַן עֲשׂ֥וֹת פְּלִשְׁתִּ֖ים בִּנְקָמָ֑ה וַיִּנָּֽקְמ֤וּ נָקָם֙ בִּשְׁאָ֣ט בְּנֶ֔פֶשׁ לְמַשְׁחִ֖ית אֵיבַ֥ת עוֹלָֽם: טז לָכֵ֗ן כֹּ֤ה אָמַר֙ אֲדֹנָ֣י יְהֹוִ֔ה הִנְנִ֨י נוֹטֶ֤ה יָדִי֙ עַל־פְּלִשְׁתִּ֔ים וְהִכְרַתִּ֖י אֶת־כְּרֵתִ֑ים וְהַ֣אֲבַדְתִּ֔י אֶת־שְׁאֵרִ֖ית ח֥וֹף הַיָּֽם: יז וְעָשִׂ֤יתִי בָם֙ נְקָמ֣וֹת גְּדֹל֔וֹת בְּתוֹכְח֖וֹת חֵמָ֑ה וְיָֽדְעוּ֙ כִּֽי־אֲנִ֣י יְהֹוָ֔ה בְּתִתִּ֥י אֶת־נִקְמָתִ֖י בָּֽם:

כו א וַיְהִ֛י בְּעַשְׁתֵּֽי־עֶשְׂרֵ֥ה שָׁנָ֖ה בְּאֶחָ֣ד לַחֹ֑דֶשׁ הָיָ֥ה דְבַר־יְהֹוָ֖ה אֵלַ֥י לֵאמֹֽר: ב בֶּן־אָדָ֗ם יַ֠עַן אֲשֶׁר־אָמְרָ֙ה צֹּ֤ר עַל־יְרֽוּשָׁלִַ֙ם֙ הֶאָ֔ח נִשְׁבְּרָ֛ה דַּלְת֥וֹת הָעַמִּ֖ים נָסַ֣בָּה אֵלָ֑י אִמָּלְאָ֖ה הׇחֳרָֽבָה: ג לָכֵ֗ן כֹּ֤ה אָמַר֙ אֲדֹנָ֣י יְהֹוִ֔ה הִנְנִ֥י עָלַ֖יִךְ צֹ֑ר וְהַעֲלֵיתִ֤י עָלַ֙יִךְ֙ גּוֹיִ֣ם רַבִּ֔ים כְּהַעֲל֥וֹת הַיָּ֖ם לְגַלָּֽיו: ד וְשִׁחֲת֞וּ חֹמ֣וֹת צֹ֗ר וְהָֽרְסוּ֙ מִגְדָּלֶ֔יהָ וְסִחֵיתִ֥י עֲפָרָ֖הּ מִמֶּ֑נָּה וְנָתַתִּ֥י אוֹתָ֖הּ לִצְחִ֥יחַ סָֽלַע: ה מִשְׁטַ֨ח חֲרָמִ֤ים תִּֽהְיֶה֙ בְּת֣וֹךְ הַיָּ֔ם כִּ֚י אֲנִ֣י דִבַּ֔רְתִּי נְאֻ֖ם אֲדֹנָ֣י יְהֹוִ֑ה וְהָיְתָ֥ה לְבַ֖ז לַגּוֹיִֽם: ו וּבְנוֹתֶ֙יהָ֙ אֲשֶׁ֣ר בַּשָּׂדֶ֔ה בַּחֶ֖רֶב תֵּֽהָרַ֑גְנָה וְיָדְע֖וּ כִּֽי־אֲנִ֥י יְהֹוָֽה:

ז כִּ֣י כֹ֣ה אָמַר֮ אֲדֹנָ֣י יְהֹוִה֒ הִנְנִ֧י מֵבִ֣יא אֶל־צֹ֗ר נְבֽוּכַדְרֶאצַּ֧ר מֶֽלֶךְ־בָּבֶ֛ל מִצָּפ֖וֹן מֶ֣לֶךְ מְלָכִ֑ים בְּס֙וּס֙ וּבְרֶ֔כֶב וּבְפָֽרָשִׁ֖ים וְקָהָ֥ל וְעַם־רָֽב: ח בְּנוֹתַ֥יִךְ בַּשָּׂדֶ֖ה בַּחֶ֣רֶב יַהֲרֹ֑ג וְנָתַ֙ן עָלַ֜יִךְ דָּיֵ֗ק וְשָׁפַ֤ךְ עָלַ֙יִךְ֙ סֹֽלְלָ֔ה וְהֵקִ֥ים עָלַ֖יִךְ צִנָּֽה: ט וּמְחִ֣י קׇֽבׇלּ֔וֹ יִתֵּ֖ן בְּחֹֽמוֹתָ֑יִךְ וּמִ֨גְדְּלֹתַ֔יִךְ יִתֹּ֖ץ בְּחַרְבוֹתָֽיו: י מִשִּׁפְעַ֣ת סוּסָ֔יו יְכַסֵּ֖ךְ אֲבָקָ֑ם מִקּוֹל֩ פָּרַ֙שׁ וְגַלְגַּ֜ל וָרֶ֗כֶב תִּרְעַ֙שְׁנָה֙ חֽוֹמוֹתַ֔יִךְ בְּבֹאוֹ֙ בִּשְׁעָרַ֔יִךְ כִּמְבוֹאֵ֖י עִ֥יר מְבֻקָּעָֽה: יא בְּפַרְס֣וֹת סוּסָ֔יו יִרְמֹ֖ס אֶת־כׇּל־חֽוּצוֹתָ֑יִךְ עַמֵּךְ֙ בַּחֶ֣רֶב יַהֲרֹ֔ג וּמַצְּב֥וֹת עֻזֵּ֖ךְ לָאָ֥רֶץ תֵּרֵֽד: יב וְשָׁלְל֣וּ חֵילֵ֗ךְ וּבָֽזְזוּ֙ רְכֻלָּתֵ֔ךְ וְהָֽרְסוּ֙ חֽוֹמוֹתַ֔יִךְ וּבָתֵּ֥י חֶמְדָּתֵ֖ךְ יִתֹּ֑צוּ וַאֲבָנַ֤יִךְ וְעֵצַ֙יִךְ֙ וַֽעֲפָרֵ֔ךְ בְּת֥וֹךְ מַ֖יִם יָשִֽׂימוּ: יג וְהִשְׁבַּתִּ֖י הֲמ֣וֹן שִׁירָ֑יִךְ וְק֣וֹל כִּנּוֹרַ֔יִךְ לֹ֥א יִשָּׁמַ֖ע עֽוֹד:

10 together with the children of Ammon, unto the children of the east, and I will give them for a possession, that the children of Ammon may not be remembered among the nations; **11** and I will execute judgments upon Moab; and they shall know that I am Yehovah.{P}

12 Thus saith the Lord GOD [Adonai Yehovi]: Because that Edom hath dealt against the house of Judah by taking vengeance, and hath greatly offended, and revenged himself upon them; **13** therefore thus saith the Lord GOD [Adonai Yehovi]: I will stretch out My hand upon Edom, and will cut off man and beast from it; and I will make it desolate from Teman, even unto Dedan shall they fall by the sword. **14** And I will lay My vengeance upon Edom by the hand of My people Israel; and they shall do in Edom according to Mine anger and according to My fury; and they shall know my vengeance, saith the Lord GOD [Adonai Yehovi]. **15** Thus saith the Lord GOD [Adonai Yehovi]: Because the Philistines have dealt by revenge, and have taken vengeance with disdain of soul to destroy, for the old hatred; **16** therefore thus saith the Lord GOD [Adonai Yehovi]: Behold, I will stretch out My hand upon the Philistines, and I will cut off the Cherethites, and destroy the remnant of the sea-coast. **17** And I will execute great vengeance upon them with furious rebukes; and they shall know that I am Yehovah, when I shall lay My vengeance upon them.'{P}

26 **1** And it came to pass in the eleventh year, in the first day of the month, that the word of Yehovah came unto me, saying: **2** 'Son of man, because that Tyre hath said against Yerushalam: aha, she is broken that was the gate of the peoples; she is turned unto me; I shall be filled with her that is laid waste; **3** Therefore thus saith the Lord GOD [Adonai Yehovi]: behold, I am against thee, O Tyre, and will cause many nations to come up against thee, as the sea causeth its waves to come up. **4** And they shall destroy the walls of Tyre, and break down her towers; I will also scrape her dust from her, and make her a bare rock. **5** She shall be a place for the spreading of nets in the midst of the sea; for I have spoken it, saith the Lord GOD [Adonai Yehovi]; and she shall become a spoil to the nations. **6** And her daughters that are in the field shall be slain with the sword; and they shall know that I am Yehovah.{P}

7 For thus saith the Lord GOD [Adonai Yehovi]: Behold, I will bring upon Tyre Nebuchadrezzar king of Babylon, king of kings, from the north, with horses, and with chariots, and with horsemen, and a company, and much people. **8** He shall slay with the sword thy daughters in the field; and he shall make forts against thee, and cast up a mound against thee, and set up bucklers against thee. **9** And he shall set his battering engines against thy walls, and with his axes he shall break down thy towers. **10** By reason of the abundance of his horses their dust shall cover thee; at the noise of the horsemen, and of the wheels, and of the chariots, thy walls shall shake, when he shall enter into thy gates, as men enter into a city wherein is made a breach. **11** With the hoofs of his horses shall he tread down all thy streets; he shall slay thy people with the sword, and the pillars of thy strength shall go down to the ground. **12** And they shall make a spoil of thy riches, and make a prey of thy merchandise; and they shall break down thy walls, and destroy the houses of thy delight; and thy stones and thy timber and thy dust shall they lay in the midst of the waters. **13** And I will cause the noise of thy songs to cease, and the sound of thy harps shall be no more heard.

יד וּנְתַתִּ֞יךָ לִצְחִ֣יחַ סֶ֗לַע מִשְׁטַ֤ח חֲרָמִים֙ תִּֽהְיֶ֔ה לֹ֥א תִבָּנֶ֖ה ע֑וֹד כִּ֣י אֲנִ֤י יְהוָה֙ דִּבַּ֔רְתִּי נְאֻ֖ם אֲדֹנָ֥י יְהוִֽה: טו כֹּ֥ה אָמַ֛ר אֲדֹנָ֥י יְהוִ֖ה לְצ֑וֹר הֲלֹ֣א ׀ מִקּ֣וֹל מַפַּלְתֵּ֗ךְ בֶּאֱנֹ֤ק חָלָל֙ בֵּהָ֤רֵֽג הֶ֙רֶג֙ בְּתוֹכֵ֔ךְ יִרְעֲשׁ֖וּ הָאִיִּֽים: טז וְֽיָרְד֞וּ מֵעַ֣ל כִּסְאוֹתָ֗ם כֹּל֙ נְשִׂיאֵ֣י הַיָּ֔ם וְהֵסִ֙ירוּ֙ אֶת־מְעִ֣ילֵיהֶ֔ם וְאֶת־בִּגְדֵ֥י רִקְמָתָ֖ם יִפְשֹׁ֑טוּ חֲרָד֤וֹת ׀ יִלְבָּ֙שׁוּ֙ עַל־הָאָ֣רֶץ יֵשֵׁ֔בוּ וְחָֽרְדוּ֙ לִרְגָעִ֔ים וְשָׁמְמ֖וּ עָלָֽיִךְ: יז וְנָשְׂא֨וּ עָלַ֤יִךְ קִינָה֙ וְאָ֣מְרוּ לָ֔ךְ אֵ֣יךְ אָבַ֗דְתְּ נוֹשֶׁ֙בֶת֙ מִיַּמִּ֔ים הָעִ֖יר הַהֻלָּ֑לָה אֲשֶׁר֩ הָיְתָ֨ה חֲזָקָ֤ה בַיָּם֙ הִ֣יא וְיֹשְׁבֶ֔יהָ אֲשֶׁר־נָתְנ֥וּ חִתִּיתָ֖ם לְכָל־יוֹשְׁבֶֽיהָ: יח עַתָּה֙ יֶחְרְד֣וּ הָֽאִיִּ֔ן י֖וֹם מַפַּלְתֵּ֑ךְ וְנִבְהֲל֧וּ הָאִיִּ֛ים אֲשֶׁר־בַּיָּ֖ם מִצֵּאתֵֽךְ: יט כִּ֣י כֹ֤ה אָמַר֙ אֲדֹנָ֣י יְהוִ֔ה בְּתִתִּ֤י אֹתָךְ֙ עִ֣יר נֶחֱרֶ֔בֶת כֶּעָרִ֖ים אֲשֶׁ֣ר לֹא־נוֹשָׁ֑בוּ בְּהַעֲל֤וֹת עָלַ֙יִךְ֙ אֶת־תְּה֔וֹם וְכִסּ֖וּךְ הַמַּ֥יִם הָרַבִּֽים: כ וְהוֹרַדְתִּיךְ֩ אֶת־י֨וֹרְדֵי ב֜וֹר אֶל־עַ֣ם עוֹלָ֗ם וְ֠הוֹשַׁבְתִּיךְ בְּאֶ֨רֶץ תַּחְתִּיּ֜וֹת כָּחֳרָב֤וֹת מֵֽעוֹלָם֙ אֶת־י֣וֹרְדֵי ב֔וֹר לְמַ֖עַן לֹ֣א תֵשֵׁ֑בִי וְנָתַתִּ֥י צְבִ֖י בְּאֶ֥רֶץ חַיִּֽים: כא בַּלָּה֣וֹת אֶתְּנֵ֔ךְ וְאֵינֵ֖ךְ וּֽתְבֻקְשִׁ֗י וְלֹֽא־תִמָּצְאִ֥י עוֹד֙ לְעוֹלָ֔ם נְאֻ֖ם אֲדֹנָ֥י יְהוִֽה: פ

כז א וַיְהִ֥י דְבַר־יְהוָ֖ה אֵלַ֥י לֵאמֹֽר: ב וְאַתָּ֣ה בֶן־אָדָ֔ם שָׂ֥א עַל־צֹ֖ר קִינָֽה: ג וְאָמַרְתָּ֣ לְצ֗וֹר הַיֹּשֶׁ֙בֶת֙ [49] עַל־מְבוֹאֹ֣ת יָ֔ם רֹכֶ֙לֶת֙ הָֽעַמִּ֔ים אֶל־אִיִּ֖ים רַבִּ֑ים כֹּ֤ה אָמַר֙ אֲדֹנָ֣י יְהוִ֔ה צ֕וֹר אַ֣תְּ אָמַ֔רְתְּ אֲנִ֖י כְּלִ֥ילַת יֹֽפִי: ד בְּלֵ֥ב יַמִּ֖ים גְּבוּלָ֑יִךְ בֹּנַ֕יִךְ כָּלְל֖וּ יָפְיֵֽךְ: ה בְּרוֹשִׁ֤ים מִשְּׂנִיר֙ בָּ֣נוּ לָ֔ךְ אֵ֖ת כָּל־לֻֽחֹתָ֑יִם אֶ֤רֶז מִלְּבָנוֹן֙ לָקָ֔חוּ לַעֲשׂ֥וֹת תֹּ֖רֶן עָלָֽיִךְ: ו אַלּוֹנִים֙ מִבָּשָׁ֔ן עָשׂ֖וּ מִשּׁוֹטָ֑יִךְ קַרְשֵׁ֤ךְ עָֽשׂוּ־שֵׁן֙ בַּת־אֲשֻׁרִ֔ים מֵאִיֵּ֖י [50] כִּתִּיִּֽם: ז שֵׁשׁ־בְּרִקְמָ֤ה מִמִּצְרַ֙יִם֙ הָיָ֣ה מִפְרָשֵׂ֔ךְ לִהְי֥וֹת לָ֖ךְ לְנֵ֑ס תְּכֵ֧לֶת וְאַרְגָּמָ֛ן מֵאִיֵּ֥י אֱלִישָׁ֖ה הָיָ֥ה מְכַסֵּֽךְ: ח יֹשְׁבֵ֤י צִידוֹן֙ וְאַרְוַ֔ד הָי֥וּ שָׁטִ֖ים לָ֑ךְ חֲכָמַ֤יִךְ צוֹר֙ הָ֣יוּ בָ֔ךְ הֵ֖מָּה חֹבְלָֽיִךְ: ט זִקְנֵ֨י גְבַ֤ל וַחֲכָמֶ֙יהָ֙ הָ֣יוּ בָ֔ךְ מַחֲזִיקֵ֖י בִּדְקֵ֑ךְ כָּל־אֳנִיּ֨וֹת הַיָּ֤ם וּמַלָּֽחֵיהֶם֙ הָ֣יוּ בָ֔ךְ לַעֲרֹ֖ב מַעֲרָבֵֽךְ: י פָּרַ֨ס וְל֤וּד וּפוּט֙ הָי֣וּ בְחֵילֵ֔ךְ אַנְשֵׁ֖י מִלְחַמְתֵּ֑ךְ מָגֵ֤ן וְכוֹבַע֙ תִּלּוּ־בָ֔ךְ הֵ֖מָּה נָתְנ֥וּ הֲדָרֵֽךְ: יא בְּנֵ֧י אַרְוַ֣ד וְחֵילֵ֗ךְ עַל־חוֹמוֹתַ֙יִךְ֙ סָבִ֔יב וְגַ֙מָּדִ֔ים בְּמִגְדְּלוֹתַ֖יִךְ הָי֑וּ שִׁלְטֵיהֶ֞ם תִּלּ֤וּ עַל־חוֹמוֹתַ֙יִךְ֙ סָבִ֔יב הֵ֖מָּה כָּלְל֥וּ יָפְיֵֽךְ: יב תַּרְשִׁ֥ישׁ סֹחַרְתֵּ֖ךְ מֵרֹ֣ב כָּל־ה֑וֹן בְּכֶ֤סֶף בַּרְזֶל֙ בְּדִ֣יל וְעוֹפֶ֔רֶת נָתְנ֖וּ עִזְבוֹנָֽיִךְ: יג יָוָ֤ן תֻּבַל֙ וָמֶ֔שֶׁךְ הֵ֖מָּה רֹכְלָ֑יִךְ בְּנֶ֤פֶשׁ אָדָם֙ וּכְלֵ֣י נְחֹ֔שֶׁת נָתְנ֖וּ מַעֲרָבֵֽךְ: יד מִבֵּ֖ית תּוֹגַרְמָ֑ה סוּסִ֤ים וּפָֽרָשִׁים֙ וּפְרָדִ֔ים נָתְנ֖וּ עִזְבוֹנָֽיִךְ: טו בְּנֵ֤י דְדָן֙ רֹֽכְלַ֔יִךְ אִיִּ֥ים רַבִּ֖ים סְחֹרַ֣ת יָדֵ֑ךְ קַרְנ֥וֹת שֵׁן֙ וְהָבְנִ֔ים [51] הֵשִׁ֖יבוּ אֶשְׁכָּרֵֽךְ:

---

[49] הישבתי
[50] כתים
[51] והובנים

14 And I will make thee a bare rock; thou shalt be a place for the spreading of nets, thou shalt be built no more; for I Yehovah have spoken, saith the Lord GOD [Adonai Yehovi].{S} 15 Thus saith the Lord GOD [Adonai Yehovi] to Tyre: Shall not the isles shake at the sound of thy fall, when the wounded groan, when the slaughter is made in the midst of thee? 16 Then all the princes of the sea shall come down from their thrones, and lay away their robes, and strip off their richly woven garments; they shall clothe themselves with trembling; they shall sit upon the ground, and shall tremble every moment, and be appalled at thee. 17 And they shall take up a lamentation for thee, and say to thee: how art thou destroyed, that wast peopled from the seas, the renowned city, that wast strong in the sea, thou and thy inhabitants, that caused your terror to be on all that inhabit the earth! 18 Now shall the isles tremble in the day of thy fall; yea, the isles that are in the sea shall be affrighted at thy going out.{S} 19 For thus saith the Lord GOD [Adonai Yehovi]: When I shall make thee a desolate city, like the cities that are not inhabited; when I shall bring up the deep upon thee, and the great waters shall cover thee; 20 then will I bring thee down with them that descend into the pit, to the people of old time, and will make thee to dwell in the nether parts of the earth, like the places that are desolate of old, with them that go down to the pit, that thou be not inhabited; and I will set glory in the land of the living; 21 I will make thee a terror, and thou shalt be no more; though thou be sought for, yet shalt thou never be found again, saith the Lord GOD [Adonai Yehovi].'{P}

27 1 Moreover the word of Yehovah came unto me, saying: 2 'And thou, son of man, take up a lamentation for Tyre, 3 and say unto Tyre, that dwelleth at the entry of the sea, that is the merchant of the peoples unto many isles:{S} Thus saith the Lord GOD [Adonai Yehovi]: thou, O Tyre, hast said: I am of perfect beauty. 4 Thy borders are in the heart of the seas, thy builders have perfected thy beauty. 5 Of cypress-trees from Senir have they fashioned all thy planks; they have taken cedars from Lebanon to make masts for thee. 6 Of the oaks of Bashan have they made thine oars; thy deck have they made of ivory inlaid in larch, from the isles of the Kittites. 7 Of fine linen with richly woven work from Egypt was thy sail, that it might be to thee for an ensign; blue and purple from the isles of Elishah was thine awning. 8 The inhabitants of Sidon and Arvad were thy rowers; thy wise men, O Tyre, were in thee, they were thy pilots. 9 The elders of Gebal and the wise men thereof were in thee thy calkers; all the ships of the sea with their mariners were in thee to exchange thy merchandise. 10 Persia and Lud and Put were in thine army, thy men of war; they hanged the shield and helmet in thee, they set forth thy comeliness. 11 The men of Arvad and Helech were upon thy walls round about, and the Gammadim were in thy towers; they hanged their shields upon thy walls round about; they have perfected thy beauty. 12 Tarshish was thy merchant by reason of the multitude of all kinds of riches; with silver, iron, tin, and lead, they traded for thy wares. 13 Javan, Tubal, and Meshech, they were thy traffickers; they traded the persons of men and vessels of brass for thy merchandise. 14 They of the house of Togarmah traded for thy wares with horses and horsemen and mules. 15 The men of Dedan were thy traffickers; many isles were the mart of thy hand; they brought thee as tribute horns of ivory and ebony.

יו אֲרָם סֹחַרְתֵּךְ מֵרֹב מַעֲשָׂיִךְ בְּנֹפֶךְ אַרְגָּמָן וְרִקְמָה וּבוּץ וְרָאמֹת וְכַדְכֹּד
נָתְנוּ בְּעִזְבוֹנָיִךְ׃ יז יְהוּדָה וְאֶרֶץ יִשְׂרָאֵל הֵמָּה רֹכְלָיִךְ בְּחִטֵּי מִנִּית וּפַנַּג
וּדְבַשׁ וָשֶׁמֶן וָצֹרִי נָתְנוּ מַעֲרָבֵךְ׃ יח דַּמֶּשֶׂק סֹחַרְתֵּךְ בְּרֹב מַעֲשַׂיִךְ מֵרֹב
כָּל־הוֹן בְּיֵין חֶלְבּוֹן וְצֶמֶר צָחַר׃ יט וְדָן וְיָוָן מְאוּזָּל בְּעִזְבוֹנַיִךְ נָתָנּוּ בַּרְזֶל
עָשׁוֹת קִדָּה וְקָנֶה בְּמַעֲרָבֵךְ הָיָה׃ כ דְּדָן רֹכַלְתֵּךְ בְּבִגְדֵי־חֹפֶשׁ לְרִכְבָּה׃
כא עֲרַב וְכָל־נְשִׂיאֵי קֵדָר הֵמָּה סֹחֲרֵי יָדֵךְ בְּכָרִים וְאֵילִים וְעַתּוּדִים בָּם
סֹחֲרָיִךְ׃ כב רֹכְלֵי שְׁבָא וְרַעְמָה הֵמָּה רֹכְלָיִךְ בְּרֹאשׁ כָּל־בֹּשֶׂם וּבְכָל־אֶבֶן
יְקָרָה וְזָהָב נָתְנוּ עִזְבוֹנָיִךְ׃ כג חָרָן וְכַנֵּה וָעֶדֶן רֹכְלֵי שְׁבָא אַשּׁוּר כִּלְמַד
רֹכַלְתֵּךְ׃ כד הֵמָּה רֹכְלַיִךְ בְמַכְלֻלִים בִּגְלוֹמֵי תְּכֵלֶת וְרִקְמָה וּבְגִנְזֵי
בְּרֹמִים בַּחֲבָלִים חֲבֻשִׁים וַאֲרֻזִים בְּמַרְכֻלְתֵּךְ׃ כה אֳנִיּוֹת תַּרְשִׁישׁ שָׁרוֹתַיִךְ
מַעֲרָבֵךְ וַתִּמָּלְאִי וַתִּכְבְּדִי מְאֹד בְּלֵב יַמִּים׃ כו בְּמַיִם רַבִּים הֱבִאוּךְ
הַשָּׁטִים אֹתָךְ רוּחַ הַקָּדִים שְׁבָרֵךְ בְּלֵב יַמִּים׃ כז הוֹנֵךְ וְעִזְבוֹנַיִךְ מַעֲרָבֵךְ
מַלָּחַיִךְ וְחֹבְלָיִךְ מַחֲזִיקֵי בִדְקֵךְ וְעֹרְבֵי מַעֲרָבֵךְ וְכָל־אַנְשֵׁי מִלְחַמְתֵּךְ
אֲשֶׁר־בָּךְ וּבְכָל־קְהָלֵךְ אֲשֶׁר בְּתוֹכֵךְ יִפְּלוּ בְּלֵב יַמִּים בְּיוֹם מַפַּלְתֵּךְ׃
כח לְקוֹל זַעֲקַת חֹבְלָיִךְ יִרְעֲשׁוּ מִגְרֹשׁוֹת׃ כט וְיָרְדוּ מֵאֳנִיּוֹתֵיהֶם כֹּל תֹּפְשֵׂי
מָשׁוֹט מַלָּחִים כֹּל חֹבְלֵי הַיָּם אֶל־הָאָרֶץ יַעֲמֹדוּ׃ ל וְהִשְׁמִיעוּ עָלַיִךְ בְּקוֹלָם
וְיִזְעֲקוּ מָרָה וְיַעֲלוּ עָפָר עַל־רָאשֵׁיהֶם בָּאֵפֶר יִתְפַּלָּשׁוּ׃ לא וְהִקְרִיחוּ אֵלַיִךְ
קָרְחָה וְחָגְרוּ שַׂקִּים וּבָכוּ אֵלַיִךְ בְּמַר־נֶפֶשׁ מִסְפֵּד מָר׃ לב וְנָשְׂאוּ אֵלַיִךְ
בְּנִיהֶם קִינָה וְקוֹנְנוּ עָלָיִךְ מִי כְצוֹר כְּדֻמָה בְּתוֹךְ הַיָּם׃ לג בְּצֵאת עִזְבוֹנַיִךְ
מִיַּמִּים הִשְׂבַּעַתְּ עַמִּים רַבִּים בְּרֹב הוֹנַיִךְ וּמַעֲרָבַיִךְ הֶעֱשַׁרְתְּ מַלְכֵי־אָרֶץ׃
לד עֵת נִשְׁבֶּרֶת מִיַּמִּים בְּמַעֲמַקֵּי־מָיִם מַעֲרָבֵךְ וְכָל־קְהָלֵךְ בְּתוֹכֵךְ נָפָלוּ׃
לה כֹּל יֹשְׁבֵי הָאִיִּים שָׁמְמוּ עָלָיִךְ וּמַלְכֵיהֶם שָׂעֲרוּ שַׂעַר רָעֲמוּ פָּנִים׃
לו סֹחֲרִים בָּעַמִּים שָׁרְקוּ עָלָיִךְ בַּלָּהוֹת הָיִית וְאֵינֵךְ עַד־עוֹלָם׃

כח א וַיְהִי דְבַר־יְהוָה אֵלַי לֵאמֹר׃ ב בֶּן־אָדָם אֱמֹר לִנְגִיד צֹר כֹּה־אָמַר
אֲדֹנָי יְהוִה יַעַן גָּבַהּ לִבְּךָ וַתֹּאמֶר אֵל אָנִי מוֹשַׁב אֱלֹהִים יָשַׁבְתִּי בְּלֵב
יַמִּים וְאַתָּה אָדָם וְלֹא־אֵל וַתִּתֵּן לִבְּךָ כְּלֵב אֱלֹהִים׃ ג הִנֵּה חָכָם אַתָּה
מִדָּנִאֵל[52] כָּל־סָתוּם לֹא עֲמָמוּךָ׃ ד בְּחָכְמָתְךָ וּבִתְבוּנָתְךָ עָשִׂיתָ לְּךָ חָיִל
וַתַּעַשׂ זָהָב וָכֶסֶף בְּאוֹצְרוֹתֶיךָ׃ ה בְּרֹב חָכְמָתְךָ בִּרְכֻלָּתְךָ הִרְבִּיתָ חֵילֶךָ
וַיִּגְבַּהּ לְבָבְךָ בְּחֵילֶךָ׃

[52] מדנאל

16 Aram was thy merchant by reason of the multitude of thy wealth; they traded for thy wares with carbuncles, purple, and richly woven work, and fine linen, and coral, and rubies. **17** Judah, and the land of Israel, they were thy traffickers; they traded for thy merchandise wheat of Minnith, and balsam, and honey, and oil, and balm. **18** Damascus was thy merchant for the multitude of thy wealth, by reason of the multitude of all riches, with the wine of Helbon, and white wool. **19** Vedan and Javan traded with yarn for thy wares; massive iron, cassia, and calamus, were among thy merchandise. **20** Dedan was thy trafficker in precious cloths for riding. **21** Arabia, and all the princes of Kedar, they were the merchants of thy hand; in lambs, and rams, and goats, in these were they thy merchants. **22** The traffickers of Sheba and Raamah, they were thy traffickers; they traded for thy wares with chief of all spices, and with all precious stones, and gold. **23** Haran and Canneh and Eden, the traffickers of Sheba, Asshur was as thine apprentice in traffic. **24** These were thy traffickers in gorgeous fabrics, in wrappings of blue and richly woven work, and in chests of rich apparel, bound with cords and cedar-lined, among thy merchandise. **25** The ships of Tarshish brought thee tribute for thy merchandise; so wast thou replenished, and made very heavy in the heart of the seas. **26** Thy rowers have brought thee into great waters; the east wind hath broken thee in the heart of the seas. **27** Thy riches, and thy wares, thy merchandise, thy mariners, and thy pilots, thy calkers, and the exchangers of thy merchandise, and all thy men of war, that are in thee, with all thy company which is in the midst of thee, shall fall into the heart of the seas in the day of thy ruin. **28** At the sound of the cry of thy pilots the waves shall shake. **29** And all that handle the oar, the mariners, and all the pilots of the sea, shall come down from their ships, they shall stand upon the land, **30** And shall cause their voice to be heard over thee, and shall cry bitterly, and shall cast up dust upon their heads, they shall roll themselves in the ashes; **31** And they shall make themselves utterly bald for thee, and gird them with sackcloth, and they shall weep for thee in bitterness of soul with bitter lamentation. **32** And in their wailing they shall take up a lamentation for thee, and lament over thee: who was there like Tyre, fortified in the midst of the sea? **33** When thy wares came forth out of the seas, thou didst fill many peoples; with the multitude of thy riches and of thy merchandise didst thou enrich the kings of the earth. **34** Now that thou art broken by the seas in the depths of the waters, and thy merchandise and all thy company are fallen in the midst of thee, **35** All the inhabitants of the isles are appalled at thee, and their kings are horribly afraid, they are troubled in their countenance; **36** The merchants among the peoples hiss at thee; thou art become a terror, and never shalt be any more.'{P}

28 **1** And the word of Yehovah came unto me, saying: **2** 'Son of man, say unto the prince of Tyre: Thus saith the Lord GOD [Adonai Yehovi]: because thy heart is lifted up, and thou hast said: I am a god, I sit in the seat of God, in the heart of the seas; yet thou art man, and not God, though thou didst set thy heart as the heart of God– **3** Behold, thou art wiser than Daniel! there is no secret that they can hide from thee! **4** By thy wisdom and by thy discernment thou hast gotten thee riches, and hast gotten gold and silver into thy treasures; **5** In thy great wisdom by thy traffic hast thou increased thy riches, and thy heart is lifted up because of thy riches–{s}

ו לָכֵן כֹּה אָמַר אֲדֹנָי יְהוִה יַעַן תִּתְּךָ אֶת־לְבָבְךָ כְּלֵב אֱלֹהִים׃ ז לָכֵן
הִנְנִי מֵבִיא עָלֶיךָ זָרִים עָרִיצֵי גּוֹיִם וְהֵרִיקוּ חַרְבוֹתָם עַל־יְפִי חָכְמָתֶךָ
וְחִלְּלוּ יִפְעָתֶךָ׃ ח לַשַּׁחַת יוֹרִדוּךָ וָמַתָּה מְמוֹתֵי חָלָל בְּלֵב יַמִּים׃
ט הֶאָמֹר תֹּאמַר אֱלֹהִים אָנִי לִפְנֵי הֹרְגֶךָ וְאַתָּה אָדָם וְלֹא־אֵל בְּיַד
מְחַלְלֶיךָ׃ י מוֹתֵי עֲרֵלִים תָּמוּת בְּיַד־זָרִים כִּי אֲנִי דִבַּרְתִּי נְאֻם אֲדֹנָי
יְהוִה׃ יא וַיְהִי דְבַר־יְהוָה אֵלַי לֵאמֹר׃ יב בֶּן־אָדָם שָׂא קִינָה עַל־מֶלֶךְ
צוֹר וְאָמַרְתָּ לּוֹ כֹּה אָמַר אֲדֹנָי יְהוִה אַתָּה חוֹתֵם תָּכְנִית מָלֵא חָכְמָה
וּכְלִיל יֹפִי׃ יג בְּעֵדֶן גַּן־אֱלֹהִים הָיִיתָ כָּל־אֶבֶן יְקָרָה מְסֻכָתֶךָ אֹדֶם
פִּטְדָה וְיָהֲלֹם תַּרְשִׁישׁ שֹׁהַם וְיָשְׁפֵה סַפִּיר נֹפֶךְ וּבָרְקַת וְזָהָב מְלֶאכֶת
תֻּפֶּיךָ וּנְקָבֶיךָ בָּךְ בְּיוֹם הִבָּרַאֲךָ כּוֹנָנוּ׃ יד אַתְּ־כְּרוּב מִמְשַׁח הַסּוֹכֵךְ
וּנְתַתִּיךָ בְּהַר קֹדֶשׁ אֱלֹהִים הָיִיתָ בְּתוֹךְ אַבְנֵי־אֵשׁ הִתְהַלָּכְתָּ׃ טו תָּמִים
אַתָּה בִּדְרָכֶיךָ מִיּוֹם הִבָּרְאָךְ עַד־נִמְצָא עַוְלָתָה בָּךְ׃ טז בְּרֹב רְכֻלָּתְךָ
מָלוּ תוֹכְךָ חָמָס וַתֶּחֱטָא וָאֲחַלֶּלְךָ מֵהַר אֱלֹהִים וָאַבֶּדְךָ כְּרוּב הַסֹּכֵךְ
מִתּוֹךְ אַבְנֵי־אֵשׁ׃ יז גָּבַהּ לִבְּךָ בְּיָפְיֶךָ שִׁחַתָּ חָכְמָתְךָ עַל־יִפְעָתֶךָ
עַל־אֶרֶץ הִשְׁלַכְתִּיךָ לִפְנֵי מְלָכִים נְתַתִּיךָ לְרַאֲוָה בָךְ׃ יח מֵרֹב עֲוֺנֶיךָ
בְּעֶוֶל רְכֻלָּתְךָ חִלַּלְתָּ מִקְדָּשֶׁיךָ וָאוֹצִא־אֵשׁ מִתּוֹכְךָ הִיא אֲכָלַתְךָ וָאֶתֶּנְךָ
לְאֵפֶר עַל־הָאָרֶץ לְעֵינֵי כָּל־רֹאֶיךָ׃ יט כָּל־יוֹדְעֶיךָ בָּעַמִּים שָׁמְמוּ עָלֶיךָ
בַּלָּהוֹת הָיִיתָ וְאֵינְךָ עַד־עוֹלָם׃

כ וַיְהִי דְבַר־יְהוָה אֵלַי לֵאמֹר׃ כא בֶּן־אָדָם שִׂים פָּנֶיךָ אֶל־צִידוֹן וְהִנָּבֵא
עָלֶיהָ׃ כב וְאָמַרְתָּ כֹּה אָמַר אֲדֹנָי יְהוִה הִנְנִי עָלַיִךְ צִידוֹן וְנִכְבַּדְתִּי
בְּתוֹכֵךְ וְיָדְעוּ כִּי־אֲנִי יְהוָה בַּעֲשׂוֹתִי בָהּ שְׁפָטִים וְנִקְדַּשְׁתִּי בָהּ׃
כג וְשִׁלַּחְתִּי־בָהּ דֶּבֶר וָדָם בְּחוּצוֹתֶיהָ וְנִפְלַל חָלָל בְּתוֹכָהּ בְּחֶרֶב עָלֶיהָ
מִסָּבִיב וְיָדְעוּ כִּי־אֲנִי יְהוָה׃ כד וְלֹא־יִהְיֶה עוֹד לְבֵית יִשְׂרָאֵל סִלּוֹן
מַמְאִיר וְקוֹץ מַכְאִב מִכֹּל סְבִיבֹתָם הַשָּׁאטִים אוֹתָם וְיָדְעוּ כִּי אֲנִי אֲדֹנָי
יְהוִה׃ כה כֹּה־אָמַר אֲדֹנָי יְהוִה בְּקַבְּצִי ׀ אֶת־בֵּית יִשְׂרָאֵל מִן־הָעַמִּים
אֲשֶׁר נָפֹצוּ בָם וְנִקְדַּשְׁתִּי בָם לְעֵינֵי הַגּוֹיִם וְיָשְׁבוּ עַל־אַדְמָתָם אֲשֶׁר נָתַתִּי
לְעַבְדִּי לְיַעֲקֹב׃ כו וְיָשְׁבוּ עָלֶיהָ לָבֶטַח וּבָנוּ בָתִּים וְנָטְעוּ כְרָמִים וְיָשְׁבוּ
לָבֶטַח בַּעֲשׂוֹתִי שְׁפָטִים בְּכֹל הַשָּׁאטִים אֹתָם מִסְּבִיבוֹתָם וְיָדְעוּ כִּי אֲנִי
יְהוָה אֱלֹהֵיהֶם׃

6 Therefore thus saith the Lord GOD [Adonai Yehovi]: because thou hast set thy heart as the heart of God; **7** Therefore, behold, I will bring strangers upon thee, the terrible of the nations; and they shall draw their swords against the beauty of thy wisdom, and they shall defile thy brightness. **8** They shall bring thee down to the pit; and thou shalt die the deaths of them that are slain, in the heart of the seas. **9** Wilt thou yet say before him that slayeth thee: I am God? But thou art man, and not God, in the hand of them that defile thee. **10** Thou shalt die the deaths of the uncircumcised by the hand of strangers; for I have spoken, saith the Lord GOD [Adonai Yehovi].'{P}

11 Moreover the word of Yehovah came unto me, saying: **12** 'Son of man, take up a lamentation for the king of Tyre, and say unto him: Thus saith the Lord GOD [Adonai Yehovi]: Thou seal most accurate, full of wisdom, and perfect in beauty, **13** thou wast in Eden the garden of God; every precious stone was thy covering, the carnelian, the topaz, and the emerald, the beryl, the onyx, and the jasper, the sapphire, the carbuncle, and the smaragd, and gold; the workmanship of thy settings and of thy sockets was in thee, in the day that thou wast created they were prepared. **14** Thou wast the far-covering cherub; and I set thee, so that thou wast upon the holy mountain of God; thou hast walked up and down in the midst of stones of fire. **15** Thou wast perfect in thy ways from the day that thou wast created, till unrighteousness was found in thee. **16** By the multitude of thy traffic they filled the midst of thee with violence, and thou hast sinned; therefore have I cast thee as profane out of the mountain of God; and I have destroyed thee, O covering cherub, from the midst of the stones of fire. **17** Thy heart was lifted up because of thy beauty, thou hast corrupted thy wisdom by reason of thy brightness; I have cast thee to the ground, I have laid thee before kings, that they may gaze upon thee. **18** By the multitude of thine iniquities, in the unrighteousness of thy traffic, thou hast profaned thy sanctuaries; therefore have I brought forth a fire from the midst of thee, it hath devoured thee, and I have turned thee to ashes upon the earth in the sight of all them that behold thee. **19** All they that know thee among the peoples shall be appalled at thee; thou art become a terror, and thou shalt never be any more.'{P}

20 And the word of Yehovah came unto me, saying: **21** 'Son of man, set thy face toward Zidon, and prophesy against it, **22** and say: Thus saith the Lord GOD [Adonai Yehovi]: Behold, I am against thee, O Zidon, and I will be glorified in the midst of thee; and they shall know that I am Yehovah, when I shall have executed judgments in her, and shall be sanctified in her. **23** For I will send into her pestilence and blood in her streets; and the wounded shall fall in the midst of her by the sword upon her on every side; and they shall know that I am Yehovah. **24** And there shall be no more a pricking brier unto the house of Israel, nor a piercing thorn of any that are round about them, that did have them in disdain; and they shall know that I am the Lord GOD [Adonai Yehovi].{P}

25 Thus saith the Lord GOD [Adonai Yehovi]: When I shall have gathered the house of Israel from the peoples among whom they are scattered, and shall be sanctified in them in the sight of the nations, then shall they dwell in their own land which I gave to My servant Jacob. **26** And they shall dwell safely therein, and shall build houses, and plant vineyards; yea, they shall dwell safely; when I have executed judgments upon all those that have them in disdain round about them; and they shall know that I am Yehovah their God.'{P}

כט **א** בַּשָּׁנָה֙ הָעֲשִׂירִ֔ית בָּעֲשִׂרִ֕י בִּשְׁנֵ֥ים עָשָׂ֖ר לַחֹ֑דֶשׁ הָיָ֥ה דְבַר־יְהֹוָ֖ה אֵלַ֥י לֵאמֹֽר: **ב** בֶּן־אָדָ֕ם שִׂ֣ים פָּנֶ֔יךָ עַל־פַּרְעֹ֖ה מֶ֣לֶךְ מִצְרָ֑יִם וְהִנָּבֵ֣א עָלָ֔יו וְעַל־מִצְרַ֖יִם כֻּלָּֽהּ: **ג** דַּבֵּ֣ר וְאָמַרְתָּ֗ כֹּֽה־אָמַ֣ר ׀ אֲדֹנָ֣י יְהֹוִ֡ה הִנְנִ֣י עָלֶ֩יךָ֩ פַּרְעֹ֨ה מֶֽלֶךְ־מִצְרַ֜יִם הַתַּנִּ֣ים הַגָּד֗וֹל הָֽרֹבֵץ֙ בְּת֣וֹךְ יְאֹרָ֔יו אֲשֶׁ֥ר אָמַ֛ר לִ֥י יְאֹרִ֖י וַאֲנִ֥י עֲשִׂיתִֽנִי: **ד** וְנָתַתִּ֣י חַחִים֮[53] בִּלְחָיֶיךָ֒ וְהִדְבַּקְתִּ֥י דְגַת־יְאֹרֶ֖יךָ בְּקַשְׂקְשֹׂתֶ֑יךָ וְהַעֲלִיתִ֙יךָ֙ מִתּ֣וֹךְ יְאֹרֶ֔יךָ וְאֵת֙ כָּל־דְּגַ֣ת יְאֹרֶ֔יךָ בְּקַשְׂקְשֹׂתֶ֖יךָ תִּדְבָּֽק: **ה** וּנְטַשְׁתִּ֣יךָ הַמִּדְבָּ֗רָה אוֹתְךָ֙ וְאֵת֙ כָּל־דְּגַ֣ת יְאֹרֶ֔יךָ עַל־פְּנֵ֥י הַשָּׂדֶ֖ה תִּפּ֑וֹל לֹ֤א תֵֽאָסֵף֙ וְלֹ֣א תִקָּבֵ֔ץ לְחַיַּ֥ת הָאָ֛רֶץ וּלְע֥וֹף הַשָּׁמַ֖יִם נְתַתִּ֥יךָ לְאָכְלָֽה: **ו** וְיָֽדְעוּ֙ כָּל־יֹשְׁבֵ֣י מִצְרַ֔יִם כִּ֖י אֲנִ֣י יְהֹוָ֑ה יַ֧עַן הֱיוֹתָ֛ם מִשְׁעֶ֥נֶת קָנֶ֖ה לְבֵ֥ית יִשְׂרָאֵֽל: **ז** בְּתָפְשָׂ֨ם בְּךָ֤ בַכַּף֙[54] תֵּר֔וֹץ וּבָקַעְתָּ֥ לָהֶ֖ם כָּל־כָּתֵ֑ף וּבְהִשָּֽׁעֲנָ֤ם עָלֶ֙יךָ֙ תִּשָּׁבֵ֔ר וְהַעֲמַדְתָּ֥ לָהֶ֖ם כָּל־מָתְנָֽיִם: **ח** לָכֵ֗ן כֹּ֤ה אָמַר֙ אֲדֹנָ֣י יְהֹוִ֔ה הִנְנִ֛י מֵבִ֥יא עָלַ֖יִךְ חָ֑רֶב וְהִכְרַתִּ֥י מִמֵּ֖ךְ אָדָ֥ם וּבְהֵמָֽה: **ט** וְהָיְתָ֤ה אֶֽרֶץ־מִצְרַ֙יִם֙ לִשְׁמָמָ֣ה וְחָרְבָּ֔ה וְיָדְע֖וּ כִּֽי־אֲנִ֣י יְהֹוָ֑ה יַ֧עַן אָמַ֛ר יְאֹ֥ר לִ֖י וַאֲנִ֥י עָשִֽׂיתִי: **י** לָכֵ֛ן הִנְנִ֥י אֵלֶ֖יךָ וְאֶל־יְאֹרֶ֑יךָ וְנָתַתִּ֞י אֶת־אֶ֣רֶץ מִצְרַ֗יִם לְחָרְבוֹת֙ חֹ֣רֶב שְׁמָמָ֔ה מִמִּגְדֹּ֥ל סְוֵנֵ֖ה וְעַד־גְּב֥וּל כּֽוּשׁ: **יא** לֹ֤א תַעֲבָר־בָּהּ֙ רֶ֣גֶל אָדָ֔ם וְרֶ֥גֶל בְּהֵמָ֖ה לֹ֣א תַעֲבָר־בָּ֑הּ וְלֹ֥א תֵשֵׁ֖ב אַרְבָּעִ֥ים שָׁנָֽה: **יב** וְנָתַתִּ֣י אֶת־אֶ֣רֶץ מִצְרַ֡יִם שְׁמָמָה֩ בְּת֨וֹךְ ׀ אֲרָצ֜וֹת נְשַׁמּ֗וֹת וְעָרֶ֙יהָ֙ בְּת֣וֹךְ עָרִ֣ים מׇחֳרָב֔וֹת תִּֽהְיֶ֥יןָ שְׁמָמָ֖ה אַרְבָּעִ֣ים שָׁנָ֑ה וַהֲפִצֹתִ֤י אֶת־מִצְרַ֙יִם֙ בַּגּוֹיִ֔ם וְזֵרִיתִ֖ים בָּאֲרָצֽוֹת:

יג כִּ֛י כֹּ֥ה אָמַ֖ר אֲדֹנָ֣י יְהֹוִ֑ה מִקֵּ֞ץ אַרְבָּעִ֤ים שָׁנָה֙ אֲקַבֵּ֣ץ אֶת־מִצְרַ֔יִם מִן־הָעַמִּ֖ים אֲשֶׁר־נָפֹ֥צוּ שָֽׁמָּה: **יד** וְשַׁבְתִּי֙ אֶת־שְׁב֣וּת מִצְרַ֔יִם וַהֲשִׁבֹתִ֤י אֹתָם֙ אֶ֣רֶץ פַּתְר֔וֹס עַל־אֶ֖רֶץ מְכוּרָתָ֑ם וְהָ֥יוּ שָׁ֖ם מַמְלָכָ֥ה שְׁפָלָֽה: **טו** מִן־הַמַּמְלָכוֹת֙ תִּהְיֶ֣ה שְׁפָלָ֔ה וְלֹֽא־תִתְנַשֵּׂ֥א ע֖וֹד עַל־הַגּוֹיִ֑ם וְהִ֨מְעַטְתִּ֔ים לְבִלְתִּ֖י רְד֥וֹת בַּגּוֹיִֽם: **טז** וְלֹ֣א יִֽהְיֶה־עוֹד֩ לְבֵ֨ית יִשְׂרָאֵ֤ל לְמִבְטָח֙ מַזְכִּ֣יר עָוֺ֔ן בִּפְנוֹתָ֖ם אַחֲרֵיהֶ֑ם וְיָדְע֕וּ כִּ֥י אֲנִ֖י אֲדֹנָ֥י יְהֹוִֽה:

יז וַיְהִ֗י בְּעֶשְׂרִ֤ים וָשֶׁ֙בַע֙ שָׁנָ֔ה בָּֽרִאשׁ֖וֹן בְּאֶחָ֣ד לַחֹ֑דֶשׁ הָיָ֥ה דְבַר־יְהֹוָ֖ה אֵלַ֥י לֵאמֹֽר: **יח** בֶּן־אָדָ֗ם נְבוּכַדְרֶאצַּ֣ר מֶֽלֶךְ־בָּ֠בֶ֠ל הֶעֱבִ֨יד אֶת־חֵיל֜וֹ עֲבֹדָ֤ה גְדֹלָה֙ אֶל־צֹ֔ר כׇּל־רֹ֣אשׁ מֻקְרָ֔ח וְכׇל־כָּתֵ֖ף מְרוּטָ֑ה וְ֠שָׂכָ֠ר לֹא־הָ֨יָה ל֤וֹ וּלְחֵילוֹ֙ מִצֹּ֔ר עַל־הָעֲבֹדָ֖ה אֲשֶׁר־עָבַ֥ד עָלֶֽיהָ: **יט** לָכֵ֗ן כֹּ֤ה אָמַר֙ אֲדֹנָ֣י יְהֹוִ֔ה הִנְנִ֥י נֹתֵ֛ן לִנְבֽוּכַדְרֶאצַּ֥ר מֶֽלֶךְ־בָּבֶ֖ל אֶת־אֶ֣רֶץ מִצְרָ֑יִם וְנָשָׂ֤א הֲמֹנָהּ֙ וְשָׁלַ֣ל שְׁלָלָ֔הּ וּבָזַ֖ז בִּזָּ֑הּ וְהָיְתָ֥ה שָׂכָ֖ר לְחֵילֽוֹ:

29 1 In the tenth year, in the tenth month, in the twelfth day of the month, the word of Yehovah came unto me, saying: 2 'Son of man, set thy face against Pharaoh king of Egypt, and prophesy against him, and against all Egypt; 3 speak, and say: Thus saith the Lord GOD [Adonai Yehovi]: behold, I am against thee, Pharaoh King of Egypt, the great dragon that lieth in the midst of his rivers, that hath said: My river is mine own, and I have made it for myself. 4 And I will put hooks in thy jaws, and I will cause the fish of thy rivers to stick unto thy scales; and I will bring thee up out of the midst of thy rivers, and all the fish of thy rivers shall stick unto thy scales. 5 And I will cast thee into the wilderness, thee and all the fish of thy rivers; thou shalt fall upon the open field; thou shalt not be brought together, nor gathered; to the beasts of the earth and to the fowls of the heaven have I given thee for food. 6 And all the inhabitants of Egypt shall know that I am Yehovah, because they have been a staff of reed to the house of Israel. 7 When they take hold of thee with the hand, thou dost break, and rend all their shoulders; and when they lean upon thee, thou breakest, and makest all their loins to be at a stand.{S} 8 Therefore thus saith the Lord GOD [Adonai Yehovi]: Behold, I will bring a sword upon thee, and will cut off from thee man and beast. 9 And the land of Egypt shall be desolate and waste, and they shall know that I am Yehovah; because he hath said: The river is mine, and I have made it. 10 Therefore, behold, I am against thee, and against thy rivers, and I will make the land of Egypt utterly waste and desolate, from Migdol to Syene even unto the border of Ethiopia. 11 No foot of man shall pass through it, nor foot of beast shall pass through it, neither shall it be inhabited forty years. 12 And I will make the land of Egypt desolate in the midst of the countries that are desolate, and her cities among the cities that are laid waste shall be desolate forty years; and I will scatter the Egyptians among the nations, and will disperse them through the countries.{S} 13 For thus saith the Lord GOD [Adonai Yehovi]: At the end of forty years will I gather the Egyptians from the peoples whither they were scattered; 14 and I will turn the captivity of Egypt, and will cause them to return into the land of Pathros, into the land of their origin; and they shall be there a lowly kingdom. 15 It shall be the lowliest of the kingdoms, neither shall it any more lift itself up above the nations; and I will diminish them, that they shall no more rule over the nations. 16 And it shall be no more the confidence of the house of Israel, bringing iniquity to remembrance, when they turn after them; and they shall know that I am the Lord GOD [Adonai Yehovi].'{P}

17 And it came to pass in the seven and twentieth year, in the first month, in the first day of the month, the word of Yehovah came unto me, saying: 18 'Son of man, Nebuchadrezzar king of Babylon caused his army to serve a great service against Tyre; every head was made bald, and every shoulder was peeled; yet had he no wages, nor his army, from Tyre, for the service that he had served against it;{S} 19 therefore thus saith the Lord GOD [Adonai Yehovi]: Behold, I will give the land of Egypt unto Nebuchadrezzar king of Babylon; and he shall carry off her abundance, and take her spoil, and take her prey; and it shall be the wages for his army.

כ פְּעֻלָּתוֹ אֲשֶׁר־עָבַד בָּהּ נָתַתִּי לוֹ אֶת־אֶרֶץ מִצְרָיִם אֲשֶׁר עָשׂוּ לִי נְאֻם
אֲדֹנָי יְהוִה׃ כא בַּיּוֹם הַהוּא אַצְמִיחַ קֶרֶן לְבֵית יִשְׂרָאֵל וּלְךָ אֶתֵּן
פִּתְחוֹן־פֶּה בְּתוֹכָם וְיָדְעוּ כִּי־אֲנִי יְהוָה׃

ל א וַיְהִי דְבַר־יְהוָה אֵלַי לֵאמֹר׃ ב בֶּן־אָדָם הִנָּבֵא וְאָמַרְתָּ כֹּה אָמַר
אֲדֹנָי יְהוִה הֵילִילוּ הָהּ לַיּוֹם׃ ג כִּי־קָרוֹב יוֹם וְקָרוֹב יוֹם לַיהוָה יוֹם עָנָן
עֵת גּוֹיִם יִהְיֶה׃ ד וּבָאָה חֶרֶב בְּמִצְרַיִם וְהָיְתָה חַלְחָלָה בְּכוּשׁ בִּנְפֹל חָלָל
בְּמִצְרָיִם וְלָקְחוּ הֲמוֹנָהּ וְנֶהֶרְסוּ יְסוֹדֹתֶיהָ׃ ה כּוּשׁ וּפוּט וְלוּד וְכָל־הָעֶרֶב
וְכוּב וּבְנֵי אֶרֶץ הַבְּרִית אִתָּם בַּחֶרֶב יִפֹּלוּ׃

ו כֹּה אָמַר יְהוָה וְנָפְלוּ סֹמְכֵי מִצְרַיִם וְיָרַד גְּאוֹן עֻזָּהּ מִמִּגְדֹּל סְוֵנֵה בַּחֶרֶב
יִפְּלוּ־בָהּ נְאֻם אֲדֹנָי יְהוִה׃ ז וְנָשַׁמּוּ בְּתוֹךְ אֲרָצוֹת נְשַׁמּוֹת וְעָרָיו
בְּתוֹךְ־עָרִים נַחֲרָבוֹת תִּהְיֶינָה׃ ח וְיָדְעוּ כִּי־אֲנִי יְהוָה בְּתִתִּי־אֵשׁ בְּמִצְרַיִם
וְנִשְׁבְּרוּ כָּל־עֹזְרֶיהָ׃ ט בַּיּוֹם הַהוּא יֵצְאוּ מַלְאָכִים מִלְּפָנַי בַּצִּים לְהַחֲרִיד
אֶת־כּוּשׁ בֶּטַח וְהָיְתָה חַלְחָלָה בָהֶם בְּיוֹם מִצְרַיִם כִּי הִנֵּה בָּאָה׃ י כֹּה
אָמַר אֲדֹנָי יְהוִה וְהִשְׁבַּתִּי אֶת־הֲמוֹן מִצְרַיִם בְּיַד נְבוּכַדְרֶאצַּר
מֶלֶךְ־בָּבֶל׃ יא הוּא וְעַמּוֹ אִתּוֹ עָרִיצֵי גוֹיִם מוּבָאִים לְשַׁחֵת הָאָרֶץ וְהֵרִיקוּ
חַרְבוֹתָם עַל־מִצְרַיִם וּמָלְאוּ אֶת־הָאָרֶץ חָלָל׃ יב וְנָתַתִּי יְאֹרִים חָרָבָה
וּמָכַרְתִּי אֶת־הָאָרֶץ בְּיַד־רָעִים וַהֲשִׁמֹּתִי אֶרֶץ וּמְלֹאָהּ בְּיַד־זָרִים אֲנִי
יְהוָה דִּבַּרְתִּי׃ יג כֹּה־אָמַר אֲדֹנָי יְהוִה וְהַאֲבַדְתִּי גִלּוּלִים וְהִשְׁבַּתִּי
אֱלִילִים מִנֹּף וְנָשִׂיא מֵאֶרֶץ־מִצְרַיִם לֹא יִהְיֶה־עוֹד וְנָתַתִּי יִרְאָה בְּאֶרֶץ
מִצְרָיִם׃ יד וַהֲשִׁמֹּתִי אֶת־פַּתְרוֹס וְנָתַתִּי אֵשׁ בְּצֹעַן וְעָשִׂיתִי שְׁפָטִים בְּנֹא׃
טו וְשָׁפַכְתִּי חֲמָתִי עַל־סִין מָעוֹז מִצְרָיִם וְהִכְרַתִּי אֶת־הֲמוֹן נֹא׃ טז וְנָתַתִּי
אֵשׁ בְּמִצְרַיִם חוּל תָּחוּל[55] סִין וְנֹא תִּהְיֶה לְהִבָּקֵעַ וְנֹף צָרֵי יוֹמָם׃ יז בַּחוּרֵי
אָוֶן וּפִי־בֶסֶת בַּחֶרֶב יִפֹּלוּ וְהֵנָּה בַּשְּׁבִי תֵלַכְנָה׃ יח וּבִתְחַפְנְחֵס חָשַׂךְ הַיּוֹם
בְּשִׁבְרִי־שָׁם אֶת־מֹטוֹת מִצְרַיִם וְנִשְׁבַּת־בָּהּ גְּאוֹן עֻזָּהּ הִיא עָנָן יְכַסֶּנָּה
וּבְנוֹתֶיהָ בַּשְּׁבִי תֵלַכְנָה׃ יט וְעָשִׂיתִי שְׁפָטִים בְּמִצְרָיִם וְיָדְעוּ כִּי־אֲנִי יְהוָה׃

כ וַיְהִי בְּאַחַת עֶשְׂרֵה שָׁנָה בָּרִאשׁוֹן בְּשִׁבְעָה לַחֹדֶשׁ הָיָה דְבַר־יְהוָה אֵלַי
לֵאמֹר׃ כא בֶּן־אָדָם אֶת־זְרוֹעַ פַּרְעֹה מֶלֶךְ־מִצְרַיִם שָׁבָרְתִּי וְהִנֵּה
לֹא־חֻבְּשָׁה לָתֵת רְפֻאוֹת לָשׂוּם חִתּוּל לְחָבְשָׁהּ לְחָזְקָהּ לִתְפֹּשׂ בֶּחָרֶב׃

[55] תחיל

20 I have given him the land of Egypt as his hire for which he served, because they wrought for Me, saith the Lord GOD [Adonai Yehovi]. **21** In that day will I cause a horn to shoot up unto the house of Israel, and I will give thee the opening of the mouth in the midst of them; and they shall know that I am Yehovah.'{P}

30 **1** And the word of Yehovah came unto me, saying: **2** 'Son of man, prophesy, and say: Thus saith the Lord GOD [Adonai Yehovi]: wail ye: Woe worth the day! **3** For the day is near, even the day of Yehovah is near, a day of clouds, it shall be the time of the nations. **4** And a sword shall come upon Egypt, and convulsion shall be in Ethiopia, when the slain shall fall in Egypt; and they shall take away her abundance, and her foundation shall be broken down. **5** Ethiopia, and Put, and Lud, and all the mingled people, and Cub, and the children of the land that is in league, shall fall with them by the sword.{P}

6 Thus saith Yehovah: they also that uphold Egypt shall fall, and the pride of her power shall come down; from Migdol to Syene shall they fall in it by the sword, saith the Lord GOD [Adonai Yehovi]. **7** And they shall be desolate in the midst of the countries that are desolate, and her cities shall be in the midst of the cities that are wasted. **8** And they shall know that I am Yehovah, when I have set a fire in Egypt, and all her helpers are destroyed. **9** In that day shall messengers go forth from before Me in ships to make the confident Ethiopians afraid; and there shall come convulsion upon them in the day of Egypt; for, lo, it cometh.{S} **10** Thus saith the Lord GOD [Adonai Yehovi]: I will also make the multitude of Egypt to cease, by the hand of Nebuchadrezzar king of Babylon. **11** He and his people with him, the terrible of the nations, shall be brought in to destroy the land; and they shall draw their swords against Egypt, and fill the land with the slain. **12** And I will make the rivers dry, and will give the land over into the hand of evil men; and I will make the land desolate, and all that is therein, by the hand of strangers; I Yehovah have spoken it.{S} **13** Thus saith the Lord GOD [Adonai Yehovi]: I will also destroy the idols, and I will cause the things of nought to cease from Noph; and there shall be no more a prince out of the land of Egypt; and I will put a fear in the land of Egypt. **14** And I will make Pathros desolate, and will set a fire in Zoan, and will execute judgments in No. **15** And I will pour My fury upon Sin, the stronghold of Egypt; and I will cut off the multitude of No. **16** And I will set a fire in Egypt; Sin shall be in great convulsion, and No shall be rent asunder; and in Noph shall come adversaries in the day-time. **17** The young men of Aven and of Pi-beseth shall fall by the sword; and these cities shall go into captivity. **18** At Tehaphnehes also the day shall withdraw itself, when I shall break there the yokes of Egypt, and the pride of her power shall cease in her; as for her, a cloud shall cover her, and her daughters shall go into captivity. **19** Thus will I execute judgments in Egypt; and they shall know that I am Yehovah.'{P}

20 And it came to pass in the eleventh year, in the first month, in the seventh day of the month, that the word of Yehovah came unto me, saying: **21** 'Son of man, I have broken the arm of Pharaoh king of Egypt; and, lo, it hath not been bound up to be healed, to put a roller, that it be bound up and wax strong, that it hold the sword.{S}

כב לָכֵ֞ן כֹּֽה־אָמַ֣ר ׀ אֲדֹנָ֣י יְהוִ֗ה הִנְנִי֙ אֶל־פַּרְעֹ֣ה מֶֽלֶךְ־מִצְרַ֔יִם וְשָׁבַרְתִּי֙
אֶת־זְרֹ֣עֹתָ֔יו אֶת־הַחֲזָקָ֖ה וְאֶת־הַנִּשְׁבָּ֑רֶת וְהִפַּלְתִּ֥י אֶת־הַחֶ֖רֶב מִיָּדֽוֹ׃
כג וַהֲפִצוֹתִ֥י אֶת־מִצְרַ֖יִם בַּגּוֹיִ֑ם וְזֵרִיתִ֖ם בָּאֲרָצֽוֹת׃ כד וְחִזַּקְתִּ֗י אֶת־זְרֹעוֹת֙
מֶ֣לֶךְ בָּבֶ֔ל וְנָתַתִּ֥י אֶת־חַרְבִּ֖י בְּיָד֑וֹ וְשָׁבַרְתִּי֙ אֶת־זְרֹע֣וֹת פַּרְעֹ֔ה וְנָאַ֛ק נַאֲק֥וֹת
חָלָ֖ל לְפָנָֽיו׃ כה וְהַחֲזַקְתִּ֗י אֶת־זְרֹעוֹת֙ מֶ֣לֶךְ בָּבֶ֔ל וּזְרֹע֥וֹת פַּרְעֹ֖ה תִּפֹּ֑לְנָה
וְיָדְע֞וּ כִּֽי־אֲנִ֣י יְהוָ֗ה בְּתִתִּ֤י חַרְבִּי֙ בְּיַ֣ד מֶֽלֶךְ־בָּבֶ֔ל וְנָטָ֥ה אוֹתָ֖הּ אֶל־אֶ֥רֶץ
מִצְרָֽיִם׃ כו וַהֲפִֽצוֹתִ֤י אֶת־מִצְרַ֙יִם֙ בַּגּוֹיִ֔ם וְזֵרִיתִ֥י אוֹתָ֖ם בָּאֲרָצ֑וֹת וְיָדְע֖וּ
כִּֽי־אֲנִ֥י יְהוָֽה׃

לא א וַיְהִ֗י בְּאַחַ֤ת עֶשְׂרֵה֙ שָׁנָ֔ה בַּשְּׁלִישִׁ֖י בְּאֶחָ֣ד לַחֹ֑דֶשׁ הָיָ֥ה דְבַר־יְהוָ֖ה אֵלַ֥י
לֵאמֹֽר׃ ב בֶּן־אָדָ֕ם אֱמֹ֛ר אֶל־פַּרְעֹ֥ה מֶֽלֶךְ־מִצְרַ֖יִם וְאֶל־הֲמוֹנ֑וֹ אֶל־מִ֖י דָּמִ֥יתָ
בְגָדְלֶֽךָ׃ ג הִנֵּ֨ה אַשּׁ֜וּר אֶ֣רֶז בַּלְּבָנ֗וֹן יְפֵ֥ה עָנָ֛ף וְחֹ֥רֶשׁ מֵצַ֖ל וּגְבַ֣הּ קוֹמָ֑ה וּבֵ֣ין
עֲבֹתִ֔ים הָיְתָ֖ה צַמַּרְתּֽוֹ׃ ד מַ֚יִם גִּדְּל֔וּהוּ תְּה֖וֹם רֹמְמָ֑תְהוּ אֶֽת־נַהֲרֹתֶ֗יהָ הֹלֵךְ֙
סְבִיב֣וֹת מַטָּעָ֔הּ וְאֶת־תְּעָלֹתֶ֣יהָ שִׁלְחָ֔ה אֶ֖ל כָּל־עֲצֵ֥י הַשָּׂדֶֽה׃ ה עַל־כֵּן֙ גָּבְהָ֣א
קֹמָת֔וֹ מִכֹּ֖ל עֲצֵ֣י הַשָּׂדֶ֑ה וַתִּרְבֶּ֨ינָה סַרְעַפֹּתָ֜יו וַתֶּאֱרַ֧כְנָה פֹארֹתָ֛ו[56] מִמַּ֥יִם רַבִּ֖ים
בְּשַׁלְּחֽוֹ׃ ו בִּסְעַפֹּתָ֤יו קִנְנוּ֙ כָּל־ע֣וֹף הַשָּׁמַ֔יִם וְתַ֤חַת פֹּֽארֹתָיו֙ יָֽלְד֔וּ כֹּ֖ל חַיַּ֣ת
הַשָּׂדֶ֑ה וּבְצִלּוֹ֙ יֵֽשְׁב֔וּ כֹּ֖ל גּוֹיִ֥ם רַבִּֽים׃ ז וַיְּיִ֣ף בְּגָדְל֔וֹ בְּאֹ֖רֶךְ דָּלִיּוֹתָ֑יו כִּֽי־הָיָ֥ה
שָׁרְשׁ֖וֹ אֶל־מַ֥יִם רַבִּֽים׃ ח אֲרָזִ֣ים לֹֽא־עֲמָמֻהוּ֮ בְּגַן־אֱלֹהִים֒ בְּרוֹשִׁ֗ים לֹ֤א דָמוּ֙
אֶל־סְעַפֹּתָ֔יו וְעַרְמֹנִ֥ים לֹא־הָי֖וּ כְּפֹארֹתָ֑יו כָּל־עֵץ֙ בְּגַן־אֱלֹהִ֔ים לֹא־דָמָ֥ה אֵלָ֖יו
בְּיָפְיֽוֹ׃ ט יָפֶ֣ה עֲשִׂיתִ֔יו בְּרֹ֖ב דָּלִיּוֹתָ֑יו וַיְקַנְאֻ֙הוּ֙ כָּל־עֲצֵי־עֵ֔דֶן אֲשֶׁ֖ר בְּגַ֥ן
הָאֱלֹהִֽים׃ י לָכֵ֗ן כֹּ֤ה אָמַר֙ אֲדֹנָ֣י יְהוִ֔ה יַ֕עַן אֲשֶׁ֥ר גָּבַ֖הְתָּ בְּקוֹמָ֑ה וַיִּתֵּ֤ן צַמַּרְתּוֹ֙
אֶל־בֵּ֣ין עֲבוֹתִ֔ים וְרָ֥ם לְבָב֖וֹ בְּגָבְהֽוֹ׃ יא וְאֶ֨תְּנֵ֔הוּ בְּיַ֖ד אֵ֣יל גּוֹיִ֑ם עָשׂ֤וֹ יַֽעֲשֶׂה֙ ל֔וֹ
כְּרִשְׁע֖וֹ גֵּרַשְׁתִּֽהוּ׃ יב וַיִּכְרְתֻ֧הוּ זָרִ֛ים עָרִיצֵ֥י גוֹיִ֖ם וַֽיִּטְּשֻׁ֑הוּ אֶל־הֶ֠הָרִים
וּבְכָל־גֵּ֨אָי֜וֹת נָפְל֣וּ דָלִיּוֹתָ֗יו וַתִּשָּׁבַ֤רְנָה פֹרֹאתָיו֙ בְּכֹל֙ אֲפִיקֵ֣י הָאָ֔רֶץ וַיֵּרְד֧וּ
מִצִּלּ֛וֹ כָּל־עַמֵּ֥י הָאָ֖רֶץ וַֽיִּטְּשֻֽׁהוּ׃ יג עַל־מַפַּלְתּ֥וֹ יִשְׁכְּנ֖וּ כָּל־ע֣וֹף הַשָּׁמָ֑יִם
וְאֶל־פֹּארֹתָ֣יו הָי֔וּ כֹּ֖ל חַיַּ֥ת הַשָּׂדֶֽה׃ יד לְמַ֡עַן אֲשֶׁר֩ לֹא־יִגְבְּה֨וּ בְקוֹמָתָ֜ם
כָּל־עֲצֵי־מַ֗יִם וְלֹֽא־יִתְּנ֤וּ אֶת־צַמַּרְתָּם֙ אֶל־בֵּ֣ין עֲבֹתִ֔ים וְלֹֽא־יַעַמְד֧וּ אֵלֵיהֶ֛ם
בְּגָבְהָ֖ם כָּל־שֹׁ֣תֵי מָ֑יִם כִּֽי־כֻלָּ֨ם נִתְּנ֜וּ לַמָּ֗וֶת אֶל־אֶ֙רֶץ֙ תַּחְתִּ֔ית בְּת֖וֹךְ בְּנֵ֣י אָדָ֑ם
אֶל־י֖וֹרְדֵי בֽוֹר׃ טו כֹּֽה־אָמַר֮ אֲדֹנָ֣י יְהוִה֒ בְּי֨וֹם רִדְתּ֤וֹ שְׁא֙וֹלָה֙ הֶאֱבַ֜לְתִּי כִּסֵּ֤תִי
עָלָיו֙ אֶת־תְּה֔וֹם וָֽאֶמְנַע֙ נַהֲרוֹתֶ֔יהָ וַיִּכָּלְא֖וּ מַ֣יִם רַבִּ֑ים וָאַקְדִּ֤ר עָלָיו֙ לְבָנ֔וֹן
וְכָל־עֲצֵ֥י הַשָּׂדֶ֖ה עָלָ֥יו עֻלְפֶּֽה׃

[56] פארתו

22 Therefore thus saith the Lord GOD [Adonai Yehovi]: Behold, I am against Pharaoh king of Egypt, and will break his arms, the strong, and that which was broken; and I will cause the sword to fall out of his hand. **23** And I will scatter the Egyptians among the nations, and will disperse them through the countries. **24** And I will strengthen the arms of the king of Babylon, and put My sword in his hand; but I will break the arms of Pharaoh, and he shall groan before him with the groanings of a deadly wounded man. **25** And I will hold up the arms of the king of Babylon, and the arms of Pharaoh shall fall down; and they shall know that I am Yehovah, when I shall put My sword into the hand of the king of Babylon, and he shall stretch it out upon the land of Egypt. **26** And I will scatter the Egyptians among the nations, and disperse them through the countries; and they shall know that I am Yehovah.'{P}

31 **1** And it came to pass in the eleventh year, in the third month, in the first day of the month, that the word of Yehovah came unto me, saying: **2** 'Son of man, say unto Pharaoh king of Egypt, and to his multitude: whom art thou like in thy greatness? **3** Behold, the Assyrian was a cedar in Lebanon, with fair branches, and with a shadowing shroud, and of a high stature; and its top was among the thick boughs. **4** The waters nourished it, the deep made it to grow; her rivers ran round about her plantation, and she sent out her conduits unto all the trees of the field. **5** Therefore its stature was exalted above all the trees of the field; and its boughs were multiplied, and its branches became long, because of the multitude of waters, when it shot them forth. **6** All the fowls of heaven made their nests in its boughs, and all the beasts of the field did bring forth their young under its branches, and under its shadow dwelt all great nations. **7** Thus was it fair in its greatness, in the length of its branches; for its root was by many waters. **8** The cedars in the garden of God could not hide it; the cypress-trees were not like its boughs, and the plane-trees were not as its branches; nor was any tree in the garden of God like unto it in its beauty. **9** I made it fair by the multitude of its branches; so that all the trees of Eden, that were in the garden of God, envied it.{P}

10 Therefore thus saith the Lord GOD [Adonai Yehovi]: Because thou art exalted in stature, and he hath set his top among the thick boughs, and his heart is lifted up in his height; **11** I do even deliver him into the hand of the mighty one of the nations; he shall surely deal with him; I do drive him out according to his wickedness. **12** And strangers, the terrible of the nations, do cut him off, and cast him down; upon the mountains and in all the valleys his branches are fallen, and his boughs lie broken in all the channels of the land; and all the peoples of the earth do go down from his shadow, and do leave him. **13** Upon his carcass all the fowls of the heaven do dwell, and upon his branches are all the beasts of the field; **14** to the end that none of all the trees by the waters exalt themselves in their stature, neither set their top among the thick boughs, nor that their mighty ones stand up in their height, even all that drink water; for they are all delivered unto death, to the nether parts of the earth, in the midst of the children of men, with them that go down to the pit.{P}

15 Thus saith the Lord GOD [Adonai Yehovi]: In the day when he went down to the nether-world I caused the deep to mourn and cover itself for him, and I restrained the rivers thereof, and the great waters were stayed; and I caused Lebanon to mourn for him, and all the trees of the field fainted for him.

טז מִקּוֹל מַפַּלְתּוֹ הִרְעַשְׁתִּי גוֹיִם בְּהוֹרִדִי אֹתוֹ שְׁאוֹלָה אֶת־יוֹרְדֵי בוֹר
וַיִּנָּחֲמוּ בְּאֶרֶץ תַּחְתִּית כָּל־עֲצֵי־עֵדֶן מִבְחַר וְטוֹב־לְבָנוֹן כָּל־שֹׁתֵי מָיִם׃
יז גַּם־הֵם אִתּוֹ יָרְדוּ שְׁאוֹלָה אֶל־חַלְלֵי־חָרֶב וּזְרֹעוֹ יָשְׁבוּ בְצִלּוֹ בְּתוֹךְ
גּוֹיִם׃ יח אֶל־מִי דָמִיתָ כָּכָה בְּכָבוֹד וּבְגֹדֶל בַּעֲצֵי־עֵדֶן וְהוּרַדְתָּ
אֶת־עֲצֵי־עֵדֶן אֶל־אֶרֶץ תַּחְתִּית בְּתוֹךְ עֲרֵלִים תִּשְׁכַּב אֶת־חַלְלֵי־חֶרֶב הוּא
פַרְעֹה וְכָל־הֲמוֹנֹה נְאֻם אֲדֹנָי יְהוִה׃

לב

א וַיְהִי בִּשְׁתֵּי עֶשְׂרֵה שָׁנָה בִּשְׁנֵי־עָשָׂר חֹדֶשׁ בְּאֶחָד לַחֹדֶשׁ הָיָה
דְבַר־יְהוָה אֵלַי לֵאמֹר׃ ב בֶּן־אָדָם שָׂא קִינָה עַל־פַּרְעֹה מֶלֶךְ־מִצְרַיִם
וְאָמַרְתָּ אֵלָיו כְּפִיר גּוֹיִם נִדְמֵיתָ וְאַתָּה כַּתַּנִּים בַּיַּמִּים וַתָּגַח בְּנַהֲרוֹתֶיךָ
וַתִּדְלַח־מַיִם בְּרַגְלֶיךָ וַתִּרְפֹּס נַהֲרוֹתָם׃ ג כֹּה אָמַר אֲדֹנָי יְהוִה וּפָרַשְׂתִּי
עָלֶיךָ אֶת־רִשְׁתִּי בִּקְהַל עַמִּים רַבִּים וְהֶעֱלוּךָ בְּחֶרְמִי׃ ד וּנְטַשְׁתִּיךָ בָאָרֶץ
עַל־פְּנֵי הַשָּׂדֶה אֲטִילֶךָ וְהִשְׁכַּנְתִּי עָלֶיךָ כָּל־עוֹף הַשָּׁמַיִם וְהִשְׂבַּעְתִּי מִמְּךָ
חַיַּת כָּל־הָאָרֶץ׃ ה וְנָתַתִּי אֶת־בְּשָׂרְךָ עַל־הֶהָרִים וּמִלֵּאתִי הַגֵּאָיוֹת
רָמוּתֶךָ׃ ו וְהִשְׁקֵיתִי אֶרֶץ צָפָתְךָ מִדָּמְךָ אֶל־הֶהָרִים וַאֲפִקִים יִמָּלְאוּן
מִמֶּךָּ׃ ז וְכִסֵּיתִי בְכַבּוֹתְךָ שָׁמַיִם וְהִקְדַּרְתִּי אֶת־כֹּכְבֵיהֶם שֶׁמֶשׁ בֶּעָנָן אֲכַסֶּנּוּ
וְיָרֵחַ לֹא־יָאִיר אוֹרוֹ׃ ח כָּל־מְאוֹרֵי אוֹר בַּשָּׁמַיִם אַקְדִּירֵם עָלֶיךָ וְנָתַתִּי
חֹשֶׁךְ עַל־אַרְצְךָ נְאֻם אֲדֹנָי יְהוִה׃ ט וְהִכְעַסְתִּי לֵב עַמִּים רַבִּים בַּהֲבִיאִי
שִׁבְרְךָ בַּגּוֹיִם עַל־אֲרָצוֹת אֲשֶׁר לֹא־יְדַעְתָּם׃ י וַהֲשִׁמּוֹתִי עָלֶיךָ עַמִּים רַבִּים
וּמַלְכֵיהֶם יִשְׂעֲרוּ עָלֶיךָ שַׂעַר בְּעוֹפְפִי חַרְבִּי עַל־פְּנֵיהֶם וְחָרְדוּ לִרְגָעִים
אִישׁ לְנַפְשׁוֹ בְּיוֹם מַפַּלְתֶּךָ׃ יא כִּי כֹּה אָמַר אֲדֹנָי יְהוִה חֶרֶב מֶלֶךְ־בָּבֶל
תְּבוֹאֶךָ׃ יב בְּחַרְבוֹת גִּבּוֹרִים אַפִּיל הֲמוֹנֶךָ עָרִיצֵי גוֹיִם כֻּלָּם וְשָׁדְדוּ
אֶת־גְּאוֹן מִצְרַיִם וְנִשְׁמַד כָּל־הֲמוֹנָהּ׃ יג וְהַאֲבַדְתִּי אֶת־כָּל־בְּהֶמְתָּהּ מֵעַל
מַיִם רַבִּים וְלֹא תִדְלָחֵם רֶגֶל־אָדָם עוֹד וּפַרְסוֹת בְּהֵמָה לֹא תִדְלָחֵם׃
יד אָז אַשְׁקִיעַ מֵימֵיהֶם וְנַהֲרוֹתָם כַּשֶּׁמֶן אוֹלִיךְ נְאֻם אֲדֹנָי יְהוִה׃ טו בְּתִתִּי
אֶת־אֶרֶץ מִצְרַיִם שְׁמָמָה וּנְשַׁמָּה אֶרֶץ מִמְּלֹאָהּ בְּהַכּוֹתִי אֶת־כָּל־יוֹשְׁבֵי בָהּ
וְיָדְעוּ כִּי־אֲנִי יְהוָה׃ טז קִינָה הִיא וְקוֹנְנוּהָ בְּנוֹת הַגּוֹיִם תְּקוֹנֵנָּה אוֹתָהּ
עַל־מִצְרַיִם וְעַל־כָּל־הֲמוֹנָהּ תְּקוֹנֵנָּה אוֹתָהּ נְאֻם אֲדֹנָי יְהוִה׃

יז וַיְהִי בִּשְׁתֵּי עֶשְׂרֵה שָׁנָה בַּחֲמִשָּׁה עָשָׂר לַחֹדֶשׁ הָיָה דְבַר־יְהוָה אֵלַי
לֵאמֹר׃

16 I made the nations to shake at the sound of his fall, when I cast him down to the nether-world with them that descend into the pit; and all the trees of Eden, the choice and best of Lebanon, all that drink water, were comforted in the nether parts of the earth. **17** They also went down into the nether-world with him unto them that are slain by the sword; yea, they that were in his arm, that dwelt under his shadow in the midst of the nations. **18** To whom art thou thus like in glory and in greatness among the trees of Eden? yet shall thou be brought down with the trees of Eden unto the nether parts of the earth; thou shalt lie in the midst of the uncircumcised, with them that are slain by the sword. This is Pharaoh and all his multitude, saith the Lord GOD [Adonai Yehovi].'{P}

32 1 And it came to pass in the twelfth year, in the twelfth month, in the first day of the month, that the word of Yehovah came unto me, saying: **2** 'Son of man, take up a lamentation for Pharaoh king of Egypt, and say unto him: thou didst liken thyself unto a young lion of the nations; whereas thou art as a dragon in the seas; and thou didst gush forth with thy rivers, and didst trouble the waters with thy feet, and foul their rivers.{S} **3** Thus saith the Lord GOD [Adonai Yehovi]: I will therefore spread out My net over thee with a company of many peoples; and they shall bring thee up in My net. **4** And I will cast thee upon the land, I will hurl thee upon the open field, and will cause all the fowls of the heaven to settle upon thee, and I will fill the beasts of the whole earth with thee. **5** And I will lay thy flesh upon the mountains, and fill the valleys with thy foulness. **6** I will also water with thy blood the land wherein thou swimmest, even to the mountains; and the channels shall be full of thee. **7** And when I shall extinguish thee, I will cover the heaven, and make the stars thereof black; I will cover the sun with a cloud, and the moon shall not give her light. **8** All the bright lights of heaven will I make black over thee, and set darkness upon thy land, saith the Lord GOD [Adonai Yehovi]. **9** I will also vex the hearts of many peoples, when I shall bring thy destruction among the nations, into the countries which thou hast not known. **10** Yea, I will make many peoples appalled at thee, and their kings shall be horribly afraid for thee, when I shall brandish My sword before them; and they shall tremble at every moment, every man for his own life, in the day of thy fall.{P}

11 For thus saith the Lord GOD [Adonai Yehovi]: The sword of the king of Babylon shall come upon thee. **12** By the swords of the mighty will I cause thy multitude to fall; the terrible of the nations are they all; and they shall spoil the pride of Egypt, and all the multitude thereof shall be destroyed. **13** I will destroy also all the beasts thereof from beside many waters; neither shall the foot of man trouble them any more, nor the hoofs of beasts trouble them. **14** Then will I make their waters to settle, and cause their rivers to run like oil, saith the Lord GOD [Adonai Yehovi]. **15** When I shall make the land of Egypt desolate and waste, a land destitute of that whereof it was full, when I shall smite all them that dwell therein, then shall they know that I am Yehovah. **16** This is the lamentation wherewith they shall lament; the daughters of the nations shall lament therewith; for Egypt, and for all her multitude, shall they lament therewith, saith the Lord GOD [Adonai Yehovi].'{P}

17 It came to pass also in the twelfth year, in the fifteenth day of the month, that the word of Yehovah came unto me, saying:

יח בֶּן־אָדָם נְהֵה עַל־הֲמוֹן מִצְרַיִם וְהוֹרִדֵהוּ אוֹתָהּ וּבְנוֹת גּוֹיִם אַדִּרִם
אֶל־אֶרֶץ תַּחְתִּיּוֹת אֶת־יוֹרְדֵי בוֹר׃ יט מִמִּי נָעָמְתְּ רְדָה וְהָשְׁכְּבָה
אֶת־עֲרֵלִים׃ כ בְּתוֹךְ חַלְלֵי־חֶרֶב יִפֹּלוּ חֶרֶב נִתָּנָה מָשְׁכוּ אוֹתָהּ
וְכָל־הֲמוֹנֶיהָ׃ כא יְדַבְּרוּ־לוֹ אֵלֵי גִבּוֹרִים מִתּוֹךְ שְׁאוֹל אֶת־עֹזְרָיו יָרְדוּ
שָׁכְבוּ הָעֲרֵלִים חַלְלֵי־חָרֶב׃ כב שָׁם אַשּׁוּר וְכָל־קְהָלָהּ סְבִיבוֹתָיו קִבְרֹתָיו
כֻּלָּם חֲלָלִים הַנֹּפְלִים בֶּחָרֶב׃ כג אֲשֶׁר נִתְּנוּ קִבְרֹתֶיהָ בְּיַרְכְּתֵי־בוֹר וַיְהִי
קְהָלָהּ סְבִיבוֹת קְבֻרָתָהּ כֻּלָּם חֲלָלִים נֹפְלִים בַּחֶרֶב אֲשֶׁר־נָתְנוּ חִתִּית
בְּאֶרֶץ חַיִּים׃ כד שָׁם עֵילָם וְכָל־הֲמוֹנָהּ סְבִיבוֹת קְבֻרָתָהּ כֻּלָּם חֲלָלִים
הַנֹּפְלִים בַּחֶרֶב אֲשֶׁר־יָרְדוּ עֲרֵלִים ׀ אֶל־אֶרֶץ תַּחְתִּיּוֹת אֲשֶׁר נָתְנוּ חִתִּיתָם
בְּאֶרֶץ חַיִּים וַיִּשְׂאוּ כְלִמָּתָם אֶת־יוֹרְדֵי בוֹר׃ כה בְּתוֹךְ חֲלָלִים נָתְנוּ מִשְׁכָּב
לָהּ בְּכָל־הֲמוֹנָהּ סְבִיבוֹתָיו קִבְרֹתֶהָ כֻּלָּם עֲרֵלִים חַלְלֵי־חֶרֶב כִּי־נִתַּן
חִתִּיתָם בְּאֶרֶץ חַיִּים וַיִּשְׂאוּ כְלִמָּתָם אֶת־יוֹרְדֵי בוֹר בְּתוֹךְ חֲלָלִים נִתָּן׃
כו שָׁם מֶשֶׁךְ תֻּבַל וְכָל־הֲמוֹנָהּ סְבִיבוֹתָיו קִבְרוֹתֶיהָ כֻּלָּם עֲרֵלִים מְחֻלְלֵי
חֶרֶב כִּי־נָתְנוּ חִתִּיתָם בְּאֶרֶץ חַיִּים׃ כז וְלֹא יִשְׁכְּבוּ אֶת־גִּבּוֹרִים נֹפְלִים
מֵעֲרֵלִים אֲשֶׁר יָרְדוּ־שְׁאוֹל בִּכְלֵי־מִלְחַמְתָּם וַיִּתְּנוּ אֶת־חַרְבוֹתָם תַּחַת
רָאשֵׁיהֶם וַתְּהִי עֲוֹנֹתָם עַל־עַצְמוֹתָם כִּי־חִתִּית גִּבּוֹרִים בְּאֶרֶץ חַיִּים׃
כח וְאַתָּה בְּתוֹךְ עֲרֵלִים תִּשָּׁבַר וְתִשְׁכַּב אֶת־חַלְלֵי־חָרֶב׃ כט שָׁמָּה אֱדוֹם
מְלָכֶיהָ וְכָל־נְשִׂיאֶיהָ אֲשֶׁר־נִתְּנוּ בִגְבוּרָתָם אֶת־חַלְלֵי־חָרֶב הֵמָּה
אֶת־עֲרֵלִים יִשְׁכָּבוּ וְאֶת־יֹרְדֵי בוֹר׃ ל שָׁמָּה נְסִיכֵי צָפוֹן כֻּלָּם וְכָל־צִדֹנִי
אֲשֶׁר־יָרְדוּ אֶת־חֲלָלִים בְּחִתִּיתָם מִגְּבוּרָתָם בּוֹשִׁים וַיִּשְׁכְּבוּ עֲרֵלִים
אֶת־חַלְלֵי־חֶרֶב וַיִּשְׂאוּ כְלִמָּתָם אֶת־יוֹרְדֵי בוֹר׃ לא אוֹתָם יִרְאֶה פַרְעֹה
וְנִחַם עַל־כָּל־הֲמוֹנוֹ[57] חַלְלֵי־חֶרֶב פַּרְעֹה וְכָל־חֵילוֹ נְאֻם אֲדֹנָי יְהוִה׃
לב כִּי־נָתַתִּי אֶת־חִתִּיתִי[58] בְּאֶרֶץ חַיִּים וְהֻשְׁכַּב בְּתוֹךְ עֲרֵלִים
אֶת־חַלְלֵי־חֶרֶב פַּרְעֹה וְכָל־הֲמוֹנֹה נְאֻם אֲדֹנָי יְהוִה׃

לג א וַיְהִי דְבַר־יְהוָה אֵלַי לֵאמֹר׃ ב בֶּן־אָדָם דַּבֵּר אֶל־בְּנֵי־עַמְּךָ וְאָמַרְתָּ
אֲלֵיהֶם אֶרֶץ כִּי־אָבִיא עָלֶיהָ חָרֶב וְלָקְחוּ עַם־הָאָרֶץ אִישׁ אֶחָד מִקְצֵיהֶם
וְנָתְנוּ אֹתוֹ לָהֶם לְצֹפֶה׃ ג וְרָאָה אֶת־הַחֶרֶב בָּאָה עַל־הָאָרֶץ וְתָקַע בַּשּׁוֹפָר
וְהִזְהִיר אֶת־הָעָם׃ ד וְשָׁמַע הַשֹּׁמֵעַ אֶת־קוֹל הַשּׁוֹפָר וְלֹא נִזְהָר וַתָּבוֹא חֶרֶב
וַתִּקָּחֵהוּ דָּמוֹ בְרֹאשׁוֹ יִהְיֶה׃

[57] המונה
[58] חתיתו

18 'Son of man, wail for the multitude of Egypt, and cast them down, even her, with the daughters of the mighty nations, unto the nether parts of the earth, with them that go down into the pit. **19** Whom dost thou pass in beauty? Go down, and be thou laid with the uncircumcised. **20** They shall fall in the midst of them that are slain by the sword; she is delivered to the sword; draw her down and all her multitudes. **21** The strong among the mighty shall speak of him out of the midst of the nether-world with them that helped him; they are gone down, they lie still, even the uncircumcised, slain by the sword. **22** Asshur is there and all her company; their graves are round about them; all of them slain, fallen by the sword; **23** whose graves are set in the uttermost parts of the pit, and her company is round about her grave; all of them slain, fallen by the sword, who caused terror in the land of the living. **24** There is Elam and all her multitude round about her grave; all of them slain, fallen by the sword, who are gone down uncircumcised into the nether parts of the earth, who caused their terror in the land of the living; yet have they borne their shame with them that go down to the pit. **25** They have set her a bed in the midst of the slain with all her multitude; her graves are round about them; all of them uncircumcised, slain by the sword; because their terror was caused in the land of the living, yet have they borne their shame with them that go down to the pit; they are put in the midst of them that are slain. **26** There is Meshech, Tubal, and all her multitude; her graves are round about them; all of them uncircumcised, slain by the sword; because they caused their terror in the land of the living. **27** And they that are inferior to the uncircumcised shall not lie with the mighty that are gone down to the nether-world with their weapons of war, whose swords are laid under their heads, and whose iniquities are upon their bones; because the terror of the mighty was in the land of the living. **28** But thou, in the midst of the uncircumcised shalt thou be broken and lie, even with them that are slain by the sword. **29** There is Edom, her kings and all her princes, who for all their might are laid with them that are slain by the sword; they shall lie with the uncircumcised, and with them that go down to the pit. **30** There are the princes of the north, all of them, and all the Zidonians, who are gone down with the slain, ashamed for all the terror which they caused by their might, and they lie uncircumcised with them that are slain by the sword, and bear their shame with them that go down to the pit. **31** These shall Pharaoh see, and shall be comforted over all his multitude; even Pharaoh and all his army, slain by the sword, saith the Lord GOD [Adonai Yehovi]. **32** For I have put My terror in the land of the living; and he shall be laid in the midst of the uncircumcised, with them that are slain by the sword, even Pharaoh and all his multitude, saith the Lord GOD [Adonai Yehovi].'{P}

33 **1** And the word of Yehovah came unto me, saying: **2** 'Son of man, speak to the children of thy people, and say unto them: When I bring the sword upon a land, if the people of the land take a man from among them, and set him for their watchman; **3** if, when he seeth the sword come upon the land, he blow the horn, and warn the people; **4** then whosoever heareth the sound of the horn, and taketh not warning, if the sword come, and take him away, his blood shall be upon his own head;

ה אֵת קוֹל הַשּׁוֹפָר שָׁמַע וְלֹא נִזְהָר דָּמוֹ בּוֹ יִהְיֶה וְהוּא נִזְהָר נַפְשׁוֹ מִלֵּט׃
ו וְהַצֹּפֶה כִּי־יִרְאֶה אֶת־הַחֶרֶב בָּאָה וְלֹא־תָקַע בַּשּׁוֹפָר וְהָעָם לֹא־נִזְהָר
וַתָּבוֹא חֶרֶב וַתִּקַּח מֵהֶם נָפֶשׁ הוּא בַּעֲוֺנוֹ נִלְקָח וְדָמוֹ מִיַּד־הַצֹּפֶה אֶדְרֹשׁ׃
ז וְאַתָּה בֶן־אָדָם צֹפֶה נְתַתִּיךָ לְבֵית יִשְׂרָאֵל וְשָׁמַעְתָּ מִפִּי דָּבָר וְהִזְהַרְתָּ
אֹתָם מִמֶּנִּי׃ ח בְּאָמְרִי לָרָשָׁע רָשָׁע מוֹת תָּמוּת וְלֹא דִבַּרְתָּ לְהַזְהִיר רָשָׁע
מִדַּרְכּוֹ הוּא רָשָׁע בַּעֲוֺנוֹ יָמוּת וְדָמוֹ מִיָּדְךָ אֲבַקֵּשׁ׃ ט וְאַתָּה כִּי־הִזְהַרְתָּ רָשָׁע
מִדַּרְכּוֹ לָשׁוּב מִמֶּנָּה וְלֹא־שָׁב מִדַּרְכּוֹ הוּא בַּעֲוֺנוֹ יָמוּת וְאַתָּה נַפְשְׁךָ הִצַּלְתָּ׃
י וְאַתָּה בֶן־אָדָם אֱמֹר אֶל־בֵּית יִשְׂרָאֵל כֵּן אֲמַרְתֶּם לֵאמֹר כִּי־פְשָׁעֵינוּ
וְחַטֹּאתֵינוּ עָלֵינוּ וּבָם אֲנַחְנוּ נְמַקִּים וְאֵיךְ נִחְיֶה׃ יא אֱמֹר אֲלֵיהֶם חַי־אָנִי ׀
נְאֻם ׀ אֲדֹנָי יְהוִה אִם־אֶחְפֹּץ בְּמוֹת הָרָשָׁע כִּי אִם־בְּשׁוּב רָשָׁע מִדַּרְכּוֹ וְחָיָה
שׁוּבוּ שׁוּבוּ מִדַּרְכֵיכֶם הָרָעִים וְלָמָּה תָמוּתוּ בֵּית יִשְׂרָאֵל׃

יב וְאַתָּה בֶן־אָדָם אֱמֹר אֶל־בְּנֵי־עַמְּךָ צִדְקַת הַצַּדִּיק לֹא תַצִּילֶנּוּ בְּיוֹם פִּשְׁעוֹ
וְרִשְׁעַת הָרָשָׁע לֹא־יִכָּשֶׁל בָּהּ בְּיוֹם שׁוּבוֹ מֵרִשְׁעוֹ וְצַדִּיק לֹא יוּכַל לִחְיוֹת
בָּהּ בְּיוֹם חֲטֹאתוֹ׃ יג בְּאָמְרִי לַצַּדִּיק חָיֹה יִחְיֶה וְהוּא־בָטַח עַל־צִדְקָתוֹ
וְעָשָׂה עָוֶל כָּל־צִדְקֹתָיו[59] לֹא תִזָּכַרְנָה וּבְעַוְלוֹ אֲשֶׁר־עָשָׂה בּוֹ יָמוּת׃
יד וּבְאָמְרִי לָרָשָׁע מוֹת תָּמוּת וְשָׁב מֵחַטָּאתוֹ וְעָשָׂה מִשְׁפָּט וּצְדָקָה׃ טו חֲבֹל
יָשִׁיב רָשָׁע גְּזֵלָה יְשַׁלֵּם בְּחֻקּוֹת הַחַיִּים הָלַךְ לְבִלְתִּי עֲשׂוֹת עָוֶל חָיוֹ יִחְיֶה
לֹא יָמוּת׃ טז כָּל־חַטֹּאתָיו[60] אֲשֶׁר חָטָא לֹא תִזָּכַרְנָה לוֹ מִשְׁפָּט וּצְדָקָה עָשָׂה
חָיוֹ יִחְיֶה׃ יז וְאָמְרוּ בְּנֵי עַמְּךָ לֹא יִתָּכֵן דֶּרֶךְ אֲדֹנָי וְהֵמָּה דַּרְכָּם לֹא־יִתָּכֵן׃
יח בְּשׁוּב־צַדִּיק מִצִּדְקָתוֹ וְעָשָׂה עָוֶל וּמֵת בָּהֶם׃ יט וּבְשׁוּב רָשָׁע מֵרִשְׁעָתוֹ
וְעָשָׂה מִשְׁפָּט וּצְדָקָה עֲלֵיהֶם הוּא יִחְיֶה׃ כ וַאֲמַרְתֶּם לֹא יִתָּכֵן דֶּרֶךְ אֲדֹנָי
אִישׁ כִּדְרָכָיו אֶשְׁפּוֹט אֶתְכֶם בֵּית יִשְׂרָאֵל

כא וַיְהִי בִּשְׁתֵּי עֶשְׂרֵה שָׁנָה בָּעֲשִׂרִי בַּחֲמִשָּׁה לַחֹדֶשׁ לְגָלוּתֵנוּ בָּא־אֵלַי הַפָּלִיט
מִירוּשָׁלִַם לֵאמֹר הֻכְּתָה הָעִיר׃ כב וְיַד־יְהוָה הָיְתָה אֵלַי בָּעֶרֶב לִפְנֵי בּוֹא
הַפָּלִיט וַיִּפְתַּח אֶת־פִּי עַד־בּוֹא אֵלַי בַּבֹּקֶר וַיִּפָּתַח פִּי וְלֹא נֶאֱלַמְתִּי עוֹד׃

כג וַיְהִי דְבַר־יְהוָה אֵלַי לֵאמֹר׃ כד בֶּן־אָדָם יֹשְׁבֵי הֶחֳרָבוֹת הָאֵלֶּה
עַל־אַדְמַת יִשְׂרָאֵל אֹמְרִים לֵאמֹר אֶחָד הָיָה אַבְרָהָם וַיִּירַשׁ אֶת־הָאָרֶץ
וַאֲנַחְנוּ רַבִּים לָנוּ נִתְּנָה הָאָרֶץ לְמוֹרָשָׁה׃

---

59 צדקתו
60 חטאתו

5 he heard the sound of the horn, and took not warning, his blood shall be upon him; whereas if he had taken warning, he would have delivered his soul. **6** But if the watchman see the sword come, and blow not the horn, and the people be not warned, and the sword do come, and take any person from among them, he is taken away in his iniquity, but his blood will I require at the watchman's hand.{P}

7 So thou, son of man, I have set thee a watchman unto the house of Israel; therefore, when thou shalt hear the word at My mouth, warn them from Me. **8** When I say unto the wicked: O wicked man, thou shalt surely die, and thou dost not speak to warn the wicked from his way; that wicked man shall die in his iniquity, but his blood will I require at thy hand. **9** Nevertheless, if thou warn the wicked of his way to turn from it, and he turn not from his way; he shall die in his iniquity, but thou hast delivered thy soul.{P}

10 Therefore, O thou son of man, say unto the house of Israel: Thus ye speak, saying: Our transgressions and our sins are upon us, and we pine away in them; how then can we live? **11** Say unto them: As I live, saith the Lord GOD [Adonai Yehovi], I have no pleasure in the death of the wicked, but that the wicked turn from his way and live; turn ye, turn ye from your evil ways; for why will ye die, O house of Israel?{P}

12 And thou, son of man, say unto the children of thy people: The righteousness of the righteous shall not deliver him in the day of his transgression; and as for the wickedness of the wicked, he shall not stumble thereby in the day that he turneth from his wickedness; neither shall he that is righteous be able to live thereby in the day that he sinneth. **13** When I say to the righteous, that he shall surely live; if he trust to his righteousness, and commit iniquity, none of his righteous deeds shall be remembered; but for his iniquity that he hath committed, for it shall he die. **14** Again, when I say unto the wicked: Thou shalt surely die; if he turn from his sin, and do that which is lawful and right; **15** if the wicked restore the pledge, give back that which he had taken by robbery, walk in the statutes of life, committing no iniquity; he shall surely live, he shall not die. **16** None of his sins that he hath committed shall be remembered against him; he hath done that which is lawful and right; he shall surely live. **17** Yet the children of thy people say: The way of the Lord is not equal; but as for them, their way is not equal. **18** When the righteous turneth from his righteousness, and committeth iniquity, he shall even die thereby. **19** And when the wicked turneth from his wickedness, and doeth that which is lawful and right, he shall live thereby. **20** Yet ye say: The way of the Lord is not equal. O house of Israel, I will judge you every one after his ways.'{P}

21 And it came to pass in the twelfth year of our captivity, in the tenth month, in the fifth day of the month, that one that had escaped out of Yerushalam came unto me, saying: 'The city is smitten.' **22** Now the hand of Yehovah had been upon me in the evening, before he that was escaped came; and He had opened my mouth against his coming to me in the morning; and my mouth was opened, and I was no more dumb.{P}

23 Then the word of Yehovah came unto me, saying: **24** 'Son of man, they that inhabit those waste places in the land of Israel speak, saying: Abraham was one, and he inherited the land; but we are many; the land is given us for inheritance.{S}

כה לָכֵן אֱמֹר אֲלֵיהֶם כֹּה־אָמַר ׀ אֲדֹנָי יְהוִֹה עַל־הַדָּם ׀ תֹּאכֵלוּ וְעֵינֵכֶם
תִּשְׂאוּ אֶל־גִּלּוּלֵיכֶם וְדָם תִּשְׁפֹּכוּ וְהָאָרֶץ תִּירָשׁוּ: כו עֲמַדְתֶּם עַל־חַרְבְּכֶם
עֲשִׂיתֶן תּוֹעֵבָה וְאִישׁ אֶת־אֵשֶׁת רֵעֵהוּ טִמֵּאתֶם וְהָאָרֶץ תִּירָשׁוּ:
כז כֹּה־תֹאמַר אֲלֵהֶם כֹּה־אָמַר אֲדֹנָי יְהוִֹה חַי־אָנִי אִם־לֹא אֲשֶׁר בֶּחֳרָבוֹת
בַּחֶרֶב יִפֹּלוּ וַאֲשֶׁר עַל־פְּנֵי הַשָּׂדֶה לַחַיָּה נְתַתִּיו לְאָכְלוֹ וַאֲשֶׁר בַּמְּצָדוֹת
וּבַמְּעָרוֹת בַּדֶּבֶר יָמוּתוּ: כח וְנָתַתִּי אֶת־הָאָרֶץ שְׁמָמָה וּמְשַׁמָּה וְנִשְׁבַּת
גְּאוֹן עֻזָּהּ וְשָׁמְמוּ הָרֵי יִשְׂרָאֵל מֵאֵין עוֹבֵר: כט וְיָדְעוּ כִּי־אֲנִי יְהוָֹה בְּתִתִּי
אֶת־הָאָרֶץ שְׁמָמָה וּמְשַׁמָּה עַל כָּל־תּוֹעֲבֹתָם אֲשֶׁר עָשׂוּ: ל וְאַתָּה בֶן־אָדָם
בְּנֵי עַמְּךָ הַנִּדְבָּרִים בְּךָ אֵצֶל הַקִּירוֹת וּבְפִתְחֵי הַבָּתִּים וְדִבֶּר־חַד
אֶת־אַחַד אִישׁ אֶת־אָחִיו לֵאמֹר בֹּאוּ־נָא וְשִׁמְעוּ מָה הַדָּבָר הַיּוֹצֵא מֵאֵת
יְהוָֹה: לא וְיָבוֹאוּ אֵלֶיךָ כִּמְבוֹא־עָם וְיֵשְׁבוּ לְפָנֶיךָ עַמִּי וְשָׁמְעוּ אֶת־דְּבָרֶיךָ
וְאוֹתָם לֹא יַעֲשׂוּ כִּי־עֲגָבִים בְּפִיהֶם הֵמָּה עֹשִׂים אַחֲרֵי בִצְעָם לִבָּם הֹלֵךְ:
לב וְהִנְּךָ לָהֶם כְּשִׁיר עֲגָבִים יְפֵה קוֹל וּמֵטִב נַגֵּן וְשָׁמְעוּ אֶת־דְּבָרֶיךָ
וְעֹשִׂים אֵינָם אוֹתָם: לג וּבְבֹאָהּ הִנֵּה בָאָה וְיָדְעוּ כִּי נָבִיא הָיָה בְתוֹכָם:

לד א וַיְהִי דְבַר־יְהוָֹה אֵלַי לֵאמֹר: ב בֶּן־אָדָם הִנָּבֵא עַל־רוֹעֵי יִשְׂרָאֵל
הִנָּבֵא וְאָמַרְתָּ אֲלֵיהֶם לָרֹעִים כֹּה אָמַר ׀ אֲדֹנָי יְהוִֹה הוֹי רֹעֵי־יִשְׂרָאֵל
אֲשֶׁר הָיוּ רֹעִים אוֹתָם הֲלוֹא הַצֹּאן יִרְעוּ הָרֹעִים: ג אֶת־הַחֵלֶב תֹּאכֵלוּ
וְאֶת־הַצֶּמֶר תִּלְבָּשׁוּ הַבְּרִיאָה תִּזְבָּחוּ הַצֹּאן לֹא תִרְעוּ: ד אֶת־הַנַּחְלוֹת
לֹא חִזַּקְתֶּם וְאֶת־הַחוֹלָה לֹא־רִפֵּאתֶם וְלַנִּשְׁבֶּרֶת לֹא חֲבַשְׁתֶּם
וְאֶת־הַנִּדַּחַת לֹא הֲשֵׁבֹתֶם וְאֶת־הָאֹבֶדֶת לֹא בִקַּשְׁתֶּם וּבְחָזְקָה רְדִיתֶם
אֹתָם וּבְפָרֶךְ: ה וַתְּפוּצֶינָה מִבְּלִי רֹעֶה וַתִּהְיֶינָה לְאָכְלָה לְכָל־חַיַּת
הַשָּׂדֶה וַתְּפוּצֶינָה: ו יִשְׁגּוּ צֹאנִי בְּכָל־הֶהָרִים וְעַל כָּל־גִּבְעָה רָמָה וְעַל
כָּל־פְּנֵי הָאָרֶץ נָפֹצוּ צֹאנִי וְאֵין דּוֹרֵשׁ וְאֵין מְבַקֵּשׁ: ז לָכֵן רֹעִים שִׁמְעוּ
אֶת־דְּבַר יְהוָֹה: ח חַי־אָנִי נְאֻם ׀ אֲדֹנָי יְהוִֹה אִם־לֹא יַעַן הֱיוֹת־צֹאנִי ׀ לָבַז
וַתִּהְיֶינָה צֹאנִי לְאָכְלָה לְכָל־חַיַּת הַשָּׂדֶה מֵאֵין רֹעֶה וְלֹא־דָרְשׁוּ רֹעַי
אֶת־צֹאנִי וַיִּרְעוּ הָרֹעִים אוֹתָם וְאֶת־צֹאנִי לֹא רָעוּ: ט לָכֵן הָרֹעִים שִׁמְעוּ
דְבַר־יְהוָֹה: י כֹּה־אָמַר אֲדֹנָי יְהוִֹה הִנְנִי אֶל־הָרֹעִים וְדָרַשְׁתִּי אֶת־צֹאנִי
מִיָּדָם וְהִשְׁבַּתִּים מֵרְעוֹת צֹאן וְלֹא־יִרְעוּ עוֹד הָרֹעִים אוֹתָם וְהִצַּלְתִּי
צֹאנִי מִפִּיהֶם וְלֹא־תִהְיֶיןָ לָהֶם לְאָכְלָה:

25 Wherefore say unto them: Thus saith the Lord GOD [Adonai Yehovi]. Ye eat with the blood, and lift up your eyes unto your idols, and shed blood; and shall ye possess the land? **26** Ye stand upon your sword, ye work abomination, and ye defile every one his neighbour's wife; and shall ye possess the land?{S} **27** Thus shalt thou say unto them: Thus saith the Lord GOD [Adonai Yehovi]: As I live, surely they that are in the waste places shall fall by the sword, and him that is in the open field will I give to the beasts to be devoured, and they that are in the strongholds and in the caves shall die of the pestilence. **28** And I will make the land most desolate, and the pride of her power shall cease; and the mountains of Israel shall be desolate, so that none shall pass through. **29** Then shall they know that I am Yehovah, when I have made the land most desolate, because of all their abominations which they have committed.{P}

30 And as for thee, son of man, the children of thy people that talk of thee by the walls and in the doors of the houses, and speak one to another, every one to his brother, saying: Come, I pray you, and hear what is the word that cometh forth from Yehovah; **31** and come unto thee as the people cometh, and sit before thee as My people, and hear thy words, but do them not–for with their mouth they show much love, but their heart goeth after their covetousness; **32** and, lo, thou art unto them as a love song of one that hath a pleasant voice, and can play well on an instrument; so they hear thy words, but they do them not– **33** when this cometh to pass–behold, it cometh–then shall they know that a prophet hath been among them.'{P}

34 **1** And the word of Yehovah came unto me, saying: **2** 'Son of man, prophesy against the shepherds of Israel, prophesy, and say unto them, even to the shepherds: Thus saith the Lord GOD [Adonai Yehovi]: Woe unto the shepherds of Israel that have fed themselves! should not the shepherds feed the sheep? **3** Ye did eat the fat, and ye clothed you with the wool, ye killed the fatlings; but ye fed not the sheep. **4** The weak have ye not strengthened, neither have ye healed that which was sick, neither have ye bound up that which was broken, neither have ye brought back that which was driven away, neither have ye sought that which was lost; but with force have ye ruled over them and with rigour. **5** So were they scattered, because there was no shepherd; and they became food to all the beasts of the field, and were scattered. **6** My sheep wandered through all the mountains, and upon every high hill, yea, upon all the face of the earth were My sheep scattered, and there was none that did search or seek. **7** Therefore, ye shepherds, hear the word of Yehovah: **8** As I live, saith the Lord GOD [Adonai Yehovi], surely forasmuch as My sheep became a prey, and My sheep became food to all the beasts of the field, because there was no shepherd, neither did My shepherds search for My sheep, but the shepherds fed themselves, and fed not My sheep; **9** therefore, ye shepherds, hear the word of Yehovah: **10** Thus saith the Lord GOD [Adonai Yehovi]: Behold, I am against the shepherds; and I will require My sheep at their hand, and cause them to cease from feeding the sheep; neither shall the shepherds feed themselves any more; and I will deliver My sheep from their mouth, that they may not be food for them.{S}

יא כִּי כֹּה אָמַר אֲדֹנָי יְהוִה הִנְנִי־אָנִי וְדָרַשְׁתִּי אֶת־צֹאנִי וּבִקַּרְתִּים׃
יב כְּבַקָּרַת רֹעֶה עֶדְרוֹ בְּיוֹם־הֱיוֹתוֹ בְתוֹךְ־צֹאנוֹ נִפְרָשׁוֹת כֵּן אֲבַקֵּר
אֶת־צֹאנִי וְהִצַּלְתִּי אֶתְהֶם מִכָּל־הַמְּקוֹמֹת אֲשֶׁר נָפֹצוּ שָׁם בְּיוֹם עָנָן
וַעֲרָפֶל׃ יג וְהוֹצֵאתִים מִן־הָעַמִּים וְקִבַּצְתִּים מִן־הָאֲרָצוֹת וַהֲבִיאֹתִים
אֶל־אַדְמָתָם וּרְעִיתִים אֶל־הָרֵי יִשְׂרָאֵל בָּאֲפִיקִים וּבְכֹל מוֹשְׁבֵי הָאָרֶץ׃
יד בְּמִרְעֶה־טּוֹב אֶרְעֶה אֹתָם וּבְהָרֵי מְרוֹם־יִשְׂרָאֵל יִהְיֶה נְוֵהֶם שָׁם
תִּרְבַּצְנָה בְּנָוֶה טּוֹב וּמִרְעֶה שָׁמֵן תִּרְעֶינָה אֶל־הָרֵי יִשְׂרָאֵל׃ טו אֲנִי
אֶרְעֶה צֹאנִי וַאֲנִי אַרְבִּיצֵם נְאֻם אֲדֹנָי יְהוִה׃ טז אֶת־הָאֹבֶדֶת אֲבַקֵּשׁ
וְאֶת־הַנִּדַּחַת אָשִׁיב וְלַנִּשְׁבֶּרֶת אֶחֱבֹשׁ וְאֶת־הַחוֹלָה אֲחַזֵּק וְאֶת־הַשְּׁמֵנָה
וְאֶת־הַחֲזָקָה אַשְׁמִיד אֶרְעֶנָּה בְמִשְׁפָּט׃ יז וְאַתֵּנָה צֹאנִי כֹּה אָמַר אֲדֹנָי
יְהוִה הִנְנִי שֹׁפֵט בֵּין־שֶׂה לָשֶׂה לָאֵילִים וְלָעַתּוּדִים׃ יח הַמְעַט מִכֶּם
הַמִּרְעֶה הַטּוֹב תִּרְעוּ וְיֶתֶר מִרְעֵיכֶם תִּרְמְסוּ בְּרַגְלֵיכֶם וּמִשְׁקַע־מַיִם
תִּשְׁתּוּ וְאֵת הַנּוֹתָרִים בְּרַגְלֵיכֶם תִּרְפֹּשׂוּן׃ יט וְצֹאנִי מִרְמַס רַגְלֵיכֶם
תִּרְעֶינָה וּמִרְפַּשׂ רַגְלֵיכֶם תִּשְׁתֶּינָה׃ כ לָכֵן כֹּה אָמַר אֲדֹנָי יְהוִה אֲלֵיהֶם
הִנְנִי־אָנִי וְשָׁפַטְתִּי בֵּין־שֶׂה בִרְיָה וּבֵין שֶׂה רָזָה׃ כא יַעַן בְּצַד וּבְכָתֵף
תֶּהְדֹּפוּ וּבְקַרְנֵיכֶם תְּנַגְּחוּ כָּל־הַנַּחְלוֹת עַד אֲשֶׁר הֲפִיצוֹתֶם אוֹתָנָה
אֶל־הַחוּצָה׃ כב וְהוֹשַׁעְתִּי לְצֹאנִי וְלֹא־תִהְיֶינָה עוֹד לָבַז וְשָׁפַטְתִּי בֵּין
שֶׂה לָשֶׂה׃ כג וַהֲקִמֹתִי עֲלֵיהֶם רֹעֶה אֶחָד וְרָעָה אֶתְהֶן אֵת עַבְדִּי דָוִיד
הוּא יִרְעֶה אֹתָם וְהוּא־יִהְיֶה לָהֶן לְרֹעֶה׃ כד וַאֲנִי יְהוָה אֶהְיֶה לָהֶם
לֵאלֹהִים וְעַבְדִּי דָוִד נָשִׂיא בְתוֹכָם אֲנִי יְהוָה דִּבַּרְתִּי׃ כה וְכָרַתִּי לָהֶם
בְּרִית שָׁלוֹם וְהִשְׁבַּתִּי חַיָּה־רָעָה מִן־הָאָרֶץ וְיָשְׁבוּ בַמִּדְבָּר לָבֶטַח וְיָשְׁנוּ
בַּיְּעָרִים׃ כו וְנָתַתִּי אוֹתָם וּסְבִיבוֹת גִּבְעָתִי בְּרָכָה וְהוֹרַדְתִּי הַגֶּשֶׁם בְּעִתּוֹ
גִּשְׁמֵי בְרָכָה יִהְיוּ׃ כז וְנָתַן עֵץ הַשָּׂדֶה אֶת־פִּרְיוֹ וְהָאָרֶץ תִּתֵּן יְבוּלָהּ
וְהָיוּ עַל־אַדְמָתָם לָבֶטַח וְיָדְעוּ כִּי־אֲנִי יְהוָה בְּשִׁבְרִי אֶת־מֹטוֹת עֻלָּם
וְהִצַּלְתִּים מִיַּד הָעֹבְדִים בָּהֶם׃ כח וְלֹא־יִהְיוּ עוֹד בַּז לַגּוֹיִם וְחַיַּת הָאָרֶץ
לֹא תֹאכְלֵם וְיָשְׁבוּ לָבֶטַח וְאֵין מַחֲרִיד׃ כט וַהֲקִמֹתִי לָהֶם מַטָּע לְשֵׁם
וְלֹא־יִהְיוּ עוֹד אֲסֻפֵי רָעָב בָּאָרֶץ וְלֹא־יִשְׂאוּ עוֹד כְּלִמַּת הַגּוֹיִם׃ ל וְיָדְעוּ
כִּי אֲנִי יְהוָה אֱלֹהֵיהֶם אִתָּם וְהֵמָּה עַמִּי בֵּית יִשְׂרָאֵל נְאֻם אֲדֹנָי יְהוִה׃
לא וְאַתֵּן צֹאנִי צֹאן מַרְעִיתִי אָדָם אַתֶּם אֲנִי אֱלֹהֵיכֶם נְאֻם אֲדֹנָי יְהוִה׃

11 For thus saith the Lord GOD [Adonai Yehovi]: Behold, here am I, and I will search for My sheep, and seek them out. **12** As a shepherd seeketh out his flock in the day that he is among his sheep that are separated, so will I seek out My sheep; and I will deliver them out of all places whither they have been scattered in the day of clouds and thick darkness. **13** And I will bring them out from the peoples, and gather them from the countries, and will bring them into their own land; and I will feed them upon the mountains of Israel, by the streams, and in all the habitable places of the country. **14** I will feed them in a good pasture, and upon the high mountains of Israel shall their fold be; there shall they lie down in a good fold, and in a fat pasture shall they feed upon the mountains of Israel. **15** I will feed My sheep, and I will cause them to lie down, saith the Lord GOD [Adonai Yehovi]. **16** I will seek that which was lost, and will bring back that which was driven away, and will bind up that which was broken, and will strengthen that which was sick; and the fat and the strong I will destroy, I will feed them in justice. **17** And as for you, O My flock, thus saith the Lord GOD [Adonai Yehovi]: Behold, I judge between cattle and cattle, even the rams and the he-goats. **18** Seemeth it a small thing unto you to have fed upon the good pasture, but ye must tread down with your feet the residue of your pasture? and to have drunk of the settled waters, but ye must foul the residue with your feet? **19** And as for My sheep, they eat that which ye have trodden with your feet, and they drink that which ye have fouled with your feet.{P}

20 Therefore thus saith the Lord GOD [Adonai Yehovi] unto them: Behold, I, even I, will judge between the fat cattle and the lean cattle. **21** Because ye thrust with side and with shoulder, and push all the weak with your horns, till ye have scattered them abroad; **22** therefore will I save My flock, and they shall no more be a prey; and I will judge between cattle and cattle. **23** And I will set up one shepherd over them, and he shall feed them, even My servant David; he shall feed them, and he shall be their shepherd. **24** And I Yehovah will be their God, and My servant David prince among them; I Yehovah have spoken. **25** And I will make with them a covenant of peace, and will cause evil beasts to cease out of the land; and they shall dwell safely in the wilderness, and sleep in the woods. **26** And I will make them and the places round about My hill a blessing; and I will cause the shower to come down in its season; there shall be showers of blessing. **27** And the tree of the field shall yield its fruit, and the earth shall yield her produce, and they shall be safe in their land; and they shall know that I am Yehovah, when I have broken the bars of their yoke, and have delivered them out of the hand of those that made bondmen of them. **28** And they shall no more be a prey to the nations, neither shall the beast of the earth devour them; but they shall dwell safely, and none shall make them afraid. **29** And I will raise up unto them a plantation for renown, and they shall be no more consumed with hunger in the land, neither bear the shame of the nations any more. **30** And they shall know that I Yehovah their God am with them, and that they, the house of Israel, are My people, saith the Lord GOD [Adonai Yehovi]. **31** And ye My sheep, the sheep of My pasture, are men, and I am your God, saith the Lord GOD [Adonai Yehovi].'{P}

לה א וַיְהִי דְבַר־יְהוָה אֵלַי לֵאמֹר: ב בֶּן־אָדָם שִׂים פָּנֶיךָ עַל־הַר שֵׂעִיר
וְהִנָּבֵא עָלָיו: ג וְאָמַרְתָּ לּוֹ כֹּה אָמַר אֲדֹנָי יְהוִה הִנְנִי אֵלֶיךָ הַר־שֵׂעִיר
וְנָטִיתִי יָדִי עָלֶיךָ וּנְתַתִּיךָ שְׁמָמָה וּמְשַׁמָּה: ד עָרֶיךָ חָרְבָּה אָשִׂים וְאַתָּה
שְׁמָמָה תִהְיֶה וְיָדַעְתָּ כִּי־אֲנִי יְהוָה: ה יַעַן הֱיוֹת לְךָ אֵיבַת עוֹלָם וַתַּגֵּר
אֶת־בְּנֵי־יִשְׂרָאֵל עַל־יְדֵי־חָרֶב בְּעֵת אֵידָם בְּעֵת עֲוֺן קֵץ: ו לָכֵן חַי־אָנִי נְאֻם
אֲדֹנָי יְהוִה כִּי־לְדָם אֶעֶשְׂךָ וְדָם יִרְדֲּפֶךָ אִם־לֹא דָם שָׂנֵאתָ וְדָם יִרְדֲּפֶךָ:
ז וְנָתַתִּי אֶת־הַר שֵׂעִיר לְשִׁמְמָה וּשְׁמָמָה וְהִכְרַתִּי מִמֶּנּוּ עֹבֵר וָשָׁב: ח וּמִלֵּאתִי
אֶת־הָרָיו חֲלָלָיו גִּבְעוֹתֶיךָ וְגֵאוֹתֶיךָ וְכָל־אֲפִיקֶיךָ חַלְלֵי־חֶרֶב יִפְּלוּ בָהֶם:
ט שִׁמְמוֹת עוֹלָם אֶתֶּנְךָ וְעָרֶיךָ לֹא תָשֹׁבְנָה[61] וִידַעְתֶּם כִּי־אֲנִי יְהוָה: י יַעַן
אֲמָרְךָ אֶת־שְׁנֵי הַגּוֹיִם וְאֶת־שְׁתֵּי הָאֲרָצוֹת לִי תִהְיֶינָה וִירַשְׁנוּהָ וַיהוָה שָׁם
הָיָה: יא לָכֵן חַי־אָנִי נְאֻם אֲדֹנָי יְהוִה וְעָשִׂיתִי כְּאַפְּךָ וּכְקִנְאָתְךָ אֲשֶׁר עָשִׂיתָה
מִשִּׂנְאָתֶיךָ בָּם וְנוֹדַעְתִּי בָם כַּאֲשֶׁר אֶשְׁפְּטֶךָ: יב וְיָדַעְתָּ כִּי־אֲנִי יְהוָה שָׁמַעְתִּי ׀
אֶת־כָּל־נָאָצוֹתֶיךָ אֲשֶׁר אָמַרְתָּ עַל־הָרֵי יִשְׂרָאֵל לֵאמֹר ׀ שָׁמֵמוּ[62] לָנוּ נִתְּנוּ
לְאָכְלָה: יג וַתַּגְדִּילוּ עָלַי בְּפִיכֶם וְהַעְתַּרְתֶּם עָלַי דִּבְרֵיכֶם אֲנִי שָׁמָעְתִּי:
יד כֹּה אָמַר אֲדֹנָי יְהוִה כִּשְׂמֹחַ כָּל־הָאָרֶץ שְׁמָמָה אֶעֱשֶׂה־לָּךְ: טו כְּשִׂמְחָתְךָ
לְנַחֲלַת בֵּית־יִשְׂרָאֵל עַל אֲשֶׁר־שָׁמֵמָה כֵּן אֶעֱשֶׂה־לָּךְ שְׁמָמָה תִהְיֶה
הַר־שֵׂעִיר וְכָל־אֱדוֹם כֻּלָּהּ וְיָדְעוּ כִּי־אֲנִי יְהוָה:

לו א וְאַתָּה בֶן־אָדָם הִנָּבֵא אֶל־הָרֵי יִשְׂרָאֵל וְאָמַרְתָּ הָרֵי יִשְׂרָאֵל שִׁמְעוּ
דְּבַר־יְהוָה: ב כֹּה אָמַר אֲדֹנָי יְהוִה יַעַן אָמַר הָאוֹיֵב עֲלֵיכֶם הֶאָח וּבָמוֹת
עוֹלָם לְמוֹרָשָׁה הָיְתָה לָּנוּ: ג לָכֵן הִנָּבֵא וְאָמַרְתָּ כֹּה אָמַר אֲדֹנָי יְהוִה יַעַן
בְּיַעַן שַׁמּוֹת וְשָׁאֹף אֶתְכֶם מִסָּבִיב לִהְיוֹתְכֶם מוֹרָשָׁה לִשְׁאֵרִית הַגּוֹיִם וַתַּעֲלוּ
עַל־שְׂפַת לָשׁוֹן וְדִבַּת־עָם: ד לָכֵן הָרֵי יִשְׂרָאֵל שִׁמְעוּ דְּבַר־אֲדֹנָי יְהוִה
כֹּה־אָמַר אֲדֹנָי יְהוִה לֶהָרִים וְלַגְּבָעוֹת לָאֲפִיקִים וְלַגֵּאָיוֹת וְלֶחֳרָבוֹת
הַשֹּׁמְמוֹת וְלֶעָרִים הַנֶּעֱזָבוֹת אֲשֶׁר הָיוּ לְבַז וּלְלַעַג לִשְׁאֵרִית הַגּוֹיִם אֲשֶׁר
מִסָּבִיב: ה לָכֵן כֹּה־אָמַר אֲדֹנָי יְהוִה אִם־לֹא בְּאֵשׁ קִנְאָתִי דִבַּרְתִּי
עַל־שְׁאֵרִית הַגּוֹיִם וְעַל־אֱדוֹם כֻּלָּא אֲשֶׁר נָתְנוּ־אֶת־אַרְצִי ׀ לָהֶם לְמוֹרָשָׁה
בְּשִׂמְחַת כָּל־לֵבָב בִּשְׁאָט נֶפֶשׁ לְמַעַן מִגְרָשָׁהּ לָבַז: ו לָכֵן הִנָּבֵא עַל־אַדְמַת
יִשְׂרָאֵל וְאָמַרְתָּ לֶהָרִים וְלַגְּבָעוֹת לָאֲפִיקִים וְלַגֵּאָיוֹת כֹּה־אָמַר ׀ אֲדֹנָי יְהוִה
הִנְנִי בְקִנְאָתִי וּבַחֲמָתִי דִּבַּרְתִּי יַעַן כְּלִמַּת גּוֹיִם נְשָׂאתֶם:

[61] תישבנה
[62] שממה

35 <u>1</u> Moreover the word of Yehovah came unto me, saying: <u>2</u> 'Son of man, set thy face against mount Seir, and prophesy against it, <u>3</u> and say unto it: Thus saith the Lord GOD [Adonai Yehovi]: Behold, I am against thee, O mount Seir, and I will stretch out My hand against thee, and I will make thee most desolate. <u>4</u> I will lay thy cities waste, and thou shalt be desolate; and thou shalt know that I am Yehovah. <u>5</u> Because thou hast had a hatred of old, and hast hurled the children of Israel unto the power of the sword in the time of their calamity, in the time of the iniquity of the end; <u>6</u> therefore, as I live, saith the Lord GOD [Adonai Yehovi], I will prepare thee unto blood, and blood shall pursue thee; surely thou hast hated thine own blood, therefore blood shall pursue thee. <u>7</u> Thus will I make mount Seir most desolate, and cut off from it him that passeth through and him that returneth. <u>8</u> And I will fill his mountains with his slain; in thy hills and in thy valleys and in all thy streams shall they fall that are slain with the sword. <u>9</u> I will make thee perpetual desolations, and thy cities shall not return; and ye shall know that I am Yehovah. <u>10</u> Because thou hast said: These two nations and these two countries shall be mine, and we will possess it; whereas Yehovah was there;{s} <u>11</u> therefore, as I live, saith the Lord GOD [Adonai Yehovi], I will do according to thine anger and according to thine envy, which thou hast used out of thy hatred against them; and I will make Myself known among them, when I shall judge thee. <u>12</u> And thou shalt know that I Yehovah have heard all thy blasphemies which thou hast spoken against the mountains of Israel, saying: They are laid desolate, they are given us to devour. <u>13</u> And ye have magnified yourselves against Me with your mouth, and have multiplied your words against Me; I have heard it.{s} <u>14</u> Thus saith the Lord GOD [Adonai Yehovi]: When the whole earth rejoiceth, I will make thee desolate. <u>15</u> As thou didst rejoice over the inheritance of the house of Israel, because it was desolate, so will I do unto thee; thou shalt be desolate, O mount Seir, and all Edom, even all of it; and they shall know that I am Yehovah.{P}

36 <u>1</u> And thou, son of man, prophesy unto the mountains of Israel, and say: Ye mountains of Israel, hear the word of Yehovah. <u>2</u> Thus saith the Lord GOD [Adonai Yehovi]: Because the enemy hath said against you: Aha! even the ancient high places are ours in possession; <u>3</u> therefore prophesy, and say: Thus saith the Lord GOD [Adonai Yehovi]: Because, even because they have made you desolate, and swallowed you up on every side, that ye might be a possession unto the rest of the nations, and ye are taken up in the lips of talkers, and the evil report of the people; <u>4</u> therefore, ye mountains of Israel, hear the word of the Lord GOD [Adonai Yehovi]: Thus saith the Lord GOD [Adonai Yehovi] to the mountains and to the hills, to the streams and to the valleys, to the desolate wastes and to the cities that are forsaken, which are become a prey and derision to the residue of the nations that are round about; <u>5</u> therefore thus saith the Lord GOD [Adonai Yehovi]: Surely in the fire of My jealousy have I spoken against the residue of the nations, and against all Edom, that have appointed My land unto themselves for a possession with the joy of all their heart, with disdain of soul, to cast it out for a prey; <u>6</u> therefore prophesy concerning the land of Israel, and say unto the mountains and to the hills, to the streams and to the valleys: Thus saith the Lord GOD [Adonai Yehovi]: Behold, I have spoken in My jealousy and in My fury, because ye have borne the shame of the nations;

ז לָכֵ֗ן כֹּ֤ה אָמַר֙ אֲדֹנָ֣י יְהֹוִ֔ה אֲנִ֖י נָשָׂ֣אתִי אֶת־יָדִ֑י אִם־לֹ֞א הַגּוֹיִ֗ם אֲשֶׁ֤ר לָכֶם֙
מִסָּבִ֔יב הֵ֖מָּה כְּלִמָּתָ֥ם יִשָּֽׂאוּ׃ ח וְאַתֶּ֞ם הָרֵ֣י יִשְׂרָאֵ֗ל עַנְפְּכֶ֤ם תִּתֵּ֙נוּ֙ וּפֶרְיְכֶ֣ם
תִּשְׂא֔וּ לְעַמִּ֖י יִשְׂרָאֵ֑ל כִּ֥י קֵרְב֖וּ לָבֽוֹא׃ ט כִּ֥י הִנְנִ֖י אֲלֵיכֶ֑ם וּפָנִ֣יתִי אֲלֵיכֶ֔ם
וְנֶעֱבַדְתֶּ֖ם וְנִזְרַעְתֶּֽם׃ י וְהִרְבֵּיתִ֤י עֲלֵיכֶם֙ אָדָ֔ם כָּל־בֵּ֥ית יִשְׂרָאֵ֖ל כֻּלֹּ֑ה וְנֹשְׁבוּ֙
הֶֽעָרִ֔ים וְהֶחֳרָב֖וֹת תִּבָּנֶֽינָה׃ יא וְהִרְבֵּיתִ֧י עֲלֵיכֶ֛ם אָדָ֥ם וּבְהֵמָ֖ה וְרָב֣וּ וּפָר֑וּ
וְהוֹשַׁבְתִּ֨י אֶתְכֶ֜ם כְּקַדְמֽוֹתֵיכֶ֗ם וְהֵטִֽבֹתִי֙ מֵרִאשֹׁ֣תֵיכֶ֔ם וִֽידַעְתֶּ֖ם כִּֽי־אֲנִ֥י יְהוָֽה׃
יב וְהוֹלַכְתִּ֨י עֲלֵיכֶ֜ם אָדָ֗ם אֶת־עַמִּ֤י יִשְׂרָאֵל֙ וִֽירֵשׁ֔וּךָ וְהָיִ֥יתָ לָהֶ֖ם לְנַחֲלָ֑ה
וְלֹא־תוֹסִ֥ף ע֖וֹד לְשַׁכְּלָֽם׃ יג כֹּ֤ה אָמַר֙ אֲדֹנָ֣י יְהֹוִ֔ה יַ֚עַן אֹמְרִ֣ים לָכֶ֔ם אֹכֶ֥לֶת
אָדָ֖ם אָ֑תְּ[63] וּמְשַׁכֶּ֧לֶת גּוֹיַ֛יִךְ[64] הָיִֽית׃ יד לָכֵן֙ אָדָם֙ לֹא־תֹ֣אכְלִי ע֔וֹד וְגוֹיַ֖יִךְ[65] לֹ֣א
תְשַׁכְּלִי־ע֑וֹד[66] נְאֻ֖ם אֲדֹנָ֥י יְהֹוִֽה׃ טו וְלֹא־אַשְׁמִ֨יעַ אֵלַ֜יִךְ ע֗וֹד כְּלִמַּ֣ת הַגּוֹיִ֔ם
וְחֶרְפַּ֥ת עַמִּ֖ים לֹ֣א תִשְׂאִי־ע֑וֹד וְגוֹיַ֥יִךְ[67] לֹא־תַכְשִׁ֛לִי ע֖וֹד נְאֻ֥ם אֲדֹנָ֥י יְהֹוִֽה׃
טז וַיְהִ֥י דְבַר־יְהוָ֖ה אֵלַ֥י לֵאמֹֽר׃ יז בֶּן־אָדָ֗ם בֵּ֤ית יִשְׂרָאֵל֙ יֹשְׁבִ֣ים עַל־אַדְמָתָ֔ם
וַיְטַמְּא֣וּ אוֹתָ֔הּ בְּדַרְכָּ֖ם וּבַעֲלִילוֹתָ֑ם כְּטֻמְאַת֙ הַנִּדָּ֔ה הָיְתָ֥ה דַרְכָּ֖ם לְפָנָֽי׃
יח וָאֶשְׁפֹּ֤ךְ חֲמָתִי֙ עֲלֵיהֶ֔ם עַל־הַדָּ֖ם אֲשֶׁר־שָׁפְכ֣וּ עַל־הָאָ֑רֶץ וּבְגִלּוּלֵיהֶ֖ם
טִמְּאֽוּהָ׃ יט וָאָפִ֤יץ אֹתָם֙ בַּגּוֹיִ֔ם וַיִּזָּר֖וּ בָּאֲרָצ֑וֹת כְּדַרְכָּ֥ם וְכַעֲלִילוֹתָ֖ם
שְׁפַטְתִּֽים׃ כ וַיָּב֗וֹא אֶל־הַגּוֹיִם֙ אֲשֶׁר־בָּ֣אוּ שָׁ֔ם וַֽיְחַלְּל֖וּ אֶת־שֵׁ֣ם קָדְשִׁ֑י בֶּאֱמֹ֤ר
לָהֶם֙ עַם־יְהוָ֣ה אֵ֔לֶּה וּמֵאַרְצ֖וֹ יָצָֽאוּ׃ כא וָאֶחְמֹ֖ל עַל־שֵׁ֣ם קָדְשִׁ֑י אֲשֶׁ֤ר חִלְּלֻהוּ֙
בֵּ֣ית יִשְׂרָאֵ֔ל בַּגּוֹיִ֖ם אֲשֶׁר־בָּ֥אוּ שָֽׁמָּה׃ כב לָכֵ֞ן אֱמֹ֣ר לְבֵֽית־יִשְׂרָאֵ֗ל כֹּ֤ה אָמַר֙
אֲדֹנָ֣י יְהֹוִ֔ה לֹ֧א לְמַעַנְכֶ֛ם אֲנִ֥י עֹשֶׂ֖ה בֵּ֣ית יִשְׂרָאֵ֑ל כִּ֤י אִם־לְשֵׁם־קָדְשִׁי֙ אֲשֶׁ֣ר
חִלַּלְתֶּ֔ם בַּגּוֹיִ֖ם אֲשֶׁר־בָּ֥אתֶם שָֽׁם׃ כג וְקִדַּשְׁתִּ֞י אֶת־שְׁמִ֣י הַגָּד֗וֹל הַֽמְחֻלָּל֙
בַּגּוֹיִ֔ם אֲשֶׁ֥ר חִלַּלְתֶּ֖ם בְּתוֹכָ֑ם וְיָדְע֨וּ הַגּוֹיִ֜ם כִּֽי־אֲנִ֣י יְהוָ֗ה נְאֻם֙ אֲדֹנָ֣י יְהֹוִ֔ה
בְּהִקָּדְשִׁ֥י בָכֶ֖ם לְעֵינֵיהֶֽם׃ כד וְלָקַחְתִּ֤י אֶתְכֶם֙ מִן־הַגּוֹיִ֔ם וְקִבַּצְתִּ֥י אֶתְכֶ֖ם
מִכָּל־הָאֲרָצ֑וֹת וְהֵבֵאתִ֥י אֶתְכֶ֖ם אֶל־אַדְמַתְכֶֽם׃ כה וְזָרַקְתִּ֧י עֲלֵיכֶ֛ם מַ֥יִם
טְהוֹרִ֖ים וּטְהַרְתֶּ֑ם מִכֹּ֧ל טֻמְאוֹתֵיכֶ֛ם וּמִכָּל־גִּלּוּלֵיכֶ֖ם אֲטַהֵ֥ר אֶתְכֶֽם׃ כו וְנָתַתִּ֤י
לָכֶם֙ לֵ֣ב חָדָ֔שׁ וְר֥וּחַ חֲדָשָׁ֖ה אֶתֵּ֣ן בְּקִרְבְּכֶ֑ם וַהֲסִ֨רֹתִ֜י אֶת־לֵ֤ב הָאֶ֙בֶן֙
מִבְּשַׂרְכֶ֔ם וְנָתַתִּ֥י לָכֶ֖ם לֵ֥ב בָּשָֽׂר׃ כז וְאֶת־רוּחִ֖י אֶתֵּ֣ן בְּקִרְבְּכֶ֑ם וְעָשִׂ֗יתִי אֵ֤ת
אֲשֶׁר־בְּחֻקַּי֙ תֵּלֵ֔כוּ וּמִשְׁפָּטַ֥י תִּשְׁמְר֖וּ וַעֲשִׂיתֶֽם׃ כח וִישַׁבְתֶּ֣ם בָּאָ֔רֶץ אֲשֶׁ֥ר נָתַ֖תִּי
לַאֲבֹתֵיכֶ֑ם וִהְיִ֤יתֶם לִי֙ לְעָ֔ם וְאָ֣נֹכִ֔י אֶהְיֶ֥ה לָכֶ֖ם לֵאלֹהִֽים׃

[63] אתי
[64] גויך
[65] וגויך
[66] תכשלי
[67] וגויך

7 therefore thus saith the Lord GOD [Adonai Yehovi]: I have lifted up My hand: Surely the nations that are round about you, they shall bear their shame. 8 But ye, O mountains of Israel, ye shall shoot forth your branches, and yield your fruit to My people Israel; for they are at hand to come. 9 For, behold, I am for you, and I will turn unto you, and ye shall be tilled and sown; 10 and I will multiply men upon you, all the house of Israel, even all of it; and the cities shall be inhabited, and the waste places shall be builded; 11 and I will multiply upon you man and beast, and they shall increase and be fruitful; and I will cause you to be inhabited after your former estate, and will do better unto you than at your beginnings; and ye shall know that I am Yehovah. 12 Yea, I will cause men to walk upon you, even my people Israel, and they shall possess thee, and thou shalt be their inheritance; and thou shalt no more henceforth bereave them of children.{S} 13 Thus saith the Lord GOD [Adonai Yehovi]: Because they say unto you: Thou land art a devourer of men, and hast been a bereaver of thy nations; 14 therefore thou shalt devour men no more, neither bereave thy nations any more, saith the Lord GOD [Adonai Yehovi]; 15 neither will I suffer the shame of the nations any more to be heard against thee, neither shalt thou bear the reproach of the peoples any more, neither shalt thou cause thy nations to stumble any more, saith the Lord GOD [Adonai Yehovi].'{P}

16 Moreover the word of Yehovah came unto me, saying: 17 'Son of man, when the house of Israel dwelt in their own land, they defiled it by their way and by their doings; their way before Me was as the uncleanness of a woman in her impurity. 18 Wherefore I poured out My fury upon them for the blood which they had shed upon the land, and because they had defiled it with their idols; 19 and I scattered them among the nations, and they were dispersed through the countries; according to their way and according to their doings I judged them. 20 And when they came unto the nations, whither they came, they profaned My holy name; in that men said of them: These are the people of Yehovah, and are gone forth out of His land. 21 But I had pity for My holy name, which the house of Israel had profaned among the nations, whither they came.{P}

22 Therefore say unto the house of Israel: Thus saith the Lord GOD [Adonai Yehovi]: I do not this for your sake, O house of Israel, but for My holy name, which ye have profaned among the nations, whither ye came. 23 And I will sanctify My great name, which hath been profaned among the nations, which ye have profaned in the midst of them; and the nations shall know that I am Yehovah, saith the Lord GOD [Adonai Yehovi], when I shall be sanctified in you before their eyes. 24 For I will take you from among the nations, and gather you out of all the countries, and will bring you into your own land. 25 And I will sprinkle clean water upon you, and ye shall be clean; from all your uncleannesses, and from all your idols, will I cleanse you. 26 A new heart also will I give you, and a new spirit will I put within you; and I will take away the stony heart out of your flesh, and I will give you a heart of flesh. 27 And I will put My spirit within you, and cause you to walk in My statutes, and ye shall keep Mine ordinances, and do them. 28 And ye shall dwell in the land that I gave to your fathers; and ye shall be My people, and I will be your God.

כט וְהוֹשַׁעְתִּי אֶתְכֶם מִכֹּל טֻמְאוֹתֵיכֶם וְקָרָאתִי אֶל־הַדָּגָן וְהִרְבֵּיתִי אֹתוֹ
וְלֹא־אֶתֵּן עֲלֵיכֶם רָעָב: ל וְהִרְבֵּיתִי אֶת־פְּרִי הָעֵץ וּתְנוּבַת הַשָּׂדֶה לְמַעַן אֲשֶׁר
לֹא תִקְחוּ עוֹד חֶרְפַּת רָעָב בַּגּוֹיִם: לא וּזְכַרְתֶּם אֶת־דַּרְכֵיכֶם הָרָעִים
וּמַעַלְלֵיכֶם אֲשֶׁר לֹא־טוֹבִים וּנְקֹטֹתֶם בִּפְנֵיכֶם עַל עֲוֺנֹתֵיכֶם וְעַל
תּוֹעֲבוֹתֵיכֶם: לב לֹא לְמַעַנְכֶם אֲנִי־עֹשֶׂה נְאֻם אֲדֹנָי יְהוִֹה יִוָּדַע לָכֶם בּוֹשׁוּ
וְהִכָּלְמוּ מִדַּרְכֵיכֶם בֵּית יִשְׂרָאֵל: לג כֹּה אָמַר אֲדֹנָי יְהוִֹה בְּיוֹם טַהֲרִי אֶתְכֶם
מִכֹּל עֲוֺנוֹתֵיכֶם וְהוֹשַׁבְתִּי אֶת־הֶעָרִים וְנִבְנוּ הֶחֳרָבוֹת: לד וְהָאָרֶץ הַנְּשַׁמָּה
תֵּעָבֵד תַּחַת אֲשֶׁר הָיְתָה שְׁמָמָה לְעֵינֵי כָּל־עוֹבֵר: לה וְאָמְרוּ הָאָרֶץ הַלֵּזוּ
הַנְּשַׁמָּה הָיְתָה כְּגַן־עֵדֶן וְהֶעָרִים הֶחֳרֵבוֹת וְהַנְשַׁמּוֹת וְהַנֶּהֱרָסוֹת בְּצוּרוֹת
יָשָׁבוּ: לו וְיָדְעוּ הַגּוֹיִם אֲשֶׁר יִשָּׁאֲרוּ סְבִיבוֹתֵיכֶם כִּי | אֲנִי יְהוָה בָּנִיתִי
הַנֶּהֱרָסוֹת נָטַעְתִּי הַנְּשַׁמָּה אֲנִי יְהוָה דִּבַּרְתִּי וְעָשִׂיתִי: לז כֹּה אָמַר אֲדֹנָי יְהוִֹה
עוֹד זֹאת אִדָּרֵשׁ לְבֵית־יִשְׂרָאֵל לַעֲשׂוֹת לָהֶם אַרְבֶּה אֹתָם כַּצֹּאן אָדָם:
לח כְּצֹאן קָדָשִׁים כְּצֹאן יְרוּשָׁלַ͏ִם בְּמוֹעֲדֶיהָ כֵּן תִּהְיֶינָה הֶעָרִים הֶחֳרֵבוֹת
מְלֵאוֹת צֹאן אָדָם וְיָדְעוּ כִּי־אֲנִי יְהוָה:

לז א הָיְתָה עָלַי יַד־יְהוָה וַיּוֹצִאֵנִי בְרוּחַ יְהוָה וַיְנִיחֵנִי בְּתוֹךְ הַבִּקְעָה וְהִיא
מְלֵאָה עֲצָמוֹת: ב וְהֶעֱבִירַנִי עֲלֵיהֶם סָבִיב | סָבִיב וְהִנֵּה רַבּוֹת מְאֹד עַל־פְּנֵי
הַבִּקְעָה וְהִנֵּה יְבֵשׁוֹת מְאֹד: ג וַיֹּאמֶר אֵלַי בֶּן־אָדָם הֲתִחְיֶינָה הָעֲצָמוֹת הָאֵלֶּה
וָאֹמַר אֲדֹנָי יְהוִֹה אַתָּה יָדָעְתָּ: ד וַיֹּאמֶר אֵלַי הִנָּבֵא עַל־הָעֲצָמוֹת הָאֵלֶּה
וְאָמַרְתָּ אֲלֵיהֶם הָעֲצָמוֹת הַיְבֵשׁוֹת שִׁמְעוּ דְּבַר־יְהוָה: ה כֹּה אָמַר אֲדֹנָי יְהוִֹה
לָעֲצָמוֹת הָאֵלֶּה הִנֵּה אֲנִי מֵבִיא בָכֶם רוּחַ וִחְיִיתֶם: ו וְנָתַתִּי עֲלֵיכֶם גִּדִים
וְהַעֲלֵתִי עֲלֵיכֶם בָּשָׂר וְקָרַמְתִּי עֲלֵיכֶם עוֹר וְנָתַתִּי בָכֶם רוּחַ וִחְיִיתֶם וִידַעְתֶּם
כִּי־אֲנִי יְהוָה: ז וְנִבֵּאתִי כַּאֲשֶׁר צֻוֵּיתִי וַיְהִי־קוֹל כְּהִנָּבְאִי וְהִנֵּה־רַעַשׁ וַתִּקְרְבוּ
עֲצָמוֹת עֶצֶם אֶל־עַצְמוֹ: ח וְרָאִיתִי וְהִנֵּה־עֲלֵיהֶם גִּדִים וּבָשָׂר עָלָה וַיִּקְרַם
עֲלֵיהֶם עוֹר מִלְמָעְלָה וְרוּחַ אֵין בָּהֶם: ט וַיֹּאמֶר אֵלַי הִנָּבֵא אֶל־הָרוּחַ הִנָּבֵא
בֶן־אָדָם וְאָמַרְתָּ אֶל־הָרוּחַ כֹּה־אָמַר | אֲדֹנָי יְהוִֹה מֵאַרְבַּע רוּחוֹת בֹּאִי הָרוּחַ
וּפְחִי בַּהֲרוּגִים הָאֵלֶּה וְיִחְיוּ: י וְהִנַּבֵּאתִי כַּאֲשֶׁר צִוָּנִי וַתָּבוֹא בָהֶם הָרוּחַ וַיִּחְיוּ
וַיַּעַמְדוּ עַל־רַגְלֵיהֶם חַיִל גָּדוֹל מְאֹד־מְאֹד: יא וַיֹּאמֶר אֵלַי בֶּן־אָדָם הָעֲצָמוֹת
הָאֵלֶּה כָּל־בֵּית יִשְׂרָאֵל הֵמָּה הִנֵּה אֹמְרִים יָבְשׁוּ עַצְמוֹתֵינוּ וְאָבְדָה תִקְוָתֵנוּ
נִגְזַרְנוּ לָנוּ: יב לָכֵן הִנָּבֵא וְאָמַרְתָּ אֲלֵיהֶם כֹּה־אָמַר אֲדֹנָי יְהוִֹה הִנֵּה אֲנִי פֹתֵחַ
אֶת־קִבְרוֹתֵיכֶם וְהַעֲלֵיתִי אֶתְכֶם מִקִּבְרוֹתֵיכֶם עַמִּי וְהֵבֵאתִי אֶתְכֶם אֶל־אַדְמַת
יִשְׂרָאֵל:

29 And I will save you from all your uncleannesses; and I will call for the corn, and will increase it, and lay no famine upon you. **30** And I will multiply the fruit of the tree, and the increase of the field, that ye may receive no more the reproach of famine among the nations. **31** Then shall ye remember your evil ways, and your doings that were not good; and ye shall loathe yourselves in your own sight for your iniquities and for your abominations. **32** Not for your sake do I this, saith the Lord GOD [Adonai Yehovi], be it known unto you; be ashamed and confounded for your ways, O house of Israel.{S} **33** Thus saith the Lord GOD [Adonai Yehovi]: In the day that I cleanse you from all your iniquities, I will cause the cities to be inhabited, and the waste places shall be builded. **34** And the land that was desolate shall be tilled, whereas it was a desolation in the sight of all that passed by. **35** And they shall say: This land that was desolate is become like the garden of Eden; and the waste and desolate and ruined cities are fortified and inhabited. **36** Then the nations that are left round about you shall know that I Yehovah have builded the ruined places, and planted that which was desolate; I Yehovah have spoken it, and I will do it.{S} **37** Thus saith the Lord GOD [Adonai Yehovi]: I will yet for this be inquired of by the house of Israel, to do it for them; I will increase them with men like a flock. **38** As the flock for sacrifice, as the flock of Yerushalam in her appointed seasons, so shall the waste cities be filled with flocks of men; and they shall know that I am Yehovah.'{P}

37 **1** The hand of Yehovah was upon me, and Yehovah carried me out in a spirit, and set me down in the midst of the valley, and it was full of bones; **2** and He caused me to pass by them round about, and, behold, there were very many in the open valley; and, lo, they were very dry. **3** And He said unto me: 'Son of man, can these bones live?' And I answered: 'O Lord GOD [Adonai Yehovi], Thou knowest.' **4** Then He said unto me: 'Prophesy over these bones, and say unto them: O ye dry bones, hear the word of Yehovah: **5** Thus saith the Lord GOD [Adonai Yehovi] unto these bones: Behold, I will cause breath to enter into you, and ye shall live. **6** And I will lay sinews upon you, and will bring up flesh upon you, and cover you with skin, and put breath in you, and ye shall live; and ye shall know that I am Yehovah.' **7** So I prophesied as I was commanded; and as I prophesied, there was a noise, and behold a commotion, and the bones came together, bone to its bone. **8** And I beheld, and, lo, there were sinews upon them, and flesh came up, and skin covered them above; but there was no breath in them. **9** Then said He unto me: 'Prophesy unto the breath, prophesy, son of man, and say to the breath:{S} Thus saith the Lord GOD [Adonai Yehovi]: Come from the four winds, O breath, and breathe upon these slain, that they may live.' **10** So I prophesied as He commanded me, and the breath came into them, and they lived, and stood up upon their feet, an exceeding great host. **11** Then He said unto me: 'Son of man, these bones are the whole house of Israel; behold, they say: Our bones are dried up, and our hope is lost; we are clean cut off. **12** Therefore prophesy, and say unto them: Thus saith the Lord GOD [Adonai Yehovi]: Behold, I will open your graves, and cause you to come up out of your graves, O My people; and I will bring you into the land of Israel.

יג וִֽידַעְתֶּ֖ם כִּֽי־אֲנִ֣י יְהוָ֑ה בְּפִתְחִי֙ אֶת־קִבְר֣וֹתֵיכֶ֔ם וּבְהַעֲלוֹתִ֥י אֶתְכֶ֛ם
מִקִּבְר֖וֹתֵיכֶ֑ם עַמִּֽי׃ יד וְנָתַתִּ֨י רוּחִ֤י בָכֶם֙ וִחְיִיתֶ֔ם וְהִנַּחְתִּ֥י אֶתְכֶ֖ם
עַל־אַדְמַתְכֶ֑ם וִֽידַעְתֶּ֞ם כִּֽי־אֲנִ֧י יְהוָ֛ה דִּבַּ֥רְתִּי וְעָשִׂ֖יתִי נְאֻם־יְהוָֽה׃

טו וַיְהִ֥י דְבַר־יְהוָ֖ה אֵלַ֥י לֵאמֹֽר׃ טז וְאַתָּ֣ה בֶן־אָדָ֗ם קַח־לְךָ֙ עֵ֣ץ אֶחָ֔ד וּכְתֹ֣ב
עָלָ֔יו לִֽיהוּדָ֔ה וְלִבְנֵ֥י יִשְׂרָאֵ֖ל חֲבֵרָ֑יו[68] וּלְקַח֙ עֵ֣ץ אֶחָ֔ד וּכְת֣וֹב עָלָ֗יו לְיוֹסֵף֙ עֵ֣ץ
אֶפְרַ֔יִם וְכָל־בֵּ֥ית יִשְׂרָאֵ֖ל חֲבֵרָֽיו[69]׃ יז וְקָרַ֨ב אֹתָ֜ם אֶחָ֧ד אֶל־אֶחָ֛ד לְךָ֖ לְעֵ֣ץ
אֶחָ֑ד וְהָי֥וּ לַאֲחָדִ֖ים בְּיָדֶֽךָ׃ יח וְכַֽאֲשֶׁר֙ יֹאמְר֣וּ אֵלֶ֔יךָ בְּנֵ֥י עַמְּךָ֖ לֵאמֹ֑ר
הֲלוֹא־תַגִּ֥יד לָ֖נוּ מָה־אֵ֥לֶּה לָּֽךְ׃ יט דַּבֵּ֣ר אֲלֵהֶ֗ם כֹּֽה־אָמַר֮ אֲדֹנָ֣י יְהוִה֒ הִנֵּ֨ה אֲנִ֜י
לֹקֵ֨חַ אֶת־עֵ֤ץ יוֹסֵף֙ אֲשֶׁ֣ר בְּיַד־אֶפְרַ֔יִם וְשִׁבְטֵ֥י יִשְׂרָאֵ֖ל חֲבֵרָ֑יו[70] וְנָתַתִּ֨י אוֹתָ֜ם
עָלָ֗יו אֶת־עֵ֤ץ יְהוּדָה֙ וַעֲשִׂיתִם֙ לְעֵ֣ץ אֶחָ֔ד וְהָי֥וּ אֶחָ֖ד בְּיָדִֽי׃ כ וְהָי֨וּ הָעֵצִ֜ים
אֲשֶׁר־תִּכְתֹּ֧ב עֲלֵיהֶ֛ם בְּיָדְךָ֖ לְעֵינֵיהֶֽם׃ כא וְדַבֵּ֣ר אֲלֵיהֶ֗ם כֹּֽה־אָמַר֮ אֲדֹנָ֣י
יְהוִה֒ הִנֵּ֨ה אֲנִ֤י לֹקֵ֙חַ֙ אֶת־בְּנֵ֣י יִשְׂרָאֵ֔ל מִבֵּ֥ין הַגּוֹיִ֖ם אֲשֶׁ֣ר הָֽלְכוּ־שָׁ֑ם וְקִבַּצְתִּ֤י
אֹתָם֙ מִסָּבִ֔יב וְהֵבֵאתִ֥י אוֹתָ֖ם אֶל־אַדְמָתָֽם׃ כב וְעָשִׂ֨יתִי אֹתָ֜ם לְג֤וֹי אֶחָד֙ בָּאָ֙רֶץ֙
בְּהָרֵ֣י יִשְׂרָאֵ֔ל וּמֶ֧לֶךְ אֶחָ֛ד יִהְיֶ֥ה לְכֻלָּ֖ם לְמֶ֑לֶךְ וְלֹ֤א יִֽהְיוּ־עוֹד֙ [71] לִשְׁנֵ֣י גוֹיִ֔ם
וְלֹ֨א יֵחָ֥צוּ ע֛וֹד לִשְׁתֵּ֥י מַמְלָכ֖וֹת עֽוֹד׃ כג וְלֹ֧א יִֽטַמְּא֣וּ ע֗וֹד בְּגִלּֽוּלֵיהֶם֙
וּבְשִׁקּ֣וּצֵיהֶ֔ם וּבְכֹ֖ל פִּשְׁעֵיהֶ֑ם וְהוֹשַׁעְתִּ֣י אֹתָ֗ם מִכֹּ֤ל מוֹשְׁבֹתֵיהֶם֙ אֲשֶׁ֣ר חָטְא֣וּ
בָהֶ֔ם וְטִהַרְתִּ֤י אוֹתָם֙ וְהָיוּ־לִ֣י לְעָ֔ם וַאֲנִ֕י אֶהְיֶ֥ה לָהֶ֖ם לֵאלֹהִֽים׃ כד וְעַבְדִּ֤י
דָוִד֙ מֶ֣לֶךְ עֲלֵיהֶ֔ם וְרוֹעֶ֥ה אֶחָ֖ד יִהְיֶ֣ה לְכֻלָּ֑ם וּבְמִשְׁפָּטַ֣י יֵלֵ֔כוּ וְחֻקֹּתַ֥י יִשְׁמְר֖וּ
וְעָשׂ֥וּ אוֹתָֽם׃ כה וְיָשְׁב֣וּ עַל־הָאָ֗רֶץ אֲשֶׁ֤ר נָתַ֙תִּי֙ לְעַבְדִּ֣י לְיַעֲקֹ֔ב אֲשֶׁ֥ר יָֽשְׁבוּ־בָ֖הּ
אֲבוֹתֵיכֶ֑ם וְיָשְׁב֣וּ עָ֠לֶיהָ הֵ֤מָּה וּבְנֵיהֶם֙ וּבְנֵ֣י בְנֵיהֶ֔ם עַד־עוֹלָ֔ם וְדָוִ֣ד עַבְדִּ֔י
נָשִׂ֥יא לָהֶ֖ם לְעוֹלָֽם׃ כו וְכָרַתִּ֤י לָהֶם֙ בְּרִ֣ית שָׁל֔וֹם בְּרִ֥ית עוֹלָ֖ם יִהְיֶ֣ה אוֹתָ֑ם
וּנְתַתִּים֙ וְהִרְבֵּיתִ֣י אוֹתָ֔ם וְנָתַתִּ֧י אֶת־מִקְדָּשִׁ֛י בְּתוֹכָ֖ם לְעוֹלָֽם׃ כז וְהָיָ֤ה מִשְׁכָּנִי֙
עֲלֵיהֶ֔ם וְהָיִ֥יתִי לָהֶ֖ם לֵאלֹהִ֑ים וְהֵ֖מָּה יִֽהְיוּ־לִ֥י לְעָֽם׃ כח וְיָֽדְעוּ֙ הַגּוֹיִ֔ם כִּ֚י אֲנִ֣י
יְהוָ֔ה מְקַדֵּ֖שׁ אֶת־יִשְׂרָאֵ֑ל בִּהְי֧וֹת מִקְדָּשִׁ֛י בְּתוֹכָ֖ם לְעוֹלָֽם׃

לח א וַיְהִ֥י דְבַר־יְהוָ֖ה אֵלַ֥י לֵאמֹֽר׃ ב בֶּן־אָדָ֗ם שִׂ֤ים פָּנֶ֙יךָ֙ אֶל־גּוֹג֙ אֶ֣רֶץ הַמָּג֔וֹג
נְשִׂ֕יא רֹ֖אשׁ מֶ֣שֶׁךְ וְתֻבָ֑ל וְהִנָּבֵ֖א עָלָֽיו׃ ג וְאָמַרְתָּ֔ כֹּ֥ה אָמַ֖ר אֲדֹנָ֣י יְהוִ֑ה הִנְנִ֤י אֵלֶ֙יךָ֙
גּ֔וֹג נְשִׂ֕יא רֹ֖אשׁ מֶ֥שֶׁךְ וְתֻבָֽל׃

---

[68] חברו
[69] חברו
[70] חברו
[71] יהיה

13 And ye shall know that I am Yehovah, when I have opened your graves, and caused you to come up out of your graves, O My people. **14** And I will put My spirit in you, and ye shall live, and I will place you in your own land; and ye shall know that I Yehovah have spoken, and performed it, saith Yehovah.'{P}

15 And the word of Yehovah came unto me, saying: **16** 'And thou, son of man, take thee one stick, and write upon it: For Judah, and for the children of Israel his companions; then take another stick, and write upon it: For Joseph, the stick of Ephraim, and of all the house of Israel his companions; **17** and join them for thee one to another into one stick, that they may become one in thy hand. **18** And when the children of thy people shall speak unto thee, saying: Wilt thou not tell us what thou meanest by these? **19** say into them: Thus saith the Lord GOD [Adonai Yehovi]: Behold, I will take the stick of Joseph, which is in the hand of Ephraim, and the tribes of Israel his companions; and I will put them unto him together with the stick of Judah, and make them one stick, and they shall be one in My hand. **20** And the sticks whereon thou writest shall be in thy hand before their eyes. **21** And say unto them: Thus saith the Lord GOD [Adonai Yehovi]: Behold, I will take the children of Israel from among the nations, whither they are gone, and will gather them on every side, and bring them into their own land; **22** and I will make them one nation in the land, upon the mountains of Israel, and one king shall be king to them all; and they shall be no more two nations, neither shall they be divided into two kingdoms any more at all; **23** neither shall they defile themselves any more with their idols, nor with their detestable things, nor with any of their transgressions; but I will save them out of all their dwelling-places, wherein they have sinned, and will cleanse them; so shall they be My people, and I will be their God. **24** And My servant David shall be king over them, and they all shall have one shepherd; they shall also walk in Mine ordinances, and observe My statutes, and do them. **25** And they shall dwell in the land that I have given unto Jacob My servant, wherein your fathers dwelt; and they shall dwell therein, they, and their children, and their children's children, for ever; and David My servant shall be their prince for ever. **26** Moreover I will make a covenant of peace with them–it shall be an everlasting covenant with them; and I will establish them, and multiply them, and will set My sanctuary in the midst of them for ever. **27** My dwelling-place also shall be over them; and I will be their God, and they shall be My people. **28** And the nations shall know that I am Yehovah that sanctify Israel, when My sanctuary shall be in the midst of them for ever.'{P}

38 **1** And the word of Yehovah came unto me, saying: **2** 'Son of man, set thy face toward Gog, of the land of Magog, the chief prince of Meshech and Tubal, and prophesy against him, **3** and say: Thus saith the Lord GOD [Adonai Yehovi]: Behold, I am against thee, O Gog, chief prince of Meshech and Tubal;

ד וְשׁוֹבַבְתִּיךָ וְנָתַתִּי חַחִים בִּלְחָיֶיךָ וְהוֹצֵאתִי אוֹתְךָ וְאֶת־כָּל־חֵילֶךָ סוּסִים
וּפָרָשִׁים לְבֻשֵׁי מִכְלוֹל כֻּלָּם קָהָל רָב צִנָּה וּמָגֵן תֹּפְשֵׂי חֲרָבוֹת כֻּלָּם׃
ה פָּרַס כּוּשׁ וּפוּט אִתָּם כֻּלָּם מָגֵן וְכוֹבָע׃ ו גֹּמֶר וְכָל־אֲגַפֶּיהָ בֵּית תּוֹגַרְמָה
יַרְכְּתֵי צָפוֹן וְאֶת־כָּל־אֲגַפָּיו עַמִּים רַבִּים אִתָּךְ׃ ז הִכֹּן וְהָכֵן לְךָ אַתָּה
וְכָל־קְהָלֶךָ הַנִּקְהָלִים עָלֶיךָ וְהָיִיתָ לָהֶם לְמִשְׁמָר׃ ח מִיָּמִים רַבִּים תִּפָּקֵד
בְּאַחֲרִית הַשָּׁנִים תָּבוֹא ׀ אֶל־אֶרֶץ ׀ מְשׁוֹבֶבֶת מֵחֶרֶב מְקֻבֶּצֶת מֵעַמִּים רַבִּים
עַל הָרֵי יִשְׂרָאֵל אֲשֶׁר־הָיוּ לְחָרְבָּה תָּמִיד וְהִיא מֵעַמִּים הוּצָאָה וְיָשְׁבוּ
לָבֶטַח כֻּלָּם׃ ט וְעָלִיתָ כַּשֹּׁאָה תָבוֹא כֶּעָנָן לְכַסּוֹת הָאָרֶץ תִּהְיֶה אַתָּה
וְכָל־אֲגַפֶּיךָ וְעַמִּים רַבִּים אוֹתָךְ׃ י כֹּה אָמַר אֲדֹנָי יְהוִה וְהָיָה ׀ בַּיּוֹם הַהוּא
יַעֲלוּ דְבָרִים עַל־לְבָבֶךָ וְחָשַׁבְתָּ מַחֲשֶׁבֶת רָעָה׃ יא וְאָמַרְתָּ אֶעֱלֶה עַל־אֶרֶץ
פְּרָזוֹת אָבוֹא הַשֹּׁקְטִים יֹשְׁבֵי לָבֶטַח כֻּלָּם יֹשְׁבִים בְּאֵין חוֹמָה וּבְרִיחַ
וּדְלָתַיִם אֵין לָהֶם׃ יב לִשְׁלֹל שָׁלָל וְלָבֹז בַּז לְהָשִׁיב יָדְךָ עַל־חֳרָבוֹת
נוֹשָׁבֹת וְאֶל־עַם מְאֻסָּף מִגּוֹיִם עֹשֶׂה מִקְנֶה וְקִנְיָן יֹשְׁבֵי עַל־טַבּוּר הָאָרֶץ׃
יג שְׁבָא וּדְדָן וְסֹחֲרֵי תַרְשִׁישׁ וְכָל־כְּפִרֶיהָ יֹאמְרוּ לְךָ הֲלִשְׁלֹל שָׁלָל אַתָּה
בָא הֲלָבֹז בַּז הִקְהַלְתָּ קְהָלֶךָ לָשֵׂאת ׀ כֶּסֶף וְזָהָב לָקַחַת מִקְנֶה וְקִנְיָן לִשְׁלֹל
שָׁלָל גָּדוֹל׃ יד לָכֵן הִנָּבֵא בֶן־אָדָם וְאָמַרְתָּ לְגוֹג כֹּה אָמַר אֲדֹנָי יְהוִה
הֲלוֹא ׀ בַּיּוֹם הַהוּא בְּשֶׁבֶת עַמִּי יִשְׂרָאֵל לָבֶטַח תֵּדָע׃ טו וּבָאתָ מִמְּקוֹמְךָ
מִיַּרְכְּתֵי צָפוֹן אַתָּה וְעַמִּים רַבִּים אִתָּךְ רֹכְבֵי סוּסִים כֻּלָּם קָהָל גָּדוֹל וְחַיִל
רָב׃ טז וְעָלִיתָ עַל־עַמִּי יִשְׂרָאֵל כֶּעָנָן לְכַסּוֹת הָאָרֶץ בְּאַחֲרִית הַיָּמִים תִּהְיֶה
וַהֲבִאוֹתִיךָ עַל־אַרְצִי לְמַעַן דַּעַת הַגּוֹיִם אֹתִי בְּהִקָּדְשִׁי בְךָ לְעֵינֵיהֶם גּוֹג׃
יז כֹּה־אָמַר אֲדֹנָי יְהוִה הַאַתָּה־הוּא אֲשֶׁר־דִּבַּרְתִּי בְּיָמִים קַדְמוֹנִים בְּיַד
עֲבָדַי נְבִיאֵי יִשְׂרָאֵל הַנִּבְּאִים בַּיָּמִים הָהֵם שָׁנִים לְהָבִיא אֹתְךָ עֲלֵיהֶם׃
יח וְהָיָה ׀ בַּיּוֹם הַהוּא בְּיוֹם בּוֹא גוֹג עַל־אַדְמַת יִשְׂרָאֵל נְאֻם אֲדֹנָי יְהוִה
תַּעֲלֶה חֲמָתִי בְּאַפִּי׃ יט וּבְקִנְאָתִי בְאֵשׁ־עֶבְרָתִי דִּבַּרְתִּי אִם־לֹא ׀ בַּיּוֹם
הַהוּא יִהְיֶה רַעַשׁ גָּדוֹל עַל אַדְמַת יִשְׂרָאֵל׃ כ וְרָעֲשׁוּ מִפָּנַי דְּגֵי הַיָּם וְעוֹף
הַשָּׁמַיִם וְחַיַּת הַשָּׂדֶה וְכָל־הָרֶמֶשׂ הָרֹמֵשׂ עַל־הָאֲדָמָה וְכֹל הָאָדָם אֲשֶׁר
עַל־פְּנֵי הָאֲדָמָה וְנֶהֶרְסוּ הֶהָרִים וְנָפְלוּ הַמַּדְרֵגוֹת וְכָל־חוֹמָה לָאָרֶץ
תִּפּוֹל׃ כא וְקָרָאתִי עָלָיו לְכָל־הָרַי חֶרֶב נְאֻם אֲדֹנָי יְהוִה חֶרֶב אִישׁ בְּאָחִיו
תִּהְיֶה׃ כב וְנִשְׁפַּטְתִּי אִתּוֹ בְּדֶבֶר וּבְדָם וְגֶשֶׁם שׁוֹטֵף וְאַבְנֵי אֶלְגָּבִישׁ אֵשׁ
וְגָפְרִית אַמְטִיר עָלָיו וְעַל־אֲגַפָּיו וְעַל־עַמִּים רַבִּים אֲשֶׁר אִתּוֹ׃

4 and I will turn thee about, and put hooks into thy jaws, and I will bring thee forth, and all thine army, horses and horsemen, all of them clothed most gorgeously, a great company with buckler and shield, all of them handling swords: **5** Persia, Cush, and Put with them, all of them with shield and helmet; **6** Gomer, and all his bands; the house of Togarmah in the uttermost parts of the north, and all his bands; even many peoples with thee. **7** Be thou prepared, and prepare for thyself, thou, and all thy company that are assembled unto thee, and be thou guarded of them. **8** After many days thou shalt be mustered for service, in the latter years thou shalt come against the land that is brought back from the sword, that is gathered out of many peoples, against the mountains of Israel, which have been a continual waste; but it is brought forth out of the peoples, and they dwell safely all of them. **9** And thou shalt ascend, thou shalt come like a storm, thou shalt be like a cloud to cover the land, thou, and all thy bands, and many peoples with thee.{s} **10** Thus saith the Lord GOD [Adonai Yehovi]: It shall come to pass in that day, that things shall come into thy mind, and thou shalt devise an evil device; **11** and thou shalt say: I will go up against the land of unwalled villages; I will come upon them that are at quiet, that dwell safely, all of them dwelling without walls, and having neither bars nor gates; **12** to take the spoil and to take the prey; to turn thy hand against the waste places that are now inhabited, and against the people that are gathered out of the nations, that have gotten cattle and goods, that dwell in the middle of the earth. **13** Sheba, and Dedan, and the merchants of Tarshish, with all the magnates thereof, shall say unto thee: Comest thou to take the spoil? hast thou assembled thy company to take the prey? to carry away silver and gold, to take away cattle and goods, to take great spoil?{s} **14** Therefore, son of man, prophesy, and say unto Gog: Thus saith the Lord GOD [Adonai Yehovi]: In that day when My people Israel dwelleth safely, shalt thou not know it? **15** And thou shalt come from thy place out of the uttermost parts of the north, thou, and many peoples with thee, all of them riding upon horses, a great company and a mighty army; **16** and thou shalt come up against My people Israel, as a cloud to cover the land; it shall be in the end of days, and I will bring thee against My land, that the nations may know Me, when I shall be sanctified through thee, O Gog, before their eyes.{s} **17** Thus saith the Lord GOD [Adonai Yehovi]: Art thou he of whom I spoke in old time by My servants the prophets of Israel, that prophesied in those days for many years, that I would bring thee against them?{s} **18** And it shall come to pass in that day, when Gog shall come against the land of Israel, saith the Lord GOD [Adonai Yehovi], that My fury shall arise up in My nostrils. **19** For in My jealousy and in the fire of My wrath have I spoken: Surely in that day there shall be a great shaking in the land of Israel; **20** so that the fishes of the sea, and the fowls of the heaven, and the beasts of the field and all creeping things that creep upon the ground, and all the men that are upon the face of the earth, shall shake at My presence, and the mountains shall be thrown down, and the steep places shall fall, and every wall shall fall to the ground. **21** And I will call for a sword against him throughout all my mountains, saith the Lord GOD [Adonai Yehovi]; every man's sword shall be against his brother. **22** And I will plead against him with pestilence and with blood; and I will cause to rain upon him, and upon his bands, and upon the many peoples that are with him, an overflowing shower, and great hailstones, fire, and brimstone.

כג וְהִתְגַּדִּלְתִּי֙ וְהִ֨תְקַדִּשְׁתִּ֔י וְנֹ֣ודַעְתִּ֔י לְעֵינֵ֖י גֹּויִ֣ם רַבִּ֑ים וְיָדְע֖וּ כִּֽי־אֲנִ֥י יְהוָֽה׃

לט א וְאַתָּ֤ה בֶן־אָדָם֙ הִנָּבֵ֣א עַל־גֹּ֔וג וְאָ֣מַרְתָּ֔ כֹּ֥ה אָמַ֖ר אֲדֹנָ֣י יְהוִ֑ה הִנְנִ֤י אֵלֶ֨יךָ֙ גֹּ֔וג נְשִׂ֕יא רֹ֖אשׁ מֶ֥שֶׁךְ וְתֻבָֽל׃ ב וְשֹׁבַבְתִּ֨יךָ֙ וְשִׁשֵּׁאתִ֔יךָ וְהַעֲלִיתִ֖יךָ מִיַּרְכְּתֵ֣י צָפֹ֑ון וַהֲבִאֹותִ֖ךָ עַל־הָרֵ֥י יִשְׂרָאֵֽל׃ ג וְהִכֵּיתִ֥י קַשְׁתְּךָ֖ מִיַּ֣ד שְׂמֹאולֶ֑ךָ וְחִצֶּ֕יךָ מִיַּ֥ד יְמִינְךָ֖ אַפִּֽיל׃ ד עַל־הָרֵ֤י יִשְׂרָאֵל֙ תִּפֹּ֔ול אַתָּ֖ה וְכָל־אֲגַפֶּ֑יךָ וְעַמִּ֖ים אֲשֶׁ֣ר אִתָּ֑ךְ לְעֵ֨יט צִפֹּ֧ור כָּל־כָּנָ֛ף וְחַיַּ֥ת הַשָּׂדֶ֖ה נְתַתִּ֥יךָ לְאָכְלָֽה׃ ה עַל־פְּנֵ֥י הַשָּׂדֶ֖ה תִּפֹּ֑ול כִּ֚י אֲנִ֣י דִבַּ֔רְתִּי נְאֻ֖ם אֲדֹנָ֥י יְהוִֽה׃ ו וְשִׁלַּחְתִּי־אֵ֣שׁ בְּמָגֹ֔וג וּבְיֹשְׁבֵ֥י הָאִיִּ֖ים לָבֶ֑טַח וְיָדְע֖וּ כִּֽי־אֲנִ֥י יְהוָֽה׃ ז וְאֶת־שֵׁ֨ם קָדְשִׁ֜י אֹודִ֗יעַ בְּתֹוךְ֙ עַמִּ֣י יִשְׂרָאֵ֔ל וְלֹֽא־אַחֵ֥ל אֶת־שֵׁם־קָדְשִׁ֖י עֹ֑וד וְיָדְע֤וּ הַגֹּויִם֙ כִּֽי־אֲנִ֣י יְהוָ֔ה קָדֹ֖ושׁ בְּיִשְׂרָאֵֽל׃ ח הִנֵּ֤ה בָאָה֙ וְנִֽהְיָ֔תָה נְאֻ֖ם אֲדֹנָ֣י יְהוִ֑ה ה֥וּא הַיֹּ֖ום אֲשֶׁ֥ר דִּבַּֽרְתִּי׃ ט וְֽיָצְא֞וּ יֹשְׁבֵ֣י ׀ עָרֵ֣י יִשְׂרָאֵ֗ל וּבִֽעֲר֡וּ וְ֠הִשִּׂיקוּ בְּנֶ֨שֶׁק וּמָגֵ֤ן וְצִנָּה֙ בְּקֶ֣שֶׁת וּבְחִצִּ֔ים וּבְמַקֵּ֥ל יָ֖ד וּבְרֹ֑מַח וּבִעֲר֥וּ בָהֶ֛ם אֵ֖שׁ שֶׁ֥בַע שָׁנִֽים׃ י וְלֹֽא־יִשְׂא֨וּ עֵצִ֜ים מִן־הַשָּׂדֶ֗ה וְלֹ֤א יַחְטְבוּ֙ מִן־הַיְּעָרִ֔ים כִּ֥י בַנֶּ֖שֶׁק יְבַֽעֲרוּ־אֵ֑שׁ וְשָׁלְל֣וּ אֶת־שֹׁלְלֵיהֶ֗ם וּבָֽזְזוּ֙ אֶת־בֹּ֣זְזֵיהֶ֔ם נְאֻ֖ם אֲדֹנָ֥י יְהוִֽה׃ יא וְהָיָ֣ה בַיֹּ֣ום הַה֡וּא אֶתֵּ֣ן לְגֹוג֩ ׀ מְקֹֽום־שָׁ֨ם קֶ֜בֶר בְּיִשְׂרָאֵ֗ל גֵּ֤י הָעֹֽבְרִים֙ קִדְמַ֣ת הַיָּ֔ם וְחֹסֶ֥מֶת הִ֖יא אֶת־הָעֹֽבְרִ֑ים וְקָ֣בְרוּ שָׁ֗ם אֶת־גֹּוג֙ וְאֶת־כָּל־הֲמֹונֹ֔ה וְקָ֣רְא֔וּ גֵּ֖יא הֲמֹ֥ון גֹּֽוג׃ יב וּקְבָרוּם֙ בֵּ֣ית יִשְׂרָאֵ֔ל לְמַ֖עַן טַהֵ֣ר אֶת־הָאָ֑רֶץ שִׁבְעָ֖ה חֳדָשִֽׁים׃ יג וְקָֽבְרוּ֙ כָּל־עַ֣ם הָאָ֔רֶץ וְהָיָ֥ה לָהֶ֖ם לְשֵׁ֑ם יֹ֚ום הִכָּ֣בְדִ֔י נְאֻ֖ם אֲדֹנָ֥י יְהוִֽה׃ יד וְאַנְשֵׁ֨י תָמִ֤יד יַבְדִּ֨ילוּ֙ עֹבְרִ֣ים בָּאָ֔רֶץ מְקַבְּרִ֣ים אֶת־הָעֹבְרִ֗ים אֶת־הַנֹּותָרִ֛ים עַל־פְּנֵ֥י הָאָ֖רֶץ לְטַֽהֲרָ֑הּ מִקְצֵ֥ה שִׁבְעָֽה־חֳדָשִׁ֖ים יַחְקֹֽרוּ׃ טו וְעָבְר֤וּ הָעֹֽבְרִים֙ בָּאָ֔רֶץ וְרָאָה֙ עֶ֣צֶם אָדָ֔ם וּבָנָ֥ה אֶצְלֹ֖ו צִיּ֑וּן עַ֣ד קָבְר֤וּ אֹתֹו֙ הַֽמְקַבְּרִ֔ים אֶל־גֵּ֖יא הֲמֹ֥ון גֹּֽוג׃ טז וְגַ֥ם שֶׁם־עִ֖יר הֲמֹונָ֑ה וְטִֽהֲר֖וּ הָאָֽרֶץ׃ יז וְאַתָּ֨ה בֶן־אָדָ֜ם כֹּֽה־אָמַ֣ר ׀ אֲדֹנָ֣י יְהֹוִ֗ה אֱמֹר֩ לְצִפֹּ֨ור כָּל־כָּנָ֜ף וּלְכֹ֣ל ׀ חַיַּ֣ת הַשָּׂדֶ֗ה הִקָּבְצ֤וּ וָבֹ֨אוּ֙ הֵאָסְפ֣וּ מִסָּבִ֔יב עַל־זִבְחִ֗י אֲשֶׁ֨ר אֲנִ֜י זֹבֵ֤חַ לָכֶם֙ זֶ֣בַח גָּדֹ֔ול עַ֖ל הָרֵ֣י יִשְׂרָאֵ֑ל וַאֲכַלְתֶּ֥ם בָּשָׂ֖ר וּשְׁתִיתֶ֥ם דָּֽם׃ יח בְּשַׂ֤ר גִּבֹּורִים֙ תֹּאכֵ֔לוּ וְדַם־נְשִׂיאֵ֥י הָאָ֖רֶץ תִּשְׁתּ֑וּ אֵילִ֨ים כָּרִ֤ים וְעַתּוּדִים֙ פָּרִ֔ים מְרִיאֵ֥י בָשָׁ֖ן כֻּלָּֽם׃ יט וַאֲכַלְתֶּם־חֵ֨לֶב֙ לְשָׂבְעָ֔ה וּשְׁתִיתֶ֥ם דָּ֖ם לְשִׁכָּרֹ֑ון מִזִּבְחִ֖י אֲשֶׁר־זָבַ֥חְתִּי לָכֶֽם׃ כ וּשְׂבַעְתֶּ֤ם עַל־שֻׁלְחָנִי֙ ס֣וּס וָרֶ֔כֶב גִּבֹּ֖ור וְכָל־אִ֣ישׁ מִלְחָמָ֑ה נְאֻ֖ם אֲדֹנָ֥י יְהוִֽה׃

23 Thus will I magnify Myself, and sanctify Myself, and I will make Myself known in the eyes of many nations; and they shall know that I am Yehovah.{S}

39 **1** And thou, son of man, prophesy against Gog, and say: Thus saith the Lord GOD [Adonai Yehovi]: Behold, I am against thee, O Gog, chief prince of Meshech and Tubal; **2** and I will turn thee about and lead thee on, and will cause thee to come up from the uttermost parts of the north; and I will bring thee upon the mountains of Israel; **3** and I will smite thy bow out of thy left hand, and will cause thine arrows to fall out of thy right hand. **4** Thou shalt fall upon the mountains of Israel, thou, and all thy bands, and the peoples that are with thee; I will give thee unto the ravenous birds of every sort and to the beasts of the field, to be devoured. **5** Thou shalt fall upon the open field; for I have spoken it, saith the Lord GOD [Adonai Yehovi]. **6** And I will send a fire on Magog, and on them that dwell safely in the isles; and they shall know that I am Yehovah. **7** And My holy name will I make known in the midst of My people Israel; neither will I suffer My holy name to be profaned any more; and the nations shall know that I am Yehovah, the Holy One in Israel. **8** Behold, it cometh, and it shall be done, saith the Lord GOD [Adonai Yehovi]; This is the day whereof I have spoken. **9** And they that dwell in the cities of Israel shall go forth, and shall make fires of the weapons and use them as fuel, both the shields and the bucklers, the bows and the arrows, and the hand-staves, and the spears, and they shall make fires of them seven years; **10** so that they shall take no wood out of the field, neither cut down any out of the forests, for they shall make fires of the weapons; and they shall spoil those that spoiled them, and rob those that robbed them, saith the Lord GOD [Adonai Yehovi].{S} **11** And it shall come to pass in that day, that I will give unto Gog a place fit for burial in Israel, the valley of them that pass through on the east of the sea; and it shall stop them that pass through; and there shall they bury Gog and all his multitude; and they shall call it the valley of Hamon-gog. **12** And seven months shall the house of Israel be burying them, that they may cleanse the land. **13** Yea, all the people of the land shall bury them, and it shall be to them a renown; in the day that I shall be glorified, saith the Lord GOD [Adonai Yehovi]. **14** And they shall set apart men of continual employment, that shall pass through the land to bury with them that pass through those that remain upon the face of the land, to cleanse it; after the end of seven months shall they search. **15** And when they that pass through shall pass through the land, and any seeth a man's bone, then shall he set up a sign by it, till the buriers have buried it in the valley of Hamon-gog. **16** And Hamonah shall also be the name of a city. Thus shall they cleanse the land.{P}

17 And thou, son of man, thus saith the Lord GOD [Adonai Yehovi]: Speak unto the birds of every sort, and to every beast of the field: Assemble yourselves, and come; gather yourselves on every side to My feast that I do prepare for you, even a great feast, upon the mountains of Israel, that ye may eat flesh and drink blood. **18** The flesh of the mighty shall ye eat, and the blood of the princes of the earth shall ye drink; rams, lambs, and goats, bullocks, fatlings of Bashan are they all of them. **19** And ye shall eat fat till ye be full, and drink blood till ye be drunken, of My feast which I have prepared for you. **20** And ye shall be filled at My table with horses and horsemen, with mighty men, and with all men of war, saith the Lord GOD [Adonai Yehovi].

כא וְנָתַתִּי אֶת־כְּבוֹדִי בַּגּוֹיִם וְרָאוּ כָל־הַגּוֹיִם אֶת־מִשְׁפָּטִי אֲשֶׁר עָשִׂיתִי
וְאֶת־יָדִי אֲשֶׁר־שַׂמְתִּי בָהֶם׃ כב וְיָדְעוּ בֵּית יִשְׂרָאֵל כִּי אֲנִי יְהוָה אֱלֹהֵיהֶם
מִן־הַיּוֹם הַהוּא וָהָלְאָה׃ כג וְיָדְעוּ הַגּוֹיִם כִּי בַעֲוֺנָם גָּלוּ בֵית־יִשְׂרָאֵל עַל אֲשֶׁר
מָעֲלוּ־בִי וָאַסְתִּר פָּנַי מֵהֶם וָאֶתְּנֵם בְּיַד צָרֵיהֶם וַיִּפְּלוּ בַחֶרֶב כֻּלָּם׃
כד כְּטֻמְאָתָם וּכְפִשְׁעֵיהֶם עָשִׂיתִי אֹתָם וָאַסְתִּר פָּנַי מֵהֶם׃ כה לָכֵן כֹּה אָמַר
אֲדֹנָי יְהוִה עַתָּה אָשִׁיב אֶת־שְׁבוּת[72] יַעֲקֹב וְרִחַמְתִּי כָּל־בֵּית יִשְׂרָאֵל וְקִנֵּאתִי
לְשֵׁם קָדְשִׁי׃ כו וְנָשׂוּ אֶת־כְּלִמָּתָם וְאֶת־כָּל־מַעֲלָם אֲשֶׁר מָעֲלוּ־בִי בְּשִׁבְתָּם
עַל־אַדְמָתָם לָבֶטַח וְאֵין מַחֲרִיד׃ כז בְּשׁוֹבְבִי אוֹתָם מִן־הָעַמִּים וְקִבַּצְתִּי אֹתָם
מֵאַרְצוֹת אֹיְבֵיהֶם וְנִקְדַּשְׁתִּי בָם לְעֵינֵי הַגּוֹיִם רַבִּים׃ כח וְיָדְעוּ כִּי אֲנִי יְהוָה
אֱלֹהֵיהֶם בְּהַגְלוֹתִי אֹתָם אֶל־הַגּוֹיִם וְכִנַּסְתִּים עַל־אַדְמָתָם וְלֹא־אוֹתִיר עוֹד
מֵהֶם שָׁם׃ כט וְלֹא־אַסְתִּיר עוֹד פָּנַי מֵהֶם אֲשֶׁר שָׁפַכְתִּי אֶת־רוּחִי עַל־בֵּית
יִשְׂרָאֵל נְאֻם אֲדֹנָי יְהוִה׃

מ א בְּעֶשְׂרִים וְחָמֵשׁ שָׁנָה לְגָלוּתֵנוּ בְּרֹאשׁ הַשָּׁנָה בֶּעָשׂוֹר לַחֹדֶשׁ בְּאַרְבַּע
עֶשְׂרֵה שָׁנָה אַחַר אֲשֶׁר הֻכְּתָה הָעִיר בְּעֶצֶם ׀ הַיּוֹם הַזֶּה הָיְתָה עָלַי יַד־יְהוָה
וַיָּבֵא אֹתִי שָׁמָּה׃ ב בְּמַרְאוֹת אֱלֹהִים הֱבִיאַנִי אֶל־אֶרֶץ יִשְׂרָאֵל וַיְנִיחֵנִי
אֶל־הַר גָּבֹהַּ מְאֹד וְעָלָיו כְּמִבְנֵה־עִיר מִנֶּגֶב׃ ג וַיָּבֵיא אוֹתִי שָׁמָּה וְהִנֵּה־אִישׁ
מַרְאֵהוּ כְּמַרְאֵה נְחֹשֶׁת וּפְתִיל־פִּשְׁתִּים בְּיָדוֹ וּקְנֵה הַמִּדָּה וְהוּא עֹמֵד בַּשָּׁעַר׃
ד וַיְדַבֵּר אֵלַי הָאִישׁ בֶּן־אָדָם רְאֵה בְעֵינֶיךָ וּבְאָזְנֶיךָ שְּׁמָע וְשִׂים לִבְּךָ לְכֹל
אֲשֶׁר־אֲנִי מַרְאֶה אוֹתָךְ כִּי לְמַעַן הַרְאוֹתְכָה הֻבָאתָה הֵנָּה הַגֵּד
אֶת־כָּל־אֲשֶׁר־אַתָּה רֹאֶה לְבֵית יִשְׂרָאֵל׃ ה וְהִנֵּה חוֹמָה מִחוּץ לַבַּיִת סָבִיב ׀
סָבִיב וּבְיַד הָאִישׁ קְנֵה הַמִּדָּה שֵׁשׁ־אַמּוֹת בָּאַמָּה וָטֹפַח וַיָּמָד אֶת־רֹחַב הַבִּנְיָן
קָנֶה אֶחָד וְקוֹמָה קָנֶה אֶחָד׃ ו וַיָּבוֹא אֶל־שַׁעַר אֲשֶׁר פָּנָיו דֶּרֶךְ הַקָּדִימָה וַיַּעַל
בְּמַעֲלוֹתָיו[73] וַיָּמָד ׀ אֶת־סַף הַשַּׁעַר קָנֶה אֶחָד רֹחַב וְאֵת סַף אֶחָד קָנֶה אֶחָד
רֹחַב׃ ז וְהַתָּא קָנֶה אֶחָד אֹרֶךְ וְקָנֶה אֶחָד רֹחַב וּבֵין הַתָּאִים חָמֵשׁ אַמּוֹת וְסַף
הַשַּׁעַר מֵאֵצֶל אוּלָם הַשַּׁעַר מֵהַבַּיִת קָנֶה אֶחָד׃ ח וַיָּמָד אֶת־אֻלָם הַשַּׁעַר
מֵהַבַּיִת קָנֶה אֶחָד׃ ט וַיָּמָד אֶת־אֻלָם הַשַּׁעַר שְׁמֹנֶה אַמּוֹת וְאֵילָיו[74] שְׁתַּיִם
אַמּוֹת וְאֻלָם הַשַּׁעַר מֵהַבָּיִת׃ י וְתָאֵי הַשַּׁעַר דֶּרֶךְ הַקָּדִים שְׁלֹשָׁה מִפֹּה
וּשְׁלֹשָׁה מִפֹּה מִדָּה אַחַת לִשְׁלָשְׁתָּם וּמִדָּה אַחַת לָאֵילִם מִפֹּה וּמִפּוֹ׃ יא וַיָּמָד
אֶת־רֹחַב פֶּתַח־הַשַּׁעַר עֶשֶׂר אַמּוֹת אֹרֶךְ הַשַּׁעַר שְׁלוֹשׁ עֶשְׂרֵה אַמּוֹת׃

[72] שבית
[73] במעלותו
[74] ואילו

21 And I will set My glory among the nations, and all the nations shall see My judgment that I have executed, and My hand that I have laid upon them. **22** So the house of Israel shall know that I am Yehovah their God, from that day and forward. **23** And the nations shall know that the house of Israel went into captivity for their iniquity, because they broke faith with Me, and I hid My face from them; so I gave them into the hand of their adversaries, and they fell all of them by the sword. **24** According to their uncleanness and according to their transgressions did I unto them; and I hid My face from them.{S} **25** Therefore thus saith the Lord GOD [Adonai Yehovi]: Now will I bring back the captivity of Jacob, and have compassion upon the whole house of Israel; and I will be jealous for My holy name. **26** And they shall bear their shame, and all their breach of faith which they have committed against Me, when they shall dwell safely in their land, and none shall make them afraid; **27** when I have brought them back from the peoples, and gathered them out of their enemies' lands, and am sanctified in them in the sight of many nations. **28** And they shall know that I am Yehovah their God, in that I caused them to go into captivity among the nations, and have gathered them unto their own land; and I will leave none of them any more there; **29** neither will I hide My face any more from them; for I have poured out My spirit upon the house of Israel, saith the Lord GOD [Adonai Yehovi].'{P}

40 **1** In the five and twentieth year of our captivity, in the beginning of the year, in the tenth day of the month, in the fourteenth year after that the city was smitten, in the selfsame day, the hand of Yehovah was upon me, and He brought me thither. **2** In the visions of God brought He me into the land of Israel, and set me down upon a very high mountain, whereon was as it were the frame of a city on the south. **3** And He brought me thither, and, behold, there was a man, whose appearance was like the appearance of brass, with a line of flax in his hand, and a measuring reed; and he stood in the gate. **4** And the man said unto me: 'Son of man, behold with thine eyes, and hear with thine ears, and set thy heart upon all that I shall show thee, for to the intent that I might show them unto thee art thou brought thither; declare all that thou seest to the house of Israel.' **5** And behold a wall on the outside of the house round about, and in the man's hand a measuring reed of six cubits long, of a cubit and a hand-breadth each; so he measured the breadth of the building, one reed, and the height, one reed. **6** Then came he unto the gate which looketh toward the east, and went up the steps thereof; and he measured the jamb of the gate, one reed broad, and the other jamb, one reed broad. **7** And every cell was one reed long, and one reed broad; and the space between the cells was five cubits; and the jambs of the gate by the porch of the gate within were one reed. **8** He measured also the porch of the gate toward the house, one reed. **9** Then measured he the porch of the gate, eight cubits; and the posts thereof, two cubits; and the porch of the gate was inward. **10** And the cells of the gate eastward were three on this side, and three on that side; they three were of one measure; and the posts had one measure on this side and on that side. **11** And he measured the breadth of the entry of the gate, ten cubits; and the length of the gate, thirteen cubits;

יב וּגְבוּל לִפְנֵי הַתָּאוֹת אַמָּה אֶחָת וְאַמָּה־אַחַת גְּבוּל מִפֹּה וְהַתָּא שֵׁשׁ־אַמּוֹת מִפּוֹ וְשֵׁשׁ
אַמּוֹת מִפּוֹ׃ יג וַיָּמָד אֶת־הַשַּׁעַר מִגַּג הַתָּא לְגַגּוֹ רֹחַב עֶשְׂרִים וְחָמֵשׁ אַמּוֹת פֶּתַח נֶגֶד
פָּתַח׃ יד וַיַּעַשׂ אֶת־אֵילִים שִׁשִּׁים אַמָּה וְאֶל־אֵיל הֶחָצֵר הַשַּׁעַר סָבִיב ׀ סָבִיב׃ יה וְעַל
פְּנֵי הַשַּׁעַר הָאִיתוֹן[75] עַל־לִפְנֵי אֻלָם הַשַּׁעַר הַפְּנִימִי חֲמִשִּׁים אַמָּה׃ יו וְחַלֹּנוֹת אֲטֻמוֹת
אֶל־הַתָּאִים וְאֶל אֵלֵיהֵמָה לִפְנִימָה לַשַּׁעַר סָבִיב ׀ סָבִיב וְכֵן לָאֵלַמּוֹת וְחַלּוֹנוֹת סָבִיב
׀ סָבִיב לִפְנִימָה וְאֶל־אַיִל תִּמֹרִים׃ יז וַיְבִיאֵנִי אֶל־הֶחָצֵר הַחִיצוֹנָה וְהִנֵּה לְשָׁכוֹת
וְרִצְפָה עָשׂוּי לֶחָצֵר סָבִיב ׀ סָבִיב שְׁלֹשִׁים לְשָׁכוֹת אֶל־הָרִצְפָה׃ יח וְהָרִצְפָה
אֶל־כֶּתֶף הַשְּׁעָרִים לְעֻמַּת אֹרֶךְ הַשְּׁעָרִים הָרִצְפָה הַתַּחְתּוֹנָה׃ יט וַיָּמָד רֹחַב מִלִּפְנֵי
הַשַּׁעַר הַתַּחְתּוֹנָה לִפְנֵי הֶחָצֵר הַפְּנִימִי מִחוּץ מֵאָה אַמָּה הַקָּדִים וְהַצָּפוֹן׃ כ וְהַשַּׁעַר
אֲשֶׁר פָּנָיו דֶּרֶךְ הַצָּפוֹן לֶחָצֵר הַחִיצוֹנָה מָדַד אָרְכּוֹ וְרָחְבּוֹ׃ כא וְתָאָיו[76] שְׁלוֹשָׁה מִפּוֹ
וּשְׁלֹשָׁה מִפּוֹ וְאֵילָיו[77] וְאֵלַמָּיו[78] הָיָה כְּמִדַּת הַשַּׁעַר הָרִאשׁוֹן חֲמִשִּׁים אַמָּה אָרְכּוֹ
וְרֹחַב חָמֵשׁ וְעֶשְׂרִים בָּאַמָּה׃ כב וְחַלּוֹנָיו[79] וְאֵלַמָּיו[80] וְתִמֹרָיו[81] כְּמִדַּת הַשַּׁעַר אֲשֶׁר
פָּנָיו דֶּרֶךְ הַקָּדִים וּבְמַעֲלוֹת שֶׁבַע יַעֲלוּ־בוֹ וְאֵילַמָּיו[82] לִפְנֵיהֶם׃ כג וְשַׁעַר לֶחָצֵר
הַפְּנִימִי נֶגֶד הַשַּׁעַר לַצָּפוֹן וְלַקָּדִים וַיָּמָד מִשַּׁעַר אֶל־שַׁעַר מֵאָה אַמָּה׃ כד וַיּוֹלִכֵנִי
דֶּרֶךְ הַדָּרוֹם וְהִנֵּה־שַׁעַר דֶּרֶךְ הַדָּרוֹם וּמָדַד אֵילָיו[83] וְאֵילַמָּיו[84] כַּמִּדּוֹת הָאֵלֶּה׃
כה וְחַלּוֹנִים לוֹ וּלְאֵילַמָּיו[85] סָבִיב ׀ סָבִיב כְּהַחַלֹּנוֹת הָאֵלֶּה חֲמִשִּׁים אַמָּה אֹרֶךְ וְרֹחַב
חָמֵשׁ וְעֶשְׂרִים אַמָּה׃ כו וּמַעֲלוֹת שִׁבְעָה עֹלוֹתָיו[86] וְאֵלַמָּיו[87] לִפְנֵיהֶם וְתִמֹרִים לוֹ אֶחָד
מִפּוֹ וְאֶחָד מִפּוֹ אֶל־אֵילָיו[88]׃ כז וְשַׁעַר לֶחָצֵר הַפְּנִימִי דֶּרֶךְ הַדָּרוֹם וַיָּמָד מִשַּׁעַר
אֶל־הַשַּׁעַר דֶּרֶךְ הַדָּרוֹם מֵאָה אַמּוֹת׃ כח וַיְבִיאֵנִי אֶל־חָצֵר הַפְּנִימִי בְּשַׁעַר הַדָּרוֹם
וַיָּמָד אֶת־הַשַּׁעַר הַדָּרוֹם כַּמִּדּוֹת הָאֵלֶּה׃ כט וְתָאָיו[89] וְאֵילָיו[90] וְאֵלַמָּיו[91] כַּמִּדּוֹת
הָאֵלֶּה וְחַלּוֹנוֹת לוֹ וּלְאֵלַמָּיו[92] סָבִיב ׀ סָבִיב חֲמִשִּׁים אַמָּה אֹרֶךְ וְרֹחַב עֶשְׂרִים וְחָמֵשׁ
אַמּוֹת׃

---

[75] היאתון
[76] ותאו
[77] ואילו
[78] ואלמו
[79] וחלונו
[80] ואלמו
[81] ותמרו
[82] ואילמו
[83] אילו
[84] ואילמו
[85] ולאילמו
[86] עלותו
[87] ואלמו
[88] אילו
[89] ותאו
[90] ואילו
[91] ואלמו
[92] ולאלמו

12 and a border before the cells, one cubit [on this side], and a border, one cubit on that side; and the cells, six cubits on this side, and six cubits on that side. **13** And he measured the gate from the roof of the one cell to the roof of the other, a breadth of five and twenty cubits; door against door. **14** He made also posts of threescore cubits; even unto the posts of the court in the gates round about. **15** And from the forefront of the gate of the entrance unto the forefront of the inner porch of the gate were fifty cubits. **16** And there were narrow windows to the cells and to their posts within the gate round about, and likewise to the arches; and windows were round about inward; and upon each post were palm-trees. **17** Then brought he me into the outer court, and, lo, there were chambers and a pavement, made for the court round about; thirty chambers were upon the pavement. **18** And the pavement was by the side of the gates, corresponding unto the length of the gates, even the lower pavement. **19** Then he measured the breadth from the forefront of the lower gate unto the forefront of the inner court without, a hundred cubits, eastward as also northward. **20** And the gate of the outer court that looked toward the north, he measured the length thereof and the breadth thereof. **21** And the cells thereof were three on this side and three on that side; and the posts thereof and the arches thereof were after the measure of the first gate; the length thereof was fifty cubits, and the breadth five and twenty cubits. **22** And the windows thereof, and the arches thereof, and the palm-trees thereof, were after the measure of the gate that looketh toward the east; and it was ascended by seven steps; and the arches thereof were before them. **23** And there was a gate to the inner court over against the other gate, northward as also eastward; and he measured from gate to gate a hundred cubits. **24** And he led me toward the south, and behold a gate toward the south; and he measured the posts thereof, and the arches thereof according to these measures. **25** And there were windows in it and in the arches thereof round about, like those windows; the length was fifty cubits, and the breadth five and twenty cubits. **26** And there were seven steps to go up to it, and the arches thereof were before them; and it had palm-trees, one on this side, and another on that side, upon the posts thereof. **27** And there was a gate to the inner court toward the south; and he measured from gate to gate toward the south a hundred cubits. **28** Then he brought me to the inner court by the south gate; and he measured the south gate according to these measures; **29** and the cells thereof, and the posts thereof, and the arches thereof, according to these measures; and there were windows in it and in the arches thereof round about; it was fifty cubits long, and five and twenty cubits broad.

ל וְאֵלַמּוֹת סָבִיב ׀ סָבִיב אֹרֶךְ חָמֵשׁ וְעֶשְׂרִים אַמָּה וְרֹחַב חָמֵשׁ אַמּוֹת׃ לא וְאֵלַמָּו
אֶל־חָצֵר הַחִצוֹנָה וְתִמֹרִים אֶל־אֵילָיו[93] וּמַעֲלוֹת שְׁמוֹנֶה מַעֲלָיו[94]׃ לב וַיְבִיאֵנִי
אֶל־הֶחָצֵר הַפְּנִימִי דֶּרֶךְ הַקָּדִים וַיָּמָד אֶת־הַשַּׁעַר כַּמִּדּוֹת הָאֵלֶּה׃
לג וְתָאָיו[95] וְאֵלָיו[96] וְאֵלַמָּיו[97] כַּמִּדּוֹת הָאֵלֶּה וְחַלּוֹנוֹת לוֹ וּלְאֵלַמָּיו[98] סָבִיב ׀ סָבִיב
אֹרֶךְ חֲמִשִּׁים אַמָּה וְרֹחַב חָמֵשׁ וְעֶשְׂרִים אַמָּה׃ לד וְאֵלַמָּיו[99] לֶחָצֵר הַחִיצוֹנָה
וְתִמֹרִים אֶל־אֵלָיו[100] מִפֹּה וּמִפֹּה וּשְׁמֹנֶה מַעֲלוֹת מַעֲלָיו[101]׃ לה וַיְבִיאֵנִי אֶל־שַׁעַר הַצָּפוֹן
וּמָדַד כַּמִּדּוֹת הָאֵלֶּה׃ לו תָּאָיו[102] אֵלָיו[103] וְאֵלַמָּיו[104] וְחַלּוֹנוֹת לוֹ סָבִיב ׀ סָבִיב אֹרֶךְ
חֲמִשִּׁים אַמָּה וְרֹחַב חָמֵשׁ וְעֶשְׂרִים אַמָּה׃ לז וְאֵילָיו[105] לֶחָצֵר הַחִיצוֹנָה וְתִמֹרִים
אֶל־אֵילָיו[106] מִפֹּה וּמִפֹּה וּשְׁמֹנֶה מַעֲלוֹת מַעֲלָיו[107]׃ לח וְלִשְׁכָּה וּפִתְחָהּ בְּאֵילִים
הַשְּׁעָרִים שָׁם יָדִיחוּ אֶת־הָעֹלָה׃ לט וּבְאֻלָם הַשַּׁעַר שְׁנַיִם שֻׁלְחָנוֹת מִפּוֹ וּשְׁנַיִם
שֻׁלְחָנוֹת מִפֹּה לִשְׁחוֹט אֲלֵיהֶם הָעוֹלָה וְהַחַטָּאת וְהָאָשָׁם׃ מ וְאֶל־הַכָּתֵף מִחוּצָה
לָעוֹלֶה לְפֶתַח הַשַּׁעַר הַצָּפוֹנָה שְׁנַיִם שֻׁלְחָנוֹת וְאֶל־הַכָּתֵף הָאַחֶרֶת אֲשֶׁר לְאֻלָם
הַשַּׁעַר שְׁנַיִם שֻׁלְחָנוֹת׃ מא אַרְבָּעָה שֻׁלְחָנוֹת מִפֹּה וְאַרְבָּעָה שֻׁלְחָנוֹת מִפֹּה לְכֶתֶף
הַשָּׁעַר שְׁמוֹנָה שֻׁלְחָנוֹת אֲלֵיהֶם יִשְׁחָטוּ׃ מב וְאַרְבָּעָה שֻׁלְחָנוֹת לָעוֹלָה אַבְנֵי גָזִית
אֹרֶךְ אַמָּה אַחַת וָחֵצִי וְרֹחַב אַמָּה אַחַת וָחֵצִי וְגֹבַהּ אַמָּה אֶחָת אֲלֵיהֶם וְיַנִּיחוּ
אֶת־הַכֵּלִים אֲשֶׁר יִשְׁחֲטוּ אֶת־הָעוֹלָה בָּם וְהַזָּבַח׃ מג וְהַשְׁפַתַּיִם טֹפַח אֶחָד מוּכָנִים
בַּבַּיִת סָבִיב ׀ סָבִיב וְאֶל־הַשֻּׁלְחָנוֹת בְּשַׂר הַקָּרְבָּן׃ מד וּמִחוּצָה לַשַּׁעַר הַפְּנִימִי
לִשְׁכוֹת שָׁרִים בֶּחָצֵר הַפְּנִימִי אֲשֶׁר אֶל־כֶּתֶף שַׁעַר הַצָּפוֹן וּפְנֵיהֶם דֶּרֶךְ הַדָּרוֹם
אֶחָד אֶל־כֶּתֶף שַׁעַר הַקָּדִים פְּנֵי דֶּרֶךְ הַצָּפֹן׃ מה וַיְדַבֵּר אֵלָי זֹה הַלִּשְׁכָּה אֲשֶׁר
פָּנֶיהָ דֶּרֶךְ הַדָּרוֹם לַכֹּהֲנִים שֹׁמְרֵי מִשְׁמֶרֶת הַבָּיִת׃ מו וְהַלִּשְׁכָּה אֲשֶׁר פָּנֶיהָ דֶּרֶךְ
הַצָּפוֹן לַכֹּהֲנִים שֹׁמְרֵי מִשְׁמֶרֶת הַמִּזְבֵּחַ הֵמָּה בְנֵי־צָדוֹק הַקְּרֵבִים מִבְּנֵי־לֵוִי
אֶל־יְהוָה לְשָׁרְתוֹ׃ מז וַיָּמָד אֶת־הֶחָצֵר אֹרֶךְ ׀ מֵאָה אַמָּה וְרֹחַב מֵאָה אַמָּה מְרֻבָּעַת
וְהַמִּזְבֵּחַ לִפְנֵי הַבָּיִת׃ מח וַיְבִאֵנִי אֶל־אֻלָם הַבַּיִת וַיָּמָד אֵל אֻלָם חָמֵשׁ אַמּוֹת מִפֹּה
וְחָמֵשׁ אַמּוֹת מִפֹּה וְרֹחַב הַשַּׁעַר שָׁלֹשׁ אַמּוֹת מִפּוֹ וְשָׁלֹשׁ אַמּוֹת מִפּוֹ׃

---

[93] אילו
[94] מעלו
[95] ותאו
[96] ואלו
[97] ואלמו
[98] ולאלמו
[99] ואלמו
[100] אלו
[101] מעלו
[102] תאו
[103] אלו
[104] ואלמו
[105] ואילו
[106] אילו
[107] מעלו

30 And there were arches round about, five and twenty cubits long, and five cubits broad. **31** And the arches thereof were toward the outer court; and palm-trees were upon the posts thereof; and the going up to it had eight steps. **32** And he brought me into the inner court toward the east; and he measured the gate according to these measures; **33** and the cells thereof, and the posts thereof, and the arches thereof, according to these measures; and there were windows therein and in the arches thereof round about; it was fifty cubits long, and five and twenty cubits broad. **34** And the arches thereof were toward the outer court; and palm-trees were upon the posts thereof, on this side, and on that side; and the going up to it had eight steps. **35** And he brought me to the north gate; and he measured it according to these measures; **36** the cells thereof, the posts thereof, and the arches thereof; and there were windows therein round about; the length was fifty cubits, and the breadth five and twenty cubits. **37** And the posts thereof were toward the outer court; and palm-trees were upon the posts thereof, on this side, and on that side; and the going up to it had eight steps. **38** And a chamber with the entry thereof was by the posts at the gates; there was the burnt-offering to be washed. **39** And in the porch of the gate were two tables on this side, and two tables on that side, to slay thereon the burnt-offering and the sin-offering and the guilt-offering. **40** And on the one side without, as one goeth up to the entry of the gate toward the north, were two tables; and on the other side of the porch of the gate were two tables. **41** Four tables were on this side, and four tables on that side, by the side of the gate; eight tables, whereupon to slay the sacrifices. **42** Moreover there were four tables for the burnt-offering, of hewn stone, a cubit and a half long, and a cubit and a half broad, and one cubit high, whereupon to lay the instruments wherewith the burnt-offering and the sacrifice are slain. **43** And the slabs, a handbreadth long, were fastened within round about; and upon the tables was to be the flesh of the offering. **44** And without the inner gate were chambers for the guard in the inner court, which was at the side of the north gate, and their prospect was toward the south; one at the side of the east gate having the prospect toward the north. **45** And he said unto me: 'This chamber, whose prospect is toward the south, is for the priests, the keepers of the charge of the house. **46** And the chamber whose prospect is toward the north is for the priests, the keepers of the charge of the altar; these are the sons of Zadok, who from among the sons of Levi come near to Yehovah to minister unto Him.' **47** And he measured the court, a hundred cubits long, and a hundred cubits broad, foursquare; and the altar was before the house. **48** Then he brought me to the porch of the house, and measured each post of the porch, five cubits on this side, and five cubits on that side; and the breadth of the gate was three cubits on this side, and three cubits on that side.

מט אֹ֣רֶךְ הָאֻלָ֞ם עֶשְׂרִ֣ים אַמָּ֗ה וְרֹ֙חַב֙ עַשְׁתֵּ֣י עֶשְׂרֵ֣ה אַמָּ֔ה וּבַֽמַּעֲל֕וֹת אֲשֶׁ֥ר יַעֲל֖וּ
אֵלָ֑יו וְעַמֻּדִים֙ אֶל־הָ֣אֵילִ֔ים אֶחָ֥ד מִפֹּ֖ה וְאֶחָ֥ד מִפֹּֽה׃

מא א וַיְבִיאֵ֖נִי אֶל־הַהֵיכָ֑ל וַיָּ֣מָד אֶת־הָאֵילִ֗ים שֵׁשׁ־אַמּ֥וֹת רֹֽחַב־מִפּ֛וֹ
וְשֵֽׁשׁ־אַמּ֥וֹת־רֹ֖חַב מִפּ֑וֹ רֹ֖חַב הָאֹֽהֶל׃ ב וְרֹ֣חַב הַפֶּ֘תַח֮ עֶ֣שֶׂר אַמּוֹת֒ וְכִתְפ֣וֹת
הַפֶּ֔תַח חָמֵ֤שׁ אַמּוֹת֙ מִפּ֔וֹ וְחָמֵ֥שׁ אַמּ֖וֹת מִפּ֑וֹ וַיָּ֤מָד אָרְכּוֹ֙ אַרְבָּעִ֣ים אַמָּ֔ה וְרֹ֖חַב
עֶשְׂרִ֥ים אַמָּֽה׃ ג וּבָ֣א לִפְנִ֔ימָה וַיָּ֥מָד אֵֽיל־הַפֶּ֖תַח שְׁתַּ֣יִם אַמּ֑וֹת וְהַפֶּ֙תַח֙ שֵׁ֣שׁ
אַמּ֔וֹת וְרֹ֥חַב הַפֶּ֖תַח שֶׁ֥בַע אַמּֽוֹת׃ ד וַיָּ֨מָד אֶת־אָרְכּ֜וֹ עֶשְׂרִ֣ים אַמָּ֗ה וְרֹ֛חַב
עֶשְׂרִ֥ים אַמָּ֖ה אֶל־פְּנֵ֣י הַהֵיכָ֑ל וַיֹּ֣אמֶר אֵלַ֔י זֶ֖ה קֹ֥דֶשׁ הַקֳּדָשִֽׁים׃ ה וַיָּ֥מָד
קִֽיר־הַבַּ֖יִת שֵׁ֣שׁ אַמּ֑וֹת וְרֹ֨חַב הַצֵּלָ֜ע אַרְבַּ֣ע אַמּ֗וֹת סָבִ֧יב ׀ סָבִ֛יב לַבַּ֖יִת סָבִֽיב׃
ו וְהַצְּלָע֗וֹת צֵלָ֨ע אֶל־צֵלָ֜ע שָׁל֤וֹשׁ וּשְׁלֹשִׁים֙ פְּעָמִ֔ים וּבָא֡וֹת בַּקִּיר֩ אֲשֶׁר־לַבַּ֨יִת
לַצְּלָע֥וֹת סָבִ֛יב ׀ סָבִ֖יב לִהְי֣וֹת אֲחוּזִ֑ים וְלֹֽא־יִהְי֥וּ אֲחוּזִ֖ים בְּקִ֥יר הַבָּֽיִת׃
ז וְרָחֲבָ֡ה וְנָסְבָה֩ לְמַ֨עְלָה לְמַ֜עְלָה לַצְּלָע֗וֹת כִּ֣י מֽוּסַב־הַ֠בַּיִת לְמַ֨עְלָה לְמַ֜עְלָה
סָבִ֤יב ׀ סָבִיב֙ לַבַּ֔יִת עַל־כֵּ֥ן רֹֽחַב־לַבַּ֖יִת לְמָ֑עְלָה וְכֵ֧ן הַתַּחְתּוֹנָ֛ה יַעֲלֶ֥ה
עַל־הָעֶלְיוֹנָ֖ה לַתִּֽיכוֹנָֽה׃ ח וְרָאִ֧יתִי לַבַּ֛יִת גֹּ֖בַהּ סָבִ֣יב ׀ סָבִ֑יב
מוּסְד֤וֹת[108] הַצְּלָעוֹת֙ מְל֣וֹ הַקָּנֶ֔ה שֵׁ֥שׁ אַמּ֖וֹת אַצִּֽילָה׃ ט רֹ֣חַב הַקִּ֧יר אֲשֶׁר־לַצֵּלָ֛ע
אֶל־הַח֖וּץ חָמֵ֣שׁ אַמּ֑וֹת וַאֲשֶׁ֣ר מֻנָּ֔ח בֵּ֥ית צְלָע֖וֹת אֲשֶׁ֥ר לַבָּֽיִת׃ י וּבֵ֨ין הַלְּשָׁכ֜וֹת
רֹ֣חַב עֶשְׂרִ֧ים אַמָּ֛ה סָבִ֥יב לַבַּ֖יִת סָבִ֥יב ׀ סָבִֽיב׃ יא וּפֶ֨תַח הַצֵּלָ֜ע לַמֻּנָּ֗ח פֶּ֤תַח
אֶחָד֙ דֶּ֣רֶךְ הַצָּפ֔וֹן וּפֶ֥תַח אֶחָ֖ד לַדָּר֑וֹם וְרֹ֙חַב֙ מְק֣וֹם הַמֻּנָּ֔ח חָמֵ֥שׁ אַמּ֖וֹת סָבִ֥יב ׀
סָבִֽיב׃ יב וְהַבִּנְיָ֡ן אֲשֶׁר֩ אֶל־פְּנֵ֨י הַגִּזְרָ֜ה פְּאַ֣ת דֶּֽרֶךְ־הַיָּ֗ם רֹ֚חַב שִׁבְעִ֣ים אַמָּ֔ה
וְקִ֧יר הַבִּנְיָ֛ן חָֽמֵשׁ־אַמּ֥וֹת רֹ֖חַב סָבִ֣יב ׀ סָבִ֑יב וְאָרְכּ֖וֹ תִּשְׁעִ֥ים אַמָּֽה׃ יג וּמָדַ֣ד
אֶת־הַבַּ֔יִת אֹ֖רֶךְ מֵאָ֣ה אַמָּ֑ה וְהַגִּזְרָ֤ה וְהַבִּנְיָה֙ וְקִ֣ירוֹתֶ֔יהָ אֹ֖רֶךְ מֵאָ֥ה אַמָּֽה׃
יד וְרֹ֙חַב֙ פְּנֵ֣י הַבַּ֔יִת וְהַגִּזְרָ֖ה לַקָּדִ֑ים מֵאָ֖ה אַמָּֽה׃ טו וּמָדַ֣ד אֹֽרֶךְ־הַ֠בִּנְיָן
אֶל־פְּנֵ֨י הַגִּזְרָ֜ה אֲשֶׁ֨ר עַל־אַחֲרֶ֧יהָ וְאַתִּיקֶ֛יהָא[109] מִפּ֥וֹ וּמִפּ֖וֹ מֵאָ֣ה אַמָּ֑ה וְהַֽהֵיכָל֙
הַפְּנִימִ֔י וְאֻֽלַמֵּ֖י הֶחָצֵֽר׃ טז הַסִּפִּ֣ים וְהַחַלּוֹנִ֣ים הָאֲטֻמ֡וֹת וְהָאַתִּיקִ֣ים ׀ סָבִיב֮
לִשְׁלָשְׁתָּם֒ נֶ֣גֶד הַסַּ֗ף שְׂחִ֥יף עֵ֛ץ סָבִ֥יב ׀ סָבִ֖יב וְהָאָ֙רֶץ֙ עַד־הַחַלֹּנ֔וֹת וְהַחַלֹּנ֖וֹת
מְכֻסּֽוֹת׃ יז עַל־מֵעַ֨ל הַפֶּ֜תַח וְעַד־הַבַּ֤יִת הַפְּנִימִי֙ וְלַח֔וּץ וְאֶל־כָּל־הַקִּ֗יר סָבִ֤יב ׀
סָבִיב֙ בַּפְּנִימִ֣י וּבַחִיצ֔וֹן מִדּֽוֹת׃ יח וְעָשׂ֥וּי כְּרוּבִ֖ים וְתִֽמֹרִ֑ים וְתִֽמֹרָה֙ בֵּין־כְּר֣וּב
לִכְר֔וּב וּשְׁנַ֥יִם פָּנִ֖ים לַכְּרֽוּב׃ יט וּפְנֵ֨י אָדָ֤ם אֶל־הַתִּֽמֹרָה֙ מִפּ֔וֹ וּפְנֵֽי־כְפִ֥יר
אֶל־הַתִּֽמֹרָ֖ה מִפּ֑וֹ עָשׂ֛וּי אֶל־כָּל־הַבַּ֖יִת סָבִ֥יב ׀ סָבִֽיב׃ כ מֵהָאָ֙רֶץ֙ עַד־מֵעַ֣ל
הַפֶּ֔תַח הַכְּרוּבִ֥ים וְהַתִּֽמֹרִ֖ים עֲשׂוּיִ֑ם וְקִ֖יר הַהֵיכָֽל׃

108 מיסדות
109 ואתוקיהא

49 The length of the porch was twenty cubits, and the breadth eleven cubits; and it was by steps that it was ascended; and there were pillars by the posts, one on this side, and another on that side.

41 **1** And he brought me to the temple, and measured the posts, six cubits broad on the one side, and six cubits broad on the other side, which was the breadth of the tent. **2** And the breadth of the entrance was ten cubits; and the sides of the entrance were five cubits on the one side, and five cubits on the other side; and he measured the length thereof, forty cubits, and the breadth, twenty cubits. **3** Then went he inward, and measured each post of the entrance, two cubits; and the entrance, six cubits; and the breadth of the entrance, seven cubits. **4** And he measured the length thereof, twenty cubits, and the breadth, twenty cubits, before the temple; and he said unto me: 'This is the most holy place.' **5** Then he measured the wall of the house, six cubits; and the breadth of every side-chamber, four cubits, round about the house on every side. **6** And the side-chambers were one over another, three and thirty times; and there were cornices in the wall which belonged to the house for the side-chambers round about, that they might have hold therein, and not have hold in the wall of the house. **7** And the side-chambers were broader as they wound about higher and higher; for the winding about of the house went higher and higher round about the house; therefore the breadth of the house continued upward; and so one went up from the lowest row to the highest by the middle. **8** I saw also that the house had a raised basement round about; the foundations of the side-chambers were a full reed of six cubits to the joining. **9** The breadth of the outer wall which belonged to the side-chambers was five cubits; and so that which was left by the structure of the side-chambers that belonged to the house. **10** And between the chambers was a breadth of twenty cubits round about the house on every side. **11** And the doors of the side-chambers were toward the place that was left, one door toward the north, and another door toward the south; and the breadth of the place that was left was five cubits round about. **12** And the building that was before the separate place at the side toward the west was seventy cubits broad; and the wall of the building was five cubits thick round about, and the length thereof ninety cubits. **13** And he measured the house, a hundred cubits long; and the separate place, and the building, with the walls thereof, a hundred cubits long; **14** also the breadth of the face of the house and of the separate place toward the east, a hundred cubits. **15** And he measured the length of the building before the separate place which was at the back thereof, and the galleries thereof on the one side and on the other side, a hundred cubits. Now the temple, and the inner place, and the porches of the court, **16** the jambs, and the narrow windows, and the galleries, that they three had round about, over against the jambs there was a veneering of wood round about, and from the ground up to the windows; and the windows were covered; **17** to the space above the door, even unto the inner house, and without, and on all the wall round about within and without, by measure. **18** And it was made with cherubim and palm-trees; and a palm-tree was between cherub and cherub, and every cherub had two faces; **19** so that there was the face of a man toward the palm-tree on the one side, and the face of a young lion toward the palm-tree on the other side; thus was it made through all the house round about. **20** From the ground unto above the door were cherubim and palm-trees made; and so on the wall of the temple.

כא הַהֵיכָל מְזוּזַת רְבֻעָה וּפְנֵי הַקֹּדֶשׁ הַמַּרְאֶה כַּמַּרְאֶה׃ כב הַמִּזְבֵּחַ עֵץ שָׁלוֹשׁ
אַמּוֹת גָּבֹהַּ וְאָרְכּוֹ שְׁתַּיִם־אַמּוֹת וּמִקְצֹעוֹתָיו לוֹ וְאָרְכּוֹ וְקִירֹתָיו עֵץ וַיְדַבֵּר
אֵלַי זֶה הַשֻּׁלְחָן אֲשֶׁר לִפְנֵי יְהוָה׃ כג וּשְׁתַּיִם דְּלָתוֹת לַהֵיכָל וְלַקֹּדֶשׁ׃
כד וּשְׁתַּיִם דְּלָתוֹת לַדְּלָתוֹת שְׁתַּיִם מוּסַבּוֹת דְּלָתוֹת שְׁתַּיִם לְדֶלֶת אֶחָת וּשְׁתֵּי
דְלָתוֹת לָאַחֶרֶת׃ כה וַעֲשׂוּיָה אֲלֵיהֶן אֶל־דַּלְתוֹת הַהֵיכָל כְּרוּבִים וְתִמֹרִים
כַּאֲשֶׁר עֲשׂוּיִם לַקִּירוֹת וְעָב עֵץ אֶל־פְּנֵי הָאוּלָם מֵהַחוּץ׃ כו וְחַלּוֹנִים אֲטֻמוֹת
וְתִמֹרִים מִפּוֹ וּמִפּוֹ אֶל־כִּתְפוֹת הָאוּלָם וְצַלְעוֹת הַבַּיִת וְהָעֻבִּים׃

מב א וַיּוֹצִאֵנִי אֶל־הֶחָצֵר הַחִיצוֹנָה הַדֶּרֶךְ דֶּרֶךְ הַצָּפוֹן וַיְבִאֵנִי אֶל־הַלִּשְׁכָּה
אֲשֶׁר נֶגֶד הַגִּזְרָה וַאֲשֶׁר־נֶגֶד הַבִּנְיָן אֶל־הַצָּפוֹן׃ ב אֶל־פְּנֵי־אֹרֶךְ אַמּוֹת הַמֵּאָה
פֶּתַח הַצָּפוֹן וְהָרֹחַב חֲמִשִּׁים אַמּוֹת׃ ג נֶגֶד הָעֶשְׂרִים אֲשֶׁר לֶחָצֵר הַפְּנִימִי
וְנֶגֶד רִצְפָה אֲשֶׁר לֶחָצֵר הַחִיצוֹנָה אַתִּיק אֶל־פְּנֵי־אַתִּיק בַּשְּׁלִשִׁים׃ ד וְלִפְנֵי
הַלְּשָׁכוֹת מַהֲלַךְ עֶשֶׂר אַמּוֹת רֹחַב אֶל־הַפְּנִימִית דֶּרֶךְ אַמָּה אֶחָת וּפִתְחֵיהֶם
לַצָּפוֹן׃ ה וְהַלְּשָׁכוֹת הָעֶלְיוֹנֹת קְצֻרוֹת כִּי־יוֹכְלוּ אַתִּיקִים מֵהֵנָה מֵהַתַּחְתֹּנוֹת
וּמֵהַתִּכֹנוֹת בִּנְיָן׃ ו כִּי מְשֻׁלָּשׁוֹת הֵנָּה וְאֵין לָהֶן עַמּוּדִים כְּעַמּוּדֵי הַחֲצֵרוֹת
עַל־כֵּן נֶאֱצַל מֵהַתַּחְתּוֹנוֹת וּמֵהַתִּיכֹנוֹת מֵהָאָרֶץ׃ ז וְגָדֵר אֲשֶׁר־לַחוּץ לְעֻמַּת
הַלְּשָׁכוֹת דֶּרֶךְ הֶחָצֵר הַחִצֹנָה אֶל־פְּנֵי הַלְּשָׁכוֹת אָרְכּוֹ חֲמִשִּׁים אַמָּה׃
ח כִּי־אֹרֶךְ הַלְּשָׁכוֹת אֲשֶׁר לֶחָצֵר הַחִצֹנָה חֲמִשִּׁים אַמָּה וְהִנֵּה עַל־פְּנֵי
הַהֵיכָל מֵאָה אַמָּה׃ ט וּמִתַּחַת הַלְּשָׁכוֹת[110] הָאֵלֶּה הַמֵּבִיא[111] מֵהַקָּדִים בְּבֹאוֹ
לָהֵנָּה מֵהֶחָצֵר הַחִצֹנָה׃ י בְּרֹחַב ׀ גֶּדֶר הֶחָצֵר דֶּרֶךְ הַקָּדִים אֶל־פְּנֵי הַגִּזְרָה
וְאֶל־פְּנֵי הַבִּנְיָן לְשָׁכוֹת׃ יא וְדֶרֶךְ לִפְנֵיהֶם כְּמַרְאֵה הַלְּשָׁכוֹת אֲשֶׁר דֶּרֶךְ
הַצָּפוֹן כְּאָרְכָּן כֵּן רָחְבָּן וְכֹל מוֹצָאֵיהֶן וּכְמִשְׁפְּטֵיהֶן וּכְפִתְחֵיהֶן׃ יב וּכְפִתְחֵי
הַלְּשָׁכוֹת אֲשֶׁר דֶּרֶךְ הַדָּרוֹם פֶּתַח בְּרֹאשׁ דָּרֶךְ דֶּרֶךְ בִּפְנֵי הַגְּדֶרֶת הֲגִינָה
דֶּרֶךְ הַקָּדִים בְּבוֹאָן׃ יג וַיֹּאמֶר אֵלַי לִשְׁכוֹת הַצָּפוֹן לִשְׁכוֹת הַדָּרוֹם אֲשֶׁר
אֶל־פְּנֵי הַגִּזְרָה הֵנָּה ׀ לִשְׁכוֹת הַקֹּדֶשׁ אֲשֶׁר יֹאכְלוּ־שָׁם הַכֹּהֲנִים אֲשֶׁר־קְרוֹבִים
לַיהוָה קָדְשֵׁי הַקֳּדָשִׁים שָׁם יַנִּיחוּ ׀ קָדְשֵׁי הַקֳּדָשִׁים וְהַמִּנְחָה וְהַחַטָּאת וְהָאָשָׁם
כִּי הַמָּקוֹם קָדֹשׁ׃ יד בְּבֹאָם הַכֹּהֲנִים וְלֹא־יֵצְאוּ מֵהַקֹּדֶשׁ אֶל־הֶחָצֵר הַחִיצוֹנָה
וְשָׁם יַנִּיחוּ בִגְדֵיהֶם אֲשֶׁר־יְשָׁרְתוּ בָהֶן כִּי־קֹדֶשׁ הֵנָּה וְלָבְשׁוּ[112] בְּגָדִים אֲחֵרִים
וְקָרְבוּ אֶל־אֲשֶׁר לָעָם׃ טו וְכִלָּה אֶת־מִדּוֹת הַבַּיִת הַפְּנִימִי וְהוֹצִיאַנִי דֶּרֶךְ
הַשַּׁעַר אֲשֶׁר פָּנָיו דֶּרֶךְ הַקָּדִים וּמְדָדוֹ סָבִיב ׀ סָבִיב׃

[110] ומתחתה לשכות
[111] המבוא
[112] ילבשו

21 As for the temple, the jambs were squared; and the face of the sanctuary had an appearance such as is the appearance. **22** The altar, three cubits high, and the length thereof two cubits, was of wood, and so the corners thereof; the length thereof, and the walls thereof, were also of wood; and he said unto me: 'This is the table that is before Yehovah.' **23** And the temple and the sanctuary had two doors. **24** And the doors had two leaves [apiece], two turning leaves; two leaves for the one door, and two leaves for the other. **25** And there were made on them, on the doors of the temple, cherubim and palm-trees, like as were made upon the walls; and there were thick beams of wood upon the face of the porch without. **26** And there were narrow windows and palm-trees on the one side and on the other side, on the sides of the porch; there were also the brackets of the house, and the thick beams.

42 **1** Then he brought me forth into the outer court, the way toward the north; and he brought me into the chamber that was over against the separate place, and which was over against the building, toward the north, **2** even to the front of the length of a hundred cubits, with the door on the north, and the breadth of fifty cubits, **3** over against the twenty cubits which belonged to the inner court, and over against the pavement which belonged to the outer court; with gallery against gallery in three stories. **4** And before the chambers was a walk of ten cubits breadth inward, a way of one cubit; and their doors were toward the north. **5** Now the upper chambers were shorter; for the galleries took away from these, more than from the lower and the middlemost, in the building. **6** For they were in three stories, and they had not pillars as the pillars of the courts; therefore room was taken away from the lowest and the middlemost, in comparison with the ground. **7** And the wall that was without by the side of the chambers, toward the outer court in front of the chambers, the length thereof was fifty cubits. **8** For the length of the chambers that were toward the outer court was fifty cubits; and, lo, before the temple were a hundred cubits. **9** And from under these chambers was the entry on the east side, as one goeth into them from the outer court. **10** In the breadth of the wall of the court toward the east, before the separate place, and before the building, there were chambers, **11** with a way before them; like the appearance of the chambers which were toward the north, as long as they, and as broad as they, with all their goings out, and according to their fashions; and as their doors, **12** so were also the doors of the chambers that were toward the south, there was a door in the head of the way, even the way directly before the wall, toward the way from the east, as one entereth into them. **13** Then said he unto me: 'The north chambers and the south chambers, which are before the separate place, they are the holy chambers, where the priests that are near unto Yehovah shall eat the most holy things; there shall they lay the most holy things, and the meal-offering, and the sin-offering, and the guilt-offering; for the place is holy. **14** When the priests enter in, then shall they not go out of the holy place into the outer court, but there they shall lay their garments wherein they minister, for they are holy; and they shall put on other garments, and shall approach to that which pertaineth to the people.' **15** Now when he had made an end of measuring the inner house, he brought me forth by the way of the gate whose prospect is toward the east, and measured it round about.

יו מָדַד רוּחַ הַקָּדִים בִּקְנֵה הַמִּדָּה חֲמֵשׁ־מֵאוֹת[113] קָנִים בִּקְנֵה הַמִּדָּה סָבִיב׃
יז מָדַד רוּחַ הַצָּפוֹן חֲמֵשׁ־מֵאוֹת קָנִים בִּקְנֵה הַמִּדָּה סָבִיב׃ יח אֵת רוּחַ
הַדָּרוֹם מָדָד חֲמֵשׁ־מֵאוֹת קָנִים בִּקְנֵה הַמִּדָּה׃ יט סָבַב אֶל־רוּחַ הַיָּם מָדַד
חֲמֵשׁ־מֵאוֹת קָנִים בִּקְנֵה הַמִּדָּה׃ כ לְאַרְבַּע רוּחוֹת מְדָדוֹ חוֹמָה לוֹ סָבִיב ׀
סָבִיב אֹרֶךְ חֲמֵשׁ מֵאוֹת וְרֹחַב חֲמֵשׁ מֵאוֹת לְהַבְדִּיל בֵּין הַקֹּדֶשׁ לְחֹל׃

מג א וַיּוֹלִכֵנִי אֶל־הַשָּׁעַר שַׁעַר אֲשֶׁר פֹּנֶה דֶּרֶךְ הַקָּדִים׃ ב וְהִנֵּה כְּבוֹד
אֱלֹהֵי יִשְׂרָאֵל בָּא מִדֶּרֶךְ הַקָּדִים וְקוֹלוֹ כְּקוֹל מַיִם רַבִּים וְהָאָרֶץ הֵאִירָה
מִכְּבֹדוֹ׃ ג וּכְמַרְאֵה הַמַּרְאֶה אֲשֶׁר רָאִיתִי כַּמַּרְאֶה אֲשֶׁר־רָאִיתִי בְּבֹאִי לְשַׁחֵת
אֶת־הָעִיר וּמַרְאוֹת כַּמַּרְאֶה אֲשֶׁר רָאִיתִי אֶל־נְהַר־כְּבָר וָאֶפֹּל אֶל־פָּנָי׃
ד וּכְבוֹד יְהוָה בָּא אֶל־הַבָּיִת דֶּרֶךְ שַׁעַר אֲשֶׁר פָּנָיו דֶּרֶךְ הַקָּדִים׃ ה וַתִּשָּׂאֵנִי
רוּחַ וַתְּבִיאֵנִי אֶל־הֶחָצֵר הַפְּנִימִי וְהִנֵּה מָלֵא כְבוֹד־יְהוָה הַבָּיִת׃ ו וָאֶשְׁמַע
מִדַּבֵּר אֵלַי מֵהַבָּיִת וְאִישׁ הָיָה עֹמֵד אֶצְלִי׃ ז וַיֹּאמֶר אֵלַי בֶּן־אָדָם אֶת־מְקוֹם
כִּסְאִי וְאֶת־מְקוֹם כַּפּוֹת רַגְלַי אֲשֶׁר אֶשְׁכָּן־שָׁם בְּתוֹךְ בְּנֵי־יִשְׂרָאֵל לְעוֹלָם
וְלֹא יְטַמְּאוּ עוֹד בֵּית־יִשְׂרָאֵל שֵׁם קָדְשִׁי הֵמָּה וּמַלְכֵיהֶם בִּזְנוּתָם וּבְפִגְרֵי
מַלְכֵיהֶם בָּמוֹתָם׃ ח בְּתִתָּם סִפָּם אֶת־סִפִּי וּמְזוּזָתָם אֵצֶל מְזוּזָתִי וְהַקִּיר בֵּינִי
וּבֵינֵיהֶם וְטִמְּאוּ ׀ אֶת־שֵׁם קָדְשִׁי בְּתוֹעֲבוֹתָם אֲשֶׁר עָשׂוּ וָאֲכַל אֹתָם בְּאַפִּי׃
ט עַתָּה יְרַחֲקוּ אֶת־זְנוּתָם וּפִגְרֵי מַלְכֵיהֶם מִמֶּנִּי וְשָׁכַנְתִּי בְתוֹכָם לְעוֹלָם׃
י אַתָּה בֶן־אָדָם הַגֵּד אֶת־בֵּית־יִשְׂרָאֵל אֶת־הַבַּיִת וְיִכָּלְמוּ מֵעֲוֺנוֹתֵיהֶם וּמָדְדוּ
אֶת־תָּכְנִית׃ יא וְאִם־נִכְלְמוּ מִכֹּל אֲשֶׁר־עָשׂוּ צוּרַת הַבַּיִת וּתְכוּנָתוֹ וּמוֹצָאָיו
וּמוֹבָאָיו וְכָל־צוּרֹתָו וְאֵת כָּל־חֻקֹּתָיו וְכָל־צוּרֹתָיו[114] וְכָל־תּוֹרֹתָיו[115] הוֹדַע
אוֹתָם וּכְתֹב לְעֵינֵיהֶם וְיִשְׁמְרוּ אֶת־כָּל־צוּרָתוֹ וְאֶת־כָּל־חֻקֹּתָיו וְעָשׂוּ אוֹתָם׃
יב זֹאת תּוֹרַת הַבָּיִת עַל־רֹאשׁ הָהָר כָּל־גְּבֻלוֹ סָבִיב ׀ סָבִיב קֹדֶשׁ קָדָשִׁים
הִנֵּה־זֹאת תּוֹרַת הַבָּיִת׃ יג וְאֵלֶּה מִדּוֹת הַמִּזְבֵּחַ בָּאַמּוֹת אַמָּה אַמָּה וָטֹפַח
וְחֵיק הָאַמָּה וְאַמָּה־רֹחַב וּגְבוּלָהּ אֶל־שְׂפָתָהּ סָבִיב זֶרֶת הָאֶחָד וְזֶה גַּב
הַמִּזְבֵּחַ׃ יד וּמֵחֵיק הָאָרֶץ עַד־הָעֲזָרָה הַתַּחְתּוֹנָה שְׁתַּיִם אַמּוֹת וְרֹחַב אַמָּה
אֶחָת וּמֵהָעֲזָרָה הַקְּטַנָּה עַד־הָעֲזָרָה הַגְּדוֹלָה אַרְבַּע אַמּוֹת וְרֹחַב הָאַמָּה׃
יה וְהַהַרְאֵל אַרְבַּע אַמּוֹת וּמֵהָאֲרִאֵיל וּלְמַעְלָה הַקְּרָנוֹת אַרְבַּע׃
יו וְהָאֲרִאֵיל[116] שְׁתֵּים עֶשְׂרֵה אֹרֶךְ בִּשְׁתֵּים עֶשְׂרֵה רֹחַב רָבוּעַ אֶל אַרְבַּעַת
רְבָעָיו׃

[113] אמות
[114] צורתי
[115] תורתו
[116] והאראיל

16 He measured the east side with the measuring reed, five hundred reeds, with the measuring reed round about. **17** He measured the north side, five hundred reeds, with the measuring reed round about. **18** He measured the south side, five hundred reeds, with the measuring reed. **19** He turned about to the west side, and measured five hundred reeds with the measuring reed. **20** He measured it by the four sides; it had a wall round about, the length five hundred, and the breadth five hundred, to make a separation between that which was holy and that which was common.

43 **1** Afterward he brought me to the gate, even the gate that looketh toward the east; **2** and, behold, the glory of the God of Israel came from the way of the east; and His voice was like the sound of many waters; and the earth did shine with His glory. **3** And the appearance of the vision which I saw was like the vision that I saw when I came to destroy the city; and the visions were like the vision that I saw by the river Chebar; and I fell upon my face. **4** And the glory of Yehovah came into the house by the way of the gate whose prospect is toward the east. **5** And a spirit took me up, and brought me into the inner court; and, behold, the glory of Yehovah filled the house. **6** And I heard one speaking unto me out of the house; and a man stood by me. **7** And He said unto me: 'Son of man, this is the place of My throne, and the place of the soles of My feet, where I will dwell in the midst of the children of Israel for ever; and the house of Israel shall no more defile My holy name, neither they, nor their kings, by their harlotry, and by the carcasses of their kings in their high places; **8** in their setting of their threshold by My threshold, and their door-post beside My door-post, and there was but the wall between Me and them; and they have defiled My holy name by their abominations which they have committed; wherefore I have consumed them in Mine anger. **9** Now let them put away their harlotry, and the carcasses of their kings, far from Me, and I will dwell in the midst of them for ever.{S} **10** Thou, son of man, show the house to the house of Israel, that they may be ashamed of their iniquities; and let them measure accurately. **11** And if they be ashamed of all that they have done, make known unto them the form of the house, and the fashion thereof, and the goings out thereof, and the comings in thereof, and all the forms thereof, and all the ordinances thereof, and all the forms thereof, and all the Torahs thereof, and write it in their sight; that they may keep the whole form thereof, and all the ordinances thereof, and do them. **12** This is the Torah of the house: upon the top of the mountain the whole limit thereof round about shall be most holy. Behold, this is the Torah of the house. **13** And these are the measures of the altar by cubits–the cubit is a cubit and a handbreadth: the bottom shall be a cubit, and the breadth a cubit, and the border thereof by the edge thereof round about a span; and this shall be the base of the altar. **14** And from the bottom upon the ground to the lower settle shall be two cubits, and the breadth one cubit; and from the lesser settle to the greater settle shall be four cubits, and the breadth a cubit. **15** And the hearth shall be four cubits; and from the hearth and upward there shall be four horns. **16** And the hearth shall be twelve cubits long by twelve broad, square in the four sides thereof.

יז וְהָעֲזָרָ֡ה אַרְבַּ֣ע עֶשְׂרֵ֣ה אֹ֣רֶךְ בְּאַרְבַּ֣ע עֶשְׂרֵ֣ה רֹ֗חַב אֶ֚ל אַרְבַּ֣עַת רְבָעֶ֔יהָ וְהַגְּב֨וּל סָבִ֤יב אוֹתָהּ֙ חֲצִ֣י הָֽאַמָּ֔ה וְהַֽחֵיק־לָ֥הּ אַמָּ֖ה סָבִ֑יב וּמַעֲלֹתֵ֖הוּ פְּנ֥וֹת קָדִֽים: יח וַיֹּ֣אמֶר אֵלַ֔י בֶּן־אָדָ֗ם כֹּ֤ה אָמַר֙ אֲדֹנָ֣י יְהֹוִ֔ה אֵ֚לֶּה חֻקּ֣וֹת הַמִּזְבֵּ֔חַ בְּי֖וֹם הֵעָשׂוֹת֑וֹ לְהַעֲל֤וֹת עָלָיו֙ עוֹלָ֔ה וְלִזְרֹ֥ק עָלָ֖יו דָּֽם: יט וְנָתַתָּ֡ה אֶל־הַכֹּהֲנִ֣ים הַלְוִיִּ֡ם אֲשֶׁ֣ר הֵם֩ מִזֶּ֨רַע צָד֜וֹק הַקְּרֹבִ֣ים אֵלַ֗י נְאֻ֛ם אֲדֹנָ֥י יְהֹוִ֖ה לְשָֽׁרְתֵ֑נִי פַּ֥ר בֶּן־בָּקָ֖ר לְחַטָּֽאת: כ וְלָקַחְתָּ֣ מִדָּמ֗וֹ וְנָ֨תַתָּ֜ה עַל־אַרְבַּ֤ע קַרְנֹתָיו֙ וְאֶל־אַרְבַּע֙ פִּנּ֣וֹת הָעֲזָרָ֔ה וְאֶל־הַגְּב֖וּל סָבִ֑יב וְחִטֵּאתָ֥ אוֹת֖וֹ וְכִפַּרְתָּֽהוּ: כא וְלָ֣קַחְתָּ֔ אֵ֖ת הַפָּ֣ר הַֽחַטָּ֑את וּשְׂרָפוֹ֙ בְּמִפְקַ֣ד הַבַּ֔יִת מִח֖וּץ לַמִּקְדָּֽשׁ: כב וּבַיּוֹם֙ הַשֵּׁנִ֔י תַּקְרִ֛יב שְׂעִיר־עִזִּ֥ים תָּמִ֖ים לְחַטָּ֑את וְחִטְּאוּ֙ אֶת־הַמִּזְבֵּ֔חַ כַּאֲשֶׁ֥ר חִטְּא֖וּ בַּפָּֽר: כג בְּכַלּוֹתְךָ֖ מֵֽחַטֵּ֑א תַּקְרִיב֙ פַּ֣ר בֶּן־בָּקָ֣ר תָּמִ֔ים וְאַ֥יִל מִן־הַצֹּ֖אן תָּמִֽים: כד וְהִקְרַבְתָּ֖ם לִפְנֵ֣י יְהֹוָ֑ה וְהִשְׁלִ֨יכוּ הַכֹּהֲנִ֤ים עֲלֵיהֶם֙ מֶ֔לַח וְהֶעֱל֥וּ אוֹתָ֖ם עֹלָ֥ה לַֽיהֹוָֽה: כה שִׁבְעַ֣ת יָמִ֔ים תַּעֲשֶׂ֥ה שְׂעִיר־חַטָּ֖את לַיּ֑וֹם וּפַ֧ר בֶּן־בָּקָ֛ר וְאַ֥יִל מִן־הַצֹּ֖אן תְּמִימִ֥ים יַעֲשֽׂוּ: כו שִׁבְעַ֣ת יָמִ֔ים יְכַפְּרוּ֙ אֶת־הַמִּזְבֵּ֔חַ וְטִֽהֲר֖וּ אֹת֑וֹ וּמִלְא֖וּ יָדָֽיו[117]: כז וִֽיכַלּ֣וּ אֶת־הַיָּמִ֑ים וְהָיָה֩ בַיּ֨וֹם הַשְּׁמִינִ֜י וָהָ֗לְאָה יַעֲשׂ֨וּ הַכֹּהֲנִ֤ים עַל־הַמִּזְבֵּ֙חַ֙ אֶת־עוֹלֽוֹתֵיכֶ֔ם וְאֶת־שַׁלְמֵיכֶ֔ם וְרָצִ֖אתִי אֶתְכֶ֑ם נְאֻ֖ם אֲדֹנָ֥י יְהֹוִֽה:

מד א וַיָּ֣שֶׁב אֹתִ֗י דֶּ֛רֶךְ שַׁ֥עַר הַמִּקְדָּ֖שׁ הַחִיצ֑וֹן הַפֹּנֶ֣ה קָדִ֑ים וְה֖וּא סָגֽוּר: ב וַיֹּ֨אמֶר אֵלַ֜י יְהֹוָ֗ה הַשַּׁ֨עַר הַזֶּ֜ה סָג֣וּר יִהְיֶה֮ לֹ֣א יִפָּתֵחַ֒ וְאִ֣ישׁ לֹא־יָ֣בֹא ב֔וֹ כִּ֛י יְהֹוָ֥ה אֱלֹהֵֽי־יִשְׂרָאֵ֖ל בָּ֣א ב֑וֹ וְהָיָ֖ה סָגֽוּר: ג אֶת־הַנָּשִׂ֗יא נָשִׂ֥יא ה֛וּא יֵֽשֶׁב־בּ֥וֹ לֶאֱכָל־לֶ֖חֶם לִפְנֵ֣י יְהֹוָ֑ה מִדֶּ֨רֶךְ אֻלָ֤ם הַשַּׁ֙עַר֙ יָב֔וֹא וּמִדַּרְכּ֖וֹ יֵצֵֽא: ד וַיְבִיאֵ֣נִי דֶּֽרֶךְ־שַׁ֣עַר הַצָּפוֹן֮ אֶל־פְּנֵ֣י הַבַּיִת֒ וָאֵ֕רֶא וְהִנֵּ֛ה מָלֵ֥א כְבוֹד־יְהֹוָ֖ה אֶת־בֵּ֣ית יְהֹוָ֑ה וָאֶפֹּ֖ל אֶל־פָּנָֽי: ה וַיֹּ֨אמֶר אֵלַ֜י יְהֹוָ֗ה בֶּן־אָדָ֡ם שִׂ֣ים לִבְּךָ֩ וּרְאֵ֨ה בְעֵינֶ֜יךָ וּבְאָזְנֶ֣יךָ שְׁמָ֗ע אֵ֣ת כָּל־אֲשֶׁ֤ר אֲנִי֙ מְדַבֵּ֣ר אֹתָ֔ךְ לְכָל־חֻקּ֥וֹת בֵּית־יְהֹוָ֖ה וּלְכָל־תֹּֽרֹתָ֑יו[118] וְשַׂמְתָּ֤ לִבְּךָ֙ לִמְב֣וֹא הַבַּ֔יִת בְּכֹ֖ל מוֹצָאֵ֥י הַמִּקְדָּֽשׁ: ו וְאָמַרְתָּ֣ אֶל־מֶ֗רִי אֶל־בֵּ֣ית יִשְׂרָאֵ֔ל כֹּ֤ה אָמַר֙ אֲדֹנָ֣י יְהֹוִ֔ה רַב־לָכֶ֛ם מִֽכָּל־תּוֹעֲבוֹתֵיכֶ֖ם בֵּ֥ית יִשְׂרָאֵֽל: ז בַּהֲבִיאֲכֶ֣ם בְּנֵֽי־נֵכָ֗ר עַרְלֵי־לֵב֙ וְעַרְלֵ֣י בָשָׂ֔ר לִהְי֥וֹת בְּמִקְדָּשִׁ֖י לְחַלְּל֣וֹ אֶת־בֵּיתִ֑י בְּהַקְרִֽיבְכֶ֤ם אֶת־לַחְמִי֙ חֵ֣לֶב וָדָ֔ם וַיָּפֵ֙רוּ֙ אֶת־בְּרִיתִ֔י אֶ֖ל כָּל־תּוֹעֲבֽוֹתֵיכֶֽם: ח וְלֹ֥א שְׁמַרְתֶּ֖ם מִשְׁמֶ֣רֶת קׇדָשָׁ֑י וַתְּשִׂימ֗וּן לְשֹׁמְרֵ֧י מִשְׁמַרְתִּ֛י בְּמִקְדָּשִׁ֖י לָכֶֽם:

---

[117] ידֽו
[118] תּוֹרָתֽוֹ

17 And the settle shall be fourteen cubits long by fourteen broad in the four sides thereof; and the border about it shall be half a cubit; and the bottom thereof shall be a cubit about; and the steps thereof shall look toward the east.' **18** And He said unto me: 'Son of man, thus saith the Lord GOD [Adonai Yehovi]: These are the ordinances of the altar in the day when they shall make it, to offer burnt-offerings thereon, and to dash blood against it. **19** Thou shalt give to the priests the Levites that are of the seed of Zadok, who are near unto Me, to minister unto Me, saith the Lord GOD [Adonai Yehovi], a young bullock for a sin-offering. **20** And thou shalt take of the blood thereof, and put it on the four horns of it, and on the four corners of the settle, and upon the border round about; thus shalt thou purify it and make atonement for it. **21** Thou shalt also take the bullock of the sin-offering, and it shall be burnt in the appointed place of the house, without the sanctuary. **22** And on the second day thou shalt offer a he-goat without blemish for a sin-offering; and they shall purify the altar, as they did purify it with the bullock. **23** When thou hast made an end of purifying it, thou shalt offer a young bullock without blemish, and a ram out of the flock without blemish. **24** And thou shalt present them before Yehovah, and the priests shall cast salt upon them, and they shall offer them up for a burnt-offering unto Yehovah. **25** Seven days shalt thou prepare every day a goat for a sin-offering; they shall also prepare a young bullock, and a ram out of the flock, without blemish. **26** Seven days shall they make atonement for the altar and cleanse it; so shall they consecrate it. **27** And when they have accomplished the days,{S} it shall be that upon the eighth day, and forward, the priests shall make your burnt-offerings upon the altar, and your peace-offerings; and I will accept you, saith the Lord GOD [Adonai Yehovi].'{S}

44 1 Then he brought me back the way of the outer gate of the sanctuary, which looketh toward the east; and it was shut. **2** And Yehovah said unto me: 'This gate shall be shut, it shall not be opened, neither shall any man enter in by it, for Yehovah, the God of Israel, hath entered in by it; therefore it shall be shut. **3** As for the prince, being a prince, he shall sit therein to eat bread before Yehovah; he shall enter by the way of the porch of the gate, and shall go out by the way of the same.' **4** Then he brought me the way of the north gate before the house; and I looked, and, behold, the glory of Yehovah filled the house of Yehovah; and I fell upon my face. **5** And Yehovah said unto me: 'Son of man, mark well, and behold with thine eyes, and hear with thine ears all that I say unto thee concerning all the ordinances of the house of Yehovah, and all the Torahs thereof; and mark well the entering in of the house, with every going forth of the sanctuary. **6** And thou shalt say to the rebellious, even to the house of Israel: Thus saith the Lord GOD [Adonai Yehovi]: O ye house of Israel, let it suffice you of all your abominations, **7** in that ye have brought in aliens, uncircumcised in heart and uncircumcised in flesh, to be in My sanctuary, to profane it, even My house, when ye offer My bread, the fat and the blood, and they have broken My covenant, to add unto all your abominations. **8** And ye have not kept the charge of My holy things; but ye have set keepers of My charge in My sanctuary to please yourselves.{S}

ט כֹּה־אָמַר֮ אֲדֹנָ֣י יְהוִה֒ כָּל־בֶּן־נֵכָ֗ר עֶ֤רֶל לֵב֙ וְעֶ֣רֶל בָּשָׂ֔ר לֹ֥א יָב֖וֹא
אֶל־מִקְדָּשִׁ֑י לְכָל־בֶּן־נֵכָ֔ר אֲשֶׁ֕ר בְּת֖וֹךְ בְּנֵ֥י יִשְׂרָאֵֽל׃ י כִּ֤י אִם־הַלְוִיִּם֙ אֲשֶׁ֣ר
רָֽחֲקוּ֙ מֵעָלַ֔י בִּתְע֣וֹת יִשְׂרָאֵ֔ל אֲשֶׁ֥ר תָּע֖וּ מֵעָלַ֑י אַחֲרֵ֖י גִּלּוּלֵיהֶ֑ם וְנָשְׂא֖וּ עֲוֺנָֽם׃
יא וְהָי֤וּ בְמִקְדָּשִׁי֙ מְשָׁ֣רְתִ֔ים פְּקֻדּוֹת֙ אֶל־שַׁעֲרֵ֣י הַבַּ֔יִת וּמְשָׁרְתִ֖ים אֶת־הַבָּ֑יִת
הֵ֠מָּה יִשְׁחֲט֨וּ אֶת־הָעֹלָ֤ה וְאֶת־הַזֶּ֙בַח֙ לָעָ֔ם וְהֵ֛מָּה יַעַמְד֥וּ לִפְנֵיהֶ֖ם לְשָׁרְתָֽם׃
יב יַ֗עַן אֲשֶׁ֨ר יְשָׁרְת֤וּ אוֹתָם֙ לִפְנֵ֣י גִלּוּלֵיהֶ֔ם וְהָי֥וּ לְבֵֽית־יִשְׂרָאֵ֖ל לְמִכְשׁ֣וֹל עָוֺ֑ן
עַל־כֵּ֞ן נָשָׂ֧אתִי יָדִ֣י עֲלֵיהֶ֗ם נְאֻם֙ אֲדֹנָ֣י יְהוִ֔ה וְנָשְׂא֖וּ עֲוֺנָֽם׃ יג וְלֹֽא־יִגְּשׁ֤וּ אֵלַי֙
לְכַהֵ֣ן לִ֔י וְלָגֶ֙שֶׁת֙ עַל־כָּל־קָ֣דָשַׁ֔י אֶל־קָדְשֵׁ֖י הַקְּדָשִׁ֑ים וְנָשְׂאוּ֙ כְּלִמָּתָ֔ם
וְתוֹעֲבוֹתָ֖ם אֲשֶׁ֥ר עָשֽׂוּ׃ יד וְנָתַתִּ֣י אוֹתָ֔ם שֹׁמְרֵ֖י מִשְׁמֶ֣רֶת הַבָּ֑יִת לְכֹל֙ עֲבֹ֣דָת֔וֹ
וּלְכֹ֛ל אֲשֶׁ֥ר יֵעָשֶׂ֖ה בּֽוֹ׃

טו וְהַכֹּהֲנִ֨ים הַלְוִיִּ֜ם בְּנֵ֣י צָד֗וֹק אֲשֶׁ֨ר שָׁמְר֜וּ אֶת־מִשְׁמֶ֤רֶת מִקְדָּשִׁי֙ בִּתְע֤וֹת
בְּנֵֽי־יִשְׂרָאֵל֙ מֵעָלַ֔י הֵ֛מָּה יִקְרְב֥וּ אֵלַ֖י לְשָֽׁרְתֵ֑נִי וְעָמְד֣וּ לְפָנַ֗י לְהַקְרִ֨יב לִ֜י חֵ֧לֶב
וָדָ֛ם נְאֻ֖ם אֲדֹנָ֥י יְהוִֽה׃ טז הֵ֜מָּה יָבֹ֣אוּ אֶל־מִקְדָּשִׁ֗י וְהֵ֛מָּה יִקְרְב֥וּ אֶל־שֻׁלְחָנִ֖י
לְשָֽׁרְתֵ֑נִי וְשָֽׁמְר֖וּ אֶת־מִשְׁמַרְתִּֽי׃ יז וְהָיָ֗ה בְּבוֹאָם֙ אֶל־שַׁעֲרֵי֙ הֶחָצֵ֣ר הַפְּנִימִ֔ית
בִּגְדֵ֥י פִשְׁתִּ֖ים יִלְבָּ֑שׁוּ וְלֹֽא־יַעֲלֶ֤ה עֲלֵיהֶם֙ צֶ֔מֶר בְּשָׁרְתָ֗ם בְּשַׁעֲרֵ֛י הֶחָצֵ֥ר
הַפְּנִימִ֖ית וָבָֽיְתָה׃ יח פַּאֲרֵ֤י פִשְׁתִּים֙ יִהְי֣וּ עַל־רֹאשָׁ֔ם וּמִכְנְסֵ֣י פִשְׁתִּ֔ים יִהְי֖וּ
עַל־מָתְנֵיהֶ֑ם לֹ֥א יַחְגְּר֖וּ בַּיָּֽזַע׃ יט וּ֠בְצֵאתָם אֶל־הֶחָצֵ֨ר הַחִיצוֹנָ֜ה אֶל־הֶחָצֵ֣ר
הַחִיצוֹנָה֮ אֶל־הָעָם֒ יִפְשְׁט֣וּ אֶת־בִּגְדֵיהֶ֗ם אֲשֶׁר־הֵ֙מָּה֙ מְשָׁרְתִ֣ם בָּ֔ם וְהִנִּ֥יחוּ
אוֹתָ֖ם בְּלִֽשְׁכֹ֣ת הַקֹּ֑דֶשׁ וְלָֽבְשׁוּ֙ בְּגָדִ֣ים אֲחֵרִ֔ים וְלֹֽא־יְקַדְּשׁ֥וּ אֶת־הָעָ֖ם
בְּבִגְדֵיהֶֽם׃ כ וְרֹאשָׁם֙ לֹ֣א יְגַלֵּ֔חוּ וּפֶ֖רַע לֹ֣א יְשַׁלֵּ֑חוּ כָּס֥וֹם יִכְסְמ֖וּ אֶת־רָאשֵׁיהֶֽם׃
כא וְיַ֥יִן לֹא־יִשְׁתּ֖וּ כָּל־כֹּהֵ֑ן בְּבוֹאָ֖ם אֶל־הֶחָצֵ֥ר הַפְּנִימִֽית׃ כב וְאַלְמָנָה֙ וּגְרוּשָׁ֔ה
לֹֽא־יִקְח֥וּ לָהֶ֖ם לְנָשִׁ֑ים כִּ֣י אִם־בְּתוּלֹ֗ת מִזֶּ֙רַע֙ בֵּ֣ית יִשְׂרָאֵ֔ל וְהָֽאַלְמָנָה֙ אֲשֶׁ֣ר
תִּֽהְיֶ֣ה אַלְמָנָ֔ה מִכֹּהֵ֖ן יִקָּֽחוּ׃ כג וְאֶת־עַמִּ֣י יוֹר֔וּ בֵּ֥ין קֹ֖דֶשׁ לְחֹ֑ל וּבֵין־טָמֵ֥א
לְטָה֖וֹר יוֹדִעֻֽם׃ כד וְעַל־רִ֗יב הֵ֚מָּה יַעַמְד֣וּ לְמִשְׁפָּ֔ט[119] בְּמִשְׁפָּטַ֖י
יִשְׁפְּטֻ֑הוּ[120] וְאֶת־תּוֹרֹתַ֤י וְאֶת־חֻקֹּתַי֙ בְּכָל־מוֹעֲדַ֣י יִשְׁמֹ֔רוּ וְאֶת־שַׁבְּתוֹתַ֖י יְקַדֵּֽשׁוּ׃
כה וְאֶל־מֵ֣ת אָדָ֔ם לֹ֥א יָב֖וֹא לְטָמְאָ֑ה כִּ֣י אִם־לְאָ֡ב וּ֠לְאֵם וּלְבֵ֨ן וּלְבַ֜ת לְאָ֗ח
וּלְאָח֛וֹת אֲשֶׁר־לֹא־הָיְתָ֥ה לְאִ֖ישׁ יִטַּמָּֽאוּ׃ כו וְאַחֲרֵ֖י טָהֳרָת֑וֹ שִׁבְעַ֥ת יָמִ֖ים
יִסְפְּרוּ־לֽוֹ׃ כז וּבְי֨וֹם בֹּא֜וֹ אֶל־הַקֹּ֗דֶשׁ אֶל־הֶחָצֵ֤ר הַפְּנִימִית֙ לְשָׁרֵ֣ת בַּקֹּ֔דֶשׁ
יַקְרִ֖יב חַטָּאת֑וֹ נְאֻ֖ם אֲדֹנָ֥י יְהוִֽה׃ כח וְהָיְתָ֤ה לָהֶם֙ לְנַחֲלָ֔ה אֲנִ֖י נַחֲלָתָ֑ם וַאֲחֻזָּ֗ה
לֹֽא־תִתְּנ֤וּ לָהֶם֙ בְּיִשְׂרָאֵ֔ל אֲנִ֖י אֲחֻזָּתָֽם׃

---

[119] לשפט
[120] וישפטהו

9 Thus saith the Lord GOD [Adonai Yehovi]: No alien, uncircumcised in heart and uncircumcised in flesh, shall enter into My sanctuary, even any alien that is among the children of Israel. **10** But the Levites, that went far from Me, when Israel went astray, that went astray from Me after their idols, they shall bear their iniquity; **11** and they shall be ministers in My sanctuary, having charge at the gates of the house, and ministering in the house: they shall slay the burnt-offering and the sacrifice for the people, and they shall stand before them to minister unto them. **12** Because they ministered unto them before their idols, and became a stumblingblock of iniquity unto the house of Israel; therefore have I lifted up My hand against them, saith the Lord GOD [Adonai Yehovi], and they shall bear their iniquity. **13** And they shall not come near unto Me, to minister unto Me in the priest's office, nor to come near to any of My holy things, unto the things that are most holy; but they shall bear their shame, and their abominations which they have committed. **14** And I will make them keepers of the charge of the house, for all the service thereof, and for all that shall be done therein.{P}

15 But the priests the Levites, the sons of Zadok, that kept the charge of My sanctuary when the children of Israel went astray from Me, they shall come near to Me to minister unto Me; and they shall stand before Me to offer unto Me the fat and the blood, saith the Lord GOD [Adonai Yehovi]; **16** they shall enter into My sanctuary, and they shall come near to My table, to minister unto Me, and they shall keep My charge. **17** And it shall be that when they enter in at the gates of the inner court, they shall be clothed with linen garments; and no wool shall come upon them, while they minister in the gates of the inner court, and within. **18** They shall have linen tires upon their heads, and shall have linen breeches upon their loins; they shall not gird themselves with any thing that causeth sweat. **19** And when they go forth into the outer court, even into the outer court to the people, they shall put off their garments wherein they minister, and lay them in the holy chambers, and they shall put on other garments, that they sanctify not the people with their garments. **20** Neither shall they shave their heads, nor suffer their locks to grow long; they shall only poll their heads. **21** Neither shall any priest drink wine, when they enter into the inner court. **22** Neither shall they take for their wives a widow, nor her that is put away; but they shall take virgins of the seed of the house of Israel, or a widow that is the widow of a priest. **23** And they shall teach My people the difference between the holy and the common, and cause them to discern between the unclean and the clean. **24** And in a controversy they shall stand to judge; according to Mine ordinances shall they judge it; and they shall keep My Torahs and My statutes in all My appointed seasons, and they shall hallow My sabbaths. **25** And they shall come near no dead person to defile themselves; but for father, or for mother, or for son, or for daughter, for brother, or for sister that hath had no husband, they may defile themselves. **26** And after he is cleansed, they shall reckon unto him seven days. **27** And in the day that he goeth into the sanctuary, into the inner court, to minister in the sanctuary, he shall offer his sin-offering, saith the Lord GOD [Adonai Yehovi]. **28** And it shall be unto them for an inheritance: I am their inheritance; and ye shall give them no possession in Israel: I am their possession.

כט הַמִּנְחָה֙ וְהַחַטָּאת֙ וְהָאָשָׁ֔ם הֵ֖מָּה יֹאכְל֑וּם וְכָל־חֵ֥רֶם בְּיִשְׂרָאֵ֖ל לָהֶ֥ם יִהְיֶֽה: ל וְרֵאשִׁ֣ית כָּל־בִּכּ֣וּרֵי כֹ֗ל וְכָל־תְּר֤וּמַת כֹּל֙ מִכֹּל֙ תְּר֣וּמֽוֹתֵיכֶ֔ם לַכֹּהֲנִ֖ים יִהְיֶ֑ה וְרֵאשִׁ֣ית עֲרִֽסֽוֹתֵיכֶם֙ תִּתְּנ֣וּ לַכֹּהֵ֔ן לְהָנִ֥יחַ בְּרָכָ֖ה אֶל־בֵּיתֶֽךָ: לא כָּל־נְבֵלָ֣ה וּטְרֵפָ֔ה מִן־הָע֖וֹף וּמִן־הַבְּהֵמָ֑ה לֹ֥א יֹֽאכְל֖וּ הַכֹּהֲנִֽים:

מה א וּבְהַפִּֽילְכֶ֨ם אֶת־הָאָ֜רֶץ בְּנַחֲלָ֗ה תָּרִ֤ימוּ תְרוּמָ֨ה לַֽיהֹוָ֤ה ׀ קֹ֨דֶשׁ֙ מִן־הָאָ֔רֶץ אֹ֗רֶךְ חֲמִשָּׁ֨ה וְעֶשְׂרִ֥ים אֶ֨לֶף֙ אֹ֔רֶךְ וְרֹ֖חַב עֲשָׂרָ֣ה אָ֑לֶף קֹֽדֶשׁ־ה֥וּא בְכָל־גְּבוּלָ֖הּ סָבִֽיב: ב יִהְיֶ֤ה מִזֶּה֙ אֶל־הַקֹּ֔דֶשׁ חֲמֵ֥שׁ מֵא֛וֹת בַּֽחֲמֵ֥שׁ מֵא֖וֹת מְרֻבָּ֣ע סָבִ֑יב וַחֲמִשִּׁ֥ים אַמָּ֛ה מִגְרָ֖שׁ ל֥וֹ סָבִֽיב: ג וּמִן־הַמִּדָּ֣ה הַזֹּ֗את תָּמ֞וֹד אֹ֗רֶךְ חֲמִשָּׁ֨ה[121] וְעֶשְׂרִ֥ים אֶ֨לֶף֙ וְרֹ֖חַב עֲשֶׂ֣רֶת אֲלָפִ֑ים וּבֽוֹ־יִהְיֶ֥ה הַמִּקְדָּ֖שׁ קֹ֥דֶשׁ קָֽדָשִֽׁים: ד קֹ֣דֶשׁ מִן־הָאָ֩רֶץ֩ ה֨וּא לַכֹּהֲנִ֜ים מְשָׁרְתֵ֤י הַמִּקְדָּשׁ֙ יִֽהְיֶ֔ה הַקְּרֵבִ֖ים לְשָׁרֵ֣ת אֶת־יְהֹוָ֑ה וְהָיָ֨ה לָהֶ֤ם מָקוֹם֙ לְבָ֣תִּ֔ים וּמִקְדָּ֖שׁ לַמִּקְדָּֽשׁ: ה וַחֲמִשָּׁ֨ה וְעֶשְׂרִ֥ים אֶ֨לֶף֙ אֹ֔רֶךְ וַֽעֲשֶׂ֥רֶת אֲלָפִ֖ים רֹ֑חַב וְהָיָ֤ה[122] לַֽלְוִיִּם֙ מְשָׁרְתֵ֣י הַבַּ֔יִת לָהֶ֥ם לַֽאֲחֻזָּ֖ה עֶשְׂרִ֥ים לְשָׁכֹֽת: ו וַֽאֲחֻזַּ֣ת הָעִ֗יר תִּתְּנוּ֙ חֲמֵ֤שֶׁת אֲלָפִים֙ רֹ֔חַב וְאֹ֗רֶךְ חֲמִשָּׁ֤ה וְעֶשְׂרִים֙ אֶ֔לֶף לְעֻמַּ֖ת תְּרוּמַ֣ת הַקֹּ֑דֶשׁ לְכָל־בֵּ֥ית יִשְׂרָאֵ֖ל יִֽהְיֶֽה: ז וְלַנָּשִׂ֡יא מִזֶּ֣ה וּמִזֶּה֩ לִתְרוּמַ֨ת הַקֹּ֜דֶשׁ וְלַֽאֲחֻזַּ֣ת הָעִ֗יר אֶל־פְּנֵ֤י תְרֽוּמַת־הַקֹּ֨דֶשׁ֙ וְאֶל־פְּנֵי֙ אֲחֻזַּ֣ת הָעִ֔יר מִפְּאַת־יָם֙ יָ֔מָּה וּמִפְּאַת־קֵ֖דְמָה קָדִ֑ימָה וְאֹ֗רֶךְ לְעֻמּוֹת֙ אַחַ֣ד הַחֲלָקִ֔ים מִגְּב֥וּל יָ֖ם אֶל־גְּב֥וּל קָדִֽימָה: ח לָאָ֛רֶץ יִֽהְיֶה־לּ֥וֹ לַֽאֲחֻזָּ֖ה בְּיִשְׂרָאֵ֑ל וְלֹֽא־יוֹנ֨וּ ע֤וֹד נְשִׂיאַי֙ אֶת־עַמִּ֔י וְהָאָ֛רֶץ יִתְּנ֥וּ לְבֵית־יִשְׂרָאֵ֖ל לְשִׁבְטֵיהֶֽם: ט כֹּֽה־אָמַ֞ר אֲדֹנָ֣י יְהֹוִ֗ה רַב־לָכֶם֙ נְשִׂיאֵ֣י יִשְׂרָאֵ֔ל חָמָ֤ס וָשֹׁד֙ הָסִ֔ירוּ וּמִשְׁפָּ֥ט וּצְדָקָ֖ה עֲשׂ֑וּ הָרִ֤ימוּ גְרֻשֹֽׁתֵיכֶם֙ מֵעַ֣ל עַמִּ֔י נְאֻ֖ם אֲדֹנָ֥י יְהֹוִֽה: י מֹֽאזְנֵי־צֶ֜דֶק וְאֵֽיפַת־צֶ֧דֶק וּבַת־צֶ֛דֶק יְהִ֖י לָכֶֽם: יא הָֽאֵיפָ֣ה וְהַבַּ֗ת תֹּ֤כֶן אֶחָד֙ יִֽהְיֶ֔ה לָשֵׂ֕את מַעְשַׂ֥ר הַחֹ֖מֶר הַבָּ֑ת וַעֲשִׂירִ֤ת הַחֹ֨מֶר֙ הָֽאֵיפָ֔ה אֶל־הַחֹ֖מֶר יִֽהְיֶ֥ה מַתְכֻּנְתּֽוֹ: יב וְהַשֶּׁ֖קֶל עֶשְׂרִ֣ים גֵּרָ֑ה עֶשְׂרִ֨ים שְׁקָלִ֜ים חֲמִשָּׁ֧ה וְעֶשְׂרִ֣ים שְׁקָלִ֗ים עֲשָׂרָ֤ה וַֽחֲמִשָּׁה֙ שֶׁ֔קֶל הַמָּנֶ֖ה יִֽהְיֶ֥ה לָכֶֽם: יג זֹ֥את הַתְּרוּמָ֖ה אֲשֶׁ֣ר תָּרִ֑ימוּ שִׁשִּׁ֤ית הָֽאֵיפָה֙ מֵחֹ֣מֶר הַֽחִטִּ֔ים וְשִׁשִּׁיתֶ֣ם הָֽאֵיפָ֔ה מֵחֹ֖מֶר הַשְּׂעֹרִֽים: יד וְחֹ֨ק הַשֶּׁ֜מֶן הַבַּ֣ת הַשֶּׁ֗מֶן מַעְשַׂ֤ר הַבַּת֙ מִן־הַכֹּ֔ר עֲשֶׂ֥רֶת הַבַּתִּ֖ים חֹ֑מֶר כִּֽי־עֲשֶׂ֥רֶת הַבַּתִּ֖ים חֹֽמֶר: טו וְשֶׂה־אַחַ֨ת מִן־הַצֹּ֤אן מִן־הַמָּאתַ֨יִם֙ מִמַּשְׁקֵ֣ה יִשְׂרָאֵ֔ל לְמִנְחָ֥ה וּלְעוֹלָ֖ה וְלִשְׁלָמִ֑ים לְכַפֵּ֣ר עֲלֵיהֶ֔ם נְאֻ֖ם אֲדֹנָ֥י יְהֹוִֽה: יו כֹּ֖ל הָעָ֣ם הָאָ֑רֶץ יִֽהְי֖וּ אֶל־הַתְּרוּמָ֣ה הַזֹּ֑את לַנָּשִׂ֖יא בְּיִשְׂרָאֵֽל:

---

[121]חֲמֵשׁ
[122]יִֽהְיֶה

29 The meal-offering, and the sin-offering, and the guilt-offering, they, even they, shall eat; and every devoted thing in Israel shall be theirs. **30** And the first of all the first-fruits of every thing, and every heave-offering of every thing, of all your offerings, shall be for the priests; ye shall also give unto the priest the first of your dough, to cause a blessing to rest on thy house. **31** The priests shall not eat of any thing that dieth of itself, or is torn, whether it be fowl or beast.{P}

45 **1** Moreover, when ye shall divide by lot the land for inheritance, ye shall set apart an offering unto Yehovah, a holy portion of the land; the length shall be the length of five and twenty thousand reeds, and the breadth shall be ten thousand; it shall be holy in all the border thereof round about. **2** Of this there shall be for the holy place five hundred in length by five hundred in breadth, square round about; and fifty cubits for the open land round about it. **3** And of this measure shalt thou measure a length of five and twenty thousand, and a breadth of ten thousand; and in it shall be the sanctuary, which is most holy. **4** It is a holy portion of the land; it shall be for the priests, the ministers of the sanctuary, that come near to minister unto Yehovah; and it shall be a place for their houses, and a place consecrated for the sanctuary. **5** And five and twenty thousand in length, and ten thousand in breadth, which shall be unto the Levites, the ministers of the house, for a possession unto themselves, for twenty chambers. **6** And ye shall appoint the possession of the city five thousand broad, and five and twenty thousand long, side by side with the offering of the holy portion; it shall be for the whole house of Israel. **7** And for the prince, on the one side and on the other side of the holy offering and of the possession of the city, in front of the holy offering and in front of the possession of the city, on the west side westward, and on the east side eastward; and in length answerable unto one of the portions, from the west border unto the east border **8** of the land; it shall be to him for a possession in Israel, and My princes shall no more wrong My people; but they shall give the land to the house of Israel according to their tribes.{P}

9 Thus saith the Lord GOD [Adonai Yehovi]: Let it suffice you, O princes of Israel; remove violence and spoil, and execute justice and righteousness; take away your exactions from My people, saith the Lord GOD [Adonai Yehovi]. **10** Ye shall have just balances, and a just ephah, and a just bath. **11** The ephah and the bath shall be of one measure, that the bath may contain the tenth part of a homer, and the ephah the tenth part of a homer; the measure thereof shall be after the homer. **12** And the shekel shall be twenty gerahs; twenty shekels, five and twenty shekels, ten, and five shekels, shall be your maneh. **13** This is the offering that ye shall set apart: the sixth part of an ephah out of a homer of wheat, and ye shall give the sixth part of an ephah out of a homer of barley; **14** and the set portion of oil, the bath of oil, shall be the tithe of the bath out of the cor, which is ten baths, even a homer; for ten baths are a homer; **15** and one lamb of the flock, out of two hundred, from the well-watered pastures of Israel; for a meal-offering, and for a burnt-offering, and for peace-offerings, to make atonement for them, saith the Lord GOD [Adonai Yehovi].{P}

16 All the people of the land shall give this offering for the prince in Israel.

יז וְעַל־הַנָּשִׂיא יִהְיֶה הָעוֹלוֹת וְהַמִּנְחָה וְהַנֵּסֶךְ בַּחַגִּים וּבֶחֳדָשִׁים וּבַשַּׁבָּתוֹת
בְּכָל־מוֹעֲדֵי בֵּית יִשְׂרָאֵל הוּא־יַעֲשֶׂה אֶת־הַחַטָּאת וְאֶת־הַמִּנְחָה
וְאֶת־הָעוֹלָה וְאֶת־הַשְּׁלָמִים לְכַפֵּר בְּעַד בֵּית־יִשְׂרָאֵל׃ יח כֹּה־אָמַר אֲדֹנָי
יְהוִה בָּרִאשׁוֹן בְּאֶחָד לַחֹדֶשׁ תִּקַּח פַּר־בֶּן־בָּקָר תָּמִים וְחִטֵּאתָ
אֶת־הַמִּקְדָּשׁ׃ יט וְלָקַח הַכֹּהֵן מִדַּם הַחַטָּאת וְנָתַן אֶל־מְזוּזַת הַבַּיִת
וְאֶל־אַרְבַּע פִּנּוֹת הָעֲזָרָה לַמִּזְבֵּחַ וְעַל־מְזוּזַת שַׁעַר הֶחָצֵר הַפְּנִימִית׃ כ וְכֵן
תַּעֲשֶׂה בְּשִׁבְעָה בַחֹדֶשׁ מֵאִישׁ שֹׁגֶה וּמִפֶּתִי וְכִפַּרְתֶּם אֶת־הַבָּיִת׃ כא בָּרִאשׁוֹן
בְּאַרְבָּעָה עָשָׂר יוֹם לַחֹדֶשׁ יִהְיֶה לָכֶם הַפָּסַח חָג שְׁבֻעוֹת יָמִים מַצּוֹת
יֵאָכֵל׃ כב וְעָשָׂה הַנָּשִׂיא בַּיּוֹם הַהוּא בַּעֲדוֹ וּבְעַד כָּל־עַם הָאָרֶץ פַּר
חַטָּאת׃ כג וְשִׁבְעַת יְמֵי־הֶחָג יַעֲשֶׂה עוֹלָה לַיהוָה שִׁבְעַת פָּרִים וְשִׁבְעַת
אֵילִים תְּמִימִם לַיּוֹם שִׁבְעַת הַיָּמִים וְחַטָּאת שְׂעִיר עִזִּים לַיּוֹם׃ כד וּמִנְחָה
אֵיפָה לַפָּר וְאֵיפָה לָאַיִל יַעֲשֶׂה וְשֶׁמֶן הִין לָאֵיפָה׃ כה בַּשְּׁבִיעִי בַּחֲמִשָּׁה
עָשָׂר יוֹם לַחֹדֶשׁ בֶּחָג יַעֲשֶׂה כָאֵלֶּה שִׁבְעַת הַיָּמִים כַּחַטָּאת כָּעֹלָה וְכַמִּנְחָה
וְכַשָּׁמֶן׃

מו א כֹּה־אָמַר אֲדֹנָי יְהוִה שַׁעַר הֶחָצֵר הַפְּנִימִית הַפֹּנֶה קָדִים יִהְיֶה סָגוּר
שֵׁשֶׁת יְמֵי הַמַּעֲשֶׂה וּבְיוֹם הַשַּׁבָּת יִפָּתֵחַ וּבְיוֹם הַחֹדֶשׁ יִפָּתֵחַ׃ ב וּבָא הַנָּשִׂיא
דֶּרֶךְ אוּלָם הַשַּׁעַר מִחוּץ וְעָמַד עַל־מְזוּזַת הַשַּׁעַר וְעָשׂוּ הַכֹּהֲנִים אֶת־עוֹלָתוֹ
וְאֶת־שְׁלָמָיו וְהִשְׁתַּחֲוָה עַל־מִפְתַּן הַשַּׁעַר וְיָצָא וְהַשַּׁעַר לֹא־יִסָּגֵר עַד־הָעָרֶב׃
ג וְהִשְׁתַּחֲווּ עַם־הָאָרֶץ פֶּתַח הַשַּׁעַר הַהוּא בַּשַּׁבָּתוֹת וּבֶחֳדָשִׁים לִפְנֵי יְהוָה׃
ד וְהָעֹלָה אֲשֶׁר־יַקְרִב הַנָּשִׂיא לַיהוָה בְּיוֹם הַשַּׁבָּת שִׁשָּׁה כְבָשִׂים תְּמִימִם
וְאַיִל תָּמִים׃ ה וּמִנְחָה אֵיפָה לָאַיִל וְלַכְּבָשִׂים מִנְחָה מַתַּת יָדוֹ וְשֶׁמֶן הִין
לָאֵיפָה׃ ו וּבְיוֹם הַחֹדֶשׁ פַּר בֶּן־בָּקָר תְּמִימִם וְשֵׁשֶׁת כְּבָשִׂם וָאַיִל תְּמִימִם
יִהְיוּ׃ ז וְאֵיפָה לַפָּר וְאֵיפָה לָאַיִל יַעֲשֶׂה מִנְחָה וְלַכְּבָשִׂים כַּאֲשֶׁר תַּשִּׂיג יָדוֹ
וְשֶׁמֶן הִין לָאֵיפָה׃ ח וּבְבוֹא הַנָּשִׂיא דֶּרֶךְ אוּלָם הַשַּׁעַר יָבוֹא וּבְדַרְכּוֹ יֵצֵא׃
ט וּבְבוֹא עַם־הָאָרֶץ לִפְנֵי יְהוָה בַּמּוֹעֲדִים הַבָּא דֶּרֶךְ־שַׁעַר צָפוֹן לְהִשְׁתַּחֲוֹת
יֵצֵא דֶּרֶךְ־שַׁעַר נֶגֶב וְהַבָּא דֶּרֶךְ־שַׁעַר נֶגֶב יֵצֵא דֶּרֶךְ־שַׁעַר צָפוֹנָה לֹא יָשׁוּב
דֶּרֶךְ הַשַּׁעַר אֲשֶׁר־בָּא בוֹ כִּי נִכְחוֹ יֵצֵאו[123]׃ י וְהַנָּשִׂיא בְּתוֹכָם בְּבוֹאָם יָבוֹא
וּבְצֵאתָם יֵצֵאוּ׃ יא וּבַחַגִּים וּבַמּוֹעֲדִים תִּהְיֶה הַמִּנְחָה אֵיפָה לַפָּר וְאֵיפָה
לָאַיִל וְלַכְּבָשִׂים מַתַּת יָדוֹ וְשֶׁמֶן הִין לָאֵיפָה׃

[123] יצא

17 And it shall be the prince's part to give the burnt-offerings, and the meal-offerings, and the drink-offerings, in the feasts, and in the new moons, and in the sabbaths, in all the appointed seasons of the house of Israel; he shall prepare the sin-offering, and the meal-offering, and the burnt-offering, and the peace-offerings, to make atonement for the house of Israel.{S} **18** Thus saith the Lord GOD [Adonai Yehovi]: In the first month, in the first day of the month, thou shalt take a young bullock without blemish; and thou shalt purify the sanctuary. **19** And the priest shall take of the blood of the sin-offering, and put it upon the door-posts of the house, and upon the four corners of the settle of the altar, and upon the posts of the gate of the inner court. **20** And so thou shalt do on the seventh day of the month for every one that erreth, and for him that is simple; so shall ye make atonement for the house. **21** In the first month, in the fourteenth day of the month, ye shall have the passover; a feast of seven days; unleavened bread shall be eaten. **22** And upon that day shall the prince prepare for himself and for all the people of the land a bullock for a sin-offering. **23** And the seven days of the feast he shall prepare a burnt-offering to Yehovah, seven bullocks and seven rams without blemish daily the seven days; and a he-goat daily for a sin-offering. **24** And he shall prepare a meal-offering, an ephah for a bullock, and an ephah for a ram, and a hin of oil to an ephah. **25** In the seventh month, in the fifteenth day of the month, in the feast, shall he do the like the seven days; to the sin-offering as well as the burnt-offering, and the meal-offering as well as the oil.{S}

46 **1** Thus saith the Lord GOD [Adonai Yehovi]: The gate of the inner court that looketh toward the east shall be shut the six working days; but on the sabbath day it shall be opened, and in the day of the new moon it shall be opened. **2** And the prince shall enter by the way of the porch of the gate without, and shall stand by the post of the gate, and the priests shall prepare his burnt-offering and his peace-offerings, and he shall worship at the threshold of the gate; then he shall go forth; but the gate shall not be shut until the evening. **3** Likewise the people of the land shall worship at the door of that gate before Yehovah in the sabbaths and in the new moons. **4** And the burnt-offering that the prince shall offer unto Yehovah shall be in the sabbath day six lambs without blemish and a ram without blemish; **5** and the meal-offering shall be an ephah for the ram, and the meal-offering for the lambs as he is able to give, and a hin of oil to an ephah.{S} **6** And in the day of the new moon it shall be a young bullock without blemish; and six lambs, and a ram; they shall be without blemish; **7** and he shall prepare a meal-offering, an ephah for the bullock, and an ephah for the ram, and for the lambs according as his means suffice, and a hin of oil to an ephah. **8** And when the prince shall enter, he shall go in by the way of the porch of the gate, and he shall go forth by the way thereof. **9** But when the people of the land shall come before Yehovah in the appointed seasons, he that entereth by the way of the north gate to worship shall go forth by the way of the south gate; and he that entereth by the way of the south gate shall go forth by the way of the north gate; he shall not return by the way of the gate whereby he came in, but shall go forth straight before him. **10** And the prince, when they go in, shall go in in the midst of them; and when they go forth, they shall go forth together. **11** And in the feasts and in the appointed seasons the meal-offering shall be an ephah for a bullock, and an ephah for a ram, and for the lambs as he is able to give, and a hin of oil to an ephah.{P}

יב וְכִֽי־יַעֲשֶׂה֩ הַנָּשִׂ֨יא נְדָבָ֜ה עוֹלָ֣ה אֽוֹ־שְׁלָמִים֮ נְדָבָ֣ה לַיהוָה֒ וּפָ֣תַח ל֗וֹ אֶֽת
הַשַּׁ֙עַר֙ הַפֹּנֶ֣ה קָדִ֔ים וְעָשָׂ֤ה אֶת־עֹֽלָתוֹ֙ וְאֶת־שְׁלָמָ֔יו כַּאֲשֶׁ֥ר יַעֲשֶׂ֖ה בְּי֣וֹם הַשַּׁבָּ֑ת
וְיָצָ֛א וְסָגַ֥ר אֶת־הַשַּׁ֖עַר אַחֲרֵ֥י צֵאתֽוֹ׃ יג וְכֶ֨בֶשׂ בֶּן־שְׁנָת֜וֹ תָּמִ֗ים תַּעֲשֶׂ֥ה עוֹלָ֛ה
לַיּ֖וֹם לַֽיהוָ֑ה בַּבֹּ֥קֶר בַּבֹּ֖קֶר תַּעֲשֶׂ֥ה אֹתֽוֹ׃ יד וּמִנְחָה֩ תַעֲשֶׂ֨ה עָלָ֜יו בַּבֹּ֣קֶר
בַּבֹּ֗קֶר שִׁשִּׁ֤ית הָֽאֵיפָה֙ וְשֶׁ֣מֶן שְׁלִישִׁ֣ית הַהִ֔ין לָרֹ֖ס אֶת־הַסֹּ֑לֶת מִנְחָה֙ לַֽיהוָ֔ה
חֻקּ֥וֹת עוֹלָ֖ם תָּמִֽיד׃ יה יַעֲשׂוּ[124] אֶת־הַכֶּ֧בֶשׂ וְאֶת־הַמִּנְחָ֛ה וְאֶת־הַשֶּׁ֖מֶן בַּבֹּ֣קֶר
בַּבֹּ֑קֶר עוֹלַ֖ת תָּמִֽיד׃

יו כֹּה־אָמַ֞ר אֲדֹנָ֣י יְהוִ֗ה כִּֽי־יִתֵּ֨ן הַנָּשִׂ֤יא מַתָּנָה֙ לְאִ֣ישׁ מִבָּנָ֔יו נַחֲלָת֥וֹ הִ֖יא
לְבָנָ֣יו תִּֽהְיֶ֑ה אֲחֻזָּתָ֥ם הִ֖יא בְּנַחֲלָֽה׃ יז וְכִֽי־יִתֵּ֨ן מַתָּנָ֜ה מִנַּחֲלָת֗וֹ לְאַחַד֙
מֵעֲבָדָ֔יו וְהָ֤יְתָה לּוֹ֙ עַד־שְׁנַ֣ת הַדְּר֔וֹר וְשָׁבַ֖ת לַנָּשִׂ֑יא אַ֚ךְ נַחֲלָת֔וֹ בָּנָ֖יו לָהֶ֥ם
תִּֽהְיֶֽה׃ יח וְלֹא־יִקַּ֨ח הַנָּשִׂ֜יא מִנַּחֲלַ֣ת הָעָ֗ם לְהֽוֹנֹתָם֙ מֵאֲחֻזָּתָ֔ם מֵאֲחֻזָּת֖וֹ יַנְחִ֣ל
אֶת־בָּנָ֑יו לְמַ֙עַן֙ אֲשֶׁ֣ר לֹא־יָפֻ֣צוּ עַמִּ֔י אִ֖ישׁ מֵאֲחֻזָּתֽוֹ׃ יט וַיְבִיאֵ֣נִי בַמָּבוֹא֮ אֲשֶׁ֣ר
עַל־כֶּ֣תֶף הַשַּׁעַר֒ אֶל־הַלְּשָׁכ֣וֹת הַקֹּ֗דֶשׁ אֶל־הַכֹּ֣הֲנִ֔ים הַפֹּנ֖וֹת צָפ֑וֹנָה וְהִנֵּה־שָׁ֣ם
מָק֔וֹם בַּיַּרְכָתָ֖ים[125] יָֽמָּה׃ כ וַיֹּ֣אמֶר אֵלַ֔י זֶ֣ה הַמָּק֗וֹם אֲשֶׁ֤ר יְבַשְּׁלוּ־שָׁם֙ הַכֹּ֣הֲנִ֔ים
אֶת־הָאָשָׁ֖ם וְאֶת־הַחַטָּ֑את אֲשֶׁ֣ר יֹאפוּ֩ אֶת־הַמִּנְחָ֨ה לְבִלְתִּ֜י הוֹצִ֣יא אֶל־הֶחָצֵ֧ר
הַחִיצוֹנָ֛ה לְקַדֵּ֖שׁ אֶת־הָעָֽם׃ כא וַיּוֹצִיאֵ֗נִי אֶל־הֶחָצֵר֙ הַחִ֣יצֹנָ֔ה וַיַּ֣עֲבִירֵ֔נִי
אֶל־אַרְבַּ֖עַת מִקְצוֹעֵ֣י הֶחָצֵ֑ר וְהִנֵּ֥ה חָצֵר֙ בְּמִקְצֹ֣עַ הֶחָצֵ֔ר חָצֵ֖ר בְּמִקְצֹ֥עַ
הֶחָצֵֽר׃ כב בְּאַרְבַּ֜עַת מִקְצֹע֣וֹת הֶחָצֵ֗ר חֲצֵר֙וֹת קְטֻר֔וֹת אַרְבָּעִ֣ים אֹ֔רֶךְ
וּשְׁלֹשִׁ֖ים רֹ֑חַב מִדָּ֣ה אַחַ֔ת לְאַרְבַּעְתָּ֖ם מְהֻקְצָעֽוֹת׃ כג וְט֨וּר סָבִ֥יב בָּהֶ֛ם
סָבִ֖יב לְאַרְבַּעְתָּ֑ם וּמְבַשְּׁל֣וֹת עָשׂ֔וּי מִתַּ֥חַת הַטִּיר֖וֹת סָבִֽיב׃ כד וַיֹּ֖אמֶר אֵלָ֑י
אֵ֚לֶּה בֵּ֣ית הַֽמְבַשְּׁלִ֔ים אֲשֶׁ֧ר יְבַשְּׁלוּ־שָׁ֛ם מְשָׁרְתֵ֥י הַבַּ֖יִת אֶת־זֶ֥בַח הָעָֽם׃

מז א וַיְשִׁבֵ֜נִי֮ אֶל־פֶּ֣תַח הַבַּיִת֒ וְהִנֵּה־מַ֣יִם יֹצְאִ֗ים מִתַּ֨חַת מִפְתַּ֤ן הַבַּ֙יִת֙ קָדִ֔ימָה
כִּֽי־פְנֵ֥י הַבַּ֖יִת קָדִ֑ים וְהַמַּ֣יִם יֹרְדִ֗ים מִתַּ֜חַת מִכֶּ֤תֶף הַבַּ֙יִת֙ הַיְמָנִ֔ית מִנֶּ֖גֶב
לַמִּזְבֵּֽחַ׃ ב וַיּוֹצִאֵ֜נִי֮ דֶּרֶךְ־שַׁ֣עַר צָפ֗וֹנָה וַיְסִבֵּ֙נִי֙ דֶּ֣רֶךְ ח֔וּץ אֶל־שַׁ֣עַר הַח֔וּץ
דֶּ֖רֶךְ הַפּוֹנֶ֣ה קָדִ֑ים וְהִנֵּה־מַ֥יִם מְפַכִּ֖ים מִן־הַכָּתֵ֥ף הַיְמָנִֽית׃ ג בְּצֵֽאת־הָאִ֥ישׁ
קָדִ֖ים וְקָ֣ו בְּיָד֑וֹ וַיָּ֤מָד אֶ֙לֶף֙ בָּֽאַמָּ֔ה וַיַּעֲבִרֵ֥נִי בַמַּ֖יִם מֵ֥י אָפְסָֽיִם׃ ד וַיָּ֣מָד אֶ֔לֶף
וַיַּעֲבִרֵ֥נִי בַמַּ֖יִם מַ֣יִם בִּרְכָּ֑יִם וַיָּ֣מָד אֶ֔לֶף וַיַּעֲבִרֵ֖נִי מֵ֥י מָתְנָֽיִם׃ ה וַיָּ֣מָד אֶ֔לֶף
נַ֕חַל אֲשֶׁ֥ר לֹא־אוּכַ֖ל לַעֲבֹ֑ר כִּֽי־גָא֤וּ הַמַּ֙יִם֙ מֵ֣י שָׂ֔חוּ נַ֖חַל אֲשֶׁ֥ר לֹֽא־יֵעָבֵֽר׃
ו וַיֹּ֣אמֶר אֵלַ֔י הֲרָאִ֖יתָ בֶן־אָדָ֑ם וַיּוֹלִכֵ֥נִי וַיְשִׁבֵ֖נִי שְׂפַ֥ת הַנָּֽחַל׃

---

[124] ועשו
[125] בירכתם

12 And when the prince shall prepare a freewill-offering, a burnt-offering or peace-offerings as a freewill-offering unto Yehovah, one shall open for him the gate that looketh toward the east, and he shall prepare his burnt-offering and his peace-offerings, as he doth on the sabbath day; then he shall go forth; and after his going forth one shall shut the gate. **13** And thou shalt prepare a lamb of the first year without blemish for a burnt-offering unto Yehovah daily; morning by morning shalt thou prepare it. **14** And thou shalt prepare a meal-offering with it morning by morning, the sixth part of an ephah, and the third part of a hin of oil, to moisten the fine flour: a meal-offering unto Yehovah continually by a perpetual ordinance. **15** Thus shall they prepare the lamb, and the meal-offering, and the oil, morning by morning, for a continual burnt-offering.{S} **16** Thus saith the Lord GOD [Adonai Yehovi]: If the prince give a gift unto any of his sons, it is his inheritance, it shall belong to his sons; it is their possession by inheritance.{S} **17** But if he give of his inheritance a gift to one of his servants, it shall be his to the year of liberty; then it shall return to the prince; but as for his inheritance, it shall be for his sons. **18** Moreover the prince shall not take of the people's inheritance, to thrust them wrongfully out of their possession; he shall give inheritance to his sons out of his own possession; that My people be not scattered every man from his possession.' **19** Then he brought me through the entry, which was at the side of the gate, into the holy chambers for the priests, which looked toward the north; and, behold, there was a place on the hinder part westward. **20** And he said unto me: 'This is the place where the priests shall boil the guilt-offering and the sin-offering, where they shall bake the meal-offering; that they bring them not forth into the outer court, to sanctify the people.' **21** Then he brought me forth into the outer court, and caused me to pass by the four corners of the court; and, behold, in every corner of the court there was a court. **22** In the four corners of the court there were courts inclosed, forty cubits long and thirty broad; these four in the corners were of one measure. **23** And there was a row of masonry round about in them, round about the four, and it was made with boiling-places under the rows round about. **24** Then said he unto me: 'These are the boiling-places, where the ministers of the house shall boil the sacrifices of the people.'

47 **1** And he brought me back unto the door of the house; and, behold, waters issued out from under the threshold of the house eastward, for the forefront of the house looked toward the east; and the waters came down from under, from the right side of the house, on the south of the altar. **2** Then brought he me out by the way of the gate northward, and led me round by the way without unto the outer gate, by the way of the gate that looketh toward the east; and, behold, there trickled forth waters on the right side. **3** When the man went forth eastward with the line in his hand, he measured a thousand cubits, and he caused me to pass through the waters, waters that were to the ankles. **4** Again he measured a thousand, and caused me to pass through the waters, waters that were to the knees. Again he measured a thousand, and caused me to pass through waters that were to the loins. **5** Afterward he measured a thousand; and it was a river that I could not pass through; for the waters were risen, waters to swim in, a river that could not be passed through. **6** And he said unto me: 'Hast thou seen this, O son of man?' Then he led me, and caused me to return to the bank of the river.

ז בְּשׁוּבֵ֕נִי וְהִנֵּה֙ אֶל־שְׂפַ֣ת הַנַּ֔חַל עֵ֥ץ רַ֖ב מְאֹ֑ד מִזֶּ֖ה וּמִזֶּֽה׃ ח וַיֹּ֣אמֶר אֵלַ֗י
הַמַּ֨יִם הָאֵ֜לֶּה יוֹצְאִ֗ים אֶל־הַגְּלִילָה֙ הַקַּדְמוֹנָ֔ה וְיָרְד֖וּ עַל־הָעֲרָבָ֑ה וּבָ֣אוּ הַיָּ֔מָּה
אֶל־הַיָּ֥מָּה הַמּֽוּצָאִ֖ים וְנִרְפּ֥וּ[126] הַמָּֽיִם׃ ט וְהָיָ֣ה כָל־נֶ֣פֶשׁ חַיָּ֣ה ׀ אֲשֶׁר־יִשְׁרֹ֡ץ אֶ֣ל
כָּל־אֲשֶׁ֨ר יָב֜וֹא שָׁ֤ם נַחֲלַ֙יִם֙ יִֽחְיֶ֔ה וְהָיָ֥ה הַדָּגָ֖ה רַבָּ֣ה מְאֹ֑ד כִּ֣י בָ֨אוּ שָׁ֜מָּה הַמַּ֣יִם
הָאֵ֗לֶּה וְיֵרָֽפְאוּ֙ וָחָ֔י כֹּ֛ל אֲשֶׁר־יָב֥וֹא שָׁ֖מָּה הַנָּֽחַל׃ י וְהָיָה֩ עָמְד֨וּ[127] עָלָ֜יו דַּוָּגִ֗ים
מֵעֵ֥ין גֶּ֙דִי֙ וְעַד־עֵ֣ין עֶגְלַ֔יִם מִשְׁט֥וֹחַ לַֽחֲרָמִ֖ים יִהְי֑וּ לְמִינָה֙ תִּהְיֶ֣ה דְגָתָ֔ם כִּדְגַ֛ת
הַיָּ֥ם הַגָּד֖וֹל רַבָּ֥ה מְאֹֽד׃ יא בִּצֹּאתָ֧ו[128] וּגְבָאָ֛יו וְלֹ֥א יֵרָפְא֖וּ לְמֶ֥לַח נִתָּֽנוּ׃
יב וְעַל־הַנַּ֣חַל יַעֲלֶ֣ה עַל־שְׂפָת֣וֹ מִזֶּ֣ה ׀ וּמִזֶּ֣ה ׀ כָּל־עֵֽץ־מַ֠אֲכָל לֹא־יִבּ֨וֹל עָלֵ֜הוּ
וְלֹא־יִתֹּ֣ם פִּרְי֗וֹ לָֽחֳדָשָׁיו֙ יְבַכֵּ֔ר כִּ֣י מֵימָ֔יו מִן־הַמִּקְדָּ֖שׁ הֵ֣מָּה יֽוֹצְאִ֑ים
וְהָיָ֤ה[129] פִרְיוֹ֙ לְמַֽאֲכָ֔ל וְעָלֵ֖הוּ לִתְרוּפָֽה׃ יג כֹּ֣ה אָמַר֮ אֲדֹנָ֣י יְהוִה֒ גֵּ֣ה גְב֗וּל אֲשֶׁ֤ר
תִּֽתְנַחֲלוּ֙ אֶת־הָאָ֔רֶץ לִשְׁנֵ֥י עָשָׂ֖ר שִׁבְטֵ֣י יִשְׂרָאֵ֑ל יוֹסֵ֖ף חֲבָלִֽים׃ יד וּנְחַלְתֶּ֤ם
אוֹתָהּ֙ אִ֣ישׁ כְּאָחִ֔יו אֲשֶׁ֤ר נָשָׂ֙אתִי֙ אֶת־יָדִ֔י לְתִתָּ֖הּ לַאֲבֹתֵיכֶ֑ם וְנָ֨פְלָ֜ה הָאָ֧רֶץ
הַזֹּ֛את לָכֶ֖ם בְּנַחֲלָֽה׃ טו וְזֶ֖ה גְּב֣וּל הָאָ֑רֶץ לִפְאַ֨ת צָפ֜וֹנָה מִן־הַיָּ֧ם הַגָּד֛וֹל
הַדֶּ֥רֶךְ חֶתְלֹ֖ן לְב֥וֹא צְדָֽדָה׃ טז חֲמָ֤ת ׀ בֵּר֙וֹתָה֙ סִבְרַ֔יִם אֲשֶׁר֙ בֵּין־גְּב֣וּל דַּמֶּ֔שֶׂק
וּבֵ֖ין גְּב֣וּל חֲמָ֑ת חָצֵר֙ הַתִּיכ֔וֹן אֲשֶׁ֖ר אֶל־גְּב֥וּל חַוְרָֽן׃ יז וְהָיָ֨ה גְב֜וּל מִן־הַיָּ֗ם
חֲצַ֤ר עֵינוֹן֙ גְּב֣וּל דַּמֶּ֔שֶׂק וְצָפ֥וֹן ׀ צָפ֖וֹנָה וּגְב֣וּל חֲמָ֑ת וְאֵ֖ת פְּאַ֥ת צָפֽוֹן׃ יח וּפְאַ֣ת
קָדִ֡ים מִבֵּ֣ין חַוְרָ֣ן וּמִבֵּין־דַּמֶּ֡שֶׂק וּמִבֵּ֣ין הַגִּלְעָד֩ וּמִבֵּ֨ין אֶ֤רֶץ יִשְׂרָאֵל֙ הַיַּרְדֵּ֔ן
מִגְּב֛וּל עַל־הַיָּ֥ם הַקַּדְמוֹנִ֖י תָּמֹ֑דּוּ וְאֵ֖ת פְּאַ֥ת קָדִֽימָה׃ יט וּפְאַ֨ת נֶ֣גֶב תֵּימָ֔נָה
מִתָּמָ֗ר עַד־מֵי֙ מְרִיב֣וֹת קָדֵ֔שׁ נַחֲלָ֖ה אֶל־הַיָּ֣ם הַגָּד֑וֹל וְאֵ֥ת פְּאַת־תֵּימָ֖נָה נֶֽגְבָּה׃
כ וּפְאַת־יָם֙ הַיָּ֣ם הַגָּד֔וֹל מִגְּב֕וּל עַד־נֹ֖כַח לְב֣וֹא חֲמָ֑ת זֹ֖את פְּאַת־יָֽם׃
כא וְחִלַּקְתֶּ֞ם אֶת־הָאָ֧רֶץ הַזֹּ֛את לָכֶ֖ם לְשִׁבְטֵ֥י יִשְׂרָאֵֽל׃ כב וְהָיָ֗ה תַּפִּ֣לוּ אוֹתָהּ֮
בְּנַחֲלָה֒ לָכֶ֗ם וּלְהַגֵּרִים֙ הַגָּרִ֣ים בְּתוֹכְכֶ֔ם אֲשֶׁר־הוֹלִ֥דוּ בָנִ֖ים בְּתוֹכְכֶ֑ם וְהָי֣וּ
לָכֶ֗ם כְּאֶזְרָח֙ בִּבְנֵ֣י יִשְׂרָאֵ֔ל אִתְּכֶם֙ יִפְּל֣וּ בְנַחֲלָ֔ה בְּת֖וֹךְ שִׁבְטֵ֥י יִשְׂרָאֵֽל׃
כג וְהָיָ֣ה בַשֵּׁ֔בֶט אֲשֶׁר־גָּ֥ר הַגֵּ֖ר אִתּ֑וֹ שָׁ֚ם תִּתְּנ֣וּ נַחֲלָת֔וֹ נְאֻ֖ם אֲדֹנָ֥י יְהוִֽה׃

מח א וְאֵ֖לֶּה שְׁמ֣וֹת הַשְּׁבָטִ֑ים מִקְצֵ֣ה צָפ֡וֹנָה אֶל־יַ֣ד דֶּֽרֶךְ־חֶתְלֹ֣ן ׀
לְבֽוֹא־חֲמָ֡ת חֲצַ֣ר עֵינָן֩ גְּב֨וּל דַּמֶּ֜שֶׂק צָפ֨וֹנָה֙ אֶל־יַ֣ד חֲמָ֔ת וְהָיוּ־ל֧וֹ פְאַת־קָדִ֛ים
הַיָּ֖ם דָּ֥ן אֶחָֽד׃ ב וְעַ֣ל ׀ גְּב֣וּל דָּ֔ן מִפְּאַ֥ת קָדִ֖ים עַד־פְּאַת־יָ֑מָּה אָשֵׁ֖ר אֶחָֽד׃
ג וְעַ֣ל ׀ גְּב֣וּל אָשֵׁ֗ר מִפְּאַ֥ת קָדִ֛מָה וְעַד־פְּאַת־יָ֖מָּה נַפְתָּלִ֥י אֶחָֽד׃

---

[126] ונרפאו
[127] יעמדו
[128] בצאתו
[129] והיו

7 Now when I had been brought back, behold, upon the bank of the river were very many trees on the one side and on the other. 8 Then said he unto me: 'These waters issue forth toward the eastern region, and shall go down into the Arabah; and when they shall enter into the sea, into the sea of the putrid waters, the waters shall be healed. 9 And it shall come to pass, that every living creature wherewith it swarmeth, whithersoever the rivers shall come, shall live; and there shall be a very great multitude of fish; for these waters are come thither, that all things be healed and may live whithersoever the river cometh. 10 And it shall come to pass, that fishers shall stand by it from En-gedi even unto En-eglaim; there shall be a place for the spreading of nets; their fish shall be after their kinds, as the fish of the Great Sea, exceeding many. 11 But the miry places thereof, and the marshes thereof, shall not be healed; they shall be given for salt. 12 And by the river upon the bank thereof, on this side and on that side, shall grow every tree for food, whose leaf shall not wither, neither shall the fruit thereof fail; it shall bring forth new fruit every month, because the waters thereof issue out of the sanctuary; and the fruit thereof shall be for food, and the leaf thereof for healing.'{P}

13 Thus saith the Lord GOD [Adonai Yehovi]: 'This shall be the border, whereby ye shall divide the land for inheritance according to the twelve tribes of Israel, Joseph receiving two portions. 14 And ye shall inherit it, one as well as another, concerning which I lifted up My hand to give it unto your fathers; and this land shall fall unto you for inheritance. 15 And this shall be the border of the land: on the north side, from the Great Sea, by the way of Hethlon, unto the entrance of Zedad; 16 Hamath, Berothah, Sibraim, which is between the border of Damascus and the border of Hamath; Hazer-hatticon, which is by the border of Hauran. 17 And the border from the sea shall be Hazar-enon at the border of Damascus, and on the north northward is the border of Hamath. This is the north side. 18 And the east side, between Hauran and Damascus and Gilead, and the land of Israel, by the Jordan, from the border unto the east sea shall ye measure. This is the east side. 19 And the south side southward shall be from Tamar as far as the waters of Meriboth-kadesh, to the Brook, unto the Great Sea. This is the south side southward. 20 And the west side shall be the Great Sea, from the border as far as over against the entrance of Hamath. This is the west side. 21 So shall ye divide this land unto you according to the tribes of Israel. 22 And it shall come to pass, that ye shall divide it by lot for an inheritance unto you and to the strangers that sojourn among you, who shall beget children among you; and they shall be unto you as the home-born among the children of Israel; they shall have inheritance with you among the tribes of Israel. 23 And it shall come to pass, that in what tribe the stranger sojourneth, there shall ye give him his inheritance, saith the Lord GOD [Adonai Yehovi].{P}

48 1 Now these are the names of the tribes: from the north end, beside the way of Hethlon to the entrance of Hamath, Hazar-enan, at the border of Damascus, northward, beside Hamath; and they shall have their sides east and west: Dan, one portion. 2 And by the border of Dan, from the east side unto the west side: Asher, one portion. 3 And by the border of Asher, from the east side even unto the west side: Naphtali, one portion.

ד וְעַ֣ל ׀ גְּב֣וּל נַפְתָּלִ֗י מִפְּאַ֤ת קָדִ֙מָה֙ עַד־פְּאַת־יָ֔מָּה מְנַשֶּׁ֖ה אֶחָֽד׃ ה וְעַ֣ל ׀ גְּב֣וּל מְנַשֶּׁ֗ה מִפְּאַ֤ת קָדִ֙מָה֙ עַד־פְּאַת־יָ֔מָּה אֶפְרַ֖יִם אֶחָֽד׃ ו וְעַ֣ל ׀ גְּב֣וּל אֶפְרַ֗יִם מִפְּאַ֤ת קָדִ֙ם וְעַד־פְּאַת־יָ֔מָּה רְאוּבֵ֖ן אֶחָֽד׃ ז וְעַ֣ל ׀ גְּב֣וּל רְאוּבֵ֗ן מִפְּאַ֤ת קָדִ֙ים עַד־פְּאַת־יָ֔מָּה יְהוּדָ֖ה אֶחָֽד׃ ח וְעַל֙ גְּב֣וּל יְהוּדָ֗ה מִפְּאַ֤ת קָדִ֙ים עַד־פְּאַת־יָ֔מָּה תִּהְיֶ֣ה הַתְּרוּמָ֣ה אֲשֶׁר־תָּרִ֡ימוּ חֲמִשָּׁה֩ וְעֶשְׂרִ֨ים אֶ֜לֶף רֹ֗חַב וְאֹ֙רֶךְ֙ כְּאַחַ֣ד הַחֲלָקִ֔ים מִפְּאַ֤ת קָדִ֙ימָה֙ עַד־פְּאַת־יָ֔מָּה וְהָיָ֥ה הַמִּקְדָּ֖שׁ בְּתוֹכֽוֹ׃ ט הַתְּרוּמָ֕ה אֲשֶׁ֥ר תָּרִ֖ימוּ לַיהֹוָ֑ה אֹ֗רֶךְ חֲמִשָּׁ֤ה וְעֶשְׂרִים֙ אֶ֔לֶף וְרֹ֖חַב עֲשֶׂ֥רֶת אֲלָפִֽים׃ י וּלְאֵ֗לֶּה תִּהְיֶ֤ה תְרֽוּמַת־הַקֹּ֙דֶשׁ֙ לַכֹּ֣הֲנִ֔ים צָפ֜וֹנָה חֲמִשָּׁ֧ה וְעֶשְׂרִ֣ים אֶ֗לֶף וְיָ֙מָּה֙ רֹ֚חַב עֲשֶׂ֣רֶת אֲלָפִ֔ים וְקָדִ֗ימָה רֹ֚חַב עֲשֶׂ֣רֶת אֲלָפִ֔ים וְנֶ֙גְבָּה֙ אֹ֔רֶךְ חֲמִשָּׁ֥ה וְעֶשְׂרִ֖ים אָ֑לֶף וְהָיָ֥ה מִקְדַּשׁ־יְהֹוָ֖ה בְּתוֹכֽוֹ׃ יא לַכֹּהֲנִ֤ים הַֽמְקֻדָּשׁ֙ מִבְּנֵ֣י צָד֔וֹק אֲשֶׁ֥ר שָׁמְר֖וּ מִשְׁמַרְתִּ֑י אֲשֶׁ֣ר לֹֽא־תָע֗וּ בִּתְעוֹת֙ בְּנֵ֣י יִשְׂרָאֵ֔ל כַּאֲשֶׁ֥ר תָּע֖וּ הַלְוִיִּֽם׃ יב וְהָ֥יְתָה לָהֶ֛ם תְּרוּמִיָּ֖ה מִתְּרוּמַ֣ת הָאָ֑רֶץ קֹ֣דֶשׁ קׇֽדָשִׁ֔ים אֶל־גְּב֖וּל הַלְוִיִּֽם׃ יג וְהַלְוִיִּ֗ם לְעֻמַּת֙ גְּב֣וּל הַכֹּ֣הֲנִ֔ים חֲמִשָּׁ֤ה וְעֶשְׂרִים֙ אֶ֔לֶף אֹ֔רֶךְ וְרֹ֖חַב עֲשֶׂ֣רֶת אֲלָפִ֑ים כׇּל־אֹ֙רֶךְ֙ חֲמִשָּׁ֣ה וְעֶשְׂרִ֔ים אֶ֕לֶף וְרֹ֖חַב עֲשֶׂ֥רֶת אֲלָפִֽים׃ יד וְלֹא־יִמְכְּר֣וּ מִמֶּ֗נּוּ וְלֹ֥א יָמֵ֛ר וְלֹ֥א יַעֲבִ֖יר[130] רֵאשִׁ֣ית הָאָ֑רֶץ כִּי־קֹ֖דֶשׁ לַיהֹוָֽה׃ טו וַחֲמֵ֨שֶׁת אֲלָפִ֜ים הַנּוֹתָ֣ר בָּרֹ֗חַב עַל־פְּנֵ֨י חֲמִשָּׁ֤ה וְעֶשְׂרִים֙ אֶ֔לֶף חֹֽל־ה֣וּא לָעִ֔יר לְמוֹשָׁ֖ב וּלְמִגְרָ֑שׁ וְהָיְתָ֥ה הָעִ֖יר בְּתוֹכֽוֹ[131]׃ טז וְאֵ֙לֶּה֙ מִדּוֹתֶ֔יהָ פְּאַ֣ת צָפ֔וֹן חֲמֵ֥שׁ מֵא֖וֹת וְאַרְבַּ֣עַת אֲלָפִ֑ים וּפְאַת־נֶ֛גֶב חֲמֵ֥שׁ[132] מֵא֖וֹת וְאַרְבַּ֣עַת אֲלָפִ֑ים וּמִפְּאַ֣ת קָדִ֗ים חֲמֵ֤שׁ מֵאוֹת֙ וְאַרְבַּ֣עַת אֲלָפִ֔ים וּפְאַת־יָ֛מָּה חֲמֵ֥שׁ מֵא֖וֹת וְאַרְבַּ֥עַת אֲלָפִֽים׃ יז וְהָיָ֨ה מִגְרָ֜שׁ לָעִ֗יר צָפ֙וֹנָה֙ חֲמִשִּׁ֣ים וּמָאתַ֔יִם וְנֶ֖גְבָּה חֲמִשִּׁ֣ים וּמָאתָ֑יִם וְקָדִ֙ימָה֙ חֲמִשִּׁ֣ים וּמָאתַ֔יִם וְיָ֖מָּה חֲמִשִּׁ֥ים וּמָאתָֽיִם׃ יח וְהַנּוֹתָ֨ר בָּאֹ֜רֶךְ לְעֻמַּ֣ת ׀ תְּרוּמַ֣ת הַקֹּ֗דֶשׁ עֲשֶׂ֤רֶת אֲלָפִים֙ קָדִ֔ימָה וַעֲשֶׂ֥רֶת אֲלָפִ֖ים יָ֑מָּה וְהָיָ֞ה לְעֻמַּ֣ת תְּרוּמַ֣ת הַקֹּ֗דֶשׁ וְהָיְתָ֤ה תְבֽוּאָתֹה֙[133] לְלֶ֔חֶם לְעֹבְדֵ֖י הָעִֽיר׃ יט וְהָעֹבֵ֖ד הָעִ֑יר יַעַבְד֕וּהוּ מִכֹּ֖ל שִׁבְטֵ֥י יִשְׂרָאֵֽל׃ כ כׇּל־הַתְּרוּמָ֗ה חֲמִשָּׁ֤ה וְעֶשְׂרִים֙ אֶ֔לֶף בַּחֲמִשָּׁ֥ה וְעֶשְׂרִ֖ים אָ֑לֶף רְבִיעִ֗ית תָּרִ֙ימוּ֙ אֶת־תְּרוּמַ֣ת הַקֹּ֔דֶשׁ אֶל־אֲחֻזַּ֖ת הָעִֽיר׃ כא וְהַנּוֹתָ֣ר לַנָּשִׂ֣יא מִזֶּ֣ה ׀ וּמִזֶּ֣ה ׀ לִתְרֽוּמַת־הַקֹּ֣דֶשׁ וְלַאֲחֻזַּ֣ת הָעִ֡יר אֶל־פְּנֵ֣י חֲמִשָּׁה֩ וְעֶשְׂרִ֨ים אֶ֜לֶף ׀ תְּרוּמָ֗ה עַד־גְּב֤וּל קָדִ֙ימָה֙ וְיָ֜מָּה עַל־פְּנֵ֨י חֲמִשָּׁ֤ה וְעֶשְׂרִים֙ אֶ֔לֶף עַל־גְּב֣וּל יָ֔מָּה לְעֻמַּ֥ת חֲלָקִ֖ים לַנָּשִׂ֑יא וְהָיְתָה֙ תְּרוּמַ֣ת הַקֹּ֔דֶשׁ וּמִקְדַּ֥שׁ הַבַּ֖יִת בְּתוֹכֽוֹ[134]׃

---

[130] ויעבור
[131] בתוכה
[132] חמש
[133] תבואתה
[134] בתוכה

4 And by the border of Naphtali, from the east side unto the west side: Manasseh, one portion. **5** And by the border of Manasseh, from the east side unto the west side: Ephraim, one portion. **6** And by the border of Ephraim, from the east side even unto the west side: Reuben, one portion. **7** And by the border of Reuben, from the east side unto the west side: Judah, one portion. **8** And by the border of Judah, from the east side unto the west side, shall be the offering which ye shall set aside, five and twenty thousand reeds in breadth, and in length as one of the portions, from the east side unto the west side; and the sanctuary shall be in the midst of it. **9** The offering that ye shall set apart unto Yehovah shall be five and twenty thousand reeds in length, and ten thousand in breadth. **10** And for these, even for the priests, shall be the holy offering; toward the north five and twenty thousand [in length], and toward the west ten thousand in breadth, and toward the east ten thousand in breadth, and toward the south five and twenty thousand in length; and the sanctuary of Yehovah shall be in the midst thereof. **11** The sanctified portion shall be for the priests of the sons of Zadok, that have kept My charge, that went not astray when the children of Israel went astray, as the Levites went astray. **12** And it shall be unto them a portion set apart from the offering of the land, a thing most holy, by the border of the Levites. **13** And answerable unto the border of the priests, the Levites shall have five and twenty thousand in length, and ten thousand in breadth; all the length shall be five and twenty thousand, and the breadth ten thousand. **14** And they shall not sell of it, nor exchange, nor alienate the first portion of the land; for it is holy unto Yehovah. **15** And the five thousand that are left in the breadth, in front of the five and twenty thousand, shall be for common use, for the city, for dwelling and for open land; and the city shall be in the midst thereof. **16** And these shall be the measures thereof: the north side four thousand and five hundred, and the south side four thousand and five hundred, and on the east side four thousand and five hundred, and the west side four thousand and five hundred. **17** And the city shall have open land: toward the north two hundred and fifty, and toward the south two hundred and fifty, and toward the east two hundred and fifty, and toward the west two hundred and fifty. **18** And the residue in the length, answerable unto the holy offering, shall be ten thousand eastward, and ten thousand westward; and it shall be answerable unto the holy offering; and the increase thereof shall be for food unto them that serve the city. **19** And they that serve the city, out of all the tribes of Israel, shall till it. **20** All the offering shall be five and twenty thousand by five and twenty thousand; ye shall set apart the holy offering foursquare, with the possession of the city. **21** And the residue shall be for the prince, on the one side and on the other of the holy offering and of the possession of the city, in front of the five and twenty thousand of the offering toward the east border, and westward in front of the five and twenty thousand toward the west border, answerable unto the portions, it shall be for the prince; and the holy offering and the sanctuary of the house shall be in the midst thereof.

כב וּמֵאֲחֻזַּת הַלְוִיִּם֙ וּמֵאֲחֻזַּת הָעִ֔יר בְּת֗וֹךְ אֲשֶׁ֤ר לַנָּשִׂיא֙ יִֽהְיֶ֔ה בֵּ֣ין ׀ גְּב֣וּל יְהוּדָ֗ה וּבֵין֙ גְּב֣וּל בִּנְיָמִ֔ן לַנָּשִׂ֖יא יִֽהְיֶֽה: כג וְיֶ֖תֶר הַשְּׁבָטִ֑ים מִפְּאַ֤ת קָדִ֙ימָה֙ עַד־פְּאַת־יָ֔מָּה בִּנְיָמִ֖ן אֶחָֽד: כד וְעַ֣ל ׀ גְּב֣וּל בִּנְיָמִ֗ן מִפְּאַ֤ת קָדִ֙ימָה֙ עַד־פְּאַת־יָ֔מָּה שִׁמְע֖וֹן אֶחָֽד: כה וְעַ֣ל ׀ גְּב֣וּל שִׁמְע֗וֹן מִפְּאַ֤ת קָדִ֙ימָה֙ עַד־פְּאַת־יָ֔מָּה יִשָּׂשכָ֖ר אֶחָֽד: כו וְעַ֣ל ׀ גְּב֣וּל יִשָּׂשכָ֗ר מִפְּאַ֤ת קָדִ֙ימָה֙ עַד־פְּאַת־יָ֔מָּה זְבוּלֻ֖ן אֶחָֽד: כז וְעַ֣ל ׀ גְּב֣וּל זְבוּלֻ֗ן מִפְּאַ֤ת קָדִ֙מָה֙ עַד־פְּאַת־יָ֔מָּה גָּ֖ד אֶחָֽד: כח וְעַל֙ גְּב֣וּל גָּ֔ד אֶל־פְּאַ֖ת נֶ֣גֶב תֵּימָ֑נָה וְהָיָ֨ה גְב֜וּל מִתָּמָ֗ר מֵ֤י מְרִיבַת֙ קָדֵ֔שׁ נַחֲלָ֖ה עַל־הַיָּ֥ם הַגָּדֽוֹל: כט זֹ֣את הָאָ֗רֶץ אֲשֶׁר־תַּפִּ֤ילוּ מִֽנַּחֲלָה֙ לְשִׁבְטֵ֣י יִשְׂרָאֵ֔ל וְאֵ֖לֶּה מַחְלְקוֹתָ֑ם נְאֻ֖ם אֲדֹנָ֥י יְהוִֽה:

ל וְאֵ֖לֶּה תּוֹצְאֹ֣ת הָעִ֑יר מִפְּאַ֤ת צָפוֹן֙ חֲמֵ֣שׁ מֵא֔וֹת וְאַרְבַּ֥עַת אֲלָפִ֖ים מִדָּֽה: לא וְשַׁ֨עֲרֵ֣י הָעִ֗יר עַל־שְׁמוֹת֙ שִׁבְטֵ֣י יִשְׂרָאֵ֔ל שְׁעָרִ֥ים שְׁלוֹשָׁ֖ה צָפ֑וֹנָה שַׁ֣עַר רְאוּבֵ֞ן אֶחָ֗ד שַׁ֤עַר יְהוּדָה֙ אֶחָ֔ד שַׁ֖עַר לֵוִ֥י אֶחָֽד: לב וְאֶל־פְּאַ֣ת קָדִ֗ימָה חֲמֵ֤שׁ מֵאוֹת֙ וְאַרְבַּ֣עַת אֲלָפִ֔ים וּשְׁעָרִ֖ים שְׁלֹשָׁ֑ה וְשַׁ֨עַר יוֹסֵ֜ף אֶחָ֗ד שַׁ֤עַר בִּנְיָמִן֙ אֶחָ֔ד שַׁ֖עַר דָּ֥ן אֶחָֽד: לג וּפְאַת־נֶ֗גְבָּה חֲמֵ֤שׁ מֵאוֹת֙ וְאַרְבַּ֣עַת אֲלָפִ֔ים מִדָּ֖ה וּשְׁעָרִ֣ים שְׁלֹשָׁ֑ה שַׁ֣עַר שִׁמְע֞וֹן אֶחָ֗ד שַׁ֤עַר יִשָּׂשכָר֙ אֶחָ֔ד שַׁ֖עַר זְבוּלֻ֥ן אֶחָֽד: לד פְּאַת־יָ֗מָּה חֲמֵ֤שׁ מֵאוֹת֙ וְאַרְבַּ֣עַת אֲלָפִ֔ים שַׁעֲרֵיהֶ֖ם שְׁלֹשָׁ֑ה שַׁ֣עַר גָּ֞ד אֶחָ֗ד שַׁ֤עַר אָשֵׁר֙ אֶחָ֔ד שַׁ֖עַר נַפְתָּלִ֥י אֶחָֽד: לה סָבִ֕יב שְׁמֹנָ֥ה עָשָׂ֖ר אָ֑לֶף וְשֵׁם־הָעִ֛יר מִיּ֥וֹם יְהוָ֖ה ׀ שָֽׁמָּה:

22 Thus the possession of the Levites, and the possession of the city, shall be in the midst of that which is the prince's; between the border of Judah and the border of Benjamin shall be the prince's. **23** And as for the rest of the tribes: from the east side unto the west side: Benjamin, one portion. **24** And by the border of Benjamin, from the east side unto the west side: Simeon, one portion. **25** And by the border of Simeon, from the east side unto the west side: Issachar, one portion. **26** And by the border of Issachar, from the east side unto the west side: Zebulun, one portion. **27** And by the border of Zebulun, from the east side unto the west side: Gad, one portion. **28** And by the border of Gad, at the south side southward, the border shall be even from Tamar unto the waters of Meribath-kadesh, to the Brook, unto the Great Sea. **29** This is the land which ye shall divide by lot unto the tribes of Israel for inheritance, and these are their portions, saith the Lord GOD [Adonai Yehovi].{S}
30 And these are the goings out of the city: on the north side four thousand and five hundred reeds by measure; **31** and the gates of the city shall be after the names of the tribes of Israel; three gates northward: the gate of Reuben, one; the gate of Judah, one; the gate of Levi, one; **32** and at the east side four thousand and five hundred reeds; and three gates: even the gate of Joseph, one; the gate of Benjamin, one; the gate of Dan, one; **33** and at the south side four thousand and five hundred reeds by measure; and three gates: the gate of Simeon, one; the gate of Issachar, one; the gate of Zebulun, one; **34** at the west side four thousand and five hundred reeds, with their three gates: the gate of Gad, one; the gate of Asher, one; the gate of Naphtali, one. **35** It shall be eighteen thousand reeds round about. And the name of the city from that day shall be, Yehovah is there.'{P}

הושע

Hosea

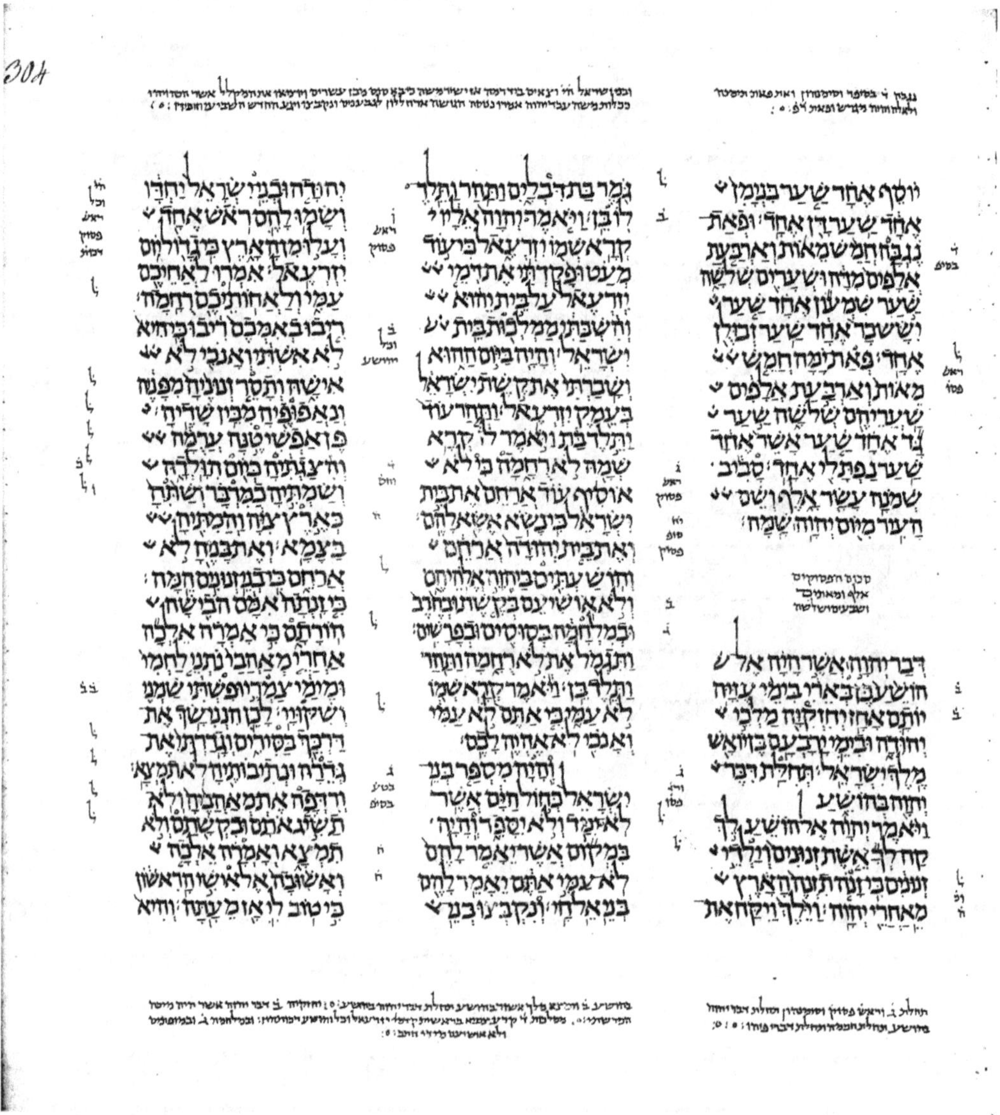

Book of Hosea in the Leningrad Codex
(right column, lower middle, page 612 in pdf)

א א דְּבַר־יְהוָה ׀ אֲשֶׁר הָיָה אֶל־הוֹשֵׁעַ בֶּן־בְּאֵרִי בִּימֵי עֻזִּיָּה יוֹתָם אָחָז
יְחִזְקִיָּה מַלְכֵי יְהוּדָה וּבִימֵי יָרָבְעָם בֶּן־יוֹאָשׁ מֶלֶךְ יִשְׂרָאֵל׃ ב תְּחִלַּת
דִּבֶּר־יְהוָה בְּהוֹשֵׁעַ

וַיֹּאמֶר יְהוָה אֶל־הוֹשֵׁעַ לֵךְ קַח־לְךָ אֵשֶׁת זְנוּנִים וְיַלְדֵי זְנוּנִים כִּי־זָנֹה
תִזְנֶה הָאָרֶץ מֵאַחֲרֵי יְהוָה׃ ג וַיֵּלֶךְ וַיִּקַּח אֶת־גֹּמֶר בַּת־דִּבְלָיִם וַתַּהַר
וַתֵּלֶד־לוֹ בֵּן׃ ד וַיֹּאמֶר יְהוָה אֵלָיו קְרָא שְׁמוֹ יִזְרְעֶאל כִּי־עוֹד מְעַט
וּפָקַדְתִּי אֶת־דְּמֵי יִזְרְעֶאל עַל־בֵּית יֵהוּא וְהִשְׁבַּתִּי מַמְלְכוּת בֵּית יִשְׂרָאֵל׃
ה וְהָיָה בַּיּוֹם הַהוּא וְשָׁבַרְתִּי אֶת־קֶשֶׁת יִשְׂרָאֵל בְּעֵמֶק יִזְרְעֶאל׃ ו וַתַּהַר
עוֹד וַתֵּלֶד בַּת וַיֹּאמֶר לוֹ קְרָא שְׁמָהּ לֹא רֻחָמָה כִּי לֹא אוֹסִיף עוֹד אֲרַחֵם
אֶת־בֵּית יִשְׂרָאֵל כִּי־נָשֹׂא אֶשָּׂא לָהֶם׃ ז וְאֶת־בֵּית יְהוּדָה אֲרַחֵם
וְהוֹשַׁעְתִּים בַּיהוָה אֱלֹהֵיהֶם וְלֹא אוֹשִׁיעֵם בְּקֶשֶׁת וּבְחֶרֶב וּבְמִלְחָמָה
בְּסוּסִים וּבְפָרָשִׁים׃ ח וַתִּגְמֹל אֶת־לֹא רֻחָמָה וַתַּהַר וַתֵּלֶד בֵּן׃ ט וַיֹּאמֶר
קְרָא שְׁמוֹ לֹא עַמִּי כִּי אַתֶּם לֹא עַמִּי וְאָנֹכִי לֹא־אֶהְיֶה לָכֶם׃

ב א וְהָיָה מִסְפַּר בְּנֵי־יִשְׂרָאֵל כְּחוֹל הַיָּם אֲשֶׁר לֹא־יִמַּד וְלֹא יִסָּפֵר וְהָיָה
בִּמְקוֹם אֲשֶׁר־יֵאָמֵר לָהֶם לֹא־עַמִּי אַתֶּם יֵאָמֵר לָהֶם בְּנֵי אֵל־חָי׃ ב וְנִקְבְּצוּ
בְּנֵי־יְהוּדָה וּבְנֵי־יִשְׂרָאֵל יַחְדָּו וְשָׂמוּ לָהֶם רֹאשׁ אֶחָד וְעָלוּ מִן־הָאָרֶץ כִּי גָדוֹל
יוֹם יִזְרְעֶאל׃ ג אִמְרוּ לַאֲחֵיכֶם עַמִּי וְלַאֲחוֹתֵיכֶם רֻחָמָה׃ ד רִיבוּ בְאִמְּכֶם רִיבוּ
כִּי־הִיא לֹא אִשְׁתִּי וְאָנֹכִי לֹא אִישָׁהּ וְתָסֵר זְנוּנֶיהָ מִפָּנֶיהָ וְנַאֲפוּפֶיהָ מִבֵּין שָׁדֶיהָ׃
ה פֶּן־אַפְשִׁיטֶנָּה עֲרֻמָּה וְהִצַּגְתִּיהָ כְּיוֹם הִוָּלְדָהּ וְשַׂמְתִּיהָ כַמִּדְבָּר וְשַׁתִּהָ כְּאֶרֶץ
צִיָּה וַהֲמִתִּיהָ בַּצָּמָא׃ ו וְאֶת־בָּנֶיהָ לֹא אֲרַחֵם כִּי־בְנֵי זְנוּנִים הֵמָּה׃ ז כִּי זָנְתָה
אִמָּם הֹבִישָׁה הוֹרָתָם כִּי אָמְרָה אֵלְכָה אַחֲרֵי מְאַהֲבַי נֹתְנֵי לַחְמִי וּמֵימַי צַמְרִי
וּפִשְׁתִּי שַׁמְנִי וְשִׁקּוּיָי׃ ח לָכֵן הִנְנִי־שָׂךְ אֶת־דַּרְכֵּךְ בַּסִּירִים וְגָדַרְתִּי אֶת־גְּדֵרָהּ
וּנְתִיבוֹתֶיהָ לֹא תִמְצָא׃ ט וְרִדְּפָה אֶת־מְאַהֲבֶיהָ וְלֹא־תַשִּׂיג אֹתָם וּבִקְשָׁתַם וְלֹא
תִמְצָא וְאָמְרָה אֵלְכָה וְאָשׁוּבָה אֶל־אִישִׁי הָרִאשׁוֹן כִּי טוֹב לִי אָז מֵעָתָּה׃ י וְהִיא
לֹא יָדְעָה כִּי אָנֹכִי נָתַתִּי לָהּ הַדָּגָן וְהַתִּירוֹשׁ וְהַיִּצְהָר וְכֶסֶף הִרְבֵּיתִי לָהּ וְזָהָב
עָשׂוּ לַבָּעַל׃ יא לָכֵן אָשׁוּב וְלָקַחְתִּי דְגָנִי בְּעִתּוֹ וְתִירוֹשִׁי בְּמוֹעֲדוֹ וְהִצַּלְתִּי
צַמְרִי וּפִשְׁתִּי לְכַסּוֹת אֶת־עֶרְוָתָהּ׃ יב וְעַתָּה אֲגַלֶּה אֶת־נַבְלֻתָהּ לְעֵינֵי מְאַהֲבֶיהָ
וְאִישׁ לֹא־יַצִּילֶנָּה מִיָּדִי׃ יג וְהִשְׁבַּתִּי כָּל־מְשׂוֹשָׂהּ חַגָּהּ חָדְשָׁהּ וְשַׁבַּתָּהּ וְכֹל
מוֹעֲדָהּ׃ יד וַהֲשִׁמֹּתִי גַּפְנָהּ וּתְאֵנָתָהּ אֲשֶׁר אָמְרָה אֶתְנָה הֵמָּה לִי אֲשֶׁר נָתְנוּ־לִי
מְאַהֲבָי וְשַׂמְתִּים לְיַעַר וַאֲכָלָתַם חַיַּת הַשָּׂדֶה׃

1 1 The word of Yehovah that came unto Hosea the son of Beeri, in the days of Uzziah, Jotham, Ahaz, and Hezekiah, kings of Judah, and in the days of Jeroboam the son of Joash, king of Israel. 2 When Yehovah spoke at first with Hosea,{P}

3 So he went and took Gomer the daughter of Diblaim; and she conceived, and bore him a son. 4 And Yehovah said unto him: 'Call his name Jezreel; for yet a little while, and I will visit the blood of Jezreel upon the house of Jehu, and will cause to cease the kingdom of the house of Israel. 5 And it shall come to pass at that day, that I will break the bow of Israel in the valley of Jezreel.' 6 And she conceived again, and bore a daughter. And He said unto him: 'Call her name Lo-ruhamah; for I will no more have compassion upon the house of Israel, that I should in any wise pardon them. 7 But I will have compassion upon the house of Judah, and will save them by Yehovah their God, and will not save them by bow, nor by sword, nor by battle, nor by horses, nor by horsemen.' 8 Now when she had weaned Lo-ruhamah, she conceived, and bore a son. 9 And He said: 'Call his name Lo-ammi; for ye are not My people, and I will not be yours.'{P}

2 1 Yet the number of the children of Israel shall be as the sand of the sea, which cannot be measured nor numbered; and it shall come to pass that, instead of that which was said unto them: 'Ye are not My people', it shall be said unto them: 'Ye are the children of the living God.' 2 And the children of Judah and the children of Israel shall be gathered together, and they shall appoint themselves one head, and shall go up out of the land; for great shall be the day of Jezreel. 3 Say ye unto your brethren: 'Ammi'; and to your sisters, 'Ruhamah.' 4 Plead with your mother, plead; for she is not My wife, neither am I her husband; and let her put away her harlotries from her face, and her adulteries from between her breasts; 5 Lest I strip her naked, and set her as in the day that she was born, and make her as a wilderness, and set her like a dry land, and slay her with thirst. 6 And I will not have compassion upon her children; for they are children of harlotry. 7 For their mother hath played the harlot, she that conceived them hath done shamefully; for she said: 'I will go after my lovers, that give me my bread and my water, my wool and my flax, mine oil and my drink.' 8 Therefore, behold, I will hedge up thy way with thorns, and I will make a wall against her, that she shall not find her paths. 9 And she shall run after her lovers, but she shall not overtake them, and she shall seek them, but shall not find them; then shall she say: 'I will go and return to my first husband; for then was it better with me than now.' 10 For she did not know that it was I that gave her the corn, and the wine, and the oil, and multiplied unto her silver and gold, which they used for Baal. 11 Therefore will I take back My corn in the time thereof, and My wine in the season thereof, and will snatch away My wool and My flax given to cover her nakedness. 12 And now will I uncover her shame in the sight of her lovers, and none shall deliver her out of My hand. 13 I will also cause all her mirth to cease, her feasts, her new moons, and her sabbaths, and all her appointed seasons. 14 And I will lay waste her vines and her fig-trees, whereof she hath said: 'These are my hire that my lovers have given me'; and I will make them a forest, and the beasts of the field shall eat them.

יה וּפָקַדְתִּי עָלֶיהָ אֶת־יְמֵי הַבְּעָלִים אֲשֶׁר תַּקְטִיר לָהֶם וַתַּעַד נִזְמָהּ וְחֶלְיָתָהּ וַתֵּלֶךְ אַחֲרֵי מְאַהֲבֶיהָ וְאֹתִי שָׁכְחָה נְאֻם־יְהֹוָה:

יו לָכֵן הִנֵּה אָנֹכִי מְפַתֶּיהָ וְהֹלַכְתִּיהָ הַמִּדְבָּר וְדִבַּרְתִּי עַל־לִבָּהּ: יז וְנָתַתִּי לָהּ אֶת־כְּרָמֶיהָ מִשָּׁם וְאֶת־עֵמֶק עָכוֹר לְפֶתַח תִּקְוָה וְעָנְתָה שָּׁמָּה כִּימֵי נְעוּרֶיהָ וּכְיוֹם עֲלֹתָהּ מֵאֶרֶץ־מִצְרָיִם: יח וְהָיָה בַיּוֹם־הַהוּא נְאֻם־יְהֹוָה תִּקְרְאִי אִישִׁי וְלֹא־תִקְרְאִי־לִי עוֹד בַּעְלִי: יט וַהֲסִרֹתִי אֶת־שְׁמוֹת הַבְּעָלִים מִפִּיהָ וְלֹא־יִזָּכְרוּ עוֹד בִּשְׁמָם: כ וְכָרַתִּי לָהֶם בְּרִית בַּיּוֹם הַהוּא עִם־חַיַּת הַשָּׂדֶה וְעִם־עוֹף הַשָּׁמַיִם וְרֶמֶשׂ הָאֲדָמָה וְקֶשֶׁת וְחֶרֶב וּמִלְחָמָה אֶשְׁבּוֹר מִן־הָאָרֶץ וְהִשְׁכַּבְתִּים לָבֶטַח: כא וְאֵרַשְׂתִּיךְ לִי לְעוֹלָם וְאֵרַשְׂתִּיךְ לִי בְּצֶדֶק וּבְמִשְׁפָּט וּבְחֶסֶד וּבְרַחֲמִים: כב וְאֵרַשְׂתִּיךְ לִי בֶּאֱמוּנָה וְיָדַעַתְּ אֶת־יְהֹוָה: כג וְהָיָה | בַּיּוֹם הַהוּא אֶעֱנֶה נְאֻם־יְהֹוָה אֶעֱנֶה אֶת־הַשָּׁמָיִם וְהֵם יַעֲנוּ אֶת־הָאָרֶץ: כד וְהָאָרֶץ תַּעֲנֶה אֶת־הַדָּגָן וְאֶת־הַתִּירוֹשׁ וְאֶת־הַיִּצְהָר וְהֵם יַעֲנוּ אֶת־יִזְרְעֶאל: כה וּזְרַעְתִּיהָ לִּי בָּאָרֶץ וְרִחַמְתִּי אֶת־לֹא רֻחָמָה וְאָמַרְתִּי לְלֹא־עַמִּי עַמִּי־אַתָּה וְהוּא יֹאמַר אֱלֹהָי:

ג א וַיֹּאמֶר יְהֹוָה אֵלַי עוֹד לֵךְ אֱהַב־אִשָּׁה אֲהֻבַת רֵעַ וּמְנָאָפֶת כְּאַהֲבַת יְהֹוָה אֶת־בְּנֵי יִשְׂרָאֵל וְהֵם פֹּנִים אֶל־אֱלֹהִים אֲחֵרִים וְאֹהֲבֵי אֲשִׁישֵׁי עֲנָבִים: ב וָאֶכְּרֶהָ לִּי בַּחֲמִשָּׁה עָשָׂר כָּסֶף וְחֹמֶר שְׂעֹרִים וְלֵתֶךְ שְׂעֹרִים: ג וָאֹמַר אֵלֶיהָ יָמִים רַבִּים תֵּשְׁבִי לִי לֹא תִזְנִי וְלֹא תִהְיִי לְאִישׁ וְגַם־אֲנִי אֵלָיִךְ | ד כִּי | יָמִים רַבִּים יֵשְׁבוּ בְּנֵי יִשְׂרָאֵל אֵין מֶלֶךְ וְאֵין שָׂר וְאֵין זֶבַח וְאֵין מַצֵּבָה וְאֵין אֵפוֹד וּתְרָפִים: ה אַחַר יָשֻׁבוּ בְּנֵי יִשְׂרָאֵל וּבִקְשׁוּ אֶת־יְהֹוָה אֱלֹהֵיהֶם וְאֵת דָּוִד מַלְכָּם וּפָחֲדוּ אֶל־יְהֹוָה וְאֶל־טוּבוֹ בְּאַחֲרִית הַיָּמִים:

ד א שִׁמְעוּ דְבַר־יְהֹוָה בְּנֵי יִשְׂרָאֵל כִּי רִיב לַיהֹוָה עִם־יוֹשְׁבֵי הָאָרֶץ כִּי אֵין־אֱמֶת וְאֵין־חֶסֶד וְאֵין־דַּעַת אֱלֹהִים בָּאָרֶץ: ב אָלֹה וְכַחֵשׁ וְרָצֹחַ וְגָנֹב וְנָאֹף פָּרָצוּ וְדָמִים בְּדָמִים נָגָעוּ: ג עַל־כֵּן | תֶּאֱבַל הָאָרֶץ וְאֻמְלַל כָּל־יוֹשֵׁב בָּהּ בְּחַיַּת הַשָּׂדֶה וּבְעוֹף הַשָּׁמָיִם וְגַם־דְּגֵי הַיָּם יֵאָסֵפוּ: ד אַךְ אִישׁ אַל־יָרֵב וְאַל־יוֹכַח אִישׁ וְעַמְּךָ כִּמְרִיבֵי כֹהֵן: ה וְכָשַׁלְתָּ הַיּוֹם וְכָשַׁל גַּם־נָבִיא עִמְּךָ לָיְלָה וְדָמִיתִי אִמֶּךָ: ו נִדְמוּ עַמִּי מִבְּלִי הַדָּעַת כִּי־אַתָּה הַדַּעַת מָאַסְתָּ וְאֶמְאָסְאךָ מִכַּהֵן לִי וַתִּשְׁכַּח תּוֹרַת אֱלֹהֶיךָ אֶשְׁכַּח בָּנֶיךָ גַּם־אָנִי: ז כְּרֻבָּם כֵּן חָטְאוּ־לִי כְּבוֹדָם בְּקָלוֹן אָמִיר: ח חַטַּאת עַמִּי יֹאכֵלוּ וְאֶל־עֲוֹנָם יִשְׂאוּ נַפְשׁוֹ:

<u>15</u> And I will visit upon her the days of the Baalim, wherein she offered unto them, and decked herself with her ear-rings and her jewels, and went after her lovers, and forgot Me, saith Yehovah.{S} <u>16</u> Therefore, behold, I will allure her, and bring her into the wilderness, and speak tenderly unto her. <u>17</u> And I will give her her vineyards from thence, and the valley of Achor for a door of hope; and she shall respond there, as in the days of her youth, and as in the day when she came up out of the land of Egypt. <u>18</u> And it shall be at that day, saith Yehovah, that thou shalt call Me Ishi, and shalt call Me no more Baali. <u>19</u> For I will take away the names of the Baalim out of her mouth, and they shall no more be mentioned by their name. <u>20</u> And in that day will I make a covenant for them with the beasts of the field, and with the fowls of heaven, and with the creeping things of the ground; and I will break the bow and the sword and the battle out of the land, and will make them to lie down safely. <u>21</u> And I will betroth thee unto Me for ever; yea, I will betroth thee unto Me in righteousness, and in justice, and in lovingkindness, and in compassion. <u>22</u> And I will betroth thee unto Me in faithfulness; and thou shalt know Yehovah.{P}

<u>23</u> And it shall come to pass in that day, I will respond, saith Yehovah, I will respond to the heavens, and they shall respond to the earth; <u>24</u> And the earth shall respond to the corn, and the wine, and the oil; and they shall respond to Jezreel. <u>25</u> And I will sow her unto Me in the land; and I will have compassion upon her that had not obtained compassion; and I will say to them that were not My people: 'Thou art My people'; and they shall say: 'Thou art my God.'{P}

3 <u>1</u> And Yehovah said unto me: 'Go yet, love a woman beloved of her friend and an adulteress, even as Yehovah loveth the children of Israel, though they turn unto other gods, and love cakes of raisins. <u>2</u> So I bought her to me for fifteen pieces of silver and a homer of barley, and a half-homer of barley; <u>3</u> and I said unto her: 'Thou shalt sit solitary for me many days; thou shalt not play the harlot, and thou shalt not be any man's wife; nor will I be thine.' <u>4</u> For the children of Israel shall sit solitary many days without king, and without prince, and without sacrifice, and without pillar, and without ephod or teraphim; <u>5</u> afterward shall the children of Israel return, and seek Yehovah their God, and David their king; and shall come trembling unto Yehovah and to His goodness in the end of days.{P}

4 <u>1</u> Hear the word of Yehovah, ye children of Israel! for Yehovah hath a controversy with the inhabitants of the land, because there is no truth, nor mercy, nor knowledge of God in the land. <u>2</u> Swearing and lying, and killing, and stealing, and committing adultery! they break all bounds, and blood toucheth blood. <u>3</u> Therefore doth the land mourn, and every one that dwelleth therein doth languish, with the beasts of the field, and the fowls of heaven; yea, the fishes of the sea also are taken away. <u>4</u> Yet let no man strive, neither let any man reprove; for thy people are as they that strive with the priest. <u>5</u> Therefore shalt thou stumble in the day, and the prophet also shall stumble with thee in the night; and I will destroy thy mother. <u>6</u> My people are destroyed for lack of knowledge; because thou hast rejected knowledge, I will also reject thee, that thou shalt be no priest to Me; seeing thou hast forgotten the Torah of thy God, I also will forget thy children. <u>7</u> The more they were increased, the more they sinned against Me; I will change their glory into shame. <u>8</u> They feed on the sin of My people, and set their heart on their iniquity.

ט וְהָיָה כָעָם כַּכֹּהֵן וּפָקַדְתִּי עָלָיו דְּרָכָיו וּמַעֲלָלָיו אָשִׁיב לוֹ: י וְאָכְלוּ
וְלֹא יִשְׂבָּעוּ הִזְנוּ וְלֹא יִפְרֹצוּ כִּי־אֶת־יְהוָה עָזְבוּ לִשְׁמֹר: יא זְנוּת וְיַיִן
וְתִירוֹשׁ יִקַּח־לֵב: יב עַמִּי בְּעֵצוֹ יִשְׁאָל וּמַקְלוֹ יַגִּיד לוֹ כִּי רוּחַ זְנוּנִים
הִתְעָה וַיִּזְנוּ מִתַּחַת אֱלֹהֵיהֶם: יג עַל־רָאשֵׁי הֶהָרִים יְזַבֵּחוּ וְעַל־הַגְּבָעוֹת
יְקַטֵּרוּ תַּחַת אַלּוֹן וְלִבְנֶה וְאֵלָה כִּי טוֹב צִלָּהּ עַל־כֵּן תִּזְנֶינָה בְּנוֹתֵיכֶם
וְכַלּוֹתֵיכֶם תְּנָאַפְנָה: יד לֹא־אֶפְקוֹד עַל־בְּנוֹתֵיכֶם כִּי תִזְנֶינָה
וְעַל־כַּלּוֹתֵיכֶם כִּי תְנָאַפְנָה כִּי־הֵם עִם־הַזֹּנוֹת יְפָרֵדוּ וְעִם־הַקְּדֵשׁוֹת
יְזַבֵּחוּ וְעָם לֹא־יָבִין יִלָּבֵט: יה אִם־זֹנֶה אַתָּה יִשְׂרָאֵל אַל־יֶאְשַׁם יְהוּדָה
וְאַל־תָּבֹאוּ הַגִּלְגָּל וְאַל־תַּעֲלוּ בֵּית אָוֶן וְאַל־תִּשָּׁבְעוּ חַי־יְהוָה: יו כִּי
כְּפָרָה סֹרֵרָה סָרַר יִשְׂרָאֵל עַתָּה יִרְעֵם יְהוָה כְּכֶבֶשׂ בַּמֶּרְחָב: יז חֲבוּר
עֲצַבִּים אֶפְרָיִם הַנַּח־לוֹ: יח סָר סָבְאָם הַזְנֵה הִזְנוּ אָהֲבוּ הֵבוּ קָלוֹן
מָגִנֶּיהָ: יט צָרַר רוּחַ אוֹתָהּ בִּכְנָפֶיהָ וְיֵבֹשׁוּ מִזִּבְחוֹתָם:

ה א שִׁמְעוּ־זֹאת הַכֹּהֲנִים וְהַקְשִׁיבוּ ׀ בֵּית יִשְׂרָאֵל וּבֵית הַמֶּלֶךְ הַאֲזִינוּ כִּי
לָכֶם הַמִּשְׁפָּט כִּי־פַח הֱיִיתֶם לְמִצְפָּה וְרֶשֶׁת פְּרוּשָׂה עַל־תָּבוֹר:
ב וְשַׁחֲטָה שֵׂטִים הֶעְמִיקוּ וַאֲנִי מוּסָר לְכֻלָּם: ג אֲנִי יָדַעְתִּי אֶפְרַיִם
וְיִשְׂרָאֵל לֹא־נִכְחַד מִמֶּנִּי כִּי עַתָּה הִזְנֵיתָ אֶפְרַיִם נִטְמָא יִשְׂרָאֵל: ד לֹא
יִתְּנוּ מַעַלְלֵיהֶם לָשׁוּב אֶל־אֱלֹהֵיהֶם כִּי רוּחַ זְנוּנִים בְּקִרְבָּם וְאֶת־יְהוָה
לֹא יָדָעוּ: ה וְעָנָה גְאוֹן־יִשְׂרָאֵל בְּפָנָיו וְיִשְׂרָאֵל וְאֶפְרַיִם יִכָּשְׁלוּ בַּעֲוֺנָם
כָּשַׁל גַּם־יְהוּדָה עִמָּם: ו בְּצֹאנָם וּבִבְקָרָם יֵלְכוּ לְבַקֵּשׁ אֶת־יְהוָה וְלֹא
יִמְצָאוּ חָלַץ מֵהֶם: ז בַּיהוָה בָּגָדוּ כִּי־בָנִים זָרִים יָלָדוּ עַתָּה יֹאכְלֵם
חֹדֶשׁ אֶת־חֶלְקֵיהֶם: ח תִּקְעוּ שׁוֹפָר בַּגִּבְעָה חֲצֹצְרָה בָּרָמָה הָרִיעוּ בֵּית
אָוֶן אַחֲרֶיךָ בִּנְיָמִין: ט אֶפְרַיִם לְשַׁמָּה תִהְיֶה בְּיוֹם תּוֹכֵחָה בְּשִׁבְטֵי
יִשְׂרָאֵל הוֹדַעְתִּי נֶאֱמָנָה: י הָיוּ שָׂרֵי יְהוּדָה כְּמַסִּיגֵי גְּבוּל עֲלֵיהֶם אֶשְׁפּוֹךְ
כַּמַּיִם עֶבְרָתִי: יא עָשׁוּק אֶפְרַיִם רְצוּץ מִשְׁפָּט כִּי הוֹאִיל הָלַךְ אַחֲרֵי־צָו:
יב וַאֲנִי כָעָשׁ לְאֶפְרָיִם וְכָרָקָב לְבֵית יְהוּדָה: יג וַיַּרְא אֶפְרַיִם אֶת־חָלְיוֹ
וִיהוּדָה אֶת־מְזֹרוֹ וַיֵּלֶךְ אֶפְרַיִם אֶל־אַשּׁוּר וַיִּשְׁלַח אֶל־מֶלֶךְ יָרֵב וְהוּא
לֹא יוּכַל לִרְפֹּא לָכֶם וְלֹא־יִגְהֶה מִכֶּם מָזוֹר: יד כִּי אָנֹכִי כַשַּׁחַל לְאֶפְרַיִם
וְכַכְּפִיר לְבֵית יְהוּדָה אֲנִי אֲנִי אֶטְרֹף וְאֵלֵךְ אֶשָּׂא וְאֵין מַצִּיל: יה אֵלֵךְ
אָשׁוּבָה אֶל־מְקוֹמִי עַד אֲשֶׁר־יֶאְשְׁמוּ וּבִקְשׁוּ פָנָי בַּצַּר לָהֶם יְשַׁחֲרֻנְנִי:

9 And it is like people, like priest; and I will punish him for his ways, and will recompense him his doings. 10 And they shall eat, and not have enough, they shall commit harlotry, and shall not increase; because they have left off to take heed to Yehovah. 11 Harlotry, wine, and new wine take away the heart. 12 My people ask counsel at their stock, and their staff declareth unto them; for the spirit of harlotry hath caused them to err, and they have gone astray from under their God. 13 They sacrifice upon the tops of the mountains, and offer upon the hills, under oaks and poplars and terebinths, because the shadow thereof is good; therefore your daughters commit harlotry, and your daughters-in-law commit adultery. 14 I will not punish your daughters when they commit harlotry, nor your daughters-in-law when they commit adultery; for they themselves consort with lewd women, and they sacrifice with harlots; and the people that is without understanding is distraught. 15 Though thou, Israel, play the harlot, yet let not Judah become guilty; and come not ye unto Gilgal, neither go ye up to Beth-aven, nor swear: 'As Yehovah liveth.' 16 For Israel is stubborn like a stubborn heifer; now shall Yehovah feed them as a lamb in a large place? 17 Ephraim is joined to idols; let him alone. 18 When their carouse is over, they take to harlotry; her rulers deeply love dishonour. 19 The wind hath bound her up in her skirts; and they shall be ashamed because of their sacrifices.{P}

5 1 Hear this, O ye priests, and attend, ye house of Israel, and give ear, O house of the king, for unto you pertaineth the judgment; for ye have been a snare on Mizpah, and a net spread upon Tabor. 2 And they that fall away are gone deep in making slaughter; and I am rejected of them all. 3 I, even I, know Ephraim, and Israel is not hid from Me; for now, O Ephraim, thou hast committed harlotry, Israel is defiled. 4 Their doings will not suffer them to return unto their God; for the spirit of harlotry is within them, and they know not Yehovah. 5 But the pride of Israel shall testify to his face; and Israel and Ephraim shall stumble in their iniquity, Judah also shall stumble with them. 6 With their flocks and with their herds they shall go to seek Yehovah, but they shall not find Him; He hath withdrawn Himself from them. 7 They have dealt treacherously against Yehovah, for they have begotten strange children; now shall the new moon devour them with their portions.{S} 8 Blow ye the horn in Gibeah, and the trumpet in Ramah; sound an alarm at Beth-aven: 'Behind thee, O Benjamin!' 9 Ephraim shall be desolate in the day of rebuke; among the tribes of Israel do I make known that which shall surely be. 10 The princes of Judah are like them that remove the landmark; I will pour out My wrath upon them like water. 11 Oppressed is Ephraim, crushed in his right; because he willingly walked after filth. 12 Therefore am I unto Ephraim as a moth, and to the house of Judah as rottenness. 13 And when Ephraim saw his sickness, and Judah his wound, Ephraim went to Assyria, and sent to King Contentious; but he is not able to heal you, neither shall he cure you of your wound. 14 For I will be unto Ephraim as a lion, and as a young lion to the house of Judah; I, even I, will tear and go away, I will take away, and there shall be none to deliver. 15 I will go and return to My place, till they acknowledge their guilt, and seek My face; in their trouble they will seek Me earnestly:

ו א לְכוּ֙ וְנָשׁ֣וּבָה אֶל־יְהוָ֔ה כִּ֛י ה֥וּא טָרָ֖ף וְיִרְפָּאֵ֑נוּ יַ֖ךְ וְיַחְבְּשֵֽׁנוּ׃ ב יְחַיֵּ֖נוּ
מִיֹּמָ֑יִם בַּיּוֹם֙ הַשְּׁלִישִׁ֔י יְקִמֵ֖נוּ וְנִחְיֶ֥ה לְפָנָֽיו׃ ג וְנֵדְעָ֣ה נִרְדְּפָ֗ה לָדַ֙עַת֙
אֶת־יְהוָ֔ה כְּשַׁ֖חַר נָכ֣וֹן מֹֽצָא֑וֹ וְיָב֤וֹא כַגֶּ֙שֶׁם֙ לָ֔נוּ כְּמַלְק֖וֹשׁ י֥וֹרֶה אָֽרֶץ׃
ד מָ֤ה אֶֽעֱשֶׂה־לְּךָ֙ אֶפְרַ֔יִם מָ֥ה אֶעֱשֶׂה־לְּךָ֖ יְהוּדָ֑ה וְחַסְדְּכֶם֙ כַּעֲנַן־בֹּ֔קֶר
וְכַטַּ֖ל מַשְׁכִּ֥ים הֹלֵֽךְ׃ ה עַל־כֵּ֗ן חָצַ֙בְתִּי֙ בַּנְּבִיאִ֔ים הֲרַגְתִּ֖ים בְּאִמְרֵי־פִ֑י
וּמִשְׁפָּטֶ֖יךָ א֥וֹר יֵצֵֽא׃ ו כִּ֛י חֶ֥סֶד חָפַ֖צְתִּי וְלֹא־זָ֑בַח וְדַ֥עַת אֱלֹהִ֖ים מֵעֹלֽוֹת׃
ז וְהֵ֕מָּה כְּאָדָ֖ם עָבְר֣וּ בְרִ֑ית שָׁ֖ם בָּ֥גְדוּ בִֽי׃ ח גִּלְעָ֕ד קִרְיַ֖ת פֹּ֣עֲלֵי אָ֑וֶן
עֲקֻבָּ֖ה מִדָּֽם׃ ט וּכְחַכֵּ֨י אִ֜ישׁ גְּדוּדִ֗ים חֶ֚בֶר כֹּֽהֲנִ֔ים דֶּ֖רֶךְ יְרַצְּחוּ־שֶׁ֑כְמָה
כִּ֥י זִמָּ֖ה עָשֽׂוּ׃ י בְּבֵית֙ יִשְׂרָאֵ֔ל רָאִ֖יתִי שַׁעֲרֽוּרִיָּ֑ה[1] שָׁ֚ם זְנ֣וּת לְאֶפְרַ֔יִם
נִטְמָ֖א יִשְׂרָאֵֽל׃ יא גַּם־יְהוּדָ֕ה שָׁ֥ת קָצִ֖יר לָ֑ךְ בְּשׁוּבִ֖י שְׁב֥וּת עַמִּֽי׃

ז א כְּרָפְאִ֣י לְיִשְׂרָאֵ֗ל וְנִגְלָ֞ה עֲוֺ֤ן אֶפְרַ֙יִם֙ וְרָע֣וֹת שֹׁמְר֔וֹן כִּ֥י פָעֲל֖וּ שָׁ֑קֶר
וְגַנָּ֣ב יָב֔וֹא פָּשַׁ֥ט גְּד֖וּד בַּחֽוּץ׃ ב וּבַל־יֹֽאמְרוּ֙ לִלְבָבָ֔ם כָּל־רָעָתָ֖ם זָכָ֑רְתִּי
עַתָּה֙ סְבָב֣וּם מַֽעַלְלֵיהֶ֔ם נֶ֥גֶד פָּנַ֖י הָיֽוּ׃ ג בְּרָעָתָ֖ם יְשַׂמְּחוּ־מֶ֑לֶךְ
וּבְכַחֲשֵׁיהֶ֖ם שָׂרִֽים׃ ד כֻּלָּם֙ מְנָ֣אֲפִ֔ים כְּמ֣וֹ תַנּ֔וּר בֹּעֵ֖רָה מֵאֹפֶ֑ה יִשְׁבּ֣וֹת
מֵעִ֔יר מִלּ֥וּשׁ בָּצֵ֖ק עַד־חֻמְצָתֽוֹ׃ ה י֣וֹם מַלְכֵּ֔נוּ הֶחֱל֥וּ שָׂרִ֖ים חֲמַ֣ת מִיָּ֑יִן
מָשַׁ֥ךְ יָד֖וֹ אֶת־לֹצְצִֽים׃ ו כִּֽי־קֵרְב֧וּ כַתַּנּ֛וּר לִבָּ֖ם בְּאָרְבָּ֑ם כָּל־הַלַּ֙יְלָה֙
יָשֵׁ֣ן אֹֽפֵהֶ֔ם בֹּ֕קֶר ה֥וּא בֹעֵ֖ר כְּאֵ֥שׁ לֶהָבָֽה׃ ז כֻּלָּ֤ם יֵחַ֙מּוּ֙ כַּתַּנּ֔וּר וְאָכְל֖וּ
אֶת־שֹׁ֣פְטֵיהֶ֑ם כָּל־מַלְכֵיהֶ֣ם נָפָ֔לוּ אֵין־קֹרֵ֥א בָהֶ֖ם אֵלָֽי׃ ח אֶפְרַ֕יִם
בָּעַמִּ֖ים ה֣וּא יִתְבּוֹלָ֑ל אֶפְרַ֛יִם הָיָ֥ה עֻגָ֖ה בְּלִ֥י הֲפוּכָֽה׃ ט אָכְל֤וּ זָרִים֙ כֹּח֔וֹ
וְה֖וּא לֹ֣א יָדָ֑ע גַּם־שֵׂיבָה֙ זָ֣רְקָה בּ֔וֹ וְה֖וּא לֹ֥א יָדָֽע׃ י וְעָנָ֥ה גְאֽוֹן־יִשְׂרָאֵ֖ל
בְּפָנָ֑יו וְלֹֽא־שָׁ֙בוּ֙ אֶל־יְהוָ֣ה אֱלֹהֵיהֶ֔ם וְלֹ֥א בִקְשֻׁ֖הוּ בְּכָל־זֹֽאת׃ יא וַֽיְהִ֣י
אֶפְרַ֔יִם כְּיוֹנָ֥ה פוֹתָ֖ה אֵ֣ין לֵ֑ב מִצְרַ֥יִם קָרָ֖אוּ אַשּׁ֥וּר הָלָֽכוּ׃ יב כַּאֲשֶׁ֣ר
יֵלֵ֗כוּ אֶפְר֤וֹשׂ עֲלֵיהֶם֙ רִשְׁתִּ֔י כְּע֥וֹף הַשָּׁמַ֖יִם אוֹרִידֵ֑ם אַיְסִרֵ֕ם כְּשֵׁ֖מַע
לַעֲדָתָֽם׃ יג א֤וֹי לָהֶם֙ כִּֽי־נָדְד֣וּ מִמֶּ֔נִּי שֹׁ֥ד לָהֶ֖ם כִּי־פָ֣שְׁעוּ בִ֑י וְאָנֹכִ֣י
אֶפְדֵּ֔ם וְהֵ֕מָּה דִּבְּר֥וּ עָלַ֖י כְּזָבִֽים׃ יד וְלֹֽא־זָעֲק֤וּ אֵלַי֙ בְּלִבָּ֔ם כִּ֥י יְיֵלִ֖ילוּ
עַל־מִשְׁכְּבוֹתָ֑ם עַל־דָּגָ֧ן וְתִיר֛וֹשׁ יִתְגּוֹרָ֖רוּ יָס֥וּרוּ בִֽי׃ טו וַאֲנִ֣י יִסַּ֔רְתִּי
חִזַּ֖קְתִּי זְרוֹעֹתָ֑ם וְאֵלַ֖י יְחַשְּׁבוּ־רָֽע׃ טז יָשׁ֣וּבוּ ׀ לֹ֣א עָ֗ל הָיוּ֙ כְּקֶ֣שֶׁת רְמִיָּ֔ה
יִפְּל֥וּ בַחֶ֛רֶב שָׂרֵיהֶ֖ם מִזַּ֣עַם לְשׁוֹנָ֑ם ז֥וֹ לַעְגָּ֖ם בְּאֶ֥רֶץ מִצְרָֽיִם׃

[1] שעריריה

6 1 'Come, and let us return unto Yehovah; for He hath torn, and He will heal us, He hath smitten, and He will bind us up. 2 After two days will He revive us, on the third day He will raise us up, that we may live in His presence. 3 And let us know, eagerly strive to know Yehovah, His going forth is sure as the morning; and He shall come unto us as the rain, as the latter rain that watereth the earth.' 4 O Ephraim, what shall I do unto thee? O Judah, what shall I do unto thee? for your goodness is as a morning cloud, and as the dew that early passeth away. 5 Therefore have I hewed them by the prophets, I have slain them by the words of My mouth; and thy judgment goeth forth as the light. 6 For I desire mercy, and not sacrifice, and the knowledge of God rather than burnt-offerings. 7 But they like men have transgressed the covenant; there have they dealt treacherously against Me. 8 Gilead is a city of them that work iniquity, it is covered with footprints of blood. 9 And as troops of robbers wait for a man, so doth the company of priests; they murder in the way toward Shechem; yea, they commit enormity. 10 In the house of Israel I have seen a horrible thing; there harlotry is found in Ephraim, Israel is defiled. 11 Also, O Judah, there is a harvest appointed for thee! When I would turn the captivity of My people,{P}

7 1 when I would heal Israel, then is the iniquity of Ephraim uncovered, and the wickedness of Samaria, for they commit falsehood; and the thief entereth in, and the troop of robbers maketh a raid without. 2 And let them not say to their heart–I remember all their wickedness; now their own doings have beset them about, they are before My face. 3 They make the king glad with their wickedness, and the princes with their lies. 4 They are all adulterers, as an oven heated by the baker, who ceaseth to stir from the kneading of the dough until it be leavened. 5 On the day of our king the princes make him sick with the heat of wine, he stretcheth out his hand with scorners. 6 For they have made ready their heart like an oven, while they lie in wait; their baker sleepeth all the night, in the morning it burneth as a flaming fire. 7 They are all hot as an oven, and devour their judges; all their kings are fallen, there is none among them that calleth unto Me. 8 Ephraim, he mixeth himself with the peoples; Ephraim is become a cake not turned. 9 Strangers have devoured his strength, and he knoweth it not; yea, gray hairs are here and there upon him, and he knoweth it not. 10 And the pride of Israel testifieth to his face; but they have not returned unto Yehovah their God, nor sought Him, for all this. 11 And Ephraim is become like a silly dove, without understanding; they call unto Egypt, they go to Assyria. 12 Even as they go, I will spread My net upon them; I will bring them down as the fowls of the heaven; I will chastise them, as their congregation hath been made to hear.{S} 13 Woe unto them! for they have strayed from Me; Destruction unto them! for they have transgressed against Me; Shall I then redeem them, seeing they have spoken lies against Me? 14 And they have not cried unto Me with their heart, though they wail upon their beds; they assemble themselves for corn and wine, they rebel against Me. 15 Though I have trained and strengthened their arms, yet do they devise evil against Me. 16 They return, but not upwards; they are become like a deceitful bow; their princes shall fall by the sword for the rage of their tongue; this shall be their derision in the land of Egypt.

ח א אֶל־חִכְּךָ֣ שֹׁפָ֗ר כַּנֶּ֙שֶׁר֙ עַל־בֵּ֣ית יְהֹוָ֔ה יַ֚עַן עָבְר֣וּ בְרִיתִ֔י וְעַל־תּוֹרָתִ֖י פָּשָֽׁעוּ: ב לִ֖י יִזְעָ֑קוּ אֱלֹהַ֖י יְֽדַעֲנ֥וּךָ יִשְׂרָאֵֽל: ג זָנַ֥ח יִשְׂרָאֵ֖ל ט֑וֹב אוֹיֵ֖ב יִרְדְּפֽוֹ: ד הֵ֤ם הִמְלִ֙יכוּ֙ וְלֹ֣א מִמֶּ֔נִּי הֵשִׂ֖ירוּ וְלֹ֣א יָדָ֑עְתִּי כַּסְפָּ֣ם וּזְהָבָ֗ם עָשׂ֤וּ לָהֶם֙ עֲצַבִּ֔ים לְמַ֖עַן יִכָּרֵֽת: ה זָנַח֙ עֶגְלֵ֣ךְ שֹׁמְר֔וֹן חָרָ֥ה אַפִּ֖י בָּ֑ם עַד־מָתַ֕י לֹ֥א יוּכְל֖וּ נִקָּיֹֽן: ו כִּ֤י מִיִּשְׂרָאֵל֙ וְה֔וּא חָרָ֣שׁ עָשָׂ֔הוּ וְלֹ֥א אֱלֹהִ֖ים ה֑וּא כִּֽי־שְׁבָבִ֣ים יִהְיֶ֔ה עֵ֖גֶל שֹׁמְרֽוֹן: ז כִּ֤י ר֙וּחַ֙ יִזְרָ֔עוּ וְסוּפָ֖תָה יִקְצֹ֑רוּ קָמָ֣ה אֵֽין־ל֗וֹ צֶ֚מַח בְּלִ֣י יַֽעֲשֶׂה־קֶּ֔מַח אוּלַ֣י יַֽעֲשֶׂ֔ה זָרִ֖ים יִבְלָעֻֽהוּ: ח נִבְלַ֖ע יִשְׂרָאֵ֑ל עַתָּה֙ הָי֣וּ בַגּוֹיִ֔ם כִּכְלִ֖י אֵֽין־חֵ֥פֶץ בּֽוֹ: ט כִּי־הֵ֙מָּה֙ עָל֣וּ אַשּׁ֔וּר פֶּ֖רֶא בּוֹדֵ֣ד ל֑וֹ אֶפְרַ֖יִם הִתְנ֥וּ אֲהָבִֽים: י גַּ֛ם כִּֽי־יִתְנ֥וּ בַגּוֹיִ֖ם עַתָּ֣ה אֲקַבְּצֵ֑ם וַיָּחֵ֣לּוּ מְּעָ֔ט מִמַּשָּׂ֖א מֶ֥לֶךְ שָׂרִֽים: יא כִּֽי־הִרְבָּ֥ה אֶפְרַ֛יִם מִזְבְּחֹ֖ת לַחֲטֹ֑א הָֽיוּ־ל֥וֹ מִזְבְּח֖וֹת לַחֲטֹֽא: יב אֶכְתׇּב־ל֔וֹ ²רֻבֵּ֣י ³תּֽוֹרָתִ֑י כְּמוֹ־זָ֖ר נֶחְשָֽׁבוּ: יג זִבְחֵ֣י הַבְהָבַ֗י יִזְבְּח֤וּ בָשָׂר֙ וַיֹּאכֵ֔לוּ יְהֹוָ֖ה לֹ֣א רָצָ֑ם עַתָּ֞ה יִזְכֹּ֤ר עֲוֺנָם֙ וְיִפְקֹ֣ד חַטֹּאותָ֔ם הֵ֖מָּה מִצְרַ֥יִם יָשֽׁוּבוּ: יד וַיִּשְׁכַּ֙ח יִשְׂרָאֵ֜ל אֶת־עֹשֵׂ֗הוּ וַיִּ֙בֶן֙ הֵֽיכָל֔וֹת וִֽיהוּדָ֕ה הִרְבָּ֖ה עָרִ֣ים בְּצֻר֑וֹת וְשִׁלַּחְתִּי־אֵ֣שׁ בְּעָרָ֔יו וְאָכְלָ֖ה אַרְמְנֹתֶֽיהָ:

ט א אַל־תִּשְׂמַ֨ח יִשְׂרָאֵ֤ל ׀ אֶל־גִּיל֙ כָּֽעַמִּ֔ים כִּ֥י זָנִ֖יתָ מֵעַ֣ל אֱלֹהֶ֑יךָ אָהַ֣בְתָּ אֶתְנָ֔ן עַ֖ל כָּל־גׇּרְנ֥וֹת דָּגָֽן: ב גֹּ֥רֶן וָיֶ֖קֶב לֹ֣א יִרְעֵ֑ם וְתִיר֖וֹשׁ יְכַ֥חֶשׁ בָּֽהּ: ג לֹ֥א יֵשְׁב֖וּ בְּאֶ֣רֶץ יְהֹוָ֑ה וְשָׁ֤ב אֶפְרַ֙יִם֙ מִצְרַ֔יִם וּבְאַשּׁ֖וּר טָמֵ֥א יֹאכֵֽלוּ: ד לֹא־יִסְּכ֨וּ לַיהֹוָ֥ה ׀ יַ֘יִן֮ וְלֹ֣א יֶֽעֶרְבוּ־לוֹ֒ זִבְחֵיהֶ֗ם כְּלֶ֤חֶם אוֹנִים֙ לָהֶ֔ם כָּל־אֹכְלָ֖יו יִטַּמָּ֑אוּ כִּֽי־לַחְמָ֣ם לְנַפְשָׁ֔ם לֹ֥א יָב֖וֹא בֵּ֥ית יְהֹוָֽה: ה מַֽה־תַּעֲשׂ֖וּ לְי֣וֹם מוֹעֵ֑ד וּלְי֖וֹם חַג־יְהֹוָֽה: ו כִּֽי־הִנֵּ֤ה הָֽלְכוּ֙ מִשֹּׁ֔ד מִצְרַ֥יִם תְּקַבְּצֵ֖ם מֹ֣ף תְּקַבְּרֵ֑ם מַחְמַ֣ד לְכַסְפָּ֗ם קִמּ֤וֹשׂ יִֽירָשֵׁם֙ ח֖וֹחַ בְּאׇהֳלֵיהֶֽם: ז בָּ֣אוּ ׀ יְמֵ֣י הַפְּקֻדָּ֗ה בָּ֚אוּ יְמֵ֣י הַשִּׁלֻּ֔ם יֵדְע֖וּ יִשְׂרָאֵ֑ל אֱוִ֣יל הַנָּבִ֗יא מְשֻׁגָּע֙ אִ֣ישׁ הָר֔וּחַ עַ֚ל רֹ֣ב עֲוֺנְךָ֔ וְרַבָּ֖ה מַשְׂטֵמָֽה: ח צֹפֶ֥ה אֶפְרַ֖יִם עִם־אֱלֹהָ֑י נָבִ֞יא פַּ֤ח יָקוֹשׁ֙ עַל־כָּל־דְּרָכָ֔יו מַשְׂטֵמָ֖ה בְּבֵ֥ית אֱלֹהָֽיו: ט הֶעְמִֽיקוּ־שִׁחֵ֖תוּ כִּימֵ֣י הַגִּבְעָ֑ה יִזְכּ֣וֹר עֲוֺנָ֔ם יִפְק֖וֹד חַטֹּאותָֽם: י כַּעֲנָבִ֣ים בַּמִּדְבָּ֗ר מָצָ֙אתִי֙ יִשְׂרָאֵ֔ל כְּבִכּוּרָ֤ה בִתְאֵנָה֙ בְּרֵ֣אשִׁיתָ֔הּ רָאִ֖יתִי אֲבֽוֹתֵיכֶ֑ם הֵ֜מָּה בָּ֣אוּ בַֽעַל־פְּע֗וֹר וַיִּנָּֽזְרוּ֙ לַבֹּ֔שֶׁת וַיִּהְי֥וּ שִׁקּוּצִ֖ים כְּאָהֳבָֽם: יא אֶפְרַ֕יִם כָּע֖וֹף יִתְעוֹפֵ֣ף כְּבוֹדָ֑ם מִלֵּדָ֥ה וּמִבֶּ֖טֶן וּמֵהֵֽרָיֽוֹן: יב כִּ֤י אִם־יְגַדְּלוּ֙ אֶת־בְּנֵיהֶ֔ם וְשִׁכַּלְתִּ֖ים מֵֽאָדָ֑ם כִּֽי־גַם־א֥וֹי לָהֶ֖ם בְּשׂוּרִ֥י מֵהֶֽם:

---

²אכתוב
³רבו

8 <u>1</u> Set the horn to thy mouth. As a vulture he cometh against the house of Yehovah; because they have transgressed My covenant, and trespassed against My Torah. <u>2</u> Will they cry unto Me: 'My God, we Israel know Thee'? <u>3</u> Israel hath cast off that which is good; the enemy shall pursue him. <u>4</u> They have set up kings, but not from Me, they have made princes, and I knew it not; of their silver and their gold have they made them idols, that they may be cut off. <u>5</u> Thy calf, O Samaria, is cast off; Mine anger is kindled against them; how long will it be ere they attain to innocency? <u>6</u> For from Israel is even this: the craftsman made it, and it is no God; yea, the calf of Samaria shall be broken in shivers. <u>7</u> For they sow the wind, and they shall reap the whirlwind; it hath no stalk, the bud that shall yield no meal; if so be it yield, strangers shall swallow it up. <u>8</u> Israel is swallowed up; now are they become among the nations as a vessel wherein is no value. <u>9</u> For they are gone up to Assyria, like a wild ass alone by himself; Ephraim hath hired lovers. <u>10</u> Yea, though they hire among the nations, now will I gather them up; and they begin to be minished by reason of the burden of king and princes. <u>11</u> For Ephraim hath multiplied altars to sin, yea, altars have been unto him to sin. <u>12</u> Though I write for him never so many things of My Torah, they are accounted as a stranger's. <u>13</u> As for the sacrifices that are made by fire unto Me, let them sacrifice flesh and eat it, for Yehovah accepteth them not. Now will He remember their iniquity, and punish their sins; they shall return to Egypt. <u>14</u> For Israel hath forgotten his Maker, and builded palaces, and Judah hath multiplied fortified cities; but I will send a fire upon his cities, and it shall devour the castles thereof.{P}

9 <u>1</u> Rejoice not, O Israel, unto exultation, like the peoples, for thou hast gone astray from thy God, thou hast loved a harlot's hire upon every corn-floor. <u>2</u> The threshing-floor and the wine-press shall not feed them, and the new wine shall fail her. <u>3</u> They shall not dwell in Yehovah's land; but Ephraim shall return to Egypt, and they shall eat unclean food in Assyria. <u>4</u> They shall not pour out wine-offerings to Yehovah, neither shall they be pleasing unto Him; their sacrifices shall be unto them as the bread of mourners, all that eat thereof shall be polluted; for their bread shall be for their appetite, it shall not come into the house of Yehovah. <u>5</u> What will ye do in the day of the appointed season, and in the day of the feast of Yehovah? <u>6</u> For, lo, they are gone away from destruction, yet Egypt shall gather them up, Memphis shall bury them; their precious treasures of silver, nettles shall possess them, thorns shall be in their tents. <u>7</u> The days of visitation are come, the days of recompense are come, Israel shall know it. The prophet is a fool, the man of the spirit is mad! For the multitude of thine iniquity, the enmity is great. <u>8</u> Ephraim is a watchman with my God; as for the prophet, a fowler's snare is in all his ways, and enmity in the house of his God. <u>9</u> They have deeply corrupted themselves, as in the days of Gibeah; He will remember their iniquity, He will punish their sins.{S} <u>10</u> I found Israel like grapes in the wilderness, I saw your fathers as the first-ripe in the fig-tree at her first season; but so soon as they came to Baal-peor, they separated themselves unto the shameful thing, and became detestable like that which they loved. <u>11</u> As for Ephraim, their glory shall fly away like a bird; there shall be no birth, and none with child, and no conception. <u>12</u> Yea, though they bring up their children, yet will I bereave them, that there be not a man left; yea, woe also to them when I depart from them!

יג אֶפְרַ֛יִם כַּאֲשֶׁר־רָאִ֥יתִי לְצ֖וֹר שְׁתוּלָ֣ה בְנָוֶ֑ה וְאֶפְרַ֕יִם לְהוֹצִ֥יא אֶל־הֹרֵ֖ג בָּנָֽיו: יד תֵּן־לָהֶ֥ם יְהֹוָ֖ה מַה־תִּתֵּ֑ן תֵּן־לָהֶם֙ רֶ֣חֶם מַשְׁכִּ֔יל וְשָׁדַ֖יִם צֹמְקִֽים: טו כָּל־רָעָתָ֣ם בַּגִּלְגָּ֗ל כִּי־שָׁם֙ שְׂנֵאתִ֔ים עַ֚ל רֹ֣עַ מַֽעַלְלֵיהֶ֔ם מִבֵּיתִ֖י אֲגָֽרְשֵׁ֑ם לֹ֤א אוֹסֵף֙ אַהֲבָתָ֔ם כָּל־שָׂרֵיהֶ֖ם סֹֽרְרִֽים: טז הֻכָּ֣ה אֶפְרַ֔יִם שָׁרְשָׁ֥ם יָבֵ֖שׁ פְּרִ֣י בַל־יַעֲשׂ֑וּן ⁴גַּ֚ם כִּ֣י יֵֽלֵד֔וּן וְהֵמַתִּ֖י מַחֲמַדֵּ֥י בִטְנָֽם: יז יִמְאָסֵ֣ם אֱלֹהַ֔י כִּ֛י לֹ֥א שָׁמְע֖וּ ל֑וֹ וְיִהְי֥וּ נֹדְדִ֖ים בַּגּוֹיִֽם:

י א גֶּ֤פֶן בּוֹקֵק֙ יִשְׂרָאֵ֔ל פְּרִ֖י יְשַׁוֶּה־ל֑וֹ כְּרֹ֣ב לְפִרְי֗וֹ הִרְבָּה֙ לַֽמִּזְבְּח֔וֹת כְּט֣וֹב לְאַרְצ֔וֹ הֵיטִ֖יבוּ מַצֵּבֽוֹת: ב חָלַ֥ק לִבָּ֖ם עַתָּ֣ה יֶאְשָׁ֑מוּ ה֚וּא יַעֲרֹ֣ף מִזְבְּחוֹתָ֔ם יְשֹׁדֵ֖ד מַצֵּבוֹתָֽם: ג כִּ֤י עַתָּה֙ יֹֽאמְר֔וּ אֵ֥ין מֶ֖לֶךְ לָ֑נוּ כִּ֣י לֹ֤א יָרֵ֨אנוּ֙ אֶת־יְהֹוָ֔ה וְהַמֶּ֖לֶךְ מַה־יַּעֲשֶׂה־לָּֽנוּ: ד דִּבְּר֣וּ דְבָרִ֗ים אָל֥וֹת שָׁ֖וְא כָּרֹ֣ת בְּרִ֑ית וּפָרַ֤ח כָּרֹאשׁ֙ מִשְׁפָּ֔ט עַ֖ל תַּלְמֵ֥י שָׂדָֽי: ה לְעֶגְלוֹת֙ בֵּ֣ית אָ֔וֶן יָג֖וּרוּ שְׁכַ֣ן שֹֽׁמְר֑וֹן כִּי־אָבַ֨ל עָלָ֜יו עַמּ֗וֹ וּכְמָרָיו֙ עָלָ֣יו יָגִ֔ילוּ עַל־כְּבוֹד֖וֹ כִּֽי־גָלָ֥ה מִמֶּֽנּוּ: ו גַּם־אוֹתוֹ֙ לְאַשּׁ֣וּר יוּבָ֔ל מִנְחָ֖ה לְמֶ֣לֶךְ יָרֵ֑ב בָּשְׁנָה֙ אֶפְרַ֣יִם יִקָּ֔ח וְיֵב֥וֹשׁ יִשְׂרָאֵ֖ל מֵעֲצָתֽוֹ: ז נִדְמֶ֥ה שֹׁמְר֖וֹן מַלְכָּ֑הּ כְּקֶ֖צֶף עַל־פְּנֵי־מָֽיִם: ח וְנִשְׁמְד֞וּ בָּמ֣וֹת אָ֗וֶן חַטַּאת֙ יִשְׂרָאֵ֔ל ק֣וֹץ וְדַרְדַּ֔ר יַעֲלֶ֖ה עַל־מִזְבְּחוֹתָ֑ם וְאָמְר֤וּ לֶֽהָרִים֙ כַּסּ֔וּנוּ וְלַגְּבָע֖וֹת נִפְל֥וּ עָלֵֽינוּ: ט מִימֵי֙ הַגִּבְעָ֔ה חָטָ֖אתָ יִשְׂרָאֵ֑ל שָׁ֣ם עָמָ֔דוּ לֹא־תַשִּׂיגֵ֧ם בַּגִּבְעָ֛ה מִלְחָמָ֖ה עַל־בְּנֵ֥י עַלְוָֽה: י בְּאַוָּתִ֖י וְאֶסֳּרֵ֑ם וְאֻסְּפ֤וּ עֲלֵיהֶם֙ עַמִּ֔ים בְּאָסְרָ֖ם לִשְׁתֵּ֥י ⁵עוֹנֹתָֽם: יא וְאֶפְרַ֜יִם עֶגְלָ֤ה מְלֻמָּדָה֙ אֹהַ֣בְתִּי לָד֔וּשׁ וַאֲנִ֣י עָבַ֔רְתִּי עַל־ט֖וּב צַוָּארָ֑הּ אַרְכִּ֤יב אֶפְרַ֨יִם֙ יַחֲר֣וֹשׁ יְהוּדָ֔ה יְשַׂדֶּד־ל֖וֹ יַעֲקֹֽב: יב זִרְע֨וּ לָכֶ֤ם לִצְדָקָה֙ קִצְר֣וּ לְפִי־חֶ֔סֶד נִ֥ירוּ לָכֶ֖ם נִ֑יר וְעֵת֙ לִדְר֣וֹשׁ אֶת־יְהֹוָ֔ה עַד־יָב֕וֹא וְיֹרֶ֥ה צֶ֖דֶק לָכֶֽם: יג חֲרַשְׁתֶּם־רֶ֛שַׁע עַוְלָ֥תָה קְצַרְתֶּ֖ם אֲכַלְתֶּ֣ם פְּרִי־כָ֑חַשׁ כִּֽי־בָטַ֥חְתָּ בְדַרְכְּךָ֖ בְּרֹ֥ב גִּבּוֹרֶֽיךָ: יד וְקָ֣אם שָׁאוֹן֮ בְּעַמֶּךָ֒ וְכָל־מִבְצָרֶ֣יךָ יוּשַּׁ֔ד כְּשֹׁ֧ד שַֽׁלְמַ֛ן בֵּ֥ית אַרְבֵ֖אל בְּי֣וֹם מִלְחָמָ֑ה אֵ֥ם עַל־בָּנִ֖ים רֻטָּֽשָׁה: טו כָּ֗כָה עָשָׂ֤ה לָכֶם֙ בֵּֽית־אֵ֔ל מִפְּנֵ֖י רָעַ֣ת רָֽעַתְכֶ֑ם בַּשַּׁ֕חַר נִדְמֹ֥ה נִדְמָ֖ה מֶ֥לֶךְ יִשְׂרָאֵֽל:

יא א כִּ֛י נַ֥עַר יִשְׂרָאֵ֖ל וָאֹהֲבֵ֑הוּ וּמִמִּצְרַ֖יִם קָרָ֥אתִי לִבְנִֽי: ב קָרְא֥וּ לָהֶ֖ם כֵּ֣ן הָלְכ֣וּ מִפְּנֵיהֶ֑ם לַבְּעָלִים֙ יְזַבֵּ֔חוּ וְלַפְּסִלִ֖ים יְקַטֵּרֽוּן: ג וְאָנֹכִ֤י תִרְגַּ֨לְתִּי֙ לְאֶפְרַ֔יִם קָחָ֖ם עַל־זְרוֹעֹתָ֑יו וְלֹ֥א יָדְע֖וּ כִּ֥י רְפָאתִֽים: ד בְּחַבְלֵ֨י אָדָ֤ם אֶמְשְׁכֵם֙ בַּעֲבֹת֣וֹת אַהֲבָ֔ה וָאֶהְיֶ֥ה לָהֶ֛ם כִּמְרִ֥ימֵי עֹ֖ל עַ֣ל לְחֵיהֶ֑ם וְאַ֥ט אֵלָ֖יו אוֹכִֽיל: ה לֹ֤א יָשׁוּב֙ אֶל־אֶ֣רֶץ מִצְרַ֔יִם וְאַשּׁ֖וּר ה֣וּא מַלְכּ֑וֹ כִּ֥י מֵאֲנ֖וּ לָשֽׁוּב:

⁴בְּלִי
⁵עֹנֹתָם

13 Ephraim, like as I have seen Tyre, is planted in a pleasant place; but Ephraim shall bring forth his children to the slayer. **14** Give them, Yehovah, whatsoever Thou wilt give; give them a miscarrying womb and dry breasts. **15** All their wickedness is in Gilgal, for there I hated them; because of the wickedness of their doings I will drive them out of My house; I will love them no more, all their princes are rebellious. **16** Ephraim is smitten, their root is dried up, they shall bear no fruit; yea, though they bring forth, yet will I slay the beloved fruit of their womb. **17** My God will cast them away, because they did not hearken unto Him; and they shall be wanderers among the nations.{S}

10 **1** Israel was a luxuriant vine, which put forth fruit freely: as his fruit increased, he increased his altars; the more goodly his land was, the more goodly were his pillars. **2** Their heart is divided; now shall they bear their guilt; He will break down their altars, He will spoil their pillars. **3** Surely now shall they say: 'We have no king; for we feared not Yehovah; and the king, what can he do for us?' **4** They speak words, they swear falsely, they make covenants; thus judgment springeth up as hemlock in the furrows of the field. **5** The inhabitants of Samaria shall be in dread for the calves of Beth-aven; for the people thereof shall mourn over it, and the priests thereof shall tremble for it, for its glory, because it is departed from it. **6** It also shall be carried unto Assyria, for a present to King Contentious; Ephraim shall receive shame, and Israel shall be ashamed of his own counsel. **7** As for Samaria, her king is cut off, as foam upon the water. **8** The high places also of Aven shall be destroyed, even the sin of Israel. The thorn and the thistle shall come up on their altars; and they shall say to the mountains: 'Cover us', and to the hills: 'Fall on us.'{P}

9 From the days of Gibeah thou hast sinned, O Israel; there they stood; no battle was to overtake them in Gibeah, nor the children of arrogancy. **10** When it is My desire, I will chastise them; and the peoples shall be gathered against them, when they are yoked to their two rings. **11** And Ephraim is a heifer well broken, that loveth to thresh, and I have passed over upon her fair neck; I will make Ephraim to ride, Judah shall plow, Jacob shall break his clods. **12** Sow to yourselves according to righteousness, reap according to mercy, break up your fallow ground; for it is time to seek Yehovah, till He come and cause righteousness to rain upon you. **13** Ye have plowed wickedness, ye have reaped iniquity, ye have eaten the fruit of lies; for thou didst trust in thy way, in the multitude of thy mighty men. **14** Therefore shall a tumult arise among thy hosts, and all thy fortresses shall be spoiled, as Shalman spoiled Beth-arbel in the day of battle; the mother was dashed in pieces with her children. **15** So hath Beth-el done unto you because of your great wickedness; at daybreak is the king of Israel utterly cut off.

11 **1** When Israel was a child, then I loved him, and out of Egypt I called My son. **2** The more they called them, the more they went from them; they sacrificed unto the Baalim, and offered to graven images. **3** And I, I taught Ephraim to walk, taking them by their arms; but they knew not that I healed them. **4** I drew them with cords of a man, with bands of love; and I was to them as they that take off the yoke on their jaws, and I fed them gently. **5** He shall not return into the land of Egypt, but the Assyrian shall be his king, because they refused to return.

ו וְחָלָה חֶ֫רֶב בְּעָרָיו וְכִלְּתָה בַדָּיו וְאָכֵ֑לָה מִמֹּעֲצוֹתֵיהֶֽם: ז וְעַמִּי תְלוּאִים
לִמְשֽׁוּבָתִ֑י וְאֶל־עַ֤ל יִקְרָאֻ֔הוּ יַ֖חַד לֹ֥א יְרוֹמֵֽם: ח אֵ֣יךְ אֶתֶּנְךָ֤ אֶפְרַ֨יִם֙ אֲמַגֶּנְךָ֣
יִשְׂרָאֵ֔ל אֵ֚יךְ אֶתֶּנְךָ֣ כְאַדְמָ֔ה אֲשִׂימְךָ֖ כִּצְבֹאיִ֑ם נֶהְפַּ֤ךְ עָלַי֙ לִבִּ֔י יַ֖חַד נִכְמְר֥וּ
נִחוּמָֽי: ט לֹ֤א אֶֽעֱשֶׂה֙ חֲר֣וֹן אַפִּ֔י לֹ֥א אָשׁ֖וּב לְשַׁחֵ֣ת אֶפְרָ֑יִם כִּ֣י אֵ֤ל אָֽנֹכִי֙
וְלֹא־אִ֔ישׁ בְּקִרְבְּךָ֣ קָד֔וֹשׁ וְלֹ֥א אָב֖וֹא בְּעִֽיר: י אַחֲרֵ֧י יְהוָ֛ה יֵלְכ֖וּ כְּאַרְיֵ֣ה
יִשְׁאָ֑ג כִּֽי־ה֣וּא יִשְׁאַ֔ג וְיֶחֶרְד֥וּ בָנִ֖ים מִיָּֽם: יא יֶחֶרְד֤וּ כְצִפּוֹר֙ מִמִּצְרַ֔יִם וּכְיוֹנָ֖ה
מֵאֶ֣רֶץ אַשּׁ֑וּר וְהוֹשַׁבְתִּ֥ים עַל־בָּתֵּיהֶ֖ם נְאֻם־יְהוָֽה:

יב א סְבָבֻ֤נִי בְכַ֨חַשׁ֙ אֶפְרַ֔יִם וּבְמִרְמָ֖ה בֵּ֣ית יִשְׂרָאֵ֑ל וִֽיהוּדָ֗ה עֹ֥ד רָד֙
עִם־אֵ֔ל וְעִם־קְדוֹשִׁ֖ים נֶאֱמָֽן: ב אֶפְרַ֜יִם רֹעֶ֥ה ר֨וּחַ֙ וְרֹדֵ֣ף קָדִ֔ים כָּל־הַיּ֕וֹם
כָּזָ֥ב וָשֹׁ֖ד יַרְבֶּ֑ה וּבְרִית֙ עִם־אַשּׁ֣וּר יִכְרֹ֔תוּ וְשֶׁ֖מֶן לְמִצְרַ֥יִם יוּבָֽל: ג וְרִ֥יב
לַֽיהוָ֖ה עִם־יְהוּדָ֑ה וְלִפְקֹ֤ד עַֽל־יַעֲקֹב֙ כִּדְרָכָ֔יו כְּמַעֲלָלָ֖יו יָשִׁ֥יב לֽוֹ: ד בַּבֶּ֖טֶן
עָקַ֣ב אֶת־אָחִ֑יו וּבְאוֹנ֖וֹ שָׂרָ֥ה אֶת־אֱלֹהִֽים: ה וַיָּ֤שַׂר אֶל־מַלְאָךְ֙ וַיֻּכָ֔ל בָּכָ֥ה
וַיִּתְחַנֶּן־ל֑וֹ בֵּֽית־אֵל֙ יִמְצָאֶ֔נּוּ וְשָׁ֖ם יְדַבֵּ֥ר עִמָּֽנוּ: ו וַֽיהוָ֖ה אֱלֹהֵ֣י הַצְּבָא֑וֹת
יְהוָ֖ה זִכְרֽוֹ: ז וְאַתָּ֖ה בֵּאלֹהֶ֣יךָ תָשׁ֑וּב חֶ֤סֶד וּמִשְׁפָּט֙ שְׁמֹ֔ר וְקַוֵּ֥ה אֶל־אֱלֹהֶ֖יךָ
תָּמִֽיד: ח כְּנַ֗עַן בְּיָד֛וֹ מֹאזְנֵ֥י מִרְמָ֖ה לַעֲשֹׁ֥ק אָהֵֽב: ט וַיֹּ֣אמֶר אֶפְרַ֔יִם אַ֣ךְ
עָשַׁ֔רְתִּי מָצָ֥אתִי א֖וֹן לִ֑י כָּל־יְגִיעַ֕י לֹ֥א יִמְצְאוּ־לִ֖י עָוֺ֥ן אֲשֶׁר־חֵֽטְא: י וְאָ֣נֹכִ֞י
יְהוָ֤ה אֱלֹהֶ֨יךָ֙ מֵאֶ֣רֶץ מִצְרָ֑יִם עֹ֛ד אוֹשִֽׁיבְךָ֥ בָאֳהָלִ֖ים כִּימֵ֥י מוֹעֵֽד: יא וְדִבַּ֙רְתִּי֙
עַל־הַנְּבִיאִ֔ים וְאָנֹכִ֖י חָז֣וֹן הִרְבֵּ֑יתִי וּבְיַ֥ד הַנְּבִיאִ֖ים אֲדַמֶּֽה: יב אִם־גִּלְעָ֥ד אָ֨וֶן֙
אַךְ־שָׁ֣וְא הָי֔וּ בַּגִּלְגָּ֖ל שְׁוָרִ֣ים זִבֵּ֑חוּ גַּ֤ם מִזְבְּחוֹתָם֙ כְּגַלִּ֔ים
עַ֖ל תַּלְמֵ֥י שָׂדָֽי: יג וַיִּבְרַ֥ח יַעֲקֹ֖ב שְׂדֵ֣ה אֲרָ֑ם וַיַּעֲבֹ֤ד יִשְׂרָאֵל֙ בְּאִשָּׁ֔ה וּבְאִשָּׁ֖ה
שָׁמָֽר: יד וּבְנָבִ֕יא הֶעֱלָ֧ה יְהוָ֛ה אֶת־יִשְׂרָאֵ֖ל מִמִּצְרָ֑יִם וּבְנָבִ֖יא נִשְׁמָֽר:
יה הִכְעִ֥יס אֶפְרַ֖יִם תַּמְרוּרִ֑ים וְדָמָיו֙ עָלָ֣יו יִטּ֔וֹשׁ וְחֶרְפָּת֔וֹ יָשִׁ֥יב ל֖וֹ אֲדֹנָֽיו:

יג א כְּדַבֵּ֤ר אֶפְרַ֨יִם֙ רְתֵ֔ת נָשָׂ֥א ה֖וּא בְּיִשְׂרָאֵ֑ל וַיֶּאְשַׁ֥ם בַּבַּ֖עַל וַיָּמֹֽת: ב וְעַתָּ֣ה ׀
יוֹסִ֣פוּ לַחֲטֹ֗א וַיַּעֲשׂ֣וּ לָהֶם֩ מַסֵּכָ֨ה מִכַּסְפָּ֜ם כִּתְבוּנָ֣ם עֲצַבִּ֗ים מַעֲשֵׂ֤ה חָרָשִׁים֙
כֻּלֹּ֔ה לָהֶם֙ הֵ֣ם אֹמְרִ֔ים זֹבְחֵ֣י אָדָ֔ם עֲגָלִ֖ים יִשָּׁקֽוּן: ג לָכֵ֗ן יִֽהְיוּ֙ כַּעֲנַן־בֹּ֔קֶר
וְכַטַּ֖ל מַשְׁכִּ֣ים הֹלֵ֑ךְ כְּמֹץ֙ יְסֹעֵ֣ר מִגֹּ֔רֶן וּכְעָשָׁ֖ן מֵאֲרֻבָּֽה: ד וְאָנֹכִ֛י יְהוָ֥ה אֱלֹהֶ֖יךָ
מֵאֶ֣רֶץ מִצְרָ֑יִם וֵאלֹהִ֤ים זֽוּלָתִי֙ לֹ֣א תֵדָ֔ע וּמוֹשִׁ֖יעַ אַ֥יִן בִּלְתִּֽי: ה אֲנִ֥י יְדַעְתִּ֖יךָ
בַּמִּדְבָּ֑ר בְּאֶ֖רֶץ תַּלְאֻבֹֽת: ו כְּמַרְעִיתָם֙ וַיִּשְׂבָּ֔עוּ שָׂבְע֖וּ וַיָּ֣רָם לִבָּ֑ם עַל־כֵּ֖ן
שְׁכֵחֽוּנִי: ז וָאֱהִ֥י לָהֶ֖ם כְּמוֹ־שָׁ֑חַל כְּנָמֵ֖ר עַל־דֶּ֥רֶךְ אָשֽׁוּר:

6 And the sword shall fall upon his cities, and shall consume his bars, and devour them, because of their own counsels. **7** And My people are in suspense about returning to Me; and though they call them upwards, none at all will lift himself up. **8** How shall I give thee up, Ephraim? How shall I surrender thee, Israel? How shall I make thee as Admah? How shall I set thee as Zeboim? My heart is turned within Me, My compassions are kindled together. **9** I will not execute the fierceness of Mine anger, I will not return to destroy Ephraim; for I am God, and not man, the Holy One in the midst of thee; and I will not come in fury. **10** They shall walk after Yehovah, who shall roar like a lion; for He shall roar, and the children shall come trembling from the west. **11** They shall come trembling as a bird out of Egypt, and as a dove out of the land of Assyria; and I will make them to dwell in their houses, saith Yehovah.{s}

12 **1** Ephraim compasseth Me about with lies, and the house of Israel with deceit; and Judah is yet wayward towards God, and towards the Holy One who is faithful. **2** Ephraim striveth after wind, and followeth after the east wind; all the day he multiplieth lies and desolation; and they make a covenant with Assyria, and oil is carried into Egypt. **3** Yehovah hath also a controversy with Judah, and will punish Jacob according to his ways, according to his doings will He recompense him. **4** In the womb he took his brother by the heel, and by his strength he strove with a godlike being; **5** So he strove with an angel, and prevailed; he wept, and made supplication unto him; at Beth-el he would find him, and there he would speak with us; **6** But Yehovah, the God of hosts, Yehovah is His name. **7** Therefore turn thou to thy God; keep mercy and justice, and wait for thy God continually. **8** As for the trafficker, the balances of deceit are in his hand. He loveth to oppress. **9** And Ephraim said: 'Surely I am become rich, I have found me wealth; in all my labours they shall find in me no iniquity that were sin.' **10** But I am Yehovah thy God from the land of Egypt; I will yet again make thee to dwell in tents, as in the days of the appointed season. **11** I have also spoken unto the prophets, and I have multiplied visions; and by the ministry of the prophets have I used similitudes. **12** If Gilead be given to iniquity becoming altogether vanity, in Gilgal they sacrifice unto bullocks; yea, their altars shall be as heaps in the furrows of the field. **13** And Jacob fled into the field of Aram, and Israel served for a wife, and for a wife he kept sheep. **14** And by a prophet Yehovah brought Israel up out of Egypt, and by a prophet was he kept. **15** Ephraim hath provoked most bitterly; therefore shall his blood be cast upon him, and his reproach shall his Lord return unto him.

13 **1** When Ephraim spoke, there was trembling, he exalted himself in Israel; but when he became guilty through Baal, he died. **2** And now they sin more and more, and have made them molten images of their silver, according to their own understanding, even idols, all of them the work of the craftsmen; of them they say: 'They that sacrifice men kiss calves.' **3** Therefore they shall be as the morning cloud, and as the dew that early passeth away, as the chaff that is driven with the wind out of the threshing-floor, and as the smoke out of the window. **4** Yet I am Yehovah thy God from the land of Egypt; and thou knowest no God but Me, and beside Me there is no saviour. **5** I did know thee in the wilderness, in the land of great drought. **6** When they were fed, they became full, they were filled, and their heart was exalted; therefore have they forgotten Me. **7** Therefore am I become unto them as a lion; as a leopard will I watch by the way;

ח אֶפְגְּשֵׁם֙ כְּדֹ֣ב שַׁכּ֔וּל וְאֶקְרַ֖ע סְג֣וֹר לִבָּ֑ם וְאֹכְלֵ֥ם שָׁם֙ כְּלָבִ֔יא חַיַּ֥ת
הַשָּׂדֶ֖ה תְּבַקְּעֵֽם׃ ט שִֽׁחֶתְךָ֥ יִשְׂרָאֵ֖ל כִּֽי־בִ֥י בְעֶזְרֶֽךָ׃ י אֱהִ֤י מַלְכְּךָ֙ אֵפ֔וֹא
וְיוֹשִֽׁיעֲךָ֖ בְּכָל־עָרֶ֑יךָ וְשֹׁ֣פְטֶ֔יךָ אֲשֶׁ֣ר אָמַ֔רְתָּ תְּנָה־לִּ֖י מֶ֥לֶךְ וְשָׂרִֽים׃
יא אֶתֶּן־לְךָ֥ מֶ֙לֶךְ֙ בְּאַפִּ֔י וְאֶקַּ֖ח בְּעֶבְרָתִֽי׃ יב צָרוּר֙ עֲוֺ֣ן אֶפְרָ֔יִם צְפוּנָ֖ה
חַטָּאתֽוֹ׃ יג חֶבְלֵ֥י יֽוֹלֵדָ֖ה יָבֹ֣אוּ ל֑וֹ הוּא־בֵן֙ לֹ֣א חָכָ֔ם כִּֽי־עֵ֥ת לֹֽא־יַעֲמֹ֖ד
בְּמִשְׁבַּ֥ר בָּנִֽים׃ יד מִיַּ֤ד שְׁאוֹל֙ אֶפְדֵּ֔ם מִמָּ֖וֶת אֶגְאָלֵ֑ם אֱהִ֨י דְבָרֶ֜יךָ מָ֗וֶת
אֱהִ֤י קָֽטָבְךָ֙ שְׁא֔וֹל נֹ֖חַם יִסָּתֵ֥ר מֵעֵינָֽי׃ טו כִּ֣י ה֔וּא בֵּ֥ן אַחִ֖ים יַפְרִ֑יא יָב֣וֹא
קָדִים֩ ר֨וּחַ יְהוָ֜ה מִמִּדְבָּ֣ר עֹלֶ֗ה וְיֵב֤וֹשׁ מְקוֹרוֹ֙ וְיֶחֱרַ֣ב מַעְיָנ֔וֹ ה֣וּא יִשְׁסֶ֔ה
אוֹצַ֖ר כָּל־כְּלִ֥י חֶמְדָּֽה׃

יד א תֶּאְשַׁם֙ שֹֽׁמְר֔וֹן כִּ֥י מָרְתָ֖ה בֵּאלֹהֶ֑יהָ בַּחֶ֣רֶב יִפֹּ֔לוּ עֹלְלֵיהֶ֣ם יְרֻטָּ֔שׁוּ
וְהָרִיּוֹתָ֖יו יְבֻקָּֽעוּ׃

ב שׁ֚וּבָה יִשְׂרָאֵ֔ל עַ֖ד יְהוָ֣ה אֱלֹהֶ֑יךָ כִּ֥י כָשַׁ֖לְתָּ בַּעֲוֺנֶֽךָ׃ ג קְח֤וּ עִמָּכֶם֙
דְּבָרִ֔ים וְשׁ֖וּבוּ אֶל־יְהוָ֑ה אִמְר֣וּ אֵלָ֗יו כָּל־תִּשָּׂ֤א עָוֺן֙ וְקַח־ט֔וֹב וּנְשַׁלְּמָ֥ה
פָרִ֖ים שְׂפָתֵֽינוּ׃ ד אַשּׁ֣וּר ׀ לֹ֣א יוֹשִׁיעֵ֗נוּ עַל־סוּס֙ לֹ֣א נִרְכָּ֔ב וְלֹא־נֹ֥אמַר
ע֛וֹד אֱלֹהֵ֖ינוּ לְמַעֲשֵׂ֣ה יָדֵ֑ינוּ אֲשֶׁר־בְּךָ֖ יְרֻחַ֥ם יָתֽוֹם׃ ה אֶרְפָּא֙ מְשׁ֣וּבָתָ֔ם
אֹהֲבֵ֖ם נְדָבָ֑ה כִּ֛י שָׁ֥ב אַפִּ֖י מִמֶּֽנּוּ׃ ו אֶהְיֶ֤ה כַטַּל֙ לְיִשְׂרָאֵ֔ל יִפְרַ֖ח כַּשּׁוֹשַׁנָּ֑ה
וְיַ֥ךְ שָׁרָשָׁ֖יו כַּלְּבָנֽוֹן׃ ז יֵֽלְכוּ֙ יֹֽנְקוֹתָ֔יו וִיהִ֥י כַזַּ֖יִת הוֹד֑וֹ וְרֵ֥יחַ ל֖וֹ כַּלְּבָנֽוֹן׃
ח יָשֻׁ֙בוּ֙ יֹשְׁבֵ֣י בְצִלּ֔וֹ יְחַיּ֥וּ דָגָ֖ן וְיִפְרְח֣וּ כַגָּ֑פֶן זִכְר֖וֹ כְּיֵ֥ין לְבָנֽוֹן׃ ט אֶפְרַ֕יִם
מַה־לִּ֥י ע֖וֹד לָעֲצַבִּ֑ים אֲנִ֧י עָנִ֣יתִי וַאֲשׁוּרֶ֗נּוּ אֲנִי֙ כִּבְר֣וֹשׁ רַעֲנָ֔ן מִמֶּ֖נִּי פֶּרְיְךָ֥
נִמְצָֽא׃ י מִ֤י חָכָם֙ וְיָבֵ֣ן אֵ֔לֶּה נָב֖וֹן וְיֵדָעֵ֑ם כִּֽי־יְשָׁרִ֞ים דַּרְכֵ֣י יְהוָ֗ה
וְצַדִּקִים֙ יֵ֣לְכוּ בָ֔ם וּפֹשְׁעִ֖ים יִכָּ֥שְׁלוּ בָֽם׃

8 I will meet them as a bear that is bereaved of her whelps, and will rend the enclosure of their heart; and there will I devour them like a lioness; the wild beast shall tear them. **9** It is thy destruction, O Israel, that thou art against Me, against thy help. **10** Ho, now, thy king, that he may save thee in all thy cities! and thy judges, of whom thou saidst: 'Give me a king and princes!' **11** I give thee a king in Mine anger, and take him away in My wrath.{P}

12 The iniquity of Ephraim is bound up; his sin is laid up in store. **13** The throes of a travailing woman shall come upon him; he is an unwise son; for it is time he should not tarry in the place of the breaking forth of children. **14** Shall I ransom them from the power of the nether-world? Shall I redeem them from death? Ho, thy plagues, O death! Ho, thy destruction, O nether-world! Repentance be hid from Mine eyes! **15** For though he be fruitful among the reed-plants, an east wind shall come, the wind of Yehovah coming up from the wilderness, and his spring shall become dry, and his fountain shall be dried up; he shall spoil the treasure of all precious vessels.

14 1 Samaria shall bear her guilt, for she hath rebelled against her God; they shall fall by the sword; their infants shall be dashed in pieces, and their women with child shall be ripped up.{P}

2 Return, O Israel, unto Yehovah thy God; for thou hast stumbled in thine iniquity. **3** Take with you words, and return unto Yehovah; say unto Him: 'Forgive all iniquity, and accept that which is good; so will we render for bullocks the offering of our lips. **4** Asshur shall not save us; we will not ride upon horses; neither will we call any more the work of our hands our gods; for in Thee the fatherless findeth mercy.' **5** I will heal their backsliding, I will love them freely; for Mine anger is turned away from him. **6** I will be as the dew unto Israel; he shall blossom as the lily, and cast forth his roots as Lebanon. **7** His branches shall spread, and his beauty shall be as the olive-tree, and his fragrance as Lebanon. **8** They that dwell under his shadow shall again make corn to grow, and shall blossom as the vine; the scent thereof shall be as the wine of Lebanon. **9** Ephraim [shall say]: 'What have I to do any more with idols?' As for Me, I respond and look on him; I am like a leafy cypress-tree; from Me is thy fruit found. **10** Whoso is wise, let him understand these things, whoso is prudent, let him know them. For the ways of Yehovah are right, and the just do walk in them; but transgressors do stumble therein.{P}

יואל

Joel

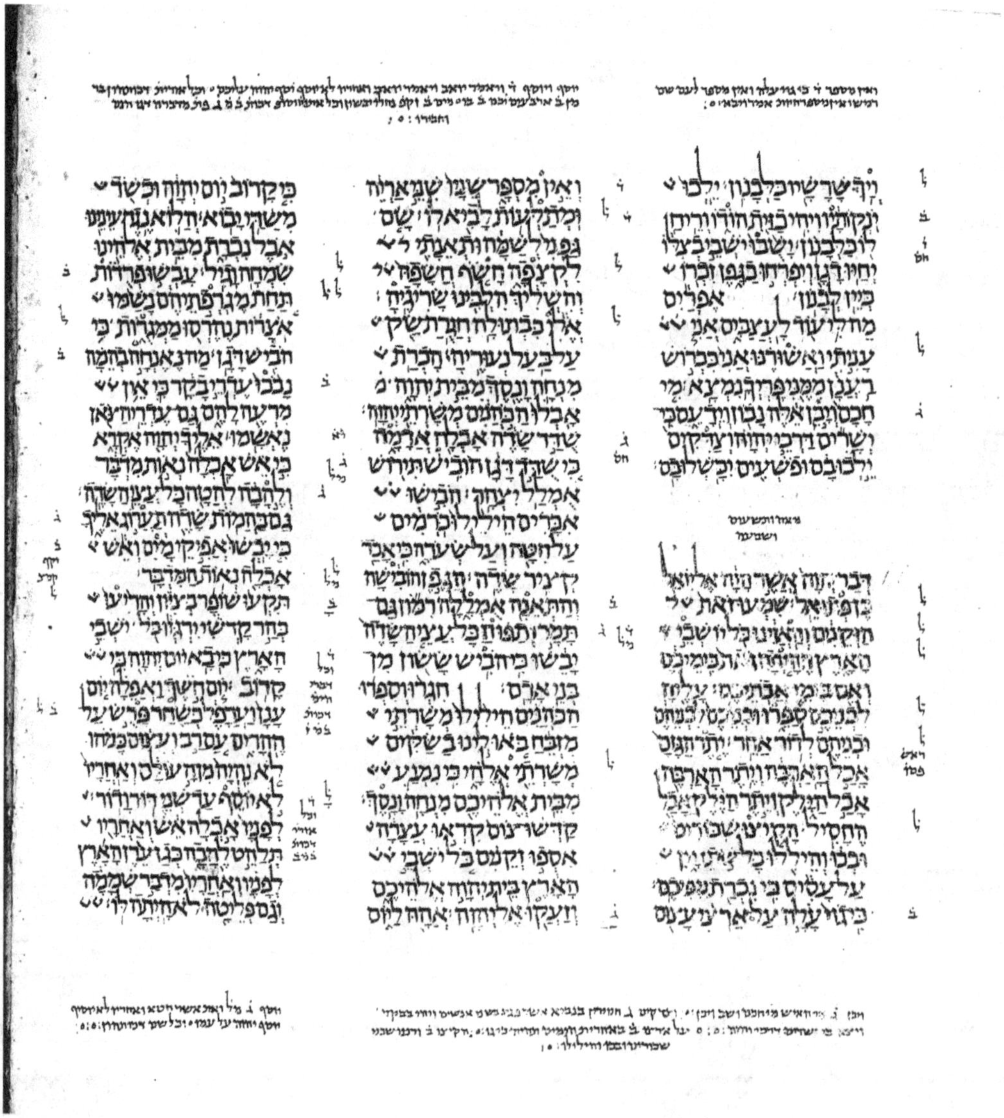

Book of Joel in the Leningrad Codex
(right column, middle, page 619 in pdf)

א א דְּבַר־יְהֹוָה אֲשֶׁר הָיָה אֶל־יוֹאֵל בֶּן־פְּתוּאֵל: ב שִׁמְעוּ־זֹאת הַזְּקֵנִים וְהַאֲזִינוּ כֹּל יוֹשְׁבֵי הָאָרֶץ הֶהָיְתָה זֹּאת בִּימֵיכֶם וְאִם בִּימֵי אֲבֹתֵיכֶם: ג עָלֶיהָ לִבְנֵיכֶם סַפֵּרוּ וּבְנֵיכֶם לִבְנֵיהֶם וּבְנֵיהֶם לְדוֹר אַחֵר: ד יֶתֶר הַגָּזָם אָכַל הָאַרְבֶּה וְיֶתֶר הָאַרְבֶּה אָכַל הַיָּלֶק וְיֶתֶר הַיֶּלֶק אָכַל הֶחָסִיל: ה הָקִיצוּ שִׁכּוֹרִים וּבְכוּ וְהֵילִלוּ כָּל־שֹׁתֵי יָיִן עַל־עָסִיס כִּי נִכְרַת מִפִּיכֶם: ו כִּי־גוֹי עָלָה עַל־אַרְצִי עָצוּם וְאֵין מִסְפָּר שִׁנָּיו שִׁנֵּי אַרְיֵה וּמְתַלְּעוֹת לָבִיא לוֹ: ז שָׂם גַּפְנִי לְשַׁמָּה וּתְאֵנָתִי לִקְצָפָה חָשֹׂף חֲשָׂפָהּ וְהִשְׁלִיךְ הִלְבִּינוּ שָׂרִיגֶיהָ: ח אֱלִי כִּבְתוּלָה חֲגֻרַת־שַׂק עַל־בַּעַל נְעוּרֶיהָ: ט הָכְרַת מִנְחָה וָנֶסֶךְ מִבֵּית יְהֹוָה אָבְלוּ הַכֹּהֲנִים מְשָׁרְתֵי יְהֹוָה: י שֻׁדַּד שָׂדֶה אָבְלָה אֲדָמָה כִּי שֻׁדַּד דָּגָן הוֹבִישׁ תִּירוֹשׁ אֻמְלַל יִצְהָר: יא הֹבִישׁוּ אִכָּרִים הֵילִילוּ כֹּרְמִים עַל־חִטָּה וְעַל־שְׂעֹרָה כִּי אָבַד קְצִיר שָׂדֶה: יב הַגֶּפֶן הוֹבִישָׁה וְהַתְּאֵנָה אֻמְלָלָה רִמּוֹן גַּם־תָּמָר וְתַפּוּחַ כָּל־עֲצֵי הַשָּׂדֶה יָבֵשׁוּ כִּי־הֹבִישׁ שָׂשׂוֹן מִן־בְּנֵי אָדָם: יג חִגְרוּ וְסִפְדוּ הַכֹּהֲנִים הֵילִילוּ מְשָׁרְתֵי מִזְבֵּחַ בֹּאוּ לִינוּ בַשַּׂקִּים מְשָׁרְתֵי אֱלֹהָי כִּי נִמְנַע מִבֵּית אֱלֹהֵיכֶם מִנְחָה וָנָסֶךְ: יד קַדְּשׁוּ־צוֹם קִרְאוּ עֲצָרָה אִסְפוּ זְקֵנִים כֹּל יֹשְׁבֵי הָאָרֶץ בֵּית יְהֹוָה אֱלֹהֵיכֶם וְזַעֲקוּ אֶל־יְהֹוָה: טו אֲהָהּ לַיּוֹם כִּי קָרוֹב יוֹם יְהֹוָה וּכְשֹׁד מִשַּׁדַּי יָבוֹא: טז הֲלוֹא נֶגֶד עֵינֵינוּ אֹכֶל נִכְרָת מִבֵּית אֱלֹהֵינוּ שִׂמְחָה וָגִיל: יז עָבְשׁוּ פְרֻדוֹת תַּחַת מֶגְרְפֹתֵיהֶם נָשַׁמּוּ אֹצָרוֹת נֶהֶרְסוּ מַמְּגֻרוֹת כִּי הֹבִישׁ דָּגָן: יח מַה־נֶּאֶנְחָה בְהֵמָה נָבֹכוּ עֶדְרֵי בָקָר כִּי אֵין מִרְעֶה לָהֶם גַּם־עֶדְרֵי הַצֹּאן נֶאְשָׁמוּ: יט אֵלֶיךָ יְהֹוָה אֶקְרָא כִּי אֵשׁ אָכְלָה נְאוֹת מִדְבָּר וְלֶהָבָה לִהֲטָה כָּל־עֲצֵי הַשָּׂדֶה: כ גַּם־בַּהֲמוֹת שָׂדֶה תַּעֲרוֹג אֵלֶיךָ כִּי יָבְשׁוּ אֲפִיקֵי מָיִם וְאֵשׁ אָכְלָה נְאוֹת הַמִּדְבָּר:

ב א תִּקְעוּ שׁוֹפָר בְּצִיּוֹן וְהָרִיעוּ בְּהַר קָדְשִׁי יִרְגְּזוּ כֹּל יֹשְׁבֵי הָאָרֶץ כִּי־בָא יוֹם־יְהֹוָה כִּי קָרוֹב: ב יוֹם חֹשֶׁךְ וַאֲפֵלָה יוֹם עָנָן וַעֲרָפֶל כְּשַׁחַר פָּרֻשׂ עַל־הֶהָרִים עַם רַב וְעָצוּם כָּמֹהוּ לֹא נִהְיָה מִן־הָעוֹלָם וְאַחֲרָיו לֹא יוֹסֵף עַד־שְׁנֵי דּוֹר וָדוֹר: ג לְפָנָיו אָכְלָה אֵשׁ וְאַחֲרָיו תְּלַהֵט לֶהָבָה כְּגַן־עֵדֶן הָאָרֶץ לְפָנָיו וְאַחֲרָיו מִדְבַּר שְׁמָמָה וְגַם־פְּלֵיטָה לֹא־הָיְתָה לּוֹ: ד כְּמַרְאֵה סוּסִים מַרְאֵהוּ וּכְפָרָשִׁים כֵּן יְרוּצוּן: ה כְּקוֹל מַרְכָּבוֹת עַל־רָאשֵׁי הֶהָרִים יְרַקֵּדוּן כְּקוֹל לַהַב אֵשׁ אֹכְלָה קָשׁ כְּעַם עָצוּם עֱרוּךְ מִלְחָמָה: ו מִפָּנָיו יָחִילוּ עַמִּים כָּל־פָּנִים קִבְּצוּ פָארוּר:

1 1 The word of Yehovah that came to Joel the son of Pethuel. 2 Hear this, ye old men, and give ear, all ye inhabitants of the land. Hath this been in your days, or in the days of your fathers? 3 Tell ye your children of it, and let your children tell their children, and their children another generation. 4 That which the palmer-worm hath left hath the locust eaten; and that which the locust hath left hath the canker-worm eaten; and that which the canker-worm hath left hath the caterpiller eaten. 5 Awake, ye drunkards, and weep, and wail, all ye drinkers of wine, because of the sweet wine, for it is cut off from your mouth. 6 For a people is come up upon my land, mighty, and without number; his teeth are the teeth of a lion, and he hath the jaw-teeth of a lioness. 7 He hath laid my vine waste, and blasted my fig-tree; he hath made it clean bare, and cast it down, the branches thereof are made white. 8 Lament like a virgin girded with sackcloth for the husband of her youth. 9 The meal-offering and the drink-offering is cut off from the house of Yehovah; the priests mourn, even Yehovah's ministers. 10 The field is wasted, the land mourneth; for the corn is wasted, the new wine is dried up, the oil languisheth. 11 Be ashamed, O ye husbandmen, wail, O ye vinedressers, for the wheat and for the barley; because the harvest of the field is perished. 12 The vine is withered, and the fig-tree languisheth; the pomegranate-tree, the palm-tree also, and the apple-tree, even all the trees of the field, are withered; for joy is withered away from the sons of men.{S} 13 Gird yourselves, and lament, ye priests, wail, ye ministers of the altar; come, lie all night in sackcloth, ye ministers of my God; for the meal-offering and the drink-offering is withholden from the house of your God. 14 Sanctify ye a fast, call a solemn assembly, gather the elders and all the inhabitants of the land unto the house of Yehovah your God, and cry unto Yehovah. 15 Alas for the day! for the day of Yehovah is at hand, and as a destruction from the Almighty shall it come. 16 Is not the food cut off before our eyes, yea, joy and gladness from the house of our God? 17 The grains shrivel under their hoes; the garners are laid desolate, the barns are broken down; for the corn is withered. 18 How do the beasts groan! the herds of cattle are perplexed, because they have no pasture; yea, the flocks of sheep are made desolate. 19 Unto Thee, Yehovah, do I cry; for the fire hath devoured the pastures of the wilderness, and the flame hath set ablaze all the trees of the field. 20 Yea, the beasts of the field pant unto Thee; for the water brooks are dried up, and the fire hath devoured the pastures of the wilderness.{S}

2 1 Blow ye the horn in Zion, and sound an alarm in My holy mountain; let all the inhabitants of the land tremble; for the day of Yehovah cometh, for it is at hand; 2 A day of darkness and gloominess, a day of clouds and thick darkness, as blackness spread upon the mountains; a great people and a mighty, there hath not been ever the like, neither shall be any more after them, even to the years of many generations. 3 A fire devoureth before them, and behind them a flame blazeth; the land is as the garden of Eden before them, and behind them a desolate wilderness; yea, and nothing escapeth them. 4 The appearance of them is as the appearance of horses; and as horsemen, so do they run. 5 Like the noise of chariots, on the tops of the mountains do they leap, like the noise of a flame of fire that devoureth the stubble, as a mighty people set in battle array. 6 At their presence the peoples are in anguish; all faces have gathered blackness.

ז כַּגִּבּוֹרִים יְרֻצוּן כְּאַנְשֵׁי מִלְחָמָה יַעֲלוּ חוֹמָה וְאִישׁ בִּדְרָכָיו יֵלֵכוּן וְלֹא
יְעַבְּטוּן אֹרְחוֹתָם׃ ח וְאִישׁ אָחִיו לֹא יִדְחָקוּן גֶּבֶר בִּמְסִלָּתוֹ יֵלֵכוּן וּבְעַד
הַשֶּׁלַח יִפֹּלוּ לֹא יִבְצָעוּ׃ ט בָּעִיר יָשֹׁקּוּ בַּחוֹמָה יְרֻצוּן בַּבָּתִּים יַעֲלוּ בְּעַד
הַחַלּוֹנִים יָבֹאוּ כַּגַּנָּב׃ י לְפָנָיו רָגְזָה אֶרֶץ רָעֲשׁוּ שָׁמָיִם שֶׁמֶשׁ וְיָרֵחַ קָדָרוּ
וְכוֹכָבִים אָסְפוּ נָגְהָם׃ יא וַיהוָה נָתַן קוֹלוֹ לִפְנֵי חֵילוֹ כִּי רַב מְאֹד מַחֲנֵהוּ כִּי
עָצוּם עֹשֵׂה דְבָרוֹ כִּי־גָדוֹל יוֹם־יְהוָה וְנוֹרָא מְאֹד וּמִי יְכִילֶנּוּ׃ יב וְגַם־עַתָּה
נְאֻם־יְהוָה שֻׁבוּ עָדַי בְּכָל־לְבַבְכֶם וּבְצוֹם וּבִבְכִי וּבְמִסְפֵּד׃ יג וְקִרְעוּ
לְבַבְכֶם וְאַל־בִּגְדֵיכֶם וְשׁוּבוּ אֶל־יְהוָה אֱלֹהֵיכֶם כִּי־חַנּוּן וְרַחוּם הוּא אֶרֶךְ
אַפַּיִם וְרַב־חֶסֶד וְנִחָם עַל־הָרָעָה׃ יד מִי יוֹדֵעַ יָשׁוּב וְנִחָם וְהִשְׁאִיר אַחֲרָיו
בְּרָכָה מִנְחָה וָנֶסֶךְ לַיהוָה אֱלֹהֵיכֶם׃

טו תִּקְעוּ שׁוֹפָר בְּצִיּוֹן קַדְּשׁוּ־צוֹם קִרְאוּ עֲצָרָה׃ טז אִסְפוּ־עָם קַדְּשׁוּ קָהָל
קִבְצוּ זְקֵנִים אִסְפוּ עוֹלָלִים וְיֹנְקֵי שָׁדָיִם יֵצֵא חָתָן מֵחֶדְרוֹ וְכַלָּה מֵחֻפָּתָהּ׃
יז בֵּין הָאוּלָם וְלַמִּזְבֵּחַ יִבְכּוּ הַכֹּהֲנִים מְשָׁרְתֵי יְהוָה וְיֹאמְרוּ חוּסָה יְהוָה
עַל־עַמֶּךָ וְאַל־תִּתֵּן נַחֲלָתְךָ לְחֶרְפָּה לִמְשָׁל־בָּם גּוֹיִם לָמָּה יֹאמְרוּ בָעַמִּים
אַיֵּה אֱלֹהֵיהֶם׃ יח וַיְקַנֵּא יְהוָה לְאַרְצוֹ וַיַּחְמֹל עַל־עַמּוֹ׃ יט וַיַּעַן יְהוָה וַיֹּאמֶר
לְעַמּוֹ הִנְנִי שֹׁלֵחַ לָכֶם אֶת־הַדָּגָן וְהַתִּירוֹשׁ וְהַיִּצְהָר וּשְׂבַעְתֶּם אֹתוֹ וְלֹא־אֶתֵּן
אֶתְכֶם עוֹד חֶרְפָּה בַּגּוֹיִם׃ כ וְאֶת־הַצְּפוֹנִי אַרְחִיק מֵעֲלֵיכֶם וְהִדַּחְתִּיו
אֶל־אֶרֶץ צִיָּה וּשְׁמָמָה אֶת־פָּנָיו אֶל־הַיָּם הַקַּדְמֹנִי וְסֹפוֹ אֶל־הַיָּם הָאַחֲרוֹן
וְעָלָה בָאְשׁוֹ וְתַעַל צַחֲנָתוֹ כִּי הִגְדִּיל לַעֲשׂוֹת׃ כא אַל־תִּירְאִי אֲדָמָה גִּילִי
וּשְׂמָחִי כִּי־הִגְדִּיל יְהוָה לַעֲשׂוֹת׃ כב אַל־תִּירְאוּ בַּהֲמוֹת שָׂדַי כִּי דָשְׁאוּ נְאוֹת
מִדְבָּר כִּי־עֵץ נָשָׂא פִרְיוֹ תְּאֵנָה וָגֶפֶן נָתְנוּ חֵילָם׃ כג וּבְנֵי צִיּוֹן גִּילוּ וְשִׂמְחוּ
בַּיהוָה אֱלֹהֵיכֶם כִּי־נָתַן לָכֶם אֶת־הַמּוֹרֶה לִצְדָקָה וַיּוֹרֶד לָכֶם גֶּשֶׁם מוֹרֶה
וּמַלְקוֹשׁ בָּרִאשׁוֹן׃ כד וּמָלְאוּ הַגֳּרָנוֹת בָּר וְהֵשִׁיקוּ הַיְקָבִים תִּירוֹשׁ וְיִצְהָר׃
כה וְשִׁלַּמְתִּי לָכֶם אֶת־הַשָּׁנִים אֲשֶׁר אָכַל הָאַרְבֶּה הַיֶּלֶק וְהֶחָסִיל וְהַגָּזָם חֵילִי
הַגָּדוֹל אֲשֶׁר שִׁלַּחְתִּי בָּכֶם׃ כו וַאֲכַלְתֶּם אָכוֹל וְשָׂבוֹעַ וְהִלַּלְתֶּם אֶת־שֵׁם יְהוָה
אֱלֹהֵיכֶם אֲשֶׁר־עָשָׂה עִמָּכֶם לְהַפְלִיא וְלֹא־יֵבֹשׁוּ עַמִּי לְעוֹלָם׃ כז וִידַעְתֶּם כִּי
בְקֶרֶב יִשְׂרָאֵל אָנִי וַאֲנִי יְהוָה אֱלֹהֵיכֶם וְאֵין עוֹד וְלֹא־יֵבֹשׁוּ עַמִּי לְעוֹלָם׃

ג א וְהָיָה אַחֲרֵי־כֵן אֶשְׁפּוֹךְ אֶת־רוּחִי עַל־כָּל־בָּשָׂר וְנִבְּאוּ בְּנֵיכֶם וּבְנוֹתֵיכֶם
זִקְנֵיכֶם חֲלֹמוֹת יַחֲלֹמוּן בַּחוּרֵיכֶם חֶזְיֹנוֹת יִרְאוּ׃ ב וְגַם עַל־הָעֲבָדִים
וְעַל־הַשְּׁפָחוֹת בַּיָּמִים הָהֵמָּה אֶשְׁפּוֹךְ אֶת־רוּחִי׃

7 They run like mighty men, they climb the wall like men of war; and they move on every one in his ways, and they entangle not their paths. **8** Neither doth one thrust another, they march every one in his highway; and they break through the weapons, and suffer no harm. **9** They leap upon the city, they run upon the wall, they climb up into the houses; they enter in at the windows like a thief. **10** Before them the earth quaketh, the heavens tremble; the sun and the moon are become black, and the stars withdraw their shining. **11** And Yehovah uttereth His voice before His army; for His camp is very great, for he is mighty that executeth His word; for great is the day of Yehovah and very terrible; and who can abide it? **12** Yet even now, saith Yehovah, turn ye unto Me with all your heart, and with fasting, and with weeping, and with lamentation; **13** And rend your heart, and not your garments, and turn unto Yehovah your God; for He is gracious and compassionate, long-suffering, and abundant in mercy, and repenteth Him of the evil. **14** Who knoweth whether He will not turn and repent, and leave a blessing behind Him, even a meal-offering and a drink-offering unto Yehovah your God?{P}

15 Blow the horn in Zion, sanctify a fast, call a solemn assembly; **16** Gather the people, sanctify the congregation, assemble the elders, gather the children, and those that suck the breasts; let the bridegroom go forth from his chamber, and the bride out of her pavilion. **17** Let the priests, the ministers of Yehovah, weep between the porch and the altar, and let them say: 'Spare thy people, Yehovah, and give not Thy heritage to reproach, that the nations should make them a byword: wherefore should they say among the peoples: Where is their God?' **18** Then was Yehovah jealous for His land, and had pity on His people. **19** And Yehovah answered and said unto His people: 'Behold, I will send you corn, and wine, and oil, and ye shall be satisfied therewith; and I will no more make you a reproach among the nations; **20** But I will remove far off from you the northern one, and will drive him into a land barren and desolate, with his face toward the eastern sea, and his hinder part toward the western sea; that his foulness may come up, and his ill savour may come up, because he hath done great things.' **21** Fear not, O land, be glad and rejoice; for Yehovah hath done great things. **22** Be not afraid, ye beasts of the field; for the pastures of the wilderness do spring, for the tree beareth its fruit, the fig-tree and the vine do yield their strength. **23** Be glad then, ye children of Zion, and rejoice in Yehovah your God; for He giveth you the former rain in just measure, and He causeth to come down for you the rain, the former rain and the latter rain, at the first. **24** And the floors shall be full of corn, and the vats shall overflow with wine and oil. **25** And I will restore to you the years that the locust hath eaten, the canker-worm, and the caterpiller, and the palmer-worm, My great army which I sent among you. **26** And ye shall eat in plenty and be satisfied, and shall praise the name of Yehovah your God, that hath dealt wondrously with you; and My people shall never be ashamed. **27** And ye shall know that I am in the midst of Israel, and that I am Yehovah your God, and there is none else; and My people shall never be ashamed.{P}

3 **1** And it shall come to pass afterward, that I will pour out My spirit upon all flesh; and your sons and your daughters shall prophesy, your old men shall dream dreams, your young men shall see visions; **2** And also upon the servants and upon the handmaids in those days will I pour out My spirit.

ג וְנָתַתִּי֙ מֽוֹפְתִ֔ים בַּשָּׁמַ֖יִם וּבָאָ֑רֶץ דָּ֣ם וָאֵ֔שׁ וְתִֽימְר֖וֹת עָשָֽׁן: ד הַשֶּׁ֙מֶשׁ֙ יֵהָפֵ֣ךְ לְחֹ֔שֶׁךְ וְהַיָּרֵ֖חַ לְדָ֑ם לִפְנֵ֗י בּ֚וֹא י֣וֹם יְהוָ֔ה הַגָּד֖וֹל וְהַנּוֹרָֽא: ה וְהָיָ֗ה כֹּ֧ל אֲשֶׁר־יִקְרָ֛א בְּשֵׁ֥ם יְהוָ֖ה יִמָּלֵ֑ט כִּ֠י בְּהַר־צִיּ֨וֹן וּבִירֽוּשָׁלַ֜͏ִם תִּֽהְיֶ֣ה פְלֵיטָ֗ה כַּֽאֲשֶׁר֙ אָמַ֣ר יְהוָ֔ה וּבַ֨שְּׂרִידִ֔ים אֲשֶׁ֥ר יְהוָ֖ה קֹרֵֽא:

ד א כִּ֗י הִנֵּ֛ה בַּיָּמִ֥ים הָהֵ֖מָּה וּבָעֵ֣ת הַהִ֑יא אֲשֶׁ֥ר אָשִׁ֛יב אֶת־שְׁב֥וּת יְהוּדָ֖ה וִירֽוּשָׁלָֽ͏ִם: ב וְקִבַּצְתִּי֙ אֶת־כָּל־הַגּוֹיִ֔ם וְה֣וֹרַדְתִּ֔ים אֶל־עֵ֖מֶק יְהֽוֹשָׁפָ֑ט וְנִשְׁפַּטְתִּ֨י עִמָּ֜ם שָׁ֗ם עַל־עַמִּ֤י וְנַֽחֲלָתִי֙ יִשְׂרָאֵ֔ל אֲשֶׁ֥ר פִּזְּר֖וּ בַגּוֹיִ֑ם וְאֶת־אַרְצִ֖י חִלֵּֽקוּ: ג וְאֶל־עַמִּ֖י יַדּ֣וּ גוֹרָ֑ל וַיִּתְּנ֤וּ הַיֶּ֙לֶד֙ בַּזּוֹנָ֔ה וְהַיַּלְדָּ֛ה מָֽכְר֥וּ בַיַּ֖יִן וַיִּשְׁתּֽוּ: ד וְ֠גַם מָה־אַתֶּ֥ם לִי֙ צֹ֣ר וְצִיד֔וֹן וְכֹ֖ל גְּלִיל֣וֹת פְּלָ֑שֶׁת הַגְּמ֗וּל אַתֶּם֙ מְשַׁלְּמִ֣ים עָלָ֔י וְאִם־גֹּֽמְלִ֥ים אַתֶּ֖ם עָלָ֑י קַ֣ל מְהֵרָ֗ה אָשִׁ֛יב גְּמֻֽלְכֶ֖ם בְּרֹֽאשְׁכֶֽם: ה אֲשֶׁר־כַּסְפִּ֥י וּזְהָבִ֖י לְקַחְתֶּ֑ם וּמַֽחֲמַדַּי֙ הַטֹּבִ֔ים הֲבֵאתֶ֖ם לְהֵֽיכְלֵיכֶֽם: ו וּבְנֵ֤י יְהוּדָה֙ וּבְנֵ֣י יְרֽוּשָׁלַ֔͏ִם מְכַרְתֶּ֖ם לִבְנֵ֣י הַיְּוָנִ֑ים לְמַ֥עַן הַרְחִיקָ֖ם מֵעַ֥ל גְּבוּלָֽם: ז הִנְנִ֣י מְעִירָ֔ם מִן־הַ֨מָּק֔וֹם אֲשֶׁר־מְכַרְתֶּ֥ם אֹתָ֖ם שָׁ֑מָּה וַֽהֲשִׁבֹתִ֥י גְמֻֽלְכֶ֖ם בְּרֹֽאשְׁכֶֽם: ח וּמָֽכַרְתִּ֞י אֶת־בְּנֵיכֶ֣ם וְאֶת־בְּנֽוֹתֵיכֶ֗ם בְּיַד֙ בְּנֵ֣י יְהוּדָ֔ה וּמְכָר֥וּם לִשְׁבָאיִ֖ם אֶל־גּ֣וֹי רָח֑וֹק כִּ֥י יְהוָ֖ה דִּבֵּֽר: ט קִרְאוּ־זֹאת֙ בַּגּוֹיִ֔ם קַדְּשׁ֖וּ מִלְחָמָ֑ה הָעִ֙ירוּ֙ הַגִּבּוֹרִ֔ים יִגְּשׁ֣וּ יַֽעֲל֔וּ כֹּ֖ל אַנְשֵׁ֥י הַמִּלְחָמָֽה: י כֹּ֤תּוּ אִתֵּיכֶם֙ לַֽחֲרָב֔וֹת וּמַזְמְרֹֽתֵיכֶ֖ם לִרְמָחִ֑ים הַֽחַלָּ֔שׁ יֹאמַ֖ר גִּבּ֥וֹר אָֽנִי: יא ע֣וּשׁוּ וָבֹ֩אוּ כָֽל־הַגּוֹיִ֨ם מִסָּבִ֜יב וְנִקְבָּ֗צוּ שָׁ֚מָּה הַנְחַ֣ת יְהוָ֔ה גִּבּוֹרֶֽיךָ: יב יֵע֙וֹרוּ֙ וְיַֽעֲל֣וּ הַגּוֹיִ֔ם אֶל־עֵ֖מֶק יְהֽוֹשָׁפָ֑ט כִּ֣י שָׁ֗ם אֵשֵׁ֛ב לִשְׁפֹּ֥ט אֶת־כָּל־הַגּוֹיִ֖ם מִסָּבִֽיב: יג שִׁלְח֣וּ מַגָּ֔ל כִּ֥י בָשַׁ֖ל קָצִ֑יר בֹּ֤אוּ רְדוּ֙ כִּ֣י מָֽלְאָ֣ה גַּ֔ת הֵשִׁ֙יקוּ֙ הַיְקָבִ֔ים כִּ֥י רַבָּ֖ה רָֽעָתָֽם: יד הֲמוֹנִ֣ים הֲמוֹנִ֔ים בְּעֵ֖מֶק הֶֽחָר֑וּץ כִּ֤י קָרוֹב֙ י֣וֹם יְהוָ֔ה בְּעֵ֖מֶק הֶֽחָרֽוּץ: טו שֶׁ֥מֶשׁ וְיָרֵ֖חַ קָדָ֑רוּ וְכֽוֹכָבִ֖ים אָֽסְפ֥וּ נָגְהָֽם: טז וַֽיהוָ֞ה מִצִּיּ֣וֹן יִשְׁאָ֗ג וּמִירֽוּשָׁלַ֙͏ִם֙ יִתֵּ֣ן קוֹל֔וֹ וְרָֽעֲשׁ֖וּ שָׁמַ֣יִם וָאָ֑רֶץ וַֽיהוָה֙ מַֽחֲסֶ֣ה לְעַמּ֔וֹ וּמָע֖וֹז לִבְנֵ֥י יִשְׂרָאֵֽל: יז וִֽידַעְתֶּ֗ם כִּ֣י אֲנִ֤י יְהוָה֙ אֱלֹֽהֵיכֶ֔ם שֹׁכֵ֖ן בְּצִיּ֣וֹן הַר־קָדְשִׁ֑י וְהָֽיְתָ֤ה יְרֽוּשָׁלַ֙͏ִם֙ קֹ֔דֶשׁ וְזָרִ֖ים לֹֽא־יַֽעַבְרוּ־בָ֥הּ עֽוֹד: יח וְהָיָה֩ בַיּ֨וֹם הַה֜וּא יִטְּפ֧וּ הֶֽהָרִ֣ים עָסִ֗יס וְהַגְּבָע֙וֹת֙ תֵּלַ֣כְנָה חָלָ֔ב וְכָל־אֲפִיקֵ֥י יְהוּדָ֖ה יֵ֣לְכוּ מָ֑יִם וּמַעְיָ֗ן מִבֵּ֤ית יְהוָה֙ יֵצֵ֔א וְהִשְׁקָ֖ה אֶת־נַ֥חַל הַשִּׁטִּֽים: יט מִצְרַ֙יִם֙ לִשְׁמָמָ֣ה תִֽהְיֶ֔ה וֶֽאֱד֕וֹם לְמִדְבַּ֥ר שְׁמָמָ֖ה תִֽהְיֶ֑ה מֵֽחֲמַ֞ס בְּנֵ֣י יְהוּדָ֗ה אֲשֶׁר־שָֽׁפְכ֥וּ דָם־נָקִ֖יא בְּאַרְצָֽם: כ וִֽיהוּדָ֖ה לְעוֹלָ֣ם תֵּשֵׁ֑ב וִירֽוּשָׁלַ֖͏ִם לְד֥וֹר וָדֽוֹר: כא וְנִקֵּ֖יתִי דָּמָ֣ם לֹֽא־נִקֵּ֑יתִי וַֽיהוָ֖ה שֹׁכֵ֥ן בְּצִיּֽוֹן:

¹אָשׁוּב

3 And I will shew wonders in the heavens and in the earth, blood, and fire, and pillars of smoke. **4** The sun shall be turned into darkness, and the moon into blood, before the great and terrible day of Yehovah come. **5** And it shall come to pass, that whosoever shall call on the name of Yehovah shall be delivered; for in mount Zion and in Yerushalam there shall be those that escape, as Yehovah hath said, and among the remnant those whom Yehovah shall call.

4 1 For, behold, in those days, and in that time, when I shall bring back the captivity of Judah and Yerushalam, **2** I will gather all nations, and will bring them down into the valley of Jehoshaphat; and I will enter into judgment with them there for My people and for My heritage Israel, whom they have scattered among the nations, and divided My land. **3** And they have cast lots for My people; and have given a boy for an harlot, and sold a girl for wine, and have drunk. **4** And also what are ye to Me, O Tyre, and Zidon, and all the regions of Philistia? will ye render retribution on My behalf? and if ye render retribution on My behalf, swiftly, speedily will I return your retribution upon your own head. **5** Forasmuch as ye have taken My silver and My gold, and have carried into your temples My goodly treasures; **6** the children also of Judah and the children of Yerushalam have ye sold unto the sons of Jevanim, that ye might remove them far from their border; **7** behold, I will stir them up out of the place whither ye have sold them, and will return your retribution upon your own head; **8** and I will sell your sons and your daughters into the hand of the children of Judah, and they shall sell them to the men of Sheba, to a nation far off; for Yehovah hath spoken.{P}

9 Proclaim ye this among the nations, prepare war; stir up the mighty men; let all the men of war draw near, let them come up. **10** Beat your plowshares into swords, and your pruning-hooks into spears; let the weak say: 'I am strong.' **11** Haste ye, and come, all ye nations round about, and gather yourselves together; thither cause Thy mighty ones to come down, Yehovah! **12** Let the nations be stirred up, and come up to the valley of Jehoshaphat; for there will I sit to judge all the nations round about. **13** Put ye in the sickle, for the harvest is ripe; come, tread ye, for the winepress is full, the vats overflow; for their wickedness is great. **14** Multitudes, multitudes in the valley of decision! For the day of Yehovah is near in the valley of decision. **15** The sun and the moon are become black, and the stars withdraw their shining. **16** And Yehovah shall roar from Zion, and utter His voice from Yerushalam, and the heavens and the earth shall shake; but Yehovah will be a refuge unto His people, and a stronghold to the children of Israel. **17** So shall ye know that I am Yehovah your God, dwelling in Zion My holy mountain; then shall Yerushalam be holy, and there shall no strangers pass through her any more.{S} **18** And it shall come to pass in that day, that the mountains shall drop down sweet wine, and the hills shall flow with milk, and all the brooks of Judah shall flow with waters; and a fountain shall come forth of the house of Yehovah, and shall water the valley of Shittim. **19** Egypt shall be a desolation, and Edom shall be a desolate wilderness, for the violence against the children of Judah, because they have shed innocent blood in their land. **20** But Judah shall be inhabited for ever, and Yerushalam from generation to generation. **21** And I will hold as innocent their blood that I have not held as innocent; and Yehovah dwelleth in Zion.{P}

עמוס

Amos

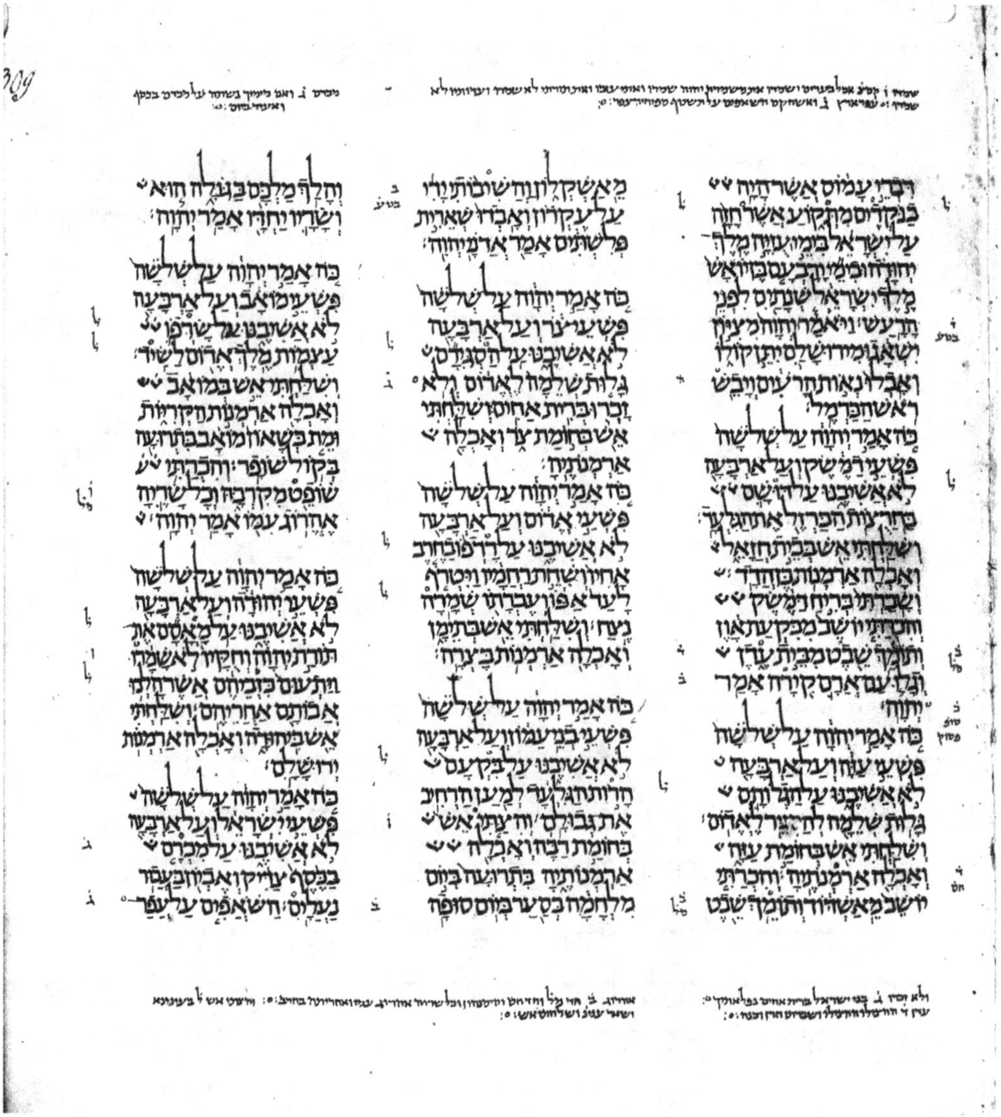

Book of Amos in the Leningrad Codex
(right column, top, page 622 in pdf)

א א דִּבְרֵי עָמוֹס אֲשֶׁר־הָיָה בַנֹּקְדִים מִתְּקוֹעַ אֲשֶׁר חָזָה עַל־יִשְׂרָאֵל בִּימֵי ׀
עֻזִּיָּה מֶלֶךְ־יְהוּדָה וּבִימֵי יָרָבְעָם בֶּן־יוֹאָשׁ מֶלֶךְ יִשְׂרָאֵל שְׁנָתַיִם לִפְנֵי
הָרָעַשׁ׃ ב וַיֹּאמַר ׀ יְהוָה מִצִּיּוֹן יִשְׁאָג וּמִירוּשָׁלִַם יִתֵּן קוֹלוֹ וְאָבְלוּ נְאוֹת
הָרֹעִים וְיָבֵשׁ רֹאשׁ הַכַּרְמֶל׃

ג כֹּה אָמַר יְהוָה עַל־שְׁלֹשָׁה פִּשְׁעֵי דַמֶּשֶׂק וְעַל־אַרְבָּעָה לֹא אֲשִׁיבֶנּוּ
עַל־דּוּשָׁם בַּחֲרֻצוֹת הַבַּרְזֶל אֶת־הַגִּלְעָד׃ ד וְשִׁלַּחְתִּי אֵשׁ בְּבֵית חֲזָאֵל
וְאָכְלָה אַרְמְנוֹת בֶּן־הֲדָד׃ ה וְשָׁבַרְתִּי בְּרִיחַ דַּמֶּשֶׂק וְהִכְרַתִּי יוֹשֵׁב
מִבִּקְעַת־אָוֶן וְתוֹמֵךְ שֵׁבֶט מִבֵּית עֶדֶן וְגָלוּ עַם־אֲרָם קִירָה אָמַר יְהוָה׃

ו כֹּה אָמַר יְהוָה עַל־שְׁלֹשָׁה פִּשְׁעֵי עַזָּה וְעַל־אַרְבָּעָה לֹא אֲשִׁיבֶנּוּ
עַל־הַגְלוֹתָם גָּלוּת שְׁלֵמָה לְהַסְגִּיר לֶאֱדוֹם׃ ז וְשִׁלַּחְתִּי אֵשׁ בְּחוֹמַת עַזָּה
וְאָכְלָה אַרְמְנֹתֶיהָ׃ ח וְהִכְרַתִּי יוֹשֵׁב מֵאַשְׁדּוֹד וְתוֹמֵךְ שֵׁבֶט מֵאַשְׁקְלוֹן
וַהֲשִׁיבוֹתִי יָדִי עַל־עֶקְרוֹן וְאָבְדוּ שְׁאֵרִית פְּלִשְׁתִּים אָמַר אֲדֹנָי יְהוִה׃

ט כֹּה אָמַר יְהוָה עַל־שְׁלֹשָׁה פִּשְׁעֵי־צֹר וְעַל־אַרְבָּעָה לֹא אֲשִׁיבֶנּוּ
עַל־הַסְגִּירָם גָּלוּת שְׁלֵמָה לֶאֱדוֹם וְלֹא זָכְרוּ בְּרִית אַחִים׃ י וְשִׁלַּחְתִּי אֵשׁ
בְּחוֹמַת צֹר וְאָכְלָה אַרְמְנֹתֶיהָ׃

יא כֹּה אָמַר יְהוָה עַל־שְׁלֹשָׁה פִּשְׁעֵי אֱדוֹם וְעַל־אַרְבָּעָה לֹא אֲשִׁיבֶנּוּ
עַל־רָדְפוֹ בַחֶרֶב אָחִיו וְשִׁחֵת רַחֲמָיו וַיִּטְרֹף לָעַד אַפּוֹ וְעֶבְרָתוֹ שְׁמָרָה
נֶצַח׃ יב וְשִׁלַּחְתִּי אֵשׁ בְּתֵימָן וְאָכְלָה אַרְמְנוֹת בָּצְרָה׃

יג כֹּה אָמַר יְהוָה עַל־שְׁלֹשָׁה פִּשְׁעֵי בְנֵי־עַמּוֹן וְעַל־אַרְבָּעָה לֹא אֲשִׁיבֶנּוּ
עַל־בִּקְעָם הָרוֹת הַגִּלְעָד לְמַעַן הַרְחִיב אֶת־גְּבוּלָם׃ יד וְהִצַּתִּי אֵשׁ בְּחוֹמַת
רַבָּה וְאָכְלָה אַרְמְנוֹתֶיהָ בִּתְרוּעָה בְּיוֹם מִלְחָמָה בְּסַעַר בְּיוֹם סוּפָה׃
טו וְהָלַךְ מַלְכָּם בַּגּוֹלָה הוּא וְשָׂרָיו יַחְדָּו אָמַר יְהוָה׃

ב א כֹּה אָמַר יְהוָה עַל־שְׁלֹשָׁה פִּשְׁעֵי מוֹאָב וְעַל־אַרְבָּעָה לֹא אֲשִׁיבֶנּוּ
עַל־שָׂרְפוֹ עַצְמוֹת מֶלֶךְ־אֱדוֹם לַשִּׂיד׃ ב וְשִׁלַּחְתִּי־אֵשׁ בְּמוֹאָב וְאָכְלָה
אַרְמְנוֹת הַקְּרִיּוֹת וּמֵת בְּשָׁאוֹן מוֹאָב בִּתְרוּעָה בְּקוֹל שׁוֹפָר׃ ג וְהִכְרַתִּי
שׁוֹפֵט מִקִּרְבָּהּ וְכָל־שָׂרֶיהָ אֶהֱרוֹג עִמּוֹ אָמַר יְהוָה׃

ד כֹּה אָמַר יְהוָה עַל־שְׁלֹשָׁה פִּשְׁעֵי יְהוּדָה וְעַל־אַרְבָּעָה לֹא אֲשִׁיבֶנּוּ
עַל־מָאֳסָם אֶת־תּוֹרַת יְהוָה וְחֻקָּיו לֹא שָׁמָרוּ וַיַּתְעוּם כִּזְבֵיהֶם אֲשֶׁר־הָלְכוּ
אֲבוֹתָם אַחֲרֵיהֶם׃ ה וְשִׁלַּחְתִּי אֵשׁ בִּיהוּדָה וְאָכְלָה אַרְמְנוֹת יְרוּשָׁלִָם׃

1 1 The words of Amos, who was among the herdmen of Tekoa, which he saw concerning Israel in the days of Uzziah king of Judah, and in the days of Jeroboam the son of Joash king of Israel, two years before the earthquake. 2 And he said: Yehovah roareth from Zion, and uttereth His voice from Yerushalam; and the pastures of the shepherds shall mourn, and the top of Carmel shall wither.{P}

3 For thus saith Yehovah: For three transgressions of Damascus, yea, for four, I will not reverse it: because they have threshed Gilead with sledges of iron. 4 So will I send a fire into the house of Hazael, and it shall devour the palaces of Ben-hadad; 5 And I will break the bar of Damascus, and cut off the inhabitant from Bikath-Aven, and him that holdeth the sceptre from Beth-eden; and the people of Aram shall go into captivity unto Kir, saith Yehovah.{P}

6 Thus saith Yehovah: For three transgressions of Gaza, yea, for four, I will not reverse it: because they carried away captive a whole captivity, to deliver them up to Edom. 7 So will I send a fire on the wall of Gaza, and it shall devour the palaces thereof; 8 And I will cut off the inhabitant from Ashdod, and him that holdeth the sceptre from Ashkelon; and I will turn My hand against Ekron, and the remnant of the Philistines shall perish, saith the Lord GOD [Adonai Yehovi].{P}

9 Thus saith Yehovah: For three transgressions of Tyre, yea, for four, I will not reverse it: because they delivered up a whole captivity to Edom, and remembered not the brotherly covenant. 10 So will I send a fire on the wall of Tyre, and it shall devour the palaces thereof.{P}

11 Thus saith Yehovah: For three transgressions of Edom, yea, for four, I will not reverse it: because he did pursue his brother with the sword, and did cast off all pity, and his anger did tear perpetually, and he kept his wrath for ever. 12 So will I send a fire upon Teman, and it shall devour the palaces of Bozrah.{P}

13 Thus saith Yehovah: For three transgressions of the children of Ammon, yea, for four, I will not reverse it: because they have ripped up the women with child of Gilead, that they might enlarge their border. 14 So will I kindle a fire in the wall of Rabbah, and it shall devour the palaces thereof, with shouting in the day of battle, with a tempest in the day of the whirlwind; 15 And their king shall go into captivity, he and his princes together, saith Yehovah.{P}

2 1 Thus saith Yehovah: For three transgressions of Moab, yea, for four, I will not reverse it: because he burned the bones of the king of Edom into lime. 2 So will I send a fire upon Moab, and it shall devour the palaces of Kerioth; and Moab shall die with tumult, with shouting, and with the sound of the horn; 3 And I will cut off the judge from the midst thereof, and will slay all the princes thereof with him, saith Yehovah.{P}

4 Thus saith Yehovah: For three transgressions of Judah, yea, for four, I will not reverse it: because they have rejected the Torah of Yehovah, and have not kept His statutes, and their lies have caused them to err, after which their fathers did walk. 5 So will I send a fire upon Judah, and it shall devour the palaces of Yerushalam.{P}

ו כֹּ֚ה אָמַ֣ר יְהֹוָ֔ה עַל־שְׁלֹשָׁה֙ פִּשְׁעֵ֣י יִשְׂרָאֵ֔ל וְעַל־אַרְבָּעָ֖ה לֹ֣א אֲשִׁיבֶ֑נּוּ עַל־מִכְרָ֤ם בַּכֶּ֙סֶף֙ צַדִּ֔יק וְאֶבְי֖וֹן בַּעֲב֥וּר נַעֲלָֽיִם: ז הַשֹּׁאֲפִ֤ים עַל־עֲפַר־אֶ֙רֶץ֙ בְּרֹ֣אשׁ דַּלִּ֔ים וְדֶ֥רֶךְ עֲנָוִ֖ים יַטּ֑וּ וְאִ֣ישׁ וְאָבִ֗יו יֵֽלְכוּ֙ אֶל־הַֽנַּעֲרָ֔ה לְמַ֥עַן חַלֵּ֖ל אֶת־שֵׁ֥ם קׇדְשִֽׁי: ח וְעַל־בְּגָדִ֤ים חֲבֻלִים֙ יַטּ֔וּ אֵ֖צֶל כׇּל־מִזְבֵּ֑חַ וְיֵ֤ין עֲנוּשִׁים֙ יִשְׁתּ֔וּ בֵּ֖ית אֱלֹהֵיהֶֽם: ט וְאָ֡נֹכִי הִשְׁמַ֣דְתִּי אֶת־הָאֱמֹרִי֩ מִפְּנֵיהֶ֨ם אֲשֶׁ֜ר כְּגֹ֤בַהּ אֲרָזִים֙ גׇּבְה֔וֹ וְחָסֹ֥ן ה֖וּא כָּֽאַלּוֹנִ֑ים וָאַשְׁמִ֤יד פִּרְיוֹ֙ מִמַּ֔עַל וְשׇׁרָשָׁ֖יו מִתָּֽחַת: י וְאָנֹכִ֛י הֶעֱלֵ֥יתִי אֶתְכֶ֖ם מֵאֶ֣רֶץ מִצְרָ֑יִם וָאוֹלֵ֨ךְ אֶתְכֶ֤ם בַּמִּדְבָּר֙ אַרְבָּעִ֣ים שָׁנָ֔ה לָרֶ֖שֶׁת אֶת־אֶ֥רֶץ הָאֱמֹרִֽי: יא וָאָקִ֤ים מִבְּנֵיכֶם֙ לִנְבִיאִ֔ים וּמִבַּחוּרֵיכֶ֖ם לִנְזִרִ֑ים הַאַ֣ף אֵֽין־זֹ֗את בְּנֵ֧י יִשְׂרָאֵ֛ל נְאֻם־יְהֹוָֽה: יב וַתַּשְׁק֥וּ אֶת־הַנְּזִרִ֖ים יָ֑יִן וְעַל־הַנְּבִיאִים֙ צִוִּיתֶ֣ם לֵאמֹ֔ר לֹ֖א תִּנָּבְאֽוּ: יג הִנֵּ֛ה אָנֹכִ֥י מֵעִ֖יק תַּחְתֵּיכֶ֑ם כַּאֲשֶׁ֤ר תָּעִיק֙ הָעֲגָלָ֔ה הַֽמְלֵאָ֥ה לָ֖הּ עָמִֽיר: יד וְאָבַ֤ד מָנוֹס֙ מִקָּ֔ל וְחָזָ֖ק לֹא־יְאַמֵּ֣ץ כֹּח֑וֹ וְגִבּ֖וֹר לֹא־יְמַלֵּ֥ט נַפְשֽׁוֹ: טו וְתֹפֵ֤שׂ הַקֶּ֙שֶׁת֙ לֹ֣א יַעֲמֹ֔ד וְקַ֥ל בְּרַגְלָ֖יו לֹ֣א יְמַלֵּ֑ט וְרֹכֵ֣ב הַסּ֔וּס לֹ֥א יְמַלֵּ֖ט נַפְשֽׁוֹ: טז וְאַמִּ֥יץ לִבּ֖וֹ בַּגִּבּוֹרִ֑ים עָר֛וֹם יָנ֥וּס בַּיּוֹם־הַה֖וּא נְאֻם־יְהֹוָֽה:

ג א שִׁמְע֞וּ אֶת־הַדָּבָ֣ר הַזֶּ֗ה אֲשֶׁ֨ר דִּבֶּ֧ר יְהֹוָ֛ה עֲלֵיכֶ֖ם בְּנֵ֣י יִשְׂרָאֵ֑ל עַ֚ל כׇּל־הַמִּשְׁפָּחָ֔ה אֲשֶׁ֧ר הֶעֱלֵ֛יתִי מֵאֶ֥רֶץ מִצְרַ֖יִם לֵאמֹֽר: ב רַ֚ק אֶתְכֶ֣ם יָדַ֔עְתִּי מִכֹּ֖ל מִשְׁפְּח֣וֹת הָאֲדָמָ֑ה עַל־כֵּן֙ אֶפְקֹ֣ד עֲלֵיכֶ֔ם אֵ֖ת כׇּל־עֲוֺנֹתֵיכֶֽם: ג הֲיֵלְכ֥וּ שְׁנַ֖יִם יַחְדָּ֑ו בִּלְתִּ֖י אִם־נוֹעָֽדוּ: ד הֲיִשְׁאַ֤ג אַרְיֵה֙ בַּיַּ֔עַר וְטֶ֖רֶף אֵ֣ין ל֑וֹ הֲיִתֵּ֨ן כְּפִ֤יר קוֹלוֹ֙ מִמְּעֹ֣נָת֔וֹ בִּלְתִּ֖י אִם־לָכָֽד: ה הֲתִפֹּ֤ל צִפּוֹר֙ עַל־פַּ֣ח הָאָ֔רֶץ וּמוֹקֵ֖שׁ אֵ֣ין לָ֑הּ הֲיַעֲלֶה־פַּח֙ מִן־הָ֣אֲדָמָ֔ה וְלָכ֖וֹד לֹ֥א יִלְכּֽוֹד: ו אִם־יִתָּקַ֤ע שׁוֹפָר֙ בְּעִ֔יר וְעָ֖ם לֹ֣א יֶחֱרָ֑דוּ אִם־תִּהְיֶ֤ה רָעָה֙ בְּעִ֔יר וַיהֹוָ֖ה לֹ֥א עָשָֽׂה: ז כִּ֣י לֹ֧א יַעֲשֶׂ֛ה אֲדֹנָ֥י יְהֹוִ֖ה דָּבָ֑ר כִּ֚י אִם־גָּלָ֣ה סוֹד֔וֹ אֶל־עֲבָדָ֖יו הַנְּבִיאִֽים: ח אַרְיֵ֥ה שָׁאָ֖ג מִ֣י לֹ֣א יִירָ֑א אֲדֹנָ֤י יְהֹוִה֙ דִּבֶּ֔ר מִ֖י לֹ֥א יִנָּבֵֽא: ט הַשְׁמִ֙יעוּ֙ עַל־אַרְמְנ֣וֹת בְּאַשְׁדּ֔וֹד וְעַֽל־אַרְמְנ֖וֹת בְּאֶ֣רֶץ מִצְרָ֑יִם וְאִמְר֗וּ הֵאָֽסְפוּ֙ עַל־הָרֵ֣י שֹׁמְר֔וֹן וּרְא֞וּ מְהוּמֹ֤ת רַבּוֹת֙ בְּתוֹכָ֔הּ וַעֲשׁוּקִ֖ים בְּקִרְבָּֽהּ: י וְלֹֽא־יָדְע֥וּ עֲשׂוֹת־נְכֹחָ֖ה נְאֻם־יְהֹוָ֑ה הָאֽוֹצְרִ֛ים חָמָ֥ס וָשֹׁ֖ד בְּאַרְמְנוֹתֵיהֶֽם:

יא לָכֵ֗ן כֹּ֤ה אָמַר֙ אֲדֹנָ֣י יְהֹוִ֔ה צַ֖ר וּסְבִ֣יב הָאָ֑רֶץ וְהוֹרִ֤ד מִמֵּךְ֙ עֻזֵּ֔ךְ וְנָבֹ֖זּוּ אַרְמְנוֹתָֽיִךְ: יב כֹּה֮ אָמַ֣ר יְהֹוָה֒ כַּאֲשֶׁר֩ יַצִּ֨יל הָרֹעֶ֜ה מִפִּ֤י הָֽאֲרִי֙ שְׁתֵּ֣י כְרָעַ֔יִם א֖וֹ בְדַל־אֹ֑זֶן כֵּ֣ן יִנָּצְל֞וּ בְּנֵ֣י יִשְׂרָאֵ֗ל הַיֹּֽשְׁבִים֙ בְּשֹׁ֣מְר֔וֹן בִּפְאַ֥ת מִטָּ֖ה וּבִדְמֶ֥שֶׁק עָֽרֶשׂ: יג שִׁמְע֥וּ וְהָעִ֖ידוּ בְּבֵ֣ית יַעֲקֹ֑ב נְאֻם־אֲדֹנָ֥י יְהֹוִ֖ה אֱלֹהֵ֥י הַצְּבָאֽוֹת:

6 Thus saith Yehovah: For three transgressions of Israel, yea, for four, I will not reverse it: because they sell the righteous for silver, and the needy for a pair of shoes; **7** That pant after the dust of the earth on the head of the poor, and turn aside the way of the humble; and a man and his father go unto the same maid, to profane My holy name; **8** And they lay themselves down beside every altar upon clothes taken in pledge, and in the house of their God they drink the wine of them that have been fined. **9** Yet destroyed I the Amorite before them, whose height was like the height of the cedars, and he was strong as the oaks; yet I destroyed his fruit from above, and his roots from beneath. **10** Also I brought you up out of the land of Egypt, and led you forty years in the wilderness, to possess the land of the Amorites. **11** And I raised up of your sons for prophets, and of your young men for Nazirites. Is it not even thus, O ye children of Israel? saith Yehovah. **12** But ye gave the Nazirites wine to drink; and commanded the prophets, saying: 'Prophesy not.' **13** Behold, I will make it creak under you, as a cart creaketh that is full of sheaves. **14** And flight shall fail the swift, and the strong shall not exert his strength, neither shall the mighty deliver himself; **15** Neither shall he stand that handleth the bow; and he that is swift of foot shall not deliver himself; neither shall he that rideth the horse deliver himself; **16** And he that is courageous among the mighty shall flee away naked in that day, saith Yehovah.{P}

3 **1** Hear this word that Yehovah hath spoken against you, O children of Israel, against the whole family which I brought up out of the land of Egypt, saying: **2** You only have I known of all the families of the earth; therefore I will visit upon you all your iniquities. **3** Will two walk together, except they have agreed? **4** Will a lion roar in the forest, when he hath no prey? Will a young lion give forth his voice out of his den, if he have taken nothing? **5** Will a bird fall in a snare upon the earth, where there is no lure for it? Will a snare spring up from the ground, and have taken nothing at all? **6** Shall the horn be blown in a city, and the people not tremble? Shall evil befall a city, and Yehovah hath not done it? **7** For the Lord GOD [Adonai Yehovi] will do nothing, but He revealeth His counsel unto His servants the prophets. **8** The lion hath roared, who will not fear? The Lord GOD [Adonai Yehovi] hath spoken, who can but prophesy? **9** Proclaim it upon the palaces at Ashdod, and upon the palaces in the land of Egypt, and say: 'Assemble yourselves upon the mountains of Samaria, and behold the great confusions therein, and the oppressions in the midst thereof.' **10** For they know not to do right, saith Yehovah, who store up violence and robbery in their palaces.{P}

11 Therefore thus saith the Lord GOD [Adonai Yehovi]: An adversary, even round about the land! And he shall bring down thy strength from thee, and thy palaces shall be spoiled. **12** Thus saith Yehovah: As the shepherd rescueth out of the mouth of the lion two legs, or a piece of an ear, so shall the children of Israel that dwell in Samaria escape with the corner of a couch, and the leg of a bed. **13** Hear ye, and testify against the house of Jacob, saith the Lord GOD [Adonai Yehovi], the God of hosts.

יד כִּ֗י בְּי֛וֹם פָּקְדִ֥י פִשְׁעֵֽי־יִשְׂרָאֵ֖ל עָלָ֑יו וּפָקַדְתִּי֙ עַל־מִזְבְּח֣וֹת בֵּֽית־אֵ֔ל וְנִגְדְּעוּ֙
קַרְנ֣וֹת הַמִּזְבֵּ֔חַ וְנָפְל֖וּ לָאָֽרֶץ׃ טו וְהִכֵּיתִ֥י בֵית־הַחֹ֖רֶף עַל־בֵּ֣ית הַקָּ֑יִץ וְאָבְד֞וּ
בָּתֵּ֣י הַשֵּׁ֗ן וְסָפ֛וּ בָּתִּ֥ים רַבִּ֖ים נְאֻם־יְהוָֽה׃

ד א שִׁמְעוּ֩ הַדָּבָ֨ר הַזֶּ֜ה פָּר֣וֹת הַבָּשָׁ֗ן אֲשֶׁר֙ בְּהַ֣ר שֹׁמְר֔וֹן הָעֹשְׁק֣וֹת דַּלִּ֔ים
הָרֹצְצ֖וֹת אֶבְיוֹנִ֑ים הָאֹמְרֹ֥ת לַאֲדֹנֵיהֶ֖ם הָבִ֥יאָה וְנִשְׁתֶּֽה׃ ב נִשְׁבַּ֨ע אֲדֹנָ֤י יְהוִה֙
בְּקָדְשׁ֔וֹ כִּ֛י הִנֵּ֥ה יָמִ֖ים בָּאִ֣ים עֲלֵיכֶ֑ם וְנִשָּׂ֤א אֶתְכֶם֙ בְּצִנּ֔וֹת וְאַחֲרִיתְכֶ֖ן בְּסִיר֥וֹת
דּוּגָֽה׃ ג וּפְרָצִ֣ים תֵּצֶ֔אנָה אִשָּׁ֖ה נֶגְדָּ֑הּ וְהִשְׁלַכְתֶּ֥נָה הַהַרְמ֖וֹנָה נְאֻם־יְהוָֽה׃ ד בֹּ֤אוּ
בֵֽית־אֵל֙ וּפִשְׁע֔וּ הַגִּלְגָּ֖ל הַרְבּ֣וּ לִפְשֹׁ֑עַ וְהָבִ֤יאוּ לַבֹּ֙קֶר֙ זִבְחֵיכֶ֔ם לִשְׁלֹ֥שֶׁת יָמִ֖ים
מַעְשְׂרֹתֵיכֶֽם׃ ה וְקַטֵּ֤ר מֵֽחָמֵץ֙ תּוֹדָ֔ה וְקִרְא֥וּ נְדָב֖וֹת הַשְׁמִ֑יעוּ כִּ֣י כֵ֤ן אֲהַבְתֶּם֙ בְּנֵ֣י
יִשְׂרָאֵ֔ל נְאֻ֖ם אֲדֹנָ֥י יְהוִֽה׃ ו וְגַם־אֲנִ֨י נָתַ֤תִּי לָכֶם֙ נִקְי֣וֹן שִׁנַּ֔יִם בְּכָל־עָ֣רֵיכֶ֔ם וְחֹ֣סֶר
לֶ֔חֶם בְּכֹ֖ל מְקוֹמֹתֵיכֶ֑ם וְלֹֽא־שַׁבְתֶּ֥ם עָדַ֖י נְאֻם־יְהוָֽה׃ ז וְגַ֨ם אָנֹכִ֜י מָנַ֣עְתִּי מִכֶּ֗ם
אֶת־הַגֶּ֙שֶׁם֙ בְּע֨וֹד שְׁלֹשָׁ֤ה חֳדָשִׁים֙ לַקָּצִ֔יר וְהִמְטַרְתִּי֙ עַל־עִ֣יר אֶחָ֔ת וְעַל־עִ֥יר
אַחַ֖ת לֹ֣א אַמְטִ֑יר חֶלְקָ֤ה אַחַת֙ תִּמָּטֵ֔ר וְחֶלְקָ֛ה אֲשֶׁר־לֹא־תַמְטִ֥יר עָלֶ֖יהָ תִּיבָֽשׁ׃
ח וְנָע֡וּ שְׁתַּיִם֩ שָׁלֹ֨שׁ עָרִ֜ים אֶל־עִ֥יר אַחַ֛ת לִשְׁתּ֥וֹת מַ֖יִם וְלֹ֣א יִשְׂבָּ֑עוּ וְלֹֽא־שַׁבְתֶּ֥ם
עָדַ֖י נְאֻם־יְהוָֽה׃ ט הִכֵּ֣יתִי אֶתְכֶם֮ בַּשִּׁדָּפ֣וֹן וּבַיֵּרָקוֹן֒ הַרְבּ֞וֹת גַּנּוֹתֵיכֶ֧ם וְכַרְמֵיכֶ֛ם
וּתְאֵנֵיכֶ֥ם וְזֵיתֵיכֶ֖ם יֹאכַ֣ל הַגָּזָ֑ם וְלֹֽא־שַׁבְתֶּ֥ם עָדַ֖י נְאֻם־יְהוָֽה׃ י שִׁלַּ֨חְתִּי בָכֶ֥ם
דֶּ֙בֶר֙ בְּדֶ֣רֶךְ מִצְרַ֔יִם הָרַ֤גְתִּי בַחֶ֙רֶב֙ בַּח֣וּרֵיכֶ֔ם עִ֖ם שְׁבִ֣י סֽוּסֵיכֶ֑ם וָאַעֲלֶ֨ה בְּאֹ֤שׁ
מַחֲנֵיכֶם֙ וּֽבְאַפְּכֶ֔ם וְלֹֽא־שַׁבְתֶּ֥ם עָדַ֖י נְאֻם־יְהוָֽה׃ יא הָפַ֣כְתִּי בָכֶ֗ם כְּמַהְפֵּכַ֤ת
אֱלֹהִים֙ אֶת־סְדֹ֣ם וְאֶת־עֲמֹרָ֔ה וַתִּהְי֕וּ כְּא֖וּד מֻצָּ֣ל מִשְּׂרֵפָ֑ה וְלֹֽא־שַׁבְתֶּ֥ם עָדַ֖י
נְאֻם־יְהוָֽה׃ יב לָכֵ֗ן כֹּ֛ה אֶֽעֱשֶׂה־לְּךָ֖ יִשְׂרָאֵ֑ל עֵ֗קֶב כִּֽי־זֹ֙את֙ אֶֽעֱשֶׂה־לָּ֔ךְ הִכּ֥וֹן
לִקְרַאת־אֱלֹהֶ֖יךָ יִשְׂרָאֵֽל׃ יג כִּ֡י הִנֵּה֩ יוֹצֵ֨ר הָרִ֜ים וּבֹרֵ֣א ר֗וּחַ וּמַגִּ֤יד לְאָדָם֙
מַה־שֵּׂח֔וֹ עֹשֵׂ֥ה שַׁ֙חַר֙ עֵיפָ֔ה וְדֹרֵ֖ךְ עַל־בָּ֣מֳתֵי אָ֑רֶץ יְהוָ֥ה אֱלֹהֵֽי־צְבָא֖וֹת שְׁמֽוֹ׃

ה א שִׁמְע֞וּ אֶת־הַדָּבָ֣ר הַזֶּ֗ה אֲשֶׁ֨ר אָנֹכִ֜י נֹשֵׂ֧א עֲלֵיכֶ֛ם קִינָ֖ה בֵּ֥ית יִשְׂרָאֵֽל׃
ב נָֽפְלָה֙ לֹֽא־תוֹסִ֣יף ק֔וּם בְּתוּלַ֖ת יִשְׂרָאֵ֑ל נִטְּשָׁ֥ה עַל־אַדְמָתָ֖הּ אֵ֥ין מְקִימָֽהּ׃ ג כִּ֣י
כֹ֤ה אָמַר֙ אֲדֹנָ֣י יְהוִ֔ה הָעִ֛יר הַיֹּצֵ֥את אֶ֖לֶף תַּשְׁאִ֣יר מֵאָ֑ה וְהַיּוֹצֵ֥את מֵאָ֛ה תַּשְׁאִ֥יר
עֲשָׂרָ֖ה לְבֵ֥ית יִשְׂרָאֵֽל׃ ד כִּ֛י כֹּ֥ה אָמַ֥ר יְהוָ֖ה לְבֵ֣ית יִשְׂרָאֵ֑ל דִּרְשׁ֖וּנִי וִחְיֽוּ׃
ה וְאַל־תִּדְרְשׁוּ֙ בֵּֽית־אֵ֔ל וְהַגִּלְגָּל֙ לֹ֣א תָבֹ֔אוּ וּבְאֵ֥ר שֶׁ֖בַע לֹ֣א תַעֲבֹ֑רוּ כִּ֤י הַגִּלְגָּל֙
גָּלֹ֣ה יִגְלֶ֔ה וּבֵֽית־אֵ֖ל יִהְיֶ֥ה לְאָֽוֶן׃ ו דִּרְשׁ֥וּ אֶת־יְהוָ֖ה וִֽחְי֑וּ פֶּן־יִצְלַ֤ח כָּאֵשׁ֙ בֵּ֣ית
יוֹסֵ֔ף וְאָכְלָ֥ה וְאֵין־מְכַבֶּ֖ה לְבֵֽית־אֵֽל׃ ז הַהֹפְכִ֥ים לְלַעֲנָ֖ה מִשְׁפָּ֑ט וּצְדָקָ֖ה
לָאָ֥רֶץ הִנִּֽיחוּ׃

14 For in the day that I shall visit the transgressions of Israel upon him, I will also punish the altars of Beth-el, and the horns of the altar shall be cut off, and fall to the ground. **15** And I will smite the winter-house with the summer-house; and the houses of ivory shall perish, and the great houses shall have an end, saith Yehovah.{S}

4 1 Hear this word, ye kine of Bashan, that are in the mountain of Samaria, that oppress the poor, that crush the needy, that say unto their lords: 'Bring, that we may feast.' **2** The Lord GOD [Adonai Yehovi] hath sworn by His holiness: Lo, surely the days shall come upon you, that ye shall be taken away with hooks, and your residue with fish-hooks. **3** And ye shall go out at the breaches, every one straight before her; and ye shall be cast into Harmon, saith Yehovah. **4** Come to Beth-el, and transgress, to Gilgal, and multiply transgression; and bring your sacrifices in the morning, and your tithes after three days; **5** And offer a sacrifice of thanksgiving of that which is leavened, and proclaim freewill-offerings and publish them; for so ye love to do, O ye children of Israel, saith the Lord GOD [Adonai Yehovi]. **6** And I also have given you cleanness of teeth in all your cities, and want of bread in all your places; yet have ye not returned unto Me, saith Yehovah. **7** And I also have withholden the rain from you, when there were yet three months to the harvest; and I caused it to rain upon one city, and caused it not to rain upon another city; one piece was rained upon, and the piece whereupon it rained not withered. **8** So two or three cities wandered unto one city to drink water, and were not satisfied; yet have ye not returned unto Me, saith Yehovah. **9** I have smitten you with blasting and mildew; the multitude of your gardens and your vineyards and your fig-trees and your olive-trees hath the palmer-worm devoured; yet have ye not returned unto Me, saith Yehovah.{S} **10** I have sent among you the pestilence in the way of Egypt; your young men have I slain with the sword, and have carried away your horses; and I have made the stench of your camp to come up even into your nostrils; yet have ye not returned unto Me, saith Yehovah. **11** I have overthrown some of you, as God overthrew Sodom and Gomorrah, and ye were as a brand plucked out of the burning; yet have ye not returned unto Me, saith Yehovah. **12** Therefore thus will I do unto thee, O Israel; because I will do this unto thee, prepare to meet thy God, O Israel. **13** For, lo, He that formeth the mountains, and createth the wind, and declareth unto man what is his thought, that maketh the morning darkness, and treadeth upon the high places of the earth; Yehovah, the God of hosts, is His name.{P}

5 1 Hear ye this word which I take up for a lamentation over you, O house of Israel: **2** The virgin of Israel is fallen, she shall no more rise; she is cast down upon her land, there is none to raise her up. **3** For thus saith the Lord GOD [Adonai Yehovi]: The city that went forth a thousand shall have a hundred left, and that which went forth a hundred shall have ten left, of the house of Israel. **4** For thus saith Yehovah unto the house of Israel: Seek ye Me, and live; **5** But seek not Beth-el, nor enter into Gilgal, and pass not to Beer-sheba; for Gilgal shall surely go into captivity, and Beth-el shall come to nought. **6** Seek Yehovah, and live–lest He break out like fire in the house of Joseph, and it devour, and there be none to quench it in Bethel– **7** Ye who turn judgment to wormwood, and cast righteousness to the ground;

ח עֹשֵׂה כִימָה וּכְסִיל וְהֹפֵךְ לַבֹּקֶר צַלְמָוֶת וְיוֹם לַיְלָה הֶחְשִׁיךְ הַקּוֹרֵא
לְמֵי־הַיָּם וַיִּשְׁפְּכֵם עַל־פְּנֵי הָאָרֶץ יְהוָה שְׁמוֹ׃ ט הַמַּבְלִיג שֹׁד עַל־עָז וְשֹׁד
עַל־מִבְצָר יָבוֹא׃ י שָׂנְאוּ בַשַּׁעַר מוֹכִיחַ וְדֹבֵר תָּמִים יְתָעֵבוּ׃ יא לָכֵן יַעַן
בּוֹשַׁסְכֶם עַל־דָּל וּמַשְׂאַת־בַּר תִּקְחוּ מִמֶּנּוּ בָּתֵּי גָזִית בְּנִיתֶם וְלֹא־תֵשְׁבוּ בָם
כַּרְמֵי־חֶמֶד נְטַעְתֶּם וְלֹא תִשְׁתּוּ אֶת־יֵינָם׃ יב כִּי יָדַעְתִּי רַבִּים פִּשְׁעֵיכֶם
וַעֲצֻמִים חַטֹּאתֵיכֶם צֹרְרֵי צַדִּיק לֹקְחֵי כֹפֶר וְאֶבְיוֹנִים בַּשַּׁעַר הִטּוּ׃ יג לָכֵן
הַמַּשְׂכִּיל בָּעֵת הַהִיא יִדֹּם כִּי עֵת רָעָה הִיא׃ יד דִּרְשׁוּ־טוֹב וְאַל־רָע לְמַעַן
תִּחְיוּ וִיהִי־כֵן יְהוָה אֱלֹהֵי־צְבָאוֹת אִתְּכֶם כַּאֲשֶׁר אֲמַרְתֶּם׃ טו שִׂנְאוּ־רָע
וְאֶהֱבוּ טוֹב וְהַצִּיגוּ בַשַּׁעַר מִשְׁפָּט אוּלַי יֶחֱנַן יְהוָה אֱלֹהֵי־צְבָאוֹת שְׁאֵרִית
יוֹסֵף׃ טז לָכֵן כֹּה־אָמַר יְהוָה אֱלֹהֵי צְבָאוֹת אֲדֹנָי בְּכָל־רְחֹבוֹת מִסְפֵּד
וּבְכָל־חוּצוֹת יֹאמְרוּ הוֹ־הוֹ וְקָרְאוּ אִכָּר אֶל־אֵבֶל וּמִסְפֵּד אֶל־יוֹדְעֵי נֶהִי׃
יז וּבְכָל־כְּרָמִים מִסְפֵּד כִּי־אֶעֱבֹר בְּקִרְבְּךָ אָמַר יְהוָה׃ יח הוֹי הַמִּתְאַוִּים
אֶת־יוֹם יְהוָה לָמָּה־זֶּה לָכֶם יוֹם יְהוָה הוּא־חֹשֶׁךְ וְלֹא־אוֹר׃ יט כַּאֲשֶׁר יָנוּס
אִישׁ מִפְּנֵי הָאֲרִי וּפְגָעוֹ הַדֹּב וּבָא הַבַּיִת וְסָמַךְ יָדוֹ עַל־הַקִּיר וּנְשָׁכוֹ הַנָּחָשׁ׃
כ הֲלֹא־חֹשֶׁךְ יוֹם יְהוָה וְלֹא־אוֹר וְאָפֵל וְלֹא־נֹגַהּ לוֹ׃ כא שָׂנֵאתִי מָאַסְתִּי
חַגֵּיכֶם וְלֹא אָרִיחַ בְּעַצְּרֹתֵיכֶם׃ כב כִּי אִם־תַּעֲלוּ־לִי עֹלוֹת וּמִנְחֹתֵיכֶם לֹא
אֶרְצֶה וְשֶׁלֶם מְרִיאֵיכֶם לֹא אַבִּיט׃ כג הָסֵר מֵעָלַי הֲמוֹן שִׁרֶיךָ וְזִמְרַת נְבָלֶיךָ
לֹא אֶשְׁמָע׃ כד וְיִגַּל כַּמַּיִם מִשְׁפָּט וּצְדָקָה כְּנַחַל אֵיתָן׃ כה הַזְּבָחִים וּמִנְחָה
הִגַּשְׁתֶּם־לִי בַמִּדְבָּר אַרְבָּעִים שָׁנָה בֵּית יִשְׂרָאֵל׃ כו וּנְשָׂאתֶם אֵת סִכּוּת
מַלְכְּכֶם וְאֵת כִּיּוּן צַלְמֵיכֶם כּוֹכַב אֱלֹהֵיכֶם אֲשֶׁר עֲשִׂיתֶם לָכֶם׃ כז וְהִגְלֵיתִי
אֶתְכֶם מֵהָלְאָה לְדַמָּשֶׂק אָמַר יְהוָה אֱלֹהֵי־צְבָאוֹת שְׁמוֹ׃

ו א הוֹי הַשַּׁאֲנַנִּים בְּצִיּוֹן וְהַבֹּטְחִים בְּהַר שֹׁמְרוֹן נְקֻבֵי רֵאשִׁית הַגּוֹיִם וּבָאוּ
לָהֶם בֵּית יִשְׂרָאֵל׃ ב עִבְרוּ כַלְנֵה וּרְאוּ וּלְכוּ מִשָּׁם חֲמַת רַבָּה וּרְדוּ
גַת־פְּלִשְׁתִּים הֲטוֹבִים מִן־הַמַּמְלָכוֹת הָאֵלֶּה אִם־רַב גְּבוּלָם מִגְּבֻלְכֶם׃
ג הַמְנַדִּים לְיוֹם רָע וַתַּגִּישׁוּן שֶׁבֶת חָמָס׃ ד הַשֹּׁכְבִים עַל־מִטּוֹת שֵׁן וּסְרֻחִים
עַל־עַרְשׂוֹתָם וְאֹכְלִים כָּרִים מִצֹּאן וַעֲגָלִים מִתּוֹךְ מַרְבֵּק׃ ה הַפֹּרְטִים עַל־פִּי
הַנָּבֶל כְּדָוִיד חָשְׁבוּ לָהֶם כְּלֵי־שִׁיר׃ ו הַשֹּׁתִים בְּמִזְרְקֵי יַיִן וְרֵאשִׁית שְׁמָנִים
יִמְשָׁחוּ וְלֹא נֶחְלוּ עַל־שֵׁבֶר יוֹסֵף׃ ז לָכֵן עַתָּה יִגְלוּ בְּרֹאשׁ גֹּלִים וְסָר מִרְזַח
סְרוּחִים׃

ח נִשְׁבַּע אֲדֹנָי יְהוִה בְּנַפְשׁוֹ נְאֻם־יְהוָה אֱלֹהֵי צְבָאוֹת מְתָאֵב אָנֹכִי אֶת־גְּאוֹן
יַעֲקֹב וְאַרְמְנֹתָיו שָׂנֵאתִי וְהִסְגַּרְתִּי עִיר וּמְלֹאָהּ׃

8 Him that maketh the Pleiades and Orion, and bringeth on great darkness in the morning, and darkeneth the day into night; that calleth for the waters of the sea, and poureth them out upon the face of the earth; Yehovah is His name; **9** That causeth destruction to flash upon the strong, so that destruction cometh upon the fortress. **10** They hate him that reproveth in the gate, and they abhor him that speaketh uprightly. **11** Therefore, because ye trample upon the poor, and take from him exactions of wheat; ye have built houses of hewn stone, but ye shall not dwell in them, ye have planted pleasant vineyards, but ye shall not drink wine thereof. **12** For I know how manifold are your transgressions, and how mighty are your sins; ye that afflict the just, that take a ransom, and that turn aside the needy in the gate. **13** Therefore the prudent doth keep silence in such a time; for it is an evil time. **14** Seek good, and not evil, that ye may live; and so Yehovah, the God of hosts, will be with you, as ye say. **15** Hate the evil, and love the good, and establish justice in the gate; it may be that Yehovah, the God of hosts, will be gracious unto the remnant of Joseph.{S} **16** Therefore thus saith Yehovah, the God of hosts, the Lord: Lamentation shall be in all the broad places, and they shall say in all the streets: 'Alas! alas!' and they shall call the husbandman to mourning, and proclaim lamentation to such as are skilful of wailing. **17** And in all vineyards shall be lamentation; for I will pass through the midst of thee, saith Yehovah.{P}

18 Woe unto you that desire the day of Yehovah! Wherefore would ye have the day of Yehovah? It is darkness, and not light. **19** As if a man did flee from a lion, and a bear met him; and went into the house and leaned his hand on the wall, and a serpent bit him. **20** Shall not the day of Yehovah be darkness, and not light? Even very dark, and no brightness in it? **21** I hate, I despise your feasts, and I will take no delight in your solemn assemblies. **22** Yea, though ye offer me burnt-offerings and your meal-offerings, I will not accept them; neither will I regard the peace-offerings of your fat beasts. **23** Take thou away from Me the noise of thy songs; and let Me not hear the melody of thy psalteries. **24** But let justice well up as waters, and righteousness as a mighty stream. **25** Did ye bring unto Me sacrifices and offerings in the wilderness forty years, O house of Israel? **26** So shall ye take up Siccuth your king and Chiun your images, the star of your god, which ye made to yourselves. **27** Therefore will I cause you to go into captivity beyond Damascus, saith He, whose name is Yehovah God of hosts.{P}

6 1 Woe to them that are at ease in Zion, and to them that are secure in the mountain of Samaria, the notable men of the first of the nations, to whom the house of Israel come! **2** Pass ye unto Calneh, and see, and from thence go ye to Hamath the great; then go down to Gath of the Philistines; are they better than these kingdoms? or is their border greater than your border? **3** Ye that put far away the evil day, and cause the seat of violence to come near; **4** That lie upon beds of ivory, and stretch themselves upon their couches, and eat the lambs out of the flock, and the calves out of the midst of the stall; **5** That thrum on the psaltery, that devise for themselves instruments of music, like David; **6** That drink wine in bowls, and anoint themselves with the chief ointments; but they are not grieved for the hurt of Joseph. **7** Therefore now shall they go captive at the head of them that go captive, and the revelry of them that stretched themselves shall pass away. **8** The Lord GOD [Adonai Yehovi] hath sworn by Himself, saith Yehovah, the God of hosts: I abhor the pride of Jacob, and hate his palaces; and I will deliver up the city with all that is therein.

ט וְהָיָ֗ה אִם־יִוָּֽתְר֛וּ עֲשָׂרָ֥ה אֲנָשִׁ֖ים בְּבַ֣יִת אֶחָ֑ד וָמֵֽתוּ: י וּנְשָׂא֞וֹ דּוֹד֣וֹ וּמְסָרְפ֗וֹ לְהוֹצִ֣יא עֲצָמִים֮ מִן־הַבַּיִת֒ וְאָמַ֗ר לַאֲשֶׁ֛ר בְּיַרְכְּתֵ֥י הַבַּ֖יִת הַע֣וֹד עִמָּ֑ךְ וְאָמַ֣ר אֶ֔פֶס וְאָמַ֣ר הָ֔ס כִּ֛י לֹ֥א לְהַזְכִּ֖יר בְּשֵׁ֥ם יְהוָֽה: יא כִּֽי־הִנֵּ֤ה יְהוָה֙ מְצַוֶּ֔ה וְהִכָּ֧ה הַבַּ֛יִת הַגָּד֖וֹל רְסִיסִ֑ים וְהַבַּ֥יִת הַקָּטֹ֖ן בְּקִעִֽים: יב הַיְרֻצ֤וּן בַּסֶּ֙לַע֙ סוּסִ֔ים אִֽם־יַחֲר֖וֹשׁ בַּבְּקָרִ֑ים כִּֽי־הֲפַכְתֶּ֤ם לְרֹאשׁ֙ מִשְׁפָּ֔ט וּפְרִ֥י צְדָקָ֖ה לְלַעֲנָֽה: יג הַשְּׂמֵחִ֖ים לְלֹ֣א דָבָ֑ר הָאֹ֣מְרִ֔ים הֲל֣וֹא בְחׇזְקֵ֔נוּ לָקַ֥חְנוּ לָ֖נוּ קַרְנָֽיִם: יד כִּ֡י הִנְנִי֩ מֵקִ֨ים עֲלֵיכֶ֜ם בֵּ֣ית יִשְׂרָאֵ֗ל נְאֻם־יְהוָ֛ה אֱלֹהֵ֥י הַצְּבָא֖וֹת גּ֑וֹי וְלָחֲצ֣וּ אֶתְכֶ֔ם מִלְּב֥וֹא חֲמָ֖ת עַד־נַ֥חַל הָעֲרָבָֽה:

ז א כֹּ֣ה הִרְאַ֗נִי אֲדֹנָ֣י יְהֹוִ֔ה וְהִנֵּה֙ יוֹצֵ֣ר גֹּבַ֔י בִּתְחִלַּ֖ת עֲל֣וֹת הַלָּ֑קֶשׁ וְהִ֨נֵּה־לֶ֔קֶשׁ אַחַ֖ר גִּזֵּ֥י הַמֶּֽלֶךְ: ב וְהָיָ֗ה אִם־כִּלָּה֙ לֶֽאֱכוֹל֙ אֶת־עֵ֣שֶׂב הָאָ֔רֶץ וָאֹמַ֗ר אֲדֹנָ֤י יְהֹוִה֙ סְֽלַח־נָ֔א מִ֥י יָק֖וּם יַעֲקֹ֑ב כִּ֥י קָטֹ֖ן הֽוּא: ג נִחַ֥ם יְהוָ֖ה עַל־זֹ֑את לֹ֥א תִֽהְיֶ֖ה אָמַ֥ר יְהוָֽה: ד כֹּ֣ה הִרְאַ֗נִי אֲדֹנָ֣י יְהֹוִ֔ה וְהִנֵּ֥ה קֹרֵ֛א לָרִ֖ב בָּאֵ֑שׁ אֲדֹנָ֣י יְהֹוִ֔ה וַתֹּ֙אכַל֙ אֶת־תְּה֣וֹם רַבָּ֔ה וְאָכְלָ֖ה אֶת־הַחֵֽלֶק: ה וָאֹמַ֗ר אֲדֹנָ֤י יְהֹוִה֙ חֲדַל־נָ֔א מִ֥י יָק֖וּם יַעֲקֹ֑ב כִּ֥י קָטֹ֖ן הֽוּא: ו נִחַ֥ם יְהוָ֖ה עַל־זֹ֑את גַּם־הִיא֙ לֹ֣א תִֽהְיֶ֔ה אָמַ֖ר אֲדֹנָ֥י יְהֹוִֽה: ז כֹּ֣ה הִרְאַ֗נִי וְהִנֵּ֧ה אֲדֹנָ֛י נִצָּ֖ב עַל־חוֹמַ֣ת אֲנָ֑ךְ וּבְיָד֖וֹ אֲנָֽךְ: ח וַיֹּ֨אמֶר יְהוָ֜ה אֵלַ֗י מָֽה־אַתָּ֤ה רֹאֶה֙ עָמ֔וֹס וָאֹמַ֖ר אֲנָ֑ךְ וַיֹּ֣אמֶר אֲדֹנָ֗י הִנְנִ֨י שָׂ֤ם אֲנָךְ֙ בְּקֶ֙רֶב֙ עַמִּ֣י יִשְׂרָאֵ֔ל לֹֽא־אוֹסִ֥יף ע֖וֹד עֲב֥וֹר לֽוֹ: ט וְנָשַׁ֙מּוּ֙ בָּמ֣וֹת יִשְׂחָ֔ק וּמִקְדְּשֵׁ֥י יִשְׂרָאֵ֖ל יֶחֱרָ֑בוּ וְקַמְתִּ֛י עַל־בֵּ֥ית יָרׇבְעָ֖ם בֶּחָֽרֶב:

י וַיִּשְׁלַ֗ח אֲמַצְיָה֙ כֹּהֵ֣ן בֵּֽית־אֵ֔ל אֶל־יָרׇבְעָ֥ם מֶֽלֶךְ־יִשְׂרָאֵ֖ל לֵאמֹ֑ר קָשַׁ֨ר עָלֶ֜יךָ עָמ֗וֹס בְּקֶ֙רֶב֙ בֵּ֣ית יִשְׂרָאֵ֔ל לֹא־תוּכַ֣ל הָאָ֔רֶץ לְהָכִ֖יל אֶת־כׇּל־דְּבָרָֽיו: יא כִּי־כֹה֙ אָמַ֣ר עָמ֔וֹס בַּחֶ֖רֶב יָמ֣וּת יָרׇבְעָ֑ם וְיִ֨שְׂרָאֵ֔ל גָּלֹ֥ה יִגְלֶ֖ה מֵעַ֥ל אַדְמָתֽוֹ: יב וַיֹּ֤אמֶר אֲמַצְיָה֙ אֶל־עָמ֔וֹס חֹזֶ֕ה לֵ֥ךְ בְּרַח־לְךָ֖ אֶל־אֶ֣רֶץ יְהוּדָ֑ה וֶאֱכׇל־שָׁ֣ם לֶ֔חֶם וְשָׁ֖ם תִּנָּבֵֽא: יג וּבֵֽית־אֵ֔ל לֹֽא־תוֹסִ֥יף ע֖וֹד לְהִנָּבֵ֑א כִּ֤י מִקְדַּשׁ־מֶ֙לֶךְ֙ ה֔וּא וּבֵ֖ית מַמְלָכָ֥ה הֽוּא: יד וַיַּ֤עַן עָמוֹס֙ וַיֹּ֣אמֶר אֶל־אֲמַצְיָ֔ה לֹא־נָבִ֣יא אָנֹ֔כִי וְלֹ֥א בֶן־נָבִ֖יא אָנֹ֑כִי כִּֽי־בוֹקֵ֥ר אָנֹ֖כִי וּבוֹלֵ֥ס שִׁקְמִֽים: טו וַיִּקָּחֵ֣נִי יְהוָ֔ה מֵאַחֲרֵ֖י הַצֹּ֑אן וַיֹּ֤אמֶר אֵלַי֙ יְהוָ֔ה לֵ֥ךְ הִנָּבֵ֖א אֶל־עַמִּ֥י יִשְׂרָאֵֽל: טז וְעַתָּ֖ה שְׁמַ֣ע דְּבַר־יְהוָ֑ה אַתָּ֣ה אֹמֵ֗ר לֹ֤א תִנָּבֵא֙ עַל־יִשְׂרָאֵ֔ל וְלֹ֥א תַטִּ֖יף עַל־בֵּ֥ית יִשְׂחָֽק: יז לָכֵ֞ן כֹּה־אָמַ֣ר יְהוָ֗ה אִשְׁתְּךָ֞ בָּעִ֤יר תִּזְנֶה֙ וּבָנֶ֤יךָ וּבְנֹתֶ֙יךָ֙ בַּחֶ֣רֶב יִפֹּ֔לוּ וְאַדְמָתְךָ֖ בַּחֶ֣בֶל תְּחֻלָּ֑ק וְאַתָּ֗ה עַל־אֲדָמָ֤ה טְמֵאָה֙ תָּמ֔וּת וְיִ֨שְׂרָאֵ֔ל גָּלֹ֥ה יִגְלֶ֖ה מֵעַ֥ל אַדְמָתֽוֹ:

9 And it shall come to pass, if there remain ten men in one house, that they shall die. **10** And when a man's uncle shall take him up, even he that burneth him, to bring out the bones out of the house, and shall say unto him that is in the innermost parts of the house: 'Is there yet any with thee?' and he shall say: 'No'; then shall he say: 'Hold thy peace; for we must not make mention of the name of Yehovah.'{S} **11** For, behold, Yehovah commandeth, and the great house shall be smitten into splinters, and the little house into chips. **12** Do horses run upon the rocks? Doth one plow there with oxen? that ye have turned justice into gall, and the fruit of righteousness into wormwood; **13** Ye that rejoice in a thing of nought, that say: 'Have we not taken to us horns by our own strength?' **14** For, behold, I will raise up against you a nation, O house of Israel, saith Yehovah, the God of hosts; and they shall afflict you from the entrance of Hamath unto the Brook of the Arabah.{P}

7 **1** Thus the Lord GOD [Adonai Yehovi] showed me; and, behold, He formed locusts in the beginning of the shooting up of the latter growth; and, lo, it was the latter growth after the king's mowings. **2** And if it had come to pass, that when they had made an end of eating the grass of the land–so I said: O Lord GOD [Adonai Yehovi], forgive, I beseech Thee; how shall Jacob stand? for he is small. **3** Yehovah repented concerning this; 'It shall not be', saith Yehovah. **4** Thus the Lord GOD [Adonai Yehovi] showed me; and, behold, the Lord GOD [Adonai Yehovi] called to contend by fire; and it devoured the great deep, and would have eaten up the land. **5** Then said I: O Lord GOD [Adonai Yehovi], cease, I beseech Thee; how shall Jacob stand? for he is small. **6** Yehovah repented concerning this; 'This also shall not be', saith the Lord GOD [Adonai Yehovi].{P}

7 Thus He showed me; and, behold, the Lord stood beside a wall made by a plumbline, with a plumbline in His hand. **8** And Yehovah said unto me: 'Amos, what seest thou?' And I said: 'A plumbline.' Then said the Lord: Behold, I will set a plumbline in the midst of My people Israel; I will not again pardon them any more; **9** And the high places of Isaac shall be desolate, and the sanctuaries of Israel shall be laid waste; and I will rise against the house of Jeroboam with the sword.{S} **10** Then Amaziah the priest of Beth-el sent to Jeroboam king of Israel, saying: 'Amos hath conspired against thee in the midst of the house of Israel; the land is not able to bear all his words. **11** For thus Amos saith: Jeroboam shall die by the sword, and Israel shall surely be led away captive out of his land.'{S} **12** Also Amaziah said unto Amos: 'O thou seer, go, flee thee away into the land of Judah, and there eat bread, and prophesy there; **13** but prophesy not again any more at Beth-el, for it is the king's sanctuary, and it is a royal house.' **14** Then answered Amos, and said to Amaziah: 'I was no prophet, neither was I a prophet's son; but I was a herdman, and a dresser of sycamore-trees; **15** and Yehovah took me from following the flock, and Yehovah said unto me: Go, prophesy unto My people Israel. **16** Now therefore hear thou the word of Yehovah: Thou sayest: Prophesy not against Israel, and preach not against the house of Isaac; **17** Therefore thus saith Yehovah: Thy wife shall be a harlot in the city, and thy sons and thy daughters shall fall by the sword, and thy land shall be divided by line; and thou thyself shalt die in an unclean land, and Israel shall surely be led away captive out of his land.'{P}

ח א כֹּה הִרְאַנִי אֲדֹנָי יְהוִה וְהִנֵּה כְּלוּב קָיִץ׃ ב וַיֹּאמֶר מָה־אַתָּה רֹאֶה
עָמוֹס וָאֹמַר כְּלוּב קָיִץ וַיֹּאמֶר יְהוָה אֵלַי בָּא הַקֵּץ אֶל־עַמִּי יִשְׂרָאֵל
לֹא־אוֹסִיף עוֹד עֲבוֹר לוֹ׃ ג וְהֵילִילוּ שִׁירוֹת הֵיכָל בַּיּוֹם הַהוּא נְאֻם אֲדֹנָי
יְהוִה רַב הַפֶּגֶר בְּכָל־מָקוֹם הִשְׁלִיךְ הָס׃

ד שִׁמְעוּ־זֹאת הַשֹּׁאֲפִים אֶבְיוֹן וְלַשְׁבִּית עֲנִיֵּי־אָרֶץ[1]׃ ה לֵאמֹר מָתַי יַעֲבֹר
הַחֹדֶשׁ וְנַשְׁבִּירָה שֶּׁבֶר וְהַשַּׁבָּת וְנִפְתְּחָה־בָּר לְהַקְטִין אֵיפָה וּלְהַגְדִּיל שֶׁקֶל
וּלְעַוֵּת מֹאזְנֵי מִרְמָה׃ ו לִקְנוֹת בַּכֶּסֶף דַּלִּים וְאֶבְיוֹן בַּעֲבוּר נַעֲלָיִם וּמַפַּל
בַּר נַשְׁבִּיר׃ ז נִשְׁבַּע יְהוָה בִּגְאוֹן יַעֲקֹב אִם־אֶשְׁכַּח לָנֶצַח כָּל־מַעֲשֵׂיהֶם׃
ח הַעַל זֹאת לֹא־תִרְגַּז הָאָרֶץ וְאָבַל כָּל־יוֹשֵׁב בָּהּ וְעָלְתָה כָאֹר כֻּלָּהּ
וְנִגְרְשָׁה וְנִשְׁקְעָה[2] כִּיאוֹר מִצְרָיִם׃ ט וְהָיָה ׀ בַּיּוֹם הַהוּא נְאֻם אֲדֹנָי יְהוִה
וְהֵבֵאתִי הַשֶּׁמֶשׁ בַּצָּהֳרָיִם וְהַחֲשַׁכְתִּי לָאָרֶץ בְּיוֹם אוֹר׃ י וְהָפַכְתִּי חַגֵּיכֶם
לְאֵבֶל וְכָל־שִׁירֵיכֶם לְקִינָה וְהַעֲלֵיתִי עַל־כָּל־מָתְנַיִם שָׂק וְעַל־כָּל־רֹאשׁ
קָרְחָה וְשַׂמְתִּיהָ כְּאֵבֶל יָחִיד וְאַחֲרִיתָהּ כְּיוֹם מָר׃ יא הִנֵּה ׀ יָמִים בָּאִים נְאֻם
אֲדֹנָי יְהוִה וְהִשְׁלַחְתִּי רָעָב בָּאָרֶץ לֹא־רָעָב לַלֶּחֶם וְלֹא־צָמָא לַמַּיִם כִּי
אִם־לִשְׁמֹעַ אֵת דִּבְרֵי יְהוָה׃ יב וְנָעוּ מִיָּם עַד־יָם וּמִצָּפוֹן וְעַד־מִזְרָח
יְשׁוֹטְטוּ לְבַקֵּשׁ אֶת־דְּבַר־יְהוָה וְלֹא יִמְצָאוּ׃ יג בַּיּוֹם הַהוּא תִּתְעַלַּפְנָה
הַבְּתוּלֹת הַיָּפוֹת וְהַבַּחוּרִים בַּצָּמָא׃ יד הַנִּשְׁבָּעִים בְּאַשְׁמַת שֹׁמְרוֹן וְאָמְרוּ
חֵי אֱלֹהֶיךָ דָּן וְחֵי דֶּרֶךְ בְּאֵר־שָׁבַע וְנָפְלוּ וְלֹא־יָקוּמוּ עוֹד׃

ט א רָאִיתִי אֶת־אֲדֹנָי נִצָּב עַל־הַמִּזְבֵּחַ וַיֹּאמֶר הַךְ הַכַּפְתּוֹר וְיִרְעֲשׁוּ
הַסִּפִּים וּבְצַעַם בְּרֹאשׁ כֻּלָּם וְאַחֲרִיתָם בַּחֶרֶב אֶהֱרֹג לֹא־יָנוּס לָהֶם נָס
וְלֹא־יִמָּלֵט לָהֶם פָּלִיט׃ ב אִם־יַחְתְּרוּ בִשְׁאוֹל מִשָּׁם יָדִי תִקָּחֵם וְאִם־יַעֲלוּ
הַשָּׁמַיִם מִשָּׁם אוֹרִידֵם׃ ג וְאִם־יֵחָבְאוּ בְּרֹאשׁ הַכַּרְמֶל מִשָּׁם אֲחַפֵּשׂ
וּלְקַחְתִּים וְאִם־יִסָּתְרוּ מִנֶּגֶד עֵינַי בְּקַרְקַע הַיָּם מִשָּׁם אֲצַוֶּה אֶת־הַנָּחָשׁ
וּנְשָׁכָם׃ ד וְאִם־יֵלְכוּ בַשְּׁבִי לִפְנֵי אֹיְבֵיהֶם מִשָּׁם אֲצַוֶּה אֶת־הַחֶרֶב וַהֲרָגָתַם
וְשַׂמְתִּי עֵינִי עֲלֵיהֶם לְרָעָה וְלֹא לְטוֹבָה׃ ה וַאדֹנָי יְהוִה הַצְּבָאוֹת הַנּוֹגֵעַ
בָּאָרֶץ וַתָּמוֹג וְאָבְלוּ כָּל־יוֹשְׁבֵי בָהּ וְעָלְתָה כַיְאֹר כֻּלָּהּ וְשָׁקְעָה כִּיאֹר
מִצְרָיִם׃ ו הַבּוֹנֶה בַשָּׁמַיִם מַעֲלוֹתָיו[3] וַאֲגֻדָּתוֹ עַל־אֶרֶץ יְסָדָהּ הַקֹּרֵא
לְמֵי־הַיָּם וַיִּשְׁפְּכֵם עַל־פְּנֵי הָאָרֶץ יְהוָה שְׁמוֹ׃

[1] ענוי
[2] ונשקה
[3] מעלותו

8 1 Thus the Lord GOD [Adonai Yehovi] showed me; and behold a basket of summer fruit. 2 And He said: 'Amos, what seest thou?' And I said: 'A basket of summer fruit.' Then said Yehovah unto me: The end is come upon My people Israel; I will not again pardon them any more. 3 And the songs of the palace shall be wailings in that day, saith the Lord GOD [Adonai Yehovi]; the dead bodies shall be many; in every place silence shall be cast.{P}

4 Hear this, O ye that would swallow the needy, and destroy the poor of the land, 5 Saying: 'When will the new moon be gone, that we may sell grain? and the sabbath, that we may set forth corn? making the ephah small, and the shekel great, and falsifying the balances of deceit; 6 That we may buy the poor for silver, and the needy for a pair of shoes, and sell the refuse of the corn?' 7 Yehovah hath sworn by the pride of Jacob: Surely I will never forget any of their works. 8 Shall not the land tremble for this, and every one mourn that dwelleth therein? Yea, it shall rise up wholly like the River; and it shall be troubled and sink again, like the River of Egypt.{P}

9 And it shall come to pass in that day, saith the Lord GOD [Adonai Yehovi], that I will cause the sun to go down at noon, and I will darken the earth in the clear day. 10 And I will turn your feasts into mourning, and all your songs into lamentation; and I will bring up sackcloth upon all loins, and baldness upon every head; and I will make it as the mourning for an only son, and the end thereof as a bitter day.{P}

11 Behold, the days come, saith the Lord GOD [Adonai Yehovi], that I will send a famine in the land, not a famine of bread, nor a thirst for water, but of hearing the words of Yehovah. 12 And they shall wander from sea to sea, and from the north even to the east; they shall run to and fro to seek the word of Yehovah, and shall not find it. 13 In that day shall the fair virgins and the young men faint for thirst. 14 They that swear by the sin of Samaria, and say: 'As thy God, O Dan, liveth'; and: 'As the way of Beer-sheba liveth'; even they shall fall, and never rise up again.{S}

9 1 I saw the Lord standing beside the altar; and He said: Smite the capitals, that the posts may shake; and break them in pieces on the head of all of them; and I will slay the residue of them with the sword; there shall not one of them flee away, and there shall not one of them escape. 2 Though they dig into the nether-world, thence shall My hand take them; and though they climb up to heaven, thence will I bring them down. 3 And though they hide themselves in the top of Carmel, I will search and take them out thence; and though they be hid from My sight in the bottom of the sea, thence will I command the serpent, and he shall bite them. 4 And though they go into captivity before their enemies, thence will I command the sword, and it shall slay them; and I will set Mine eyes upon them for evil, and not for good. 5 For the Lord [Adonai], the GOD [Yehovi] of hosts, is He that toucheth the land and it melteth, and all that dwell therein mourn; and it riseth up wholly like the River, and sinketh again, like the River of Egypt; 6 It is He that buildeth His upper chambers in the heaven, and hath founded His vault upon the earth; He that calleth for the waters of the sea, and poureth them out upon the face of the earth; Yehovah is His name.

ז הֲל֣וֹא כִבְנֵי֩ כֻשִׁיִּ֨ים אַתֶּ֥ם לִ֛י בְּנֵ֥י יִשְׂרָאֵ֖ל נְאֻם־יְהֹוָ֑ה הֲל֣וֹא אֶת־יִשְׂרָאֵ֗ל הֶעֱלֵ֙יתִי֙ מֵאֶ֣רֶץ מִצְרַ֔יִם וּפְלִשְׁתִּיִּ֥ים מִכַּפְתּ֖וֹר וַאֲרָ֥ם מִקִּֽיר: ח הִנֵּ֞ה עֵינֵ֣י ׀ אֲדֹנָ֣י יְהֹוִ֗ה בַּמַּמְלָכָה֙ הַֽחַטָּאָ֔ה וְהִשְׁמַדְתִּ֣י אֹתָ֔הּ מֵעַ֖ל פְּנֵ֣י הָאֲדָמָ֑ה אֶ֗פֶס כִּ֠י לֹ֣א הַשְׁמֵ֥יד אַשְׁמִ֛יד אֶת־בֵּ֥ית יַעֲקֹ֖ב נְאֻם־יְהֹוָֽה: ט כִּֽי־הִנֵּ֤ה אָֽנֹכִי֙ מְצַוֶּ֔ה וַהֲנִע֥וֹתִי בְכׇֽל־הַגּוֹיִ֖ם אֶת־בֵּ֣ית יִשְׂרָאֵ֑ל כַּאֲשֶׁ֤ר יִנּ֙וֹעַ֙ בַּכְּבָרָ֔ה וְלֹא־יִפּ֥וֹל צְר֖וֹר אָֽרֶץ: י בַּחֶ֣רֶב יָמ֔וּתוּ כֹּ֖ל חַטָּאֵ֣י עַמִּ֑י הָאֹמְרִ֗ים לֹֽא־תַגִּ֧ישׁ וְתַקְדִּ֛ים בַּעֲדֵ֖ינוּ הָרָעָֽה: יא בַּיּ֣וֹם הַה֗וּא אָקִ֛ים אֶת־סֻכַּ֥ת דָּוִ֖יד הַנֹּפֶ֑לֶת וְגָדַרְתִּ֣י אֶת־פִּרְצֵיהֶ֗ן וַהֲרִֽסֹתָיו֙ אָקִ֔ים וּבְנִיתִ֖יהָ כִּימֵ֥י עוֹלָֽם: יב לְמַ֙עַן֙ יִֽירְשׁ֗וּ אֶת־שְׁאֵרִ֣ית אֱד֔וֹם וְכׇל־הַגּוֹיִ֔ם אֲשֶׁר־נִקְרָ֥א שְׁמִ֖י עֲלֵיהֶ֑ם נְאֻם־יְהֹוָ֖ה עֹ֥שֶׂה זֹּֽאת:

יג הִנֵּ֙ה יָמִ֤ים בָּאִים֙ נְאֻם־יְהֹוָ֔ה וְנִגַּ֤שׁ חוֹרֵשׁ֙ בַּקֹּצֵ֔ר וְדֹרֵ֥ךְ עֲנָבִ֖ים בְּמֹשֵׁ֣ךְ הַזָּ֑רַע וְהִטִּ֤יפוּ הֶֽהָרִים֙ עָסִ֔יס וְכׇל־הַגְּבָע֖וֹת תִּתְמוֹגַֽגְנָה: יד וְשַׁבְתִּי֙ אֶת־שְׁב֣וּת עַמִּ֣י יִשְׂרָאֵ֔ל וּבָנ֞וּ עָרִ֤ים נְשַׁמּוֹת֙ וְיָשָׁ֔בוּ וְנָטְע֣וּ כְרָמִ֔ים וְשָׁת֖וּ אֶת־יֵינָ֑ם וְעָשׂ֣וּ גַנּ֔וֹת וְאָכְל֖וּ אֶת־פְּרִיהֶֽם: יה וּנְטַעְתִּ֖ים עַל־אַדְמָתָ֑ם וְלֹ֣א יִנָּתְשׁ֣וּ ע֗וֹד מֵעַ֤ל אַדְמָתָם֙ אֲשֶׁ֣ר נָתַ֣תִּי לָהֶ֔ם אָמַ֖ר יְהֹוָ֥ה אֱלֹהֶֽיךָ:

7 Are ye not as the children of the Ethiopians unto Me, O children of Israel? saith Yehovah. Have not I brought up Israel out of the land of Egypt, and the Philistines from Caphtor, and Aram from Kir? **8** Behold, the eyes of the Lord GOD [Adonai Yehovi] are upon the sinful kingdom, and I will destroy it from off the face of the earth; saving that I will not utterly destroy the house of Jacob, saith Yehovah. **9** For, lo, I will command, and I will sift the house of Israel among all the nations, like as corn is sifted in a sieve, yet shall not the least grain fall upon the earth. **10** All the sinners of My people shall die by the sword, that say: 'The evil shall not overtake nor confront us.' **11** In that day will I raise up the tabernacle of David that is fallen, and close up the breaches thereof, and I will raise up his ruins, and I will build it as in the days of old; **12** That they may possess the remnant of Edom, and all the nations, upon whom My name is called, saith Yehovah that doeth this.{P}

13 Behold, the days come, saith Yehovah, that the plowman shall overtake the reaper, and the treader of grapes him that soweth seed; and the mountains shall drop sweet wine, and all the hills shall melt. **14** And I will turn the captivity of My people Israel, and they shall build the waste cities, and inhabit them; and they shall plant vineyards, and drink the wine thereof; they shall also make gardens, and eat the fruit of them. **15** And I will plant them upon their land, and they shall no more be plucked up out of their land which I have given them, saith Yehovah thy God.{P}

עבדיה
Obadiah

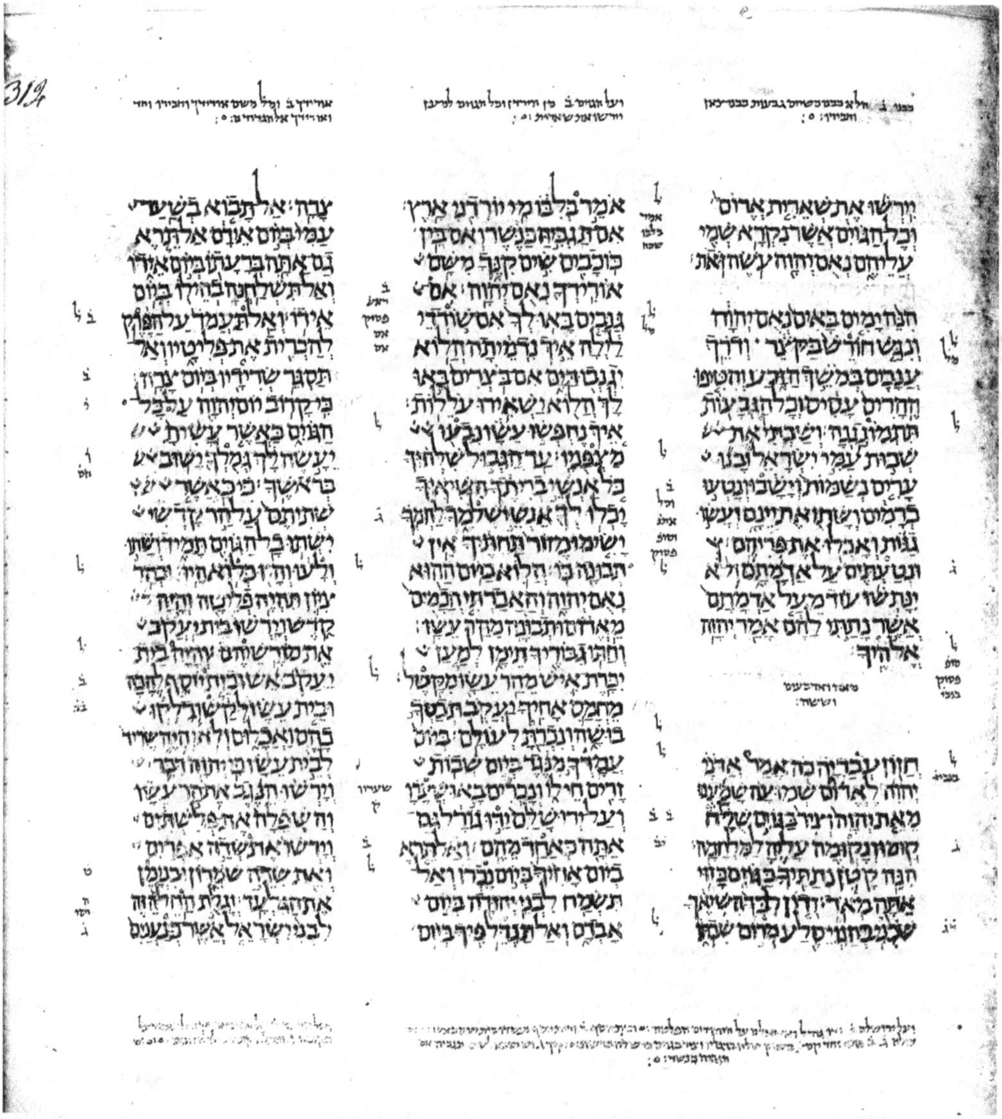

Book of Obadiah in the Leningrad Codex
(right column, lower, page 628 in pdf)

א א חֲזוֹן עֹבַדְיָה כֹּה־אָמַר אֲדֹנָי יְהוִה לֶאֱדוֹם שְׁמוּעָה שָׁמַעְנוּ מֵאֵת יְהוָה וְצִיר בַּגּוֹיִם שֻׁלָּח קוּמוּ וְנָקוּמָה עָלֶיהָ לַמִּלְחָמָה: ב הִנֵּה קָטֹן נְתַתִּיךָ בַּגּוֹיִם בָּזוּי אַתָּה מְאֹד: ג זְדוֹן לִבְּךָ הִשִּׁיאֶךָ שֹׁכְנִי בְחַגְוֵי־סֶלַע מְרוֹם שִׁבְתּוֹ אֹמֵר בְּלִבּוֹ מִי יוֹרִדֵנִי אָרֶץ: ד אִם־תַּגְבִּיהַּ כַּנֶּשֶׁר וְאִם־בֵּין כּוֹכָבִים שִׂים קִנֶּךָ מִשָּׁם אוֹרִידְךָ נְאֻם־יְהוָה: ה אִם־גַּנָּבִים בָּאוּ־לְךָ אִם־שׁוֹדְדֵי לַיְלָה אֵיךְ נִדְמֵיתָה הֲלוֹא יִגְנְבוּ דַּיָּם אִם־בֹּצְרִים בָּאוּ לָךְ הֲלוֹא יַשְׁאִירוּ עֹלֵלוֹת: ו אֵיךְ נֶחְפְּשׂוּ עֵשָׂו נִבְעוּ מַצְפֻּנָיו: ז עַד־הַגְּבוּל שִׁלְּחוּךָ כֹּל אַנְשֵׁי בְרִיתֶךָ הִשִּׁיאוּךָ יָכְלוּ לְךָ אַנְשֵׁי שְׁלֹמֶךָ לַחְמְךָ יָשִׂימוּ מָזוֹר תַּחְתֶּיךָ אֵין תְּבוּנָה בּוֹ: ח הֲלוֹא בַּיּוֹם הַהוּא נְאֻם־יְהוָה וְהַאֲבַדְתִּי חֲכָמִים מֵאֱדוֹם וּתְבוּנָה מֵהַר עֵשָׂו: ט וְחַתּוּ גִבּוֹרֶיךָ תֵּימָן לְמַעַן יִכָּרֶת־אִישׁ מֵהַר עֵשָׂו מִקָּטֶל: י מֵחֲמַס אָחִיךָ יַעֲקֹב תְּכַסְּךָ בוּשָׁה וְנִכְרַתָּ לְעוֹלָם: יא בְּיוֹם עֲמָדְךָ מִנֶּגֶד בְּיוֹם שְׁבוֹת זָרִים חֵילוֹ וְנָכְרִים בָּאוּ שְׁעָרָיו[1] וְעַל־יְרוּשָׁלַ͏ִם יַדּוּ גוֹרָל גַּם־אַתָּה כְּאַחַד מֵהֶם: יב וְאַל־תֵּרֶא בְיוֹם־אָחִיךָ בְּיוֹם נָכְרוֹ וְאַל־תִּשְׂמַח לִבְנֵי־יְהוּדָה בְּיוֹם אָבְדָם וְאַל־תַּגְדֵּל פִּיךָ בְּיוֹם צָרָה: יג אַל־תָּבוֹא בְשַׁעַר־עַמִּי בְּיוֹם אֵידָם אַל־תֵּרֶא גַם־אַתָּה בְּרָעָתוֹ בְּיוֹם אֵידוֹ וְאַל־תִּשְׁלַחְנָה בְחֵילוֹ בְּיוֹם אֵידוֹ: יד וְאַל־תַּעֲמֹד עַל־הַפֶּרֶק לְהַכְרִית אֶת־פְּלִיטָיו וְאַל־תַּסְגֵּר שְׂרִידָיו בְּיוֹם צָרָה: טו כִּי־קָרוֹב יוֹם־יְהוָה עַל־כָּל־הַגּוֹיִם כַּאֲשֶׁר עָשִׂיתָ יֵעָשֶׂה לָּךְ גְּמֻלְךָ יָשׁוּב בְּרֹאשֶׁךָ: טז כִּי כַּאֲשֶׁר שְׁתִיתֶם עַל־הַר קָדְשִׁי יִשְׁתּוּ כָל־הַגּוֹיִם תָּמִיד וְשָׁתוּ וְלָעוּ וְהָיוּ כְּלוֹא הָיוּ: יז וּבְהַר צִיּוֹן תִּהְיֶה פְלֵיטָה וְהָיָה קֹדֶשׁ וְיָרְשׁוּ בֵּית יַעֲקֹב אֵת מוֹרָשֵׁיהֶם: יח וְהָיָה בֵית־יַעֲקֹב אֵשׁ וּבֵית יוֹסֵף לֶהָבָה וּבֵית עֵשָׂו לְקַשׁ וְדָלְקוּ בָהֶם וַאֲכָלוּם וְלֹא־יִהְיֶה שָׂרִיד לְבֵית עֵשָׂו כִּי יְהוָה דִּבֵּר: יט וְיָרְשׁוּ הַנֶּגֶב אֶת־הַר עֵשָׂו וְהַשְּׁפֵלָה אֶת־פְּלִשְׁתִּים וְיָרְשׁוּ אֶת־שְׂדֵה אֶפְרַיִם וְאֵת שְׂדֵה שֹׁמְרוֹן וּבִנְיָמִן אֶת־הַגִּלְעָד: כ וְגָלֻת הַחֵל־הַזֶּה לִבְנֵי יִשְׂרָאֵל אֲשֶׁר־כְּנַעֲנִים עַד־צָרְפַת וְגָלֻת יְרוּשָׁלַ͏ִם אֲשֶׁר בִּסְפָרַד יִרְשׁוּ אֵת עָרֵי הַנֶּגֶב: כא וְעָלוּ מוֹשִׁעִים בְּהַר צִיּוֹן לִשְׁפֹּט אֶת־הַר עֵשָׂו וְהָיְתָה לַיהוָה הַמְּלוּכָה:

---

[1] שְׁעָרָו

1 1 The vision of Obadiah. Thus saith the Lord GOD [Adonai Yehovi] concerning Edom: We have heard a message from Yehovah, and an ambassador is sent among the nations: 'Arise ye, and let us rise up against her in battle.' 2 Behold, I make thee small among the nations; thou art greatly despised. 3 The pride of thy heart hath beguiled thee, O thou that dwellest in the clefts of the rock, thy habitation on high; that sayest in thy heart: 'Who shall bring me down to the ground?' 4 Though thou make thy nest as high as the eagle, and though thou set it among the stars, I will bring thee down from thence, saith Yehovah. 5 If thieves came to thee, if robbers by night–how art thou cut off!–would they not steal till they had enough? If grape-gatherers came to thee, would they not leave some gleaning grapes? 6 How is Esau searched out! How are his hidden places sought out! 7 All the men of thy confederacy have conducted thee to the border; the men that were at peace with thee have beguiled thee, and prevailed against thee; they that eat thy bread lay a snare under thee, in whom there is no discernment. 8 Shall I not in that day, saith Yehovah, destroy the wise men out of Edom, and discernment out of the mount of Esau? 9 And thy mighty men, O Teman, shall be dismayed, to the end that every one may be cut off from the mount of Esau by slaughter. 10 For the violence done to thy brother Jacob shame shall cover thee, and thou shalt be cut off for ever. 11 In the day that thou didst stand aloof, in the day that strangers carried away his substance, and foreigners entered into his gates, and cast lots upon Yerushalam, even thou wast as one of them. 12 But thou shouldest not have gazed on the day of thy brother in the day of his disaster, neither shouldest thou have rejoiced over the children of Judah in the day of their destruction; neither shouldest thou have spoken proudly in the day of distress. 13 Thou shouldest not have entered into the gate of My people in the day of their calamity; yea, thou shouldest not have gazed on their affliction in the day of their calamity, nor have laid hands on their substance in the day of their calamity. 14 Neither shouldest thou have stood in the crossway, to cut off those of his that escape; neither shouldest thou have delivered up those of his that did remain in the day of distress. 15 For the day of Yehovah is near upon all the nations; as thou hast done, it shall be done unto thee; thy dealing shall return upon thine own head. 16 For as ye have drunk upon My holy mountain, so shall all the nations drink continually, yea, they shall drink, and swallow down, and shall be as though they had not been. 17 But in mount Zion there shall be those that escape, and it shall be holy; and the house of Jacob shall possess their possessions. 18 And the house of Jacob shall be a fire, and the house of Joseph a flame, and the house of Esau for stubble, and they shall kindle in them, and devour them; and there shall not be any remaining of the house of Esau; for Yehovah hath spoken. 19 And they of the South shall possess the mount of Esau, and they of the Lowland the Philistines; and they shall possess the field of Ephraim, and the field of Samaria; and Benjamin shall possess Gilead. 20 And the captivity of this host of the children of Israel, that are among the Canaanites, even unto Zarephath, and the captivity of Yerushalam, that is in Sepharad, shall possess the cities of the South. 21 And saviours shall come up on mount Zion to judge the mount of Esau; and the kingdom shall be Yehovah's.{P}

יונה

Jonah

Book of Jonah in the Leningrad Codex
(right column, upper, page 629 in pdf)

א א וַיְהִי דְּבַר־יְהוָה אֶל־יוֹנָה בֶן־אֲמִתַּי לֵאמֹר׃ ב קוּם לֵךְ אֶל־נִינְוֵה הָעִיר
הַגְּדוֹלָה וּקְרָא עָלֶיהָ כִּי־עָלְתָה רָעָתָם לְפָנָי׃ ג וַיָּקָם יוֹנָה לִבְרֹחַ תַּרְשִׁישָׁה
מִלִּפְנֵי יְהוָה וַיֵּרֶד יָפוֹ וַיִּמְצָא אָנִיָּה ׀ בָּאָה תַרְשִׁישׁ וַיִּתֵּן שְׂכָרָהּ וַיֵּרֶד בָּהּ
לָבוֹא עִמָּהֶם תַּרְשִׁישָׁה מִלִּפְנֵי יְהוָה׃ ד וַיהוָה הֵטִיל רוּחַ־גְּדוֹלָה אֶל־הַיָּם
וַיְהִי סַעַר־גָּדוֹל בַּיָּם וְהָאֳנִיָּה חִשְּׁבָה לְהִשָּׁבֵר׃ ה וַיִּירְאוּ הַמַּלָּחִים וַיִּזְעֲקוּ
אִישׁ אֶל־אֱלֹהָיו וַיָּטִלוּ אֶת־הַכֵּלִים אֲשֶׁר בָּאֳנִיָּה אֶל־הַיָּם לְהָקֵל מֵעֲלֵיהֶם
וְיוֹנָה יָרַד אֶל־יַרְכְּתֵי הַסְּפִינָה וַיִּשְׁכַּב וַיֵּרָדַם׃ ו וַיִּקְרַב אֵלָיו רַב הַחֹבֵל
וַיֹּאמֶר לוֹ מַה־לְּךָ נִרְדָּם קוּם קְרָא אֶל־אֱלֹהֶיךָ אוּלַי יִתְעַשֵּׁת הָאֱלֹהִים לָנוּ
וְלֹא נֹאבֵד׃ ז וַיֹּאמְרוּ אִישׁ אֶל־רֵעֵהוּ לְכוּ וְנַפִּילָה גוֹרָלוֹת וְנֵדְעָה בְּשֶׁלְּמִי
הָרָעָה הַזֹּאת לָנוּ וַיַּפִּלוּ גּוֹרָלוֹת וַיִּפֹּל הַגּוֹרָל עַל־יוֹנָה׃ ח וַיֹּאמְרוּ אֵלָיו
הַגִּידָה־נָּא לָנוּ בַּאֲשֶׁר לְמִי־הָרָעָה הַזֹּאת לָנוּ מַה־מְּלַאכְתְּךָ וּמֵאַיִן תָּבוֹא מָה
אַרְצֶךָ וְאֵי־מִזֶּה עַם אָתָּה׃ ט וַיֹּאמֶר אֲלֵיהֶם עִבְרִי אָנֹכִי וְאֶת־יְהוָה אֱלֹהֵי
הַשָּׁמַיִם אֲנִי יָרֵא אֲשֶׁר־עָשָׂה אֶת־הַיָּם וְאֶת־הַיַּבָּשָׁה׃ י וַיִּירְאוּ הָאֲנָשִׁים יִרְאָה
גְדוֹלָה וַיֹּאמְרוּ אֵלָיו מַה־זֹּאת עָשִׂיתָ כִּי־יָדְעוּ הָאֲנָשִׁים כִּי־מִלִּפְנֵי יְהוָה הוּא
בֹרֵחַ כִּי הִגִּיד לָהֶם׃ יא וַיֹּאמְרוּ אֵלָיו מַה־נַּעֲשֶׂה לָּךְ וְיִשְׁתֹּק הַיָּם מֵעָלֵינוּ כִּי
הַיָּם הוֹלֵךְ וְסֹעֵר׃ יב וַיֹּאמֶר אֲלֵיהֶם שָׂאוּנִי וַהֲטִילֻנִי אֶל־הַיָּם וְיִשְׁתֹּק הַיָּם
מֵעֲלֵיכֶם כִּי יוֹדֵעַ אָנִי כִּי בְשֶׁלִּי הַסַּעַר הַגָּדוֹל הַזֶּה עֲלֵיכֶם׃ יג וַיַּחְתְּרוּ
הָאֲנָשִׁים לְהָשִׁיב אֶל־הַיַּבָּשָׁה וְלֹא יָכֹלוּ כִּי הַיָּם הוֹלֵךְ וְסֹעֵר עֲלֵיהֶם׃
יד וַיִּקְרְאוּ אֶל־יְהוָה וַיֹּאמְרוּ אָנָּה יְהוָה אַל־נָא נֹאבְדָה בְּנֶפֶשׁ הָאִישׁ הַזֶּה
וְאַל־תִּתֵּן עָלֵינוּ דָּם נָקִיא כִּי־אַתָּה יְהוָה כַּאֲשֶׁר חָפַצְתָּ עָשִׂיתָ׃ טו וַיִּשְׂאוּ
אֶת־יוֹנָה וַיְטִלֻהוּ אֶל־הַיָּם וַיַּעֲמֹד הַיָּם מִזַּעְפּוֹ׃ טז וַיִּירְאוּ הָאֲנָשִׁים יִרְאָה
גְדוֹלָה אֶת־יְהוָה וַיִּזְבְּחוּ־זֶבַח לַיהוָה וַיִּדְּרוּ נְדָרִים׃

ב א וַיְמַן יְהוָה דָּג גָּדוֹל לִבְלֹעַ אֶת־יוֹנָה וַיְהִי יוֹנָה בִּמְעֵי הַדָּג שְׁלֹשָׁה יָמִים
וּשְׁלֹשָׁה לֵילוֹת׃ ב וַיִּתְפַּלֵּל יוֹנָה אֶל־יְהוָה אֱלֹהָיו מִמְּעֵי הַדָּגָה׃ ג וַיֹּאמֶר
קָרָאתִי מִצָּרָה לִי אֶל־יְהוָה וַיַּעֲנֵנִי מִבֶּטֶן שְׁאוֹל שִׁוַּעְתִּי שָׁמַעְתָּ קוֹלִי׃
ד וַתַּשְׁלִיכֵנִי מְצוּלָה בִּלְבַב יַמִּים וְנָהָר יְסֹבְבֵנִי כָּל־מִשְׁבָּרֶיךָ וְגַלֶּיךָ עָלַי
עָבָרוּ׃ ה וַאֲנִי אָמַרְתִּי נִגְרַשְׁתִּי מִנֶּגֶד עֵינֶיךָ אַךְ אוֹסִיף לְהַבִּיט אֶל־הֵיכַל
קָדְשֶׁךָ׃ ו אֲפָפוּנִי מַיִם עַד־נֶפֶשׁ תְּהוֹם יְסֹבְבֵנִי סוּף חָבוּשׁ לְרֹאשִׁי׃ ז לְקִצְבֵי
הָרִים יָרַדְתִּי הָאָרֶץ בְּרִחֶיהָ בַעֲדִי לְעוֹלָם וַתַּעַל מִשַּׁחַת חַיַּי יְהוָה אֱלֹהָי׃
ח בְּהִתְעַטֵּף עָלַי נַפְשִׁי אֶת־יְהוָה זָכָרְתִּי וַתָּבוֹא אֵלֶיךָ תְּפִלָּתִי אֶל־הֵיכַל
קָדְשֶׁךָ׃

1 1 Now the word of Yehovah came unto Jonah the son of Amittai, saying: 2 'Arise, go to Nineveh, that great city, and proclaim against it; for their wickedness is come up before Me.' 3 But Jonah rose up to flee unto Tarshish from the presence of Yehovah; and he went down to Joppa, and found a ship going to Tarshish; so he paid the fare thereof, and went down into it, to go with them unto Tarshish, from the presence of Yehovah. 4 But Yehovah hurled a great wind into the sea, and there was a mighty tempest in the sea, so that the ship was like to be broken. 5 And the mariners were afraid, and cried every man unto his god; and they cast forth the wares that were in the ship into the sea, to lighten it unto them. But Jonah was gone down into the innermost parts of the ship; and he lay, and was fast asleep. 6 So the shipmaster came to him, and said unto him: 'What meanest thou that thou sleepest? arise, call upon thy God, if so be that God will think upon us, that we perish not.' 7 And they said every one to his fellow: 'Come, and let us cast lots, that we may know for whose cause this evil is upon us.' So they cast lots, and the lot fell upon Jonah. 8 Then said they unto him: 'Tell us, we pray thee, for whose cause this evil is upon us: what is thine occupation? and whence comest thou? what is thy country? and of what people art thou?' 9 And he said unto them: 'I am an Hebrew; and I fear Yehovah, the God of heaven, who hath made the sea and the dry land.' 10 Then were the men exceedingly afraid, and said unto him: 'What is this that thou hast done?' For the men knew that he fled from the presence of Yehovah, because he had told them. 11 Then said they unto him: 'What shall we do unto thee, that the sea may be calm unto us?' for the sea grew more and more tempestuous. 12 And he said unto them: 'Take me up, and cast me forth into the sea; so shall the sea be calm unto you; for I know that for my sake this great tempest is upon you.' 13 Nevertheless the men rowed hard to bring it to the land; but they could not; for the sea grew more and more tempestuous against them. 14 Wherefore they cried unto Yehovah, and said: 'We beseech Thee, Yehovah, we beseech Thee, let us not perish for this man's life, and lay not upon us innocent blood; for Thou, Yehovah, hast done as it pleased Thee.' 15 So they took up Jonah, and cast him forth into the sea; and the sea ceased from its raging. 16 Then the men feared Yehovah exceedingly; and they offered a sacrifice unto Yehovah, and made vows.

2 1 And Yehovah prepared a great fish to swallow up Jonah; and Jonah was in the belly of the fish three days and three nights. 2 Then Jonah prayed unto Yehovah his God out of the fish's belly. 3 And he said: I called out of mine affliction unto Yehovah, and He answered me; out of the belly of the nether-world cried I, and Thou heardest my voice. 4 For Thou didst cast me into the depth, in the heart of the seas, and the flood was round about me; all Thy waves and Thy billows passed over me. 5 And I said: 'I am cast out from before Thine eyes'; yet I will look again toward Thy holy temple. 6 The waters compassed me about, even to the soul; the deep was round about me; the weeds were wrapped about my head. 7 I went down to the bottoms of the mountains; the earth with her bars closed upon me for ever; yet hast Thou brought up my life from the pit, Yehovah my God. 8 When my soul fainted within me, I remembered Yehovah; and my prayer came in unto Thee, into Thy holy temple.

ט מְשַׁמְּרִים הַבְלֵי־שָׁוְא חַסְדָּם יַעֲזֹבוּ: י וַאֲנִי בְּקוֹל תּוֹדָה אֶזְבְּחָה־לָּךְ אֲשֶׁר נָדַרְתִּי אֲשַׁלֵּמָה יְשׁוּעָתָה לַיהוָה: יא וַיֹּאמֶר יְהוָה לַדָּג וַיָּקֵא אֶת־יוֹנָה אֶל־הַיַּבָּשָׁה:

ג א וַיְהִי דְבַר־יְהוָה אֶל־יוֹנָה שֵׁנִית לֵאמֹר: ב קוּם לֵךְ אֶל־נִינְוֵה הָעִיר הַגְּדוֹלָה וּקְרָא אֵלֶיהָ אֶת־הַקְּרִיאָה אֲשֶׁר אָנֹכִי דֹּבֵר אֵלֶיךָ: ג וַיָּקָם יוֹנָה וַיֵּלֶךְ אֶל־נִינְוֵה כִּדְבַר יְהוָה וְנִינְוֵה הָיְתָה עִיר־גְּדוֹלָה לֵאלֹהִים מַהֲלַךְ שְׁלֹשֶׁת יָמִים: ד וַיָּחֶל יוֹנָה לָבוֹא בָעִיר מַהֲלַךְ יוֹם אֶחָד וַיִּקְרָא וַיֹּאמַר עוֹד אַרְבָּעִים יוֹם וְנִינְוֵה נֶהְפָּכֶת: ה וַיַּאֲמִינוּ אַנְשֵׁי נִינְוֵה בֵּאלֹהִים וַיִּקְרְאוּ־צוֹם וַיִּלְבְּשׁוּ שַׂקִּים מִגְּדוֹלָם וְעַד־קְטַנָּם: ו וַיִּגַּע הַדָּבָר אֶל־מֶלֶךְ נִינְוֵה וַיָּקָם מִכִּסְאוֹ וַיַּעֲבֵר אַדַּרְתּוֹ מֵעָלָיו וַיְכַס שַׂק וַיֵּשֶׁב עַל־הָאֵפֶר: ז וַיַּזְעֵק וַיֹּאמֶר בְּנִינְוֵה מִטַּעַם הַמֶּלֶךְ וּגְדֹלָיו לֵאמֹר הָאָדָם וְהַבְּהֵמָה הַבָּקָר וְהַצֹּאן אַל־יִטְעֲמוּ מְאוּמָה אַל־יִרְעוּ וּמַיִם אַל־יִשְׁתּוּ: ח וְיִתְכַּסּוּ שַׂקִּים הָאָדָם וְהַבְּהֵמָה וְיִקְרְאוּ אֶל־אֱלֹהִים בְּחָזְקָה וְיָשֻׁבוּ אִישׁ מִדַּרְכּוֹ הָרָעָה וּמִן־הֶחָמָס אֲשֶׁר בְּכַפֵּיהֶם: ט מִי־יוֹדֵעַ יָשׁוּב וְנִחַם הָאֱלֹהִים וְשָׁב מֵחֲרוֹן אַפּוֹ וְלֹא נֹאבֵד: י וַיַּרְא הָאֱלֹהִים אֶת־מַעֲשֵׂיהֶם כִּי־שָׁבוּ מִדַּרְכָּם הָרָעָה וַיִּנָּחֶם הָאֱלֹהִים עַל־הָרָעָה אֲשֶׁר־דִּבֶּר לַעֲשׂוֹת־לָהֶם וְלֹא עָשָׂה:

ד א וַיֵּרַע אֶל־יוֹנָה רָעָה גְדוֹלָה וַיִּחַר לוֹ: ב וַיִּתְפַּלֵּל אֶל־יְהוָה וַיֹּאמַר אָנָּה יְהוָה הֲלוֹא־זֶה דְבָרִי עַד־הֱיוֹתִי עַל־אַדְמָתִי עַל־כֵּן קִדַּמְתִּי לִבְרֹחַ תַּרְשִׁישָׁה כִּי יָדַעְתִּי כִּי אַתָּה אֵל־חַנּוּן וְרַחוּם אֶרֶךְ אַפַּיִם וְרַב־חֶסֶד וְנִחָם עַל־הָרָעָה: ג וְעַתָּה יְהוָה קַח־נָא אֶת־נַפְשִׁי מִמֶּנִּי כִּי טוֹב מוֹתִי מֵחַיָּי: ד וַיֹּאמֶר יְהוָה הַהֵיטֵב חָרָה לָךְ: ה וַיֵּצֵא יוֹנָה מִן־הָעִיר וַיֵּשֶׁב מִקֶּדֶם לָעִיר וַיַּעַשׂ לוֹ שָׁם סֻכָּה וַיֵּשֶׁב תַּחְתֶּיהָ בַּצֵּל עַד אֲשֶׁר יִרְאֶה מַה־יִּהְיֶה בָּעִיר: ו וַיְמַן יְהוָה־אֱלֹהִים קִיקָיוֹן וַיַּעַל ׀ מֵעַל לְיוֹנָה לִהְיוֹת צֵל עַל־רֹאשׁוֹ לְהַצִּיל לוֹ מֵרָעָתוֹ וַיִּשְׂמַח יוֹנָה עַל־הַקִּיקָיוֹן שִׂמְחָה גְדוֹלָה: ז וַיְמַן הָאֱלֹהִים תּוֹלַעַת בַּעֲלוֹת הַשַּׁחַר לַמָּחֳרָת וַתַּךְ אֶת־הַקִּיקָיוֹן וַיִּיבָשׁ: ח וַיְהִי ׀ כִּזְרֹחַ הַשֶּׁמֶשׁ וַיְמַן אֱלֹהִים רוּחַ קָדִים חֲרִישִׁית וַתַּךְ הַשֶּׁמֶשׁ עַל־רֹאשׁ יוֹנָה וַיִּתְעַלָּף וַיִּשְׁאַל אֶת־נַפְשׁוֹ לָמוּת וַיֹּאמֶר טוֹב מוֹתִי מֵחַיָּי: ט וַיֹּאמֶר אֱלֹהִים אֶל־יוֹנָה הַהֵיטֵב חָרָה־לְךָ עַל־הַקִּיקָיוֹן וַיֹּאמֶר הֵיטֵב חָרָה־לִי עַד־מָוֶת: י וַיֹּאמֶר יְהוָה אַתָּה חַסְתָּ עַל־הַקִּיקָיוֹן אֲשֶׁר לֹא־עָמַלְתָּ בּוֹ וְלֹא גִדַּלְתּוֹ שֶׁבִּן־לַיְלָה הָיָה וּבִן־לַיְלָה אָבָד: יא וַאֲנִי לֹא אָחוּס עַל־נִינְוֵה הָעִיר הַגְּדוֹלָה אֲשֶׁר יֶשׁ־בָּהּ הַרְבֵּה מִשְׁתֵּים־עֶשְׂרֵה רִבּוֹ אָדָם אֲשֶׁר לֹא־יָדַע בֵּין־יְמִינוֹ לִשְׂמֹאלוֹ וּבְהֵמָה רַבָּה:

9 They that regard lying vanities forsake their own mercy. **10** But I will sacrifice unto Thee with the voice of thanksgiving; that which I have vowed I will pay. Salvation is of Yehovah.{S} **11** And Yehovah spoke unto the fish, and it vomited out Jonah upon the dry land.{P}

3 1 And the word of Yehovah came unto Jonah the second time, saying: **2** 'Arise, go unto Nineveh, that great city, and make unto it the proclamation that I bid thee.' **3** So Jonah arose, and went unto Nineveh, according to the word of Yehovah. Now Nineveh was an exceeding great city, of three days' journey. **4** And Jonah began to enter into the city a day's journey, and he proclaimed, and said: 'Yet forty days, and Nineveh shall be overthrown.' **5** And the people of Nineveh believed God; and they proclaimed a fast, and put on sackcloth, from the greatest of them even to the least of them. **6** And the tidings reached the king of Nineveh, and he arose from his throne, and laid his robe from him, and covered him with sackcloth, and sat in ashes. **7** And he caused it to be proclaimed and published through Nineveh by the decree of the king and his nobles, saying: 'Let neither man nor beast, herd nor flock, taste any thing; let them not feed, nor drink water; **8** but let them be covered with sackcloth, both man and beast, and let them cry mightily unto God; yea, let them turn every one from his evil way, and from the violence that is in their hands. **9** Who knoweth whether God will not turn and repent, and turn away from His fierce anger, that we perish not?' **10** And God saw their works, that they turned from their evil way; and God repented of the evil, which He said He would do unto them; and He did it not.

4 1 But it displeased Jonah exceedingly, and he was angry. **2** And he prayed unto Yehovah, and said: 'I pray Thee, Yehovah, was not this my saying, when I was yet in mine own country? Therefore I fled beforehand unto Tarshish; for I knew that Thou art a gracious God, and compassionate, long-suffering, and abundant in mercy, and repentest Thee of the evil. **3** Therefore now, Yehovah, take, I beseech Thee, my life from me; for it is better for me to die than to live.'{S} **4** And Yehovah said: 'Art thou greatly angry?' **5** Then Jonah went out of the city, and sat on the east side of the city, and there made him a booth, and sat under it in the shadow, till he might see what would become of the city. **6** And Yehovah God prepared a gourd, and made it to come up over Jonah, that it might be a shadow over his head, to deliver him from his evil. So Jonah was exceeding glad because of the gourd. **7** But God prepared a worm when the morning rose the next day, and it smote the gourd, that it withered. **8** And it came to pass, when the sun arose, that God prepared a vehement east wind; and the sun beat upon the head of Jonah, that he fainted, and requested for himself that he might die, and said: 'It is better for me to die than to live.' **9** And God said to Jonah: 'Art thou greatly angry for the gourd?' And he said: 'I am greatly angry, even unto death.' **10** And Yehovah said: 'Thou hast had pity on the gourd, for which thou hast not laboured, neither madest it grow, which came up in a night, and perished in a night; **11** and should not I have pity on Nineveh, that great city, wherein are more than sixscore thousand persons that cannot discern between their right hand and their left hand, and also much cattle?'{P}

מיכה

Micah

Book of Micah in the Leningrad Codex
(right column, upper, page 631 in pdf)

א א דְּבַר־יְהוָה ׀ אֲשֶׁר הָיָה אֶל־מִיכָה הַמֹּרַשְׁתִּי בִּימֵי יוֹתָם אָחָז יְחִזְקִיָּה
מַלְכֵי יְהוּדָה אֲשֶׁר־חָזָה עַל־שֹׁמְרוֹן וִירוּשָׁלִָם׃ ב שִׁמְעוּ עַמִּים כֻּלָּם הַקְשִׁיבִי
אֶרֶץ וּמְלֹאָהּ וִיהִי אֲדֹנָי יְהוִה בָּכֶם לְעֵד אֲדֹנָי מֵהֵיכַל קָדְשׁוֹ׃ ג כִּי־הִנֵּה
יְהוָה יֹצֵא מִמְּקוֹמוֹ וְיָרַד וְדָרַךְ עַל־בָּמֳתֵי[1] אָרֶץ׃ ד וְנָמַסּוּ הֶהָרִים תַּחְתָּיו
וְהָעֲמָקִים יִתְבַּקָּעוּ כַּדּוֹנַג מִפְּנֵי הָאֵשׁ כְּמַיִם מֻגָּרִים בְּמוֹרָד׃ ה בְּפֶשַׁע יַעֲקֹב
כָּל־זֹאת וּבְחַטֹּאות בֵּית יִשְׂרָאֵל מִי־פֶשַׁע יַעֲקֹב הֲלוֹא שֹׁמְרוֹן וּמִי בָּמוֹת
יְהוּדָה הֲלוֹא יְרוּשָׁלִָם׃ ו וְשַׂמְתִּי שֹׁמְרוֹן לְעִי הַשָּׂדֶה לְמַטָּעֵי כָרֶם וְהִגַּרְתִּי
לַגַּי אֲבָנֶיהָ וִיסֹדֶיהָ אֲגַלֶּה׃ ז וְכָל־פְּסִילֶיהָ יֻכַּתּוּ וְכָל־אֶתְנַנֶּיהָ יִשָּׂרְפוּ בָאֵשׁ
וְכָל־עֲצַבֶּיהָ אָשִׂים שְׁמָמָה כִּי מֵאֶתְנַן זוֹנָה קִבָּצָה וְעַד־אֶתְנַן זוֹנָה יָשׁוּבוּ׃
ח עַל־זֹאת אֶסְפְּדָה וְאֵילִילָה אֵילְכָה שׁוֹלָל[2] וְעָרוֹם אֶעֱשֶׂה מִסְפֵּד כַּתַּנִּים
וְאֵבֶל כִּבְנוֹת יַעֲנָה׃ ט כִּי אֲנוּשָׁה מַכּוֹתֶיהָ כִּי־בָאָה עַד־יְהוּדָה נָגַע עַד־שַׁעַר
עַמִּי עַד־יְרוּשָׁלִָם׃ י בְּגַת אַל־תַּגִּידוּ בָּכוֹ אַל־תִּבְכּוּ בְּבֵית לְעַפְרָה עָפָר
הִתְפַּלָּשִׁי[3]׃ יא עִבְרִי לָכֶם יוֹשֶׁבֶת שָׁפִיר עֶרְיָה־בֹשֶׁת לֹא יָצְאָה יוֹשֶׁבֶת צַאֲנָן
מִסְפַּד בֵּית הָאֵצֶל יִקַּח מִכֶּם עֶמְדָּתוֹ׃ יב כִּי־חָלָה לְטוֹב יוֹשֶׁבֶת מָרוֹת
כִּי־יָרַד רָע מֵאֵת יְהוָה לְשַׁעַר יְרוּשָׁלִָם׃ יג רְתֹם הַמֶּרְכָּבָה לָרֶכֶשׁ יוֹשֶׁבֶת
לָכִישׁ רֵאשִׁית חַטָּאת הִיא לְבַת־צִיּוֹן כִּי־בָךְ נִמְצְאוּ פִּשְׁעֵי יִשְׂרָאֵל׃ יד לָכֵן
תִּתְּנִי שִׁלּוּחִים עַל מוֹרֶשֶׁת גַּת בָּתֵּי אַכְזִיב לְאַכְזָב לְמַלְכֵי יִשְׂרָאֵל׃ טו עֹד
הַיֹּרֵשׁ אָבִי לָךְ יוֹשֶׁבֶת מָרֵשָׁה עַד־עֲדֻלָּם יָבוֹא כְּבוֹד יִשְׂרָאֵל׃ טז קָרְחִי וָגֹזִּי
עַל־בְּנֵי תַּעֲנוּגָיִךְ הַרְחִבִי קָרְחָתֵךְ כַּנֶּשֶׁר כִּי גָלוּ מִמֵּךְ׃

ב א הוֹי חֹשְׁבֵי־אָוֶן וּפֹעֲלֵי רָע עַל־מִשְׁכְּבוֹתָם בְּאוֹר הַבֹּקֶר יַעֲשׂוּהָ כִּי
יֶשׁ־לְאֵל יָדָם׃ ב וְחָמְדוּ שָׂדוֹת וְגָזָלוּ וּבָתִּים וְנָשָׂאוּ וְעָשְׁקוּ גֶּבֶר וּבֵיתוֹ וְאִישׁ
וְנַחֲלָתוֹ׃

ג לָכֵן כֹּה אָמַר יְהוָה הִנְנִי חֹשֵׁב עַל־הַמִּשְׁפָּחָה הַזֹּאת רָעָה אֲשֶׁר לֹא־תָמִישׁוּ
מִשָּׁם צַוְּארֹתֵיכֶם וְלֹא תֵלְכוּ רוֹמָה כִּי עֵת רָעָה הִיא׃ ד בַּיּוֹם הַהוּא יִשָּׂא
עֲלֵיכֶם מָשָׁל וְנָהָה נְהִי נִהְיָה אָמַר שָׁדוֹד נְשַׁדֻּנוּ חֵלֶק עַמִּי יָמִיר אֵיךְ יָמִישׁ
לִי לְשׁוֹבֵב שָׂדֵינוּ יְחַלֵּק׃ ה לָכֵן לֹא־יִהְיֶה לְךָ מַשְׁלִיךְ חֶבֶל בְּגוֹרָל בִּקְהַל
יְהוָה׃ ו אַל־תַּטִּפוּ יַטִּיפוּן לֹא־יַטִּפוּ לָאֵלֶּה לֹא יִסַּג כְּלִמּוֹת׃

[1] במותי
[2] שילל
[3] התפלשתי

1 1 The word of Yehovah that came to Micah the Morashtite in the days of Jotham, Ahaz, and Hezekiah, kings of Judah, which he saw concerning Samaria and Yerushalam. 2 Hear, ye peoples, all of you; Hearken, O earth, and all that therein is; and let the Lord GOD [Adonai Yehovi] be witness against you, the Lord from His holy temple. 3 For, behold, Yehovah cometh forth out of His place, and will come down, and tread upon the high places of the earth. 4 And the mountains shall be molten under Him, and the valleys shall be cleft, as wax before the fire, as waters that are poured down a steep place. 5 For the transgression of Jacob is all this, and for the sins of the house of Israel. What is the transgression of Jacob? is it not Samaria? And what are the high places of Judah? are they not Yerushalam? 6 Therefore I will make Samaria a heap in the field, a place for the planting of vineyards; and I will pour down the stones thereof into the valley, and I will uncover the foundations thereof. 7 And all her graven images shall be beaten to pieces, and all her hires shall be burned with fire, and all her idols will I lay desolate; for of the hire of a harlot hath she gathered them, and unto the hire of a harlot shall they return. 8 For this will I wail and howl, I will go stripped and naked; I will make a wailing like the jackals, and a mourning like the ostriches. 9 For her wound is incurable; for it is come even unto Judah; it reacheth unto the gate of my people, even to Yerushalam. 10 Tell it not in Gath, weep not at all; at Beth-le-aphrah roll thyself in the dust. 11 Pass ye away, O inhabitant of Saphir, in nakedness and shame; the inhabitant of Zaanan is not come forth; the wailing of Beth-ezel shall take from you the standing-place thereof. 12 For the inhabitant of Maroth waiteth anxiously for good; because evil is come down from Yehovah unto the gate of Yerushalam. 13 Bind the chariots to the swift steeds, O inhabitant of Lachish; she was the beginning of sin to the daughter of Zion; for the transgressions of Israel are found in thee. 14 Therefore shalt thou give a parting gift to Moresheth-gath; the houses of Achzib shall be a deceitful thing unto the kings of Israel. 15 I will yet bring unto thee, O inhabitant of Mareshah, him that shall possess thee; the glory of Israel shall come even unto Adullam. 16 Make thee bald, and poll thee for the children of thy delight; enlarge thy baldness as the vulture; for they are gone into captivity from thee.{S}

2 1 Woe to them that devise iniquity and work evil upon their beds! When the morning is light, they execute it, because it is in the power of their hand. 2 And they covet fields, and seize them; and houses, and take them away; thus they oppress a man and his house, even a man and his heritage.{P}

3 Therefore thus saith Yehovah: Behold, against this family do I devise an evil, from which ye shall not remove your necks, neither shall ye walk upright; for it shall be an evil time. 4 In that day shall they take up a parable against you, and lament with a doleful lamentation, and say: 'We are utterly ruined; he changeth the portion of my people; how doth he remove it from me! Instead of restoring our fields, he divideth them.' 5 Therefore thou shalt have none that shall cast the line by lot in the congregation of Yehovah. 6 'Preach ye not', they preach; 'They shall not preach of these things, that they shall not take shame.'

ז הֶאָמוּר בֵּית־יַעֲקֹב הֲקָצַר רוּחַ יְהוָה אִם־אֵלֶּה מַעֲלָלָיו הֲלוֹא דְבָרַי
יֵיטִיבוּ עִם הַיָּשָׁר הוֹלֵךְ׃ ח וְאֶתְמוּל עַמִּי לְאוֹיֵב יְקוֹמֵם מִמּוּל שַׂלְמָה אֶדֶר
תַּפְשִׁטוּן מֵעֹבְרִים בֶּטַח שׁוּבֵי מִלְחָמָה׃ ט נְשֵׁי עַמִּי תְּגָרְשׁוּן מִבֵּית תַּעֲנֻגֶיהָ
מֵעַל עֹלָלֶיהָ תִּקְחוּ הֲדָרִי לְעוֹלָם׃ י קוּמוּ וּלְכוּ כִּי לֹא־זֹאת הַמְּנוּחָה בַּעֲבוּר
טָמְאָה תְּחַבֵּל וְחֶבֶל נִמְרָץ׃ יא לוּ־אִישׁ הֹלֵךְ רוּחַ וָשֶׁקֶר כִּזֵּב אַטִּף לְךָ לַיַּיִן
וְלַשֵּׁכָר וְהָיָה מַטִּיף הָעָם הַזֶּה׃ יב אָסֹף אֶאֱסֹף יַעֲקֹב כֻּלָּךְ קַבֵּץ אֲקַבֵּץ
שְׁאֵרִית יִשְׂרָאֵל יַחַד אֲשִׂימֶנּוּ כְּצֹאן בָּצְרָה כְּעֵדֶר בְּתוֹךְ הַדָּבְרוֹ תְּהִימֶנָה
מֵאָדָם׃ יג עָלָה הַפֹּרֵץ לִפְנֵיהֶם פָּרְצוּ וַיַּעֲבֹרוּ שַׁעַר וַיֵּצְאוּ בוֹ וַיַּעֲבֹר מַלְכָּם
לִפְנֵיהֶם וַיהוָה בְּרֹאשָׁם׃

ג א וָאֹמַר שִׁמְעוּ־נָא רָאשֵׁי יַעֲקֹב וּקְצִינֵי בֵּית יִשְׂרָאֵל הֲלוֹא לָכֶם לָדַעַת
אֶת־הַמִּשְׁפָּט׃ ב שֹׂנְאֵי טוֹב וְאֹהֲבֵי רָע[4] גֹּזְלֵי עוֹרָם מֵעֲלֵיהֶם וּשְׁאֵרָם מֵעַל
עַצְמוֹתָם׃ ג וַאֲשֶׁר אָכְלוּ שְׁאֵר עַמִּי וְעוֹרָם מֵעֲלֵיהֶם הִפְשִׁיטוּ וְאֶת־עַצְמֹתֵיהֶם
פִּצֵּחוּ וּפָרְשׂוּ כַּאֲשֶׁר בַּסִּיר וּכְבָשָׂר בְּתוֹךְ קַלָּחַת׃ ד אָז יִזְעֲקוּ אֶל־יְהוָה וְלֹא
יַעֲנֶה אוֹתָם וְיַסְתֵּר פָּנָיו מֵהֶם בָּעֵת הַהִיא כַּאֲשֶׁר הֵרֵעוּ מַעַלְלֵיהֶם׃

ה כֹּה אָמַר יְהוָה עַל־הַנְּבִיאִים הַמַּתְעִים אֶת־עַמִּי הַנֹּשְׁכִים בְּשִׁנֵּיהֶם וְקָרְאוּ
שָׁלוֹם וַאֲשֶׁר לֹא־יִתֵּן עַל־פִּיהֶם וְקִדְּשׁוּ עָלָיו מִלְחָמָה׃ ו לָכֵן לַיְלָה לָכֶם
מֵחָזוֹן וְחָשְׁכָה לָכֶם מִקְּסֹם וּבָאָה הַשֶּׁמֶשׁ עַל־הַנְּבִיאִים וְקָדַר עֲלֵיהֶם הַיּוֹם׃
ז וּבֹשׁוּ הַחֹזִים וְחָפְרוּ הַקֹּסְמִים וְעָטוּ עַל־שָׂפָם כֻּלָּם כִּי אֵין מַעֲנֵה אֱלֹהִים׃
ח וְאוּלָם אָנֹכִי מָלֵאתִי כֹחַ אֶת־רוּחַ יְהוָה וּמִשְׁפָּט וּגְבוּרָה לְהַגִּיד לְיַעֲקֹב
פִּשְׁעוֹ וּלְיִשְׂרָאֵל חַטָּאתוֹ׃ ט שִׁמְעוּ־נָא זֹאת רָאשֵׁי בֵּית יַעֲקֹב וּקְצִינֵי בֵּית
יִשְׂרָאֵל הַמְתַעֲבִים מִשְׁפָּט וְאֵת כָּל־הַיְשָׁרָה יְעַקֵּשׁוּ׃ י בֹּנֶה צִיּוֹן בְּדָמִים
וִירוּשָׁלִַם בְּעַוְלָה׃ יא רָאשֶׁיהָ ׀ בְּשֹׁחַד יִשְׁפֹּטוּ וְכֹהֲנֶיהָ בִּמְחִיר יוֹרוּ וּנְבִיאֶיהָ
בְּכֶסֶף יִקְסֹמוּ וְעַל־יְהוָה יִשָּׁעֵנוּ לֵאמֹר הֲלוֹא יְהוָה בְּקִרְבֵּנוּ לֹא־תָבוֹא עָלֵינוּ
רָעָה׃ יב לָכֵן בִּגְלַלְכֶם צִיּוֹן שָׂדֶה תֵחָרֵשׁ וִירוּשָׁלִַם עִיִּין תִּהְיֶה וְהַר הַבַּיִת
לְבָמוֹת יָעַר׃

ד א וְהָיָה ׀ בְּאַחֲרִית הַיָּמִים יִהְיֶה הַר בֵּית־יְהוָה נָכוֹן בְּרֹאשׁ הֶהָרִים וְנִשָּׂא
הוּא מִגְּבָעוֹת וְנָהֲרוּ עָלָיו עַמִּים׃ ב וְהָלְכוּ גּוֹיִם רַבִּים וְאָמְרוּ לְכוּ ׀ וְנַעֲלֶה
אֶל־הַר־יְהוָה וְאֶל־בֵּית אֱלֹהֵי יַעֲקֹב וְיוֹרֵנוּ מִדְּרָכָיו וְנֵלְכָה בְּאֹרְחֹתָיו כִּי
מִצִּיּוֹן תֵּצֵא תוֹרָה וּדְבַר־יְהוָה מִירוּשָׁלִָם׃

[4] רעה

7 Do I change, O house of Jacob? Is the spirit of Yehovah straitened? Are these His doings? Do not My words do good to him that walketh uprightly? **8** But of late My people is risen up as an enemy; with the garment ye strip also the mantle from them that pass by securely, so that they are as men returning from war. **9** The women of My people ye cast out from their pleasant houses; from their young children ye take away My glory for ever. **10** Arise ye, and depart; for this is not your resting-place; because of the uncleanness thereof, it shall destroy you, even with a sore destruction. **11** If a man walking in wind and falsehood do lie: 'I will preach unto thee of wine and of strong drink'; he shall even be the preacher of this people. **12** I will surely assemble, O Jacob, all of thee; I will surely gather the remnant of Israel; I will render them all as sheep in a fold; as a flock in the midst of their pasture; they shall make great noise by reason of the multitude of men. **13** The breaker is gone up before them; they have broken forth and passed on, by the gate, and are gone out thereat; and their king is passed on before them, and Yehovah at the head of them.{P}

3 1 And I said: Hear, I pray you, ye heads of Jacob, and rulers of the house of Israel: is it not for you to know justice? **2** Who hate the good, and love the evil; who rob their skin from off them, and their flesh from off their bones; **3** Who also eat the flesh of my people, and flay their skin from off them, and break their bones; yea, they chop them in pieces, as that which is in the pot, and as flesh within the caldron. **4** Then shall they cry unto Yehovah, but He will not answer them; yea, He will hide His face from them at that time, according as they have wrought evil in their doings.{P}

5 Thus saith Yehovah concerning the prophets that make my people to err; that cry: 'Peace', when their teeth have any thing to bite; and whoso putteth not into their mouths, they even prepare war against him: **6** Therefore it shall be night unto you, that ye shall have no vision; and it shall be dark unto you, that ye shall not divine; and the sun shall go down upon the prophets, and the day shall be black over them. **7** And the seers shall be put to shame, and the diviners confounded; yea, they shall all cover their upper lips; for there shall be no answer of God. **8** But I truly am full of power by the spirit of Yehovah, and of justice, and of might, to declare unto Jacob his transgression, and to Israel his sin.{S} **9** Hear this, I pray you, ye heads of the house of Jacob, and rulers of the house of Israel, that abhor justice, and pervert all equity; **10** That build up Zion with blood, and Yerushalam with iniquity. **11** The heads thereof judge for reward, and the priests thereof teach for hire, and the prophets thereof divine for money; yet will they lean upon Yehovah, and say: 'Is not Yehovah in the midst of us? No evil shall come upon us'? **12** Therefore shall Zion for your sake be plowed as a field, and Yerushalam shall become heaps, and the mountain of the house as the high places of a forest.{P}

4 1 But in the end of days it shall come to pass, that the mountain of Yehovah's house shall be established as the top of the mountains, and it shall be exalted above the hills; and peoples shall flow unto it. **2** And many nations shall go and say: 'Come ye, and let us go up to the mountain of Yehovah, and to the house of the God of Jacob; and He will teach us of His ways, and we will walk in His paths'; for out of Zion shall go forth the Torah, and the word of Yehovah from Yerushalam.

ג וְשָׁפַ֞ט בֵּ֣ין עַמִּ֣ים רַבִּ֗ים וְהוֹכִ֛יחַ לְגוֹיִ֥ם עֲצֻמִ֖ים עַד־רָח֑וֹק וְכִתְּת֨וּ חַרְבֹתֵיהֶ֜ם לְאִתִּ֗ים וַחֲנִיתֹֽתֵיהֶם֙ לְמַזְמֵר֔וֹת לֹא־יִשְׂא֞וּ גּ֤וֹי אֶל־גּוֹי֙ חֶ֔רֶב וְלֹא־יִלְמְד֥וּן ע֖וֹד מִלְחָמָֽה: ד וְיָשְׁב֗וּ אִ֣ישׁ תַּ֧חַת גַּפְנ֛וֹ וְתַ֥חַת תְּאֵנָת֖וֹ וְאֵ֣ין מַחֲרִ֑יד כִּי־פִ֛י יְהֹוָ֥ה צְבָא֖וֹת דִּבֵּֽר: ה כִּ֚י כָּל־הָ֣עַמִּ֔ים יֵלְכ֕וּ אִ֖ישׁ בְּשֵׁ֣ם אֱלֹהָ֑יו וַאֲנַ֗חְנוּ נֵלֵ֛ךְ בְּשֵׁם־יְהֹוָ֥ה אֱלֹהֵ֖ינוּ לְעוֹלָ֥ם וָעֶֽד:

ו בַּיּ֨וֹם הַה֜וּא נְאֻם־יְהֹוָ֗ה אֹֽסְפָה֙ הַצֹּ֣לֵעָ֔ה וְהַנִּדָּחָ֖ה אֲקַבֵּ֑צָה וַאֲשֶׁ֖ר הֲרֵעֹֽתִי: ז וְשַׂמְתִּ֤י אֶת־הַצֹּֽלֵעָה֙ לִשְׁאֵרִ֔ית וְהַנַּהֲלָאָ֖ה לְג֣וֹי עָצ֑וּם וּמָלַ֨ךְ יְהֹוָ֤ה עֲלֵיהֶם֙ בְּהַ֣ר צִיּ֔וֹן מֵעַתָּ֖ה וְעַד־עוֹלָֽם:

ח וְאַתָּ֣ה מִגְדַּל־עֵ֗דֶר עֹ֛פֶל בַּת־צִיּ֖וֹן עָדֶ֣יךָ תֵּאתֶ֑ה וּבָאָ֗ה הַמֶּמְשָׁלָה֙ הָרִ֣אשֹׁנָ֔ה מַמְלֶ֖כֶת לְבַת־יְרוּשָׁלָֽ͏ִם: ט עַתָּ֕ה לָ֥מָּה תָרִ֖יעִי רֵ֑עַ הֲמֶ֣לֶךְ אֵֽין־בָּ֗ךְ אִֽם־יוֹעֲצֵךְ֙ אָבָ֔ד כִּֽי־הֶחֱזִיקֵ֥ךְ חִ֖יל כַּיּוֹלֵדָֽה: י ח֧וּלִי וָגֹ֛חִי בַּת־צִיּ֖וֹן כַּיּֽוֹלֵדָ֑ה כִּֽי־עַתָּה֩ תֵצְאִ֨י מִקִּרְיָ֜ה וְשָׁכַ֣נְתְּ בַּשָּׂדֶ֗ה וּבָ֤את עַד־בָּבֶל֙ שָׁ֣ם תִּנָּצֵ֔לִי שָׁ֚ם יִגְאָלֵ֣ךְ יְהֹוָ֔ה מִכַּ֖ף אֹיְבָֽיִךְ: יא וְעַתָּ֛ה נֶאֶסְפ֥וּ עָלַ֖יִךְ גּוֹיִ֣ם רַבִּ֑ים הָאֹמְרִ֣ים תֶּחֱנָ֔ף וְתַ֥חַז בְּצִיּ֖וֹן עֵינֵֽינוּ: יב וְהֵ֗מָּה לֹ֤א יָֽדְעוּ֙ מַחְשְׁב֣וֹת יְהֹוָ֔ה וְלֹ֥א הֵבִ֖ינוּ עֲצָת֑וֹ כִּ֥י קִבְּצָ֖ם כֶּעָמִ֥יר גֹּֽרְנָה: יג ק֧וּמִי וָד֣וֹשִׁי בַת־צִיּ֗וֹן כִּֽי־קַרְנֵ֞ךְ אָשִׂ֤ים בַּרְזֶל֙ וּפַרְסֹתַ֙יִךְ֙ אָשִׂ֣ים נְחוּשָׁ֔ה וַהֲדִקּ֖וֹת עַמִּ֣ים רַבִּ֑ים וְהַחֲרַמְתִּ֤י לַֽיהֹוָה֙ בִּצְעָ֔ם וְחֵילָ֖ם לַאֲד֥וֹן כָּל־הָאָֽרֶץ: יד עַתָּה֙ תִּתְגֹּדְדִ֣י בַת־גְּד֔וּד מָצ֖וֹר שָׂ֣ם עָלֵ֑ינוּ בַּשֵּׁ֗בֶט יַכּ֛וּ עַל־הַלְּחִ֖י אֵ֥ת שֹׁפֵ֥ט יִשְׂרָאֵֽל:

ה א וְאַתָּ֞ה בֵּֽית־לֶ֣חֶם אֶפְרָ֗תָה צָעִיר֙ לִֽהְיוֹת֙ בְּאַלְפֵ֣י יְהוּדָ֔ה מִמְּךָ֙ לִ֣י יֵצֵ֔א לִֽהְי֥וֹת מוֹשֵׁ֖ל בְּיִשְׂרָאֵ֑ל וּמוֹצָאֹתָ֥יו מִקֶּ֖דֶם מִימֵ֥י עוֹלָֽם: ב לָכֵ֣ן יִתְּנֵ֔ם עַד־עֵ֥ת יֽוֹלֵדָ֖ה יָלָ֑דָה וְיֶ֣תֶר אֶחָ֔יו יְשׁוּב֖וּן עַל־בְּנֵ֥י יִשְׂרָאֵֽל: ג וְעָמַ֗ד וְרָעָה֙ בְּעֹ֣ז יְהֹוָ֔ה בִּגְא֕וֹן שֵׁ֖ם יְהֹוָ֣ה אֱלֹהָ֑יו וְיָשָׁ֕בוּ כִּֽי־עַתָּ֥ה יִגְדַּ֖ל עַד־אַפְסֵי־אָֽרֶץ: ד וְהָיָ֥ה זֶ֖ה שָׁל֑וֹם אַשּׁ֣וּר ׀ כִּֽי־יָב֣וֹא בְאַרְצֵ֗נוּ וְכִ֤י יִדְרֹךְ֙ בְּאַרְמְנֹתֵ֔ינוּ וַהֲקֵמֹ֤נוּ עָלָיו֙ שִׁבְעָ֣ה רֹעִ֔ים וּשְׁמֹנָ֖ה נְסִיכֵ֥י אָדָֽם: ה וְרָע֞וּ אֶת־אֶ֤רֶץ אַשּׁוּר֙ בַּחֶ֔רֶב וְאֶת־אֶ֥רֶץ נִמְרֹ֖ד בִּפְתָחֶ֑יהָ וְהִצִּיל֙ מֵֽאַשּׁ֔וּר כִּֽי־יָב֣וֹא בְאַרְצֵ֔נוּ וְכִ֥י יִדְרֹ֖ךְ בִּגְבוּלֵֽנוּ: ו וְהָיָ֣ה ׀ שְׁאֵרִ֣ית יַעֲקֹ֗ב בְּקֶ֙רֶב֙ עַמִּ֣ים רַבִּ֔ים כְּטַל֙ מֵאֵ֣ת יְהֹוָ֔ה כִּרְבִיבִ֖ים עֲלֵי־עֵ֑שֶׂב אֲשֶׁ֤ר לֹֽא־יְקַוֶּה֙ לְאִ֔ישׁ וְלֹ֥א יְיַחֵ֖ל לִבְנֵ֥י אָדָֽם: ז וְהָיָה֩ שְׁאֵרִ֨ית יַעֲקֹ֜ב בַּגּוֹיִ֗ם בְּקֶ֙רֶב֙ עַמִּ֣ים רַבִּ֔ים כְּאַרְיֵה֙ בְּבַהֲמ֣וֹת יַ֔עַר כִּכְפִ֖יר בְּעֶדְרֵי־צֹ֑אן אֲשֶׁ֧ר אִם־עָבַ֣ר וְרָמַ֗ס וְטָרַ֛ף וְאֵ֥ין מַצִּֽיל: ח תָּרֹ֥ם יָדְךָ֖ עַל־צָרֶ֑יךָ וְכָל־אֹיְבֶ֖יךָ יִכָּרֵֽתוּ:

3 And He shall judge between many peoples, and shall decide concerning mighty nations afar off; and they shall beat their swords into plowshares, and their spears into pruninghooks; nation shall not lift up sword against nation, neither shall they learn war any more. 4 But they shall sit every man under his vine and under his fig-tree; and none shall make them afraid; for the mouth of Yehovah of hosts hath spoken. 5 For let all the peoples walk each one in the name of its god, but we will walk in the name of Yehovah our God for ever and ever.{P}

6 In that day, saith Yehovah, will I assemble her that halteth, and I will gather her that is driven away, and her that I have afflicted; 7 And I will make her that halted a remnant, and her that was cast far off a mighty nation; and Yehovah shall reign over them in mount Zion from thenceforth even for ever.{P}

8 And thou, Migdal-eder, the hill of the daughter of Zion, unto thee shall it come; yea, the former dominion shall come, the kingdom of the daughter of Yerushalam. 9 Now why dost thou cry out aloud? Is there no King in thee, is thy Counsellor perished, that pangs have taken hold of thee as of a woman in travail? 10 Be in pain, and labour to bring forth, O daughter of Zion, like a woman in travail; for now shalt thou go forth out of the city, and shalt dwell in the field, and shalt come even unto Babylon; there shalt thou be rescued; there shall Yehovah redeem thee from the hand of thine enemies. 11 And now many nations are assembled against thee, that say: 'Let her be defiled, and let our eye gaze upon Zion.' 12 But they know not the thoughts of Yehovah, neither understand they His counsel; for He hath gathered them as the sheaves to the threshing-floor. 13 Arise and thresh, O daughter of Zion; for I will make thy horn iron, and I will make thy hoofs brass; and thou shalt beat in pieces many peoples; and thou shalt devote their gain unto Yehovah, and their substance unto the Lord of the whole earth. 14 Now shalt thou gather thyself in troops, O daughter of troops; they have laid siege against us; they smite the judge of Israel with a rod upon the cheek.{S}

5 1 But thou, Beth-lehem Ephrathah, which art little to be among the thousands of Judah, out of thee shall one come forth unto Me that is to be ruler in Israel; whose goings forth are from of old, from ancient days. 2 Therefore will He give them up, until the time that she who travaileth hath brought forth; then the residue of his brethren shall return with the children of Israel. 3 And he shall stand, and shall feed his flock in the strength of Yehovah, in the majesty of the name of Yehovah his God; and they shall abide, for then shall he be great unto the ends of the earth. 4 And this shall be peace: when the Assyrian shall come into our land, and when he shall tread in our palaces, then shall we raise against him seven shepherds, and eight princes among men. 5 And they shall waste the land of Assyria with the sword, and the land of Nimrod with the keen-edged sword; and he shall deliver us from the Assyrian, when he cometh into our land, and when he treadeth within our border.{P}

6 And the remnant of Jacob shall be in the midst of many peoples, as dew from Yehovah, as showers upon the grass, that are not looked for from man, nor awaited at the hands of the sons of men.{P}

7 And the remnant of Jacob shall be among the nations, in the midst of many peoples, as a lion among the beasts of the forest, as a young lion among the flocks of sheep, who, if he go through, treadeth down and teareth in pieces, and there is none to deliver. 8 Let Thy hand be lifted up above Thine adversaries, and let all Thine enemies be cut off.

ט וְהָיָ֤ה בַיּֽוֹם־הַהוּא֙ נְאֻם־יְהֹוָ֔ה וְהִכְרַתִּ֥י סוּסֶ֖יךָ מִקִּרְבֶּ֑ךָ וְהַאֲבַדְתִּ֖י מַרְכְּבֹתֶֽיךָ: י וְהִכְרַתִּ֖י עָרֵ֣י אַרְצֶ֑ךָ וְהָרַסְתִּ֖י כׇּל־מִבְצָרֶֽיךָ: יא וְהִכְרַתִּ֥י כְשָׁפִ֖ים מִיָּדֶ֑ךָ וּֽמְעֽוֹנְנִ֖ים לֹ֥א יִֽהְיוּ־לָֽךְ: יב וְהִכְרַתִּ֧י פְסִילֶ֛יךָ וּמַצֵּבוֹתֶ֖יךָ מִקִּרְבֶּ֑ךָ וְלֹֽא־תִשְׁתַּחֲוֶ֥ה ע֖וֹד לְמַעֲשֵׂ֥ה יָדֶֽיךָ: יג וְנָתַשְׁתִּ֥י אֲשֵׁירֶ֖יךָ מִקִּרְבֶּ֑ךָ וְהִשְׁמַדְתִּ֖י עָרֶֽיךָ: יד וְעָשִׂ֜יתִי בְּאַ֤ף וּבְחֵמָה֙ נָקָ֔ם אֶת־הַגּוֹיִ֖ם אֲשֶׁ֥ר לֹ֥א שָׁמֵֽעוּ:

ו א שִׁמְעוּ־נָ֕א אֵ֥ת אֲשֶׁר־יְהֹוָ֖ה אֹמֵ֑ר ק֚וּם רִ֣יב אֶת־הֶהָרִ֔ים וְתִשְׁמַ֖עְנָה הַגְּבָע֥וֹת קוֹלֶֽךָ: ב שִׁמְע֤וּ הָרִים֙ אֶת־רִ֣יב יְהֹוָ֔ה וְהָאֵתָנִ֖ים מֹ֣סְדֵי אָ֑רֶץ כִּ֣י רִ֤יב לַֽיהֹוָה֙ עִם־עַמּ֔וֹ וְעִם־יִשְׂרָאֵ֖ל יִתְוַכָּֽח: ג עַמִּ֛י מֶה־עָשִׂ֥יתִי לְךָ֖ וּמָ֣ה הֶלְאֵתִ֑יךָ עֲנֵ֥ה בִֽי: ד כִּ֤י הֶעֱלִתִ֙יךָ֙ מֵאֶ֣רֶץ מִצְרַ֔יִם וּמִבֵּ֥ית עֲבָדִ֖ים פְּדִיתִ֑יךָ וָאֶשְׁלַ֣ח לְפָנֶ֔יךָ אֶת־מֹשֶׁ֖ה אַהֲרֹ֥ן וּמִרְיָֽם: ה עַמִּ֗י זְכׇר־נָא֙ מַה־יָּעַ֗ץ בָּלָק֙ מֶ֣לֶךְ מוֹאָ֔ב וּמֶה־עָנָ֥ה אֹת֖וֹ בִּלְעָ֣ם בֶּן־בְּע֑וֹר מִן־הַשִּׁטִּים֙ עַד־הַגִּלְגָּ֔ל לְמַ֕עַן דַּ֖עַת צִדְק֥וֹת יְהֹוָֽה: ו בַּמָּה֙ אֲקַדֵּ֣ם יְהֹוָ֔ה אִכַּ֖ף לֵאלֹהֵ֣י מָר֑וֹם הַאֲקַדְּמֶ֣נּוּ בְעוֹל֔וֹת בַּעֲגָלִ֖ים בְּנֵ֥י שָׁנָֽה: ז הֲיִרְצֶ֤ה יְהֹוָה֙ בְּאַלְפֵ֣י אֵילִ֔ים בְּרִֽבְב֖וֹת נַֽחֲלֵי־שָׁ֑מֶן הַאֶתֵּ֤ן בְּכוֹרִי֙ פִּשְׁעִ֔י פְּרִ֥י בִטְנִ֖י חַטַּ֥את נַפְשִֽׁי: ח הִגִּ֥יד לְךָ֛ אָדָ֖ם מַה־טּ֑וֹב וּמָֽה־יְהֹוָ֞ה דּוֹרֵ֣שׁ מִמְּךָ֗ כִּ֣י אִם־עֲשׂ֤וֹת מִשְׁפָּט֙ וְאַ֣הֲבַת חֶ֔סֶד וְהַצְנֵ֥עַ לֶ֖כֶת עִם־אֱלֹהֶֽיךָ:

ט ק֤וֹל יְהֹוָה֙ לָעִ֣יר יִקְרָ֔א וְתֽוּשִׁיָּ֖ה יִרְאֶ֣ה שְׁמֶ֑ךָ שִׁמְע֥וּ מַטֶּ֖ה וּמִ֥י יְעָדָֽהּ: י ע֗וֹד הַאִ֛שׁ בֵּ֣ית רָשָׁ֔ע אֹצְר֖וֹת רֶ֑שַׁע וְאֵיפַ֥ת רָז֖וֹן זְעוּמָֽה: יא הַאֶזְכֶּ֖ה בְּמֹ֣אזְנֵי רֶ֑שַׁע וּבְכִ֖יס אַבְנֵ֥י מִרְמָֽה: יב אֲשֶׁ֤ר עֲשִׁירֶ֙יהָ֙ מָלְא֣וּ חָמָ֔ס וְיֹשְׁבֶ֖יהָ דִּבְּרוּ־שָׁ֑קֶר וּלְשׁוֹנָ֖ם רְמִיָּ֥ה בְּפִיהֶֽם: יג וְגַם־אֲנִ֥י הֶחֱלֵ֖יתִי הַכּוֹתֶ֑ךָ הַשְׁמֵ֖ם עַל־חַטֹּאתֶֽךָ: יד אַתָּ֤ה תֹאכַל֙ וְלֹ֣א תִשְׂבָּ֔ע וְיֶשְׁחֲךָ֖ בְּקִרְבֶּ֑ךָ וְתַסֵּ֣ג וְלֹ֣א תַפְלִ֔יט וַאֲשֶׁ֥ר תְּפַלֵּ֖ט לַחֶ֥רֶב אֶתֵּֽן: טו אַתָּ֤ה תִזְרַע֙ וְלֹ֣א תִקְצ֔וֹר אַתָּ֤ה תִדְרֹךְ־זַ֙יִת֙ וְלֹא־תָס֣וּךְ שֶׁ֔מֶן וְתִיר֖וֹשׁ וְלֹ֥א תִשְׁתֶּה־יָּֽיִן: טז וְיִשְׁתַּמֵּ֞ר חֻקּ֣וֹת עׇמְרִ֗י וְכֹל֙ מַעֲשֵׂ֣ה בֵית־אַחְאָ֔ב וַתֵּלְכ֖וּ בְּמֹֽעֲצוֹתָ֑ם לְמַ֩עַן֩ תִּתִּ֨י אֹתְךָ֜ לְשַׁמָּ֗ה וְיֹשְׁבֶ֙יהָ֙ לִשְׁרֵקָ֔ה וְחֶרְפַּ֥ת עַמִּ֖י תִּשָּֽׂאוּ:

ז א אַ֣לְלַ֣י לִ֗י כִּ֤י הָיִ֙יתִי֙ כְּאׇסְפֵּי־קַ֔יִץ כְּעֹלְלֹ֖ת בָּצִ֑יר אֵין־אֶשְׁכּ֣וֹל לֶאֱכ֔וֹל בִּכּוּרָ֖ה אִוְּתָ֥ה נַפְשִֽׁי: ב אָבַ֤ד חָסִיד֙ מִן־הָאָ֔רֶץ וְיָשָׁ֥ר בָּאָדָ֖ם אָ֑יִן כֻּלָּם֙ לְדָמִ֣ים יֶאֱרֹ֔בוּ אִ֥ישׁ אֶת־אָחִ֖יהוּ יָצ֥וּדוּ חֵֽרֶם: ג עַל־הָרַ֤ע כַּפַּ֙יִם֙ לְהֵיטִ֔יב הַשַּׂ֣ר שֹׁאֵ֗ל וְהַשֹּׁפֵ֤ט בַּשִּׁלּוּם֙ וְהַגָּד֗וֹל דֹּבֵ֨ר הַוַּ֥ת נַפְשׁ֛וֹ ה֖וּא וַֽיְעַבְּתֽוּהָ:

9 And it shall come to pass in that day, saith Yehovah, that I will cut off thy horses out of the midst of thee, and will destroy thy chariots; **10** And I will cut off the cities of thy land, and will throw down all thy strongholds; **11** And I will cut off witchcrafts out of thy hand; and thou shalt have no more soothsayers; **12** And I will cut off thy graven images and thy pillars out of the midst of thee; and thou shalt no more worship the work of thy hands. **13** And I will pluck up thy Asherim out of the midst of thee; and I will destroy thine enemies. **14** And I will execute vengeance in anger and fury upon the nations, because they hearkened not.{P}

6 **1** Hear ye now what Yehovah saith: Arise, contend thou before the mountains, and let the hills hear thy voice. **2** Hear, O ye mountains, Yehovah's controversy, and ye enduring rocks, the foundations of the earth; for Yehovah hath a controversy with His people, and He will plead with Israel. **3** O My people, what have I done unto thee? And wherein have I wearied thee? Testify against Me. **4** For I brought thee up out of the land of Egypt, and redeemed thee out of the house of bondage, and I sent before thee Moses, Aaron, and Miriam. **5** O My people, remember now what Balak king of Moab devised, and what Bilaam the son of Beor answered him; from Shittim unto Gilgal, that ye may know the righteous acts of Yehovah. **6** 'Wherewith shall I come before Yehovah, and bow myself before God on high? Shall I come before Him with burnt-offerings, with calves of a year old? **7** Will Yehovah be pleased with thousands of rams, with ten thousands of rivers of oil? Shall I give my first-born for my transgression, the fruit of my body for the sin of my soul?' **8** It hath been told thee, O man, what is good, and what Yehovah doth require of thee: only to do justly, and to love mercy, and to walk humbly with thy God.{S} **9** Hark! Yehovah crieth unto the city–and it is wisdom to have regard for Thy name–hear ye the rod, and who hath appointed it. **10** Are there yet the treasures of wickedness in the house of the wicked, and the scant measure that is abominable? **11** 'Shall I be pure with wicked balances, and with a bag of deceitful weights?' **12** For the rich men thereof are full of violence, and the inhabitants thereof have spoken lies, and their tongue is deceitful in their mouth. **13** Therefore I also do smite thee with a grievous wound; I do make thee desolate because of thy sins. **14** Thou shalt eat, but not be satisfied; and thy sickness shall be in thine inward parts; and thou shalt conceive, but shalt not bring forth; and whomsoever thou bringest forth will I give up to the sword. **15** Thou shalt sow, but shalt not reap; thou shalt tread the olives, but shalt not anoint thee with oil; and the vintage, but shalt not drink wine. **16** For the statutes of Omri are kept, and all the works of the house of Ahab, and ye walk in their counsels; that I may make thee an astonishment, and the inhabitants thereof a hissing; and ye shall bear the reproach of My people.{P}

7 **1** Woe is me! for I am as the last of the summer fruits, as the grape gleanings of the vintage; there is no cluster to eat; nor first-ripe fig which my soul desireth. **2** The godly man is perished out of the earth, and the upright among men is no more; they all lie in wait for blood; they hunt every man his brother with a net. **3** Their hands are upon that which is evil to do it diligently; the prince asketh, and the judge is ready for a reward; and the great man, he uttereth the evil desire of his soul; thus they weave it together.

ד טוֹבָם כְּחֵ֔דֶק יָשָׁ֖ר מִמְּסוּכָ֑ה יֹ֤ום מְצַפֶּ֙יךָ֙ פְּקֻדָּתְךָ֣ בָ֔אָה עַתָּ֖ה תִהְיֶ֥ה מְבוּכָתָֽם: ה אַל־תַּאֲמִ֣ינוּ בְרֵ֔עַ אַֽל־תִּבְטְח֖וּ בְּאַלּ֑וּף מִשֹּׁכֶ֣בֶת חֵיקֶ֔ךָ שְׁמֹ֖ר פִּתְחֵי־פִֽיךָ: ו כִּי־בֵן֙ מְנַבֵּ֣ל אָ֔ב בַּ֚ת קָמָ֣ה בְאִמָּ֔הּ כַּלָּ֖ה בַּחֲמֹתָ֑הּ אֹֽיְבֵ֥י אִ֖ישׁ אַנְשֵׁ֥י בֵיתֽוֹ: ז וַאֲנִי֙ בַּֽיהֹוָ֣ה אֲצַפֶּ֔ה אוֹחִ֖ילָה לֵאלֹהֵ֣י יִשְׁעִ֑י יִשְׁמָעֵ֖נִי אֱלֹהָֽי: ח אַֽל־תִּשְׂמְחִ֤י אֹיַ֙בְתִּי֙ לִ֔י כִּ֥י נָפַ֖לְתִּי קָ֑מְתִּי כִּֽי־אֵשֵׁ֣ב בַּחֹ֔שֶׁךְ יְהֹוָ֖ה א֥וֹר לִֽי: ט זַ֤עַף יְהֹוָה֙ אֶשָּׂ֔א כִּ֥י חָטָ֖אתִי ל֑וֹ עַד֩ אֲשֶׁ֨ר יָרִ֤יב רִיבִי֙ וְעָשָׂ֣ה מִשְׁפָּטִ֔י יוֹצִיאֵ֣נִי לָא֔וֹר אֶרְאֶ֖ה בְּצִדְקָתֽוֹ: י וְתֵרֶ֤א אֹיַ֙בְתִּי֙ וּתְכַסֶּ֣הָ בוּשָׁ֔ה הָאֹמְרָ֣ה אֵלַ֔י אַיּ֖וֹ יְהֹוָ֣ה אֱלֹהָ֑יִךְ עֵינַי֙ תִּרְאֶ֣ינָה בָּ֔הּ עַתָּ֛ה תִּֽהְיֶ֥ה לְמִרְמָ֖ס כְּטִ֥יט חוּצֽוֹת: יא י֖וֹם לִבְנ֣וֹת גְּדֵרָ֑יִךְ י֥וֹם הַה֖וּא יִרְחַק־חֹֽק: יב י֥וֹם הוּא֙ וְעָדֶ֣יךָ יָב֔וֹא לְמִנִּ֥י אַשּׁ֖וּר וְעָרֵ֣י מָצ֑וֹר וּלְמִנִּ֤י מָצוֹר֙ וְעַד־נָהָ֔ר וְיָ֥ם מִיָּ֖ם וְהַ֥ר הָהָֽר: יג וְהָיְתָ֥ה הָאָ֛רֶץ לִשְׁמָמָ֖ה עַל־יֹֽשְׁבֶ֑יהָ מִפְּרִ֖י מַֽעַלְלֵיהֶֽם: יד רְעֵ֧ה עַמְּךָ֣ בְשִׁבְטֶ֗ךָ צֹ֚אן נַֽחֲלָתֶ֔ךָ שֹׁכְנִ֣י לְבָדָ֔ד יַ֖עַר בְּת֣וֹךְ כַּרְמֶ֑ל יִרְע֥וּ בָשָׁ֛ן וְגִלְעָ֖ד כִּימֵ֥י עוֹלָֽם: יה כִּימֵ֥י צֵאתְךָ֖ מֵאֶ֣רֶץ מִצְרָ֑יִם אַרְאֶ֖נּוּ נִפְלָאֽוֹת: יו יִרְא֤וּ גוֹיִם֙ וְיֵבֹ֔שׁוּ מִכֹּ֖ל גְּב֣וּרָתָ֑ם יָשִׂ֤ימוּ יָד֙ עַל־פֶּ֔ה אָזְנֵיהֶ֖ם תֶּחֱרַֽשְׁנָה: יז יְלַֽחֲכ֤וּ עָפָר֙ כַּנָּחָ֔שׁ כְּזֹחֲלֵ֣י אֶ֔רֶץ יִרְגְּז֖וּ מִמִּסְגְּרֹֽתֵיהֶ֑ם אֶל־יְהֹוָ֤ה אֱלֹהֵ֙ינוּ֙ יִפְחָ֔דוּ וְיִֽרְא֖וּ מִמֶּֽךָּ: יח מִי־אֵ֣ל כָּמ֗וֹךָ נֹשֵׂ֤א עָוֹן֙ וְעֹבֵ֣ר עַל־פֶּ֔שַׁע לִשְׁאֵרִ֖ית נַֽחֲלָת֑וֹ לֹֽא־הֶחֱזִ֤יק לָעַד֙ אַפּ֔וֹ כִּֽי־חָפֵ֥ץ חֶ֖סֶד הֽוּא: יט יָשׁ֣וּב יְרַֽחֲמֵ֔נוּ יִכְבֹּ֖שׁ עֲוֹֽנֹתֵ֑ינוּ וְתַשְׁלִ֥יךְ בִּמְצֻל֥וֹת יָ֖ם כָּל־חַטֹּאותָֽם: כ תִּתֵּ֤ן אֱמֶת֙ לְיַֽעֲקֹ֔ב חֶ֖סֶד לְאַבְרָהָ֑ם אֲשֶׁר־נִשְׁבַּ֥עְתָּ לַֽאֲבֹתֵ֖ינוּ מִ֥ימֵי קֶֽדֶם:

4 The best of them is as a brier; the most upright is worse than a thorn hedge; the day of thy watchmen, even thy visitation, is come; now shall be their perplexity. **5** Trust ye not in a friend, put ye not confidence in a familiar friend; keep the doors of thy mouth from her that lieth in thy bosom. **6** For the son dishonoureth the father, the daughter riseth up against her mother, the daughter-in-law against her mother-in-law; a man's enemies are the men of his own house. **7** 'But as for me, I will look unto Yehovah; I will wait for the God of my salvation; my God will hear me. **8** Rejoice not against me, O mine enemy; though I am fallen, I shall arise; though I sit in darkness, Yehovah is a light unto me.{P}

9 I will bear the indignation of Yehovah, because I have sinned against Him; until He plead my cause, and execute judgment for me; He will bring me forth to the light, and I shall behold His righteousness. **10** Then mine enemy shall see it, and shame shall cover her; who said unto me: Where is Yehovah thy God? Mine eyes shall gaze upon her; now shall she be trodden down as the mire of the streets.' **11** 'The day for building thy walls, even that day, shall be far removed.' **12** There shall be a day when they shall come unto thee, from Assyria even to the cities of Egypt, and from Egypt even to the River, and from sea to sea, and from mountain to mountain. **13** And the land shall be desolate for them that dwell therein, because of the fruit of their doings.{P}

14 Tend Thy people with Thy staff, the flock of Thy heritage, that dwell solitarily, as a forest in the midst of the fruitful field; let them feed in Bashan and Gilead, as in the days of old. **15** 'As in the days of thy coming forth out of the land of Egypt will I show unto him marvellous things.' **16** The nations shall see and be put to shame for all their might; they shall lay their hand upon their mouth, their ears shall be deaf. **17** They shall lick the dust like a serpent; like crawling things of the earth they shall come trembling out of their close places; they shall come with fear unto Yehovah our God, and shall be afraid because of Thee. **18** Who is a God like unto Thee, that pardoneth the iniquity, and passeth by the transgression of the remnant of His heritage? He retaineth not His anger for ever, because He delighteth in mercy. **19** He will again have compassion upon us; He will subdue our iniquities; and Thou wilt cast all their sins into the depths of the sea. **20** Thou wilt show faithfulness to Jacob, mercy to Abraham, as Thou hast sworn unto our fathers from the days of old.{P}

נחום

Nahum

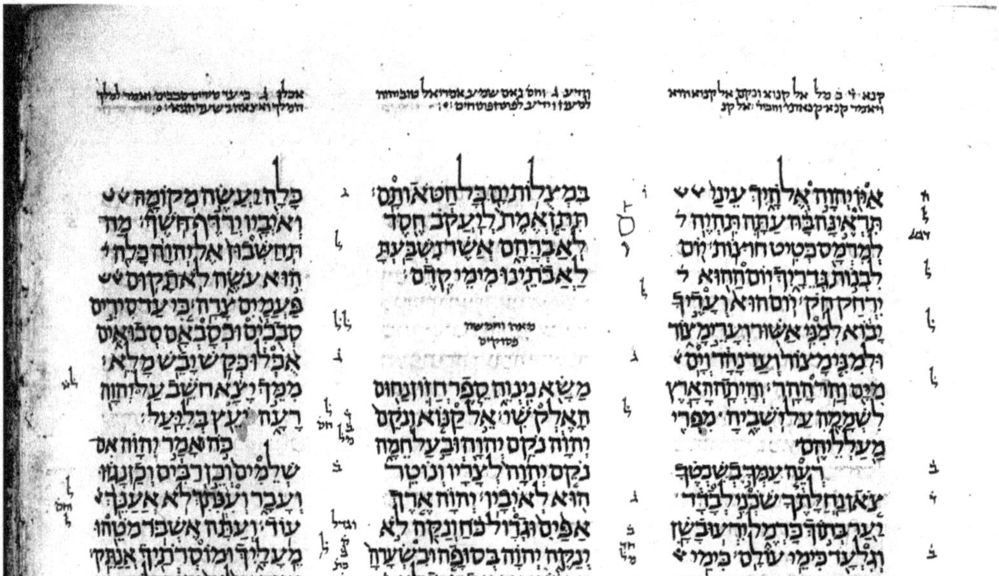

Book of Nahum in the Leningrad Codex
(middle column, upper, page 635 in pdf)

א א מַשָּׂא נִינְוֵה סֵפֶר חֲז֖וֹן נַח֥וּם הָאֶלְקֹשִֽׁי: ב אֵ֣ל קַנּ֤וֹא וְנֹקֵם֙ יְהֹוָ֔ה נֹקֵ֥ם יְהֹוָ֖ה וּבַ֣עַל חֵמָ֑ה נֹקֵ֤ם יְהֹוָה֙ לְצָרָ֔יו וְנוֹטֵ֥ר ה֖וּא לְאֹֽיְבָֽיו: ג יְהֹוָ֗ה אֶ֤רֶךְ אַפַּ֙יִם֙ וּגְדָל־כֹּ֔חַ ‏¹ וְנַקֵּ֖ה לֹ֣א יְנַקֶּ֑ה יְהֹוָ֗ה בְּסוּפָ֤ה וּבִשְׂעָרָה֙ דַּרְכּ֔וֹ וְעָנָ֖ן אֲבַ֥ק רַגְלָֽיו: ד גּוֹעֵ֤ר בַּיָּם֙ וַֽיַּבְּשֵׁ֔הוּ וְכָל־הַנְּהָר֖וֹת הֶֽחֱרִ֑יב אֻמְלַ֤ל בָּשָׁן֙ וְכַרְמֶ֔ל וּפֶ֥רַח לְבָנ֖וֹן אֻמְלָֽל: ה הָרִים֙ רָעֲשׁ֣וּ מִמֶּ֔נּוּ וְהַגְּבָע֖וֹת הִתְמֹגָ֑גוּ וַתִּשָּׂ֤א הָאָ֙רֶץ֙ מִפָּנָ֔יו וְתֵבֵ֖ל וְכָל־יֹ֥שְׁבֵי בָֽהּ: ו לִפְנֵ֤י זַעְמוֹ֙ מִ֣י יַֽעֲמ֔וֹד וּמִ֥י יָק֖וּם בַּֽחֲר֣וֹן אַפּ֑וֹ חֲמָתוֹ֙ נִתְּכָ֣ה כָאֵ֔שׁ וְהַצֻּרִ֖ים נִתְּצ֥וּ מִמֶּֽנּוּ: ז ט֣וֹב יְהֹוָ֔ה לְמָע֖וֹז בְּי֣וֹם צָרָ֑ה וְיֹדֵ֖עַ חֹ֥סֵי בֽוֹ: ח וּבְשֶׁ֣טֶף עֹבֵ֔ר כָּלָ֖ה יַֽעֲשֶׂ֣ה מְקוֹמָ֑הּ וְאֹֽיְבָ֖יו יְרַדֶּף־חֹֽשֶׁךְ: ט מַה־תְּחַשְּׁבוּן֙ אֶל־יְהֹוָ֔ה כָּלָ֖ה ה֣וּא עֹשֶׂ֑ה לֹֽא־תָק֥וּם פַּֽעֲמַ֖יִם צָרָֽה: י כִּ֚י עַד־סִירִ֣ים סְבֻכִ֔ים וּכְסָבְאָ֖ם סְבוּאִ֑ים אֻכְּל֕וּ כְּקַ֥שׁ יָבֵ֖שׁ מָלֵֽא: יא מִמֵּ֣ךְ יָצָ֔א חֹשֵׁ֥ב עַל־יְהֹוָ֖ה רָעָ֑ה יֹעֵ֖ץ בְּלִיָּֽעַל: יב כֹּ֣ה ׀ אָמַ֣ר יְהֹוָ֗ה אִם־שְׁלֵמִים֙ וְכֵ֣ן רַבִּ֔ים וְכֵ֥ן נָגֹ֖זּוּ וְעָבָ֑ר וְעִ֨נִּתִ֔ךְ לֹ֥א אֲעַנֵּ֖ךְ עֽוֹד: יג וְעַתָּ֕ה אֶשְׁבֹּ֥ר מֹטֵ֖הוּ מֵֽעָלָ֑יִךְ וּמֽוֹסְרֹתַ֖יִךְ אֲנַתֵּֽק: יד וְצִוָּ֤ה עָלֶ֙יךָ֙ יְהֹוָ֔ה לֹֽא־יִזָּרַ֥ע מִשִּׁמְךָ֖ ע֑וֹד מִבֵּ֨ית אֱלֹהֶ֜יךָ אַכְרִ֣ית פֶּ֤סֶל וּמַסֵּכָ֔ה אָשִׂ֥ים קִבְרֶ֖ךָ כִּ֥י קַלּֽוֹתָ:

ב א הִנֵּ֨ה עַל־הֶֽהָרִ֜ים רַגְלֵ֤י מְבַשֵּׂר֙ מַשְׁמִ֣יעַ שָׁל֔וֹם חׇגִּ֧י יְהוּדָ֛ה חַגַּ֖יִךְ שַׁלְּמִ֣י נְדָרָ֑יִךְ כִּי֩ לֹ֨א יוֹסִ֥יף ע֛וֹד לעבור ‏² בָּ֥ךְ בְּלִיַּ֖עַל כֻּלֹּ֥ה נִכְרָֽת: ב עָלָ֥ה מֵפִ֛יץ עַל־פָּנַ֖יִךְ נָצ֣וֹר מְצֻרָ֑ה צַפֵּה־דֶ֙רֶךְ֙ חַזֵּ֣ק מׇתְנַ֔יִם אַמֵּ֥ץ כֹּ֖חַ מְאֹֽד: ג כִּ֣י שָׁ֤ב יְהֹוָה֙ אֶת־גְּא֣וֹן יַֽעֲקֹ֔ב כִּגְא֖וֹן יִשְׂרָאֵ֑ל כִּ֤י בְקָקוּם֙ בֹּ֣קְקִ֔ים וּזְמֹֽרֵיהֶ֖ם שִׁחֵֽתוּ: ד מָגֵ֨ן גִּבֹּרֵ֜יהוּ מְאׇדָּ֗ם אַנְשֵׁי־חַ֙יִל֙ מְתֻלָּעִ֔ים בְּאֵשׁ־פְּלָד֥וֹת הָרֶ֖כֶב בְּי֣וֹם הֲכִינ֑וֹ וְהַבְּרֹשִׁ֖ים הׇרְעָֽלוּ: ה בַּֽחוּצוֹת֙ יִתְהֽוֹלְל֣וּ הָרֶ֔כֶב יִֽשְׁתַּקְשְׁק֖וּן בָּֽרְחֹב֑וֹת מַרְאֵיהֶן֙ כַּלַּפִּידִ֔ם כַּבְּרָקִ֖ים יְרוֹצֵֽצוּ: ו יִזְכֹּר֙ אַדִּירָ֔יו יִכָּֽשְׁל֖וּ בַּהֲלִֽיכָתָ֑ם ‏³ יְמַֽהֲרוּ֙ חֽוֹמָתָ֔הּ וְהֻכַ֖ן הַסֹּכֵֽךְ: ז שַֽׁעֲרֵ֥י הַנְּהָר֖וֹת נִפְתָּ֑חוּ וְהַֽהֵיכָ֖ל נָמֽוֹג: ח וְהֻצַּ֖ב גֻּלְּתָ֣ה הֹֽעֲלָ֑תָה וְאַמְהֹתֶ֗יהָ מְנַֽהֲגוֹת֙ כְּק֣וֹל יוֹנִ֔ים מְתֹפְפֹ֖ת עַל־לִבְבֵהֶֽן: ט וְנִינְוֵ֥ה כִבְרֵֽכַת־מַ֖יִם מִ֣ימֵי הִ֑יא וְהֵ֣מָּה נָסִ֔ים עִמְד֥וּ עֲמֹ֖דוּ וְאֵ֥ין מַפְנֶֽה: י בֹּ֥זּוּ כֶ֖סֶף בֹּ֣זּוּ זָהָ֑ב וְאֵ֥ין קֵ֙צֶה֙ לַתְּכוּנָ֔ה כָּבֹ֕ד מִכֹּ֖ל כְּלִ֥י חֶמְדָּֽה: יא בּוּקָ֥ה וּמְבוּקָ֖ה וּמְבֻלָּקָ֑ה וְלֵ֨ב נָמֵ֜ס וּפִ֣ק בִּרְכַּ֗יִם וְחַלְחָלָה֙ בְּכׇל־מׇתְנַ֔יִם וּפְנֵ֥י כֻלָּ֖ם קִבְּצ֥וּ פָארֽוּר: יב אַיֵּה֙ מְע֣וֹן אֲרָי֔וֹת וּמִרְעֶ֥ה ה֖וּא לַכְּפִרִ֑ים אֲשֶׁ֣ר הָלַךְ֩ אַרְיֵ֨ה לָבִ֥יא שָׁ֛ם גּ֥וּר אַרְיֵ֖ה וְאֵ֥ין מַֽחֲרִֽיד:

‏¹ וּגְדוֹל

‏² לַֽעֲבוֹר

‏³ בַּהֲלִֽכוֹתָם

1 1 The burden of Nineveh. The book of the vision of Nahum the Elkoshite. 2 Yehovah is a jealous and avenging God, Yehovah avengeth and is full of wrath; Yehovah taketh vengeance on His adversaries, and He reserveth wrath for His enemies. 3 Yehovah is long-suffering, and great in power, and will by no means clear the guilty; Yehovah, in the whirlwind and in the storm is His way, and the clouds are the dust of His feet. 4 He rebuketh the sea, and maketh it dry, and drieth up all the rivers; Bashan languisheth, and Carmel, and the flower of Lebanon languisheth. 5 The mountains quake at Him, and the hills melt; and the earth is upheaved at His presence, yea, the world, and all that dwell therein. 6 Who can stand before His indignation? And who can abide in the fierceness of His anger? His fury is poured out like fire, and the rocks are broken asunder before Him. 7 Yehovah is good, a stronghold in the day of trouble; and He knoweth them that take refuge in Him. 8 But with an overrunning flood He will make a full end of the place thereof, and darkness shall pursue His enemies. 9 What do ye devise against Yehovah? He will make a full end; trouble shall not rise up the second time. 10 For though they be like tangled thorns, and be drunken according to their drink, they shall be devoured as stubble fully dry. 11 Out of thee came he forth, that deviseth evil against Yehovah, that counselleth wickedness.{S} 12 Thus saith Yehovah: Though they be in full strength, and likewise many, even so shall they be cut down, and he shall pass away; and though I have afflicted thee, I will afflict thee no more. 13 And now will I break his yoke from off thee, and will burst thy bonds in sunder. 14 And Yehovah hath given commandment concerning thee, that no more of thy name be sown; out of the house of thy god will I cut off the graven image and the molten image; I will make thy grave; for thou art become worthless.{P}

2 1 Behold upon the mountains the feet of him that bringeth good tidings, that announceth peace! Keep thy feasts, O Judah, perform thy vows; for the wicked one shall no more pass through thee; he is utterly cut off. 2 A maul is come up before thy face; guard the defences, watch the way, make thy loins strong, fortify thy power mightily!– 3 For Yehovah restoreth the pride of Jacob, as the pride of Israel; for the emptiers have emptied them out, and marred their vine-branches.– 4 The shield of his mighty men is made red, the valiant men are in scarlet; the chariots are fire of steel in the day of his preparation, and the cypress spears are made to quiver. 5 The chariots rush madly in the streets, they jostle one against another in the broad places; the appearance of them is like torches, they run to and fro like the lightnings. 6 He bethinketh himself of his worthies; they stumble in their march; they make haste to the wall thereof, and the mantelet is prepared. 7 The gates of the rivers are opened, and the palace is dissolved. 8 And the queen is uncovered, she is carried away, and her handmaids moan as with the voice of doves, tabering upon their breasts. 9 But Nineveh hath been from of old like a pool of water; yet they flee away; 'Stand, stand'; but none looketh back. 10 Take ye the spoil of silver, take the spoil of gold; for there is no end of the store, rich with all precious vessels. 11 She is empty, and void, and waste; and the heart melteth, and the knees smite together, and convulsion is in all loins, and the faces of them all have gathered blackness. 12 Where is the den of the lions, which was the feeding-place of the young lions, where the lion and the lioness walked, and the lion's whelp, and none made them afraid?

יג אַרְיֵה טֹרֵף בְּדֵי גֹרוֹתָיו וּמְחַנֵּק לְלִבְאֹתָיו וַיְמַלֵּא־טֶרֶף חֹרָיו וּמְעֹנֹתָיו
טְרֵפָה׃ יד הִנְנִי אֵלַיִךְ נְאֻם יְהוָה צְבָאוֹת וְהִבְעַרְתִּי בֶעָשָׁן רִכְבָּהּ
וּכְפִירַיִךְ תֹּאכַל חָרֶב וְהִכְרַתִּי מֵאֶרֶץ טַרְפֵּךְ וְלֹא־יִשָּׁמַע עוֹד קוֹל
מַלְאָכֵכֵה׃

ג א הוֹי עִיר דָּמִים כֻּלָּהּ כַּחַשׁ פֶּרֶק מְלֵאָה לֹא יָמִישׁ טָרֶף׃ ב קוֹל שׁוֹט
וְקוֹל רַעַשׁ אוֹפָן וְסוּס דֹּהֵר וּמֶרְכָּבָה מְרַקֵּדָה׃ ג פָּרָשׁ מַעֲלֶה וְלַהַב
חֶרֶב וּבְרַק חֲנִית וְרֹב חָלָל וְכֹבֶד פָּגֶר וְאֵין קֵצֶה לַגְּוִיָּה
וְכָשְׁלוּ[4] בִּגְוִיָּתָם׃ ד מֵרֹב זְנוּנֵי זוֹנָה טוֹבַת חֵן בַּעֲלַת כְּשָׁפִים הַמֹּכֶרֶת
גּוֹיִם בִּזְנוּנֶיהָ וּמִשְׁפָּחוֹת בִּכְשָׁפֶיהָ׃ ה הִנְנִי אֵלַיִךְ נְאֻם יְהוָה צְבָאוֹת
וְגִלֵּיתִי שׁוּלַיִךְ עַל־פָּנָיִךְ וְהַרְאֵיתִי גוֹיִם מַעְרֵךְ וּמַמְלָכוֹת קְלוֹנֵךְ׃
ו וְהִשְׁלַכְתִּי עָלַיִךְ שִׁקֻּצִים וְנִבַּלְתִּיךְ וְשַׂמְתִּיךְ כְּרֹאִי׃ ז וְהָיָה כָל־רֹאַיִךְ
יִדּוֹד מִמֵּךְ וְאָמַר שָׁדְּדָה נִינְוֵה מִי יָנוּד לָהּ מֵאַיִן אֲבַקֵּשׁ מְנַחֲמִים לָךְ׃
ח הֲתֵיטְבִי מִנֹּא אָמוֹן הַיֹּשְׁבָה בַּיְאֹרִים מַיִם סָבִיב לָהּ אֲשֶׁר־חֵיל יָם
מִיָּם חוֹמָתָהּ׃ ט כּוּשׁ עָצְמָה וּמִצְרַיִם וְאֵין קֵצֶה פּוּט וְלוּבִים הָיוּ
בְּעֶזְרָתֵךְ׃ י גַּם־הִיא לַגֹּלָה הָלְכָה בַשֶּׁבִי גַּם עֹלָלֶיהָ יְרֻטְּשׁוּ בְּרֹאשׁ
כָּל־חוּצוֹת וְעַל־נִכְבַּדֶּיהָ יַדּוּ גוֹרָל וְכָל־גְּדוֹלֶיהָ רֻתְּקוּ בַזִּקִּים׃
יא גַּם־אַתְּ תִּשְׁכְּרִי תְּהִי נַעֲלָמָה גַּם־אַתְּ תְּבַקְשִׁי מָעוֹז מֵאוֹיֵב׃
יב כָּל־מִבְצָרַיִךְ תְּאֵנִים עִם־בִּכּוּרִים אִם־יִנּוֹעוּ וְנָפְלוּ עַל־פִּי אוֹכֵל׃
יג הִנֵּה עַמֵּךְ נָשִׁים בְּקִרְבֵּךְ לְאֹיְבַיִךְ פָּתוֹחַ נִפְתְּחוּ שַׁעֲרֵי אַרְצֵךְ אָכְלָה
אֵשׁ בְּרִיחָיִךְ׃ יד מֵי מָצוֹר שַׁאֲבִי־לָךְ חַזְּקִי מִבְצָרָיִךְ בֹּאִי בַטִּיט וְרִמְסִי
בַחֹמֶר הַחֲזִיקִי מַלְבֵּן׃ טו שָׁם תֹּאכְלֵךְ אֵשׁ תַּכְרִיתֵךְ חֶרֶב תֹּאכְלֵךְ
כַּיָּלֶק הִתְכַּבֵּד כַּיֶּלֶק הִתְכַּבְּדִי כָּאַרְבֶּה׃ טז הִרְבֵּית רֹכְלַיִךְ מִכּוֹכְבֵי
הַשָּׁמָיִם יֶלֶק פָּשַׁט וַיָּעֹף׃ יז מִנְּזָרַיִךְ כָּאַרְבֶּה וְטַפְסְרַיִךְ כְּגוֹב גֹּבָי
הַחוֹנִים בַּגְּדֵרוֹת בְּיוֹם קָרָה שֶׁמֶשׁ זָרְחָה וְנוֹדַד וְלֹא־נוֹדַע מְקוֹמוֹ אַיָּם׃
יח נָמוּ רֹעֶיךָ מֶלֶךְ אַשּׁוּר יִשְׁכְּנוּ אַדִּירֶיךָ נָפֹשׁוּ עַמְּךָ עַל־הֶהָרִים וְאֵין
מְקַבֵּץ׃ יט אֵין־כֵּהָה לְשִׁבְרֶךָ נַחְלָה מַכָּתֶךָ כֹּל | שֹׁמְעֵי שִׁמְעֲךָ תָּקְעוּ
כַף עָלֶיךָ כִּי עַל־מִי לֹא־עָבְרָה רָעָתְךָ תָּמִיד׃

[4] יכשלו

13 The lion did tear in pieces enough for his whelps, and strangled for his lionesses, and filled his caves with prey, and his dens with ravin. **14** Behold, I am against thee, saith Yehovah of hosts, and I will burn her chariots in the smoke, and the sword shall devour thy young lions; and I will cut off thy prey from the earth, and the voice of thy messengers shall no more be heard.{P}

3 **1** Woe to the bloody city! It is all full of lies and rapine; the prey departeth not. **2** Hark! the whip, and hark! the rattling of the wheels; and prancing horses, and bounding chariots; **3** The horseman charging, and the flashing sword, and the glittering spear; and a multitude of slain, and a heap of carcases; and there is no end of the corpses, and they stumble upon their corpses; **4** Because of the multitude of the harlotries of the well-favoured harlot, the mistress of witchcrafts, that selleth nations through her harlotries, and families through her witchcrafts. **5** Behold, I am against thee, saith Yehovah of hosts, and I will uncover thy skirts upon thy face, and I will shew the nations thy nakedness, and the kingdoms thy shame. **6** And I will cast detestable things upon thee, and make thee vile, and will make thee as dung. **7** And it shall come to pass, that all they that look upon thee shall flee from thee, and say: 'Nineveh is laid waste; who will bemoan her? whence shall I seek comforters for thee?' **8** Art thou better than No-amon, that was situate among the rivers, that had the waters round about her; whose rampart was the sea, and of the sea her wall? **9** Ethiopia and Egypt were thy strength, and it was infinite; Put and Lubim were thy helpers. **10** Yet was she carried away, she went into captivity; her young children also were dashed in pieces at the head of all the streets; and they cast lots for her honourable men, and all her great men were bound in chains. **11** Thou also shalt be drunken, thou shalt swoon; thou also shalt seek a refuge because of the enemy. **12** All thy fortresses shall be like fig-trees with the first-ripe figs: if they be shaken, they fall into the mouth of the eater. **13** Behold, thy people in the midst of thee are women; the gates of thy land are set wide open unto thine enemies; the fire hath devoured thy bars. **14** Draw thee water for the siege, strengthen thy fortresses; go into the clay, and tread the mortar, lay hold of the brickmould. **15** There shall the fire devour thee; the sword shall cut thee off, it shall devour thee like the canker-worm; make thyself many as the canker-worm, make thyself many as the locusts. **16** Thou hast multiplied thy merchants above the stars of heaven; the canker-worm spreadeth itself, and flieth away. **17** Thy crowned are as the locusts, and thy marshals as the swarms of grasshoppers, which camp in the walls in the cold day, but when the sun ariseth they flee away, and their place is not known where they are. **18** Thy shepherds slumber, O king of Assyria, thy worthies are at rest; thy people are scattered upon the mountains, and there is none to gather them. **19** There is no assuaging of thy hurt, thy wound is grievous; all that hear the report of thee clap the hands over thee; for upon whom hath not thy wickedness passed continually?{P}

חבקוק
Habakkuk

Book of Habakkuk in the Leningrad Codex
(right column, lower middle, page 637 in pdf)

א א הַמַּשָּׂא אֲשֶׁר חָזָה חֲבַקּוּק הַנָּבִיא׃ ב עַד־אָנָה יְהוָה שִׁוַּעְתִּי וְלֹא
תִשְׁמָע אֶזְעַק אֵלֶיךָ חָמָס וְלֹא תוֹשִׁיעַ׃ ג לָמָּה תַרְאֵנִי אָוֶן וְעָמָל תַּבִּיט וְשֹׁד
וְחָמָס לְנֶגְדִּי וַיְהִי רִיב וּמָדוֹן יִשָּׂא׃ ד עַל־כֵּן תָּפוּג תּוֹרָה וְלֹא־יֵצֵא לָנֶצַח
מִשְׁפָּט כִּי רָשָׁע מַכְתִּיר אֶת־הַצַּדִּיק עַל־כֵּן יֵצֵא מִשְׁפָּט מְעֻקָּל׃ ה רְאוּ
בַגּוֹיִם וְהַבִּיטוּ וְהִתַּמְּהוּ תְּמָהוּ כִּי־פֹעַל פֹּעֵל בִּימֵיכֶם לֹא תַאֲמִינוּ כִּי
יְסֻפָּר׃ ו כִּי־הִנְנִי מֵקִים אֶת־הַכַּשְׂדִּים הַגּוֹי הַמַּר וְהַנִּמְהָר הַהוֹלֵךְ
לְמֶרְחֲבֵי־אֶרֶץ לָרֶשֶׁת מִשְׁכָּנוֹת לֹּא־לוֹ׃ ז אָיֹם וְנוֹרָא הוּא מִמֶּנּוּ מִשְׁפָּטוֹ
וּשְׂאֵתוֹ יֵצֵא׃ ח וְקַלּוּ מִנְּמֵרִים סוּסָיו וְחַדּוּ מִזְּאֵבֵי עֶרֶב וּפָשׁוּ פָּרָשָׁיו
וּפָרָשָׁיו מֵרָחוֹק יָבֹאוּ יָעֻפוּ כְּנֶשֶׁר חָשׁ לֶאֱכוֹל׃ ט כֻּלֹּה לְחָמָס יָבוֹא מְגַמַּת
פְּנֵיהֶם קָדִימָה וַיֶּאֱסֹף כַּחוֹל שֶׁבִי׃ י וְהוּא בַּמְּלָכִים יִתְקַלָּס וְרֹזְנִים מִשְׂחָק
לוֹ הוּא לְכָל־מִבְצָר יִשְׂחָק וַיִּצְבֹּר עָפָר וַיִּלְכְּדָהּ׃ יא אָז חָלַף רוּחַ וַיַּעֲבֹר
וְאָשֵׁם זוּ כֹחוֹ לֵאלֹהוֹ׃ יב הֲלוֹא אַתָּה מִקֶּדֶם יְהוָה אֱלֹהַי קְדֹשִׁי לֹא נָמוּת
יְהוָה לְמִשְׁפָּט שַׂמְתּוֹ וְצוּר לְהוֹכִיחַ יְסַדְתּוֹ׃ יג טְהוֹר עֵינַיִם מֵרְאוֹת רָע
וְהַבִּיט אֶל־עָמָל לֹא תוּכָל לָמָּה תַבִּיט בּוֹגְדִים תַּחֲרִישׁ בְּבַלַּע רָשָׁע
צַדִּיק מִמֶּנּוּ׃ יד וַתַּעֲשֶׂה אָדָם כִּדְגֵי הַיָּם כְּרֶמֶשׂ לֹא־מֹשֵׁל בּוֹ׃ טו כֻּלֹּה
בְּחַכָּה הֵעֲלָה יְגֹרֵהוּ בְחֶרְמוֹ וְיַאַסְפֵהוּ בְּמִכְמַרְתּוֹ עַל־כֵּן יִשְׂמַח וְיָגִיל׃
טז עַל־כֵּן יְזַבֵּחַ לְחֶרְמוֹ וִיקַטֵּר לְמִכְמַרְתּוֹ כִּי בָהֵמָּה שָׁמֵן חֶלְקוֹ וּמַאֲכָלוֹ
בְּרִאָה׃ יז הַעַל כֵּן יָרִיק חֶרְמוֹ וְתָמִיד לַהֲרֹג גּוֹיִם לֹא יַחְמוֹל׃

ב א עַל־מִשְׁמַרְתִּי אֶעֱמֹדָה וְאֶתְיַצְּבָה עַל־מָצוֹר וַאֲצַפֶּה לִרְאוֹת
מַה־יְדַבֶּר־בִּי וּמָה אָשִׁיב עַל־תּוֹכַחְתִּי׃ ב וַיַּעֲנֵנִי יְהוָה וַיֹּאמֶר כְּתוֹב חָזוֹן
וּבָאֵר עַל־הַלֻּחוֹת לְמַעַן יָרוּץ קוֹרֵא בוֹ׃ ג כִּי עוֹד חָזוֹן לַמּוֹעֵד וְיָפֵחַ
לַקֵּץ וְלֹא יְכַזֵּב אִם־יִתְמַהְמַהּ חַכֵּה־לוֹ כִּי־בֹא יָבֹא לֹא יְאַחֵר׃ ד הִנֵּה
עֻפְּלָה לֹא־יָשְׁרָה נַפְשׁוֹ בּוֹ וְצַדִּיק בֶּאֱמוּנָתוֹ יִחְיֶה׃ ה וְאַף כִּי־הַיַּיִן בּוֹגֵד
גֶּבֶר יָהִיר וְלֹא יִנְוֶה אֲשֶׁר הִרְחִיב כִּשְׁאוֹל נַפְשׁוֹ וְהוּא כַמָּוֶת וְלֹא יִשְׂבָּע
וַיֶּאֱסֹף אֵלָיו כָּל־הַגּוֹיִם וַיִּקְבֹּץ אֵלָיו כָּל־הָעַמִּים׃ ו הֲלוֹא־אֵלֶּה כֻלָּם עָלָיו
מָשָׁל יִשָּׂאוּ וּמְלִיצָה חִידוֹת לוֹ וְיֹאמַר הוֹי הַמַּרְבֶּה לֹּא־לוֹ עַד־מָתַי
וּמַכְבִּיד עָלָיו עַבְטִיט׃ ז הֲלוֹא פֶתַע יָקוּמוּ נֹשְׁכֶיךָ וְיִקְצוּ מְזַעְזְעֶיךָ וְהָיִיתָ
לִמְשִׁסּוֹת לָמוֹ׃ ח כִּי אַתָּה שַׁלּוֹתָ גּוֹיִם רַבִּים יְשָׁלּוּךָ כָּל־יֶתֶר עַמִּים מִדְּמֵי
אָדָם וַחֲמַס־אֶרֶץ קִרְיָה וְכָל־יֹשְׁבֵי בָהּ׃

1 1 The burden which Habakkuk the prophet did see. 2 How long, Yehovah, shall I cry, and Thou wilt not hear? I cry out unto Thee of violence, and Thou wilt not save. 3 Why dost Thou show me iniquity, and beholdest mischief? And why are spoiling and violence before me? so that there is strife, and contention ariseth. 4 Therefore the Torah is slacked, and right doth never go forth; for the wicked doth beset the righteous; therefore right goeth forth perverted.　　5 Look ye among the nations, and behold, and wonder marvellously; for, behold, a work shall be wrought in your days, which ye will not believe though it be told you. 6 For, lo, I raise up the Chaldeans, that bitter and impetuous nation, that march through the breadth of the earth, to possess dwelling-places that are not theirs. 7 They are terrible and dreadful; their law and their majesty proceed from themselves. 8 Their horses also are swifter than leopards, and are more fierce than the wolves of the desert; and their horsemen spread themselves; yea, their horsemen come from far, they fly as a vulture that hasteth to devour. 9 They come all of them for violence; their faces are set eagerly as the east wind; and they gather captives as the sand. 10 And they scoff at kings, and princes are a derision unto them; they deride every stronghold, for they heap up earth, and take it. 11 Then their spirit doth pass over and transgress, and they become guilty: even they who impute their might unto their god. 12 Art not Thou from everlasting, Yehovah my God, my Holy One? we shall not die. Yehovah, Thou hast ordained them for judgment, and Thou, O Rock, hast established them for correction. 13 Thou that art of eyes too pure to behold evil, and that canst not look on mischief, wherefore lookest Thou, when they deal treacherously, and holdest Thy peace, when the wicked swalloweth up the man that is more righteous than he; 14 And makest men as the fishes of the sea, as the creeping things, that have no ruler over them? 15 They take up all of them with the angle, they catch them in their net, and gather them in their drag; therefore they rejoice and exult. 16 Therefore they sacrifice unto their net, and offer unto their drag; because by them their portion is fat, and their food plenteous. 17 Shall they therefore empty their net, and not spare to slay the nations continually?{s}

2 1 I will stand upon my watch, and set me upon the tower, and will look out to see what He will speak by me, and what I shall answer when I am reproved. 2 And Yehovah answered me, and said: 'Write the vision, and make it plain upon tables, that a man may read it swiftly. 3 For the vision is yet for the appointed time, and it declareth of the end, and doth not lie; though it tarry, wait for it; because it will surely come, it will not delay.' 4 Behold, his soul is puffed up, it is not upright in him; but the righteous shall live by his faith.{s} 5 Yea, moreover, wine is a treacherous dealer; the haughty man abideth not; he who enlargeth his desire as the nether-world, and is as death, and cannot be satisfied, but gathereth unto him all nations, and heapeth unto him all peoples. 6 Shall not all these take up a parable against him, and a taunting riddle against him, and say: 'Woe to him that increaseth that which is not his! how long? and that ladeth himself with many pledges!' 7 Shall they not rise up suddenly that shall exact interest of thee, and awake that shall violently shake thee, and thou shalt be for booties unto them? 8 Because thou hast spoiled many nations, all the remnant of the peoples shall spoil thee; because of men's blood, and for the violence done to the land, to the city and to all that dwell therein.{P}

ט הֹוֹי בֹּצֵעַ בֶּצַע רָע לְבֵיתֹו לָשֹׂום בַּמָּרֹום קִנֹּו לְהִנָּצֵל מִכַּף־רָע: י יָעַצְתָּ בֹּשֶׁת לְבֵיתֶךָ קְצֹות־עַמִּים רַבִּים וְחֹוטֵא נַפְשֶׁךָ: יא כִּי־אֶבֶן מִקִּיר תִּזְעָק וְכָפִיס מֵעֵץ יַעֲנֶנָּה:

יב הֹוֹי בֹּנֶה עִיר בְּדָמִים וְכֹונֵן קִרְיָה בְּעַוְלָה: יג הֲלֹוא הִנֵּה מֵאֵת יְהֹוָה צְבָאֹות וְיִיגְעוּ עַמִּים בְּדֵי־אֵשׁ וּלְאֻמִּים בְּדֵי־רִיק יִעָפוּ: יד כִּי תִּמָּלֵא הָאָרֶץ לָדַעַת אֶת־כְּבֹוד יְהֹוָה כַּמַּיִם יְכַסּוּ עַל־יָם: טו הֹוֹי מַשְׁקֵה רֵעֵהוּ מְסַפֵּחַ חֲמָתְךָ וְאַף שַׁכֵּר לְמַעַן הַבִּיט עַל־מְעֹורֵיהֶם: טז שָׂבַעְתָּ קָלֹון מִכָּבֹוד שְׁתֵה גַם־אַתָּה וְהֵעָרֵל תִּסֹּוב עָלֶיךָ כֹּוס יְמִין יְהֹוָה וְקִיקָלֹון עַל־כְּבֹודֶךָ: יז כִּי חֲמַס לְבָנֹון יְכַסֶּךָּ וְשֹׁד בְּהֵמֹות יְחִיתַן מִדְּמֵי אָדָם וַחֲמַס־אֶרֶץ קִרְיָה וְכָל־יֹשְׁבֵי בָהּ: יח מָה־הֹועִיל פֶּסֶל כִּי פְסָלֹו יֹצְרֹו מַסֵּכָה וּמֹורֶה שָּׁקֶר כִּי בָטַח יֹצֵר יִצְרֹו עָלָיו לַעֲשֹׂות אֱלִילִים אִלְּמִים: יט הֹוֹי אֹמֵר לָעֵץ הָקִיצָה עוּרִי לְאֶבֶן דּוּמָם הוּא יֹורֶה הִנֵּה־הוּא תָּפוּשׂ זָהָב וָכֶסֶף וְכָל־רוּחַ אֵין בְּקִרְבֹּו: כ וַיהֹוָה בְּהֵיכַל קָדְשֹׁו הַס מִפָּנָיו כָּל־הָאָרֶץ:

ג א תְּפִלָּה לַחֲבַקּוּק הַנָּבִיא עַל שִׁגְיֹנֹות: ב יְהֹוָה שָׁמַעְתִּי שִׁמְעֲךָ יָרֵאתִי יְהֹוָה פָּעָלְךָ בְּקֶרֶב שָׁנִים חַיֵּיהוּ בְּקֶרֶב שָׁנִים תֹּודִיעַ בְּרֹגֶז רַחֵם תִּזְכֹּור: ג אֱלֹוהַ מִתֵּימָן יָבֹוא וְקָדֹושׁ מֵהַר־פָּארָן סֶלָה כִּסָּה שָׁמַיִם הֹודֹו וּתְהִלָּתֹו מָלְאָה הָאָרֶץ: ד וְנֹגַהּ כָּאֹור תִּהְיֶה קַרְנַיִם מִיָּדֹו לֹו וְשָׁם חֶבְיֹון עֻזֹּה: ה לְפָנָיו יֵלֶךְ דָּבֶר וְיֵצֵא רֶשֶׁף לְרַגְלָיו: ו עָמַד ׀ וַיְמֹדֶד אֶרֶץ רָאָה וַיַּתֵּר גֹּויִם וַיִּתְפֹּצְצוּ הַרְרֵי־עַד שַׁחוּ גִּבְעֹות עֹולָם הֲלִיכֹות עֹולָם לֹו: ז תַּחַת אָוֶן רָאִיתִי אָהֳלֵי כוּשָׁן יִרְגְּזוּן יְרִיעֹות אֶרֶץ מִדְיָן: ח הֲבִנְהָרִים חָרָה יְהֹוָה אִם בַּנְּהָרִים אַפֶּךָ אִם־בַּיָּם עֶבְרָתֶךָ כִּי תִרְכַּב עַל־סוּסֶיךָ מַרְכְּבֹתֶיךָ יְשׁוּעָה: ט עֶרְיָה תֵעֹור קַשְׁתֶּךָ שְׁבֻעֹות מַטֹּות אֹמֶר סֶלָה נְהָרֹות תְּבַקַּע־אָרֶץ: י רָאוּךָ יָחִילוּ הָרִים זֶרֶם מַיִם עָבָר נָתַן תְּהֹום קֹולֹו רֹום יָדֵיהוּ נָשָׂא: יא שֶׁמֶשׁ יָרֵחַ עָמַד זְבֻלָה לְאֹור חִצֶּיךָ יְהַלֵּכוּ לְנֹגַהּ בְּרַק חֲנִיתֶךָ: יב בְּזַעַם תִּצְעַד־אָרֶץ בְּאַף תָּדוּשׁ גֹּויִם:

9 Woe to him that gaineth evil gains for his house, that he may set his nest on high, that he may be delivered from the power of evil! **10** Thou hast devised shame to thy house, by cutting off many peoples, and hast forfeited thy life. **11** For the stone shall cry out of the wall, and the beam out of the timber shall answer it.{P}

12 Woe to him that buildeth a town with blood, and establisheth a city by iniquity! **13** Behold, is it not of Yehovah of hosts that the peoples labour for the fire, and the nations weary themselves for vanity? **14** For the earth shall be filled with the knowledge of the glory of Yehovah, as the waters cover the sea.{P}

15 Woe unto him that giveth his neighbour drink, that puttest thy venom thereto, and makest him drunken also, that thou mayest look on their nakedness! **16** Thou art filled with shame instead of glory, drink thou also, and be uncovered; the cup of Yehovah's right hand shall be turned unto thee, and filthiness shall be upon thy glory. **17** For the violence done to Lebanon shall cover thee, and the destruction of the beasts, which made them afraid; because of men's blood, and for the violence done to the land, to the city and to all that dwell therein. **18** What profiteth the graven image, that the maker thereof hath graven it, even the molten image, and the teacher of lies; that the maker of his work trusteth therein, to make dumb idols?{S} **19** Woe unto him that saith to the wood: 'Awake', to the dumb stone: 'Arise!' Can this teach? Behold, it is overlaid with gold and silver, and there is no breath at all in the midst of it. **20** But Yehovah is in His holy temple; let all the earth keep silence before Him.{S}

3 1 A prayer of Habakkuk the prophet. Upon Shigionoth. **2** Yehovah, I have heard the report of Thee, and am afraid; Yehovah, revive Thy work in the midst of the years, in the midst of the years make it known; in wrath remember compassion. **3** God cometh from Teman, and the Holy One from mount Paran. Selah His glory covereth the heavens, and the earth is full of His praise. **4** And a brightness appeareth as the light; rays hath He at His side; and there is the hiding of His power. **5** Before him goeth the pestilence, and fiery bolts go forth at His feet. **6** He standeth, and shaketh the earth, He beholdeth, and maketh the nations to tremble; and the everlasting mountains are dashed in pieces, the ancient hills do bow; His goings are as of old. **7** I see the tents of Cushan in affliction; the curtains of the land of Midian do tremble. **8** Is it, Yehovah, that against the rivers, is it that Thine anger is kindled against the rivers, or Thy wrath against the sea? that Thou dost ride upon Thy horses, upon Thy chariots of victory? **9** Thy bow is made quite bare; sworn are the rods of the word. Selah Thou dost cleave the earth with rivers. **10** The mountains have seen Thee, and they tremble; the tempest of waters floweth over; the deep uttereth its voice, and lifteth up its hands on high. **11** The sun and moon stand still in their habitation; at the light of Thine arrows as they go, at the shining of Thy glittering spear. **12** Thou marchest through the earth in indignation, Thou threshest the nations in anger.

יג יָצָ֙אתָ֙ לְיֵ֣שַׁע עַמֶּ֔ךָ לְיֵ֖שַׁע אֶת־מְשִׁיחֶ֑ךָ מָחַ֤צְתָּ רֹּאשׁ֙ מִבֵּ֣ית רָשָׁ֔ע
עָר֛וֹת יְס֥וֹד עַד־צַוָּ֖אר סֶֽלָה׃

יד נָקַ֤בְתָּ בְמַטָּיו֙ רֹ֣אשׁ פְּרָזָ֔יו[1] יִסְעֲר֖וּ לַהֲפִיצֵ֑נִי עֲלִ֣יצֻתָ֔ם
כְּמוֹ־לֶאֱכֹ֥ל עָנִ֖י בַּמִּסְתָּֽר׃ יה דָּרַ֥כְתָּ בַיָּ֖ם סוּסֶ֑יךָ חֹ֖מֶר מַ֥יִם רַבִּֽים׃
יו שָׁמַ֣עְתִּי ׀ וַתִּרְגַּ֣ז בִּטְנִ֗י לְקוֹל֙ צָלֲל֣וּ שְׂפָתַ֔י יָב֥וֹא רָקָ֛ב בַּעֲצָמַ֖י
וְתַחְתַּ֣י אֶרְגָּ֑ז אֲשֶׁ֤ר אָנ֙וּחַ֙ לְי֣וֹם צָרָ֔ה לַעֲל֖וֹת לְעַ֥ם יְגוּדֶֽנּוּ׃
יז כִּֽי־תְאֵנָ֣ה לֹֽא־תִפְרָ֗ח וְאֵ֤ין יְבוּל֙ בַּגְּפָנִ֔ים כִּחֵשׁ֙ מַעֲשֵׂה־זַ֔יִת
וּשְׁדֵמ֖וֹת לֹא־עָ֣שָׂה אֹ֑כֶל גָּזַ֤ר מִמִּכְלָה֙ צֹ֔אן וְאֵ֥ין בָּקָ֖ר בָּרְפָתִֽים׃
יח וַאֲנִ֖י בַּיהוָ֣ה אֶעְל֑וֹזָה אָגִ֖ילָה בֵּאלֹהֵ֥י יִשְׁעִֽי׃ יט יְהוִ֤ה אֲדֹנָי֙ חֵילִ֔י
וַיָּ֤שֶׂם רַגְלַי֙ כָּֽאַיָּל֔וֹת וְעַ֥ל בָּמוֹתַ֖י יַדְרִכֵ֑נִי לַמְנַצֵּ֖חַ בִּנְגִינוֹתָֽי׃

[1]פרזו

<u>13</u> Thou art come forth for the deliverance of Thy people, for the deliverance of Thine anointed; Thou woundest the head out of the house of the wicked, uncovering the foundation even unto the neck. Selah{P}

<u>14</u> Thou hast stricken through with his own rods the head of his rulers, that come as a whirlwind to scatter me; whose rejoicing is as to devour the poor secretly. <u>15</u> Thou hast trodden the sea with Thy horses, the foaming of mighty waters. <u>16</u> When I heard, mine inward parts trembled, my lips quivered at the voice; rottenness entereth into my bones, and I tremble where I stand; that I should wait for the day of trouble, when he cometh up against the people that he invadeth. <u>17</u> For though the fig-tree shall not blossom, neither shall fruit be in the vines; the labour of the olive shall fail, and the fields shall yield no food; the flock shall be cut off from the fold, and there shall be no herd in the stalls; <u>18</u> Yet I will rejoice in Yehovah, I will exult in the God of my salvation. <u>19</u> God, the Lord, is my strength, and He maketh my feet like hinds' feet, and He maketh me to walk upon my high places. For the Leader. With my string-music.{P}

צפניה

Zephaniah

Book of Zephaniah in the Leningrad Codex
(right column, bottom, page 639 in pdf)

א א דְּבַר־יְהוָ֣ה ׀ אֲשֶׁ֣ר הָיָ֗ה אֶל־צְפַנְיָה֙ בֶּן־כּוּשִׁ֣י בֶן־גְּדַלְיָ֔ה בֶּן־אֲמַרְיָ֖ה
בֶּן־חִזְקִיָּ֑ה בִּימֵ֛י יֹאשִׁיָּ֥הוּ בֶן־אָמ֖וֹן מֶ֥לֶךְ יְהוּדָֽה׃ ב אָסֹ֨ף אָסֵ֜ף כֹּ֗ל מֵעַ֛ל פְּנֵ֥י
הָאֲדָמָ֖ה נְאֻם־יְהוָֽה׃ ג אָסֵ֞ף אָדָ֣ם וּבְהֵמָ֗ה אָסֵ֤ף עֽוֹף־הַשָּׁמַ֙יִם֙ וּדְגֵ֣י הַיָּ֔ם
וְהַמַּכְשֵׁל֖וֹת אֶת־הָרְשָׁעִ֑ים וְהִכְרַתִּ֣י אֶת־הָאָדָ֗ם מֵעַ֛ל פְּנֵ֥י הָאֲדָמָ֖ה נְאֻם־יְהוָֽה׃
ד וְנָטִ֤יתִי יָדִי֙ עַל־יְהוּדָ֔ה וְעַ֖ל כָּל־יוֹשְׁבֵ֣י יְרוּשָׁלִָ֑ם וְהִכְרַתִּ֞י מִן־הַמָּק֤וֹם הַזֶּה֙
אֶת־שְׁאָ֣ר הַבַּ֔עַל אֶת־שֵׁ֥ם הַכְּמָרִ֖ים עִם־הַכֹּהֲנִֽים׃ ה וְאֶת־הַמִּשְׁתַּחֲוִ֥ים
עַל־הַגַּגּ֖וֹת לִצְבָ֣א הַשָּׁמָ֑יִם וְאֶת־הַמִּשְׁתַּחֲוִים֙ הַנִּשְׁבָּעִ֣ים לַֽיהוָ֔ה וְהַנִּשְׁבָּעִ֖ים
בְּמַלְכָּֽם׃ ו וְאֶת־הַנְּסוֹגִ֖ים מֵאַחֲרֵ֣י יְהוָ֑ה וַאֲשֶׁ֧ר לֹֽא־בִקְשׁ֛וּ אֶת־יְהוָ֖ה וְלֹ֥א
דְרָשֻֽׁהוּ׃ ז הַ֕ס מִפְּנֵ֖י אֲדֹנָ֣י יְהוִ֑ה כִּ֤י קָרוֹב֙ י֣וֹם יְהוָ֔ה כִּֽי־הֵכִ֧ין יְהוָ֛ה זֶ֖בַח
הִקְדִּ֥ישׁ קְרֻאָֽיו׃ ח וְהָיָ֗ה בְּיוֹם֙ זֶ֣בַח יְהוָ֔ה וּפָקַדְתִּ֥י עַל־הַשָּׂרִ֖ים וְעַל־בְּנֵ֣י
הַמֶּ֑לֶךְ וְעַ֥ל כָּל־הַלֹּבְשִׁ֖ים מַלְבּ֥וּשׁ נָכְרִֽי׃ ט וּפָקַדְתִּ֗י עַ֛ל כָּל־הַדּוֹלֵ֥ג
עַל־הַמִּפְתָּ֖ן בַּיּ֣וֹם הַה֑וּא הַֽמְמַלְאִ֛ים בֵּ֥ית אֲדֹנֵיהֶ֖ם חָמָ֥ס וּמִרְמָֽה׃ י וְהָיָה֩ בַיּ֨וֹם
הַה֜וּא נְאֻם־יְהוָ֗ה ק֤וֹל צְעָקָה֙ מִשַּׁ֣עַר הַדָּגִ֔ים וִֽילָלָ֖ה מִן־הַמִּשְׁנֶ֑ה וְשֶׁ֥בֶר גָּד֖וֹל
מֵהַגְּבָעֽוֹת׃ יא הֵילִ֖ילוּ יֹשְׁבֵ֣י הַמַּכְתֵּ֑שׁ כִּ֤י נִדְמָה֙ כָּל־עַ֣ם כְּנַ֔עַן נִכְרְת֖וּ
כָּל־נְטִ֥ילֵי כָֽסֶף׃ יב וְהָיָה֙ בָּעֵ֣ת הַהִ֔יא אֲחַפֵּ֥שׂ אֶת־יְרוּשָׁלִַ֖ם בַּנֵּר֑וֹת וּפָקַדְתִּ֣י
עַל־הָאֲנָשִׁ֗ים הַקֹּֽפְאִים֙ עַל־שִׁמְרֵיהֶ֔ם הָאֹֽמְרִים֙ בִּלְבָבָ֔ם לֹֽא־יֵיטִ֥יב יְהוָ֖ה וְלֹ֥א
יָרֵֽעַ׃ יג וְהָיָ֤ה חֵילָם֙ לִמְשִׁסָּ֔ה וּבָתֵּיהֶ֖ם לִשְׁמָמָ֑ה וּבָנ֤וּ בָתִּים֙ וְלֹ֣א יֵשֵׁ֔בוּ וְנָטְע֣וּ
כְרָמִ֔ים וְלֹ֥א יִשְׁתּ֖וּ אֶת־יֵינָֽם׃ יד קָר֤וֹב יוֹם־יְהוָה֙ הַגָּד֔וֹל קָר֖וֹב וּמַהֵ֣ר מְאֹ֑ד
ק֚וֹל י֣וֹם יְהוָ֔ה מַ֥ר צֹרֵ֖חַ שָׁ֥ם גִּבּֽוֹר׃ טו י֥וֹם עֶבְרָ֖ה הַיּ֣וֹם הַה֑וּא י֧וֹם צָרָ֣ה
וּמְצוּקָ֗ה י֤וֹם שֹׁאָה֙ וּמְשׁוֹאָ֔ה י֥וֹם חֹ֙שֶׁךְ֙ וַאֲפֵלָ֔ה י֥וֹם עָנָ֖ן וַעֲרָפֶֽל׃ טז י֥וֹם שׁוֹפָ֖ר
וּתְרוּעָ֑ה עַ֚ל הֶעָרִ֣ים הַבְּצֻר֔וֹת וְעַ֖ל הַפִּנּ֥וֹת הַגְּבֹהֽוֹת׃ יז וַהֲצֵרֹ֣תִי לָאָדָ֗ם
וְהָֽלְכוּ֙ כַּעִוְרִ֔ים כִּ֥י לַֽיהוָ֖ה חָטָ֑אוּ וְשֻׁפַּ֤ךְ דָּמָם֙ כֶּֽעָפָ֔ר וּלְחֻמָ֖ם כַּגְּלָלִֽים׃
יח גַּם־כַּסְפָּ֨ם גַּם־זְהָבָ֜ם לֹא־יוּכַ֣ל לְהַצִּילָ֗ם בְּיוֹם֙ עֶבְרַ֣ת יְהוָ֔ה וּבְאֵשׁ֙ קִנְאָת֔וֹ
תֵּאָכֵ֖ל כָּל־הָאָ֑רֶץ כִּֽי־כָלָ֤ה אַךְ־נִבְהָלָה֙ יַעֲשֶׂ֔ה אֵ֥ת כָּל־יֹשְׁבֵ֖י הָאָֽרֶץ׃

ב א הִֽתְקוֹשְׁשׁ֖וּ וָק֑וֹשּׁוּ הַגּ֖וֹי לֹ֥א נִכְסָֽף׃ ב בְּטֶ֙רֶם֙ לֶ֣דֶת חֹ֔ק כְּמֹ֖ץ עָ֣בַר י֑וֹם
בְּטֶ֣רֶם ׀ לֹא־יָב֣וֹא עֲלֵיכֶ֗ם חֲרוֹן֙ אַף־יְהוָ֔ה בְּטֶ֙רֶם֙ לֹא־יָב֣וֹא עֲלֵיכֶ֔ם י֖וֹם
אַף־יְהוָֽה׃ ג בַּקְּשׁ֤וּ אֶת־יְהוָה֙ כָּל־עַנְוֵ֣י הָאָ֔רֶץ אֲשֶׁ֥ר מִשְׁפָּט֖וֹ פָּעָ֑לוּ בַּקְּשׁוּ־צֶ֙דֶק֙
בַּקְּשׁ֣וּ עֲנָוָ֔ה אוּלַי֙ תִּסָּ֣תְר֔וּ בְּי֖וֹם אַף־יְהוָֽה׃ ד כִּ֤י עַזָּה֙ עֲזוּבָ֣ה תִהְיֶ֔ה וְאַשְׁקְל֖וֹן
לִשְׁמָמָ֑ה אַשְׁדּ֗וֹד בַּֽצָּהֳרַ֙יִם֙ יְגָ֣רְשׁ֔וּהָ וְעֶקְר֖וֹן תֵּעָקֵֽר׃ ה ה֗וֹי יֹשְׁבֵ֛י חֶ֥בֶל הַיָּ֖ם
גּ֣וֹי כְּרֵתִ֑ים דְּבַר־יְהוָ֣ה עֲלֵיכֶ֗ם כְּנַ֙עַן֙ אֶ֣רֶץ פְּלִשְׁתִּ֔ים וְהַאֲבַדְתִּ֖יךְ מֵאֵ֥ין יוֹשֵֽׁב׃

1 1 The word of Yehovah which came unto Zephaniah the son of Cushi, the son of Gedaliah, the son of Amariah, the son of Hezekiah, in the days of Josiah the son of Amon, king of Judah. 2 I will utterly consume all things from off the face of the earth, saith Yehovah. 3 I will consume man and beast, I will consume the fowls of the heaven, and the fishes of the sea, and the stumblingblocks with the wicked; and I will cut off man from off the face of the earth, saith Yehovah. 4 And I will stretch out My hand upon Judah, and upon all the inhabitants of Yerushalam; and I will cut off the remnant of Baal from this place, and the name of the idolatrous priests with the priests; 5 And them that worship the host of heaven upon the housetops; and them that worship, that swear to Yehovah and swear by Malcam; 6 Them also that are turned back from following Yehovah; and those that have not sought Yehovah, nor inquired after Him. 7 Hold thy peace at the presence of the Lord GOD [Adonai Yehovi]; for the day of Yehovah is at hand, for Yehovah hath prepared a sacrifice, He hath consecrated His guests. 8 And it shall come to pass in the day of Yehovah's sacrifice, that I will punish the princes, and the king's sons, and all such as are clothed with foreign apparel. 9 In the same day also will I punish all those that leap over the threshold, that fill their master's house with violence and deceit. 10 And in that day, saith Yehovah, Hark! a cry from the fish gate, and a wailing from the second quarter, and a great crashing from the hills. 11 Wail, ye inhabitants of Maktesh, for all the merchant people are undone; all they that were laden with silver are cut off.{S} 12 And it shall come to pass at that time, that I will search Yerushalam with lamps; and I will punish the men that are settled on their lees, that say in their heart: 'Yehovah will not do good, neither will He do evil.' 13 Therefore their wealth shall become a booty, and their houses a desolation; yea, they shall build houses, but shall not inhabit them, and they shall plant vineyards, but shall not drink the wine thereof. 14 The great day of Yehovah is near, it is near and hasteth greatly, even the voice of the day of Yehovah, wherein the mighty man crieth bitterly. 15 That day is a day of wrath, a day of trouble and distress, a day of wasteness and desolation, a day of darkness and gloominess, a day of clouds and thick darkness, 16 A day of the horn and alarm, against the fortified cities, and against the high towers. 17 And I will bring distress upon men, that they shall walk like the blind, because they have sinned against Yehovah; and their blood shall be poured out as dust, and their flesh as dung. 18 Neither their silver nor their gold shall be able to deliver them in the day of Yehovah's wrath; but the whole earth shall be devoured by the fire of His jealousy; for He will make an end, yea, a terrible end, of all them that dwell in the earth.{S}

2 1 Gather yourselves together, yea, gather together, O shameless nation; 2 Before the decree bring forth the day when one passeth as the chaff, before the fierce anger of Yehovah come upon you, before the day of Yehovah's anger come upon you. 3 Seek ye Yehovah, all ye humble of the earth, that have executed His ordinance; seek righteousness, seek humility. It may be ye shall be hid in the day of Yehovah's anger. 4 For Gaza shall be forsaken, and Ashkelon a desolation; they shall drive out Ashdod at the noonday, and Ekron shall be rooted up.{S} 5 Woe unto the inhabitants of the sea-coast, the nation of the Cherethites! the word of Yehovah is against you, O Canaan, the land of the Philistines; I will even destroy thee, that there shall be no inhabitant.

ו וְהָיְתָ֞ה חֶ֤בֶל הַיָּם֙ נְוֺ֣ת כְּרֹ֣ת רֹעִ֔ים וְגִדְר֖וֹת צֹֽאן: ז וְהָ֤יָה חֶ֙בֶל֙ לִשְׁאֵרִ֔ית בֵּ֖ית יְהוּדָ֑ה עֲלֵיהֶ֣ם יִרְע֔וּן בְּבָתֵּ֣י אַשְׁקְל֗וֹן בָּעֶ֙רֶב֙ יִרְבָּצ֔וּן כִּ֥י יִפְקְדֵ֛ם יְהֹוָ֥ה אֱלֹֽהֵיהֶ֖ם וְשָׁ֥ב שְׁבוּתָֽם[1]: ח שָׁמַ֙עְתִּי֙ חֶרְפַּ֣ת מוֹאָ֔ב וְגִדּוּפֵ֖י בְּנֵ֣י עַמּ֑וֹן אֲשֶׁ֤ר חֵֽרְפוּ֙ אֶת־עַמִּ֔י וַיַּגְדִּ֖ילוּ עַל־גְּבוּלָֽם: ט לָכֵ֣ן חַי־אָ֡נִי נְאֻם֩ יְהֹוָ֨ה צְבָא֜וֹת אֱלֹהֵ֣י יִשְׂרָאֵ֗ל כִּֽי־מוֹאָ֞ב כִּסְדֹ֤ם תִּֽהְיֶה֙ וּבְנֵ֤י עַמּוֹן֙ כַּֽעֲמֹרָ֔ה מִמְשַׁ֥ק חָר֛וּל וּמִכְרֵה־מֶ֥לַח וּשְׁמָמָ֖ה עַד־עוֹלָ֑ם שְׁאֵרִ֤ית עַמִּי֙ יְבָזּ֔וּם וְיֶ֥תֶר גּוֹיִ֖[2] יִנְחָלֽוּם: י זֹ֥את לָהֶ֖ם תַּ֣חַת גְּאוֹנָ֑ם כִּ֤י חֵֽרְפוּ֙ וַיַּגְדִּ֔לוּ עַל־עַ֖ם יְהֹוָ֥ה צְבָאֽוֹת: יא נוֹרָ֤א יְהֹוָה֙ עֲלֵיהֶ֔ם כִּ֣י רָזָ֔ה אֵ֖ת כָּל־אֱלֹהֵ֣י הָאָ֑רֶץ וְיִשְׁתַּֽחֲווּ־לוֹ֙ אִ֣ישׁ מִמְּקוֹמ֔וֹ כֹּ֖ל אִיֵּ֥י הַגּוֹיִֽם: יב גַּם־אַתֶּ֣ם כּוּשִׁ֔ים חַֽלְלֵ֥י חַרְבִּ֖י הֵֽמָּה: יג וְיֵ֤ט יָדוֹ֙ עַל־צָפ֔וֹן וִֽיאַבֵּ֖ד אֶת־אַשּׁ֑וּר וְיָשֵׂ֤ם אֶת־נִֽינְוֵה֙ לִשְׁמָמָ֔ה צִיָּ֖ה כַּמִּדְבָּֽר: יד וְרָבְצ֙וּ בְתוֹכָ֤הּ עֲדָרִים֙ כָּל־חַיְתוֹ־ג֔וֹי גַּם־קָאַת֙ גַּם־קִפֹּ֔ד בְּכַפְתֹּרֶ֖יהָ יָלִ֑ינוּ ק֠וֹל יְשׁוֹרֵ֤ר בַּֽחַלּוֹן֙ חֹ֣רֶב בַּסַּ֔ף כִּ֥י אַרְזָ֖ה עֵרָֽה: טו זֹ֠את הָעִ֤יר הָעַלִּיזָה֙ הַיּוֹשֶׁ֣בֶת לָבֶ֔טַח הָאֹֽמְרָה֙ בִּלְבָבָ֔הּ אֲנִ֖י וְאַפְסִ֣י ע֑וֹד אֵ֣יךְ ׀ הָיְתָ֣ה לְשַׁמָּ֗ה מַרְבֵּץ֙ לַֽחַיָּ֔ה כֹּ֚ל עוֹבֵ֣ר עָלֶ֔יהָ יִשְׁרֹ֖ק יָנִ֥יעַ יָדֽוֹ:

ג א ה֥וֹי מֹֽרְאָ֖ה וְנִגְאָלָ֑ה הָעִ֖יר הַיּוֹנָֽה: ב לֹ֤א שָֽׁמְעָה֙ בְּק֔וֹל לֹ֥א לָֽקְחָ֖ה מוּסָ֑ר בַּֽיהֹוָה֙ לֹ֣א בָטָ֔חָה אֶל־אֱלֹהֶ֖יהָ לֹ֥א קָרֵֽבָה: ג שָׂרֶ֣יהָ בְקִרְבָּ֔הּ אֲרָי֖וֹת שֹֽׁאֲגִ֑ים שֹֽׁפְטֶ֙יהָ֙ זְאֵ֣בֵי עֶ֔רֶב לֹ֥א גָֽרְמ֖וּ לַבֹּֽקֶר: ד נְבִיאֶ֙יהָ֙ פֹּֽחֲזִ֔ים אַנְשֵׁ֖י בֹּֽגְד֑וֹת כֹּֽהֲנֶ֙יהָ֙ חִלְּלוּ־קֹ֔דֶשׁ חָֽמְס֖וּ תּוֹרָֽה: ה יְהֹוָ֤ה צַדִּיק֙ בְּקִרְבָּ֔הּ לֹ֥א יַֽעֲשֶׂ֖ה עַוְלָ֑ה בַּבֹּ֨קֶר בַּבֹּ֜קֶר מִשְׁפָּט֗וֹ יִתֵּן֙ לָא֣וֹר לֹ֣א נֶעְדָּ֔ר וְלֹֽא־יוֹדֵ֥עַ עַוָּ֖ל בֹּֽשֶׁת: ו הִכְרַ֣תִּי גוֹיִ֗ם נָשַׁ֙מּוּ֙ פִּנּוֹתָ֔ם הֶחֱרַ֥בְתִּי חֽוּצוֹתָ֖ם מִבְּלִ֣י עוֹבֵ֑ר נִצְדּ֧וּ עָֽרֵיהֶ֛ם מִבְּלִי־אִ֖ישׁ מֵאֵ֥ין יוֹשֵֽׁב: ז אָמַ֜רְתִּי אַךְ־תִּֽירְאִ֤י אוֹתִי֙ תִּקְחִ֣י מוּסָ֔ר וְלֹֽא־יִכָּרֵ֣ת מְעוֹנָ֔הּ כֹּ֥ל אֲשֶׁר־פָּקַ֖דְתִּי עָלֶ֑יהָ אָכֵן֙ הִשְׁכִּ֣ימוּ הִשְׁחִ֔יתוּ כֹּ֖ל עֲלִֽילוֹתָֽם: ח לָכֵ֤ן חַכּוּ־לִי֙ נְאֻם־יְהֹוָ֔ה לְי֖וֹם קוּמִ֣י לְעַ֑ד כִּ֣י מִשְׁפָּטִי֩ לֶֽאֱסֹ֨ף גּוֹיִ֜ם לְקָבְצִ֣י מַמְלָכ֗וֹת לִשְׁפֹּ֤ךְ עֲלֵיהֶם֙ זַעְמִ֔י כֹּ֖ל חֲר֣וֹן אַפִּ֑י כִּ֠י בְּאֵ֣שׁ קִנְאָתִ֔י תֵּֽאָכֵ֖ל כָּל־הָאָֽרֶץ: ט כִּֽי־אָ֛ז אֶהְפֹּ֥ךְ אֶל־עַמִּ֖ים שָׂפָ֣ה בְרוּרָ֑ה לִקְרֹ֤א כֻלָּם֙ בְּשֵׁ֣ם יְהֹוָ֔ה לְעָבְד֖וֹ שְׁכֶ֥ם אֶחָֽד: י מֵעֵ֖בֶר לְנַֽהֲרֵי־כ֑וּשׁ עֲתָרַי֙ בַּת־פּוּצַ֔י יֽוֹבִל֖וּן מִנְחָתִֽי:

_____

שבותם[1]
גּוֹיֵ[2]

6 And the sea-coast shall be pastures, even meadows for shepherds, and folds for flocks. **7** And it shall be a portion for the remnant of the house of Judah, whereon they shall feed; in the houses of Ashkelon shall they lie down in the evening; for Yehovah their God will remember them, and turn their captivity. **8** I have heard the taunt of Moab, and the revilings of the children of Ammon, wherewith they have taunted My people, and spoken boastfully concerning their border. **9** Therefore as I live, saith Yehovah of hosts, the God of Israel: Surely Moab shall be as Sodom, and the children of Ammon as Gomorrah, even the breeding-place of nettles, and saltpits, and a desolation, for ever; the residue of My people shall spoil them, and the remnant of My nation shall inherit them. **10** This shall they have for their pride, because they have taunted and spoken boastfully against the people of Yehovah of hosts. **11** Yehovah will be terrible unto them; for He will famish all the gods of the earth; then shall all the isles of the nations worship Him, every one from its place. **12** Ye Ethiopians also, ye shall be slain by My sword. **13** And He will stretch out His hand against the north, and destroy Assyria; and will make Nineveh a desolation, and dry like the wilderness. **14** And all beasts of every kind shall lie down in the midst of her in herds; both the pelican and the bittern shall lodge in the capitals thereof; voices shall sing in the windows; desolation shall be in the posts; for the cedar-work thereof shall be uncovered. **15** This is the joyous city that dwelt without care, that said in her heart: 'I am, and there is none else beside me'; how is she become a desolation, a place for beasts to lie down in! Every one that passeth by her shall hiss, and wag his hand.{P}

3 **1** Woe to her that is filthy and polluted, to the oppressing city! **2** She hearkened not to the voice, she received not correction; she trusted not in Yehovah, she drew not near to her God. **3** Her princes in the midst of her are roaring lions; her judges are wolves of the desert, they leave not a bone for the morrow. **4** Her prophets are wanton and treacherous persons; her priests have profaned that which is holy, they have done violence to the Torah. **5** Yehovah who is righteous is in the midst of her, He will not do unrighteousness; every morning doth He bring His right to light, it faileth not; but the unrighteous knoweth no shame. **6** I have cut off nations, their corners are desolate; I have made their streets waste, so that none passeth by; their cities are destroyed, so that there is no man, so that there is no inhabitant. **7** I said: 'Surely thou wilt fear Me, thou wilt receive correction; so her dwelling shall not be cut off, despite all that I have visited upon her'; but they betimes corrupted all their doings. **8** Therefore wait ye for Me, saith Yehovah, until the day that I rise up to the prey; for My determination is to gather the nations, that I may assemble the kingdoms, to pour upon them Mine indignation, even all My fierce anger; for all the earth shall be devoured with the fire of My jealousy. **9** For then will I turn to the peoples a pure language, that they may all call upon the name of Yehovah, to serve Him with one consent. **10** From beyond the rivers of Ethiopia shall they bring My suppliants, even the daughter of My dispersed, as Mine offering.

יא בַּיּ֣וֹם הַה֗וּא לֹ֤א תֵב֙וֹשִׁי֙ מִכֹּ֣ל עֲלִילֹתַ֔יִךְ אֲשֶׁ֥ר פָּשַׁ֖עַתְּ בִּ֑י כִּי־אָ֣ז ׀
אָסִ֣יר מִקִּרְבֵּ֗ךְ עַלִּיזֵי֙ גַּאֲוָתֵ֔ךְ וְלֹֽא־תוֹסִ֧פִי לְגָבְהָ֛ה ע֖וֹד בְּהַ֥ר קָדְשִֽׁי׃
יב וְהִשְׁאַרְתִּ֣י בְקִרְבֵּ֔ךְ עַ֖ם עָנִ֣י וָדָ֑ל וְחָס֖וּ בְּשֵׁ֥ם יְהוָֽה׃ יג שְׁאֵרִ֨ית
יִשְׂרָאֵ֜ל לֹֽא־יַעֲשׂ֣וּ עַוְלָה֮ וְלֹא־יְדַבְּר֣וּ כָזָב֒ וְלֹֽא־יִמָּצֵ֥א בְּפִיהֶ֖ם לְשׁ֣וֹן
תַּרְמִ֑ית כִּי־הֵ֛מָּה יִרְע֥וּ וְרָבְצ֖וּ וְאֵ֥ין מַחֲרִֽיד׃ יד רָנִּי֙ בַּת־צִיּ֔וֹן הָרִ֖יעוּ
יִשְׂרָאֵ֑ל שִׂמְחִ֤י וְעָלְזִי֙ בְּכָל־לֵ֔ב בַּ֖ת יְרוּשָׁלִָֽם׃ טו הֵסִ֤יר יְהוָה֙
מִשְׁפָּטַ֔יִךְ פִּנָּ֖ה אֹיְבֵ֑ךְ מֶ֣לֶךְ יִשְׂרָאֵ֤ל ׀ יְהוָה֙ בְּקִרְבֵּ֔ךְ לֹא־תִֽירְאִ֥י רָ֖ע
עֽוֹד׃ טז בַּיּ֣וֹם הַה֔וּא יֵאָמֵ֥ר לִירוּשָׁלִַ֖ם אַל־תִּירָ֑אִי צִיּ֖וֹן אַל־יִרְפּ֥וּ
יָדָֽיִךְ׃ יז יְהוָ֧ה אֱלֹהַ֛יִךְ בְּקִרְבֵּ֖ךְ גִּבּ֣וֹר יוֹשִׁ֑יעַ יָשִׂ֨ישׂ עָלַ֜יִךְ בְּשִׂמְחָ֗ה
יַחֲרִישׁ֙ בְּאַ֣הֲבָת֔וֹ יָגִ֥יל עָלַ֖יִךְ בְּרִנָּֽה׃ יח נוּגֵ֧י מִמּוֹעֵ֛ד אָסַ֖פְתִּי מִמֵּ֣ךְ
הָי֑וּ מַשְׂאֵ֥ת עָלֶ֖יהָ חֶרְפָּֽה׃ יט הִנְנִ֥י עֹשֶׂ֛ה אֶת־כָּל־מְעַנַּ֖יִךְ בָּעֵ֣ת הַהִ֑יא
וְהוֹשַׁעְתִּ֣י אֶת־הַצֹּלֵעָ֗ה וְהַנִּדָּחָה֙ אֲקַבֵּ֔ץ וְשַׂמְתִּים֙ לִתְהִלָּ֣ה וּלְשֵׁ֔ם
בְּכָל־הָאָ֖רֶץ בָּשְׁתָּֽם׃ כ בָּעֵ֤ת הַהִיא֙ אָבִ֣יא אֶתְכֶ֔ם וּבָעֵ֖ת קַבְּצִ֣י אֶתְכֶ֑ם
כִּֽי־אֶתֵּ֨ן אֶתְכֶ֜ם לְשֵׁ֣ם וְלִתְהִלָּ֗ה בְּכֹל֙ עַמֵּ֣י הָאָ֔רֶץ בְּשׁוּבִ֧י
אֶת־שְׁבוּתֵיכֶ֛ם לְעֵינֵיכֶ֖ם אָמַ֥ר יְהוָֽה׃

11 In that day shalt thou not be ashamed for all thy doings, wherein thou hast transgressed against Me; for then I will take away out of the midst of thee thy proudly exulting ones, and thou shalt no more be haughty in My holy mountain. **12** And I will leave in the midst of thee an afflicted and poor people, and they shall take refuge in the name of Yehovah. **13** The remnant of Israel shall not do iniquity, nor speak lies, neither shall a deceitful tongue be found in their mouth; for they shall feed and lie down, and none shall make them afraid.{P}

14 Sing, O daughter of Zion, shout, O Israel; be glad and rejoice with all the heart, O daughter of Yerushalam. **15** Yehovah hath taken away thy judgments, He hath cast out thine enemy; The King of Israel, even Yehovah, is in the midst of thee; thou shalt not fear evil any more.{P}

16 In that day it shall be said to Yerushalam: 'Fear thou not; O Zion, let not thy hands be slack. **17** Yehovah thy God is in the midst of thee, a Mighty One who will save; He will rejoice over thee with joy, He will be silent in His love, He will joy over thee with singing.' **18** I will gather them that are far from the appointed season, who are of thee, that hast borne the burden of reproach. **19** Behold, at that time I will deal with all them that afflict thee; and I will save her that is lame, and gather her that was driven away; and I will make them to be a praise and a name, whose shame hath been in all the earth. **20** At that time will I bring you in, and at that time will I gather you; for I will make you to be a name and a praise among all the peoples of the earth, when I turn your captivity before your eyes, saith Yehovah.{P}

חגי

Haggai

Book of Haggai in the Leningrad Codex
(left column, top, page 641 in pdf)

א **א** בִּשְׁנַת שְׁתַּ֫יִם֙ לְדָרְיָ֣וֶשׁ הַמֶּ֔לֶךְ בַּחֹ֨דֶשׁ֙ הַשִּׁשִּׁ֔י בְּי֥וֹם אֶחָ֖ד לַחֹ֑דֶשׁ הָיָ֣ה דְבַר־יְהֹוָ֗ה בְּיַד־חַגַּי֙ הַנָּבִ֔יא אֶל־זְרֻבָּבֶ֤ל בֶּן־שְׁאַלְתִּיאֵל֙ פַּחַ֣ת יְהוּדָ֔ה וְאֶל־יְהוֹשֻׁ֧עַ בֶּן־יְהוֹצָדָ֛ק הַכֹּהֵ֥ן הַגָּד֖וֹל לֵאמֹֽר: **ב** כֹּ֥ה אָמַ֛ר יְהֹוָ֥ה צְבָא֖וֹת לֵאמֹ֑ר הָעָ֤ם הַזֶּה֙ אָ֣מְר֔וּ לֹ֥א עֶת־בֹּ֖א עֶת־בֵּ֥ית יְהֹוָ֖ה לְהִבָּנֽוֹת:

ג וַֽיְהִי֙ דְּבַר־יְהֹוָ֔ה בְּיַד־חַגַּ֥י הַנָּבִ֖יא לֵאמֹֽר: **ד** הַעֵ֤ת לָכֶם֙ אַתֶּ֔ם לָשֶׁ֖בֶת בְּבָתֵּיכֶ֣ם סְפוּנִ֑ים וְהַבַּ֥יִת הַזֶּ֖ה חָרֵֽב: **ה** וְעַתָּ֕ה כֹּ֥ה אָמַ֖ר יְהֹוָ֣ה צְבָא֑וֹת שִׂ֥ימוּ לְבַבְכֶ֖ם עַל־דַּרְכֵיכֶֽם: **ו** זְרַעְתֶּ֨ם הַרְבֵּ֜ה וְהָבֵ֣א מְעָ֗ט אָכ֤וֹל וְאֵין־לְשָׂבְעָה֙ שָׁת֣וֹ וְאֵין־לְשָׁכְרָ֔ה לָב֖וֹשׁ וְאֵין־לְחֹ֣ם ל֑וֹ וְהַ֨מִּשְׂתַּכֵּ֔ר מִשְׂתַּכֵּ֖ר אֶל־צְר֥וֹר נָקֽוּב:

ז כֹּ֥ה אָמַ֖ר יְהֹוָ֣ה צְבָא֑וֹת שִׂ֥ימוּ לְבַבְכֶ֖ם עַל־דַּרְכֵיכֶֽם: **ח** עֲל֥וּ הָהָ֛ר וַהֲבֵאתֶ֥ם עֵ֖ץ וּבְנ֣וּ הַבָּ֑יִת וְאֶרְצֶה־בּ֥וֹ וְאֶכָּבְדָ֖ה אָמַ֥ר יְהֹוָֽה: **ט** פָּנֹ֤ה אֶל־הַרְבֵּה֙ וְהִנֵּ֣ה לִמְעָ֔ט וַהֲבֵאתֶ֥ם הַבַּ֖יִת וְנָפַ֣חְתִּי ב֑וֹ יַ֣עַן מֶ֗ה נְאֻם֙ יְהֹוָ֣ה צְבָא֔וֹת יַ֣עַן בֵּיתִ֗י אֲשֶׁר־ה֣וּא חָרֵ֔ב וְאַתֶּ֣ם רָצִ֔ים אִ֖ישׁ לְבֵיתֽוֹ: **י** עַל־כֵּ֣ן עֲלֵיכֶ֔ם כָּלְא֥וּ שָׁמַ֖יִם מִטָּ֑ל וְהָאָ֖רֶץ כָּלְאָ֥ה יְבוּלָֽהּ: **יא** וָאֶקְרָ֨א חֹ֜רֶב עַל־הָאָ֣רֶץ וְעַל־הֶֽהָרִ֗ים וְעַל־הַדָּגָן֙ וְעַל־הַתִּיר֣וֹשׁ וְעַל־הַיִּצְהָ֔ר וְעַ֛ל אֲשֶׁ֥ר תּוֹצִ֖יא הָאֲדָמָ֑ה וְעַל־הָֽאָדָם֙ וְעַל־הַבְּהֵמָ֔ה וְעַ֖ל כָּל־יְגִ֥יעַ כַּפָּֽיִם: **יב** וַיִּשְׁמַ֣ע זְרֻבָּבֶ֣ל ׀ בֶּן־שַׁלְתִּיאֵ֡ל וִיהוֹשֻׁ֣עַ בֶּן־יְהוֹצָדָק֩ הַכֹּהֵ֨ן הַגָּד֜וֹל וְכֹ֣ל ׀ שְׁאֵרִ֣ית הָעָ֗ם בְּקוֹל֙ יְהֹוָ֣ה אֱלֹֽהֵיהֶ֔ם וְעַל־דִּבְרֵי֙ חַגַּ֣י הַנָּבִ֔יא כַּאֲשֶׁ֥ר שְׁלָח֖וֹ יְהֹוָ֣ה אֱלֹהֵיהֶ֑ם וַיִּֽירְא֥וּ הָעָ֖ם מִפְּנֵ֥י יְהֹוָֽה: **יג** וַ֠יֹּ֠אמֶר חַגַּ֞י מַלְאַ֧ךְ יְהֹוָ֛ה בְּמַלְאֲכ֥וּת יְהֹוָ֖ה לָעָ֣ם לֵאמֹ֑ר אֲנִ֥י אִתְּכֶ֖ם נְאֻם־יְהֹוָֽה: **יד** וַיָּ֣עַר יְהֹוָ֡ה אֶת־רוּחַ֩ זְרֻבָּבֶ֨ל בֶּן־שַׁלְתִּיאֵ֜ל פַּחַ֣ת יְהוּדָ֗ה וְאֶת־רוּחַ֙ יְהוֹשֻׁ֤עַ בֶּן־יְהוֹצָדָק֙ הַכֹּהֵ֣ן הַגָּד֔וֹל וְֽאֶת־ר֔וּחַ כֹּ֖ל שְׁאֵרִ֣ית הָעָ֑ם וַיָּבֹ֨אוּ֙ וַיַּעֲשׂ֣וּ מְלָאכָ֔ה בְּבֵית־יְהֹוָ֥ה צְבָא֖וֹת אֱלֹהֵיהֶֽם:

טו בְּי֨וֹם עֶשְׂרִ֧ים וְאַרְבָּעָ֛ה לַחֹ֖דֶשׁ בַּשִּׁשִּׁ֑י בִּשְׁנַ֥ת שְׁתַּ֖יִם לְדָרְיָ֥וֶשׁ הַמֶּֽלֶךְ:

ב **א** בַּשְּׁבִיעִ֕י בְּעֶשְׂרִ֥ים וְאֶחָ֖ד לַחֹ֑דֶשׁ הָיָה֙ דְּבַר־יְהֹוָ֔ה בְּיַד־חַגַּ֥י הַנָּבִ֖יא לֵאמֹֽר: **ב** אֱמׇר־נָ֗א אֶל־זְרֻבָּבֶ֤ל בֶּן־שַׁלְתִּיאֵל֙ פַּחַ֣ת יְהוּדָ֔ה וְאֶל־יְהוֹשֻׁ֧עַ בֶּן־יְהוֹצָדָ֛ק הַכֹּהֵ֥ן הַגָּד֖וֹל וְאֶל־שְׁאֵרִ֥ית הָעָ֖ם לֵאמֹֽר: **ג** מִ֤י בָכֶם֙ הַנִּשְׁאָ֔ר אֲשֶׁ֤ר רָאָה֙ אֶת־הַבַּ֣יִת הַזֶּ֔ה בִּכְבוֹד֖וֹ הָרִאשׁ֑וֹן וּמָ֨ה אַתֶּ֜ם רֹאִ֤ים אֹתוֹ֙ עַ֔תָּה הֲל֥וֹא כָמֹ֛הוּ כְּאַ֖יִן בְּעֵינֵיכֶֽם: **ד** וְעַתָּ֣ה חֲזַ֣ק זְרֻבָּבֶ֣ל ׀ נְאֻם־יְהֹוָ֡ה וַחֲזַ֣ק יְהוֹשֻׁ֣עַ בֶּן־יְהוֹצָדָק֩ הַכֹּהֵ֨ן הַגָּד֜וֹל וַחֲזַ֨ק כׇּל־עַ֥ם הָאָ֛רֶץ נְאֻם־יְהֹוָ֖ה וַעֲשׂ֑וּ כִּֽי־אֲנִ֣י אִתְּכֶ֔ם נְאֻ֖ם יְהֹוָ֥ה צְבָאֽוֹת:

1 1 In the second year of Darius the king, in the sixth month, in the first day of the month, came the word of Yehovah by Haggai the prophet unto Zerubbabel the son of Shealtiel, governor of Judah, and to Joshua the son of Jehozadak, the high priest, saying: 2 'Thus speaketh Yehovah of hosts, saying: This people say: The time is not come, the time that Yehovah's house should be built.'{P}

3 Then came the word of Yehovah by Haggai the prophet, saying: 4 'Is it a time for you yourselves to dwell in your cieled houses, while this house lieth waste? 5 Now therefore thus saith Yehovah of hosts: Consider your ways. 6 Ye have sown much, and brought in little, ye eat, but ye have not enough, ye drink, but ye are not filled with drink, ye clothe you, but there is none warm; and he that earneth wages earneth wages for a bag with holes.{P}

7 Thus saith Yehovah of hosts: Consider your ways. 8 Go up to the hill-country, and bring wood, and build the house; and I will take pleasure in it, and I will be glorified, saith Yehovah. 9 Ye looked for much, and, lo, it came to little; and when ye brought it home, I did blow upon it. Why? saith Yehovah of hosts. Because of My house that lieth waste, while ye run every man for his own house. 10 Therefore over you the heaven hath kept back, so that there is no dew, and the earth hath kept back her produce. 11 And I called for a drought upon the land, and upon the mountains, and upon the corn, and upon the wine, and upon the oil, and upon that which the ground bringeth forth, and upon men, and upon cattle, and upon all the labour of the hands.'{S} 12 Then Zerubbabel the son of Shealtiel, and Joshua the son of Jehozadak, the high priest, with all the remnant of the people, hearkened unto the voice of Yehovah their God, and unto the words of Haggai the prophet, as Yehovah their God had sent him; and the people did fear before Yehovah. 13 Then spoke Haggai Yehovah's messenger in Yehovah's message unto the people, saying: 'I am with you, saith Yehovah.' 14 And Yehovah stirred up the spirit of Zerubbabel the son of Shealtiel, governor of Judah, and the spirit of Joshua the son of Jehozadak, the high priest, and the spirit of all the remnant of the people; and they came and did work in the house of Yehovah of hosts, their God,{P}

15 in the four and twentieth day of the month, in the sixth month, in the second year of Darius the king.

2 1 In the seventh month, in the one and twentieth day of the month, came the word of Yehovah by Haggai the prophet, saying: 2 'Speak now to Zerubbabel the son of Shealtiel, governor of Judah, and to Joshua the son of Jehozadak, the high priest, and to the remnant of the people, saying: 3 Who is left among you that saw this house in its former glory? and how do ye see it now? is not such a one as nothing in your eyes? 4 Yet now be strong, O Zerubbabel, saith Yehovah; and be strong, O Joshua, son of Jehozadak, the high priest; and be strong, all ye people of the land, saith Yehovah, and work; for I am with you, saith Yehovah of hosts.

ה אֶת־הַדָּבָ֞ר אֲשֶׁר־כָּרַ֤תִּי אִתְּכֶם֙ בְּצֵאתְכֶ֣ם מִמִּצְרַ֔יִם וְרוּחִ֖י עֹמֶ֣דֶת בְּתֽוֹכְכֶ֑ם אַל־תִּירָֽאוּ׃ ו כִּ֣י כֹ֤ה אָמַר֙ יְהֹוָ֣ה צְבָא֔וֹת ע֥וֹד אַחַ֖ת מְעַ֣ט הִ֑יא וַאֲנִ֗י מַרְעִישׁ֙ אֶת־הַשָּׁמַ֣יִם וְאֶת־הָאָ֔רֶץ וְאֶת־הַיָּ֖ם וְאֶת־הֶחָרָבָֽה׃ ז וְהִרְעַשְׁתִּי֙ אֶת־כָּל־הַגּוֹיִ֔ם וּבָ֖אוּ חֶמְדַּ֣ת כָּל־הַגּוֹיִ֑ם וּמִלֵּאתִ֞י אֶת־הַבַּ֤יִת הַזֶּה֙ כָּב֔וֹד אָמַ֖ר יְהֹוָ֥ה צְבָאֽוֹת׃ ח לִ֥י הַכֶּ֖סֶף וְלִ֣י הַזָּהָ֑ב נְאֻ֖ם יְהֹוָ֥ה צְבָאֽוֹת׃ ט גָּד֣וֹל יִֽהְיֶ֡ה כְּבוֹד֩ הַבַּ֨יִת הַזֶּ֤ה הָאַֽחֲרוֹן֙ מִן־הָ֣רִאשׁ֔וֹן אָמַ֖ר יְהֹוָ֣ה צְבָא֑וֹת וּבַמָּק֤וֹם הַזֶּה֙ אֶתֵּ֣ן שָׁל֔וֹם נְאֻ֖ם יְהֹוָ֥ה צְבָאֽוֹת׃

י בְּעֶשְׂרִ֤ים וְאַרְבָּעָה֙ לַתְּשִׁיעִ֔י בִּשְׁנַ֥ת שְׁתַּ֖יִם לְדָרְיָ֑וֶשׁ הָיָה֙ דְּבַר־יְהֹוָ֔ה אֶל־חַגַּ֥י הַנָּבִ֖יא לֵאמֹֽר׃ יא כֹּ֥ה אָמַ֖ר יְהֹוָ֣ה צְבָא֑וֹת שְׁאַל־נָ֧א אֶת־הַכֹּהֲנִ֛ים תּוֹרָ֖ה לֵאמֹֽר׃ יב הֵ֣ן ׀ יִשָּׂא־אִ֡ישׁ בְּשַׂר־קֹ֩דֶשׁ֩ בִּכְנַ֨ף בִּגְד֜וֹ וְנָגַ֣ע בִּ֠כְנָפ֠וֹ אֶל־הַלֶּ֨חֶם וְאֶל־הַנָּזִ֜יד וְאֶל־הַיַּ֣יִן וְאֶל־שֶׁ֗מֶן וְאֶל־כָּל־מַֽאֲכָ֛ל הֲיִקְדָּ֖שׁ וַיַּעֲנ֧וּ הַכֹּהֲנִ֛ים וַיֹּאמְר֖וּ לֹֽא׃ יג וַיֹּ֣אמֶר חַגַּ֔י אִם־יִגַּ֧ע טְמֵא־נֶ֛פֶשׁ בְּכָל־אֵ֖לֶּה הֲיִטְמָ֑א וַיַּעֲנ֧וּ הַכֹּהֲנִ֛ים וַיֹּאמְר֖וּ יִטְמָֽא׃ יד וַיַּ֨עַן חַגַּ֜י וַיֹּ֗אמֶר כֵּ֣ן הָֽעָם־הַ֠זֶּ֠ה וְכֵֽן־הַגּ֨וֹי הַזֶּ֤ה לְפָנַי֙ נְאֻם־יְהֹוָ֔ה וְכֵ֖ן כָּל־מַעֲשֵׂ֣ה יְדֵיהֶ֑ם וַאֲשֶׁ֥ר יַקְרִ֛יבוּ שָׁ֖ם טָמֵ֥א הֽוּא׃ טו וְעַתָּה֙ שִׂ֣ימוּ־נָ֣א לְבַבְכֶ֔ם מִן־הַיּ֥וֹם הַזֶּ֖ה וָמָ֑עְלָה מִטֶּ֧רֶם שֽׂוּם־אֶ֛בֶן אֶל־אֶ֖בֶן בְּהֵיכַ֥ל יְהֹוָֽה׃ טז מִֽהְיוֹתָ֥ם בָּא֙ אֶל־עֲרֵמַ֣ת עֶשְׂרִ֔ים וְהָיְתָ֖ה עֲשָׂרָ֑ה בָּ֣א אֶל־הַיֶּ֗קֶב לַחְשֹׂף֙ חֲמִשִּׁ֣ים פּוּרָ֔ה וְהָיְתָ֖ה עֶשְׂרִֽים׃ יז הִכֵּ֨יתִי אֶתְכֶ֜ם בַּשִּׁדָּפ֤וֹן וּבַיֵּֽרָקוֹן֙ וּבַבָּרָ֔ד אֵ֖ת כָּל־מַעֲשֵׂ֣ה יְדֵיכֶ֑ם וְאֵין־אֶתְכֶ֥ם אֵלַ֖י נְאֻם־יְהֹוָֽה׃ יח שִׂימוּ־נָ֣א לְבַבְכֶ֔ם מִן־הַיּ֥וֹם הַזֶּ֖ה וָמָ֑עְלָה מִיּוֹם֩ עֶשְׂרִ֨ים וְאַרְבָּעָ֜ה לַתְּשִׁיעִ֗י לְמִן־הַיּ֛וֹם אֲשֶׁר־יֻסַּ֥ד הֵֽיכַל־יְהֹוָ֖ה שִׂ֥ימוּ לְבַבְכֶֽם׃ יט הַע֤וֹד הַזֶּ֙רַע֙ בַּמְּגוּרָ֔ה וְעַד־הַגֶּ֨פֶן וְהַתְּאֵנָ֧ה וְהָרִמּ֛וֹן וְעֵ֥ץ הַזַּ֖יִת לֹ֣א נָשָׂ֑א מִן־הַיּ֥וֹם הַזֶּ֖ה אֲבָרֵֽךְ׃ כ וַיְהִ֨י דְבַר־יְהֹוָ֤ה ׀ שֵׁנִית֙ אֶל־חַגַּ֔י בְּעֶשְׂרִ֧ים וְאַרְבָּעָ֛ה לַחֹ֖דֶשׁ לֵאמֹֽר׃ כא אֱמֹ֕ר אֶל־זְרֻבָּבֶ֥ל פַּֽחַת־יְהוּדָ֖ה לֵאמֹ֑ר אֲנִ֣י מַרְעִ֔ישׁ אֶת־הַשָּׁמַ֖יִם וְאֶת־הָאָֽרֶץ׃ כב וְהָֽפַכְתִּי֙ כִּסֵּ֣א מַמְלָכ֔וֹת וְהִ֨שְׁמַדְתִּ֔י חֹ֖זֶק מַמְלְכ֣וֹת הַגּוֹיִ֑ם וְהָפַכְתִּ֤י מֶרְכָּבָה֙ וְרֹ֣כְבֶ֔יהָ וְיָרְד֤וּ סוּסִים֙ וְרֹ֣כְבֵיהֶ֔ם אִ֖ישׁ בְּחֶ֥רֶב אָחִֽיו׃ כג בַּיּ֣וֹם הַה֣וּא נְאֻם־יְהֹוָ֣ה צְבָא֡וֹת אֶ֠קָּחֲךָ֠ זְרֻבָּבֶ֨ל בֶּן־שְׁאַלְתִּיאֵ֤ל עַבְדִּי֙ נְאֻם־יְהֹוָ֔ה וְשַׂמְתִּ֖יךָ כַּֽחוֹתָ֑ם כִּֽי־בְךָ֣ בָחַ֔רְתִּי נְאֻ֖ם יְהֹוָ֥ה צְבָאֽוֹת׃

5 The word that I covenanted with you when ye came out of Egypt have I established, and My spirit abideth among you; fear ye not.{S} **6** For thus saith Yehovah of hosts: Yet once, it is a little while, and I will shake the heavens, and the earth, and the sea, and the dry land; **7** and I will shake all nations, and the choicest things of all nations shall come, and I will fill this house with glory, saith Yehovah of hosts. **8** Mine is the silver, and Mine the gold, saith Yehovah of hosts. **9** The glory of this latter house shall be greater than that of the former, saith Yehovah of hosts; and in this place will I give peace, saith Yehovah of hosts.'{P}

10 In the four and twentieth day of the ninth month, in the second year of Darius, came the word of Yehovah by Haggai the prophet, saying: **11** 'Thus saith Yehovah of hosts: Ask now the priests for instruction, saying: **12** If one bear hallowed flesh in the skirt of his garment, and with his skirt do touch bread, or pottage, or wine, or oil, or any food, shall it be holy?' And the priests answered and said: 'No.' **13** Then said Haggai: 'If one that is unclean by a dead body touch any of these, shall it be unclean?' And the priests answered and said: 'It shall be unclean.' **14** Then answered Haggai, and said: 'So is this people, and so is this nation before me, saith Yehovah; and so is every work of their hands; and that which they offer there is unclean. **15** And now, I pray you, consider from this day and forward–before a stone was laid upon a stone in the temple of Yehovah, **16** through all that time, when one came to a heap of twenty measures, there were but ten; when one came to the winevat to draw out fifty press-measures, there were but twenty; **17** I smote you with blasting and with mildew and with hail in all the work of your hands; yet ye turned not to Me, saith Yehovah– **18** consider, I pray you, from this day and forward, from the four and twentieth day of the ninth month, even from the day that the foundation of Yehovah's temple was laid, consider it; **19** is the seed yet in the barn? yea, the vine, and the fig-tree, and the pomegranate, and the olive-tree hath not brought forth–from this day will I bless you.'{S} **20** And the word of Yehovah came the second time unto Haggai in the four and twentieth day of the month, saying: **21** 'Speak to Zerubbabel, governor of Judah, saying: I will shake the heavens and the earth; **22** and I will overthrow the throne of kingdoms, and I will destroy the strength of the kingdoms of the nations; and I will overthrow the chariots, and those that ride in them; and the horses and their riders shall come down, every one by the sword of his brother. **23** In that day, saith Yehovah of hosts, will I take thee, O Zerubbabel, My servant, the son of Shealtiel, saith Yehovah, and will make thee as a signet; for I have chosen thee, saith Yehovah of hosts.'{P}

זכריה

Zechariah

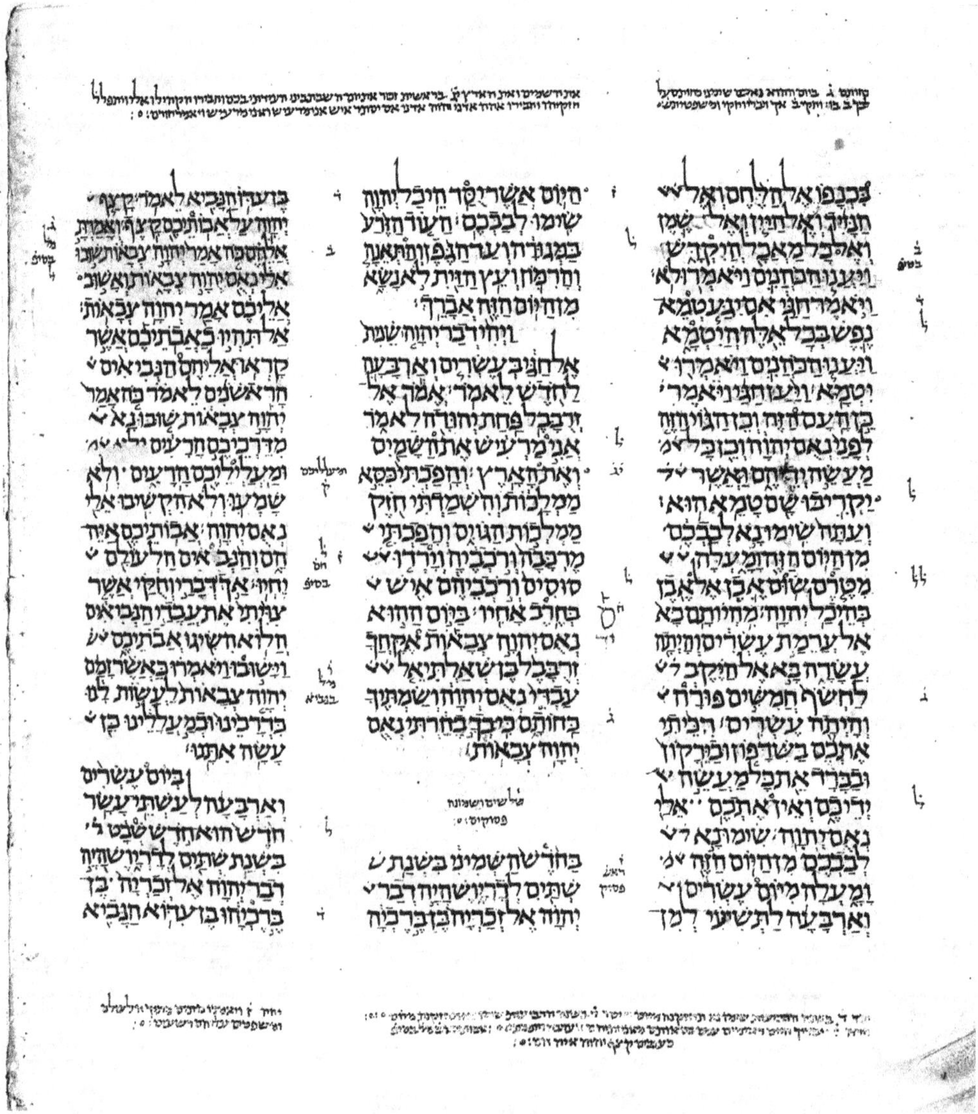

Book of Zechariah in the Leningrad Codex
(middle column, 3 lines from bottom, page 643 in pdf)

א אַ בַּחֹ֙דֶשׁ֙ הַשְּׁמִינִ֔י בִּשְׁנַ֖ת שְׁתַּ֣יִם לְדָרְיָ֑וֶשׁ הָיָ֣ה דְבַר־יְהוָ֗ה אֶל־זְכַרְיָה֙
בֶּן־בֶּ֣רֶכְיָ֔ה בֶּן־עִדּ֥וֹ הַנָּבִ֖יא לֵאמֹֽר׃ ב קָצַ֧ף יְהוָ֛ה עַל־אֲבוֹתֵיכֶ֖ם קָֽצֶף׃ ג וְאָמַרְתָּ֣
אֲלֵהֶ֗ם כֹּ֤ה אָמַר֙ יְהוָ֣ה צְבָא֔וֹת שׁ֣וּבוּ אֵלַ֔י נְאֻ֖ם יְהוָ֣ה צְבָא֑וֹת וְאָשׁ֣וּב אֲלֵיכֶ֔ם
אָמַ֖ר יְהוָ֥ה צְבָאֽוֹת׃ ד אַל־תִּהְי֣וּ כַאֲבֹתֵיכֶ֡ם אֲשֶׁ֣ר קָרְאוּ־אֲלֵיהֶם֩ הַנְּבִיאִ֨ים
הָרִאשֹׁנִ֜ים לֵאמֹ֗ר כֹּ֤ה אָמַר֙ יְהוָ֣ה צְבָא֔וֹת שׁ֤וּבוּ נָא֙ מִדַּרְכֵיכֶ֣ם הָרָעִ֔ים
וּמַעַלְלֵיכֶ֖ם[1] הָרָעִ֑ים וְלֹ֥א שָׁמְע֛וּ וְלֹא־הִקְשִׁ֥יבוּ אֵלַ֖י נְאֻם־יְהוָֽה׃ ה אֲבוֹתֵיכֶ֖ם
אַיֵּה־הֵ֑ם וְהַ֨נְּבִאִ֔ים הַלְעוֹלָ֖ם יִֽחְיֽוּ׃ ו אַ֣ךְ ׀ דְּבָרַ֣י וְחֻקַּ֗י אֲשֶׁ֤ר צִוִּ֙יתִי֙ אֶת־עֲבָדַ֣י
הַנְּבִיאִ֔ים הֲל֥וֹא הִשִּׂ֖יגוּ אֲבֹתֵיכֶ֑ם וַיָּשׁ֣וּבוּ וַיֹּאמְר֗וּ כַּאֲשֶׁ֣ר זָמַם֩ יְהוָ֨ה צְבָא֜וֹת
לַעֲשׂ֣וֹת לָ֗נוּ כִּדְרָכֵ֙ינוּ֙ וּכְמַ֣עֲלָלֵ֔ינוּ כֵּ֖ן עָשָׂ֥ה אִתָּֽנוּ׃ ז בְּיוֹם֩ עֶשְׂרִ֨ים וְאַרְבָּעָ֜ה
לְעַשְׁתֵּֽי־עָשָׂ֥ר חֹ֙דֶשׁ֙ הוּא־חֹ֣דֶשׁ שְׁבָ֔ט בִּשְׁנַ֥ת שְׁתַּ֖יִם לְדָרְיָ֑וֶשׁ הָיָ֣ה דְבַר־יְהוָ֗ה
אֶל־זְכַרְיָה֙ בֶּן־בֶּ֣רֶכְיָ֔הוּ בֶּן־עִדּ֥וֹא הַנָּבִ֖יא לֵאמֹֽר׃ ח רָאִ֣יתִי ׀ הַלַּ֗יְלָה וְהִנֵּה־אִישׁ֙
רֹכֵב֙ עַל־ס֣וּס אָדֹ֔ם וְה֣וּא עֹמֵ֔ד בֵּ֥ין הַהֲדַסִּ֖ים אֲשֶׁ֣ר בַּמְּצֻלָ֑ה וְאַחֲרָיו֙ סוּסִ֣ים
אֲדֻמִּ֔ים שְׂרֻקִּ֖ים וּלְבָנִֽים׃ ט וָאֹמַ֖ר מָה־אֵ֣לֶּה אֲדֹנִ֑י וַיֹּ֣אמֶר אֵלַ֗י הַמַּלְאָךְ֙ הַדֹּבֵ֣ר
בִּ֔י אֲנִ֥י אַרְאֶ֖ךָּ מָה־הֵ֥מָּה אֵֽלֶּה׃ י וַיַּ֛עַן הָאִ֛ישׁ הָעֹמֵ֥ד בֵּין־הַהֲדַסִּ֖ים וַיֹּאמַ֑ר אֵ֚לֶּה
אֲשֶׁ֣ר שָׁלַ֣ח יְהוָ֔ה לְהִתְהַלֵּ֖ךְ בָּאָֽרֶץ׃ יא וַֽיַּעֲנ֞וּ אֶת־מַלְאַ֣ךְ יְהוָ֗ה הָעֹמֵד֙ בֵּ֣ין
הַהֲדַסִּ֔ים וַיֹּאמְר֖וּ הִתְהַלַּ֣כְנוּ בָאָ֑רֶץ וְהִנֵּ֥ה כָל־הָאָ֖רֶץ יֹשֶׁ֥בֶת וְשֹׁקָֽטֶת׃ יב וַיַּ֣עַן
מַלְאַךְ־יְהוָה֮ וַיֹּאמַר֒ יְהוָ֣ה צְבָא֔וֹת עַד־מָתַ֗י אַתָּה֙ לֹֽא־תְרַחֵ֣ם אֶת־יְרוּשָׁלִַ֔ם וְאֵת֙
עָרֵ֣י יְהוּדָ֔ה אֲשֶׁ֣ר זָעַ֔מְתָּה זֶ֖ה שִׁבְעִ֥ים שָׁנָֽה׃ יג וַיַּ֣עַן יְהוָ֗ה אֶת־הַמַּלְאָךְ֙ הַדֹּבֵ֣ר בִּ֔י
דְּבָרִ֥ים טוֹבִ֖ים דְּבָרִ֥ים נִחֻמִֽים׃ יד וַיֹּ֣אמֶר אֵלַ֗י הַמַּלְאָךְ֙ הַדֹּבֵ֣ר בִּ֔י קְרָ֣א לֵאמֹ֔ר
כֹּ֥ה אָמַ֖ר יְהוָ֣ה צְבָא֑וֹת קִנֵּ֧אתִי לִירוּשָׁלִַ֛ם וּלְצִיּ֖וֹן קִנְאָ֥ה גְדוֹלָֽה׃ טו וְקֶ֤צֶף גָּדוֹל֙
אֲנִ֣י קֹצֵ֔ף עַל־הַגּוֹיִ֖ם הַשַּׁאֲנַנִּ֑ים אֲשֶׁ֤ר אֲנִי֙ קָצַ֣פְתִּי מְּעָ֔ט וְהֵ֖מָּה עָזְר֥וּ לְרָעָֽה׃
טז לָכֵ֞ן כֹּה־אָמַ֣ר יְהוָ֗ה שַׁ֤בְתִּי לִירוּשָׁלִַ֙ם֙ בְּֽרַחֲמִ֔ים בֵּיתִי֙ יִבָּ֣נֶה בָּ֔הּ נְאֻ֖ם יְהוָ֣ה
צְבָא֑וֹת וְקָ֥ו[2] יִנָּטֶ֖ה עַל־יְרוּשָׁלִָֽם׃ יז ע֣וֹד ׀ קְרָ֣א לֵאמֹ֗ר כֹּ֤ה אָמַר֙ יְהוָ֣ה צְבָא֔וֹת
ע֛וֹד תְּפוּצֶ֥ינָה עָרַ֖י מִטּ֑וֹב וְנִחַ֨ם יְהוָ֥ה עוֹד֙ אֶת־צִיּ֔וֹן וּבָחַ֥ר ע֖וֹד בִּירוּשָׁלִָֽם׃

ב א וָאֶשָּׂ֥א אֶת־עֵינַ֖י וָאֵ֑רֶא וְהִנֵּ֖ה אַרְבַּ֥ע קְרָנֽוֹת׃ ב וָאֹמַ֗ר אֶל־הַמַּלְאָ֛ךְ הַדֹּבֵ֥ר
בִּ֖י מָה־אֵ֑לֶּה וַיֹּ֣אמֶר אֵלַ֗י אֵ֤לֶּה הַקְּרָנוֹת֙ אֲשֶׁ֣ר זֵר֣וּ אֶת־יְהוּדָ֔ה אֶת־יִשְׂרָאֵ֖ל
וִירוּשָׁלִָֽם׃ ג וַיַּרְאֵ֣נִי יְהוָ֔ה אַרְבָּעָ֖ה חָרָשִֽׁים׃ ד וָאֹמַ֕ר מָ֛ה אֵ֥לֶּה בָאִ֖ים לַעֲשׂ֑וֹת
וַיֹּ֣אמֶר לֵאמֹ֗ר אֵ֣לֶּה הַקְּרָנ֞וֹת אֲשֶׁר־זֵ֣רוּ אֶת־יְהוּדָ֗ה כְּפִי־אִישׁ֙ לֹא־נָשָׂ֣א רֹאשׁ֔וֹ
וַיָּבֹ֣אוּ אֵ֗לֶּה לְהַחֲרִ֣יד אֹתָ֔ם לְיַדּ֞וֹת אֶת־קַרְנ֣וֹת הַגּוֹיִ֗ם הַנֹּשְׂאִ֥ים קֶ֛רֶן אֶל־אֶ֥רֶץ
יְהוּדָ֖ה לְזָרוֹתָֽהּ׃

[1] ומעליליכם
[2] וקוה

1 1 In the eighth month, in the second year of Darius, came the word of Yehovah unto Zechariah the son of Berechiah, the son of Iddo, the prophet, saying: 2 'Yehovah hath been sore displeased with your fathers. 3 Therefore say thou unto them, Thus saith Yehovah of hosts: Return unto Me, saith Yehovah of hosts, and I will return unto you, saith Yehovah of hosts. 4 Be ye not as your fathers, unto whom the former prophets proclaimed, saying: Thus saith Yehovah of hosts: Return ye now from your evil ways, and from your evil doings; but they did not hear, nor attend unto Me, saith Yehovah. 5 Your fathers, where are they? and the prophets, do they live for ever? 6 But My words and My statutes, which I commanded My servants the prophets, did they not overtake your fathers? so that they turned and said: Like as Yehovah of hosts purposed to do unto us, according to our ways, and according to our doings, so hath He dealt with us.'{s} 7 Upon the four and twentieth day of the eleventh month, which is the month Shebat, in the second year of Darius, came the word of Yehovah unto Zechariah the son of Berechiah, the son of Iddo, the prophet, saying– 8 I saw in the night, and behold a man riding upon a red horse, and he stood among the myrtle-trees that were in the bottom; and behind him there were horses, red, sorrel, and white. 9 Then said I: 'O my lord, what are these?' And the angel that spoke with me said unto me: 'I will show thee what these are.' 10 And the man that stood among the myrtle-trees answered and said: 'These are they whom Yehovah hath sent to walk to and fro through the earth.' 11 And they answered the angel of Yehovah that stood among the myrtle-trees, and said: 'We have walked to and fro through the earth, and, behold, all the earth sitteth still, and is at rest.' 12 Then the angel of Yehovah spoke and said: 'Yehovah of hosts, how long wilt Thou not have compassion on Yerushalam and on the cities of Judah, against which Thou hast had indignation these threescore and ten years? 13 And Yehovah answered the angel that spoke with me with good words, even comforting words– 14 so the angel that spoke with me said unto me: 'Proclaim thou, saying: Thus saith Yehovah of hosts: I am jealous for Yerushalam and for Zion with a great jealousy; 15 and I am very sore displeased with the nations that are at ease; for I was but a little displeased, and they helped for evil. 16 Therefore thus saith Yehovah: I return to Yerushalam with compassions: My house shall be built in it, saith Yehovah of hosts, and a line shall be stretched forth over Yerushalam. 17 Again, proclaim, saying: Thus saith Yehovah of hosts: My cities shall again overflow with prosperity; and Yehovah shall yet comfort Zion, and shall yet choose Yerushalam.'{s}

2 1 And I lifted up mine eyes, and saw, and behold four horns. 2 And I said unto the angel that spoke with me: 'What are these?' And he said unto me: 'These are the horns which have scattered Judah, Israel, and Yerushalam.'{s} 3 And Yehovah showed me four craftsmen. 4 Then said I: 'What come these to do?' And he spoke, saying: 'These–the horns which scattered Judah, so that no man did lift up his head–these then are come to frighten them, to cast down the horns of the nations, which lifted up their horn against the land of Judah to scatter it.'{s}

ה וָאֶשָּׂא עֵינַי וָאֵרֶא וְהִנֵּה־אִישׁ וּבְיָדוֹ חֶבֶל מִדָּה: ו וָאֹמַר אָנָה אַתָּה הֹלֵךְ וַיֹּאמֶר אֵלַי לָמֹד אֶת־יְרוּשָׁלַ͏ִם לִרְאוֹת כַּמָּה־רׇחְבָּהּ וְכַמָּה אׇרְכָּהּ: ז וְהִנֵּה הַמַּלְאָךְ הַדֹּבֵר בִּי יֹצֵא וּמַלְאָךְ אַחֵר יֹצֵא לִקְרָאתוֹ: ח וַיֹּאמֶר אֵלָו רֻץ דַּבֵּר אֶל־הַנַּעַר הַלָּז לֵאמֹר פְּרָזוֹת תֵּשֵׁב יְרוּשָׁלַ͏ִם מֵרֹב אָדָם וּבְהֵמָה בְּתוֹכָהּ: ט וַאֲנִי אֶהְיֶה־לָּהּ נְאֻם־יְהֹוָה חוֹמַת אֵשׁ סָבִיב וּלְכָבוֹד אֶהְיֶה בְתוֹכָהּ:

י הוֹי הוֹי וְנֻסוּ מֵאֶרֶץ צָפוֹן נְאֻם־יְהֹוָה כִּי כְּאַרְבַּע רוּחוֹת הַשָּׁמַיִם פֵּרַשְׂתִּי אֶתְכֶם נְאֻם־יְהֹוָה: יא הוֹי צִיּוֹן הִמָּלְטִי יוֹשֶׁבֶת בַּת־בָּבֶל: יב כִּי כֹה אָמַר יְהֹוָה צְבָאוֹת אַחַר כָּבוֹד שְׁלָחַנִי אֶל־הַגּוֹיִם הַשֹּׁלְלִים אֶתְכֶם כִּי הַנֹּגֵעַ בָּכֶם נֹגֵעַ בְּבָבַת עֵינוֹ: יג כִּי הִנְנִי מֵנִיף אֶת־יָדִי עֲלֵיהֶם וְהָיוּ שָׁלָל לְעַבְדֵיהֶם וִידַעְתֶּם כִּי־יְהֹוָה צְבָאוֹת שְׁלָחָנִי: יד רׇנִּי וְשִׂמְחִי בַּת־צִיּוֹן כִּי הִנְנִי־בָא וְשָׁכַנְתִּי בְתוֹכֵךְ נְאֻם־יְהֹוָה: טו וְנִלְווּ גוֹיִם רַבִּים אֶל־יְהֹוָה בַּיּוֹם הַהוּא וְהָיוּ לִי לְעָם וְשָׁכַנְתִּי בְתוֹכֵךְ וְיָדַעַתְּ כִּי־יְהֹוָה צְבָאוֹת שְׁלָחַנִי אֵלָיִךְ: טז וְנָחַל יְהֹוָה אֶת־יְהוּדָה חֶלְקוֹ עַל אַדְמַת הַקֹּדֶשׁ וּבָחַר עוֹד בִּירוּשָׁלָ͏ִם: יז הַס כָּל־בָּשָׂר מִפְּנֵי יְהֹוָה כִּי נֵעוֹר מִמְּעוֹן קׇדְשׁוֹ:

ג א וַיַּרְאֵנִי אֶת־יְהוֹשֻׁעַ הַכֹּהֵן הַגָּדוֹל עֹמֵד לִפְנֵי מַלְאַךְ יְהֹוָה וְהַשָּׂטָן עֹמֵד עַל־יְמִינוֹ לְשִׂטְנוֹ: ב וַיֹּאמֶר יְהֹוָה אֶל־הַשָּׂטָן יִגְעַר יְהֹוָה בְּךָ הַשָּׂטָן וְיִגְעַר יְהֹוָה בְּךָ הַבֹּחֵר בִּירוּשָׁלָ͏ִם הֲלוֹא זֶה אוּד מֻצָּל מֵאֵשׁ: ג וִיהוֹשֻׁעַ הָיָה לָבֻשׁ בְּגָדִים צוֹאִים וְעֹמֵד לִפְנֵי הַמַּלְאָךְ: ד וַיַּעַן וַיֹּאמֶר אֶל־הָעֹמְדִים לְפָנָיו לֵאמֹר הָסִירוּ הַבְּגָדִים הַצֹּאִים מֵעָלָיו וַיֹּאמֶר אֵלָיו רְאֵה הֶעֱבַרְתִּי מֵעָלֶיךָ עֲוֺנֶךָ וְהַלְבֵּשׁ אֹתְךָ מַחֲלָצוֹת: ה וָאֹמַר יָשִׂימוּ צָנִיף טָהוֹר עַל־רֹאשׁוֹ וַיָּשִׂימוּ הַצָּנִיף הַטָּהוֹר עַל־רֹאשׁוֹ וַיַּלְבִּשֻׁהוּ בְּגָדִים וּמַלְאַךְ יְהֹוָה עֹמֵד: ו וַיָּעַד מַלְאַךְ יְהֹוָה בִּיהוֹשֻׁעַ לֵאמֹר: ז כֹּה־אָמַר יְהֹוָה צְבָאוֹת אִם־בִּדְרָכַי תֵּלֵךְ וְאִם אֶת־מִשְׁמַרְתִּי תִשְׁמֹר וְגַם־אַתָּה תָּדִין אֶת־בֵּיתִי וְגַם תִּשְׁמֹר אֶת־חֲצֵרָי וְנָתַתִּי לְךָ מַהְלְכִים בֵּין הָעֹמְדִים הָאֵלֶּה: ח שְׁמַע־נָא יְהוֹשֻׁעַ ׀ הַכֹּהֵן הַגָּדוֹל אַתָּה וְרֵעֶיךָ הַיֹּשְׁבִים לְפָנֶיךָ כִּי־אַנְשֵׁי מוֹפֵת הֵמָּה כִּי־הִנְנִי מֵבִיא אֶת־עַבְדִּי צֶמַח: ט כִּי ׀ הִנֵּה הָאֶבֶן אֲשֶׁר נָתַתִּי לִפְנֵי יְהוֹשֻׁעַ עַל־אֶבֶן אַחַת שִׁבְעָה עֵינָיִם הִנְנִי מְפַתֵּחַ פִּתֻּחָהּ נְאֻם יְהֹוָה צְבָאוֹת וּמַשְׁתִּי אֶת־עֲוֺן הָאָרֶץ־הַהִיא בְּיוֹם אֶחָד: י בַּיּוֹם הַהוּא נְאֻם יְהֹוָה צְבָאוֹת תִּקְרְאוּ אִישׁ לְרֵעֵהוּ אֶל־תַּחַת גֶּפֶן וְאֶל־תַּחַת תְּאֵנָה:

ד א וַיָּשׇׁב הַמַּלְאָךְ הַדֹּבֵר בִּי וַיְעִירֵנִי כְּאִישׁ אֲשֶׁר־יֵעוֹר מִשְּׁנָתוֹ:

5 And I lifted up mine eyes, and saw, and behold a man with a measuring line in his hand. **6** Then said I: 'Whither goest thou?' And he said unto me: 'To measure Yerushalam, to see what is the breadth thereof, and what is the length thereof.' **7** And, behold, the angel that spoke with me went forth, and another angel went out to meet him, **8** and said unto him: 'Run, speak to this young man, saying: 'Yerushalam shall be inhabited without walls for the multitude of men and cattle therein. **9** For I, saith Yehovah, will be unto her a wall of fire round about, and I will be the glory in the midst of her.{P}

10 Ho, ho, flee then from the land of the north, saith Yehovah; for I have spread you abroad as the four winds of the heaven, saith Yehovah. **11** Ho, Zion, escape, thou that dwellest with the daughter of Babylon.'{S} **12** For thus saith Yehovah of hosts who sent me after glory unto the nations which spoiled you: 'Surely, he that toucheth you toucheth the apple of his eye. **13** For, behold, I will shake My hand over them, and they shall be a spoil to those that served them'; and ye shall know that Yehovah of hosts hath sent me.{S} **14** 'Sing and rejoice, O daughter of Zion; for, lo, I come, and I will dwell in the midst of thee, saith Yehovah. **15** And many nations shall join themselves to Yehovah in that day, and shall be My people, and I will dwell in the midst of thee'; and thou shalt know that Yehovah of hosts hath sent me unto thee. **16** And Yehovah shall inherit Judah as His portion in the holy land, and shall choose Yerushalam again. **17** Be silent, all flesh, before Yehovah; for He is aroused out of His holy habitation.{S}

3 **1** And he showed me Joshua the high priest standing before the angel of Yehovah, and Satan standing at his right hand to accuse him. **2** And Yehovah said unto Satan: 'Yehovah rebuke thee, O Satan, yea, Yehovah that hath chosen Yerushalam rebuke thee; is not this man a brand plucked out of the fire?' **3** Now Joshua was clothed with filthy garments, and stood before the angel. **4** And he answered and spoke unto those that stood before him, saying: 'Take the filthy garments from off him.' And unto him he said: 'Behold, I cause thine iniquity to pass from thee, and I will clothe thee with robes.' **5** And I said: 'Let them set a fair mitre upon his head.' So they set a fair mitre upon his head, and clothed him with garments; and the angel of Yehovah stood by. **6** And the angel of Yehovah forewarned Joshua, saying: **7** 'Thus saith Yehovah of hosts: If thou wilt walk in My ways, and if thou wilt keep My charge, and wilt also judge My house, and wilt also keep My courts, then I will give thee free access among these that stand by. **8** Hear now, O Joshua the high priest, thou and thy fellows that sit before thee; for they are men that are a sign; for, behold, I will bring forth My servant the Shoot. **9** For behold the stone that I have laid before Joshua; upon one stone are seven facets; behold, I will engrave the graving thereof, saith Yehovah of hosts: And I will remove the iniquity of that land in one day. **10** In that day, saith Yehovah of hosts, shall ye call every man his neighbour under the vine and under the fig-tree.

4 **1** And the angel that spoke with me returned, and waked me, as a man that is wakened out of his sleep.

ב וַיֹּאמֶר אֵלַי מָה אַתָּה רֹאֶה וָאֹמַר[3] רָאִיתִי ׀ וְהִנֵּה מְנוֹרַת זָהָב כֻּלָּהּ וְגֻלָּהּ
עַל־רֹאשָׁהּ וְשִׁבְעָה נֵרֹתֶיהָ עָלֶיהָ שִׁבְעָה וְשִׁבְעָה מוּצָקוֹת לַנֵּרוֹת אֲשֶׁר
עַל־רֹאשָׁהּ׃ ג וּשְׁנַיִם זֵיתִים עָלֶיהָ אֶחָד מִימִין הַגֻּלָּה וְאֶחָד עַל־שְׂמֹאלָהּ׃
ד וָאַעַן וָאֹמַר אֶל־הַמַּלְאָךְ הַדֹּבֵר בִּי לֵאמֹר מָה־אֵלֶּה אֲדֹנִי׃ ה וַיַּעַן הַמַּלְאָךְ
הַדֹּבֵר בִּי וַיֹּאמֶר אֵלַי הֲלוֹא יָדַעְתָּ מָה־הֵמָּה אֵלֶּה וָאֹמַר לֹא אֲדֹנִי׃ ו וַיַּעַן
וַיֹּאמֶר אֵלַי לֵאמֹר זֶה דְּבַר־יְהוָה אֶל־זְרֻבָּבֶל לֵאמֹר לֹא בְחַיִל וְלֹא בְכֹחַ כִּי
אִם־בְּרוּחִי אָמַר יְהוָה צְבָאוֹת׃ ז מִי־אַתָּה הַר־הַגָּדוֹל לִפְנֵי זְרֻבָּבֶל לְמִישֹׁר
וְהוֹצִיא אֶת־הָאֶבֶן הָרֹאשָׁה תְּשֻׁאוֹת חֵן חֵן לָהּ׃

ח וַיְהִי דְבַר־יְהוָה אֵלַי לֵאמֹר׃ ט יְדֵי זְרֻבָּבֶל יִסְּדוּ הַבַּיִת הַזֶּה וְיָדָיו
תְּבַצַּעְנָה וְיָדַעְתָּ כִּי־יְהוָה צְבָאוֹת שְׁלָחַנִי אֲלֵיכֶם׃ י כִּי מִי בַז לְיוֹם קְטַנּוֹת
וְשָׂמְחוּ וְרָאוּ אֶת־הָאֶבֶן הַבְּדִיל בְּיַד זְרֻבָּבֶל שִׁבְעָה־אֵלֶּה עֵינֵי יְהוָה הֵמָּה
מְשׁוֹטְטִים בְּכָל־הָאָרֶץ׃ יא וָאַעַן וָאֹמַר אֵלָיו מַה־שְּׁנֵי הַזֵּיתִים הָאֵלֶּה עַל־יְמִין
הַמְּנוֹרָה וְעַל־שְׂמֹאולָהּ׃ יב וָאַעַן שֵׁנִית וָאֹמַר אֵלָיו מַה־שְּׁתֵּי שִׁבֲּלֵי הַזֵּיתִים
אֲשֶׁר בְּיַד שְׁנֵי צַנְתְּרוֹת הַזָּהָב הַמְּרִיקִים מֵעֲלֵיהֶם הַזָּהָב׃ יג וַיֹּאמֶר אֵלַי
לֵאמֹר הֲלוֹא יָדַעְתָּ מָה־אֵלֶּה וָאֹמַר לֹא אֲדֹנִי׃ יד וַיֹּאמֶר אֵלֶּה שְׁנֵי
בְנֵי־הַיִּצְהָר הָעֹמְדִים עַל־אֲדוֹן כָּל־הָאָרֶץ׃

ה א וָאָשׁוּב וָאֶשָּׂא עֵינַי וָאֶרְאֶה וְהִנֵּה מְגִלָּה עָפָה׃ ב וַיֹּאמֶר אֵלַי מָה אַתָּה
רֹאֶה וָאֹמַר אֲנִי רֹאֶה מְגִלָּה עָפָה אָרְכָּהּ עֶשְׂרִים בָּאַמָּה וְרָחְבָּהּ עֶשֶׂר בָּאַמָּה׃
ג וַיֹּאמֶר אֵלַי זֹאת הָאָלָה הַיּוֹצֵאת עַל־פְּנֵי כָל־הָאָרֶץ כִּי כָל־הַגֹּנֵב מִזֶּה
כָּמוֹהָ נִקָּה וְכָל־הַנִּשְׁבָּע מִזֶּה כָּמוֹהָ נִקָּה׃ ד הוֹצֵאתִיהָ נְאֻם יְהוָה צְבָאוֹת
וּבָאָה אֶל־בֵּית הַגַּנָּב וְאֶל־בֵּית הַנִּשְׁבָּע בִּשְׁמִי לַשָּׁקֶר וְלָנָה בְּתוֹךְ בֵּיתוֹ וְכִלַּתּוּ
וְאֶת־עֵצָיו וְאֶת־אֲבָנָיו׃ ה וַיֵּצֵא הַמַּלְאָךְ הַדֹּבֵר בִּי וַיֹּאמֶר אֵלַי שָׂא נָא עֵינֶיךָ
וּרְאֵה מָה הַיּוֹצֵאת הַזֹּאת׃ ו וָאֹמַר מַה־הִיא וַיֹּאמֶר זֹאת הָאֵיפָה הַיּוֹצֵאת
וַיֹּאמֶר זֹאת עֵינָם בְּכָל־הָאָרֶץ׃ ז וְהִנֵּה כִּכַּר עֹפֶרֶת נִשֵּׂאת וְזֹאת אִשָּׁה אַחַת
יוֹשֶׁבֶת בְּתוֹךְ הָאֵיפָה׃ ח וַיֹּאמֶר זֹאת הָרִשְׁעָה וַיַּשְׁלֵךְ אֹתָהּ אֶל־תּוֹךְ הָאֵיפָה
וַיַּשְׁלֵךְ אֶת־אֶבֶן הָעֹפֶרֶת אֶל־פִּיהָ׃ ט וָאֶשָּׂא עֵינַי וָאֵרֶא וְהִנֵּה שְׁתַּיִם נָשִׁים
יוֹצְאוֹת וְרוּחַ בְּכַנְפֵיהֶם וְלָהֵנָּה כְנָפַיִם כְּכַנְפֵי הַחֲסִידָה וַתִּשֶּׂאנָה אֶת־הָאֵיפָה
בֵּין הָאָרֶץ וּבֵין הַשָּׁמָיִם׃ י וָאֹמַר אֶל־הַמַּלְאָךְ הַדֹּבֵר בִּי אָנָה הֵמָּה מוֹלִכוֹת
אֶת־הָאֵיפָה׃ יא וַיֹּאמֶר אֵלַי לִבְנוֹת־לָה בַיִת בְּאֶרֶץ שִׁנְעָר וְהוּכַן וְהֻנִּיחָה שָּׁם
עַל־מְכֻנָתָהּ׃

[3] ויאמר

2 And he said unto me: 'What seest thou?' And I said: 'I have seen, and behold a candlestick all of gold, with a bowl upon the top of it, and its seven lamps thereon; there are seven pipes, yea, seven, to the lamps, which are upon the top thereof; **3** and two olive-trees by it, one upon the right side of the bowl, and the other upon the left side thereof.' **4** And I answered and spoke to the angel that spoke with me, saying: 'What are these, my lord?' **5** Then the angel that spoke with me answered and said unto me: 'Knowest thou not what these are?' And I said: 'No, my lord.' **6** Then he answered and spoke unto me, saying: 'This is the word of Yehovah unto Zerubbabel, saying: Not by might, nor by power, but by My spirit, saith Yehovah of hosts. **7** Who art thou, O great mountain before Zerubbabel? thou shalt become a plain; and he shall bring forth the top stone with shoutings of Grace, grace, unto it.'{P}

8 Moreover the word of Yehovah came unto me, saying: **9** 'The hands of Zerubbabel have laid the foundation of this house; his hands shall also finish it; and thou shalt know that Yehovah of hosts hath sent me unto you. **10** For who hath despised the day of small things? even they shall see with joy the plummet in the hand of Zerubbabel, even these seven, which are the eyes of Yehovah, that run to and fro through the whole earth.' **11** Then answered I, and said unto him: 'What are these two olive-trees upon the right side of the candlestick and upon the left side thereof?' **12** And I answered the second time, and said unto him: 'What are these two olive branches, which are beside the two golden spouts, that empty the golden oil out of themselves?' **13** And he answered me and said: 'Knowest thou not what these are?' And I said: 'No, my lord.' **14** Then said he: 'These are the two anointed ones, that stand by the Lord of the whole earth.'

5 1 Then again I lifted up mine eyes, and saw, and behold a flying roll. **2** And he said unto me: 'What seest thou?' And I answered: 'I see a flying roll; the length thereof is twenty cubits, and the breadth thereof ten cubits.' **3** Then said he unto me: 'This is the curse that goeth forth over the face of the whole land; for every one that stealeth shall be swept away on the one side like it; and every one that sweareth shall be swept away on the other side like it. **4** I cause it to go forth, saith Yehovah of hosts, and it shall enter into the house of the thief, and into the house of him that sweareth falsely by My name; and it shall abide in the midst of his house, and shall consume it with the timber thereof and the stones thereof.' **5** Then the angel that spoke with me went forth, and said unto me: 'Lift up now thine eyes, and see what is this that goeth forth.' **6** And I said: 'What is it?' And he said: 'This is the measure that goeth forth.' He said moreover: 'This is their eye in all the land– **7** and, behold, there was lifted up a round piece of lead–and this is a woman sitting in the midst of the measure.' **8** And he said: 'This is Wickedness.' And he cast her down into the midst of the measure, and he cast the weight of lead upon the mouth thereof.{S} **9** Then lifted I up mine eyes, and saw, and, behold, there came forth two women, and the wind was in their wings; for they had wings like the wings of a stork; and they lifted up the measure between the earth and the heaven. **10** Then said I to the angel that spoke with me: 'Whither do these bear the measure?' **11** And he said unto me: 'To build her a house in the land of Shinar; and when it is prepared, she shall be set there in her own place.{S}

ו א וָאָשֻׁב וָאֶשָּׂא עֵינַי וָאֶרְאֶה וְהִנֵּה אַרְבַּע מַרְכָּבוֹת יֹצְאוֹת מִבֵּין שְׁנֵי
הֶהָרִים וְהֶהָרִים הָרֵי נְחֹשֶׁת: ב בַּמֶּרְכָּבָה הָרִאשֹׁנָה סוּסִים אֲדֻמִּים
וּבַמֶּרְכָּבָה הַשֵּׁנִית סוּסִים שְׁחֹרִים: ג וּבַמֶּרְכָּבָה הַשְּׁלִשִׁית סוּסִים לְבָנִים
וּבַמֶּרְכָּבָה הָרְבִעִית סוּסִים בְּרֻדִּים אֲמֻצִּים: ד וָאַעַן וָאֹמַר אֶל־הַמַּלְאָךְ
הַדֹּבֵר בִּי מָה־אֵלֶּה אֲדֹנִי: ה וַיַּעַן הַמַּלְאָךְ וַיֹּאמֶר אֵלָי אֵלֶּה אַרְבַּע רֻחוֹת
הַשָּׁמַיִם יוֹצְאוֹת מֵהִתְיַצֵּב עַל־אֲדוֹן כָּל־הָאָרֶץ: ו אֲשֶׁר־בָּהּ הַסּוּסִים
הַשְּׁחֹרִים יֹצְאִים אֶל־אֶרֶץ צָפוֹן וְהַלְּבָנִים יָצְאוּ אֶל־אַחֲרֵיהֶם וְהַבְּרֻדִּים
יָצְאוּ אֶל־אֶרֶץ הַתֵּימָן: ז וְהָאֲמֻצִּים יָצְאוּ וַיְבַקְשׁוּ לָלֶכֶת לְהִתְהַלֵּךְ בָּאָרֶץ
וַיֹּאמֶר לְכוּ הִתְהַלְּכוּ בָאָרֶץ וַתִּתְהַלַּכְנָה בָּאָרֶץ: ח וַיַּזְעֵק אֹתִי וַיְדַבֵּר אֵלַי
לֵאמֹר רְאֵה הַיּוֹצְאִים אֶל־אֶרֶץ צָפוֹן הֵנִיחוּ אֶת־רוּחִי בְּאֶרֶץ צָפוֹן: ט וַיְהִי
דְבַר־יְהוָה אֵלַי לֵאמֹר: י לָקוֹחַ מֵאֵת הַגּוֹלָה מֵחֶלְדַּי וּמֵאֵת טוֹבִיָּה וּמֵאֵת
יְדַעְיָה וּבָאתָ אַתָּה בַּיּוֹם הַהוּא וּבָאתָ בֵּית יֹאשִׁיָּה בֶן־צְפַנְיָה אֲשֶׁר־בָּאוּ
מִבָּבֶל: יא וְלָקַחְתָּ כֶסֶף־וְזָהָב וְעָשִׂיתָ עֲטָרוֹת וְשַׂמְתָּ בְּרֹאשׁ יְהוֹשֻׁעַ
בֶּן־יְהוֹצָדָק הַכֹּהֵן הַגָּדוֹל: יב וְאָמַרְתָּ אֵלָיו לֵאמֹר כֹּה אָמַר יְהוָה צְבָאוֹת
לֵאמֹר הִנֵּה־אִישׁ צֶמַח שְׁמוֹ וּמִתַּחְתָּיו יִצְמָח וּבָנָה אֶת־הֵיכַל יְהוָה: יג וְהוּא
יִבְנֶה אֶת־הֵיכַל יְהוָה וְהוּא־יִשָּׂא הוֹד וְיָשַׁב וּמָשַׁל עַל־כִּסְאוֹ וְהָיָה כֹהֵן
עַל־כִּסְאוֹ וַעֲצַת שָׁלוֹם תִּהְיֶה בֵּין שְׁנֵיהֶם: יד וְהָעֲטָרֹת תִּהְיֶה לְחֵלֶם
וּלְטוֹבִיָּה וְלִידַעְיָה וּלְחֵן בֶּן־צְפַנְיָה לְזִכָּרוֹן בְּהֵיכַל יְהוָה: טו וּרְחוֹקִים ׀
יָבֹאוּ וּבָנוּ בְּהֵיכַל יְהוָה וִידַעְתֶּם כִּי־יְהוָה צְבָאוֹת שְׁלָחַנִי אֲלֵיכֶם וְהָיָה
אִם־שָׁמוֹעַ תִּשְׁמְעוּן בְּקוֹל יְהוָה אֱלֹהֵיכֶם:

ז א וַיְהִי בִּשְׁנַת אַרְבַּע לְדָרְיָוֶשׁ הַמֶּלֶךְ הָיָה דְבַר־יְהוָה אֶל־זְכַרְיָה
בְּאַרְבָּעָה לַחֹדֶשׁ הַתְּשִׁעִי בְּכִסְלֵו: ב וַיִּשְׁלַח בֵּית־אֵל שַׂר־אֶצֶר וְרֶגֶם מֶלֶךְ
וַאֲנָשָׁיו לְחַלּוֹת אֶת־פְּנֵי יְהוָה: ג לֵאמֹר אֶל־הַכֹּהֲנִים אֲשֶׁר לְבֵית־יְהוָה
צְבָאוֹת וְאֶל־הַנְּבִיאִים לֵאמֹר הַאֶבְכֶּה בַּחֹדֶשׁ הַחֲמִשִׁי הִנָּזֵר כַּאֲשֶׁר עָשִׂיתִי
זֶה כַּמֶּה שָׁנִים:

ד וַיְהִי דְּבַר־יְהוָה צְבָאוֹת אֵלַי לֵאמֹר: ה אֱמֹר אֶל־כָּל־עַם הָאָרֶץ
וְאֶל־הַכֹּהֲנִים לֵאמֹר כִּי־צַמְתֶּם וְסָפוֹד בַּחֲמִישִׁי וּבַשְּׁבִיעִי וְזֶה שִׁבְעִים שָׁנָה
הֲצוֹם צַמְתֻּנִי אָנִי: ו וְכִי תֹאכְלוּ וְכִי תִשְׁתּוּ הֲלוֹא אַתֶּם הָאֹכְלִים וְאַתֶּם
הַשֹּׁתִים: ז הֲלוֹא אֶת־הַדְּבָרִים אֲשֶׁר קָרָא יְהוָה בְּיַד הַנְּבִיאִים הָרִאשֹׁנִים
בִּהְיוֹת יְרוּשָׁלַםִ יֹשֶׁבֶת וּשְׁלֵוָה וְעָרֶיהָ סְבִיבֹתֶיהָ וְהַנֶּגֶב וְהַשְּׁפֵלָה יֹשֵׁב:

6 1 And again I lifted up mine eyes, and saw, and, behold, there came four chariots out from between the two mountains; and the mountains were mountains of brass. 2 In the first chariot were red horses; and in the second chariot black horses; 3 and in the third chariot white horses; and in the fourth chariot grizzled bay horses. 4 Then I answered and said unto the angel that spoke with me: 'What are these, my lord?' 5 And the angel answered and said unto me: 'These chariots go forth to the four winds of heaven, after presenting themselves before the Lord of all the earth. 6 That wherein are the black horses goeth forth toward the north country; and the white went forth after them; and the grizzled went forth toward the south country; 7 and the bay went forth'. And they sought to go that they might walk to and fro through the earth; and he said: 'Get you hence, walk to and fro through the earth.' So they walked to and fro through the earth. 8 Then cried he upon me, and spoke unto me, saying: 'Behold, they that go toward the north country have eased My spirit in the north country.'{S} 9 And the word of Yehovah came unto me, saying: 10 'Take of them of the captivity, even of Heldai, of Tobijah, and of Jedaiah, that are come from Babylon; and come thou the same day, and go into the house of Josiah the son of Zephaniah; 11 yea, take silver and gold, and make crowns, and set the one upon the head of Joshua the son of Jehozadak, the high priest; 12 and speak unto him, saying: Thus speaketh Yehovah of hosts, saying: Behold, a man whose name is the Shoot, and who shall shoot up out of his place, and build the temple of Yehovah; 13 even he shall build the temple of Yehovah; and he shall bear the glory, and shall sit and rule upon his throne; and there shall be a priest before his throne; and the counsel of peace shall be between them both. 14 And the crowns shall be to Helem, and to Tobijah, and to Jedaiah, and to Hen the son of Zephaniah, as a memorial in the temple of Yehovah. 15 And they that are far off shall come and build in the temple of Yehovah, and ye shall know that Yehovah of hosts hath sent me unto you. And it shall come to pass, if ye will diligently hearken to the voice of Yehovah your God–.'{S}

7 1 And it came to pass in the fourth year of king Darius, that the word of Yehovah came unto Zechariah in the fourth day of the ninth month, even in Chislev; 2 When Bethel-sarezer, and Regem-melech and his men, had sent to entreat the favour of Yehovah, 3 and to speak unto the priests of the house of Yehovah of hosts, and to the prophets, saying: 'Should I weep in the fifth month, separating myself, as I have done these so many years?'{P} 4 Then came the word of Yehovah of hosts unto me, saying: 5 'Speak unto all the people of the land, and to the priests, saying: When ye fasted and mourned in the fifth and in the seventh month, even these seventy years, did ye at all fast unto Me, even to Me? 6 And when ye eat, and when ye drink, are ye not they that eat, and they that drink? 7 Should ye not hearken to the words which Yehovah hath proclaimed by the former prophets, when Yerushalam was inhabited and in prosperity, and the cities thereof round about her, and the South and the Lowland were inhabited?'{P}

ח וַיְהִי דְּבַר־יְהֹוָה אֶל־זְכַרְיָה לֵאמֹר: ט כֹּה אָמַר יְהֹוָה צְבָאוֹת לֵאמֹר
מִשְׁפַּט אֱמֶת שְׁפֹטוּ וְחֶסֶד וְרַחֲמִים עֲשׂוּ אִישׁ אֶת־אָחִיו: י וְאַלְמָנָה וְיָתוֹם גֵּר
וְעָנִי אַל־תַּעֲשֹׁקוּ וְרָעַת אִישׁ אָחִיו אַל־תַּחְשְׁבוּ בִּלְבַבְכֶם: יא וַיְמָאֲנוּ לְהַקְשִׁיב
וַיִּתְּנוּ כָתֵף סֹרָרֶת וְאָזְנֵיהֶם הִכְבִּידוּ מִשְּׁמוֹעַ: יב וְלִבָּם שָׂמוּ שָׁמִיר מִשְּׁמוֹעַ
אֶת־הַתּוֹרָה וְאֶת־הַדְּבָרִים אֲשֶׁר שָׁלַח יְהֹוָה צְבָאוֹת בְּרוּחוֹ בְּיַד הַנְּבִיאִים
הָרִאשֹׁנִים וַיְהִי קֶצֶף גָּדוֹל מֵאֵת יְהֹוָה צְבָאוֹת: יג וַיְהִי כַאֲשֶׁר־קָרָא וְלֹא
שָׁמֵעוּ כֵּן יִקְרְאוּ וְלֹא אֶשְׁמָע אָמַר יְהֹוָה צְבָאוֹת: יד וְאֵסָעֲרֵם עַל כָּל־הַגּוֹיִם
אֲשֶׁר לֹא־יְדָעוּם וְהָאָרֶץ נָשַׁמָּה אַחֲרֵיהֶם מֵעֹבֵר וּמִשָּׁב וַיָּשִׂימוּ אֶרֶץ־חֶמְדָּה
לְשַׁמָּה:

ח א וַיְהִי דְּבַר־יְהֹוָה צְבָאוֹת לֵאמֹר: ב כֹּה אָמַר יְהֹוָה צְבָאוֹת קִנֵּאתִי לְצִיּוֹן
קִנְאָה גְדוֹלָה וְחֵמָה גְדוֹלָה קִנֵּאתִי לָהּ: ג כֹּה אָמַר יְהֹוָה שַׁבְתִּי אֶל־צִיּוֹן
וְשָׁכַנְתִּי בְּתוֹךְ יְרוּשָׁלִָם וְנִקְרְאָה יְרוּשָׁלִַם עִיר־הָאֱמֶת וְהַר־יְהֹוָה צְבָאוֹת הַר
הַקֹּדֶשׁ: ד כֹּה אָמַר יְהֹוָה צְבָאוֹת עֹד יֵשְׁבוּ זְקֵנִים וּזְקֵנוֹת בִּרְחֹבוֹת יְרוּשָׁלִָם
וְאִישׁ מִשְׁעַנְתּוֹ בְּיָדוֹ מֵרֹב יָמִים: ה וּרְחֹבוֹת הָעִיר יִמָּלְאוּ יְלָדִים וִילָדוֹת
מְשַׂחֲקִים בִּרְחֹבֹתֶיהָ: ו כֹּה אָמַר יְהֹוָה צְבָאוֹת כִּי יִפָּלֵא בְּעֵינֵי שְׁאֵרִית הָעָם
הַזֶּה בַּיָּמִים הָהֵם גַּם־בְּעֵינַי יִפָּלֵא נְאֻם יְהֹוָה צְבָאוֹת:

ז כֹּה אָמַר יְהֹוָה צְבָאוֹת הִנְנִי מוֹשִׁיעַ אֶת־עַמִּי מֵאֶרֶץ מִזְרָח וּמֵאֶרֶץ מְבוֹא
הַשָּׁמֶשׁ: ח וְהֵבֵאתִי אֹתָם וְשָׁכְנוּ בְּתוֹךְ יְרוּשָׁלִָם וְהָיוּ־לִי לְעָם וַאֲנִי אֶהְיֶה
לָהֶם לֵאלֹהִים בֶּאֱמֶת וּבִצְדָקָה: ט כֹּה־אָמַר יְהֹוָה צְבָאוֹת תֶּחֱזַקְנָה יְדֵיכֶם
הַשֹּׁמְעִים בַּיָּמִים הָאֵלֶּה אֵת הַדְּבָרִים הָאֵלֶּה מִפִּי הַנְּבִיאִים אֲשֶׁר בְּיוֹם יֻסַּד
בֵּית־יְהֹוָה צְבָאוֹת הַהֵיכָל לְהִבָּנוֹת: י כִּי לִפְנֵי הַיָּמִים הָהֵם שְׂכַר הָאָדָם לֹא
נִהְיָה וּשְׂכַר הַבְּהֵמָה אֵינֶנָּה וְלַיּוֹצֵא וְלַבָּא אֵין־שָׁלוֹם מִן־הַצָּר וַאֲשַׁלַּח
אֶת־כָּל־הָאָדָם אִישׁ בְּרֵעֵהוּ: יא וְעַתָּה לֹא כַיָּמִים הָרִאשֹׁנִים אֲנִי לִשְׁאֵרִית
הָעָם הַזֶּה נְאֻם יְהֹוָה צְבָאוֹת: יב כִּי־זֶרַע הַשָּׁלוֹם הַגֶּפֶן תִּתֵּן פִּרְיָהּ וְהָאָרֶץ
תִּתֵּן אֶת־יְבוּלָהּ וְהַשָּׁמַיִם יִתְּנוּ טַלָּם וְהִנְחַלְתִּי אֶת־שְׁאֵרִית הָעָם הַזֶּה
אֶת־כָּל־אֵלֶּה: יג וְהָיָה כַּאֲשֶׁר הֱיִיתֶם קְלָלָה בַּגּוֹיִם בֵּית יְהוּדָה וּבֵית יִשְׂרָאֵל
כֵּן אוֹשִׁיעַ אֶתְכֶם וִהְיִיתֶם בְּרָכָה אַל־תִּירָאוּ תֶּחֱזַקְנָה יְדֵיכֶם: יד כִּי כֹּה אָמַר
יְהֹוָה צְבָאוֹת כַּאֲשֶׁר זָמַמְתִּי לְהָרַע לָכֶם בְּהַקְצִיף אֲבֹתֵיכֶם אֹתִי אָמַר יְהֹוָה
צְבָאוֹת וְלֹא נִחָמְתִּי: טו כֵּן שַׁבְתִּי זָמַמְתִּי בַּיָּמִים הָאֵלֶּה לְהֵיטִיב
אֶת־יְרוּשָׁלִַם וְאֶת־בֵּית יְהוּדָה אַל־תִּירָאוּ: טז אֵלֶּה הַדְּבָרִים אֲשֶׁר תַּעֲשׂוּ
דַּבְּרוּ אֱמֶת אִישׁ אֶת־רֵעֵהוּ אֱמֶת וּמִשְׁפַּט שָׁלוֹם שִׁפְטוּ בְּשַׁעֲרֵיכֶם:

8 And the word of Yehovah came unto Zechariah, saying: **9** 'Thus hath Yehovah of hosts spoken, saying: Execute true judgment, and show mercy and compassion every man to his brother; **10** and oppress not the widow, nor the fatherless, the stranger, nor the poor; and let none of you devise evil against his brother in your heart. **11** But they refused to attend, and turned a stubborn shoulder, and stopped their ears, that they might not hear. **12** Yea, they made their hearts as an adamant stone, lest they should hear the Torah, and the words which Yehovah of hosts had sent by His spirit by the hand of the former prophets; therefore came there great wrath from Yehovah of hosts. **13** And it came to pass that, as He called, and they would not hear; so they shall call, and I will not hear, said Yehovah of hosts; **14** but I will scatter them with a whirlwind among all the nations whom they have not known. Thus the land was desolate after them, so that no man passed through nor returned; for they laid the pleasant land desolate.'{P}

8 **1** And the word of Yehovah of hosts came, saying: **2** 'Thus saith Yehovah of hosts: I am jealous for Zion with great jealousy, and I am jealous for her with great fury. **3** Thus saith Yehovah: I return unto Zion, and will dwell in the midst of Yerushalam; and Yerushalam shall be called the city of truth; and the mountain of Yehovah of hosts the holy mountain.{S} **4** Thus saith Yehovah of hosts: There shall yet old men and old women sit in the broad places of Yerushalam, every man with his staff in his hand for very age. **5** And the broad places of the city shall be full of boys and girls playing in the broad places thereof.{S} **6** Thus saith Yehovah of hosts: If it be marvellous in the eyes of the remnant of this people in those days, should it also be marvellous in Mine eyes? saith Yehovah of hosts.{P}

7 Thus saith Yehovah of hosts: Behold, I will save My people from the east country, and from the west country; **8** And I will bring them, and they shall dwell in the midst of Yerushalam; and they shall be My people, and I will be their God, in truth and in righteousness.{S} **9** Thus saith Yehovah of hosts: Let your hands be strong, ye that hear in these days these words from the mouth of the prophets that were in the day that the foundation of the house of Yehovah of hosts was laid, even the temple, that it might be built. **10** For before those days there was no hire for man, nor any hire for beast; neither was there any peace to him that went out or came in because of the adversary; for I set all men every one against his neighbour. **11** But now I will not be unto the remnant of this people as in the former days, saith Yehovah of hosts. **12** For as the seed of peace, the vine shall give her fruit, and the ground shall give her increase, and the heavens shall give their dew; and I will cause the remnant of this people to inherit all these things. **13** And it shall come to pass that, as ye were a curse among the nations, O house of Judah and house of Israel, so will I save you, and ye shall be a blessing; fear not, but let your hands be strong.{S} **14** For thus saith Yehovah of host: As I purposed to do evil unto you, when your fathers provoked Me, saith Yehovah of hosts, and I repented not; **15** so again do I purpose in these days to do good unto Yerushalam and to the house of Judah; fear ye not. **16** These are the things that ye shall do: Speak ye every man the truth with his neighbour; execute the judgment of truth and peace in your gates;

יז וְאִ֣ישׁ ׀ אֶת־רָעַ֣ת רֵעֵ֗הוּ אַֽל־תַּחְשְׁבוּ֙ בִּלְבַבְכֶ֔ם וּשְׁבֻ֥עַת שֶׁ֖קֶר אַֽל־תֶּאֱהָ֑בוּ כִּ֧י אֶת־כׇּל־אֵ֛לֶּה אֲשֶׁ֥ר שָׂנֵ֖אתִי נְאֻם־יְהֹוָֽה: יח וַיְהִ֛י דְּבַר־יְהֹוָ֥ה צְבָא֖וֹת אֵלַ֥י לֵאמֹֽר: יט כֹּֽה־אָמַ֞ר יְהֹוָ֣ה צְבָא֗וֹת צ֣וֹם הָרְבִיעִ֡י וְצ֣וֹם הַחֲמִישִׁ֡י וְצ֣וֹם הַשְּׁבִיעִ֡י וְצ֣וֹם הָעֲשִׂירִי֩ יִהְיֶ֨ה לְבֵית־יְהוּדָ֜ה לְשָׂשׂ֣וֹן וּלְשִׂמְחָ֗ה וּֽלְמֹעֲדִ֖ים טוֹבִ֑ים וְהָאֱמֶ֥ת וְהַשָּׁל֖וֹם אֱהָֽבוּ:

כ כֹּ֥ה אָמַ֖ר יְהֹוָ֣ה צְבָא֑וֹת עֹ֚ד אֲשֶׁ֣ר יָבֹ֣אוּ עַמִּ֔ים וְיֹשְׁבֵ֖י עָרִ֥ים רַבּֽוֹת: כא וְֽהָלְכ֡וּ יֹשְׁבֵי֩ אַחַ֨ת אֶל־אַחַ֜ת לֵאמֹ֗ר נֵלְכָ֤ה הָלוֹךְ֙ לְחַלּוֹת֙ אֶת־פְּנֵ֣י יְהֹוָ֔ה וּלְבַקֵּ֖שׁ אֶת־יְהֹוָ֣ה צְבָא֑וֹת אֵלְכָ֖ה גַּם־אָֽנִי: כב וּבָ֨אוּ עַמִּ֤ים רַבִּים֙ וְגוֹיִ֣ם עֲצוּמִ֔ים לְבַקֵּ֛שׁ אֶת־יְהֹוָ֥ה צְבָא֖וֹת בִּירוּשָׁלָ֑͏ִם וּלְחַלּ֖וֹת אֶת־פְּנֵ֥י יְהֹוָֽה: כג כֹּ֥ה אָמַר֮ יְהֹוָ֣ה צְבָאוֹת֒ בַּיָּמִ֣ים הָהֵ֔מָּה אֲשֶׁ֤ר יַחֲזִ֙יקוּ֙ עֲשָׂרָ֣ה אֲנָשִׁ֔ים מִכֹּ֖ל לְשֹׁנ֣וֹת הַגּוֹיִ֑ם וְֽהֶחֱזִ֡יקוּ בִּכְנַף֩ אִ֨ישׁ יְהוּדִ֜י לֵאמֹ֗ר נֵֽלְכָה֙ עִמָּכֶ֔ם כִּ֥י שָׁמַ֖עְנוּ אֱלֹהִ֥ים עִמָּכֶֽם:

ט א מַשָּׂ֤א דְבַר־יְהֹוָה֙ בְּאֶ֣רֶץ חַדְרָ֔ךְ וְדַמֶּ֖שֶׂק מְנֻֽחָת֑וֹ כִּ֤י לַֽיהֹוָה֙ עֵ֣ין אָדָ֔ם וְכֹ֖ל שִׁבְטֵ֥י יִשְׂרָאֵֽל: ב וְגַם־חֲמָ֖ת תִּגְבׇּל־בָּ֑הּ צֹ֣ר וְצִיד֔וֹן כִּ֥י חָֽכְמָ֖ה מְאֹֽד: ג וַתִּ֥בֶן צֹ֛ר מָצ֖וֹר לָ֑הּ וַתִּצְבׇּר־כֶּ֙סֶף֙ כֶּֽעָפָ֔ר וְחָר֖וּץ כְּטִ֥יט חוּצֽוֹת: ד הִנֵּ֤ה אֲדֹנָי֙ יֽוֹרִשֶׁ֔נָּה וְהִכָּ֥ה בַיָּ֖ם חֵילָ֑הּ וְהִ֖יא בָּאֵ֥שׁ תֵּאָכֵֽל: ה תֵּרֶ֤א אַשְׁקְלוֹן֙ וְתִירָ֔א וְעַזָּ֖ה וְתָחִ֣יל מְאֹ֑ד וְעֶקְר֗וֹן כִּֽי־הֹבִ֣ישׁ מֶבָּטָ֔הּ וְאָ֤בַד מֶ֙לֶךְ֙ מֵֽעַזָּ֔ה וְאַשְׁקְל֖וֹן לֹ֥א תֵשֵֽׁב: ו וְיָשַׁ֥ב מַמְזֵ֖ר בְּאַשְׁדּ֑וֹד וְהִכְרַתִּ֖י גְּא֥וֹן פְּלִשְׁתִּֽים: ז וַהֲסִרֹתִ֨י דָמָ֜יו מִפִּ֗יו וְשִׁקֻּצָיו֙ מִבֵּ֣ין שִׁנָּ֔יו וְנִשְׁאַ֥ר גַּם־ה֖וּא לֵאלֹהֵ֑ינוּ וְהָיָה֙ כְּאַלֻּ֣ף בִּֽיהוּדָ֔ה וְעֶקְר֖וֹן כִּיבוּסִֽי: ח וְחָנִ֨יתִי לְבֵיתִ֤י מִצָּבָה֙ מֵעֹבֵ֣ר וּמִשָּׁ֔ב וְלֹא־יַעֲבֹ֧ר עֲלֵיהֶ֛ם ע֖וֹד נֹגֵ֑שׂ כִּ֥י עַתָּ֖ה רָאִ֥יתִי בְעֵינָֽי: ט גִּ֣ילִי מְאֹד֙ בַּת־צִיּ֔וֹן הָרִ֖יעִי בַּ֣ת יְרוּשָׁלַ֑͏ִם הִנֵּ֤ה מַלְכֵּךְ֙ יָ֣בוֹא לָ֔ךְ צַדִּ֥יק וְנוֹשָׁ֖ע ה֑וּא עָנִי֙ וְרֹכֵ֣ב עַל־חֲמ֔וֹר וְעַל־עַ֖יִר בֶּן־אֲתֹנֽוֹת: י וְהִכְרַתִּי־רֶ֣כֶב מֵאֶפְרַ֗יִם וְסוּס֙ מִיר֣וּשָׁלַ֔͏ִם וְנִכְרְתָה֙ קֶ֣שֶׁת מִלְחָמָ֔ה וְדִבֶּ֥ר שָׁל֖וֹם לַגּוֹיִ֑ם וּמׇשְׁלוֹ֙ מִיָּ֣ם עַד־יָ֔ם וּמִנָּהָ֖ר עַד־אַפְסֵי־אָֽרֶץ: יא גַּם־אַ֣תְּ בְּדַם־בְּרִיתֵ֗ךְ שִׁלַּ֤חְתִּי אֲסִירַ֙יִךְ֙ מִבּ֔וֹר אֵ֥ין מַ֖יִם בּֽוֹ: יב שׁ֚וּבוּ לְבִצָּר֔וֹן אֲסִירֵ֖י הַתִּקְוָ֑ה גַּם־הַיּ֕וֹם מַגִּ֥יד מִשְׁנֶ֖ה אָשִׁ֥יב לָֽךְ: יג כִּֽי־דָרַ֨כְתִּי לִ֜י יְהוּדָ֗ה קֶ֚שֶׁת מִלֵּ֣אתִי אֶפְרַ֔יִם וְעוֹרַרְתִּ֤י בָנַ֙יִךְ֙ צִיּ֔וֹן עַל־בָּנַ֖יִךְ יָוָ֑ן וְשַׂמְתִּ֖יךְ כְּחֶ֥רֶב גִּבּֽוֹר: יד וַֽיהֹוָה֙ עֲלֵיהֶ֣ם יֵֽרָאֶ֔ה וְיָצָ֥א כַבָּרָ֖ק חִצּ֑וֹ וַֽאדֹנָ֤י יֱהֹוִה֙ בַּשּׁוֹפָ֣ר יִתְקָ֔ע וְהָלַ֖ךְ בְּסַעֲר֥וֹת תֵּימָֽן: יה יְהֹוָ֤ה צְבָאוֹת֙ יָגֵ֣ן עֲלֵיהֶ֔ם וְאָכְלוּ֙ וְכָבְשׁ֣וּ אַבְנֵי־קֶ֔לַע וְשָׁת֥וּ הָמ֖וּ כְּמוֹ־יָ֑יִן וּמָֽלְאוּ֙ כַּמִּזְרָ֔ק כְּזָוִיּ֖וֹת מִזְבֵּֽחַ:

17 and let none of you devise evil in your hearts against his neighbour; and love no false oath; for all these are things that I hate, saith Yehovah.'{S} **18** And the word of Yehovah of hosts came unto me, saying: **19** 'Thus saith Yehovah of hosts: The fast of the fourth month, and the fast of the fifth, and the fast of the seventh, and the fast of the tenth, shall be to the house of Judah joy and gladness, and cheerful seasons; therefore love ye truth and peace.{P}

20 Thus saith Yehovah of hosts: It shall yet come to pass, that there shall come peoples, and the inhabitants of many cities; **21** and the inhabitants of one city shall go to another, saying: Let us go speedily to entreat the favour of Yehovah, and to seek Yehovah of hosts; I will go also. **22** Yea, many peoples and mighty nations shall come to seek Yehovah of hosts in Yerushalam, and to entreat the favour of Yehovah.{S} **23** Thus saith Yehovah of hosts: In those days it shall come to pass, that ten men shall take hold, out of all the languages of the nations, shall even take hold of the skirt of him that is a Jew, saying: We will go with you, for we have heard that God is with you.'{S}

9 **1** The burden of the word of Yehovah. In the land of Hadrach, and in Damascus shall be His resting-place; for Yehovah's is the eye of man and all the tribes of Israel. **2** And Hamath also shall border thereon; Tyre and Zidon, for she is very wise. **3** And Tyre did build herself a stronghold, and heaped up silver as the dust, and fine gold as the mire of the streets. **4** Behold, the Lord will impoverish her, and He will smite her power into the sea; and she shall be devoured with fire. **5** Ashkelon shall see it, and fear, Gaza also, and shall be sore pained, and Ekron, for her expectation shall be ashamed; and the king shall perish from Gaza, and Ashkelon shall not be inhabited. **6** And a bastard shall dwell in Ashdod, and I will cut off the pride of the Philistines. **7** And I will take away his blood out of his mouth, and his detestable things from between his teeth, and he also shall be a remnant for our God; and he shall be as a chief in Judah, and Ekron as a Jebusite. **8** And I will encamp about My house against the army, that none pass through or return; and no oppressor shall pass through them any more; for now have I seen with Mine eyes.{S} **9** Rejoice greatly, O daughter of Zion, shout, O daughter of Yerushalam; behold, thy king cometh unto thee, he is triumphant, and victorious, lowly, and riding upon an ass, even upon a colt the foal of an ass. **10** And I will cut off the chariot from Ephraim, and the horse from Yerushalam, and the battle bow shall be cut off, and he shall speak peace unto the nations; and his dominion shall be from sea to sea, and from the River to the ends of the earth. **11** As for thee also, because of the blood of thy covenant I send forth thy prisoners out of the pit wherein is no water. **12** Return to the stronghold, ye prisoners of hope; even to-day do I declare that I will render double unto thee. **13** For I bend Judah for Me, I fill the bow with Ephraim; and I will stir up thy sons, O Zion, against thy sons, O Javan, and will make thee as the sword of a mighty man. **14** And Yehovah shall be seen over them, and His arrow shall go forth as the lightning; and the Lord GOD [Adonai Yehovi] will blow the horn, and will go with whirlwinds of the south. **15** Yehovah of hosts will defend them; and they shall devour, and shall tread down the sling-stones; and they shall drink, and make a noise as through wine; and they shall be filled like the basins, like the corners of the altar.

יו וְהוֹשִׁיעָ֞ם יְהוָ֧ה אֱלֹהֵיהֶ֛ם בַּיּ֥וֹם הַה֖וּא כְּצֹ֣אן עַמּ֑וֹ כִּ֚י אַבְנֵי־נֵ֔זֶר מִֽתְנוֹסְס֖וֹת
עַל־אַדְמָתֽוֹ׃ יז כִּ֥י מַה־טּוּב֖וֹ וּמַה־יָּפְי֑וֹ דָּגָן֙ בַּֽחוּרִ֔ים וְתִיר֖וֹשׁ יְנוֹבֵ֥ב
בְּתֻלֽוֹת׃

י א שַׁאֲל֨וּ מֵיְהוָ֤ה מָטָר֙ בְּעֵ֣ת מַלְק֔וֹשׁ יְהוָ֖ה עֹשֶׂ֣ה חֲזִיזִ֑ים וּמְטַר־גֶּ֙שֶׁם֙ יִתֵּ֣ן
לָהֶ֔ם לְאִ֖ישׁ עֵ֥שֶׂב בַּשָּׂדֶֽה׃ ב כִּ֧י הַתְּרָפִ֣ים דִּבְּרוּ־אָ֗וֶן וְהַקּֽוֹסְמִים֙ חָ֣זוּ שֶׁ֔קֶר
וַחֲלֹמוֹת֙ הַשָּׁ֣וְא יְדַבֵּ֔רוּ הֶ֖בֶל יְנַֽחֵמ֑וּן עַל־כֵּן֙ נָסְע֣וּ כְמוֹ־צֹ֔אן יַעֲנ֖וּ כִּי־אֵ֥ין
רֹעֶֽה׃

ג עַל־הָֽרֹעִים֙ חָרָ֣ה אַפִּ֔י וְעַל־הָעַתּוּדִ֖ים אֶפְק֑וֹד כִּֽי־פָקַד֩ יְהוָ֨ה צְבָא֤וֹת
אֶת־עֶדְרוֹ֙ אֶת־בֵּ֣ית יְהוּדָ֔ה וְשָׂ֣ם אוֹתָ֔ם כְּס֥וּס הוֹד֖וֹ בַּמִּלְחָמָֽה׃ ד מִמֶּ֤נּוּ פִנָּה֙
מִמֶּ֣נּוּ יָתֵ֔ד מִמֶּ֖נּוּ קֶ֣שֶׁת מִלְחָמָ֑ה מִמֶּ֛נּוּ יֵצֵ֥א כָל־נוֹגֵ֖שׂ יַחְדָּֽו׃ ה וְהָי֨וּ כְגִבֹּרִ֜ים
בּוֹסִ֨ים בְּטִ֤יט חוּצוֹת֙ בַּמִּלְחָמָ֔ה וְנִלְחֲמ֕וּ כִּ֥י יְהוָ֖ה עִמָּ֑ם וְהֹבִ֖ישׁוּ רֹכְבֵ֥י
סוּסִֽים׃ ו וְגִבַּרְתִּ֣י ׀ אֶת־בֵּ֣ית יְהוּדָ֗ה וְאֶת־בֵּ֤ית יוֹסֵף֙ אוֹשִׁ֔יעַ וְהוֹשְׁבוֹתִים֙ כִּ֣י
רִֽחַמְתִּ֔ים וְהָי֖וּ כַּאֲשֶׁ֣ר לֹֽא־זְנַחְתִּ֑ים כִּ֗י אֲנִ֛י יְהוָ֥ה אֱלֹהֵיהֶ֖ם וְאֶעֱנֵֽם׃ ז וְהָי֤וּ
כְגִבּוֹר֙ אֶפְרַ֔יִם וְשָׂמַ֥ח לִבָּ֖ם כְּמוֹ־יָ֑יִן וּבְנֵיהֶם֙ יִרְא֣וּ וְשָׂמֵ֔חוּ יָגֵ֥ל לִבָּ֖ם בַּיהוָֽה׃
ח אֶשְׁרְקָ֥ה לָהֶ֛ם וַאֲקַבְּצֵ֖ם כִּ֣י פְדִיתִ֑ים וְרָב֖וּ כְּמ֥וֹ רָבֽוּ׃ ט וָאֶזְרָעֵם֙ בָּֽעַמִּ֔ים
וּבַמֶּרְחַקִּ֖ים יִזְכְּר֑וּנִי וְחָי֥וּ אֶת־בְּנֵיהֶ֖ם וָשָֽׁבוּ׃ י וַהֲשֵׁיבוֹתִים֙ מֵאֶ֣רֶץ מִצְרַ֔יִם
וּמֵאַשּׁ֖וּר אֲקַבְּצֵ֑ם וְאֶל־אֶ֙רֶץ גִּלְעָ֤ד וּלְבָנוֹן֙ אֲבִיאֵ֔ם וְלֹ֥א יִמָּצֵ֖א לָהֶֽם׃
יא וְעָבַ֨ר בַּיָּ֜ם צָרָ֗ה וְהִכָּ֤ה בַיָּם֙ גַּלִּ֔ים וְהֹבִ֕ישׁוּ כֹּ֖ל מְצוּל֣וֹת יְאֹ֑ר וְהוּרַד֙ גְּא֣וֹן
אַשּׁ֔וּר וְשֵׁ֥בֶט מִצְרַ֖יִם יָסֽוּר׃ יב וְגִבַּרְתִּים֙ בַּֽיהוָ֔ה וּבִשְׁמ֖וֹ יִתְהַלָּ֑כוּ נְאֻ֖ם יְהוָֽה׃

יא א פְּתַ֥ח לְבָנ֖וֹן דְּלָתֶ֑יךָ וְתֹאכַ֥ל אֵ֖שׁ בַּאֲרָזֶֽיךָ׃ ב הֵילֵ֤ל בְּרוֹשׁ֙ כִּי־נָ֣פַל
אֶ֔רֶז אֲשֶׁ֥ר אַדִּרִ֖ים שֻׁדָּ֑דוּ הֵילִ֙ילוּ֙ אַלּוֹנֵ֣י בָשָׁ֔ן כִּ֥י יָרַ֖ד יַ֥עַר הַבָּצִֽיר[4]׃ ג ק֚וֹל
יִֽלְלַ֣ת הָרֹעִ֔ים כִּ֥י שֻׁדְּדָ֖ה אַדַּרְתָּ֑ם ק֚וֹל שַׁאֲגַ֣ת כְּפִירִ֔ים כִּ֥י שֻׁדַּ֖ד גְּא֥וֹן
הַיַּרְדֵּֽן׃ ד כֹּ֥ה אָמַ֖ר יְהוָ֣ה אֱלֹהָ֑י רְעֵ֖ה אֶת־צֹ֥אן הַהֲרֵגָֽה׃ ה אֲשֶׁ֨ר קֹנֵיהֶ֤ן
יַֽהַרְגֻן֙ וְלֹ֣א יֶאְשָׁ֔מוּ וּמֹכְרֵיהֶ֣ן יֹאמַ֔ר בָּר֥וּךְ יְהוָ֖ה וַאעְשִׁ֑ר וְרֹ֣עֵיהֶ֔ם לֹ֥א יַחְמ֖וֹל
עֲלֵיהֶֽן׃ ו כִּ֠י לֹ֣א אֶחְמ֥וֹל ע֛וֹד עַל־יֹשְׁבֵ֥י הָאָ֖רֶץ נְאֻם־יְהוָ֑ה וְהִנֵּ֨ה אָנֹכִ֜י
מַמְצִ֣יא אֶת־הָאָדָ֗ם אִ֣ישׁ בְּיַד־רֵעֵ֙הוּ֙ וּבְיַ֣ד מַלְכּ֔וֹ וְכִתְּתוּ֙ אֶת־הָאָ֔רֶץ וְלֹ֥א
אַצִּ֖יל מִיָּדָֽם׃ ז וָאֶרְעֶה֙ אֶת־צֹ֣אן הַהֲרֵגָ֔ה לָכֵ֖ן עֲנִיֵּ֣י הַצֹּ֑אן וָאֶקַּֽח־לִ֞י שְׁנֵ֣י
מַקְל֗וֹת לְאַחַ֞ד קָרָ֣אתִי נֹ֗עַם וּלְאַחַ֤ד קָרָ֙אתִי֙ חֹֽבְלִ֔ים וָאֶרְעֶ֖ה אֶת־הַצֹּֽאן׃

[4] הבצור

16 And Yehovah their God shall save them in that day as the flock of His people; for they shall be as the stones of a crown, glittering over His land. **17** For how great is their goodness, and how great is their beauty! Corn shall make the young men flourish, and new wine the maids.

10 **1** Ask ye of Yehovah rain in the time of the latter rain, even of Yehovah that maketh lightnings; and He will give them showers of rain, to every one grass in the field. **2** For the teraphim have spoken vanity, and the diviners have seen a lie, and the dreams speak falsely, they comfort in vain; therefore they go their way like sheep, they are afflicted, because there is no shepherd.{P}

3 Mine anger is kindled against the shepherds, and I will punish the he-goats; for Yehovah of hosts hath remembered His flock the house of Judah, and maketh them as His majestic horse in the battle. **4** Out of them shall come forth the corner-stone, out of them the stake, out of them the battle bow, out of them every master together. **5** And they shall be as mighty men, treading down in the mire of the streets in the battle, and they shall fight, because Yehovah is with them; and the riders on horses shall be confounded. **6** And I will strengthen the house of Judah, and I will save the house of Joseph, and I will bring them back, for I have compassion upon them, and they shall be as though I had not cast them off; for I am Yehovah their God, and I will hear them. **7** And they of Ephraim shall be like a mighty man, and their heart shall rejoice as through wine; yea, their children shall see it, and rejoice, their heart shall be glad in Yehovah. **8** I will hiss for them, and gather them, for I have redeemed them; and they shall increase as they have increased. **9** And I will sow them among the peoples, and they shall remember Me in far countries; and they shall live with their children, and shall return. **10** I will bring them back also out of the land of Egypt, and gather them out of Assyria; and I will bring them into the land of Gilead and Lebanon; and place shall not suffice them. **11** And over the sea affliction shall pass, and the waves shall be smitten in the sea, and all the depths of the Nile shall dry up; and the pride of Assyria shall be brought down, and the sceptre of Egypt shall depart away. **12** And I will strengthen them in Yehovah; and they shall walk up and down in His name, saith Yehovah.{P}

11 **1** Open thy doors, O Lebanon, that the fire may devour thy cedars. **2** Wail, O cypress-tree, for the cedar is fallen; because the glorious ones are spoiled; wail, O ye oaks of Bashan, for the strong forest is come down. **3** Hark! the wailing of the shepherds, for their glory is spoiled; Hark! the roaring of young lions, for the thickets of the Jordan are spoiled.{P}

4 Thus said Yehovah my God: 'Feed the flock of slaughter; **5** whose buyers slay them, and hold themselves not guilty; and they that sell them say: Blessed be Yehovah, for I am rich; and their own shepherds pity them not. **6** For I will no more pity the inhabitants of the land, saith Yehovah; but, lo, I will deliver the men every one into his neighbour's hand, and into the hand of his king; and they shall smite the land, and out of their hand I will not deliver them.' **7** So I fed the flock of slaughter, verily the poor of the flock. And I took unto me two staves; the one I called Graciousness, and the other I called Binders; and I fed the flock.

ח וָאַכְחִד אֶת־שְׁלֹשֶׁת הָרֹעִים בְּיֶרַח אֶחָד וַתִּקְצַר נַפְשִׁי בָּהֶם וְגַם־נַפְשָׁם בָּחֲלָה בִי: ט וָאֹמַר לֹא אֶרְעֶה אֶתְכֶם הַמֵּתָה תָמוּת וְהַנִּכְחֶדֶת תִּכָּחֵד וְהַנִּשְׁאָרוֹת תֹּאכַלְנָה אִשָּׁה אֶת־בְּשַׂר רְעוּתָהּ: י וָאֶקַּח אֶת־מַקְלִי אֶת־נֹעַם וָאֶגְדַּע אֹתוֹ לְהָפֵיר אֶת־בְּרִיתִי אֲשֶׁר כָּרַתִּי אֶת־כָּל־הָעַמִּים: יא וַתֻּפַר בַּיּוֹם הַהוּא וַיֵּדְעוּ כֵן עֲנִיֵּי הַצֹּאן הַשֹּׁמְרִים אֹתִי כִּי דְבַר־יְהוָֹה הוּא: יב וָאֹמַר אֲלֵיהֶם אִם־טוֹב בְּעֵינֵיכֶם הָבוּ שְׂכָרִי וְאִם־לֹא ׀ חֲדָלוּ וַיִּשְׁקְלוּ אֶת־שְׂכָרִי שְׁלֹשִׁים כָּסֶף: יג וַיֹּאמֶר יְהוָֹה אֵלַי הַשְׁלִיכֵהוּ אֶל־הַיּוֹצֵר אֶדֶר הַיְקָר אֲשֶׁר יָקַרְתִּי מֵעֲלֵיהֶם וָאֶקְחָה שְׁלֹשִׁים הַכֶּסֶף וָאַשְׁלִיךְ אֹתוֹ בֵּית יְהוָֹה אֶל־הַיּוֹצֵר: יד וָאֶגְדַּע אֶת־מַקְלִי הַשֵּׁנִי אֵת הַחֹבְלִים לְהָפֵר אֶת־הָאַחֲוָה בֵּין יְהוּדָה וּבֵין יִשְׂרָאֵל: טו וַיֹּאמֶר יְהוָֹה אֵלָי עוֹד קַח־לְךָ כְּלִי רֹעֶה אֱוִלִי: טז כִּי הִנֵּה־אָנֹכִי מֵקִים רֹעֶה בָּאָרֶץ הַנִּכְחָדוֹת לֹא־יִפְקֹד הַנַּעַר לֹא־יְבַקֵּשׁ וְהַנִּשְׁבֶּרֶת לֹא יְרַפֵּא הַנִּצָּבָה לֹא יְכַלְכֵּל וּבְשַׂר הַבְּרִיאָה יֹאכַל וּפַרְסֵיהֶן יְפָרֵק: יז הוֹי רֹעִי הָאֱלִיל עֹזְבִי הַצֹּאן חֶרֶב עַל־זְרוֹעוֹ וְעַל־עֵין יְמִינוֹ זְרֹעוֹ יָבוֹשׁ תִּיבָשׁ וְעֵין יְמִינוֹ כָּהֹה תִכְהֶה:

יב א מַשָּׂא דְבַר־יְהוָֹה עַל־יִשְׂרָאֵל נְאֻם־יְהוָֹה נֹטֶה שָׁמַיִם וְיֹסֵד אָרֶץ וְיֹצֵר רוּחַ־אָדָם בְּקִרְבּוֹ:

ב הִנֵּה אָנֹכִי שָׂם אֶת־יְרוּשָׁלַ͏ִם סַף־רַעַל לְכָל־הָעַמִּים סָבִיב וְגַם עַל־יְהוּדָה יִהְיֶה בַמָּצוֹר עַל־יְרוּשָׁלָ͏ִם: ג וְהָיָה בַיּוֹם־הַהוּא אָשִׂים אֶת־יְרוּשָׁלַ͏ִם אֶבֶן מַעֲמָסָה לְכָל־הָעַמִּים כָּל־עֹמְסֶיהָ שָׂרוֹט יִשָּׂרֵטוּ וְנֶאֶסְפוּ עָלֶיהָ כֹּל גּוֹיֵי הָאָרֶץ: ד בַּיּוֹם הַהוּא נְאֻם־יְהוָֹה אַכֶּה כָל־סוּס בַּתִּמָּהוֹן וְרֹכְבוֹ בַּשִּׁגָּעוֹן וְעַל־בֵּית יְהוּדָה אֶפְקַח אֶת־עֵינַי וְכֹל סוּס הָעַמִּים אַכֶּה בַּעִוָּרוֹן: ה וְאָמְרוּ אַלֻּפֵי יְהוּדָה בְּלִבָּם אַמְצָה לִי יֹשְׁבֵי יְרוּשָׁלַ͏ִם בַּיהוָֹה צְבָאוֹת אֱלֹהֵיהֶם: ו בַּיּוֹם הַהוּא אָשִׂים אֶת־אַלֻּפֵי יְהוּדָה כְּכִיּוֹר אֵשׁ בְּעֵצִים וּכְלַפִּיד אֵשׁ בְּעָמִיר וְאָכְלוּ עַל־יָמִין וְעַל־שְׂמֹאול אֶת־כָּל־הָעַמִּים סָבִיב וְיָשְׁבָה יְרוּשָׁלַ͏ִם עוֹד תַּחְתֶּיהָ בִּירוּשָׁלָ͏ִם:

ז וְהוֹשִׁיעַ יְהוָֹה אֶת־אָהֳלֵי יְהוּדָה בָּרִאשֹׁנָה לְמַעַן לֹא־תִגְדַּל תִּפְאֶרֶת בֵּית־דָּוִיד וְתִפְאֶרֶת יֹשֵׁב יְרוּשָׁלַ͏ִם עַל־יְהוּדָה: ח בַּיּוֹם הַהוּא יָגֵן יְהוָֹה בְּעַד יוֹשֵׁב יְרוּשָׁלַ͏ִם וְהָיָה הַנִּכְשָׁל בָּהֶם בַּיּוֹם הַהוּא כְּדָוִיד וּבֵית דָּוִיד כֵּאלֹהִים כְּמַלְאַךְ יְהוָֹה לִפְנֵיהֶם: ט וְהָיָה בַּיּוֹם הַהוּא אֲבַקֵּשׁ לְהַשְׁמִיד אֶת־כָּל־הַגּוֹיִם הַבָּאִים עַל־יְרוּשָׁלָ͏ִם:

8 And I cut off the three shepherds in one month; 'for My soul became impatient of them, and their soul also loathed Me.' **9** Then said I: 'I will not feed you; that which dieth, let it die; and that which is to be cut off, let it be cut off; and let them that are left eat every one the flesh of another.' **10** And I took my staff Graciousness, and cut it asunder, 'that I might break My covenant which I had made with all the peoples.' **11** And it was broken in that day; and the poor of the flock that gave heed unto me knew of a truth that it was the word of Yehovah.{S} **12** And I said unto them: 'If ye think good, give me my hire; and if not, forbear.' So they weighed for my hire thirty pieces of silver. **13** And Yehovah said unto me: 'Cast it into the treasury, the goodly price that I was prized at of them.' And I took the thirty pieces of silver, and cast them into the treasury, in the house of Yehovah. **14** Then I cut asunder mine other staff, even Binders, that the brotherhood between Judah and Israel might be broken.{P}

15 And Yehovah said unto me: 'Take unto thee yet the instruments of a foolish shepherd. **16** For, lo, I will raise up a shepherd in the land, who will not think of those that are cut off, neither will seek those that are young, nor heal that which is broken; neither will he feed that which standeth still, but he will eat the flesh of the fat, and will break their hoofs in pieces.' **17** Woe to the worthless shepherd that leaveth the flock! The sword shall be upon his arm, and upon his right eye; his arm shall be clean dried up, and his right eye shall be utterly darkened.{P}

12 **1** The burden of the word of Yehovah concerning Israel. The saying of Yehovah, who stretched forth the heavens, and laid the foundation of the earth, and formed the spirit of man within him: **2** Behold, I will make Yerushalam a cup of staggering unto all the peoples round about, and upon Judah also shall it fall to be in the siege against Yerushalam. **3** And it shall come to pass in that day, that I will make Yerushalam a stone of burden for all the peoples; all that burden themselves with it shall be sore wounded; and all the nations of the earth shall be gathered together against it. **4** In that day, saith Yehovah, I will smite every horse with bewilderment, and his rider with madness; and I will open Mine eyes upon the house of Judah, and will smite every horse of the peoples with blindness. **5** And the chiefs of Judah shall say in their heart: 'The inhabitants of Yerushalam are my strength through Yehovah of hosts their God.' **6** In that day will I make the chiefs of Judah like a pan of fire among the wood, and like a torch of fire among sheaves; and they shall devour all the peoples round about, on the right hand and on the left; and Yerushalam shall be inhabited again in her own place, even in Yerushalam. **7** Yehovah also shall save the tents of Judah first, that the glory of the house of David and the glory of the inhabitants of Yerushalam be not magnified above Judah. **8** In that day shall Yehovah defend the inhabitants of Yerushalam; and he that stumbleth among them at that day shall be as David; and the house of David shall be as a godlike being, as the angel of Yehovah before them. **9** And it shall come to pass in that day, that I will seek to destroy all the nations that come against Yerushalam.

י וְשָׁפַכְתִּי עַל־בֵּית דָּוִיד וְעַל ׀ יוֹשֵׁב יְרוּשָׁלִַם רוּחַ חֵן וְתַחֲנוּנִים וְהִבִּיטוּ
אֵלַי אֵת אֲשֶׁר־דָּקָרוּ וְסָפְדוּ עָלָיו כְּמִסְפֵּד עַל־הַיָּחִיד וְהָמֵר עָלָיו כְּהָמֵר
עַל־הַבְּכוֹר׃ יא בַּיּוֹם הַהוּא יִגְדַּל הַמִּסְפֵּד בִּירוּשָׁלִַם כְּמִסְפַּד הֲדַד־רִמּוֹן
בְּבִקְעַת מְגִדּוֹן׃ יב וְסָפְדָה הָאָרֶץ מִשְׁפָּחוֹת מִשְׁפָּחוֹת לְבָד מִשְׁפַּחַת
בֵּית־דָּוִיד לְבָד וּנְשֵׁיהֶם לְבָד מִשְׁפַּחַת בֵּית־נָתָן לְבָד וּנְשֵׁיהֶם לְבָד׃
יג מִשְׁפַּחַת בֵּית־לֵוִי לְבָד וּנְשֵׁיהֶם לְבָד מִשְׁפַּחַת הַשִּׁמְעִי לְבָד וּנְשֵׁיהֶם
לְבָד׃ יד כֹּל הַמִּשְׁפָּחוֹת הַנִּשְׁאָרוֹת מִשְׁפָּחֹת מִשְׁפָּחֹת לְבָד וּנְשֵׁיהֶם לְבָד׃

יג א בַּיּוֹם הַהוּא יִהְיֶה מָקוֹר נִפְתָּח לְבֵית דָּוִיד וּלְיֹשְׁבֵי יְרוּשָׁלִָם
לְחַטַּאת וּלְנִדָּה׃ ב וְהָיָה בַיּוֹם הַהוּא נְאֻם ׀ יְהוָה צְבָאוֹת אַכְרִית
אֶת־שְׁמוֹת הָעֲצַבִּים מִן־הָאָרֶץ וְלֹא יִזָּכְרוּ עוֹד וְגַם אֶת־הַנְּבִיאִים
וְאֶת־רוּחַ הַטֻּמְאָה אַעֲבִיר מִן־הָאָרֶץ׃ ג וְהָיָה כִּי־יִנָּבֵא אִישׁ עוֹד וְאָמְרוּ
אֵלָיו אָבִיו וְאִמּוֹ יֹלְדָיו לֹא תִחְיֶה כִּי שֶׁקֶר דִּבַּרְתָּ בְּשֵׁם יְהוָה וּדְקָרֻהוּ
אָבִיהוּ וְאִמּוֹ יֹלְדָיו בְּהִנָּבְאוֹ׃ ד וְהָיָה ׀ בַּיּוֹם הַהוּא יֵבֹשׁוּ הַנְּבִיאִים אִישׁ
מֵחֶזְיֹנוֹ בְּהִנָּבְאֹתוֹ וְלֹא יִלְבְּשׁוּ אַדֶּרֶת שֵׂעָר לְמַעַן כַּחֵשׁ׃ ה וְאָמַר לֹא נָבִיא
אָנֹכִי אִישׁ־עֹבֵד אֲדָמָה אָנֹכִי כִּי אָדָם הִקְנַנִי מִנְּעוּרָי׃ ו וְאָמַר אֵלָיו מָה
הַמַּכּוֹת הָאֵלֶּה בֵּין יָדֶיךָ וְאָמַר אֲשֶׁר הֻכֵּיתִי בֵּית מְאַהֲבָי׃ ז חֶרֶב עוּרִי
עַל־רֹעִי וְעַל־גֶּבֶר עֲמִיתִי נְאֻם יְהוָה צְבָאוֹת הַךְ אֶת־הָרֹעֶה וּתְפוּצֶיןָ
הַצֹּאן וַהֲשִׁבֹתִי יָדִי עַל־הַצֹּעֲרִים׃ ח וְהָיָה בְכָל־הָאָרֶץ נְאֻם־יְהוָה
פִּי־שְׁנַיִם בָּהּ יִכָּרְתוּ יִגְוָעוּ וְהַשְּׁלִשִׁית יִוָּתֶר בָּהּ׃ ט וְהֵבֵאתִי אֶת־הַשְּׁלִשִׁית
בָּאֵשׁ וּצְרַפְתִּים כִּצְרֹף אֶת־הַכֶּסֶף וּבְחַנְתִּים כִּבְחֹן אֶת־הַזָּהָב הוּא ׀ יִקְרָא
בִשְׁמִי וַאֲנִי אֶעֱנֶה אֹתוֹ אָמַרְתִּי עַמִּי הוּא וְהוּא יֹאמַר יְהוָה אֱלֹהָי׃

יד א הִנֵּה יוֹם־בָּא לַיהוָה וְחֻלַּק שְׁלָלֵךְ בְּקִרְבֵּךְ׃ ב וְאָסַפְתִּי
אֶת־כָּל־הַגּוֹיִם ׀ אֶל־יְרוּשָׁלִַם לַמִּלְחָמָה וְנִלְכְּדָה הָעִיר וְנָשַׁסּוּ הַבָּתִּים
וְהַנָּשִׁים תִּשָּׁכַבְנָה[5] וְיָצָא חֲצִי הָעִיר בַּגּוֹלָה וְיֶתֶר הָעָם לֹא יִכָּרֵת
מִן־הָעִיר׃ ג וְיָצָא יְהוָה וְנִלְחַם בַּגּוֹיִם הָהֵם כְּיוֹם הִלָּחֲמוֹ בְּיוֹם קְרָב׃
ד וְעָמְדוּ רַגְלָיו בַּיּוֹם־הַהוּא עַל־הַר הַזֵּתִים אֲשֶׁר עַל־פְּנֵי יְרוּשָׁלִַם מִקֶּדֶם
וְנִבְקַע הַר הַזֵּיתִים מֵחֶצְיוֹ מִזְרָחָה וָיָמָּה גֵּיא גְּדוֹלָה מְאֹד וּמָשׁ חֲצִי הָהָר
צָפוֹנָה וְחֶצְיוֹ־נֶגְבָּה׃

[5] תשגלנה

10 And I will pour upon the house of David, and upon the inhabitants of Yerushalam, the spirit of grace and of supplication; and they shall look unto Me because they have thrust him through; and they shall mourn for him, as one mourneth for his only son, and shall be in bitterness for him, as one that is in bitterness for his first-born. **11** In that day shall there be a great mourning in Yerushalam, as the mourning of Hadadrimmon in the valley of Megiddon. **12** And the land shall mourn, every family apart: the family of the house of David apart, and their wives apart; the family of the house of Nathan apart, and their wives apart; **13** The family of the house of Levi apart, and their wives apart; the family of the Shimeites apart, and their wives apart; **14** All the families that remain, every family apart, and their wives apart.

13 **1** In that day there shall be a fountain opened to the house of David and to the inhabitants of Yerushalam, for purification and for sprinkling. **2** And it shall come to pass in that day, saith Yehovah of hosts, that I will cut off the names of the idols out of the land, and they shall no more be remembered; and also I will cause the prophets and the unclean spirit to pass out of the land. **3** And it shall come to pass that, when any shall yet prophesy, then his father and his mother that begot him shall say unto him: 'Thou shalt not live, for thou speakest lies in the name of Yehovah'; and his father and his mother that begot him shall thrust him through when he prophesieth. **4** And it shall come to pass in that day, that the prophets shall be brought to shame every one through his vision, when he prophesieth; neither shall they wear a hairy mantle to deceive; **5** but he shall say: 'I am no prophet, I am a tiller of the ground; for I have been made a bondman from my youth.' **6** And one shall say unto him: 'What are these wounds between thy hands?' Then he shall answer: 'Those with which I was wounded in the house of my friends.'{P}

7 Awake, O sword, against My shepherd, and against the man that is near unto Me, saith Yehovah of hosts; smite the shepherd, and the sheep shall be scattered; and I will turn My hand upon the little ones. **8** And it shall come to pass, that in all the land, saith Yehovah, two parts therein shall be cut off and die; but the third shall be left therein. **9** And I will bring the third part through the fire, and will refine them as silver is refined, and will try them as gold is tried; they shall call on My name, and I will answer them; I will say: 'It is My people', and they shall say: 'Yehovah is my God.'{P}

14 **1** Behold, a day of Yehovah cometh, when thy spoil shall be divided in the midst of thee. **2** For I will gather all nations against Yerushalam to battle; and the city shall be taken, and the houses rifled, and the women ravished; and half of the city shall go forth into captivity, but the residue of the people shall not be cut off from the city. **3** Then shall Yehovah go forth, and fight against those nations, as when He fighteth in the day of battle. **4** And His feet shall stand in that day upon the mount of Olives, which is before Yerushalam on the east, and the mount of Olives shall cleft in the midst thereof toward the east and toward the west, so that there shall be a very great valley; and half of the mountain shall remove toward the north, and half of it toward the south.

ה וְנַסְתֶּם גֵּיא־הָרַי כִּי־יַגִּיעַ גֵּי־הָרִים אֶל־אָצַל וְנַסְתֶּם כַּאֲשֶׁר נַסְתֶּם מִפְּנֵי
הָרַעַשׁ בִּימֵי עֻזִּיָּה מֶלֶךְ־יְהוּדָה וּבָא יְהוָה אֱלֹהַי כָּל־קְדֹשִׁים עִמָּךְ׃
ו וְהָיָה בַּיּוֹם הַהוּא לֹא־יִהְיֶה אוֹר יְקָרוֹת וְקִפָּאוֹן[6]׃ ז וְהָיָה יוֹם־אֶחָד הוּא
יִוָּדַע לַיהוָה לֹא־יוֹם וְלֹא־לָיְלָה וְהָיָה לְעֵת־עֶרֶב יִהְיֶה־אוֹר׃ ח וְהָיָה ׀
בַּיּוֹם הַהוּא יֵצְאוּ מַיִם־חַיִּים מִירוּשָׁלִַם חֶצְיָם אֶל־הַיָּם הַקַּדְמוֹנִי וְחֶצְיָם
אֶל־הַיָּם הָאַחֲרוֹן בַּקַּיִץ וּבָחֹרֶף יִהְיֶה׃ ט וְהָיָה יְהוָה לְמֶלֶךְ
עַל־כָּל־הָאָרֶץ בַּיּוֹם הַהוּא יִהְיֶה יְהוָה אֶחָד וּשְׁמוֹ אֶחָד׃ י יִסּוֹב
כָּל־הָאָרֶץ כָּעֲרָבָה מִגֶּבַע לְרִמּוֹן נֶגֶב יְרוּשָׁלִָם וְרָאֲמָה וְיָשְׁבָה תַחְתֶּיהָ
לְמִשַּׁעַר בִּנְיָמִן עַד־מְקוֹם שַׁעַר הָרִאשׁוֹן עַד־שַׁעַר הַפִּנִּים וּמִגְדַּל חֲנַנְאֵל
עַד יִקְבֵי הַמֶּלֶךְ׃ יא וְיָשְׁבוּ בָהּ וְחֵרֶם לֹא יִהְיֶה־עוֹד וְיָשְׁבָה יְרוּשָׁלִַם
לָבֶטַח׃ יב וְזֹאת ׀ תִּהְיֶה הַמַּגֵּפָה אֲשֶׁר יִגֹּף יְהוָה אֶת־כָּל־הָעַמִּים אֲשֶׁר
צָבְאוּ עַל־יְרוּשָׁלִָם הָמֵק ׀ בְּשָׂרוֹ וְהוּא עֹמֵד עַל־רַגְלָיו וְעֵינָיו תִּמַּקְנָה
בְחֹרֵיהֶן וּלְשׁוֹנוֹ תִּמַּק בְּפִיהֶם׃ יג וְהָיָה בַּיּוֹם הַהוּא תִּהְיֶה מְהוּמַת־יְהוָה
רַבָּה בָּהֶם וְהֶחֱזִיקוּ אִישׁ יַד רֵעֵהוּ וְעָלְתָה יָדוֹ עַל־יַד רֵעֵהוּ׃
יד וְגַם־יְהוּדָה תִּלָּחֵם בִּירוּשָׁלִָם וְאֻסַּף חֵיל כָּל־הַגּוֹיִם סָבִיב זָהָב וָכֶסֶף
וּבְגָדִים לָרֹב מְאֹד׃ טו וְכֵן תִּהְיֶה מַגֵּפַת הַסּוּס הַפֶּרֶד הַגָּמָל וְהַחֲמוֹר
וְכָל־הַבְּהֵמָה אֲשֶׁר יִהְיֶה בַּמַּחֲנוֹת הָהֵמָּה כַּמַּגֵּפָה הַזֹּאת׃ טז וְהָיָה
כָּל־הַנּוֹתָר מִכָּל־הַגּוֹיִם הַבָּאִים עַל־יְרוּשָׁלִָם וְעָלוּ מִדֵּי שָׁנָה בְשָׁנָה
לְהִשְׁתַּחֲוֺת לְמֶלֶךְ יְהוָה צְבָאוֹת וְלָחֹג אֶת־חַג הַסֻּכּוֹת׃ יז וְהָיָה אֲשֶׁר
לֹא־יַעֲלֶה מֵאֵת מִשְׁפְּחוֹת הָאָרֶץ אֶל־יְרוּשָׁלִַם לְהִשְׁתַּחֲוֺת לְמֶלֶךְ יְהוָה
צְבָאוֹת וְלֹא עֲלֵיהֶם יִהְיֶה הַגָּשֶׁם׃ יח וְאִם־מִשְׁפַּחַת מִצְרַיִם לֹא־תַעֲלֶה
וְלֹא בָאָה וְלֹא עֲלֵיהֶם תִּהְיֶה הַמַּגֵּפָה אֲשֶׁר יִגֹּף יְהוָה אֶת־הַגּוֹיִם אֲשֶׁר
לֹא יַעֲלוּ לָחֹג אֶת־חַג הַסֻּכּוֹת׃ יט זֹאת תִּהְיֶה חַטַּאת מִצְרָיִם וְחַטַּאת
כָּל־הַגּוֹיִם אֲשֶׁר לֹא יַעֲלוּ לָחֹג אֶת־חַג הַסֻּכּוֹת׃ כ בַּיּוֹם הַהוּא יִהְיֶה
עַל־מְצִלּוֹת הַסּוּס קֹדֶשׁ לַיהוָה וְהָיָה הַסִּירוֹת בְּבֵית יְהוָה כַּמִּזְרָקִים
לִפְנֵי הַמִּזְבֵּחַ׃ כא וְהָיָה כָּל־סִיר בִּירוּשָׁלִַם וּבִיהוּדָה קֹדֶשׁ לַיהוָה
צְבָאוֹת וּבָאוּ כָּל־הַזֹּבְחִים וְלָקְחוּ מֵהֶם וּבִשְּׁלוּ בָהֶם וְלֹא־יִהְיֶה כְנַעֲנִי
עוֹד בְּבֵית־יְהוָה צְבָאוֹת בַּיּוֹם הַהוּא׃

[6] יקפאון

<u>5</u> And ye shall flee to the valley of the mountains; for the valley of the mountains shall reach unto Azel; yea, ye shall flee, like as ye fled from before the earthquake in the days of Uzziah king of Judah; and Yehovah my God shall come, and all the holy ones with Thee. <u>6</u> And it shall come to pass in that day, that there shall not be light, but heavy clouds and thick; <u>7</u> And there shall be one day which shall be known as Yehovah's, not day, and not night; but it shall come to pass, that at evening time there shall be light. <u>8</u> And it shall come to pass in that day, that living waters shall go out from Yerushalam: half of them toward the eastern sea, and half of them toward the western sea; in summer and in winter shall it be.   <u>9</u> And Yehovah shall be King over all the earth; in that day shall Yehovah be One, and His name one. <u>10</u> All the land shall be turned as the Arabah, from Geba to Rimmon south of Yerushalam; and she shall be lifted up, and inhabited in her place, from Benjamin's gate unto the place of the first gate, unto the corner gate, and from the tower of Hananel unto the king's winepresses. <u>11</u> And men shall dwell therein, and there shall be no more extermination; but Yerushalam shall dwell safely.{S} <u>12</u> And this shall be the plague wherewith Yehovah will smite all the peoples that have warred against Yerushalam: their flesh shall consume away while they stand upon their feet, and their eyes shall consume away in their sockets, and their tongue shall consume away in their mouth. <u>13</u> And it shall come to pass in that day, that a great tumult from Yehovah shall be among them; and they shall lay hold every one on the hand of his neighbour, and his hand shall rise up against the hand of his neighbour. <u>14</u> And Judah also shall fight against Yerushalam; and the wealth of all the nations round about shall be gathered together, gold, and silver, and apparel, in great abundance. <u>15</u> And so shall be the plague of the horse, of the mule, of the camel, and of the ass, and of all the beasts that shall be in those camps, as this plague. <u>16</u> And it shall come to pass, that every one that is left of all the nations that came against Yerushalam shall go up from year to year to worship the King, Yehovah of hosts, and to keep the feast of tabernacles. <u>17</u> And it shall be, that whoso of the families of the earth goeth not up unto Yerushalam to worship the King, Yehovah of hosts, upon them there shall be no rain. <u>18</u> And if the family of Egypt go not up, and come not, they shall have no overflow; there shall be the plague, wherewith Yehovah will smite the nations that go not up to keep the feast of tabernacles. <u>19</u> This shall be the punishment of Egypt, and the punishment of all the nations that go not up to keep the feast of tabernacles. <u>20</u> In that day shall there be upon the bells of the horses: HOLY UNTO Yehovah; and the pots in Yehovah's house shall be like the basins before the altar. <u>21</u> Yea, every pot in Yerushalam and in Judah shall be holy unto Yehovah of hosts; and all they that sacrifice shall come and take of them, and seethe therein; and in that day there shall be no more a trafficker in the house of Yehovah of hosts.{P}

מלאכי

Malachi

Book of Malachi in the Leningrad Codex
(middle column, 6 lines from bottom, page 653 in pdf)

א א מַשָּׂא דְבַר־יְהֹוָה אֶל־יִשְׂרָאֵל בְּיַד מַלְאָכִי: ב אָהַבְתִּי אֶתְכֶם אָמַר יְהֹוָה וַאֲמַרְתֶּם בַּמָּה אֲהַבְתָּנוּ הֲלוֹא־אָח עֵשָׂו לְיַעֲקֹב נְאֻם־יְהֹוָה וָאֹהַב אֶת־יַעֲקֹב: ג וְאֶת־עֵשָׂו שָׂנֵאתִי וָאָשִׂים אֶת־הָרָיו שְׁמָמָה וְאֶת־נַחֲלָתוֹ לְתַנּוֹת מִדְבָּר: ד כִּי־תֹאמַר אֱדוֹם רֻשַּׁשְׁנוּ וְנָשׁוּב וְנִבְנֶה חֳרָבוֹת כֹּה אָמַר יְהֹוָה צְבָאוֹת הֵמָּה יִבְנוּ וַאֲנִי אֶהֱרוֹס וְקָרְאוּ לָהֶם גְּבוּל רִשְׁעָה וְהָעָם אֲשֶׁר־זָעַם יְהֹוָה עַד־עוֹלָם: ה וְעֵינֵיכֶם תִּרְאֶינָה וְאַתֶּם תֹּאמְרוּ יִגְדַּל יְהֹוָה מֵעַל לִגְבוּל יִשְׂרָאֵל: ו בֵּן יְכַבֵּד אָב וְעֶבֶד אֲדֹנָיו וְאִם־אָב אָנִי אַיֵּה כְבוֹדִי וְאִם־אֲדוֹנִים אָנִי אַיֵּה מוֹרָאִי אָמַר ׀ יְהֹוָה צְבָאוֹת לָכֶם הַכֹּהֲנִים בּוֹזֵי שְׁמִי וַאֲמַרְתֶּם בַּמֶּה בָזִינוּ אֶת־שְׁמֶךָ: ז מַגִּישִׁים עַל־מִזְבְּחִי לֶחֶם מְגֹאָל וַאֲמַרְתֶּם בַּמֶּה גֵאַלְנוּךָ בֶּאֱמָרְכֶם שֻׁלְחַן יְהֹוָה נִבְזֶה הוּא: ח וְכִי־תַגִּשׁוּן עִוֵּר לִזְבֹּחַ אֵין רָע וְכִי תַגִּישׁוּ פִּסֵּחַ וְחֹלֶה אֵין רָע הַקְרִיבֵהוּ נָא לְפֶחָתֶךָ הֲיִרְצְךָ אוֹ הֲיִשָּׂא פָנֶיךָ אָמַר יְהֹוָה צְבָאוֹת: ט וְעַתָּה חַלּוּ־נָא פְנֵי־אֵל וִיחָנֵּנוּ מִיֶּדְכֶם הָיְתָה זֹּאת הֲיִשָּׂא מִכֶּם פָּנִים אָמַר יְהֹוָה צְבָאוֹת: י מִי גַם־בָּכֶם וְיִסְגֹּר דְּלָתַיִם וְלֹא־תָאִירוּ מִזְבְּחִי חִנָּם אֵין־לִי חֵפֶץ בָּכֶם אָמַר יְהֹוָה צְבָאוֹת וּמִנְחָה לֹא־אֶרְצֶה מִיֶּדְכֶם: יא כִּי מִמִּזְרַח־שֶׁמֶשׁ וְעַד־מְבוֹאוֹ גָּדוֹל שְׁמִי בַּגּוֹיִם וּבְכָל־מָקוֹם מֻקְטָר מֻגָּשׁ לִשְׁמִי וּמִנְחָה טְהוֹרָה כִּי־גָדוֹל שְׁמִי בַּגּוֹיִם אָמַר יְהֹוָה צְבָאוֹת: יב וְאַתֶּם מְחַלְּלִים אוֹתוֹ בֶּאֱמָרְכֶם שֻׁלְחַן אֲדֹנָי מְגֹאָל הוּא וְנִיבוֹ נִבְזֶה אָכְלוֹ: יג וַאֲמַרְתֶּם הִנֵּה מַתְּלָאָה וְהִפַּחְתֶּם אוֹתוֹ אָמַר יְהֹוָה צְבָאוֹת וַהֲבֵאתֶם גָּזוּל וְאֶת־הַפִּסֵּחַ וְאֶת־הַחוֹלֶה וַהֲבֵאתֶם אֶת־הַמִּנְחָה הַאֶרְצֶה אוֹתָהּ מִיֶּדְכֶם אָמַר יְהֹוָה: יד וְאָרוּר נוֹכֵל וְיֵשׁ בְּעֶדְרוֹ זָכָר וְנֹדֵר וְזֹבֵחַ מָשְׁחָת לַאדֹנָי כִּי מֶלֶךְ גָּדוֹל אָנִי אָמַר יְהֹוָה צְבָאוֹת וּשְׁמִי נוֹרָא בַגּוֹיִם:

ב א וְעַתָּה אֲלֵיכֶם הַמִּצְוָה הַזֹּאת הַכֹּהֲנִים: ב אִם־לֹא תִשְׁמְעוּ וְאִם־לֹא תָשִׂימוּ עַל־לֵב לָתֵת כָּבוֹד לִשְׁמִי אָמַר יְהֹוָה צְבָאוֹת וְשִׁלַּחְתִּי בָכֶם אֶת־הַמְּאֵרָה וְאָרוֹתִי אֶת־בִּרְכוֹתֵיכֶם וְגַם אָרוֹתִיהָ כִּי אֵינְכֶם שָׂמִים עַל־לֵב: ג הִנְנִי גֹעֵר לָכֶם אֶת־הַזֶּרַע וְזֵרִיתִי פֶרֶשׁ עַל־פְּנֵיכֶם פֶּרֶשׁ חַגֵּיכֶם וְנָשָׂא אֶתְכֶם אֵלָיו: ד וִידַעְתֶּם כִּי שִׁלַּחְתִּי אֲלֵיכֶם אֵת הַמִּצְוָה הַזֹּאת לִהְיוֹת בְּרִיתִי אֶת־לֵוִי אָמַר יְהֹוָה צְבָאוֹת: ה בְּרִיתִי ׀ הָיְתָה אִתּוֹ הַחַיִּים וְהַשָּׁלוֹם וָאֶתְּנֵם־לוֹ מוֹרָא וַיִּירָאֵנִי וּמִפְּנֵי שְׁמִי נִחַת הוּא: ו תּוֹרַת אֱמֶת הָיְתָה בְּפִיהוּ וְעַוְלָה לֹא־נִמְצָא בִשְׂפָתָיו בְּשָׁלוֹם וּבְמִישׁוֹר הָלַךְ אִתִּי וְרַבִּים הֵשִׁיב מֵעָוֹן: ז כִּי־שִׂפְתֵי כֹהֵן יִשְׁמְרוּ־דַעַת וְתוֹרָה יְבַקְשׁוּ מִפִּיהוּ כִּי מַלְאַךְ יְהֹוָה־צְבָאוֹת הוּא:

1 1 The burden of the word of Yehovah to Israel by Malachi. 2 I have loved you, saith Yehovah. Yet ye say: 'Wherein hast Thou loved us?' Was not Esau Jacob's brother? saith Yehovah; yet I loved Jacob; 3 But Esau I hated, and made his mountains a desolation, and gave his heritage to the jackals of the wilderness. 4 Whereas Edom saith: 'We are beaten down, but we will return and build the waste places'; thus saith Yehovah of hosts: They shall build, but I will throw down; and they shall be called the border of wickedness, and the people whom Yehovah execrateth for ever. 5 And your eyes shall see, and ye shall say: 'Yehovah is great beyond the border of Israel.' 6 A son honoureth his father, and a servant his master; if then I be a father, where is My honour? and if I be a master, where is My fear? saith Yehovah of hosts unto you, O priests, that despise My name. And ye say: 'Wherein have we despised Thy name?' 7 Ye offer polluted bread upon Mine altar. And ye say: 'Wherein have we polluted thee?' In that ye say: 'The table of Yehovah is contemptible.' 8 And when ye offer the blind for sacrifice, is it no evil! And when ye offer the lame and sick, is it no evil! Present it now unto thy governor; will he be pleased with thee? or will he accept thy person? saith Yehovah of hosts. 9 And now, I pray you, entreat the favour of God that He may be gracious unto us!–this hath been of your doing.–will He accept any of your persons? saith Yehovah of hosts. 10 Oh that there were even one among you that would shut the doors, that ye might not kindle fire on Mine altar in vain! I have no pleasure in you, saith Yehovah of hosts, neither will I accept an offering at your hand. 11 For from the rising of the sun even unto the going down of the same My name is great among the nations; and in every place offerings are presented unto My name, even pure oblations; for My name is great among the nations, saith Yehovah of hosts. 12 But ye profane it, in that ye say: 'The table of Yehovah is polluted, and the fruit thereof, even the food thereof, is contemptible.' 13 Ye say also: 'Behold, what a weariness is it!' and ye have snuffed at it, saith Yehovah of hosts; and ye have brought that which was taken by violence, and the lame, and the sick; thus ye bring the offering; should I accept this of your hand? saith Yehovah.{S} 14 But cursed be he that dealeth craftily, whereas he hath in his flock a male, and voweth, and sacrificeth unto the Lord a blemished thing; for I am a great King, saith Yehovah of hosts, and My name is feared among the nations.

2 1 And now, this commandment is for you, O ye priests. 2 If ye will not hearken, and if ye will not lay it to heart, to give glory unto My name, saith Yehovah of hosts, then will I send the curse upon you, and I will curse your blessings; yea, I curse them, because ye do not lay it to heart. 3 Behold, I will rebuke the seed for your hurt, and will spread dung upon your faces, even the dung of your sacrifices; and ye shall be taken away unto it. 4 Know then that I have sent this commandment unto you, that My covenant might be with Levi, saith Yehovah of hosts. 5 My covenant was with him of life and peace, and I gave them to him, and of fear, and he feared Me, and was afraid of My name. 6 The Torah of truth was in his mouth, and unrighteousness was not found in his lips; he walked with Me in peace and uprightness, and did turn many away from iniquity. 7 For the priest's lips should keep knowledge, and they should seek the Torah at his mouth; for he is the messenger of Yehovah of hosts.

ח וְאַתֶּם֙ סַרְתֶּ֣ם מִן־הַדֶּ֔רֶךְ הִכְשַׁלְתֶּ֥ם רַבִּ֖ים בַּתּוֹרָ֑ה שִֽׁחַתֶּם֙ בְּרִ֣ית הַלֵּוִ֔י
אָמַ֖ר יְהוָ֥ה צְבָאֽוֹת׃ ט וְגַם־אֲנִ֞י נָתַ֧תִּי אֶתְכֶ֛ם נִבְזִ֥ים וּשְׁפָלִ֖ים לְכָל־הָעָ֑ם כְּפִ֗י
אֲשֶׁ֤ר אֵֽינְכֶם֙ שֹׁמְרִ֣ים אֶת־דְּרָכַ֔י וְנֹשְׂאִ֥ים פָּנִ֖ים בַּתּוֹרָֽה׃

י הֲל֨וֹא אָ֤ב אֶחָד֙ לְכֻלָּ֔נוּ הֲל֛וֹא אֵ֥ל אֶחָ֖ד בְּרָאָ֑נוּ מַדּ֗וּעַ נִבְגַּד֙ אִ֣ישׁ בְּאָחִ֔יו
לְחַלֵּ֖ל בְּרִ֥ית אֲבֹתֵֽינוּ׃ יא בָּגְדָ֣ה יְהוּדָ֔ה וְתוֹעֵבָ֛ה נֶעֶשְׂתָ֥ה בְיִשְׂרָאֵ֖ל
וּבִירוּשָׁלִָ֑ם כִּ֣י ׀ חִלֵּ֣ל יְהוּדָ֗ה קֹ֤דֶשׁ יְהוָה֙ אֲשֶׁ֣ר אָהֵ֔ב וּבָעַ֖ל בַּת־אֵ֥ל נֵכָֽר׃
יב יַכְרֵ֨ת יְהוָ֜ה לָאִ֨ישׁ אֲשֶׁ֤ר יַעֲשֶׂ֙נָּה֙ עֵ֣ר וְעֹנֶ֔ה מֵאָהֳלֵ֖י יַעֲקֹ֑ב וּמַגִּ֣ישׁ מִנְחָ֔ה
לַיהוָ֖ה צְבָאֽוֹת׃

יג וְזֹאת֙ שֵׁנִ֣ית תַּעֲשׂ֔וּ כַּסּ֤וֹת דִּמְעָה֙ אֶת־מִזְבַּ֣ח יְהוָ֔ה בְּכִ֖י וַאֲנָקָ֑ה מֵאֵ֣ין ע֗וֹד
פְּנוֹת֙ אֶל־הַמִּנְחָ֔ה וְלָקַ֥חַת רָצ֖וֹן מִיֶּדְכֶֽם׃ יד וַאֲמַרְתֶּ֖ם עַל־מָ֑ה עַ֡ל כִּֽי־יְהוָה֩
הֵעִ֨יד בֵּֽינְךָ֜ וּבֵ֣ין ׀ אֵ֣שֶׁת נְעוּרֶ֗יךָ אֲשֶׁ֤ר אַתָּה֙ בָּגַ֣דְתָּה בָּ֔הּ וְהִ֥יא חֲבֶרְתְּךָ֖
וְאֵ֥שֶׁת בְּרִיתֶֽךָ׃ טו וְלֹא־אֶחָ֣ד עָשָׂ֗ה וּשְׁאָ֥ר ר֙וּחַ֙ ל֔וֹ וּמָה֙ הָֽאֶחָ֔ד מְבַקֵּ֖שׁ זֶ֣רַע
אֱלֹהִ֑ים וְנִשְׁמַרְתֶּם֙ בְּר֣וּחֲכֶ֔ם וּבְאֵ֥שֶׁת נְעוּרֶ֖יךָ אַל־יִבְגֹּֽד׃ טז כִּֽי־שָׂנֵ֣א שַׁלַּ֗ח
אָמַ֤ר יְהוָה֙ אֱלֹהֵ֣י יִשְׂרָאֵ֔ל וְכִסָּ֤ה חָמָס֙ עַל־לְב֔וּשׁוֹ אָמַ֖ר יְהוָ֣ה צְבָא֑וֹת
וְנִשְׁמַרְתֶּ֥ם בְּרוּחֲכֶ֖ם וְלֹ֥א תִבְגֹּֽדוּ׃ יז הוֹגַעְתֶּ֤ם יְהוָה֙ בְּדִבְרֵיכֶ֔ם וַאֲמַרְתֶּ֖ם
בַּמָּ֣ה הוֹגָ֑עְנוּ בֶּאֱמָרְכֶ֗ם כָּל־עֹ֨שֵׂה רָ֜ע ט֣וֹב ׀ בְּעֵינֵ֣י יְהוָ֗ה וּבָהֶם֙ ה֣וּא חָפֵ֔ץ א֥וֹ
אַיֵּ֖ה אֱלֹהֵ֥י הַמִּשְׁפָּֽט׃

ג א הִנְנִ֤י שֹׁלֵחַ֙ מַלְאָכִ֔י וּפִנָּה־דֶ֖רֶךְ לְפָנָ֑י וּפִתְאֹם֩ יָב֨וֹא אֶל־הֵיכָל֜וֹ הָאָד֣וֹן ׀
אֲשֶׁר־אַתֶּ֣ם מְבַקְשִׁ֗ים וּמַלְאַ֨ךְ הַבְּרִ֜ית אֲשֶׁר־אַתֶּ֤ם חֲפֵצִים֙ הִנֵּה־בָ֔א אָמַ֖ר
יְהוָ֥ה צְבָאֽוֹת׃ ב וּמִ֤י מְכַלְכֵּל֙ אֶת־י֣וֹם בּוֹא֔וֹ וּמִ֥י הָעֹמֵ֖ד בְּהֵרָֽאוֹת֑וֹ כִּֽי־הוּא֙
כְּאֵ֣שׁ מְצָרֵ֔ף וּכְבֹרִ֖ית מְכַבְּסִֽים׃ ג וְיָשַׁ֨ב מְצָרֵ֣ף וּמְטַהֵר֮ כֶּסֶף֒ וְטִהַ֤ר
אֶת־בְּנֵֽי־לֵוִי֙ וְזִקַּ֣ק אֹתָ֔ם כַּזָּהָ֖ב וְכַכָּ֑סֶף וְהָיוּ֙ לַֽיהוָ֔ה מַגִּישֵׁ֥י מִנְחָ֖ה בִּצְדָקָֽה׃
ד וְעָֽרְבָה֙ לַֽיהוָ֔ה מִנְחַ֥ת יְהוּדָ֖ה וִירוּשָׁלִָ֑ם כִּימֵ֣י עוֹלָ֔ם וּכְשָׁנִ֖ים קַדְמֹנִיֹּֽת׃
ה וְקָרַבְתִּ֣י אֲלֵיכֶם֮ לַמִּשְׁפָּט֒ וְהָיִ֣יתִי ׀ עֵ֣ד מְמַהֵ֗ר בַּֽמְכַשְּׁפִים֙ וּבַֽמְנָ֣אֲפִ֔ים
וּבַנִּשְׁבָּעִ֖ים לַשָּׁ֑קֶר וּבְעֹשְׁקֵ֣י שְׂכַר־שָׂ֠כִיר אַלְמָנָ֨ה וְיָת֤וֹם וּמַטֵּי־גֵר֙ וְלֹ֣א יְרֵא֔וּנִי
אָמַ֖ר יְהוָ֥ה צְבָאֽוֹת׃ ו כִּ֛י אֲנִ֥י יְהוָ֖ה לֹ֣א שָׁנִ֑יתִי וְאַתֶּ֥ם בְּנֵֽי־יַעֲקֹ֖ב לֹ֥א כְלִיתֶֽם׃
ז לְמִימֵ֨י אֲבֹתֵיכֶ֜ם סַרְתֶּ֤ם מֵֽחֻקַּי֙ וְלֹ֣א שְׁמַרְתֶּ֔ם שׁ֤וּבוּ אֵלַי֙ וְאָשׁ֣וּבָה אֲלֵיכֶ֔ם
אָמַ֖ר יְהוָ֣ה צְבָא֑וֹת וַאֲמַרְתֶּ֖ם בַּמֶּ֥ה נָשֽׁוּב׃ ח הֲיִקְבַּ֨ע אָדָ֜ם אֱלֹהִ֗ים כִּ֤י אַתֶּם֙
קֹבְעִ֣ים אֹתִ֔י וַאֲמַרְתֶּ֖ם בַּמֶּ֣ה קְבַעֲנ֑וּךָ הַֽמַּעֲשֵׂ֖ר וְהַתְּרוּמָֽה׃ ט בַּמְּאֵרָה֙ אַתֶּ֣ם
נֵֽאָרִ֔ים וְאֹתִ֖י אַתֶּ֣ם קֹבְעִ֑ים הַגּ֖וֹי כֻּלּֽוֹ׃

8 But ye are turned aside out of the way; ye have caused many to stumble in the Torah; ye have corrupted the covenant of Levi, saith Yehovah of hosts. **9** Therefore have I also made you contemptible and base before all the people, according as ye have not kept My ways, but have had respect of persons in the Torah.{P}

10 Have we not all one father? Hath not one God created us? Why do we deal treacherously every man against his brother, profaning the covenant of our fathers? **11** Judah hath dealt treacherously, and an abomination is committed in Israel and in Yerushalam; for Judah hath profaned the holiness of Yehovah which He loveth, and hath married the daughter of a strange god. **12** May Yehovah cut off to the man that doeth this, him that calleth and him that answereth out of the tents of Jacob, and him that offereth an offering unto Yehovah of hosts.{P}

13 And this further ye do: ye cover the altar of Yehovah with tears, with weeping, and with sighing, insomuch that He regardeth not the offering any more, neither receiveth it with good will at your hand. **14** Yet ye say: 'Wherefore?' Because Yehovah hath been witness between thee and the wife of thy youth, against whom thou hast dealt treacherously, though she is thy companion, and the wife of thy covenant. **15** And not one hath done so who had exuberance of spirit! For what seeketh the one? a seed given of God. Therefore take heed to your spirit, and let none deal treacherously against the wife of his youth. **16** For I hate putting away, saith Yehovah, the God of Israel, and him that covereth his garment with violence, saith Yehovah of hosts; therefore take heed to your spirit, that ye deal not treacherously.{P}

17 Ye have wearied Yehovah with your words. Yet ye say: 'Wherein have we wearied Him?' In that ye say: 'Every one that doeth evil is good in the sight of Yehovah, and He delighteth in them; or where is the God of justice?'

3 1 Behold, I send My messenger, and he shall clear the way before Me; and the Lord, whom ye seek, will suddenly come to His temple, and the messenger of the covenant, whom ye delight in, behold, he cometh, saith Yehovah of hosts. **2** But who may abide the day of his coming? And who shall stand when he appeareth? For he is like a refiner's fire, and like fullers' soap; **3** And he shall sit as a refiner and purifier of silver; and he shall purify the sons of Levi, and purge them as gold and silver; and there shall be they that shall offer unto Yehovah offerings in righteousness. **4** Then shall the offering of Judah and Yerushalam be pleasant unto Yehovah, as in the days of old, and as in ancient years. **5** And I will come near to you to judgment; and I will be a swift witness against the sorcerers, and against the adulterers, and against false swearers; and against those that oppress the hireling in his wages, the widow, and the fatherless, and that turn aside the stranger from his right, and fear not Me, saith Yehovah of hosts. **6** For I Yehovah change not; and ye, O sons of Jacob, are not consumed. **7** From the days of your fathers ye have turned aside from Mine ordinances, and have not kept them. Return unto Me, and I will return unto you, saith Yehovah of hosts. But ye say: 'Wherein shall we return?' **8** Will a man rob God? Yet ye rob Me. But ye say: 'Wherein have we robbed Thee?' In tithes and heave-offerings. **9** Ye are cursed with the curse, yet ye rob Me, even this whole nation.

י הָבִ֨יאוּ אֶת־כָּל־הַֽמַּעֲשֵׂ֜ר אֶל־בֵּ֣ית הָאוֹצָ֗ר וִיהִ֥י טֶ֙רֶף֙ בְּבֵיתִ֔י וּבְחָנ֤וּנִי נָא֙ בָּזֹ֔את אָמַ֖ר יְהֹוָ֣ה צְבָא֑וֹת אִם־לֹ֧א אֶפְתַּ֣ח לָכֶ֗ם אֵ֚ת אֲרֻבּ֣וֹת הַשָּׁמַ֔יִם וַהֲרִיקֹתִ֥י לָכֶ֛ם בְּרָכָ֖ה עַד־בְּלִי־דָֽי׃ יא וְגָעַרְתִּ֤י לָכֶם֙ בָּֽאֹכֵ֔ל וְלֹֽא־יַשְׁחִ֥ת לָכֶ֖ם אֶת־פְּרִ֣י הָאֲדָמָ֑ה וְלֹא־תְשַׁכֵּ֨ל לָכֶ֤ם הַגֶּ֙פֶן֙ בַּשָּׂדֶ֔ה אָמַ֖ר יְהֹוָ֥ה צְבָאֽוֹת׃ יב וְאִשְּׁר֥וּ אֶתְכֶ֖ם כָּל־הַגּוֹיִ֑ם כִּֽי־תִהְי֤וּ אַתֶּם֙ אֶ֣רֶץ חֵ֔פֶץ אָמַ֖ר יְהֹוָ֥ה צְבָאֽוֹת׃ יג חָזְק֥וּ עָלַ֛י דִּבְרֵיכֶ֖ם אָמַ֣ר יְהֹוָ֑ה וַאֲמַרְתֶּ֕ם מַה־נִּדְבַּ֖רְנוּ עָלֶֽיךָ׃ יד אֲמַרְתֶּ֕ם שָׁ֖וְא עֲבֹ֣ד אֱלֹהִ֑ים וּמַה־בֶּ֗צַע כִּ֤י שָׁמַ֙רְנוּ֙ מִשְׁמַרְתּ֔וֹ וְכִ֤י הָלַ֙כְנוּ֙ קְדֹ֣רַנִּ֔ית מִפְּנֵ֖י יְהֹוָ֥ה צְבָאֽוֹת׃ יה וְעַתָּ֕ה אֲנַ֖חְנוּ מְאַשְּׁרִ֣ים זֵדִ֑ים גַּם־נִבְנוּ֙ עֹשֵׂ֣י רִשְׁעָ֔ה גַּ֧ם בָּחֲנ֛וּ אֱלֹהִ֖ים וַיִּמָּלֵֽטוּ׃ יו אָ֧ז נִדְבְּר֛וּ יִרְאֵ֥י יְהֹוָ֖ה אִ֣ישׁ אֶת־רֵעֵ֑הוּ וַיַּקְשֵׁ֤ב יְהֹוָה֙ וַיִּשְׁמָ֔ע וַ֠יִּכָּתֵ֠ב סֵ֣פֶר זִכָּר֤וֹן לְפָנָיו֙ לְיִרְאֵ֣י יְהֹוָ֔ה וּלְחֹשְׁבֵ֖י שְׁמֽוֹ׃ יז וְהָ֣יוּ לִ֗י אָמַר֙ יְהֹוָ֣ה צְבָא֔וֹת לַיּ֕וֹם אֲשֶׁ֥ר אֲנִ֖י עֹשֶׂ֣ה סְגֻלָּ֑ה וְחָמַלְתִּ֣י עֲלֵיהֶ֔ם כַּֽאֲשֶׁר֙ יַחְמֹ֣ל אִ֔ישׁ עַל־בְּנ֖וֹ הָעֹבֵ֥ד אֹתֽוֹ׃ יח וְשַׁבְתֶּם֙ וּרְאִיתֶ֔ם בֵּ֥ין צַדִּ֖יק לְרָשָׁ֑ע בֵּ֚ין עֹבֵ֣ד אֱלֹהִ֔ים לַאֲשֶׁ֖ר לֹ֥א עֲבָדֽוֹ׃ יט כִּֽי־הִנֵּ֤ה הַיּוֹם֙ בָּ֔א בֹּעֵ֖ר כַּתַּנּ֑וּר וְהָי֨וּ כָל־זֵדִ֜ים וְכָל־עֹשֵׂ֤ה רִשְׁעָה֙ קַ֔שׁ וְלִהַ֨ט אֹתָ֜ם הַיּ֣וֹם הַבָּ֗א אָמַר֙ יְהֹוָ֣ה צְבָא֔וֹת אֲשֶׁ֛ר לֹא־יַעֲזֹ֥ב לָהֶ֖ם שֹׁ֥רֶשׁ וְעָנָֽף׃ כ וְזָרְחָ֨ה לָכֶ֜ם יִרְאֵ֤י שְׁמִי֙ שֶׁ֣מֶשׁ צְדָקָ֔ה וּמַרְפֵּ֖א בִּכְנָפֶ֑יהָ וִֽיצָאתֶ֥ם וּפִשְׁתֶּ֖ם כְּעֶגְלֵ֥י מַרְבֵּֽק׃ כא וְעַסּוֹתֶ֣ם רְשָׁעִ֔ים כִּֽי־יִהְי֣וּ אֵ֔פֶר תַּ֖חַת כַּפּ֣וֹת רַגְלֵיכֶ֑ם בַּיּוֹם֙ אֲשֶׁ֣ר אֲנִ֣י עֹשֶׂ֔ה אָמַ֖ר יְהֹוָ֥ה צְבָאֽוֹת׃

כב זִכְר֕וּ תּוֹרַ֖ת מֹשֶׁ֣ה עַבְדִּ֑י אֲשֶׁר֩ צִוִּ֨יתִי אוֹת֤וֹ בְחֹרֵב֙ עַל־כָּל־יִשְׂרָאֵ֔ל חֻקִּ֖ים וּמִשְׁפָּטִֽים׃ כג הִנֵּ֤ה אָֽנֹכִי֙ שֹׁלֵ֣חַ לָכֶ֔ם אֵ֖ת אֵלִיָּ֣ה הַנָּבִ֑יא לִפְנֵ֗י בּ֚וֹא י֣וֹם יְהֹוָ֔ה הַגָּד֖וֹל וְהַנּוֹרָֽא׃ כד וְהֵשִׁ֤יב לֵב־אָבוֹת֙ עַל־בָּנִ֔ים וְלֵ֥ב בָּנִ֖ים עַל־אֲבוֹתָ֑ם פֶּן־אָב֕וֹא וְהִכֵּיתִ֥י אֶת־הָאָ֖רֶץ חֵֽרֶם׃

10 Bring ye the whole tithe into the store-house, that there may be food in My house, and try Me now herewith, saith Yehovah of hosts, if I will not open you the windows of heaven, and pour you out a blessing, that there shall be more than sufficiency. **11** And I will rebuke the devourer for your good, and he shall not destroy the fruits of your land; neither shall your vine cast its fruit before the time in the field, saith Yehovah of hosts. **12** And all nations shall call you happy; for ye shall be a delightsome land, saith Yehovah of hosts.{P}

13 Your words have been all too strong against Me, saith Yehovah. Yet ye say: 'Wherein have we spoken against thee?' **14** Ye have said: 'It is vain to serve God; and what profit is it that we have kept His charge, and that we have walked mournfully because of Yehovah of hosts? **15** And now we call the proud happy; yea, they that work wickedness are built up; yea, they try God, and are delivered.' **16** Then they that feared Yehovah spoke one with another; and Yehovah hearkened, and heard, and a book of remembrance was written before Him, for them that feared Yehovah, and that thought upon His name. **17** And they shall be Mine, saith Yehovah of hosts, in the day that I do make, even Mine own treasure; and I will spare them, as a man spareth his own son that serveth him. **18** Then shall ye again discern between the righteous and the wicked, between him that serveth God and him that serveth Him not.{P}

19 For, behold, the day cometh, it burneth as a furnace; and all the proud, and all that work wickedness, shall be stubble; and the day that cometh shall set them ablaze, saith Yehovah of hosts, that it shall leave them neither root nor branch. **20** But unto you that fear My name shall the sun of righteousness arise with healing in its wings; and ye shall go forth, and gambol as calves of the stall. **21** And ye shall tread down the wicked; for they shall be ashes under the soles of your feet in the day that I do make, saith Yehovah of hosts.{P}

22 Remember ye the Torah of Moses My servant, which I commanded unto him in Horeb for all Israel, even statutes and ordinances. **23** Behold, I will send you Elijah the prophet before the coming of the great and terrible day of Yehovah. **24** And he shall turn the heart of the fathers to the children, and the heart of the children to their fathers; lest I come and smite the land with utter destruction.{P}